The New Encyclopædia Britannica

in 32 Volumes

FOUNDED 1768
15TH EDITION

ENCYCLOPÆDIA
Britannica

Encyclopædia Britannica, Inc.
Jacob E. Safra, Chairman of the Board
Jorge Aguilar-Cauz, President

Chicago

London/New Delhi/Paris/Seoul

Sydney/Taipei/Tokyo

The information on this page refers to
The New Encyclopædia Britannica.

First Edition	1768 – 1771
Second Edition	1777 – 1784
Third Edition	1788 – 1797
Supplement	1801
Fourth Edition	1801 – 1809
Fifth Edition	1815
Sixth Edition	1820 – 1823
Supplement	1815 – 1824
Seventh Edition	1830 – 1842
Eighth Edition	1852 – 1860
Ninth Edition	1875 – 1889
Tenth Edition	1902 – 1903

Printed in U. S. A.

Library of Congress Control Number: 2006921233
International Standard Book Number-10: 1-59339-292-3
International Standard Book Number-13: 978-1-59339-292-5

Britannica may be accessed at http://www.britannica.com on the Internet.

不列颠百科全书

国际中文版

修订版

Encyclopædia Britannica
International Chinese Edition

5

中国大百科全书出版社

《不列颠百科全书》国际中文版

creation myth　创世神话　又作 cosmogonic myth。某一种文化传统或某一个社群根据自己的理解用象征手法叙述世界的起源。对于各种世界观、关于人类在宇宙所占地位的学说以及基本生活方式和文化形态说来，创世神话都具有重要意义。创世神话纷纭不一，但可分出几个基本类型。世界各地大多数创世神话都信仰至高无上的创世神。这位神全知全能，是有世界以前唯一存在的实体，并有创世计划。此类神话中有的说，这种创世计划由于受造之物的举动而未得彻底完成；还有的说，这种破坏使得神脱离受造的万物；又有的说，这种障碍就是世界种种矛盾的象征。另一种宇宙起源论认为，世界是分阶段产生的，正如胎儿的孕育过程一样。这种渐生说与至高神说相反，强调大地及地上万物的潜在能力。第三种神话认为，世界是由原始亲体产生的。象征天和地的世界亲体往往出现在创世故事晚期。亲体原为浑然一体，后来他们的子女破坏这种状态，因此促使亲体分离，即世界的创造。亲体分离的原因各说不一，但其结果，都是以人类文化的知识技术为中心的宇宙秩序的出现。与这种神话有关的另一说法是宇宙卵创世说。这种卵与世界亲体一样，象征混沌状态，但其中包含分裂与创世的可能性。第五种创世神话说，有一个动物或魔鬼，奉神的派遣潜入原始海洋，从其中捞出陆地，供万物生息。在有些宗教教义中，除了包含有关创世的教义以外，还包含关于世界起源不可知的怀疑论。对于这种怀疑论，一些神学家只好把答案推到天启上去。

Creationism(Spanish literary movement)　参阅 **Creacionismo** 创造主义。

creationism　创造论　又称“创造科学”或“科学创造论”。反进化论的基要主义理论，谓物质、各种形态的生命和世界，都是由上帝从无到有创造出来的。1859 年，达尔文发表《物种起源》，其后，进化论明显得势，于是创造论起而与之抗衡。20 年间大多数科学家都承认了某种形式的有机进化论。但是，许多宗教界名流认为，灵活地解释《圣经》中的创世叙述，有断送信仰之虞；持这种观点的名人（如 W.J.布赖恩）认为，现代的战争以及所谓道德沦丧的其他迹象都说明，不敬上帝的进化论祸害深重。关于这个问题的争论发生在许多场合，其中最著名的是斯科普斯审判案（1925），一位中学教师因为非法讲授进化论而被定罪。美国最高法院于 1987 年裁定，各州不得以提倡宗教信仰为目的要求公立学校在讲授进化论的同时讲授上帝创造人类的理论，于是，创造论在美国法律上面临强烈的否定。进一步的裁定指出，各州假如“为了表示赞成与进化论相背的某种宗教观点而试图更改科学课程安排”，即为违反宪法第一修正案中关于不许确立国教的规定。

creative evolution　创造性进化论　20世纪初 H.柏格森在《创造性进化论》（1907）一书中提出的一种哲学学说。它提出一种包含个人智慧的自由出现这样一种进化论。柏格森学说的基础是物质和“生命力”之间存在着区别。他认为事物的进化是规则的，呈几何图形；但由于自由的和无法预言的创造性，生命力也会影响周围物质世界出现的混乱现象。

creativity　创造力　创新的能力。所谓创新，可以是提出解决问题的新途径，完成一项新设计或新方法，或是创造一种新的艺术形式等。对新事物的追求是活动的一个诱因。高等动物要么安于建立和保持一种稳定的环境，要么热衷于新的追求而不惜破坏现存秩序，两者之间存在着一种基本的、持续的紧张状态。有高度创造性的人表现为二重性：头脑聪明却依赖于直觉；习于钻研但又有赖于灵感；心理健康却有精神障碍；刻板求章但又不因循守旧；复杂而又单纯。按字面含义，有创造性的人应该是聪明的，应付日常生活中出现的问题时，似应明事理。但实际上并非如此，这些聪明人常常不很明智，其处世的原则多与常人格格不入。研究表明：在一定智力水平（$IQ \approx 120$）以上时，智力和创造力之间似乎没有什么相关，智力水平高者未必有很高的创造力。从事创造性工作的人应有两种思维能力：求同思维（即分析推理，可用智力结构测验度量）和分散思维（即想象力丰富，思维有创造性），但由于任务和职业不同，表现程度亦异。如数学家的求同思维优于分散思维，而艺术家则反之。许多有创造性的人对明显的异常、矛盾和不平衡表现浓厚兴趣，并认为这是一种鞭策。有时，他们给人一种心理上不平衡的印象，但这些不成熟的人格特性反映了他们必须用泛化了的感受性去应付比正常宽广得多的体验和行为型式。他们有特别深刻广泛和灵活的自我意识。许多研究表明：有创造性的人是智能领导者，对各种问题有高度的敏感性。这种人往往很自信、有自主能力，争胜好强、感情外在，智力兴趣广泛，特别表现在乐于去对付各种形式的困难和挑战。他们爱独立思考，在某种程度上引起对文化适应的抗拒，而文化适应要求放弃个人独特的基本特性。这又导致对传统道德的抗拒，当然，这并不意味着他们要放弃一切社会道德。研究在世的知名的有创造性的天才人物的身世，研究已故的有创造性的天才人物的传记材料都取得了一些进展。普遍的观点认为，创造过程中最重要的因素就是首创精神。第二次世界大战以后，科学发明受到普遍重视。因此，世界各国，尤其是美国的心理学家，对创造力的性质、发生率和培养问题进行了大量研究。

Crébillon, Claude-Prosper Jolyot, sieur de　克雷比永（1707-02-14，巴黎～1777-04-12，巴黎）　法国小说家。作品以轻松活泼、不拘一格和讽刺讥诮的笔调概述了 18 世纪法国上流社会的生活。父亲是一位杰出的诗人、剧作家，但他的气质与父亲迥异。在巴黎度过一生，其间仅有两次因所写小说有所讽刺影射而流亡外省。小说中最著名的是《漏勺》（1733）、《情感和理智的迷惘》（1736）和《索法，一个道德故事》（1742），深得 L.斯特恩的赞许。他于 1729 年创办“卡夫社”。该社得名于他和朋友们经常聚餐的一家咖啡馆，其时他被誉为善讲故事和富于机智的才子。与父亲一样，他也受到蓬巴杜夫人庇护。

Crébillon, Prosper Jolyot, sieur de　克雷比永（1674-01-13，法国第戎～1762-06-17，巴黎）　法国戏剧家。具有一定技巧和独创性，当时被认为是伏尔泰的对手。其代表作为悲剧《拉达米斯特与齐诺比》（1711）。此后所写剧作均告失败，于 1721 年退出文艺界。1726 年又以《皮洛士》一剧重返剧坛并获成功。继而又写作了 20 年。1731 年被选入法兰西学院。1735 年成为戏剧审查官。其悲剧大多模仿罗马悲剧作家塞内加的作品，并同样接近于情节剧。他善于描写恐怖，从《阿特雷和泰埃斯特》（1707）一剧的序言来看，他是想通过恐怖来获得观众的同情。在私生活中他离群独居，居室几无家具，与鸟、兽为伍。

crèche　托儿所　参阅 **day nursery** 日托儿所。

Crécy, Battle of　克雷西战役（1346-08-26）　英法百年战争中的一次战役，其结果使英军在战争的头 10 年保持胜利。1346 年 7 月，英王爱德华三世派 4 000 名重骑兵和 1 万名弓箭手在科唐坦半岛登陆，洗劫了塞纳河以西的下诺曼底，并向南深入巴黎城外的普瓦西。法王腓力六世率 12 000 名重骑兵和大批其他部队迎战，但摸不清爱德华最终进攻的方向。爱德华急速向东北迂回，在普瓦西渡过塞纳河，从阿比维尔渡过索姆河下游，在克雷西昂蓬蒂约据守防御阵地。他将重骑兵部署在中间，右翼骑兵由他的儿子黑王子爱德华指挥，左翼骑兵由阿伦德尔和北安普敦两伯爵指挥，弓箭手分居两边。腓力雇佣的意大利石弩手开始向英军阵地进攻，却被英军的弓箭手击退。更多的法军骑兵投入战斗，轻率进攻英军中心阵地，但英军固守，法军骑兵一批批死于两翼弓矢之下。薄暮时分，腓力的兄弟阿朗松的查理二世和他的盟友波希米亚国王约翰和内韦尔的路易二世，以及其他 1 500 名骑士阵亡。腓力本人在惨败中受伤逃脱，爱德华遂北进包围加来。

credit　信贷　指一方（债权人或贷款人）供应货币、商品、服务或有价证券，而另一方（债务人或借款人）在承诺的将来时间偿还的交易行为。这类交易通常还包括向贷款人支付利息。公共或私人机构都可以提供信贷，为商业活动、农业经营管理、消费者开支或政府建设项目融通资金。现代大多数信贷，是通过专业化金融机构提供的，商业银行是这类机构中最古老而又最重要的机构。贷款人必须根据下述事项决定其各笔贷款，即借款人品质（还款打算），偿还能力（赚钱潜力）和担保品（防备不偿还贷款的抵押财产）。为了防止双方（借款人和贷款人）妄用信贷，以及为了将信贷引导至特定的经济部门，可由政府或公众规定出信贷交易的若干条件。在私人不能提供适当融资的领域内，政府就可提供信贷。无论工业化国家还是欠发达国家的商业银行，常常由于农业风险大而不愿提供信贷；即使有这类贷款，通常也只限于向大型农场发放。在欠发达国家中除政府信贷外，合作信贷制度特别重要，它常是小农能按合理利率取得资金供应的唯一来源。

credit, letter of　信用证　一银行签发给国外另一银行或另一方，授权其支付货币（不超过一定数额）给予本证所指定的某人的通知。信用证与**汇票（exchange, bill of）**不同，它不可流通而只能由付款银行兑现。信用证主要有两种：商业信用证与旅行信用证。商业信用证常由出口商等人所应用，他们想在运出货物之前获得定将偿付货款或最大程度地缩短延误付款期限的证明。旅行信用证是为便利外国旅行者而开出的，其作用与旅行支票相同。

credit bureau　征信所　又译信用社。给商人提供有关顾客资信情况的机构。征信所为私人企业，或由一个地区商人合作经营。征信所按服务量大小收费或统一收费。信息资料的来源有：过去曾贷款给该顾客的商人或其他企业、该顾客的职业档案、顾客的房东、官方资料、报纸以及直接调查。自动数据处理设备的发展便利了在全国范围内信息的积累和提供。最近人们觉得这些做法给尊重隐私带来威胁。

credit card　信用卡　一种小卡片，上有持卡人的签字或照片证明其身份；允许持卡人购买货物或劳务，商店将应付款项记入其个人帐户，定期开具帐单收款。信用卡在20世纪20年代首先在美国使用，当时有的公司（如石油公司和旅馆联号）发行信用卡，顾客用以购买其所属分支单位的产品或劳务。第二次世界大战后，信用卡的使用大为增加。第一种可在各种商号使用的全能信用卡，是1950年由就餐者俱乐部公司（Diners' Club, Inc.）推出的。这类信用卡中另一种主要的信用卡是1958年美国捷运公司发行的。后经改进，建立了银行信用卡制度。银行于收到商人售货帐单时，将款记入商人的贷方；另一方面，银行期末将帐款汇总开具总帐单送交持卡人，持卡人一次付清或分月连同利息或附加费用付给银行。第一套全国性银行信用卡为美洲银行卡。该信用卡1958年首先由加利福尼亚美洲银行在全州范围内发行，1966年后陆续获准在其他各州发行，1976～1977年改名为维扎卡（又译威世信用卡）。其他主要银行信用卡有万事达卡和巴克莱卡。按银行信用卡制度，持卡人可分期付款，银行对欠款部分计收利息；因有利息收入，银行可不向持卡人收取年费，只向有关参加的商人索取较低的服务费。这种信用卡制度的另一优点是商人向银行提出销货单后，可立即收到货款。商店专用信用卡是另一种形式的信用卡。但由于只被诸如西尔斯这样的零售商签发，认可度不及银行卡、旅行卡和娱乐卡。借记卡与信用卡有些相似，不同之处在于使用借记卡后金额会自动从银行账户扣除，而不是算入持卡人信用额度内。参阅 **revolving credit**。

Crédit Mobilier Scandal　信贷公司丑闻　美国历史上，美国信贷公司非法操纵联合太平洋铁路（1865～1869）修筑合同的事件。这个事件是美国南北战争以后贪污舞弊成风的象征。19世纪美国大修铁路时，在修建中投机舞弊所发之财，远较运营铁路为甚。联合太平洋线尤为如此。该线起自密苏里河的奥马哈城，以迄大盐湖，沿途广漠无人。修建时由联邦政府大量贷款，由国家拨地。投机者大发横财。后经报纸揭发，国会调查，仅以弹劾一名议员和一名同僚草草了结。

credit union　信贷协会　又译信用合作社。一种具有共同契约约束的、有组织的信用合作的社团。其成员为个人，他们共同储蓄积聚资金并由协会一视同仁地向成员提供低利率的贷款。贷款多为短期消费信贷，主要用来支付汽车、家庭必需品、医药费用和意外事故急需款项。在欠发达国家中，这种贷款尤为重要；它是许多人唯一的借款来源，它主要是用于农业生产和小型企业。信贷协会通常由政府批准发给执照并在政府监督下开展业务活动。成员在年会上选举理事、信贷委员会和监督委员会。西半球第一个信贷协会，为1900年A.德雅尔丹在魁北克莱维所组织。1909年他还在新罕布什尔州曼彻斯特协助组织了第一个美国信贷协会。同年马萨诸塞州首次通过立法承认信贷协会。1934年信贷协会全国联合会（CUNA）成立；另外一个名为世界信用社理事会的组织在世界范围内代表信贷协会。

Crediton　克雷迪顿　英格兰德文行政、历史郡中德文区一城镇（教区）。位于克里迪河谷地。相传为德国和荷兰的守护神圣卜尼法斯的出生地。909年成为德文郡第一个主教管辖区。随羊毛贸易发展起来，18世纪最为繁荣。人口约6 142（1991）。

creditor　债权人　参阅 **debtor and creditor 债务人和债权人**。

Cree　克里人　加拿大操阿尔冈昆语的印第安诸民族之一，曾占据大片土地，东起哈得孙湾及詹姆斯湾以东地区，西达艾伯塔省及大奴湖。最初仅在这个地区的一小块中心地带生活，17及18世纪获得火器并开始与欧洲人进行皮毛贸易之后，迅速扩张，但因与达科他人及黑脚人战争频繁，兼以天花猖獗流行（1784及1838年尤剧），其人口锐减。现在只有分散的群体，据加拿大政府的统计分类，到20世纪晚期总共约14万人。克里人的生活模式，往往仿照与其有接触的部落，因而产生两个主要分支：林地克里人和平原克里人。林地克里人又称沼地克里人或马斯基根人，其文化主要属于东部林地类型，但其生境使他们不能种植玉米而只有依靠狩猎维持生活；平原克里人居住在大平原北部，专门猎取野牛为生。林地克里人多喜猎捕驯鹿、驼鹿、熊、河狸，但因这些兽类数量不多，故主要仍以兔为生；然而，有时兔也缺少，这就造成饥荒，致使偶有食人现象出现。他们也捕捉各种禽类。社会组织以互相联系的几个家庭组成的宗族为基础，遇有战争，就联合成大的群体。克里人文化的特征是：畏惧巫术，尊重与猎物精灵有关的全部不同禁忌和风习；巫师及魔术师拥有很大权力。平原克里人在得到马匹及火器之后，比林地克里人更加好斗，常常抢劫其他许多平原部落，或与之发生战争。据说平原克里人分为12个宗族，各有领袖，实际只有一个一体化的军事会社。他们极为重视宗教和仪式，认为这是保证战争胜利及猎捕野牛顺利的重要途径。阿西尼本人是平原克里人与林地克里人传统上的盟友。

creed　信经　信经与所谓信纲相似，信纲是基督教（新教）某些派别所使用的更为详细的文件。宗教信仰往往并不是用信经或信纲这种充分明快的形式表达而是通过礼文和神话表达的。信仰也有时通过礼仪定则、经籍、宗教法或神学命题表达，例如古代埃及、美索不达米亚、希腊和罗马的宗教以及道家、儒家和印度教就是如此。另一方面，宗教的传播（例如从闪米特文化向希腊化文化传播）往往会导致信经的制订，其目的是要在千变万化之中维持宗教的本来特色，防止歪曲与混杂。只有所谓普世宗教（琐罗亚斯德教、佛教、犹太教、基督教、伊斯兰教）和印度教的某些现代派别才有名副其实的信经。东方宗教中，某些词或词组就有信经的一部分作用。儒家的“礼”和“孝”，道家的“道”都是各自宗教传统中的重要内容的概括。曼怛罗是由神圣音节组成的咒语，特别流行于藏传佛教，其中有的表示相信观世音菩萨在世。印度教的一些曼怛罗也在一定程度上起申明信仰的作用，其中主要是《黎俱吠陀》中的“伽耶底哩”祷词，婆罗门青年必须学习，在成丁礼上背诵。大乘佛教有“三宝”，即宣告相信佛、法、僧，这也是一种信经格式。信经性声明最多见于西方宗教，特别是三个古典一神教。每一位穆斯林生活中一项中心内容就是念“清真言”：“除了安拉，再没有主，穆罕默德是主的使者。”犹太教中，早期的信经性声明见于希伯来《圣经》，它们显然是在周年节日上礼拜时念诵的。在中世纪，犹太教内多次有人试图制订信经，其中最要者是迈蒙尼德的《十三条信仰要理》，但它并未获得正式确立。但是基督教却产生了许多信经。在西方，**《使徒信经》（Apostles' Creed）**体现制订信经过程中的高潮，这部信经目前天主教和大多数新教教会还在洗礼和礼拜上使用。今本《使徒信经》可能源起于8世纪。**《尼西亚信经》（Nicene Creed）**是由公元325年第一次尼西亚会议拟订的。其第二种版本，即所谓《尼西亚-君士坦丁堡信经》为东、西两派教会共同承认。西派教会后来又收入了“和子”句，声称圣灵不仅出自圣父，也出自圣子。西方的第三部信经是**《亚大纳西信经》（Athanasian Creed）**，它可能于450～500年间定稿于法兰西南部。

Creedence Clearwater Revival　克里登斯清水复兴　美国摇滚乐队，20世纪60年代末70年代初备受欢迎。虽然被许多摇滚评论家奚落为“单曲”乐队，但是该乐队确实推出了不少热销的唱片。乐队成员包括约翰·福格蒂、汤姆·福格蒂、库克和克利福德。约翰·福格蒂和他的兄弟汤姆都是歌手兼吉他手,1959年与中学同学库克和克利福德先后组成蓝丝绒乐队和丑玩偶乐队,最终于1967年成立克里登斯清水复兴,约翰是主唱、主吉他手和唯一的歌曲作者。发行的第一张同名专辑《克里登斯清水复兴》(1968)取得了金唱片的销量,专辑中一首改编自霍金斯的经典老歌《苏西·Q》在排行榜上达到第11名。在第二张专辑《长沼乡》(1969)中,汤姆从南方摇滚和布鲁斯中汲取灵感,摇滚单曲《骄傲的玛丽》立即蜚声国际流行歌坛。同时,汤姆还创作出很多热门单曲。乐队的热门歌曲,包括《残月升起时》(1969)、《谁能让雨停住》(1970)和《幸运的儿子》(1969),从1969年初到1970年末,一直雄居美国流行音乐排行榜。1971年,乐队的专辑《你看见过雨吗?》登上音乐排行榜后,汤姆离开乐队。乐队1972年推出的《狂欢节的最后一天》以库克和克利福德的歌曲为主,该专辑的失败导致乐队在当年解散。库克和克利福德在1995年与其他音乐家成立了一个类似克里登斯清水复兴的巡演乐队。约翰的《蓝月沼泽》获1997年格莱美最佳摇滚乐专辑奖。1993年入选摇滚乐名人堂。

Creek 克里克人 操穆斯科格语的北美印第安部落,原居住在乔治亚和亚拉巴马的大片平原地区,经济大体上以种植玉米、豆类及南瓜为主。妇女耕作,男子外出狩猎或

克里克印第安人
美国史密森学会供图

作战。克里克人分为两支:穆斯科格人,又称上克里克人,居住在克里克土地的北部;希奇蒂人和亚拉巴马人,同上克里克人习惯相同,但所操方言微异,称为下克里克人。克里克人的村镇分为白城与红城,白城专门举行和平仪式,红城专门举行战争仪式。他们十分重视等级,但等级是建筑在个人优点——战功或才智——之上而不是通过世袭取得。和大多数东南印第安人一样,他们也喜欢文身。每个村镇,都有公共广场,环绕广场建有长方形房屋,其四周用木柱涂以泥土构成篱笆墙。屋顶涂有沥青,覆以树皮或茅草,烟囱留在山墙之上。如果村镇有神庙,则神庙为圆形草顶,筑于2.4384米高的土冈上,由土冈下至神庙门口砌成阶梯。广场为聚会之所,重要宗教仪式诸如嫩玉米节等都在这里举行;嫩玉米节是一年一度的首次收获和新火的庆典。这个仲夏节日的不同之点就在于:任何坏事、冤情或罪恶在这一天都可得到原谅,但杀人者为例外。1538年H.德索托率兵入侵克里克人土地,是为克里克人与白人接触之始。后来克里克人与英国殖民者联合,共同反抗**阿巴拉契人**(**Apalachee**)与西班牙人,战争约始于1703年前后,尔后连年兵戎相见。18世纪时一个克里克联盟组成,但以失败告终。1813～1814年间对美作战的**克里克战争**(**Creek War**)爆发,有些城镇与白人并肩战斗,有些城镇抗击白人。克里克人战败后割让其土地的920万公顷(阿拉巴马之半及佐治亚南部部分地区),19世纪30年代,他们被迫迁移到印第安准州(今俄克拉何马州)。在那里,克里克人与切罗基人、奇克索人、乔克托人及塞米诺尔人并称文明五部落。历经70余年之久,每一部落各得一份土地并仿照美国政府形式组建准自治政府。1907年,俄克拉何马准备建州,部落份地部分分配给个体的印第安人;其余份地由联邦政府签发,对白人垦殖者开放,或分配给获得自由的奴隶耕作。部落政府实际上已于1906年解散,但迄今仍以某种有限形式存在着。现在一些印第安人就在这通称为部落占有的土地上生活着。20世纪晚期,约有20 000克里克人生活在俄克拉何马州,许多人已采取州内居民生活方式,只在名义上是克里克人而已。其中约15 000人居住在联邦政府签发的份地上。另外一批人更为保守,继续使用克里克语,保持早年城镇组织形式,还继续遵守诸如嫩玉米节庆典的克里克宗教仪式。还有一部分克里克人过去留在亚拉巴马的西南部,后裔约有500人。这部分人已经不再使用克里克语言,几乎失去全部克里克文化痕迹。佛罗里达州和俄克拉何马州的**塞米诺尔人**(**Seminole**),就是18世纪和19世纪初克里克联盟的一个支系。

Creek War 克里克战争(1813～1814) 美军击败克里克印第安人(在1812年战争中,克里克印第安人为英国的盟友)的战斗。在肖尼部落联盟首领特库姆塞(他指望得到英军援助从美国移民手中夺回猎区)的影响下,克里克印第安人于1813年8月30日突然袭击并屠杀米姆斯要塞的553名边区居民。南部各州派出5 000民兵,在A.杰克逊将军率领下,夷平了塔拉萨哈奇和塔拉迪加两个印第安人村庄。翌年春,克里克部落全部聚集在塔拉普萨河半岛与白人交战。1814年3月27日,杰克逊以优势兵力(3 000人对1 000人)和装备(包括大炮),在霍斯舒湾摧毁了克里克人的防线,屠杀800多名战士,俘获500名妇女和儿童,击溃老西南区印第安人的势力。8月9日签订的《杰克逊堡条约》规定,克里克人割让2 300万英亩土地,包括亚拉巴马大部和乔治亚南部。

Creel, George (Edward) 克里尔(1876-12-01,美国密苏里州拉斐特县～1953-10-02,圣弗朗西斯科[旧金山]) 美国作家和新闻工作者,第一次世界大战期间曾任美国新闻机

美国不列颠百科全书公司供图

构首脑,对形成后来政府的新闻与宣传工作格局多有贡献。1894年任《堪萨斯城世界报》记者。1899年创办《堪萨斯独立报》。1911年任《落基山新闻》编辑。1917年威尔逊总统任命他为美国政府宣传机构"美国新闻委员会"负责人。1934年曾竞选加利福尼亚州民主党州长候选人提名未果。晚年主要从事写作,著有15部书,其中有《战犯与惩罚》(1944),该书曾改编成剧本在电台播出。

Creeley, Robert (White) 克里利(1926-05-21,美国马萨诸塞阿灵顿～2005-03-30,得克萨斯敖德萨) 美国诗人,50年代的黑山派创始人(参阅**Black Mountain poet**)。在哈佛大学学习的最后一学期辍学,到印度和缅甸为美国战地服务团当卡车司机1年。1945年回国后不久,住在新罕布什尔一鸡场,据他自己说花了大量时间听爵士音乐。一次偶然听到波士顿广播电台的诗歌朗诵,受到启发,开始在一些不知名杂志上发表诗作。50年代初移居法国,后迁往西班牙的马霍卡,在那里开办一家出版社。1955年从黑山学院(北卡罗来纳州)获文学士后,与C.奥尔森一起在该校任教,并在《黑山评论》创办的最初3年任主编。该杂志刊载了当时少有人知的克里利及该校其他教师和诗人的诗作。他50和60年代写的诗篇反映出W.威廉斯的影响。《为了爱》(1962)这部诗集,表现出他技巧的纯熟。他的诗简洁明快。在此后出版的诗集中,最主要的是《小品集》(1968)。他的诗以含蓄、朴素轻巧和刻意坚持使用简明的语言为特征,影响了许多年轻诗人。曾在一些大学教授诗歌,1967年以后在纽约州立大学布法罗分校任教。1976年出版《克里利诗选》。克里利获得多项荣誉。1989～1991年被评为纽约州桂冠诗人,1999年因其为美国诗歌所作的杰出贡献,被授予博林根诗歌奖。

creep 蠕动 又称蠕变。在地质学上,指存在于被松散风化物覆盖的斜坡上之颗粒顺坡向下的缓慢运动。甚至有草皮所覆盖的土壤也顺坡向下蠕动。这种现象可由山坡上的树木、电线杆、墓碑以及其他栽在地里的物体缓慢而持续的倾斜表现出来。产生蠕动最重要的作用,除去重力作用的直接影响之外,就是冻胀作用:当隙间水冻结时,表层颗粒被垂直于坡面向上和向外推;当融化水下渗时,这些颗粒在重力作用下直接向下坠落并因此而逐渐向坡下移动。其他有关作用是植物根系生长的楔入作用以及土壤层的干

湿交替。

creeper 贴行鸟 紧贴树干或岩石表面寻食的各种小型鸟的统称。以下列举的均属雀雀形目燕雀亚目鸣禽。非洲和印度的斑点贴行鸟(*Salpornisspilonotus*)长13厘米,通常归在

菲律宾贴行鸟(*Rhabdornis inornatus*)
美国不列颠百科全书公司供图

旋木雀科,但亲缘关系未详。纹雀属(*Rhabdornis*)分布于菲律宾,舌尖刷状,常在花上逗留。纹雀属常归入纹雀科,或归入鸸科或短嘴旋木雀科。新西兰的褐贴行鸟(褐色爬刺莺、新西兰爬刺莺,*Finschia novaeseelandiae*)属于旧大陆莺(莺科鹪莺亚科[Malurinae]),体长约13厘米,尾长,嘴细小,在南岛的森林中常成群或成对地鸣叫。北美褐贴行鸟即褐旋木雀(普通旋木雀,*Certhia familiaris*)。参阅**treecreeper**。

creeping bent(*Agrostis palustris*) **匍匐剪股颖** 即沼生剪股颖。普遍种植的草坪禾草,属早熟禾科。参阅**bent grass**。

creeping hemlock 蔓生铁杉 参阅**American yew 美洲紫杉**。

creeping Jenny (*Lysimachia nummularia*) **草甸排草** 又作moneywort, creeping Charlie。又称古钱形珍珠菜。报春花科多年生平卧草本植物。原产于欧洲,后被引入到北美洲温带,作为地被植物或悬挂的盆栽花卉。草

草甸排草(*Lysimachia nummularia*)
美国不列颠百科全书公司供图

甸排草多见于潮湿遮荫的地方。叶对生,近似圆形,直径约为2厘米。花黄色,单生于花柄。

creeping water bug 爬水蝽 异翅目潜水蝽科昆虫,约150种。体小,色深,长5～16毫米,背扁平,卵形,多分布于热带。翅下贮存空气以供潜水时呼吸。常在有水草的静水

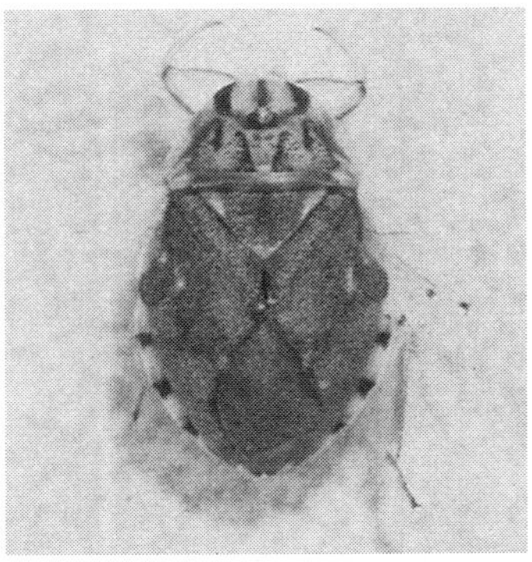

爬水蝽(*Ambrysus mormon*)
美国不列颠百科全书公司供图

中游泳或爬行。捕食小的水生生物。

Creevey, Thomas 克里维(1768-03,利物浦～1838-02-05,伦敦) 英国政客和官吏,以所著《克里维文集》(1903)闻名,该书部分是他的日记,部分是书信。据说他是利物浦商人W.克里维之子,但有些人认为他是第一代塞夫顿伯爵C.威廉的私生子。1789年毕业于剑桥女王学院,获数学荣誉学位。后入中殿律师学院,1791年转入格雷律师学院,1794年取得律师资格。1802年进入议会。他是辉格党人,追随C.J.福克斯。由于知识丰富和善于逢迎,得与这一派政治领袖们结交。1806年成立"精英内阁"时,他被任命为统制局秘书。1830年辉格党再次当政时,他被任命为军械署司库;1834年又被任命为格林尼治医院司库。《克里维文集》包括他的许多书信,生动地描绘了乔治时代后期政治和社会生活的情景。他还以记了36年之久的"内容丰富的日记"而著称,但在他死后,日记显然是被害怕暴露其中内容的朋友们销毁。

Crefeld(Germany) 参阅**Krefeld 克雷费尔德**。

Creighton, James Edwin 克赖顿(1861-04-08,新斯科舍皮克图～1924-10-08,美国纽约伊萨卡) 美国唯心主义哲学家。参加创办美国哲学协会,1902年任该会第一任会长。曾在莱比锡和柏林学习。1892年在康奈尔大学获哲学博士学位,从1889年开始在该校教书,直到去世。还担任《康德研究》(1896～1924)的美国编辑和《哲学评论》(1902～1924)的主编。一直捍卫唯心主义哲学或思辨哲学,反对实用主义、新实在论、唯物主义和贝克莱的非物质论。

Creil 克雷伊 法国北部瓦兹省城镇。位于巴黎北面,临瓦兹河。镇内哥特式圣梅达教堂有13世纪内部装饰和16世纪塔楼。14世纪,法王查理五世在此修建了一座大城堡(现已拆毁);查理六世在此居住多年。城堡园内博物馆展有19世纪该省家具、陶器和绘画。为兴旺的工业中心,通过公路、铁路和内陆水路为巴黎和法国西北地区服务。有金属加工厂和大型铁路工厂。人口30 671(1999)。

Crelle, August Leopold 克列尔(1780-03-11,勃兰登堡艾希韦尔德尔～1855-10-06,柏林) 德国数学家和工程师。他帮助过当时许多年轻数学家的工作和事业的发展,创办了《纯粹数学与应用数学杂志》,现名《克列尔杂志》。曾在普鲁士政府任土木工程师直到1828年,从事规划与建造德国的公路和第一条铁路(1838年竣工)。但他对教育工作更感兴趣,1828年辞去政府原职,去教会事务和公共教育部工作。出版了大量的教科书,他的乘法表得到广泛应用,多次再版。他在数学上最大的贡献是在1826年创办《克列尔杂志》。著名数学家挪威的N.阿贝尔和瑞士的J.斯泰纳曾鼓励他从事这一事业,他们也是该杂志头一卷的主要撰稿人。虽然克列尔不是第一流的数学家,但他确有识别天才的才能。没有他的热情支持和鼓励,阿贝尔的某些最伟大的著作就不可能完成和发表。

Crema 克雷马 意大利北部伦巴第区克雷莫纳省城镇。在米兰东南,濒临塞里奥河。1860年,意大利统一前曾先后受米兰人、威尼斯人、法国人和奥地利人的统治。保存有伦巴第

克雷马城镇外的克罗切圣马利亚教堂
美国不列颠百科全书公司供图

哥特式大教堂(1284～1341)和文艺复兴时代宫殿。为农业市场和工业中心,生产机械、麻织品和食品等。人口:城市区约33 178(1991)。

cremation 火葬 火化尸体成骨灰的做法。

历史起源 露天火葬早于公元前1000年即由希腊人引入西方世界。火葬之习也许是希腊人向一些北方民族学来的。那是为适应战时需要而形成,以保证军人阵亡国外,当场火焚,然后将骨灰运回国内,由家人及国人安葬。虽然骨灰仍要掩埋于地下,但火葬成为男子的勇敢与美德、爱国主义和军队光荣的象征,并被认为是马革裹尸的英雄归宿。正如欧里庇得斯已佚剧作《安提戈涅》中所描绘的那样,即使一抔之土象征性地撒覆尸体之上,也足以体现其礼仪。

希腊著名史诗《伊利亚特》对火葬仪式的隆重曾作描述:宙斯曾迫使阿喀琉斯将赫克

托耳的尸体交还其父——特洛伊国王普里阿摩斯,以便以王族名义进行火葬。战功愈高,火葬的火势愈大。阿喀琉斯曾创先例,将其战友帕特洛克罗斯火葬于30米见方的柴堆之上。阿喀琉斯死后哀荣更甚于此。经过17天哀悼之后,"殓以神服"火葬,焚罢,火焰为酒浇熄,其骨则浸于油与酒中,再与帕特洛克罗斯之骨同置于金质瓮内。然后举行盛大丧宴与丧礼竞技会。埋葬金瓮的巨型坟墓矗立在赫勒斯滂海峡的尖端地带。

罗马人也仿效希腊和特洛伊人方式,为其战死沙场的英雄举行火葬。罗马诗人维吉尔在其史诗《埃涅阿斯纪》中曾轻蔑地将"不幸的"拉丁人的葬仪与罗马人遵循其特洛伊祖先的葬仪作一对照。在12天休战期间,两军各火葬其阵亡将士。拉丁人火葬尸体既无仪式,也不计数,焚后聚骨成堆,用土掩盖。罗马人却遵照全部葬仪行事。他们用树叶盖住柴堆,前置柏枝,点火后,战士们围着柴堆发出作战呐喊,并将战利品投向火中;然后泼以动物血灭火,待火熄后,捡出骨头用酒清洗,置于瓮中。火葬在罗马成为地位的象征,因此在骨灰瓮安置所中建筑或出租储藏骨灰的设施,成为一种利润较丰的行业。到了公元100年左右,大概由于基督教的传布,火葬停止。虽然火葬在基督教徒中并未明确地视为禁忌,但也未得到提倡,这是因为基督徒们认为火葬之习源于异教,而且火葬可能妨碍躯体复活和躯体与灵魂的重行结合。停止火葬最实际的原因是木材短缺,当时火葬柴堆需要砍伐大量树木。

斯堪的纳维亚人主张火葬,认为火葬有助于灵魂脱离肉体,并使死者不致伤害活人。这类异教葬仪与希腊罗马史诗所述的火葬方式相辅而行。但自冰岛居民于公元1000年改信基督教后,一直到19世纪,西欧甚少实行火葬,除非有紧急情况发生。1656年黑死病大流行时,那不勒斯仅在一星期内即焚尸6万具。

在印度及若干古风犹存的国家,火葬的办法很受欢迎。所有虔诚的印度教徒均希望死后能在瓦拉纳西火化。他们在此圣城滨水地区架好水泥和大理石板,板上放置柴堆,火化后即将骨灰撒于恒河中。在一些亚洲国家和地区,火葬仅为少数特权阶层所实施,例如西藏通常只有高级喇嘛死后才举行火化;老挝则只有"善终"(即由于自然原因寿终正寝)的人才得火葬。火葬典礼在巴厘岛显得丰富多彩。杰出人物死后,尸体暂予埋葬或涂以香料药物防腐,待择定吉日,再抬往一由竹木所建之高塔,引火燃之,使人塔俱焚。42日之后,另建一塔,置以死者画像,一并焚烧,俾超度其灵魂进入最高天国。竹木塔灰烬和骨灰,均被抛撒于河中。

现代火葬 现代火葬方式与过去迥异,露天火焚方式已不采用,代之而起的是将尸体置于一尸柜内,1或2小时内高温将尸体转变成数磅白色粉状骨灰。此种火化方式合法,也合乎人情;骨灰可撒于花园或其他合适地点;也可置于骨灰瓮内而存于家中、埋于公墓或安放于骨灰瓮安置所。

火葬于1874年在欧洲和美国再度盛行,这是由于当时英国女王维多利亚的御医H.汤普森所著《火葬——尸体的处理》一书出版后的影响。他还联合A.特罗洛普和J.坦尼尔——贝德福德公爵和威斯敏斯特公爵——及其他批评土葬的人士,组织"英格兰火葬会"。虽然火葬直到1884年始由英国法庭首次裁定为合法行为,但一经汤普森提出,立即获得大西洋两岸的支持。一个多世纪以来,社会及宗教改革者一直反对埋葬前的长期守尸风气;医生和卫生工程师们也认为埋葬尸体过多的墓地对于人类有害。英国的发展趋势促使美国采取行动,第一座火葬场于1876年建于宾夕法尼亚州的华盛顿县,5年后纽约火葬会成立,1913年美国火葬协会也组成,但火化的推行速度并不快,至70年代,仅有大约8%的死者实行火葬。若干欧洲及亚洲国家对于火葬的习俗则颇能接受,例如英国、德国及丹麦等国,实行火葬者已超过50%。日本到1875年还认为火葬非法,但近代已普遍流行。

由于都市地区坟场空间短缺问题日益严重,引起不少异议,火葬可能成为丧葬的主要方式。基督教很多新教会积极支持火葬,天主教教会也已宣布不再禁止,唯正统犹太教仍在禁止这种葬仪。基于司法观点的若干反对火葬的说法如火葬会使罪行灭迹等,也正以提高验尸官的技术及标准来防止其出现。公墓经营者及殡葬人员也因火葬之利不低于传统丧葬方式而反对意见大为减少。

Crémazie, Octave 克雷玛齐(1827-04-16,魁北克～1879-01-16,法国勒阿弗尔) 诗人,被认为是加拿大法语诗歌之父。学识十分渊博,曾就读于魁北克神学院。1848年创办一家书店,该店后成为一个有影响的文学团体的中心。1860年创立第一个魁北克文学流派。1861年开始出版文史月刊《加拿大之夜》,以保存加拿大法语民间传说。大约从1854年开始,在《魁北克日报》发表诗歌。1862年前往法国,希望在那里获得经济上的保障,但却在那里用朱尔·方丹的假名度过极端贫困的余生,写下未完成的忧郁诗篇《三个亡灵的散步》和日记《巴黎被围日记抄》,记述了1870年围城期间目睹的事件。他的诗以对加拿大的爱国之情和对加拿大风光的描写为特点。最知名的爱国诗是《老加拿大士兵》(1855)和《卡里永的旗帜》(1858)。前者赞颂近1个世纪来首次访加的法国军舰,后者几乎成为加拿大的一首民族歌曲。《全集》由友人收集出版于1882年。

Cremer, Gerard de 克雷默 参阅**Mercator, Gerardus**墨卡托。

Cremer, Sir (William) Randal 克里默(1838-03-18,英国威尔特郡费勒姆～1908-07-22,伦敦) 英国工联主义者与和平主义者。因提倡国际仲裁于1903年获诺贝尔和平奖。1860年参预建立木工联合会。曾任国际工人协会(第一国际)英国支部书记,后因与其他领导人意见不合而辞职。1870～1871年德法战争期间组织工人委员会,鼓吹英国中立。后来,这个团体发展成为工人和平协会,他一直任总书记。1885～1895年和1900～1908年两度当选为下院议员。1907年克里默被封为爵士。

Crémieux, (Isaac-)Adolphe 克雷米厄(1796-04-30,法国尼姆～1880-02-10,巴黎) 原名伊萨克·莫伊兹。法国政治家,犹太人领袖,1848年革命和1871年巴黎公社的积极参加者。原在尼姆从事司法工作,成绩优异。1830年任巴黎上诉法院律师,因精通法律和善于辩护而名声更著。1842年由安德尔-卢瓦尔省人选国民议会后,很快成为激进左派主要议员。他在1848年革命中曾发挥杰出作用,在1848～1849年临时政府中任司法部长。他曾投票支持路易-拿破仑任总统候选人,后撤销其支持,因而被捕入狱。获释后,重返律师界和左翼政坛。1869年重返国民议会。第二帝国崩溃后,加入国防政府(1870～1871),任司法部长。后任阿尔及尔选出的国民议会议员(1871～1875)和参议员(1875～1880)。他是法国犹太人社会的重要领袖。他以自己的声望和政治影响支持多次在法国和阿尔及利亚发生的争取犹太人生活正常化的运动,支持北非犹太人争取公民权。他是有影响的世界犹太人联盟的创始人,1863～1880年任该联盟主席。

美国不列颠百科全书公司供图

Cremona 克雷莫纳 意大利北部城市,伦巴第区克雷莫纳省省会,位于米兰东南波河北岸。公元前218年由古罗马人建立,多次被匈奴人劫掠。7世纪由伦巴第人重建。9世纪起为主教管辖区,1098年后为一独立市镇。1167年加入伦巴第同盟(意大利北部城镇的联盟)。自1334至1535年间(除1499～1509由威尼斯统治外)先后由米兰的维斯孔蒂家族和斯福尔扎家族统治。1535年起属西班牙,1707年后属奥地利。市中心大教堂广场上有罗马式大教堂(1190);附近有意大利最高的托拉佐钟塔(120米,约1250)、八角形洗礼堂(1167)、市政厅(1206～1245)等。许多教堂和宫殿以保存有15～16世纪克雷莫纳画派画家的壁画闻名。歌剧创始人之一C.蒙特威尔地1567年在此出生。以16～18世纪阿马蒂家族及其弟子制作的提琴闻名。当地提琴制作者学校内有古弦乐器博物馆。古乐谱大学学校在意大利独树一帜。为重要的农产品和乳制品集散中心,也生产农业机械、丝织品、砖和钢琴等。人口:城市区约71 611(1999)。

Cremona, (Antonio) Luigi (Gaudenzio Giuseppe) 克雷莫纳(1830-12-07,伦巴第帕维亚～1903-06-10,罗马) 又译克里摩拿。意大利数学家,图解静力学创始人。1860年任博洛尼亚大学高等几何教授,发表了第一篇论述平面与空间变换的论文《平面曲线的几何理论引论》(1862)从而赢得声誉,并由此被认为是斯泰纳学派即综合几何学派的成员。随后他又发表《论平面图形的几何变换》(1863),这是他关于变换的最重要著作。1866年他任米兰工业学院高等几何与图解静力学教授。在任教期间,他的创造性成就达到顶峰,著有下列著作:《图解静力学》(1872)、《射影几何学基础》(1873)以及《图解计算法基础》。1873年任新创办的罗马工业工程学院院长。这个职务结束了他的数学研究工作。1877年获得罗马大学高等数学讲席,1879年成为伦敦皇家学会通讯会员和意大利王国参议员。

Creodonta 肉齿目 又称古食肉目。原始食肉动物绝灭的目。化石最初见于蒙古的上白垩统(白垩纪终止于6 500万年前)。由晚白垩世哺乳动物(三角齿兽目)演化而来,成为占优势的早期食肉类。始新世(5 400万年前至3 800万年前)期间,其数量和分异度达到顶点。古食肉目保留着许多古老的特征。脑子小而原始,头骨较长又较低,头骨上具显著的脊作为发育完善的咀嚼肌肉的连接物。分为2个主要科:牛鬣兽科和鬣齿兽科。牛鬣兽科,身体长,是像黄鼠狼的短腿动物,最初出现在晚古新世期间(早于5 400万年前),到始新世末绝灭。鬣齿兽科比牛鬣兽科更多样和更丰富,具有匀称的较长的四肢。有些类型发育为大型,与后来更进步的食肉类(包括剑齿虎)的演化相平行。鬣齿兽科是灵敏的食肉动物,比牛鬣兽科延续时间长得多。有些能与纯种的食肉类竞争,残存到上新世(700万年前至250万年前)。鬣齿兽科著名的属包括古鬣齿兽(*Sinopa*)和鬣齿兽(*Hyaenodon*)。

Creole 克里奥尔人 西班牙语作Criollo,法语作Créole。这个名称在16～18世纪时本来是指生于美洲而双亲是西班牙人的白种人,以区别于生于西班牙而迁往美洲的移民。此后,这个名称就用于各种意义,因地区不同而有所不同甚或彼此矛盾。

在西班牙殖民时期的美洲,虽然在法律上西班牙人和克里奥尔人平等,但是克里奥尔人一般被排斥于教会和国家的高级机构之外。歧视产生于西班牙王国政府的政策,规定对其宠爱的西班牙臣民授以殖民地的肥缺或高位,而把克里奥尔人排除在外并严格限制他们的商业活动。特别是18世纪时,来自西班牙国内的移民在各殖民点商业上获得成功,激起了克里奥尔人的敌对情绪。19世纪初克里奥尔人领导的革命运动,曾把西班牙占领下的美洲殖民地政权逐出当地。墨西哥、秘鲁以及其他地方独立以后,克里奥尔人进入统治阶层。他们一般比较保守,同高级牧师、军队、大地主,后来又同国外投资者都能密切合作。

在当今的西印度群岛,克里奥尔人这个名称是指任何欧洲移民的后代,但更多的是用来指所有属于加勒比文化的人民,不论其阶级,也不论其祖先是欧洲人、非洲人、亚洲人、还是印第安人。在法属圭亚那,此名专指那些采取欧洲生活方式的人,而不问其肤色如何。在其毗邻的苏里南,是指非洲奴隶的后代。在美国路易斯安那州,此名称在某些场合是指早期法国及西班牙移民的讲法语的白人后裔,而在另一些场合,则指讲法语与西班牙语混合语的黑白混血儿。

在拉丁美洲的不同地区,克里奥尔人一词有各种含义:它可指当地出生的属于纯西班牙人血统的人;也可专指殖民时期在当地安家的西班牙名门望族的后裔;或仅指城市欧化居民,以与农村的印第安人相区别。在秘鲁这类国家,"克里奥尔"用作形容词,专指绘一种精神饱满的生活作风。这类生活作风的重要表现是:对于广泛课题,能够独抒己见,谈吐机敏,令人折服;善于扭转局势,化险为夷;有丈夫气概,有民族自尊心;参与节日庆典及其他社交活动时能表现某种个人风格——总之,要显示出"高度克里奥尔"精神。

creole 克里奥尔语 一译混合语。一种为某一言语群体确认为母语的洋泾浜语或混杂语。例如,美国南卡罗来纳州海群岛上的古勒语(源于英语),海地克里奥尔语(源于法语),塞拉利昂的克里奥语(源于英语),路易斯安那克里奥尔语(源于法语),美拉尼西亚皮钦语(源于英语),苏里南的斯拉南汤加语(源于英语)和库拉索岛、阿鲁巴岛、博奈尔岛的帕皮亚门托语(源于西班牙语和葡萄牙语)。操某种语言的人们,如果在经济上或政治上对另一种语言或另外各语言的使用者们占有支配地位时,就会出现克里奥尔语,如果后者是无文字的群体时,此种现象更易产生。开始时优势群体所用语言的一种简化或修改形式,在不同群体成员间的交际中使用。此阶段的交际用语就是一种通用语,如果其形式经过简化,就成为一种洋泾浜语(*pidgin*);当通用语成为某一居民群体的标准语或母语时,就演变成一种克里奥尔语,当然这个居民群体总是一劣势群体。参阅 **lingua franca**。

creosote 杂酚油 煤焦油杂酚油和木焦油杂酚油两种截然不同物质的总称。商品杂酚油是煤焦油的一个馏分,是一些有机化合物(主要是烃)的复杂混合物。通常用作木材防腐剂。由木焦油蒸馏得到的杂酚油是混合酚,以前广泛用作药物。

crepe 法式薄饼 又拼crêpe。用面粉、蛋、融化的奶油、盐、牛奶和水拌和的稀面糊制成的薄煎饼。若与甜酱汁或饰菜共食,还要放糖。食用时,裹入各种碎的甜料及开胃食品。制作法式苏芮特薄饼时,将薄饼折叠成四层,浸沾含有橘子甜酒味的糖浆,通常是拿到餐桌上用火焰烧烤。

crepe 绉 通过织法变化、化学处理或凹凸轧花,使表面呈波状或粒状的织物。这种织物常用绉纱织成,绉纱为单位长度上捻数高的纱线,或由S捻纱与Z捻纱交织而成。S捻纱线的捻转与字母S的中部同向,Z捻则与字母Z的中部同向,有时亦称左捻和右捻。织法变化之一是略去平纹组织上的某些经浮点(经纱在纬纱上的交织点)使纱线浮长从1增加到3(参阅 **weaving**)。这种织物可用各种纤维织成。织物的表面结构可织成从精细的平绉到泡泡纱和苔绒,有些织物表面与树皮相似。常见种类有广东绉、绉缎、中国绉纱、乔其纱、罗缎、苔绒、罗马绉和粗绉等。

crepe de Chine 中国绉纱 又译双绉。细薄的平纹衣料,经、纬纱全用蚕丝,或经纱为蚕丝、纬纱为紧捻精纺毛纱。其结构具有绉丝的某种特征,由捻向相反的纬纱所产生。在织造过程中,纬纱以"二与二"(两根右捻纬纱与两根左捻纬纱)的程序织入。在整理过程中,由于高捻度纬纱的退捻趋势产生典型的中国绉纱的特征效应。人造丝制的中国绉纱很普遍,常难与真丝制的相区别。

Crepicephalus 裂头虫属 三叶虫(绝灭的节肢动物)的属。北美上寒武统(5.7亿年前至5.05亿年前)有效的标准化石。是一种较常见的化石,地理分布广泛,但生存时代较短。根据尾节侧面显著的刺辨识。头甲的边缘有较小的刺。

crepuscolarismo 微暗派 20世纪初的一个意大利诗人团体。他们的作品特点是幻灭、怀念,喜欢简朴的事物,以及直率毫无矫饰的风格。与未来主义一样,微暗派反映了欧洲颓废思想的影响,是对意大利作家G.邓南遮的华丽的堆砌词藻的修辞的反动。它与好斗的未来主义运动的区别在于其消极无为,但是这两种运动都表现出同样的落寞苍凉的心态。微暗派运动这个名字,是1910年文学评论家G.博盖塞在一篇名叫《微暗的诗歌》中提出来的,因为他在他们的诗歌里看到了邓南遮的日子已近黄昏。该团体最著名的诗人是G.戈扎诺(1883～1916)。他的诗歌长于描写,风格精巧,幽默而不事声张。这个运动到20世纪20年代时归于沉寂。

Créquy, Charles I de Blanchefort, marquis de, PRINCE DE POIX, DUC DE, (duke of) LESDIGUIÈRES **克雷基侯爵**(1578～1638-03-17,意大利克雷马附近) 法国国王路易十三时代的元帅。1594年在拉昂城下首次作战,1621年攻克圣让-当热利时受伤,次年晋升法国元帅。1624年参加支援萨伏依的整个皮埃蒙特战役,并任王室总管德·博内的副手。1626年继承其岳父的爵位。后任多菲内总督。1633年任驻罗马大使,1636年任驻威尼斯大使。他在1630、1635、1636和1637年的意大利战役中均作过战。1638年在解米兰的克雷马要塞之围时阵亡。

Créquy, François, chevalier de (knight of), MARQUIS DE MARINES **克雷基骑士**(约1624～1687-02-03,巴黎) 即马里内斯侯爵。法国元帅。国王路易十四时代遗产继承战争(1667～1668)和第三次荷兰战争(1672～1678)中战功卓著的指挥官之一。少年时代参加三十年战争,26岁时以战功晋升旅长,不到30岁就成为中将司令。在第二次投石党运动中,他由于忠于宫廷而博得路易十四的青睐。1668年,在路易十四包围里尔期间,他指挥掩护部队。里尔投降后,国王提升他为元帅。1670年,他横扫洛林公爵领地。此后不久,蒂雷纳任大元帅,所有元帅均受大元帅节制。克雷基宁愿弃国他往,也不愿受蒂雷纳的指挥。在蒂雷纳去世和孔代退休以后,克雷基成为最重要的将官。但是,在康策尔桥的惨败(1675),特里尔城的投降,以及随后他自己的被俘,都使他的刚愎自用受到了惩罚。但在对荷兰战争的后来几次战役中,他沉着果敢,指挥作战很成功。

Crerar, Henry Duncan Graham 克里勒(1888-04-28,加拿大安大略汉密尔顿～1965-04-01,安大略渥太华) 加拿大陆军军官。1910年毕业于加拿大皇家军事学院,被任命为炮兵军官。不久退伍,转入薪酬较高的文职工作。1914年再次入伍,赴法国作战,升任炮兵中校。第一次世界大战后留在部队,历任各项参谋要职。1940年加拿大加入第二次世界大战后,晋升少将,任加拿大陆军参谋长,负责训练加拿大军队以及向英国输送兵员。1941年晋升中将,但接受降阶出任战地司令。后任加拿大第一军团司令,攻打西西里岛和意大利。1944年初被召回英国,指挥加拿大第一集团军。诺曼底登陆时该部队在朱诺滩登陆。临时配属M.登普西指挥的英国第二集团军,投入夺取卡昂的激战,然后协助合围法莱斯—阿让唐隘口北部狭窄通道,歼灭大量德军。此时克里勒的部队已编入第21集团军群,由陆军元帅B.蒙哥马利直接指挥。在横扫法国的盟军部队中处于最左翼,夺取了法国的海峡港口勒阿弗尔和迪耶普,然后扫清斯海尔德河口并攻下比利时的安特卫普。由此挥军直取荷兰,突破德国齐格菲防线的北端。1944年11月晋升上将,1946年退役。

加拿大第一集团军司令H.克里勒(左)与盟军总司令D.D.艾森豪威尔

美国不列颠百科全书公司供图

Crerar, John 克里勒(1827-03-08,纽约市～1889-10-19,芝加哥) 美国铁路企业家与慈善家。1862年去芝加哥,负责管理铁路设备制造厂。1867年普尔曼车辆公司改组成立时,他是股东之一;另任银行和铁路的董事。1889年捐款成立克里勒图书馆,现隶属于芝加哥大学,藏有物理、自然、医学类书籍约100万册。遗嘱塑造林肯像,已由圣高登斯完成,矗立在芝加哥林肯公园中。

Cres 茨雷斯 意大利语称Cherso(凯尔索)。克罗地亚西北部克瓦内尔湾附近的岛屿。在亚得里亚海伊斯特拉半岛东岸外。面积404平方千米。最高点戈里斯海拔650米。南部隔水道与洛希尼岛(面积约75平方千米)相望,海峡上架有公路桥。两岛在地质构造上同为伊斯特拉半岛石灰岩高原的一部分。茨雷斯岛中央有淡水湖弗拉纳湖,可为二岛提供饮用水。由于葡萄栽培衰落,茨雷斯岛经济以捕鱼和水果种植为主。当地保存有罗马遗迹、文艺复兴式钟楼、城市凉廊和15～16世纪建的教堂。二岛人口约11 796(1991)。

Crescas, Ḥasdai ben Abraham 克雷斯卡斯(1340,巴塞罗那? ～1410,西班牙萨拉戈萨) 西班牙哲学家、塔木德学者、阿拉贡王室拉比。他抨击犹太教思想中的亚里士多德理性主义传统。1367年为商人和巴塞罗那犹太人社区领袖。1387年约翰一世登基后,他与阿拉贡王室过从甚密,被赐予"王室成员"的称号。皇家法令授权他对犹太人社会行使犹太律法所列举的司法和行政管辖权。作为王室首席拉比,在萨拉戈萨定居。他的第一篇名作是关于1391年巴塞罗那犹太人遭大屠杀的记事,以致阿维尼翁(今在法国)犹太人社会的一封信的形式写成。他痛感有必要在西班牙犹太人遭受严重迫害时期重申犹太教义,于1397～1398年写了一篇《驳斥基督教义》的论文,对基督教十大教义进行批判。对主要由12世纪哲学家迈蒙尼德阐述的亚里士多德和犹太教亚里士多德传统的严谨的理性批判见于他的《上帝之光》(1410年完成)著作中。在这本对托拉的各个方面进行评论的著作中,他拒绝接受关于上帝存在的各种传统的证据,坚持关于此事的确切性仅在于《圣经》所说的"听着,哦,犹太人:主,我们的上帝,是唯一的主"(《旧约·申命记》6:4)的权威性。

crescent 新月 阿拉伯语作hilāl。拜占廷帝国和土耳其帝国政治、军事和宗教的标志,后为所有伊斯兰国家所采用。最初,上弦月是宗教的标志。后为拜占廷帝国的标志,据说是因为有一次月亮突然出现,使君士坦丁堡免遭突袭。曾有人认为1453年奥斯曼土耳其人占领君士坦丁堡后,才采用新月作为旗徽;实际上,早在奥尔汗苏丹(约1324～约1360)时,他所率领的步兵的军旗上已有新月出现。新月与奥斯曼帝国及其后继国家及伊斯兰世界有密切关系。现仍可在许多伊斯兰教占优势的国家的国旗上见到新月;新月也是红新月会(穆斯林国家中与红十字会对等的组织)的标志。在中世纪欧洲人的纹章上,尤其在法国,新月最初是由许多回国的十字军战士用来表示崇高荣誉的一种标志。

Crescentii FAMILY 克雷申蒂家族 罗马贵族世家,10世纪中叶至11世纪初在罗马和教廷历史中起过重大作用。该家族巨大的地产主要位于萨比纳。

Cresilas 克雷西勒斯(活动于公元前5世纪,雅典) 希腊雕刻家,其为雅典政治家伯里克利所做的雕像气宇轩昂,是理想化的肖像。克雷西勒斯是菲迪亚斯的同代人,约公元前440年曾参加在以弗所举行的雕刻竞赛。他参赛的作品是受伤的阿玛逊像,据说其风格与伯里克利头像相近。此像现仅存摹制品。

cresol 甲酚 分子式同为$CH_3C_6H_4OH$但结构不同的3种甲酚的总称,有邻甲酚、间甲酚和对甲酚。它们可从煤焦油或石油中得到,是多种化工产品的原料。异构体邻甲酚是除草剂4,6-二硝基邻甲酚(DNOC)和2-甲基-4-氯苯氧乙酸(MCPA)的起始原料。间甲酚和对甲酚用于酚醛树脂,也可转变成磷酸三甲苯酯(增塑剂和汽油添加剂)或二叔丁基甲酚(抗氧化剂,称为BHT)。甲苯基酸是3种甲酚和某些苯酚以及二甲苯酚的混合物,为重要工业产品,用作消毒剂或制取树脂和磷酸三甲苯酯。

甲酚性质

	熔点(°C)	沸点(°C)
邻甲酚	30.99	191.0
间甲酚	12.22	202.2
对甲酚	34.69	201.9

Crespi, Daniele 克雷斯皮(约1595,米兰公爵领地布斯托阿西齐奥～1630,米兰) 意大利巴罗克画家,以感情直率,构图朴素的宗教

克雷斯皮绘《圣查尔斯·博罗梅奥在晚餐》(约1628)

美国不列颠百科全书公司供图

画闻名。最佳作品如《圣查尔斯·博罗梅奥在晚餐》(约1628),画中掠过头部的光线造成深重的阴影,成为其鲜明的特色。

Crespi, Giovanni Battista　克雷斯皮(1575或1576,米兰公爵领地诺瓦拉附近切拉诺～约1632-10-23,米兰)　17世纪伦巴第主要画家之一,其作品在伦巴第写实主义的早期发展上起过重要作用。最早受具有抒情倾向的风格主义画家G.费拉里的影响。1586年到罗马研究其他画家的作品。其早期作品也是抒情的和风格主义的。在早期的训练和罗马文化影响下,形成了自己独有的风格。其全部作品都带有紧张和痛苦的特点。曾为一些重要的教堂作画,包括为米兰大教堂画的一套描绘圣查尔斯·博罗梅奥生平的油画。1620年枢机主教博罗梅奥在米兰创办绘画学院,任命他为院长。他还曾积极投身于建筑、版画和写作等方面的工作。

Crespi, Giuseppe Maria　克雷斯皮(1665-03-16,教皇国博洛尼亚～1747-07-16,博洛尼亚)　别名Lo Spagnolo。意大利晚期巴罗克画家,以风俗画知名。并将革新作风应用于宗教画,成绩斐然。在威尼斯和意大利北部城市游历之后,他毅然抛弃浮华的早期巴罗克风格,形成自己的彻底写实的画风。其宗教画、肖像画和风俗画充满人情味。晚年的宗教画《圣乔万尼·内波穆切诺听波希米亚女王忏悔》(1743)是其自然主义风格的明证。

cress　野芥菜　十字花科数种植物的统称,其幼嫩的基部叶片味辛辣,可用于色拉或用作调味品及饰菜。水生野芥菜(豆瓣菜、水野芥菜,*Nasturtium officinale*)可能是最受欢迎的可食野芥菜,是一种耐寒的多年生匍匐植物,原产欧洲,但广泛归化于世界各地的河川、池塘与沟渠。新鲜的豆瓣菜可作色拉的绿色饰菜与三明治的馅;亦可加黄油或奶油以文火煨熟,当蔬菜吃,或加入白酱油做水田芥汤。普通庭园野芥菜(胡椒草、栽培独行菜,*Lepidium sativum*)原丛生于亚洲西部,生长迅速,广植于世界各地,特别是卷叶的一型,可以像欧芹一样作饰菜用。高地野芥菜(春山芥,*Barbarea verna*)原产于欧洲,耐寒,二年生,植株表面粗糙,常成杂草,很少栽培。与之近缘的冬野芥菜(普通山芹,*B. vulgaris*)是常见杂草,春季开花,花色鲜黄,在田间十分醒目。北半球的苦野芥菜(草甸野芥菜、草地碎米荠,*Cardamine pratensis*)适合生长于潮湿的草甸、岩石园及沼泽园,植株低矮,叶片羽状分裂,花小,白到玫瑰红色。蔊菜属(黄野芥菜,*Rorippa*)包括数种沼泽植物,很少被栽种。菥蓂属(遏蓝菜属,*Thlaspi*)的种类俗称便士野芥菜,包括一些适合于岩石园生长的种类,其中田野遏蓝菜(*T. arvense*)因角果大而圆,具观赏价值而受栽植。岩野芥菜是南芥属(*Arabis*)的种类,为有用的庭园观赏植物,花虽小但量多,有白、黄、粉红或紫色。

Cressent, Charles　克雷桑(1685-12-16,法国亚眠～1768-01-10,巴黎)　法国家具制作大师,其作品属于法国最精美的家具之列。祖父为家具工匠,父亲是雕塑家。他同时从事家具制作和雕塑,还擅长金属加工。大约于1710年到巴黎,开始在A.-C.布尔的家具厂工作,不久便受到设计家G.M.奥佩诺德和画家F.瓦托的影响,并与雕刻家F.吉拉尔东结识。1715年任法兰西摄政王奥尔良公爵的家具匠。早期的风格属路易十四式;随后(约1730～1750)作品日趋端庄、柔美而有力,屏弃了洛可可式的浮华。1750年以后又回复古典的式样。他不仅设计模型、亲自制作家具,还为家具雕刻华丽的镀金青铜装饰品。这种包揽一切的非传统作法使他开罪行会,1722年青铜铸工和雕工行会对他提出诉讼,仅仅因为摄政王的干预,才得安然无恙。他是巴罗克式与洛可可式之间的过渡形式——摄政时期式——的主要代表,这一式样的家具形态轻盈,曲线流畅,与早期路易式的庄严迥然不同。在他的家具作品中,常以仿金铜箔进行装饰,这是18世纪法国家具的重要特征。他对于完善多色木镶嵌工艺也有贡献。

Cresson, Edith　克勒松(1934-01-27,法国巴黎附近布洛涅-比扬库尔～　　)　母家姓康皮翁。1991年5月15日至1992年4月2日任法国总理,是法国历史上担任总理的第一位妇女。出身于公务员家庭,在高等商业学校学习,获人口统计学博士学位。1959年与普吉奥汽车公司高级职员雅克·克勒松结婚。1965年加入社会党,在当年弗朗索瓦·密特朗失败的总统竞选运动中尽力效劳。1975年她竞选议员失败,后当选为蒂勒市市长(1977),欧洲议会议员(1979～1981)和沙泰勒罗市市长。1981年密特朗当选为法国总统后,她先后出任农业部、旅游和对外贸易部、工业和对外贸易部以及欧洲事务部部长,以直言不讳和具有斗争精神而闻名。1986年克勒松当选为代表维埃纳省的社会党议员。1991年米歇尔·罗卡尔辞去法国总理职务后,她的朋友密特朗任命她为总理。她力求改进法国工业的竞争能力,同时减少社会的不平等现象。她任职不到一年,由于失业人数增加和选民对社会党的支持率下降,促使密特朗免去她的总理职务。

Cresta sledding　参阅**skeleton sledding**山地雪橇滑雪。

crested rat　冠鼠　参阅**maned rat**鬃鼠。

crested swift　凤头雨燕　又称tree swift(树雨燕)。雨燕目凤头雨燕科尾呈叉状的森林鸟类,3或4种。分布于东南亚和澳大利亚到所罗门群岛。足发达,能有力地抓住栖木,这不同于雨燕目所有其他种类(如蜂鸟)。大体上与其近亲雨燕相似:翅尖而长,嘴宽,喙小。只是有两种凤头雨燕额前部有直立的羽状冠,眼周有白色面罩样区,边缘有白色长羽毛。单独或结小群取食,多于晨昏时从树顶捕食昆虫。巢小,扁杯形,置于高树枝上,由唾液黏合枝条和羽毛而成。每巢产一卵。卵正好填满了巢并粘在巢上。伏窝的亲鸟横坐在树枝上遮护巢和卵。凤头树雨燕(*H. longipennis*)为广布种,从东南亚向东分布至西里伯斯;长约20厘米,背部浅蓝灰色,翅和尾深褐色,颊微红。东南亚的须树雨燕(须凤头雨燕,*H. mystacea*)29厘米长,大部为黑色。

凤头树雨燕(*H. longipennis*)
美国不列颠百科全书公司供图

cresting(architecture)　参阅**brattishing**顶饰。

Creston, Paul　克里斯顿(1906-10-10,美国纽约州纽约～1985-08-24,加利福尼亚圣迭戈)　美国作曲家。以其作品的和声丰满、节奏富于活力而著称,音乐中充满现代的不协和音与复式节奏。1934年在纽约一教堂任管风琴师。在乐理方面未受正规训练,靠浏览与研究乐谱自学作曲。1967年离开圣马拉奇教堂后在中央华盛顿州立学院任教,直至1975年退休。他还是一位活跃的指挥和讲师。所作管弦乐曲《哀歌》(1938)与《两首集体舞曲》(1938)名闻遐迩。他的交响曲(有几首带标题)包括《第三交响曲》(1950)和《兰开斯特交响曲》(1970)等。《哥林多人XIII》(1963)像《第三交响曲》一样,也采用格列高利圣咏中的主题。他认为歌唱与舞蹈是音乐的基础,这种思想在管弦乐曲《祈祷与舞蹈》(1953)、为弦乐器、钢琴和打击乐器而作的《天门神》》(1959)及两个乐章的《第二交响曲》(1945)中有所表现。其他作品有《华德·惠特曼交响诗》(1951);《帕凡变奏曲》(1966);为萨克斯管和管风琴而作的《狂想曲》(1976);一首马林巴琴小协奏曲;萨克斯管、钢琴和小提琴等乐器的协奏曲;钢琴独奏曲及宗教声乐作品等。

Creswell Crags　克雷斯韦尔绝壁　英格兰德比郡东北部克雷斯韦尔附近约450米长的峡谷,洞穴内藏有英国现已绝迹的脊椎动物遗骸和旧石器时代的狩猎工具。1875～1960年间多次发掘,发现莫斯特文化期器物遗存,并有所谓克雷斯韦尔文化的确凿证据。一般认为该文化系法国西南部马格德林文化后期的地方变体,属武木冰期的最后阶段。

Cret, Paul Phillippe　克雷特(1876-10-21,法国里昂～1945-09-08,美国宾夕法尼亚费城)　建筑师、教师,法国古典装饰风格的后期维护者。早年在里昂及巴黎美术学院学习。1903年起在美国宾夕法尼亚大学任教,直至1937年退休。他曾多次在设计竞赛中获奖,第一次是华盛顿的美洲共和国国际联盟(后称泛美联盟)大厦(与A.凯尔西合作,建于1907年),综合了南北美洲的建筑风格,采用了折衷的古典主义,被认为是他的最佳作品。虽然他完全处于现代派建筑的主流之外,但他作为教师，作为大力改革古典主义建筑风格，使之适应现代钢构架建筑技术的实践者，却很受人敬仰。他繁忙的事务所中的成员主要是他的学生。他设计的众多公共建筑有印第安纳州印第安纳波利斯的公共图书馆（1915）、底特律艺术馆（1922）、华盛顿的福尔杰-莎士比亚图书馆（1929）和费城的罗丹博物馆（1928）。克雷特的事务所还积极担负了许多桥梁工程、客运列车和大学建筑的设计。

Cretaceous Period　白垩纪　地质时代中距今约 1.44 亿年前至 0.664 亿年前的一个时段。它通常分为早白垩世（1.44 亿年前至 0.975 亿年前）和晚白垩世（0.975 亿年前至 0.664 亿年前）。白垩纪作为中生代的最末一个纪，在侏罗纪之后，第三纪之前。白垩纪这一时段超过 0.77 亿年，使它成为显生宙最长的一个纪。这个纪形成的岩层构成白垩系。

在白垩纪一开始时，南美还与非洲西海岸相连，澳大利亚还与南极洲相连。印度从这两大陆块分离出来，向北朝欧亚大陆漂移。北美与非洲分裂开，但它还与欧洲西部连着。深深的特提斯海从西班牙穿过亚洲南部向东延伸。在白垩纪中期，南美与非洲分离并开始向西运移。此后，北美开始与欧洲西部分离，在第三纪开始时，大西洋张开，与北冰洋相垂直。从晚白垩世至早第三纪，沿着活动大陆的主脊，发生了拉拉米造山运动，形成了落基山脉。在环太平洋带，也发生了相似的地壳变动。与此同时，新西兰与澳大利亚—南极洲联合大陆分离开。在白垩纪之末，澳大利亚开始与南极洲分离。非洲向北朝着欧洲运移，特提斯海变窄，并开始了阿尔卑斯造山运动，导致第三纪阿尔卑斯山的形成。白垩纪的气候比今天温暖，但是北半球陆块离开赤道运移。在晚白垩世，深水中白垩（碳酸钙）的大规模沉积可能与大气圈中二氧化碳减少同时发生，这样就会全球范围地降低温度。在早白垩世，海开始向大陆地区侵进。沉积的岩石与侏罗纪的相似；在北欧、地中海和环太平洋带形成了海相沉积，包括浅水和深水相石灰岩及海相黏土。非海相沉积比侏罗纪更常见，包括西北欧的砂岩、页岩和中亚、非洲、南美、澳大利亚的碎屑沉积（例如砂、黏土和泥质沉积）。晚白垩世浸漫的海达到了最大范围，海相沉积覆盖的面积远远大于中生代其他任何一个时期。在今天的西欧、俄罗斯东部、美国的墨西哥湾海岸和西澳大利亚巨厚的白垩沉积特别著名。白垩纪结束时，海水再一次后退。在白垩纪海洋中，如双壳类固着蛤、菊石类、箭石类、腕足类和海胆类等海生无脊椎动物继续繁盛与向前演化。但是，菊石和箭石这两类在白垩纪之末不可思议地绝灭了。在晚白垩世，硬骨鱼类蓬勃发展并占主导地位。海生爬行动物，如著名的蛇颈龙类和鱼龙类继续兴盛，水生蜥蜴类——沧龙——出现了，并在较短时期内达到了很大的体态和世界性的分布。在陆地上，被子植物（显花植物）在晚白垩世有惊人的发展，直至取得主导地位；昆虫，特别是蜂类开始与被子植物共同繁盛。哺乳类和鸟类在整个白垩纪发展都不太显著，而爬行类直至白垩纪之末都继续占主导地位。飞行爬行动物——翼龙类——达到很大的体态，恐龙类以像三角龙类和鸭嘴恐龙类这样一些新类群的演化而达到其巅峰。在白垩纪之末发生了恐龙类的整体绝灭和很多其他爬行动物类群的部分绝灭。为了解释恐龙类的消失，提出了很多假说：恶化的气候及伴随而来的对食物来源的影响（例如，可食植物物质的季节性衰减）；因为地球运动而引起的栖居地的改变；由于食蛋恐龙类或哺乳类的存在而使其数量锐减；疾病；彗星或小星体与地球的灾难性碰撞。不管是什么原因，其突然性、涉及全世界范围及类群数量之多，使这一次绝灭成为地质学和古生物学上一个不解之谜。

Crete　克里特　希腊地中海岛屿及行政区。面积8 336平方千米，行政中心伊拉克利翁位于西北岸。公元前 6500 ～前 6000 年，岛上无人居住。公元前 3000 年发展起青铜器时代文化（即米诺斯文化）。约公元前 2000 年在克诺索斯、菲斯托斯和马利亚等地开始建筑宏伟宫殿。以克诺索斯为中心的米诺斯文化（**Minoan civilization**）于公元前 16 世纪达到顶盛时期，以其雕塑、壁画、陶器、金属制品而著称。约公元前 1450 年该岛被来自迈锡尼的希腊人征服。公元前 67 年被罗马人占领。公元 395 年转属拜占廷控制。824 年以后阿拉伯人得到部分控制权。1204 年威尼斯人接管。1669 年土耳其人占领克里特岛。1898 年土耳其人被逐出该岛。1913 年克里特岛正式划归希腊。

克里特岛是一个以崎岖山地为主体的岛屿。构成岛上东西主轴的克里特山脉分为 4 个山群，主峰伊季山海拔2 456米，为岛上最高点。北岸坡度平缓，有沿海平原及几座天然良港。主要城市和港口如干尼亚、伊拉克利翁等集中于这一地带。迈萨拉平原在中南部延伸 29 千米，为岛上主要平地。河流小而稀少，兼有泉水和季节性河流。气候属温带与热带的过渡性地带。夏季炎热干燥，冬季温和，年平均降雨量 640 毫米。地表多覆盖地中海特色灌木，也种植橄榄、角豆树和柑橘。居民属正教一支，讲希腊语，集中在北部平原。克里特行政区分为 4 个州，分别由中央政府派员管理。

克里特岛经济以农业为主。盛产橄榄、橄榄油、葡萄、柑橘类和豆类。饲养绵羊和山羊。机械化农业仅限于迈萨拉平原。工业主要有食品加工和建筑材料，另有陶瓷、纺织、肥皂、皮革和钢制工具等。矿物资源有滑石、褐煤、石膏以及少量的铜和铁，有小规模开采。能源短缺，燃料需要输入。旅游业为其主要外汇收入。克里特公路网发达，且有奥林匹克航空公司的航线。人口 540 054（1991）。

Crete, Sea of　克里特海　又称干地亚海。现代希腊语作 Kritikón Pélagos。爱琴海南部海域，北为基克拉泽斯群岛，南为克里特岛。是爱琴海中的最深海区，最深处 3 294 米，在克里特岛锡泽罗斯角的东边。

Creticus, Quintus Caecilius Metellus　参阅 **Metellus Creticus, Quintus Caecilius** 梅特卢斯（克里特的）。

cretinism　呆小病　又译克汀病。一种见于婴、幼儿的内分泌疾病。由于胎儿时期或新生儿期甲状腺激素缺乏（甲状腺功能低下）而引起。这种患儿可发育成为成年呆小病患者。幼年黏液性水肿与呆小病极为相似，发生于原来健康的儿童，通常病因为碘代谢过程中的酶缺陷，较为贴切的病名应为“家族性甲状腺肿”。呆小病患者体内缺少一种或多种合成甲状腺激素所需的酶，或甲状腺体积极度缩小，或先天性甲状腺短缺。胎儿时期，甲状腺功能低下可严重影响体格发育和生理发育，代谢过程（尤其是氧化过程）减弱，脑的生长迟缓，垂体前叶生长过度。婴儿呆小病于新生儿期发病。症状包括食欲不佳、呼吸困难、体温降低、皮肤干燥增厚、萎靡不振。出生后 3 ～ 5 月的婴儿出现下列症状提示患有呆小病：颅骨骨缝闭合延迟、活动迟钝、吮奶缓慢并出现阵发性气哽和紫绀、终日沉睡、声音嘶哑、便秘、皮肤苍白冰冷并伴有灰色斑纹或黄染、舌大、脐疝、肌肉松弛无力、脉搏不足 100 次/分、直肠温度 37 ℃或更低。儿童期甲状腺功能减低的症状特点是皮肤干燥、粗糙、起皱、色泽灰暗；表情呆滞、面宽平、蹋鼻、张嘴、厚唇、流涎、巨舌外伸；智力低下。发病年龄不同，症状表现可有差异。如不经治疗，患儿就会在智力和体力两方面成为一个典型的“呆、小合一”的状态。如黏液性水肿患儿能得到及时的甲状腺素和碘剂治疗，则可望治愈。

cretonne　印花装饰布　主要用作室内家具装饰、帷帐、窗帘与其他家庭耐磨损用途的印花织物。它与摩擦轧光印花布相似，但经过消光整理。较薄的印花装饰布可以做妇女和儿童用的罩衫及其他外衣。这类织物常用棉制造，也可用亚麻、合成纤维或混纺制成。据说它因诺曼底盛产亚麻纱的村庄克里顿（Créton）而得名。

Creuse　克勒兹　法国中部利穆赞大区省份。由前马尔什（**Marche**）省大部分地区组成。位于中央高原西北边缘。面积 5 565 平方千米，多属克勒兹河流域。克勒兹河长 260 千米，从东南向西北流经省会盖雷附近的欧比松。该省东南部较高，海拔 900 米以上，时受大雨雪袭击。该省主要经济活动是畜牧业。西南部种植谷物和马铃薯，盛产栗子。工业规模小而分散，有采矿、采石、纺织、金属加工和食品加工业。盖雷是该省两专区之一，有一博物馆，内藏利摩日画珐琅收藏品。欧比松（**Aubusson**）是集市城镇，以其挂毯闻名。其他景色秀丽的古老城镇有欧藏斯、费勒坦、拉苏泰赖讷和埃沃莱班矿泉疗养地。该省属利摩日教育区。人口 124 470（1999）。

Creusot, Le（France）　**克勒索**　参阅 **Le Creusot** 勒克勒索。

Creutz, Gustav Philip, Greve　克雷伊茨（1731-05-01，瑞典属芬兰安亚拉～ 1785-10-

30，瑞典斯德哥尔摩） 瑞典诗人。他的轻快优美的诗篇，表现了当时流行的洛可可艺术精神及伊壁鸠鲁哲学。他的作品不多，以早年创作的诗《夏季之歌》（1756）和一篇流于色情的诗《达佛涅》（1762）而知名。还有一篇田园叙事诗《阿提斯与卡米拉》（1761）。他从事外交工作多年，国王古斯塔夫三世对他屡授荣勋。

Creutzfeldt-Jakob disease 克罗伊茨菲尔德-雅各布二氏病 中枢神经系统的一种罕见致死疾病，因病毒感染造成。病原体系一种慢病毒——在体内潜伏多年才引起症状的病毒。本病极少见，大多侵犯中年人。痴呆急速发展，最先出现情感淡漠、烦躁和自我疏忽。其他智能缺陷，如失语或诵读困难也会迅速出现。还可能有视力障碍。主要躯体表现有震颤、扭动和不自主无目的（舞蹈样）的动作。病程快，在最初症状出现后 3～12 个月内死亡。无有效疗法。造成这种病的病毒同库鲁病病毒相似。对其传播方式所知极少，但该病毒对热力及其他灭菌剂呈现异常耐力。有的病例是在医院内通过角膜移植和污染的脑电极而传播。

Creuzer, Georg Friedrich 克劳伊泽尔（1771-03-10，墨森兰河畔马尔堡［德国］～1858-02-16，巴登海德堡） 德国古典学者。他提出，荷马和赫西奥德的神话所根据的是爱琴海地区古老民族佩拉斯吉人所传入的东方神话，其中杂有象征古代神启的成分。克劳伊泽尔先后在马尔堡和耶拿上大学，曾一度在莱比锡任私人教师。自 1804 年起到 1845 年几乎一直任海德堡大学哲学和古代史教授。第一部著作《希腊等古代民族的象征主义与神话》是他最著名的作品，出版于 1810～1812 年，他在这部书中提出上述理论。他的有争议的见解常受到攻击。他还发表其他一些作品，其中有《柏罗丁集》和《西塞罗集》的一部分。

crevasse 冰隙 又称冰川隙。由于冰川运动而产生的应力所造成的裂缝。冰隙宽可达 20 米，深可达 45 米，长几百米。按与冰川长轴的相对位置命名。例如，有在压缩应力地区发育的纵冰隙，在拉伸应力地区发育的一般向下游弯曲的横冰隙，冰川中部移动比边缘快时发育的边缘冰隙，在冰斗和冰川源头之间形成的大冰隙。在冰川的终端，许多冰隙可能互相交叉，形成参差错落的冰塔。冰隙可能为积雪所充填而成为暗冰隙，冰川在平缓坡度上移动时，冰隙可能密合，为了确定冰川的结构和层理，要在冰隙内进行研究工作。

美国华盛顿州贝克山莫萨马冰川的冰隙
美国不列颠百科全书公司供图

Crèvecoeur, Michel-Guillaume-Saint-Jean de 克雷夫科尔（1735-01-31，法国卡昂～1813-11-12，萨塞勒） 法裔美国作家和博物学家。他的作品提供了美洲生活的广阔图景。在法国耶稣会学校毕业后，到加拿大任军官和地图绘制员 4 年。1759 年决定留在美洲。他漫游俄亥俄和大湖区，1765 年在纽约领到公民证，到奥兰治县务农。美国革命爆发后，于 1780 年前往欧洲。在伦敦，他把 12 篇文章编在一起，题为《一个美国农民的信》，用他的美国姓名 J.H.圣约翰于 1782 年出版。这部生动活泼、饶有兴味的著作，两年内在 5 个国家出了 8 版，使作者一举成名，得到权威人士如博物学家布封和科学院院士 B.富兰克林的支持。他因此被任命为法国驻美洲 3 个新建立国家的领事。1784 年在赴美洲任领事前，他翻译、补充了原来的 12 篇文章，分 2 卷在巴黎出版。去美洲后，他继续研究植物学，发表关于农业和医学的论文。1790 年奉召回国后，写了另一部关于美洲的《上宾夕法尼亚和纽约州旅行记》（3 卷，1801；英文版，1961）。他在法国和德国过着安静的生活，直到逝世。20 世纪 20 年代，在法国的一个阁楼上发现了他的一捆未发表过的英文手稿，名声进一步提高。这些手稿于 1925 年刊印，名为《18 世纪美国见闻录——一个美国农民的信续编》。书中有关他的"熔炉"理论的章节和他对"什么是美国人？"这一问题的回答，被人们广泛引用。他的优美风格、敏锐的观察力和质朴的哲理受到普遍赞赏。

Crewe 克鲁 英格兰行政、历史郡柴郡克鲁-楠特威奇区一城镇。1837 年大联轨铁路公司开辟利物浦—伯明翰铁路时设立克鲁，1877 年设建制。1843 年该公司将其铁路工程转给克鲁负责。铁路现仍是重要企业，但还有罗尔斯-罗伊斯汽车厂、服装厂等。高速公路从伯明翰通至克鲁东 5 千米处。人口约 63 351（1991）。

Crewe and Nantwich 克鲁-楠特威奇 英格兰行政、历史郡柴郡一个自治市（区）。面积 430 平方千米。克鲁为铁路枢纽和工业中心。楠特威奇以古建筑著称。腹地乡村有许多黑白色相间的半木结构建筑，是繁荣的乳品-畜牧区。所产牛奶大部分供生产柴郡干酪用。人口约114 400（1998）。

crewel work 绒线刺绣 一种非传统方式的绣制品，所用针法没有区别，只是用称为绒线的双股粗纺羊毛纱线在斜纹的基底（即亚麻经纱和棉纬纱）上、有时在纯麻或棉布上绣出花纹。绒线刺绣的图案受 16 世纪以来在欧洲出版的装饰品图册或绣品图案集的影响。帕拉普尔是 17 世纪的一种手绘（模印板）棉织品，从印度输入英国，它对传统的绒线刺绣图案的发展有明显的影响。图案纹样的另一个来源是从葡萄牙传入英国的中国刺绣织品。

cri-du-chat syndrome 猫叫综合征 第 5 号染色体短臂部分缺失所致的罕见的先天性疾病。特征为精神发育迟缓、轻度颜面异常、皮纹（指纹、掌纹及足纹）异常、心脏畸形、生长迟缓及高调猫叫样哭声等。若患儿存活数年，则哭声会趋正常。

crib 围槽 农业上用以贮存谷物的大型容器，或用来给牛马等饲喂干草或其他粗饲料的板条或石板制成的饲槽。用于贮存未去壳谷物的老式围槽一般为木制，敞开式或为板条结构，以保证通风。有时用带孔的黏土块或水泥块构筑围墙。现代围槽一般矮而宽，金属制，用临时墙壁围护且设有管道可以通冷热空气。用挡雪栅栏、铁丝网或用横板连接的桩柱组成的临时围槽，其外形可为圆形或矩形。在温暖地区，需要熏蒸消毒抑制虫害，必须把围槽建得能够密闭。

农民将玉米送入临时围槽内
美国不列颠百科全书公司供图

crib death 摇篮死亡 参阅 **sudden infant death syndrome 婴儿猝死综合征**。

Cribb, Tom 克里布（1781-07-08，英格兰格洛斯特郡汉哈姆～1848-05-11，伦敦伍利奇） 英国第一流徒手拳击家。原为运煤工和海员，1805 年开始拳击生涯。虽未获世界冠军称号，但曾击败两名出色的美国黑人拳击运动员（都是解放奴隶）：B.里奇蒙（1805）和 T.莫利诺克斯（1810 和 1811）。还曾两次战胜曾在伦敦职业拳击比赛规则时代获冠军的 J.贝尔彻。同莫利诺克斯第二次比赛后退出拳击赛坛。

Cribbage 克里巴奇牌戏 通常由两人玩而以克里巴奇记分板记分的一种牌戏。据说是由英格兰诗人萨克林在 17 世纪所设计。是最流行的一种牌戏，在美国有 1 000 多万人玩这种牌戏，在加拿大也盛行。记分板上刻有为两家分别记分的各两行 60 个孔，每一孔代表一分，得分以移动自家木钉另插入新孔表示。赢得一盘比赛为121分（在记分板上转2圈加1分）或61分也可。参加玩的人每人有2个木钉，最后面的木钉跳过其他木钉即得分。使用52张一副的牌，K、Q和J皆记10点，A记1点，其他各依本来所值记点。切牌点数低者为庄家，庄家发牌，一家一张，共发6张，两家各从6张中挑出2张，共4张面朝下置于桌上，作为保留牌，余牌由非庄家切牌，亮出一张为首牌，然后打出手中一张牌，面朝上，叫出所值点数。庄家则配上一张，叫出两牌总和点数。这样轮替进行，待到总点数达到31或接近31时为止（但不得超过），是为一盘，每盘打最后一张牌者得分，如恰好是31点，得2分，否则记1分。此外，如打出一张牌即恰好得总和15点记2分；配成同点一对牌记2分；配成同点3张牌记6分；配成同点4张牌记12分，如列成至少3张一顺则每一张记1分。各家手中4张牌都已打完时进入亮牌计分阶段，先计非庄家手中之牌，再计庄家手中之牌，最后计保留牌（其分记入庄家一方）。首牌可作为三部分牌中的第5张对待计分。一盘结束再重新发牌继续进行，任一家在记分板上标满121分时终局。原先用5张牌玩。每人扔掉2张，留下3张牌，61分终局。4人玩时，2人结为伙伴，给每人发5张牌，每人只扔掉1张，121分终局。3人玩时，拿5张牌，扔掉1张，每人自记分，从发牌人左边开始亮牌。

Cricetidae 仓鼠科 啮齿目的一个科，含约100属，570个现存种。是一个多种多样的类群，世界几乎所有地区都有代表。有经济意义的种类包含棉鼠（cotton rat）；沙鼠（gerbil）；食蝗鼠（grasshopper mouse）；仓鼠（hamster），收割鼠（harvest mouse）；旅鼠（lemming）；鬃鼠（maned rat）；鼹形鼠（mole rat）；麝鼠（muskrat）；稻鼠（rice rat）；田鼠类（vole）；白足鼠（white-footed mouse）；林鼠（wood rat）等。

Crichton, James 克赖顿（1560-08，苏格兰邓弗里斯郡埃利奥克豪斯～1582-07，曼图亚）苏格兰演说家、语言学家、辩论家、文人和学者，通常被称为“令人钦佩的”克赖顿。尽管有些人认为他是有教养的苏格兰绅士的典型，但另有些人却怀疑他个人是否能取得如此大的成就。其父R.克赖顿为官员，母E.斯图亚特出自贝兹家族。克赖顿自称有王族血统。他在1575年一年里就取得通常要两年读完的圣安德鲁斯大学文学硕士学位，随即去巴黎，似乎在纳瓦尔学院又取得优异成绩。1580年在威尼斯印刷的1份传单上称他长于每个竞技项目，擅长枪法和马术，精通10种语言，通晓经院哲学和基督教哲学，对辩论任何主题都具有卓越才能。在欧洲大陆初露头角是1579年7月在热那亚公爵宫廷发表演说。次年，见到威尼斯印刷商A.马努蒂乌斯，后者介绍他与当地主要的人文主义学者相识，这些人对他的才华深为叹服，而马努蒂乌斯可能就是上述传单的撰写者。1581年在帕杜亚进行的两场辩论更使他声誉提高，马努蒂乌斯在自己出版的罗马作者西塞罗《悖论》一书的献词中对此事大加颂扬。1582年克赖顿供职于曼图亚公爵宫廷，由于遭到年轻的温琴佐·贡扎加亲王之嫉而被杀。尽管在其短暂的一生中取得许多成就，托马·厄克特爵士在《一个最杰出人物的发现》（1652）中所描绘的克赖顿形象可能仍有所夸大，已出版的信件表明，克赖顿持续负债是其弱点之一。1603年J.约翰斯顿在《苏格兰人物志》中第一次称克赖顿是“令人钦佩的”学者，以其哲学修养、记忆力、语言技巧和辩论才能来看，是当之无愧的。其传记由T.泰勒和D.克赖顿出版（1909）。

Criciúma 克里西乌马 巴西南部圣卡塔琳娜州东南部城市。在沿海平原上，海拔47米。1925年成为市政府所在地。主要经济收入来源于采矿和输出冶金用煤。有公路通州首府弗洛里亚诺波利斯。有一条铁路北通拉古纳港。人口约152 903（2000）。

Crick, Francis Harry Compton 克里克（1916-06-08，英国英格兰北安普敦郡北安普敦～2004-07-28，美国加利福尼亚圣迭哥）英国生物物理学家，因参与20世纪生物学上最重要的发现之一——测定DNA的分子结构而与J.沃森、M.威尔金斯共获1962年诺贝尔生理学或医学奖。

第二次世界大战期间他中断学业，转而从事物理学研究，为海军研制磁性水雷。1947年在剑桥大学斯特兰奇韦斯研究室转向生物学。因对生物体内大分子三维结构的测定感兴趣，1949年入剑桥大学卡文迪什实验室医学研究组。1951年美国生物学家沃森来到该研究室，克里克也接受了他的观点：了解DNA的三维结构即可明了它在遗传中所起的作用。2年后他们建立了与其已知物理、化学性质相符的DNA分子结构模式（由两条相缠绕的螺旋状糖-磷酸酯长链组成，中间以有机碱基相联结）。他认为，若长链分开，则每一条链均可作为模板，以细胞中的小分子为原料重新组成碱基顺序与自己互补的新长链。又指明，DNA分子上的碱基顺序构成遗传密码，可决定细胞特有的蛋白质的合成。1961年克里克证明，每条DNA长链中的碱基每三个构成一组（三联体），标示着蛋白质分子中氨基酸的位置。他又参与测定了正常见于蛋白质的20种氨基酸的密码及细胞用DNA中遗传信息形成蛋白质的方式。1966年著有《论分子和人》，讨论了分子生物学中发生的大变革及其影响，在这场变革中他起了很大作用。1981年出版的《生命本身》推测地球上的生命可能起源于来自太阳系以外的细菌。1988年出版《何等狂热的追求：对科学发现之我见》。

cricket 蟋蟀 直翅目蟋蟀科昆虫，因鸣声悦耳而闻名。约2 400种，长3～50毫米。触角细，后足适于跳跃，跗节三节，腹部有2根细长的感觉附器（尾须）。前翅硬，革质；后翅膜质，用于飞行。雄虫通过前翅上的音剉与另一前翅上的一列齿（约50～250个）互相摩擦而发声。音的频率取决于每秒击齿的次数，从最大蟋蟀种类的1 500周/秒到最小蟋蟀种类的将近10 000周/秒。鸣声的速率与温度直接有关，随温度的升高而增快。最普通的鸣声有招引雌性的寻偶声，有诱导雌性交配的求偶声，还有用以驱去其他雄性的战斗声。雌雄在前足胫节都有敏感的听器。多数雌虫以细长的产卵器产卵于土中或植物茎内，对植物常可造成严重危害。在北方，蟋蟀多于秋季成熟产卵，若虫于次春孵出，蜕皮6～12次而成熟。成虫寿命一般为6～8周。蟋蟀亚科（Gryllinae）的田野蟋蟀（*Gryllus*属）和家蟋蟀（*Acheta*［前为*Gryllus*］*domesticus*）体粗壮，黑或褐色，常打洞；取食植物、动物、衣服，或互残。田野蟋蟀又称黑蟋蟀，常生活在田野或庭院，有时进入室内。家蟋蟀头部色浅，并有深色横带；已从欧洲引入北美；见于建筑物及垃圾堆中；家蟋蟀及田野蟋蟀均分布广泛，日夜鸣叫。在美国售作鱼饵，又用于生物学实验。*Gryllus*属（田野蟋蟀）常出现于诗、文中。针蟋亚科（Nemobiinae，有时Gryllinae）的种类或俗名地蟋蟀，长12毫米，鸣声为一系列高调的颤音，生活在牧区及林区。条纹针蟋（*Nemobius vittatus*）腹部有三条暗纹。树蟋亚科［Oecanthinae］的种类称树蟋，白或绿色。翅透明；因食蚜虫而有益，但产卵时损伤树枝；鸣声为悠长的颤音。雪白树蟀（*Oecanthus fultoni*）通称温度计树蟀，因其在15秒钟内发出的颤音数再加40，便大约等于当时的华氏温度。栖息在乔木和灌木的蟋蟀种类夜间鸣叫，栖于草丛的种类日夜都鸣叫。蚁蟋亚科（Myrmecophilinae）的种类小型，3～5毫米长，无翅，弓背，生活于蚁巢中。钲蟋亚科（Mogoplistinae）的种类（无翅灌丛蟋）常见于灌丛或热带多沙地区水边的碎石下；体细长，5～13毫米，无翅或翅小，而覆有透明易磨去的鳞片。蛣蛉亚科（Trigonidiinae）的种类（带剑蟋、有翅灌丛蟋）4～9毫米长，产卵器剑形，生活于池边灌丛中。在东方，人们笼养雄蟋蟀听其鸣叫；在中国斗蟋蟀的风习已有数百年之久。蟋蟀在神话及迷信中起重要作用。人们认为有蟋蟀存在便等于好运和智慧，伤害蟋蟀便带来不幸。在缅甸曼德勒的市场上销售一种大型棕色的炸蟋蟀，常供游方僧人食用。

田野蟋蟀（*Gryllus*）
美国不列颠百科全书公司供图

在英语中，许多其他昆虫亦称cricket，如camel cricket（灶马）、Jerusalem cricket（沙螽）、mole cricket（蝼蛄）、pygmy sand cricket（蚤蝼）。

cricket 板球 在中央有击球员守卫着的三柱门的大场地上由各11人组成的两队进行的以木板击球的一种体育运动。发源地不详。1744年写出第一套规则。板球世界性管理机构玛丽勒本板球俱乐部成立于1787年，在英国殖民史上把板球传向世界各地，首先是澳大利亚、新西兰、巴基斯坦、印度、南非、西印度群岛、斯里兰卡和津巴布韦。板球场地长20米，宽3米。场地两端线外立“三柱门”各一座。“三柱门”顶槽上平放两根横木。这两道线之间是投球区和击球区。投球员将球向远处的三柱门扔去，目标是把横木击松。如成功，击球员即出局。击球员设法不让投球员将球投中“三柱门”，与此同时尽量用力击球以得分。如果击球员将球击出时认为是个好球，则立即起跑，跑向对面的球门区。其同伴（陪跑员）从投球区也向他跑来，完成一次交换位置的跑动，可得一分。如有机会，两人仍可再交叉跑，直到6次为止。板球赛分两个回合，通常一天打一个回合。每一方有一轮击球。要到10名运动员出局才结束一个回合。有的国际比赛可持续5至6天。场上运动员将设法阻止跑动，把球投向三柱门使击球员或其同伴出局。参阅 **Sporting Record**：Cricket。

cricket frog　蟋蟀蛙　雨蛙科蝗蛙属（*Acris*）两种不会爬树的小型北美树蛙的统称。分布在美国东部和中部，通常生活在池塘、溪流和其他浅水水体多草的边缘。蟋蟀

南蝗蛙（*A. gryllus*）
美国不列颠百科全书公司供图

蛙最大体长只有约3厘米。皮肤棕色或绿色，上有疣。头上有深色三角形斑，通常沿背部有浅红色、白色或绿色的线条斑纹。能发出连续的尖细鸣叫声。蟋蟀蛙有两种：北蝗蛙（*A. crepitans*）及南蝗蛙（*A. gryllus*）。

Cricklade　克里克莱德　英格兰威尔特行政、历史郡北威尔特区一城镇（堂区）。位于泰晤士河上游航道的起点，地处该河与古罗马埃尔迈恩大道的交叉点。公元69年建罗马要塞。871年设为自治市。10世纪初因建有造币厂，该镇更显重要。1155年获自治市特许状。亨利三世（1216～1272在位）在此建立医院，并批准开办周市场和三日交易会。现生产手套、陶器、乳制品和罐头等。人口3 808（1991）。

Crile，George Washington　克赖尔（1864-11-11，美国俄亥俄奇利～1943-01-07，俄亥俄克利夫兰）　美国著名呼吸系统外科医师。对外科休克的研究作出了重要贡献。毕业于俄亥俄北部大学和伍斯特大学医学院，并去伦敦、维也纳及巴黎学习。曾创始神经阻断麻醉，并是早期应用输血的人。他设计了一种直接连接的输血方法。曾创建克利夫兰临床基金会。著作甚多，如《外科休克的实验研究》（1899）、《外科中的血压问题》（1903）及《出血与输血》（1909）等。

crime and delinquency　犯罪与青少年犯罪　犯罪指成年人所为的为刑法所禁止的行为。delinquency（原义为违法行为）在一些国家中特指青少年犯罪。少年与成年人之间的年龄界线各国不同，低的为15岁，高的为18岁。犯罪的定义取决于各国文化体系中的法律规范和道德规范。犯罪与不道德的行为有相当一部分是重合的，即这些行为既是犯罪，又是不道德行为。有的行为则并不兼具两种性质，或者是犯罪，或者是不道德行为。罪犯的命运取决于社会所实行的刑事审判制度，社会对犯罪的反应体现了如何处理罪犯问题上的不同思想。刑罚和威慑在这些思想中占有突出的地位。目前刑罚已不是社会对犯罪的唯一反应。而预防犯罪则有两方面，即个别的及一般的。社会对个别的罪犯的反应是由一系列的文化和社会因素决定的。一般的预防犯罪则是社会政策的一个方面，如脑力和体力的保健政策和社会福利计划。现将西方各国，特别是美国，在这方面的研究情况介绍如下：

犯罪的原因和类型　*犯罪统计*　犯罪的统计数字通常是不可靠的，原因是：①犯罪的定义不一致。②统计资料来源复杂。关于犯罪指数，各国虽都有发表，但其单位不一，有的以罪行为单位，有的以罪犯为单位。目前倾向于以罪案为单位。

对犯罪的分析　①犯罪原因。目前的趋势是重视社会因素，但这种理论不能解释为何在同一环境中，不同的人会作出不同的反应。因此，人们把研究的努力从研究犯罪原因转向研究犯罪过程及其典型，并开始认识到对犯罪原因的解释必须是综合的，即把社会、心理、生物诸因素综合在一起来解释逐个的罪犯或犯罪行为。②社会的密度及大小。统计数字表明，城市犯罪率比农村高。原因是农村社会在道德规范上比较一致，各个家庭之间的联系比较紧密，宗教和学校较易发生作用，警察和居民的关系也较亲密。③犯罪人口。男多于女。杀人犯被捕的比例是男6女1，抢劫犯是男22女1。罪犯年龄大多数在25岁以下。在被捕的罪犯中，11岁至17岁的人约占半数，25岁以下的人则占3/4。杀人犯中2/3的人年龄在25岁以上。④阶级结构。一般说来，经济状况和贫穷并不是犯罪的主要原因。一些研究结果表明，抢劫和其他侵犯财产罪在失业严重时期确实增加了，但另一些研究结果表明，在经济繁荣时期，这类犯罪也增多。不过，贫民区犯罪较多也是事实。至于和青少年犯罪有关的一些具体的可变因素有：母亲参加工作，没有固定职业，童工，对儿童缺少监督等。罪行的类别也有阶级基础，如同性恋常见于较高的或专业的阶层；而侵吞公款和伪造艺术品等则又需要有较高的文化修养和社会地位。⑤犯罪亚文化群。指具有特殊的职业态度、思想意识及技术等的犯罪集团。他们的行为准则与一般人的行为准则不同，这些准则是由不同的儿童教养方式、家庭关系和传统产生的。有些犯罪还需要经过长期的训练，如撬开保险箱。对流动中的犯罪情况进行的调查表明，迁居或移民本身对犯罪并无多大影响。但这些流动人口中多是年轻的成年男性，处于较易犯罪的年龄。有些个人不会去犯的罪行，可能在集团的支持下去犯，如集体强奸或集体抢劫。⑥家庭的影响。家庭是控制个人行为的主要社会机构。家庭不健全必然会影响个人行为。由于遗弃造成的家庭的解体，家庭中重要成员的死亡及离婚前家庭关系的极度紧张，常常是犯罪的原因。青少年犯中私生子所占的比例较高。而惯犯的原因之一常是家庭中父母不和谐。有问题的家庭如父母低能、无知、健康状况不良、无正常的收入等，也常被认为会引起犯罪。有些家庭甚至训练儿女去犯罪。研究表明，70%的罪犯和没有正当的家庭惩戒方式有关。不过有人认为近代家庭的作用已减弱，已为电影、电视、广播等其他宣传工具所代替。⑦教育因素。实际上教育程度和犯罪是有关联的，罪犯多半是些教育程度较低的人。有证据说明，青少年犯罪或成年人犯罪最初是出现在学生时代。大部分犯罪者都是成绩差、逃学率高的人。有人认为在培养学生自制和服从方面，学校比家庭更重要，但学校并未尽责，教师们往往只注意知识的传授。⑧对受害人的研究。这种研究发现，在某些罪行中，特别在某些暴力罪中，受害人与罪犯很难区别。其中有些罪行还是由被害人促成的；在某些犯罪中，罪犯往往是受害人的亲朋；严重罪行的受害人报案的只有60%；有些国家正在或已经制定向犯罪特别是暴力罪的受害人进行赔偿的法律。

罪行的分类　①正常的与非正常的罪犯。这二者不易区分，从实践看，犯人与非犯人之间的性格特点并无重大不同。但有证据表明，倾向于侵犯他人的特性和不满足的感觉在青少年犯的性格中是常见的现象。目前在西方国家中，过去被认为是犯罪的行为，越来越多地被认为是需要给以心理治疗的行为了。②罪犯。依罪犯的经历来看，罪犯可以分为下列四类：其一偶犯；其二轻微惯犯，这种人有长期的犯罪经历，但一般还未达到老练刁滑的程度较易被捕；其三惯犯，这种人从参加青少年犯罪集团发展到成年时继续犯罪，他们不断获得新的犯罪技术并不断自我原谅。他们和别的罪犯有密切联系。他们的罪行在20多岁时达到顶峰，一般到30岁时终止；其四常业犯，这些罪犯有丰富的经历及老练的技巧，一般为惯犯所崇拜，他们犯罪的种类繁多，如扒窃，偷窃珠宝店和旅馆房间，使用假支票，向有非法行为的人勒索等。和其他罪犯相比，常业犯有很多共同的想法，他们对自己、对犯罪、对警察都有一种共同的态度，并有自己的荣誉准则和专用黑话。③白领罪犯。包括商人、政客、政府雇员、医生等与其职业密切相关的罪犯。其罪行有商人在代理破产上的非法活动以及垄断，不法回扣，侵犯专利、商标或著作权，违反关于出售粮食及药品的规定，违犯反污染条例。雇主可能破坏有关工资、工时及公共契约的法律。政客及政府雇员很可能泄露秘密情报、受贿。医生可能非法开出麻醉品处方，为事故案件提供假证。律师可能私吞款项或制造伪证。盗窃公款则尤为常见。在犯罪学中对白领犯罪的研究纠正了单纯注意惯犯的偏向。白领罪犯较少受到刑事处分，而是可能被禁止从

事该职业或罚款。白领犯罪这个概念也遭到有些人的反对，认为它扩大了传统的犯罪范围，分散了对传统犯罪的注意。实际上这个问题牵涉到刑法、民法及行政法。就刑法来说，目前的趋势是倾向于缩小犯罪行为的范围，但在研究方面则倾向于扩大犯罪行为的范围。④有组织的犯罪。研究证明，有组织的犯罪集团普遍存在于英国和欧洲大陆，并曾制造骇人听闻的案件，如1963年发生在英国埃尔兹伯里的火车大劫案。这种犯罪集团历史悠久，在政治动乱期间尤为猖獗。它很早就传入美国，规模很大，靠政治腐败得到庇护。并形成所谓犯罪辛迪加，拥有大量资金，还可能控制工厂和仓库以及经理和雇员。它们犯罪的范围包括贩运毒品，经营酒类、赌场、妓院等。⑤杀人罪和暴力罪。在英美多发生在家庭及朋友中。犯罪者年龄大部分是20～24岁。英国稍高。在这些罪行中，杀人罪的破案率最高，在大多数国家中约有90%。定罪率在受审的美国黑人中是80%，白人则为60%。⑥吸毒。吸毒除本身非法以外，还容易引起其他犯罪，如非法买卖毒品。⑦酗酒。在很多国家里，酗酒本身不是犯罪，但酗酒容易引起其他犯罪，如捣乱行为、破坏治安、汽车事故和杀人罪等。目前趋势是对酒后开车加重刑罚。

对犯罪的控制 ①预防性拘留。指对被控犯罪、甚至并未犯罪的人，当认为他释放在外对社会有危险时，拒绝予以保释，加以拘留。这种办法在维护个人权利方面出现一些难题，唯一的解决途径是迅速审判。对这个问题有两种看法：其一主张给予警方以较大的自由来逮捕嫌疑犯，这会使警察抓到更多的罪犯，还可以取消一些不健全的程序；其二主张个人权利必须保证，无罪推定原则必须坚持。但又有人认为过分注重个人权利反会导致长期监禁候审人和在保释候审的人当中产生新的犯罪。②改造。传统的办法主要是监狱。研究表明，监狱不过是把犯人和社会隔开，只有助于罪犯们形成自己的小天地和价值观念。目前的办法是倾向于设立一种"重返社会训练所"的机构，一方面使犯人受到监督，另一方面又使他们生活和工作在社会中。

青少年犯罪的类型 *对青少年犯罪的分析* ①性别及年龄。在西方社会中，最常见的犯罪年龄是14～15岁，男女都是如此。14岁犯的多为偷窃或小偷小摸。16～17岁犯的多为恶意毁损、滋扰破坏、非法开车、携带进攻性武器和攻击警察。一般认为违法行为对大多数人来说只是青少年时期要经过的一个阶段。它开始于11岁，继续上升到15岁为顶点，之后在20～22岁之间急剧地下降，这种下降可能是由于成熟，结婚，有固定的职业，或骚扰情绪的终止。违法主要是男性的活动，大约80%的违法行为出于男孩。②下层阶级和中层阶级的违法行为。一般说来，违法行为的分布情况在各阶级之间大体上是均衡的，但若从定罪的统计来看，下层阶级的违法行为所占的比例较高。③违法集团。以前人们认为青少年犯罪集团并无很好的组织或明确的目标。但实际上许多这类集团是高度组织化的。大约有三类：其一贫民区里的犯罪集团，有强烈的犯罪传统，主要活动是勒索、偷窃、夜入私宅；其二"斗殴"集团，多半存在于新住宅区，尚无犯罪的传统，其锋芒对着中产阶级的价值准则。由于感到受压抑，他们用暴力或破坏财产来发泄不满；其三"遁世集团"，也是存在于贫民区，以吸毒或其他逃避现实的方法犯罪。其根源是他们找不到不论合法的或非法的生活出路。④家庭条件。有的研究表明，青少年犯的父母多半是酗酒的，有犯罪倾向的，不善理家，经济困难或无自尊心的人，对子女不关心，经常施以体罚。但这有待于进一步的研究。⑤预见和预防。青少年犯罪预见的可能性是极小的。有三种预见法：其一从某些背景来预见，如邻居的好坏，父亲外出，家庭中有人酗酒；其二从父母对子女的态度来预见，如实行惩戒的方式，亲子关系如何等；其三从儿童在学校和课堂的表现来预见。但有人反对把个别的人作为预防犯罪的对象。

对青少年犯罪的反应 ①缓刑。这在西方是常见的，由法院有选择地对一些犯人作出缓刑的决定，即予以附有条件的释放，但要遵守某些规定和受缓刑官的监督。研究表明，缓刑的效果是良好的，成功率达70%～90%。缓刑制度中对犯人治疗的方法多种多样，其中有心理医疗和通过小组讨论进行心理上的治疗，后者的效果尤为显著。另外有的机构则注重遵守社会准则的训练。最后则有再教育，重点是进行教育和就业训练，有的则注重心理重建，开展多种活动，少用刑罚。②对青少年的善后治疗。这是犯人重新加入社会的开始，但有许多困难。戴着少年犯的名义不易和社会融合。所以有的人重新犯罪，有的人则过分依赖治疗机构，这是当前有待解决的一个问题。

crime, délit, and contravention 罪、轻罪和违法 许多罗马法民法法系国家对刑事犯罪的三种分类。例如在法国法律中，罪最严重，可判处死刑或长期徒刑。轻罪可判处短期徒刑(1～5年)或处以罚金。违法则是极细微的犯罪行为。民法法系国家在传统上使用所有这三种分类，与三种类型的法院相对应：警察法院，判决应处轻微刑罚的案件；矫正法院，要求有法官但不要求有陪审团，审判除严重的人身伤害以外的所有其他案件；有陪审团参加的审判其他罪行的合议庭。19世纪的法学家们主张从三类减为两类，许多国家(包括瑞典、丹麦、荷兰、葡萄牙、意大利、巴西、挪威、委内瑞拉和哥伦比亚)的法典予以采纳。一般把"轻罪"定义为受犯罪意图所驱使的违法行为，而且直接侵犯个人和集体的权利，从而把以前称为"罪"的犯罪行为包括在内。"违法"则意味着实施了没有犯罪意图但为法律所禁止的任何行为。大多数采用这种新定义的国家仍保留三级法院的结构。结果是在一般的"轻罪"与涉及严重的人身伤害的犯罪之间作出了非正式的然而是重要的区别，后者保留给有陪审团参加的合议庭审判。这种程序上的区别使得用"轻罪"一词包括罪与轻罪的做法没有多大用处，以至有些国家，如匈牙利、丹麦和罗马尼亚，仍把犯罪分为三类。只有荷兰坚持把犯罪分为两类的逻辑而把刑事法院的数目从三个减为两个。

crime, organized 参阅**organized crime**集团犯罪。

Crimea 克里米亚 俄语拉丁字母转写作Krym，又拼Krim。系乌克兰南部一共和国。该国的疆界与克里米亚半岛相同。1921年成立克里米亚苏维埃社会主义自治共和国，主要居民为鞑靼人。1945年鞑靼人因被说成曾与德国人勾结而遭到疏散，这一地区便划归俄罗斯苏维埃社会主义共和国联邦。1954年又并入乌克兰。原系一州，20世纪90

克里米亚半岛南岸的雅尔达
美国不列颠百科全书公司供图

年代初成为共和国。克里米亚北部系地势平坦的干草原，为集约农业区。主要作物有冬小麦、玉米及向日葵。气候干燥，从位于卡霍夫卡的第聂伯河经过运河补充供水。南部低山坡多葡萄园。烟草及香料花均占重要地位。大多数城镇从事农产品加工，酿酒业最多。重工业集中在刻赤，此地系大规模铁矿开采中心。矿石含磷较多，由海运抵达马里乌波尔及顿涅茨流域。首府**辛菲罗波尔**(**Simferopol**)有多种工业、并系文化中心。锡瓦什海为位于克拉斯诺彼列科普斯克及萨基的化学工厂提供盐水。有许多采石场，以石灰石和闪长石居多。南部滨海地区旅游业居十分重要地位，主要旅游中心有雅尔达、古尔祖夫、阿卢什塔和阿卢普卡。面积27 000平方千米。人口约2 549 800(1991)。

Crimea, khanate of the 克里米亚汗国 蒙古帝国的继承国之一。1443年成立，以巴赫奇萨赖为中心。它有时袭击新出现的莫斯科大公国，但在1475年成为土耳其人的属国后，已不再像其母国金帐汗国那样对俄国的独立构成威胁。莫斯科大公国给克里米亚汗国的贡品越来越马虎，1480年伊凡三世大公正式宣布莫斯科独立。1687和1689年戈利钦大公两次进攻克里米亚汗国，均被击败。1783年被俄国女皇叶卡捷琳娜二世吞并。

Crimean Astrophysical Observatory 克里米亚天体物理台 主要天文台之一，位于乌克兰克里米亚的锡梅伊兹。它建成于20世纪初，现拥有口径1.20米和2.65米的光学反射望远镜。这个天文台也拥有几架小型射电望远镜，其中最重要的一架是直径22米的高精度可跟踪抛物面射电望远镜。

Crimean Peninsula 克里米亚半岛 俄语拉丁字母转写作Krymsky Poluostrov。Krymsky又拼Krimskii或Krymskij。半岛的疆界与乌克

兰境内的克里米亚共和国相同。位于黑海和亚速海之间，面积27 000平方千米。通过狭窄的彼列科普地峡与大陆相连。大陆和半岛之间为锡瓦什海，狭长的阿拉巴特沙嘴将该海与亚速海隔开。锡瓦什的含盐海水用来为位于彼列科普地峡的克拉斯诺彼列科普斯克的综合化学工厂提供原料。克里米亚半岛的北部和中部（约占总面积75%）为极少地表水的平坦干草原。南部为3条克里米亚平行山脉，森林密布。最高峰罗曼-科什山（海拔1 545米）的山顶系大块的石灰石平顶。狭长的南部沿海平原气候温和，为主要的休假疗养胜地。塞瓦斯托波尔为乌克兰最佳港湾之一，曾长期为俄国海军基地。克里米亚半岛古代称作陶鲁斯的切尔松尼斯（Tauric Chersonese），自公元前6世纪以来为希腊人所居住，而内陆地区则由西徐亚人占据。后来，半岛属于克里米亚博斯普鲁斯王国。但该王国在蛮族人侵时即告崩溃。克里米亚半岛一直是克里米亚鞑靼族居住之地，首府为巴赫奇萨赖。半岛于1783年被俄国并吞。1944年，鞑靼人的“克里米亚苏维埃社会主义自治共和国”因被指控与德国纳粹勾结而被废除。1945年约有35万鞑靼人被流放到中亚和西伯利亚。尽管1967年在法律上为他们恢复了名誉，但不允许他们回到克里米亚。20世纪80年代末和90年代初，由于苏联解体，许多鞑靼人重返克里米亚定居。

Crimean War　克里米亚战争（1853-10～1856-02）　以克里米亚半岛为主要战场的一次战争。俄国为一方，英国、法国、奥斯曼土耳其人为另一方，自1855年元月起，撒丁-皮埃蒙特国的军队也参战反俄。战争由中东各大国之间的冲突和俄国要保护奥斯曼苏丹治下的东正教臣民而引起。另一个主要原因是俄法之间争夺俄国东正教和天主教在巴勒斯坦圣地的特权。1853年7月，俄国占领了俄土边境的多瑙河诸公国（今罗马尼亚），土耳其人在英国支持下对俄国采取强硬态度。9月23日，英国舰队奉命前往君士坦丁堡。10月4日，土耳其人对俄宣战，并向占据多瑙河诸公国的俄国人发起进攻。俄国黑海舰队在黑海土耳其一方的锡诺普击溃土耳其一海军中队，1854年1月3日，英法舰队驶入黑海，保护土耳其的运输。3月28日，英法对俄宣战。俄国为讨好奥地利以免奥方参战，便从多瑙河诸公国撤出，奥国于1854年8月占领该地。1854年9月，英法土联军在黑海北岸俄国克里米亚地区登陆，开始了对俄国塞瓦斯托波尔要塞长达一年的围困。重大的战斗发生在阿尔马河（1854-09-20）、巴拉克拉瓦（1854-10-25）、因克尔曼（1854-11-05）。1855年1月26日，撒丁-皮埃蒙特国参战，派兵万人。9月8日，法军袭击俄国防守据点马拉赫夫取胜，俄军于11日炸毁要塞，击沉船只，撤离塞瓦斯托波尔。零星战役在高加索及波罗的海进行。由于奥地利威胁要参加联军，俄国于1856年2月1日接受了初步和谈条件。巴黎会议自2月25日至3月30日进行，达成最后解决办法。《巴黎条约》保证了奥斯曼土耳其的领土完整，迫使俄国交出位于多瑙河口的南比萨拉比亚；黑海中立化，多瑙河向各国船只开放。但这次战争并未解决东欧国家间的关系，且使奥地利失去俄国的支持，加深了对英、法的依附性。克里米亚战争双方指挥失宜，加上瘟疫流行，致使双方损失兵员均达25万之众。

criminal investigation　刑事侦查　指研究犯罪和抓捕罪犯的各种方法的总和。刑事侦查员力求查明罪犯使用的方法、犯罪的动机和罪犯本人的身份，以及查明被害人的身份，同时还可能要寻找和询问证人。在查找没有留下指纹或其他确凿证据的罪犯时，往往可以通过分析其惯用的手法取得进展；职业罪犯似乎惯于使用某种伎俩（例如，破门而入）以寻求某种类型的赃物，并留下某种标记（例如，捆绑被害人的方法）。刑事侦查部门积累这类资料，以及失窃财物的清单，而且随时可以查阅汽车和武器登记之类的公共记录和洗衣房及干洗商店的标志、当铺和转手商的交易之类的私人记录，以及其他很多类似的记录。警察的告密员和便衣人员多少是源源不断情报的来源。尽管受到法律上的限制，电话窃听和其他电子监视方法已变得极为重要。讯问嫌疑人是刑事侦查的最重要的任务之一。在大多数国家里，这个程序是很微妙的，因为在侵犯嫌疑人权利的情况下获得的供认，可能被法院拒绝采纳。测谎器的使用也受到法庭广泛的限制。犯罪检验室对刑事侦查的帮助越来越大，这些检验室用它们的设备进行化学的和其他手段的分析，可以处理大量的物证。辨认的技巧，特别是指纹辨认和较新的声波纹辨认，甚至“脱氧核醣核酸指纹辨认”（一种仍在试验中的技巧）在现代的侦查中起着主要的作用。摄影和微型摄影，文件鉴定，弹道学和其他科学技巧仍然是标准的犯罪检验方法。法医学可以进行血和尿的分析，而且可以辨认被杀害人身体器官内的化学物质的痕迹。

criminal law　刑法　广义地说，刑法是界定刑事犯罪，规定对嫌疑人的逮捕、起诉和审判，以及确定可适用于被定罪人的科刑和处理方式的法律的总和。刑法只是有组织的社会用以维护个人利益的安全和保障集体生存的方法之一；此外，还有家庭、学校和宗教所灌输的行为准则，机关和工厂制定的规则，普通警察力量所执行的公民生活规则，以及通过侵权诉讼所实行的各种制裁。刑法与侵权法的区别很难十分准确地划清，但是，我们可以大体上说，侵权是一种对私人的侵害，而犯罪则可视为对公众的罪行，尽管其实际受害者可能是个人。

刑法的原则　传统的刑法观点认为：犯罪是道德上谬误的行为；刑事制裁的目的是使罪犯对他所造成的损害作报偿并赎衍其道德罪行；判处的刑罚应该与被告人的罪过成比例。到了现代，比较理性主义和实用主义的观点占了上风。启蒙时期的作家，诸如意大利的C.贝卡里亚、法国的孟德斯鸠和伏尔泰、英国的J.边沁和德国的P.J.A. von 费尔巴哈，都认为刑法的主要目的是预防犯罪。随着各门社会科学的发展，出现了一些新的概念，如保护公众、矫正罪犯等。这样的目的见诸1975年的西德刑法典，其中规定：法院“应该考虑刑罚对罪犯未来在社会上生活的后果”。在美国，1962年美国法学会单拟并推荐的《模范刑法典》申明，刑法的目的之一，应该是“对被宣布为构成犯罪的行为的性质作出公正的警告”，以及“促进罪犯的矫正和重返社会”。此后人们又重新对一般预防的概念感兴趣，包括遏制可能的罪犯、社会规范的稳定与加强等。

普通法和法典法　绝大多数英语国家的刑法，与其他国家的刑法有着重大的区别。英格兰和美国的刑法源自英国有关犯罪的普通法，它的依据是已决案件的报告中所包含的司法判例。英国一直反对将其刑法制定为综合性的刑法典的一切企图，即使是现在，英国法中仍然没有法定谋杀罪的定义。但是，有些英联邦国家，特别是印度，却以英国关于犯罪的普通法为基础制定了刑法典。

根源于英国普通法的美国刑法，在某些方面已修改得适应于美国的条件。在美国的多数州，立法上废除了英国关于犯罪的普通法。这种立法的效果是，任何人均不得被判以该州成文法所没有明文规定的任何罪行。但是，即使在这些州里，普通法的原则仍然有其影响，因为这些成文的刑法往往只是把普通法法典化，而且它们的规定也参照普通法来解释。在其余各州，按照成文法中没有规定的普通法罪名进行的起诉，还不时出现。在少数州中，所谓刑事法典或刑法典，只不过是一些零碎规定的汇集，并没有花力气来把各个部分连成一个整体，或者对任何以刑事措施来控制犯罪的理论作出界定或体现这些理论。

在西欧，现代刑法出现在各种不同的法典。其中，最重要的是两部拿破仑法典，即1808年的《刑事诉讼法典》和1810年的《刑法典》。后者成为19世纪上半叶欧洲刑事立法的首要样板；其后，虽然它在欧洲的影响减弱了，但是仍然继续在拉丁美洲和中东某些国家的立法中起重要的作用。德国1871年的刑法典和1877年的刑事诉讼法典，给其他欧洲国家提供了榜样，并且对日本和南朝鲜有过重大的影响；只是到第二次世界大战以后，美国的刑事诉讼法才对这后两个国家起了压倒一切的影响。意大利1930年制订的法典，是立法技巧上最讲究的现代立法之一。英国的刑法对以色列和非洲英语国家的法律有过强烈的影响。法国的刑法对非洲法语国家的影响显著。意大利的刑法及其理论则一直在拉丁美洲产生影响。

在过去几十年里，制订法典和法律改革的运动，到处都有长足的进展。美国法学会拟订的《模范刑法典》推动了对联邦刑法和各州刑法进行全面的审查，大部分州都制定了新的法典。英格兰制定了若干包含重大改革的法律（包括盗窃法、性犯罪法和杀人罪法等）以及有关监禁、缓刑、暂缓判刑和社区劳动的现代立法。瑞典在1962年制定了一部有重大进步意义的刑法典。在西德（德意志联邦共和国）1975年颁布了一部在模式上作了重大改革的刑法典，而且其后又不断进行修改。同年，一部新的刑法典在奥地利正式生效。葡萄牙在1982年、巴西在1984年也分别公布了新的刑法典。法国在1958、1970、1975和1982年都制定了有重大改革的法律，意大利在1981年、西班牙在1983年也有同样的举动。芬兰、荷兰、比利时、瑞士和日本，也在进行一些其他的改革。组成苏联的各共和国从1960年起便开始制定经过修改的刑法典；捷克斯洛伐克和匈牙利（1961年）、东德（德意志民主共和国）、保加利亚和罗马尼亚（1968年），以及波兰（1969年），也先后颁布新的刑法典。南斯拉夫自1974年成为联邦以后，1977年公布了联邦刑法典，各共和国又陆续颁行了一些本地的刑法典。

对在西欧国家发展起来的刑法体系和源自英国普通法的刑法体系进行比较时，立论必须十分谨慎。即使是在总体上属于英美法系的国家之间，或者是总体上属于法、意、德的法典体系的国家之间，也存在着某些重大的区别。但是，在许多方面，各国刑法的类同性，都甚于它们的差别性。某些行为方式，在任何国家都受到法律的谴责。在减轻情节和免责情节方面，大陆法往往比英美法规定得更为明确和界限分明，而英美法国家的近代立法，则趋向于缩小这两类情节的区别。对两个法系的诉讼程序，也可以列出不同之点，但是，即使在这一方面，也存在着一些共同的努力目标，如为被告人提供公正的审判，以及为社会的基本利益提供保护。

实体法 刑事实体法包含下列的部分：各种应受惩罚的罪行的定义；罪行的分类，例如，美国的**重罪与轻罪（felony and misdemeanour）**，大陆法中的**罪、轻罪和违法（crime, délit, and contravention）**；对符合刑法规定构成犯罪的行为定罪时应遵循的原则和学说[诸如**自卫（self-defense）**、紧急避难、**精神错乱（insanity）**等]；对具有国际因素的罪行（外国人所犯罪行，本国公民在国外所犯罪行，或者在本国领土、领海以外的船舶和飞行器上所犯罪行）确定是否由国内管辖的原则。

①犯罪行为的定义 其一，合法性。几乎所有的文明国家都承认合法性原则是刑法的基石。其内容有4点。首先，法律没有规定的行为不是犯罪，因此，凡是法律上既不禁止，又不惩罚的行为，都不是犯罪。所谓法律，也可以是习惯法，如像在普通法国家那样；但是，在大多数国家中，刑法的唯一渊源是成文法。这一含义在拉丁文中称nullum crimen sine lege，即“法无规定都不为罪”。其次，合法性原则意味着刑事成文法必须严格解释，而且不能类推扩大适用。如果一项刑事成文法的意义和适用条件含糊不清，则往往只作有利于被告人的狭义解释。这并不是说法律必须作字面解释，如果这种解释背离了法律的明显宗旨的话。美国法学会的《模范刑法典》有这样一项为各州法律所效法的条款：建议“按照这些术语的合理含义”来解释它的各项规定。这种做法与欧洲的实践相近似。第三，合法性原则禁止溯及既往适用法律。为了对一个人定罪，这项法律必须在行为实施时是有效的。合法性原则的这个含义，体现在美国宪法的不溯及既往条款（ex post facto）以及诸如欧洲的《保护人权与基本自由公约》（1950年）、《公民与政治权利国际公约》（1966年）等国际条约中。第四，刑事成文法的语言必须尽可能清楚、明确，才能给潜在的违法者以适当的警告。在有些国家中，意义含糊的成文法，可以不予引用。

其二，一事不再理。各种法律制度一般都规定某些限制，以防止就同一犯罪行为对一个人进行超过一次的追诉。在英美法中，实行一事不再理原则最困难的问题在于，第二次追诉的犯罪行为究竟是“同一”的罪行还是“不同”的罪行。一般还认为，对一个行为判定有罪或无罪释放，便排除了以后对这一行为所包括的较轻罪行进行追诉的可能。根据美国最高法院对“布洛克伯根诉美国”一案的判例（1932，《美国最高法院判例汇集》，第284卷，第299、304页），判别是两个罪行还是一个罪行的关键在于：第二个指控是否需要证据来证明其事实，因为每一项指控都要求有证明其事实的证据。反之，在欧洲的大陆法中，关键则是：第二次追诉所涉及的“主要事实”或者“历史事件”，是否与第一次追诉的相同，国家不能就发生于同一事实情况的任何罪行对一个人进行第二次审判。

在美国的联邦制度下，出现的另一个问题是：能否按照州的法律和联邦法律分别追诉同一行为（以不同的具体罪名）。有一些州的法律，禁止州法院对业经联邦法院或另一州的法院判定有罪或无罪释放的人就其同一行为所构成的犯罪进行追诉。

其三，追诉时效。所有法律体系中，都有成文法规定允许追诉的期限。这种期限可能因罪行的轻重不同而有差别。例如，在德国法中，这个期限从违反行政规则的行为来说，是6个月，对可判处终身监禁的罪行则是30年。在欧洲大陆和美国，以一般的成文法来规定对罪行起诉的期限，是普遍的情况。在英格兰，并没有专门对刑事诉讼规定追诉时效的一般成文法，但是，对特定罪行的成文法，则往往有追诉时效的规定。有许多国家对特别严重的罪行不规定追诉时效，包括美国的死刑重罪，德国的种族灭绝罪和谋杀罪。1968年，联合国大会通过了一个《关于对战争罪和反人道罪不适用时效规定的公约》，尽管多数西方国家以这个公约规定了溯及既往为由而强烈地反对。

其四，管辖要求。法院的管辖是指它进行有效的法律审判的资格。许多国家要求对自己国民行使管辖权，即使这些行为发生于国外。相应地，许多国家拒绝承担把自己的国民交给别的国家的义务。巴西、德国和荷兰的宪法都禁止引渡其本国国民；另外一些国家则以成文法禁止引渡，例如比利时、法国和瑞士。意大利的宪法则规定，只有与国际公约一致，才允许引渡国民。相反地，在英美的实践中，法院一般只对行为的全部或局部发生在它的领域内的犯罪行使管辖权。在外国犯罪的本国国民可以引渡，但是有关的国家必须与本国有条约授权，并且这个国家提出了引渡要求。在美国国内，对犯罪的管辖，按照原先普通法的规定，只限于发生在该州领域内的行为；因此，如果一个人从这个州开枪，越过州界，杀死了邻州的人，有时就只有邻州才有管辖权。但是，许多州已经以成文法扩大其管辖权，规定只要相关的结果或相关的行为，甚至只有局部的行为发生在本州，便可以管辖。此外，联邦的成文法还授权对发生于美国境外的涉及叛国、伪造船舶文书、引诱逃避兵役、贿赂美国官员等犯罪行使管辖权。美国还主张对航行于公海的本国船舶内和公海上空的本国航空器内发生的犯罪有管辖权。1963年在东京通过的《关于在航空器内的犯罪和其他某些行为的公约》和1970年在海牙通过的《关于非法劫持航空器的公约》，都承认各国对有其国家标志的航空器内发生的任何犯罪，不仅有权利而且有义务行使管辖权。

②犯罪的要件 人们普遍认为，任何犯罪的要件是：自愿的作为或不作为（actus reus），并伴以一定的犯罪心理状态（mens rea）。作为可以是人的任何种类的自愿行为。癫痫发作时的动作并不是作为，觉醒以前的梦游状态中的动作，也不是作为，即使这种动作致他人于死亡。对后果的刑事责任，还要求损害必须是被告人所造成的。确定行为与后果之间是否存在因果关系的关键在于：如果没有犯罪人的参与，事件将不可能发生如是的后果。如果被告人有作为的法律义务，而且有理由认为他能够作为而没有作为，也可以确定他应负刑事责任。作为法律义务，可以是成文法所直接规定的，例如，填写所得税申报表的义务；也可以是由于双方关系而产生的，例如，家长向其子女提供食品的义务。

其一，心理要件。虽然大多数法律制度都承认犯罪心理的重要性，成文法却没有精确地说明这个概念指的是什么。美国法学会的《模范刑法典》曾经试图澄清这个概念，办法是把犯罪心理状态简化归纳为4种。任何人“有目的地”、“明知故犯地”、“漫不经心地”、“疏忽大意地”实施一个行为，就应认为有罪。这些术语与欧洲大陆法律理论所使用的术语大体相对应。不论是单独地使用或者结合起来使用，看来已足以解决一般的犯罪心理状态问题，如果得到普遍的接受，将使关于犯罪的实体法更为明确和合理。

其二，欠缺心理状态的刑事责任。有一些刑事犯罪并不要求被告人有犯罪心理的表现。这种犯罪包括法定强奸罪，因为明知被奸污的儿童没有达到能够表示同意的年龄，并不是确定刑事责任所必需。还有大量的“损害公共福利罪”也属于这类犯罪，包括违反经济法规，或者违反有关公共卫生和公共安全的法律。免除这些犯罪的心理状态要求的理由是：如果要求起诉方证明被告人的犯罪故意，甚至犯罪过失，将使这些规范性立法的效果大大减弱，以致无从执行。这类情况在英美法中称为无过失责任罪，在法国法中称为纯实质犯罪。在德国法中，排除了这类犯罪，因为心理状态的要求被认为是一项宪法原则。这种设定无道德过失罪的法律，曾经受到不少批评。让没有表现任何道德过错的公民接受刑事定罪和制裁，会引起法律是否公正的问题。在许多情况下，这种立法的目的，如果采取诸如损害赔偿、发布禁制令状或撤销许可证等民事制裁方式，可以更有效地达到。

其三，不知晓和错误。在许多国家中，法律承认任何人在不知晓其行为的事实的情况下所为的行为不负刑事责任。因此，一个人要是相信他人的货物是自己所有而擅自取走或运走货物，并不构成盗窃罪，因为他缺少盗窃的故意。反之，不知晓法律则一般认为不能免除行为人的责任；不知晓自己的行为是刑法所禁止的行为，并不能作为辩护理由。这种学说的理由是：凡是具有通常理智的成年人，总会知道犯罪行为是有害的、不道德的。但是，当行为并不具有明显的危险性或明显地不道德，问题就不那样清楚，因此，不少意见认为，在这种情况下，应该允许援引法律认识错误作为对起诉的辩护理由，特别是如果被告人曾经作出合理的努力来了解法律规定，更应如此。在西德，联邦最高法院在1952年曾经接受一种观点，认为一个人从事犯罪行为而不知晓这一行为的犯罪性，就不能被判定为犯了刑事罪行。这个原则后来被写入西德的刑法典。瑞士的法律及其实践也与此相仿。在奥地利，误解法律是一种合法的辩护理由。

其四，责任。人们普遍地同意，在适当的情况下，严重精神失常的人，应该对其刑事行为的后果不承担刑事责任。但是关于刑事责任的适当法律标准问题，引起过许多争论。大部分关于精神失常的法律定义，都不是以现代医学概念为基础，而心理学家们也相应地发现很难使自己的知识与法庭的要求联系起来。人们曾经作过许多努力来为刑事责任制定一个新的法律标准。美国法律研究所的《模范刑法典》力图解决这个问题的多方面的困难，它要求被告人必须是由于精神疾病或精神缺陷而丧失了“理解其行为的犯罪性和使自己行为符合于法律要求的实际能力”。这一行文，类似于苏联1958年的提法，即要求在医疗方面患有精神疾病，并且由于疾病而在心理状态上丧失理解和控制的能力。德国的法律可以说也类似于此，不过，它所指的精神疾病，除了神经病外，还包括精神变态和神经官能症，并且规定有不同的减责等次。美国有几个州，包括联邦法已经放弃了关于精神失常问题的争论而回到旧日英国法在姆诺顿案件(《英国判例汇编》，第8卷，第718，722页，1843年)中确定的规则。根据这个判例，精神失常的人只有当他不知晓其行为的性质，或者不能分辨正确与错误时，才能免除责任。英国1957年的《杀人罪法》也承认可以减轻责任，但是减责的程度不大。这部法律规定：杀害他人者，“如果由于精神不正常……以致大大减弱其从事或参与杀人的作为或不作为的心理责任”，将不以谋杀罪论处。这一规定的主要作用是把杀人罪减轻为非预谋杀人罪。醉酒通常不视为丧失精神能力。苏联法律对此特别严厉，规定精神病的辩护理由不适用于醉酒中犯罪的人，而且醉酒甚至可以作为加重情节。相反地，在德国法律中，醉酒和其他精神缺陷一样，在刑事案件中可以接受为辩护理由。

其五，减轻情节和其他辩护理由。法律一般承认，在某些特殊情况下，使用暴力，甚至是致死的暴力，可予原宥，或者宣告无罪。这方面最重要的法律规定是有关自卫的规定。在英美法中，一般地说，杀人者如果合理地相信自己正处于丧失生命或者受严重身体伤害的紧迫危险下，而且杀害侵袭者是避免紧迫危险所必需，便可以把侵袭者杀死。有的国家要求受侵袭的一方只要存在退避不致增加危险的可能时，必须先尝试退避。但是，按照许多欧洲大陆国家的法律，只要被告人不是有目的地或者有重大过失地挑唆侵袭者，或者侵袭者本身有年幼、醉酒、认识错误或患有精神病等弱点，被告人便可以坚持不退避。在其他情况下，不论在英美法或者欧洲大陆法中，一般都认为使用暴力是正确的，包括为保护他人、保障法律的施行或保护财产而使用暴力。

如果被告人合理地相信自己是在紧急避难的情况下而使用暴力，也可以原宥。在英美法中，紧急避难的学说所指的情况是：一个人面对着自然界难以抵挡的压力，必须在诸种不幸中作出选择，因而从事了在其他情况下可能被认定为犯罪的行为。经常被援引的是1842年《美国诉霍姆斯》的案例：一艘载有乘客和若干海员的大型救生艇从美国沉船放入波涛汹涌的大海中飘流，为了避免救生艇被淹，海员们把几名乘客扔进海里。在审判其中一名海员时，法庭认定，如果牺牲者是经过公平的挑选，例如经过抽签决定的，这一紧急避难的情况便可以作为对杀人罪指控的辩护理由。由于当时并没有这样做，所以判定被告人犯有非预谋杀人罪。著名的英国案例《女王诉达德利和史蒂芬斯》(《高等法院王座庭判例汇编》，第14卷，第273页，1884年)则似乎反对杀人案件中以紧急避难作为辩护理由。但是，在德国和法国的法庭，被告人则可能被无罪释放。

如果被告人合理地相信自己是在被劫持或胁迫下使用暴力，或者在执行他信以为是合法的军事命令中使用暴力，一般也可以免责。

其六，某些特殊的犯罪。一切先进的法律制度，都把英美法中描述为叛逆、谋杀、重伤害、盗窃、抢劫、夜间入屋偷窃、纵火和强奸的行为规定为犯罪。但是，如果是违反一般警察法规的行为，即使在同属英美法系的国家中，犯罪行为的定义也有很大不同。比较一下欧洲大陆的刑法和源自普通法的刑法，也可以发现，在比较严重的罪行的某些方面，在定义上有重大的差别。例如，欧洲大陆法通常总是列举各种减轻情节，其中有些在英美法中只作为处刑机关或陪审团自由裁量的情节。这可以以所谓安乐死为例来说明。在英美法中，被告人如果为了避免受害人继续蒙受显然无法救治的疾病所造成的痛苦而加以杀害，并不能作为无罪辩护或者减轻刑罚的正式理由；可是，在许多欧洲和拉丁美洲的法典里，却规定凡是出于这种动机的犯罪，可以减轻刑罚，有时甚至可以把它作为对刑事起诉的辩护理由。

其七，共犯的等级。普通法的传统是把共犯分为4个等级。“亲自动手”实施犯罪行为的是一级主犯。在法国法中，与此对应的是正犯或者共同正犯(两人或两人以上直接进行犯罪行为)。二级主犯是指故意地帮助或协助一级主犯，并且在犯罪发生时在场；这种共犯相当于法国的帮助共犯。而在其他一些国家，例如德国，采用了把帮助犯包括在内的比较广泛(也比较主观)的解释。在英美法中，凡是对主犯进行教唆、鼓励和劝说，而犯罪时没有在场的，称为事前从犯；而在大陆法中，这种第三级共犯，有一部分归入教唆犯，一部分归入帮助犯。第四级、也是最后一级的共犯是事后从犯。他们之所以受惩罚，是因为他们接待、隐匿和庇护明知是犯了罪的人，以妨碍对罪犯的缉捕或惩罚。在大陆的法律制度下，这类罪犯不算共犯，而是另立罪名。意大利和奥地利的法律把所有的共犯都列为一级主犯，只有事后从犯例外。美国法学会的《模范刑法典》建议作类似的简化。

其八，合谋。在普通法中，合谋通常是描述为两人或两人以上为实施一项非法行为，或者为了以非法的手段来达成一项合法的目的而达成协议。但是，这个定义过分简单和含糊，因为其中每个术语都需要作进一步的司法解释。犯罪合谋也许是英美刑法中最模棱两可的部分。例如，在有些法律管辖区内，合谋的所谓“非法”目的，并不要求一定是犯罪目的，因为有些目的如果是单独一个人完成，也许就不是犯罪。但是，法庭却往往在审理合谋案件时对什么算是“非法”目的的问题上难以取得一致意见。美国有些州的成文法仿效美国法学会的《模范刑法典》，把合谋罪只限制在追求犯罪目的的行为。欧洲的法典没有像英美法系那样广泛的合谋概念。在某些欧洲大陆国家，如法国和德国，如果罪行是超过一个人合谋进行的，刑罚可以加重。在大多数国家中，不论犯罪目的是未遂还是既遂，只要合谋就处罚的情况，大都只限于反对国家的政治罪；不过，有些国家也把合谋扩大到其他领域的犯罪。例如，意大利1930年的法典就规定，为进行一种以上的犯罪而结社，构成犯罪。但是，欧洲大陆的这些规定，没有一个像英美法那样把原来的合谋概念普遍化，例如，没有一个规定是惩罚非犯罪目的的合谋的。

其九，未遂。在英美法中，有一类犯罪称为未完成罪，或预备罪。因为，即使当事者没有达到其犯罪目的，他还是有罪。例如，煽动罪或教唆罪中就包括敦促和要求他人犯罪的行为。某些特定类型的教唆行为，如唆使他人贿赂，为不道德目的而教唆，或者煽动武装部队成员暴动等，都可以构成犯罪。未完成罪中最重要的种类是未遂罪，这是指意图达到一个犯罪目的而没有遂愿、已经超越预备阶段并且危险地接近造成原来意图造成的损害的行为。在许多情况下，要划清预备和未遂的界线是困难的。在苏联法律中，预备行为如果具有社会危险性，应予惩罚。未遂是进一步的行动，在苏联法律理论中被界定为具有除犯罪结果以外的一切犯罪要件的行为。在欧洲大陆国家和某些英美法系国家中，未遂也可以包括那些如果行为人预期的情况真的存在即构成犯罪的行为。“犯罪不能”的辩护理由，只有当行为人的错误是绝对不合理时，才予承认。与包括苏联在内的某些欧洲大陆国家不同，英美法传统上从来不承认中止作为辩护理由，即罪犯在其行为已超过单纯的预备时自愿中止其造成预期危害的行为。但是，美国法学会的《模范刑法典》和美国几个州的法典却肯定这种情况可以作为辩护理由，只要能够证明行为人“放弃其犯罪努力或者避免犯罪的完成的情况足以表明他已完全地和自愿地放弃其犯罪目的”。

刑法和其他社会科学 刑法在过去一两个世纪里,受到其他社会科学,特别是犯罪学、社会学和心理学的强烈影响。社会科学的实证方法已经被引进法学研究领域,为改善立法、改进法庭的判刑态度以及执法机关的计划方法,作了许多贡献。

行为规范 许多国家犯罪率的上升超过人口的增长。这一事实使人怀疑法律本身究竟有多大作用,反对犯罪的法律是否真正能影响人们的行为。人们进行了各种各样有关法律与社会秩序的大规模的调查研究。在美国,总统的执法与审判委员会进行了调查;在欧洲,欧洲理事会资助了若干课题研究;在德国,议会的刑法改革委员会举行了听证会。这些调查研究得出的一个结论是:刑事立法应该只限制在那些对公共秩序有重大威胁,而且可以由警察、法院和各种矫正机构来有效地对付的行为。如果对一切被认为不道德或越轨的行为,诸如酗酒、赌博、不轨行为、流浪和轻微罪行都予惩罚,那只会增加犯罪的数量而不能改变人们的行为准则。

成文法的效果 人的行为取决于许多不受成文法影响的因素。因此,采用或废除死刑看来对谋杀率并没有多大的影响,很大程度上还是取决于执行法律的方式。任何对刑事成文法的研究,都必须考查警察、检察官和法院所采取的工作方式——例如,他们侦查嫌疑犯、搜集证据和指导陪审团,是怎样进行的,以及在“答辩交易”和判刑时又是怎样运用其权力的。

刑罚的效果 要确定刑罚究竟能在多大程度上遏止被判刑的罪犯再度犯罪是很困难的。许多人在研究了各种处理罪犯的方式以后,得出的结论是:“一无用处”。也有一些比较乐观的研究报告指出:较宽大的刑罚(如罚金、缓刑、暂缓判刑)与较严厉的刑罚,对遏制未来的犯罪,似乎具有大致相同的效果。因此,国际上出现了取消监禁刑的趋势。短期监禁被视为害处特别大,因为它使罪犯与家庭和职业相隔离,使他们在监狱里受犯罪气氛的影响,释放后又受社会的歧视。长期监禁也愈来愈遭到怀疑,因为即使是最好的监狱也免不了有各种消极的副作用,尽管监狱已经进行了150多年的改革。这种不良的影响包括:监狱气氛的感染,与监狱次文化的接触,幼稚病,精神病,以及一般地降低了在自由社会过负责任的生活的适应能力。目前,人们认为,只要可能,还是把已定罪的罪犯放在开放性的监狱比较理想。

精神缺陷者和少年犯的处理 大部分的犯罪行为与精神缺陷有关。在判刑时减轻其责任解决不了问题,而且也无助于他们的改造。有精神缺陷的罪犯,需要的是住院和精神病治疗;这种罪犯通常是采取缓刑方式处理,或者送交医院治疗。因吸毒而导致的犯罪也产生类似的问题;除非作出某些努力来戒除罪犯的毒瘾,否则定期的监禁是没有意义的。同样的问题也适用于少年犯;一般是通过单独的专门法庭来处理,并且把他们送往拘留中心、管训中心或者半日制教养所。

criminology 犯罪学 指对犯罪(包括青少年犯罪)的非法律方面(包括犯罪的原因和预防)进行的科学研究。从广义上说,它包括刑罚学。它是从伦理学、人类学、生物学、性格学、心理学、精神病学、社会学及统计学等各种学科的角度来研究犯罪的原因、矫正和预防犯罪。它主要是一种实用或“应用”的科学,对法官、检察官、律师、缓刑监督官和监狱官员都非常有用,对立法和行政部门也是如此,犯罪学者应否参加对犯罪的立法,目前还是有争论的问题。

历史 犯罪学起源于18世纪晚期。那时的人道主义思潮反对刑事审判和监狱制度的残酷、武断和低效能,出现了所谓古典犯罪学派,其主要代表人物有意大利的贝卡利亚、英国的罗米利、霍华德及边沁。不过他们所追求的主要还是刑罚改革和刑法改革,而不是研究犯罪和罪犯本身。他们的主要目的在于减轻刑罚,要求做到“法无规定者不处刑”以及按“正当程序”进行审判,减少死刑,以及使监狱人道化。他们希望刑事审判“公正”,抽象和人为地要求罪刑相适应,因而没有注意罪犯个人的性格及其需要。刑罚的作用被视为主要是报复,威慑居于次位,而罪犯的改造更置于末位。到19世纪下半叶产生了实证主义犯罪学派。它是在法国社会学家孔德的学说的影响下,由意大利都灵大学的隆布罗索教授创立的。他试图通过对在押犯人的直接观察和计量来确定各个类型罪犯的特征。有一些观察导致他们对罪犯作出人类测量学的解释,得出存在在头盖骨、骨架和神经系统方面缺陷的“生来罪犯”的结论。但是,更重要的是他和其他实证派学者提出一个思想,就是认为犯罪原因是多方面的,大多数罪犯是由环境和交往造成的,而不是天生的。由此,犯罪学的研究能着重罪犯个案的研究,以及预防和改造措施的探索。如果没有实证学派,不但现在的犯罪学研究以及当代一些用作代替死刑和传统式监禁的办法,如缓刑、缓期判刑、罚金、假释,都将是不可想象的。不过,目前人们广泛认为这两个学派都不可能为将来的犯罪学和监狱学提供可靠的基础,因而在第二次世界大战后又出现了第三种学派,即“社会防卫”学派。它不赞成对罪犯进行固定的分类,强调人格的特殊性,强调道德价值,特别重要的是主张罪犯权利与社会权利的平衡。但是,这个学派的主张还其说不一,至今尚未定型。

近代犯罪学研究 犯罪学研究的目的有三:①说明事实;②找出原因;③规定标准。说明事实就是搜集有关的和可靠的事实并加以解释。找出原因就是把一系列事实和另一系列事实联系起来,确定原因所在。规定标准则是从研究中归纳出法则。到目前为止,犯罪学的发展可以分为三个阶段:①前科学阶段。没有任何理论基础,只有古典学派的一些著作。②半科学阶段。有理论或假设,但缺乏完善的科学方法,只有实证学派的努力所作出的一些成果。③科学阶段。有希望通过下列方法克服以前各学派的缺陷:①统计方法,由比利时天文学家阔特勒所提倡。②案例研究。③类型划分。④试验方法。⑤预测研究。⑥行动研究。⑦社会学研究。

Crimmitschau 克里米乔 又作Krimmitschau。德国萨克森州城市。滨普莱瑟河,在茨维考的西北。18世纪起为工业区,有织布厂、针织厂、纺织厂;19世纪为工人运动中心。1903～1904年的克里米乔纺织工人大罢工曾对全国纺织工人起动员作用。这里还生产纺织机械。人口约24 003(1989)。

crimping(military) 参阅 **impressement 强征入伍**。

crinoid 海百合类 棘皮动物门海百合纲(Crinoidea)无脊椎动物,体略呈杯形,具5条分支或不分支的腕。腕的两侧伸出羽毛状的分支(羽枝)。腕上有管足,管足上的突起司感觉功能。生殖细胞在腕部产生。腕上有步带沟,沾在管足上的食物颗粒在纤毛作用下沿步带沟进入口内。内骨骼由一系列骨片组成有种特色的石灰质甲壳,数千个化石种与已绝灭的类似的棘皮动物一道,成为重要的古生代标志化石。已知现存约700种,主要分布于深海。参阅**毛头星(feather star)**、**海百合(sea lily)**。

crinoline 衬架裙 源于法文crin,意即“马鬃”。19世纪40年代后期用马鬃织物缝制的硬衬裙与鲸骨撑架和多层荷叶边的裙子一道穿着。1856年,马鬃和鲸骨由轻巧的金属弹簧裙环架所代替。使宽大如钟的裙子与

1865年绘画当中的妇女手持一金属弹簧裙环架
美国不列颠百科全书公司供图

纤细的束紧的腰身形成鲜明对比。19世纪50年代,笼式衬架裙风行一时,而60年代圆盖形衬架裙则改成金字塔形,并出现了比较小的“散步”裙。至1878年衬架裙一般已被废弃。参阅 **farthingale; hoop skirt**。

Criobolium 血浴 小亚细亚古代宗教仪式,即宰公羊作为牺牲,而以其血为信徒沐浴。这是对弗里吉亚神祇阿提斯和众神之母赛比利的崇拜中的典礼。它可能是吸收公牛崇拜的内容。与公牛崇拜结合举行此礼时,坛上写有众神之母与阿提斯之名;仅举行公牛崇拜仪式时,坛上仅写众神之母之名。

Criollo(people) 参阅 **Creole 克里奥尔人**。

Criollo 克里奥尔马 阿根廷、巴西等南美国家的一种小型马,用作种畜及骑乘用马。

克里奥尔马
美国不列颠百科全书公司供图

由西班牙输入的马繁育而成，在阿根廷处于野生状态达300年之久。1920年人们饲养了一群野生状态下的马，进行选择育种，使耐劳的克里奥尔马变得体态优美。高137～150厘米。毛色多样，但暗褐、红棕等色者最受欢迎。参阅 **pony**。

Crippen, Robert Laurel　克里平（1937-09-11，美国得克萨斯博蒙特～　）　美国航天员，航天飞机第一次轨道飞行的驾驶员。1960年毕业于得克萨斯大学，获航空航天工程学位。1966年参加美国空军载人轨道实验室计划，1969年调至航天员队，几年后被任命为"天空实验室"医学实验高空试验的负责人，并担任"天空实验室"第二、三、四次飞行和"阿波罗-联盟"试验计划中的支援组成员。他和J.W.扬驾驶的世界第一架可多次使用的航天器——"哥伦比亚"号航天飞机，于1981年4月12日发射，绕地球轨道飞行36圈后于4月14日着陆。克里平后来又参加"挑战者"航天飞机的飞行（1983-06-18～24），成为第一位两次执行航天飞机飞行任务的航天员。

Cripple Creek　克里普尔克里克　美国科罗拉多州中部城市，特勒县县城（1899）。位于皮斯加山（3 170米）山麓，科罗拉多斯普林斯以西，派克国家森林边缘。1891年附近发现黄金。1892年设建制。1893年至1901年间有3条铁路修至克里普尔克里克。1920年后黄金生产衰落，该市几乎成为空城。目前经济以旅游业为主。20世纪70年代后期，世界黄金价格上涨，矿山开始重建。西北郊有弗洛里塞特化石层国家纪念地。人口1 115（2000）。

Cripps, Sir (Richard) Stafford　克里普斯（1889-04-24，伦敦～1952-04-21，苏黎世）　英国政治家，主要以任财政大臣（1947～1950）时实行严厉的紧缩计划而闻名。曾在温切斯特和伦敦大学学院攻读化学，成绩优异。1913年取得律师资格。第一次世界大战时因不适于服兵役，1917～1919年在一家政府的工厂劳动，结果身体衰弱。战后重操律师业，1927年成为皇家大律师。1930年被封为爵士。1930年任副检察长。1931年当选为工党下议员，但拒绝参加国民内阁。作为工党极左翼，1932年参加创立社会主义同盟。1936年倡议与共产党人成立联合阵线，1938年扩大为反法西斯人民阵线，结果被开除出工党。自1940年5月至1942年1月任驻苏联大使。继而参加战时内阁，代表政府领导英国与印度之间的谈判，通称为克里普斯使团。这次成为印度独立道路上重要里程碑的谈判于1942年3月22日至4月12日在德里举行，旨在通过印度国大党和穆斯林联盟联合印度支持抗击日本侵略。但谈判失败，政府与国大党的分歧加大。8月，甘地和国大党工作委员会成员被捕，导致短寿命的左翼起义。克里普斯后成为下院领袖。第二次世界大战后重新加入工党，任贸易大臣。1947年出任财政大臣。他集中力量于投资和支付平衡，企图刺激出口，并控制通货膨胀。1950年10月因病辞职。

Crispi, Francesco　克里斯皮（1819-10-04，西西里里贝拉～1901-08-12，那不勒斯）　意大利政治家，因从事革命活动而被逐出那不勒斯和撒丁-皮埃蒙特地区，意大利统一后曾任总理。在西西里学习法律，后因对当地情况感到失望，遂前往那不勒斯，积极从事鼓吹共和国的活动。他参加筹划1848年在西西里成功的起义。1849年波旁王朝的国王斐迪南二世重新占领该岛后，他逃往都灵当新闻记者。因有参与1853年米兰起义的嫌疑，被放逐。前去伦敦以后结识意大利共和运动领袖G.马志尼。1859年两次回西西里组织起义。起义成功后任内政大臣。后因与加富尔冲突而辞职。1861年当选议员后，因政见而树敌甚多。1876年当选议长。1877年他出访归来后主张与德意志结盟。1887年组阁，兼掌内政外交。由于发生经济危机和极不得人心的外交政策，他的政府于1891年垮台。1893年12月再度出任首相。他大大改进了经济状况，越来越采取高压手段，野蛮镇压社会党人在西西里发动的起义。他还采取一种灾难性的外交政策，把意大利在红海沿岸的几块领地合成厄立特里亚，后又试图使意大利变成在非洲的一个殖民强国。但意军在阿多瓦战役（1896）中的失败导致他政府下台。

Crispin and Crispinian, SAINTS　克里斯平和克里斯皮尼安，圣（?，罗马?～约286，法国苏瓦松?）　鞋匠的两位主保圣人。相传他们兄弟二人出身罗马贵族，迁居苏瓦松，一面靠制鞋为生，一面劝化许多人改奉基督教。皇帝马克西米安判处他们死刑，但他们竟能从酷刑中逃脱，最后马克西米安将他们斩首。在中世纪法兰西，人们在这两位圣人的瞻礼日举行列队行进和欢乐活动，由鞋业公会发挥主要作用。

Crispus　克里斯普斯（305～326，威尼斯波拉）　君士坦丁大帝的长子。后据其父的命令被秘密处死。307年，其母米涅瓦（或米涅维纳）与君士坦丁离异。317年3月1日，其父授予他凯撒称号，兼领高卢统治者的虚衔。324年君士坦丁大帝与同朝皇帝李锡尼再次爆发战争，克里斯普斯指挥其父的舰队，在赫勒斯滂赢得一次重大的海战胜利。326年在陪伴君士坦丁去罗马庆祝登基20周年的途中，突然在波拉被处决。不久，其继母福斯塔也被处死。

Cristea, Miron　克里斯蒂亚（1868-07-20，罗马尼亚托普利察～1939-03-06，法国戛纳）　罗马尼亚正教会第一任牧首，致力于教会和国家的统一。1920～1930年罗马尼亚国王斐迪南患病，政务交由3位摄政者处理，他是其中之一。卡罗尔二世即位后，他于1939年任首相，力图促成政治稳定和国家统一。1925年任牧首，向国外发挥影响力以促进和平和团结。1927年访问巴勒斯坦，顺路访问君士坦丁堡牧首和东正教其他首脑；1936年应坎特伯雷大主教邀请访问英格兰。

Cristillo, Louis Francis　克里斯蒂洛　参阅 **Abbott, Bud; and Costello, Lou 阿博特和科斯蒂洛**。

Cristóbal　克利斯托瓦尔　巴拿马中北部科隆省的大西洋终端港，毗连科隆城。克利斯托瓦尔和科隆是以克里斯托弗·哥伦布的姓名而命名。位于人工填筑的地峡上。1914年为修建巴拿马运河供应物资的入口港。1979年前为原运河区的一部分，由美国管辖。较大的科隆城属巴拿马。有规模宏大的现代化码头，海运设备和有防波堤的锚地，为加勒比海的主要港口之一。人口36 149（2000）。

cristobalite　方石英　熔点在1 728～1 470 °C之间二氧化硅的稳定形态（在1 470 °C以下鳞石英是稳定的形态）。有两个变种：低温方石英，在低于268 °C时产出，但它是不稳定的；高温方石英，在高于268 °C时产出，但只在1 470 °C以上才是稳定的。在火成岩中，低温方石英通常是呈次显微晶质块体物（参阅 **opal**）或纤维状到柱状球粒（参阅 **lussatite**）产出。方石英与柯石英、热液石英、焦石英、石英和鳞石英化学成分相同，而晶体结构不同。关于详细的物理性质，参阅 **silica mineral**（表）。

Cristofori, Bartolomeo (di Francesco)　克里斯托福里（1655-05-04，威尼斯共和国帕多瓦～1731-01-27，佛罗伦萨）　意大利拨弦键琴制造家。人们普遍认为钢琴是他所发明，当时称做"能弹出强弱音的拨弦键琴"，指该琴能因按键的压力大小而改变响亮度，这一特点是拨弦键琴所不具备的。克里斯托福里用一个琴槌连动装置（它能以较大或较小力度敲击琴弦）代替拨弦键琴的拨弦机械而取得这一效果。生平不详。他的发明在他生前也很少为人所知。据知1690年左右应费迪南多亲王之请从帕多瓦去佛罗伦萨。1709年左右研制了钢琴，根据当时资料，至1711年时他已制造了4架。1713年费迪南多死后，他留在科西莫大公处供职。1716年成为费迪南多乐器收藏馆负责人，在所藏84件乐器中，有7件是他制造的拨弦键琴或斯皮内琴。他在1726年改进的钢琴已具备现代钢琴机械装置的要素。按照现存标本（例如在莱比锡与纽约市都有）来看，他的钢琴是很敏感的，具有很广的力度变化幅度。

Cristoforo Fini, Tommaso di 克里斯托福罗·菲尼 参阅 **Masolino** 马索利诺。

Cristoval（Solomon Islands） **克里斯托瓦尔** 参阅 **San Cristóbal** 圣克里斯托瓦尔。

Crithidia 短膜虫属 鞭毛纲动质虫目原生动物的一属。是无脊椎动物的寄生虫，主要生活在节肢动物（通常是昆虫）体内。其包囊从寄主粪便中排出，从一个寄主传播到另一个寄主。短膜虫有多型性，而其特有形态是纺锤形（某些有亲缘关系的属可短时呈纺锤形），亦有一短的波动膜，膜的边缘有一条向前伸的鞭毛。

critical angle 临界角 光学中一束光穿过一种透明介质射到该介质与另一种折射率较小的介质间的界面时，在第一种介质内不发生全反射的最大角（介质的折射率定义

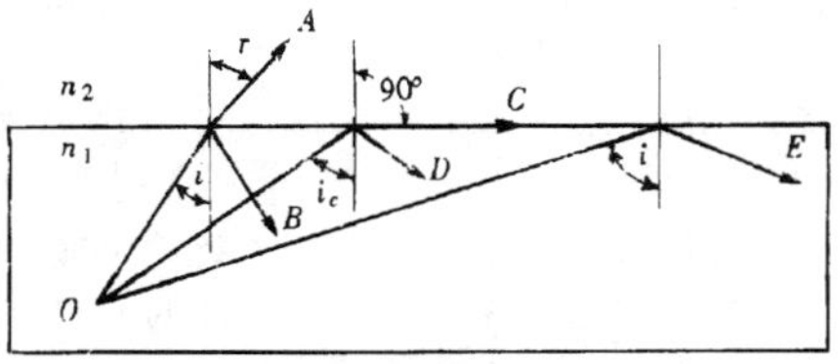

临界角

为真空中光速与该介质中光速之比）。对小于临界角的任何入射角以及光线由另一边射到界面上的所有入射角，都有一部分光束透过界面而折射。图中所示两种物质如水和空气，其折射率分别为 n_1 和 n_2，且 n_1 大于 n_2。由左到右三条光线由 O 点射到界面，入射角分别小于、等于、大于临界角。最左边的光线其入射角 i 小于临界角 i_c，部分光折射到 A，部分反射到 B。中间的光线以临界角射到界面，其绝大部分反射到 D，微不足道的部分沿界面趋向 C。最右边的光线以大于临界角的入射角射在界面上，全部反射到 E，没有折射分量。临界角的正弦等于两折射率的比：$\sin i_c = n_2/n_1$。

critical mass 临界质量 在核物理学中，裂变物质在规定条件下实现自持链式裂变反应所需要的最小量。它的大小与所用裂变物质的种类、浓度和纯度及其周围反应系统的成分和几何形状等因素有关。

critical path analysis（CPA） **统筹分析** 又称关键路线分析。在完成一个大计划中控制和协调必要的各项活动的方法。它用一张图，由一系列的圆（每个圆表示计划的一个特殊部分）和把它们连在一起的线（表示活动）组成。关键路线是完成一个计划可能需要的最少时间。

critical point 临界点 物理学中指液体与其蒸气变得完全一样时（参阅 **phase diagram**）的一组条件。确定每种物质临界点的三个量是临界温度、临界压强和临界密度。在一个盛满纯物质的密闭容器里，如果一部分处于液态，一部分处于气态，只要使二者的平均密度等于临界密度，就可以达到临界状态。随着温度升高，蒸气压增大，气相变得稠密，液体膨胀，逐渐变稀；到达临界点时，液体和蒸气的密度相等，两相之间的分界面消失。如果开始时的平均密度过低，则临界温度到达前液体将全部蒸发。如果初始的平均密度过高，则液体将膨胀而充满容器。

Critius and Nesiotes 克里蒂乌斯和内西奥特斯（活动于公元前5世纪后期，雅典） 希腊的两个雕刻师，青铜雕像《诛戮暴君者哈莫狄奥斯和阿里斯托吉顿》的作者。此作品的人物姿态以及准确的解剖细节，带有从古风时期向古典时期过渡的标志。诛戮暴君者的雕像曾被复制于罗马的硬币、陶瓶、浮雕以及一些未完稿的作品上。那不勒斯的国立考古博物馆收藏有最好的摹制品。阿里斯托吉顿雕像的一件复原品收藏在罗马音乐学院博物馆。

Critobulos Michael 克里托布洛斯（活动时期15世纪） 拜占廷历史学家，曾撰有土耳其人灭亡拜占廷帝国的历史，迄今仍为当时少数实录之一。其早期生平不详，大概生于爱琴海上的伊姆罗兹岛。他虽不是君士坦丁堡围城时的一名目击者，但城陷（1453）之后，曾到过那里，其后又在奥斯曼苏丹穆罕默德二世治下担任过伊姆罗兹总督。尽管他哀叹君士坦丁堡的陷落与拜占廷帝国的衰亡，但他钦佩穆罕默德，并对土耳其人的入侵作出不偏不倚的、大致正确的叙述。所著《征服者穆罕默德的历史》仅为穆罕默德在位30年间前17年（1451～1468）的史实，但文笔生动，仍不失为研究拜占廷学者的权威资料来源。

Critolaus 克里托劳斯（活动时期公元前2世纪） 希腊哲学家。吕基亚的法赛利斯人。继凯奥斯的阿里斯顿之后成为哲学逍遥学派（亚里士多德的信徒）首领。任职期间，试图把学派的活动重新引入科学的和哲学的研究，并试图摆脱前人的世俗偏见。其学说基本上属逍遥学派，但部分地受斯多葛派影响。因此他在给至善下定义时竟宣布乐趣是一种罪恶。他力言灵魂的美胜过肉体的美。其著作仅存片断。

Crittenden, John J. 克里坦登（1787-09-10，美国肯塔基凡尔赛附近～1863-07-26，肯塔基

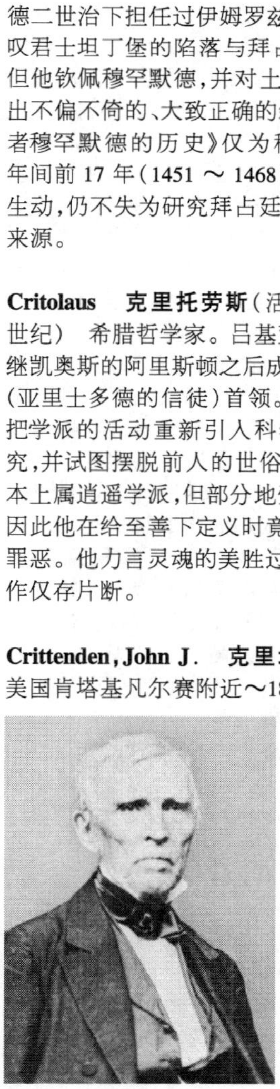

美国国会图书馆供图

法兰克福） 美国政治家，以他在美国南北战争爆发前夕试图解决地区分歧的所谓《克里坦登妥协案》（**Crittenden Compromise**）知名于世。威廉与玛丽学院毕业（1807）。两年后在伊利诺伊任领地司法部长。1812年选入肯塔基州议会。1817～1861年几次为美国参议员。1840年在哈里森辉格党政府中任美国司法部长，一年后辞职。1848～1850年任肯塔基州州长。1855～1861年重任参议员期间，辉格党因《堪萨斯-内布拉斯加法案》而分裂，克里坦登始而加入一无所知党，后又转入立宪联邦党。A.林肯当选总统后，克里坦登于1860年12月提出关于奴隶制问题的解决方案，但该案未获通过。1861年5月，克里坦登任边境州领袖法兰克福会议主席，这一会议要求南方重新考虑它在脱离联邦后的地位。

Crittenden Compromise 《克里坦登妥协案》（1860～1861） 美国历史上，1860年12月肯塔基州参议员J. J. 克里坦登在国会的一系列提案，旨在阻止美国南北战争的爆发，要求逃往北方的奴隶如不得遣返时，由联邦政府补偿奴隶主的损失；允许各地区自行决定是否采用奴隶制度；保护哥伦比亚特区的奴隶制度，国会不加限制。1861年3月2日，该妥协案在参院仅以几票之差没有通过。

Crivelli, Carlo 克里韦利（约1430或1435，威尼斯[意大利]～约1493或1495） 意大利画家，也许是15世纪威尼斯画派最有个性的画家。其风格接近帕多瓦传统的注重线

克里韦利绘《坐在宝座上的圣母子与诸圣徒》（1491）
美国不列颠百科全书公司供图

条的画法，可能受到15世纪重要画家A.曼特尼亚的影响，特别强调以准确的线条刻画形体。专画宗教题材。尽管其古典的、现实主义的人物形象和对称的构图遵循了文艺复兴时期绘画的准则，但其别具一格的变化处理极富有个性，并具有强烈的哥特式的气韵。最重要的作品是《基督受难时的圣母》（约1457）、《哀悼基督》（1485）、《坐在宝座上的圣母子与诸圣徒》（1491，风格成熟期的杰作）以及晚期的杰作《圣母加冕》（1493）。

Cro-Magnon 克罗马农人 旧石器时代晚期（约35 000年前至10 000年前）智人群体。

1868年在法国南部多尔多涅地区克罗马农的一处岩棚里出土了史前人类的几具骨架。法国地质学家路易·拉尔泰在该地进行了发掘,并将遗址地层划分为5层,人骨遗存保存在最上层,属于旧石器时代晚期。克罗马农人体型粗壮有力,估计身高达166～171厘米。额部平直,眉脊稍微隆起,颅骨窄长,面骨短阔。颅容量约1 600立方厘米,稍大于现代人。关于克罗马农人在人类进化中所处地位尚难说清。一般认为这个类型与奥瑞纳文化期石器工艺相关,有些克罗马农人则被认为与格拉凡特(佩里戈尔晚期)工艺相关。克罗马农人通常以洞穴和岩棚为居所。他们常年穴居,仅因狩猎的需要和环境的变化而迁移。像尼安德特人一样,他们也埋葬死者。克罗马农人的艺术品是迄今所知最早的史前艺术品,有小件的镌刻品、浮雕品以及人像和动物雕像。人像常作大乳肥臀的孕妇形象,当与祈求丰产多育的仪式有关。在法国和西班牙的一些洞穴中发现有他们的许多精美的动物壁画,通常认为这是巫术或礼仪遗存。施有纹饰的工具和武器,表明他们爱好艺术,既出于审美,也出于宗教的原因。至中石器时代(公元前8000～前5000)和新石器时代(公元前5000～前2000),仍发现有些个体具有克罗马农人特征,一般称之为类克罗马农人。

Croagh Patrick　克罗巴特里克山　爱尔兰语作 Cruach Phádraig。爱尔兰梅奥郡的一座石英岩山峰。在韦斯特波特西和克卢湾南。山高765米,坐落在245～335米的高台地上。据传公元5世纪圣巴特里克曾到过此山。每年7月最后一个星期天,许多人赤足登到山顶朝圣。山顶有一座小教堂。

croaker (fish family)　参阅 **drum 石首鱼**。

Croatia　克罗地亚　全称克罗地亚共和国。塞尔维亚-克罗地亚语作 Hrvatska。巴尔干半岛中西部国家,1919～1991年间的大部分时期,克罗地亚是后来被称作南斯拉夫的一部分。领土呈新月形,东起肥沃的多瑙河、德拉瓦河及萨瓦河平原,西抵威尼斯湾,再沿亚得里亚海向南延伸到黑山边境。西北与斯洛文尼亚交界,北邻匈牙利,东连塞尔维亚,南与波斯尼亚和黑塞哥维那接壤,西濒亚得里亚海。首都萨格勒布。面积56 538平方千米。人口约4 428 000(2003)。

自然地理和人文地理　克罗地亚包括传统上的达尔马提亚、伊斯特拉和克罗地亚-斯拉沃尼亚地区。从地形上可以大略分为3个部分:西南部分为克罗地亚沿海岸地区,包括伊斯特拉和达尔马提亚,是一条崎岖的沿海地带,主要由多岩石的喀斯特山组成,径直插入亚得里亚海,并在海中形成1 000多个近海岛屿。西北部分为中央山带,是迪拉纳山脉的克罗地亚部分。东北部分较为平坦,由萨格勒布周围的丘陵带及东面的潘诺尼亚平原组成;整个地区土地肥沃,适于农业生产。

克罗地亚主要有两个气候区,达尔马提亚和伊斯特拉是相对温暖的地中海气候,而

美国不列颠百科全书公司供图

内陆则近于极端的大陆性气候。克罗地亚的主要河流有萨瓦河,该河流经萨格勒布,下游形成与波斯尼亚和黑塞哥维那之间的边界;与匈牙利为界的德拉瓦河;与伏伊伏丁那(塞尔维亚)为界的多瑙河。除处于全国中心的萨格勒布外,主要城市均为亚得里亚海沿岸的港口:里耶卡(阜姆)、扎达尔、希贝尼克、斯普利特和杜布罗夫尼克。

该国人口主要为克罗地亚人,所用的塞尔维亚-克罗地亚语使用罗马(拉丁)字母拼写。还有人数众多的塞尔维亚少数民族和人数较少的斯拉夫穆斯林、匈牙利人、斯洛文尼亚人和意大利人。克罗地亚人大多信奉天主教,塞尔维亚人信奉塞尔维亚正教。

在斯拉沃尼亚的潘诺尼亚平原上,谷类为主要作物,同时也种植大豆、马铃薯和甜菜。养牛业亦处于重要地位。中央山带以种植水果闻名,伊斯特拉和达尔马提亚的农民历来有栽种葡萄和橄榄的传统。在第二次世界大战后的南斯拉夫时期,克罗地亚各种自然资源(石油、煤和铝矾土)的工业利用,以及航运和旅游业(特别是在达尔马提亚)的开发受到重视。最重要的工业有食品加工及酿酒、纺织、化学制品、石油及天然气。采蒂纳河与克尔卡河上建有数座水电站。

1990年制定的克罗地亚宪法规定设立一个两院制的议会,总理由议会选出。属于少数民族的塞尔维亚人在议会中的代表席位得到保证。总统由普选产生。

萨格勒布大学(1669年创立),位于首都,但在扎达尔、斯普利特、奥斯特耶克和里耶卡设有分校。整个共和国的教育水准相当不错,人口识字率也很高。

历史　克罗地亚人于7世纪来到其现在的家园。803年散布在达尔马提亚北部到潘诺尼亚一带的克罗地亚各部族松散的联邦承认了查理曼的宗主权。他们不久就皈依了基督教。克罗地亚对天主教的忠诚一直影响着它与相邻的信奉东正教的塞尔维亚的关系。克罗地亚于10世纪成为一个王国,1091年匈牙利的拉迪斯拉斯一世取得了控制权,此后与匈牙利的联盟一直延续了8个世纪。在与匈牙利联盟时期,克罗地亚保留了它自己的议会,在法律上是一个独立的王国。1526年,匈牙利在莫哈奇战役中败于奥斯曼帝国,克罗地亚的大部遂处于土耳其统治之下,直至1699年。克罗地亚的其余部分则被抛置一旁,无人治理。1527年,议会选出奥地利哈布斯堡家族的斐迪南为国王。奥地利人使部分克罗地亚和斯拉沃尼亚成为他们的"军事边疆",将流离失所的塞尔维亚人殖民于该处,在与土耳其的战争中充当其边疆居民。

1809～1813年,克罗地亚成为拿破仑的伊利里亚行省的一部分。1867年奥匈帝国建立后,达尔马提亚和伊斯特拉受维也纳的统治,而克罗地亚-斯拉沃尼亚则成为一块自治的匈牙利王室土地。奥匈帝国在第一次世界大战中战败后,克罗地亚勉强与其他南部斯拉夫各领地一起组成塞尔维亚-克罗地亚-斯洛文尼亚王国(1929年改名为南斯拉夫)。克罗地亚人与塞尔维亚君主之间的关系从未能够融洽。第二次世界大战中,德国和意大利建立了一个克罗地亚独立国,范围包括克罗地亚-斯拉沃尼亚、达尔马提亚的一部分和波斯尼亚-黑塞哥维那,交由法西斯恐怖组织乌斯达莎的首领帕韦利奇领导。帕韦利奇发起了一项种族"净化"运动,杀戮了成千上万塞尔维亚人、犹太人、吉普赛人和反对法西斯的克罗地亚人。1945年,由共产党领导的抵抗力量铁托游击队占领萨格勒布后,克罗地亚重新加入南斯拉夫,成为一个人民共和国。尽管社会主义时期开始带来空前的繁荣,克罗地亚却始终争取在联邦内部享有更大的自治权。社会主义的最终崩溃,导致一个非共

产党政府的产生，并于1991年6月25日宣布完全独立。这些事件触发了克罗地亚的塞尔维亚人的反叛，他们得到了由塞尔维亚人领导的南斯拉夫军队的帮助，分离出几个自治地区实行割据。1995年斯拉沃尼亚西部和克罗地亚中部的塞族起义最终被镇压。1998年克罗地亚恢复对斯拉沃尼亚东部的控制。

Croatian language (South Slavic language) **克罗地亚语** 参阅**Serbo-Croatian language** *塞尔维亚-克罗地亚语*。

Croatian literature 克罗地亚文学 巴尔干半岛南斯拉夫民族之一、操塞尔维亚-克罗地亚语的克罗地亚人的文学的总称。

现存的最早的克罗地亚语宗教文献来自11世纪。到15世纪后半叶，已有了由圣经故事、传说、民间文学和流行故事组成的克罗地亚文学。15、16世纪著名的老克罗地亚作家有：召唤对土耳其人进行民族斗争的史诗《尤迪塔》（1501）的作者马鲁利奇、第一个南斯拉夫语世俗剧《女奴》的作者卢齐奇以及创作了描写文艺复兴时代的杜布罗夫尼克的田园剧和喜剧的德尔日奇。德尔日奇的喜剧《顿多·玛罗耶》写成于1551年左右，曾在西欧各地上演。在17、18世纪，最著名的当推贡都利奇，他的激动人心的史诗《奥斯曼》描写了波兰在1621年战胜土耳其人的故事。

克罗地亚文学中的浪漫主义盖出于旨在联合所有南斯拉夫人结成一哈布斯堡联邦的伊利里亚政治运动(1835～1848)。加伊引进许陀卡夫斯基方言和伊耶卡夫斯基语作为克罗地亚文学语言，并统一了书写文字。抒情言志的爱国的内省的诗歌极为流行，可以弗拉兹和马茹拉尼奇的敏感动人的诗篇、普雷拉多维奇的爱国谣曲和诗剧以及杰梅特尔的剧作为代表。19世纪后期的另一位重要人物是谢诺阿，他是诗人、剧作家、批评家和新闻记者，又是克罗地亚现实主义历史小说的鼻祖。下层阶级的疾苦成为这一时期许多克罗地亚作家关注的焦点。这些作家有科米契奇、扎尔斯奇和克拉尼切维奇。

20世纪初，诗歌为首要文学体裁，大多受唯美主义浪潮的影响，写的是现代人和他们的内心斗争以及对个人生命之意义的探求。这样的主题在纳佐尔和维德里奇的作品中尤为鲜明。在第一次世界大战之前现代主义早期的首要人物为马托什，他编辑了标志着抒情诗高峰的《克罗地亚青年抒情诗人》(1914)诗选。在两次大战之间，乌耶维奇等继续创作先锋派诗歌，而科瓦契奇的《泥坑》(1943)这首反映战争恐怖的长诗中仍然保留着古典诗歌的优美特色。创作短篇小说的有科拉尔，他以幽默的笔调写出变动的世界中的农民生活。两次大战间主要散文作家有采萨雷茨和克尔莱札。克尔莱札的作品反映了阶级剥削造成的社会问题，深刻分析作品中人物的心态。他不但以创作知名，还是文学期刊编辑、论文家和批评家，执掌了本世纪大部分时间克罗地亚文坛的牛耳。1948年南斯拉夫与斯大林主义统治的苏联决裂以后，气氛较为自由，新的散文作家有马林可维奇和卡莱布(《光荣的尘土》，1954)，他们以战争及克罗地亚当代社会为题材。年轻一代的散文作家索尔扬和同代人、诗人斯兰姆尼格所取的主题则更富全球性。晚近的克罗地亚文学在主题的选择上甚至更为世界主义，更与西方接近，乌格雷希奇提倡女权的作品便是如此。

Croce, Benedetto 克罗齐（1866-02-25，意大利佩斯卡塞罗利～1952-11-20，那不勒斯） 20世纪前半期意大利最著名的哲学家。同时也是历史学家和人文学者。1903年创办《批评》杂志，在以后的41年里在该刊发表其绝大部分著作，对当时欧洲出版的最重要的历史、哲学及文学作品均有评论。同时对其"精神哲学"进行系统的阐述。这是他主要的学术成就。精神哲学包括其思想的两个方面：①以古典浪漫主义哲学的理性主义为雏形建立一个哲学体系，它的原则是在体系结构中和历史长河中的精神"循环"。在这个体系中，精神的诸环节既是理论的又是实践的；它们分别被划分为美学的、逻辑学的、经济学的和伦理学的。这个体系在下面几部书中均有论述：《作为表现科学和一般语言学的美学》(1902)、《逻辑学》(1909)、《实践哲学——经济学和伦理学》(1909)、《历史：它的理论和实践》(1917)。②在主要回答历史的方法论的问题时，克罗齐逐渐放弃了这种先验主义的方法。在这里，精神的诸环节不是分解而是具体化为历史行为和思想的流动。历史成为全部精神环节的唯一的仲裁原则，而精神——即人类意识——是完全自然的、没有先验结构的。《作为自由的故事的历史》(1938)的发表标志着这种变化。有人认为这是历史实证主义，克罗齐本人则称之为绝对历史主义，并把它作为他思想的最后形式。精神哲学以它的系统形式为克罗齐的晚期著作提供了有效的方法，见之于他的文集《哲学、诗、历史》(1951)。当法西斯政权的真面目暴露后，克罗齐坚定地反对这个政权。他成为意大利国内外反法西斯主义的象征，也成为热爱自由的人的中心。更为重要的是民主形式的意大利受到他精神上的鼓舞。

Croce, Giovanni 克罗齐（约1557，威尼斯附近基奥贾[意大利]～1609-05-15，威尼斯） 又名基奥佐托。作曲家。与安德利亚、G.加布里埃利齐名，为当时杰出的威尼斯作曲家之一。约于1593年任圣马可教堂的助理唱诗班指挥，1603年任唱诗班指挥。他的牧歌与坎佐内塔(于1585～1607年分7册出版)，虽然风格保守，但却以轻松的笔触与灵巧的节奏而广受欢迎。他的宗教音乐(1591～1622年出版)表现从帕莱斯特里纳的匀称织体风格向当时较为现代的威尼斯风格发展，采用了多重合唱、若干独唱声部、干净利落的器乐节奏以及通奏低音。

crochet 钩针织品 19世纪以钩针代替缝针的一种链状针法手工艺品。钩针织品不用底料，用钩针钩出由圆环链线和连环链线组成。19世纪40年代后期，作为救济饥荒的措施，将钩针织品工艺引入爱尔兰，科克和克朗斯两地遂成为生产这种织物的中心。

钩针织品

美国史密森学会供图

Crocker, Charles 克罗克（1822-09-16，美国纽约特洛伊～1888-08-14，加利福尼亚蒙特雷） 美国商人兼银行家，中太平洋铁路(后改名南太平洋铁路)公司的主要承包商。早年不得已辍学赡养家庭；在家庭迁居印第安纳州后做过许多工作——务农、在锯木厂做工、在铁匠铺和铸造场做学徒工。加利福尼亚发现金矿后，1850年他与两个弟兄移居该州。1852年他放弃探矿，在萨克拉门托开店。到1854年已极其富有。1855年被选进市议会，1860年以共和党人身份选进州立法机构。1861年与亨廷顿、斯坦福和霍普金斯（号称"四巨头"）合伙经营中太平洋铁路公司，铺设美国第一条横贯大陆的铁路西段。他是承包商，实际负责修建、雇工、租用设备等工作，他还负责招募华工（苦力）。该铁路线段1863年2月22日开始建筑，1869年5月10日在犹他州普罗蒙特里波因特与联合太平洋铁路接轨。1871年出任加利福尼亚南太平洋铁路公司总经理。1884年负责改组南太平洋铁路公司，该公司兼并了中太平洋铁路公司。他还经营不动产、工业资产和银行业务。死时财产估计达4 000万美元。

Crocker, Lucretia 克罗克（1829-12-31，美国马萨诸塞巴恩斯特布尔～1886-10-09，马萨诸塞波士顿） 美国教育家。1850年毕业于马萨诸塞州西牛顿的州立师范学校，留校4年任地理、数学和自然科学教师。1857～1859年，在俄亥俄州耶洛斯普林斯的安蒂奥克学院任数学和天文学教授，1859年返回波士顿奉养双亲。在接下来的15年中，仍以不同方式从事教育工作：在她以前学生开办的波士顿私立学校教理科课程，积极促进美国黑人儿童的教育，担任波士顿聋哑学校执行委员会秘书后又任主席，1872年协助创立波士顿妇女教育协会，1873～1876年出任一个函授学校的主任。1873年12月被选入波士顿地方教育董事会，1876年当选为6位监事之一。在任监事的10年中，她尤其致力于提高波士顿公立学校的理科教育水平。为各学校争取最高质量的设备、资料和图书，并通过她所支持的理科教师学校改进教学质量。她为各学校引进动物学和矿物学课程，并于1883年出版《地理教学法：授课提纲》。1880年以其在理科教育方面的贡献人选美国科学促进协会。

crocket 卷叶饰 中世纪建筑中明显凸出的小型叶状装饰，往往成行设置。初见于12世纪晚期，作球形的蓓蕾状，轮廓为螺旋形，像蕨类植物。到哥特式晚期成为开展的叶

维也纳圣司提反大教堂尖顶的卷叶饰
美国不列颠百科全书公司供图

形，而在15世纪时则成为复杂的内卷形。多用于尖顶、小尖塔和山墙的边缘以及柱头和檐口。

Crockett, Davy 克罗克特（1786-08-17，美国田纳西东部～1836-03-06，得克萨斯圣安东尼奥） 美国边疆居民、政治家、传奇式人物。他的父亲因生活贫困，打发他到边

美国不列颠百科全书公司供图

远的林区给农场主当雇工。曾跟邻居受过100天教育。后多次向田纳西中部搬迁，接近了爆发克里克战争的地区。1813～1815年参加这场战争，因此成名。1821年选入田纳西州议会，以竞选演说穿插奇谈妙喻著称。迄1835年4次当选为美国众议员。辉格党人为对抗A．杰克逊，曾对他拉拢并大事宣传，希望使他成为传奇性的“熊皮”政治家。在他任国会议员期间，经过报章和书籍的渲染，一个行为古怪而又机灵的“猎熊”和抗击印第安人的边民传奇迅速流传开来。1835年后迁至得克萨斯，加入美国军队。他在阿拉莫被圣安纳将军麾下的墨西哥军杀死。

Crockett, Samuel Rutherford 克罗克特（1859-09-24，苏格兰柯库布里希尔新盖洛韦附近小杜赫雷伊～1914-04-16，法国阿维尼翁附近塔拉斯孔） 苏格兰小说家，菜园派（**Kailyard school**）作家的领袖。该派作家以伤感的笔调描绘苏格兰乡村生活。1879年毕业于爱丁堡大学，1886年任牧师。在两部小说《未能取得牧师职位的人》（1893）和《淡紫色的遮阳帽》（1894）获得成功后，放弃牧师生涯，改事写作。作品追求由巴里开创的苏格兰方言小说时尚。出版过40多本书，其中大部分为小说。

Crockford, William 克罗克福德（1775，伦敦～1844-05-24，伦敦） 英国著名赌场创办人及经营者。鱼贩之子，年轻时曾以贩鱼为生。在扑克牌局或经营赌场获得巨款（据传约10万英镑）后，1827年在伦敦圣詹姆斯街50号建造一座装潢极为富丽堂皇的赌场。为独享社会声誉，他将赌场组成俱乐部，并采用正规的会员制度。从此克罗克福德俱乐部声名大噪，自威灵顿公爵以下几乎所有英国名流均竞相入会，许多驻英使节和外国名流也望跻身其中。俱乐部中以骰子为热门项目，常千金易手。他于1840年停止经营，当时有人传说“赢得当代人的全部现金”，拥有近120万英镑的财富，后在投机中失去大部分。原来的赌场改为德文郡俱乐部。

crocodile 鳄 鳄目鳄科爬行动物。鳄鱼（crocodilian）一词是鳄目动物（钝吻鳄、凯门鳄、恒河鳄和真鳄）的统称。产于亚洲、澳大利亚、非洲、马达加斯加和美洲的热带地区。

尼罗鳄（*Crocodilus niloticus*）
美国不列颠百科全书公司供图

与其他鳄目动物一样，吻长，形似蜥蜴，肉食性，多以鱼类、龟类、鸟类及哺乳动物为食，大型的个体也可能攻击家畜或人类。在水中游泳和捕食，上岸晒太阳取暖和繁殖。常浮在水面，等待潜在的猎物（常为小型哺乳动物）来到水边饮水。雌性筑巢，产硬壳卵。幼鳄通常以昆虫及其他小型无脊椎动物为食。随着生长，其食物内容也在改变，渐渐包括更多的脊椎动物及较大型的猎物。吻较钝吻鳄窄，闭嘴时下颌两边的第四齿外露。约有12种，几乎皆归鳄属（*Crocodilus*）。鳄以较钝吻鳄活跃而著名，更会攻击人类。

crocodile bird（*Pluvianus aegyptius*） **鳄鸟** 鸻形目燕鸻科滨鸟。似鸻。啄食尼罗鳄身

鳄鸟（*Pluvianus aegyptius*）
美国不列颠百科全书公司供图

上的寄生虫，又借其叫声以警告鳄鱼有危险临近，故又称报讯鸟。亦称黑背走鸻。

crocoite 铬铅矿 铬酸铅矿物$PbCrO_4$。其成分与铬黄相同，人造铬铅矿用在颜料油漆上。铬元素就是1797年在这种矿物中发现的。为发育完整的长柱状晶体；最美丽的标本产自塔斯马尼亚的邓达斯。其他产地包括俄罗斯的乌拉尔、巴西和美国西南部。呈亮锆石红色到橙红色，具金刚光泽、玻璃光泽。

Crocus 番红花属 鸢尾科的一属，约75种，矮生，具球茎。原产阿尔卑斯山脉、欧洲南部和地中海地区，花杯状，在早春或秋季开放。广泛栽作观赏植物。早春开花的种花冠

一种番红花属（*Crocus*）植物
美国不列颠百科全书公司供图

管甚长，子房埋于地下因而不受气候变化影响。花在晚上和阴天关闭。栽培番红花（番红花，*C. sativus*）原产于亚洲西部，秋季开花，丁香色或白色，柱头羽毛状、橙红色，采摘晒干后用制染料、调味料和药物。高山种春番红花（*C. vernus*）是普通庭园栽培种的主要祖先。常见的春季开花型番红花还有原产欧洲东南部的黄花番红花（荷兰黄花番红花，*C. flavus*，见于多石山坡）和地中海地区原产的二花番红花（*C. biflorus*），其色淡紫，喉部黄色，有时具条纹。

Croesus 克罗伊斯（？～约公元前546） 吕底亚末代国王（约公元前560～前546在位），以财富甚多闻名。继承父位后，攻占以弗所以及安纳托利亚西部的其他城市，完成了父王征服伊奥尼亚大陆的大业。由于缺乏海军，只好与伊奥尼亚的各岛屿结成联盟。在入侵安纳托利亚东部的卡帕多细亚地区之后，他回到首都萨迪斯，企图重整兵力。但

是，波斯的居鲁士二世紧紧追击，公元前546年奇袭萨迪斯，把他捉住。

Croft, William　克罗夫特（1678-12-30受洗，英格兰沃里克郡下埃廷顿～1727-08-14，萨默塞特巴斯）　英国管风琴家和教堂音乐作曲家。作品属巴罗克风格。曾受教于J.布洛。1700～1712年在索霍圣安妮教堂、1707年起在皇家教堂、1708年起在威斯敏斯特教堂任管风琴师。1700年与布洛、J.克拉克、F.皮戈特、J.巴雷特合编《拨弦键琴或斯皮内琴乐曲选集》。其《圣乐曲集》(1724)包括30首赞美歌与英国教会葬礼仪式音乐，后者沿用至今。所作庆典赞美歌中有几首为其最佳作品，如《我永远感恩》(1704)。另为戏剧配乐，并创作小提琴、声乐与拨弦键琴作品。

Crofts, Freeman Wills　克罗夫茨（1879-06，爱尔兰都柏林～1957-04-11，英格兰萨塞克斯沃辛）　世界知名的爱尔兰侦探小说家。在贝尔法斯特受教育，1899～1929年在北爱尔兰任铁路工程师。1920年发表第一部长篇小说《木桶》，被认为是侦探小说的经典之作。此后，写了30多部侦探小说，大部分以伦敦警察厅巡官弗伦奇为主人公。他的作品情节紧凑，细致入微。

Crofts, James　克罗夫茨　参阅**Monmouth, James Scott, Duke of 蒙茅斯公爵**。

Croghan, George　克罗根（约1720，爱尔兰都柏林附近～1782-08-31，美国宾夕法尼亚费城附近帕斯扬克）　美国殖民时期取得印第安人部落信任的商人，代表英国政府与这些部落就签订友好条约进行谈判，曾任北印第安事务副专员达16年之久(1756～1772)。1741年自爱尔兰移居宾夕法尼亚卡莱尔附近的西部边界。他早年即已熟知印第安人的习俗和语言，在和印第安人贸易中大获成功，不久将贸易扩展到接壤的俄亥俄准州。18世纪40年代受命担任宾夕法尼亚的印第安事务代表，从法国人手中争得了该地区印第安人的信任，并于1748年和迈阿密人议定《兰开斯特条约》，1752年又和德拉瓦尔人、肖尼人、易洛魁人和怀恩多特人商订了《洛格斯敦条约》。1754～1763年法国印第安人战争爆发后，他的贸易一蹶不振，后出任英国北印第安事务专员W.约翰逊爵士的第一副专员，十余年中与各部落洽商各种问题。他通过谈判结束了庞蒂亚克战争(1763～1764)，并在1765年和反抗的渥太华酋长缔结了一项协定。在美国独立战争期间维护本国事业，虽由于土地投机和贸易，他的名字曾出现在18世纪的许多地图上，但却在穷困潦倒中去世。

Croissy, Charles Colbert, marquis de　克鲁瓦西侯爵（1625，法国巴黎～1696-07-28，凡尔赛）　即C.柯尔贝尔。1679～1696年的法国外交大臣，帮助路易十四推行兼并政策，终将法国卷入反对其他主要欧洲大国的大同盟战争(1689～1697)。1656年任阿尔萨斯总督，1657年成为阿尔萨斯最高权力会议主席，1662～1663年任梅斯高等法院院长。1668～1674年任驻伦敦大使，参加谈判《奈梅亨条约》，结束了路易十四的荷兰战争。1679年任外交大臣，同时参加路易十四的核心会议。他在梅斯和阿尔萨斯的经验使他深信，法国为了巩固东部边防，必须吞并毗邻边境的一些战略要地，因此，他制定了"收复"政策。根据这一政策，路易十四声称他在阿尔萨斯、弗朗什-孔泰、梅斯、图勒和凡尔登已据有的领土上对所有臣藩均拥有主权。克鲁瓦西在梅斯、贝桑松和布赖萨赫设立"属地收复裁决院"，划定有待兼并的地区，然后由法军加以占领。虽然他劝告路易十四要审慎从事，但是路易在1681年9月非法占领了阿尔萨斯的斯特拉斯堡，这激起欧洲大国的仇视。克鲁瓦西切望和解，他与一些较小的德意志邦结盟。然而，他的外交措施未能阻止大国结成联盟，结果使法国投入大同盟战争。

Croix　克鲁瓦　法国北部北加来海峡大区诺尔省城镇。鲁贝的西南郊区。临鲁贝运河和马格河。12世纪以前当地就有贵族领地和克鲁瓦村。1870年引入纺织业之前一直为一小村庄。后也发展起其他工业。为一邮购业务中心。人口20 308(1990)。

Croix de Guerre　英勇十字勋章　1915及1939年法国所设置的军功勋章，用以表彰在两次世界大战中个人或团体的英勇功绩。这种勋章可以颁赠给武装部队任何人员、战报中所述及的法国公民或外国人。在一些特例中也可以颁发给军事单位或城市。在第二次世界大战期间，曾有过许多互相抵触的勋章。维希政府的贝当元帅于1941年颁行过一种英勇十字勋章，北非自由法国武装部队的吉罗将军亦曾于1943年颁行一种十字勋章。法国民族解放委员会于1944年1月7日下令，规定1939年颁行的英勇十字勋章为第二次世界大战期间唯一合法的勋章。十字勋章依所述功绩的战报出自何级部队而有不同等级。对于集团军战报中提及的功绩，颁赠铜棕榈十字勋章；军战报中提及的功绩，颁赠镀银星十字勋章；师战报中提及的功绩，颁赠银星章；旅或团战报中提及的功绩，颁赠铜星章。战报中提及并获得勋章的军舰可悬挂带英勇十字勋章的舰旗。十字勋章的设计是一枚大型的铜质马耳他十字，上附交叉的双剑。勋章一面是一位共和国的妇女头像，刻有"*République Française*"(法兰西共和国)字样，另一面刻有"1914～1918"或"1939～1945"(有时仅刻1939)。

Croker, John Wilson　克罗克（1780-12-20，爱尔兰戈尔韦～1857-08-10，英格兰汉普顿米德尔塞克斯）　英国政治家、作家，以作为评论员所具有的批评的严格性和坚定的托利党原则而闻名。克罗克在都柏林三一学院毕业后，进伦敦林肯律师学院学习，1802年成为爱尔兰律师。1807年进入议会，在托利党长期执政期间，1810～1830年任海军大臣。从一开始他就得到威灵森第一任公爵阿瑟·韦尔斯利的支持，他们的友谊一直持续到公爵去世。克罗克强烈反对1832年的《改革法案》，当该法案通过时，他辞去议员职务(但此后仍一直与托利党领袖保持密切接触)。大约从这个时期起，他开始与改革法案和辉格党主义的主要拥护者麦考利勋爵形成终生的对立。1831～1854年，克罗克是《每季评论》的主要撰稿人之一，他为该刊写了约270篇各种题材的文章。他的文艺鉴赏力主要是18世纪的，这从他对约翰·济慈的《恩底弥翁》、艾尔弗雷德·丁尼生1832年的《诗集》，以及当然还有麦考利的《英格兰史》(1849)开头两卷的严厉批评中可以看出。他在逝世前几年，搜集材料，拟对亚历山大·蒲柏的作品出版注释本。这一工作留给了惠特韦尔·埃尔温，他开始编纂，后由W.J.考托普完成。克罗克还编辑了18世纪各种不同人物的书信或回忆录选集。

Croker, Thomas Crofton　克罗克（1798-01-15，爱尔兰科克～1854-08-08，英格兰伦敦）　爱尔兰古文物收藏家，所搜集的歌曲和传说是爱尔兰文学复兴时期作家的资料库。出身于陆军少校家庭，未受很多学校教育，但在从商的同时博览群书。1812～1816年漫游爱尔兰南部，搜集民间传说、民歌、挽歌，并将其中几首送给诗人T.穆尔。这批收藏品成为克罗克《爱尔兰南部童话传奇与稗史》(1825～1828)一书的基本素材。该书后由格林兄弟译成德语，并且得到瓦尔特·司各特爵士的赞赏。1818年后寓居英格兰，在海军部任职员至1850年。晚期作品包括《爱尔兰流行歌曲》(1839)。

Croker Island　克罗克岛　澳大利亚北部地方岛屿。隔阿拉弗拉海的鲍恩海峡距科堡半岛3千米。面积326平方千米。地势低洼，多沼泽。现为阿纳姆地土著居民保留地的一部分。出产热带水果、蔬菜和柏松木材。人口207(1996)。

Croly, Herbert David　克罗利（1869-01-23，美国纽约州纽约～1930-05-17，纽约）　美国作家、编辑、政治哲学家，《新共和》杂志的创刊人。哈佛大学毕业。早期为建筑杂志编辑并撰搞。1914年创办自由主义的《新共和》周刊。他在这一杂志上批评了美国人的自满思想，认为民主制度必须经常修正，以适应不断变化的形势。他的第一部有关社会和政治问题的著作《美国生活的前途》(1909)，是他最重要的著作。该书对西奥多·罗斯福和威尔逊两位总统都产生过影响。晚年主要关心哲学和宗教问题。

Croly, Jane Cunningham　克罗利（1829-12-19，英国莱斯特郡马基特哈伯勒～1901-12-23，美国纽约州纽约）　婚前名Jane Cunningham，笔名Jennie June(J.琼)。英国出生的美国记者和女子俱乐部活动家。其受欢迎的文章和具有社会意识的主张反映出她的信念：男女平等权利和女子经济独立会使妇女成为完全可以信赖和有成效的公民。1841年随家人迁居美国，在纽约州长大。早年便对写作感兴趣。1855年前往纽约。很快便在《星期日时报》和诺亚办的《每周信使报》开辟固定的《客厅和街头漫谈》专栏。1857年她在马里兰州《巴尔的摩美国报》、弗吉尼亚州《里士满问讯报》、肯塔基州《路易斯维尔日报》和路易斯安那州《新奥尔良三角洲报》等报刊上开设了同一专栏。这很可能是第一个经由辛迪加在许多刊物上发表的妇女专栏。1856年与记者D.G.克罗利结婚。1859年迁居伊利诺伊州罗克福德。1860年返回纽约市，一起参加新创办的《世界报》编辑部工作。1862～1872年主管该报的妇女部工作。期间为《每周时报》开设妇女专栏。自1860年E.L.C.狄摩莱斯特创办《狄摩莱斯特夫人的时装典范》杂志以来，她便是首席特约撰稿人，该杂志于1864年扩为《狄摩莱斯特插图月刊》，她始终担任此职，一直到1887年。此外，她还献身于男女平等权利运动。她的专栏文章结集出了3本书：《J.茱尼亚娜就妇女诸问题的谈话》(1869)、《更好还是更糟：写给某些男人和所有女人的书》(1875) 和《由她独自去排忧解难》(1891)。1868年由“纽约报人俱乐部”赞助举行欢迎C.狄更斯的招待会，但只准男士参加。克罗利对此十分愤怒，1868年3月创办妇女俱乐部。她说服朋友A.卡里出任妇女俱乐部第一任主席。她自己于1870年出任该俱乐部主席，1875～1886年再度出任俱乐部主席。1889年3月召开全国妇女俱乐部大会，成立全国妇女俱乐部联合会。同年克罗利创办纽约妇女报人俱乐部，并出任第一任主席。1892年任新泽西州新不伦威克的鲁杰斯大学新闻和文学教授。

Cromarty　克罗默蒂　苏格兰海兰行政区罗斯-克罗默蒂区小市和海港。濒临一个被陆地环绕的港湾。18世纪末乔治·罗斯买下该镇，兴建港口，办啤酒厂、织布厂和花边厂。现周边地区因发展北海石油生产而得以开发。人口721(1991)。

克罗默蒂的海港
美国不列颠百科全书公司供图

Crome, John　克罗姆(1768-12-22，英国诺福克诺里奇～1821-04-22，诺里奇)　英国风景画家，诺里奇画派的组织者和主要代表人物。通称老克罗姆，以区别于其子画家兼教师约翰·伯奈·克罗姆(1794～1842)。早年给房屋油漆工当学徒，业余写生习画，最终成为职业画家。1803年诺里奇画家协会成立，克罗姆任协会主席。绘画题材主要是他熟悉的故乡诺福克郡景象。多用从荷兰画家(尤其是霍贝玛和雷斯达尔)那里吸收来的技法。忠于自然并以浪漫主义的意趣和手法创造富有光感和空气感的画风。主要作品有《波林兰的橡树》、《采石场》、《耶尔河沼泽上的月出》和著名铜版画《诺福克风光》组画。

克罗姆绘《风车》
中国大百科全书出版社供图

Cromer, Evelyn Baring, 1st Earl of, VISCOUNT ERRINGTON OF HEXHAM, VISCOUNT CROMER, BARON CROMER OF CROMER　**克罗默伯爵(第一)**(1841-02-26，英格兰诺福克克罗默府邸～1917-01-29，伦敦)　英国行政官员和外交家。作为英国代表和总领事统治埃及24年(1883～1907)之久，对埃及发展成为现代国家有着深刻影响。出身政界和银行界名门巴林家族，17岁毕业于伍利奇皇家军事学院。先后在驻科孚、马耳他和牙买加的皇家炮兵部队服役，后入参谋学院深造，1869年以第一名毕业。1872年他的堂兄诺思布鲁克勋爵任印度总督，他作为私人秘书随从前往。他很快显示出行政才干，被同僚们称为“副总督”。在印度任职期间，他改变了早先主张殖民地民族自决的态度，认为强有力的统治加改革才是帮助受压迫农民的唯一办法。1877年，他第一次去埃及，任新成立的埃及国债委员会中埃及债券英国持有人的代表。该委员会旨在帮助埃及总督伊斯梅尔帕夏度过财政困难，保证持券人的利益。但埃及财政状况比他所想象的更糟。他建议派调查团进行调查，此议遭伊斯梅尔拒绝，他辞职回国。1879年伊斯梅尔被黜，他重返埃及任债务监督。1880年赴印度任总督政务会财政委员，历时3年。1882年英国占领埃及。翌年，他再度赴埃及任英国代表和特命全权领事，其间受封为爵士。他在甫经人民革命和外国占领而破产的埃及进行广泛的改革，建立了一种被称之为幕后摄政的政体，即任命一批在印度受过训练的英国行政官员担任埃及政府顾问的要职，他则通过这些顾问进行统治。直到1907年辞职，他一直是埃及的实际统治者。总督陶菲克为人懦弱，一切责任委诸英人，因此这种制度在最初10年颇见成效。到1887年埃及居然解决了财政困难。英国并迫使埃及政府放弃重新征服苏丹的图谋，此后出现了一个和平稳定时期。克罗默大力紧缩政府开支，鼓励兴修灌溉工程，发展农业，埃及得以很快趋于繁荣。1892年埃及年轻的新统治者阿巴斯二世力图摆脱幕后摄政，鼓励新兴的民族主义运动，克罗默对之采取了威胁恫吓手段，使之就范。他在埃及期间受到许多英国外交界人士的称赞。他工作勤勉，并利用休暇时间学会了希腊文、拉丁文、法文和意大利文，后来还想学土耳其文。但他虽久在埃及，却从未打算学习阿拉伯文，因此始终无法与埃及农民和中产阶级直接接触。他努力实施1904年与法国签订的《英法协约》，该协约规定英国永久占领埃及。1907年，一名英国军官在埃及一村庄遭杀害，当局对涉案农民判处酷刑，因而在埃及和英国下议院激起公愤，引发抗议浪潮，迫使自由党H.坎贝尔-班纳曼的内阁对埃及采取较缓和的对策。克罗默当时虽在国内休假，未参与上述审判，但自知变化迫在眉睫，加之健康情况恶化，于1907年辞职。回国后在上议院竭力鼓吹自由贸易。1916年任达达尼尔战役调查团团长，因劳累过度，次年初逝世。

Crommelynck, Fernand　克罗姆兰克(1885-11-19，比利时布鲁塞尔～1970-03-17，法国圣日尔曼昂莱)　比利时剧作家，以闹剧著称于世。出身于戏剧世家，并被培养成为演员。早期某些剧作在比利时获得成功，如《我们不再到树林中去》(1906)，后来以他的《出色的戴绿头巾的人》获得世界声誉。该剧于1920年首演于巴黎，1921年由巴劳尔搬上银幕，此后多次重演，并从此成为少数久演不衰的法语戏剧之一。晚期的剧作以《腹中黄金》(1926)最引人注目。他在该剧中再次把滑稽和高度严肃结合起来，重现了法国戏剧的传统题材之一——贪婪与吝啬。在《没有心计的女人》(1934)一剧中，他塑造了一个白璧无瑕的妻子形象，可是她的高风亮节和办事爽利却使所有的爱情破灭了。在《冷与热》(1934)中，克罗姆兰克重又回到有关夫妻恩爱的题材上来。

Crompton, Rookes Evelyn Bell　克朗普顿(1845-05-31，英格兰约克郡瑟斯克[今在北约克郡]～1940-02-15，约克郡里彭)　英国发明家、电力开发的先驱者。他在印度服兵役时曾采用以蒸汽驱动的运输工具。1875年成为切姆斯福德-埃塞克斯工程公司的股东，不久扩大营业范围，生产直流发电机和弧光灯，承接照明设备的安装。1878 年发明支架在上方的弧光灯以消除阴影,以前是把支架安在电极的下方,因而产生明显的阴影。他以安装照明设备闻名。据说他在波切斯特公园的家是用电灯照明的第一幢私人住宅(1879)。他还为最高法院、白金汉宫、维也纳歌剧院安装了照明设备,1886 年为伦敦的肯辛顿法院安装了第一座发电站。他主张用直流电配电系统,反对 S.Z.de 费兰蒂所主张的交流电配电系统,后来广泛使用后一种配电系统。他还对发展铁路运输感兴趣。早在 1860 年他就建造了蒸汽驱动的铁路机车;第一次世界大战期间设计了一辆装甲"陆地战舰",这是军用坦克的前身。

Crompton, Samuel　克朗普顿(1753-12-03,英格兰兰开夏郡博尔顿～1827-06-26,博尔顿)　英国发明家,发明大规模生产优质纱的走锭纺纱机。年轻时曾用纺纱机为家庭纺纱,发现这台纺纱机有许多缺点,1779 年他用全部业余时间和财力从事新纺纱机的发明,终于研制出一台纺纱机,该机用机械模仿手工纺纱操作,同时将装入的棉纤维抽出并加捻。虽然市场对克朗普顿纱的需求量很大,可是他负担不起申请专利的费用,所以当某些厂商同意付给酬金时,他向这些厂商公开了这台纺纱机的奥秘。事隔多年(1812),当至少有 360 家工厂使用了 460 万纱锭的走锭纺纱机时,英国议会授予他 5 000 镑奖金。他用这笔奖金经商,从事漂白业、纺纱业,并经营棉花,均不成功。

Cromwell, Henry　克伦威尔(1628-01-20,英格兰亨廷登郡亨廷登～1674-03-23,剑桥郡斯平尼修道院)　O.克伦威尔的第 4 子,1657～1659 年为爱尔兰的统治者。曾就学于剑桥大学和伦敦格雷律师学院。内战时期,在他父亲指挥的议会军服役,在英格兰和爱尔兰作战。1654 年 8 月成为驻爱尔兰英军少将,1655 年 9 月国王驻爱尔兰代表 C.弗利特伍德离职后,由他负责统治爱尔兰,到 1657 年 11 月才获得国王驻爱尔兰代表的头衔。他改变弗利特伍德严酷对待爱尔兰人的办法,实行温和统治。他继续执行强迫爱尔兰罗马天主教徒放弃土地以供英格兰新教士兵殖民的政策,但停止了军队领导人对以前的英格兰移民的压迫。1658 年 9 月,他的哥哥理查德继任为护国公,他被任命为爱尔兰军事长官和总督。1659 年 5 月理查德被一批陆军军官废黜后,他被召回英格兰。遂即辞职,退居剑桥郡私宅。

Cromwell, Oliver　克伦威尔(1599-04-25,英格兰亨廷登郡亨廷登～1658-09-03,伦敦)　英格兰军人和政治家。他具有超人的天赋与虔诚的加尔文教信仰所形成的坚强性格。1653～1658 年任英格兰、苏格兰、爱尔兰共和政体护国公。在反对英王查理一世的英国内战时期站在议会一边,为主要将领之一,帮助推翻了斯图亚特王朝。作为护国公,再一次将其祖国从伊丽莎白女王一世逝世后一直处于衰落状态提高到一个欧洲主要强国的地位。克伦威尔是近代欧洲历史上最杰出的统治者之一,虽是一个信仰坚定的加尔文教徒,却深信宗教容忍精神的价值。同时,他在国内外所获的胜利有助于在大不列颠和北美洲扩大并支持一种清教徒思想观念,这种思想观念继续影响政治和社会生活直到近代。

青年时代和早期的公共生活　克伦威尔是罗伯特·克伦威尔和伊丽莎白·斯图尔特的

美国不列颠百科全书公司供图

独子。父亲曾任伊丽莎白女王的议会议员,作为地主和地方治安官,在地方事务中异常活跃。克伦威尔 18 岁时父亲去世,母亲活到 89 岁高龄。奥利弗进入当地的文法学校学习,后来在剑桥大学西德尼·萨塞克斯学院攻读一年。其父去世后,他离开剑桥大学去照顾他的寡母和姐妹们。据传他曾在伦敦林肯律师学院学习了一段时期。乡绅们习惯于在该律师学院学到一些肤浅的法律知识。1620 年 8 月,他和伦敦城商人 J.鲍彻爵士的女儿伊丽莎白结婚。他们共生有 5 个儿子、4 个女儿。

对其性格形成的影响　他的父母均出身于信奉新教的家庭,这些家庭在国王亨利八世统治时期从隐修院遭到摧毁中获得好处。他们对其子宗教信仰的培养很可能产生了影响。克伦威尔在亨廷登文法学校时期的校长和西德尼·萨塞克斯学院院长都是热心的加尔文派,强烈反对天主教。青年时代,克伦威尔并不好学,喜爱诸如狩猎等户外运动;但他如饥似渴地阅读《圣经》,并赞赏 W.雷利的《世界史》。他从他的教师和所阅读的书籍中获悉人们的罪过在人世将受惩罚,但上帝通过他的圣灵能够引导上帝的选民走上正义的道路。

在他早期的婚后生活中,克伦威尔与其父一样,深深感到对他的同胞们负有责任,对他本沼泽地区的事务异常关心,但他也受到一种精神上和心理上斗争的折磨,这种斗争使他感到困惑,使健康受到损害。看来他直到将近 30 岁时才皈依宗教;后来他向一个表兄弟描述他如何摆脱黑暗,进入光明境界。然而,他只有在感到"自我、虚荣和恶劣"时才能获得上帝的恩典。他深信在他知道他是上帝的选民前他一直是"主要的罪人"。

克伦威尔也有财政方面的忧虑,直到 39 岁从一个舅舅那里继承了他在伊利的财产。和其他小乡绅一样,他要和坏收成作斗争,同时要抵制各种苛捐杂税,例如船款,王室勒索这些款项不仅是为了支付海军的开销,而且要维持朝廷奢侈的嗜好。1628 年虽被选为代表亨廷登市的议员,但英王查理一世于 1629 年将议会解散,且嗣后未再召集议会达 11 年之久。

在此期间,像克伦威尔这样的乡绅积累了他们的不满情绪。克伦威尔家族是一群心怀不满的乡绅家族之一。他们都属于所谓政治国民:例如白金汉郡富有的乡绅 J.汉普顿是克伦威尔的表兄,他向国王提出申诉,反对征收船款。因此,1640 年春,部分因为他在伊利占有的重要社会地位,部分由于他享有"沼泽地主"的声誉,克伦威尔被选为代表剑桥市的议员。他发现自己在威斯敏斯特议会大厦有许多朋友。他们在来自萨默塞特的老资格政治家 J.皮姆领导下严厉地批评国王。短期议会(3 周后被解散)没有获得多大成就。1640 年 11 月克伦威尔重又被剑桥市选为长期议会(它持续到 1653 年)的议员,他的政治生涯于是开始。

议会中的克伦威尔　克伦威尔在1628～1629年的议会中,已经以暴烈和比较粗鲁的清教徒著称,他对查理一世的主教们进行抨击。他相信基督徒个人能够通过祈祷和上帝建立直接接触,牧师的主要职责是以布道来激励俗人。因此,他自己解囊捐款支持巡回的新教传教师或"讲师",公开表示憎恶伊利区的主教。这个主教是高教会派领袖,他代表着宗教仪式和主教权威的重要性。克伦威尔在下院批评主教,被任命为一个委员会成员,调查对主教的其他控告。事实上,克伦威尔不信任英国国教的整个统治集团,不过他从未反对国家教会。因此,他主张废除主教权威制度,禁止《英国国教祈祷书》中描述的固定宗教仪式。他相信基督教全体教徒应当获准选出他们自己的牧师,牧师应当用讲道和即席祈祷来为教徒们服务,虽然他和所有议员们一样对于税收、垄断和其他强加给人民的重负也有不满,但最初使他与英王政府发生对抗的却是他的宗教。1641 年 J.皮姆及其朋友们向国王查理一世提交一份《大抗议书》,内容有 200 条,其中一条指责主教们"以及牧师们的腐败成分。这些人为了支持他们自己教会的专制和篡夺,特别爱好形式主义和迷信"。当时克伦威尔声称如果《大抗议书》下院没有通过,他"第二天就将他所有的一切出售,从此再也不回到英格兰"。

英王没有接受《大抗议书》,他与议会中他的主要批评者之间的隔阂扩大了。1 个月后,查理一世企图以叛国罪逮捕其中 5 人,但未获结果。克伦威尔当时并不十分出名,因而未包括在内。1642 年英王离开伦敦去招募军队,事态向内战发展时,克伦威尔开始崭露头角,他不仅是一个坦率直言的清教徒,而且是一个善于组织和领导的实干家。7 月,他获得下院同意,准许他的剑桥选区组织并武装连队进行自卫。8 月他骑马前往剑桥,防止各学院将他们的金银器送去熔化以支持英王。战争刚一爆发,他便在其出生地亨廷登招募一支骑兵队。他以队长身份率领部队在埃奇丘陵战役(1640-10-23)的结束阶段初次参战。埃塞克斯第3代伯爵罗伯特·德弗罗在这场战争的第一次主要较量中任议会一方的总司令。

军事和政治领袖 1643年间，克伦威尔以军事组织者和善战者著称。从一开始，他就坚持在议会一方服役的士兵应仔细挑选，适当训练。他主张物色忠诚的和品行端正的人，而不考虑他们的宗教信仰和社会地位。2月，他被任命为上校，开始招募一支第一流的骑兵团。他要求给予他的骑兵良好待遇和固定报酬，但同时实行严格纪律。如果他们咒骂，他们将被罚款；如果喝醉，将被戴上木枷；如果互相称呼圆颅党——从而认可了保皇党因他们剃成光头而给予他们的蔑称——将被撤职；如果逃跑，将被鞭笞。他对自己的骑兵训练得十分成功，在他们冲锋陷阵后，他能够对他们进行检查和重新组织。这是克伦威尔作为一个作战指挥官的突出天赋。

在整个1643年中，他在他所熟悉的东部一些郡服役。这些郡形成了一个公认的议会力量中心。但是克伦威尔不愿继续保持守势，决心防止约克郡的保皇党侵入一些东部郡，因此决定进行反击。他在面对未被击败的敌人的紧急时刻重新将其士兵组织起来，于7月28日在林肯郡赢得了盖恩斯伯勒战役。同一天，他被任命为伊利岛总督。伊利岛是高出附近沼泽地的一座类似高原的山，被当作抵抗进逼的保皇党的一个可能的堡垒。克伦威尔与议会将军T.费尔法克斯爵士并肩作战，在林肯郡的温斯比成功地击退了保皇党的进攻，然后又成功地围攻诺丁汉郡的纽瓦克。他现在能够说服对胜利十分满意的议会建立一支新军，这支军队不仅能够保卫英格兰东部而且能开拔出去，袭击敌人。

1644年初，在曼彻斯特第2代伯爵E.蒙塔古的领导下，新军建立起来了。克伦威尔出席下院，除了表彰曼彻斯特伯爵指挥有方外，同时指责与他共事的一些军官不称职，或在行为方面"亵渎"和"散漫"。虽然并非所有的下院议员都赞同克伦威尔利用他的政治地位来诽谤其他军官，但他的朋友们团结在他的周围。1644年他被任命为曼彻斯特伯爵的副指挥官，并被授予中将军衔，每日报酬为5镑。在和苏格兰人结成同盟后，他还被任命为两个王国的委员会成员。这个委员会负责内战的全面战略。但是在战役进行期间克伦威尔在前线忙于军务，所以没有怎么参加委员会的审议活动。1644年5月，曼彻斯特伯爵的军队猛攻林肯郡后向北方进军，参加苏格兰人和约克郡议会派对约克的围攻。但查理一世的总司令鲁珀特亲王解了围。鲁珀特在1644年7月2日的马斯顿荒原战役中被击败，事实上将英格兰的北部让给了议会。克伦威尔在战争中重又出人头地。当曼彻斯特伯爵的军队回到英格兰东部满足于自己的成就时，克伦威尔则批评了他的上级军官行动迟缓，懒散而无生气。他不相信曼彻斯特伯爵真心想赢得战争。9月中旬，他向两王国委员会表示了他的不满。这两位指挥官的争吵暂时平息下去，但是主要由于曼彻斯特伯爵拒绝以步兵支持克伦威尔的骑兵团因而在纽伯里遭到失败后，两人的争吵重新公开化。

克伦威尔这时向下议院详述他对曼彻斯特的军事行动的不满。曼彻斯特则在上院予以反驳，对克伦威尔进行抨击。上院甚至计划控告克伦威尔是一个"煽动者"。然而，这些争吵又暂告平息。1644年12月，克伦威尔提议任何上院和下院议员将来都不得在武装部队中担任指挥官或军官；他的提议被接受了，而且议会还一致同意：一支新军应在T.费尔法克斯爵士领导下建立起来。克伦威尔一贯钦佩费尔法克斯，先提出他的名字，然后自己投身于建立新军的计划，但作为议会议员，他本人是不能参加这支军队的。但值得注意的是，这支军队副指挥官的职位一直空着。到了1645年夏内战达到高潮时，费尔法克斯坚持要求任命克伦威尔担任此职。此后克伦威尔参加了内兹比和兰波特的战役。查理一世的最后两支野战军被歼灭。1646年1月，下院从没收的保皇党土地中每年拨款2 500镑作为对其服役的酬劳，并延长其委任状6个月。因此，他能参加费尔法克斯对牛津的围攻。查理一世在牛津投降前逃脱。

克伦威尔对战争进行的情况感到高兴，因为费尔法克斯已经指挥新军，而作战不力的埃塞克斯和曼彻斯特两位伯爵被解除了指挥权。他将这些胜利归功于上帝的仁慈，要求对那些忠诚地为国家服务的人们给予他们应得的报酬。在内兹比战役后，他致函下院议长，要求对这样的"忠实人士"，不应当使他们沮丧。"为了国家的自由而冒生命危险的人，我希望他为了自己良心的自由而信任上帝，同时你们为了他为之奋斗的自由而信任上帝。"

但是战争一旦结束，下院希望尽可能以最少的代价迅速解散军队。克伦威尔感到失望，在1647年3月告诉费尔法克斯"士兵的情绪从未像现在这样愤懑"。他专心致志地试图使议会与军队和解，被任命为议员专员，由他提出条件使军队能够解散，但不包括愿意参加在爱尔兰进行战役的将士们。迟至5月，他以为士兵们可能同意解散，但他们却拒绝在爱尔兰服役，他们"深深感到某种痛苦"。当下院中的文职领袖们决定他们不能信任军队，命令将其解散，同时雇用一支苏格兰军队保护他们时，克伦威尔由于一向不喜欢苏格兰人并认为英格兰士兵遭受耻辱的待遇，于1647年6月4日离开伦敦，决心与他的士兵们同呼吸，共命运。

调解与第二次内战 在这关键性一年的其余时间内，他企图为这个王国的问题寻找一个和平解决方案。但是，他的任务看来无法完成，他的真诚不久被人随意怀疑。军队变得日益难以控制。在克伦威尔离开伦敦的那天，一队士兵抓住了查理一世。克伦威尔及其女婿H.艾尔顿会见英王两次，企图劝他同意他们当时想要提交议会的一项宪法解决方案。当时克伦威尔并不是英王的敌人。他看到英王对子女的宠爱颇受感动。然而，他的主要任务是克服军队中的普遍情绪：即英王和议会都是不可信任的。当费尔法克斯将军在其将士们的压力下率领军队前往伦敦的议会上下两院时，克伦威尔仍坚决认为议会的权威必须维护；9月他还在下院抵制一项关于日后不再向英王提出任何请愿书的提案。刚过一个多月后，他在陆军全体委员会(其中包括称作鼓动者的私人军队代表)举行的会议上担任主席，向他们保证他没有许诺要实行任何特殊形式的政府，而且和英王没有任何秘密交易。另一方面，由于担心无政府状况，他反对极端措施，诸如废除君主制和上院以及采用更民主的宪法等。

克伦威尔为充当陆军、议会与英王之间的调停者所作的一切努力均化为泡影，因为查理一世逃离了他被体面地关押在那里的汉普顿宫，前往怀特岛和苏格兰地方长官开始谈判，后者提议按照他们的条件使他恢复王位。1648年1月3日，克伦威尔放弃他以前的立场，告诉下院国王是"一个顽固不化的人，上帝使他的心变狠了"。他赞同将不再请愿的提案交付表决，获得了通过。保皇党由于英王同苏格兰人取得了协议，而且克伦威尔未能使议会和军队团结起来，因而受到鼓舞，重又拿起武器。第二次内战开始了。

费尔法克斯将军最初命令克伦威尔进入威尔士，粉碎当地的一次叛乱，然后派他前去北方攻打6月间入侵英格兰的苏格兰军队。虽然他的军队人数少于苏格兰人和北方保皇党军队，但他在兰开夏战役中击败了他们两方面的军队，然后进入苏格兰，恢复了当地的治安；最后他返回约克郡，负责对庞蒂弗拉克特的围攻。在围攻时期，他与负责监督英王的怀特岛总督之间的通讯表明他越来越反对查理一世。议会的委员们被送往该岛，为了同英王达成一项协议进行了最后一次努力。克伦威尔告诉总督不可信任英王，决不能在宗教问题上作出让步，应将军队看作能够保证人民安全和全体基督徒自由的一支合法的力量。

当克伦威尔对自己的方针仍未完全作出决定，还逗留在北方时，他的女婿艾尔顿和南方军队中的其他军官们采取了决定性行动。他们起草一份致议会的请愿书，抱怨在怀特岛进行的谈判，要求将英王作为杀人成性者加以审判。当克伦威尔对自己的看法仍动摇不定时，他承认他的军队和南方军队意见一致。费尔法克斯这时命令他返回伦敦；但直到艾尔顿及其同僚们将所有主张继续和国王谈判的议员从下院驱走后他才到达。克伦威尔声称他并不知道清洗议会的计划。"然而，既然事情已经做了，他感到高兴，会努力维持这个局面。"克伦威尔犹豫不决直到最后一刻，在艾尔顿的推动下，到圣诞节终于接受对查理一世的审判，将它视为正义举动。他是高级法院的135名委员之一。当国王拒绝答辩时，他签署了死刑执行令。

委员会第一任主席 英伦三岛宣布为共和国，命名为共和政体，克伦威尔任一院制议会的行政机构——国家委员会——首任主席。在查理一世被处决后的最初3年中，他主要集中精力进行反对爱尔兰和苏格兰的保皇党的战役。他还镇压了一次兵变。这次兵变是由一个极端的清教徒政党称作平均派的团体鼓动的，其目的是要在共和政体的军队中实现贫富之间的"平均"。他憎恨爱尔兰人，认为他们原始、野蛮和迷信。他相信爱尔兰人在1641年曾大规模地屠杀英格兰移民。

作为总司令和总督，他对爱尔兰人进行了残酷无情的战役，1649年9月他拒绝给予都柏林附近的德罗赫达大部分守军以宽恕时，他写道："这会防止未来的流血……否则不得不引起悔恨和遗憾。"1650年5月，回到伦敦后，克伦威尔奉命率领一支军队进入苏格兰，查理二世在该地被公认为新国王。费尔法克斯拒绝指挥，因此，6月25日克伦威尔被任命为总司令来代替他。由于苏格兰人大多是清教徒，他对待他们比对待天主教徒爱尔兰人宽容。这次战役证明是困难的。1650年冬天，克伦威尔患病。1650年9月3日，他在邓巴以一支人数较少的军队战胜了苏格兰人。一年以后查理二世进军英格兰，克伦威尔在伍斯特摧毁了他的军队。

这场战争结束了内战。克伦威尔这时希望实现和平、政治解决和社会改革。他强使通过一项大赦令（特赦），但是，军队对议会越来越不满意。它认为议员们腐败，应当召集一个新议会。克伦威尔再一次在两个敌对者之间进行调解，但其同情却给予他的士兵们。当他最后决定议会必须解散，应予以替代，他招来他的枪手们，于1653年4月20日将议员们驱出议院。他声称"他们是腐败和不公正的人。对于宣扬福音的职业来说是丑恶可耻的"。两个月后，他建立一个由他指定的议会来取代原来的议会。在7月4日发表的演说中，他告诉新议员们他们必须公正，以"畏惧上帝的心理进行统治"，以解决国家事务。

克伦威尔似乎将这个"小议会"看做一个立宪机构，能够建立一个清教徒共和国。但是正如他认为以前的议会行动迟缓和追求私利，他开始感到所谓圣者议会的行动过于急促，过于激进。他还憎恶这个议会没有征求他的意见。后来，他描述他选出圣者来进行统治的这一实验是表明他自己的"软弱和愚蠢"的实例，他寻求稳健步骤而且想要结束1652年开始的同荷兰的海战。1653年12月，在J.兰伯特少将和其他军官策划的政变后，圣者议会的大多数议员将权力交给克伦威尔时，他勉强决定上帝已选择他来实行统治。作为由议会任命的总司令，他相信他是剩下的唯一合法立宪权威。因此，他接受了兰伯特及其同僚们拟定的一个《政府契约》，根据这一契约他成为护国公，在一个国家委员会和一个3年召集一次的议会给予咨询和帮助下统治着英格兰、苏格兰和爱尔兰这3个国家。

担任护国公时期的施政 克伦威尔于1654年9月3日召集他的首届护国议会前，他和他的国家委员会通过了80多项法令，它们体现了一个建设性的国内政策。他的目的在于改革法律，建立一个清教徒教会，容许教会以外的信仰自由，提倡教育，实行行政权力分散。律师们的抵制多少减少了他想改革法律的热情，但他能够在英格兰和爱尔兰任命优秀的法官。他坚决反对严厉惩办轻微犯罪，说："看到人们由于小事而丧失生命……上帝会对此作出评定的。"对他来说，只有谋杀、叛逆、叛乱这些罪行才能处以极刑。在他任护国公时期，设立了审判与驱逐委员会，以保证教士和教师保持高标准的品行。他不顾他的委员会中某些委员的反对，重又准许犹太人进入英格兰。他本人关心教育，是牛津大学的一名卓越校长，在达勒姆建立了一个学院，并注意使文法学校达到以前从未有过的繁荣程度。

外交和经济政策 1654年，克伦威尔使英荷战争圆满结束。对于这场发生在同类的清教徒之间的斗争，他是一直厌恶的。当时遇到的问题是如何使用他的陆军和海军才是上策。他的国家委员会意见分歧，但最后他决定和法国缔结同盟来反对西班牙。他派遣一支两栖远征部队前往西班牙所属的西印度群岛，1655年将牙买加征服。作为派遣一支远征军前往西班牙的佛兰德和法军并肩作战的代价，他获得了敦刻尔克港。他对斯堪的纳维亚事务也很关注；虽然他钦佩瑞典国王查理十世，但他在波罗的海地区进行调解的首要考虑是他为自己国家所能获得的利益。尽管克伦威尔在其某些演说中强调新教的利益，他的外交政策的主导动力是国家利益而不是宗教利益。

他的经济和工业政策遵循的主要是传统路线。但他反对垄断。这是全国人所痛恨的，只能使得伊丽莎白女王和最初的两个斯图亚特国王统治下的宫廷士绅获得利益。由于这个原因，东印度贸易开放了3年，但最后克伦威尔授予东印度公司一个新的特许状（1657－10）以报答公司提供的财政援助。令人满意的借贷方法尚未发现；因此，像当时几乎所有的欧洲政府一样，克伦威尔的公共财政决不是没有困难的。

与议会的关系 当克伦威尔的首届议会开会时，他提出建立摄政政体是正当的，因为经过内战后，它对国家能起到"医疗和安定作用"。他辩称他的政府防止了无政府状态和社会革命。他特别指责平均派，说他们希望摧毁经过考验的制度，而几百年来，"英格兰就是以这些制度而闻名于世的"。他相信他们要瓦解"国家的自然的地方长官管辖区"，以及使"佃农有地主那样的自由命运"。他还认为紧接着英国圣公会的被摧毁而产生的精神上无政府状态变得过分猖獗，因为现在经过委任的布道士往往在讲坛上被打断或被喊声压倒。克伦威尔在某些方面例如在寻求改革法律方面是激进派，但现在却采取了保守态度，因为他害怕推翻君主制后可能导致政治崩溃。

但是吵嚷的共和派已成为新选出的议会的领袖。他们不愿集中全力进行立法，相反，却对克伦威尔政府的整个基础表示怀疑。克伦威尔坚持他们必须接受新宪法的"四个基本原则"，声称这是"上帝和这些国家的人民所批准的"。四个基本原则是：由一个个人领导的政府与议会；议会定期召集但不得永存下去；保持"良心的自由"；护国公与议会分管武装部队。克伦威尔说："我宁愿滚进我的坟墓，不光彩地下葬，而不愿同意任意抛弃这个为上帝所有、人们赞同的政府。"因此，他要求议会的全体议员如果他们希望保留席位，必须签署一项忠于护国公和议会的保证并许诺不改变它的基本性质。除了100名坚定的共和派分子外，议员们同意这样做，但是仍然更关心改写宪法，而不是像护国公希望的那样改革法律。他一旦能够合法地解散议会（1655-01-22），他就这样做了。

但是关于他在1656年召集的第2届议会，他最后遇到同样的困难，因为共和派领袖们获准恢复他们的席位时，他们企图摧毁摄政政体，其理由是他们被迫回到一种"埃及式的奴役"。克伦威尔再一次强调他"奉召"来掌权。如果他的权威不能维持，无政府状态或来自国外的入侵将接踵而至。因此，1658年2月，他感到自己重新被迫解散议会，尽管作为一个前议员，他十分理解他的行动的严重性。

自从爱尔兰战役以来，克伦威尔的健康状况一直不佳。1658年8月在其爱女伊丽莎白死于癌症后，他因患疟疾而病倒，被送往伦敦，准备在圣詹姆斯宫居住。但是，在他两次最大胜利的纪念日——9月3日——3时在白厅病逝，11月10日，在国葬前13天，他的遗体被秘密安葬在威斯敏斯特教堂。1661年英王查理二世复辟后，克伦威尔经过防腐的遗体从威斯敏斯特坟墓中掘了出来，悬挂在处决罪犯的地方泰伯恩。他的遗体后来埋在绞架下面。但他的头颅被钉在威斯敏斯特大堂顶上的一根杆子上，据传一直挂到查理二世统治结束时止。

评价 克伦威尔决不是一个极端的清教徒。从他的天性来说，他既不残酷，也不是不容异说的。他关心他的士兵。当他和他的将领们发生分歧时，他不严惩他们（例如他将兰伯特免职时，给予兰伯特优厚的养老金）。他热爱他的老母、妻子和家属（保皇党传说他对一些女人颇为倾倒，其实没有多少事实根据）。他关心他的孩子们的精神幸福，因为他相信"伟大人物的孩子们往往不怕他们眼前的上帝"。但他却犯了一个错误：没有对他的长子理查德为担任政府的实际任务做好准备，在他一生的最后几天，指定理查德继他接任护国公。他爱好的消遣有音乐和狩猎。他喜欢听风琴而且是一名十分高明的鉴马家。据说他吸烟，饮雪利酒和淡啤酒，爱好英国饮食。在他最幼女儿的婚礼上，他曾准许跳舞。在比较年轻的时候，他纵情地和他的士兵们胡闹。他是一个有尊严的统治者。P.莱利爵士、著名的荷兰画家，为他画了一幅壮年时期的肖像（这幅画显然并非按真人绘制的）。内战开始后，R.沃尔克给他画了真人像，画中的他更像一个狂热分子。

作为护国公，克伦威尔比他在热烈的清教徒青年时期更能容忍异教。主教制一旦被废除，会众们获准选择他们自己的牧师，他就满意了。在教会以外，他准许全体基督徒实践他们自己的宗教，只要他们不制造混乱和不安。他准许在私人家中使用《英国国教祈祷书》，英国罗马天主教徒在摄政政体下比他们以前的处境更佳。

虽然许多贵格会教徒因为扰乱治安而被监禁狱中，但克伦威尔和公谊会创始人G.福克斯关系融洽，试图和他讨论宗教问题。1656年冬，一名贵格会教徒模仿基督进入耶路撒冷那样进入布里斯托尔。克伦威尔试图救他，以避免议会的愤怒，但未成功。议会通过对亵渎神明者的严厉惩处。一年前，克伦威尔会见了一个极端教派亦即第五君主国派的两名领袖。他向他们指出他们因煽动叛乱而被监禁,但强调谁也不会禁止他们传布耶稣基督福音。

在政治方面,克伦威尔没有固定观点,除了反对他所说的专制政府。在处决查理一世前,他曾考虑让查理的儿子之一登位。克伦威尔也抵制废除上院。1647 年,他说他没有同任何形式的政府"结合并粘在一起"。当圣者议会失败后,他召集了两次选举产生的议会(1654 ～ 1655,1656 ～ 1658),但他始终未能控制它们。他之所以不能这样做,归因于"缺乏那种行政对议会的管理,而这种管理按照适当的比例是任何议会的必要营养"(H.R.特雷弗-罗珀)。在这两个议会之间(1655 ～ 1656),他同意由骑兵卫队少将们主持的全国政府负责一批郡的治安。但他很快就放弃了这个实验,因为它遭到了人们的抗议,同时恢复了更正常的统治方法。1657 年春,议会大多数议员提请他即王位,理由是王位更适合于现存体制和英格兰的习惯法。最后他拒不即位,因为他了解这会触犯他旧时的共和派军官们。然而,在他一生的最后一年半的时间内,他按照一种"请愿与忠告"的政府形式进行统治。这事实上使他成为一个立宪君主,会同一个由他指定议员的上院和一个选举产生的下院共同实行统治。但他感到与议会共同统治和不要议会和他共同统治都是同样困难的。

虽然在 17 世纪后期,克伦威尔被人痛骂为一个大胆的坏人,但也承认他使得他的国家变为伟大。另一方面,在 18 世纪,他被认为是一个令人厌恶的伪君子,而在 19 世纪,在作家和历史学家 T.卡莱尔的影响下,他被认为是一个宪法改革家,他摧毁了查理一世的专制主义。现代的评论家比较有辨别力。克伦威尔对上帝旨意的信念被用心理学名词来进行分析。马克思主义者指责他背叛了革命事业,因为他镇压了军队中的激进运动并抵制了平均派的政策。整个说来,他只是在很有限的意义上被认为是一个独裁者,相反却被当作一个爱国的统治者。他恢复了内战后的政治稳定并对立宪政府的发展和宗教上的宽容做出了贡献。

Cromwell, Richard　克伦威尔(1626-10-04 ～ 1712-07-12,英格兰赫特福德郡切森特)英格兰护国公(1658-09 ～ 1659-05)。O.克伦威尔存活的长子,欲继其父充当共和国领袖,但遭到失败。曾在议会军中服役。1654 和 1656 年两届议会的议员。1655 年领导贸易委员会,但能力不济。1657 年,新宪法赋予其父挑选继位者的权利,他被推荐担负要职。1657 年 7 月继其父任牛津大学校长,12 月任国务会议委员,并成为上院议员。1658 年 9 月 3 日其父去世,他奉遗命宣布继任护国公。上台后亲自掌握军队,无视高级将领们关于任命一个有经验的军人任总司令的要求,从而激怒了这些军官。议会与军方的冲突导致军方自建一个委员会。议会禁止该委员会开会,该委员会遂夺取权力,解散议会(1659-04-21)。军官们召集 1653 年被其父解散的残余议会,罢黜了他。他于 5 月 25 日正式退位。为了逃避在位期间的大批债务,他于 1660 年去巴黎,后来移居日内瓦。约 1680 年回国隐居。

Cromwell, Thomas, EARL OF ESSEX, BARON CROMWELL OF OKEHAM　**克伦威尔**(约 1485,伦敦附近帕特尼～ 1540-07-28,可能是伦敦)英格兰国王亨利八世的主要谋臣(1532～1540),在英格兰实行宗教改革,解散隐修

美国不列颠百科全书公司供图

院,并加强了国王的行政权力。由于政敌的挑唆,他最终以传播异端邪说被处死。早年经历不详,似曾在意大利呆过一段时间。1510 年后在低地国家居住数年。1520 年成为红衣主教沃尔西的募捐人,此后经历始有据可查。1525 年,沃尔西雇用他解散了某些小隐修院,不久成为沃尔西的亲信。1529 年成为议员。他的非凡才能开始为国王所注意,后受到宠信,1530 年成为亨利八世的近臣。1532 年任保管珠宝的官员。1534 年任保管档案的秘书。1536 年任掌玺大臣,领贵族衔,称温布尔登勋爵。早在 1529 年,他就向亨利提出一项完整的行动计划,建议排除罗马教皇在英格兰的势力,由国王掌握教会的最高权力。1532 年在他的支持下首次对罗马教廷进行攻击。1533 年在他的促使下通过了限制就婚姻和遗嘱案件上诉罗马的法案。1533 年起他便完全控制了政府,不过他还小心谨慎,自称只是代国王行使权力。1534 年通过了《至尊法》,从而确立了国王至高无上的权力。他被任命为国王的总牧师,有权视察并改革一切隐修院的体制。1536 ～ 1540 年他不屈不挠地为没收隐修院的财产而斗争。到 1540 年英格兰的所有隐修院都已不复存在,财产归王室所有。1530 年,他刚被封为男爵,又被任命代表国王作为教会首领。但在外交方面,他缺乏亨利八世那种老练的机会主义。他计划建立一个路德教国家的联盟,但这不合亨利八世的口味。1539 年他错误地迫使国王娶克利夫斯的安妮为第 4 个王后,以争取国王支持他的联盟计划,但国王从一开始就讨厌这位王后,与德意志的联盟显然也就无从谈起。此后,克伦威尔的地位迅速衰落。虽然在 1540 年 4 月被封为埃塞克斯伯爵,并任掌礼大臣,但 6 月初他的政敌终于使国王相信他是持异端邪说者和叛国者。6 月 10 日被捕,未加审讯即行判罪,并被处决。他的倒台未使宗教改革停止,但标志着亨利八世在位期间有权能的治理和有明确目的的政策的终结。

Cromwellian chair　克伦威尔椅　英国17 世纪中叶清教徒时期制造的一种坚实的、近似方形的椅子,装有皮的靠背和椅座,上面饰以大头铜钉,以 O.克伦威尔的姓氏命名。当时崇尚朴素的风气几乎排斥一切装饰物,唯一的装饰是以发亮的钉头缀成的图案以及椅腿和横档上使用串珠状的装饰。这种椅子是 16 世纪后期流行较舒适的百褶裙式椅的改进型。

Cronaca, Il　克罗纳卡(1457,佛罗伦萨～1508,佛罗伦萨)　别名 S.del 波拉约洛。意大利文艺复兴时期建筑师,风格朴实。在罗马学习期间,对罗马古建筑作了准确详尽的记录。1480 年返回佛罗伦萨,设计了斯特劳齐府邸的庭院和庄严的檐口,按照建筑师 G.da 桑迦洛的设计建造了圣灵教堂圣器室。他最主要的作品是佛罗伦萨救世主教堂,米开朗琪罗曾大加赞赏。

Cronin, A.J.　克罗宁(1896-07-19,苏格兰邓巴顿郡卡德罗斯～ 1981-01-06,瑞士蒙特勒)　全称 Archibald Joseph Cronin。苏格兰小说家和医生。其作品融写实主义与社会批评于一炉,赢得了英美的广大读者。克罗宁就读于格拉斯哥大学,第一次世界大战中在英国皇家海军任军医。后在南威尔士开业(1921 ～ 1924),然后任煤矿医务督察,调查采煤工业中职业病的情况。1926 年,他在伦敦开业,但因健康状况不佳而终止,闲来便写他的第一部小说《帽商的城堡》(1931;1941 年拍成电影),讲的是一个苏格兰制帽商一心以为自己可能出身于名门贵族。此书在英国一举成功。克罗宁的第 4 部小说《众星俯视》(1935;1939 年拍成电影),记载了 1903 ～ 1933 年间英格兰北部一矿业小镇上种种压榨矿工的事件,为他赢得了国际声誉。随之而来的是《堡垒》(1937;1938 年拍成电影),暴露了私人开业医师的贪得无厌如何玷污了医生济世的令名。《王国的钥匙》(1942;1944 年拍成电影)是一个罗马天主教传教士在中国的故事,这是他的最受欢迎的作品之一。以后的作品有《青春的岁月》(1944;1946 年拍成电影)、《谢侬的道》(1948)、《紫荆树》(1961)以及《六便士之歌》(1964)。后期作品中较能引人入胜的为《美物》(1956),写一个必须摆脱中产阶级习气方能一展其才的卓有才华的青年画家。克罗宁长于叙事,观察犀利,描写生动。他虽被认为是个成功的中产阶级趣味作家,但也曾写出了像《众星俯视》这样英国 20 世纪的经典作品。

Cronin, James Watson　克罗宁(1931-09-29,美国伊利诺伊芝加哥～　)　美国核物理学家。由于他和 V.L.菲奇在 1964 年进行了一项实验,证明了在时间的进行方向倒转时,亚原子粒子的某些反应过程也不会精确地逆转,而共获 1980 年诺贝尔物理学奖。在克罗宁和菲奇提出他们的证明之前,人们一向认为粒子的相互作用应该与时间的方向无关。克罗宁 1951 年毕业于得克萨斯州达拉斯市南方卫理公会大学。1955 年在芝加哥大学获得哲

学博士学位。随后任职于纽约州阿普顿的布鲁克黑文国家实验室。1958年成为普林斯顿大学教授。1971年他受聘任芝加哥大学教授。

Cronjé, Pieter Arnoldus 克龙涅(1836-10-04,南非开普殖民地科尔斯伯格～1911-02-04,德兰士瓦波切夫斯特鲁姆) 南非布尔军队的将领,南非战争初期曾发挥重要作用。克龙涅出生在开普殖民地,早年在大迁徙时期被带到德兰士瓦。1880年11月他在德兰士瓦发动反对英国统治的起义,起因是一个拒绝付税的农民的货物被扣押。在随后的战争中,他在波切夫斯特鲁姆指挥作战;正值安排实行普遍休战时,他迫使英国驻军投降(1881年3月)。1881年后期,德兰士瓦取得了有限度的独立;此时克龙涅进入南非共和国议会,支持克留格尔总统。1899年南非战争爆发,此时克龙涅已是一位将军,他在西线任最高统帅,开始围攻马弗京。1899年12月11日,他在马格斯方丹成功地打退了英军对他的阵地发起的总攻。1900年2月,仍在马格斯方丹,他抗击了罗伯特元帅的军队,但未能阻止英军对金伯利的援救。当他向东退却时,在帕尔德伯格被英军围困,在重创英军之后他带着约4 000人被迫投降。他被囚于圣赫勒拿岛直到1902年战争结束。此后,他在克莱克斯多普隐居。

Cronos (Greek god) 参阅 **Cronus** *克洛诺斯*。

Cronstedt, Axel Fredrik 克龙斯泰特(1722-12-23,瑞典图林格～1765-08-19,赛特) 瑞典矿物学家和化学家,以对金属元素化学的工作和建立新的矿物系统的成果而闻名。他被认为发展了系统地使用吹管分析矿物的化学组成的实验方法。1751年他首先分离出镍,还对以前不了解的一种比重大的矿物钨酸钙做了仔细分析。他研究过石膏的性质,还有他称之为沸石的含水矿物。这些实验揭示出了制约矿物内部构造的某些规律并使他能够区分单一矿和由几种矿物混合物组成的岩矿。

Cronus 克洛诺斯 又作Cronos或Kronos。希腊古代宗教中的男性神,为希腊以前的当地居民所崇拜,然希腊人本身崇拜他的未必很多。他后来被等同于罗马的农神萨图恩。他的职能亦与农事有关。在阿提卡,他的节日克洛尼亚用来庆祝收获,与罗马农神节相似。在美术作品中他被画成一个手持农具(原来大概是一把镰刀,但被看做弯刀)的老人。在希腊神话中,克洛诺斯是乌拉诺斯(天神)和该亚(地神)的儿子,十二巨人中最年轻的一个。他在母亲的怂恿下用弯刀阉割了父亲,从而使天地分离。于是他成为巨人之王,娶自己的妹妹瑞亚为妻。瑞亚生子赫斯提亚、得墨忒耳、赫拉、哈得斯和波塞冬。但克洛诺斯把他们全都吞食了,因他的父母曾警告过他,说是他将被他的一个儿子所推翻。当宙斯出生时,瑞亚将他藏在克里特,骗得克洛诺斯吞食了一块石头。宙斯长大后,逼着他把兄姊们吐了出来,并在和他战斗中取胜。克洛诺斯战败后,一说成为塔尔塔罗斯的囚徒,一说成为黄金时期的国王。

Cronyn, Hume; and Tandy, Jessica 克罗宁与坦迪(克罗宁1911-07-18,加拿大安大略省伦敦～2003-06-15,美国康涅狄格费尔菲尔德;坦迪1909-06-07,英国伦敦～1994-09-11,美国康涅狄格伊斯顿) 夫妻搭档表演队,以“美国戏剧界第一对夫妇”而闻名。两人背景截然不同。克罗宁是加拿大议会议员之子,在富裕的环境中成长。就读于美国戏剧艺术学院,1934年在百老汇首次演出《希普的假期》。他早期的百老汇生涯中,以擅演成功的性格角色而闻名。其中如《高冈》(1937)中的埃尔克斯、《三姊妹》(1939)中的安德列。因在吉尔古德导演的《哈姆雷特》中扮演波洛涅一角的杰出表演,于1964年获托尼奖。克罗宁主演了多部电影,包括《暴力》(1947)和《安排》(1968)。他还在纽约导演了多部戏剧,包括《现在我躺下睡觉》(1949～1950)、《希尔达·克兰》(1950)和《书呆子》(1957)。坦迪是一位推销员之女,在伦敦长大。在本格里特学院学习表演。因在T.威廉斯的《欲望号街车》(1947)中出演布兰奇·杜波依斯,赢得好评和赞誉,1948年获托尼奖。她在电影中扮演各种不同角色,这些影片包括《沙漠之狐》(1951)、《群鸟》(1963)和《巴特利》(1973)。克罗宁和坦迪于1942年9月结婚。坦迪于1954年加入美国籍。这对夫妇同台演出的作品有:《有四柱的床》(1951)、《夫人,散步吗》(1953)、《宝贝们》(1955)、《海边的一天》(1955)、《穿狗服的人》(1958)、《物理学家》(1964)、《微妙的平衡》(1966)、《两个键上的诺埃尔·科沃德》(1974)以及许多标准古典剧。他们同台演出在《洋麻将》(1977)和《狐火》(1980)中达到最佳效果,坦迪也因其表演出色而获托尼奖。1994年这对夫妇荣获首次颁发的托尼终生成就奖。他们还一起在广播和电视中演出,并出演影片《第七个十字架》(1944)、《豆蔻年华》(1946)、《加普眼中的世界》(1982)、《茧》(1985)及《茧》的续集《归来》(1988),以及《配件另附》(1987)。1990年,坦迪因《为戴茜小姐开车》(1989)一片而获奥斯卡最佳女演员奖,当时80高龄的坦迪是年纪最大的奥斯卡奖得主。克罗宁因主演电视剧《老朋友们》(1990)而获电视埃米奖。1986年这对夫妇获得肯尼迪中心艺术成就奖。

crook 变音管 铜管乐器中可以拆卸的一段金属管。它插在号嘴和主管之间或管的中部,用以延伸所产生的空气柱,使之奏出原空气柱的泛音列中所不包含的音。变音管至迟约在1600年开始使用,至18世纪晚期普及。19世纪被阀键取代。阀键与变音管不同,它可立即改变基本的空气柱音高。如这段管子是直的而不是弯曲的,则称为shank。

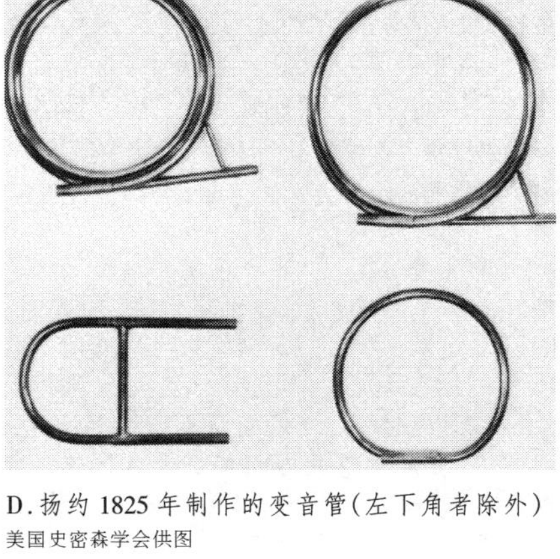

D.扬约1825年制作的变音管(左下角者除外)
美国史密森学会供图

Crook, George 克鲁克(1829-09-23,美国俄亥俄代顿附近～1890-03-21,伊利诺伊芝加哥) 美国内战时和在西部与印第安人冲突期间的美国陆军军官。谢尔曼将军称他是最好的印第安斗士和印第安事务官。布鲁克原是俄亥俄的农庄青年,后在西点军校学习(1848～1852),毕业时他的名次几乎是全班之末。他开始在太平洋沿岸西北地区服役,从事修建要塞和保护移民防范印第安人的工作。在内战期间,他在西弗吉尼亚、弗吉尼亚和田纳西-佐治亚等地多次参加作战行动。最有名的是第二次布尔溪战役、安提塔姆战役及奇克莫加战役、谢南多厄河谷战役。战后,克鲁克返回西部,在西北部地区服役,为中校军衔。1871年起在亚利桑那州参加对阿帕切人作战,1873年升为准将。1875年担任低地军管区司令,在苏人战争中有特殊贡献。1882年他受命返回亚利桑那,以后几年中,他率领远征军进入墨西哥,包围在杰罗尼莫领导下的阿帕切族奇里卡瓦部落(杰罗尼莫逃脱,但部落中有500人被遣返圣卡洛斯保留地)。克鲁克在最后几年里担任低地军管区司令,以后又担任密苏里师的师长,司令部设在芝加哥,此时他获得他的最高军衔——少将。虽然克鲁克的大半生作为“印第安斗士”,但在最后几年里他参加争取印第安人权利的运动,并批评各种对阿帕切人的不公正待遇。

Crookes, Sir William 克鲁克斯(1832-06-17,英国伦敦～1919-04-04,伦敦) 英国化学家和物理学家,因发现元素铊以及对阴极射线的研究而闻名。阴极射线研究是原子

美国不列颠百科全书公司供图

物理学发展的基础。克鲁克斯在伦敦皇家化学学院学习后,1854年任牛津的拉德克利弗观象台气象部主任。次年在柴郡的切斯特理学院任职。继承父亲大量遗产后,从1856年起在伦敦自己的私人实验室里全力从事各种科学工作。因研究稀薄气体中放电而观测到阴极周围的暗区(现在称为克鲁克斯暗区)。克鲁克斯证实阴极射线以直线传播,在撞击某些物质时产生磷光和热。以后又发明许多仪器来研究阴极射线的特性,但所提的放射物质理论,或物质第四态理论,在许多方面被

证明是不正确的。在R.W.本生和G.R.基尔霍夫创立了光谱分析后，克鲁克斯把这种新技术用到硒化合物研究上。1861年在一些含硒的沉积物中发现铊后，继续研究这种新元素并把它分离出来，探索它的特性，1873年测定了它的原子量。在研究铊时发现了克鲁克斯辐射计（把光辐射变为转动的器械）的原理，这一原理以后在发展灵敏的测量仪器时有多种多样的应用。克鲁克斯于1897年被封为爵士。

crop duster 作物喷粉飞机 通常指用于大面积喷撒农药的飞机，不过其他类型的喷粉飞机也已使用。空中喷撒农药能在使用农药最有效的时机立即在大面积土地上施用，避免因使用轮式车辆而会破坏农作物。20世纪60年代研制出极低用量的撒粉飞机，能够在每公顷土地上分撒小到70克的浓缩杀虫剂。这种方法应用在东非、印度和其他地方对付沙漠蝗虫已取得显著的成功。

在美国得克萨斯州麦田里喷撒农药的作物喷粉飞机

美国不列颠百科全书公司供图

crop rotation 轮作 在同一块田地里按一定顺序种植不同作物的耕作方法，与单作制和无计划连续种植不同。有史以来，种植粮食作物的地方都实行某种轮作方法。非洲中部使用的是36年轮作制：生长35年的灌木和乔木砍伐和燃烧后，种植单季指粟。世界上产粮地区广泛使用各种周期较短的轮作制。有的轮作是为了在最短期间获得最高利润，而不多考虑使基本资源继续发挥效用。有的轮作则既考虑连续获得高额利润，又考虑保护资源。19世纪中叶，开始出现用以设计有效的耕作制度的根本原则。早期的实验，如19世纪中叶英国罗萨姆斯特德实验站所做的实验表明，从行间作物、密植的谷类、草根层作物或休闲作物三个类别中选择轮作作物是有效的；将作物作这样的分类可以为平衡各种作物提供比率的基础，有利于继续实行土壤保护和保持经济收益。这样就十分灵活，可以把作物调整得适应多种情况，可以在需要时作出变动，还可以种植中间作物用作覆盖作物和绿肥。单式轮作是每类中的一种作物按1:1:1的比率种植，其中第一个数字是行间种植的作物，第二个是密植的谷类，第三个是草根层作物或休闲作物。这样的比率表示需要3个区，在3年内每年各生产一种作物。玉米、燕麦和三叶草或马铃薯、小麦和三叶草-梯牧草的轮作可以满足这个需要。任何数量的田地和作物间的轮作关系，都可以用这种方式表示。一般说，大多数轮作周期都在8年或8年以下。在土壤坡度增加、肥力下降的地方，用于草皮作物和休闲作物的面积应当扩大，方法是占用种植行间作物的地面。这样就能形成较好的植被覆盖，可以保护坡地，防止过分的水土流失，还可提供有机物质，来提高坡地和平地的土壤生产力。随着坡度减小和肥力增大，行间作物的种植面积就可以扩大，但不应扩大得过分减少草皮作物和休闲作物的面积。作物对土壤的影响、作物相互间的影响，以及作物对病虫害和杂草的反应各不相同，这都需要仔细制定种植作物的顺序。广义地说，耕作制度应围绕着深根性豆科植物的利用来设计。这样的豆科植物利用得太少，生产率就会降低，而种植深根性豆科植物过多，则可能造成浪费，其他有用的作物又会种植得不够。完全依靠绿肥豆科植物的轮作，应只用于较平坦和肥沃的土地。往往将豆科植物（单独种植或与非豆科的草根层作物合种）列入轮作作物。一般说，这种情况应该大约每四年发生一次。短期轮作不很可能达到最好的作物平衡，多区的长期轮作可能引起一些复杂情况。实行轮作的田地数量适当，在一些区里进行分离耕作，就能有更多的灵活性。各地的气候和土壤不同，这决定了具体地块应种何种作物。一个地区的主要作物，在另一地区可能价值极小或没有价值。但通常每个地区都有能归并于一个有效的耕作制度中的行间作物、谷物和草根层或休闲作物。设计良好的轮作不但对土壤和作物有许多益处，还能对农业经营有益。劳力、能源和设备可以使用得更有效率，天气影响和市场风险可以减少，牲畜的需要可以更容易满足，农场可以成为效率更高的全年企业。参阅 **Norfolk four-course system; two-field system; three-field system**。

croquet 槌球 又称草地槌球。在草坪或地面上用长柄木槌击球穿过一连串铁环门的室外游戏。早在13世纪法国有槌球戏，16世纪传入英国。草地槌球是美国流行的一种非正式槌球。球场面积不超过12米宽、23米长，安置9个铁环门和2个木标竿。比赛各方以得32分为满分。每人击2个球，每球应得16分。硬木球是实心的，或有彩色条纹；木槌亦是硬木制，柄长76厘米。同其他槌球游戏一样，比赛方法为：双方运动员循序击球，每次击球尽量穿过所有铁环门或较多的铁环门。1882年在美国成立了全国槌球协会，首次组织了槌球赛。1889年在纽约市举行的锦标赛会议上，一些运动员去掉croquet一词中的字母c和t，使槌球一词成为roque。

约1866年的美国槌球比赛

美国不列颠百科全书公司供图

Cros,（Émile-Hortensius-）Charles 克罗（1842-10-01，法国法布勒藏～1888-08-10，巴黎） 法国发明家和诗人。他在若干领域中的工作，成为一些重要发展的先导或与之并驾齐驱。1869年，他发表了三色摄影术理论，其内容与L.D.du欧隆于同年提出的影响更广的思想相似。他在《关于与行星通信方法的研究》（1869）一书中，设想了一个焦距等于从火星或金星到地球的距离的巨大凹面镜，被镜子集中起来的太阳光线，能在行星的表面上熔化出一幅宇宙中任何地方的高等生物都能理解的几何图形。1877年，克罗发明了留声机，同年，美国T.A.爱迪生制作出第一张唱片。其最重要的象征主义风格的诗篇《檀木箱子》（1873）受到P.魏尔兰的赞扬，并且可能对A.兰波和20世纪的法国象征主义诗人们产生了影响。克罗的《诗歌与散文》选集出版于1944年。

Crosby, Bing 克罗斯比（1903-05-03，美国华盛顿塔科马～1977-10-14，西班牙马德里附近） 原名哈里·利利斯·克罗斯比。美国歌唱家和歌曲作家，低吟唱法歌手的代表。有声电影的出现和录音技巧的改进为这样一位人物的崛起提供了理想的环境。他的悠闲自在的舞台风度和歌唱风格影响了两代流行歌

美国不列颠百科全书公司供图

手,并使他成为当时最受欢迎的演员。克罗斯比在华盛顿州斯波坎修习法律时即已开始唱歌和击鼓。1927年同H.巴里斯和A.林克一起作为"节奏小伙"而随P.怀特曼的管弦乐队演出一段时间;随后在早期有声电影《爵士乐之王》(1931)中亮相。他开始一本正经地拍摄电影,不久即成为享有国际声誉的明星。歌曲创作活动包括与别人合作《一丝希望》和《碧空之夜》(这是他的电台主题歌)。曾与小号手L.阿姆斯特朗和长号手J.蒂加登一起在多部电影中露面。他的很多早期唱片均有他们二人和其他杰出爵士乐独奏家参加录制。所录《白色圣诞节》唱片成为20世纪最流行歌曲之一,销售量仅次于他的《平安夜》唱片。20世纪40年代成为一套走红的广播歌舞杂耍节目的明星。1944年因电影《与我同行》而获奥斯卡金像奖。40年代与B.霍普和D.拉穆在电影《路》系列中合作演出喜剧,使他获得新的荣誉。自传《说我走运》于1953年问世。他又是一位著名运动员,在高尔夫球场上心脏病发作而不治身亡。

Crosby, Fanny 克罗斯比(1820-03-24,美国纽约东南角～1915-02-12,康涅狄格布里奇波特) 美国赞美诗女作家。其作品以赞美诗《安然偎在耶稣的怀抱里》最为有名。出生近6个星期时因医生的疏忽双目失明。1835年进入纽约市盲人学院,1847～1858年任该校英语教员。青年时代发表过几卷诗集。1858年与她的学生、盲人音乐家A.V.阿尔斯庭结为伉俪,6年以后开始写赞美诗。从那时起直到去世,共创作6 000首赞美诗。其中有几首在英国遐迩闻名,被译成多种文字。曾在1903年和1906年写有回忆录。

Crosby, Harry 克罗斯比(1898-06-04,美国马萨诸塞波士顿～1929-12-10,纽约州纽约) 美国诗人。20世纪20年代侨居巴黎,建立了黑太阳出版社。克罗斯比以行为古怪而著称。在第一次世界大战中死里逃生,后来变得性情乖僻倔强。他曾向一有夫之妇求爱,此事震动了社会。他不接受传统习俗,20年代初定居巴黎,不久参加侨居作家团体。1927年,他和妻子卡雷丝(1892～1970)开始出版自己的诗集。次年,他们开始出版麦克利什、劳伦斯、乔伊斯等作家的著作,这家出版社因此深为人们怀念。克罗斯比的诗没有什么艺术价值。他在诗中不自觉地描写了从19世纪浪漫主义至潜意识写作的文学传统,前者如《给卡雷丝的十四行诗》(1925),后者如描写他的梦境的《同眠》(1929)。其他作品还有表现他执着的崇拜太阳的诗集如《太阳的战车》(1928),日记《太阳的阴影》(1928～1930),以及为先锋派杂志《转折》撰写的文章。1929年自杀身亡。

crosier 权杖 又拼crozier,又称牧杖。一种弯头长杖,象征"好牧人"耶稣基督的牧杖,为天主教的主教(基督教安立甘宗的主教、欧洲信义宗的监督)以及男、女隐修院长所持,表示其所掌神职,过去也表示其世俗职权。有的权杖用金属制成,有的则为木雕,往往装饰华丽。

现代权杖

美国不列颠百科全书公司供图

cross 十字架 基督教的主要标志,象征耶稣基督被钉在十字架上受难死亡以救赎罪人。因此,十字架既代表基督本身,又代表基督教信仰。行划十字的礼,可以表明信仰、祈祷、献身或祝福。作为徽号,十字架有四种基本形式。希腊式十字架四臂等长。拉丁式十字架下垂之臂长于其他三臂。三出十字架又称圣安东尼十字架呈丁字形。侧置十字架又称圣安得烈十字架状如罗马数字X。先于基督教出现的两种十字架也曾为基督教会广泛使用。古埃及人"生命"一词的象形文字安克架,或称昂萨塔十字架,形如三出十字架而上面增置一环,为科普特派所采用,广泛见于该派建筑物上。曲臂十字架四臂各如希腊字母Γ,是早期基督教徒立于坟上以免招祸的,因为普通十字架比较刺目。16世纪宗教改革运动以后,信义宗基本上保留用于装饰或礼仪的十字架,但是归正宗反对使用十字架,直到20世纪才开始在建筑物和圣餐案上置十字架。圣公会在洗礼中保持划十字的手式。从19世纪中叶以来,使用十字架之风在圣公会复兴。

Cross, Hardy 克罗斯(1885-02-10,美国弗吉尼亚州南斯蒙德县～1959-02-11,弗吉尼亚弗吉尼亚比奇) 美国土木工程和结构工程学教授。他的卓越贡献是提出在连续构架(如建筑物骨架)中,计算所产生力矩的方法。运用克罗斯计算法,或称力矩分配法,通过逐步逼近,可把计算进行到任何所需的精度,这样,避免解联立方程组(所含变量与构架中刚性接点一样多)的繁重计算工作。他还成功地把数学方法应用于城市供水和输送煤气等管道系统的设计中。1930年任厄巴纳的伊利诺伊大学结构工程学教授;1937年任耶鲁大学正教授,1951年退休。获英国结构工程师学会的金质奖章。

Cross, Mary Ann(novelist) **克罗斯** 参阅 **Eliot, George 艾略特**。

Cross (of Broughton-in-Furness), Richard Assheton Cross, 1st Viscount 克罗斯子爵(第一)(1823-05-30,英国兰开夏普雷斯顿附近雷德斯卡～1914-01-08,兰开夏布劳顿因弗内斯的埃克尔里格斯) 英国政治家,因首次在英国促成授权城市改建和提出《手工业者和工人住房改善法》(1875,通称第一个《克罗斯法》)而闻名。他是一位律师和银行家。1857～1862和1868～1886年为保守党下院议员。1874年任内政大臣。1875年的《克罗斯法》授权各市政当局收买和拆除贫民区住房并改建出租住房。同年,他在议会中还通过了控制纺织工厂雇用妇女和儿童的《工厂法》、《公共卫生法》以及两个对工会更为有利的法规。1880年去职。在1885～1886年索尔兹伯里的短暂政府中再次出任内政大臣。1886年封子爵。1886～1892年任印度事务大臣。1895～1900年任掌玺大臣。

cross, sign of the 划十字 基督教会中自古流行的一种手式,用以为自己、他人或物件祝福。据3世纪的圣西普里安说,这是表明基督在十字架上受刑死亡以救赎世人。根据拉丁教会礼仪,划十字之法有二:①大十字,即伸开五指,象征基督身上的五处伤痕,在额头、胸部和两肩自左而右划十字;②小十字,即用拇指在额头、唇部和胸部划十字。东派各教会自从7世纪以来划大十字时用食指和中指,象征基督神人二性,以区别于基督一性论派的仅用食指;自从8世纪又改为五指屈握,食指、中指与拇指相触,象征三位一体。东派教会划十字是自右而左。

Cross, Stations of the 苦路十四处 天主教名词,将14个十字架顺序排列,各配有介绍耶稣受难经历的图画或塑像。这14处依次为:①判处死刑;②奉命背起十字架;③第一次跌倒;④遇见圣母;⑤古利奈人西门奉命为他背十字架;⑥妇女维罗尼卡为他擦汗;⑦第二次跌倒;⑧耶路撒冷妇女为他哀哭;⑨第三次跌倒;⑩被剥去衣服;⑪被钉在十字架上;⑫在十字架上死去;⑬被取下十字架;⑭被放进墓穴。苦路十四处通常排列在教堂

耶稣受难日的朝圣者在耶路撒冷苦路十四处中的第三处停留

美国不列颠百科全书公司供图

或副堂内墙上，墓地、山脚、医院楼内通道和隐修院等场所也有设置。参拜苦路十四处的各处以缅怀基督所受之苦，这种虔修习俗可能源出于古代基督教徒参谒耶路撒冷耶稣受难旧址的活动。

Cross, True（Christianity） 参阅 **True Cross** 真十字架。

cross-country 越野赛跑 在野外进行的长跑项目，多在冬季举行。许多业余运动员把它作为锻炼身体培养耐力的一种手段。19世纪初兴起一种长跑运动，称为追纸屑或狗追兔，即由一部分人作兔，先出发几分钟。随跑随撒纸屑，作猎狗的人即跟随纸屑踪迹前进。这可以说是越野赛跑的前身。1837年英格兰拉格比学校创办克里克赛跑，其他著名学校也都纷纷举行这种年度越野赛跑。30年后，泰晤士河赛艇俱乐部举行越野赛跑，作为划船手的冬训项目。几年之内，英格兰各地成立许多越野赛跑俱乐部。1877年英格兰举行第1次10英里越野赛跑。首次国际越野赛跑是1898年的英法比赛。1962年，国际业余田径联合会通过国际男子、女子越野赛跑规则。1967年在威尔士的巴里举行首次女子国际越野赛跑。越野赛跑原为奥运会的项目，但因不适宜夏季而于1924年起取消。国际业余田径联合会规定的标准国际越野赛跑赛程，男子不得短于12 000米，女子为2 000～5 000米。由于赛程条件不同，不登记世界纪录。越野赛跑团体赛每队6～9人，队员第1名记1分，第2名记2分，以下全体队员依次类推，总分较少者胜。越野锦标赛优胜者参阅 **Sporting Record**：Athletics。

cross-country skiing 越野滑雪 在丘陵地区滑雪的冬季运动。起源于有这种地形的斯堪的纳维亚国家，起初是作为旅行和娱乐手段，今天仍流行这个地区。越野滑雪板较高山滑雪板窄而长，重量也较轻，雪板固定装置使得两脚跟部动作可更为灵活；雪杖也较长。在大致圆形的滑道上举行，国际比赛赛程男子为10、15、30和50公里；女子为5、10、15和30公里。许多传统比赛赛程较长，如瑞典韦萨越野滑雪赛赛程为90公里。运动员次第相隔一段时间出发，滑完全程费用时间最少者胜。越野滑雪接力赛男子为4×10公里；女子为4×5公里。越野滑雪不像其他滑雪项目那样危险，但是要求有耐力，特别长距离越野滑雪更是如此。世界冠军，参阅 **Sporting Record**：Skiing。并参阅 **Olympic Games**。

cross-cousin 交错从表 表兄弟姊妹的一种类型，即母亲的嫡亲兄弟或父亲的嫡亲姊妹的孩子。人类学家为了专门研讨的目的，区别了堂（表）兄弟姊妹的不同类型如下：不论对谁来说，父亲一方的表兄弟姊妹是父系的，母亲一方的则是母系的。父亲的兄弟或母亲的姊妹的孩子叫平行从表，亦即堂兄弟姊妹和姨表兄弟姊妹；父亲的姊妹或母亲的兄弟的孩子叫交错从表，亦即姑表兄弟姊妹和舅表兄弟姊妹。英语cousin一词涵盖上述全部4种关系。但许多语言把平行从表与交错从表划为不同的范畴，在此种情况下，用以表示平行从表的称谓，往往与表示亲兄弟姊妹的用语相同。少数语言把平行从表单独列为一个范畴，但把父系交错从表与母系交错从表区别开来。另有一些语言则以单独的词汇分别表示这4种关系，即：父系交错从表、母系交错从表、父系平行从表、母系平行从表。一些社会认为堂（表）兄弟姊妹之间的婚姻是理想的，但一般认为在平行从表之间的联姻颇有乱伦之忌，而交错从表之间的婚姻则受到赞许，有时甚至是强制性的。不过，在个别特殊情况下，事实正好相反。即使交错从表为首选配偶时，在一定社会内的此类婚配实际例证也许很少，因为婚姻大事的决定也要受到那些权位传承、财产继承和居住地点等地方风习的影响和制约。交错从表婚姻形式常常是使双方父母所属的氏族维系一起的一种手段。

cross-fertilization 异体受精 又作allogamy。来自同种不同个体的雌雄配子融合的现象。雌雄异株植物和雌雄异体动物只能出现异体受精。甚至许多雌雄同体的生物也有发育良好的机制以保证异体受精。此外，许多能进行自体受精（**self-fertilization**）的物种也有进行异体受精的能力。能使两个独立个体互相接近的方式有多种。在苔藓等低等植物，可活动的精子从一个个体释出，通过薄层水膜游到另一个体的颈卵器中。在高等植物，产生精子的花粉粒从一个植株的孢子球或花传到另一个植株的雌孢子球或花，从而实现异花授粉。异花授粉通过风力（如在球果植物）或通过植物与多种动物（如蜂类和某些鸟类及蝙蝠）的共生关系（这些动物取食花蜜时将花粉带到另一个植株）来实现。动物的异体受精方式同样千差万别。大部分在水中生殖的动物物种的雌体和雄体均将其性细胞排入水中，于此进行体外受精。而在陆上生殖的动物，受精在体内进行，精子被引入雌体的体内。体内受精亦见于某些鱼类和其他在水中生殖的物种。异体受精将来自双亲的遗传物质重新组合，有助于保持更多的变异性，供自然选择发挥作用，从而增加了物种适应环境改变的能力。

cross-hatching（drawing） **交叉平行线影法** 参阅 **hatching** 线影法。

Cross of Gold speech 黄金十字架演说（1896-07-08） 著名的美国政治演说，W.J.布赖恩于1896年在芝加哥民主党全国代表大会结束关于党纲的辩论时所作。这篇演说有力地批驳了黄金是货币唯一坚实后盾的论点，并以下列警句收尾："你们不能把这顶荆冠扣在劳工的头上，你们不能把人类钉在黄金的十字架上。"这篇演说是如此地震动大会，以致代表们提名布赖恩为民主党总统候选人，虽然他年仅36岁，任公职的经验也仅限于担任两期美国众议员。在11月的大选中，布赖恩败于共和党总统候选人W.麦金利。在此后的年月里，布赖恩多次发表类似的演说，有一些录制成早期的唱片。

cross ratio 交比 射影几何（**projective geometry**）中刻画射影的特征的、有基本重要性的一种比值。在从一个中心点把一条直线投影到另一条直线上的射影下（见图），第一条直线上的线段长度的二重比（AC/AD）/（BC/BD）等于另一条直线上的对应的二重比。这种比之所以重要，是因为射影使大部分度

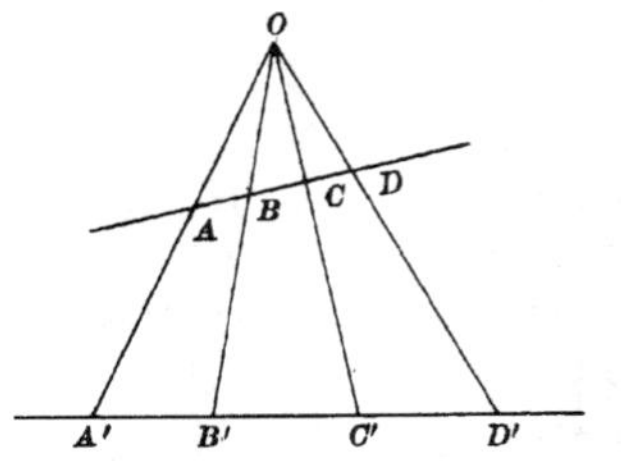

交比

量关系（包含长度和角度等可量测的量的关系）发生畸变，而射影几何的研究则集中于发现在射影下保持不变的那种性质。虽然直到19世纪初期在射影几何中广泛应用交比来陈述定理，但仍然感到它是一个不能令人满意的概念，因为它的定义依赖于欧几里得几何的长度概念，而长度这个概念正是射影几何本来想要完全摆脱的。1847年德国数学家K.G.C.冯·施陶特通过不涉及长度而定义交比，指出了怎样实现这种分离。1873年后期德国数学家F.克莱因揭示了欧几里得几何中的长度和角度大小等基本概念，可以如何仅仅用冯·施陶特的抽象交比来定义，从而把这两种几何又联系起来。同时也就把射影几何置于更加基本的地位。

cross-rhythm 交叉节奏 参阅 **polyrhythm** 复节奏。

Cross River 克罗斯河 西非河流，主要流经尼日利亚东南部。源出喀麦隆西部高原，后向西进入尼日利亚。在尼日利亚境内接纳阿亚河后折向南，穿热带雨林和红树林沼泽，注入比夫拉湾。全长489千米。由于河口无砂坝所阻，潮差仅3米，该河为重要航道。棕榈油、棕榈仁、木材、可可和橡胶沿河运往卡拉巴尔出口。葡萄牙航海家在15世纪勘探该河下游。英国官员J.比克罗夫特19世纪40年代初去上游探险。

Cross River 克罗斯河州 尼日利亚东南部的州。建于1967年，成立时称东南州。1976年以州内克罗斯河改现名。克罗斯河发源于喀麦隆山脉，向南流，形成该州西部边界的大部分。雨季时为主要商业运输线。境内有盐碱沼泽、红树森林、油棕林和茂密的热带雨林，拥有全国一大部分森林资源。居民主要为埃菲克人和埃菲伊人。粮食作物有山药、木薯、稻和玉米。远洋捕鱼和沿海捕虾也是主要收入来源。棕榈油、棕榈仁、木材、可可和橡胶经州首府和重要海港卡拉巴尔出口。工业产品有水泥、棕榈油、石棉屋顶板和管材等。河流是内陆运输的主要渠道。设有联邦大学、工业学院和几所师范学院。卡拉巴尔-伊科特-埃克佩内公路从该州通往尼日

利亚其他城市。面积20 200平方千米。人口约3 983 857(1991)。

cross section 截面 在核物理学中,一个给定原子核对特定入射粒子表现某种反应(例如吸收、散射或裂变)的几率。截面用面积表示,其数值为当施轰粒子击中与它的路线垂直的、以原子核为圆心的圆靶并引起给定反应时靶的大小就是截面的数值,如果没击中,就不发生反应。反应截面通常与核的几何截面积并不相同,反应截面的单位是靶恩(10^{-24}厘米^2)。一种给定核的截面值,随施轰粒子的能量和反应的种类而定。例如,硼受到穿行速度为10^6厘米/秒的中子轰击,中子俘获截面约为120靶恩,对于穿行速度为10^5厘米/秒的中子,截面约增至1 200靶恩。这样大的截面就说明硼是良好的中子吸收剂。而金属锆对在核反应堆中引起裂变的低能中子,吸收截面仅为0.18靶恩,因此中子很容易通过金属锆,并可用金属锆包覆燃料棒。反应堆燃料铀235通过裂变和俘获都吸收中子,裂变截面为580靶恩,中子吸收总截面(包括俘获截面)为680靶恩。

cross spider 十字纹蛛 参阅 **garden spider** 十字园蛛。

cross-stitch embroidery 十字针法刺绣 一种在帆布(也可在能数出纺织经纬线的亚麻布)上进行刺绣的式样。十字针法是与帆布的经纬线成对角十字重叠相交的针法。由于十字针法以规则的正方形为基础,故它按一定规则用方块组成图形,绣出的花卉之类是示意的而不是写实的。

cross-wall construction(architecture) **横墙(承重)结构** 参阅 **box frame construction** 箱形框架结构。

crossbill 交嘴雀 交嘴雀属(*Loxia*)鸟类,3种,其最显著的特征是上下喙交叉,借以撬开松果取食里面的种子。交嘴雀属于雀形目金翅科,或列入雀科的一个亚科。红交嘴雀

白翅交嘴雀(*L. leucoptera*)
美国不列颠百科全书公司供图

(*L. curvirostra*)和白翅交嘴雀(*L. leucoptera*)栖居于北半球的整个较冷的地区,而在新大陆热带地区各有一个孤立的小种群。欧亚大陆北部的鹦鹉交嘴雀(*L. pytyopsittacus*)的嘴较大。

crossbow 弩弓 中世纪主要投射兵器。由弩机(最初为木质)和横向固定在弩机上的短弓组成。弩机上有箭槽和扳机。弩弓起源于何时不详,但欧洲最早于10～11世纪出现在意大利城市。后人用熟铁或软钢代替木料制作短小的金属弩弓,杀伤力惊人。其张弓方法有两种。旧式方法是将弓立于地上,弓在下,弩机直立,一脚插进弩机下部的镫形孔,屈身用挂在腰间的套钩钩住弓弦,再挺身

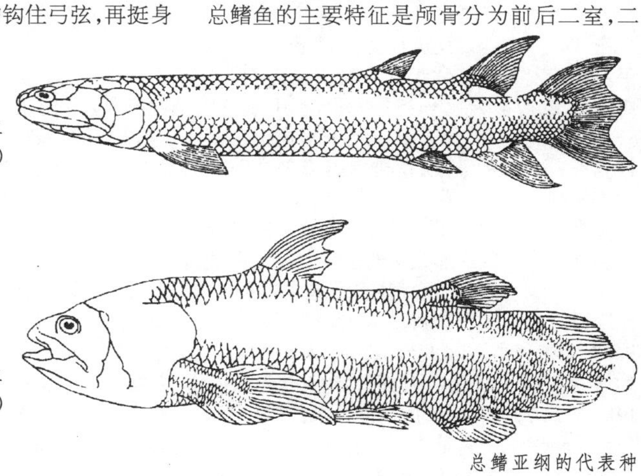

泥盆纪扇鳍鱼——真掌鳍鱼(*Eusthenopteron foordi*)

现代空棘鱼——矛尾鱼(*Latimeria chalumnae*)

总鳍亚纲的代表种

使弦线扣住弩机箭槽的锁扣装置;另一种方法也使用镫形孔,用曲柄或铰盘向后拉弓弦,将弓拉紧。利用杠杆式扳机释放弩箭或方镞箭,可射穿锁子甲,射距约300米。英国长弓(一名威尔士长弓)发射速度较快,在火器出

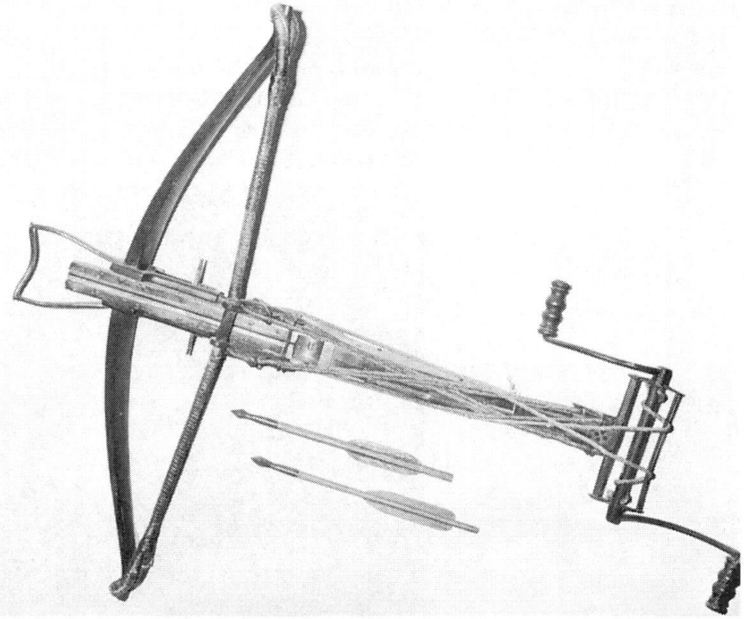

14世纪的法国弩弓
美国不列颠百科全书公司供图

现之前,甚至之后一段很长时间内弩弓仍用作主要投射兵器。弩弓威力大,通用性好(可倾斜发射或自堞墙后发射),弩箭体积小,故长期流传下来。15世纪末,弩弓才为火绳枪取代。到了现代人们又重新使用弩弓来猎取大动物。

Crossett 克罗塞特 美国阿肯色州东南部阿什利县城市,在沃希托河附近松林茂密的高地上。建于1899年。1903年设镇。1946年设市。20世纪20年代开始不断造林,为木材、纸浆和造纸业提供基础。亦生产化工产品、纺织品和混凝土构件。市西建有费尔森塔尔国家野生动物保护区。人口6 097(2000)。

crossopterygian 总鳍鱼 总鳍亚纲(Crossopterygii)的硬骨鱼类,具叶状鳍,据信是两栖类和所有其他陆栖脊椎动物的祖先。仅存的代表种为矛尾鱼(*Latimeria chalumnae*)。总鳍鱼的主要特征是颅骨分为前后二室,二室在侧面由关节连接得十分牢固。颅底和脊椎仍有不同程度的脊索残留,这些部位的骨化不完全。吻部有特化的感觉器官——吻器官。矛尾鱼的心脏左右对称,较原始,位于未与腹膜腔分开的心包腔内。血液通过一系列小瓣膜离开心脏,由沿血管分布的收缩器官推送,流过鳃动脉。腹部脏器的背侧有一大团脂肪,可能是其祖先的肺退化后的残迹。总鳍鱼类的体表覆以粗糙的大鳞。尾强大,分为3叶。偶鳍(胸鳍和腹鳍)与肩带或腰带相连,基部具肉质的柄,内有骨或软骨起支持作用。后背鳍和臀鳍的构造亦与偶鳍相似但前背鳍有骨质的鳍条而无肉柄。总鳍鱼类有3目:扇骨鱼目(Rhipidistia)、辐骨

鱼目(Actinistia)和肿大鱼目(Struniiformes)。扇骨鱼是陆生脊椎动物的祖先。除鳃系统外尚有肺系统,又有一对鼻孔,故能呼吸空气;其偶鳍亦能用作陆上移动工具。辐骨鱼的构造几乎未随时间的推移而变化;泥盆纪(4.08亿年前)地层中其数量丰富的化石与现代的矛尾鱼极为相似。肿大鱼与其余两目差异甚大,但颅骨亦分成2室。

crossword puzzle　纵横填字游戏　一种流行的字谜游戏。其法为出示一表格(多为长方形),内分空格(白色)和废格(黑色、暗色或用斜线标出),附有两组标有号码的谜面,一组指示横向构词,另一组指示纵向构词。每一条谜面的编号与表格中的号码对应。每一格应填入一个字母,或纵或横组成与谜面意义相符的词。单词纵横交叉或相互联结,纵横填字游戏即由此得名。19世纪首先出现于英格兰。其原始形式显然是由印在儿童谜语书或期刊上的四方联词(字母排成方阵形,无论横直都可读出相同的词)衍生而来。不过,在美国这类游戏发展成为成人热中的一种消遣。第一个现代纵横填字字谜发表在1913年12月21日纽约的《世界报》周日增刊《娱乐园地》上。它是作为一种智力游戏出现的,受到公众的迷恋。至1923年,美国大报都刊有纵横填字游戏,不久又大大风行于英格兰。现美、英报纸几乎无不有纵横填字游戏专栏。伦敦《星期日泰晤士报》所出字谜可能最为著名。各个国家和各种语言中,几乎都可发现不同形式的纵横填字游戏。学者们甚至为拉丁语也设计了这种字谜游戏。其鼓吹者称,这种字谜既是一种消遣,又是一种促进词汇量扩展的有趣手段。尽管大多数字谜方表中,废格是以对称形式出现的,但也有不少变异形式。包括:①方格分布不对称;②表中没有废格,词末只以粗线标示;③字谜表设计饰以图画,或绘于字谜表格的周边,或绘于表格之内,排列整齐,或两者兼而有之;④没有表格的字谜,既无废格,又无词尾标志。纵横填字的类型也一直在变化。有些字谜采用深奥的谜面、双关语、变位构词。字谜中,一些单词可能限定在特定主题内,如音乐、运动、文学或地理等。许多这类的字谜大多都难猜难解。还有些谜面可以全部省去,只告知省删词属于某一特定门类,比如珠宝或其他事物之属,或告知这些词在某一引文之中。有时,每个词都给定前缀、后缀或词的相同部分,只有其不同部分才能填入空格。例如(rat)ion、(rat)chet等,unc(tion)、cap(tion)等,qu(it)e、cr(it)ic等。《纽约时报》的周日刊编辑L.马克尔坚持认为该报刊登的字谜中的词必须与其新闻有关。广告词作者和字谜编写者H.伯尔斯发明一种内部谜面的纵横填字游戏。其字谜的主题随一连串谜面的猜解而逐渐展现出来;填入pussyfoot(猫行)、caterwaul(猫叫)、kittenish(小猫似的)同类词后,才揭开"猫"的谜底。

crotal　鸣板　打击乐器,由两块小金属板或拍板相击演奏。古希腊和罗马的鸣板是一对指钹,即木制或金属制的壳状物持在一只手中像响板那样操纵,但速度较慢。鸣板用于舞蹈伴奏,几乎全由妇女演奏。古代还用带柄或拴上皮带的两个碟形小钹。在古埃及坟墓中发现的指钹启发C.德彪西和M.拉威尔等法国现代作曲家在创作中用鸣板表现东方或古代色彩。

Crothers, Rachel　克罗瑟斯(1878-12-12,美国伊利诺伊布卢明顿～1958-07-05,康涅狄格丹伯里)　美国女剧作家。所写作品比她同时代的任何其他剧作家更正确地反映了美国妇女在社会中的地位。1892年毕业于伊利诺伊州立师范学校(现在为伊利诺伊州立大学)。以后,曾在波士顿和纽约研究戏剧艺术,并在纽约演出。1906年开始写剧本,处女作《我们三人》获得成功。从此直到《苏珊和上帝》(1937)上演的30年间,百老汇平均每年演出一部她的新戏,大多数博得观众和剧评家的好评,美国任何一个女剧作家都比不上她的成就。克罗瑟斯有时严肃地、但大半是幽默地反映一些当代社会问题,如双重标准(《男人世界》,1909)、试婚(《青年的智慧》,1914)、青年一代问题(《好人》,1921)、弗洛伊德主义(《威利》,1924)和离婚(《当丈夫出走的时候》,1931;《当太太们见面的时候》,1932)。她的剧本特点是情节简单,结局圆满,台词锋利,巧妙地把教育和娱乐相结合。她的喜剧总是稳健而适度。她对几乎所有她的剧本的上演负全部责任,当代许多著名演员都曾由她分配角色和由她导演。所著《戏剧的结构》一文充分反映了她的戏剧理论,此文被收在《编剧艺术》(1928)一书中。

croton(*Codiaeum variegatum*)　**变叶木**　又作variegated laurel。又称变叶巴豆。大戟科灌木或小乔木。叶革质,色彩鲜艳,有光泽。常盆栽,在热带为灌丛。原产马来西亚及太平洋地区。可高达6米。叶片含花青素,单色或绿、黄、白、橙、粉红、红、大红及紫等诸色相杂。叶长10～15厘米,形态因品种不同而异,呈细长线形、披针形、长椭圆形或有深裂。同科不同属的导泻巴豆(*Croton tiglium*)即真巴豆,为小乔木,原产于东南亚。

变叶木(*Codiaeum*)
美国不列颠百科全书公司供图

croton oil　巴豆油　亚洲产的一种小树(大戟科巴豆[*Croton tiglium*])的种子中获得的有毒性的黏稠液体。巴豆野生或栽培于印度和马来群岛。巴豆油呈浅黄色至棕色,透明,具持久的辛辣味和不愉快的气味,具有剧毒和强烈的刺激性。从前曾用作烈性泻药、人体抗刺激药及兽药,但现在认为药用太危险。巴豆油作为药物利用显然源于中国,16世纪由荷兰人引入西方。

Crotone　克罗托内　意大利南部卡拉布里亚区卡坦扎罗省港口城镇。临塔兰托湾,在科隆内角的西北面,卡坦扎罗的东北偏东。公元前作为港口强盛起来。约公元前530年,哲学家毕达哥拉斯曾在此居住,并组成有300弟子的协会。自公元前588年起该城以在奥林匹克运动会上的胜绩闻名。有一所著名的医学院。公元277年被罗马人占据。1955年开始发掘文物,在当地拉西尼亚海岬上发掘出海拉拉西尼亚庙。1860年归附意大利以前属那不勒斯王国。现为农业中心,有该区最重要的工业企业,包括化工厂和炼锌厂等,附近有水电站和硫矿。人口:城市区约61 326(1988)。

croup　哮吼　急性呼吸道疾病,症状包括声嘶、犬吠样咳嗽和呼吸困难。病因主要是上呼吸道,尤其是喉部的各类急性感染、过敏反应和各种强理化刺激,以及因此而出现的喉黏膜炎症和喉肌痉挛。受累者主要是低龄儿童,病程急骤。病毒感染所致哮吼最为常见,主要累及3岁以下儿童,晚秋和冬天的气候条件是诱发哮吼的主要环境因素。本病多从感冒引起。治疗需卧床,蒸汽吸入有效,有时要用抗生素预防和控制细菌感染;伴呼吸道堵塞的重症患者,需入院就医。急性会厌炎是一种危险的、进展很快的细菌性炎症,主要侵犯3～7岁儿童。发病急骤,会厌肿胀,呈樱红色;患儿很快就感呼吸困难、不能吞咽。急性会厌炎患儿需要紧急救治措施,必要时须用气管插管打开气道,并用呼吸机维持患儿呼吸;并积极给予抗生素以控制炎症。如治疗措施适当,患儿有望在24～72小时内获得缓解。

Crousaz, Jean-Pierre de　克鲁萨(1663-04-13,瑞士洛桑～1750-02-22,洛桑)　瑞士神学家、哲学家和辩论家。他最值得重视之处在于他同各方面人士的大量通信,这些信件可以使人们了解当时知识界的思潮。1700～1724和1738～1749年两度任洛桑大学教授(两次任校长)。其间由于神学论争离开瑞士,在尼德兰的格罗宁根大学任教并担任过黑森-卡塞尔的腓特烈亲王的教师(1726～1732)。他写过许多数学和哲学作品。《论美》(1714)一书,试图对美学观点方面的主观差异作出解释。在枢机主教弗勒里鼓励下,他试图抵制法国哲学家P.培尔和德国哲学家G.W.莱布尼兹的学说。他对亚历山大教皇《人伦论》的批评由S.约翰逊译为英文(1742)。他的书信已发现的约2 000封,但未刊行。

Crouse, Russel(American playwright)　**克劳斯**　参阅 **Lindsay, Howard; and Crouse,**

Russel 林赛和克劳斯。

crouth（musical instrument） 参阅 **crwth** 克鲁斯琴。

Crow 克劳人 北美大平原印第安民族，操苏语，历史上同密苏里河上游的希达察人(**Hidatsa**)属于同一族源。克劳人占居黄石河及其支流一带地区，尤集中于保德河、温德河、比格霍恩河诸流域。大概受到马匹交易的引诱，他们在18世纪初期就同希达察人分裂，迁往西方。1740年前已成为商业经纪人，用马、弓、衬衣、羽毛制品等与村居印第安人交换枪支及金属器物，再转售给爱达荷的肖肖尼人。克劳人分为三支：山地克劳人、河边克劳人及踢肚克劳人；踢肚克劳人很可能是山地克劳人的现代分支，从来没有完全独立行动。克劳人的生活多以野牛和马为重点来源。野牛为他们提供肉食、衣着、长袍、圆锥帐篷篷罩、牛腱线绳、容器及盾牌等。在克劳人社会中，加工食物、建筑房屋、缝制衣服都是妇女的工作。战争是克劳人男子的任务，大体上都是以抢劫马匹为主。一个克劳男子如若想成为领袖，需要在4种对敌突袭行动中有所表现：①指挥战争而无伤亡；②自敌营攫取一匹拴好的马；③以奇袭棒轻取敌人；④夺取敌人武器。自领袖阶层中选出一人作为全营地的首领。克劳人宗教生活中的一个基本要素是产生神奇幻觉，这种幻觉是以独居斋戒、耐久等待及用串肉针状器物刺身以折磨自己等方式而获得的。克劳人种植烟草时要举行仪式。据神话传说，烟草系神授，可以克敌制胜。在克劳人中间，烟草会不同于其他会社——要收取会费并有一套繁缛的入会仪式；男人及其妻室均可参加。克劳人由于与黑脚印第安人及达科他人连年作战，又在19世纪60和70年代历次印第安战争中支持白人，受到很大损失。1868年，他们得到自蒙大拿南部部落土地中划出的一处保留地。20世纪晚期，约有5 000名克劳人，多生活于此保留地。

crow 乌鸦 雀形目鸦科数种黑色鸟类的俗称，比大多数渡鸦小，嘴也不那么厚实。鸦属(*Corvus*)的30种中有20多种在英语中即称为crow，而crow一词又用于许多其他鸟类的名称。常见的乌鸦为北美洲的短嘴鸦(*C. brachyrhynchos*)和欧亚大陆的小嘴乌鸦(*C. corone*)。小嘴乌鸦有两个亚种(有人认为是独立的种)：西欧和东亚的食腐鸦(*C. c. corone*)；分布于西欧和东亚之间、亦见于不列颠群岛北部的羽冠鸦(*C. c. cornix*)。所有乌鸦类体长均在50厘米左右，黑色带光泽，羽冠鸦带灰色。其他种类如家鸦(*C. splendens*)，分布在印度到马来西亚(已引入到非洲东部)；热带非洲的斑鸦(非洲白颈鸦，*C. albus*)，颈和胸白色；澳大利亚鸦(*C. celiae*)；北美东南部及中部的鱼鸦(*C. ossifragus*)。乌鸦为杂食性，食谷物、浆果、昆虫、腐肉及其他鸟类的卵。因乌鸦食谷类作物，惹得农民憎恨而常欲捕杀之。但乌鸦亦食农业害虫，主要在地上觅食，步态稳重。喜集群活动，或成大群(几万只)在一起栖息，但多数并不集群营巢。配成对的雌雄乌鸦用树枝筑自己的巢，

食腐鸦(*C. c. corone*)
美国不列颠百科全书公司供图

巢常筑在树上高处。于巢中产五六枚卵，卵浅绿至橄榄色，有深色斑点。野生的乌鸦可活13年，而豢养者寿命可达20多年。某些供玩赏的笼养鸦会"说话"，有的实验室饲养的鸦能学会计数到3或4，并能在盒内找到带记号的食物。英语中，属于其他科而名称中又带crow的鸟类，如piping-crow(笛鸦)，参阅**currawong**；king crow(王鸦)，参阅**drongo**；wattled crow(肉垂鸦)，参阅**kokako**；bald crow(秃鸦)，参阅**rockfowl**。

crow-blackbird 参阅 **grackle** 拟八哥。

crow-shrike 鸦伯劳 参阅 **currawong** 噪钟鹊。

crow step（architecture） **阶形山墙** 参阅 **corbie step** 山墙阶式压顶。

crow-tit 鸦雀 参阅 **parrotbill** 鹦鹉嘴雀。

crowberry 岩高兰 岩高兰科(Empetraceae)植物的通称，尤指黑果岩高兰(*Empetrum nigrum*)。黑果岩高兰为常绿灌木，原产于北美、亚洲及欧洲的凉爽地区，在山区及多岩石土

黑果岩高兰(*Empetrum nigrum*)
美国不列颠百科全书公司供图

壤中生长茂盛。高约25厘米，略有匍匐生长习性。单叶，狭小，长约1厘米，边缘背卷相触。花单生，小，淡紫色。果浆果状，长约1厘米，黑色，多汁，带酸味，可食。

Crowborough 克罗伯勒 英格兰东萨塞克斯行政郡威尔登区一城镇(堂区)。属苏塞克斯历史郡。离伦敦东南64千米。为区行政中心。地处森林地带，由许多村舍合并发展而成，因此现在市区、住宅和商店仍很分散。人口19 563(1991)。

Crowe, Sir Eyre (Alexander Barby Wichart) 克劳（1864-07-30，莱比锡～1925-04-28，英格兰多塞特斯沃尼奇） 英国外交家，第一次世界大战前力促采取反德政策。艺术史学家约瑟夫·克劳的第三个儿子。曾在德、法受教育，1885年进入英国外交部时已熟练掌握三种语言。随后一直在白厅工作，从未出国担任外交职务，志在成为外交部领导人。1907年1月写成《关于英国与法国和德国的关系现状备忘录》，径呈外交大臣爱德华·格雷爵士，给他留下深刻的印象。他在备忘录中陈述道：德国的目的在于主宰欧洲，让步只能加大德国夺权的胃口；英国决不能放弃与法国的协约；英国只有大力保卫它在国外的利益，才能最好地加强英德的良好关系。1911年受封爵士，1912年任外交部助理次官。1914年7月25日力促英国海军先发制人以阻止战争；数天后第一次世界大战爆发，说服不愿作战的政府扣押英国港口内的德国船只。1915年尽管他公开反对德国，英国的"黄色报刊"仍攻击他与德国有联系(他的母亲和妻子都是德国人)。1920年任外交部常务次官，他担任这一职务直至去世。1919年为英国出席凡尔赛和会的全权代表之一，由于他讲一口流利的法语和德语，在会上起到了无法估价的作用。1924年10月他在首相麦克唐纳不在的情况下，决定发表季诺维也夫致英国共产党的信件(建议采取革命步骤)，致使工党在此后不久的议会选举中遭到失败。

Crowfoot 克劳福特（约1836～1890-04-24，加拿大艾伯塔区卡尔加里附近） 本名萨赫波·穆克希卡。印第安人黑脚人部族的首长，他坚持主张和平和顺从白人。年仅13岁即开始参加袭击活动。他成为一名著名的勇士，并被指定为布莱克福特部族的首长。他极力劝阻各部族间的战争，并拒绝与其他印第安人共同攻击西北骑警队。1883年加拿大太平洋铁路派测量队穿越加拿大西部地区时，他保持和平，因而得到公司的年金。在1885年混血种人举行的西北起义和印第安人反对加拿大政府期间，克劳福特坚决拒绝参加起义的队伍。1866年他在西北地区把A.拉孔布司铎从敌对的克里印第安人手中营救出来。

crowfoot（plant） 参阅 **buttercup** 毛茛。

Crowland 克罗兰 英格兰林肯行政、历史郡南霍兰区一村庄(堂区)和隐修院。位于佩得伯勒以北沼泽地带。719～860年建第一所隐修院，后遭丹麦人焚毁，10世纪重建。1643年内战中遭议会军围攻，大部分倒坍。17世纪后，四周沼泽地排干成为肥沃的农田。堂区内有一个14世纪所建的独特的三角桥遗迹。人口3 172(1991)。

Crowley, Robert 克劳利（约1518，英格兰格洛斯特郡～1588-06-18） 英格兰基督教清教派教徒、社会改革家、基督教社会主义者、关于神职人员礼服的争论中的重要人物。1550年发表《致富之路》，指出政府之所以不能制止圈地做法是由于富足者有组织的抵制。

1548 年著《抗议压迫我国贫苦民众的人们》，斥责当时的豪绅富商比土耳其暴君还要残暴。信奉天主教的女王玛丽一世在位期间，克劳利逃往美因河畔法兰克福。伊丽莎白一世即位后，他兼任伦敦几个堂区的牧师。1566 年因禁止唱诗班着礼服而被撤职监禁。

crown　冠　从古代就作为嘉奖杰出才能、标志荣誉、权势的一种头饰。形状或为花冠，或为头盔。英国和其他国家的另一种冠的形状具有花冠特征。它可以是一串在背后用缎

约 1670 年的丹麦王冠
美国不列颠百科全书公司供图

带系住的珍宝，也可以是一条镶有珍宝的硬质金带。当一般贵族采用此种冠带时，帝王戴的就在边缘上加一些矗起的饰物以示区别。到了 15 世纪，王冠上已加进一个或多个拱条，于是头盔的特点也被结合了进去。早期的欧洲王冠中，有很多是做成部件式的，既可用长销钉装配起来，也可在运送或贮藏时卸开，还能按头型大小加以调整。欧洲大陆的天主教堂、博物馆和皇家库藏里收藏着许多种冠。其中有些与早期的历史人物或传奇人物有关；罗马尼亚的钢冠，则是较为近代的东西。欧洲国家，现在只有大不列颠和梵蒂冈在授圣职的宗教仪式上仍用冠。

Crown Court　刑事法院　在英格兰和威尔士开庭的一种主要审理刑事案件的法院制度。根据 1971 年的《法院法》建立的刑事法院，取代了利物浦刑事法院、曼彻斯特刑事法院、伦敦中央刑事法院和所有其他旧的巡回法院和季审法院。1966 ～ 1969 年，一个由 R.比钦男爵主持的皇家委员会研究了将所有现存的巡回法院和季审法院合并为一个刑事法院系统以适应全国各地日益增长的案件数目的情况，这个委员会的建议就成了 1971 年的《法院法》。刑事法院根据起诉进行审判，并审查治安法院的判决和受理不服治安法院判决而提出的上诉。设六个巡回审判区：东南区（以伦敦为行政中心）；威尔士和切斯特区（以加的夫为中心）；西区（以布里斯托尔为中心）；中部地方和牛津区（以伯明翰为中心）；东北区（以利兹为中心）；北区（以曼彻斯特为中心）。刑事法院根据高等法院首席法官在大法官同意下发布的指示进行工作。

crown gall　根癌病　根癌土壤杆菌（*Agrobacterium tumefaciens*）引致的植物病害。至少 60 科以上数千种植物均易感染此病，包括蔷薇、葡萄、仁果类、核果类、荫道树、坚果树、许多灌木和藤本及多年生庭园植物等。症状包括表面粗糙的圆形瘿瘤，径可达几英寸以上。多在近土面处、嫁接及芽接处或根及茎基部形成瘿瘤。瘿瘤初为奶油色或浅绿色，后变为褐色或黑色。植株变得衰弱，最后死亡。使用根颈、以前的土线或嫁接处无可疑肿块的苗圃砧木，实行 5 年轮作制，去除严重感染株（尽可能多地除去根部），避免植株受伤，消灭杂草，防制咬根的昆虫及线虫，铲除树上大瘿，伤口进行消毒处理，都有助于防治此病。

crown glass　冕玻璃　手工制成的钠-钙玻璃板，用于玻璃窗或光学用途。生产方法一如既往：把吹成梨形的玻璃泡展平并转移到铁杆上，再加热并快速旋转，靠离心作用使它形成一块直径可达 60 英寸的圆形玻璃板。经抛光后表面明亮光滑，并因旋转成形而有同心波纹。冕玻璃的表面略呈凸状，中心有一“牛眼”，即插铁杆的部位，比较厚，往往作为缺陷而割弃，但后来它作为古老玻璃的标志而受到重视。尽管 17 世纪生产出价格低廉的压铸和滚压玻璃，冕玻璃仍以其清晰透明和优越的质量受到欢迎。生产冕玻璃的方法大概起源于叙利亚，最迟于 14 世纪建立起以诺曼底为中心的玻璃工业，然后为欧洲、其他地区所采用。17 世纪中叶，由于发明了更简易的方法来生产大块玻璃，冕玻璃的生产方式逐渐被淘汰。用冕玻璃与较厚的燧石玻璃配合做成的透镜，可以提高光学特性，缩小色差。为了获得特殊的光学性能，可在冕玻璃中加进其他成分。

crown jewels　御宝　指献祭典礼上帝王使用的饰物以及举行国家大典时君王佩戴的正式品位标志；也指欧洲各国君主收藏的，但不属他们个人而属他们名位和王室所有的金珠财宝。

crown land　王室土地　在英国，指国王拥有的土地。从乔治三世时期（1760 ～ 1820）起，国王把王室土地的收益交给议会，以换取固定的王室年俸，即每年批准的供王室开支的费用。在盎格鲁-撒克逊时期，国王私人土地与王室土地有所区别。在诺曼征服（1066）以后，两者合而为一，国王有充分权力加以处理。国王是至高无上的封建主，随着对叛乱者产业的剥夺和对无人继承的产业的充公，他的土地不断增加。王室土地现委托王室土地专门委员管理，他们拥有出租、出售和交换的权力。

Crown of Charlemagne　查理曼冠　参阅 **Imperial Crown** 帝冠。

crown of thorns　（*Euphorbia splendens* or *E. milii*）　**铁海棠**　又作 Christ thorn。又称虎刺、麒麟花、老虎簕、基督刺。大戟科藤蔓状多刺植物。原产于马达加斯加，是受欢迎的室内植物，热带地区种植于庭园。四季均开花，在北半球冬季开花最盛。茎稍带攀缘性，分枝，可长达2米余，茎上有灰色粗刺。

铁海棠（*Euphorbia splendens*）
美国不列颠百科全书公司供图

叶广椭圆形，老叶脱落。花小，成对着生成小簇，各花簇又聚成二歧聚伞花序；外侧有两枚淡红色苞片；苞片有黄色，也有深红色者。

Crown of Thorns（Christianity）　参阅 **Thorns, Crown of** 荆棘冠冕。

crown-of-thorns starfish　（*Acanthaster planci*）　**长棘海星**　又称荆冠海星。一种棘皮动物，淡红色，多刺，有 12 ～ 19 腕，一般辐径 45 厘米。以珊瑚蛦形体为食。约1963年在澳

长棘海星
美国不列颠百科全书公司供图

大利亚大堡礁开始大发生，约 1970 年蔓延到夏威夷，当时认为是其主要天敌法螺被人捕杀之故。此后在整个南太平洋增殖，对珊瑚礁和岛屿造成威胁。科学家试图加以防除，用注射甲醛的方法将许多这种海星杀死，或从珊瑚礁上将它捕捉消灭。但到 70 年代末，新的研究表明以前也有过类似的大发生，其后伴有衰退期。因此 60 年代的突然增长似乎是其自然循环中的一个阶段。

Crown Point　克朗波因特　美国纽约州东北部埃塞克斯县的一个镇区。位于泰孔德罗加以北，临尚普兰湖，有帕特南河流贯。1609 年法国探险家 S.德·尚普兰与易洛魁族印第安人曾在此作战。1731 年法国人曾在半岛上建一石堡（圣弗雷德里克堡）。堡垒于 1759 年被杰弗里·阿默斯特爵士（后封勋爵）所率英军占领，他在圣弗雷德里克旧堡附近开始兴建一座更大城堡。坍毁的堡垒现为州历史遗迹。东北处有尚普兰纪念灯塔（1911 ～ 1912）。现为避暑胜地，有木材加工业。1868年设建制。

面积 195 平方千米。人口 2 119(2000)。

crown vetch (*Coronilla varia*) **多变小冠花** 蔓生豆科植物。原产于地中海地区,但在温带地区普遍长成为地被植物。叶似蕨类;花簇生,白色到粉红色。根系茁壮,固土能力强,用于陡坡及路堤;亦能固氮,从而增加土壤肥力。根颈以上部分入秋死亡,翌春又重新生出。秋季或早春修剪枝条,能促进植株生长。有两个变种 *C. varia*"Penngift"及"Emerald"密生,植株深绿色,花序大而艳丽。

Crowns of Egypt 埃及王冠 古埃及君王的最高权力象征。上埃及王冠白色,圆锥形,前部饰有埃及眼镜蛇模型;下埃及王冠红色,形似便帽,后部陡直凸起,前部呈螺旋状凸起。有时两种王冠一起戴,形成双王冠,象征埃及的两个部分在国王统治下的统一。

塞索斯特里斯三世戴的下埃及王冠(左)和上埃及王冠(右)

美国不列颠百科全书公司供图

Crowsnest Pass 克罗斯内斯特山口 加拿大落基山中的一个山隘。在加拿大艾伯塔省和不列颠哥伦比亚省的边界上,克罗斯内斯特山以南 11 千米,海拔 1 356 米。1858 年 J.帕利泽的探险队注意到此山口,西北骑警队使用多年。1897 年,加拿大太平洋铁路建支线通过山隘以后,凡是自西向东运往五大湖港口的谷物,以及由东向西运输的某些货物的运费都大大降低,同时加强了温哥华作为谷物转运港的地位。

Crowther, Samuel (Adjai) 克劳瑟(约1809,约鲁巴地区奥绍博～1891-12-31,南尼日利亚拉各斯) 第一位被英国圣公会传教会授予神职的非洲人士,1864 年受按立为尼日尔地区主教。他 12 岁时被卖为奴隶,后由英国军舰营救,送至塞拉利昂,他在那里受教育并受洗入教。1842 年在伦敦受神职。1843 ～1851 年在其同胞中间传教。后在他新开辟的尼日尔教区内负责行政和传播福音工作。

Croydon 克罗伊登 英格兰大伦敦南缘自治市。属萨里历史郡。面积 87 平方千米。1965 年由原克罗伊登郡级市和邻近的科尔斯登和珀利两区合并组成。曾被征服者威廉一世赐给兰弗朗克大主教。1086 ～ 1758 年主教宫为坎特伯雷大主教的夏宫。该地后来发展成为集镇。伦敦南郊扩建时被并入。1956 年以来,市中心建起高层办公楼、大型商业区和文化中心,成为伦敦以外最大办公区和重要的商业、文化中心。现主要为住宅区,也有机械和电子等各种工业。通铁路、运河,建有飞机场。人口 330 587(2001)。

Crozet Islands 克罗泽群岛 南印度洋中的群岛。位于南极洲岸外 2 400 千米处。行政上为法属南方和南极领地(**Terres Australes et Antarctiques Françaises**)的一部分。由几个无人居住的火山成因的小岛组成。1772 年为马里恩-迪弗雷纳船长发现。面积 505 平方千米。其中波塞申岛海拔 2 000 米。各岛地势起伏,峭壁陡立,许多船只在该地失事。现已被划为国家保护区。

crozier (insignia of bishops) 参阅 **crosier 权杖**。

Cruach Phádraig (Ireland) 参阅 **Croagh Patrick 克罗巴特里克山**。

Crucé, Émeric 克吕塞(约1590～1648) 法国作家、提倡国际仲裁的先驱。他在主要著作《新悉涅尼》(1623)中,主张召开一个由君主们或他们的代表组成的永久性议会,以仲裁国际争端。他所设想的议会,应该依靠道德压力来解决问题,只有在极个别情况下,才使用制裁。这个议会应包括亚、非与欧洲各国。他也是自由贸易的最早倡议者。

Cruces 克鲁塞斯 古巴中部西恩富戈斯省中东部城市。为铁路枢纽和四周农牧业区的商业中心。以出产甘蔗闻名,也生产大量烟草。工业以榨糖为主。附近有矿泉。人口约 22 200(1990)。

crucible 坩埚 用黏土或其他耐火材料制成的罐状器皿。早在古代已用作熔融或试验金属的容器。现代,有试验室进行高温化学反应或化学分析用的小型坩埚,也有工业上熔融和煅烧金属或矿石用的大型坩埚。可由黏土、石墨、陶瓷或相当难熔的金属制成。

crucible furnace 坩埚炉 一种主要由耐火材料罐构成的可以密封的冶金炉。以前石墨坩埚或优质耐火黏土坩埚用于炼钢工业,直接用火加热。现代优质钢采用感应加热的真空坩埚精炼法进行生产。钛一类的金属加热时必须隔绝空气,在密闭坩埚中熔化和退火。

crucible process 坩埚法 生产优质钢或工具钢的工艺。此法于 1740 年前后由 B.亨茨曼在英国发明。将小块碳钢放入封闭耐火黏土坩埚中,用焦炭加热,获得 1 600 °C高温,首次能将钢材熔化,得到化学成分完全一致的均质金属,用于制造钟表的发条。1870 年后,西门子蓄热式煤气炉代替焦炭炉,所获温度更高。西门子炉设置许多燃烧炉膛,每个能容纳好几个坩埚,同时能加热多达 100 个坩埚。长时间内,全部优质工具钢和高速钢都用坩埚法熔炼。到 20 世纪,在许多电能便宜的国家,此法已为电炉所取代。

Cruciferae (plant family) 参阅 **Brassicaceae 十字花科**。

crucifixion 钉十字架 一种极刑,公元前6 世纪至公元 4 世纪期间主要流行于波斯、塞琉西王国、犹太、迦太基和罗马。第一位信奉基督教的罗马皇帝君士坦丁大帝,为了表示尊敬被处以这种刑罚而死的耶稣基督,于公元 337 年宣布在罗马帝国全境废除此刑。这种刑罚的具体执行方法不一。通常是先将罪犯鞭打,命令他拖拉十字架的横梁前往刑场,十字架的竖柱早已立在那里。此时或早在鞭打之时剥除他的衣服,把他两臂伸平绑在横梁上,也可以在腕部用钉子把他固定在横梁上,然后高抬横梁,固定在竖柱上,距地面约 3 米,再把两脚绑在或钉在竖柱上。竖柱半截处附有突出部分,可以承受身体部分重量,脚部也附有这种突出部分的实例较少,而且较为晚近。犯人头顶上面有载明姓名罪状的通告。犯人死亡显然是由于筋疲力尽或心力衰竭所致,还可以用铁棒击碎腿骨,造成休克或窒息,加速犯人的死亡。钉十字架主要用

A.曼特尼亚绘《耶稣受难》(1456 ～ 1459)

美国不列颠百科全书公司供图

于处分政治或宗教动乱煽动闹事者以及海盗、奴隶或被剥夺公民权利的人。公元前519年波斯国王大流士一世在巴比伦将3 000名政敌钉十字架处死；公元前88年犹太人之王、大祭司扬纳埃乌斯将反对他的800名法利赛人在十字架上处死。根据福音书的记载，耶稣基督在受此刑前，先遭鞭打，到达刑场后，被剥去衣服钉在十字架上。他在架上受苦长达3小时，日落以前人们将他取下，葬入岩石墓穴。到中世纪，耶稣基督被钉在十字架上的情景已成为西方艺术中的重要题材，其含义日益丰富。与大多数基督教艺术一样，耶稣受难这一题材自17世纪后逐渐冷落。到了20世纪，又有一些艺术家用独特的手法表现这一主题。

crucifixion thorn　耶稣刺　又作corona de Jesus（西班牙语，意为“耶稣冠”）。两种北美西南沙漠的似乎无叶的多刺灌木或小乔木的统称。一种为多刺克伯林氏树（*Koeberlinia*

多刺克伯林氏树（*Koeberlinia spinosa*）
美国不列颠百科全书公司供图

spinosa），是克伯氏树科（Koeberliniaceae）唯一的种。枝上生有与茎垂直的绿色刺。花小，绿色，四瓣。浆果黑色，簇生。另一种是莫哈维刺（*Canotia holacantha*），归属哪一科尚未定。枝绿色似灯心草，绿色刺向上生；花五瓣；蒴果褐色，卵形，种子一二粒；茎内含易燃树脂。二种均有鳞片状叶。当地叫耶稣刺的还有：苦木科的*Castela emoryi*及豆科的多刺戴尔氏刺豆树（*Dalea spinosa*，开蓝花的灌木）。巴勒斯坦的多刺植物中，真正用来编耶稣所戴刺冠的很可能是鼠李科的基督刺（基督刺铜钱树、刺马甲子，*Paliurus spina-christi*）或枣树（*Ziziphus jujuba*）。

crude oil　原油　藏于地壳中的颇具挥发性的液态烃的混合物（烃的主要成分为碳与氢，带有少量氮、硫和氧）。可提取燃料和许多石油产品。由于原油中混合的成分及比例差异甚大，其物理性质也相差很多。例如，原油比重，按美国石油学会（API）的测定，可由10°至60°以上；其颜色可由无色到黑色。地下原油的压力依离地深度而定，可由每平方厘米几十千克到几百千克。由于压力，原油含有相当多的液态天然气。地下油较地面油易于流动，原因是地下温度较高（平均来说，每下降33米，温度上升1 °C），使液体黏度降低。

Cruden Bay　克鲁登湾村　苏格兰北海海岸引人入胜的度假村庄。属阿伯丁政务会辖区和历史郡。克鲁登湾顶端，斯兰斯堡（1644）脚下。村北3千米处有著名的无顶洞穴（高60米，宽15米），称作巴肯的布勒斯。克鲁登湾村现为北海石油转运站，原油从福蒂斯油田泵上岸后，再从克鲁登湾运往格兰奇茅斯炼油厂。人口1 708（1991）。

Cruelty, Theatre of　残酷戏剧　法国诗人、演员和理论家阿尔托倡导的实验性戏剧计划。他对20世纪先锋派戏剧有重大影响。他受象征主义和超现实主义影响，1926年与维特拉克、阿龙一起创建雅里剧院。1931～1936年间在《新法兰西评论》期刊中发表一系列论文，创立了一种“残酷戏剧”的理论。1938年收集在论文集《戏剧及其替身》中。他认为，文明已把人转变成一种病态的和内心受压抑的动物，因此，戏剧的真正功能就是使人摆脱压抑并把天生的能力解放出来。他提议消除演员与观众之间的舞台障碍，要求表演神秘的奇景，如咒文、呻吟和尖叫、脉冲式的灯光效应、异常的舞台木偶和道具等。其剧作虽然只有《桑西》（1935）曾上演过，但其观点却对不少戏剧家（如巴劳尔、格罗托夫斯基和维拉尔等）的戏剧演出产生过影响。

cruelty to animals　参阅**animals, cruelty to 虐待动物**。

Crüger, Johannes　克吕格尔（1598-04-09，下卢萨蒂亚地区古本附近大布雷森［德国］～1663-02-23，柏林）　德国作曲家、理论家。因编辑、整理过几册重要的合唱曲集而知名，并为这些曲集添写了许多众赞歌的旋律，包括《耶稣，我的欢乐》、《众人感谢上帝》等著名众赞歌。理论著述以《音乐纲要》（1630年出版，1654年增补）影响最大。自1622年直至去世，在柏林尼古拉教堂担任乐长。

Cruikshank, George　克鲁克香克（1792-09-27，英国伦敦～1878-02-01，伦敦）　英国画家、漫画家、插图画家，以画政治讽刺连环

1838年克鲁克香克为狄更斯的《奥列佛·特维斯特》所绘插图
美国不列颠百科全书公司供图

漫画开始绘画生涯，后为时事书刊和儿童读物作插图。童年即帮助父亲作画，1811～1816年一直为《鞭挞月刊》作政治漫画。嗣后十年则辛辣讽刺托利党和辉格党的政策乃至他自己的友人和合作者霍恩所代表的激进派。讽刺的对象包括国外的战争、英格兰的敌人、宫廷、政府、教会、上层社会和下层社会。1820年起开始从事书籍插图。由他画插图的书籍估计在850种以上。他还是最早为儿童读物绘制幽默、生动插图的画家之一。他为狄更斯的《特写集》（1836～1837）和《奥列弗·特维斯特》（1838）所作的插图最为有名。著有丛刊《连环画手册》（1835～1853）。19世纪40年代末，他宣传戒酒，并为此作画。

cruise missile　巡航导弹　低飞战略导弹的一种。第二次世界大战时德国使用的V-1导弹是巡航导弹的先驱，美国和苏联分别在20世纪60和70年代开始研制。巡航导弹能携带核弹头或常规弹头，设计成雷达截面积很小并用较低的速度贴近地面飞向目标。美国在80年代中期制造的巡航导弹有三种主要类型。它们都是用涡轮风扇喷气发动机推进的单级导弹，巡航速度885千米/小时，每枚重1 200～1 800千克。导弹用惯性导航系统来制导，它的计算机记忆装置中储存了等高线地图，在飞行中用一种称为“地形匹配”的技术来不断更新导航数据。空射巡航导弹（ALCM）长6.3米，射程达2 500千米，准备将它部署于B-52轰炸机。“战斧”海射巡航导弹（SLCM）及“战斧”地射巡航导弹（GLCM）长6.4米，直径53厘米，航程2 500千米。苏联也生产成系列的海射、空射和地射巡航导弹。据推测，苏联巡航导弹长约7米，射程约3 000千米；动力装置可能是涡轮喷气发动机。

cruiser　巡洋舰　速度快、巡航半径大，比战列舰小但比驱逐舰大的军舰。巡洋舰一词最初用于风帆船时代的驱逐舰，它比主力舰船体积小、速度快，用于侦察敌舰队、巡逻、截击敌运输船队。作为一种特定战舰的名称，巡洋舰一词在1880年以前并未流行。1880年时海军才确立了只使用蒸汽动力的铁壳船，巡洋舰成为蒸汽时代的驱逐舰。到1900年左右，巡洋舰有两个主要类型：护航巡洋舰只在甲板上有钢甲；装甲巡洋舰则舰体两侧亦有装甲。第一次世界大战前的几十年中，装甲巡洋舰被排水量2万吨的战列舰取代，并装备无畏战舰那样的统一口径的大型火炮。这些所谓的战列巡洋舰通过限制装甲的厚度使速度较大，达到约25节。在1914年12月的福克兰群岛战役中，2艘英国战列巡洋舰摧毁了2艘德国装甲巡洋舰，证明了快速与大口径炮的优势。但在1916年的日德兰海战中却暴露出装甲厚度不足的弱点，当时德国重型战列舰击沉了3艘英国战列巡洋舰。1922年的《华盛顿条约》将巡洋舰的吨位限制在1万吨以下，但是就在第二次世界大战爆发前夕该条约遭废除以前，许多国家就违背了该条约。自那以后，巡洋舰的侦察任务改由海军飞机来完成，袭击运输船队的任务大部分由潜艇完成。战争期间，巡洋舰主要作为实施两栖进攻时的水上炮台，以

美国海军“泰孔德罗加”号导弹巡洋舰
美国不列颠百科全书公司供图

及保护航空母舰特遣队的防空屏障。为了执行后一项任务，专门建造了防空巡洋舰，主要装备是十几门4～5英寸的速射炮。战后，舰炮由导弹取代。装备舰空导弹的美国海军巡洋舰已经成为舰队防空屏障的主力，而装备远程反舰导弹的苏联巡洋舰继续执行早期巡洋舰的某些反舰任务。典型的现代导弹巡洋舰长度约为180米，排水量7 000～10 000吨，最大速度大于30节，乘员约500人。战后巡洋舰发展的另一个重要方面是采用核动力。

Crumb, George (Henry)　克拉姆（1929-10-24，美国西弗吉尼亚查尔斯顿～2022-02-06，宾夕法尼亚米迪亚）　美国作曲家。因其在运用生动逼真的音响时的革新技巧而知名，这些音响得之于大量器乐与声乐效果，诸如在作品的特定时刻加入嘭嘭声、低语声、咂舌声、喊叫声，等等。曾获得多种奖金和奖状，1968年因管弦乐曲《时间与河流的回声》获普利策奖。声乐曲大多是F. G.洛尔卡诗的配曲，如声乐套曲《年长日久的儿童之声》（1970）。其他作品有电弦乐四重奏《黑天使》（1970），庞大的、要用4名指挥的合唱与管弦乐曲《星-孩子》（1977），《天国力学，大宇宙Ⅳ》（1978）和《幽灵》（1980）。1959～1964年在科罗拉多大学任教，1965年起在宾夕法尼亚大学任教，1983年起为该校安南伯格专座教授。

crumhorn　克朗号　又拼krummhorn。15世纪至1650年左右盛行的双簧管乐器。管身较小，呈圆筒形，由黄杨木制成，下端向上弯，管上有像竖笛一样开的指孔，簧片封在一个木罩内，罩顶有吹孔，发音尖细而有鼻音。克朗号有大、小一组乐器，从最低音到最高音，每一乐器都有9度的音域。20世纪又恢复制造这些乐器。

Crus, Lucius Cornelius Lentulus　克鲁斯
参阅 **Lentulus Crus, Lucius Cornelius 伦图卢斯·克鲁斯**。

crusade　十字军　一般指西方基督教徒组织的反对穆斯林国家的几次军事远征，其目的是控制圣城耶路撒冷并夺取与耶稣基督尘世生活有联系的一些地区。1095～1291年，即从发动第1次十字军到拉丁基督教徒最后被赶出其在叙利亚的基地，共计有8次主要的远征。这两个世纪对西欧的社会、经济和制度等方面的发展都具有重大意义。

十字军运动与前4次十字军　第1次十字军（1096～1099）的背景可从西欧的政治、经济、军事、宗教以及东方的局势来观察。11世纪晚期是西欧封建主义形成时期，在政治上封建附庸割据自立，私战与盗匪盛行。英格兰、西班牙、德意志各自忙于内部事务，所以法国成为十字军的主要支持者。在经济上当时处于经济复兴时期，在长子继承制下贵族的次子以下诸子都乐于外出冒险。城乡经济发展，贵族、市民和农民都在寻找新的出路。在军事上，诺曼人征服英格兰已证明西欧拥有大举东征的实力。在宗教上，群众宗教热情高涨，又值教会改革之际，使教皇有可能号召东征。耶路撒冷及基督圣墓是最重要的朝拜目标，11世纪西欧基督教徒前往巡礼者日益增加，如果中断朝拜，势将产生严重反响。东方的塞尔柱突厥人横扫西亚，于1092年占领尼西亚，威胁君士坦丁堡。拜占廷遣使向西方求救。教皇乌尔班二世（法国人）正想借此恢复教会的统一，1095年11月18日在法国的克莱蒙召开宗教会议，号召信徒进行圣战，参加东征者可完全免罪。于是决定同意东征者佩戴十字，故称十字军。第1次十字军有大量人民的成分，故称“人民的十字军”，但主力是西欧骑士。人民的十字军有的尚未到达拜占廷即已散去，有的在小亚细亚被突厥人消灭。教皇指挥的骑士队伍共有4支，于1096年8月从各地分别出发，1097年4月到达君士坦丁堡附近，总共有骑兵4 000人、步兵2.5万人。十字军于同年6月攻陷尼西亚，1098年6月攻陷安条克。当时开罗的法蒂玛哈里发属于什叶派，与逊尼派的塞尔柱突厥人及巴格达的哈里发为敌，于1098年8月占领了耶路撒冷。十字军于1099年7月15日从埃及人手中夺取耶路撒冷，该城所有的穆斯林男女老幼以及犹太人全被屠杀。十字军在东方建立了耶路撒冷王国（1099～1187）以及埃德萨伯国（1098～1144）、安条克公国（1098～1268）、的黎波里伯国（1109～1289）。埃德萨伯国早在1144年就被摩苏尔总督突厥人赞吉所灭亡。由此引起的第2次十字军（1147～1148）有法国国王路易七世和德意志皇帝康拉德三世参加，但两国联军于1148年7月28日在大马士革为赞吉之子和继承者努尔丁所败。努尔丁不久占领大马士革，遣大将希尔库赫及其侄萨拉丁前往开罗支援法蒂玛哈里发。1169年希尔库赫死，萨拉丁继掌大权，并于1171年灭亡法蒂玛哈里发。1174年努尔丁死，萨拉丁成为叙利亚和埃及的统治者。由于十字军骑士袭击穆斯林商队，萨拉丁发动圣战于1187年占领耶路撒冷。耶路撒冷第一王国到此结束，的黎波里伯国和安条克公国也被降级为首邑。《耶路撒冷法令汇编》所反映的第一王国封建制度以欧洲为蓝本，但未出现农村城堡或庄园主住宅。城堡由宗教与军事的骑士团守卫，如医院骑士团和圣殿骑士团等；它们直属教皇，其主要职能是当兵。十字军国家的生活方式受东方影响，但保持了法国传统。法律条例用法语写成，圣墓的教堂采用罗马式建筑风格。耶路撒冷陷落的消息传至西方，导致了第3次十字军（1189～1192）。参加者有德意志皇帝红胡子腓特烈一世、英王理查一世和法王腓力二世。但腓特烈一世在小亚细亚淹死，英、法两国因领地争执而不和，未能夺取耶路撒冷，故只保有阿克及沿海狭长地带。教皇英诺森三世发动的第4次十字军（1202～1204）目标指向埃及，但在威尼斯的干预之下转向拜占廷，于1204年4月13日攻陷君士坦丁堡，屠掠3天，并建立了拉丁帝国（1204～1261）。但这个拉丁帝国一直处于风雨飘摇之中，偏安于尼西亚的拜占廷皇帝终于1261年复国。

十字军运动的衰落　以阿克为中心的有名无实的耶路撒冷王国通称第二王国。埃及的阿尤布王朝愿意与十字军保持休战状态，但西方封建主在1212年的儿童十字军之后又发动了进攻埃及的第5次十字军（1218～1221）。参加者主要是法国人，1219年攻占达米埃塔，但1221年进军开罗时由于尼罗河洪水泛滥而被迫撤退。第6次十字军（1228～1229）由德意志皇帝腓特烈二世通过谈判与阿尤布王朝于1229年缔结条约，为耶路撒冷第二王国取得耶路撒冷、伯利恒及通往地中海的走廊。后来一支被蒙古人赶到西亚来的花剌子模突厥人在埃及支持下于1244年占领了耶路撒冷，于是法王路易九世发动了以埃及为目标的第7次十字军（1248～1254），1249年6月又一次攻占达米埃塔，但他在进军开罗时被俘，1250年获释回国。埃及马木路克王朝（1250～1517）的苏丹拜巴尔斯（1260～1277在位）不断夺取十字军领地，并于1268年占领安条克，使十字军国家处于严重危险中。路易九世所发动的第8次十字军（1270）并未开往东方，可能受其弟安茹的查理的影响而进军突尼斯。路易在北非染病而死。至此，十字军便以悲剧告终。此后欧洲各国既不愿也不能给十字军国家以实质性援助。过去的宗教热忱已一去不返。十字军远征又变得更加费钱。骑士自己负担一切费用的时代已成过去。经济压力使许多贵族寻求为国王服役取得薪饷，而国王也深感财政困难。于是十字军的重要据点的黎波里和阿克分别于1289和1291年为马木路克王朝所占，西亚大陆的十字军国家至此全部灭亡。医院骑士团迁至爱琴海各地，条顿骑士团迁至波罗的海地区，圣殿骑士团最后在1312年被教皇取缔。此后的十字军已非往昔意义上的真正十字军，而只是参加保卫欧洲反对奥斯曼土耳其的各次战役。塞浦路斯是十字军唯一赖以依存的岛国，迄至16世纪为土耳其所灭。过去一度认为，12和13世纪整个欧洲社会结构的变化主要归因于十字军，然而现在的历史学家倾向于仅仅把十字军看作欧洲发展的一个因素，只不过是一个重要的因素而已。例如，尽管有许多蛮横的贵族死于东征，有利于王权加强，但当时也有许多人返回家园。十字军促使意大利各城市发展了同东方的贸易，他们所提供的运输对造船技术的发展有重要意义，意大利银行业也使欧洲各地获利。回国的十字军还带回了新的爱好，增加了对香料、东方纺织物等的需求，但这些需求也可归因于欧洲生活方式的改变以及欧洲本身商业的发展。

Crusca Academy　秕糠学会　意大利语作Accademia della Crusca。意大利文学学会，1582年建于佛罗伦萨，旨在纯洁意大利文艺复兴时期的文学语言托斯卡纳语。由于该学会成员的努力，尤其是由于彼特拉克和薄伽丘使用过这种语言，用托斯卡纳方言写的作品成为16和17世纪意大利文学的范本。秕糠学会由佛罗伦萨学会的五个成员组成，其宗旨是从语言中筛去不纯洁的部分使之纯正完美，一经建立即成为当时文学界的权威。学会成员撰写了许多对彼特拉克和薄伽丘著作的诠释，列举了他们使用语言的范例；从这些作家的作品中找出可以接受的习惯用语和形象化比喻并编纂词典；把许多作品翻译成他们认为是纯粹的托斯卡纳语。学会成员后来以语言上的保守派闻名。1612年，他们开始出版该学会的正式词典《秕糠学会词典》，这项工作现仍在继续进行中。20世纪初，意大利政府的法律限制其出版范围为：古典作家作品、语言学文献和期刊。*della-cruscan* 又指十八世纪后半期英国文学中出现的玩弄文学技巧的秕糠诗派的诗人，其特点是装腔作势，炫弄学问。

cruse lamp　碗灯　一种铁制的小挂灯。一头为把手，另一头为可以引出灯芯的灯嘴。灯碗圆形，直径约7.5厘米、深约2.5厘米。多使用动物油脂作燃料，也使用植物油或鱼油。从基督教以前时期地中海沿岸地区人民使用的灯芯浮起的平盘灯演变而来。最初在中世纪，后来在18世纪陆续在欧洲使用，以代替灯芯草蜡烛（用各种灯芯草的茎髓浸在油脂里制成）和普通蜡烛。

crush injury　挤压伤　压力作用于人体产生的伤害，见于建筑物倒塌、矿井事故、地震和塌方等。胸或腹部伤害严重者常来不及抢救即死亡；四肢伤害常为隐伏性。当皮肤和骨骼受压达一定程度时，脂肪细胞和骨髓内有液状脂肪渗出。脂肪小滴可集合成小球，形成栓子阻塞毛细血管和通向肺、脑、皮肤及肾脏的血管。受伤者自倒塌处解脱后，开始脉搏和血压可为正常，但由于受伤部位血管破裂，血肿逐渐形成，发生休克，血压亦随之下降。受伤部位肿胀、触痛、积血、变硬。肾功能衰竭在伤后1～2天出现，可导致死亡或延迟恢复。脂肪栓塞在伤后最初几天内通常不明显。若肺部受累则可有呼吸困难和短浅。若有脑血管栓塞，则可出现不安、焦虑、惊厥或神志丧失。通常于栓塞发生后，尿内可检出脂肪，皮肤可见出血点。

crust　地壳　地球（Earth）最外面的固体部分，主要由岩石物质组成。

crustacean　甲壳动物　节肢动物门甲壳动物亚门（Crustacea）无脊椎动物，近30 000种，世界性分布。大部分为海生，最著名的种类包括虾、龙虾、蟹和藤壶等。某些甲壳动物，包括大部分螯虾，生活于淡水生境，另一些种类，如沙虱、陆蟹和潮虫等，栖于潮湿的陆地环境，甲壳动物纲可能在已知的化石出现之前即已分化。据信甲壳动物的祖先与头虾类和鳃足类（鲎虫属［*Triops* 或 *Apus*］）均很相似。

典型的甲壳动物成体的身体由许多体节组成，或分节明显，或部分体节愈合。前四个体节与前分节区（原头区）愈合形成头部。口前方的两节有两对附肢，分别称为小触角和大触角，其用途在成体为司感觉，在幼体为游泳及取食。口后方的体节上的附肢称为颚。头胸甲（背甲）始于下颚体节，各目之间头胸甲的厚度和形态差异极大。头胸甲质坚硬，必须定期脱落，以免妨碍生长。蔓足类的头胸甲为无明显特征的薄囊状外套；而蟹类和龙虾类的头胸甲发达，呈壳状。头胸甲由上表皮和几丁质的表皮组成，沉积了钙盐后变硬。体被向内生长，称为表皮内突，形成内骨骼。当体被尚薄时，气体交换可通过头胸甲的内壁进行。许多种类以附肢特化而来的鳃进行呼吸。某些陆栖蟹类的鳃室扩大，以适应在陆上生活时呼吸之需。

甲壳动物的附肢形态差异极大，这主要表现在原肢节（附肢与躯干相关节的部分）的变化。原肢节再分出两个分支——内肢和外肢。在原肢节的内缘和外缘还可以生出突起，称为内小叶和外小叶，一些种类的外小叶变成鳃，靠近口部的附肢的内小叶变成颚，用以咀嚼。

小触角亦被视为附肢。大触角分为内肢和外肢，位于口的附近，也能帮助大颚推送食物。大多数种类的大颚原肢节头咀嚼叶，具切割和研磨功能。虽然有些种类头后的附肢很少分化，但其他种类的胸部、腹部附肢多特化以适应多种功能，如步行、游泳，或成为口器的一部分，或用作武器。

消化道为直管状。有的种类中肠具管状的盲囊，从消化道突出，用以加强消化和吸收功能。软甲类的胃内有板齿及刚毛，用以研磨和过滤食物。许多甲壳动物的血液在没有明确管壁的血腔中流动，动力为身体节律性的运动或心脏的收缩。心脏长管状，在每个体节有瓣膜开口。大触角基部有触角腺，小颚的基部有颚腺，两对腺体的末端有囊状结构，这是主要的排泄器官。另一些腺体可分泌一些物质，用以帮助消化，预防干燥，或将自己附着在支持物上。神经系统为链状，原始种类的每一体节各有一对神经节，组成双链状的脑后神经索。高级的种类则呈单链状。脑可发出神经至眼及小触角。眼有两种类型：中眼由三四个小眼组成，复眼的视觉成分以色素隔开，与昆虫的复眼相似。其他感觉器官由毛变形而成（刚毛），见于体表及附肢上，可司触觉、嗅觉，并可测知水流及其方向。

大部分甲壳动物为雌雄异体。可能是决定性别的基因控制促成雄性性状的腺体的形成，这些腺体产生的激素使个体发育为雄性。雄体常有来自附肢的抱握器，于交配时用以握持雌体。大多数甲壳动物由卵孵出，然后经过一系列自由游泳的幼体阶段。在不那么原始的甲壳动物，早期的变态可在卵内发生，结果孵出时已有胸部和腹部的附肢，背甲开始形成，身体后部已分节。

海生的甲壳动物是其他动物（包括人类）的重要食物来源。淡水甲壳动物可以是许多寄生虫，如血吸虫、龙线虫属（*Dracunculus*）种类等的中间寄主，若生食或未充分煮熟即食用就会将寄生虫传播给人。藤壶和海生鼠妇类偶会损坏港口结构，陆生蟹类会损害作物，故这些种类在经济上有重要意义。

甲壳动物亚门可分为6个纲：(1)头虾纲（Cephalocarida），最原始。(2)鳃足纲（Branchiopoda），如无背甲目（Anostraca），包括卤虫属（*Artemia*）等；背甲目（Notostraca），包括鲎虫属等；蚌甲目（Conchostraca），包括蚌虫属（*Cyzius*）等；枝角目（Cladocera），包括水蚤属（*Daphnia*）等。(3) Enantiopoda纲，仅存化石。(4)桨足纲（Remipedia）。(5)颚足纲（Maxillopoda），重要的有：①囊甲亚纲（Thecostraca），包括：囊胸目（Ascothoracica）；根头目（Rhizocephala），如蟹奴属（*Sacculina*）；蔓足目（或亚纲，Cirripedia），如茗荷儿属（*Lepas*），藤壶属（*Balanus*）。②介形亚纲（Ostracoda），包括：壮肢目（Myodocopa），如海萤属（*Cypridina*）；分肢目（Cladocopida），如分肢介虫属（*Polycope*）；尾肢目（Podocopida），如腺介虫属（*Cypris*）；平肢目（Platycopida），如泡沫介虫属（*Cytherella*）。③鳃尾亚纲（Branchiura），如鱼虱（鱼虱属［*Argulus*］）。④桡足亚纲（Copepoda），如哲水蚤目（Calanoida），有哲水蚤属（*Calanus*）等；猛水蚤目（Harpacticoida），有猛水蚤属（*Harpacticus*）等；剑水蚤目（Cyclopoida），有剑水蚤属（*Cyclops*）等。⑤须鳃亚纲（Mystacocarida），9种。(6)软甲纲（Malacostraca），最大的纲，分3个亚纲。①叶虾亚纲（Phyllocarida），如叶虾属（*Nebalia*）。②掠虾亚纲（Hoplocarida），如口足目（Stomatopoda），包括虾蛄属（*Squilla*）。③真软甲亚纲（Eumalacostraca），重要的有：山虾目（Anaspidacea），如山虾属（*Anaspides*）；磷虾目（Euphausiacea），如磷虾属（*Euphausia*）；十足目（Decapoda），包括各种虾蟹；糠虾目（Mysidacea），如糠虾属（*Mysis*）；涟虫目（Cumacea），如针涟虫属（*Diastylis*）；等足目（Isopoda），如潮虫属（*Oniscus*）；端足目（Amphipoda），如钩虾属（*Gammarus*）。

crustacean louse　寄生甲壳动物　节肢动物门甲壳亚门寄生鱼体的小型水生无脊椎动物。包括鱼虱（鳃尾亚纲）、寄生桡足类（桡足亚纲）、寄生等足类和端足类（软甲亚纲）。等足目中应提到的是缩头水虱科，全系寄生种类，侵袭海水鱼和淡水鱼。寄生甲壳类生活在鱼的体表、鳃盖下、口腔内，甚至在某些南美淡水鱼的腹腔内。缩头水虱的主要适应方式是胸部附肢的爪强有力，能牢固附着鱼体，偶尔被寄生的鱼经加工后寄生甲壳动物仍生存下来，在罐头中出现。

咳。而见诸文献的病例都是重症病例，其中90%为播散型。隐球菌吸入呼吸系统后特征性地向中枢神经系统蔓延，并引起脑膜炎。主要症状有头痛、视力不清、嗜睡或伴有人格变化。隐球菌还可播散到皮肤、骨骼及内脏。隐球菌病的各临床类型对两性霉素 B 均有效，治疗后存活率约为 80%。在该药应用前，患隐球菌性脑膜炎的病例无存活者。

Cryptolithus 隐三瘤虫 三叶虫（绝灭的节肢动物）的属。化石见于欧洲和北美奥陶纪（5.05 亿年前至 4.38 亿年前）地层。特殊的外表使该属成为奥陶纪地层和时代有用的标准化石。头部大，边缘具特殊型麻点，二根长刺从两侧边缘向后伸出。成虫无眼。

隐三瘤虫化石（*Cryptolithus*）
美国不列颠百科全书公司供图

cryptology 密码术 研究保密通信的科学。包括编码和译码两项工作，前者包括旨在只向指定收信人提供信息而使他人不能理解的通信原理和技术的研究和应用；后者则为释译密码，以恢复原信息。密码最早用以隐蔽书面信息，今则将其原理用于传真通信与电视信号的密码编排，例如通信卫星与地球站间信息的接收与传输。此外，密码在保证计算机之间信息传输的保密和鉴定（例如向指定收信人保证电文并非伪造）方面的关键作用更为重要。电文的鉴定，在银行及其他商业往来方面尤其重要。基本上，将明码变成密码，一般要求使用算法（制定程序）和密钥。算法可以公开，密钥则只有发信者和合法的接收者知道。在传输过程中，将明码信息用算法处理，并用密钥来控制将它译成密码。其逆操作——译码（指定的收信人将隐蔽的信息由密码复原）——在作业手续上与编码相似。数世纪来，不同的密码体系相继出现，基本形式有移位式和代换式，还有两者并用的方式。移位式是将明码电文中的单元重新排列而不更换单元本身，代换式是用符号代替单元，如字母或字母对，但不更动各单元的顺序；而两者并用式称为乘积式密码。广泛应用的更精密的密码体系是 20 世纪 70 年代中期美国所发展的数据加密标准（DES），DES 属乘积式成组密码，以移位和代换两种方式分段作 16 次加密操作，并在 56 比特的密钥控制下，译成一组 64 比特二进制码的电文，并编写出 64 比特的密码。DES 已采用大规模和超大规模的集成电路芯片，每秒可对多种信息进行数十比特到数千万比特的编译码操作。密码体系分为对称与不对称两种。对称体系中，编码与译码用单密钥，故发信人与收信人皆使用同一密钥；不对称体系中则相反，收发双方使用两套不同功能的密钥。单钥密码体系，包括 DES 在内，皆有密钥分配的问题，特别是电文变换前，密钥须送给每个指定收信人，这就造成时间上的延迟并增大密钥落入非指定收信人手中的可能性。不对称式密码体系或称双钥密码体系，在极大程度上防止了密钥分配问题的产生，发信人可将一种密钥（编码用）公开，但同时将第二种密钥（译码用）予以保密，纵使非指定收信人复制已公开密钥，也不影响信号的安全性，因为只有译码密钥的合法使用人才能译出密码电文；这种双钥密码体系在操作上具有相当的灵活性。单钥密码体系已使用数百年，而双钥体系约在 20 世纪 70 年代中期后才得到认真的考虑而成为新的发展形式。目前双钥密码体系的唯一可行形式看来是利用了不能除尽的巨大整数。最普通的例子即是 RSA（Rivest-Shamir-Adleman）密码算法，但它的主要缺点在于频道容量不大。

cryptomonad 隐滴虫 既被认为是原生动物（隐滴虫目），亦被认为是藻类（隐藻纲）的小型双鞭毛生物。生于淡水和海水中。含有仅红藻和蓝绿藻才有的色素，有时栖于动物体内（如动物黄藻[zooxanthella]）但不伤害寄主。典型的行光合作用的属——隐滴虫属（*Cryptomonas*）具两根不等鞭毛，附着在扁平卵形细胞的一端。唇滴虫属（*Chilomonas*）无色素体，吞食有机物质；在某种条件下，可以独自在无机物中存活。隐滴虫包在球形的纤维质鞘里，在活动或不活动的状态下进行无性繁殖。

cryptophagid beetle 隐食甲 参阅 silken fungus beetle 丝蕈甲。

cryptoporticus 隐蔽廊 有顶盖的廊子，为古代罗马宫殿的一种特色。其目的通常是为了遮阳及提供凉爽的散步场所。例如罗马皇帝戴克里先的位于斯帕拉托（克罗地亚的斯普利特）的宫殿以及在庞贝的宅邸，即有此类廊子。有时还具有双重的用途，即作为有拱顶的通道，罗马皇帝尼禄在公元 65 年左右曾建有一条局部用灰泥装饰的这种廊子，主要用来把他的宫殿（尼禄金殿），同帕拉蒂诺山上的其他王宫联系起来。

cryptorchidism 隐睾 又作 cryptorchism，undescended testes。婴儿出生时，一侧或两侧睾丸没有能自然降入阴囊。这是一种胚胎发育不全，这一过程正常应该在胚胎第九个月前完成。一侧隐睾多见，而且只要有一侧睾丸正常，就足以支持正常的男性性功能。双侧隐睾少见，且预后不良。因为未降睾丸（指仍在腹腔内的胚胎位置或停留在腹股沟管内）不仅功能不全、精子形成障碍、男性的性征发育不全，而且极易受到损伤，也易因扭转而出现循环障碍，此外，隐睾癌变的可能性较正常者高出 20 倍。常用的治疗方法有促性腺激素和外科手术矫正二种。人绒毛膜促性腺激素可促进外生殖器早熟，并可使大多数腹股沟管内下降不全的睾丸降至阴囊。如果用药无效，就需手术矫治。不管用什么方法，治疗应在 9 岁前进行。因为有些经治疗下降的睾丸之精子形成能力较正常者为低，但生育能力不会有问题。

Cryptostomata 隐口目 苔藓动物（小型群体动物）的目。化石见于奥陶纪到二叠纪（5.05 亿年前至 2.45 亿年前）地层。呈现出很多孔，可能包含这群体的单个动物。该目的群体由成群的单个短管组成。

Crysler's Farm, Battle of 克里斯勒农场战役（1813-11-11） 1812年战争中英军600人战胜美军1 600人的战斗，对阻止美军占领蒙特利尔做出贡献。1813 年 10 月，美军7 000多人自纽约州萨基茨港出发进军蒙特利尔，于今安大略省隆索圣劳伦斯河湍流处登陆。J. 威尔金森将军率主力部队向康沃尔进发。J. 博伊德将军指挥后卫队（约1 600人）于 11 月 11 日与英军 J.W. 莫里逊上校所部（600 人）遭遇，战斗中英军伤亡计 200 人，美军损失逾 400人（其中 100 人被俘）。结果美军撤退。威尔金森在获悉 W. 汉普顿将军率领的另一支美军已于 10 月 26 日在沙托盖受阻，遂渡河还师纽约州圣里吉斯。克里斯勒农场战场纪念公园在 1961 年正式开放。

crystal 晶体 原子组元按一定图形排成的固体材料，其表面的规则性反映出晶体内部的对称性。

结构 晶体由无数个原子的结构单元（称为晶胞）所组成。这些晶胞在所有方向重复排列，形成几何图形，而这种几何图形又以晶体的外表平面（称为晶面）的数目和取向显示出来。晶体的一个基本性质是对称性，所有晶体都根据其主要的对称要素分类。有 7 个基本晶系：立方晶系、三角晶系、六角晶系、四方晶系、正交晶系、单斜晶系和三斜晶系。某些分类把六角晶系和三角晶系看作是六角晶系的小类。例如，简单立方晶体有三根四重对称轴和四根三重对称轴，即若这些轴通过立方体相对两晶面的中心，则立方体绕每

晶体特性

晶　系	对称轴数	边的特性	角的特性
三斜晶系	一重轴	$a \neq b \neq c$	$\alpha \neq \beta \neq \gamma$
单斜晶系	一根二重轴	$a \neq b \neq c$	$\alpha = \beta = 90° \neq \gamma$
正交晶系	三根二重轴	$a \neq b \neq c$	$\alpha = \beta = \gamma = 90°$
四方晶系	三根二重轴	$a = b \neq c$	$\alpha = \beta = \gamma = 90°$
三角晶系	一根三重轴	$a = b = c$	$\alpha = \beta = \gamma \neq 90°$
立方晶系	一根三重轴	$a = b = c$	$\alpha = \beta = \gamma = 90°$
六角晶系	一根六重轴	$a = b \neq c$	$\alpha = \beta = 90°, \gamma = 120°$

一根轴的一个全转动(360°)会使晶面重复四次(因而称“四重”);而绕立方体的两对顶角的四根轴之一转动立方体一圈,则有三次重复(图1)。因此,晶体归于哪一个晶系,取决

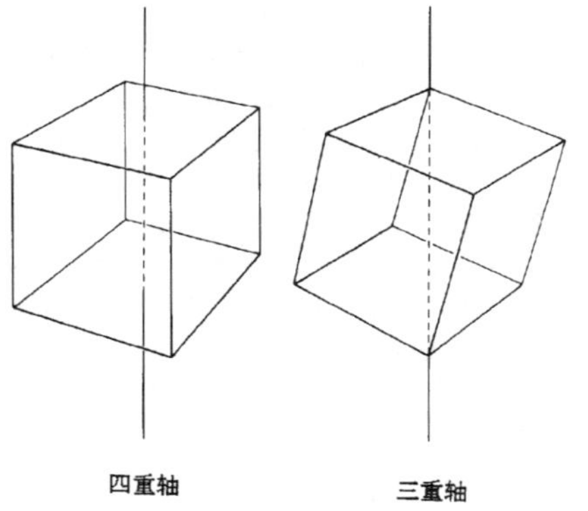

图1 对称轴的例子

于已识别的对称性。正交晶胞有三根二重轴,绕此轴作180°转动,不会有变化。单斜晶胞有一根二重轴,三斜晶胞则没有(也可用一根一重轴表示)。分类法中所采用的其他要素包括对称面(或“镜面”)的数目(例如,立方体有9个镜面),晶胞三个非共面边的相对长度(a、b和c),以及这些边之间的夹角(α、β和γ)。附表列出了7种晶系的这些性质。

在每一个晶系中,基元(或简单)晶胞只在其角隅才有阵点(每一组成原子由如图2中的阵点表示)在某些晶系中,具有附加阵点的晶胞是可能的。这些点可能处于晶胞

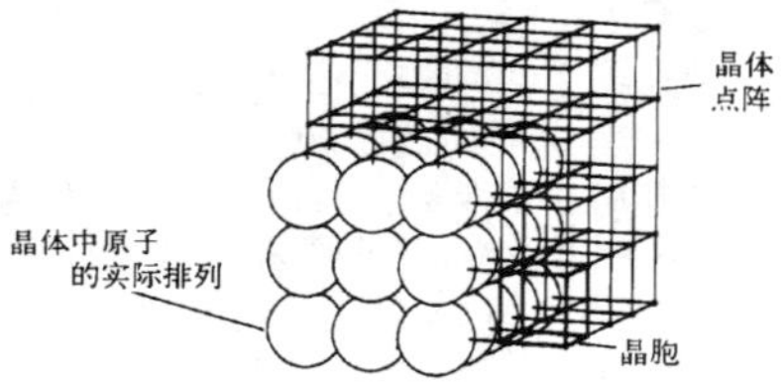

图2 典型的晶体点阵

中心(体心晶胞),也可能处于晶胞的两个相对的晶面上(底心晶胞),还可能处于所有的晶面上(面心晶胞)。菱形晶胞只在六角晶系中出现,在每一个晶胞中有两个附加阵点。

生长 晶体一般在液体凝固时或溶液过饱和时形成。对于许多简单物质,固态就包含有晶体结构。例如,许多金属和合金、矿物以及半导体都属于这种情况。对于较复杂的物质,如橡胶或玻璃,有时有两种形式的固体,其一是非晶的或玻璃状的,另一是晶状的。若液态物质被冷却到刚性状态而不结晶,则所形成的固体就是玻璃状的。这种固体能逐渐变成晶体,但这一过程极其缓慢。

由于许多物质由微晶组成(微晶即晶体中的许多细粒,其中每一细粒都是完整晶体,这些微晶以无规取向堆积在一起),所以晶体结构未必能用眼睛观察出。这些众多的多晶材料中的晶形,可用X射线衍射或电子显微镜来识别。在X射线衍射中,X射线胶片上所形成的特殊标记,可作为鉴别极小样品中的矿物质的“指纹”。结晶学家已建立起这种指纹的资料库,与这些指纹对照,便能核对某一样品的标记。

在某些极特殊情况下,一单晶结构能长大到可被看出。天然宝石就是这样的。若水足够缓慢地凝固,则冰也能形成大的单晶。人工生长单晶的方法也已发明出来。人工生长的晶体显示出异常的规则性,这使科学家能获得更多的关于晶胞内部的信息。最先利用这一特征的是地质学家。他们发展了显微术的整个分支,将矿物的光学性质与其晶胞尺寸和形状联系起来。

缺陷 晶体不总是完整的,缺陷可能起因于固体的形变、高温快速冷却或高能辐射(X射线或中子)轰击固体。位于固体中的一些单点、沿着一些线或在整个面上的一些缺陷,能影响晶体的力学、电学和光学性质。

点缺陷包括夫伦克耳型、肖脱基型和杂质型。夫伦克耳缺陷涉及一个单离子,它从正常阵点移至附近的点阵中两原子之间的间隙或空间。在肖脱基缺陷中,两个符号相反的离子脱离点阵。杂质缺陷是取代组成固体的某些原子或挤入间隙的外来原子,它们决定着制造晶体管所用材料(半导体)的电学性质。

线缺陷或位错是固体中原子沿整行反常排列的线。沿位错线产生的间隔不规则性最为严重。线缺陷能弱化或强化固体。

面缺陷可出现在较大晶体内两晶粒(或小晶体)的界面上。两不同晶粒内的原子排行可能沿稍微不同的方向伸展,导致晶粒间界两侧失配。晶体的实际外表面,由于表面上原子调整其位置以适应表面外无相邻原子的需要,所以也是一种表面缺陷。

crystal(glass) **晶质玻璃** 参阅**flint glass** *燧石玻璃*。

crystal cameo(glass) **水晶浮雕** 参阅**crystallo ceramie** *水晶陶瓷*。

Crystal City **克里斯塔尔市** 美国得克萨斯州南部扎瓦拉县县城(1884)。为周围地区所种蔬菜(特别是菠菜)的加工、包装与船运中心。市内广场上建有一座大力水手吃菠菜而恢复精力的塑像,大力水手为很受欢迎的卡通片人物波佩;塑像建于1937年。1982年后恢复每年一度的菠菜节。克里斯塔尔市又译晶莹城,因拥有多处晶莹泉水而得名。泉水用于灌溉。1910年建市。人口7 190(2000)。

crystal gazing **球晶占卜术** 又作scrying。通过凝视水晶球内所显现的幻象以见到远方情况或预卜未来。古人观察水面、磨光金属或宝石的所反映的影像以占卜未来,他们可能认为这种影像是灵界之象。球晶占卜术盛行于5世纪,中世纪基督教会斥之为魔鬼的法术。

Crystal Palace **水晶宫** 伦敦海德公园内一座玻璃和钢铁构件的巨型展览厅,曾举办1851年的大博览会。其后这所展览厅的构件被取下,并在锡德纳姆山重新装建(1852~1854),该展览厅一直保存到1936年。1849年维多利亚女王的丈夫、皇家艺术学会主席艾伯特亲王想邀请所有文明国家的展出者参加一次博览会。于是拟好了计划,并以维多利亚女王为首进行捐献,迅速筹集了必需的资金。1851年5月1日博览会在水晶宫揭幕。由J.帕克斯顿设计的这座水晶宫是一幢宏伟的由预制构件组成的建筑。水晶宫有一个长的矩形阶梯状结构,中间有一条带穹顶的交叉甬道;并有以细长铁杆组成的复杂的网状结构支撑着的透明的玻璃墙壁。水晶宫的主体长563米,宽124米;交叉甬道中部高33米。水晶宫室内场地面积约92 000平方米。底层和各陈列室有超过13千米的展览台。展出者约14 000人,其中将近半数不是英国人。法国送去1 760件展品,美国送去560件展品。美国的展品中有假牙、假腿、科尔特连发手枪、固特异橡胶制品、嚼烟、单座两轮马车及麦考密克收割机。参观者超过600万人。展览会一直开放到10月11日。盈利750 000美元,10月15日举行闭幕式。后来将展览厅的构件取下,按更为精心的设计在上诺伍德的锡德纳姆山重建,可以从南面眺望伦敦。水晶宫为后来的国际博览会和展览会树立了一个建筑规范,那些展览会的展厅也照样采用玻璃温室式样。紧接着举办的展览有1852年的柯克展览会、1853年的都柏林博览会和纽约市博览会、1854年的慕尼黑展览会及1855年的巴黎博览会。水晶宫建成后许多年以来曾举办过各种演出、展览会、音乐会、足球比赛及其他娱乐活动。1936年11月30日夜间到12月1日,水晶宫毁于一场大火;保存下来的塔也因恐成为入侵的德国轰炸机危险的袭击目标,于1941年被最后拆除。

在锡德纳姆山重新装建的水晶宫,1852～1854年建,1936年毁于大火
美国不列颠百科全书公司供图

crystalline rock **结晶岩** 完全由结晶矿物组成的岩石,其中没有玻璃态物质。地层深处的火成岩全是结晶岩,可是喷发出来的火

成岩(即火山岩)却可以部分以至全部是玻璃态。影响岩浆结晶能力的因素很多,其中冷却时间的长短是主控因素。变质岩几乎总是结晶岩;结晶片岩一词用于指一切具有变质岩成因的岩石,而结晶岩可用于指具有火成岩成因的岩石。沉积岩也可以是结晶岩,例如直接从溶液沉淀成的结晶石灰岩。但这一说法并不普遍适于碎屑沉积岩,即使它们主要是由结晶矿物积聚而成的。

crystallite 雏晶 在玻璃质火成岩如黑曜岩和松脂岩中生成的显微物体。雏晶是刚开始形成的晶体胚胎,它们的结晶形状常常还不能辨认,由于太小也不能产生偏振光。雏晶是在岩浆(熔融的岩体材料)猝然凝结以致结晶过程尚未完成时产生的。雏晶不同于微晶(microlites),后者稍稍大于可以被承认为矿种的物体。雏晶有各种不同的形态,可按其特定形状命名。球雏晶(globulites)呈卵形或球形;毛丛雏晶(scopulites)则可呈羽毛状或花状。雏晶长得越快,它的各个面就越小,因而在最终的晶体中,生长得较慢的面就较长。由大量拉伸小微晶组成的杆状微晶称为棒雏晶(bacillites)。针雏晶(belonites)具伸长形并有尖的或圆钝的端面,计有长联雏晶(longulites)、纺锤刺雏晶(spiculites)和哑铃状雏晶等几种形状。

crystallo ceramie 水晶陶瓷 又称镶嵌浮雕、水晶浮雕或硫化浮雕。是嵌有陶瓷装饰物的雕花水晶玻璃制品。这种制品是波希米亚人在18世纪发明的,曾在巴黎出售,

A.佩拉特约 1830 年制作的镶有夏洛特王后像的水晶陶瓷瓶
美国不列颠百科全书公司供图

但并不流行。英国玻璃制造商 A.佩拉特用改进的技术制造出更精美的制品,并于 1819 年获得专利权。他浇铸的浮雕装饰品(大多是王室成员或著名人士的侧面像或盾形纹章),以白色细瓷土和过硅酸钾为原料,因此在与熔化的玻璃接触时不会破裂。这种呈银灰色的装饰品,被嵌在特别透明的燧石玻璃内。通过切割和磨刻等工艺过程,提高了玻璃的光亮度和对光线的折射作用,其表面弧度又可使物像放大。水晶陶瓷用于制造镇纸、细颈水瓶、瓶塞、香水瓶、坠饰及各种装饰性餐具。

Csermanek, János(Hungarian premier) **切尔马尼克** 参阅 **Kádár, János** 卡达尔。

Csokonai Vitéz, Mihály 乔科瑙伊·维泰兹(1773-11-17,匈牙利德布勒森～1805-01-28,德布勒森) 匈牙利启蒙运动的杰出诗人。早年同情当时的革命倾向。为了追求一个富有的姑娘(在他的诗集里,她名叫"莉劳"),他力求找到一个固定职业。后来在一小镇谋到职业,但她却早已结婚。他回到德布勒森,贫病交加,没有看到自己的诗集出版就与世长辞。乔科瑙伊是匈牙利第一个诗体学理论家。他成功地将西欧诗韵律应用于匈牙利诗歌的形式。他的诗作饱含启蒙运动的精神。他还是一位剧作家,是匈牙利第一部喜剧风格叙事诗、最受欢迎的作品《多罗贾》(1804)的作者。

Csongrád 琼格拉德 匈牙利东南部的州。位于匈牙利大平原南部。面积4 263平方千米。排涝和水利工程使可耕土地大面积增加,并降低了严重干旱所导致的歉收的危险。轻松的土壤和干热的夏季很适合种植红辣椒、玉米、黑麦、洋葱、水果和饲养家禽等。人工湖和蒂萨河的淡水渔业具有商业价值。石油开发广泛,20 世纪 70 年代有很大发展。州首府塞格德,在行政上独立于该州。其他主要城市有森特什、霍德梅泽瓦沙海伊、琼格拉德和毛科。人口约450 000(1990)。

CSU(German political party) 参阅 **Christian Social Union** 基督教社会联盟。

CSX Corporation CSX 公司 美国铁路企业,1980 年由切西系统公司和海岸沿线工业公司合并而组成,铁路分布在 18 个州(主要位于密西西比河以东)和安大略境内。切西系统公司是切萨皮克-俄亥俄铁路公司(**Chesapeake and Ohio Railway Company**)的持股公司,其铁路自大湖区延伸至切萨皮克湾和俄亥俄流域。海岸沿线工业公司控制海岸系统铁路公司,后者运营墨西哥湾至切萨皮克湾和俄亥俄流域的线路。

ctenophore 栉水母 又作 comb jelly。栉水母门(Ctenophora)海生无脊椎动物。种类甚多。体表有纵列的栉板,体态结构颇似刺胞动物水母。许多栉水母有其俗名——海胡桃、海醋栗、猫眼等。大多数栉水母体型小,但至少有一种——爱神带水母——可长达 1 米以上。有一个寄生种直径仅 3 毫米。栉水母均分布于海水生境,某些种生活于半咸水性质的环境。栉水母见于几乎所有大洋,尤其在近海的表层海水中。至少有两个种——侧腕水母(*Pleurobrachia pileus*)及瓜水母(*Beroe cucumis*)——为世界性分布,但大多数种类的分布范围有限。除少数爬行及寄生的种类外,栉水母多自由漂浮于水中。通常被风浪冲成大群,尤其是海湾、潟湖及其他沿岸水域中。除一个寄生种外,所有栉水母均为肉食性,以大量浮游动物为食。栉水母在一个地区数量极多时,会将大部分幼鱼、蟹类幼体、蛤类、牡蛎、桡虫类以及其他浮游动物食尽,否则这些动物可能成为沙丁鱼、鲱鱼等商业性鱼类的食物。而栉水母本身又是某些鱼类的食物。

自然史 栉水母雌雄同体。沿包容栉列的子午管有产生卵和精子的不同的生殖腺,大多数栉水母将精子和卵释入水中,在水中受精和进行胚胎发育。侧腕水母及其他球栉水母目(Cydippida)的种类的幼体与成体酷

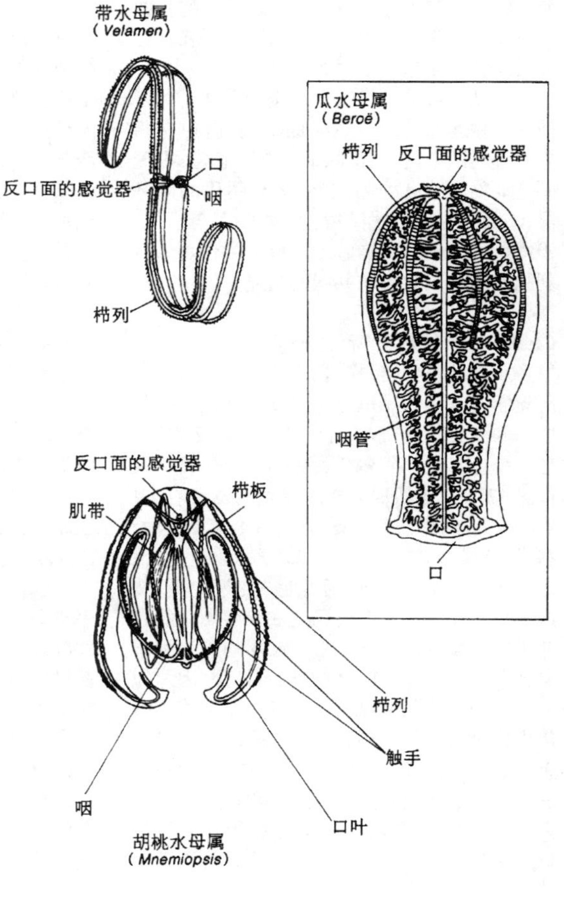

栉水母动物

似,成熟过程中形态变化极少。但大多数栉水母有双触肢幼体,呈卵形或球形,具可收缩的触手。球形的双触肢幼体直接变态成卵形的成体,而成体呈扁形者则变态过程较长。仅寄生性的腹栉水母属(*Gastrodes*)有自由游泳的浮浪幼体,似刺胞动物。

形态和功能 多数栉水母无色,但瓜水母粉红色,爱神带水母(*Cestum veneris*)呈柔和的紫罗兰色。无色的种类漂浮在水中时透明,只有几列栉板显出美丽的虹彩光泽。多数栉水母能发光,在夜间显示浅蓝或浅绿色的光,这是动物所能发出的最鲜艳最美丽的光之一。栉水母已知约90种。多为球形或卵形,体上端(反口面)有一个明显的感觉器(平衡器),身体下端(口面)有口。有8列栉板排列于平衡器附近与口之间,为运动器官。各栉列均由一系列的栉板组成,栉板又由许多基部相连的极大的纤毛构成。纤毛向平衡器方向摆动,所以身体通常口面向前而运动。较原始的种类球栉水母具一对可收缩、分枝的长触手,用以捕食。触手上有许多黏细胞,黏细胞仅见于栉水母,可分泌黏性分泌物,猎物接触这种物质即被粘住。口通入管状的咽。从咽的反口面连出多分枝的复杂的管道系统,组成消化管,兼具消化和循环两种功能,故称为胃循环腔。栉水母无真正的肛门。中央管在反口面开有两个小孔,能排出少量废物。生殖腺由消化管内壁加厚而形成。神经系统为原始的神经网,在栉板下方稍集中;颇似刺胞动物的神经系统。未找到排泄系统。体表及咽壁覆以薄层外胚层细胞。内胚层亦薄,覆于胃循环腔壁。外胚层与内胚层之间为厚层胶状物质,称为中胶层。因为中胶层不仅包含许多间充质细胞(未特化的结缔组织),也包含特化的细胞(如肌细胞),故中胶层形成真正的中胚层。从这点看栉水母较最复杂的刺胞动物更为先进。

分类 以前将栉水母和刺胞动物合为一类——腔肠动物门(Coelenterata)。但现在将它们分为两个门。栉水母门的特征为:①无刺胞动物所特有的刺细胞;②有明确的中胚层;③胚胎发育过程与刺胞动物完全不同;④体型为两辐射对称。但一般认为栉水母与刺胞动物在进化上有共同的祖先。

Ctesias 克特西亚斯(约公元前416,卡里亚尼多斯～?) 希腊医生和研究波斯与印度的历史学家。其作品是当时以波斯官方文献为依据的仅有的历史作品。早年到波斯宫廷,在大流士二世和阿尔塔薛西斯·姆纳蒙时代行医17年。显然他伴随后者直到公元前401年的库那克萨战役。公元前398年返回希腊,开始撰写《波斯》,一部23卷的亚述-巴比伦尼亚的历史,内容包括古亚述王国时期、波斯王国的建立以及迄公元前398年为止的波斯历史。虽然他的材料来自波斯的档案和国家文书,但人们对其可信性表示怀疑,因为他的作品明显地同希腊历史学家希罗多德的编年史相矛盾。此书现已不存,只有君士坦丁堡大主教佛提乌(活动时期在860年左右)的一个摘要。另外他还根据访问印度的波斯人、印度的商人和驻波斯宫廷的印度使节的口述编写过一部印度史。该书虽系传说且荒诞无稽,但它仍是亚历山大大帝入侵前对印度的唯一系统的记述。

Ctesibius OF ALEXANDRIA 克特西比乌斯(活动时期约公元前270) 希腊物理学家和发明家,埃及亚历山大城古代工程传统的第一位巨匠。其父为理发师。据传发现空气的弹性,发明了几种使用压缩空气的器械,包括压水唧筒和以空气为动力的弩炮。但他最著名的一项发明是一种改良的滴漏计时器(水钟),其中以恒速滴落的水使一个带指针的浮子上升,借以指示时间的推移。另一项著名的发明是一种水风琴,它是靠水的重量代替下落的铅砝码,以推动空气通过风琴管。克特西比乌斯的著述已经失传,他的发明是由于维特鲁威和希罗的援引始为世人所知。由他奠基的工程传统在希罗和斐洛的工作中达于巅峰。

Ctesiphon 泰西封 又拼Tusbun或Taysafun。古代城市,在今伊拉克巴格达东南,濒临底格里斯河。安息帝国和萨珊帝国先后用作冬季的都城,遗址有萨珊国王的宫殿。殿堂有世界上最大的单跨砖拱之一。公元前129年阿萨息斯(安息)人兼并巴比伦尼亚时,用泰西封作为兵站。此后把塞琉西亚与泰西封两城合并。公元116年这个合并的城市被罗马皇帝图拉真占领,224年又易手萨珊王朝。637年为阿拉伯人攻占,改王宫为清真寺。763年泰西封被巴格达所取代,遂逐渐衰落。荒芜的遗址被用作提供建材的采石场。

Ču(river, Kyrgyzstan-Kazakhstan) 参阅 **Chu River** 楚河。

Cú Chulainn 库丘林 古爱尔兰盖尔语文学中阿尔斯特(尤莱德)故事的中心人物。他是红族骑士,即忠于康纳尔的骑士中的最伟大者。康纳尔据说是公元前1世纪初爱尔兰西北部尤莱德人的国王。库丘林幼年时代,就以身材魁梧、相貌俊秀并因有武功而闻名。他每只手有7个手指,每只脚有7个脚趾,每只眼有7个瞳孔,因而更加英勇。他受诸神偏爱,免受阿尔斯特人遭受的周期性乏力之苦。他作出超人的功绩和工作,堪与希腊英雄阿喀琉斯相比。《夺牛长征记》中记载他17岁时单枪匹马与康诺特的善战王后梅德布的军队格斗,保卫了阿尔斯特。根据众所周知的传说,他27岁时被敌人所骗,陷入一场不公平的战斗而被杀。

Cua, Paulus 黄静果(1834,越南巴里亚～1907,西贡[今胡志明市]) 越南学者,曾致力于越南国语,即罗兹在17世纪创造的越南语罗马字拼音方案的普及工作。为了推广这种拼音文字,他在所写的大量的文学作品和教科书中使用国语以代替传统的中国表意文字系统。他早年曾信基督教,在槟榔屿法国教会学习,毕业后在法国殖民政府中任译员,还把殖民地官方刊物《嘉定报》用国语出版。他曾参加科举考试及第,后充任主考官。著有多种剧本以及一部词典、几部长篇小说和数学教科书,全部使用国语撰写。他还写有许多民族学著作,详述越南民族的习俗与道德风尚。所著《家庭礼仪》(1886),介绍儒家慎终追远之义,是一部广为引用的著作。

Cuan 爨 中国古代民族。源出于氐羌,史称"爨氏",是蜀汉(221～263)时南中(今云南、贵州一带)四姓之一。长期与汉族和"滇僰"融合,南北朝(420～589)时成为云南最有势力的大姓,后由姓氏变为族名。5世纪前期,爨分成东西两部。在族属上东爨以乌蛮为主,西爨以白蛮为主。隋初割据云南。唐贞观(627～649)年间在爨统治地区先后设置92个羁縻州。8世纪初封乌蛮首领皮逻阁为云南王。皮逻阁统一白蛮各部建立南诏。后南诏将西爨白蛮迁去滇西,促进了当地社会经济的发展,使洱海地区成为南诏经济文化中心。后晋天福二年(937)白蛮大姓段思平在南诏政权崩溃后建立"大理国"。元代以乌蛮为黑爨,白蛮为白爨。明以后爨专指"罗罗"。爨文即指彝文。乌蛮与今彝族,白蛮与今白族有渊源关系。

Cuando, Rio(southern Africa) 参阅 **Kwando River** 宽多河。

Cuanza River(Angola) 参阅 **Kwanza River** 宽扎河。

cuataquil(mammal) 参阅 **olingo** 尖吻浣熊。

cuatequil(Spanish land system) 参阅 **repartimiento** 分派劳役制。

Cuauhtémoc 考乌特莫克(约1495～1552-02-26) 阿兹特克印第安人第11代亦即末代皇帝,蒙提祖马二世的侄子和女婿。1520年蒙提祖马的继承人奎特拉瓦克死后,他成为皇帝。不久,H.科尔特斯在印第安盟军支持下进犯阿兹特克人的首都特诺奇蒂特兰城。考乌特莫克的边防军被迫在1521年撤退,他守卫首都达4个月,城市大部被毁,印第安人所剩无几。西班牙人将他俘虏以后,起初给与礼遇,后来进行拷打,要他说出阿兹特克人的财物埋藏地点。他忍受种种折磨,一言不发,被传为美谈。科尔特斯恐怕留下他会造成麻烦,把他带往洪都拉斯,途中听到有反西班牙人的阴谋,下令把他绞死。1949年在墨西哥伊斯卡特奥潘发现了据说是考乌特莫克的遗骨。

Cuba 古巴 全称古巴共和国,西印度群岛岛国。由一个大岛和许多较小的岛屿、小岛和珊瑚礁组成。位于大西洋北回归线以南墨西哥湾入口处,北距美国佛罗里达半岛南端145千米,陆地面积110 861平方千米,占西印度群岛总陆地面积的一半以上。首都哈瓦那。古巴东西长约1 250千米,西北部宽31千米,东南部宽191千米。人口约11 251 000(2002)。

土地 古巴全境有1/4的地区为山地。3条东西走向的不同山系分别被称为东山系、低中山系和西山系。东山系(马埃斯特腊山)最大且最复杂,该山系的图尔基诺峰海拔

1 974米，为全国最高峰。低中山系由几条较低的山脉和丘陵组成。西山系，即瓜尼瓜尼科山脉，由崎岖的山脉和岩溶地形构成的丘陵组成。其余3/4的地区为广阔的平原和盆地。东南部的考托河长370千米，是该国最长河流和主要内陆水道。

古巴属亚热带气候，有旱季(11～4月)、湿季(5～10月)两个季节。年均气温26 °C，1月为23 °C，8月28°C。年均降雨量1 380毫米，山区超过1 780毫米，低地1 000～1 300毫米，有热带风暴时雨量最多。6～11月间常有飓风，有时会造成破坏。热带森林产松木、桃花心木、乌木、大椰木、吉贝(木棉)等贵重木材。柠檬、柑橘、鳄梨和番木瓜等树种大量生长。岛上沃土地区有成片的甘蔗、咖啡和水稻种植园。牧牛场和烟草种植园位于该国中部和西部的无树平原。动物群主要由小动物组成，包括热带蝙蝠、啮齿动物、候鸟、爬行动物、龟和鳄。该国矿产资源不多，但有分布广泛的镍矿。

人民 在被西班牙人征服前，这里估计有11.2万印第安人，而后则几乎灭绝。现有人口约1/3为穆拉托人(黑人与西班牙人混血种的后裔)或黑人(西班牙人贩运来的大约75万非洲奴隶的后裔)。白种人(主要是西班牙人)的大量移入始于20世纪初，目前白种古巴人约占总人口的2/3。白人和穆拉托人在传统上一直控制着古巴的经济、政治和文化，但整个社会已经在向消除种族差别的方向发展。

西班牙语是官方语言。天主教是传统的主要宗教，尽管共产党人反对，现在仍是信奉者最多的宗教。约40%的人口继续信仰天主教。

古巴人口增长缓慢。1959年以后医疗保健设施大有改善，出生率和死亡率均已下降。70年代期间，政府结束了从乡村地区向哈瓦那贫民窟的大规模迁移。现有70%以上的人口居住在城市。

经济 古巴是西半球第一个共产主义共和国。该国的中央计划经济主要依靠蔗糖的生产和出口，其次为烟草和镍的生产。60年代到80年代末，古巴的经济发展得到前苏联的大力资助，但消费品仍经常短缺。1990～1991年苏联解体使孤立的古巴在经济上陷入困境。

农业约占全部物质生产的1/6，所占用的人力也与此相当。大部分农田归国家所有，私有土地仅有66公顷。主要作物水稻和豆类的生产不能满足国内需要。

甘蔗多由高度机械化的国有农场生产，是主要经济作物，过去大部分出口到苏联，后又出口到俄罗斯。烟草主要用于生产雪茄供出口。政府在提高柑橘和咖啡产量上已获很大成功。东部和中部的无树草原饲养着大量牛群。渔业得到政府大力扶持，主要捕获物有龙虾和金枪鱼。90年代旅游业重新振兴对经济亦有一定贡献。

矿业主要是生产镍，全部用于出口。90年代以前，古巴所需的大部分石油一直从苏联低价购进。该国的主要行业有食品加工(包括糖)、饮料和烟草。其他产品包括钢、水泥、化肥、纺织品、消费品和农业机械。电力生产几乎全部依靠进口燃料，水力发电的能力不大。

古巴工人联合会是唯一被允许存在的工会组织，但其运作方式与西方不同。古巴缺少熟练工人。

政体与社会状况 古巴是一个社会主义国家，由唯一合法政党古巴共产党统治。1976年宪法赋予该党最高权力，其组织结构与以前的其他共产党组织相似。古巴共产党的政治局为最高决策机构，控制所有的政府机构。立法权属全国人民政权代表大会，由510名从地方的代表大会选出的成员组成，代表任期5年。全国代表大会从其成员中选出合适人选组成国务委员会作为常设机构。执行和行政权归于被指派的部长会议。国务委员会主席同时也是部长会议主席，担任国家元首和政府首脑。司法系统的最高机构是最高人民法院。

古巴的社会保障计划提供广泛的福利，其中包括看病、生育和工伤补助以及老年、残疾和鳏寡抚恤金。公民就医一律免费。古巴人的健康状况普遍良好，主要体现在平均预期寿命超过74岁，婴儿死亡率属拉美国家最低之列。拥有高水准医务人员的现代化医疗机构相当普遍。

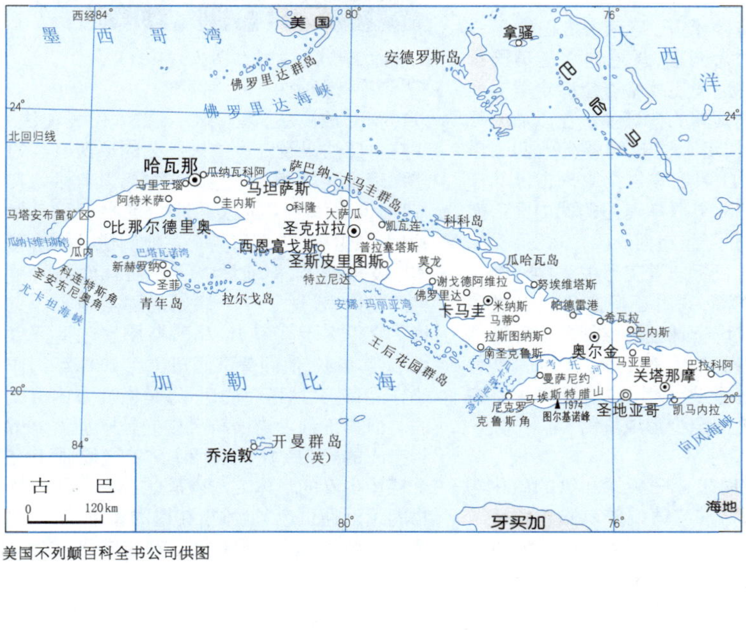

美国不列颠百科全书公司供图

各级教育均免费，6～12岁的儿童和少年须接受义务教育。教育以马列主义原则为基础，学习与体力劳动相结合。政府对传播媒介实行控制。古巴共产党的机关报《格拉玛报》为销路最广的日报。广播和电视广泛用于报导教育和政治方面的信息。

文化生活 19世纪最杰出的古巴作家是诗人和小品文作家何塞·马蒂，其作品在20世纪仍有读者。20世纪最杰出的古巴作家有N.纪廉、A.卡彭铁尔和J.L.利马。古巴国家剧院演出过几部重要剧作。古巴的音乐受西班牙音乐和非洲音乐的影响很深。

历史 首批西班牙人到达这里时，古巴只有几个印第安人部落：西沃内人、夸纳哈塔贝人和较晚来的阿拉瓦克人(泰诺人)。1492年哥伦布首次航行到达美洲时，宣布古巴为西班牙所有。1511年，D.贝拉斯克斯在巴拉科阿建立第一个永久性欧洲人居民点。

西班牙人很快将古巴分为7个自治区，这块殖民地遂成为一些中美洲探险队的集结区，例如H.科尔特斯的墨西哥之行(1519～1521)。16世纪末，古巴印第安人的减少使监护征赋制(印第安人作为劳动力居住其上的地产)变得很不经济。17世纪时，由于互相敌对的欧洲列强的入侵和攻击，殖民地生活艰难。

18和19世纪，主要因甘蔗种植的发展，奴隶劳工的大批输入和制糖业的成长，古巴经济繁荣起来。在19世纪古巴的制糖业成为世界上机械化程度最高的制糖业。到1860年，世界1/3的糖产于古巴。1865年奴隶贸易终止，但墨西哥印第安人和中国人又加入了劳动力行列。1886年古巴废除了奴隶制。19世纪末美国成为主要贸易伙伴和投资者。由于西班牙不准古巴在政治上独立，再加上日益增长的税收，导致了第一次古巴独立战争——“十年战争”(1868～1878)。这次战争最后形成军事僵局。1895年爆发第二次独立战争，西班牙投入的兵力达20万以上。1898年，停泊在哈瓦那港的美国军舰“缅因”号发生神秘爆炸，美国随即卷入反对西班牙人的战争。

1899年古巴独立后有一段时间为美国占领。在此期间，秩序得到恢复，一些学校、道路和桥梁也得到修补。1901年，美国获得在关塔那摩湾建海军基地和干预古巴外交和内政的权力。

1902年T.E.帕尔马当选为古巴首任总统。1905～1906年发生叛乱，1906～1909年古巴又第二次被美国占领。1909年新的古巴政府成立，由自由党人J.M.戈麦斯任总统。他在任期内建立了一套贪污、腐化、对非洲裔古巴人社会不公的制度，并为后继总统或独裁者所奉行。古巴继续吸引美国投资，这种投资加上日益增长的制糖业、观光业和赌博业使经济走向繁荣。但是，像政治腐败一样，古巴的经济中也存在财富分配的不平等。在经历了长时期流放和反对古巴政府的游击战之后，共产主义革命者F.卡斯特罗于1958年推翻了长期的独裁者F.巴蒂斯塔。

卡斯特罗领导的古巴很快便与苏联结盟，废除了资本主义，将所有外国企业收归国有，按照苏联模式进行了许多农业和工业方面的改革，最后把他的革命党变为古巴共产党。与美国的关系恶化了，1961 年美国支持的猪湾入侵和 1962 年的古巴导弹危机使古美关系降至低点。60 和 70 年代，古巴成为苏联坚定的卫星国和在第三世界传播共产主义革命的代理人。古巴在拉丁美洲鼓励革命运动，并派军队到安哥拉和埃塞俄比亚支持这些苏联附庸国。在国内，卡斯特罗政府为古巴社会的所有阶层提供教育和医疗服务取得显著成功，但古巴经济仍陷于停滞状态并在很大程度上依靠苏联的援助。卡斯特罗力图在不结盟国家运动中充当领导角色，以此来改变古巴的形象。共产主义在东欧和苏联的垮台在政治上和经济上都使古巴受到重创。面对国内物质匮乏、社会动荡、不满情绪高涨的局面，卡斯特罗宣布国家处于配给食品、节约能源和减少公共服务的“和平时期的特殊阶段”。失业率上涨，食品、医疗、原材料短缺，美国继续对燃料实施贸易禁运。1993 年政府准许开展小型商业活动、私人雇佣和在古巴境内使用美元。政府引进外资。1997 年恢复圣诞节为国家节日。旅游业带动经济的发展。21 世纪初古巴在与委内瑞拉签订的石油贸易协定中获益。同时放宽了一些经济和社会限制。

Cuban Independence Movement　古巴独立运动　古巴反对西班牙统治的民族起义。从未获成功的十年战争(1868 ～ 1878)开始，以美国干涉结束西班牙在美洲的殖民统治而告终(参阅 **Spanish-American War**)。由于对西班牙政权腐败无能、缺乏政治代表性以及高额的赋税负担不满，古巴东部各省人民在富有的种植园主卡洛斯·曼努埃尔·德塞斯佩德斯领导下团结起来，于 1868 年 10 月发布独立宣言，标志着十年战争开始。德塞斯佩德斯得到想在经济和政治上摆脱西班牙统治的土地所有者的支持。而农民和工人更关心立即废除奴隶制度和平民拥有更大的政治权力。1876 年西班牙派遣阿塞尼奥·马丁内斯·德坎波斯将军去镇压革命。起义军因缺乏组织和外援，1878 年 2 月同意停战，签署《桑洪条约》。条约规定实行大赦和政治改革。1879 年 8 月由卡利斯托·加西亚策划第 2 次起义，次年秋天被优势的西班牙军队镇压下去。西班牙给予古巴在国会中的代表权，并于 1886 年废除了奴隶制度，但是允诺的其他改革始终没有兑现。1894 年西班牙取消古巴和美国之间的贸易协定。由于强行增税和实行贸易限制，激起在经济上陷于贫困的古巴人民于 1895 年开始进行独立战争，这是过去的斗争的继续。革命军受到诗人何塞·马蒂的鼓舞，在 M. 戈麦斯和 A. 马塞奥的领导下，运用熟练的游击战术，控制了东部地区，1895 年 9 月宣布成立古巴共和国，并派马塞奥率兵攻打西部各省。至 1896 年 1 月，起义的部队已经控制全岛大部地区。西班牙政府派遣“屠夫”维莱·尼古拉乌将军接替德坎波斯。维莱为防止革命军从农村中获得支持，制定野蛮的“重新集合”计划，强迫成千上万的古巴人迁入城镇集中营，使数以万计的古巴人病饿而死。1897 年西班牙召回维莱，撤销集中营，并允许古巴自治，但所有这一切都未能阻止美西战争的爆发。至 1898 年 4 月美国干涉时，马塞奥虽被杀死，西班牙人占领了大部分城市地区，但是起义者仍控制全岛 3/4 的土地，古巴到处燃烧着反抗西班牙统治的烈火。同年 8 月 12 日，美西签定预备和约，战争宣告结束。根据 1898 年 12 月 10 日《巴黎条约》，西班牙撤出古巴。美国占领军留在古巴 3 年多，直到 1902 年 5 月 20 日古巴共和国成立。

Cuban League　古巴棒球联盟　拉丁美洲最早的棒球联合会。古巴于 1864 年引进棒球运动，1878 年成立了一个棒球联盟。1959 年 F. 卡斯特罗执政，废除了所有职业体育运动。1961 年开始举办业余棒球赛，棒球成为古巴的国球。古巴棒球联盟的正规赛季称全国联赛，自每年 11 月至第二年 5 月共赛 90 场。16 个队分 4 组进行。赛季结束后，由表现最佳的球员组成国家队参加国际比赛。曾获巴塞罗那(1992)和亚特兰大(1996)奥运会冠军，在 2000 年悉尼奥运会决赛中输给美国队。

Cuban missile crisis　古巴导弹危机(1962-10)　由于苏联在古巴部署核导弹而使美苏两国处于战争边缘的一次重大对抗。苏联部长会议主席赫鲁晓夫曾于 1960 年 5 月应允以苏联武器保卫古巴，以为美国不会采取任何措施阻止在古巴部署苏联的中近程和中远程弹道导弹。这些导弹如从古巴发射，可在几分钟内击中美国东部的大部分地区。美国于 1962 年 7 月获悉苏联已开始用船将导弹运往古巴。8 月 29 日，在古巴岛上空飞行的美国 U-2 型间谍飞机发现了新的军事设施和苏联技术人员。10 月 14 日又发现有一枚弹道导弹出现在一个发射场上。

在谨慎考虑美国究竟应立即入侵古巴(或空袭导弹发射场)、封锁古巴岛，还是进一步运用外交手段之后，肯尼迪总统决定对古巴实行海军封锁，以防止再有苏联导弹运入古巴。肯尼迪于 1962 年 10 月 22 日宣布封锁，并警告苏联船只如果企图向古巴运送“进攻性武器及有关器材”，美军将予以扣押。在以后的几天中，苏联开往古巴的船只改变航线驶离这一封锁区。在两个超级大国接近核战争边缘时，肯尼迪和赫鲁晓夫在双方均极度紧张的情况下多次交换信息。10 月 28 日，赫鲁晓夫表示妥协，告知肯尼迪古巴导弹发射场上的工作将停止，已经运入古巴的导弹将运回苏联。作为回报，肯尼迪承诺美国永不入侵古巴。肯尼迪还秘密答应撤走美国前几年已部署在土耳其的核导弹。在以后的几个星期里，两个超级大国开始履行他们的诺言，导弹危机于 11 月底宣告结束。古巴共产党领袖卡斯特罗对苏联在美国的武力面前撤退感到恼火，但亦无可奈何。

古巴导弹危机标志着美苏关系中一个尖锐对抗时期的高潮，同时还标志着这个世界曾经几乎爆发一场全球性的核战争。一般认为苏联在古巴丧失颜面对 1964 年 10 月赫鲁晓夫的下台起着重要作用，并使苏联决心在核力量方面与美国至少形成均势。

cubanite　方黄铜矿　一种铜和铁的硫化物矿物($CuFe_2S_3$)，通常与黄铜矿或磁黄铁矿一起产于高温矿床中，例如在古巴的巴拉坎瑙、加拿大安大略的萨德伯里以及美国新墨西哥的菲耶罗。为斜方晶系不透明的铜黄色或古铜黄色晶体。关于详细的物理性质参阅 **sulfide mineral**(表)。

Cubatão　库巴唐　巴西东南部圣保罗州东部城市。位于大西洋沿岸低地上，在桑托斯港西北 26 千米处。1948 年由桑托斯的几个自治地区组成，现为该州主要香蕉产地和重要工业中心。有大型炼油厂，生产石油、沥青、塑料、合成橡胶、丙烷气和丁烷气以及石油燃料。还有大型钢铁厂和两座大型水电站。最初的消极后果是工业污染，致使该地区有死亡之谷之称；但在 80 年代后期和 90 年代，污染控制和其他环境方面的努力使城市干净整洁。有公路通桑托斯；从库巴唐有公路和铁路向北通往州首府圣保罗。人口约98 322(1985)。

cubic system(crystallography)　参阅 **isometric system** 立方晶系。

Cubism　立体主义　20世纪极有影响的视觉艺术风格，1907 ～ 1914 年间由画家 P. 毕加索和 G. 布拉克在巴黎首创。该画派肯定画面能表现平面和二度空间的面，一反过去

G. 布拉克绘《拿吉他的男人》(1911)
美国不列颠百科全书公司供图

以传统的透视法、远近缩小法、体积表现法、明暗对照法以及许多由来已久的摹拟自然的艺术理论。虽然立体主义艺术仍以自然为其基础，但立体主义画家并非一定要复写自然的形式、组织、色彩和空间。他们通过描绘基本上支离破碎，但前后上下左右几面同时可见的物体，表现了一个崭新的现实境界。立体主义得名于画家 H. 马蒂斯和文艺批评家 L. 沃克赛尔，他们曾讥讽布拉克 1908 年创作的作品《在艾斯塔克的房子》是由立方体组成的。但真正预示这一新风格的是毕加索 1907 年完成的《亚威农的少女》。在这幅画上，5 个裸体少女的形体变成破碎的棱角形体。景物的远近通过色彩反映；红褐的暖色为近，湛蓝的冷色为远。立体主义运动通常可分为两

J. 格里斯绘《百叶窗》(1914)
美国不列颠百科全书公司供图

个阶段。1912 年前被称为分析立体主义。作品多表现景物的割裂或分解状态。画中虽也偶有毕加索《女孩与曼多林琴》(1910)那样的雕刻式形象出现,但最流行的还是直角和直线结构。用色极其简单,有点近于单色(较多用黄褐色、褐色、灰色、奶油色、绿色或蓝色),这是为了不分散观者对画家的基本着眼点(形体结构本身)的注意力。画面经常把表现性主题与文字相混合,以后者强调画家的抽象思维。最偏爱的主题是乐器、瓶子、水壶、玻璃杯、报纸、静物、人脸和人体。1912 年后立体主义运动进入第二阶段,通常称为综合立体主义,因为画家在画中对景物进行合成或综合。此时色彩在画中起了有力的作用,但形体仍是支离破碎的、平面的,只是更大、更富于装饰性。平滑与粗糙的表面可以互为对比。有时还添加外来材料,如把报纸或香烟纸贴在画布上,与所画的部分融合在一起。这种所谓拼贴法进一步加强了画面构图的变化,同时向人们提出了在自然与绘画中何者是现实,何者是幻觉的问题。毕加索和布拉克创造的这种新的视觉语言,被一大批画家所接受并加以发展,如 F. 莱热、J. 格里斯、M. 杜尚等。立体主义虽然主要是一种绘画上的风格,但对 20 世纪的雕刻和建筑也产生了深远的影响。

cubit 腕尺 又译肘尺,又称柯非(covid)。古代许多民族的长度测量单位。腕尺可能在公元前 3000 年前后起源于埃及;随后即普遍用于古代和中世纪世界。腕尺约等于 457 毫米(18 英寸),系根据由肘到伸直指尖之臂长。埃及皇家腕尺(524 毫米或 20.6 英寸)分成 28 指:以 4 指为一掌,5 指为一手,12 指为一小拃,14 指为一大拃,20 指为一小腕尺。巴比伦基本长度单位克斯(kus)也称腕尺,约等于 531 毫米(20.9 英寸)。希腊人用奥林匹克腕尺,等于 24 指。罗马人和古希伯来人也使用腕尺。

Cuchilla Grande 库奇亚格兰德 乌拉圭东部花岗岩丘陵带,是内格罗河流域与米林湖盆的分水岭。库奇亚格兰德(西班牙语,意为大刀)自巴西边境南伸至大西洋沿岸附近,绵亘 350 千米。该丘陵带的高度一般在 600 英尺(180 米)以下,最高点阿塞瓜峰海拔 1 300英尺。西向延伸部分杜拉斯诺的库奇亚格兰德为北面的内格罗河流域和南面的伊河流域的分界线。

Cuchullins, The(Scotland) 参阅 **Cuillin Hills** 库林丘陵。

cuckoo 杜鹃 鹃形目杜鹃科鸟类。常指杜鹃亚科(Cuculinae)和地鹃亚科(Phaenicophaeinae)的约 60 种树栖种类。在西欧,"杜鹃"一词指当地最常见的种(*Cuculus canorus*),该种在别处称为普通杜鹃或欧洲杜鹃。许多杜鹃有别的名称,如**犀鹃(ani)**、**岛鹃(coua)**、**鸦鹃(coucal)**、**圭拉杜鹃(guira)**、**走鹃(roadrunner)**等。鸡鹃亚科的种类称地鹃(参阅

杜鹃(*Cuculus*)
美国不列颠百科全书公司供图

ground cuckoo)。杜鹃科分布于全球的温带和热带地区,在旧大陆热带种类尤多。杜鹃栖息于植被稠密的地方,胆怯,常闻其声而不见其形。许多种类的英文名是按其鸣声定的词,如"brain-fever"bird(久鸣不休的"脑热"鸟,又名鹰鹃,*Cuculus varius*),koel(噪鹃,*Eudynamys scolopacea*),以及 cuckoo(杜鹃)一词,后面两词系拟声词。杜鹃类的体长不一,尖泽鹃(金鹃属[*Chrysococcyx* 和 *Chalcites*])体长 16 厘米,地鹃可长 90 厘米。多数种类为灰褐或褐色,但少数种类有明显的赤褐色或白色斑,金鹃全身大部分或部分为有光辉的翠绿色。有些热带杜鹃的背和翅的羽衣蓝色,有强烈的彩虹光泽。除少数善于迁徙的种类外,杜鹃的翼多较短。尾长(有时极长),凸尾,个别尾羽尖端白色。腿中等长或较长(陆栖类型),脚对趾型,即外趾翻转,趾尖向后。喙强壮而稍向下弯。杜鹃最为人熟知的特性是孵卵寄生性。这种特性见于杜鹃亚科的所有种类和地鹃亚科的 3 个种,表现为产一枚卵于某些种鸟的巢中,靠养父母孵化和育雏。杜鹃亚科的 47 种有不同的适应性以增加幼雏的成活率:如杜鹃的卵形似寄主的卵(拟态),因此减少寄主将它抛弃的机会;杜鹃成鸟会移走寄主的一个或更多的卵,以免被寄主看出卵数的增加,又减少了寄主幼雏的竞争;杜鹃幼雏会将同巢的寄主的卵和幼雏推出巢外。某些杜鹃的外形和行为类似食鸟鹰类(鹰属[*Accipiter*]),潜在的寄主见之害怕,因此杜鹃能不受干扰地接近寄主的巢。非寄生性地鹃,在北美洲的代表是广泛分布的黄嘴美洲鹃(*Coccyzus americanus*)和黑嘴美洲鹃(*C. erythropthalmus*)。小美洲鹃(红树杜鹃,*C. minor*)在美国限见于佛罗里达的南部海滨,也见于西印度群岛、墨西哥至南美北部。中、南美洲还有 12 个种非寄生性地鹃,有些种归属蜥鹃属(*Saurothera*)和松鹃属(*Piaya*)。旧大陆有 13 种非寄生性地鹃,分为 9 个属。非寄生性地鹃在低矮植被中用树枝营轻而薄的巢。雌、雄鸟均参与抱卵育雏。

cuckoo, ground 参阅 **ground cuckoo** 地鹃。

cuckoo roller(*Leptosomus discolor*) **鹃鴗** 又作 courol。马达加斯加和科摩罗斯附近的一种人们对之所知甚少的鸟。外表近似杜鹃,但通常视为鹃鴗科(有时视为佛法僧科

鹃鴗(*Leptosomus discolor*)
美国不列颠百科全书公司供图

的一亚科)唯一的种。体长约 43 厘米。雄鸟上体为绿色,有虹彩光泽,下体灰色;雌鸟上体褐色,下体有棕褐色和黑色点斑。

cuckoo-shrike 鹃䳭 雀形目鹃䳭科(Campephagidae)的数种旧大陆鸣禽。分布于非洲

鹃䳭(*Campephaga*)
美国不列颠百科全书公司供图

到太平洋岛屿的鸦鹃鵙属（*Coracina*，包括*Edolisoma* 属），羽衣灰色，常有像杜鹃那样的横斑或像伯劳那样的面罩样色区（两性相同），故英文名意为鹃伯劳；41 种，其中许多种称作灰鸟。例如，大鸦鹃鵙（大鹃鵙、黑脸鸦鹃鵙，*C. novaehollandiae*），体长约 30 厘米，分布在印度、中国到澳大拉西亚（大洋洲）。鹃鵙属（*Campephaga*）主要是一非洲属，雄鸟呈黑色，有光泽，雌鸟浅褐色，有横斑。如黑鹃鵙（*C. phoenicea*，包括 *C. sulphurata*），体长 20 厘米，有红肩和黄肩两个亚种。非洲的种类有时归入单独的一个 *Lobotos* 属，嘴有垂肉。澳大利亚的细嘴地鹃鵙（*Pteropodocys maxima*）是唯一的非树栖的鹃鵙。

cuckoo spit insect　鹃唾虫　参阅 **froghopper** 沫蝉。

cuckoo wasp　青蜂　又作 ruby-tailed wasp。又称杜鹃蜂。膜翅目青蜂科昆虫，该科是一大科，常见，分布广。仅青蜂属（*Chrysis*）1 000 多种曾加描述。多数小型，很少大于 1.2 厘米。通常绿或蓝色，有金属光泽。腹部可弯曲，受惊时能曲成球形。均为独栖，外寄

青蜂（*Chrysididae*）
美国不列颠百科全书公司供图

生。多寄生于蜜蜂类成虫或黄蜂幼虫身上。*Cleptes* 属寄生于叶蜂幼虫。*Mesitiopterus* 属寄生于竹节虫的卵上。有些种产卵在其他独栖胡蜂或蜜蜂类的巢中，好像杜鹃产卵于其他鸟巢一样，故名。它的卵产在别的胡蜂或蜜蜂类尚未完成的巢内，后来巢主产下自己的卵，贮备好幼虫的食物就封巢而去。青蜂的幼虫把宿主的幼虫吃掉，或者吃掉宿主的食物而把它饿死。

cucujid beetle　扁甲　参阅 **flat bark beetle** 扁小蠹。

cuculiform　鹃形类　鹃形目（Cuculiformes）的鸟类。该目包括两科：杜鹃科（Cuculidae）和蕉鹃科（Musophagidae）。杜鹃科含约 127 种，除南极和某些大洋岛屿外世界性分布，包括东半球和西半球的树栖的典型杜鹃、美国南部和墨西哥的地栖的走鹃（走鹃属［*Geococcyx*］）及非洲和澳大拉西亚的树栖的鸦鹃（鸦鹃属［*Centropus*］）。蕉鹃科含 20 种，仅分布于热带非洲。

体形最小的杜鹃科种类为光泽杜鹃或翡翠杜鹃（金鹃属［*Chrysococcyx*］），体长仅 15 厘米；地鹃（地鹃属［*Carpococcyx*］）和某些鸦鹃可长达 0.9 米。这些种类均体细长，翅长，尾中等长度或极长。喙通常细长，向下弯曲，但地鹃和鸦鹃的喙十分粗壮。犀鹃（犀鹃属［*Crotophaga*］）的喙大而侧扁。除走鹃外杜鹃属的腿均短。所有杜鹃科鸟类的足均为对趾足（外侧的足趾向后）。许多种为灰褐相间，但一些种为鲜艳的绿色、紫色或黄色，并有虹彩光泽。蕉鹃科种类体形较大。翅相对短，成圆形。尾颇长，向尾尖增宽。一般腿长，喙短而强壮，向下弯，颜色通常鲜艳。森林种类的羽衣一般呈鲜艳的绿色或紫色，有虹彩光泽。灌木丛林地的蕉鹃，如走开鸟（灰蕉鹃属［*Crinifer*］），一般为灰色。紫蕉鹃属（*Musophaga*）和冠蕉鹃属（*Turaco*）种类的翅羽上有两种独特的色素——羽红素（含铜的绯红色色素）和羽绿素（一种绿色色素）。几乎所有的蕉鹃科种类头上均有大型羽冠。

鹃形类大多数栖于森林，但有些种栖于其他环境。杜鹃属（*Cuculus*）的种类栖于开阔的林地，而南美洲的圭拉杜鹃（*Guira guira*）和旧大陆属凤头鹃属（*Clamator*）及金鹃属的一些种栖于有一些树木的稀树草原。只有走鹃能见于无树样植被的地方。温带的杜鹃有迁徙性，有些种每次迁徙的距离达 3 200 千米。

杜鹃科的种类几乎均以昆虫为食，少数种属于食多毛毛虫的鸟类之列。体形较大的鹃形类也食蜥蜴、蛇，甚至小型鸟类。已知也食一些果实的鹃形类是马达加斯加的岛鹃（岛鹃属［*Coua*］）。蕉鹃科种类则相反，几乎纯以果实（包括浆果和果仁）为食，但亦食一些昆虫。除群集营巢的犀鹃属和圭拉杜鹃属外，杜鹃科的种类胆小，独栖，而大部分蕉鹃成群吵闹地四处跑动，见到掠食者时发出难以置信的喧闹声音。典型的蕉鹃叫声好似一系列笑声或犬吠声。杜鹃的鸣声亦高，其鸣声包括联系鸣声、警报鸣声和占域鸣声。这些鸣声各不相同，有的悦耳，有的极为刺耳。普通杜鹃（*Cuculus canorus*）的鸣声为人们所熟悉，仅由雄体发出。

杜鹃类的生殖行为令人感兴趣：约 50 种为孵育寄生性，将卵产在其他鸟类的巢内，由养父母孵卵和育雏。杜鹃亚科（Cuculinae）种类和鸡鹃亚科（Neomorphinae）的 3 个种为孵育寄生性。其余的杜鹃科种类和所有蕉鹃科种类以正常的方式营巢和育幼。蕉鹃科种类在树上高处用小枝筑巢。卵的孵化期 16～18 日，幼雏孵出时身上覆以厚层的绒羽，由亲鸟以反胃吐出的果肉喂饲，约 6 周羽毛丰满。具孵育寄生方式的杜鹃类雌体必须在其领域内寻找合适的寄主巢。通常在多个寄主巢内产卵，每个巢内产卵一枚。杜鹃要等到寄主的雌体开始产卵但未开始孵卵时将自己的卵产在寄主的巢中。因为鸟类常常筑新巢，并将巢内发现的不熟悉的东西清除出巢外，某些杜鹃进化出卵拟态现象。例如，若将某具体种类的鸟作为寄主的杜鹃使自己产下的卵与寄主的卵相似，则具有选择性优势。特征性的卵壳花纹是雌性特点，不受雄性影响。寄生性杜鹃的幼雏刚孵出，眼尚不能视，身上尚无绒羽，就会将其他物体，如寄主产的卵和体型小于自己的新孵出寄主幼雏，清除出巢。这是靠它钻到这些物体的下面，将该物推起并挤出巢的边缘，从而清除掉任何可能与之竞争寄主亲鸟带回食物的对手。令人惊讶的是，这种适应性行为并非见于所有寄生性的杜鹃，例如凤头鹃就无此种行为。

cucumber（*Cucumis sativus*）　**黄瓜**　葫芦科一年生攀缘植物。可能起源于印度北部，现广泛栽培食用其果。植株柔嫩，茎被毛，肉质；叶被绒毛，具3～5枚裂片；茎上生有分

黄瓜（*Cucumis sativus*）
美国不列颠百科全书公司供图

枝的卷须，借此缘架攀爬。常见蔬菜中黄瓜需要的热量最多。在北欧广泛栽培，于温室搭架供植株攀缘。在美国气候温和地区，作大田作物种植以及种于庭院。通常是超量播种后疏苗至合适的密度。黄瓜有 3 个品种群：一类果很大，生长旺盛，但仅适应于温室或搭架栽培；一类果大，一般具白刺，室外栽培（主要用于刨片和腌制）；一类果小而带刺，产量高，包括栽培于户外，主要用于腌制，为西印度黄瓜。黄瓜的营养价值不高但风味甚佳，很受欢迎，常用做沙拉和配菜。新鲜黄瓜结实，形状美观，鲜绿色，在冰箱内约可存放两周。

cucumber beetle　黄瓜叶甲　鞘翅目叶甲科萤叶甲亚科的几种重要害虫。体长 2.5～11 毫米，淡绿黄色，有黑色斑点或条纹。条纹黄瓜叶甲（*Acalymma vittata*）的每个鞘翅上

十一星黄瓜叶甲（*Diabrotica undecimpunctata*）
美国不列颠百科全书公司供图

各有两条黑纹，十一星黄瓜叶甲（*Diabrotica undecimpunctata*）鞘翅上有黑斑。这两个种均取食园艺植物，其幼虫食根。长角黄瓜叶甲（*D. longicornis*）绿色，吃玉米的花粉和穗丝，幼虫吃玉米根，俗名玉米根虫。

cucumber fish　海参鱼　参阅 **pearlfish** 潜鱼。

Cucurbitaceae 葫芦科 有花植物堇菜目的一科，约90属，700种，可供食用或观赏。包括葫芦、瓜类、大果南瓜、小果南瓜等。偶或列为单独的一个目——葫芦目。大多数为匍

葫芦科植物的果实
美国不列颠百科全书公司供图

地或以卷须攀缘的一年草本植物，原产于温带及热带，不耐霜，不能生长于寒冷的土壤中。多数种类对接近冰点的低温敏感，因此其地理分布及栽培区域有限。该科包括重要经济作物南瓜、黄瓜、西印度黄瓜、西瓜、甜瓜、夏南瓜、冬南瓜、佛手瓜、香蕉瓜、小果南瓜、葫芦等。葫芦科植物的果实营养价值一般不高，唯一的例外是冬南瓜（笋瓜，*Cucurbita maxima*）、南瓜（*C. moschata*）、西葫芦（*C. pepo*）等的一些栽培品种。本科植物生长快，叶掌状，柄长，互生。多为单性花，生子叶腋，花瓣5枚，白色或黄色。雄花雄蕊5，雌花心皮5。一年生种类叶柄一侧生有独枝或分枝的螺旋状卷须，多数植物学家认为这是枝的变态。果为瓠果，形多大，肉质，外果皮坚韧，种子数多。

Cúcuta 库库塔 哥伦比亚东北部北桑坦德省省会。1733年建立。1875年被地震摧毁，后又重建，有公园和宽广的大道。附近农（主要是咖啡和烟草）牧业区的中心，有许多

库库塔市的圣何塞大教堂
美国不列颠百科全书公司供图

小工业。也是离北部油田最近的城市。设有弗朗西斯科·德·保拉·桑坦德尔大学(1962)。该市以走私活动闻名，有公路（包括泛美公路）、铁路、水路和航空线与外界相通。人口约450 300(1992)。

Cucuteni-Tripolye culture 库库泰尼-特里波利耶文化 约公元前3000年在乌克兰的谢列特河与布格河之间地区兴起的欧洲新石器时代文化，曾扩展到第聂伯河流域。陶器特点为红陶或橙红陶，表面饰有彩绘或凹刻的曲线纹。居民住在建有长方形房屋的村落中，房屋间或排列成同心圆形。特里波利耶人从事轮垦农业，经常迁徙。

cudbear 地衣红 紫色、红色或浅蓝色的染料。与苔色素类似，用于成药着色。也指由这种染料染出的颜色而言。制取这种染料的地衣，如肉疣衣属（*Ochrolechia*）、染料衣属（*Roccella*）、茶渍属（*Lecanora*）的种类也俗称地衣红。

Cuddalore 古德洛尔 印度东南部泰米尔纳德邦东北部城镇。临孟加拉湾。位于邦奈亚尔河及其支流加迪拉姆河汇合处。城名源于"库塔尔乌尔"一词，意即"汇合处"。古代为港口。1682年英国东印度公司获贸易权后，该港发展迅速。后由于马德拉斯港兴起而衰落。现为泰米尔纳德邦第四大港。主要与马来西亚和新加坡通商。渔业与造船业在缓慢发展中。设有马德拉斯大学的一个学院。人口约143 774(1991)。

Cuddapah 古德伯 印度南部安得拉邦西南部城市。城名源于泰卢固语"卡达帕"一词，意即"门户"。因该城当蒂鲁伯蒂的斯里文卡特什瓦拉神圣塔山的北面门户，故得名。三面丘陵环抱。为一农业区中心。设有斯里文卡特什瓦拉大学的几所分院。古德伯县地处东高止山。主产花生、棉花和瓜类。开采细纹灰岩石块，用作桌面和铺地砖。人口：市约121 422；都会区约215 545(1991)。

Cudworth, Ralph 卡德沃思（1617，英格兰萨默塞特阿列尔～1688-06-26，剑桥郡剑桥）英格兰神学家和伦理哲学家，对剑桥柏拉图哲学进行系统阐述的主要人物。他原受清教徒的教育，采取了一些非国教的观点，如他认为教会的行政管理和宗教习俗应当实行不干涉主义，由各单位独立负责，而不能实行独裁主义。1639年当选为剑桥大学研究员，3年后写出第一部作品《论最后的晚餐之真正意义》和小册子《基督和教会的结合》。1645年被任命为剑桥克莱尔学院院长。在该院又被一致推选为钦定讲座的希伯来语教授。1647年3月在下院讲道，这篇大量印行的布道文表达了他对政府的清教主义日益强烈的反对。1650年离开剑桥，到萨默塞特的北卡德伯里任教区长，1654年又返回剑桥任基督学院院长，直到去世。他的第一部重要著作是《真正理智的宇宙体系——第一部分：全部理性与无神论哲学在何处何时被驳倒，并论证其不可能性》(1678)。此书在神学界引起强烈反对。约翰·德莱顿在他的评论中谈到它造成的冲击时指出，卡德沃思"对上帝和天意的存在提出如此强烈的反对，以致许多人认为他未曾回答他们"，尽管这样的回答正是卡德沃思的目的。这一作品的第二部分《论道德上的善与恶》和第三部分《论自由与必然》并未出版，而只有手稿的断片留存。在伦理学方面，他的杰出作品是《论永恒不变的道德》。此书目标在于反对清教派加尔文主义，反对勒奈·笛卡儿所谈论的神的无所不能，并反对霍布斯把道德归结为有礼貌的服从。卡德沃思强调一个事件或一个行动所固有的自然的善或恶。这同加尔文和笛卡儿的神圣法则的概念或者同霍布斯的世俗君主的概念形成鲜明对比。他写道："事情所以是它们那个样子，并不是出于意态而是出于自然。"这一前提使得他提出这样一种伦理学体系，它强调理想生活合理的、自发的、公正的和大公无私的性质。

cueca 库依卡 全称扎马库依卡(zamacueca)，又作 marinera。智利、阿根廷北部和秘鲁（当地称麦里奈拉）的民间舞蹈。西班牙殖民时期的一种求爱舞蹈，在快速、节奏性强的吉

库依卡
美国不列颠百科全书公司供图

他声中表演。跳舞的各对舞伴彼此追逐和躲避，在对方身边穿插和绕圈，挥舞手帕。智利水手把这种舞蹈带到墨西哥，通称智利舞。

cuejo (bird) 库耶霍夜鹰 参阅 **pauraque 帕乌拉凯夜鹰**。

Cuenca 昆卡 全称 Santa Ana de Cuenca。厄瓜多尔中南部阿苏艾省省会。位于山间盆地中，海拔2 596米。1557年在图米南美大草原前印加帝国统治者官邸的故址上建立的西班牙殖民城市。1999年昆卡历史中心被联合国教科文组织列入世界遗产名录。现为厄瓜多尔南部大部分地区的商业中心和全国第三大城，经营农产品、牛、皮革和大理石等贸易。主要有制造巴拿马草帽、纺织品、花边、皮革制品、珠宝和食品等工业。印第安人每周一次的集市，不仅有重要的经济作用，也是受欢迎的旅游聚会。市西有低品位的铜矿。著名的西班牙殖民时期建筑有康塞普西翁修道院(1599年建立)和卡梅利塔斯·德斯卡尔萨斯修道院(1682年建立)。1786年成为一个主教教区，1957年提升为大主教教区。设有昆卡大学(1868)和公教大学(1970)。146千米的瓜亚基尔—基多铁路的南延支线通到昆卡，泛美公路穿过该市。人口约277 374(2001)。

Cuenca 昆卡 西班牙中东部卡斯蒂利亚-拉曼查自治区省份。1833年由新卡斯蒂

利亚古王国分离出来。面积17 061平方千米。地处中央高地南部。多山，人口密度小。大片土地尚未开发。中、东部为昆卡山区，覆盖着针叶林并有草场。北部为起伏的阿尔卡里亚丘陵地带，气候干旱，年降雨量不足500毫米。南部是拉曼查平原边缘。西部有阿尔塔米拉山。有胡卡尔和塔古斯两河流经省会昆卡附近石灰岩侵蚀地区的深谷。经济以农业（谷物、葡萄、橄榄、番红花、水果）为主。主要自然资源为木材。有牧羊业。出口蜂蜜、蜂蜡、羊脂及羊毛。人口约215 975(1982)。

Cuenca　昆卡　西班牙昆卡省城市、省会。地处胡卡尔河与韦卡尔河汇流处一金字塔形状小山上。初由罗马人创建。1177年由卡斯蒂利亚国王阿方索八世从摩尔人手中收复。1182年成为主教教座。中世纪时为文化和纺织业中心。19世纪时城市扩展，形成新旧两城。有制革、锯木、造纸和面粉业。有家具、肥皂、皮革羊毛等制品。保存有13世纪教堂。建有省考古博物馆和西班牙抽象艺术展览馆。人口约39 860(1982)。

Cuenca carpet　昆卡地毯　位于马德里和巴伦西亚之间的昆卡城的手织西班牙铺地用品。主要生产于17和18世纪，但也有后来编织的。一般较阿尔卡拉斯地毯粗糙，质地较重；部分或全部毯底为麻织，某些后期产品拴土耳其吉奥狄斯式扣。18世纪有时使用樱桃红，通常用色单调模糊，犹如已经退色，但是有些近期地毯配色鲜明。

Cuera（Switzerland）　参阅 **Chur** 库尔。

Cuernavaca　库埃纳瓦卡　墨西哥中南部莫雷洛斯州首府，地当墨西哥城正南60千米处。在阿胡斯科山库埃纳瓦卡谷地。曾是印第安特拉维卡人的首都，约1521年被西班牙征服者科尔特斯占据，改今名。市内有科尔特斯宫（约1531年建，现为莫雷洛斯州政府

库埃纳瓦卡市的科尔特斯宫
美国不列颠百科全书公司供图

所在地）和方济各会大教堂(1529)。18世纪银业巨头何塞·德拉博尔达在此建花园别墅。后为马克西米连皇帝及卡洛塔皇后休养地。以后，墨西哥富翁和国际知名人士接踵而来，使这里成了闻名遐迩的休养胜地。也是农业和工业中心。当地作物有玉米、豆类、小麦和各种水果。园艺和养蜂业颇盛。工业有酿酒、面粉、水泥和纺织。设有莫雷洛斯大学(1953)。有高速公路通墨西哥城。通窄轨铁路。人口330 000(2000)。

cuesta　单面山　西班牙语cuesta意即“山坡”。又称单斜岭(homoclinal ridge)，指一面为陡坡或悬崖，另一面为缓坡或背坡的地形。出现在地层翘起的地区，由坚硬的盖顶层和形成峭壁的下伏软弱层的差异性风化侵蚀造成。倾斜坡角度为40°～45°的单面山，一般叫猪背岭。单面山的陡坡往往切割成为沟壑累累、谷壁陡峭、崎岖不平的地带，因顺陡坡面奔腾而下的短溪流，有巨大的侵蚀力。背坡常常是平缓的。单面山常见于美国，较著名的在亚利桑那州和新墨西哥州以及大西洋、墨西哥湾沿岸。

Cueva (de Garoza), Juan de la　库埃瓦（约1550，塞维利亚～1610，西班牙？）　西班牙剧作家、诗人。最早脱离古典主义形式和使用民族历史题材的作家之一。库埃瓦的剧本选集《喜剧和悲剧集》(1583)。包括剧本《埃阿斯·忒拉蒙的悲剧》和《弗吉尼亚之死》，系依据希腊、罗马题材写成。他更擅长于改编西班牙传说和民谣。他的《拉腊七个王子的悲剧》和《堂桑乔王之死》，后来为洛佩·德·维加和浪漫主义小说家所采用。其他重要作品有神话闹剧《罗马的袋子》和《诽谤者的喜剧》(1581)等。

cuff link　袖口链扣　装饰性小物件，通常是一对连接在一起的鸳鸯扣或带有扣杆或扣柄的单个纽扣。可穿过两个纽孔，把衬衫或上衣的袖口扣住。造型变化多样，目前其式样已不限于纽扣，材料也可任意选用。

Cufra（Libya）　参阅 **Kufrah, al-** 库夫拉绿洲。

Cugnot, Nicolas-Joseph　居纽（1725-09-25，法国普瓦德～1804-10-02，巴黎）　法国军事工程师，设计并制造了世界上第一辆巨大而沉重的以蒸汽为动力的三轮机动车。“七年战争”时，他在奥匈帝国的军队里服役。1763年回到巴黎，从事军事论文写作，并摸索试制他在战时所设想的一些发明。他先后于1769和1770年造了两辆用蒸汽驱动的火炮牵引车，其中第二辆现仍保存在巴黎的国立工艺美术学院。车上装的双活塞蒸汽机与T.纽科门和J.瓦特的发明无关，是居纽直接根据法国物理学家D.帕潘的理论独立设计的。这是第一台不经压缩的高压蒸汽机。车架安装在三个轮子上，由前边的一个轮子完成操纵和驱动功能。虽然因供水和保持压力的问题严重地妨碍了蒸汽牵引车的使用，但它毕竟证明了以蒸汽为动力来牵引是可行的。

Cui, César (Antonovich)　居伊（1835-01-18，俄罗斯帝国立陶宛维尔纳～1918-03-24，俄国彼得格勒[圣彼得堡]）　俄国歌剧、歌曲、钢琴音乐作曲家，音乐评论家与军事工程师。与鲍罗丁、巴拉基列夫、穆索尔斯基、里姆斯基-科萨科夫一起被称为俄罗斯音乐的“五人团”。其父为法国军官，在拿破仑的1812年战役中被俘，战后留在俄国；其母为立陶宛人。自幼开始写作，模仿肖邦，并学习作曲。1851年在圣彼得堡入工程学校。1855年入军事工程学院，1857年任该校讲师，1878年成为防御工事教授。退休时为陆军中将。与巴拉基列夫及另一民族主义作曲家达尔戈梅日斯基的友谊使他对音乐发生兴趣，开始大量作曲。他虽无俄罗斯血统，却成为一位激烈捍卫俄罗斯民族主义的报刊评论家。1864～1877年任《圣彼得堡公报》音乐评论员，后去比利时和法国，宣传俄罗斯音乐，获得成功，尤以所著《俄罗斯音乐》(1881)一书引人注目。但他自己的音乐作品却缺少俄罗斯风味。10部歌剧中仅第一部《高加索的囚徒》(1883年上演)、最后一部《船长之女》(1911)及独幕剧《瘟疫时刻的宴席》(1901)采用俄罗斯主题，取材于普希金的作品。他很快就转向法国作家雨果、黎施潘、大仲马、莫泊桑、梅里美，以他们作品为其创作之源。他的两部比较成功的歌剧取材于海涅的《威廉·拉特克利夫》(1869)和莫泊桑的《菲菲小姐》(1903)。居伊最拿手的是小型曲式，尤以短小钢琴曲和歌曲最为出色。

Cui Bai　崔白　又拼Ts'ui Pai。中国北宋(960～1127)画家。字子西，濠梁（今安徽凤阳东）人。工画花鸟，虽以败荷凫雁得名，然于佛道、鬼神、山林、人兽，无不精绝。黄筌

崔白绘《双喜图》
中国大百科全书出版社供图

父子画风统治北宋画院花鸟画已逾百年，到崔白及其弟子吴元瑜变格之后，才出现新的面貌。宋神宗对他深为赞赏，要他来画院供职，他性格豪放，力辞不就。后被允许非有皇帝特旨不轻易作画，才勉强任职。他的花鸟画描绘的对象较黄家画派广阔，画法较黄家画派生动，多写江湖郊野风雪交加，惊挺激动气氛中的景物。笔力雄健顿挫，多变化；着色清新雅淡；更重视鸟兽与自然景物之间的相互联系；并经常注入人的情感，表示对禽鸟生命力的赞美。他还喜作大图，显得气势更加雄壮生动。王安石、苏轼都有诗对他深加赞美。其弟崔悫、弟子吴元瑜亦能“变世俗之气，所谓院体者”。《宣和画谱》记载共收他们三人的作品有497幅之多，今只见崔白《双喜图》、《竹鸥图》与《寒雀图》三图传世，均谱奏出秋冬之际郊原中激动人心的乐章。石刻《布袋罗汉图》，上有苏轼题赞，传亦崔白所

作。此外,还有他的南宋缂丝花鸟一幅。

Cuiabá 库亚巴 巴西西南部马托格罗索州首府。濒临库亚巴河。海拔165米。1719年建立,1727年建镇,1818年建市。农业和畜牧业为主要经济活动。也是橡胶和椰子的收购中心。有热电厂和水电站。市内有马托格罗索联邦大学(1970)。乘船可达科伦巴,有公路通大坎普、巴西利亚、波多韦柳和里奥布朗库。人口475 632(2000)。

Cuiabá River 库亚巴河 在巴西马托格罗索州中部。源出西罗萨里奥东北,向南一西南流480千米后,汇入圣洛伦索河。汇流后的河流有时也被称为库亚巴河,经巴拉圭泛滥平原,注入巴拉圭河。该河为马托格罗索州和南马托格罗索州界河。源头发现金矿。

Cuicatec 奎卡特克人 墨西哥瓦哈卡州东北部的中美印第安人,居住区为丘陵地带,部分干旱不毛,部分多雨;其北邻是**马萨特克人**(**Mazatec**);东邻是**奇南特克人**(**Chinantec**);南邻是**米斯特克人**(**Mixtec**)。奎卡特克人的语言称为奎卡特克语,属于米斯特克语族。奎卡特克人务农,主要种植玉米、豆类、南瓜和辣椒。饲养鸡和火鸡,是肉食的主要来源。村庄为半集合式,住房有茅草顶和枝条墙或苇草墙。精于制陶,也制作篮子、绳索和鱼网。衣着因时而异,不过现在绝大多数服装都是机制布料缝制的。奎卡特克人崇拜当地的偶像和一个称为山林之王的神灵,他们相信有些恶鬼和小精灵居住在洞穴及山上。奎卡特克人有结成仪式亲的习俗,并有一种与之有关的洗手仪式,互相需馈赠大量礼物。少数奎卡特克人已改信天主教。

Cuihengcun 翠亨村 中国广东省中山市南朗镇辖村。位于市东南部,东濒珠江口伶仃洋。面积40平方千米。四面环山,峰峦挺秀,林木苍翠,溪水潺流。相传清康熙年间(1662～1722),蔡姓人在此建村,因村近山坑,人称蔡坑村。后人见山林青翠,且"翠亨"与"蔡坑"方言谐音,于道光初改称翠亨。翠亨村因孙中山在此诞生而负盛名。为纪念中国革命先行者孙中山,除保留孙中山故居外,还建有陈列馆和纪念亭。孙中山故居为中国重点文物保护单位,居室内家具陈设保持着当年式样,有宋庆龄题写的"孙中山故居"金色大字。每年都有大批海内外游客前往参观、访问、旅游。人口724(1992)。

Cuilapa 奎拉帕 又称夸欣尼奎拉帕。危地马拉东南部城市。在中央高地南侧。海拔889米。1913年为地震所毁。1920年重建,主要以其咖啡、甘蔗种植园和加工厂闻名。通泛美公路。人口:市8 495(1981);城市区22 438(1994)。

Cuillin Hills 库林丘陵 又作The Coolins或The Cuchullins。在苏格兰大西洋沿岸斯凯岛中南部。为英国最陡峭的山群。有15座高逾900米的山峰及黑库林斯、红库林斯两条主要山岭,后者在南部科鲁什克湖附近。

cuirass 胸甲 保护腰部或臀部以上躯体的护身甲。开始时,胸甲是遮蔽从颈部到腰部的厚皮革装具,包括胸铠和背铠,用皮带及纽扣连在一起,还有护喉的颈甲。古希腊时代用青铜制造胸甲,罗马帝国军队的军官使用皮革或金属的胸甲。以后胸甲改用钢制造。后来的防弹衣是从胸甲发展而来的。

Cuisian Stage 屈斯阶 西欧始新世(始于约5 400万年前,延续约1 600万年)的年代地层单元。位于路特阶之下,伊普尔阶之上。因法国的屈斯而得名。该地屈斯阶的地层大都为砂层。在法国,该阶曾被认为与伊普尔阶同期不同相。在英国,则以伦敦盆地中的下巴格肖特层和汉普群盆地中的下布莱克尔瑟姆层下部为代表。

cuisine 烹饪 任何一地区或民族的食品及其传统的制作方法。形成烹饪法的主要因素是气候、原料、经济条件、宗教信仰以及法令的限制。气候影响到燃料供应,中国烹饪的特征是,将食品切成小块后再烹调,以节省时间和薪炭。为冬季食用而经腌、熏、烤、晒处理的食品,以它们多变的口味一直在世界烹饪中占有重要地位。世界食品烹饪因各地常用的原料,特别是谷物和烹调油不同而有差异。中南美洲以玉米为主要食物;北欧以小麦、黑麦和动物脂肪为主;南欧普遍食用橄榄油、稻米;意大利北方的烹饪特点是以牛油和稻米为主;南方正相反,是以面食和橄榄油为主。在中国,同样分吃稻米的地区和吃面食的地区。中东和地中海各地区以食用羊羔肉、橄榄油、柠檬、辣椒和稻米为共同特点。印度以素食为主,豆类如鹰嘴豆、扁豆与小麦和稻米同等重要。从印度到印度尼西亚,以大量使用作料为特点,整个地区把椰子和海味既当食品又当调味品。饮食习惯反映着经济上和不同阶层的差异,高级厨师的烹调技术和普通家庭简单菜肴的制作有着天壤之别。食物的爱好亦是形成地区文化习俗的因素。

Cuitláhuac 奎特拉瓦克(?～1520-10,今墨西哥城附近特诺奇蒂特兰) 又作Quetlavaca。阿兹台克人第10代皇帝。1520年6月继其兄蒙提祖马二世之位。他举兵反对西班牙占领特诺奇蒂特兰城,1520年6月30日在H.科尔特斯的军队撤出该城时将其大部消灭。他在4个月执政时期中设法建立反西联盟,但由于阿兹台克人为其他印第安人所仇视,未能成功。他在被西军围攻的特诺奇蒂特兰城死于天花。其侄考乌特莫克继位,为阿兹台克人末代皇帝。

Cuitzeo, Lake 奎采奥湖 墨西哥中南部米却肯州湖泊。在中央高原,海拔1 821米。面积大小随降水量多少而变,通常面积约410平方千米。湖滨为农业区和著名游览区。在州首府莫雷利亚以北31千米。有公路和铁路可达。

Cujavia(Poland) 参阅 **Kujavia 库亚维亚**。

Cukor, George (Dewey) 丘克(1899-07-07,美国纽约州纽约市～1983-01-24,加利福尼亚洛杉矶) 美国电影导演。在指导演员,尤其是女演员方面的复杂技巧和对细节的高度注意,使他在50年间拍出许多高质量的影片。从1918年起就担任助理舞台监督,后在罗切斯特和纽约任舞台导演。1929年,即电影刚刚跨进有声片时代时去到好莱坞。他曾在影片《爱情河》(1929)和《西线无战事》(1930)中担任对白导演。《失贞妇》(1931)是由他自己导演的第一部影片。他获得的第一次重大成就是1933年拍摄的《小妇人》。他在商业上和艺术上都十分成功的影片有:《八时会餐》(1933)、《大卫·科波菲尔德》(1935)、《西尔维亚·斯加莱特》(1936)、《茶花女》(1936)、《罗密欧与朱丽叶》(1936)、《假日》(1938)、《女人》(1939)、《费城故事》(1940)、《守卫火焰的人》(1942)、《煤气灯下》(1944)。战后的成功作品主要是由S.屈赛和K.赫伯恩主演的喜剧片,如《亚当的肋骨》(1949)和《帕特和麦克》(1952)、《一个明星的诞生》(1954)、《贾斯廷》(1969)。他1964年拍摄的《窈窕淑女》获得奥斯卡金像奖。

Cūlavaṃsa 《小史》 锡兰编年史书,叙述4～16世纪锡兰岛(今斯里兰卡)的历史。一般认为是《大史》的续篇。全部用佛教圣语巴利文写成,表现出种种史诗风格。其中叙述12世纪末的锡兰历史部分可能出自13世纪僧人达马基蒂之手。

Culbertson, Ely 卡伯特森(1891-07-22,罗马尼亚普洛耶什蒂～1955-12-27,美国佛蒙特布拉特尔伯勒) 美国早期定约桥牌权威。后放弃牌戏去为世界和平而工作。其父为美国石油勘探家,他幼年随父住在俄国,后在瑞士和巴黎学习。青年时在俄国高加索地区、墨西哥和西班牙从事革命活动。他父亲的财产在俄国革命中丢失,后移居美国。他早年就读耶鲁大学,当过报童、建筑工人、工会领袖和赌徒。年轻时即精通桥牌,1929年创办《桥牌世界》杂志。30年代初与其妻墨菲共同参加桥牌比赛,此外还教授桥牌,发表桥牌著作,为多家报纸桥牌专栏撰文。30年代后期,战争危机加深,乃退出桥牌界,重新从事政治活动,创立世界联合会。1946年创立促进联合国改革公民委员会。1943年著《全面和平》,1946年著《我们必须同俄国打仗吗?》。

Culebra Cut(Panama) **库莱布拉水道** 参阅 **Gaillard Cut 盖拉德卡特**。

Culebra Island 库莱夫拉岛 波多黎各的岛屿。长约11千米,宽约3千米,面积26平方千米。东南部的深水湾格兰德港在1975年前为美国海军基地,地势起伏,土壤瘠薄,无常年性河流。居民甚少,以放牧、捕鱼为生。人口1 542(1990)。

Culiacán 库利亚坎 墨西哥西部锡那罗亚州首府。在狭小的沿海平原,海拔84米。濒临库利亚坎河。建于1531年。殖民时期早期为西班牙探险队基地,起过重要作用。灌溉系统使农作物多样化,产玉米、甘蔗、烟草、水果和蔬菜。市内有锡那罗亚自治大学(1873建立)。有铁路通瓜伊马斯港,位于泛美公路干线上。人口415 046(1990)。

Culion Island　库利昂岛　菲律宾中西部卡拉绵群岛(**Calamian Group**)中的一岛。面积389平方千米。1906年建为医治麻风病的"库利昂隔离区"。出产大米、椰子。主要居民点库利昂在岛的东北岸。人口4 785(最近统计)。

Cullen, Countee　卡伦(1903-05-30,美国肯塔基路易斯维尔?～1946-01-09,纽约州纽约)　美国诗人,哈勒姆文艺复兴(**Harlem Renaissance**)的最优秀诗人之一。幼时由一妇女,可能是他的祖母抚养,15岁时由塞勒姆美以美会卡伦牧师非正式收养,该教会是哈勒姆地区信徒人数最多的教堂之一。他曾在全市学生诗歌比赛中获胜,获胜的诗篇被广泛翻印,在纽约大学(1925年获文学士学位)就读期间他曾获得宾纳诗歌奖并被选入优等生联谊会。美国一些主要文学杂志经常刊载他的诗。大学毕业前出版第一部诗集《肤色》(1925),获评论界好评。1926年获哈佛大学文学硕士学位,任《机会》杂志助理编辑。1928年,获古根海姆奖学金离美赴法进修前,他与杜波伊斯的女儿约兰德结婚(于1930年离婚)。在出版《黑人基督及其他诗篇》(1929)后,卡伦作为诗人的声誉日渐降低。从1934年直至去世前他一直在纽约市公立学校任教。他的主要作品还有《古铜色的太阳》(1927)、《棕色姑娘之歌》(1928)和《美狄亚及若干诗篇》(1935)。他的长篇小说《通往天国之路》(1932)描写了哈勒姆区的生活。

Cullen, Paul　卡伦(1803-04-29,爱尔兰基尔代尔郡巴利托尔附近～1878-10-24,都柏林)　天主教都柏林大主教、第一位爱尔兰籍枢机主教。1829年受神职为司铎,1850年任阿马大主教。他在当时爱尔兰全国激烈争论的教育问题上采取强硬态度。在1850～1852年的民族主义运动中,发挥重要作用。1852年5月到都柏林,与极端民族主义分子意见分歧。他愈益不信任民族运动。1853年禁止神职人员公开参与政治。1866年任枢机主教。在1869～1870年第一次梵蒂冈会议上坚持教皇一贯正确论。

Cullen, William　卡伦(1710-04-15,苏格兰拉纳克郡哈密尔顿～1790-02-01,爱丁堡附近柯克纽顿)　苏格兰医生、医学教授,以其富有革新精神的教学方法而著称。曾于格拉斯哥大学及新建立的爱丁堡大学医学院学习,后回哈密尔顿。他开业8年,对贫困患者不收诊费。1740年获格拉斯哥大学医学博士学位。数年后获准独立讲授一系列化学和医学课程,这在英国是第一次。1751年被选为格拉斯哥大学医学教授。1755年回爱丁堡大学,后被任命为医学理论研究所所长,最后成为该所唯一的医学教授,直至去世前不久,他一直担任这一职务。卡伦认为,生命是神经能的一种功能,肌肉是神经的延续。他创立一个有影响的疾病分类系统,将疾病分为4大类:发热性疾病、神经症、恶病质及局灶性疾病。但他以富有革新精神的教学方法和有说服力的、鼓舞人心的讲学最为著名,他的讲课吸引了整个英语世界的学生来到爱丁堡。他也是最早用英语而不是用拉丁语讲课的人之一。他将临床课移到医院内讲授,他用自己的笔记而不用课本作为教材。

Cullinan diamond　库利南钻石　世界上最大的宝石级金刚石。1905年发现时,粗略估计重量约3 106克拉,产地为南非德兰士瓦的普雷米尔矿山。是以3年前发现这个矿山的T.库利南的姓氏命名的。这块无色的宝石由德兰士瓦政府购买,并在1907年作为礼物赠给当时的英王爱德华七世。由I.J.阿塞尔和以切割埃克塞尔西奥钻石(**Excelsior diamond**)闻名的阿姆斯特丹公司切割成9颗大钻石和约100颗小钻石。在库利南发现该钻石之前,埃克塞尔谢钻石一直被公认是最大的金刚石。库利南金刚石加工琢磨的钻石全部无瑕,现在是英王室的宝石的一部分。库利南金刚石被琢磨,其中两颗最大的有名钻石是:较大的一颗钻石叫非洲之星,或称库利南1号,重530.2克拉,被加工成梨形宝石,镶在英国国的王权杖上;另外一颗钻石叫库利南2号,有时也叫2号非洲之星,镶在英帝国冠上,重317克拉。

Culloden, Battle of　卡洛登战役(1746-04-06)　又称德洛莫锡战役。"1745年叛乱"的最后一战。在这次战役中,小王位觊觎者C.爱德华所率领的詹姆斯党人为坎伯兰公爵W.奥古斯塔斯指挥的英军所败。卡洛登是苏格兰因弗内斯郡的一片高沼地,德洛莫锡沼泽地的东北部分,在因弗内斯以东约10千米处。这次战役仅进行40分钟,詹姆斯党人因众寡悬殊而遭惨败。爱德华手下5 000名虚弱挨饿的苏格兰高地军被打死约1 000名,而9 000名英军仅损失50名。英军一方面从正面炮轰,一方面对高地军的虚弱部分展开白刃战。结果,高地军奔阵溃逃,爱德华在苏格兰流浪5个月后逃往法国,流亡一生。卡洛登战役标志着詹姆斯党人复辟斯图亚特王朝的企图彻底破灭。

Culmann, Carl　库尔曼(1821-07-10,莱茵巴拉丁领地贝格察伯恩[德国]～1881-12-09,瑞士苏黎世)　瑞士工程师,他的结构图解分析法已被广泛地应用于工程和力学方面。1841年成为巴伐利亚州文职人员,任霍夫铁路工程局见习桥梁工程师,1855～1881年在苏黎世瑞士联邦理工学院任工程学教授。1864年考察了控制瑞士季节性山洪暴发的问题,并写了一份有价值的报告。他最重要的著作《图解静力学》(1865),对所有解决静力学问题的图解法作了概括的研究,为图解法作为一门严密科学奠定了基础。

Culpeper's Rebellion　卡尔佩珀起义(1677～1679)　早年北美卡罗来纳北部阿尔贝马里地区由于宗主政府强制推行英国航运条例而引起的反宗主统治的群众起义。这些贸易法规禁止殖民地居民在英格兰以外开辟自由市场,并对商品征收重税。殖民地居民的愤懑集中到副总督兼收税官T.米勒身上。在J.卡尔佩珀和G.杜兰特的领导下,起义者把米勒和其他一些官员关押起来,并召开自己的议会,推选卡尔佩珀为总督,出色地行使政府的一切职权达两年之久。卡尔佩珀后被宗主撤职,以叛国和擅用公款罪受审,但未被治罪。

Culpepper, John Culpepper, 1st Baron　参阅**Colepeper, John Colepeper, 1st Baron** 科尔佩珀。

Culross　卡尔罗斯　苏格兰风景秀丽的小自治市(1588)。在法夫行政区,濒临福斯湾北岸。城市具有典型的16、17世纪苏格兰建筑风格。有宫殿(1611)、隐修院(1608)、市政厅和收藏当地各种家具和陶器的陈列馆。人口460(1991)。

culteranismo　夸饰主义　西班牙文学中一种追求典雅深奥的运动,旨在运用古典的典故、词汇、句法、字序,以及重新拉丁化的方法,把诗歌的语言和主题加以提高。夸饰主义是由L.卡里略-索托马约1611年在他的著作《诗学之书》中宣布为一种理论的,在17世纪L.de贡戈拉-阿尔戈特的诗中达到高潮。贡戈拉在他的作品《孤独》(1613)中表现的复杂意象,独特的语法结构,以及隐晦的神话典故,把夸饰主义引向极端,致使贡戈拉主义在西班牙语中与矫揉造作的文学同义。经过300年几乎普遍的嘲笑以后,夸饰主义在20世纪初被西班牙的先锋派诗人重新发现,认为是诗歌表现的一种有效方法,而贡戈拉也被现代评论家重新评价为西班牙最伟大的诗人之一。

Cultivation System (Indonesian history)　参阅**Culture System** 定植制度。

cultivator　中耕机　作物成长后,为作物周围松土以消灭杂草、促进作物生长而设计的农业机械或机具。19世纪中叶,使用马拉式中耕机。到1870年,一个农民用两匹马拉一种能跨在作物垅上用松土铲翻土的机械,一天可耕地6公顷之多。20世纪,由于拖拉机取代了马匹,单机中耕的行数,已具有与多行播种机同样的能力。典型的松土铲,短而窄,表面略微弯曲,其尖端的材料为钢。铲的前表面被抛光,越光滑则挖入土壤时就越省力。每一组(在一个悬架上)松土铲的种类和数量,取决于农作物和土壤的特点。旋转式锄机用于谷物、棉花、大豆、马铃薯和小颗粒谷物的早期耕作,机后拖有旋转锄多达12组,每组装有多个圆盘式锄,整机锄地宽度达12米。旋转锄可把大土块打碎并把草本植物主茎切碎。簧齿除草耙有轻的簧齿,簧齿弹动可除去浅根杂草,而不损伤正在生长的作物。因此,它能在早期的多排作物上直接进行除草。杆式除草中耕机用于开垦荒地除草,其工作部件为一正方形断面的杆,在地表面下几英寸深处进行旋转除草。休闲地除草耕耘机,主要部件为一轻而薄的犁,并配备有簧齿、挖掘铲或箭形耕耘铲。

cultural anthropology　文化人类学　人类学的一个主要分支学科,探讨人类文化的所有方面,使用考古学、人种志、人种学、民俗学、语言学的方法、概念、资料对全世界不同民族作出描述和分析。

现代文化人类学作为一个研究领域来说，始于大发现年代，当时技术上先进的欧洲文化同各种传统文化接触频繁而广泛，欧洲人对那些传统文化的绝大部分都毫无区别地贴上“未开化”或“原始”的标签。到19世纪中期，世界不同文化的起源及世界不同民族及其语言的分布、渊源等问题，成为西欧学者深感兴趣的研究对象。达尔文在此之前提出的进化概念以及他的《物种起源》一书在1859年出版，都对这一项有关许多社会和文化长期发展的研究工作起到很大的促进作用。

到19世纪晚期，人类学的研究中以直线连续性的历史发展概念占主导作用，认为所有人类群体都经过**文化演进(cultural evolution)**的各个特定阶段，自“未开化”状态到“不文明”状态，最后达到“文明人”亦即西欧人的状态。20世纪开始时，这种西欧、北美早期人类学者的强烈文化偏见逐渐被抛弃而代之以一种更富于多元论和相对论色彩的观点，把每种人类文化都看做一项独特的产物，是受自然环境、文化接触以及其他各种因素所制约的。由这种研究方向便引出一些新的侧重点，即特定文化环境中有关人类行为和社会组织的实验数据、实地考察、确切证据等等(参阅 **ethnography**)。第一位采用这种研究方法的学者是德国出生的美国人类学家博厄斯，被学术界公认为人类学研究领域文化史学派的奠基人。博厄斯及其追随者(著名者有本尼迪克特、米德、萨丕尔)支配20世纪的美国人类学界达数十年之久。文化史学派对于文化资料采取功能主义的研究方法，力图在某一特定文化的诸种不同图案、特征及风习之间，找出一个统一的表现方式。

与此同时，法国莫斯创办巴黎大学人种学研究所，把人类各个社会作为各个全面而完整的体制进行研究，认为这些社会都以保持其体制之完整性的种种方法，实行自我调节以适应变化中的世界。莫斯对一些观点各异的学者影响颇大，其中有法国的莱维-斯特劳斯、英国的马林诺夫斯基和拉德克利夫-布朗等人。其后马林诺夫斯基进一步发展了一种严密的功能主义研究方法，而拉德克利夫-布朗和莱维-斯特劳斯则提出了结构主义研究方面的各项原则。功能论者强调，分析社会各种现象的唯一有效方法是解释这些现象在一个社会中所显示的功能。相形之下，结构论者则力求论证特定诸文化中那种处于各种社会现象底层的体系或结构，因为一个社会的全体成员往往通过使用各种神话和符号而对该体系仅仅保持着一种模糊的意识。

20世纪30年代，本尼迪克特对美国西南部印第安诸部落的研究，标志着文化人类学一个分支学科的诞生，即文化心理学。本尼迪克特提出，各种文化在其缓慢发展中都会对其成员强加一种独特的“心理趋向”作用，使他们在解释现实时都要沿着该文化所确定的方向，对于环境诸因素则不予理会。这种文化同人的个性之间的相互关系，便成为广泛研究的课题，而此种相互关系，既可以在传统社会的文化价值-体系中找出例证，也可以证之于现代社会的文化价值-体系。

20世纪初期的文化人类学者们通过实地考察，提出了许多研究成果，如家庭生活及其结构、婚姻、血族关系及地方群体、魔法及巫术等。在20世纪下半叶，血族关系的研究仍为一中心课题，而当研究者们从人类学的角度出发来调查研究不同社会的政治及法律制度时，社会地位和权力的问题就引起了人们更多的注意。同时，他们对于宗教概念及礼仪等方面也给予严肃认真的思考，研究兴趣也从文化人类学者们曾花费20多年深入研究的非洲诸民族转向了印度、东南亚、拉丁美洲以及太平洋诸岛的居民。第二次世界大战后的几十年间，由于许多第三世界国家都开始了经济发展和工业化，有关社会变化的分析便成为一个突出的研究领域。自那时起，计算机的应用已使大量数据之广泛使用成为可能。在家庭及家族关系、婚姻、离异现象以及在经济交往的研究中，都因计算机的应用而效果显著。

cultural area 参阅 **culture area** 文化区域。

cultural evolution 文化演进 一种文化由简单形式向比较复杂的形式发展的渐进过程。这一课题可用一元线性进化观点予以论列，将人类的进化过程作为整体加以追溯；也可根据多元线性进化观点，对每种文化或社会或两者的任何已知部分作个别的研究。文化演进之说在18及19世纪新兴的文化人类学领域曾是一个重要概念。

哥伦布航海探险之后的“大发现年代”，是使欧洲人开始知道世界各地诸“原始”文化(亦即诸传统文化)的一个时代，也是现代人类学的一种滥觞的阶段。当时学术界力求解释这些文化的存在，并想根据这些似乎同自己十分相像的人民的文化概况，来对欧洲社会的发展过程进行理论上的探讨。17世纪英国哲学家T.霍布斯描述原始人的生活环境是“没有艺术，没有文字，没有社会”，原始人的生活是“孤独的、贫穷的、肮脏的、野蛮的、短命的”，他实际上是在宣称有关“未开化人”的一种普遍流行的看法。每一件美好的和文明的东西，都是由这种低级状态缓慢发展而成的。甚至像伏尔泰这样一些理性主义的启蒙哲学家们，也在默认，启蒙过程是在人类向上的发展进步中逐渐实现的。

与这种发展进步的概念同时产生的，是另一种“固定阶段”的说法，认为人类社会通常要经过3个阶段前进，即未开化阶段、不文明阶段和文明阶段，但有时还要经过更多的阶段。孔多塞侯爵曾列出10个阶段，或称10个“纪元”，其中最末一个自法国大革命开始，因为他认为大革命曾带来人的权利和人类至善的概念。

19世纪的一元线性进化学说 英国人类学家E.B.泰勒(1832～1917)和美国人类学家L.H.摩根(1818～1881)是人类进化的“文化阶段”论的主要倡导者。他们的论述，常常涉及一般性的文化而非个别的文化。有些特殊情况是把个别文化插叙于文章中，以阐明包括对人类及文明全面发展的各种看法在内的一些理论。

虽然泰勒可以说是一位知名度高而影响颇大的人类学者，但摩根的著作却对阶段论的方法概括得颇为精当。起初摩根对于易洛魁印第安人感兴趣，而对易洛魁人的研究最终使他进而探索世界各种文化，特别是对诸文化的亲族制度进行调查。在研究这些制度的过程中，摩根深信他已经找出了他所说的现代社会中的古代遗存物，亦即那些本来属于更早年代但以某种残余形式仍然留在最有现代特色的各社会之中的风俗和习惯。这样，他认为，社会人似乎是在诸进化阶段中前进的，这种阶段共有7个，自“低级未开化”阶段以至文明阶段。同时摩根还引用那些足以代表每一阶段的当代诸社会，作为“证据”进行论述，但未包括最低阶段。在《古代社会》(1877)一书中，摩根曾综述其观点如下：“因为人类同出一源，其所历发展过程亦在根本上如出一辙，在各大陆虽为殊途，但颇一致，而且无论部落或是民族，人类趋向于同一的进步状态，其形式是十分相似的。准此而言，可见美洲印第安诸部落之历史及经历，多少可以反映出我们先民在相应的条件下所有的历史及经历。”

这样一种历史观点，现在已为绝大多数人类学者所屏弃。

人类进步之说及文化演进诸概念的发展，到19世纪中叶，由于达尔文生物进化论受到广泛支持而大大加速起来。达尔文的进化学说是在1859年出版的《物种起源》一书中提出的。其后社会科学界便采用生物进化诸概念作为一种颇有吸引力的手段，以解决有关社会行为的起源及其发展中诸类似问题。的确，把社会看作一个进化着的有机体这一概念，是研究上的一种生物学类比手段，以前有许多人类学者和社会学家所采用，即使今天，在某些方面，也有必要继续使用这一方法。英国哲学家H.斯宾塞(1820～1903)曾提出一项包括人类社会在内的综合的进化体系。他认为，人类自不太复杂的种进化而来，最初群居而无区别；以后各种社会功能发展起来，乃有祭司、国王、学者、工匠等等之划分；于是知识就分化为不同的科学。这样，凭借不断增加的社会分工，人类社会连同所有其他变化着的事物就发展进化为复杂的人类文明。

20世纪的多元线性进化学说 早在19世纪末20世纪初，美国就开始出现某些倾向，反对把文化演进现象笼统地加以概括，以图找出那种无所不包的一般性原则。这种倾向最终成为一种范围广泛的反响。稍后，在欧洲也出现了同样的情形。有关文化诸“阶段”的理论，特别受到批判，被视为虚幻之说。所有各种文化，从时间和地区上看，都应该说是独一无二的。在美国，这一运动是由德国出生的人类学家F.博厄斯(1858～1942)领导的。博厄斯与其一代学生们(包括R.本尼迪克特和M.米德)彻底摆脱了那些概要式的论述方法，转而致力于对原始部落的实地调查工作，收集了大量事实和人造器物，成为现存这些社会中文化进程方面来自观察而非来自理论的实证。这种“文化史”研究方法统治美国人类学界达半个世纪之久，而且对20世纪上半叶其他地方的人类学研究影响甚大，致使高水平的概论性研究和“建立研究体系”的做法，都较过去大为减少。

然而，20世纪中叶以后，在一些美国人类学者中间，再度兴起一种适度的文化演进学说，其中较有影响的是L.A.怀特、J.H.斯图尔德、M.D.沙赫林斯和E.R.塞维斯等人。这些新一代的文化演进论者彻底扬弃了普遍的“阶段”之说，而把文化演进看成是一种多元的线性发展过程，是由许多前进途径组成的，而这些途径则是模式不一、长短各异的。虽然没有一种适应于所有民族的明确的进化过程，人类在一般条件下总是要进化的，或前进的，而个别民族则能取得一个个突破性的成就，这些成就就为全人类提供机会，使之能够更加适应于环境，从而支配环境，并且组成更为复杂的人类社会。只有在这种意义的前提下，世界文明的全部内容，才可被看成是一个一元化进程的结果。

Cultural Revolution　文化大革命　全称无产阶级文化大革命。中国共产党毛泽东主席于1966年5月发动的、于1976年随“四人帮”的垮台而告终的政治运动。发动这次政治运动是没有现实根据的，运动又被林彪、江青两个集团利用来篡夺政权，实际上影响到中国的每一个人，使国家遭到重大损失。这次运动是以抨击某些作家、文学作品、宣传工具及表演艺术等开始的。一个早期的例子是1965年已经开始的对吴晗《海瑞罢官》的抨击。1966年5月中共中央政治局扩大会议和同年8月中共八届十一中全会通过文件，将毛泽东从50年代后期以来对国内阶级形势和政治状况的错误估计系统化为“左”倾错误理论，宣布要进行“一个阶级推翻一个阶级”的政治大革命，要从一大批所谓“走资本主义道路当权派”手中夺回权力，由此导致对所谓“刘少奇、邓小平资产阶级司令部”的斗争。1966年秋，在运动的热潮中，各级学校停课，千百万红卫兵开群众大会，攻击旧社会的残余影响，侮辱或殴打他们认为落后或是资产阶级的人们。在北京，权力不断地集中到林彪、陈伯达、江青及“四人帮”其他成员手里。他们乘机煽动“怀疑一切、打倒一切、全面内战”。全国党政机构几乎全被夺权或改组，成立了各级革命委员会。派别活动和动乱状态愈益加剧，造成了全社会的混乱。1968年夏，毛泽东决定必须恢复社会秩序，召回红卫兵，学校开始复课，数百万城市青年被送到农村去“向农民学习”。1969年4月中共第九次全国代表大会全面肯定了“文化大革命”。“九大”以后已被定为毛泽东接班人的林彪抢班夺权，策划谋害毛泽东，举行反革命武装政变，被毛泽东、周恩来发觉，1971年林在企图外逃时，死于飞机失事。但江青反革命集团继续捣乱破坏。只有周恩来在主持中央委员会和国务院日常工作中，起到一定程度的缓和作用，维持了国家的正常生活。1974年初，江青、王洪文借口“批林批孔”，公开把矛头指向周恩来总理。这时，毛泽东揭穿了江青企图篡权和操纵“组阁”的野心，称江青、张春桥、姚文元、王洪文是“四人帮”。1976年周恩来、朱德相继病逝，特别是9月毛泽东逝世后，江青集团加紧篡夺最高权力的活动。同年10月上旬中共中央政治局的华国锋、叶剑英、李先念等执行人民的意志，逮捕了江青等人，把他们隔离审查，结束了“文化大革命”。在此以前，早在1967年2月前后，许多党、政、军领导人在不同的会议上已经起而抗争。1971年林彪死后，周恩来受命主持中央日常工作，使政治、经济形势得到好转。1975年，周恩来病重，邓小平在毛泽东支持下主持中央日常工作，进行各方面的整顿，使形势有了明显好转。毛泽东原来支持邓小平的工作，但不能容忍邓小平系统纠正“文化大革命”的错误，又发动“批邓、反击右倾翻案风”运动，使全国再度陷人混乱。1976年1月周恩来逝世，中国各族人民无限悲痛。同年4月间，在全国范围内爆发了悼念周恩来总理、声讨“四人帮”的强大抗议运动。这个运动集中反映了人民群众拥护以邓小平为代表的领导的意志，表现了广大群众反对江青集团的情绪，为粉碎江青集团奠定了群众基础。

1981年6月中国共产党十一届六中全会通过《关于建国以来党的若干历史问题的决议》，对“文化大革命”的错误及其发生原因和危害作了总结。

culture　文化　人类知识、信仰和行为的整体。在这一定义上，文化包括语言、思想、信仰、风俗习惯、禁忌、法规、制度、工具、技术、艺术品、礼仪、仪式及其他有关成分。文化的发展依人类学习知识和将知识一代代传下去的能力而定。社会科学家和人类学家对人类文化提出许多种定义，代表各学派的思想。E.B.泰勒在所著《原始文化》(1871)一书中，曾提出学术界公认的对文化一词的经典性定义，即文化包括作为社会一名成员的人所获得的全部能力与习惯。每一人类社会有它自己特定的文化或社会文化体系，并在某种程度上与其他体系相重叠。社会文化体系的差别与生存环境及资源有关；与诸如语言、礼仪和风俗习惯等活动领域所固有的可行性范围，以及与工具的制造和使用有关；并与社会发展程度有关。个人的态度、价值、理想与信仰，受其生活于其中的文化的影响很大；而个人当然也可能生活在或来往于几种不同的文化之中。在对各种文化进行比较时，种族中心主义的倾向是以自己的文化来解释或评价其他文化。另一方面，文化相对主义则采取一种比较的态度，这种态度来自对与己不同的文化的了解和欣赏。文化内部及诸文化之间可因生态及环境发生变化而引起变革；因有益的文化特征扩散于大致处于文化发展相同阶段的诸社会而引起变革；因相对落后的民族吸收外来文化而引起变革；或因一段时间之内文化因素有所演进而引起变革。文化可从其组成部分(文化特性、文化区域和文化类型)来观察，也可从制度结构及功能(社会组织、经济制度、教育、宗教与信仰，以及习俗与法律)来观察。为了研究的目的，人类文化可细分为非城市文化与现代城市文化以便互相比较；也可细分为农民或部落社会，以示其区别于现代工业社会。

culture, pure (microbiology)　参阅 **pure culture 纯培养**。

culture-and-personality studies　文化与个性研究　人类学研究的一个领域，探索决定个人和他所属文化相互作用的性质。其研究内容是在人类学学科中运用心理学的方法，对生活在同一文化中的个人的不同行为模式进行分析。这些方法包括：深入询问、扮演角色、罗沙试验、了解详细的个人经历、研究家庭作用、圆梦等。这项课题有时被称为心理人类学，已经把人类学家的注意力引向各种文化特征中象征意义和在人类感情上所引起的涵义等方面的探索，而过去这些仅从形式上进行过论述。这项研究也使心理学家承认，在所有认识过程、动机形成过程和学习过程中，都不可避免地存在着一种文化成分。

culture area　文化区域　又作cultural area或culture province。人类学上指由具有相同或相似特征，或共享一种占支配地位的文化倾向的社会群落所构成的相邻的地理区域。文化区域的概念最早出现于20世纪初叶奥蒂斯·梅森的人种志著作之中。英国的H.麦金德爵士和法国的P.维达尔·德拉布拉什是有关文化区域的最重要作家。这些学者关注人类社会和自然的相互影响，因其可以用来将地球表面组织成可资分析和认识的区域单位。麦金德认为“世界政治的核心区域乃欧亚大陆上船只无法靠近，但在古代却向马背上的游牧民族敞开，而今天将要铺设铁路网的广大地区”。如今铁路交通正在将此地区转变为具有内聚力的地区，区内的民族亦正在向越来越靠南和靠东的地区移动。麦金德假定，一旦有了海上通路及与海上力量的发展相结合，这一扩展后的资源基地必将成为世界性政治制度的中心地带。维达尔·德拉布拉什认为，社会群体最终将使那些反映了社会目的的地区得到承认。他强调指出，环境为人类社会提供了各种各样的可能性，而不是一条界线分明的固定道路。当然，制约因素确也存在，但都是与文化有关的——文化的价值观念、社会组织以及技术等。这些综合属性与人类学家所指的文化大致相似，维达尔称之为一个社会的“生活方式”(genre de vie)。经过漫长的时间之后，社会和环境促成了一系列独特地区的形成，各个地区皆反映出其最初所选择的环境条件，以及文化工具对这种选择的影响。

考古学家和人类学家早就认识到，需要一种按区域分类的体系来反映在人工制品和实地调查中发现的相似性。一些博物馆根据区域来布置展品，还有人尝试将美国印第安人按文化区域组织成综合群体。然而，这些编组是否真实客观，抑或只是些分析性结构，对此存在诸多争议。A.克罗伯断言，确实存在空间差别，它们表现了“一种基本上无可指责的对现象的非哲理性的归纳组织，类似于生物分类学所依赖的动植物‘自然’分类法”。

C.威斯勒提出了一种**年代-区域假说**(**age-area hypothesis**)。在他看来，文化因素从一个最初的中心点向外扩散，其发展是偶然的，或“历史的”。然而，一旦得以确立，文化和环境便相互作用，但起决定作用的是环境，因为自然环境具有相对的不可变性。威斯勒辩解道，尽管如此，文化因素亦具有以同样水平从这一中心向各方位扩散的趋势。由此可以推知，如果一切条件相同，分布最广的一种或多种因素就是最古老的因素——也就是说进入扩散过程最久的因素。这种分布便构成推知年代的根据，所以叫做年代-区域假设。文化区域被设想成特定时间的区域；即是说，人们试图在凝固于某一孤立时刻的空间框架中去组织文化因素。年代-区域假设便试图纯粹通过推断将实地调查之发现放到一个时间框架中。在新大陆的一些地方，尤其是在南美，存在着按年代顺序排列的文化区域。有人建议，无论何地何时，只要这种顺序同时存在于一个以上文化区域，只要可以表明或推断各种文化曾跨越时间相互作用，这就应该称作区域矛盾。此概念的应用范围局限于新大陆。

在欧洲这个有着更多考古和历史证据可资建立类型学概念的所在，空间取向的文化区域概念与**文化圈**（**Kulturkreis**）概念相比，并未受到重视。尽管两者都试图解释文化特征的分布，但却是从相反的哲学和方法论方向来探讨此现象的。文化区域概念指出，一些相互关联的文化因素与环境相互作用，所产生的文化组合也许是独特的，也许不是，但都是就地生成的。而相信文化圈学说的人则认为，多数文化特征的分布是由于迁徙和扩散造成的，因此独立创造极其罕见。事实上，只有为数不多的文化圈或扩散源。

然而，到20世纪后期，文化区域概念以及文化圈等有关概念大概已成为最为人们熟知的教学方法，或整理资料的简单类型学结构。正因如此，它们才一直是有用的分析概念。这些概念中有关区域的基本假设仍可见于学校教学的课程结构之中；大多数专门研究地理学和人类学的学者则被认为是某一两个文化区域的专家。但是，随着分类学概念逐渐取代如今被看作是类型学的概念，这种现象在这两门学科中也越来越少见。

culture medium　培养基　参阅 **growth medium 生长培养基**。

Culture System　定植制度　又拼Cultivation System。荷属东印度（印度尼西亚）的税收制度，强迫农民以出口作物或强迫劳动的形式向荷兰国库纳税。1830年由荷属东印度总督J. van den 博斯开始采用。根据这一制度，农民要把他的稻田拨出1/5去种植甘蔗、咖啡树和蓝靛草，作为地税上缴。如果没有土地，则每年要用1/5时间（即66天）到政府的田地从事劳动。该制度之实行使农民不堪承受。实际上，用于种植出口作物土地不只1/5，无地者的劳动也远远超过66天。产品运输困难又费时。如果作物欠收，损失由农民自负。这一制度于1870年废除。

cultured pearl　养殖珍珠　事先有意在软体动物壳内放进异物而培育成天然的、经养殖的珍珠。据说，中国在13世纪已发现可在淡水贻贝中养殖珍珠；几百年来，中国人在人工培育珍珠方面已能熟练地打开贻贝壳并投入细粒泥沙或细小的木头、骨质或金属瘤状物，然后把贻贝放回海床，大约3年珍珠成熟。中国养殖的珍珠，几乎都是疱状珍珠（在贻贝的肉与壳之间形成的半球状珍珠），还需要加入半球状珠母层以生成组合好的珍珠，称为双合珍珠。整体珍珠的养殖业是由日本人完善的。19世纪90年代，御木本幸吉开始的研究导致此项工业的建立，他在长时间试验后得出一个结论：引入软体动物组织内的细小珠母层圆粒，是对珍珠形成最好的刺激物。这种珠母层还多出一个优点：所生成珍珠的内部全是真珠质。养殖的珍珠非常接近天然珍珠。但是，如果真珠质层太薄，经长时间与人体的酸质接触后将会变质，最后会暴露珠母层的基体。过去以海岸为基地的珍珠养殖场，现在一般采用一条船作为作业场所。将未成熟的珍珠贝（一般在日本用有色珠母贝或企鹅珍珠贝，在澳大利亚则用大珠母贝）放在桶内直到成熟（2到3年），当贝壳长到一定尺寸时，向内植入细小、磨光的珠母层圆粒。将已植入的珍珠贝悬挂在由浮筏撒出的金属网上，或用其他方法保持在一定区域内，并用潜水员来照管，直到珍珠长成可以收获时。珍珠的长成常用X射线来测定。澳大利亚北方在20世纪60年代建立起它的首批珍珠养殖场，主要是与日本合作；到了70年代中期已建成一个既生产珍珠贝，又生产珍珠的工业。虽然斐济也生产一些养殖珍珠，但是，养殖珍珠的最大生产国还是日本和澳大利亚。参阅 **pearl**。

Culver City　卡尔弗城　美国加利福尼亚州洛杉矶县城市。1914年规划。1917年设建制。现为电影、电视摄制中心，也有石油、飞机和电子工业。设有西洛杉矶学院（1968）。人口38 816（2000）。

culverin　长管炮　中世纪长管轻型火炮。弹丸重3.6～7.3千克，射程远，弹道低伸。15世纪中叶法国将其改制为野战炮。16世纪后期英国将其改制为海军炮。17世纪时火炮主要以弹丸重量分类，"长管炮"一词遂废。

Culverwel, Nathanael　卡尔弗韦尔（1618?，英格兰伦敦～1651?）　将理性应用于伦理问题的英格兰经验主义哲学家。他可能对约翰·洛克具有影响。1642年在剑桥被选为研究员，晚年经历过一次精神崩溃。其作品均在他死后出版，有《精神光学》（一组6篇布道词，1651）和1卷本的文集（1652）。他最有名的文章《文笔优美、学识渊博的对自然之光的论述》（1652）原系一部更大的著作的引论。在那部作品中他打算保卫理性以反对它的比较极端的对手，保卫信仰以反对唯理论的还原论者。他是在加尔文主义的严格的精神环境中培养出来的，所以不能完全接受唯理论。但他认为理性是必需的，因为它向人们证明启示的必要和神圣律条的存在。"善与恶的规则"是上帝的意旨而不是理性。这种保持加尔文主义观点的做法使他与剑桥的柏拉图主义者有所不同。同柏拉图主义者的看法相反，他认为人的理性并不是神圣理性的一部分，仅仅模糊地反映了它。

Cumae　库迈　意大利那不勒斯以西19千米处的一古城。可能为古希腊人在西方最早开拓的殖民地和希腊女巫的故土，她所住的洞穴，现仍可见到。库迈约于公元前750年由来自哈尔基斯的希腊人所创建。公元前428年或前421年为萨谟奈人夺取。后当地希腊文化影响渐消亡。但城镇仍有许多希腊特征。公元前338年又被古罗马征服，成为罗马帝国城镇。1205年被毁。在该城的卫城高地和其他各处均有各时期的要塞和陵墓的遗迹。

Cuman　库曼人　匈牙利语作Kun。土耳其游牧民族，主要由钦察联盟之西支组成，1237年蒙古人入侵，被迫到匈牙利寻求庇护所。库曼人12世纪为俄军辅助部队，与匈牙利远征军交锋。到13世纪初库曼人已独自侵入特兰西瓦尼亚东南部。1227年库曼王巴克率族人15 000名受洗。次年建库曼尼亚主教管区，由匈牙利国王贝洛四世兼"库曼尼亚国王"。1239年贝洛四世因库曼王库森发动俄国人抗击蒙古人失败，允许他率族人到匈牙利避难。但在1240～1241年蒙军侵入匈牙利前，又将库森作为危险分子杀死。库曼人逃出匈牙利。1245年，贝洛四世又允许他们在匈牙利重新定居。贝洛四世之子斯蒂芬五世娶库曼王女，其所生子后为拉迪斯拉斯四世。拉迪斯拉斯在位时（1272～1290），库曼人对匈牙利的内政外交都有很大影响。然而，库曼人历经数世纪之久未曾完全融入匈牙利社会。

Cumaná　库马纳　委内瑞拉东北部苏克雷州首府。濒临曼萨纳雷斯河，距加勒比海河口处的苏克雷港1.6千米。海拔16米，平均温度28 °C。建于1523年，为南美大陆最古老的欧洲殖民地。虽多次受外国海盗骚扰，又多次被地震破坏，但在殖民时期，长期同邻近地区及西班牙有贸易往来。现为农业区的商业和制造业中心。农业区生产咖啡、可可、甘蔗、烟草、豆类和各种水果。城内有一个重要的沙丁鱼罐头加工厂，城郊有一个大棉纺厂。1958年成立东方大学。有机场。与巴塞罗那通公路。人口约227 411（1989）。

Cumanagoto　库马纳戈托人　西班牙征服时期委内瑞拉东北部的印第安人，17世纪以后，作为一个部落或文化单元已不复存在。库马纳戈托人操一种加勒比语，与帕伦克人的语言系属较近。他们种植玉米、木薯、甘薯及其他作物，也种植古柯树。他们采集野生食物，也很重视狩猎。家禽家畜很少，只有火鸡。库马纳戈托人所居村庄周围常设木栅用于自卫。衣着很少，只用一小块遮羞布，外加各种羽饰、珍珠、黄金、贝壳、泥制串珠、珊瑚串珠、兽骨、兽齿或花卉。酋长实行多妻制，妻妾们一起住在类似伊斯兰女眷住的房子里。宗教主要是崇拜太阳和月亮。

Cumanus, Sinus（Mediterranean Sea）　**库马努斯湾**　参阅 **Naples, Bay of 那不勒斯湾**。

Cumberland　坎伯兰　英格兰最西北部历史郡。北邻苏格兰，东邻诺森伯兰和达勒姆历史郡，南与威斯特摩兰和兰开夏历史郡接壤。现坎伯兰属坎布里亚行政郡。位于英格兰西北海岸，与索尔韦湾和爱尔兰海相对。南部沿岸狭长的平原延伸至英格兰海拔最高的坎布里亚山脉（978米）。坎伯兰中部是肥沃的伊登河谷。历史郡的首府卡莱尔位于北部河谷与平原交汇处。

在该地区发现青铜器时代已有人居住；有多处石砌圆圈，在朗梅格、小塞尔克尔德附近的赫尔多特斯和凯西克附近的卡斯里格石圈等保存得最完好，人们认为这些石砌圆圈是这个时代的遗物。该地区与外界文化隔绝，因此到了罗马人征服时期，仍然处于青铜器时代的水平。122～126年间，罗马皇帝哈德良在诺森伯兰的沃尔森德和索尔韦湾的鲍内斯之间构筑起长城复合体。罗马人在此地主要是作军事占领，以卢古瓦利乌姆(即今卡莱尔)为主要居民点。基督教是由尼尼安传入坎伯兰的，他约于397年在索尔韦湾北岸建成了坎迪达卡萨，即今惠特霍恩。7世纪后期，当时名为坎布里亚的地区在诺森伯里亚人手中。坎布里亚最初即Cambria，是拉丁文的Cymry或Cymru(即Wales)。后来Cumbria和Cambria就成为两个不同的名称了。

875年丹麦人入侵坎布里亚，西北部也受到外部威胁。945年埃德蒙一世蹂躏"坎伯兰"全境(这是"Cumbraland"之名首见于史籍)，并将此地区赠送给苏格兰人的国王马尔科姆一世，作为马尔科姆同意在军事上支持他们的交换条件。11世纪上半叶，诺森伯里亚诸伯爵统治该郡的一部分，但1068年该地区被苏格兰人的国王占据，不划入征服者威廉的王国的版图；《末日审判书》中提到的三个领地被认为是属于约克郡的。1092年，亦名为鲁弗斯的威廉二世占领卡莱尔，当时臣服于苏格兰人国王的多尔芬之子戈斯帕特里克第二正从该城统治此地区。威廉二世占领该城后，修复城市、下令构筑碉堡并派遣移民到此领取土地。该地地名多用字母"by"作字尾。这是诺曼人人名的习惯拼写法，证明这个时期有移民从南方来。此地又一度为苏格兰人所占据，但坎伯兰于1177年设郡后一直维持到1974年。

1603年英格兰和苏格兰统一之前，由于处在边界的位置，在坎伯兰不断发生冲突与流血事件。该地居民多数忠于斯图亚特王朝，但当詹姆斯党人于1715年和1745年起事时，该地对他们的支持却很微弱。1745年詹姆斯党人叛乱后，英格兰人才把坎伯兰看做一个统一的整体。于是他们修筑道路、发展贸易，并把湖区建设成一个闻名全英格兰的风景区。

Cumberland 坎伯兰 美国马里兰州西北部城市，阿勒格尼县县城(1789)。位于从阿巴拉契亚山脉到俄亥俄河谷的天然通道坎伯兰峡谷的入口处，夹在宾夕法尼亚和西弗吉尼亚两州边界线之间。1750年始有人定居，当时为一商站。1815年设镇，1856年设市。为坎伯兰公路的东端终点，又是切萨皮克通俄亥俄运河的西端终点。1842年巴尔的摩和俄亥俄铁路由此通过，遂成为重要运输枢纽。采煤业、玻璃纤维艇、儿童服装、户外娱乐及铁路设备等制造业为经济支柱。设有阿勒格尼社区学院(1961)。人口：市21 518；都会统计区102 008(2000)。

Cumberland, Ernest Augustus, duke of 坎伯兰公爵 参阅Ernest Augustus(Ⅱ)恩斯特·奥古斯特(二世)。

Cumberland, Richard 坎伯兰(1631-07-15，伦敦～1718-10-09，英国剑桥郡彼得伯勒) 神学家、英国圣公会主教、极有影响的伦理学哲学家。原在剑桥习医，1658年到北安普顿郡布兰普顿·豪斯教区任职。1691年被任命为彼得伯勒主教。与当时剑桥的其他人一样，他对希伯来的古代语言、历史、文物等很感兴趣。但其声誉却建立在他的《对自然法则的哲学研究》(1672)上。虽然人们宣称此书是对T.霍布斯观点的抨击，但此书的开头部分论述的却是荷兰法学家和神学家胡果·格劳秀斯。格劳秀斯的观点，即自然法可靠性的基础是文明国家的一致同意，但坎伯兰却寻求一个比这个"一致同意"的原则更加可靠的哲学基础。与霍布斯不同，他指出，存在着确定不疑的自然法则，这些法则使人们愿意追求共同的幸福而不是他们个人的特殊利益。他思想的一个主要特点是他相信道德哲学可含有数学性质。他写道：对于共同幸福的追求"对一个有理性的人来说是当然合适的"。在这一适宜性的概念中可以看到一种同数学的适宜性概念相平行的东西。他是最早提出带有数学性质的道德或"道德微积分"的哲学家之一，对后来的伦理学家如J.边沁、F.赫奇逊、S.克拉克、B.de斯宾诺莎和G.莱布尼兹都有很大的影响。

Cumberland, Richard 坎伯兰(1732-02-19，英格兰剑桥郡剑桥～1811-05-07，伦敦) 英国剧作家。他的剧本与在18世纪下半叶成为重要文学势力的那种伤感精神十分合拍。他是演剧技巧方面的大师，对人世和风尚有敏锐的观察力。但今天也许主要是因R.B.谢里丹的剧作《批评家》中的弗雷特富尔·普拉吉阿里爵士的原型而知名。离开剑桥三一学院后，1761年任哈利法克斯伯爵私人秘书，后来还任过其他官职。第一部成功剧本是《兄弟》(1769)。这是一部感伤喜剧，情节很像H.菲尔丁的小说《托姆·琼斯》。《西印度人》(1771)由优秀演员兼导演加里克首演，并且在18世纪一直上演。尽管它的情节怪诞，心理描写粗糙，但是它的场面还是给观众以极丰富的感受。另一部感伤喜剧《时髦的情人》于1772年取得成功。但是坎伯兰却追求庄重的文体，把他早期的一部悲剧《提比略在喀普雷》看做他的杰作，却不能说服任何导演将它搬上舞台。他的严肃作品(包括他所改编的莎士比亚的《雅典的泰门》)除《犹太人》(1794)和《命运的车轮》(1795)外，都写得不成功。坎伯兰看到批评就要发怒，跟许多同时代的名人争吵，特别是谢里丹和O.哥尔德斯密斯，后两人均反对戏剧中的感伤主义。他写有自己的回忆录(1806～1807)。

Cumberland, William Augustus, duke of 坎伯兰公爵(1721-04-15，伦敦～1765-10-31，伦敦) 英国将军，英王乔治二世之子。因残酷镇压1745年詹姆斯党人的叛乱而得"屠夫"的诨名。奥地利皇位继承战争期间任联军统帅(1745)，在丰特努瓦战役(1745-05-11)中惨败于法军。后应召回国，对王位觊觎者查理·爱德华率领的詹姆斯党人进行反击。1746年4月16日在因弗内斯郡的卡洛登莫尔决战中打败查理。他在苏格兰停留3个月，拘捕约3 500人，处死120多人。然后与法国人作战。1747年7月在洛费尔德战役中败北。1757年7月在黑斯滕贝克战役中再次败于法军。因多次失败而遭其父疏远。

Cumberland Gap 坎伯兰山口 美国东部穿切坎伯兰高原的天然通道，在肯塔基、弗吉尼亚和田纳西三州交界处，肯塔基州米德尔斯伯勒与田纳西州坎伯兰山口镇之间。海拔500米。由河流冲蚀而成。1750年为T.沃

坎伯兰山口国家历史公园内的三州交界地
美国不列颠百科全书公司供图

克发现。曾为经阿勒格尼山向西移民的要道。移民使西北地区得到开发,并使当时的13个州向西扩展到密西西比河。内战中为军事要地。1955年,山口四周83平方千米地区辟为坎伯兰山口国家历史公园。

Cumberland House 坎伯兰豪斯 加拿大的居民点和历史地点。在加拿大萨斯喀彻温东部坎伯兰湖南岸,近马尼托巴省边界,在尼帕温西北137千米。1774年由哈得孙湾公司建为其第一个主要内陆贸易站。可能以该公司第一任主管人坎伯兰公爵(1617～1687)爵号命名。由于水路畅通,迅速成为贸易中心,至今仍在经营皮货(主要是麝鼠)。有国立历史公园。该地未设建制。人口738(1991)。

Cumberland Islands 坎伯兰群岛 澳大利亚昆士兰州东海岸外大堡礁的群岛。由70多个岛组成。主岛有惠森迪、林德曼、布兰普顿、莫尔、长岛、胡克、登特和海曼等。群岛崖高多树。现为自然保护区。

Cumberland Narrows 坎伯兰峡谷 位于美国马里兰州西北部阿勒格尼县境内,为风景优美、深305米的峡谷。威尔斯河贯穿其间。为横越阿巴拉契亚山脉天然东西通道。原为印第安人的一条羊肠小道,1755年为英军发现。后来建成的坎伯兰大道(也称国道),是联邦政府出资建成的第一条公路。现已改建为美国第40号高速公路(新泽西州至加利福尼亚州)的一部分。

Cumberland Plateau 坎伯兰高原 美国阿巴拉契亚山脉最西部分。从西弗吉尼亚州南部向西南延伸至亚拉巴马州北部,长725千米,宽65～80千米。东为阿巴拉契亚岭与河谷,西为起伏的平原,北有阿勒格尼高原,南有墨西哥湾沿岸平原。有坎伯兰和肯塔基河的源头及田纳西河支流穿经。东缘的坎伯兰山为绵亘225千米的狭长山岭(海拔600～1 263米),是高原区最崎岖、海拔最高的部分。坎伯兰高原地区有藏量丰富的煤、水泥原料和建筑、装饰用纹石。多硬木林。有零散居民点,经营自给性农业。境内坎伯兰山口为早期向西移民的通道,是美国南北战争中的军事要地。

Cumberland Presbyterian Church 坎伯兰长老会 美国基督教会,1810年由在肯塔基-田纳西边境脱离美国长老会的信徒成立。20世纪初美国长老会修订其《信纲》,将坎伯兰长老会同意的关于得救预定论的解释增加进去。经过谈判,坎伯兰长老会大多数信徒于1906年重新加入美国长老会。坚持原来立场的一派仍维持坎伯兰长老会的组织。总会设在田纳西州孟菲斯市。

Cumberland River 坎伯兰河 由普尔河和克洛弗河在美国肯塔基州南部哈伦县境内坎伯兰高原汇合而成。蜿蜒流经田纳西州北部,复在肯塔基州史密斯兰附近汇入俄亥俄河。全长1 106千米。流域面积46 830平方千米。由源头至坎伯兰瀑布实为山间溪流,夏季流量很小,冬春则有洪水。瀑布以上至肯塔基州、田纳西州边界,为阶地和峭壁高达90～120米的峡谷。有9条主要支流。沿河最大城镇为纳什维尔。河上有一系列属于田纳西流域管理系统的人工湖。沃尔夫河坝蓄成的坎伯兰湖一直延展到坎伯兰瀑布。支流奥贝和凯尼河上各有一座大型水电站。坎伯兰河上下游均建有水坝。田纳西州北部河段上有为纪念南北战争中联邦军队打通田纳西河一役而建立的国家军事公园。

Cumberland Road 坎伯兰公路 又称国家公路。美国第一条联邦公路,多年来一直是通往当时的西北准州的主要路线,自马里兰州的坎伯兰至伊利诺伊州的万达利亚(1811～1837)。1802年4月国会拨款,资助建筑一条连接大西洋沿岸与俄亥俄州的陆上通道。至弗吉尼亚州(今西弗吉尼亚州)俄亥俄河畔惠灵的碎石路面公路于1818年竣工;其余路段从1833年起由各州自筹建设费用。坎伯兰公路原拟免费通行,后改征通行税。此路现为美国第40号公路的一部分。

Cumberland Sound 坎伯兰湾 戴维斯海峡和大西洋的一个海湾,位于加拿大西北地区,巴芬岛东南海岸。长270千米,宽160千米。1585年英国航海家J.戴维斯寻找西北航道时驶入此湾。湾北岸的庞纳唐现为贸易站,是通往奥尤伊图克国家公园的门户。设有医药中心和医院、气象站和无线电台、加拿大皇家骑警所。经济活动包括猎捕海豹、捕鱼、狩猎和销售手工艺品。

Cumberland wrestling 坎伯兰式摔跤 兴起于英格兰北部和苏格兰南部的摔跤运动,又称北方式摔跤。双方迎面搂住对方,双手在对方背后扣紧,把下巴置于对方的右肩

坎伯兰式摔跤比赛
美国不列颠百科全书公司供图

上,右臂在对方左臂下,左臂在对方右臂上;双方搂紧后,裁判员宣告比赛开始,如一方除双脚以外的任何部位触地或搂不住对方时,此方即败。若双方同时摔倒,被按在下面的一方或首先触地的一方为败。英国每年举行坎伯兰式摔跤锦标赛。

Cumbernauld 坎伯诺尔德 苏格兰中部北拉纳克郡新兴城镇。属邓巴顿历史郡。距格拉斯哥东22千米。位于福斯克莱德谷中心。

坎伯诺尔德镇的新住宅建筑
美国不列颠百科全书公司供图

1956年为容纳格拉斯哥的过剩人口而设置。原计划容纳5万人,后增至10万。西北、东南有煤和耐火土开采业,东北和西南平地为工业区。该镇布局独特,虽多坡地,但建筑物设计合理,人行道和车道几乎完全分开,因此多次获奖。在吸收外地人口(80%来自格拉斯哥)和发展新工业方面亦很成功。现有电器机械、办公设备和地毯等制造业。人口48 762(1991)。

Cumbernauld and Kilsyth 坎伯诺尔德-基尔赛斯 苏格兰西南部斯特拉斯克莱德行政区的一个区。1975年区域改组时设置。由前邓巴顿郡的一部分和斯特灵郡的一小部分组成,面积95平方千米。蕴藏有煤和耐火黏土。首府和新兴城镇坎伯诺尔德(Cumbernauld)兴建以前,经济以农业和饲养奶牛为主。北部高地有养羊业,低地产猪、家禽和饲料。人口约63 930(1993)。

Cumbres de Monterrey National Park 蒙特雷山国家公园 位于墨西哥东北部新莱昂州东马德雷山脉。建于1939年,面积2 465平方千米。海拔2 100米以上的山间景色为吸引旅客的风景之一,低坡上有松树和栎树树林;还有圣卡塔琳娜峡谷、马尾瀑布,风景优美。

Cumbria 坎布里亚 英格兰西北部行政郡。面积6 810平方千米。行政郡包括坎伯兰历史郡、威斯特摩兰历史郡及兰开夏和约克历史郡的部分地区。下分阿勒代尔、巴罗因弗内斯、卡莱尔、科普兰、伊登和南莱克兰6区。范围从莫克姆湾沿爱尔兰海岸延伸至索尔韦湾。境内有著名的风景区湖区(Lake District)、卡莱尔平原和伊登、肯特河谷。东端的克罗斯和诺克等荒山是奔宁高地的一部分。该郡早在新石器时代就有人类居住。罗马人也曾在此修建道路、要塞和哈德良长城。4世纪末圣尼尼安到此传布基督教。7世纪该郡属诺森伯兰王国。后为斯堪的纳维亚人占据。945年后坎布里亚北部在英格兰和苏格兰人之间几度易手。1157年归属英格兰。19世纪初因湖畔诗人W.华兹华斯、S.T.柯尔律治和R.骚塞而闻名。公路、铁路改善后,发展起以凯西克和肯德尔为中心的旅游业。湖区国家公园在该郡内。山地和平川分别经营牧业和农业,伊登、德文特和埃斯克等

河盛产鲑鱼。奥尔斯顿有铅、银矿，埃格勒蒙特有铁矿。西北部有煤田。主要居民点有卡莱尔、彭里斯和肯德尔以及怀特黑文和沃金顿两港。通往苏格兰的主要西部铁路经过彭里斯和卡莱尔。卡莱尔是该郡最大的城镇和行政中心。人口492 900(1998)。

cumin（*Cuminum cyminum*）　**欧莳萝**　又拼 cummin。亦译枯茗或孜然芹。伞形科一年生纤弱小型草本植物。原产于地中海地区，也栽培于印度、中国和墨西哥。叶细裂，花白色或玫瑰色。其果实俗称欧莳萝籽，干燥后淡黄褐色，长卵形，薄，长约6毫米，有5条明显的纵脊，脊间有不明显的小脊，构成网状图案。是许多混合香料、印度酸辣酱、五香辣椒粉及咖喱粉的主要成分，在亚洲、北非

欧莳萝（*Cuminum cyminum*）

和拉丁美洲特别受欢迎。欧莳萝香气浓郁，味辛而似葛缕子。也曾广泛用作家庭药物；现在主要用于兽药。种子含精油2.5%～4.5%，主要成分为枯醛用于香料、医药和利口酒调味。黑枯茗（*Nigella sativa*）亦称茴香花、栽培黑种草，为欧亚大陆草本植物，属毛茛科，亦用作调味料。

Cummings, Bruce Frederick　**卡明斯**（1889-09-07，英国德文巴恩斯特珀尔～1919-10-22，白金汉郡杰勒德克罗斯）　笔名W.N.P.巴比利恩。英国作家。著有《失意人日记》(1919)，这是他1903～1917年的日记摘录，出版后立即获得盛赞。他自幼热爱自然，决心成为博物学家。经过多年自修，获得英国自然历史博物馆一个职位，使他得以放弃他认为不适合他的记者生涯。遗著有《享受生活》(1919)和《最后的日记》(1920)。

Cummings, E.E.　**肯明斯**（1894-10-14，美国马萨诸塞剑桥～1962-09-03，新罕布什尔北康韦）　全名 Edward Estlin Cummings。美国诗人和画家。肯明斯的姓名常常小写，只因他误认为诗人把自己的姓名改成小写是合法的。1915年获哈佛文学士学位，1916年获文学硕士学位。第一次世界大战期间，在美国驻法的野战救护队工作。由于一位朋友写回美国的家信被法国检查员认为有对战争不满的言论，因而受到牵累，被禁闭了一个时期。这次经历加深了他对官僚作风的不信任，他据此写了第一本书《巨大的房间》(1922)。在20世纪的20和30年代，他有时在巴黎研究艺术，有时在纽约。第一部诗集是《郁金香和烟囱》(1923)，随后出版《四十一首诗》和《&》(1925)。1925年，由于对美国文学作出的卓越贡献，获得《日晷》杂志奖金。1927年，普罗温斯敦剧团在纽约上演了他的剧本《他》。他曾展出自己的绘画，但是没有像他的著作那样引起评论界的兴趣。《爱米》(1933)长432页，以实验性散文的形式记述他访问苏联36天的印象，这次访问加深了个人主义的他对集体主义的厌恶。《我的六次非讲演》(1953)是他作为C.E.诺顿讲师在哈佛大学(1952～1953)期间关于诗的论述。他共写过12本诗，合成2卷《诗全集》，1968年出版。他的笔调有时嬉笑怒骂，有时又婉约低回。他经常使用街头的语言，采取市井的材料。所写情诗天真无邪，清新可爱。

cummingtonite　**镁铁闪石**　一种闪石类矿物，是铁镁硅酸盐。产于变质岩中。化学式和详细物理性质，参阅 **amphibole**（表）。

Cummins, Albert Baird　**卡明斯**（1850-02-15，美国宾夕法尼亚卡迈克尔斯～1926-07-30，艾奥瓦得梅因）　美国律师、州长、美国参议员、20世纪最初25年里的著名进步人士。曾在芝加哥学习法律，在当地开业3年。1878年移居得梅因，不久成为当地著名律师，1888年选入艾奥瓦州众议院，1892～1896年任共和党州中央委员会主席，1896～1900年为全国委员会成员，曾4次任州代表参加全国代表大会。1902～1908年间连任三届州长，成为艾奥瓦州进步共和党公认的代言人。任州长时进一步制定铁路规章，取消免费通行制，推行参议员初选法。1908年当选美国参议员，和参议员J.P.多利弗同以进步派身份反对保守派首领N.W.奥尔德里奇。他反对W.威尔逊总统1917年的武装商船和对凡尔赛条约的政策。1920年通过埃施-卡明斯法案，规定铁路在战时由政府经营后交还民营，但没有包括他的将铁路公司合并成少数几家全国性的、真正具有竞争力的公司的计划。在1926年6月共和党美国参议员初选中，他被以往的助手S.W.布鲁克哈特击败。

Cummins, George David　**卡明斯**（1822-12-11，美国特拉华士麦那附近～1876-06-26，马里兰卢瑟维尔）　基督教归正圣公会的创始人。1847年任美国圣公会牧师，善于讲道。1866年任肯塔基州副主教，不久参加关于礼拜仪式的论战。南北战争以后数年内这场论战在圣公会内逐步达到顶点。1873年12月在纽约创立归正圣公会并任首任首席主教。

Cumnock　**卡姆诺克**　苏格兰东艾尔政务会辖区小城市。属艾尔历史郡。为农业中心。原采煤中心。著名传记作家J.鲍斯韦尔安葬在市内奥钦雷克教堂。苏格兰社会主义创始人J.K.哈迪在此出生和居住。人口9 607(1991)。

Cummins, Maria Susanna　**卡明斯**（1827-04-19，美国马萨诸塞塞勒姆～1866-10-01，马萨诸塞多切斯特）　美国女作家。曾在家中及马萨诸塞州莱诺克斯的一个时尚的女子学校接受教育。之后终身与家人住在多切斯特。上学期间开始培养写作兴趣。几篇早期短篇小说的发表激励她从事写作。1854年《点灯人》出版，立即获得巨大成功，几周内销量达4万册，一年中销量达到7万册。该小说将伤感、虔诚和不可能性以几乎相等的篇幅结合在一起，完全适合新觉醒的读者群要求不高的品味。该书的英国版、法语版和德语版均获成功。作为一种文学现象，很少有其他书能与之匹敌。其后期小说《M.沃恩》(1857)、《富赖迪斯》(1860)和《困扰的心灵》(1864)在写作技巧方面有所进步，但均不如第一部小说那样如此受欢迎。

Cumnock and Doon Valley　**卡姆诺克-杜恩瓦利**　苏格兰西南部斯特拉斯克莱德行政区的一个区。1975年区域改组时设置，面积881平方千米。大部为原艾尔郡的农业区，主要生产乳品和放牧牛羊。卡姆诺克、缪尔柯克和达尔梅灵顿三镇有采煤和纺织业。西北部的莫赫林与诗人R.彭斯关系密切。首府设在凯尔-卡里克区境内的艾尔。人口约43 010(1989)。

Cumont, Franz(-Valéry-Marie)　**居蒙**（1868-01-03，比利时阿尔斯特～1947-08-25，布鲁塞尔）　比利时考古学家、语文学家，因对人类早期敬神风习特别是古罗马非基督教的宗教活动作过根本性的探索，对现代基督教新教的宗教史学派影响很大。居蒙曾在根特、波恩、柏林、维也纳及巴黎就读及从事研究工作。1892～1910年任根特大学教授，1899～1912年还兼任布鲁塞尔皇家博物馆馆长。他曾在叙利亚和土耳其从事占星术研究，因而发现崖洞和神龛里的绘画及铭文。根据对这些绘画及铭文的进一步探索，揭示出地中海地区对密特拉神的崇拜同东方地区对袄教的信奉之间有着重要的联系。他的主要著作有：《密特拉崇拜资料汇编》(1894～1901)、《罗马异教中的来世》(1922)、《罗马异教中的东方信仰成分》(1929)、《占星家的埃及》(1937)等。

cun　**皴**　又拼ts'un。英语作wrinkles。中国绘画中用笔墨表现山石树木的结构和质感的技法。早期山水画的主要表现手法是以线条勾勒轮廓，然后着色。长期以来，为了表现山石树木的脉络纹理和凹凸向背，逐渐形成了各种皴擦的笔法。这和西洋画法依靠光线和阴影求得立体感迥然不同。隋代(581～618)似尚无皴法，相传唐代(618～907)李思训、李昭道父子和王维已分别运用斧劈、披麻皴法。至晚唐从孙位的《高逸图》中，可以看到皴法已逐渐成熟，经五代、宋、元，山水画飞速发展，皴法更有多种杰出创造，到了明清，便有25种之多。从笔法类型上看，大致可归纳为三：①以线为主的皴法，如披麻、解索、折带、卷云等；②以面为主的皴法，如斧劈、马牙、雨淋墙头等；③以点为主的皴法，如钉头、雨点、落茄等。这些皴法又以斧劈、披麻为二大宗，其他皴法大抵皆系由此变化而出。表现树身表皮的，则有鳞皴、横皴等。所有皴法都是依其各自所呈现的形状而命名的。经过长期实践总结出来的各种表现手法，具有充分的现实性和科学性。许多画家皆因创造或

擅长某种皴法而得名；画家的思想、性格与艺术宗绪借此皴法，亦可识别、考见。

Cuna 库纳人 操奇布查语的印第安人。曾居住在现代巴拿马中部地区及其邻近的圣布拉斯群岛，至今仍生活在一些边缘地区。16世纪时，库纳人为一重要居民集团，群居于联盟的村落之内，由酋长统治，酋长权力颇大。同时他们彼此之间及与邻近部落之间战争不休。农业主要实行刀耕火种，有大量的商业活动，主要靠独木舟在沿海地带经营。库纳人有着发展完善的阶级制度，一般将俘虏作为奴隶。重要酋长外出时乘吊床；死后也要与其妻室及仆从合葬在大坟墓中。欧洲人与库纳人接触之后，主要想彻底破坏他们的上层政治结构并改变其社会制度及宗教信仰体系。现代库纳人居住在很小的村庄中，主要依靠农业为生，以渔猎为辅。婚姻是母系的上门婚，形成几辈人共处的大家庭，在这种家庭中，女婿服从岳父。宗教以巫师为中心，巫师医治疾病和施行各种巫术。日、月原为主要神祇，但这种神话已受到很多欧洲概念的影响。圣布拉斯群岛的所谓白印第安人，实际上是一些患白化病的人。他们约占库纳全人口的0.7%，被禁止与其他库纳人通婚。

Cunard, Sir Samuel, 1st Baronet 肯纳德（1787-11-21，新斯科舍哈利法克斯［加拿大］～1865-04-28，英格兰伦敦肯辛顿） 英国商人和船主，建立了大西洋第一条定期航运线。商人之子，靠经商致富。1830年起计划建立英国与北美间邮运业务，他的轮船从利物浦开往哈利法克斯，后来又延伸到波士顿。1838年赴英，次年与G.伯恩斯等人合伙建立英国-北美皇家邮船公司，通称肯纳德轮船公司。1859年封为准男爵。

Cunaxa, Battle of 库那克萨战役（公元前401） 安纳托利亚总督小居鲁士与其弟阿尔塔薛西斯二世为争夺阿契美尼德王位而进行的战争。小居鲁士聚集大量部队，由萨迪斯向内地进发。两军在巴比伦以北、幼发拉底河左岸的库那克萨遭遇。在战斗中，小居鲁士亲率600名骑兵奇袭阿尔塔薛西斯的大本营。小居鲁士虽然打伤他的弟弟，但是自己也战死。

Cundinamarca 昆迪纳马卡 哥伦比亚中部省份。位于安第斯山脉东科迪勒拉山。面积24 210平方千米，大部分地区为山间盆地，海拔2 400～2 700米，气候温和凉爽。土壤肥沃，但排水不良。饲养欧洲良种奶牛，也生产水果和谷物。部分地区位于炎热、干燥的马格达莱纳河谷。在这两个区域之间人口稠密的山坡上的咖啡种植园十分著名。有丰富的烟煤资源，约占全国煤炭总储量的一半。曾是奇布查王国的中心。省会波哥大，1538年建立，一直是新格拉纳达总督辖区（后为哥伦比亚）的最重要城市。昆迪纳马卡的旅游名胜有特肯达马瀑布，落差91米。人口1 975 564（1997）。

cuneiform law 楔形文字法 指用楔形文字书写的文献所展示的许多法律条文。楔形文字是古苏美尔人发明的，公元前最后三千纪在中东持续通用。这些法律包括古代中东人多数居民的法律，特别是苏美尔人、巴比伦人、亚述人、埃兰人、胡里人、喀西特人和赫梯人的法律。这些居民尽管在种族上多有差异，但由于相互间有密切接触而发展了近似的文明。在某些时期，这个文化共同体由于一种作为外交和学术语言而用楔形文字书写的阿卡德语的传播而进一步加强。因此把上述这些居民的法律总称为楔形文字法，绝不是任意的命名，而是科学的需要。其他术语均不恰当：如果称为"美索不达米亚法"，只能包括其中的一部分；而称为古代"中东法"时其概念又过于广泛，例如，那会把分别发展的"犹太法"和"埃及法"也包括在内。几个民族和王国汇编的不同楔形文字法具有一定的共同特征：①文献中的条款包括引言、结语，其中由国王强调其行为的重要性，阐释其法律的目的并以赐福或威胁要求其臣民恪守法律。②条文虽好像是受神意，而书写的立法内容却系世俗的，由当代君主制订和汇编的各项措施、法规所构成。③法律虽来自不同源流，如习俗、法庭判例、审慎的立法，但事实上它却是由国王提出，使之具有立法或颁布实施法令的全部特征。④与现代法典相对比，这些古代东方"法典"并没有系统论及适用于某一特定法律范畴的全部条规，也就是说，这些法律涉及各种不同问题，却对许多极其重要的条款仅因已属约定俗成而予以忽略。⑤由于各种合法的惯例已为人们普遍熟悉，因而这些法律汇编多限于解释具体案例，以之作为模式和判例，不反映出创制通用的抽象的定式之意图。⑥由于缺乏这种理论上的意向，所展示的案例顺序，从现代角度看，是无规律的。虽然法典编写者似乎是根据某些法律准则、某些概念联想或某些具体材料作了整理，但其编次却往往仍不符合现代法典编纂的通例。

下面列举几种现存主要法律或法典。已知最早的立法者是约公元前2100年的乌尔·纳姆，他是建于乌尔城的苏美尔王朝缔造者之一。其法典内容涉及巫术、奴隶逃亡以及人身伤害等。苏美尔法律中保存资料更多的则是所谓利皮特-伊士塔法典（约公元前1934～前1924），内容包括典型的引言、条款、结语，涉及个人权利、婚姻、继承、刑罚、财产及契约。

虽然更早期的巴比伦诸法典已为人们所知，最完整的巴比伦法律巨著无疑是汉穆拉比法典（约公元前1758）。这部法典的主要文字内容也只是在1901～1902年之际在1个石柱上发现的。石柱顶端刻有国王在公正之神面前祈祷的一幅浅浮雕，在其下方刻有法律条文，除引言和结语外，条文不少于282段。法典的部分抄本曾在散处此地千余年的诸民族地区找到，这个事实说明，法典在古代东方长期受到重视，甚至在巴比伦已无武力控制的地方，亦复如此。汉穆拉比法典如同其他中东法典一样，逐条逐项涉及刑法、人际关系法、婚姻家庭法，还有各种价格表。它与早期各种法典以及西方最早的希腊法和罗马法的不同之处在于，对财产和其他经济事务给予相当重视。的确，巴比伦第一王朝的社会在个人状况、拥有私产、商业交换的发展上远比罗马早期共和国时代的社会更为"先进"。时间较晚的亚述法律展示了文化水准较低的社会形象，现存泥板文书反映出公元前15～前13世纪亚述建为帝国之前在个人财产、地产、妇女和家庭法方面的法律状况，此法是家长制社会的表现，其条文规定颇为严格。进入这个地区的其他民族的法律中，可提到赫梯法典（约公元前14世纪），它反映出一个很大程度上仍停留在封建贵族统治的较闭塞的农业经济社会。其刑法虽然不如亚述法严厉，然而在涉及罚金方面却相当严苛。

cuneiform writing 楔形文字 古代中东地区曾经广泛使用的一种文字。约自公元前4千纪末期开始，一直到公元前1世纪的这段时间里，楔形文字曾被用来书写过许多语言。已经证实的最早用楔形文字书写的文献是苏美尔语文献，这种语言是公元前4千

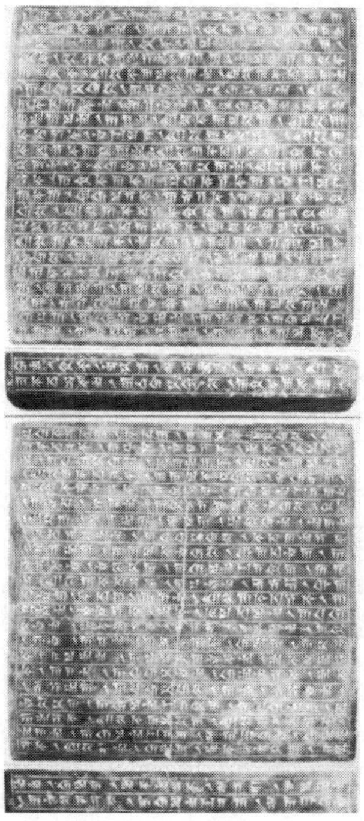

波斯波利斯薛西斯铭文中的波斯楔形文字

美国不列颠百科全书公司供图

纪～前2千纪之间美索不达米亚东南部和迦勒底地区的居民所使用的一种语言。从乌鲁克古城（《圣经》中称以力）遗址发现的楔形文字属图画文字类型，各种事物用图画表示，数目字用重复的短线或圆圈表示，专有名词则按照画谜的规则用图画的组合来表示，即这类图画只能根据通常的发音组合来解读，而不是按图画本身所描绘的东西来理解。到公元前3千纪，图画型的楔形文字逐渐演变成按照惯例书写的线形笔画文字，同时因为这种文字是用一支斜尖的笔划在软泥板上的，所以笔划呈楔形。早期的楔形文字是自上而下书写，但到公元前3千纪时，就改为从左至右书写，而使楔形痕迹出现在字母两边。大约在楔形文字发生上述变化的同一个时期，入侵美索不达米亚的阿卡德人和闪米特人都用楔形文字书写过他们的语言。最早期的阿卡德语楔形文字铭刻始于古阿卡德语时期或早期阿卡德语时期（约公元前2450～约前1850），阿卡德国王萨尔贡一世的铭文就属于这一时期。楔形文字也用于书写源于阿卡德

语的亚述及巴比伦诸方言。埃兰人、喀西特人、波斯人、米坦尼人以及胡里人都借用过楔形文字。胡里人又把楔形文字传给赫梯人,后者的语言属于印欧语系。楔形文字还用来书写赫梯人统治区内的其他语言(如卢维语、哈梯语)。由于公元前 7 ～前 6 世纪阿拉米语作为近来的交际语广为流传,腓尼基文字的使用增多;随着波斯帝国的壮大、美索不达米亚失去政治独立性等原因,楔形文字的使用也就越来越少。只有许多保守的祭司和学者还在使用,又延续数世纪之久。已知最晚的楔形文字泥板约在公元 75 年书写。现代学者所释读的第一批楔形文字文献,是波斯阿契美尼德王朝的三种语言对照的铭刻中的古波斯语部分。铭文埃兰语部分,至今尚未完全释读成功;另一种阿卡德语部分,当学者们辨认出是一种闪米特语以后,很快就释读成功。一旦阿卡德语释读成功,整个楔形文字系统变得明白易懂,用它书写的其他语言也即可读懂。苏美尔语最初被看作阿卡德语的特别书写方式,而不认为是一种独立语言,它是最后待释读的用楔形文字书写的语言之一。

Cunene River(Africa)　参阅 **Kunene River** *库内内河*。

Cuneo　库内奥　法语作Coni(科尼)。意大利西北部城市,皮埃蒙特区库内奥省省会。在斯图拉-迪代蒙特河和杰索河汇合处的高原上,都灵的南面。建于 1198 年。曾由安茹王朝、萨伏依王朝和法国统治。旧城和现代城区由斯图拉-迪代蒙特河上的索莱里大桥相连。著名建筑有哥特式大教堂(10 世纪,18 和 19 世纪修复)、圣方济各教堂(1227)、18 世纪市政厅和 18 世纪的奥迪弗雷迪宫,内有市博物馆等。现为铁路枢纽和生丝、栗子的著名市场,有食品加工、酿酒、冶金和丝织等行业。人口:城市区约55 807(1988)。

Cunha, Euclides (Rodrigues Pimenta) da　库尼亚(1866-01-20,巴西内格罗河畔圣丽塔～ 1909-08-15,里约热内卢)　巴西作家。历史著作《腹地》(1902)的作者,此书代表巴西边界地区被人遗忘的居民提出的第一份书面抗议。最初是军事工程师,后脱离军队,成为土木工程师和新闻工作者。1896 ～ 1897 年作为随军记者到卡努杜斯进行战地采访。以救世主自居的安东尼奥及其追随者在那里建立了自己的"帝国",政府军队连续 5 次进行平叛,叛乱者一直抵抗到最后一人。库尼亚把他目睹的叛乱和镇压情况记录下来,描述生动。他运用地理学和地质学知识,以敏锐的社会观察家的眼光,看到的不仅是这一事件,而且是腹地的穷山恶水及其未开化的居民在民族生活中具有的更重大的意义。他反对 19 世纪普遍认为混血种低能的假科学观点,以激烈的言辞要求国家把落后的同胞纳入巴西生活的主流。库尼亚在一次个人争斗中不幸被枪杀。每年 8 月巴西人都举行"欧克利德斯周"纪念他。

Cunibert, Saint　库尼伯特,圣(约590,奥斯特拉西亚摩泽尔[今在法国]～ 663,科隆[德国])　科隆主教、奥斯特拉西亚国王西日贝尔三世的首席大臣。他曾在法兰克国王克洛泰尔二世宫中和特里尔受教育,在特里尔任大助祭,623 年任科隆主教。他曾出席克利希宗教会议(626 ～ 627)和兰斯宗教会议(627 ～630),后任加洛林王朝国王丕平一世和国王达戈贝尔特一世的顾问兼王子教师。在墨洛温王朝颇有政治势力,特别是在西日贝尔三世在位期间。他赞助向弗里西亚人传教的活动,成立隐修院和教堂多处。

Cunliffe (of Headley), Walter Cunliffe, 1st Baron　坎利夫(赫德利的)(1855-12-04,英国伦敦～ 1920-01-06,萨里埃普瑟姆)　英国银行家。伦敦城的银行家罗杰·坎利夫之子。曾在哈罗公学和剑桥大学三一学院受教育。1880 年成为银行家,1890 年创建坎利夫兄弟商业银行。1895 年任英格兰银行董事,1911 年任副总裁,1913 年任总裁直到 1918 年。1914 年 12 月被封为贵族。在第一次世界大战期间,他参加解决一切主要财政问题,1917 年肩负财政方面的使命陪同 A.J.贝尔福去美国。

Cunningham, Sir Alan Gordon　坎宁安(1887-05-01,爱尔兰都柏林～ 1983-01-30,英国肯特皇家坦布里奇韦尔斯)　英国陆军军官,第二次世界大战期间在东非多次打败意大利军队,使埃塞俄比亚流亡皇帝塞拉西得以重新掌权。坎宁安于 1906 年开始任军官,1940 年 11 月晋升陆军少将,担任驻肯尼亚英军司令。1941 年 2 月率兵进入意属索马里兰。他占领了红海港口基斯马尤和摩加迪沙后,将意大利人赶进多山的内地。1941 年 4 月 6 日,他进入埃塞俄比亚首都亚的斯亚贝巴。1941 年 5 月 20 日,他在安巴阿拉吉接受意大利主力部队的投降。1941 年 8 月前往埃及,率第八军参加同年 11 月 18 日开始的利比亚沙漠攻势的第一阶段。因初战受挫后主张结束此战役而被解除职务,返回英格兰。1945 ～ 1948 年任驻巴勒斯坦高级专员。1945 年晋升上将。1941 年受封为爵士。

Cunningham, Alexander　坎宁安　参阅 **Glencairn, Alexander Cunningham, 5th Earl of** *格伦凯恩伯爵(第五)*。

Cunningham, Sir Alexander　甘宁汉(1814-01-23,英国伦敦～ 1893-11-28,伦敦)　英国陆军军官、考古学家,曾在印度进行多次考古发掘,担任过印度考古局第一任局长。早年曾在英国驻印度军队中服役 28 年。1837 年在佛教圣地鹿野苑发掘,对其雕塑品作精细的素描。1850 年发掘印度古建筑遗址桑吉。除 1848 年撰有克什米尔古代寺庙建筑研究的专著之外,1854 年继有关拉达克考古的一部著作之后,又发表《比尔萨佛塔》一书,为第一部试图根据佛寺建筑考证佛教史的著作。1871 年刊行《古印度地志》,辑录公元前 3 世纪阿育王法令多篇,成为这些法令的第一个汇编本。1879 年完成《巴鲁特佛塔》一书。甘宁汉曾收藏大量印度钱币,1885 年自考古队退休后,专门从事此项研究,写有专著两种。1887 年受封为爵士。

Cunningham, Allan　坎宁安(1784-12-07,苏格兰邓弗里斯郡凯尔～ 1842-10-30,英国伦敦)　苏格兰诗人,一个出色的作家圈子的成员。这个圈子包括T.德·昆西、C.兰

美国不列颠百科全书公司供图

姆、W.哈兹里特、J.济慈和 T.胡德等人,他们都是《伦敦杂志》在 19 世纪 20 年代初全盛时期的撰稿者。他的父亲曾是 R.彭斯的邻居,而他是自学成才的乡村诗人"埃特里克牧羊人"霍格的朋友。11 岁时成为石匠学徒,因阅读司各特的作品而增加了对文学的爱好。1810 年在《尼斯代尔和加洛威诗歌遗稿》中发表了一些冒充古老歌谣的诗歌,然后到伦敦,成为雕刻家 F.钱特里爵士的得力助手(1814 ～1841)。他在业余时间刻苦写作和编辑,把收集到手的古老民歌和故事编辑成《英格兰和苏格兰农民中流传的故事》(1822)和《古今苏格兰诗歌》(1825)出版。写有《英国最著名的画家、雕刻家和建筑师的生平》(6 卷,1829 ～1833)。编辑了《罗伯特·彭斯的作品》(1834),并冠以彭斯传,内有许多有价值的新材料。

Cunningham, Andrew Browne　坎宁安(1883-01-07,爱尔兰都柏林～ 1963-06-12,英国伦敦)　英国海军军官。1897 年成为英国皇家海军舰艇"大不列颠"号上的一名军官候补生,其后稳步晋升,第一次世界大战期间曾指挥英国驱逐舰"蝎子"号。1936 年晋升中将,1939年9月第二次世界大战开始之际任地中

海军上将 A.坎宁安(左)与海军中将 H.K.休伊特在"安肯"号美国军舰上(1943)

美国不列颠百科全书公司供图

海舰队总司令。1940 年 6 月当意大利参战时其海军舰只数量虽然大大超过英国地中海舰队,但坎宁安还是决心在地中海确立英国的海上优势。法国溃败后坎宁安接收了法国海军上将 R.戈德弗鲁瓦在埃及亚历山大港解除武装的法国舰队。之后坎宁安继续打击意大利海军。1940 年 11 月空袭塔兰托湾,炸毁了 3 艘意大利战舰。1941年3月28日在马塔

潘角战役中击沉意大利3艘最大的巡洋舰。至1941年英国已牢牢控制住意大利海军，此时德国空军成为其主要对手。德国空军曾重创坎宁安在克里特岛和马耳他岛周围的舰队以及英国驶往北非的护航舰队。坎宁安作为英美联合参谋长委员会的皇家海军代表赴华盛顿哥伦比亚特区，6个月后于1942年11月重返战斗，任地中海及北非海军总司令，指挥庞大舰队掩护英美部队登陆北非(火炬行动)，并指挥舰队支援英美两栖部队联合登陆西西里岛和意大利。1943年1月晋升海军元帅，1943年10月返回伦敦出任第一海军军务大臣和海军参谋长。在以后的战争中，负责海军的全盘战略规划。1945年被封为男爵，1946年退役，加封子爵。著有自传《一个水手的旅程》(1951)。

Cunningham, Glenn 坎宁安(1909-08-04，美国堪萨斯亚特兰大？～1988-03-10，阿肯色梅尼费) 别名"堪萨斯铁人"或"堪萨斯飞人"。美国中跑运动员，在20世纪30年代多次打破一英里跑世界纪录和全国纪录。7岁时与他的哥哥弗洛伊德因学校失火而严重烧伤，弗洛伊德因此丧生，而坎宁安则被认为永远走不了路。坎宁安战胜了厄运，中学时参加赛跑并获胜。在运动员生涯中，他每一次赛跑都要克服很大困难，赛前总要对腿部进行大面积的按摩并做长时间的准备活动。在1932年奥林匹克运动会上他代表美国参加1 500米赛跑，名列第四。在1936年奥林匹克运动会的1 500米跑中他夺得银牌。在业余体育联盟举办的1933、1935、1936、1937和1938年一英里赛跑中他是跑得最快的人。1939年他用4分06.7秒跑完了一英里，从而创造了一项保持3年未破的世界纪录。他最后几次参加比赛是在1940年。1933年他在堪萨斯大学获得了文学士学位，1936年在艾奥瓦大学获文学硕士学位，在纽约大学获哲学博士学位。1940～1944年，他在康奈尔学院教体育，以后在海军服役两年。1947年，他创建了格伦·坎宁安青年牧场，在那儿的30多年的时间里他帮助了成千上万有困难的青年人。

Cunningham, Imogen 坎宁安(1883-04-12，美国俄勒冈波特兰～1976-06-24，加利福尼亚圣弗朗西斯科[旧金山]) 美国女摄影家，以植物摄影和人像摄影知名。1901年开始从事摄影工作。最早的作品，如《黎明时的沼泽地》(1901)，具有浪漫主义绘画风格，是一种模仿20世纪初期的学院派绘画的摄影风格。坎宁安在德国德累斯顿学习了摄影化学后，在华盛顿州西雅图开设一肖像陈列馆，不久就驰名国内。尽管这时其商业摄影都是清晰简洁的图像，她还是继续拍摄那些柔焦的寓意照片，如《世外森林》(约1912)。经E. 韦斯顿的推荐，其10幅植物照片参加1929年德国人主办的"胶片和摄影"影展。1932年，加入了美国西海岸摄影家的组织*f.* 64摄影小组(Group *f.* 64)。和其他会员一样，她放弃了当时流行的抒情的柔焦摄影，而拍摄影纹清晰的照片，如《两朵马蹄莲》(约1929)，表达了大自然给人以美感的喜悦。

坎宁安拍摄的《两朵马蹄莲》(约1929)
美国不列颠百科全书公司供图

f. 64小组解散后，坎宁安办了一个肖像陈列馆，并在旧金山艺术学院执教。其画册《坎宁安作品集1910～1973》出版于1974年。

Cunningham, Kate Richards O'Hare 坎宁安(1877-03-26，美国堪萨斯渥太华县埃达附近～1948-01-10，加利福尼亚贝尼西亚) 婚前名Kathleen Richards。美国社会主义者、改革家。在内布拉斯加州的一个师范学校短暂学习后到乡村学校短时间执教。后在密苏里州堪萨斯城当机械徒工，并加入国际机械工兄弟会同盟。业余时间投身于当地布道团和教会的禁酒工作。但逐渐对社会工作和改良性改革的价值产生怀疑，转而信仰社会主义。1899年加入社会主义劳工党，两年后追随较为温和的美国社会党。同年末进入堪萨斯州吉拉德的国际社会经济学校学习，并与F. P. 奥黑尔相识。于1902年结婚。1904年奥黑尔出版其社会主义小说《丘比特的悲哀》。1912年前后夫妻两人在密苏里州圣路易斯共同编辑、出版周刊《社会革命》。1910年她作为社会党候选人竞选堪萨斯州议会议员，1913年任该党驻伦敦第二国际代表。1917年任该党战争与军国主义委员会主席，在全国范围内反对美国加入第一次世界大战。同年7月，在北达科他州鲍曼发表演说，因触犯新颁布的联邦《间谍法》受到起诉。1919年4月被关入密苏里州重罪监狱。在狱中出版《凯特·奥黑尔狱中书信》(1919)和《在狱中》(1920)。1920年获减刑，后被C. 柯立芝总统赦免。1920年为总统候选人E. V. 德布兹积极助选。1923年与丈夫共同加入路易斯安那州利斯维尔附近的乌托邦社区"大草原合作聚居区"，在此恢复出版其杂志，改名《美国先锋报》，并帮助成立公民学院。但到1924年已基本放弃争取监狱改革的社会主义鼓动，1924～1926年开展对监狱合同工的全国调查。1926年大草原社区遭解散，公民学院迁至阿肯色州米纳后继续在学院执教两年。1928与第一个丈夫离婚后，同旧金山律师C. C. 坎宁安结婚。1934年积极投身于U. 辛克莱竞选州长的"结束加州贫困"运动。1939～1940年任加州监狱学研究室副主任。

Cunningham, Laurie 坎宁安(1956-03-08，英国伦敦～1989-07-15，西班牙马德里) 职业足球运动员。1977年加入西布罗威奇阿尔比恩队，担任前锋。该队另外还有两个黑人球员B. 巴特森和C. 里吉斯，这在当时的英国足联是前所未有的。同年坎宁安成为英国青年国家队第一个黑人队员。获得6次英国国家队队员帽。1979～1983年效力于西班牙皇家马德里队。后来又在欧洲多个球队短期效力。

Cunningham, Merce 坎宁安(1919-04-16，美国华盛顿森特勒利亚～2009-07-26，纽约州纽约) 美国现代舞蹈演员和编导。创造了一些抽象舞蹈动作的新形式。12岁开始学舞，高中毕业后在华盛顿州西雅图科尼什美术和工艺美术学院就学两年，1938年在米尔斯学院师从L. 霍顿。1939年在本宁顿学院就学期间应M. 格雷厄姆之聘参加了她的舞蹈团。作为该团的一名独舞演员，创作了许多重要角色。由于受到格雷厄姆的鼓励，于1943年开始从事编舞。他的早期作品有《一个无中心的根源》(1944)和《神秘的冒险》(1945)。1945年离开格雷厄姆舞蹈团，开始与作曲家J. 凯奇的长期合作，其中包括在纽约市一年一度的作品演出会。1952年他组建了自己的舞蹈团。由于对尽可能不带感情内涵的纯动作感兴趣，他创造了一种"偶然编舞法"，这种技法是选择孤立的一个

美国不列颠百科全书公司供图

个动作，就像掷一枚钱币那样随意规定动作顺序。在《由一个独舞者和三个伴舞者表演的16段舞蹈》(1951)中的各段舞蹈，先后顺序安排就是如此。而在《偶然组曲》(1952)中，动作样式也是这样构成的。《偶然组曲》是根据C. 沃尔夫作品改编的电子音乐乐谱编舞的第一部现代舞。《为孤独的人的交响乐》(1952，后称《大杂烩》)，是根据P. 沙费和P. 亨利的同名乐曲表演的，并且是在美国第一次演奏"具体音乐"，即用磁带把周围的声音录下来构成的音乐。他的抽象派舞蹈在基调上变化很大，但常用动作的突然变化和对比来塑造人物或描绘性格。他的许多作品与达达主义者、超现实主义者和存在主义者的主题相一致。1974年他将舞蹈团经营20年之久的全部剧目弃而不用，替之以"偶然事件"的一些新旧舞蹈片断，有时两个或更多的片断同时表演。另一新鲜事物的出现是专为录像磁带设计舞蹈。新作有《四重奏》(1983)等。由J. 科斯蒂编辑的《默斯·坎宁安》一书于1975年出版。

Cunningham, William 坎宁安 参阅Glencairn, William Cunningham, 4th Earl of 格伦凯恩伯爵(第四)。

Cunningham, William　坎宁安(1849-12-29，苏格兰爱丁堡～1919-06-10，英格兰剑桥郡剑桥)　英国经济学家和牧师。1873年起在英国国教会任圣职。与此同时，1891～1897年任伦敦国王学院经济学教授，主要负责编写供英国各大学使用的经济史教材。所著《英国工商业的增长》(1882，后增编为3卷)是英国最早的系统化的经济史之一。

Cuno, Wilhelm (Carl Josef)　库诺(1876-07-02，德国苏尔～1933-01-03，奥米勒)　德国政治家，商界领袖，汉堡-美洲航运公司董事长，法国和比利时人侵鲁尔区期间(1923)任魏玛共和国总理。1907年任帝国财政部顾问，后为政府顾问，负责起草和向帝国议会提交议案。第一次世界大战初期，他主持谷物管理局(直至1916年7月)，后转粮食部，最后又到财政部任战时经济总顾问。在停战和和平谈判期间，他以经济专家身份任政府代表。航运大王阿尔伯特·巴林自杀后，他成为德国最大的航运企业汉堡-美洲航运公司的董事长(1918-12)。1922年11月出任魏玛共和国总理。1923年1月法国和比利时以拖欠赔偿付款为由进攻鲁尔，库诺主张采取全国消极抵抗政策。但因无法保持经济的稳定，被迫于1923年8月辞职。他回到汉堡-美洲航运公司董事会，1926年又当选为董事长。

Cunobelinus　库诺贝利努斯(？～约42)　公元10～42年不列颠东南部大片地区的统治者。W.莎士比亚戏剧《辛白林》中的辛白林就是他，不过剧中虚构的情节与他本人的经历无关。库诺贝利努斯继其父塔西奥瓦努斯成为以今伦敦以北地区为中心的卡图维勒尼部族的酋长，曾征服特里诺文特部族的土地(今埃塞克斯)。他以卡穆洛杜南科尔切斯特为首府，并在此设造币厂。他的势力和影响遍及不列颠，罗马传记作家苏埃托尼乌斯称他为"不列颠王"。公元40年，他放逐了他的儿子阿德米尼乌斯，后者逃往罗马，劝说罗马皇帝卡利古拉入侵不列颠，但远征军集结后未成行。他死后，另外两个儿子敌视罗马，为罗马皇帝克劳狄乌斯统治不列颠提供了借口。

Cunoniaceae　库诺氏木科　虎耳草目的一科。26属。灌木或乔木。叶革质。主要种原产于南半球热带地区。有的种可栽培观赏，如*Geissois racemosa*，花深红色，原产新西兰。好望角库诺氏木(*Cunonia capensis*)花小，白色，密生成簇，原产于非洲南部。

好望角库诺氏木(*Cunonia capensis*)
美国不列颠百科全书公司供图

Cuoco, Vincenzo　库欧科(1770-10-01，那不勒斯王国莫利塞奇维塔坎波马拉诺[意大利]～1823-12-14，那不勒斯)　Cuoco又拼Coco。意大利史学家，以所著1799年那不勒斯革命史论而闻名。17岁时前往那不勒斯学习法律。1789年法国大革命爆发时，他成为雅各宾派。1799年积极参加那不勒斯王国的革命。后被迫流亡法国，在那里著《那不勒斯革命史论》(3卷，1800)，深刻分析运动失败的原因。1800年6月回到米兰，主持《意大利日报》。当约瑟夫·波拿巴登上那不勒斯王位时，他回那不勒斯任王室会议委员，后任枢密官。他的另一巨著是哲理小说《柏拉图在意大利》(2卷，1804)。1815年斐迪南一世复辟后，他精神逐渐失常。

Cuong De　彊柢(1882～1951-04-06，日本东京)　越南亲王。20世纪初曾由越南民族主义者扶植，作为自由越南的象征。他是嘉隆皇帝的直嗣，理应继位，但被控制越南的法国人排挤，未得继位。1904年与潘佩珠等抗法领导人交往。后入东京振武军事学校。1909年被日本驱逐出境。此后踏遍亚欧各国寻求支持，皆无所获。在第一次世界大战期间，1915年再去日本。他得到日本政府的资助和许诺：一旦法国人在欧洲战败，日本即承认越南的自主权。战后他继续积极从事民族解放运动，致函凡尔赛和会、法国政府和美国总统W.威尔逊，重申建立自由越南的要求。日本政府亦同意不再以越南独立问题与法国作交易。1945年3月，日本取得法国在印度支那殖民地的所有权力，一般认为可能抬出彊柢作傀儡皇帝，但日本继续维持保大的皇位。彊柢在流亡中死去。

cup　杯　英国法定度量衡制和美国习用度量衡制的体积单位。在美制中，用于液体测量的杯与用于干物测量的杯是不同的单位，1美液杯等于14 7/16立方英寸或236.64立方厘米，1干杯等于1.164液杯；液杯比干杯用途广泛得多。在英国，杯用于干、液两种测量类型，等于1.201美液杯(284.2立方厘米)。不论英制或美制，1杯都等于2及耳或1/2品脱。

cup fungus　杯菌　真菌界(Fungi)子囊菌纲盘菌类(Discomycetes)真菌的统称。子实体盘状(子囊盘)，子囊生其上。有些杯菌是植物的病原体，如链核盘菌属(*Monilinia*，或核盘菌属[*Sclerotinia*])可致桃等核果的褐腐病。其余的杯菌生于陈腐的牛粪和腐烂枝条上，呈鲜艳红或橙色小盘状。每个子囊含8枚子囊孢子。块菌目种类生于地下，子囊盘完全裹于子囊果内，仅在块菌裂开时方与外界相通。杯菌产生掷孢子——一种能弹射的子囊孢子。马鞍菌属(*Helvella*)、杯菌属(*Peziza*)释放孢子时子实体上方烟雾缭绕，无数小型爆炸嘶嘶作响。羊肚菌属(*Morchella*)有15种，可食，菌盖表面凹凸不平，形似羊肚。各种之间形态及生境各异。羊肚菌(*M. esculenta*)

自上至下：羊肚菌(*M. esculenta*)；巨马鞍菌(*H. gigas*)；绯红肉杯菌(*Sarcoscypha coccinea*)；沟基马鞍菌(*H. infula*)
美国不列颠百科全书公司供图

可食,初夏生于林中。胶脑菌属(鹿花菌属,*Gyromitra*)的种类多数有毒;但褐色腹脑菌(褐色鹿花菌,*G. brunnea*)可食,见于沙质土壤或林中。钟菌属(*Verpa*)钟状,可食,早春见于树林和经营年久的果园。杯菌属约50种,分布广泛,多见于腐木和粪堆上,夏季生出杯状的子实体或蘑菇样的构造。火丝菌属(*Pyronema*)和花盘菌属(*Anthracobia*)多见于烧焦的木头和烧熏土上,俗称火蕈。巨马鞍菌(*Helvella gigas*)亦称雪蕈,见于溶雪的边缘处。采集马鞍菌时要加小心。沟基马鞍菌(*H. infula*)栗色,菌杯鞍状,夏末秋初生于朽木或肥沃的土壤上,对一些人有毒。肉杯菌属(*Sarcoscypha*)和地杯菌属(*Geopyxis*)形如茶杯或高脚杯。

cup lichen　杯状地衣　石蕊属(*Cladonia*)植物。分布广泛,常生于北方的地面和岩石上。原植体有多种形状,从简单而尖锐的外形到杯状,呈黄色、灰色或褐色。是最常被人

一种石芯属植物(*Cladonia coccifera*)
美国不列颠百科全书公司供图

采集的地衣。含黏胶物质或淀粉。与牛奶或糖浆同煮,可用以治疗百日咳和肺部疾病。喇叭石蕊(具盖石蕊,*C. pyxidata*)杯状体小,高度可达2.5厘米。

Cupar　库珀　苏格兰东部法夫政务会辖区东北法夫区皇家自治市(城镇)和集市中心。属法夫历史郡。在伊登河畔富饶谷地。13世纪为法夫的司法中心。1356年设为皇家自治市,并为法夫的行政中心,直至1975年行政活动转移到格伦罗西斯。现经销谷物和牲畜。有印刷、食品加工、化学制品和家具制造等行业。人口7 545(1991)。

cupboard　柜橱　起源于中世纪的一种家具。原指存放杯盘的餐桌,后指用以陈列盘碟的阶梯形餐具柜和餐具架。从16世纪起,指一种装有门的存放东西的柜橱。拜占廷式和仿罗马式的柜橱是一种简单的木板结构,虽然有时也以精致的彩绘作装饰。自立式柜橱最初是为教堂制造的。14世纪被普遍用作家用家具。当时的倾向是把家具制成可搬动的东西,而不再是与建筑物连在一起的固定设备。中世纪许多最精美的柜橱精致地雕刻着哥特式建筑采用的装饰纹样。15世纪后期贮藏食物的食橱设有通风洞,并常刻成窗格形状。另一种大厅或客厅内使用的柜橱

15世纪的德意志橡木柜橱
美国不列颠百科全书公司供图

是一种封闭式的作陈列用的柜橱,例如宫廷柜橱在英格兰都铎王朝和斯图亚特王朝时代曾风行一时。到17世纪,柜橱代替箱子成为存放物品的主要家具。随着柜橱的日益盛行,它的装饰也越来越讲究,包括嵌板、雕刻和细木镶嵌等。还有一种高大的衣橱,存放被单、帐帷和衣服等。18世纪初期,在五屉柜上加一个橱组成的大衣橱在英国流行,以后并推广至欧洲大陆各国。18世纪以后直到现代,柜橱的设计无重大改进。

cupellation　灰吹法　把含杂质的金或银在特种炉子内灰吹盘(由耐火或耐高温材料制成的平底多孔盘)中熔化,随后在其上面吹入热空气流来分离掉杂质。铅、铜、锡和其他不想要的金属杂质被氧化,一部分蒸发掉,一部分被吸入灰吹盘细孔。

Cuphea　萼距花属　千屈菜科的一属。灌木或草本,200余种,主要原产热带美洲。墨西哥和中美原产4种,花美丽,是常见的室内观赏植物。神香草叶萼距花(*Cuphea hyssopifolia*)是一种被毛的多分枝小灌木;叶小,无柄,狭窄,聚生;花管状,浅紫色。朱红色萼距花(*C. llavea*)高达60厘米,被硬毛,叶广椭

雪茄花(*Cuphea*)
美国不列颠百科全书公司供图

圆形,粗糙,近无柄;花管状,红色。小瓣萼距花(*C. micropetala*)高30～120厘米;叶长圆形;花管状,黄色,近基部深红色。宽距萼距花(*C. platycentra*)或称火红萼距花(*C. ignea*),花形似雪茄,故俗名雪茄花,高20～37厘米;叶披针形;花管状,淡红色,近顶部具黑色环,口部灰白色。

Cupid　丘比特　古罗马宗教所信奉的爱神,相当于希腊神话中的厄洛斯和拉丁诗歌中的阿摩尔。据说丘比特是身生两翼而为诸神传信的神灵墨丘利与爱神维纳斯所生

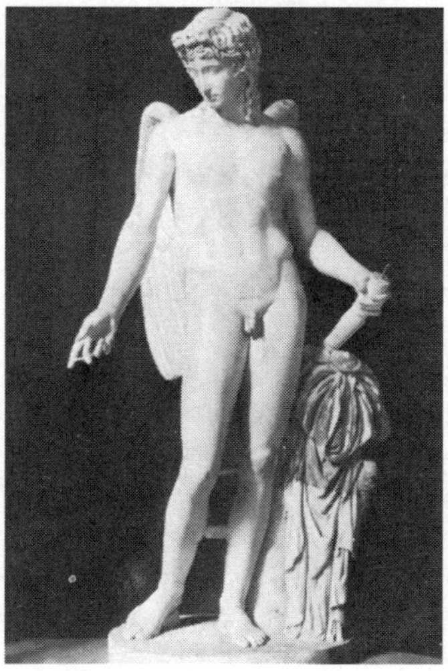

古典雕塑——丘比特
美国不列颠百科全书公司供图

之子。丘比特之像通常为生有双翅的男童,手执弓箭,为其箭所伤者,就会堕入情网。有时其像如同战神马尔斯,身披甲胄。

cupola　小圆顶　建筑中放在圆形、多边形或方形基座上的小穹顶,也可放在一圈小柱或屋顶小亭上。常用于塔楼屋顶或较大的穹

德黑兰市内带小圆顶的清真寺
美国不列颠百科全书公司供图

顶之上作为顶端。此词有时也指双层穹顶的内层。最初约于8世纪时在伊斯兰教建筑中广泛应用,常作球茎形或尖头形,用于尖塔顶部及清真寺中央部分和四角,以及中东和印度居住建筑中。自中东传入俄国后,17、18世纪时洋葱头形圆顶甚为流行,其优点是装饰性强同时又不积雪。摩尔人将这种穆斯林设计风格传入西班牙,可能由于17世纪伊斯兰教的影响而再传至维也纳,见于当地许多巴罗克式建筑中,奥地利和巴伐利亚的很多小教堂都带洋葱头形圆顶。17世纪晚期的英国居住建筑采用了各种形式的小圆顶,美国在独立战争后也采用了这种形式(如纽约市的市政厅和华盛顿的美国国会大厦)。19世纪美国居住建筑中也流行小圆顶。

cupola furnace 冲天炉 又称化铁炉。一种在炼钢生产中用来熔化铁的竖直圆柱形炉。铁水可用于铸造或装入其他炉内再冶炼。约1720年R.-A.F.de列奥米尔在法国建立了世界上第一座冲天炉。迄今冲天炉熔炼仍是最经济的熔化铁的方法,大部分灰口铁采用此法熔化。冲天炉与鼓风炉类似,以耐火材料衬里,钢炉身高达6～11米,置于下有4根钢腿的铸铁基座上。冲天炉底有两扇带铰链的门,用中心支柱支撑,处于关闭状态。在关闭的底门上捣筑一层型砂,用来承载焦炭层、熔融金属和随后加入的炉料。供燃烧用的鼓入空气通过冲天炉下部周围的风口进入冲天炉内。铁块、焦炭和石灰石熔剂放置在焦炭层上面,使铁块的高度超过风口(此处温度最高)。熔化过程是连续的,熔化

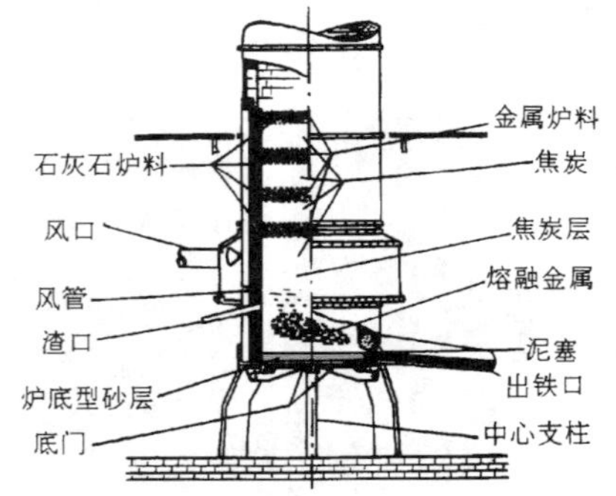

冲天炉

的铁水通过冲天炉基座上可以打开的出铁口,连续地或间断地流出。间断出铁时,用带尖头的钢棒戳穿出铁口的黏土泥塞,打开一条铁水通道。封闭出铁口时要使用新的黏土泥塞。打开渣口时,废弃物以渣的形式流出。操作终了时,可将炉底门下面的支柱敲除,放掉剩余炉料。

Cupressaceae 柏科 松杉目的一科。约19属,130余种,分布于全世界。常绿灌木或乔木。叶对生或轮生,或三叶聚生。幼叶或过渡叶形如鞋钻,常可见于成熟的树上。成熟叶鳞片状,狭窄,紧贴在扁平的小枝上。雄球花着生在短枝枝端,雌球花顶生,具对生或轮生鳞片,每个鳞片与一个苞片合生。球花通常木质,胚珠直立。柏科中具有经济价值的属是崖柏属(*Thuja*)、柏属(*Cupressus*)、柏松属(*Callitris* 和 *Widdringtonia*)、智利柏属(*Fitzroya*)、南美雪松属(*Austrocedrus*)、四斜柏属(*Tetraclinis*)、罗汉柏属(*Thujopsis*)、扁柏属(*Chamaecyparis*)、翠柏属(*Calocedrus*)、侧柏属(*Biota*)、白阿勒尔斯柏属(*Pilgerodendron*)及刺柏属(*Juniperus*)等。许多柏科种类,尤其是崖柏类、柏类及刺柏类,为重要的材用树或观赏树,又含有用的油类、树脂及丹宁等。

cuprite 赤铜矿 软而重的红色氧化物矿物(Cu_2O)。一种重要的铜矿石矿物,常由铜的硫化物风化而成的一种次生矿物。呈明亮的晶体、颗粒或似土块状,广泛分布于铜矿脉的氧化带。其矿床曾发现于法国的谢西、英格兰康沃尔的几个地点、澳大利亚的布罗肯希尔以及西南非纳米比亚的楚梅布。在美国西南部的铜矿区,例如亚利桑那州的比斯比,有大量这种矿物。关于详细的物理性质,参阅 **oxide mineral**(表)。它有两种不常见的变种:①毛赤铜矿或毛铜矿,是一种松散地交织在一起的毛状晶体的集合体,具有浓胭脂红色和丝绢光泽。②瓦铜矿,是一种软的土状变种,呈砖红色至浅褐红色,常含有混入物赤铁矿或褐铁矿,是由黄铜矿变化形成的。

产自美国亚利桑那州比斯比的赤铜矿

美国不列颠百科全书公司供图

cupronickel 白铜 一组重要的铜镍合金。许多国家用含25%镍的铜合金制造硬币。因铜和镍在熔融状态下很容易混合,所以可用的合金范围不限定于一定的限度。铜中加入2%～45%镍可获得一系列合金,比纯铜有更高的强度和在高温下的抗氧化性。以含30%镍的铜合金最为重要,广泛用作热电厂冷凝器管道。1860年比利时首先用白铜制造硬币,随后在其他国家也广泛使用。例如,从1947年起英国用来代替银制造硬币。美国采用75:25的成分制造3分镍币(1865～1889)和5分镍币(1866年起),从1965年起用白铜制造10分和25分硬币的两表面层(其中间夹一层铜),有一短时期采用88:12的成分制造1分硬币(1857～1864)。白铜有良好的冷热加工性,用途广泛,例如含20%镍的白铜用来制造外露的汽车零件。白铜电阻率高,含55%铜和45%镍的康铜用于电阻器、热电偶和变阻器。

cups and balls trick 杯球戏法 参阅 **shell game** 果壳游戏。

Cuquenán, Salto(Guyana-Venezuela) 参阅 **Kukenaam Falls** 库克南瀑布。

Curaçao 库拉索岛 加勒比海荷属安的列斯群岛背风群岛的岛屿。面积444平方千米,是荷属安的列斯群岛中最大的一个岛屿。欧洲人在1499年最早到达该岛。西班牙人1527年来此定居。后荷兰人将此岛作为其西印度公司的贸易中心。该岛上有西印度群岛最好的天然港。岛东南端有一水道圣安娜湾通斯霍泰加特湾,后者沿岸有该岛首府威廉斯塔德。1660～1700年荷兰西印度公司奴隶贸易兴旺,库拉索向所有国家开放,接纳进口的食物,出口南美洲种植园的产品。1816年后一直由荷兰人控制。荷属安的列斯群岛立法议会中有12名议员由库拉索岛选举产生。当地事务由岛屿政府处理。尽管雨量稀少,沃土极少,在荷兰殖民统治下却发展起甘蔗种植园。也产柑橘,干橘皮为该岛酿制的著名库拉索酒的原料。水源靠海水淡化。库拉索岛繁荣的经济主要依靠来自委内瑞拉的石油。有良好港湾可停泊巨大油轮,也是巴拿马运河贸易路线上的交通枢纽。建有现代化干船坞和加煤装置。按停靠船只吨位总数计算,是世界上最大的港口之一。仅有少数制造业工厂,所有消费品和粮食靠进口。磷酸盐开采和石油工业自动化的衰落加剧了失业和社会的不安定。旅游业的发展使这种局面稍有缓和。人口约146 828(1994)。

curare 箭毒 一种生物碱类骨骼肌松弛药。来源于植物,现代医学中用作全身麻醉的辅助用药,常与环丙烷合用,尤常用于腹部手术。属神经肌肉阻断药,注射后在神经末梢与乙酰胆碱竞争,阻断来自骨骼肌的神经冲动,使骨骼肌松弛无力。首先对脚趾、耳部及眼部肌肉发生作用,次及颈部、背部及四肢肌肉,最后影响呼吸肌。大剂量时因麻痹呼吸而致死。其粗制品即称“箭毒”,南美印第安人以此制成毒箭以供狩猎。本品来源于数种美洲热带植物(防己科的 *Chondodendron* 属及马钱科马钱子属)。粗制箭毒为树脂状团块,暗棕至黑色,黏稠或坚硬,有柏油似的气味。curare 一词源出印第安语 woorari,woorali 或 urari,意为“毒物”。箭毒制品依所用容器分为3类,用陶瓶装的名“壶箭毒”,用竹筒装的名“筒箭毒”,用葫芦装的名“葫芦箭毒”。以上制品中均含药理作用相似的数种生物碱;最主要的是筒箭毒碱,1897年由筒箭毒中提出,1935年得出其结晶体。氯化筒箭毒碱(右旋体)从南美藤本植物(*Chondodendron tomentosum*)的树皮及茎中分离出,是药用的纯品。在麻醉操作中,注射箭毒生物碱后,以最小量麻醉药即能产生手术所需要的肌肉充分松弛,仅脊椎麻醉可与相比。因此麻醉后苏醒较快,术后肺炎及其他并发症的发病率大为减少。箭毒又可用于弛张喉或各种中空器官(如直肠、尿道等)以便检查,又可缓解各种肌肉挛缩及惊厥,还用于腰部、骶髂关节等处的推拿疗法等。因为本品有迅速的可逆作用,故可用于重症肌无力的诊断。亦可用于缓解痉挛性麻痹;休克疗法中用为辅助用药,以减少椎骨骨折的发生率;又用于需要肌肉充分松弛,甚至使之完全不能活动的情况。

curassow 凤冠雉 鸡形目冠雉科许多种热带美洲鸟类。严格说仅有 7～12 种。雄鸟体羽黑色而有光泽(通常腹部白色),冠羽弯曲,嘴具鲜艳色彩的装饰物。雌鸟不具装饰

凤冠雉(*Crax unicornis*)
美国不列颠百科全书公司供图

物,体较小,呈淡褐色。凤冠雉是猎禽,肉味鲜美。大型种类(体长几乎达 100 厘米)包括:大凤冠雉(*Crax rubra*),产自墨西哥至厄瓜多尔;委内瑞拉和哥伦比亚山地的盔凤冠雉(*Pauxi pauxi*);亚马孙的刀嘴凤冠雉(*C. mitu*),是濒危种类。稚冠雉类有 11 种,是冠雉科中体型最小和最不爱树栖的种类。小灰头稚冠雉(*Ortalis vetula*)是典型种类,体长 50 厘米,分布自得克萨斯边境到尼加拉瓜;体重约 0.5 千克,体羽呈淡褐色,具绿色光泽、尖端白色的长尾;拂晓和黄昏时群集于树顶,发出有节奏的叫声。冠雉有 12 种,体重较有亲缘关系的凤冠雉轻、身材稍小。集群性很强,晚间发出嘈杂叫声。两性相似。凤头冠雉(*Penelope purpurascens*)曾被误称为紫冠雉,产自墨西哥到厄瓜多尔和委内瑞拉,是重要的猎鸟,体长约 65 厘米,重约 2 千克。体羽绿褐色,下体有白斑。有几种濒危。

curculio 锥象甲 鞘翅目象甲科一些体粗壮的昆虫的俗称。其中最知名的是为害梅、苹果、桃等果树的梅象(**plum curculio**)。成虫在垃圾堆中越冬,春季雌体在果实上钻洞产

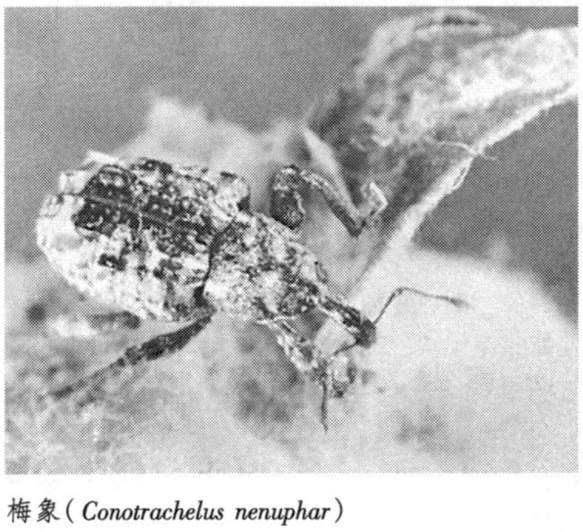

梅象(*Conotrachelus nenuphar*)
美国不列颠百科全书公司供图

卵,还在每个洞旁作一个新月形切口。幼虫在水果内取食 3～5 周后爬出,在土中化蛹,蛹期约 1 个月。锥象甲并非都为害水果,如胡桃锥象甲(*Conotrachelus juglandis*)则取食胡桃。

Curel, François de 居雷尔(1854-06-10,法国梅斯～1928-04-26,巴黎) 法国剧作家、小说家,A.安托万的著名自由剧院才子之一。自由剧院的建立是对法国商业性剧院建立的反应,为有独创性戏剧艺术提供演出场所。他出身贵族家庭。原学工程,1871 年故乡洛林割让给德国后,改行从事文学。著有《假圣人》(1892),描绘一个痛苦女人的破坏性;《顽石》(1892),描绘一个贵族家庭的没落;《女宾》(1893),描写爱的冲动与报复;《新偶像》(1895),描写崇拜科学而轻视人的价值;《狮子的食料》(1897),写劳资关系。1906 年后停止写作数年,重新执笔时,作品改为诙谐和讽刺的笔调。1919 年的《疯狂的灵魂》获得成功,这部喜剧对比了人兽在感情方面的异同。1918 年被选入法兰西学院。

Curepipe 居尔皮普 毛里求斯岛的城镇。位于境内西部高原地区,在首都路易港南 18 千米。1867 年疟疾流行,路易港居民被迫迁移至高原安全地带。此后该城镇迅速发展。城内设有毛里求斯广播公司、卡内基图书馆、皇家学院附属中学、毛里求斯语言与文学学院。有公路连接通往瓦科阿-菲尼克斯和首都的高速公路。人口约66 704(1990)。

curia 库里亚 复数为curiae。古罗马对人民的政治区划。据传说,罗马城的缔造者罗慕路斯把全城人民分为 3 个部落 30 个库里亚(胞族),每个库里亚由 10 个氏族组成。它们是构成原始的人民大会(库里亚大会)的单位,且为罗马早期军事组织之基础。共和国早期,库尔亚逐渐失去其政治和军事重要性,主要充当宗教团体,其首领被称为"库里奥"(族长)。"库里亚"一词又指库里亚的集会地点,后来用以指其他集会地点(包括元老院厅)和其他各种集会。

curia 库里亚 复数为curiae。欧洲中世纪历史上的一种法庭或多人小组,其成员在某一特定时间内为社会、政治或司法的目的而服务于某个统治者。在行政、立法与司法的职能不像后世那样明晰的时期,库里亚的组织和职能因时代和国家的不同而有很大的变化。一般说来,库里亚的任务是满足统治者的个人需要(宫廷内侍、管家、膳食供应者),指导政府事务(宰相、财务大臣、秘书、军事领导人),或者仅仅是为统治者提供伴侣。统治者与库里亚制定的政策既有普通决定也有重大决策(如有关战争、缔结条约、财政与教会的关系等);在一个权势强大的统治者(国王、公爵或伯爵)之下,库里亚还经常作为法庭积极活动。实际上,库里亚在司法工作方面负担过重,以致这类工作逐渐为各专门审判集团所取代,例如英格兰的王座法庭或法国的高等法院,但这类法院或法庭在中世纪初期只被视为库里亚的工具,而不是独立的机构。与此类似,库里亚也把不断增加的财政事务的重担转交给像英国的财政署和法国的计财署(理帐库里亚)一类的机构,而这类机构长期内也仍然是库里亚的工具。

中世纪库里亚的演变可用英格兰的法庭作实例来说明。英格兰法庭称为王座法庭或国王法院。它在"诺曼征服"时期(1066)引入并延续到大约 13 世纪末。国王法院是各种高级诉讼法院、枢密院和内阁的起源。起初,它只是国王召集的一般议事会,亦即封建领主大会;但是在亨利一世统治期间(1100～1135),这种议事会逐渐有了较明确的性质,当时其成员人数较少,主要由皇室高级官员或国王的其他朋友和侍臣组成。它协助国王处理法律事务,其权力和国王自己的权力一样没有明确规定。

大约在同一时期,库里亚承担起了处理财政事务的职责,从而成了财政法庭的前身,其成员被称为"法官",并在国王不出席时由首席法官主持法庭。亨利二世采取了进一步的措施。1178 年,他任命 5 名库里亚成员组成一个行使一种特殊法律权力的专门法院,该机构逐渐以"民事法庭"之名而为人知晓。最初,该法庭的法官像库里亚其他成员一样,跟随国王宫廷时常从一地迁往另一地,但是《大宪章》(1215)规定法庭必须长驻一个地方,它从此便成为一个稳定的司法机构。王座法庭也是从国王法院发展而来的。这个法院继续随君主四处迁移直至 14 世纪,当时它也失去了与国王的紧密联系,完全成为民事法庭的一个上级机构。大法官法院也是国王法院的一个分支。大约在爱德华一世(1272～1307 年当政)时期,国王法院的行政与咨询职责逐渐由一个经过精心选择的小集团即国王的秘密议事会来承担,它后来被称作"枢密会议"。以后从枢密会议逐渐发展出了内阁。

Curia, Roman 参阅 **Roman Curia** 罗马教廷机构。

curia baronis (medieval English law) 参阅 **court baron** 贵族私人法院。

Curiatii 库里阿提乌斯三兄弟 参阅 **Horatii and Curiatii** 贺拉提乌斯三兄弟和库里阿提乌斯三兄弟。

Curicó 库里科 智利中部马乌莱区库里科省省会。位于中央盆地。1743 年初建,1830 年建市。1928 年曾毁于地震,但中央广场幸免。现周围农业地区以出产制酒葡萄闻名。市内有面粉厂和酿酒厂。泛美公路和南北铁路干线均路经该市并各有支线西连太平洋海岸的利坎滕。人口:城市区约 106 092(1990)。

curie 居里 物理学中,放射性物质的计量单位。1962 年,国际放射性单位委员会推荐,每秒钟核变换数为 3.7×10^{10} 的一定量核素的放射性活度,定义为 1 居里。其他团体则将居里定义为每秒钟经历 3.7×10^{10} 次衰变的放射性物质数量。此单位名称为纪念法国著名物理学家 M.居里而定。

Curie, Irène (physicist) **居里** 参阅 **Joliot-Curie, Frédéric and Irène** 约里奥-居里夫妇。

Curie, Marie 居里夫人(1867-11-07,俄罗斯帝国波兰华沙～1934-07-04,法国萨朗什附近) 母家姓玛丽·斯克罗多夫斯卡(Maria Skłodowska)。波兰出生的法国物理学家,以研究放射性驰名,两次获诺贝尔奖。1903年

美国不列颠百科全书公司供图

与H.贝克勒耳和她的丈夫皮埃尔·居里共获诺贝尔物理学奖。后来她单独获得1911年诺贝尔化学奖。

自童年起即以惊人的记忆力著称。16岁在俄国人设立的中学毕业时得金质奖章。父亲为数学和物理教师,因投资失败而倾家荡产。她只好去当一名教员,同时秘密参加民族主义的“自由大学”,用波兰语向女工们讲课。18岁任家庭女教师,体验过一次失恋的苦痛。她能拨出部分收入接济其姊布伦尼娅在巴黎学医,双方约定日后布伦尼娅要帮助她上大学。

1891年,玛丽·斯克罗多夫斯卡前往巴黎,开始在巴黎大学听P.阿佩尔、G.李普曼和E.布蒂的讲课。她在那里结识已经成名的物理学家J.皮兰、C.莫兰和A.戈登。她在学生区的阁楼中一直研读到深夜,真正是以面包、奶油和茶水充饥。1893年首先获得物理学学士学位。她开始在李普曼的研究实验室中工作,1894年又获得数学学士学位。是年春天结识了皮埃尔·居里。

他们的结婚(1895-07-25)标志着两人协力的开始,这一合作很快就产生了具有世界性重大意义的成果,特别是1898年夏发现钋(玛丽为纪念祖国波兰[Poland]而如此命名),几个月后又发现镭。1896年贝克勒耳发现一种新现象(玛丽后来称之为“放射性”)后,居里夫人寻找写博士论文的题目,她决定试验一下能否在其他物质中找到在铀中发现的性质。她与G.C.施米特在同一时期发现钍便具有这一性质。

在转向矿物时,她的注意力被沥青铀矿吸引,这一矿物的放射性优于纯铀,只能解释为在矿石中存在微量具有极高放射性的一种不知名的物质。随后,皮埃尔·居里参加了她为解决这一问题所进行的研究工作,结果发现了新元素钋和镭。当居里主要潜心于对新放射物质作物理学研究时,玛丽则努力获取金属状态的纯镭,她在居里的一位弟子、化学家A.德比耶纳的协助下大功告成。由于这一研究成果,她于1903年6月获理学博士学位,并与丈夫一起获皇家学会戴维奖章。同在1903年,居里夫妇和贝克勒耳因发现放射性而共获诺贝尔物理学奖。

她于1897年生女儿伊雷娜,1904年生女儿夏娃,但两女的出世并未打断她紧张的科学研究工作。1900年任塞夫尔女子高等师范学校物理学讲师,在那里倡导以实验证明为基础的教学方法。1904年12月任居里领导的实验室的主要助理。

居里的突然死亡(1906-04-19)对她一个严重打击,但也是她的生涯中一个决定性的转折点:从此以后,她要以自己的全部精力去单独完成夫妇二人所曾进行的科研工作。1906年5月13日,她接任丈夫死后留下的教授职位空缺,成为在巴黎大学任教的第一位女性。1908年成为荣誉教授。1910年发表关于放射性的重要论文。1911年因分解出纯镭获诺贝尔化学奖。1914年她目睹了巴黎大学镭研究所实验室楼房竣工。

整个第一次世界大战期间,她在女儿伊雷娜的协助下竭力推广X光照相术的应用。1918年伊雷娜进入镭研究所之后,该所开始大力展开工作,终于成为一个世界性研究核物理学和化学的中心。居里夫人这时已达到名誉的最高峰,1922年成为医学研究院院士,从此专心研究放射性物质的化学以及这些物质在医学上的应用。

1921年,在两个女儿陪同下,居里夫人到美国作了一次成功的旅行,美国总统W.G.哈定赠给她1克镭,这是作为美国妇女募捐的成果而购得的。她到处作报告,特别是在比利时、巴西、西班牙和捷克斯洛伐克。她由国际联盟理事会聘请为国际知识合作委员会委员。另外,她满意地看到巴黎居里基金会展开活动以及1932年在华沙举行镭研究所开幕典礼,由其姊布伦尼娅担任所长。

居里夫人的杰出成就之一是能够理解累积强放射性资源的必要性,不仅为了治疗疾病,而且为了研究核物理学有丰富的材料供应;直到1930年出现粒子加速器之前,其总储料堆是一个天下无双的工具。巴黎镭研究所储存1.5克镭,其中有经过几年时间积累的镭D和钋,这对于1930年前后几年所作实验的成功,特别是伊雷娜·居里与弗雷德里克·约里奥两人所共同进行的那些实验的成功起到了决定性作用。1926年,伊雷娜同约里奥结婚(参阅 **Joliot-Curie, Frédéric and Irène**)。他们的研究工作为詹姆斯·查德威克爵士发现中子、尤其是为他们夫妇本身在1934年发现人工放射性铺平了道路。这一发现后仅几个月,居里夫人便因放射作用引起的白血病去世。她对于物理学的贡献是巨大的,这不仅由于她本人的研究工作,其重要性已由两次获诺贝尔奖表明,而且由于她对以后几代的核物理学家和化学家所产生的影响。

Curie, Pierre 居里(1859-05-15,法国巴黎～1906-04-19,巴黎) 法国物理化学家,1903年诺贝尔物理学奖获得者之一。他和他的夫人玛丽·居里在研究放射性时发现镭和钋。

父为医生。居里曾受父亲教育,14岁开始酷爱数学,特别显示出颖悟空间几何学的天资,这一学科后来对他研究结晶学的工作很有帮助。16岁入大学,18岁获理学士学位,1878年任巴黎大学实验室助理。在那里,他最初从事热波波长的计算。随后在其兄雅克协助下作非常重要的晶体研究。结晶物质依照对称定律分布的问题成为他全神贯注的主要项目之一。居里弟兄研究出热电现象与有此现象的晶体体积变化有关,从而发现了压电现象。后来,居里得以提出对称原理,表述在过程中缺少所特有的一定最低不对称情况下,就不可能使某一物理过程实现。另外,这种不对称如果不在因中预先存在,就不可能在果中找到。他进一步阐释了各种不同物理现象的对称性。

1882年任巴黎物理和工业化学学校总监,继续本人的研究工作。经过长期研究缓

美国不列颠百科全书公司供图

冲运动后,设法改进分析天平,创制了一种直读最后砝码的不摆天平。接着开始他对磁性的著名研究工作。他着手写一篇博士论文,目的在于发现三类磁性(铁磁性、顺磁性和反磁性)之间是否存在任何的转化。为了测磁系数,他制成一架可测0.01毫克的扭秤,现经简化仍然使用,名为居里-谢纳沃磁天平。他发现顺磁体的磁引力系数与绝对温度成反比,是为居里定律。随后,他建立了顺磁体与完全气体的类比,其结果也建立了铁磁体与凝聚流体的类比。居里所证明的顺磁性和反磁性的性质完全不同,日后由P.朗之万从理论上作了解释。1895年居里对他的磁性论文进行答辩,获理学博士学位。

1894年春结识玛丽·斯克罗多夫斯卡;两人的结婚(1895-07-25)标志着一个世界著名科学成就的开端,他们于1898年先后发现了钋和镭。H.贝克勒耳1896年发现的放射性现象引起玛丽·居里的注意,她和丈夫决定开始研究沥青铀矿,这种矿物的放射性比度优于纯铀。居里与玛丽共同从矿石中提取纯物质,这一工作的确需要工业资源,但是他们在比较原始的条件下就完成了。当时,居里本人集中精神对新放射物作物理学研究,包括发光作用和化学效应。通过磁场对镭射线的作用,他证明了有带正电、负电和中性3种粒子的存在;后来,E.卢瑟福称这些粒子为α、β、γ射线。居里随即用量热法研究这些辐

射，并观察镭的生理效应，从而为镭疗法开辟了道路。

居里为了继续与玛丽共同研究，拒绝去日内瓦大学任教。巴黎大学1900年聘他为讲师，1904年为教授。1905年选入科学院。1903年与玛丽共同获得皇家学会戴维奖章，又与她和贝克勒耳共获诺贝尔物理学奖。1906年在巴黎太子妃路被一载重马车辗过，当场死亡。他是一位杰出的物理学家，现代物理学的主要奠基人之一。他的全集于1908年刊行。

Curie point 居里点 某些磁性材料的磁性发生突然变化的温度。一般磁铁矿石当温度在居里点（约570°C）以下时出现剩磁。法国物理学家P．居里于1895年发现了某些材料的磁性随温度变化的规律。在居里点以下（如铁在750°C以下时）起微小磁铁作用的原子，在磁性材料里自发地排列着。铁磁性材料（如纯铁）中，磁原子在每个磁畴里都同向排列在一起，它们的磁场互相加强。反铁磁性材料中，磁原子是反向交错的，它们的磁场互相抵消。在亚铁磁性材料里，磁原子以上述两种模式组合在一起成为自发的排列，所以，只有部分磁场是被加强的。把上述三种材料升温到居里点时，自发排列全被破坏，仅剩下很弱的一般磁性，叫做顺磁性。钴的居里点最高，为1 120°C。当温度升到居里点以上时，这三类材料的顺磁性都相应地减少。当这些材料的温度降到居里点以下时，磁原子又自发地排列起来，这样，就恢复为铁磁性、反铁磁性或亚铁磁性。法国物理学家L．奈耳在1936年成功地说明了反铁磁性。为此，把反铁磁性材料的居里点称为奈耳温度。

Curio, Gaius Scribonius 库里奥（？～公元前49） 古罗马政治家，凯撒的同党。公元前50年当选为保民官。同年元老院要求凯撒在进入罗马以前必须交出统帅权时，库里奥提出庞培也必须照此办理，并补充说，如果这两个将军拒绝服从，两人都应该被宣布为民众公敌。他的提议获得通过，但执政官们置之不理。于是，库里奥前往拉韦纳投奔凯撒。内战中，他在翁布里亚和伊特鲁里亚为凯撒征集军队；公元前49年凯撒委派他去西西里担任省行政长官。在击败效忠庞培的某些力量后，他渡海到达阿非利加，在与努米底亚国王朱巴交战时阵亡。

Curio, Gaius Scribonius 库里奥（？～公元前53） 罗马政治家和演说家，同名政治家库里奥之父。公元前100年反对萨图尼努斯，公元前90年任保民官。后随苏拉出征，在希腊与米特拉达梯的部将阿基劳斯作战。苏拉派他到亚细亚行省任副将，他在那里把比蒂尼亚和卡帕多西亚的国王重新扶上王位。公元前76年出任执政官。公元前75～前73年任马其顿总督。他击败达达尼人，从而成为第一个兵威远至多瑙河地区的罗马将军。公元前63年在讨论惩办喀提林密谋者时，他支持西塞罗，但在稍后审判（公元前61年）中他又发言支持克洛狄乌斯，从而引起西塞罗党人的猛烈攻击。

Curitiba 库里蒂巴 巴西东南部巴拉那州首府。海拔900米。临大西洋岸。建于1654年。1854年为州首府，在此后60年中接纳许多意大利、德国、波兰移民。在20世纪，又有

库里蒂巴市的巴拉那联邦大学
美国不列颠百科全书公司供图

大批叙利亚和日本移民。自1940年后，经济和人口持续增长。为现代化商业中心。制造业的产品包括纸张、家具、纺织品、汽车、水泥、火柴和卷烟。也是茶叶、啤酒、软饮料、木材和牛肉的重要加工中心。为一主教区的中心。市内有大教堂（1894）、巴拉那公教大学（1959）、巴拉那联邦大学（1912）、巴拉那博物馆、巴卡谢里湖畔一座埃及风格的寺庙。设有一个空军基地。有公路、铁路和航空线通巴西其他主要城市。人口：约841 882（1991）；都会区约2 270 000（1995）。

curium 锔（Cm） 周期表Ⅲb族锕系人工合成化学元素，原子序数96。在自然界中尚未发现。1944年夏，由芝加哥大学的G.T.西博格、R.A.詹姆斯和A.吉奥索在钚的一种同位素钚239中发现了同位素锔242（所用钚239已在伯克利加利福尼亚大学的152厘米回旋加速器中用加速的氦离子轰击过）。它是第三个被发现的超铀元素。锔是银白色金属，其同位素都具有放射性。在化学研究中，锔242（半衰期163天），已被锔244（半衰期17.6年）和寿命更长的从锔245到锔248等同位素所取代。锔的这些长寿命同位素都是用中子照射钚239得到的。锔呈+3氧化态，如水溶液中微黄的Cm^{3+}离子、三氧化二锔和三卤化物等。锔在化学性质上与其他+3价锕系元素和镧系元素相似。+4氧化态出现在黑色二氧化物CmO_2中以及和氟离子络合的Cm^{4+}络离子中。通过热电装置或热离子装置可把锔242和锔244放射性衰变的热能转变成电能，故锔242和锔244可做成小型的长寿命电源很适用于航天研究。锔原子序数96。最稳定同位素为锔247。熔点约1 340°C。比重约13.51。化合价3、4。电子组态2,8,18,32,25,9,2或$(Rn)5f^7 6d^1 7s^2$。

curlew 杓鹬 鹬科杓鹬属（*Numenius*）中型或大型滨鸟。嘴弧形向下曲或镰刀形，末端下弯。共8种。灰或褐色，有条纹，颈长，腿长。繁殖于北半球温带和亚北极的内陆，并迁徙到遥远的南方。迁徙中常到干燥的高地寻食昆虫和种子；越冬的杓鹬占据沼泽和海滨泥滩，觅食蠕虫和螃蟹。鬃腿杓鹬（塔希提杓鹬，*N. tahitiensis*）繁殖于阿拉斯加山地，迁徙到9 650千米以外的南太平洋岛屿越冬。普通杓鹬（欧亚杓鹬、白腰杓鹬，*N. arquata*）体长（包括嘴）近60厘米，是欧洲最大的滨鸟，繁殖地区由英国至中亚。爱斯基摩杓鹬（极北杓鹬，*N. borealis*）是世界最稀有的鸟类之一，实际上现已绝灭；从前曾大量在北极美洲繁殖，越冬于南美潘帕斯草原，19世纪初10年期间由于滥捕以供应市场，种群数量急剧减少。东亚的最小杓鹬（*N. minimus*）体长仅30厘米。长嘴杓鹬（美洲杓鹬，*N. americanus*）似欧亚杓鹬，分布于北美西部，嘴长20厘米。东方杓鹬（马达加斯加杓鹬、红腰杓

普通杓鹬（*N. arquata*）
美国不列颠百科全书公司供图

鹬，*N. madagascariensis*）是本科最大的种，属旧大陆种，体长约60厘米。细嘴杓鹬（*N. tenuirostris*）亦为旧大陆种。中杓鹬（七哨鸟，*N. phaeopus*）是分布最广的杓鹬，有两个亚种分布于新、旧两大陆；欧亚亚种腰部白色，北美亚种（前称赫德森杓鹬）的腰羽暗色。参阅 **thickknee**。

Curley, James M(ichael) 柯利（1874-11-20，波士顿～1958-11-12，波士顿） 美国政治人物，民主党最著名和最活跃的大城市领袖之一，20世纪上半叶一直左右波士顿政坛。在较贫困的爱尔兰人公共住宅区长大，一生中未忘新移民的需要，通过满足这些需要来获得选票，达到政治上的成功。1899年赢得波士顿市议会席位，进入政界。后历任州议员、高级市政官、市议员和联邦众议员，1914年赢得市长职位。他将任免大权集中在自己手中，在分配公共工程工作时，注意保持工人阶级基层选区对他的忠诚和支持。为了满足各选区的需要，他花费巨款修建公园和医院，几乎使波士顿破产。1918年连选失败，1922年获胜，1926年落选，1930年再获成功。1932年未能加入马萨诸塞州出席民主党代表大会的代表团，但却使用他从未说明过的办法当选为波多黎各代表。他支持F.D.罗斯福竞选总统，但党的领袖们对这个爱争论的人印象不佳。1935～1937年任马萨诸塞州州长期间，将新政资金过多地用于公路、桥梁和其他公共工程计划。1938～1942年竞选联邦参议员、市长和州长，均告失败。1942年赢得联邦众议院席位，两年后连任。1947～1950年再度任波士顿市长，任内因邮政诈骗案在联邦监狱坐了5个月的牢，杜鲁门总统将他保释，后于1950年予以赦免。1950和1954年两度连选失败后退出政坛。他的经历激发E.奥康纳写出畅销小说《最后的欢呼》（1956），翌年出版了柯利的畅销自传《我愿再这样去干》。

curling 冰上溜石 又称冰壶。冰上运动。类似草地地滚球,两队比赛,每队 4 人,溜掷带柄圆形凹底石壶使之朝目标滑行,目标设在若干同心圆圈的中央。双方竞相溜掷石壶使之尽量靠近圆心。两队队员轮流溜掷石壶,每人连续溜掷两次。接近圆心的一方冰壶得 1 分。每队溜掷 16 个冰壶可得 8 分,每场比赛进行 10 ～ 12 局。一人溜掷前,他的伙伴可以清扫冰道,以利石壶滑行。早在 16 世纪苏格兰就有这种冰上溜石运动。后来传

冰上溜石运动员在本队队员的冰壶接近"垒圈"时,用力清扫冰道。
美国不列颠百科全书公司供图

遍世界各地,1838 年在爱丁堡成立了大喀里多尼亚冰上溜石俱乐部。1966 年在该地建立了国际冰上溜石联合会。从 1927 年起举办的加拿大锦标赛成为世界最大的冰上溜石赛。从 1959 年开始举行世界锦标赛。加拿大常获优胜。冰道长约 42.1 米,宽4.2米;目标所在的"垒圈"直径 3.6 米;双方靶心相距 34.7 米;石壶一般重 18.1 千克,最重不超过 19.9 千克,圆周最大为 91.4 厘米,厚度平均 11.4 厘米。参阅 **Sporting Record**:Curling。并参阅 **Eisstockschiessen**。

curly top 卷顶病 又称西部黄疫病。一种病毒性植物病。侵染北美西半部 70 属以上约 150 种栽培及野生植物,包括豆类、菾菜、胡萝卜、茄子、菠菜、番茄、蔓生作物、石竹、翠雀、老鹳草、三色紫罗兰、矮牵牛、蜡菊、百日草及亚麻等。病毒在欧洲、北美、亚洲由菾菜叶蝉(*Circulifer tenullus*)传播,在南美由 *Agalliana ensigera* 传播,后者在杂草寄主体内越冬,春季时转移至糖用菾菜田。受染植株常生长受阻或矮缩,叶片变厚,变黄,成束状卷缩,植株常早期死亡。防治法是尽早或按建议种植密生的群丛,以防菾菜叶蝉迁移,除去易感本病的杂草和使用杀虫剂。

Curme, George O(liver) 柯姆(1860-01-14,美国印第安纳里士满～ 1948-04-29,纽约怀特普莱恩斯) 美国语法学家、德语教授,以其所撰《德语语法》(1905,1922 再版)、《句法》(1931)及《词类和词形变化》(1935)等书闻名;上述《句法》和《词类》两书曾收入柯姆与 H.库拉特合著的《英语语法》中。柯姆曾就读于印第安纳州格林卡斯尔的德波大学和安阿伯的密歇根大学,在柏林大学读研究生课程。1886 ～ 1896 年及 1896 ～ 1933 年分别在艾奥瓦州芒特弗农的康奈尔大学和伊利诺伊州埃文斯顿的西北大学任教。1934 年离西北大学,到洛杉矶南加利福尼亚大学任教,至 1939 年。柯姆的《德语语法》是这一领域中非德国人所写的语法中最好的一部。他的英语语法观点非常保守,但资料详细,非常有助于检索。

curragh 参阅 **coracle** 兽皮小渔船。

Curragh, The 卡勒平原 爱尔兰基尔代尔郡内的平原(或丘陵地)。以土质优良闻名。面积约 21 平方千米。当地丰饶的牧场以繁殖比赛用马闻名。据说早在公元 1 世纪这里就举行赛马会。有几个著名的驯马场。每年举办爱尔兰大赛马会。从 1646 年起当地还是一军事训练区。

Curran, John Philpot 柯伦(1750-07-24,爱尔兰科克郡纽马基特～ 1817-10-14,英国米德尔塞克斯布朗普顿) 爱尔兰律师、政治家,作为著名的辩护人和爱尔兰自由战士而为人们所缅怀。他身材矮小,讲话口吃,但在显然没有希望的案件中进行辩护时的机智而勇敢,使他很快就为人们所推崇。他不是天主教徒,但在爱尔兰议会中却为天主教徒的解放进行斗争。当爱尔兰人联合会的反叛的领袖们,包括 W.托恩、A.H.罗恩和 E.菲茨杰拉德,被指控为叛国罪而受审时,他出庭进行辩护。他是爱尔兰爱国志士 H.格拉顿的朋友和同盟者。他还是 1800 年合并条例的雄辩的反对者。在 1803 年由 R.埃米特领导的起义爆发之后,他受到怀疑,因为他的女儿萨拉瞒着他与埃米特订婚,知道起义计划。他被免去同谋罪,但他对激进民族主义的信念发生动摇。1806 ～ 1813 年任爱尔兰枢密官。1814 年他退隐伦敦,参加一个由才子、作家和律师组成的著名团体,其中包括 R.B.谢里丹、拜伦、T.穆尔和 T.厄斯金。

currant 茶藨子 又译穗醋栗。茶藨子科(醋栗科,Grossulariaceae)茶藨子属(*Ribes*)灌木。浆果多汁,开胃,主要用做果酱和果子冻。100 余种,原产于北半球和南美西部的温带,在北美落基山脉种类尤其丰富。约 1 600年前已栽培于荷兰、丹麦和波罗的海地区。17 世纪初引入美洲,多数美洲品种在当地培养。红果和黑果茶藨子都用做果馅饼、果酱和果子冻。黑果茶藨子用做锭剂调味品,有时经发酵。茶藨子果维生素 C 含量丰富,此外还含钙、磷和铁。黑果茶藨子在英国种植最多。茶藨子在凉爽、潮湿的北方气候下生长茂盛,最适土壤为黏土和淤泥土。可插条繁殖,通常在秋季剪下 200 ～ 300 毫米长的插穗,立即或来春插入苗床,间距 75 ～ 150 毫米,露出地面部分不超过 2 个芽。种植园里株距 1.2 ～ 1.5 米,行距为1.8 ～2.4米。茶藨子耐荫,在葡萄架、桃树、樱桃树和梨树下密植的茶藨子生长良好。茶藨子和醋栗是白松疱锈病的主要媒介,这种病是欧洲和美

茶藨子(*Ribes*)
美国不列颠百科全书公司供图

洲五针松的毁灭性病害。在庭园里,黑果茶藨子是疱锈病的最佳寄主。由于白松是重要的用材树种,美国西北部及其他一些地区禁止种植黑果茶藨子和其他茶藨子类。英语中,currant 一词又指常用于烹调的一种无籽葡萄干(**raisin**)。

currawong 噪钟鹊 又作 piping-crow、crow-shrike。又称笛鸦、鸦伯劳。雀形目钟鹊科的数种澳大利亚鸣禽。体型大,长可达 50 厘米,羽衣黑色、灰色或黑白相间,眼黄色。

斑噪钟鹊(*Strepera graculina*)
美国不列颠百科全书公司供图

叫声洪亮呈金属音。见于林地,偶尔群集于郊区,以果实、昆虫、小动物和其他鸟卵和幼鸟为食。可能为害果园和鸡场。斑噪钟鹊(*Strepera graculina*)发隆隆鸣声;灰噪钟鹊(*S. versicolor*)又称轧轧鸟、虹鸟,鸣声铿锵。

currency 通货 在工业化国家中,指国家货币供应量中作为交换媒介而无需背书的那一部分,由银行钞票、政府纸币和铸币构成;在较不发达的社会中,通货包含有各种不同的物品(如牲畜、石雕刻品、烟草),它们都可用作交换的媒介和表示价值或财富的标记。在发达国家中,签发活期存款支票,是进行业务交易的一项重要手段,而通货则只占全部货币供应量的一小部分。自从 20 世纪 30 年代放弃金本位以来,各国政府不必以任何形式的贵重金属偿还货币的持有者。因而,通货数额取决于政府或中央银行的行动,而不必受贵重金属供应量的影响。

current, electric 参阅 **electric current** 电流。

Current River 柯伦特河 流经美国密苏里州西南部和阿肯色州西北部的河流。源于密苏里州登特县欧扎克山脉中的蒙托克泉。

长360千米,流入阿肯色州兰道夫县的布莱克河。河水冰冷湍急,沿岸景色怡人,常举行独木舟和划船比赛,也是漂流和钓鱼胜地。1964年美国国会建立了欧扎克国家风景河道保护区,用以保护柯伦特河和杰克福克斯河216千米的河道。

curricle 双马双轮马车 约1700～1850年流行于英国上流社会的敞篷两轮马车,用两匹成对的马并排套在车上,因此车辕只装有一根辕杆。这根辕杆用来改变行车的方向和承受重量,因此必须很结实。为了使拉车时不致颠簸,两匹马的大小和步态必须一致;流行式样还要求毛色调和。这种马车直到19世纪仍然很流行。

Currie, Sir Arthur William 柯里(1875-12-05,加拿大安大略内佩顿～1933-11-30,加拿大蒙特利尔) 第一次世界大战期间,加拿大海外部队的第一个加拿大人司令官(1917起)。最初在学校任教,入伍参加民团后,逐步晋升至炮兵中校。1914年任加拿大第一支援英国的部队的营长。在比利时伊普尔战斗和法国维米桥战斗中战功卓著。3年后晋升至中将,并指挥加拿大军的4个师。1918年封爵。战后任加拿大民团总监,并成为加拿大陆军中的第一个将官。1920年任麦吉尔大学副校长、校长,直至去世。

Currie, Sir Donald 柯里(1825-09-17,苏格兰伦弗鲁郡格里诺克～1909-04-13,英格兰德文郡锡德茅斯) 英国船主和政治家,卡斯尔轮船公司的创办人,合并后的联合-卡斯尔轮船公司的领导人。原在肯纳德轮船公司工作多年,于1862年创建来往于利物浦和加尔各答之间的卡斯尔轮船公司,1872年创建去南非的卡斯尔轮船公司。从1876年起,南非邮件承包由卡斯尔和联合两家轮船公司分担,经过激烈的竞争后,两家公司于1900年合并。由于他了解南非情况,英国政府曾派他主持金伯利钻石矿区的界约谈判和参与把德兰士瓦归还布尔人的工作。进入政界后,他返回英国,于1880年作为自由党人珀斯郡代表选入议会;1885～1900年作为自由主义的统一党人西珀斯郡代表复又选入。1881年封为爵士。

Currier, Nathaniel; and Ives, James Merritt 柯里尔和艾夫斯(柯里尔:1813-03-27,美国马萨诸塞罗克斯伯里～1888-11-20,纽约市;艾夫斯:1824-03-05,纽约市～1895-01-03,纽约拉伊) 美国两位石版画家。他们描绘的19世纪美国生活的版画成为当时习俗和历史事件的印证。柯里尔于1835年在纽约市经商。同年与布福德合作制作《商人交易所的倾圮》石版组画。1852年柯里尔雇用艾夫斯为簿记员,1857年成为合伙人,创设柯里尔和艾夫斯商号,直至1907年,经营版画零售与批发。1840～1890年期间出版的版画达7 000种以上。艾夫斯的题材,诸如:大灾难、运动项目、工业的发展、政治和边疆生活等,能迎合群众的爱好。

柯里尔和艾夫斯绘《密西西比河上的午夜船赛》(1860)
美国不列颠百科全书公司供图

curry 咖喱 移居印度的英国人使用的传统的印度烹饪所用的混合调味粉,兼指具有这种调味料的菜肴。咖喱的基本成分包括赋予其特有黄色的姜黄以及欧莳萝、芫荽和辣椒;其他成分有肉桂、肉豆蔻、丁香、茴香、胡芦巴、姜、肉豆蔻干皮、芥末、罂粟籽、月桂叶及黑白胡椒等,一齐焙干碾碎。印度家庭配制的咖喱粉,常根据菜肴特点调整原料成分和配比,有时用水或醋调成糊状。自古以来咖喱菜肴一直是南亚的主要食品,在没有冷冻设施的地区,还用咖喱作防腐与保藏剂。印度南部的素菜咖喱最辣,含有大量辣椒。北部的比较柔和,用以烹调羊肉或禽肉。

Curry, Haskell Brooks 柯里(1900-09-12,美国马萨诸塞米利斯～1982-09-01,宾夕法尼亚斯泰特科利奇) 美国数学家和教育家。在逻辑研究中得出了他的形式系统和方法的理论及用推理法则进行逻辑演算的表示法。1920年毕业于哈佛大学,1924年在哈佛大学获硕士学位,1929年在格丁根大学获博士学位。先在哈佛大学(1926～1927)和普林斯顿大学(1927～1928)任教,1929年在宾夕法尼亚州立大学成为数学助理教授,在那里任职长达35年以上。第二次世界大战期间,在法兰克福兵工厂从事数学工作,并在约翰斯·霍普金斯大学应用物理实验室从事研究工作。1966年成为荷兰阿姆斯特丹大学数学教授。柯里著有《组合逻辑》(1958)和《数理逻辑基础》(1963)。

Curry, John 柯里(1949-09-09,英格兰伯明翰～1994-04-15,沃里克郡宾顿) 全名John Anthony Curry。英国花样滑冰运动员,1976年奥运会金牌得主。他使这项运动具有高雅的芭蕾风格,被誉为"冰上努里耶夫"。幼年对芭蕾舞颇感兴趣,但父亲不许他跳芭蕾舞,认为太过女人气。7岁开始滑冰,以体育运动的健美和创新的编舞成为1971年和1973～1976年的英国全国冠军。1973年到美国,在C.法西的教导下训练。由于一位美国人的资助,他第一次得以全力从事滑冰运动。1976年达到其业余事业的顶峰,获得英国全国、欧洲和世界比赛的多项冠军,以及奥运会金牌。尽管早期的表演被认为缺少一个男运动员应有的健美与果敢,但他在奥运会的比赛中加上了三周跳,结果9位裁判中有7人判他第一,苏联和加拿大的裁判评他第二;为英国赢得第一枚花样滑冰金牌。同年末获得英帝国勋章。

Curry, John Steuart 柯里(1897-11-14,美国堪萨斯杜纳瓦恩特附近～1946-08-29,威斯康星麦迪逊) 美国画家。其作品反映出20世纪30年代的社会思潮。曾在堪萨斯市美术学院和设计学校以及芝加哥美术学院学习。1926年到欧洲学习1年。其作品以当地风土人情为题材,常常带有情节剧和轶事的色彩。最有名的作品是《群猪斗死响尾蛇》、《堪萨斯河中施洗礼》(1928)和《龙卷风》。他和T.H.本顿以及G.伍德等同被称为美国乡土画派。柯里作过几幅重要的壁画,其中一幅是为托皮卡的堪萨斯州议会大厦所作(1938～1940)。他在库珀美术建筑联合学校和纽约艺术学生联合会任教,直到1936年。后在威斯康星大学任教直到逝世。

Curry, Kid 柯里小子(1865,美国密苏里多德森～1903-07-07,科罗拉多帕拉舒特附近?) 哈维·洛根(Harvey Logan)的绰号。美国持枪歹徒,为称作"野帮"(**Wild Bunch**)的一群西部不法分子中最暴戾的杀手。他的兄弟隆尼和詹尼,以及舅父G.S.柯里(绰号"塌鼻子")都以西部歹徒出名。柯里小子原为银行和火车抢劫犯,1902年被捕入狱,1903年6月越狱逃走,据平克顿侦探公司侦探人员介绍,柯里小子7月7日在科罗拉多州的帕拉舒特抢劫火车时被地方团队打伤,他自戕而死。一说他当时未死,而到南美与B.卡西迪合伙,1909年死于玻利维亚。另说他逃往爱达荷州,1925年后死于该地。

cursillo 短期培信班 天主教会举办的为期3天的灵性奋兴活动。1949年由西班牙雷亚尔城主教赫尔瓦斯创办,集合种族、教育背景和经济、社会地位各不相同的男女信徒40人,在司铎和平信徒的指导下进行灵修。内容除弥撒外,有讲课和小组讨论。这个运动从西班牙传到欧洲其他地区和拉丁美洲,在美国最初出现于西南部操西班牙语的居民中,不久传到美国各地。

curtain 帘幔 室内布置中的装饰性织物,一般用以调节从窗户射进的光线和阻挡从门窗吹进的风。通常用厚布料制成,垂直悬挂,并为美观起见打上褶,这样的帘幔也称为帷幕。门帘指挂在门框上的那种厚帘。出土文物表明,门帘在古代曾被用来作为室内间隔物。中世纪的金泥写本也有把帘子系在门框上的记载。整个中世纪,窗户一直用木制的百叶窗或一块厚厚的布遮蔽。床的四周则围以帐帷,顶上有一块顶罩。17世纪的荷兰绘画表明,那时的卧室很简单,窗户用窗帘半掩或全部遮蔽,床用平纹织物作帐帷。在意大利,床放在凹室内,用色彩浓艳的丝绒和锦缎作帐帷。在路易十四统治的法国,宫廷的繁文缛节和豪华铺张集中表现在国王的王宫卧室内。床的四周是一层又一层的帐帷和短帷幔。在路易十五统治时期,床的帐帷和与之相对称的窗帘是按照纤巧华丽的洛可可式的、富于想象的各种式样设计的,配之以缎带、细绳、花边、流苏和蝴蝶结。19世纪初期,法国和英国采用古代著作特别是古代埃及和希腊著作中描绘的式样。日益兴起的浪漫主义导致其他新式样的产生。20世纪在帷幕制作方面的一项主要革新是采用了人造纤维织物,例如玻璃纤维织物等。

curtal 科塔尔管 法语作 courtaut;德语作 dulzian。文艺复兴时期的乐器,大管的前身。管身可折,用整块木料制造,有各种尺寸,从高音到倍低音。16世纪,很可能是在

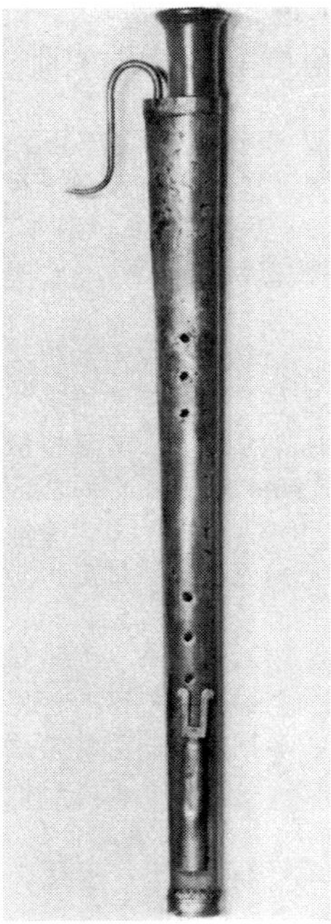

科塔尔管
美国不列颠百科全书公司供图

意大利发展起来,为合唱提供低音声部,比当时的铜管乐器柔和。有的科塔尔管上装一有孔的盖以减轻声音。

Curtea de Argeş 库尔泰亚-德阿尔杰什 罗马尼亚中南部阿尔杰什县城镇。临阿尔杰什河,海拔 450 米,在特兰西瓦尼亚山(南喀尔巴阡山)南坡、布加勒斯特西北约 130 千米处。继肯普隆格曾为封建公国瓦拉几亚的首都。著名建筑有 14 世纪中叶建圣尼古拉斯教堂(内有经修复的壁画,为瓦拉几亚最古老教堂之一)、约 1370 年建瓦拉几亚大公宅邸遗迹、16 世纪 20 年代建罗马尼亚正教大教堂和 13 世纪末建圣尼古拉教堂遗迹等。城镇为木材加工、制陶和手工业中心及疗养地。有考古博物馆。有公路和铁路经此通至县城皮特什蒂。人口约 25 752(1982)。

Curteen, Sir William(merchant) 参阅**Courteen, Sir William 科提恩**。

Curtin, John (Joseph) 柯廷(1885-01-08,维多利亚克雷西克～1945-07-05,澳大利亚首都直辖区堪培拉) 政治家,第二次世界大战中大部分时间任澳大利亚总理,1934～1945 年任澳大利亚工党领袖。1911～1915 年在墨尔本从事工会工作和反征兵活动后,任珀斯报纸《西澳大利亚工人报》编辑。1928 年作为工党党员选入联邦议会,1935 年任工党领袖。1940 年任战时顾问委员会委员,次年任总理兼国防部长,领导全国战时动员工作,于 1942～1943 年为扩大联邦税收和进一步征兵赢得了艰苦的政治斗争的胜利。1941～1942 年日本军队南进时,他改变澳大利亚在军事上一向依赖英国的作法,一方面主要向美国请求援助,一方面从中东撤回本国的军队,这使英国首相丘吉尔大为恼火。他逝世前已制订了福利国家的经济政策,从而使澳大利亚在战后欣欣向荣。

Curtis, Benjamin R(obbins) 柯蒂斯(1809-11-04,美国马萨诸塞沃特敦～1874-09-15,罗得岛纽波特) 美国最高法院大法官(1851～1857)。从哈佛学院毕业后,又在哈佛大学法律学院学习,并于 1831 年接管了马萨诸塞州诺斯菲尔德的一个乡村律师事务所。他精明能干,很快在波士顿律师界获得声誉,1851 年被选入州议会。柯蒂斯是一个狂热的辉格党党员和韦伯斯特的支持者。1851 年主要是通过韦伯斯特的影响被任命为最高法院大法官。他代表最高法院提出的意见有:在"库利诉港口监督官委员会"一案中,确认国会拥有管制州际贸易和对外贸易的广泛权力;而在"默里的租地人诉霍博肯土地和改良公司"一案中,确认政府有权由其代表估计和征收应属于它的款额而不必诉诸法律。他最著名的也是最后的一项意见是在德雷德·斯科特一案中所持的异议。在该案中,他的兄弟乔治·柯蒂斯担任奴隶斯科特的辩护律师,斯科特曾经徒劳地起诉要求给予他本人和他一家人自由。柯蒂斯坚持认为,既然已经裁决斯科特本人不能在最高法院出庭,最高法院就不能根据斯科特案的是非曲直加以判决。在与首席大法官坦尼(他曾同情奴隶)进行了一次令人不愉快的公开通信后,他辞去了最高法院大法官的职务。在以后的 17 年间,他在最高法院的法庭上曾为 50 多个案件进行了辩护。1868 年安德鲁·约翰逊总统受到弹劾审判时由他担任主要的辩护律师。

Curtis, Charles 柯蒂斯(1860-01-25,美国堪萨斯准州～1936-02-08,华盛顿[哥伦比亚特区]) 美国第 31 任总统胡佛的共和党政府的副总统(1929～1933)。他的母亲有 1/4 印第安人血统,少年时代在印第安部族中度过。1881 年取得律师资格,在托皮卡开业。1884～1888 年任肖尼县检察官。他参加共和党的政治活动后,1893～1907 年为美国众议员,1907～1913 年、1915～1929 年为参议员,1915～1924 年为参议院共和党督导员,最后 6 年为参议院多数党领袖。虽然他在 1928 年反对提名胡佛为总统候选人,但他在党的候选人名单上名列第二,两人搭档,以压倒多数当选。1932 年竞选连任失败后,在首都华盛顿重操律师业。

Curtis, Charles Gordon 柯蒂斯(1860-04-20,波士顿～1953-03-10,美国纽约森特勒尔艾斯利普) 美国发明家。他发明的汽轮机广泛用于发电厂和船舶推进。他当过 8 年的专利律师。柯蒂斯汽轮机是 1896 年取得专利的,它的原理至今仍用于巨型远洋客轮和海军舰艇上。在陆上使用的权利已售予通用电气公司,用它制造的发电设备已流行于全世界。柯蒂斯被认为是第一台美国燃气轮机的发明人,1899 年获得专利。他是 T.A.爱迪生的助手,曾取得改进柴油机的多项专利,并协助海军研制鱼雷推进装置。

Curtis, Cyrus Hermann Kotzschmar 柯蒂斯(1850-06-18,美国缅因波特兰～1933-06-07,宾夕法尼亚温科特) 美国出版商。曾在费城建立新闻帝国。1863 年在波特兰发行《青年美国》周刊。后迁居波士顿当信差和广告推销员,发行《民众纪事》杂志。1876 年迁居费城继续出版该杂志。1879 年创办《论坛和农夫》杂志及《妇女家庭杂志》。1890 年开办柯蒂斯出版公司。此后创办《星斯六晚邮报》(1897)、《乡村绅士报》(1911)、费城《大众纪事报》(1913)、费城《新闻报》、《北美人报》、《晚邮报》(1924)及《费城问询报》(1930)。

Curtis, George William 柯蒂斯(1824-02-24,美国罗得岛普罗维登斯～1892-08-03,纽约斯塔滕岛) 美国作家、编辑、文官制度改革的领导者。早期在布鲁克农场的村庄和学校住过两年,随后住在马萨诸塞的康科德附近,与爱默生继续有过一段交往。后前往欧洲、埃及和巴勒斯坦旅行。1850 年回国,在《纽约论坛报》社工作。曾连续出版《一个旅行者的尼罗河游记》(1851)和《旅行者在叙利亚》(1852)。在他任《普特南月刊》副主编以及《哈珀斯周刊》和《哈珀斯杂志》月刊专栏作家时,写了很多文章。他的许多作品收集在《波蒂法尔文集》(1853)和《我和普鲁》(1856)中。1856 年为共和党竞选总统积极活动。1863 年任《哈珀斯周刊》政治编辑。此后,经常获得共和党的提名和任命,但均被拒绝,直至 1871 年才接受了格兰特总统的任命,充当文官制度改革委员会主席。他领导这场改革运动直至逝世,成绩斐然。1884 年,拒绝支持布莱恩为总统候选人,因而脱离共和党,成为无党派人士。1890 年任纽约大学校长。G.米尔恩所著《柯蒂斯与上流社会传统》(1956)详述了他的生平和著作。

Curtis, Lionel George 柯蒂斯(1872-03-07,英国赫里福德郡科丁顿～1955-11-24,牛津附近) 英国政府官员和作家,英帝国联邦制度和世界国家的鼓吹者,对英联邦的发展具有很大的影响。黑利伯里学院和牛津大学新学院毕业后,从事法律职业。他曾参加南非战争,给英国驻南非高级专员阿尔弗雷德·米尔纳爵士当秘书,并在德兰士瓦政府中充任数职。1907 年辞职,开始从事把南非 4 个英国殖民地联合到一起的工作。这时,他产生"世界联邦"的观念,并为此而奋斗终生。1910 年创办《圆桌》季刊,鼓吹自由帝国主义思想。1912 年到牛津大学讲授殖民地史。1920 年协助创办后于 1926 年成为皇家国际事务研究所的机构。1921～1924 年任殖民部爱尔兰事务顾问。他的第一部重要著作是《英联邦》(1916)。他是以"联邦"一词代替"帝国"一词的首创者。他对印度和中国的访问使他获得材料,写成《两头政治》(1920)和《中国的首要问题》(1932)。1932 年后柯蒂斯专心致志于撰写他的最重要的著作 3 卷本《神之国》(1934～1937),鼓吹世界联邦。

Curtis Cup 柯蒂斯杯 高尔夫球赛奖杯。奖给英美业余女子比赛的优胜者，为20世纪早期美国女子业余锦标赛冠军哈里奥特·柯蒂斯和玛格丽特·柯蒂斯所捐赠。柯蒂斯杯赛自1932年起每两年举行一次。选手由美国高尔夫球协会和大不列颠女子高尔夫球联合会选派。每队由6名运动员，2名替补队员和1名队长组成。参阅 **Sporting Record**: Golf: International team matches—women。

Curtiss, Glenn (Hammond) 柯蒂斯（1878-05-21，美国纽约哈蒙兹波特～1930-07-23，布法罗） 美国发展航空事业的先驱，他的飞机在第一次世界大战期间得到广泛使用。1904年他给称为"加利福尼亚之箭"的飞艇设计并制造了一台发动机。由于在制造飞机发动机方面的成就，他被接纳加入A.G.贝尔创建的航空试验协会。1908年他用该协会制造的飞机进行了美国第一次1千米航程的飞行而获得《科学的美国人》杂志的奖杯。他制造了美国第一架水上飞机。在向美国海军演示了使用水上飞机与军舰协同作战之后，取得了制造美国海军飞机的第一个合同。他的工厂向英国、俄国和美国都供应飞机。JN－4（或称珍尼式）也许是他最好的飞机，在第一次世界大战期间广泛用作教练机；大战结束后，因为它被加拿大用于第一次飞越落基山脉的邮运飞行而闻名。他及他的公司因侵犯专利权卷入与莱特公司的讼争之中，第一次世界大战中这一问题被搁置，后来两公司合并组建柯蒂斯-莱特公司。

Curtius, Ernst 库尔提乌斯（1814-09-02，吕贝克自治市～1896-07-11，柏林） 德国考古学家、历史学家，曾领导奥林匹亚遗址的发掘工作。1836～1840年间游历希腊，1844年任柏林大学教授，1857～1867年间，撰有希腊史3卷本出版。1874年与希腊政府签订协议，取得德国考古学会发掘奥林匹亚遗址的特权，由此开始了大规模的希腊考古发掘时代。1875～1881年间，在他领导下，几乎发掘了整个奥林匹亚遗址，大大促进了发掘技术及地层研究的发展。发现的遗址包括赫拉神庙、宙斯大祭坛和奥林匹亚运动场等。出土的精致雕塑品多数已被损坏，少数保存完好。另有钱币、铭文出土，具有很高的历史价值。库尔提乌斯与其助手F.阿德勒合著《奥林匹亚考古发掘记》（4卷；1890～1897）。

Curtius, Georg 库尔提乌斯（1820-04-16，吕贝克自治市～1885-08-12，俄罗斯帝国波兰黑姆斯多夫） 德国语言学者，其著述为希腊语语言学的研究奠定了基础。考古学家E.库尔提乌斯之弟。1845年，在柏林大学任名誉讲师，出版其第一本重要著作《比较语文学与古典语文学》。随后出版一部拉丁语和希腊语比较语法（1846）。任布拉格大学教授期间（1849～1854）出版《希腊语法教程》（1852），此书至1902年已刊行23版。在基尔大学任教期间（1854～1861或1862）编写其影响最大的《希腊语词源学纲要》（1858～1862）。晚年任莱比锡大学教授时（1861或1862～1885），花大量时间攻击新兴的新语法学派，该学派主要创建者是他的学生布鲁格曼。

Curtius, Julius 库尔提乌斯（1877-02-07，德国杜伊斯堡～1948-11-10，海德堡） 德国政治家，魏玛共和国外交部长（1929～1931）。在柏林完成法律学业后，1905年在杜伊斯堡当律师，1911年移居海德堡。他在第一次世界大战中成名，战后任海德堡市参议员（直至1921年），同时继续操律师业。1920～1932年以德意志人民党员的身份参加魏玛国会，1926年被任命为共和国经济部长。外交部长斯特来斯曼于1929年去世后，他接任此职。作为前任政策的执行者，他力促重新调整战争赔款以及外国军队撤出莱茵地区；但他对新赔偿方案——《扬计划》（1929）的有保留的支持，曾遭到德国右翼党派的攻击。他后来企图建立奥德关税同盟，结果引起各国（特别是法国）的强烈反对。国际常设法院正式谴责关税同盟计划后不久他便辞职（1931-10）。

Curtius, Marcus 库尔提乌斯 古罗马传奇英雄。据传，公元前362年，罗马广场裂开一条无底深沟。预言家说，只有把罗马最宝贵的东西扔下去，裂缝才会重新合拢。这时，库尔提乌斯宣称：没有什么东西比一个勇敢的公民更宝贵的了，于是他全副武装骑着战马跳下深沟。他刚跳下去，裂缝即重新合拢。后来，这地方变成一片池塘，称为"拉库斯·库尔提乌斯"（意为"库尔提乌斯湖"）。

Curtiz, Michael 柯蒂斯（1888-12-24，布达佩斯～1962-04-10，好莱坞） 原名米哈里·柯台什。匈牙利出生的电影导演。因发现埃罗尔·弗林、丹尼·托马斯、多丽丝·戴等这样一些明星而闻名。曾在布达佩斯皇家戏剧与艺术学院学习表演，后在欧洲一些国家担任电影演员和导演。1926年移居美国。30年代在华纳兄弟公司拍摄了近50部影片。他拍摄的由弗林主演的影片有《铁血将军》（1935）、《英烈传》（1936）、《侠盗罗宾汉》（1938）和《海鹰》（1940）等。因执导1943年由I.褒曼和H.博加特主演的《卡萨布兰卡》获金像奖。他后来的影片有《欲海情魔》（1945）、《白色圣诞夜》（1954）等。

curuba (plant) 参阅 **cassabanana 香蕉瓜**。

curule chair 宝座 古罗马一种椅子，专供最高级政府官员使用，通常与曲腿的折凳相似。一般用象牙制成，有的有扶手，有的无扶手。可能得名于运载执法官到审案地点的马车，早期为审案座椅。后来成为所有高级官员（包括执政官、行政长官、民政官、独裁官等，后来为皇帝）职位的象征。

curvature 曲率 在数学中指曲线方向随曲线长度的变化率。若此曲线是曲面的一部分（即一平面与一曲面相交而成的曲线），则此曲面的曲率即为此曲线的曲率。任何一个平面曲线（或直线，可看作半径无穷大的圆）的曲率是逐点变化的。任何点的曲率定义为：当弧的端点接近该指定点时，方向的变化与该弧长二者比值所达到的极限值。圆周上任何一点的曲率就是此圆半径的倒数；对其他曲线而言，曲线在某一点的曲率是在该点处与曲线最近似的一个圆的半径的倒数。要决定一曲面在一点的曲率，必须选择无限多个与此曲面相交的平面。最有用的平面有两个，它们都包含过该点的法线（与切面相垂直的直线）。这两个平面之一所形成截线的曲率在所有截线中最大，另一个平面的截线的曲率则最小。这两个平面定义了此曲面在该点的两个所谓主方向，它们互相垂直。主方向的曲率称为此曲面的主曲率。曲面在该点的平均曲率是两个主曲率的和或和的一半（因专业工作者习惯用法而异）。

curve 曲线 直观地说，是按一定规则运动的点的轨迹。此外，也可以看作曲面的边，两曲面的交线，直线族的包络，离散点集的轮廓线，或按一定程序描出来的痕迹。曲线的准确定义为一维连续统。曲线可以在不同的坐标系中表示，例如直角坐标、复平面坐标、测地坐标、双曲坐标、对数坐标、极坐标等。可以根据直角坐标中曲线的表达式把曲线分类：能用有限多项式表示的是代数曲线；不能用多项式或只能用无限项多项式表示的是超越曲线（如 $y=\sin x$，$y=e^{x}$，$y=\cosh x$）。还有其他的分类法，例如按字母或年代的列表，或根据类、秩、亏格、内蕴方程或普吕克方程等进行分类，但没有一种分类是完美的。传统上，曲线的奇点是它的数学兴趣所在。直观地说，奇点就是曲线上的一些特殊点或例外点，在那里，曲线有些特别的性质。例如间断点、孤立点、切线不确定的点、多重零点、相对或绝对极值点、反射点、歧点以及结点。歧点可以看成是重点，在该点有两条不同的切线通过。结点是曲线上有另一段轨迹交叉穿过的点，在该点至少有两条不同切线相交，例如滑冰时划的8字就出现结点。如何通过奇点把每一类曲线的基本特征完全刻画出来，是曲线研究中一个重要问题。

历史的回顾 至少从古希腊已开始研究曲线。这种研究来自平面几何，特别是研究那些可以用无刻度的直尺与圆规作出的曲线。那时，不能用这种古典方法作图的曲线被认为是渎神的，只有在下列情形下才被默认：或者是企图解决古代的几何三大问题（圆化方，倍立方与三等分角），或者从美学的角度看它们是漂亮的。阿波罗尼奥斯（公元前262～前190）对圆锥截线作了完整讨论。圆锥截线大概最早是由梅内克缪斯（公元前350）发现的。圆锥截线包括直线、双曲线、抛物线与椭圆。R.笛卡儿（1596～1650）与P. de费马（1601～1665）的*解析几何*（**analytic geometry**）在平面曲线（轨道或轨迹）的几何性质与分析性质（它的方程或函数表示）之间建立了对应关系，打开了曲线研究的广阔前景。一方面它使得可以用代数与分析的方法来研究曲线；另方面，由于曲线具有直观的特点，它又促进了代数与分析的发展。结果在17～19世纪中，大量有用的曲线得到了广泛研究。同时，曲线是什么的问题也提出来了。这就是说，是否任意曲线都有分析表达式，是否每个方程都表示曲线？这个问题争论了很久。18世纪初J.-B.-J.傅里叶证明了，许多

不是由熟知函数构成的或甚至无规则的曲线，可以用所谓"傅里叶级数"表示。1861 年 K.维尔斯特拉斯证明了，一条曲线可以处处连续但处处不可微（即每一点都没有确定的切线）。C.约当企图排除曲线的"通常意义"与直观概念，提出了曲线的如下的严格定义：直线段 $0 \leqslant t \leqslant 1$ 到平面的连续映像。

$$\begin{cases} x = \varphi(t) \\ y = \psi(t) \end{cases} \quad (0 \leqslant t \leqslant 1)$$

称为曲线。1890 年 G.皮亚诺证明，存在一条满足约当定义的曲线把单位正方形填满。这违背了人们对曲线的正常理解。后来 G.康托尔把平面曲线的定义改为平面上的连通闭集，但不能填满任意一个圆形邻域。直到 20 世纪 20 年代，才开始用拓扑学给出曲线是一维连续统的一般定义。

本文不可能讨论所有的重要曲线，只在直角坐标系中，大略描述具有广泛应用的某些曲线。

幂曲线 如图 1。其方程为 $y = x^n$ 的曲线，对所有 n，曲线均经过点(1,1)，对所有的

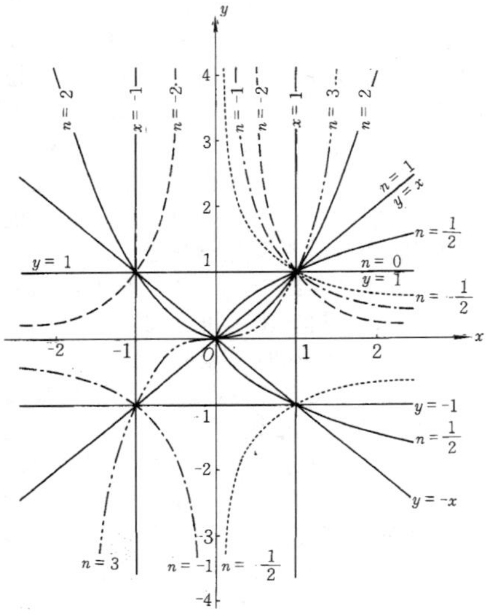

图 1 幂曲线

正幂($n>0$)，曲线穿过(0,0)，对所有的负幂($n<0$)，曲线以 x 轴与 y 轴为渐近线。$n=0$ 与 $n=1$ 时，曲线分别变为直线 $y=1$ 与 $y=x$。$n=2$ 与 $n=\frac{1}{2}$ 时，曲线是抛物线 $y=x^2$ 与 $x=y^2$。$n=-1$ 时，曲线为双曲线 $xy=1$。$n=3$ 时，为立方抛物线。

对数与指数曲线 如图 2。对数曲线的方程为 $y=\log_b x$，其中 $b>0$，$b \neq 1$，所有对数

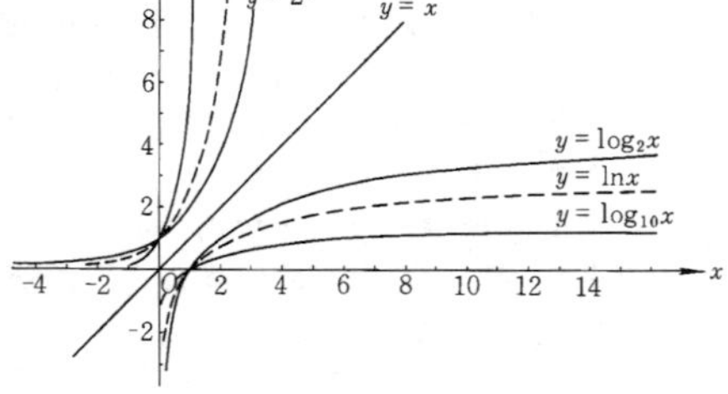

图 2 指数曲线与对数曲线

曲线均经过点(1,0)，并都以 y 轴为渐近线。指数曲线的方程为 $y=b^x$，其中 $b>0$，$b \neq 1$。所有指数曲线均经过点(0,1)，并以 x 轴为渐近线。

三角函数曲线 如图 3。它们包括正弦曲线 $y=\sin x$ 与余弦曲线 $y=\cos x$，它们都是周期曲线，周期为 2π，即曲线是区间$[-\pi,$

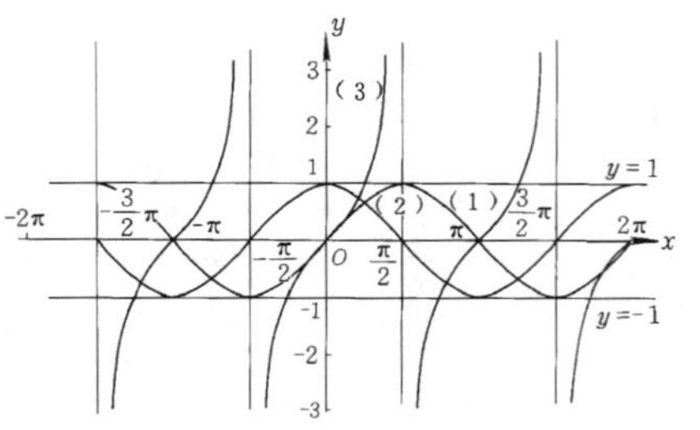

图 3 三角函数曲线

$\pi]$上的图形的重复。物理上，它们描述简谐振动。还包括正切曲线 $y=\mathrm{tg}x=\sin x/\cos x$，它的周期为 π，即曲线是区间$(-\frac{\pi}{2},\frac{\pi}{2})$上图形的重复。正切曲线以 $x=n\pi+\frac{\pi}{2}$ 为渐近线。

双曲曲线 如图 4。双曲余弦曲线由 $y=\cosh x=\frac{e^x+e^{-x}}{2}$ 表示。其形状为一条固定两个端点受重力作用自然下垂的悬链（悬

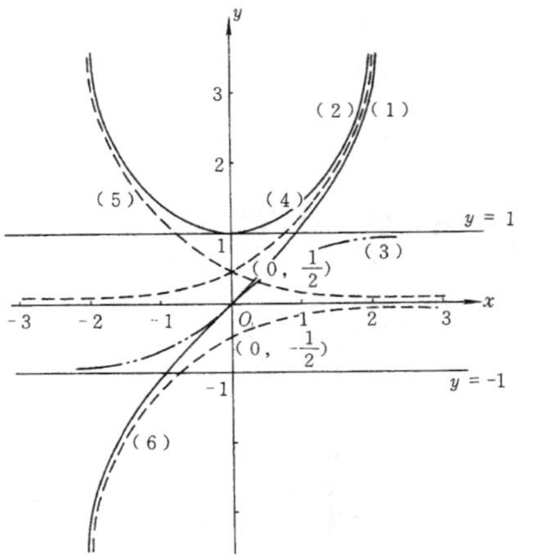

图 4 双曲曲线

链线），分别以 $y=\frac{1}{2}e^x$ 及 $y=\frac{1}{2}e^{-x}$ 为其在第一及第二象限的渐近线。双曲正弦曲线的表达式为 $y=\sinh x=\frac{e^x-e^{-x}}{2}$，分别以 $y=\frac{1}{2}e^x$ 及 $y=\frac{1}{2}e^{-x}$ 为其在第一、三象限的渐近线。双曲正切曲线表达式为 $y=\tanh x=\frac{e^x-e^{-x}}{e^x+e^{-x}}$，分别以 $y=1$ 及 $y=-1$ 为其在第一、第三象限的渐近线。双曲曲线自 18 世纪以来，在数学与工程中有着广泛的应用。

阻尼曲线 如图5。是由 $y=ke^{-x}\cos x$

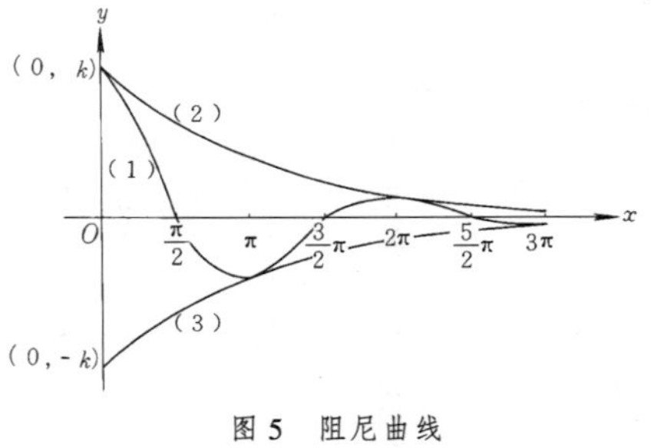

图 5 阻尼曲线

表示的一类曲线。在物理上它描述振幅衰减的一种振荡，常用于衰减振荡器与滤波器中。

正态曲线 如图 6。是统计学中用得最广泛的一种分布曲线，由函数 $y=\frac{1}{\sqrt{2\pi}}e^{-x^2}$

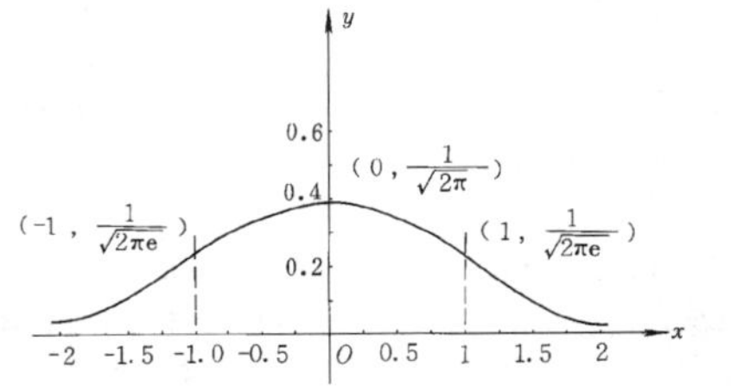

图 6 正态曲线

表示，它关于 y 轴对称，以 x 轴为渐近线。

curvilinear style 曲线风格 一种两度空间的表面装饰，是巴布亚新几内亚东南部巴布亚湾地区占主导地位的艺术。其特点是以曲线勾出抽象纹样，诸如螺旋形、圆形、漩

巴布亚新几内亚饰有曲线风格纹案的木制盾牌

美国不列颠百科全书公司供图

涡形和 S 形，以及人物五官容貌。人物面部——前额、鼻部和面部周围，用连续的曲线勾出鼻部轮廓，向上转过双目再向下延至下腭；双目通常为圆形，嘴的位置极靠近面部下方。这一地区大多数刻制或彩绘的作品皆为浅浮雕。巴布亚湾地区制作的物品有面具、仪式用的长形板、世俗用的盾牌、砂漏形鼓和雕像。

Curwen, John 柯温（1816-11-14，英国约克郡赫克蒙德怀克～1880-05-26，曼彻斯特）英国音乐教育家、首调唱名记谱法创始人。1838～1864 年当牧师，致力于推广新的音乐唱名法。柯温教学法的基础是所有的音都引向主音，转调时则引向移动的主音（即"可移动的 do"）的原则。1853 年创建首调唱名法协会（后为"英国学校音乐协会"），此后其方法为学校及合唱团广泛应用。1863 年创办音乐出版社（柯温父子有限公司），3 年后成为格拉斯哥安德森学院讲师。1879 年成立首调唱名法学院（后称柯温纪念学院）。其子 J.S.柯温（1847～1916）继他而任出版社社长，并在英国开创业余音乐家音乐比赛节活动。柯温体系及其变体在欧美音乐学校中沿用至今。

Curwood, Mount 柯伍德山 美国密歇根州最高点(604米)。在上半岛北部的巴拉加县境内,兰斯东南偏东19千米处。地近苏必利尔湖沿岸,位于州立巴拉加公园以东。该山东北部邻近休伦山脉。小说家J.O.柯伍德(1878～1927)喜欢以密歇根州风光为题材,退休于附近,山因此得名。

Curzola (Croatia) **库尔佐拉** 参阅**Korčula科尔丘拉**。

Curzon (of Kedleston), George Nathaniel Curzon, Marquess, VISCOUNT SCARSDALE, BARON RAVENSDALE **寇松侯爵**(1859-01-11,英国德比郡凯德尔斯顿霍尔～1925-03-20,伦敦) 英国政治家,1898～1905年驻印度总督、1919～1924年任外相,曾在决定英国的

美国不列颠百科全书公司供图

政策方面起主要作用。他是第4代斯卡斯代尔男爵的长子,在伊顿公学求学时,性格刚强,学习刻苦,曾获多项奖赏。15岁曾坠马,4年后引发背痛,从此折磨终生,常使他在生活和国事最关键时刻喜怒无常,但也磨砺了他的意志。1880年当选为牛津学生会主席,1883年成为万灵学院的研究员。他善于交际,擅长逢迎,巴结上贵族院保守派领袖索尔兹伯里勋爵,充当他的私人助手。未几,勋爵将寇松介绍给兰开夏索斯波特的托利党人,1886年在该地选入议会,在索尔兹伯里勋爵批准下,他以议员身份周游世界,使他对亚洲有强烈的兴趣。他把此次以及随后几次旅行见闻,写成3本书:《中亚的俄罗斯》(1889)、《波斯和波斯问题》(1892)和《远东问题》(1894)。1891年11月他接受索尔兹伯里的邀请,担任托利党政府的印度政务次官。1895年4月在美国华盛顿与芝加哥百万富翁的女儿结婚,使他骤然致富,蜜月后返回英国,立即担任副国务大臣兼枢密顾问,从此在政治上飞黄腾达。1898年任印度总督,同年9月受封为凯德尔斯顿男爵。他是历史上最年轻的印度总督。1899年1月3日寇松抵任后,即建立调查委员会,整饬教育、警察和文官制度,减低税收,惩办欺压印度土著的英国人,并派出一个使团去西藏,成功地挫败俄国人在那里的野心;他巡视印度各邦后,下令修复泰姬陵,珍视印度艺术和文化遗产。在任5年后,他的政绩博得英国政府的好评,得以连任。可是寇松在第2任总督期内遇到麻烦,跟担任印度军队总司令的喀土穆勋爵基钦纳意见不和,发生尖锐的冲突。寇松向国内提出要求,支持他的立场,并以去留相要挟,不料英王爱德华二世很快批准他辞职。寇松回到伦敦,甚至得不到一般卸任总督例有的伯爵称号。他在政界失意后,担任牛津大学校长等一些职务。1911年新王乔治五世加冕,寇松进位伯爵,1915年夏他加入阿斯奎斯的联合内阁。当劳合·乔治在当年12月组阁时,他成为贵族院的领袖,参加指导第一次世界大战各项政策的核心内阁。在战后的劳合·乔治内阁中,他担任外相,可是首相在对外事务上独断独行,经常破坏他的外交决策。到1922年托利党得势,他的外相之职才有充分权力。他出色地工作,直到1923年。他煞费苦心地处理战后欧洲和近东的各种困难问题。当托利党首相B.劳病危去职时,寇松满怀接任首相的信心,不意事与愿违,首相职位落在S.鲍德温的手中,他继续任外相直到1924年鲍德温改委A.张伯伦接任外相。1921年受封侯爵。

Curzon, Mary Victoria Leiter 寇松(1870-05-27,美国伊利诺伊芝加哥～1906-07-18,英国伦敦) 婚前名玛丽·维多利亚·莱特,1898年后亦称寇松男爵夫人。美国出生的印度总督夫人。马歇尔菲尔德公司早期合伙人利瓦伊·莱特之女。1881年后在华盛顿哥伦比亚特区成长。1895年与英国议会议员、外交家及亚洲问题专家乔治·寇松结婚。1898年寇松出任印度总督,受封凯德尔斯顿的寇松男爵,玛丽成为寇松男爵夫人和印度总督夫人。这是美国妇女当时和后来很长一段时间所获得的最高政治职衔。玛丽雍容华贵,与寇松十分般配,而且也是寇松最坚定的支持者,尤其是在寇松遭受挫折和失败之后。然而由于身担礼仪重任,加之气候原因及其他困难,严重损伤了她的健康。赴英国旅游亦未能康复,1905年8月寇松辞职后他们返回英国时,玛丽的身体已开始衰弱。

Curzon Line 寇松线 俄波战争期间(1919～1920)所提出的停战分界线,第二次世界大战后定为苏波国界(略作改动)。第一次世界大战后,1919年12月8日,协约国最高委员会决定新复国的波兰的边界时,划定一条临时的分界线,标明波兰东部最低限度的疆界,授权在这条分界线以西的土地上建立波兰政府。这条分界线自格罗德诺往南,经布列斯特-立陶夫斯克,沿布格河向前,至前奥地利帝国与俄罗斯交界处为止。东加利西亚、连同利沃夫一起,是否属于波兰,抑或属于乌克兰未定。随后,波兰向东进兵乌克兰被击败,1920年7月波兰总理W.格拉布斯基要求协约国援助,同年7月10日,协约国向格拉布斯基提出一项停火方案,将1919年12月8日的边界线向西南延伸到喀尔巴阡山,波兰保有普热梅希尔,但放弃东加利西亚。第二天,英国外交大臣寇松勋爵向苏联政府提出相似的建议,之后这条边界线遂以其名字命名。但波苏两国都未接受协约国的方案。1921年3月订立的和约,反映了波兰在俄波战争中获得最后胜利,条约规定寇松线以东约13.5万平方千米的土地划归波兰。虽然寇松线并未作为一条永久性的分界线提出,在俄波战争后已失去意义,但后来苏联重又提出该线,要求获得该线以东的全部领土,并于第二次世界大战爆发时,根据1939年《德苏互不侵犯条约》占领了这一地区。1944年底苏联占领了波兰全部领土。战后1945年2月6日雅尔塔会议上美国和英国同意苏联的领土要求,承认以寇松线为苏波边界线。1945年8月16日苏波条约正式标明一条几乎与寇松线完全相同的两国边界线。1951年作了一些不重要的边界调整。

Cusanus, Nicolaus 参阅**Nicholas of Cusa尼古拉斯(库萨的)**。

Cusco (city, Peru) 参阅**Cuzco库斯科**。

cuscus 袋猴 澳大利亚有袋动物结趾鼩属(*Phalanger*)7个种的统称。体长30～65厘米,尾长25～60厘米。眼大,眶缘黄色,鼻浅黄色,耳几乎隐藏在柔软的浓毛里。树

雌性斑袋猴(*P. maculatus*)
美国不列颠百科全书公司供图

栖,行动缓慢,会偷袭捕捉鸟类和蜥蜴,但主要以树叶和果实为食。雌体有袋,袋内常有1～2仔。袋猴分布于西里伯斯到所罗门群岛一带及澳大利亚北部。斑袋猴(*P. maculatus*)产于澳大利亚和新几内亚,雄性常为褐色,具浅色大斑;雌性单色。有些袋猴近乎黑色,雄性体上斑点不明显;有的为纯白色。

Cush 库施 古代努比亚(**Nubia**)地区的南部。

Cushing, Caleb 顾圣(1800-01-17,美国马萨诸塞索尔兹伯里～1879-01-02,马萨诸塞纽伯里波特) 美国律师、内阁成员、外交官。初任州议会议员和美国国会议员(1835～1843)。1843年以专使身份去中国。通过谈判,1844年缔结《望厦条约》攫取了治外法权。1852年任马萨诸塞州最高法院副法官。1853年任美国司法部长。1860年在民主党全国代表大会上任主席。后回华盛顿,支持A.林肯总统。南北战争战后,U.S.格兰特总统任命他为出席日内瓦会议美国代表团顾问。1874～1877年任美国驻西班牙公使。

Cushing, Frank Hamilton 库欣(1857-07-22,美国宾夕法尼亚东北镇～1900-04-10,华

盛顿[哥伦比亚特区]） 美国早期的祖尼民族志学者。他同祖尼族部落一起生活5年，其间，研究祖尼人的文化，还参加祖尼人的弓师协会。所见所闻多著录于《祖尼民间故事》(1901)、《祖尼人创世神话集》(1896)及《祖尼地区历险记》(1941)等书中；亦著录于他的有关土著人技术的一些论文中，如《祖尼人的食料》等。他曾学习当地人的工艺技术直至精熟，成为洞悉部落人造器物生产过程的权威。库欣在康奈尔大学学习过自然科学，从18岁始受雇于史密森学会美洲人种志局，继续工作多年，直到去世。

Cushing, Harvey Williams 库兴（1869-04-08，克利夫兰～1939-10-07，美国康涅狄格纽黑文） 美国外科医师。20世纪初期的神经外科的学术领袖。1895年毕业于哈佛医学院，后在巴尔的摩师从约翰·霍普金斯医院的W.S.霍尔斯特德学习四年。自1902年起，先后任约翰·霍普金斯医院外科医师；波士顿布里格姆医院外科主任；哈佛医学院外科教授；1933年进入耶鲁大学。库兴建立的许多手术程序和方法曾大幅度地降低了当时脑部手术的死亡率，而且至今仍然是脑外科手术的基础。他理所当然地成为领导世界的颅内肿瘤临床医学的专家。对垂体的研究(1912)使他获得了世界声誉。他首先认证一种脸部和躯干肥胖症是由垂体分泌过多的促肾上腺皮质激素(ACTH)而引起的，此病后来即以他的名字命名"库兴氏综合征"。他还对手术时血压问题的研究作出了重要贡献。他的著作颇丰，并于1926年因《维廉·奥斯勒的生平》一书获普利策奖。

美国不列颠百科全书公司供图

Cushing, William 库欣（1732-03-01，马萨诸塞锡楚埃特～1810-09-13，锡楚埃特） 美国法学家，第一个被任命为美国最高法院大法官的人。1751年从哈佛毕业后开始研究法律，1755年获律师资格。在担任县级官员之后于1772年继其父任马萨诸塞高级法院法官。美国独立战争爆发后，他站在革命人士一边，并于1777年任马萨诸塞最高司法法院首席法官。他在任该职12年期间最著名的举措是他在1783年裁定，州的权利法案中的"所有人生而自由和平等"的条款默示在马萨诸塞州废除奴隶制。1789年9月，在美国最高法院成立后不久，华盛顿总统任命他到该院任职。1796年他因健康不佳谢绝担任首席大法官之职，但他继续担任大法官直至1810年去世。

Cushing, William Barker 库欣（1842-11-04，美国威斯康星德拉菲尔德～1874-12-17，华盛顿[哥伦比亚特区]） 美国海军军官，南北战争期间为联邦屡立战功，受到称赞。1857年到美国海军学院工作，4年后因态度傲慢被迫辞职。南北战争爆发后东山再起，后晋升海军少校。他有胆有谋，几次逃脱危险，并且屡立战功。最突出的是1864年10月在罗厄诺克河上击沉南部邦联的"阿尔比马尔"号装甲舰。战后继续在海军中服役。

美国国会图书馆供图

Cushing's syndrome 库兴氏综合征 又称库兴氏病。肾上腺皮质功能亢进引起的代谢障碍性疾病，常继发于其他疾病过程，特征为躯干部肥胖，肌肉萎缩，全身性蛋白质分解增多，面色红润，血压升高，皮肤萎缩而发生瘀斑且出现腹纹，骨质疏松（原因为骨内蛋白质分解而非脱钙），糖尿病，面部肥胖（满月脸），两肩间脂肪沉着（水牛背）。脏器的病理变化有大动脉粥样硬化、肾动脉钙化或粥样硬化及其他内分泌腺的发育、功能异常。1932年美国神经外科医师哈维·库兴首次描述了一组垂体肿瘤患者的上述症候群，本病因此得名。任何能导致肾上腺糖皮质激素分泌过多的情况，如肾上腺肿瘤，促肾上腺皮质激素(ACTH)分泌过多（垂体肿瘤或其他组织反常地分泌促肾上腺皮质激素）等，均可引起本病。用肾上腺皮质激素类药物治疗疾病，亦可引致类库兴氏综合征。本病发病率不高，女性的发病率为男性的4倍。可于妊娠期或刚分娩后发病，各年龄均可发病，但小儿患者极为少见，20～50岁发病率最高。本病的治疗取决于病因，因皮质激素类药物治疗引起的类库兴氏综合征，停药即愈；原发病为垂体或肾上腺肿瘤者须行手术切除肿瘤，随后用类固醇激素作补充治疗。库兴氏综合征的治疗方法还有质子束放疗、放射性药物植入和服用皮质激素拮抗剂等。不过，库兴氏综合征虽可经上述方法治愈，但因其所致继发性病变却无法消除，如心脏病变，血管、肾脏的即成病变和骨质疏松等。

cushion moss 垫藓 又称白藓。真藓目白发藓属(*Leucobryum*)植物。有3种以上原产于北美。在潮湿森林或沼泽形成针插状的灰白色巨大丛簇，直径数厘米至1米，高3～10厘米。能吸收和保持水分。无性繁殖，从簇边缘雌株的顶生拟叶体有成簇的根状结构，可脱落生根，长成新丛。拟叶体顶端尖锐呈矛状，孢蒴红棕色，于秋季成熟，但不易见到。

Cushite DYNASTY 库施王朝 即埃及第25王朝（约公元前750～前656）。沙巴卡(**Shabaka**)在其父兼并上埃及和其兄征服埃及其余部分之后建立。库施在努比亚(**Nubia**)地区的南部。

Cushitic languages 库施特诸语言 闪-含语系5个语族之一（其他语族为埃及语族、柏柏尔语族、乍得语族及闪米特语族）。库施特诸语言通行于埃塞俄比亚和其东部及南部邻接地区。学者们把它们划分为5个语支：①贝扎语支；②阿高语支；③东库施特语支（包括加拉语和索马里语）；④西库施特语支（包括埃塞俄比亚西南部的克法语）；⑤南库施特语支（包括坦桑尼亚的姆布古语和姆布隆格语[布隆吉语]）。通用最广的是加拉语、索马里语和贝扎语。由于西库施特语与其他库施特语几乎没有相同词汇，有些学者把它看做闪-含语系独立的（第六个）语族，叫做奥默语族。

Cushman, Charlotte Saunders 库什曼（1816-07-23，波士顿～1876-02-18，波士顿） 美国戏剧舞台上第一位本土出生的明星。19岁在波士顿首次登台，在莫扎特的歌剧《费加罗的婚礼》中扮演阿尔玛维娃伯爵夫人。据说她的嗓音是一种优美的女低音，后歌喉衰退，转向戏剧舞台。1837年首次扮演她著名的角色，根据W.司各特爵士的作品《盖伊·曼纳林》改编的舞台剧中的梅格·梅里莉丝一角和根据狄更斯小说改编的《奥列佛·特维斯特》(1839)中的南希一角。1842年为费城核桃树街剧院经理。1843～1844年同麦克里迪一起在《麦克白》中扮演主角，在费城和纽约交替演出夜场。1845年同福雷斯特配戏，在米尔曼《法齐奥》一剧中饰比安卡，在伦敦取得巨大成功。同年以及在1854～1855年再次去伦敦的巡回演出中，她扮演罗密欧，与她妹妹苏珊扮演的朱丽叶配戏。其他著名的男性角色还有哈姆雷特和沃尔西红衣主教等。库什曼是位在欧洲和美国均极享盛名的女演员。擅长演感情强烈的角色，而对微妙的或喜剧的角色仅略具才能。一生曾扮演过30多个具有男子汉气概的角色。

库什曼在《盖伊·曼纳林》中饰梅格·梅里莉丝的剧照
美国不列颠百科全书公司供图

Cushman, Joseph Augustine 库什曼（1881-01-31，美国马萨诸塞布里奇沃特～1949-04-16，马萨诸塞沙伦） 美国古生物学家。以研究有孔虫借以了解古生态学而知名。1913～1923年是美国地质调查局成员，并兼任波士顿博物学会的博物馆馆长。1923年在沙伦建立了库什曼有孔虫研究室。1926 ～ 1940 年在哈佛大学任教。著有《有孔虫的分类和经济用途》(1928)。库什曼的工作推动了对有孔虫的研究,使之成为地层学的工具和石油勘探的重要依据。

Cushman, Vera Charlotte Scott　库什曼(1876-09-19,美国伊利诺伊州渥太华～ 1946-02-01,佐治亚萨凡纳)　婚前名 Vera Charlotte Scott。美国社会工作者,20 世纪初积极从事基督教女青年会发展和战时工作的有影响人物。1898 年毕业于马萨诸塞州北安普顿史密斯学院。在校时为基督教女青年会活跃分子,毕业后兴趣不减。1901 年与纽约市商人 J.S. 库什曼结婚,仍热衷于女青年会工作。1905 年参加 G.H. 道奇主持的委员会,推动全国基督教女青年会合并运动。1906 年为全国统一组织的董事会成员,在其 1936 年卸任前,数度出任副会长,亦担任过纽约市基督教女青年会领导工作。1912 年投身纽约基督教女青年会合并活动,并当选为合并后的首任会长。在 1913 年为纽约市和全国女青年会募款的"旋风运动"中,她担任副主席,14 天共筹集 400 万美元。1917 年 5 月,女青年会成立战时工作委员会,她任主席,指导为战争作贡献。在她领导下,共筹款 1.7 亿美元,用于在陆海军营房和基地、军医院和军运上下船港口附近设立 140 座"主妇招待所",为护士、通讯兵工作者和其他从事战时工作的妇女提供住所和娱乐场所。第一次世界大战期间,基督教女青年会共在 9 个国家开办了主妇招待所和其他服务中心。1919 年获得优异服务勋章。1924 ～ 1938 年任基督教女青年会国际委员会副主席。

Cusio, Lago(Italy)　**库西奥湖**　参阅 **Orta, Lake** 奥尔塔湖。

cusk (*Brosme brosme*)　**单鳍鳕**　又作 torsk。鳕科长体形的食用鱼,产于北大西洋两岸深海底层。鳞小,口大,具颏须。背鳍和臀鳍各一,形长,均与尾鳍基部相连,尾鳍圆形。体长

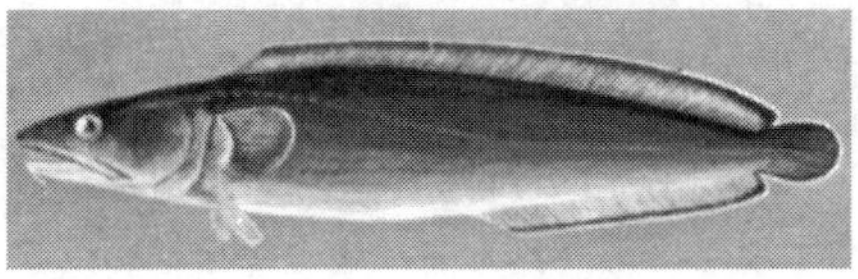

单鳍鳕(*Brosme brosme*)
美国不列颠百科全书公司供图

可达约 90 ～ 110 厘米。体色多样,从淡黄或淡褐到蓝灰色;幼时身上有黄色纵带。

cusk eel　蛇鳚　蛇鳚科(鼬鳚科,Ophidiidae)约 30 种长形鳗状海产鱼类的统称,广范分布于世界暖水及温带水域。特征为背鳍、臀鳍、

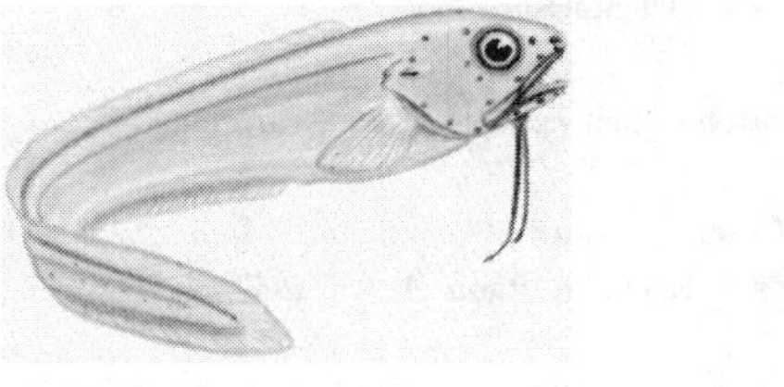

蛇鳚(*Otophidium chickcharney*)
美国不列颠百科全书公司供图

尾鳍相连成一条长鳍;腹鳍触须状,位于喉部,在海底游动寻食时作为感觉器。有些蛇鳚见于浅水,但大部蛇鳚栖于深海。体长不足 0.6 米,但南非所产可供食用的喉鳍蛇鳚(*Genypterus capensis*)体长可达 1.5 米以上。

cusp　尖头　两条曲线相交处的尖端,在建筑上,特别在拱和**窗花格**(**tracery**)中,尖头常做成叶片状或扇贝状。早期伊斯兰教建筑中通常使用尖头形式,例如在开罗的艾哈迈德·伊本·图伦清真寺(约 879)中,特别是北非和西班牙的摩尔建筑中。法国的罗马式

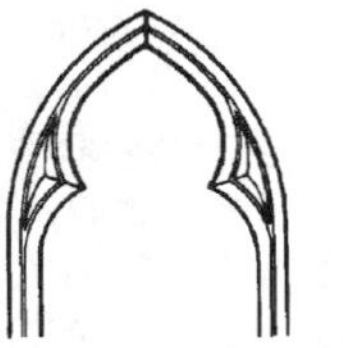

哥特式尖头拱示意图

建筑中偶尔也可见到,如法国勒皮的圣米歇尔教堂(可能 11 世纪后期),可能是受西班牙的影响。在欧洲,直到哥特式时期才普遍应用,并在尖头上加以花、叶或人头形装饰。

cuspid　尖牙　参阅 **canine tooth** 犬牙。

custard　蛋奶糕　将鸡蛋、牛奶、白糖和香料混合加热,使鸡蛋蛋白质凝结而制成的食品。烤蛋奶糕中放有整蛋,以使其成为凝胶状。焦糖蛋奶糕是将蛋奶糕放在盘中烘烤,表面覆以焦糖,在形成糖汁时从盘内取出。蛋奶焦饼是在蛋奶糕上撒白糖,在烤焙器具下或用热铁钣烤至糖焦化,使白糖在蛋奶糕表面形成一层脆的薄壳。煮制蛋奶沙司应除去蛋清,将容器放在热水中慢慢煮,直到稠如高脂稀奶油,称为英式蛋奶沙司,可作为酱汁佐食水果或焙烤食品,或用作甜食如米饭布丁的配料。冰淇淋常以蛋奶沙司为基料,制作时要急速搅打蛋清同时调入蛋奶沙司。巴伐利亚奶油是用明胶固化的蛋奶糕。一种法国馅饼是用蛋奶糕作馅,加干酪、洋葱、火腿或剁碎的蔬菜调味而成。

custard apple　番荔枝类　番荔枝科番荔枝属(*Annona*)灌木或小乔木及其果,原产于新大陆热带和佛罗里达。牛心番荔枝(*A. reticulata*)又称网脉番荔枝,原产于西印

牛心番荔枝(*A. reticulata*)
美国不列颠百科全书公司供图

度群岛,果实深棕色,表面不平,似绗过的被面;果肉红黄色,极软,味微甜,如牛奶蛋糊,故得其英文名;据说种仁有毒。刺果番荔枝(*A. muricata*)原产于西印度群岛。**番荔枝**(**sweetsop**)原产于热带美洲,热带地区广泛栽培。毛叶番荔枝(切里莫亚番荔枝,*A. cherimola*)果味香而颇受珍视。平滑番荔枝(*A. glabra*)又称鳄鱼苹果、池塘苹果、软木树,原产南美和西印度群岛,木材可做瓶塞;果实不鲜食,有时用做果子冻。

Custer　卡斯特　美国南达科他州西南部城市,卡斯特县县城(1875)。濒临弗伦奇河,位于布莱克丘陵(海拔 1 621米)。1875 年因发现金矿(1874)建城。1883 年设市。现为旅游中心,布莱克丘陵国家森林总部所在地。附近有州立卡斯特公园、诺贝克野生物保护区、拉什莫尔山国家纪念地、珍宝洞国家纪念地。市北 8 千米处有就山顶雕刻的印地安人首领疯马的未完成纪念像。每年夏季举行发现金矿的庆典。这里有黄金、石英石、绿宝石、云母和石膏等矿藏开采,并有伐木业和牲畜贸易。当地各博物馆有边疆及金矿开采文物展出。人口1 860(2000)。

Custer, George Armstrong　卡斯特(1839-12-05,美国俄亥俄新拉姆利～ 1876-06-25,蒙大拿准州小比格霍恩河)　美国骑兵军官,在美国南北战争中表现突出,后率部参加美国历史上最有争议的战役之一,无一生还。西点军校毕业(1861)。南北战争爆发后,在 G.B. 麦克莱伦将军的参谋部工作。23 岁成为志愿军准将,指挥一个密歇根骑兵旅。他身经百战,表现突出。他一直紧追南部邦联军总司令 R.E. 李将军,促使李将军早日投降。1866 年前往堪萨斯州参加 W.S. 汉考克领导的远征,向大草原印第安人显示美国陆军的威力。由于私自到赖利堡去探望妻子,1867 年以擅离职守的罪名受军事审判。然而,由于大草原印第安人的反美情绪日益高涨,他又官复原职,1868 年 9 月参加第 7 骑兵旅。11 月,他率兵摧毁沃希托河畔的切延内族的村庄。后晋升陆军中校。1876 年 6 月 25 日袭击蒙大拿小比格霍恩河附近印第安人的营地,但所率 200 多名士兵连同他本人无一生还,只剩下一匹战马。

Custer State Park　卡斯特州立公园　美国南达科他州西南部布莱克丘陵中崎岖山地与

南达科他州布莱克丘陵地区卡斯特州立公园中的西尔万湖和哈尼峰
美国不列颠百科全书公司供图

草原的地区，面积295平方千米。位于拉皮德城以南约30千米，以卡斯特为中心，西北接布莱克丘陵国家森林，南邻风洞国家公园。1913年定为禁猎区，1919年成为州立公园。多野牛，也有叉角羚、驼鹿、石山羊、盘羊、美洲狮、小驴、草原犬鼠、郊狼、雕、野火鸡等各种禽兽。在29千米的环行路上可以观看各种动物。一条尖岩公路蜿蜒23千米，穿过狭窄的隧道。尖岩眼是一座高12米的花岗岩锥，中间有一道0.9～1.2米宽的裂缝。公园内有远足、骑自行车、爬山和骑马等多种活动。几条步行小径可达2 207米高的哈尼峰，是落基山脉以东最高峰。

custom　习惯　在英国法律中，指适用于某特定地区的古老法律惯例，有别于该国的普通法。它溯源于盎格鲁-撒克逊时期，当时大多数影响家庭权利、所有权、继承权、契约和个人暴行的法律都由当地习惯形成。诺曼的征服者承认习惯法的效力，并将其纳入他们的封建制度中。经过13～14世纪的巨大变动后，由王室授予英国法律以法定的权威，“王国领域内的各种习惯”就成为英国的普通法。此后，普通法以外的地方性习惯，只要：①是自古即已和平地和持续地流行——实际上只要有现存证据可供回忆即可；②是合理的、明确的，且具有强制性的；③是局限于某个特定地区的，即被认为具有法律效力。由于现代文化的一致性，习惯仍具有法律效力，但实际上它已让位于普通法。

customs duty（international trade）　参阅**tariff** 关税。

customs union　关税同盟　一个数国集团缔结的贸易协定，对内彼此实行自由贸易，而对世界其他国家则实行共同的对外关税。它是介于自由贸易区和共同市场之间的部分经济一体化的一种形式。在自由贸易区，各成员国间可彼此自由贸易而缺乏共同对外的关税税则；在共同市场，除各成员国具有共同的对外关税率之外，资金和劳动力等资源还可在成员国间自由流动。

人所共知，关税壁垒一般是要减少各国之间贸易数额的。在多数情况下，这种贸易的减少可保护一些国内生产商，但也要使双方消费者付出更高昂的花费。看来许多政府已意识到这一问题，它们力图在对保护政治上受惠的生产商和减少消费者代价之间保持平衡。关税同盟，还有其他部分经济一体化形式，是力图取得这种平衡的一种方式。

自由贸易区的成员国同意降低对各自货物的关税壁垒，以期在贸易中所获得的利益至少皆能抵偿国内某些生产商所遭受的损失。自由贸易区这一安排，严重的缺点是没有共同的对外关税率。由于各国对外的关税壁垒不同，进口商可通过低税率的国家输入货物(即使是燃油、劳动力等成本较高)。这种绕道运输是不必要的浪费。解决的办法就是各成员国同意制订一套共同的关税率，以便承运商能致力于降低运费而不是逃避关税。自由贸易区加上共同的关税率就是关税同盟。

利用关税同盟征收统一的对外关税固然可以避免迂回运输的浪费，但不能解决生产的浪费问题(此问题有时被称为贸易转向)。例如，某国对某一特定商品向其他所有各国统一按一定税率征收关税，只要有贸易，则该商品一定是很理想地来自成本最低的外国生产商；贸易数额就不会像根本没有关税时那样高，而且国内按较高成本生产出来的这一商品可能太多，不过至少从外国生产商所增加购买的商品都一定是很有效益生产出来的。然而，有选择地仅对自由贸易区或关税同盟的贸易伙伴国降低关税率，则东道国可能会让某一伙伴国的生产商低价出售该商品，即使其生产成本较区外或同盟外的生产成本高。这样，最终的效果是降低了同效益好、成本低的生产商的贸易。由于关税同盟而增加的贸易量，有时被称为贸易开辟。

其他经济一体化的形式有：共同市场、经济联盟和联邦。共同市场，除规定内部货物不征收关税、对外实行共同关税外，允许劳动力、资本及其他生产资源自由流动。经济联盟，要密切协调各成员国的国民经济政策。联邦，如美利坚合众国和瑞士联邦，一般要通过联邦政府机构协调各邦的政策。著名的关税同盟有19世纪普鲁士领导下德意志诸邦组成的关税同盟(**Zollverein**)和欧洲经济共同体。欧共体已经历了关税同盟阶段，正迈向更完全的经济一体化。

Custoza, battles of　库斯托扎战役（1848，1866）　在意大利独立战争时期，意大利人为推翻奥地利对北意大利的统治而进行的两次战役。1848年7月24日进行第一次战役，撒丁-皮埃蒙特国王C.阿尔贝特的军队，大败于奥军老将J.拉德茨基陆军元帅之手。同年8月9日签订停战协定。1866年6月24日进行第二次战役。8万奥地利陆军在大公爵阿尔贝特率领下，击溃了V.伊曼纽尔二世统率的12万意大利陆军。意军死伤和失踪共8 000人，奥军死伤和失踪约5 600人。这次失败使意军最高统帅惶恐不安，退出战场。同年，奥地利在普法两国的联合压力下，被迫永远撤离意大利。

cut-card work　刻片工艺　一种用事前刻成图案轮廓的薄银片焊接在杯、碗或咖啡壶等银器上，从而产生图案凸起和轮廓鲜明效果的装饰技术。刻片通常呈叶状，用珠饰品作叶柄，或不加修饰。刻片工艺除装饰作用外，还可使银器得到加固。这种技术源于法国，通过胡格诺派银匠们的活动而传入其他欧洲国家和北美。在英国，从1600年左右开始一直流行到18世纪初期。

D.维尧姆1700年制作的刻片工艺镀金大口水壶
美国不列颠百科全书公司供图

cut glass　刻花玻璃　表面上有许多刻面的玻璃制品。这种多棱的表面大大地提高了玻璃的光泽和折射力，从而使刻花工艺成为修饰玻璃品最通用的技术之一。刻花的过程包括粗刻：在玻璃制品上涂上一层细湿沙或人造磨料，用旋转的钢轮刻出图案。轮子的边可以是平的、凸的或凹的。打光：用砂轮加工粗刻的图案和用木轮抛光。最后常用酸蚀抛光。公元1世纪，罗马人最早对玻璃刻花，形成和加工宝石相似的磨刻和浮雕工艺。近代玻璃刻花是17世纪晚期在德国发展起来的，它的发展促进了一种质重无色、刻时不易破碎的晶质玻璃的产生。18世纪20年代末期，刻花工艺被英格兰和爱尔兰玻璃工人采用，作为基本的装饰工艺，多棱的刻花玻璃品被认为是他们的创造。在爱尔兰沃特福德玻璃厂制造的许多精美的刻花玻璃器皿，于1780年后输入美国。所有刻花图案均由平面、镂空和斜纹3种基本刻法变化而来。老式刻花玻璃以斜纹为主，刻的切口接近60°。菱形图案是最早的图案之一，普遍应用于18世纪早期英格兰和爱尔兰玻璃厂制造的饮料杯、碗、盆和吊灯。星形、菱形浮雕和扇形花纹也是英格兰和爱尔兰人常用的图案。19世纪中期，发明了玻璃压制法，外观与刻花玻璃相似，但造价低廉，因此逐步取代了刻花玻璃。现在大量刻花玻璃器皿是先用模具压制，然后进行抛光。改变了画出图案再进行粗刻那种代价高昂的操作。

约1795年的爱尔兰刻花玻璃甜食器皿
美国不列颠百科全书公司供图

cutaneous leishmaniasis　皮肤利什曼病　参阅**Oriental sore** 东方疖。

cutch（plant extract）　参阅**catechu** 儿茶。

Cutch, Rann of（mudflats, India-Pakistan）　参阅**Kachchh, Rann of** 卡奇沼泽地。

Cuthah　古塔　古代美索不达米亚的城市，即今泰勒易卜拉欣。在今伊拉克中南部基什城北。该城居民对下界之神内尔格勒虔诚崇拜，由于内尔格勒的神圣，所以在基督教时代以前的几个世纪里，苏美尔和闪米特的历代君主们一直维修该古城。

Cuthbert, Saint　库思伯特，圣（634或635，英格兰诺森伯里亚～687-03-20，诺森伯里亚近海内法恩岛或豪斯岛）　基督教林迪斯凡（霍利岛）本笃会大隐修院院长。原是牧人，见异象后入诺森伯里亚梅尔罗斯隐修院（651）。661年该院修道长死于鼠疫，库思伯特继任。他一面救助鼠疫病人，一方面在该地区传教。在663～664年的惠特比宗教会议上，诺森伯里亚人决定采用罗马教会习俗，废除凯尔特教会习俗，凯尔特派领袖林迪斯凡主教兼隐修院院长科尔曼忿而辞职。664年埃阿塔和库思伯特调到林迪斯凡，前者任主教，后者任修道长。库思伯特根据惠特比会议精神进行整顿。676年隐退到内法恩潜心祈祷。库思伯特爱护鸟类，是野生动物保护者之一。684年诺森伯里亚国王埃克弗里思任命他为赫克瑟姆主教，685年与林迪斯凡主教埃阿塔对调，687年再次辞职。

Cuthred　丘思雷德（？～756）　西撒克逊（即韦塞克斯）国王，当邻近的麦西亚王国势力最强盛时即位（740）。他依附于麦西亚国王艾特尔鲍尔德，在位16年的大半时间内必须同时抗击威尔士人和麦西亚人。752年在牛津郡的伯福德击败艾特尔鲍尔德的军队，将韦塞克斯从外国的统治下解放出来，这成为史诗般的事件。753年又大败威尔士人。

cuticle　外表皮　生物体与环境接触的外层或外部。许多无脊椎动物由表皮分泌出死的、非细胞的外表皮。节肢动物的外表皮可含色素和几丁质。人的表皮就是外表皮。在植物称为角质层，指覆盖于植物叶或其他部位表皮细胞上的不透水保护层。可限制植物体内水分的散失。由角质（一种蜡样不透水的物质，与见于软木组织细胞壁内的软木脂相类似）组成。许多果实（如苹果、油桃和樱桃等）上的角质尤为丰富，故这些果实能被擦拭得极为光亮。巴西棕榈蜡即取自巴西植物 *Copernicia cerifera* 叶上的角质层。

cutis laxa　皮肤松垂症　一种原因不明的先天性皮肤病。患者全身皮肤极度松弛、垂褶、无弹性。主要病变是皮下结缔组织中的弹力纤维蛋白异常薄弱。患者的面部特征为钩状鼻、鼻孔外翻、上唇长等。另外本病合并消化道憩室、膀胱憩室、膈疝、脐疝、直肠脱垂和阴道脱垂者亦为数不少。据说本病还有后天获得性者。

cutlass fish　带鱼　鲈形目带鱼科几种鱼的统称。皆海产，见于大西洋、太平洋、印度洋。外形特殊，体长如鳗，背鳍低而延于整个背部，尾部窄缩而末端细尖。肉食性，主食其他鱼类，口宽大，有犬齿状牙。细尾带鱼（*Trichiurus lepturus*）最长可达1.5米。带鱼科约有6属20种。

Cutler, Manasseh　卡特勒（1742-05-13，康涅狄格基灵利［美国］～1823-07-28，马萨诸塞伊普斯威奇村）　基督教公理会牧师。1768年开始习神学，1771年受神职后担任伊普斯威奇村牧师。在独立战争时期担任随军牧师，以果敢英勇受到嘉奖。1786年他和其他一些退伍军人共同在波士顿组成俄亥俄同仁公司以开发俄亥俄流域。退伍军人希望使用他们持有的已贬值的大陆流通券按照票面价值购买大片土地。卡特勒被选派为公司谈判代表，与大陆会议订立契约，购买俄亥俄玛丽埃塔周围的公地150万英亩。公司乃自新英格兰输送移民进行开发，现今俄亥俄州的第一个永久性居民点马里埃塔即建于1788年。据传卡特勒还是1787年西北法令的主要起草人，特别是其中的有关禁止贩奴及提倡公共教育等章节。卡特勒对天文、气象及植物等学科均有所涉猎。

cutlery　刃具　工业、商业和家庭使用的割削工具，如刀子、剃刀和剪子等。

历史　史前时代用于割削、狩猎和自卫的工具是用石块（特别是燧石）、黑曜岩（一种

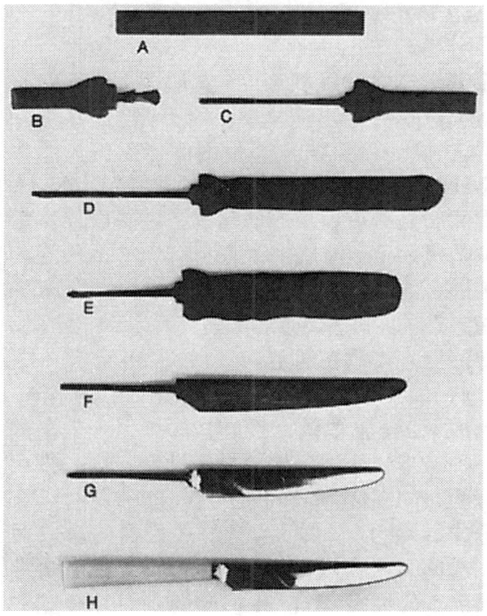

餐桌刀的制造过程：A 制两个刀片的不锈钢条的长度；B 模锻的承垫；C 拉长榫舌；D 锻造刀片达到近似长度；E 横辗刀片使之加宽；F 将多余部分去掉，使刀片具最后形式，淬火和回火；G 研磨刀片并部分抛光；H 刀片完全抛光和磨出锐度，加柄

美国不列颠百科全书公司供图

火山玻璃）以及骨头和贝壳制成的。将此工具在石块凹处擦磨，便形成刃，巴西中部、澳大利亚和新几内亚的原始居民仍用这一方法。公元前1500年左右，从不列颠群岛直至中国曾经使用青铜的割削工具。将两个刀片在手柄一端用C字簧连接起来而构成的剪子大约也起源于同一时间。人类认识多种金属以后，中国、印度和欧洲都发展了打造刀片的技艺。在古罗马，在中国、日本和朝鲜，已经知道用青铜或铁制造枢轴剪子，柄与刀片间由铆钉或螺钉连接起来。

埃及人用燧石制作割削工具，先刻缺口，使成锯齿状，然后胶粘入按用途定形的木槽。刀子主要用于狩猎和充当武器，但是富有的人们曾使用带装饰的小餐刀。希腊人生产青铜刀子，罗马人则把打刀口的技术传遍地中海一带和整个欧洲。正如在埃及一样，富人曾在用餐时使用装饰性的小刀。在意大利和不列颠都曾发现罗马时代的钢刃餐刀。

随着技术知识的普及，刃具的生产建立在能够提供大量木材的地区，一可烧炉、二可制炭、三可将水软化以供钢淬火和回火。中世纪的磨石有时用手操作，但经常使用畜力或水力转动踏式磨机或轮。约自1200年起，在英国的伦敦和设菲尔德，法国的梯也尔和巴黎，德国的索林根，以及已经建立手工业行会的许多其他地方，都开始设厂制造刃具。工匠们生产装饰精巧的刀片，用金、银、象牙、乌木、玛瑙、琥珀和大理石等贵重材料制柄。

客栈老板不提供餐桌刃具，富商们自带精致的旅途用品。其他的人则使用通常的骨或木柄刀子、模制粗糙的叉子、以及拙工笨匠用铅锑合金制作的匙子。在富人家中，向客人提供餐刀已成常规，不过许多人作客时还是携带自己的刀子。分菜用刀成对制作，有时称作“摆设”（présentoirs），只用于传递食品。俗称的“结婚纪念刀”每副包括一对刀子，装到护套里，是新郎送给新娘的习见礼物。18世纪的餐桌刀子常具手枪式柄和类似阿拉伯弯刀的弧形刀片。

到18世纪，英国的设菲尔德已经成为此种工业的一个国际中心。18世纪初年，设菲尔德的刃具工和银匠们在制造空心银柄的刀子，即将柄模锻为两半，软焊到一起，中间添满松脂，把榫舌（刀片的突出部分）嵌入。1761年开始大规模生产枢轴式剪子和大剪刀，当时设菲尔德的R.欣奇利夫首先在制造时使用坩埚铸钢。到19世纪，欧洲已制造出设计精美、具有手锉及抛光的头部和柄的剪子。

钢剃刀的制作加装饰优美的柄，刀刃后方磨成一个凹面。1828年出现现代安全剃刀的先驱，一边刃带防护物。1880年美国制成锄形安全剃刀。20世纪初期，K.C.吉列开始制作可更换的双刃刀片模型。

刃具的制造　刃具钢是指在铁中加入0.35%～1%的碳构成的。在早期的方法中，包括用铁锤把木炭打入烧红的铁条。18世纪，B.亨茨曼在设菲尔德建新型炉，在称为坩埚的黏土容器中制高度精炼钢。工业革命前期，他的工艺方法极大地提高了钢的可用性和质量。

20世纪，大量刃具是用**不锈钢（stainless steel）**制作的。马氏体不锈钢在制作餐桌用刀和工匠用刀时都广泛使用，含12%～18%铬以增强耐腐蚀性，含0.12%～1%碳使热处理后极大地提高硬度。碳含量越高，刃锋保持越久；耐腐蚀性随铬含量的提高而增大，但随加碳而降低。到1928年，碳钢刀片的制造仅限于商业用刀和一些雕刻、狩猎和便携小刀了。

刃具种类很多，各有不同用途，而刀片为主要的决定性因素。锐度的保持一靠用哪一类钢，二靠加工技艺。成本由刀片钢质量、工匠技艺、制柄材料和装饰等决定。

餐桌刃具的生产程序包括：①将钢锻造成所想要的刀片形状；②适度淬火和回火；③将刀片轮磨成刃，并去掉锻造和热处理的

一切痕迹；④抛光刀片；⑤制作、装配和磨光柄。

优质刀片是用机械锤锻造钢条而成。将钢条加热后，放入锻模中间，迅速锤出所需刀片的粗形。锻件经修整而得最终的片型。有些刀子是以巨大落锻锤的一个冲程完成刀片和刀柄的全套锻件；也有些是用钢片切割，以便留下一个无锻造承垫的短平榫舌（刀片与柄连接的部分）。刀片经锻造后，加热提高硬度，然后在冷却液体中或者放在由内循环液体冷却过的金属板间淬火。随即回火，将刀片重新加热至适当温度，使其具柔性和韧度。

研磨工序包括：把刀片送到迅速旋转的磨轮外缘，将钢逐渐磨去，直至从刀背到刀刃、从承垫到尖端都达到所求的锥度为止。刀片放在水里或"切削用液"中冷却，以保持它们的含碳量。

不论机磨或手磨，都在随后的所谓增光和擦光工序中使刀片表面处理得更加美观，如果愿意的话，再来一道镜光或所谓"缎光"。承垫也研磨、擦滑和抛光，使其适应要用的柄。然后，以酸或电弧蚀刻上制作者的姓名。

制柄所用的天然材料包括兽角和长牙，各种木材，珍珠母和骨骼；人工制造的柄从金的、银的和瓷的起，直至不锈钢的、镀银的、镍合金的、压缩木材的和塑料的。这些材料有的进行机械加工，其他则由刀剪工匠刻制。使用纤维素黏合剂、胶结剂或者树脂混合物把榫舌牢固地装到柄上，但空心金属柄除外，必须采取硬焊或熔接法才能完成。

剪子的毛胚（未加工件）是在落锤模间高速锻造火红钢条而成。对于普通剪子，主要使用含碳0.55%的钢。对于最上等的剪子和业务用大剪刀（如裁缝的大剪刀和整修工具），则以含碳0.75%的较硬钢为上选。为了裁剪比天然纤维粗硬的人造纤维，裁缝用大剪刀的刀片有时是用复合材料制成，即刃的一边用更硬的钢（含碳1.03%），而背的一边用韧铁。许多剪子，包括外科手术用的各种剪子在内，是用不锈钢制作的；有几种专业用的剪子和大剪刀是用不会产生火花或干扰磁性的非铁合金制作的（例如为了剪断火药线和磁带）。低成本的剪子是用冷压而不淬火的较软钢线材制成的。

如果叫剪子得心应手，两剪片只能在两个地方接触，一是接合点，一是剪片上进行切割的那一点。剪片要制成相互扭或曲的样子，当完全合上的时候，它们的尖端必须碰在一起。两个剪片都要精确淬火，达到硬度一致。在质量最上乘的剪子和大剪刀中，两片毛胚和一个螺钉，以及大剪刀的螺母，在加工之初就标上识别记号，以保证成龙配套。

Cutpurse, Moll 参阅 **Moll Cutpurse** 娼妓扒手。

Cuttack 克塔克 印度东部奥里萨邦东部城镇，克塔克县县府。位于默哈讷迪河三角洲顶端。始建于13世纪。1948年邦首府迁往布巴内斯瓦尔以前一直为邦首府，现仍为本邦最大城镇。为重要的河港和贸易中心，有良好的铁路和公路联运通向该邦其他地方、加尔各答及印度其他城市。有制造业、手

克塔克镇的巴拉巴蒂体育场
美国不列颠百科全书公司供图

工业和农产品加工业。有水稻研究所、工业学校和几所学院。克塔克县临孟加拉湾，面积11 211平方千米。该县沿海有狭窄沼泽地带；内地为冲积平原种植水稻；有默哈讷迪河和婆罗门河流经。县内种植黄麻和豆类；渔业也很重要；主要工业产品有玻璃、钢管、纸张和纺织品等。阿西亚丘陵有几处佛教艺术中心。人口：城镇403 418；都会区440 295；县1 972 739（1991）。

cutter 独桅纵帆船 类似单桅小帆船（sloop）的小型快速帆船。有一根独桅，纵向装帆，装一面主帆及至少两面艏斜帆。船体设计通常是深而窄，特征为具有倾斜方艉、垂直的艏柱和一根长的艏斜桅。在美国海岸警卫队里，cutter指船身长超过25米而未划为辅助艇的海岸警卫艇。在美国海军中，cutter指方艉的工作艇，通常用桨或用发动机带动，并能把它装载在船上。

cutter 轻便雪橇 约在1800年引入美国的一种敞篷轻便型马拉雪橇。通常只有一排可坐两人的座位，有的装有另一排不用时可挪开或折叠的双人座位，有的还设有一个临时儿童座。这种橇有多种式样，但大都有弯曲而优美的橇板、彩色装饰的橇身。在美国的东北部有时仍作为冬季的旅游运输工具。

cutthroat trout (*Salmo clarki*) **切喉鳟** 又称山鳟、克拉克氏鲑。鲑科，北美西部具黑斑的游钓鱼类，下颌下方具鲜红的条纹，故名。会主动攻击假蝇饵、钓饵、诱饵。被视为上好的食用鱼。一般体重达1.8千克。只

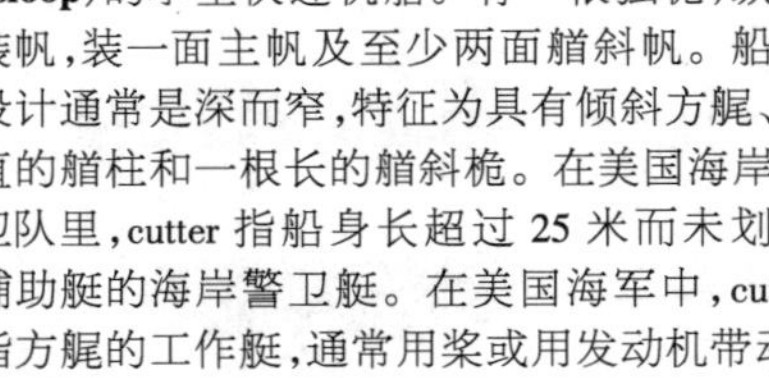

切喉鳟（*Salmo clarki*）
美国不列颠百科全书公司供图

要可能，许多个体即洄游入海。像其他种的海洋型一样，被称为海鳟，亦可能在几年内都不返回淡水中。有许多亚种，如塔霍湖鳟、黄鳍鳟、黄石鳟，同样都有红色线纹。

cutting horse 分隔马 经训练后能将牲畜（特别是牛）从畜群中分隔出来的轻型骑乘马。多为聪明而跑得快的四分之一英里赛马，动作速始速停，转身敏捷。只要骑手略加指挥，甚至不用指挥，便能将牲畜从畜群分隔出来，并将其逼到易于捕捉的地方去。

cuttlefish 乌贼 又称墨鱼、墨斗鱼。乌贼目海产头足类软体动物，与章鱼和枪乌贼近缘。特征为有一片厚的石灰质内壳（乌贼骨、墨鱼骨、或海螵蛸）。约有100种，体长2.5～90厘米，稍扁，两侧有狭窄的肉质鳍。有8条腕；还有两条长触腕，用以捕食，并能缩回到两个囊内；腕及触腕顶端有吸盘。生活在热带和温带沿岸浅水中，冬季常迁至较深

乌贼（*Sepia officinalis*）
美国不列颠百科全书公司供图

海。常见的乌贼在春、夏季繁殖，约产100～300粒卵。乌贼属（*Sepia*）种类主要吃甲壳类、小鱼或互食。主要敌害是大型水生动物。肉可食，墨囊可制墨水，内壳可喂笼鸟以补充钙质。现代的乌贼出现于约2 100万年前的中新世，祖先为箭石类。

Cutty Sark "短衬衫"号 1869年在苏格兰邓巴顿郡邓巴顿下水的英国3桅快帆船，长64.7米、宽11米、净吨位921吨。船名源于R.彭斯的诗歌《汤姆·奥桑特》中美女南尼的外衣。19世纪70年代，它用于英、中两国间的茶叶贸易，以后又用于英、澳间的羊毛贸易，最后作为教练船。1957年修复后，把它置于伦敦格林尼治靠近泰晤士河的水泥干船台上，由女王伊丽莎白二世主持开幕，作为海运纪念物和航海博物馆公开展出。

Cuttyhunk (island, Massachusetts, U.S.) **卡蒂亨克岛** 参阅 **Elizabeth Islands** 伊丽莎白群岛。

cutwork 雕空绣 意大利语作punto tagliato。织物中，在一段布料上剪去若干小块，并在雕空处用针绣连缀而成的图案，或用许多条缝线将这些小块连在一起而形成的图案。在雕空处用针绣连缀成图案的方法在欧洲始于14～16世纪的意大利。伊丽莎白时代流行的皱领常用雕空绣作装饰。

Cuu Long 九龙 越南南部省份。原为柬埔寨一地区，1731年并入越南，1976年由前永隆和永平两省合并而成。面积3 854平方千米。地处湄公河三角洲，东南濒南海，北部、东北部及西南部分别以湄公河的三条支

流——前江、古毡河和后江——为界。境内运河、溪流纵横。出产稻米,南海沿岸有红树沼泽,近海养鱼和捕鱼是重要的经济活动。还有椰子种植、锯木和酿酒。永隆东南32千米处的泳濂是稻米集散中心。公侯河口和后江河口为两大河港。居民有越南人和高棉人。人口1 041 300(1993)。

Cuvette 盆地区 刚果(布)北部的行政区。1997年后分为两个地区:东盆地区与刚果(金)东南相邻,西盆地区与加蓬相邻。东盆地区首府为奥旺多,西盆地区首府为埃沃。面积69 000平方千米。位于刚果河盆地,大部为常发生洪涝的沼泽地和低洼地。主要传统作物是木薯,经济作物有咖啡、水稻、可可、棕榈等。刚果河畔的莫萨卡有渔业和鱼类加工业。西北部有未经开发的林区和黄金等资源。有几条公路和季节性通航河流。奥旺多、马夸、本吉和凯莱4个主要城镇建有机场。面积74 850平方千米。人口:(东西盆地区)151 839(1992)。

Cuvier, Georges, Baron 居维叶(1769-08-23,法国蒙贝利亚尔～1832-05-13,巴黎) 全名Georges-Léopold-Chrétien-Frédéric-Dagobert, Baron Cuvier。法国动物学家、政治家,建立了比较解剖学和古生物学。

1784～1788年他到德国斯图加特的卡罗林学院研究比较解剖学并学习解剖技术。毕业后,1788～1795年担任教师,在此期间他将对海生无脊椎动物,特别是软体动物的研究结果撰写成文。他的笔记被送到巴黎自然博物馆动物学教授E.若弗鲁瓦·圣-蒂莱尔处,在若弗鲁瓦的要求下他到博物馆工作,开始他们合作得很好,1795年他们共同发表对哺乳动物的分类研究,但后来两人的观点发生分歧。

居维叶拒绝了随拿破仑远征军到埃及担任博物学家(1798～1801)的邀请,宁愿留在博物馆继续研究比较解剖学。他第一个研究结果是1797年的《动物学初阶》,这是一本通俗的著作,以他的讲稿为基础写成。1800～1805年,他发表《比较解剖学讲义》。该书亦以他在博物馆讲课所用讲稿为基础,在书中提出"器官相关法则",认为动物每个器官的解剖构造在功能上与体内所有其他器官相关,器官的功能和结构特征均导源于它们与周围环境的相互作用。他又认为动物的功能和习性决定它的解剖形态,这观点与若弗鲁瓦相反,后者认为解剖结构先出现,这些解剖

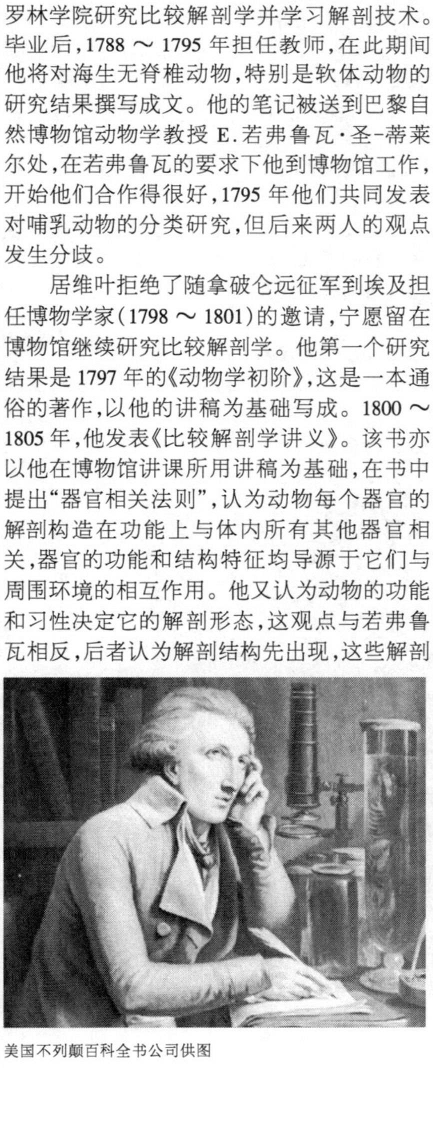

美国不列颠百科全书公司供图

特点使动物必然表现出某种具体的生活方式。

居维叶也认为:不同动物类群有其独特的解剖特征,这可以证明自从上帝创造世界以来物种没有改变,每个物种在功能上和构造上都协调得非常好,因此它们经不起剧烈的变化。他进一步论定:每一个物种都是为其具体目的而创造的,每一种器官都是为其具体的功能而创造的。居维叶否认进化论,不同意其同事J.-B.拉马克的观点(拉马克于1809年发表其进化论),后来也不同意若弗鲁瓦的观点(若弗鲁瓦于1825年发表关于鳄鱼进化的证据)。

居维叶提升得很快。在博物馆进行动物学研究的同时,他又对教育制度进行了许多重要的改革。他曾担任帝国公共教育督察员,帮助建立了法国的省立大学。1811年他因这方面的业绩获"骑士"勋位。他的著作《关于1789年以来自然科学进展情况的报告》发表于1810年。这些著作对当时的欧洲科学作了明晰的阐述。

同时,他对他发掘的化石进行了系统的研究,并将自己的器官相关法则应用于化石研究。他重建了未被认识的化石四足动物的完整骨骼。这些重建的骨骼令人惊讶地表明这些动物物种早已绝灭。此外,他发现他发掘出的动物化石有一个引人注目的排列顺序。地层越深、时代离现代越远,所埋藏的动物遗骸(巨大的蜥蜴、会飞的爬行动物、已绝灭的象)与现存动物物种的相似之处越少,而较新的地层内所埋藏的动物遗骸与现存物种越接近。他首先于1812年在包括论文《初论》的《四足动物骨化石研究》一书中概述了他的结论,1825年又根据此文扩充写成《论地球表面的巨变》一书。他认为地球的历史并不很长,但在过去的地质年代里无可争辩地发生过一些巨大的变化,这给他印象极深。他的作品使古老的灾变说有了新的吸引力,灾变说认为一系列"巨变"或灾变(突然的天翻地覆和洪水)曾毁灭所有物种,给地球以目前的特征。居维叶认为诺亚时代的洪水是这些灾变中最近最引人注目的一次,后来动物又从躲过灾变的地区,来到被灾变蹂躏的地区,在那里生活下来。在有证据表明发生于很长时期内的缓慢改变可以解释地球的特征以前,灾变说一直是一个重要的地质学说。

1814年,就在拿破仑退位以前,居维叶被选为国务委员,1817年任内务部副大臣。1817年出版《按结构分类的动物界》一书,该书后来又出过许多版本,对林奈的分类系统作了重要改进。

他证明,动物有如此多种多样的解剖特征,因此不可能按一个线形系统排列起来。反之,他将动物分为四个大类群(脊椎动物、软体动物、节肢动物和辐射动物),每类动物都有其特别的解剖组织类型。所有具有相同解剖组织类型的动物归入一个类群,因为他相信它们都从一个具体的解剖类型变化而来。虽然他的分类系统已不再用,但他摒弃了18世纪的观点:所有生物可以排成一个连续的序列,从最简单的生物到人类。

居维叶与若弗鲁瓦的意见分歧越来越大,到1830年发展到两人在科学院公开争论动物界在多大程度上具有统一的解剖组织类型,特别是,脊椎动物和软体动物是否属于相同的类型。若弗鲁瓦认为它们属于相同的类型,而且所有动物,事实上都只能代表一个类型;而居维叶坚持认为他所说的四个类型是截然不同的。如何解释动物的相似性和多样性也是他们的争论点之一。达尔文的进化论证明相似的动物来自共同的祖先,多样性意味着发生了遗传的改变,从而最后阐明了这问题。

可以认为,居维叶毕生从事的工作标志着从18世纪自然观到19世纪后半叶因有了进化论才出现的观点之间的过渡。他摒弃了18世纪将动物按连续序列排列的方法,而主张将动物分为四类,从而提出为什么动物在解剖上各不相同这个关键问题。虽然居维叶的灾变说后来无人相信,但他在坚实的经验基础上建立了古生物学。他将化石引入动物分类,证明岩层和其中的化石遗骸之间存在着逐渐演变的关系,又用其比较解剖学并重建化石骨骼证明功能和解剖关系的重要性,从而建立了古生物学。

Cuvilliés, François de, THE ELDER 居维利埃(1695-10-23,埃诺地区苏瓦尼～1768-04-14,慕尼黑) 巴伐利亚洛可可风格的主要建筑师。在巴黎学习建筑,1725年任巴伐利亚公爵马克西米连二世的宫廷建筑师。他的作品有慕尼黑及城郊宁芬堡府邸的阿马林堡狩猎小屋(1734～1739)、府邸剧院(1750～1753)和圣卡耶坦教堂的立面(1765～1768)等。他的儿子小居维利埃(1731～1777)也是洛可可风格建筑师。

Cuxhaven 库克斯港 德国西北部下萨克森州城市,为易北河河口港口。距东南偏东的汉堡134千米。1394年为汉堡所征服,作为汉堡的门户港,一直到1937年才划归汉诺威省。1907年设建制。在第二次世界大战期间,库克斯港屡遭轰炸,1945年5月被盟军占领。历史建筑有14世纪里兹伯特尔城堡,内设博物馆。岸外诺伊韦克岛有该国最古老的灯塔(14世纪)。为德国第二大渔港和鱼加工中心。航运和造船业重要。为北海海滨游览地、矿泉疗养地和乘船去弗里西亚群岛的基地。人口52 876(2003)。

Cuyahoga Falls 凯霍加福尔斯 美国俄亥俄州东北部萨米特县城市。位于阿克伦东北,濒临凯霍加河。1800年移民者来此筑造水坝。1868年设村;1920年设市。现主要为萨米特县的住宅郊区。工业品有橡胶制品、钢、拉丝机械、机床、工具与模具、医药和化工品。市北有州立肯特尔公园,附近有布卢萨姆音乐中心,克利夫兰交响乐团夏季来此演奏。人口48 950(1990)。

Cuyahoga River 凯霍加河 在美国俄亥俄州东北部。源出伊利湖南15英里(24千米),克利夫兰以东35英里处,西南流至阿克伦北边的凯霍加福尔斯落入深大峡谷,急转北流,到达湖滨平原,在克利夫兰注入伊利湖。河口为克利夫兰港湾的一部。河流全长约80

英里。20世纪凯霍加以下河段成为美国污染最严重的河道之一。70年代后期的反污染措施基本上改善了河流状况。在阿克伦附近接纳小凯霍加河。1975年建立的凯霍加河流域国家游乐区占地12 950公顷,位于阿克伦和克利夫兰两城市区之间。

Cuyo 库约 阿根廷西部一历史地区。包括今门多萨、圣胡安和圣路易斯三省。为阿根廷内陆地区首先建立永久性居民点的地方。最大城市门多萨建于16世纪,1816年遭地震破坏后重建。小城市圣胡安在1944和1977年被大地震破坏。经济以农业(葡萄、水果和蔬菜)和采矿业(石油、铜、铅、铀)为主。

Cuyp, Aelbert Jacobsz(oon) 克伊普(1620-10-20受洗,荷兰多德雷赫特～1691-11,多德雷赫特) 荷兰巴罗克时期画家,以农村宁静的风景画著称。是肖像画家J.G.克伊普的儿子。画过鸟兽,也作肖像画和历史画。初期所画风景一般是小幅的,点缀有牛和人,笔触坚挺而流畅。多数名作都是后期所作:有描绘多德雷赫特附近马斯河和瓦尔河西岸明朗的景色,船只在静水中航行,牛群在休息,黄昏的天空;有描绘奔腾的莱茵河风景,以小

克伊普绘《河畔的牧牛人与牛群》
美国不列颠百科全书公司供图

群牧人或农民点缀其间。不管构图简单还是宏伟,对象总沐浴在微微的光辉之中,创造出一种富有诗意的气氛。有些风景画尺幅较大、艺术加工过多,因而冲淡了朴素大自然所蕴育的轻快意境。

Cuyp, Jacob Gerritsz(oon) 克伊普(1594-12,荷兰多德雷赫特～1651以后,多德雷赫特) 荷兰巴罗克画家,以肖像画最有名。所作肖像,笔法遒劲,构图妥贴,选型有力;虽缺乏哈尔斯的生命力或伦勃朗的内在性格,却具有17世纪荷兰肖像画的真实、完整的传统特征。除许多单色背景的半身像外,也画过全身像,包括若干可爱的儿童肖像及数量可观的以内景或风景作衬托的群像。

Cuyuni River 库尤尼河 委内瑞拉东部和圭亚那北部河流。源出委内瑞拉境内的圭亚那高原,向北流至埃尔多拉多折向东,形成100千米长的国界河并穿过圭亚那的热带雨林,再折向东南,在巴蒂卡附近与马札鲁尼河汇合,全长560千米。有急流妨碍航行,出产砂金和金刚砂。

Cuza, Alexandru Ion 库扎(1820-03-20,摩尔多瓦胡希～1873-05-15,德国海德堡) 统一的罗马尼亚的首位大公,全国乡村改革和农民解放的设计师。贵族世家出身,曾在巴黎等地求学。1848年参加反抗俄国和土耳其统治的革命鼓动工作。1857年为摩尔多瓦临时议会议员。1859年春当选为摩尔多瓦大公和瓦拉几亚大公。1861年正式宣布罗马尼亚统一。他认为农民是国家的积极力量,从而没收寺院的大片地产,实行土地改革,一方面给予农民土地所有权,一方面豁免徭役和什一税。此外,为了推行普遍义务教育,他修建了许多学校,创立了向贫苦学生发放奖学金的制度。他还实行选举法和司法制度的改革,并改组国家的机构。然而,他的政策引起大地主和某些中产阶级分子的不满,1866年被迫退位,流亡国外。

Cuzco 库斯科 又拼Cusco。秘鲁南部省份(1822年成立)。面积76 225平方千米。北部为热带雨林区,人口稀少。南部为高原,有深谷和顶部积雪的山峰。早期为印加帝国的

库斯科省中部的农田
美国不列颠百科全书公司供图

腹地,现境内多古迹。铅和锌矿的开采及水力发电较重要。居民大部分从事自给自足的农牧业,主要居住在安第斯高原。首府库斯科所在地乌鲁班巴河谷人口最为集中。国内外的许多游客乘飞机到该城游览。每年6月24日庆祝太阳节。人口1 131 061(1998)。

Cuzco 库斯科 又拼Cusco。秘鲁库斯科主教辖区和省的城市和首府,位于秘鲁中南部,高踞在安第斯山中海拔3 400米的库斯科山谷西端,该谷向东伸展30千米至万布蒂奥。它受比尔卡诺塔河支流瓦塔奈河滋润。空气干燥,甚至在最冷的6月和7月也很少有霜。1983年被联合国教科文组织列为世界遗产。

作为11世纪印加帝国都城,库斯科(它的名字来自意为"中心"的一个克丘亚印第安语词)是一个从基多向南伸展到今智利境内马乌莱河的帝国的政治中心。西班牙征服时该帝国人口可能有1 000万。库斯科及周围地区有大量前印加人和印加人的遗址,反映出工程、石工和建筑的非凡技巧。印加人的建筑包括要塞、宗教寺院和住房。结构像安第斯山的形状及金字塔形是建筑风格的特点。1533年11月,F.皮萨罗的军队占领库斯科并洗劫该城。1534年3月皮萨罗以查理五世皇帝的名义正式建立库斯科市政府。1650年的一系列地震几乎摧毁了当时在库斯科矗立的所有建筑物,标志着库斯科巴罗克时期的开始。殖民时期,在强烈的宗教精神影响下,库斯科是著名的多产艺术品生产中心,主要是油画、雕塑、珠宝和装饰性木作。殖民时期的重要宗教和公共建筑,包括建在印加维拉科查宫殿遗址上、1654年完成的大教堂,1692年建立的库斯科国立圣安东尼奥阿瓦德大学和一些礼拜堂、女隐修院及隐修院。城中西班牙式的建筑基础、精美的石砌墙垣及太阳庙遗址等前印加和印加文明的痕迹比比皆是。从城中能望见的由巨石堆成的萨克萨瓦门要塞,据说是2万印第安人用80多年建造的。附近其他印加遗址包括印加澡堂(或塔姆沃马柴),森科圆形剧场和印加御座。1950年5月,库斯科被一次地震猛烈摇荡,所有的教堂和几乎90%的住房被摧毁。在库斯科地区,种植马铃薯和谷物供当地消费,放牧羊、羊驼和美洲驼。重要的地方工业是供应居民及旅游者的织物、地毯、花毯、精细金属制品和啤酒生产。人口主要是印地安人和混血人。从该城乘火车可达马丘比丘古城堡。从莫延多港可乘火车达库斯科,该城还以公路和飞机与利马相通。人口301 342(2002)。

库斯科城一条街道两旁构成西班牙式建筑基础的印加石砌墙垣
美国不列颠百科全书公司供图

Cuzzoni, Francesca 库左尼(约1698,帕尔马公爵领地帕尔马[意大利]～1770,教皇国博洛尼亚) 意大利女高音歌唱家,最早的杰出歌剧演员之一。师从F.兰齐。1716年在帕尔马首次登台。1718及1723年分别在威

尼斯和伦敦首演。在伦敦以演唱韩德尔专门为她创作的克娄巴特拉、艾斯特里亚、罗德林达以及安提戈娜等角色最为成功。她的巨大成就因其与波唐尼之间勾心斗角的丑闻而受到影响,但1730～1738年间她在意大利演出更多的歌剧。1750年返回伦敦举行一次义演音乐会,翌年被债务所缠作最后一次演出。死于贫困。

C.V.O. 维多利亚三等爵士 commander of the Royal Victorian Order的缩写。*维多利亚皇家勋位*(**Royal Victorian Order**)中的第三最高者,不授与爵位。

Ćwiklińska, Mieczyslawa 克维克林斯卡 (1880-01-01,波兰卢布林～1972-07-28,华沙)波兰杰出的喜剧女演员,以在小歌剧和经典剧作中饰演角色而知名于世。出身于波兰戏剧家庭。1900年于华沙首次登台演出。1906年到俄国巡回演出。1910年前往巴黎学习发声学。在欧洲许多城市如德累斯顿和柏林演出后,1918年返回华沙。参加过不少剧团,最后于1927年应邀加入国家剧院并在此工作到1939年。1933年首次参加电影拍摄,一生共演了40部影片。她的戏路逐渐扩大,在波兰剧作家弗雷德罗、巴武茨基和布利津斯基及外国剧作家萧伯纳和萨拉克鲁等人的剧作里饰喜剧角色。1950年4月25日举行其戏剧生涯50周年纪念演出,并由波兰政府授予最高荣誉。

Cwmbrân 昆布兰 威尔士托法恩郡级自治市新城镇,在阿丰柳德流域。属蒙默思历史郡。是格温特郡府所在地。是第二次世界大战后英国所建32个新城镇之一。1949年设建制。当地原为一些工业衰落的小村庄。现生产汽车零件、饼干、尼龙丝等。人口46 020(1991)。

cyanide 氰化物 含有一价化合基团CN的化合物的总称。在氰化钠(NaCN)之类的无机氰化物中,该基团以带负电荷的氰根离子形式存在,这些被视作氢氰酸盐的化合物毒性极大。有机氰化物通常称为腈,其中CN基团以共价键与一种含碳的基团相结合,如CN与甲基(CH_3)结合形成的甲基氰化物(乙腈)。氢氰酸又名氰化氢(HCN)是一种高度挥发性的液体,用于制备丙烯腈,以之生产丙烯酸系纤维、合成橡胶和塑料。氰化物被用于许多种化学工艺流程中,其中包括熏烟消毒、钢铁表面淬火、电镀和选矿。在自然界,某些种子里存在着产生氰化物的物质,如野樱桃的果核之类。氰化氢能阻止血细胞的氧化作用,有剧毒。吸入氰化氢或食入氰化氢的盐类可引起氰化物中毒,急性中毒表现为眩晕、恶心、摇晃和丧失知觉,吞进少到300毫克的氰化氢的盐或吸进少到100毫克的氰化氢就可能迅速致死,暴露在氰化氢浓度为万分之二至五的空气中30分钟也常常致命。在低于致命剂量的情况下,氰化物可由人体通过与硫结合形成无毒的硫氰化物而迅速解毒,通常在几个小时之内就可完全恢复,没有任何永久性后遗症。由于这种毒性发作极为迅速,抢救取决于施用解毒剂的敏捷果断。通过施用如亚硝酸戊酯、亚硝酸钠以及25%的硫代硫酸钠溶液之类解毒剂,死亡事故是可以防止的。

cyanite (mineral) 参阅 **kyanite** *蓝晶石*。

cyanobacterium 蓝菌 参阅 **blue-green algae** *蓝绿藻*。

cyanocobalamin 氰钴胺 参阅 **vitamin B_{12}** *维生素* B_{12}。

cyanogen halide 卤化氰 分子中含有与卤素(氟、氯、溴或碘)原子相连的氰基(—CN)的一类化合物。这类化合物无色、易挥发、化学性活泼、有剧毒和催泪作用。氟化氰为气体,由三聚氰酰氟加热制得。氯化氰是液体,由氯与氢氰酸或其盐反应制得,可作军用毒气。溴化氰是固体,由溴与氢氰酸盐反应生成,已用作杀虫和灭鼠的熏剂和研究蛋白质结构的试剂。碘化氰是由氰化物与碘作用制成的,在常压下固体约在45℃时不熔化而汽化,在动物标本剥制中用作防腐剂。

cyanuramide (chemical compound) **氰尿酰胺** 参阅 **melamine** *蜜胺*。

Cyathocrinites 杯海百合 海百合的绝灭属。化石见于志留纪到二叠纪(4.38亿年前至2.45亿年前)海相地层。尤其体现在早石炭世(3.6亿年前至3.2亿年前)中,这个

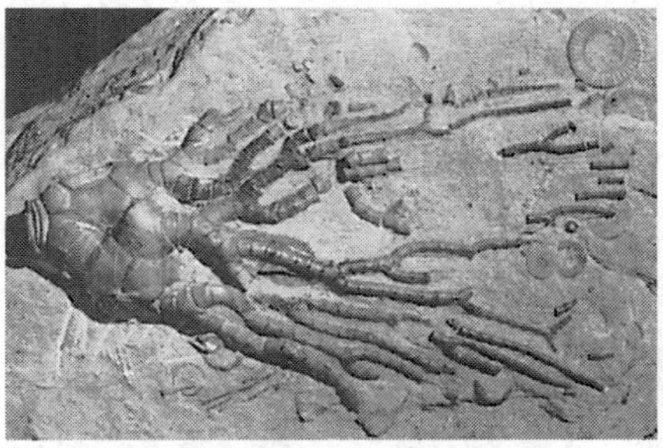

杯海百合(*Cyathocrinites*)化石
美国不列颠百科全书公司供图

时代有丰富的海百合类。这个属已描述的种有100多个。

Cyaxares 基亚克萨里斯(?～公元前585) 米底(位于今伊朗西北部)国王(公元前625～前585)。据希罗多德记载,他在父王弗劳特斯被亚述军队杀死后,重新与亚述开战。当他包围尼尼微时,被西徐亚人打败。他策划在宴会上杀死统治米底的西徐亚人首领,自立为米底国王。后把米底的军队改编为蛇矛队、弓箭队和骑兵队,并对服装和武器进行改革。他再次发动对亚述的战争,公元前614年米底人攻占亚述,前612年占领和洗劫了尼尼微;约在同时似乎征服了在今伊朗阿塞拜疆的马纳王国,前609年侵入,后来征服了在亚美尼亚高地的乌拉尔图。米底和米纳托利亚的吕底亚进行5年战争(公元前590～前585)后,终于确定以哈利斯河为界。

Cybele 赛比利 参阅 **Great Mother of the Gods** *众神之母*。

cybernetics 控制论 用于复杂系统的控制理论。N.维纳在《控制论》中曾经解释为什么他和他的同事认为应当编造一个新的词,那就是"所有现有的术语不是过分偏重于这一方面就是过分偏重于那一方面,不能适应这个领域未来的发展"。更一般地说,控制论总是伴随着系统模型,其中用一个监测器(人或电子的或机械的)对在时刻t所发生的量(x_t)和在时刻t按某种标准所应当发生的量(ϕ_t)作比较。它们的差(或误差)$\varepsilon_t = x_t - \phi_t$馈给一个控制器以产生只能在晚一些时间执行的动作$y_{t+k}$;于是,方程

$$y_{t+k} = f(\varepsilon_t) = f(x_t - \phi_t)$$

典型地表示了这个控制模型的诸要素,但并不描述将要采取的控制步骤。只有当弄清楚这个函数$f(\varepsilon_t)$时,才能认为完全了解这个控制系统。这种控制器可以是人的头脑,它接受来自眼睛的关于伸着的手和要抓获的对象之间的距离的信号。了解这个控制规则$f(\varepsilon_t)$,人就可通过它采取行动,从而构造同大脑联结后可以操纵的人工肢体。这是在控制论中最早所做的工作的一部分(维纳和罗森布鲁思)。

监测器送到控制器中的关于差量ε_t的信息称为"反馈"。可以看到,家庭恒温箱用一个双层金属片执行这个反馈的功能:当室温低于给定值时它启动供热装置,而当房间充分暖和时则关闭这个供热装置。这样ε_t连续地衡量室温和设定的标准温度的差异,而$f(\varepsilon_t)$则是给供热装置何时启动或关闭的指示。对监测器的信息产生反应的延迟可能会带来不合需要的结果。如果延迟的时间太长,那只手可能伸过了要抓获的对象,或供热装置可能把室温升高到令人难以忍受的程度。监测器能够提供连续的或离散的数据。如果两个样本数据之间的间隔太短,这个控制器可能会反应过度。考虑一架飞机的航线,飞机的自动驾驶仪起保持航线的作用,如果对于离开航线的每个偏差连续地进行校正,飞机将沿一条不规则的锯齿形航线飞行。因而,在y_{t+k}中t和k的大小将关键性地确定这个系统的运行状况。在设计适当的控制系统时必须考虑到采样间隔和延迟的影响。它们是控制论理论的一个重要部分,特别当应用于如机构的行为这种复杂系统时,尤其是如此。延迟的缘由是多种多样的。例如,根据需求协调某一零件生产时,监测器在确定需求量以及(或者)在把它报告给生产管理机构和广告管理机构时可能会有延迟。其次,在接到这个必要的信息后,上述管理机构的主管人在寻求要采取的措施和确定要做些什么的时候可能有延迟,并且在执行这些措施时也可能有延迟。最后,两个子系统(生产和需求)中的任何一个对主管人采取的措施可能不会立即作出反应。在这个例子中,我们可以看到两个主管人(或控制器)指挥整个系统,并且每一个人(控制器)可能会有延迟并影响另外一个。一个机构的控制模型有许多互相影响的控制器,它们对外界的各种变化作出反应。

控制器的成功依赖于通信的良好和同步。由于这个理由，常常说控制论是对控制和通信的研究。在确定一个系统的性能时，变化也起重要作用。为了对变化有所准备，并使系统保持正常，控制器必需有充分的作用可资利用以进行校正。W.R.阿什比在《控制论引论》中称之为必需的变化定律。

C.香农促进了控制论的一个重要部分，称之为信息论的发展。香农的一套方法能够分析误差项序列 $\epsilon_t, \epsilon_{t+1}, \cdots$，以揭示出它们固有的变化，从而可以把它与该控制系统所设计的变化进行比较。变化的度量称为熵，以 H 表示其方程在构造上类似于熵的热力学度量：

$$H = -\sum_{j=1}^{N} p_j \log p_j$$

其中 p_j 是第 j 个状态发生的概率，并且有 N 个状态，$j = 1, 2, \cdots, N$。

这个必需的变化定律断言，控制系统的熵必需匹配或超过被校正的误差的熵。控制论在细节上可以是高度技术性的，但在概念上则是简单明了的。如果对变化预先进行处理，它是可以驾驭的。因此，控制论要求管理人员和工程师注意外界的不可预料的变化。

cyberpunk　电脑科幻小说　又译电脑朋克、电子朋克。一种科幻小说亚类，以反正统文化的非英雄主角为特征。该词为作家 B.贝思克所创，他于 1982 年写了一部以该词命名的小说。他将 *cybernetics*（控制论）和 *punk*（朋克）两词相结合，创造出该词。一般认为是科幻小说编辑 G.多佐伊斯普及了该词汇。电脑科幻小说的根由贝思克的故事延伸到 20 世纪 40 ～ 50 年代的科技小说，延伸到 S.R.德拉尼等作家以高科技未来中的异化为主题的著作，还延伸到 B.斯特林的评论，他在 20 世纪 70 年代要求出版与当代的社会和科学问题相关的科幻小说。

cycad　苏铁　苏铁目（Cycadales）四科——苏铁科（Cycadaceae）、Zamiaceae 科、斯坦杰氏树科（Stangeriaceae）、鲍恩氏树科（Boweniaceae）棕榈状的木本植物。某些权威用苏铁一词指所有苏铁植物门（Cycadophyta）植物。已知该类群的植物从中生代开始存在（约 2.45亿年前至 6 640 万年前），仅苏铁目尚有现存种。苏铁的特点是具由大型羽状复叶构成的冠部，孢子叶球着生于枝端。有些苏铁茎干高大而不分枝，外形甲胄状。其他一些种类则树干膨大，部分埋于土中。苏铁的茎具粗大的髓部，围以薄而柔软的木质组织。雌雄异株，雄球花成球状花序，产生花粉，花粉借风力传到雌球花（大孢子叶）上，受精过程在此发生。苏铁生长缓慢，用作温室观赏植物，但某些种类在温带地区可生长于户外。某些苏铁的茎部淀粉经透彻烹调除去生物碱后可食用。另一些种类的幼叶和种子亦可食。

苏铁（*Cycas*）
美国不列颠百科全书公司供图

Cycadeoidales　拟苏铁目　又称贝尼特氏苏铁目（Bennettitales）。一个绝灭植物目。其某些特征与苏铁目相同。故与苏铁（苏铁目）、种子蕨（种子蕨目［Pteridospermales］）合为苏铁植物纲（或门）。拟苏铁和苏铁在中生代的植被中占优势，故中生代称为“苏铁时期”。据推测两者均起源于共同的种子蕨祖先。拟苏铁的演化似与恐龙的兴衰相平行。拟苏铁与苏铁不同之处是孢子叶球小而数多，在叶基间排列成莲座状，而苏铁者较大而数量少，着生于茎端。该目最重要的科是威廉森氏苏铁科（Williamsoniaceae）和拟苏铁科（Cycadeoidaceae，贝尼特氏苏铁科［Bennettitaceae］）。威廉森氏苏铁属（*Williamsonia*）树干圆柱状，在枝端生叶，形如蕨叶；其球果化石未能明确鉴定。与之有亲缘关系的 *Williamsoniella* 属是一灌木属，或谓归入肋羽叶属（*Nilssoniopteris*）的化石叶应归属 *Williamsoniella* 属。拟苏铁属（*Cycadeoidea*，贝尼特氏苏铁属［*Benettites*］）树干桶状，似具叶冠的大菠萝，其球果的详细构造已据化石复原。*Monanthesia* 属树干如拟苏铁，球果着生于叶腋。

Cycas　苏铁属　苏铁科的一属。约10种，分布于热带和亚热带。乔木，高12米或过之。树形棕榈状，为常见观赏植物。叶深绿色，拳卷，与苏铁科其他属的区别是有中脉而无侧脉。种子沿变形叶边缘生长，变形叶在树干顶端轮生。反卷苏铁（苏铁，*C. revoluta*）亦称西米棕，广泛用于观赏及作礼仪“棕榈”，本种及其他一些种的髓茎是西米的来源。澳大利亚苏铁（*C. media*）和拳卷苏铁（*C. circinalis*，产于马来西亚，称为蕨棕榈）的种子可食。

反卷苏铁（*C. revoluta*）
美国不列颠百科全书公司供图

Cyclades　基克拉泽斯　现代希腊语作Kikládhes。希腊一州，由大约 30 个岛屿组成，位于阿提卡以外的爱琴海中，州首府埃尔穆波利斯市在锡罗斯岛上。

群岛的陆地总面积为2 523平方千米，是浸没在海中的希腊山脉顶峰。曾为青铜时代基克拉泽斯文化的中心，以白色大理石神像著称。地名基克拉泽斯意为“环状群岛”，因为这些岛屿围绕神圣的提洛岛大致形成一个圆圈。传说提洛岛为阿耳忒弥斯和她的哥哥阿波罗的诞生地。群岛中几乎每个小岛都有考古价值。

基克拉泽斯最早的居民被认为是卡里亚人（来自古代安纳托利亚［现土耳其］西南部卡里亚行政区）。希腊历史学家修昔底德（活动时期公元前 450 年）认为卡里亚人系被弥诺斯国王赶出群岛。希腊历史学家希罗多德则说卡里亚人是弥诺斯的臣民，他们系被多里安人和爱奥尼亚人赶出群岛，而且时间要迟得多。整个群岛青铜时代丰富的物质文化证据相当多。许多岛上发现有卓越而独特的小雕像（大部分为女性）。公元前 10 ～前 9 世纪，爱奥尼亚人向该岛殖民，公元前 490 年被波斯人占据。此后，几乎被这一地区所有的强权统治过，包括十字军。1204 年十字军将基克拉泽斯群岛给予威尼斯。17 世纪人们在岛上四处搜寻古物，希腊内战时期寻找古物的活动停了下来。直到俄罗斯-土耳其战争开始，这个群岛相对安定了一个世纪。但在第一次和第二次世界大战期间遭到破坏和占领。

纳克索斯（Náxos）是该群岛中面积最大、土地最肥沃且地势最高的一个岛，出产水果、坚果和小麦，还出口金刚砂。凯阿岛和伊奥斯岛生产制革业所需的大鳞脂（从大鳞栎中提取）。锡罗斯岛有制革业、造船业和纺织业。基莫洛斯岛出产漂白石和电石。蒂诺斯岛开采大理石。塞里福斯岛出口铁矿石。米洛斯岛出口锰和硫磺。锡拉岛出口制水泥用的轻石。米科诺斯岛亦出口锰。该群岛还出口葡萄酒、白兰地、烟草、皮革、瓷器和手工艺品。旅游业发展以前，人口曾迅速减少。全州人口94 005（1991）。

cyclamate　环己基氨基磺酸盐　无臭白色结晶粉末，甜度约为蔗糖的 30 倍。一般指环己基氨基磺酸的钙盐或钠盐。1937 年制成，美国在 60 年代广泛用做糖尿病患者的食品甜味剂。直到试验指出可能有毒后，才暂时禁用。后来的研究没有证实原先的结论。

Cyclamen　仙客来属　报春花科多年生草本植物属，约 15 种。原产中东、欧洲南部和中部。其中波斯仙客来(*C. persicum*)是本属最著名的室内栽培植物,花白色、粉红色至深红色,单生,绚丽。花柄长不足30厘米。有块茎,无地上茎。叶具长柄,近圆形或肾形,叶面常有各样斑点。

Cyclanthales 巴拿马草目 单子叶植物的一目,仅巴拿马草科(Cyclanthaceae)1科,11属。多为无茎的多年生棕榈状草本或丛林草灌木及攀缘藤本植物。分布于南美热带和中美。叶脉平行,有时叶成扇形,常分叉成深裂片。花小,单性,聚生成佛焰花序,每朵雌花由4朵雄花环绕或雌雄花交互轮生。花序外被以显著的佛焰苞,成熟时佛焰苞脱落。本目主要有 *Asplundia* 属82种,双颓果属(*Dicranopygium*)44种,*Sphaeradenia* 属38种,巴拿马草属(*Carludovica*)3种,环花属(*Cyclanthus*)仅1种。环花属与其他属不同处是其花序结构成螺旋形。该目据认为与棕榈目共同起源于百合目的祖先。在厄瓜多尔,也许还有拉丁美洲其他地方,人们采集掌状巴拿马草(*Carludovica palmata*)的嫩叶,切成窄条,漂白后编织巴拿马草帽。

cycle 组 在文学中,指一组散文故事或诗体故事。这些故事通常不是由一人所作,但都以传说中的英雄及其伙伴为中心。组诗一词最初使用于古典时代后期,指那些在荷马以后出现的独立诗篇,以补充荷马有关特洛伊战争以及英雄返回家园的记述。古典希腊的另一组诗是"底比斯"组,讲述的是俄狄浦斯和他的子孙的事情。通过索福克勒斯的悲剧《俄狄浦斯王》、《安提戈涅》和《俄狄浦斯在科洛诺斯》以及埃斯库罗斯的《七将攻底比斯》,对这组故事可以得到最好的了解。中世纪的传奇分成3个大组:"大罗马题材"、"法国题材"和"不列颠题材"。罗马题材是一种误称,它涉及来自拉丁古典作品的一切故事;法国题材包括查理大帝和他的12个贵族廷臣的故事;不列颠题材描述亚瑟王和他的武士的故事、特里斯坦故事和具有英国背景的独立故事,例如《沃里克的盖伊》。cycle一词也用来指同一题材的一系列诗歌、剧本或小说,例如左拉以《鲁贡-玛卡家族》为名写了一组20部的小说(1871～1893),描写一个家族的历史。

cyclic form 套曲形式 在音乐中,任何一种音乐作品形式。其特点是为求作品结构的统一而在其后部分(或乐章)重复前部分(或乐章)的动机、主题或整个段落。19世纪,当海顿和莫扎特的传统的古典主义约束已不能适应在感情内容和结构形式方面更激烈的要求时,也就是说,当浪漫派的小说取代古典派的戏剧而成为器乐的基本模式时,这种手段便应运而生。莫扎特的《第三圆号协奏曲》(1784～1787?)中已有某种早期的套曲技巧的例子,但只是从贝多芬的《第五交响曲》(1808)开始才经常在大型作品中运用重现的材料。在贝多芬之后的一代作曲家的许多作品中,套曲技巧的运用比比皆是,如舒伯特的《流浪者幻想曲》及舒曼的《第四交响曲》,其中反复出现的材料更具旋律性而非动机性。这种趋势终于发展成法国作曲家柏辽兹的"固定观念"。他的《哈罗德在意大利》的主题每次重现时其形式大致相同,而《幻想交响曲》的主题在各乐章重现时则各有不同的特性。李斯特特别喜欢这后一种主题变形的方法,用这种一主题多变形的手段为基础创作整部作品,如他的《第二钢琴协奏曲》及《B小调奏鸣曲》。李斯特的学生中一时兴起了一个套曲学派,其中值得一提的是作曲家弗兰克,他的技巧为其学生丹第广泛宣传。其后的作曲家只把套曲当作在一首作品中起统一作用的诸种手段之一,而且往往并非最重要的手法。

cycling 自行车运动 一种运动、娱乐方式和运输手段。其发展是两轮脚踏自行车(**bicycle**)经过改进的结果(在历史上,脚踏车也曾包括三轮自行车[特别是在娱乐方面]和双人自行车[有两个分开的座位和脚蹬,可供两人或更多的人骑乘])。自行车运动的传统职业性比赛主要在欧洲举行,那里自行车用于娱乐和运输的也最多。利用自行车作为一种运输工具,在地势比较平坦的国家尤其重要,一些国家拥有可与汽车道相匹敌的自行车道路网。但是这项运动几乎遍及全世界,在欧洲大陆、英国、英联邦国家(加拿大、澳大利亚、新西兰)、美国、日本和西印度群岛均广为流行。

早期历史 自行车作为一项运动正式开始于1868年5月31日在巴黎附近圣克卢公园举行的1 200米竞赛。英国的第一次竞赛于次日在米德尔塞克斯的亨登举行。1869年,曾在前一年巴黎自行车赛上获胜的英国自行车运动员詹姆斯·穆尔再次获得鲁昂至巴黎距离133.57的首届市镇际自行车赛冠军。公路自行车赛在欧洲大陆占居优势,但在英国则由于公路情况恶化使其不适宜竞赛,1871年后随着职业性竞赛的兴起,赛车场自行车竞赛变得日益普遍。建立于1878年的全国自行车运动员联合会(NCU,1959年后改称英国自行车运动联合会),领导了组成国际自行车运动员协会(ICA,1892)的运动,其创立成员为英国、比利时、丹麦、德国、法国、荷兰、美国和加拿大。由于感到英国在ICA组织中的影响过大,一些国家于1900年另成立国际自行车运动员联合会(UCI),几年后英国也加入了UCI。

美国的自行车竞赛始于1878年,到了19世纪80年代,公路赛和赛车场竞赛已经普遍。美国自行车运动员联盟(LAW,1880年成立)是对业余竞赛和促进娱乐用途的第一个管理机构。全国自行车运动协会(1898年成立)是从美国自行车运动员联盟内部关于如何确定业余和职业判断标准的争执中产生的,后来美国自行车运动员联盟把自己限制于旅游范围,美国自行车运动联合会(1921年作为美国的业余自行车联盟成立)接替LAW成为业余竞赛的管理机构。美国早期自行车竞赛的特点是使用前导者——最初是单人骑行,后来是两人一前一后骑在一辆自行车上,最后增加到6人骑在一辆自行车上——他们按照竞赛者在出发前所期望的速度,骑行在竞赛者前面。1891年纽约市的麦迪逊广场公园以其宽阔的木板跑道成为在美国举行的首次六日自行车竞赛的场地(这种竞赛1878年曾在英国举行);此项活动直到20世纪30年代仍然盛行,其后到1961年还偶尔可见。六日赛在美国许多城市举行,原先是一种单人运动,1899年后成为两人一组的竞赛。20世纪六日赛被再次引进欧洲,在德国、比利时、法国、英国和荷兰受到欢迎,并传播到加拿大和澳大利亚,尽管这时这种竞赛在美国早已消失(参阅 **six-day race**)。

进入20世纪,随着汽车在英国和美国变得更受欢迎,人们对自行车竞赛的兴趣有所减退。此后这两个国家长期脱离欧洲的竞赛。NCU禁止在英国举行那种在欧洲大陆占优势的公路竞赛。英国竞赛中居统治地位的是业余竞赛,欧洲的竞赛则既有职业竞赛,也有业余竞赛。

自行车运动作为娱乐,继竞赛的组织化之后,不久也成为有组织的活动。英国的自行车旅行俱乐部(建于1883年;1887年改为自行车旅游俱乐部)在20世纪初期拥有60 000成员,80年代还有约2.5万成员。在自行车运动发展的初期,第一次使年轻女性在没有年长女伴陪同的情况下与男性一起参加活动,特别是当19世纪80年代"漫游者"安全自行车问世之后。公众舆论对由此出现的道德混乱前景,以及妇女骑车服装日益男性化的演变感到惊恐。

现代运动竞赛 自行车竞赛在欧洲的大部分地区作为一项流行于夏季的能吸引观众的运动,起源于19世纪90年代,除去战时外每年都举行,现在已成为传统的波尔多—巴黎、巴黎—龙贝和列日—巴斯托涅—列日之间的竞赛。1903年举行了最初的公路竞赛——环绕法国一周自行车赛;除战争时期外,此后每年继续举行。英国由于禁止公路自行车赛,因而出现了一项特殊种类的竞赛——**计时赛**(**time trial**),企图避开法律限制。在计时赛中参赛者每次出发一人,竞赛在一段固定距离上进行,力求以最快时间骑完这段距离。成立于1888年的公路竞赛记录协会仍坚持下来,并在1937年更名为公路计时赛委员会。直到1942年英国才首次举行集体出发的公路自行车赛。环绕英国一周竞赛开始于1951年,从1958年起每年举行。职业自行车赛开始于1965年。

截至第二次世界大战时,欧洲的公路自行车赛一直是由自行车制造商主办。后来,由于自行车工业衰退,改由出售汽车燃料、酒类和烟草的公司主办。职业性竞赛季节从春季在地中海区域开始,然后继续北移经过全国和地区竞赛,于秋季在北方结束。业余性竞赛季节与此相同。

业余自行车竞赛(仅限男子)自从1896年举办首次现代运动会以来,一直是奥林匹克运动会的一部分(公路竞赛,赛车场竞赛从1900年举行)。参阅 **Olympic Games**。设有职业选手和业余选手两项世界锦标赛,后者在1892年ICA建立之前一直是非正式竞赛,从1893年以后才成为正式竞赛。直至第一次世界大战后,英国人一直占据优势,仅受到法国、德国和美国的挑战。第二次世界大战后,在欧洲竞争中大致势均力敌。职业性锦标赛开始于20世纪20年代。1965年因为职业和业余已变得如此难以区分，以致国际奥林匹克委员会威胁要从奥运会中取消自行车项目，于是UCI建立了两个新的下属组织：国际职业自行车运动联合会（其10个会员国全在欧洲）和国际业余自行车运动联合会（其100多个会员国遍布全世界）。UCI继续组织业余世界锦标赛和奥林匹克竞赛。国家锦标赛由国家团体组织。其他比赛由私人赞助团体组织。

竞赛活动 为男女业余爱好者举办的竞赛活动（除奥林匹克运动会外）包括地方性、区域性和全国性竞赛几种，按年龄由低到高分为：童年组（12～13岁）、低龄少年组（14～15岁）、少年组（16～17岁）、青年组（18～20岁）和成年组。除单人项目的计时赛外，团体项目的公路竞赛有两种主要类型。第一种称为短距离竞速赛，是在一段比较短（4～5公里）的封闭道路上，运动员骑行预先规定的圈数，第一个完成所定圈数的人即为胜者。第二种类型由在公路上举行的竞赛组成，包括市镇际赛、环行赛和分段赛项目。市镇际赛与环行赛通常是一日的比赛，距离不同：职业比赛是240～280公里，业余比赛是180～220公里。分段竞赛（例如环绕法国比赛）基本上是一系列连续几天的市镇际比赛，但每天骑行的距离通常少于一日的比赛项目；获胜者是以最低的总计时间骑完全部分段行程的运动员。

赛车场竞赛项目对于业余运动员和职业运动员、男运动员和女运动员的规定各有不同。这个项目包括竞速赛、追逐赛、计时赛、**摩托车导引赛（motor-paced race）**。**自行车越野赛（cyclo-cross）**开始于20世纪20年代中期，这是一项在崎岖地面上进行的比赛，运动员可能需要下车，扛着他们的自行车行走或奔跑。

在业余性或职业性自行车竞赛中，运动员使用兴奋剂和抗疲劳药物已很普遍，而且早于在其他运动项目中出现之前。现已规定禁用药品名单，血液检验制度也已建立。1967年英国自行车运动员汤姆·辛普森在环法自行车赛中的不幸事件，就是由于滥用药物的结果。

娱乐活动 自行车旅游俱乐部盛行于欧洲各国，特别是在法国、比利时、意大利和英国。旅游常常是国际性的。骑自行车旅游的人数在美国也有所增加。从20世纪50年代起，在医学专家指出骑自行车是一项有益于健康的运动的鼓励下，约有5 000万人经常骑自行车。自行车的年销售量从1932年的20万辆上升到80年代的1 000多万辆。许多城市的街道和国立、市立的公园里都铺设了自行车道。

交通活动 自行车自其诞生之日起便被作为一种便宜的平民交通工具。在一些西方国家，汽车的出现减缓了自行车作为交通工具的发展，但在中国和南亚各国自行车仍然是广受欢迎的交通工具。在非洲和中欧一些国家许多人选择骑自行车旅游。20世纪90年代工业化国家的市民和城市规划者开始质疑汽车在都市生活中的作用。一些国际组织也鼓励便利自行车通行的交通法规和城市规划。

cyclo-cross 自行车越野赛 要求运动员骑自行车越野行进，赛程往往崎岖不平，运动员必须经常下车，携车步行。全程除天然障碍外，还要设置人为障碍。要求60～75分钟

在英国的一次自行车越野比赛当中，运动员们携车步行

美国不列颠百科全书公司供图

走完。多在9月至3月期间举行。这种运动于20世纪初兴起于法国，后来流行于西欧和美国。1925年创办世界锦标赛，至1950年锦标赛得到国际自行车联盟（UCI）承认。1967年后比赛时把业余级与职业级正式分开。

cyclohexanehexol（biochemistry） **环己六醇** 参阅 **inositol 肌醇**。

cycloid 旋轮线 又称摆线。一个圆沿一定直线滚动时圆周上的一个定点所产生的曲线。如果 r 是圆半径，θ 是圆的角位移，则此曲线的极坐标方程是 $x = r(\theta - \sin\theta)$，$y = r(1 - \cos\theta)$。曲线和定直线相接触的点，沿该直线按定距离 $2\pi r$ 分布，这段距离就是动圆的周长，它表明这个圆正好转了一圈。这

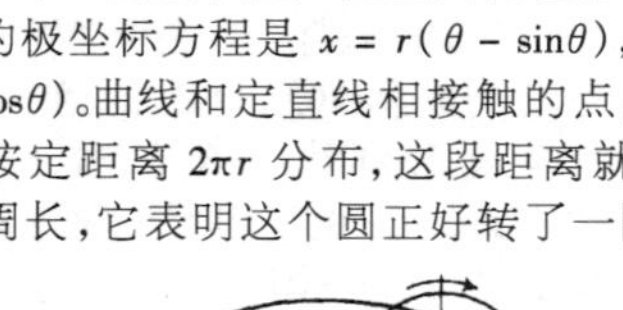

旋轮线

曲线是周期的：每循环一次或定直线上每隔长度等于 $2\pi r$ 的一段，图形就以相同的型式重复一次。简单旋轮线的一种变形是长辐旋轮线，它是圆的半径延长线上的一点随圆周滚动时产生的曲线，这时曲线落在尖点所在直线下面的部分构成逆行回路，即在这里曲线运动的方向与圆滚动时方向相反。短辐旋轮线与简单旋轮线相类似，只是这时曲线没有尖点，也不同定直线相交。它是由滚动圆内部的一个定点（如轮辐上的某个点）运动所产生的。若一个动圆沿着另一个定圆的圆周外侧滚动，则动圆上一点所生成的曲线称为圆外旋轮线，或外摆线。当动圆沿着定圆的圆周内侧滚动时，即得到圆内旋轮线，或内摆线。为了保证在一对齿轮的牙齿之间连续滚动接触，有些齿轮的牙齿部分地做成旋轮线的形状。天文学家已经观察到某些日冕呈现出旋轮线形状。参阅 **brachistochrone**。

cyclone 气旋 围绕低气压中心旋转的大尺度大气流动系统，在北半球气流按逆时针方向旋转，在南半球按顺时针方向旋转。除赤道带外，气旋几乎可在地球任何区域发生，并常伴有雨或雪。上述大多数区域也可发生围绕高气压中心旋转的反气旋。反气旋气流的方向同气旋的方向相反——即赤道以北按顺时针方向旋转，赤道以南按逆时针方向旋转的向外螺旋形运动。反气旋一般没有气旋强，并且不带来降水。气旋主要发生在两半球的中纬度带，在南半球大部分地表为海洋所覆盖，不同经度上气旋的分布比较均匀，其特点是在南纬30°和40°之间形成，一般向东南方向移动，至60°达到完成阶段。北半球的情形则完全不同，大陆块从赤道一直延伸至北极圈，中纬度气流受到高山带的阻碍，使气旋和反气旋的发生有很大的变化。气旋的主要路线位于洋面上，洋面比陆地平坦，因此对气旋的阻力小。在邻近赤道区（即赤道以南和以北10°至15°的洋面上）形成的气旋具有与温带气旋不同的特点，称为热带气旋，其直径要小得多。温带气旋的直径约1 000～4 000千米，而热带气旋仅约100～500千米。热带气旋比发生在中纬度的气旋更为猛烈，能造成相当大的危害，其风速可高达60米/秒，温带气旋的风速则约为30米/秒。在大西洋和加勒比海地区热带气旋通常被称为飓风，而在西太平洋和中国海则称之为台风。

cyclonite（explosive） 参阅 **RDX 旋风炸药**。

Cyclopaedia 《百科全书》 由英国百科全书学家E.钱伯斯编辑的两卷本按字母顺序排列的百科全书。1728年初版。该书只收录科学、艺术词条，不登载人名、地名。1751～1752年在伦敦共出7版。另有7卷增订资料，在钱伯斯逝世后，先后由J.L.斯科特和J.希尔修订之后，于1753年以两卷对开本作为《补编》出版。虽然1739年钱伯斯拒绝将他的《百科全书》出法文版的邀约，但规划中的法译本却成了法国哲学家兼翻译家狄德罗和法国数学家达兰贝尔共同编辑的18世纪法文《百科全书》的起点。

cyclopean masonry 巨石工程 又称毛石砌体（圬工）。用巨大粗石块垒成而不用灰浆的墙。用于防御工事，由于石块大而接缝少，因而减少了石墙潜在的薄弱部分，见于克里特岛、意大利和希腊。类似的墙也见于秘鲁的马丘比丘和美洲若干哥伦布以前的遗址。克里特岛上的梯林斯城堡（约公元前1300）所存巨石墙的宽度7～17米，其中有内室，虽未用灰浆，但可能曾以黏土打底。巨石混凝土即因这种古代的方法而得名。建造时先将每块在45千克以上的巨石块摆放好，石块间隔至少15厘米，然后再往缝里浇注混凝土。

cyclopropane 环丙烷 又作 trimethylene。有爆炸性的无色气体。化学式 C_3H_6。1934年始用作通用麻醉药。对黏膜无刺激性，亦不抑制呼吸。其麻醉诱导和麻醉出现迅速而平稳。可用氧混以5%～20%环丙烷通过吸入给药。因本药易燃，且又价昂，故用闭式循环系统给药，在此系统中用化学吸收剂(如碱石灰)以吸收呼出的二氧化碳，而本品则反复循环使用。

Cyclops 库克罗普斯 希腊语，意为"圆眼"。在希腊传说和文学中，指几个独眼巨人中的任何一个，他们的经历和事迹各不相同。在荷马的作品里，他们是食人者，住在边远地区(传说是西西里)，过着原始游牧生活。在赫西奥德的作品里，他们是乌拉诺斯和该亚的3个儿子：阿尔盖斯、布隆蒂斯和斯特洛佩斯(光明、雷、闪电)，他们都是为宙斯锻造雷霆的人。后世作家把他们描写成赫淮斯托斯的工匠，并说阿波罗将他们杀死的原因是由于他们制造的雷霆劈死了阿斯克勒庇俄斯。某些迈锡尼时期的古城墙(例如梯林斯的)据说系由他们所筑。因此在现代考古学中，凡不用切成方块的石头建造城墙的作法均称为库克罗普斯式城墙。

cyclorama 圆顶天幕(弧形天幕) 剧院中使用的一种背景装置。它遮住舞台后部，有时也遮住舞台两侧，并运用特殊灯光效果在舞台布景后部制造出天空、广阔空间或远距离的幻觉。圆顶天幕于20世纪早期开始使用，通常在舞台后部形成一种平滑弧状的凹面墙。有的称作圆顶半月形天幕，有弧形顶部，以增强广阔空间的幻觉。有些剧场虽具有弧形的后墙用作固定的圆顶天幕，但绝大多数的圆顶天幕是由一块垂幕构成，可根据剧情需要升降。它有一个灰泥的或帆布的粗糙表面，用以扩散光线反射，并且涂成白色或浅蓝色，这样，就可以用各种不同色彩和强度的光线照射在天幕表面上去模仿不同时间、不同季节和不同天气条件的状况；还可以在圆形天幕表面上投射幻灯片或幻灯影片，以构成诸如星云的效果。

cyclosilicate 环状硅酸盐 结晶结构中硅酸盐四面体(四面体四角上的四个氧原子包围着中心的一个硅原子)排列成环状的化合物。每个四面体都与其他四面体共用2个氧原子，所形成的环可以有3个四面体(如蓝锥矿)、4个四面体(如斧石)或6个四面体(如绿柱石)。环状硅酸盐的化学式中含有多倍的 SiO_3。

cyclostome 圆口类 无颌纲圆口目动物，包括七鳃鳗(**lamprey**)及盲鳗(**hagfish**)。此鱼类的特征是：体细长，无鳍，无鳞；口为吸盘式构造，内有角质齿；颅由软骨构成；脊索终生存在。

cyclostrophic wind 旋衡风 因气压梯度力和称为科里奥利力的向心力相平衡而产生的风的环流。由绕地球轴旋转所产生的科里奥利力在巨大的气旋系统中非常重要，但在小尺度的系统中可以略去不计。在诸如龙卷、尘卷风、水龙卷以及飓风中心区之类的小尺度气旋系统中，气流的曲率半径较小。这些小系统内的旋衡风，可能只在气旋区(低压区)周围存在。旋转的方向可为顺时针，也可为反时针，与较大的气旋系统不一样，后者在北半球仅为反时针方向，南半球为顺时针方向。

cyclothem 旋回层 又称韵律层。表明旋回性沉积状况的海相和非海相地层的反复出现的复杂地层序列。完美的旋回层序列很少见，所以，一般层序的重构图产生于可能缺失典型的石灰岩层、碎屑沉积物层甚至煤层的实例的研究。

不同的沉积岩层常以显示形成过程的某种有序性的可辨认的模式彼此反复堆叠。特别是含煤的层序，不仅显示出煤层(有时厚几百米)的反复出现，而且显示出其他岩层也按大致有规律的次序反复出现。煤层下面是底土(下黏土)。煤层上面常有含海生贝壳的石灰岩和黏土岩(页岩或泥岩)。在随后堆积的页岩里，海生贝壳消失，偶尔被非海生的瓣鳃类所替代。在另一层底土和煤层出现之前，可能有一层粉砂岩或砂岩，也可能两种都存在。

在英国，这个类型的旋回在19世纪30年代得到了描述，所以有些石炭系层序(约3.60亿年前至2.86亿年前的层序)可以方便地称作是由石灰岩-页岩-粉砂岩-砂岩-底土-煤这种旋回的反复出现组成的，其中煤被用来确定该层序据以重复出现之起点。在美国也认出了一种相似的层序，其中在砂岩下面发现了一个侵蚀间断面，并把这层砂岩看作起始新旋回的重要重复出现的特征。

在这两例中，都是依据重复的岩石类型确定旋回的。岩石和化石显示广海条件(含海生贝壳的石灰岩和页岩)与陆生条件(煤)的交替。形成这些沉积物的过程是振荡性的或旋回性的，而且这种振荡是通过时间发生的。在对这个课题的许多讨论中，旋回这个术语过去曾用以表示过程、所需时间(如振荡的周期性之类)和沉积物。这种不严谨术语的潜在混淆引起美国地质学者J.M.韦勒创造了 cyclothem 这个术语，来描述单独一个沉积旋回期间所堆积的一系列岩层，比如在宾夕法尼亚纪(即晚石炭世，约3.20亿年前至2.86亿年前)期间堆积的地层。旋回层指岩层本身；而 cycle(旋回)这个术语可以保留用于表示形成一个旋回层的过程所需要的时间，或用于两者。

韦勒指的是前面所描述的那种类型的层序。因此，旋回层这个术语用来指欧洲以及任何其他地方石炭纪内堆积的相似层序，似乎是正当的。北美和欧洲的旋回层被公认为表示三角洲扩建与海水侵入相间的各连续阶段。既然如此，现在就可以把旋回层这个术语扩展到在垂直序列中反复出现的沉积岩的任何层序。例如，英国的泥盆纪岩层常由反复出现的砾岩-砂岩-粉砂岩-含结核状碳酸盐的泥质粉砂岩层序构成。一般认为，这些岩层是由一条蜿蜒流过其泛滥平原的河流所造成。人们把每个层序都叫做旋回层，同样，人们已经把欧洲侏罗纪(2.08亿年前至1.44亿年前)的页岩或泥灰岩和石灰岩的一种非常不同的层序叫做旋回层。

在20世纪前半期，对重复层序的鉴定基本上只是主观判断，自60年代以来，对数据的统计处理已使确定一个岩石单元将在层序中其应有位置上出现的概率更加精确。

宾夕法尼亚纪旋回层厚度变化很大，但往往在10米左右。用来表示页岩-石灰岩或砂岩-粉砂岩的较薄的简单交替时，用小旋回层这个术语。反之，较厚的层序则叫做大旋回层。有时这个术语仅仅指比正常厚度大一级的一种旋回层。有些作者用这个术语描述一组显示与上一组某些特点有些不同的旋回层，例如，一组含有许多石灰岩夹层的旋回层可能接着是另一组含石灰岩夹层很少的旋回层。这两组合在一起构成一个旋回层的旋回，或者说构成一个大旋回层。几组具有某种不同特点的大旋回层被称为一个超旋回层。厚度达到几千米、时间跨越整个地质系的岩石单元被称为大旋回。这些更大的单元的正确性是可疑的，而且用途有限。

关于宾夕法尼亚纪旋回层和石炭纪旋回层的主要问题是解释经历着累进沉降的地区内三角洲平原上面的出现海水扩展(海侵)的原因。一种构造运动作用会引起沉积盆地的猛然沉降。突然下沉之后势必发生海水侵入。海面水位的上升和侵入也可能由大洋脊的增长而引起。同样，海水侵入可能是由于气候变迁，气候变迁又可能，比如说，引起极地冰帽的周期性融解；或者，在向流域迅速供应碎屑的气候期间内，三角洲的扩建可能是快速的，接着，在几乎没有沉积物供应的干旱期间便发生海水侵入。最近得到支持的作用原理是沉积学原理。根据这些原理，当河流找到一条入海捷径时沉积场所发生转换，三角洲的扩建便告终止。缺乏供应的三角洲突出部分仍然在区域性沉降作用下继续沉降，于是被海水淹没，而开始一个新的旋回层。后来，沉积场所转回原先地区，沉积作用再度恢复，三角洲扩建重新开始，于是一个旋回层宣告完成。

cyclotrimethylenetrinitramine(explosive) **环三亚甲基三硝胺** 参阅 **RDX** *旋风炸药*。

cyclotron 回旋加速器 在恒定磁场中加速荷电的原子或亚原子粒子的设备。美国物理学家E.O.劳伦斯和M.S.利文斯顿在20世纪30年代初期研制出第一台这种型式的粒子加速器。它由两个半圆的D形盒构成，两盒间有空隙，装成圆形，置于真空室内两个磁极之间。用射频振荡器在两盒间隙中产生交变电场。电场将间隙中靠近设备中心的被加速粒子推入其中一个D盒，盒中磁场引导这些粒子沿半圆形路径运行。当粒子转回到间隙中时，电场随之反向，继续加速粒子使它们进入另一D盒。虽然粒子每次通过间隙后，速率和轨道半径都增大了，只要它们的质量和磁场的强度保持不变，它们就能以固定的频率通过间隙。在这类加速器中，被加速质子的能量上限不大于25兆电子伏，这个极限是由快速运动粒子的相对论性质量增大所造成。因为质量增大，粒子的轨道频率就会减小，致使越过间隙的粒子被电场减速。为了克服这个极限，加在 D 盒上的交变电压频率可以改变，这样的设备叫做同步回旋加速器。用它已经取得接近吉电子伏(10^9eV)的能量。另一方法是增大靠近盒周边的磁场，使磁场随方位角变化以达到聚焦。这种加速器叫做等时性或磁场沿方位角变化的(AVF)回旋加速器。

Cydones, Demetrius　西多内斯(约1324，拜占廷帝国塞萨洛尼卡[今在希腊]～约 1398，克里特)　又拼 Demetrios Kydones。拜占廷人文主义学者、政治家、神学家，曾把希腊语及希腊文化引入意大利文艺复兴运动。他出于希腊古典学者和哲学家尼卢斯·卡巴西拉斯门下。1354 年赴意大利研习中世纪著名哲学家的论著。由于醉心于拉丁经院哲学，便把西方重要作品译成希腊语，其中包括 5 世纪奥古斯丁(希波的)的文章和托马斯·阿奎那《神学大全》的节选部分。到 1365 年前后，他已公开宣布信奉罗马教义。他返回君士坦丁堡后，于 1369 年由约翰五世任命为首相，其时拜占廷帝国日益无力抵御阿拉伯人的入侵。他于 1383 年左右引退。1390 年返回意大利，在威尼斯创办希腊文化学院，招收威尼斯和佛罗伦萨学生，把希腊语言和希腊思想传遍意大利，为意大利文艺复兴准备条件。他团结一批拜占廷知识界人士，谋求东西方教会联合。1391 年他的学生、皇帝曼努埃尔二世将他召回君士坦丁堡，重任大臣。由于他接受罗马教会信仰，树敌较多，1396 年再度辞职，退居克里特岛终身。他是 14 世纪拜占廷最为杰出的作者，其道德哲学论文《论视死如归》，是一篇为自己改宗天主教的辩护辞；一部收有 447 篇书信的集子，是有关拜占廷与西方关系的珍贵史料；另著《规诫录》，劝说拜占廷人与罗马人联合，共同抵抗土耳其人的入侵，虽徒劳无功，但此书成为有关拜占廷帝国逐渐沦为土耳其人附庸的重要文献资料；他的大声疾呼正好清楚地说明 1370 年前后拜占廷帝国已深陷于绝望之中。

Cydones, Prochorus　西多内斯(约1330，拜占廷帝国塞萨洛尼卡～约 1369，圣山)　又拼 Prochoros Kydones。东正教修士、神学家、语言学家，提倡西方亚里士多德派思想，翻译拉丁经院哲学著作，反对拜占廷神秘主义神学主流派。所著论文《论上帝的本质和行为》猛烈抨击另一名圣山修士帕拉马斯的神秘神学。1368 年，维护帕拉马斯的君士坦丁堡牧首科齐努斯召唤西多内斯及其兄出席在该城举行的会议，会议指控两人为异端；剥夺西多内斯神职，宣布帕拉马斯派为正统。

Cygnaeus, Uno　胥格奈乌斯(1810-10-12，芬兰海门林纳～1888-01-02，赫尔辛基)　芬兰教育家。以"芬兰小学之父"闻名。1827 年中学毕业后就学于赫尔辛基大学，1836 年任该校哲学教师。1840 年成为俄罗斯美洲新阿尔汉格尔(今美国阿拉斯加州锡特卡)地区一个贸易殖民地的牧师。贸易站受过教育的人与当地居民之间的悬殊差别使他感受极深。1845 年他回到欧洲，在圣彼得堡一个芬兰学校任学监达 12 年。他的这一经历和他对教育哲学家 J.H.裴斯泰洛齐和 F.福禄培尔的研究都有助于发展他自己的教育思想。1856 年当沙皇亚历山大二世允许芬兰的小学完全重新改组时，他终于获得把他的理想付诸实践的机会。他对改革的想法都包含在他的短文《关于未来的芬兰小学的一些设想》中。他将课程集中在手工上，吸取了福禄培尔的想法，在幼儿园里教导儿童进行叠纸、编织、刺绣及用沙、黏土和颜料劳作的活动。他还主张让青少年参加农业、园艺、金属和木工劳动以及编织篮子等。总之，使他们接受手工训练。由于他的努力，芬兰政府在 1866 年规定所有农村学校的男生和师资培训学校的男教师都必须接受手工训练，并使这种规定成为制度。1872 年政府将这一制度推广到城市学校。手工训练思想首先传播到瑞典，随后传到法国、德国、英国和美国；在这些国家里，它与家庭经济学一样，成为许多学校课程的一部分。1863 年，他在于韦斯屈莱一所新的芬兰高级中学任校长，直到去世。

公元前 8 世纪的巴比伦帝国圆筒印章印记

美国不列颠百科全书公司供图

Cygnus A　天鹅座 A 射电源　迄今所知最强的宇宙射电源，位于天鹅座中，距地球约 5 亿光年(4.8×10^{21} 千米)。从外表看，它是一双星系，曾一度被认为是两个星系在相撞，但这种方式无法解释它的巨大能量输出。天鹅座 A 发出的射电能量估计为 10^{45} 尔格/秒，比太阳发出的全部能量大 10^{11} 倍。天鹅座 A 的能源迄今未明。

Cygnus Loop　天鹅座环　又名天鹅圈。天鹅座中的亮星云群，包括花边星云、帷幕星云和 NGC 6960、6979、6992、6995 等。据认为它们是一颗超新星的残骸，该恒星约在 6 万年前爆发。天鹅座环是一个强射电源和 X 射线源，迄今仍以约 100 千米/秒的速度膨胀。它距地球数千光年。

cylinder　气缸　在机械工程中，内有活塞运动的发动机腔。参阅 **piston and cylinder**。

cylinder function　柱函数　参阅 **Bessel function 贝塞尔函数**。

cylinder recording　圆筒录声　美国发明家 T.A.爱迪生(1847～1931)于 1877 年制造的一种最早的录声设备。用此法录声时，要录的声先由一只喇叭筒集中到膜片上，引起膜片振动，振动传给唱针，并调制它在滚动的圆筒蜡膜表面上沿螺旋纹路录下声迹。参阅 **phonograph**。

cylinder seal　圆筒印章　圆筒形小石块，表面刻以阴文，在胶泥上滚转以留下印记。圆筒印章是古代美索不达米亚文化中特有的工艺品，不乏优秀之作。最早出现于约公元前 3400～前 2900 年，开始只有简单的几何图形、符咒图案以及动物形象，后来才刻上物主的名字，描绘五花八门的题材。用之于标明个人财产，赋予契约以合法的约束力。其形式与用途为埃及与印度等地区所效法。

cymbal　钹　打击乐器。由金属制成，状如平的或凹的圆盘，演奏时可用鼓槌敲击，或两片互击。在亚述、以色列(从约公元前 1100 年起)、埃及以及其他古国常用于宗教仪式。

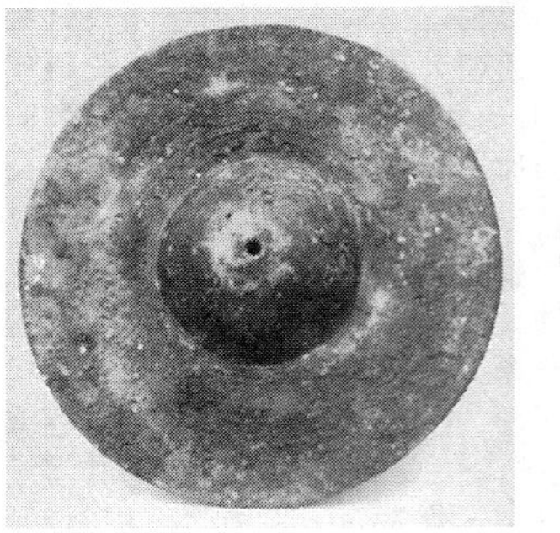

底比斯出土的古埃及铜钹

美国不列颠百科全书公司供图

中世纪时传入远东地区，13 世纪以前传入欧洲。亚洲钹或为宽边，中间有一穹顶(有的无穹顶)；或为窄边(或无边)。宽边的水平碰击，声洪亮；窄边的垂直碰击，较轻柔。西方管弦乐队中用的钹源自 18 世纪盛行于欧洲的土耳其军乐队，由海顿(著名的有《军队交响曲》，1794)、莫扎特与贝多芬等人开始引用。在浪漫派音乐——例如瓦格纳的《汤豪舍》——中钹常用于表现戏剧性高潮。从传统上来说，最好的钹产于土耳其。钹无确定音高。现代钹直径约 36～46 厘米。通常用两个钹碰击或互相摩擦发声，但也可以用踏板演奏。单片钹用刷子或硬头、软头的鼓槌击奏。在爵士乐队或舞蹈乐队中还采用其他技术。"古代钹"或"鸣板"(德彪西使用过)是小型的，像响板般的指钹，能奏出有固定音高的高音。它们自古以来就流传在中东一带，主要用作舞蹈者的乐器。

Cymbidium　兰属　兰科的一属。原产于亚洲热带和亚热带地区。70 多种，有数千个人工杂种。花白色、淡黄色至绿色、棕红色或深青铜色。该属植物生于土壤中或附生。是常见的观赏花卉。多有短的假鳞茎,叶革质带状,每一花梗上着生许多朵花。

cymophane 金绿猫眼石 金绿宝石(chrysoberyl)的变种。

Cymraeg 参阅 **Welsh language** 威尔士语。

Cymru 参阅 **Wales** 威尔士。

Cynddelw Brydydd Mawr **辛德尔(大诗人)**(活动时期1155～1200) 12世纪杰出的威尔士诗人、宫廷吟唱诗人。现存归于他名下的诗篇约 50 首,以字斟句酌的古体威尔士吟唱诗传统形式写成,其中一小部分是宗教诗,大部分是歌颂威尔士各地主要亲王的颂歌。辛德尔因而似乎是全威尔士的首要吟唱诗人。

Cynegils 西内吉尔斯(?～643) 西撒克逊(即韦塞克斯)国王(611 ～ 643 在位)。第一个改宗基督教的君主。614 年,他同儿子克威切尔姆在牛津郡的班普顿击败了来犯的不列颠人。为遏制诺森伯里亚国王埃德温不断增长的势力,企图将其谋杀,未成功。626 年西撒克逊人战败,被迫承认埃德温的至高权力。628 年同麦西亚的彭达在赛伦塞斯特作战,又被击败,可能被迫割让部分地区给麦西亚。后改奉基督教,635 年在牛津郡多切斯特受洗,在该地建立一主教区。后由其子森沃尔赫即位。

Cynewulf 西内伍尔夫(?～786) 英国历史上盎格鲁撒克逊时期西撒克逊(或韦塞克斯)国王(757 ～ 786 在位)。在西吉伯特被废黜后即位。他不断同威尔士人作战。779 年,麦西亚的奥发击败他以后占领了本辛顿。785 年在现今威尔特郡的马坦(梅伦滕)遭到被废黜的西吉伯特的兄弟西内哈德的突然袭击而被杀死。

Cynewulf 基涅武甫(活动时期8或9世纪,诺森伯里亚或麦西亚[今英格兰境内]) 又拼 Cynwulf 或 Kynewulf。保存于 10 世纪晚期手稿中的 4 首古英语诗歌的作者。这 4 首诗为:《埃琳娜》和《使徒们的命运》见于《韦尔切利集》;《基督升天》、《朱莉安娜》见于《塞特诗集》。每首诗的结尾均要求读者为作者祈祷,并包含有代表字母 c,y,n,(e),w,u,l,f 的古北欧字符,人们认为是他名字的拼写。《埃琳娜》中一段韵诗证明作者是诺森伯里亚人或麦西亚人,除此以外,我们对作者毫无所知。他很可能是一个博学的教士,因为这些诗都是依据拉丁原始材料写成。《朱莉安娜》一诗有 731 行,是拉丁文散文体圣朱莉安娜传记的复述,歌颂一位由于信仰不同,敢于拒绝罗马长官埃留修斯求婚的少女,虽历尽磨难,始终坚贞不屈。《埃琳娜》共有 1 321 行,叙述圣海伦娜发现真十字架的故事。《基督升天》系依据教皇格列高利一世所撰有关基督升天的讲道文改写成的抒情诗。《使徒们的命运》有 122 行,是一篇韵文体殉教录,描述十二使徒的传道活动及其死难情节。虽然这 4 篇诗作缺乏笔力或独创性,但毕竟不同于一般的演绎文字。关于战争和航海的描写,使用了古英语时期日常生活和日耳曼史诗传统中的比喻形象。同时,诗人讲究技巧,有意识地运用拉丁修辞原理,叙事清楚有序,与当时英国本土文学风格上的紊乱和迂回说法迥然不同。

cynghanedd 辛哈内德 威尔士语,意为“和谐”。它是威尔士的一种诗律:一套在威尔士吟唱诗歌的 24 个严格音节中必须遵守的关于重音、头韵、行内韵的复杂体系。它在 13 世纪从早期吟游诗人的诗律中发展而来,1524 年经凯尔维斯吟游诗人大会正式加以确定。这种诗有 4 个基本类型,但其中又有许多细微的区别和变异。如果这种格律经高手使用,它可以发挥出几乎是无穷无尽的微妙效果。

Cynic 犬儒学派 希腊哲学学派之一,活动时期在公元前 4 世纪到基督教时期。主要因其与众不同的生活方式而不是因其思想体系而与其他学派相区别。苏格拉底的门徒安提西尼被认为是这一运动的创始人。锡诺普人第欧根尼(**Diogenes**)则是该派的典型,他力图破坏社会常规(包括家庭生活),从而返回“自然的”生活。为此目的,他像一个流浪乞丐,在公共建筑中睡觉,乞讨食物,并以此证明即使处在如此极端的状况仍有可能保持愉快和独立。他还提倡不顾羞耻、直言不讳以及朴素刻苦。

cynodont 二齿兽 二齿兽亚目或次目(Cynodontia)动物。兽孔目(参阅 **therapsid**)的一类形似哺乳动物的爬虫类,存在于晚二叠世至早侏罗世之间(2.58 亿年前至 1.87 亿年前)。发现过二齿兽化石的地方有中国、南非、南美和北美(直到 1989 年才在美国弗吉尼亚州发现)。二齿兽头颅有许多特征预示了其后出现的哺乳类头颅。特别是它和哺乳类一样都有一个次生硬颚,这样它就可以同时咀嚼和呼吸,有利于快速消化。(大多数爬虫类不咀嚼,而是大块吞咽,因此消化缓慢。)因此二齿兽可能具有与哺乳类相似的代谢率和大食量。它的牙分化较好,有颌骨及适于咀嚼的颌肌。虽然脑子还不大,但脑颅的外观几乎和哺乳类一样,预示其哺乳类后裔的脑子将增大。在其他方面,骨骼基本是爬虫类的样子(前后肢位于体侧,而不是在躯干下面),表示其姿势和步态仍为爬行式。按照某些分类系统,二齿兽亚目,包括5个科:原大鳄科(Procynosuchidae)、Galesauridae 科、三瘤齿科(Tritylodontidae)、Chiniquodontidae科和Trithelodontidae 科。最早的哺乳类可能是在中三叠世(2.4 亿年前至 2.3 亿年前)的某个时期由小型食肉的 Chiniquodontidae 或 Trithelodontidae 科动物进化而来。

Cynognathus 犬颌兽 进步的似哺乳类爬行动物的绝灭属。化石见于南非的下、中三叠统(2.45 亿年前至 2.3 亿年前)。为兽齿亚目(在地质时期产生最早期哺乳类的兽孔类似哺乳爬行动物)的代表。大约像现代狼一样大,并像狼一样,是灵敏的捕食动物。身体不粗壮,四肢能很好地蜷曲在躯体下面,紧挨着躯体,为迅速而有效地走动提供了潜力。尾长、发育完好。头骨长,有连接强腱肌肉的孔隙,该肌肉司颌的开闭。下颌以齿骨为主,下颌上其他显示爬行类特征的骨素已退化,也不重要。牙齿具进化的特征,齿式的局部特化明显(哺乳动物的特征)。已有门齿,并适应咬东西。紧接门齿的是发育粗大的犬齿,对于食肉动物是重要的。以齿隙与犬齿分隔的是一系列臼齿,臼齿把食物切成较小、较易咽下的颗粒。已有发育完善的次生腭骨,使食道与呼吸道分隔开。脊柱分化很好。

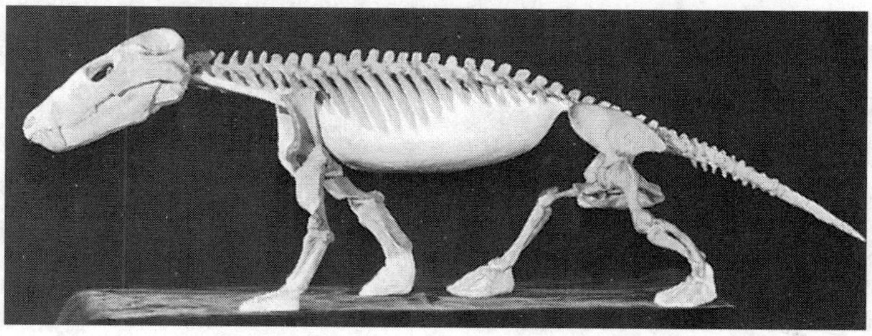

复原的犬颌兽(*Cynognathus*)骨骼
美国不列颠百科全书公司供图

Cynoscephalae 库诺斯克法莱 希腊语,意为“狗头山”。为希腊色萨利的一座山脉,在现沃洛斯以西 11 千米。这里曾是第二次马其顿战争最后决战(公元前 197)的地方,罗马军在弗拉米尼努斯指挥下打败了马其顿的腓力五世。在这次战斗中,双方各出兵2.6万人,势均力敌。由于有一个罗马护民官率兵插入马其顿军的后方,使腓力败阵而逃。马其顿军阵亡 8 000 名,被俘 5 000 名。公元前 364 年底比斯将军派洛皮德曾在此打败费莱阿的僭主亚历山大。

Cynric 西恩里克(?～560) 英国历史上盎格鲁撒克逊时期西撒克逊(或韦塞克斯)国王(534 起)。据记载曾与其祖父(或父)韦塞克斯的缔造者塞迪克共同执政(519 ～ 534)。这个时期显然是巩固芒特巴登战役(520)后的胜利成果,而不是继续扩张的时期,不过据说他至少有一次在西罗比尔格击溃不列颠人(552)。后由其子塞瓦林即位。

Cynthius 西恩修斯 参阅 **Giraldi, Giambattista** 吉拉尔迪。

Cynwulf(Old English poet) 参阅 **Cynewulf** 基涅武甫。

Cyperaceae 莎草科 显花植物的一科,约5 000种,为单子叶植物纲的禾草样草本植物,分布世界潮湿地区。是显花植物最大的10个科之一。

莎草科的特征为:茎实心,横断面常为三角形;叶基部具叶鞘,叶鞘的两侧边缘互相接合;叶片在某些种类已退化;花小,聚生成小穗,小穗外无叶状的苞片包围。花由一枚雌蕊和2～3枚雄蕊构成,生于特称为颖片的鳞片腋间。茎的高度从数厘米至4米以上。几乎所有种类均为风媒传粉。莎草科常与早熟禾科植物——禾草——相混淆,但借上述特征可与之鉴别。例如,禾草的茎圆形,中空;叶有鞘,但叶鞘不闭合;花由2枚苞片包围,小穗又由2枚苞片包围。虽然莎草科植物外形似禾草,莎草科又与早熟禾科同置于莎草目中,但越来越多的证据表明,与莎草科亲缘关系最近的却是灯心草目的灯心草科。莎草科最大的属包括苔草属(*Carex*,约2 000种)、莎草属(*Cyperus*,近650种)、刺子莞属(*Rhynchospora*,约250种)以及飘拂草属(*Fimbristylis*)、荸荠属(*Eleocharis*)和珍珠茅属(*Scleria*),最后3属各约200种。其他大属包括球柱草属(*Bulbostylis*)和赤箭莎属(*Schoenus*)(这2属各约100种)以及擂鼓艻属(*Mapania*,约80种)。虽然总的说来莎草科的经济意义不大,但其中一些种却十分著名,如纸莎草(*Cyperus papyrus*),古埃及人用其茎造纸。现纸莎草常栽作观赏植物。其他栽培属包括苔草属、荸荠属、藨草属(*Scirpus*)及羊胡子草属(*Eriophorum*)。风车草(*Cyperus alternifolius*)又称伞草,为受欢迎的盆栽植物,高可达1.2米,每个茎顶端均生有一簇排成伞形的叶片。黄坚果莎草(可食莎草,*C. esculentus*)在许多北温带地区被视为禾草样杂草,其黄色形似坚果的块茎以及与之近缘的莎草属种类的块茎可食,尤其是黄坚果莎草的一个变种——栽培可食莎草(*C. esculentus sativus*),又称地杏仁,其块茎富含淀粉、糖及脂肪。荸荠(*Eleocharis dulcis*)的球茎和同属一些种类的球茎可食。垂头藨草(*Scirpus cernuus*)和水葱(*S. tabernaemontani*)两个种常栽培于沼泽花园和水生植物园中。羊胡子草属的种类也是沼泽花园中爱种的植物。

Cyperales 莎草目 显花植物的一目,属百合纲(Liliopsida,为单子叶植物)。本目植物一般为一年生或多年生草本,少数种类为木本。花退化,多为风媒传粉或自花传粉。雌蕊的子房1室,由2～3心皮组成,具1胚珠;子房后发育为闭果。花组成简单的或复杂的小穗(代表着退化的花序)。花被缺或变态为多数刚毛或小鳞片。叶片通常狭窄而细长,具闭合的叶鞘,平行脉;叶片与叶鞘连接处常有一个小型的近轴附属物——叶舌。莎草目含2科:莎草科,约5 000种;**早熟禾科**(**Poaceae**,又称禾本科),约8 000～10 000种。早熟禾科是植物界最重要的科之一,该科植物构成地球上大部分地区占优势的植被。有的权威将莎草目的两个科(莎草科及早熟禾科)分

自上至下:莎草(*Carex vesicaria*);伞莎草(*Cyperus alternifolius*);藨草属植物(*Scirpus palustris*);羊胡子草(*Eriophorum*)

美国不列颠百科全书公司供图

开,建立两个单科的目——莎草目及早熟禾目(或称禾本目)。

cypress 柏树 柏科柏木属(*Cupressus*)植物。约20种,常绿针叶树,可供观赏和材用,分布于欧亚和北美暖温带和亚热带地区。通常高25米(也有6米以下的灌木种),呈金字塔形(尤其是幼树),有些种成熟后发展成扁平的开展树冠。有的树皮平滑,但多数种树皮成薄片或长条状,可剥落。幼叶锥状,开展,成熟叶为典型的小鳞片状,紧贴枝条,交

意大利柏木(*C. sempervirens*)

美国不列颠百科全书公司供图

互对生,使小枝呈菱形;叶表面具腺点,可产生芳香油。雌雄同株异枝,球花单生于小枝顶端。球果小,圆球形,具3～6对木质或革质鳞片,鳞片以背面着生于球果中轴,外表面有一个小突起。每个鳞片有6～100多个有翅的种子。种子通常在受精后翌年成熟,但可能到数年后球果裂开时方释出。柏树用材价值有限,最常用的柏材是喜马拉雅柏木(不丹柏木,*C. torulosa*)、意大利柏木(常绿柏木,*C. sempervirens*)、蒙特雷柏木(大果柏木,*C. macrocarpa*)。这几种柏质地轻,中等硬度,接触土壤亦非常耐久,但通常多节疤,且有令人不快的气味。上述三种柏树和亚利桑那柏木(*C. arizonica*)、光柏(*C. glabra*)、高恩氏柏(*C. goveniana*)、克什米尔柏木(*C. cashmeriana*)、墨西哥柏木(葡萄牙柏木,*C. lusitanica*)、举哀柏(墓地柏,*C. funebris*)和萨金特氏柏(*C. sargentii*)等,树叶和株形优美,为常见观赏树种。在某些文化中,举哀柏和意大利柏常用于悼念死者。由蒙特雷柏木与黄柏(努特卡扁柏,*Chamaecyparis nootkatensis*)杂交而获得的莱兰氏柏(*Cupressocyparis leylandii*)可供观赏,也可作为防风林树种。柏类不耐严霜,虫害少,但易患细菌性根癌病、茎溃疡病、根腐烂病等。许多柏科其他属的产树脂的芳香常绿乔木也称为"柏",尤其是**假柏**(**false cypress**)及**柏松**(**cypress pine**)。

Cypress Hills 赛普里斯丘陵 加拿大艾伯塔省东南部和萨斯喀彻温省西南部的一条孤立山岭。山南为美国蒙大拿州边界。东西走向,长160千米,最高点1 468米(在萨斯喀彻温)。森林茂密,主要为旅游区,有两个省立公园。东部山麓一直在开采煤矿。山中发现亚热带地区才产有的冰期前化石、花卉及岩石,为加拿大他处所无。

cypress pine 柏松 柏科两大近缘的属——柏松属(*Callitris*)和非洲柏松属(*Widdringtonia*)——种类的俗称,供观赏和材用。乔木或灌木。柏松属约16种,原产澳大拉西

亚，在干燥地区生长最好。其成熟叶 3 数轮生，叶尖多厚且向内弯。其木材木纹美观，且能抗白蚁侵害，并可提取单宁、树脂和芳香油。其中最重要的材用树种是：墨累河松（白柏松、小粒状柏松，*C. columellaris*）遍布澳大利亚；黑柏松（恩德利柴尔氏柏松，*C. endlicheri*）亦称黑松、红松、灌丛松，产于澳大利亚东部；麦夸里港松（麦克利柏松、多筋树皮柏松，*C. macleayana*）产于澳大利亚东南部；普通柏松（普赖斯氏柏松，*C. preissii*）产于澳大利亚南部，乔木，在海边生长者常呈灌木状，有一个亚种称为细松，另一种亚种称为松节油松。这些材用树通常高 25 米左右，麦夸里港柏松（亦用作观赏树）可达 45 米。蠔湾松（菱叶柏松，*C. rhomboidea*）产于澳大利亚东部和南部海岸，高 9 ～ 15 米，当地用于建筑。非洲柏松属 5 种，原产南非。为常绿灌木或高大乔木，有时称非洲柏。有些种材质芳香，经久耐用，淡黄或淡褐色，是当地的重要材用树种。如克兰威廉氏雪松（好望角雪松、刺柏状非洲柏松，*W. juniperoides*）高 6 ～ 18 米，枝条开展，生长在锡达堡山脉。威洛莫尔雪松（施瓦茨氏非洲柏松，*W. schwarzii*）产于开普省，常多疣，在不良生境约高 15 米，在较好生境高达 30 米，树形优美。似柏非洲柏松（贝尔格氏柏，*W. cupressoides*）为灌木，高 2 ～ 4 米。灰太非洲柏松（*W. whytei*）高过 45 米，是该属最有价值的材用树种。

cypress vine（*Ipomoea quamoclit*）　**茑萝**　旋花科一年生缠绕植物。叶深绿色，深裂成小裂片。花生于叶丛中，星状，猩红色、粉红色或白色。原产于热带美洲，在北美南部归化。其近缘种绯红花茑萝（心叶茑萝，*I. coccinea*）亦为一年生，叶心形，花绯红色，野生于热带美洲。

茑萝（*Ipomoea quamoclit*）
美国不列颠百科全书公司供图

Cyprian, Saint　**西普里安，圣**（约200，迦太基～258-09-14，迦太基）　早期基督教的迦太基主教。他青年时曾学法律，在迦太基作律师。约在 246 年前后信奉基督教，不到两年被选为迦太基主教。250 年初隐居，逃避罗马皇帝德西乌斯的迫害。251 年初返回迦太基。252 年加卢斯皇帝又要迫害基督教，但西普里安仍能保持领导地位。254 年他同罗马主教司提反发生争执。原来，司提反恢复曾经在迫害中叛教的两个西班牙主教的职务，西普里安则认为，叛教的一般信徒可以得到宽恕，但叛教的主教则不能复职。同时，非洲的诺瓦替安派则认为，凡叛教者一律不得赦免。该派在西普里安重新掌权之后衰落，罗马主教司提反承认诺瓦替安派所收信徒，而在西普里安主持下的 3 次会议最后决定，该派教士所授的洗礼完全无效。257 年司提反去世，继任的罗马主教采取较为和解的态度，罗马与迦太基教会的决裂才得以避免。在瓦莱里安皇帝登位后，迫害又重新开始。257 年西普里安被迫迁居到哈马马特湾的库鲁比斯。258 年被带回迦太基审讯处死。

Cyprian, Saint　**西普西安，圣**（约1336，保加利亚～1406-09-16，俄罗斯莫斯科）　东正教莫斯科都主教（1381 ～ 1382；1390 ～ 1406）。他曾在希腊受教育；由君士坦丁堡方面任命，1375 年成为基辅和立陶宛都主教，1381 年成为莫斯科都主教。他把拜占廷礼仪改革引入俄罗斯正教会。

Cypriot syllabary　**塞浦路斯音节文字**　塞浦路斯岛上使用的一种书写体系，主要通用于公元前 6 世纪至公元前 3 世纪。包括 56 个符号，每个符号代表一个不同的音节。大多数用这种音节文字写的铭文是希腊语，可是它原来却是用以书写早期非希腊语的塞浦路斯语而创制的。古典的塞浦路斯音节文字显然是从还没有释读出的塞浦路斯-米诺斯文字（包括 63 个音节符号）发展而来，后一种文字见于塞浦路斯和叙利亚出土的许多泥板上，泥板年代可溯至约公元前 1500 ～约前 1100 年。塞浦路斯-米诺斯文字被认为是早期克里特文字（线性文字 A 和线性文字 B）的一个较远的分支。

Cyprus　**塞浦路斯**　土耳其语作kıbrıs。位于地中海东北部的岛屿，为地中海第三大岛，面积9 251平方千米。地处北纬 35°45′～ 34°30′（南北长 97 千米），东经 32°15′～ 34°30′（东西宽225千米）。北距土耳其64千米，东距叙

美国不列颠百科全书公司供图

利亚 97 千米，南距埃及尼罗河三角洲 402 千米。海岸线全长 782 千米。

在行政上，塞浦路斯岛即塞浦路斯共和国，大多数人民讲希腊语，少数使用土耳其语，首都尼科西亚。然而，1974 年，在土耳其人侵军队的帮助下，该岛土族塞浦路斯人在北部占全岛 1/3 的土地上建立起一个独立国家。1983 年径自宣布独立，称为北塞浦路斯土耳其共和国，但未得到国际社会的承认。首都也是尼科西亚，位于该城市土族居住区内。全岛人口937 000（2004）。

土地　该岛由北至南可分为 4 个自然地理区。凯里尼亚山区沿北部海岸和卡帕斯半岛绵延 160 千米，属狭窄的石灰岩山地，海拔一般不超过 900 米。西南部特罗多斯山，占该岛面积的一半，该区的奥林波斯峰（又称特罗多斯峰）高1 951米，为该岛最高峰。两条山脉之间为长 129 千米，宽 24 ～ 48 千米的富庶的迈萨奥里亚内地平原。该岛东南部为一高原，逐渐没入各肥沃的沿海平原。

气候为地中海型。年平均降水量为 500 毫米。岛上所有河流每年至少有部分时间为枯水期。降水大部分集中在冬季，夏季降雨不到全年降水量的 1/10。位于迈萨奥里亚平原的尼科西亚年平均温度约为 19 °C。主要河流均发源于特罗多斯高地。派迪亚斯河（最大河）向东流入法马古斯塔湾，卡罗蒂河向西注入莫尔富湾，库里斯河则向南注入埃皮斯科皮湾。

岛上土地 1/6 为可耕地，大部分集中在迈萨奥里亚平原，为深层冲积土。然而，水源不足限制了农业生产，大片农田靠灌溉，降雨无常造成周期性旱灾。森林覆盖率达1/7，主要集中在山区和帕福斯地区。许多种动物遭过度捕猎，地中海摩弗仑羊（一种野生绵羊）被认为有绝灭危险。铜矿藏已近枯竭，其他矿藏有铬铁、石膏、黄铁矿和石棉。

人民　塞浦路斯人分为希腊和土耳其两大民族。讲希腊语的居民在该岛居住历史最久，讲土耳其语的塞浦路斯人主要为 1571 ～ 1878 年间占领该岛的奥斯曼土耳其人后裔。希族人信奉东正教，土族人为逊尼派穆斯林。英语作为第二语言广泛使用。

占全岛人口 4/5 的希族人居住在希族人集居区，其余的人为土族人，居住在土族人集居区。塞浦路斯共和国大约 1/4 的人口在 15 岁以下。

由于国内经济发展机会有限，塞岛人长期以来习惯向外移民，大部分前往英国。1960 年塞浦路斯脱离英国独立后，居民外迁立即明显增多。1974 年土耳其人侵塞岛北部使希、土两族人民各据一方长期定居。

塞浦路斯乡村人口居多，主要城镇只有 6 个。尼科西亚被分割为希族区和土族区两部分。凯里尼亚和曾为岛上主要港口的法马古斯塔位于土族地区。拉纳卡、帕福斯和南方港口利马索尔位于希族地区。

经济　塞浦路斯共和国实行自由企业经济，以贸易和制造业为主。国民生产总值增长速度高于人口的增长。人均国民生产总值与其他缓慢发展中的国家类似。土族地区的人均国民生产总值明显低于塞浦路斯共和国的人均国民生产总值。希族地区的国民生产总值主要来源于而且几乎平均分布于贸易业、制造业、金融业和建筑业。土族地区的国民生产总值主要来自贸易、农业和公共管理。

该岛可耕地中约 1/4 为灌溉田，多分布于生产谷物的迈萨奥里亚平原和种植柑橘的帕福斯四周。希族地区的主要农作物有马铃薯、葡萄、柑橘和谷物（大麦和小麦）。柑橘、马铃薯、角豆和烟草在土族地区占有重要地位。牧场约占土地总面积的 1/10，主要放养绵羊、山羊和猪。

希族地区采矿业甚为发达，生产石灰石、泥灰、石膏、大理石、石棉、膨润土、黄铁矿和铬铁矿。

1974年塞浦路斯大多数工厂处于土族控制之下时，制造业遭到破坏，现已得到明显恢复。主要产品有石油提炼产品、水泥、石棉管道、瓷砖、葡萄酒、啤酒、鞋类、香烟、服装和建筑用砖。希族地区的电力全部由热电厂供应，并向土族地区供电，以电换水。

1974年以来希族地区的建筑业集中于修建住房、旅游设施、工厂、帕福斯的新机场和南部沿海的几个新港口。

作为外汇重要来源的旅游业在希族地区的发展远远超过了1974年以前的水平。土族地区的游客大部分来自土耳其。

希族地区的预算收入主要来自税收。土族地区的收入约有2/3来自税收，其余来自土耳其政府的贷款和援助。希族政府的开支包括公债、津贴、教育、治安和卫生。土族地区的开支主要是经济投资、卫生、社会服务、供水、住房和交通。

塞浦路斯约一半道路铺有路面。一些港口于1974年被土族夺去后，希族政府又在拉纳卡和利马索尔建设了新港口。塞浦路斯共和国的拉纳卡和帕福斯建有国际机场，另外莱夫科尼科也建有机场，有航班飞往土耳其。

希族地区的出口值仅约为进口值的1/4。主要出口服装、鞋类、马铃薯和柑橘。塞浦路斯产品的主要进口国有英国、黎巴嫩和沙特阿拉伯。进口产品以消费品、石油以及石油产品和运输设备为主，大多来自英国、意大利和德国。

土族地区的出口值约为进口值的1/8，主要出口成衣和柑橘。1/3以上销往土耳其，其次为英国。机械和运输设备等进口产品主要来自土耳其和英国。

政体与社会状况 1974年土耳其军队入侵塞岛北部，1975年该地区成为塞浦路斯土族联邦，并拥有自己的宪法。1983年土族地区宣布独立，并于1985年通过一部新宪法。政府由选举的总统、总理和立法议会组成，任期均为5年。总统在议会成员中任命一名总理。最高司法机关为最高法院。

希族地区政府根据塞浦路斯共和国的1960年宪法，由民主选举的总统和众议院组成。众议院成员70%从希族地区选出，30%由土族地区选出。然而，自土耳其占领塞岛北部以来，众议院所有席位均为希族人占有。司法系统的最高机构为最高法院。

战后，双方都将大部分资金用于解决数以千计的难民的卫生和住房问题。尽管存在医务人员短缺等困难，该岛居民卫生状况相对良好。希族地区平均预期寿命男性为75岁，女性79岁。

塞浦路斯共和国的文盲不到人口的5%，小学教育实行免费制，儿童自5岁起接受6年义务教育。中等教育的前3年也是免费。土族地区的教育分为正规教育（小学，中等和高等）与成人教育两种。塞浦路斯没有综合大学，但在希族地区有艺术、林业、工程、护理、工商管理和教育等高等专科学院。

文化生活 塞浦路斯的绘画艺术久负盛名。著名画家有M.卡西奥洛斯、T.坎索斯和C.萨瓦等人。塞浦路斯具有丰富的民间艺术传统，特别是音乐、舞蹈和手工艺。尼科西亚民俗艺术博物馆展有许多传统手工艺珍品。

历史 塞浦路斯于新石器时代后期（公元前第6个千年中期）即有人类居住，到青铜器时代后期（约公元前1600～约前1050）已成为贸易中心，迈锡尼人和亚该亚人踏上并定居在该岛，带来了希腊文化和语言。公元前800年，腓尼基人亦开始移居此地。公元前7世纪，亚述人统治下的该岛11个王国已积累大量财富，并产生极大影响。

亚历山大三世逝世（公元前323年）后，塞浦路斯转归埃及托勒密王朝统治。公元前58年罗马帝国吞并该岛。一般认为，早在公元45年基督教便传入岛内。使徒保罗的助手巴拿巴便是塞岛人，据信保罗本人也曾布道于此。1世纪末，犹太难民从耶路撒冷移入。116年罗马皇帝哈德良镇压了犹太人暴动，并将其驱逐出境。

395年罗马帝国分裂，塞浦路斯仍为拜占廷帝国历代皇帝统治，前后长达700多年，期间有短暂的中断。7世纪阿拉伯穆斯林开始入侵，其后300年内，该岛沦为拜占庭帝国与哈里发帝国所共有。英王理查一世率十字军东征“圣地”途中，于1191年占领该岛，并将其赐给被逐的耶路撒冷国王G.de吕济尼昂，后者在岛上建立起一封建君主国，并持续到中世纪结束。热那亚和威尼斯商人后来逐渐控制了岛上的贸易，到15世纪，该岛成为威尼斯帝国属地。

1573年，奥斯曼土耳其人夺取了塞浦路斯控制权，并重建了东正教大主教辖区，但后来，早期开明的统治为压迫所取代，该岛亦得不到重视。18世纪该岛发生严重暴乱，并一直持续到19世纪。1878年英国与土耳其苏丹达成协议统辖该岛，但主权仍属于土耳其苏丹。第一次世界大战中，英国吞并了塞浦路斯，后来交由希腊管理（1915），这项承诺后又失效，1924年塞岛成为英国直辖殖民地。

第二次世界大战后，希族塞浦路斯人发起的与希腊合并的运动加剧，针对塞浦路斯和英国反对者的恐怖主义活动更加剧了这一运动。土族人则酝酿分裂。1959年由希族拥有多数席位的折衷联合政府成立，1960年塞浦路斯成为一个独立的共和国，但暴力和合并运动仍未停止。1974年希族军官发动国家卫队政变，土耳其军队则入侵塞岛，一个月后停火，土耳其军队控制了塞岛北部1/3领土。土族塞浦路斯人建立起一个执政政府，但仅有土耳其一个国家承认其为主权国家。20世纪末两国重新统一的和谈仍毫无进展。2003年解除了边界限制。

Cyprus, Church of　塞浦路斯教会 亦称塞浦路斯正教会。东正教中历史最悠久的自主教会之一。431年以弗所会议首先承认其独立，692年君士坦丁堡特鲁洛大厅会议又予以重申，即使在十字军占领时期，塞浦路斯教会也保持独立。塞浦路斯教会的主教自然而然地成为民族抵抗运动领袖。在希腊独立战争期间（1821～1832）塞浦路斯教会的全体主教和几名隐修院院长都被土耳其人绞死。在英国占领期间（1878～1958），各主教积极领导争取塞浦路斯回归希腊的运动。1956年马卡里奥斯大主教和凯里尼亚主教被英国驱逐出境。1960年塞浦路斯共和国成立，塞浦路斯教会作为希腊正教的独立教会而获得正式承认，仍沿用原名。马卡里奥斯大主教当选为共和国第一任总统。塞浦路斯教会设有隐修院数处。有一所相当于高等学校的神学院培养日常牧养工作人员，欲在神学方面深造者则必须前往雅典大学。该教会办有几处教育机关和慈善机关，出版月刊《使徒巴拿巴》。

Cyrano de Bergerac, Savinien　西哈诺·德·贝尔热拉克（1619-03-06，巴黎～1655-07-28，巴黎） 法国讽刺作家和戏剧家。作品熔政治嘲讽与科学幻想于一炉，对后来的作家颇有启发。其一生引出了许多带有传奇性但决非史实的传说，最有名的当推E.罗斯丹的剧本《西哈诺·德·贝尔热拉克》（1897），把他写成爱向妇女献殷勤，有才无貌，生性羞怯，有一个大鼻子的情场人物。西哈诺年轻时投身军旅，1640年因围攻阿拉斯受伤，翌年退役，随哲学家兼数学家P.伽桑狄学习，受其科学理论及自由主义哲学思想影响，写了《月亮世界的故事》及《太阳世界的故事》两本名著，针砭17世纪认为人与世界为创造中心的宗教和天文观念，两书在他死后分别于1656年和1662年出版。

美国不列颠百科全书公司供图

西哈诺利用科学推广其新理论，但他的主要目的是嘲笑权威，特别是宗教权威，鼓励自由思想的实利主义。他预言一些后来果然发明和发现的事物，如留声机和物质的原子结构，但它们仅是充满诗情，爱好探究的头脑的产物，并无意于用实证来说明理论。其剧作有曾被猜疑为有意亵渎神明的悲剧《阿格丽品娜之死》（1654）、喜剧《冒牌学究》（1654），后者因古典主义风靡一时而备受鄙视，但它的活泼生动受到当时莫里哀与现代读者的赏识，莫里哀的《司卡潘的诡计》中有两场即脱胎于此剧。《阿格丽品娜之死》则以大胆的思想以及悲惨的对白的直率和富于激情引人入胜。他著有一政治性的小册子，激烈抨击投石党人，并引用马基雅弗利所主张的政治现实主义为马萨林辩护。其《书信集》在20世纪被尊为巴罗克散文的典范。

Cyrenaic　昔兰尼学派 希腊道德哲学学派信徒。活动时期约在公元前3世纪左右。他们认为当前的快乐就是善的标准，美好的生活在于合理地应付环境以期达到享乐主义的目的。这一学派名称的由来是因为北非的昔兰尼是它的活动中心，也是该学派一些成员的出生地。一般认为苏格拉底的学生亚里斯提卜是这学派的创始人，但它的全盛期则稍晚，约在公元前4世纪末。按照昔兰尼学派的看法，一个人知道他身外存在着事物，是因为这些事物对他有所作用；但他对这些事物的本质却一无所知。他所能觉察到的只是他自己受外物影响的那种方式；至于别人如何受影响，他却不得而知。两个人对他们的经验给以同一名称，这并非经验相同的保证。因此，唯一可接受的行为目标就是保证自我情感的舒适。该派中有三人值得一提。泰奥多勒斯否认快乐和痛苦有善恶之分。他的目标是心理愉快并获得智慧。他将实现这一目标当作对幸福的满足。赫格西亚斯像泰奥多勒斯一样，怀疑理性的力量可以获得快乐，从而劝导人们要避免痛苦。认为可以以下述方式来避免心灵的痛苦，即把贫富荣辱和生死均视之为浮云。安尼克里斯则重新阐释了该派学说并有所发扬。晚期昔兰尼学派的伦理学说在适当时机整个并入了后来的一个伦理学学派创建者伊壁鸠鲁的学说之中。

Cyrenaica　昔兰尼加　又拼 Cirenaica。阿拉伯语拉丁字母转写作 Barqah（拜尔盖）。北非历史地区，1963年以前为利比亚联合王国的一个省。约公元前631年，希腊殖民者已在古昔兰尼加的北半部定居，当时称为彭塔波里斯，他们在此地建立5座主要城市：欧赫斯佩里迪斯（班哈西）、巴尔切（迈尔季）、昔兰尼（舍哈特）、阿波罗尼亚（苏塞港）和坦奇拉（图克拉）。后来又建立了托勒密（图勒迈塞）和代姆斯-扎林（德尔纳）。在埃及的托勒密王朝统治下（公元前323～前330），内地城市巴尔切和昔兰尼衰落了。公元前67年，昔兰尼加和克里特合并成为罗马的一个行省。642年，阿拉伯军队征服这一地区，昔兰尼加内地重新具有重要意义，因为它位于亚历山大和凯鲁万的通衢大道上，巴尔切成为这一地区的主要中心。中世纪后期，由埃及人组成的王朝相继统治昔兰尼加。15世纪以后成为奥斯曼帝国名义上的属地。19世纪中叶成为赛努西教团及其王朝的中心。意大利-土耳其战争（1911～1912）使昔兰尼加与的黎波里塔尼亚一起割让给意大利（1912）。迄1940年为止，大约有5万名意大利农民移居北昔兰尼加。1939年昔兰尼加和费赞及的黎波里塔尼亚一起，并入意大利王国。第二次世界大战中，昔兰尼加是主要战场之一。在埃及的阿莱曼战役（1942-10）胜利以后，英国终于占领了这一地区。意大利殖民者撤走后，当地居民再次以操阿拉伯语的穆斯林为主，占人口的98%。第二次世界大战以后，大国对于前意大利殖民地的前途问题未能达成协议，于是英国继续在此实行军事管制，1951年宣布由这3个省组成利比亚联合王国。1963年取消原有的3个省份区划，这一地区成为一个统一的国家。

Cyrene　库瑞涅　希腊神话中的一个仙女，拉皮斯王叙普赛厄斯和水中仙女克利达诺佩的女儿。一天她同袭击她父亲羊群的一只狮子角力。目睹这一场面的阿波罗爱上了她，就把她从色萨利的佩利昂山带到利比亚。在那里，他建立了库瑞涅（一译昔兰尼）城，立她为女王。她同阿波罗生阿里斯塔俄斯和伊得蒙（先知），同阿瑞斯生色雷斯的狄俄墨得斯。

Cyrene　昔兰尼　利比亚古希腊移民地，约公元前631年为来自爱琴海锡拉岛的一群移民所建。他们的领袖巴都斯成为第一代国王，建立了巴都斯王朝，历代国王依次以

昔兰尼的阿波罗神庙遗址

美国不列颠百科全书公司供图

巴都斯和阿凯西劳斯为名，连续统治昔兰尼达8个朝代之久（至公元前440左右）。在他们的治理下，昔兰尼经济繁荣，扩大了领土，建立了海港阿波罗尼亚（苏塞港）、集镇巴尔切（迈尔季）和欧赫斯佩里迪斯，或名贝雷尼塞（班哈西）。公元前570年左右希腊移民进一步大批涌来，此后希腊和利比亚关系趋于恶化；巴都斯三世发布的新宪法未能消弭国内各敌对派别间的分歧，昔兰尼在公元前525年前后受波斯短期入侵。此后成立的共和国在政治上并无卓著成绩。后来在托勒密埃及（公元前323起）的庇荫下，昔兰尼成为古典世界伟大的知识中心之一，拥有一所医学院，并有地理学家厄拉多塞和昔兰尼学派奠基人哲学家亚里斯提卜这样的学者。公元前96年昔兰尼受罗马统治，公元前67年与克里特联合为属元老院的一个行省，以昔兰尼为省城。在罗马统治下经历了两个世纪较为繁荣的时期（其间一度被115年昔兰尼犹太人暴动所打断），接着便每况愈下。到阿拉伯人占领时期（642），城市已荡然无存。古代昔兰尼旧址有一部分现为绿山的舍哈特村，在苏塞港西南8英里处。该城废墟现已发掘的主要有3处：阿波罗神庙的喷泉及圣殿，圣殿内有昔兰尼的维纳斯像和一尊巨型的阿波罗像；城市上半部有一个会议厅和一座教堂，结构均仿亚历山大行宫，以及一座镶嵌极为细致的2世纪马赛克大房子；此外还有罗马时期市区中心，有一根巨大的多立斯式圆柱，标志该地曾是宙斯神庙，为公元前6世纪后期的一座规模宏大的多立斯式建筑。

Cyriacus　西里亚库斯（1391，教皇国安科纳～1452，米兰公国克里莫纳）　原名 Ciriaco de' Pizzicolli。意大利商人、人文主义者，其著作因以地形及风物之观察为主并证之以古希腊文明的有关文物，对后世考古发掘及古典学科之研究大有助益。曾漫游南意大利、希腊、埃及和近东地区，复制铭文数百种，摹写古代遗址，收集纪念章、小雕像及手稿等文物，写成6卷本《古文物解题》，1514年毁于火灾，幸其部分笔记及复制件尚存。

Cyril of Alexandria, Saint　西里尔（亚历山大的），圣（约375～444-06-27）　基督教神学家、主教，5世纪复杂的教义争论中的活跃人物。因反对君士坦丁堡主教聂斯脱利的异端观点而著名。412年任亚历山大教区主教。因坚持正统信仰而与行政当局发生冲突。当地发生犹太人袭击基督教徒的事件，其后，他参与决定驱逐犹太人离境，从而引起暴乱，被迫承认行政当局的权威。在反对聂斯脱利派的斗争中，他既是宗教人物，又是政治首脑。当时埃及人所以坚持聂斯脱利主义，一方面是由于对教义有不同看法，另一方面也是担心受君士坦丁堡的控制。宗教争论涉及的问题是耶稣基督神人两性的关系。西里尔强调两种性质统一于一位，而聂斯脱利则强调两种性质的区别，大有将基督分裂为两位之势。西里尔坚持称童贞女马利亚为"上帝生母"以体现道成肉身的耶稣基督的神人二性的紧密融合，聂斯脱利不承认这种提法。于是提交431年的以弗所会议。西里尔拥有代表教皇切莱斯廷一世和他本人的权力，遂召开会议，谴责聂斯脱利。然而，他并不等待东方某些主教，特别是安提阿主教的到来，而聂斯脱利在任君士坦丁堡主教之前即住在安提阿。等到这些主教赶到以弗所之后，又重开会议，谴责西里尔。教皇承认西里尔所召开的会议，聂斯脱利被宣布为异端分子并被放逐。但争执并未结束，直到433年，西里尔承认了一项折衷声明，与安提阿方面妥协，强调神人二性虽共存于基督一位却互相区别，至此教会内才恢复平和。

Cyril of Jerusalem, Saint　西里尔（耶路撒冷的），圣（约315，耶路撒冷～386？，耶路撒冷）　基督教耶路撒冷主教、教义师。他力倡将"圣城"发展成为全基督教世界的朝拜中心。他约于350年就任耶路撒冷主教，357年前后被阿里乌派（参阅 **Arius**）流放，以后又两次被流放。温和的阿里乌派本体相类论者在359年塞琉西亚会议上重新任命西里尔为主教。因此，在381年君士坦丁堡会议上，严格正统派怀疑西里尔与本体相类论者有牵连。西里尔关于圣餐礼的神学论点比早期作者进步，与后来的变体论大体相同。

Cyril and Methodius, Saints　西里尔与美多迪乌斯，圣（西里尔约827，马其顿塞萨洛尼卡～869-02-14，罗马；美多迪乌斯约825，塞萨洛尼卡～884-04-06，摩拉维亚）　希腊人两兄弟，向多瑙河流域的斯拉夫人宣传基督教，影响了整个斯拉夫人的宗教、文化发展，号称"斯拉夫人的使徒"。两人都是学者、神学家和语言学家。860年向黑海东北方的哈扎尔人传教。863年奉拜占廷皇帝迈克尔三世及君士坦丁堡牧首弗提乌派遣，开始在斯拉夫

人中间传教,在礼拜仪式中使用斯拉夫语。他们把《圣经》译成斯拉夫文,这种文字后称为古教会斯拉夫文或古保加利亚文。他们在希腊字母的基础上创造斯拉夫字母,西里尔式字母是现代俄文字母及其他斯拉夫系字母的雏形。西里尔死后,教皇阿德里安二世派立美多迪乌斯为锡尔米乌姆大主教兼教皇使节。西里尔和美多迪乌斯死后,他们的影响远及俄罗斯的基辅,甚至在克罗地亚、波希米亚、波兰等地的斯拉夫人中间也可以发现他们的影响。

Cyrillic alphabet　西里尔字母　公元9世纪发展起来的一种字母体系,为信奉东正教的操斯拉夫语的诸民族所采用。这种字母表现在用于俄语以及前苏联境内各共和国的其他一些语言,也用于保加利亚语和塞尔维亚语。西里尔字母以9世纪的希腊安色尔字体为基础,可能是希腊人两兄弟圣西里尔和圣美多迪乌斯创制并以圣西里尔的名字命名的。斯拉夫语言有丰富的语音,最初有43个字母。有的源于希腊字母或以之合并而成,有的则以希伯来字母为基础(如表示ts、sh、ch和shch等语音的西里尔字母)而创制。用西里尔字母写成的最早书面文献是圣西里尔和圣美多迪乌斯在9世纪翻译的《圣经》和其他教会文献。现代各种西里尔字母表较其初始形式均有所修改,普遍地去掉一些不必要的字母,如俄语有32个字母,保加利亚语有30个,塞尔维亚语有30个,乌克兰语有33个。现代俄语字母转写各种非斯拉夫语言有时要附加特殊字母。

Cyrus　居鲁士　古波斯语作Kurash。统治者之名,按年代顺序分列于后,并各以●为标记。

● Cyrus I　居鲁士一世(活动时期公元前7世纪晚期)　波斯阿契美尼德王朝的国王。泰斯帕斯之子。居鲁士大帝的祖父。曾控制安申(埃兰的苏萨东北部)。约公元前639年被迫承认亚述为宗主国,曾派长子阿鲁库到尼尼微朝贡。

● Cyrus II　居鲁士二世(公元前590或580,米底或波西斯～约前529,亚洲)　亦称居鲁士大帝。波斯政治家和阿契美尼德王朝的创建者。一个理想的宽容君主,古代波斯人称他为民众之父,《圣经》说他是巴比伦犹太人囚徒的解放者。酋长家族出身。据传居鲁士的父亲为冈比西斯,母亲为米底王阿斯提亚格斯的女儿。阿斯提亚格斯梦见外孙长大以后会推翻他的政权,就下令将居鲁士杀死。然而他的一位近臣却将婴儿交与牧人抚养,居鲁士10岁时由于气宇非凡被阿斯提亚格斯认出。但他不顾梦中的凶兆,让居鲁士生存下去。居鲁士成年之后,在约公元前550年起兵造反,进攻他的外祖父。阿斯提亚格斯兴师征讨,但是士兵纷纷倒戈,向居鲁士投诚。居鲁士继承米底王位以后便发大军进攻吕底亚,公元前547或前546年攻破吕底亚首都萨迪斯。后将进攻矛头转向巴比伦尼亚,公元前539年10月古代世界的大城巴比伦落入波斯人手中。据《圣经》记载,居鲁士在巴比伦尼亚曾释放被囚禁的犹太人,使他们返回家园。他对巴比伦尼亚和其他城邦同样宽大,从而赢得当地人民的好感。居鲁士占领巴比伦以后,不但美索不达米亚,就连叙利亚和巴勒斯坦也都成为他的领土。小亚细亚的西利西亚国王与波斯结盟。居鲁士依靠外交手段和军事实力建立起一个规模空前的大帝国。但居鲁士不是沙文主义者,他虚心向被征服的人民学习,因而不仅受到米底人的拥护,而且使米底人与波斯人在二元君主制度下和平共处。后来居鲁士率兵东进,打败了游牧民族马萨格泰人的女酋,俘获了女酋的儿子。由于女酋的儿子在狱中自杀身死,女酋发誓报仇。后来她打败并杀死了居鲁士。1971年伊朗庆祝居鲁士创立王朝2 500周年纪念。

Cyrus THE YOUNGER　居鲁士(小)(公元前423以后～前401,巴比伦尼亚库那克萨[今在伊拉克])　波斯阿契美尼德王朝国王大流士二世与妻帕里萨蒂斯的次子。他是帕里萨蒂斯的宠儿,母后希望由他代替长子阿萨息斯继承王位。当大流士决定继续对雅典进行战争并支持斯巴达人时,帕里萨蒂斯劝说大流士任命小居鲁士为吕底亚、弗里吉亚和卡帕多西亚总督,以及阿契美尼德王朝驻小亚细亚军队总司令。小居鲁士与斯巴达舰队司令来山得友好合作,保证了斯巴达的胜利。公元前405年大流士临终时,小居鲁士被召回。公元前404年,当长兄阿萨息斯登上王位、称阿尔塔薛西斯二世的时候,卡里亚总督提萨费尼斯指控小居鲁士准备谋杀他的哥哥。但是由于母后说情,小居鲁士被赦免,又回原来的总督岗位。复任后,他立即开始准备夺取王位,聚集了大量的军队。公元前401年春他率领约2万名士兵(其中多是希腊雇佣军)出发,到达幼发拉底河畔时,公开声称他是在向阿尔塔薛西斯二世进军。他势如破竹地进入巴比伦尼亚,但是阿尔塔薛西斯赶紧聚集了一支军队。两军在库那克萨相遇,小居鲁士被杀。希腊人,特别是历史学家色诺芬(希腊雇佣兵之一),对于小居鲁士的勇气和能力给以很高的评价。但是从阿契美尼德王朝的观点来看,小居鲁士则是一个卖国贼,他为了达到自己的目的,不惜利用敌对的希腊人进攻自己的帝国。

cyst　囊肿　身体内部的封闭的囊状结构,有清晰的包膜,其中常含液态物质。某些寄生虫的幼虫在动物宿主的肌肉组织中形成囊状物,称为包囊。囊肿多为良性,但亦可见恶性及癌前期的囊肿,良性囊肿亦可影响其周围器官的功能而需手术切除。囊肿可由多种上皮增生而形成,并且常脱离与原组织的联系,形成游离的囊肿,触之可动。囊肿中所含物质多为身体的自然分泌物,这些分泌物及其结构蛋白质崩解而形成的异常产物,在感染性疾病时则为细菌、寄生虫幼虫及微生物的产物。某些器官(包括肾、肝、乳房)极易罹患囊肿,可为大小不等的囊肿所充满;有时这些囊肿性疾病本身可危及功能或生命,亦可掩盖了更为严重的原发疾病,必须慎重区别,不可一概而论。

cystic fibrosis(CF)　囊状纤维变性　又称黏滞病或胰腺囊状纤维变性。是一种隐性遗传性、全身性外分泌腺的功能紊乱。可累及多种器官,但主要侵犯呼吸道、消化道和胰腺。主要症状是外分泌腺的分泌物过于黏稠,并堵塞相应的管道系统。囊状纤维变性可能是高加索人中最常见的遗传性疾病,出生婴儿发病率约为1/2 000,主要集中在西北欧各国,黑人和东方人中少见。因为是隐性遗传,故只有同时接受了父母双方病变基因的子女才能表现出症状。根据遗传规律,如果父母双方的等位基因中都有一条病变基因时,则会有1/4的子女患病。1989年,科学家认定本病基因位于第七对染色体的中段。人们可利用这一发现在人群中筛扫那些不表现症状的病变基因携带者,以利于优生。囊状纤维变性累及包括汗腺在内的全身外分泌腺,致使分泌物异常黏稠,浓度增加。据信,病变(突变)的基因可导致苯基丙氨酸合成障碍,而外分泌腺上皮细胞中的蛋白质缺少了这种氨基酸,水、氯和钠离子等在细胞膜上正常的跨膜运动就会受到干扰,导致分泌物脱水过度。在肺和呼吸道,细支气管被过度黏稠的分泌物堵塞的直接后果就是呼吸困难、肺气肿、持续或反复的细菌感染(常见病原菌为金黄色葡萄球菌或绿脓杆菌)、肺炎、咳嗽、脓痰、进行性肺功能下降、肺心病等。囊状纤维变性患者最常见的死因是肺病变。在消化道,异常黏稠的消化腺分泌物将消化腺管堵塞,致使消化液和各种消化酶不能进入消化道,从而导致消化和吸收障碍,患者吃得不少,但营养不良;最早出现的症状是大便量多、油腻、恶臭。本病的新生儿患者因大便干结而出现肠梗阻者约占10%。汗液成分异常,钾、钠、氯的浓度过高。临床上常用的"汗实验"就是测定钾、钠、氯的浓度。治疗可口服胰酶、胃酶制剂。食物的要求是高热量、高蛋白、高脂肪。加强锻炼,以增强各种外分泌腺(尤其是肺、支气管管腺)的分泌和排放功能。视情况应用抗生素,防止和治疗肺部感染。1938年,人们在最初认识本病时把它归为儿科疾病,因为它主要侵犯儿童。但到了80年代中期,随着治疗水平的提高,已有半数以上患者为成年人。成年男性患者常伴不育症。

cystine　胱氨酸　一种结晶的含硫氨基酸,由两个半胱氨酸(一种氨基酸)分子组成。能加氢还原成半胱氨酸。1810年即已发现,但直到1899年从动物角中分离出来后才知其为蛋白质的一个组分。在骨骼、结缔组织、毛发、角和羊毛中含量特别丰富。

cystine storage disease　胱氨酸贮积病　参阅de Toni-Fanconi syndrome 德托尼-范可尼二氏综合征。

cystinosis　胱氨酸病　一种先天性代谢缺陷。表现为胱氨酸结晶沉积于机体组织,特别是骨髓、肝脏、角膜(可见到结晶物)和肾脏。患婴到约6～9个月时,便拒食、发育不良、多尿。重症者表现佝偻病、肝脏肿大、身材矮小和肾功能不全。胱氨酸结晶在肾小管内沉积，最终可导致德托尼-范可尼二氏综合征（**de Toni-Fanconi syndrome**）的出现，其特征为所有氨基酸、糖、盐及水分的重吸收全部发生障碍。本病的遗传缺陷未明。

cystinuria 胱氨酸尿症 一种遗传性代谢缺陷，以尿内胱氨酸、赖氨酸、精氨酸及鸟氨酸排泄过多为特征，主要临床表现为肾内胱氨酸结石形成。胱氨酸与赖氨酸、精氨酸及鸟氨酸不同，在尿中溶解度很低，当尿容量减少时，尤其在夜间，很容易形成结石。大量饮水、使尿碱化，严重时限制含甲硫氨酸和胱氨酸的饮食，便可减少结石的形成或消除结石。本病肾小管转运系统功能异常系因遗传性障碍所致。在有些病例，肠转运系统亦可受累。据估计，大约每600人中就有一人尿中胱氨酸含量异常增高（可用简易的试验测出）。本病为常染色体隐性遗传。根据遗传定律，病变基因携带者的子女中有1/4病人的可能性。

Cystiphyllum 泡沫珊瑚 单体珊瑚的绝灭属。化石见于志留纪和泥盆纪（志留纪在泥盆纪之前，终止于4.08亿年前）海相地层。是角状珊瑚的一种（因像角的形态而得名）。

采自美国纽约州伊利县的泡沫珊瑚（*Cystiphyllum americanum*）化石
美国不列颠百科全书公司供图

像其他珊瑚一样，对环境有独特的要求，因此化石是重要的环境指示物。

cystitis 膀胱炎 膀胱的急性和慢性炎症。膀胱黏膜有很强的抗感染能力，但有时膀胱周围的器官如肾脏、阴道、输尿管、尿道和前列腺的炎症可扩散或蔓延到膀胱。另如梗阻、肿瘤、理化损伤、膀胱结石等都会破坏膀胱黏膜的完整性，使之易受炎症感染。细菌、病毒、霉菌和寄生虫都可以成为膀胱炎的致病微生物。膀胱炎的典型症状有：尿频、尿急、尿灼痛和腰痛。因为女性尿道短而宽，故膀胱炎多见于女性。女性膀胱炎最常见的致病菌是大肠杆菌，通过局部扩散致病。急性膀胱炎常为细菌性。膀胱黏膜红肿、出血、表层脱落，可出现小溃疡，常形成透明清亮的小囊泡，亦可形成脓肿。炎症反复发作、感染持续不愈或体内其他部位的炎症均可导致慢性膀胱炎。膀胱有慢性感染而无梗阻时，其壁增厚，容量缩小。若炎症合并梗阻，则膀胱壁首先变厚、扩张，最后往往萎缩。诊断：①有典型的临床症状；②尿常规镜检可见大量脓球和红细胞；③细菌培养阳性；④膀胱镜检查。对单纯膀胱炎的治疗可给予抗生素（呋喃坦啶、吡哌酸等），并嘱多喝水。

Cythera 基西拉 现代希腊语作Kíthira。伊奥尼亚群岛中最靠东南的岛屿，北与伯罗奔尼撒半岛南端隔海相望。为希腊阿提卡州一县。实际上是塔依耶托斯山的余脉。岛上多丘陵，最高峰仅507米，首府基西拉市位于岛南岸。该岛出口骨螺紫（从软体类动物中提取的紫色染料），古称为“紫岛”。缺少天然港口。只出产少量的小麦、大麦、葡萄、橄榄和橄榄油。目前从基西拉岛到雅典已有每日航班。人口：首府543；全岛3 021（1991）。

cytochrome 细胞色素 一类血红素蛋白质，在酶催化下很容易氧化和还原的细胞组分，在细胞内能量转移中起着极为重要的作用。血红素蛋白质是与非蛋白质的含铁组分结合的一类蛋白质。连接于蛋白质之上的铁基团能进行可逆的氧化还原反应，从而起线粒体（通过细胞呼吸为细胞产生能量的细胞器）内电子载体的作用。细胞色素可按其吸收光谱分为3类：a，b和c。已鉴定出至少30种不同的细胞色素，分别以字母或字母数字组合来命名，如细胞色素 a_3，细胞色素c和细胞色素B562等。细胞色素c最稳定，含量最多，研究得也最透彻。参阅 **cellular respiration**。

Cytokine 细胞因子 泛指一类由某些细胞合成分泌的、可调节另一类细胞功能的、小分子量、短效的可溶性蛋白分子。故其功能角色是细胞间的化学信使。细胞因子可改变对很多生理过程（如繁殖、再生、生长发育、创伤修复等）有重要影响之细胞的行为，但其最重要的功能就是介导、调节局部和全身的免疫应答和炎症反应过程。作为免疫应答反应的重要组成部分，细胞因子对各种白细胞，包括淋巴细胞、粒细胞、单核细胞和巨噬细胞的功能都有影响。由白细胞合成分泌的细胞因子名曰白细胞介素（*interleukins*），而由淋巴细胞产生者，谓之淋巴因子（*lymphokines*）。细胞因子大都是“按需生产”，上游刺激源可能是另一种细胞因子；然后就“分光吃净”，一经分泌，即与靶细胞表面的另一种特异性蛋白分子——受体——结合。此过程是启动细胞内信号级联反应的第一个事件。信号最后传达到细胞核，细胞因子在此处的作用表现在对基因转录和蛋白表达的改变，即某些蛋白的编码基因可能因此而被启动，而有些则被关闭。于是，相应的蛋白合成过程或是被增强，或是被抑制。现可被识别细胞因子已有多种，其功能活性或全部或部分已被解析。在某些情况下，一种细胞因子可与多种不同类型的靶细胞发生相互作用，靶细胞的类型不同，终极反应当然也就不同。但有时，在同一细胞，不同的细胞因子可引发相同的反应。据说，在信号级联反应中，细胞因子对其下游细胞因子有促进和增强的作用，并贯穿信号级联反应的始终。但在很多情况下，各种细胞因子之间的调节与协同机制仍不为人所知。未知领域一多，分类就成问题。不过，大致可将细胞因子分为5大类：白细胞介素（*interleukins*）、干扰素（*interferons*）、集落刺激因子（*colony-stimulating factors*）、肿瘤坏死因子（*tumour necrosis factors*）和生长因子（*growth factors*）。因为在很多疾病的发病过程中都有细胞因子的影响，故在这些疾病的治疗上，这些细胞因子也就有其潜在的应用价值。例如，临床医师可通过监视血中细胞因子浓度，掌控某些炎症性疾病，如脓毒败血症性休克的发展进程。此外，如要确定某患者的免疫功能水平或其抗感染的能力，计量细胞因子浓度也是个很有用的指标。细胞因子亦可作为药物直接用于恶性肿瘤、免疫功能缺陷和器官移植患者的治疗。据称，细胞因子与某些疫苗联合应用还可增强疫苗的效力。

cytokinin 细胞分裂素 一类植物激素，通常来自腺嘌呤。在根部合成，经木质部向上移动，进入叶及果内。能促进叶及果的正常生长及细胞分化。细胞分裂素又与植物生长素共同促进细胞分裂。

cytology 细胞学 研究生物体基本单位——细胞的学科。最早的细胞学研究始于1665年英国科学家R.胡克用显微镜研究木栓。M.施莱登（1838）和T.施万（1839）充分阐述了当时流行的信念：所有的动物和植物均由称为细胞的生命单位组成。以后，经过一系列的发现和阐述，充分验证丰富了细胞理论。1892年，德国胚胎学家、解剖学家O.赫特维希提出，生物体的进化过程是细胞进化过程的反映，从而使细胞学成为生物学的一个分支。有关染色体活动的研究导致了细胞遗传学的创立。1902～1904年，美国遗传学家W.萨顿和德国动物学家T.博韦里证明了细胞分裂与遗传的关系。现代细胞学家在细胞活动的研究中采用了许多物理、化学方法。参阅 **cell**。

cytomegalovirus（CMV） 巨细胞病毒 疱疹病毒科病毒。经常在人群中引起感染。因被感染的细胞体积增大，故而得名。这些细胞的特征为细胞内尤其胞核内有包涵体。巨细胞病毒通过性接触或接触含病毒的体液而传播。传染力不强，感染健康成人后很少引起严重疾病，有时可产生单核细胞增多症样症状。对于婴儿和有免疫缺陷的成人，却可带来严重而持久的后果。巨细胞病毒分布于世界各地，在生活水平低下、人口众多的社会尤为盛行。巨细胞病毒病为新生儿最常见的先天性感染，在母体子宫内或分娩时感染。10%的先天性感染可引起黄疸、发热、肝脾肿大。不论有无症状，巨细胞病毒感染是先天性耳聋的主要原因，并留有永久性神经疾患，包括精神发育迟滞和失明。免疫系统受损的成人感染后，有时可出现严重的肺炎和视网膜炎，从而导致失明。由于这些人对于该病毒没有自然的防御能力，因此感染常常是致命的。目前对巨细胞病毒感染尚无有效疗法。对于身体健康的成人，巨细胞病毒感染是自限性的，无需治疗。

cytoplasm 细胞质 细胞内核膜以外的原生质部分。在真核细胞中，细胞质包括除细胞核以外的所有细胞器。这些细胞器中包括线粒体,通过 ATP(三磷酸腺苷)合成产生能量的场所;内质网,脂类和蛋白质合成的场所;戈尔吉氏器,用以包装和运输某些大分子;溶酶体和过氧化酶体(内含消化酶的单层膜包被的细胞器),将脂质和蛋白质等大分子进行细胞内消化;细胞骨架,蛋白质纤维构成的网络,用以使细胞保持其形状并予细胞以支撑;以及胞质液,围绕在各种细胞器周围的液体。

cytoplasmic streaming 细胞质流 又作 protoplasmic streaming。又称原生质流。动植物细胞内生命物质(细胞质)的运动。借以将营养物质、酶以及(在植物细胞内)大病毒颗粒在细胞内运输。在单细胞生物(如阿米巴)中,细胞质流有助于细胞的行动。细胞质流发现于 19 世纪 30 年代,这使生物学家们相信细胞的确是生命的基本单位。虽然细胞质流的机制尚未完全被弄清楚,但人们一般认为细胞质是为肌动蛋白丝(一些细长的蛋白质纤维,位于细胞膜内方,与细胞质流的方向平行地排列成行)所驱动。附于细胞器上的肌浆球蛋白分子可沿着肌动蛋白纤维移动,牵拉着细胞器,并将其他细胞质内容向同一方向席卷。

cytosine 胞嘧啶 一种由嘧啶衍生的含氮碱,存在于核酸和辅酶中。核酸是所有活细胞中控制遗传的组分。辅酶是在体内化学反应中协同酶起作用的物质。胞嘧啶是组成核酸分子的数种碱之一。核酸由一个五碳糖与一个磷酸及一个含氮碱结合而成。脱氧核糖核酸(DNA)是大多数活的生物体的遗传物质,由带有磷酸键的五碳糖的脱氧核糖与胞嘧啶或其他三种碱之一连接而成,共同形成两互补对。在脱氧核糖核酸中,胞嘧啶的互补碱是鸟嘌呤。胞苷是核糖核酸的亚结构单位,由胞嘧啶和核糖组成。胞苷三磷酸(CTP)是胞苷和三磷酸形成的酯,它在细胞中是一种能把胞苷酸引入核糖核酸的物质;也可与含氮醇反应生成辅酶,此辅酶参与形成磷脂类。

cytoskeleton 细胞骨架 构成真核细胞细胞质中网架结构的微细纤维系统,其功能为将细胞内的成分组织起来,维持细胞的形状,参与细胞本身的运动和各种细胞器的运动。这些微细纤维极为纤细,只能在高分辨率电子显微镜下看到。构成细胞骨架的微细纤维包括肌动蛋白微丝、微管和中等纤维。肌动蛋白在细胞内以平行纤维束的形式存在,与细胞表面的微细变化有关,又能帮助细胞附着于基质上。微丝不断聚合和解聚,参与细胞运动,并调解具体的细胞活动,如有丝分裂。微管较微丝长,不断聚合和分散;有丝分裂时分裂的染色体移入新形成的细胞,微管在此种移动中起关键作用;成束的微管可构成纤毛或鞭毛(见于原生动物和某些多细胞动物的器官)。中等纤维与微丝和微管不同,是非常稳定的结构,构成真正的细胞骨架;能使细胞核固定在细胞内的一定位置,使细胞具有弹性并能耐受张力。

cytotoxic drug 细胞毒性药 对细胞具有毒性的药物。可扰乱细胞生长、分化及发挥功能的重要机制,又能在染色体分裂前某些阶段中扰乱其活动。各种类型细胞对这类药物的敏感性差异极大,药物的致死量亦各不相同。对细胞毒性药最敏感、易受其抑制和伤害的细胞,似为增殖迅速的细胞,如造血系统的细胞、生殖细胞、上皮组织(如肠黏膜)细胞及肿瘤细胞等。许多细胞毒性药亦能抑制免疫反应。诸如环磷酰胺、氨甲喋呤及巯嘌呤之类的细胞毒性药可用于治疗某些恶性肿瘤(特别是白血病)、抑制组织或器官移植后的免疫反应及治疗某些变应性疾病。

cywydd 西威德 威尔士诗歌形式,一种用押韵对句写成的短颂诗,一个韵重读,另一个不重读;每一行由 7 个音节组成,内含某种形式的"辛哈内德"(一种头韵和句中韵组成的复杂体系)。它是 14 世纪时在威尔士南部发展起来的,是 14 ～ 17 世纪初威尔士诗歌最主要形式;它的黄金时代是 14 世纪中叶到 15 世纪中叶,而白银时代是 1450 ～ 1650 年。18 世纪中叶,后又在 19 世纪,威尔士古典派诗人重新运用它和其他的吟唱诗形式。它至今仍为那些喜欢严格的(即古典)形式、而不喜欢源于威尔士民歌和英格兰诗的自由韵律的当代威尔士诗人所采用。

Cyzicus 库齐库斯 古代希腊城镇,位于马尔马拉海南岸,在现土耳其巴勒克埃西尔境内。公元前 756 年建城时,它可能是米利都的移民地。由于地理位置优越,不久它就在商业上发挥了重要作用。吕底亚崩溃(约公元前 544)后,库齐库斯属波斯管辖。在薛西斯战败后,它参加提洛同盟,效忠雅典直至公元前 411 年。希腊化时期,该城先与帕加马友好,后又和罗马结盟。675 年库齐库斯被阿拉伯人部分损毁,后又连遭地震破坏。遗址中的哈德良庙下层结构常被列为世界七大奇观之一。

czar 参阅 **tsar** *沙皇*。

czardas 恰尔达什舞 又拼 csardas。匈牙利民族舞蹈,是一种求爱的双人舞。开始舞段缓慢,称为"拉苏",随之以急促而欢快的后段,称为"富利斯卡"。单个的舞蹈者神态庄重,按一种简单的基本步法即兴起舞,脚向内、向外弹跳;成对的舞蹈者不断旋转。伴舞音乐往往由吉普赛管弦乐队演奏,用2/2或4/4急促的切分音节奏。恰尔达什舞是 19 世纪中从一种最早的民间舞蹈马扎尔科(magyar kör)发展而来。由恰尔达什舞改编的一种交际舞在东欧甚为流行。有时也编入芭蕾舞中作戏剧演出用的恰尔达什舞,用复杂的斯拉夫和匈牙利民间舞蹈的舞步,如在 L. 德利布所作的《葛蓓莉娅》中的一些舞步便是一例。F. 李斯特在他的《匈牙利狂想曲》中的音乐亦令人联想到恰尔达什舞曲。

Czartoryski, Adam Jerzy, Prince 恰尔托雷斯基 (1770-01-14,波兰华沙～1861-07-15,法国蒙费梅伊) 波兰政治家,在俄国、普鲁士和奥地利已将自己的祖国瓜分殆尽时坚持不懈地致力于重建波兰。18 世纪在波兰掌权的立陶宛王室的后裔。在国内受教育后曾周游西欧各国。1791 年返回波兰。1792 年在反俄运动中起重要作用。1795 年前往圣彼得堡,与亚历山大大公结识。亚历山大成为沙皇时他任顾问。1802 年任俄国外交部副大臣,1804 ～ 1806 年任外交大臣。拿破仑垮台后他重新为波兰的复国奔走。1815 年出席维也纳会议,准备建立以亚历山大为国王的波兰王国。他参加起草波兰王国的开明宪法。1816 年退出政治活动。1830 年领导十一月起义。起义失败后俄国判处他死刑,并没收他的财产。1831 年他流亡巴黎,所居朗贝尔旅馆成为波兰流亡者政治活动的中心。他被公认为"流亡的波兰国王",在君士坦丁堡、罗马以及欧洲其他首都驻有代表。他鼓励巴尔干各族人民的民族运动和高加索的民族运动。他虽未能亲眼看到 1863 年的波兰起义,但他对这次起义起过重要作用。

Czartoryski, Adam Kazimierz, Prince 恰尔托雷斯基(1734-12-01,波兰格但斯克～1823-03-19,谢尼亚瓦[波兰]) 恰尔托雷斯基王室主要成员,但在 1763 年拒绝接受波兰王位而成为艺术赞助人。罗塞尼亚总督 A.A.恰尔托雷斯基(1697 ～ 1782)之子。原在英格兰接受教育,准备继承王位。1763 年拒绝加冕,让位给堂兄弟 S.A.波尼亚托夫斯基。他的兴趣主要在于文学和教育。他创办杂志和学校,并成为欧洲国家中的第一位教育大臣。他在普瓦维的王府成为重要的文化中心。

Czartoryski, Michał Fryderyk, Prince 恰尔托雷斯基(1696-04-26～1775-08-13,波兰华沙) 波兰政治家,使恰尔托雷斯基家族的政党成为波兰的主要政党。曾在巴黎、佛罗伦萨和罗马求学。后依附萨克森宫廷,并取得立陶宛副首相职位。1727 年与贵族同谋,签署把波兰王位传给奥古斯特二世之子的秘约,但到 1733 年他却支持依靠法国力量登上王位的斯坦尼斯瓦夫·莱什琴斯基。1735 年斯坦尼斯瓦夫退位,他又表示支持奥古斯特三世。1752 年他被授予立陶宛的最高权力,但借助俄国进行改革的企图却遭到失败。1767 年退隐,目睹波兰第一次被瓜分。

Czech language 捷克语 从前称波希米亚语,捷克语作Čeština。西斯拉夫语支语言,与斯洛伐克语、波兰语及德国东部的上、下索布语关系密切,通行于捷克共和国境内的历史区域波希米亚、摩拉维亚及西里西亚西南部,为捷克官方语言,用拉丁字母书写,最古文献记载是夹杂在 11 世纪古教会斯拉夫语文献中的单词。12 世纪在拉丁语和德语文献中也出现捷克语注释词表。古捷克语时期(11 ～14 世纪)没有标准的捷克语。中古捷克语时期(15 ～ 16 世纪)文学语言渐趋一致,应归功于宗教改革者杨·胡斯对捷克语正字法的革新活动。这个阶段末期(1593)捷克语《圣经》译文已成为惯用的标准。捷克语的特点与斯洛伐克语一样,仍保留长元音和短元音的区别;重音的位置在单词或介词短语的

第一个音节上；以纯元音代替了原来斯拉夫语里的鼻化元音。现代捷克语名词有7个“格”、2个“数”；动词有3个“人称”、3个“时态”（现在、过去、未来）、2个“语态”、3个“语气”（直陈语气、命令语气、条件或虚拟语气），还有完成体和未完成体之分。现代捷克语有一些方言（包括摩拉维亚方言和西里西亚方言），但其差异甚小，布拉格方言亦即中部方言是捷克标准书面语的基础。参阅 **Slovak language**。

Czech literature　捷克文学　以捷克语写成的文学作品的总称。1918年以前，捷克斯洛伐克国家尚未独立，目前构成捷克共和国的操捷语地区的波希米亚与摩拉维亚长期以来一直是哈布斯堡的神圣罗马帝国与奥地利帝国的两个省。因此，捷克文学语言的演进是与它们为保持自己民族特性所做的努力分不开的。

捷克文学最早的起源同9世纪圣西里尔与圣美多迪乌斯为抵御法兰克人（日耳曼族）的影响而创造的旧教会斯拉夫文紧密相关。1097年拉丁文被定为波希米亚国的宗教礼仪语言，但是它的字母被捷克文所采用。现存的最早捷克语文本，主要是一些赞美诗，是13世纪后期写于波希米亚普热美斯王朝宫廷的。

14世纪捷克文学作品层出不穷，主要有圣徒传记、传奇、史诗、编年史和骑士故事等，都是诗体作品。最早的世俗文学作品是叙述亚历山大大帝一生的史诗《亚历山大》，它是以法国作家夏蒂荣的拉丁文长诗为基础创作的。大约从1350年起开始有散文体出现。最初的作品为圣徒生平及编年史，接着是中世纪通俗故事的编写本。14世纪末期，出现了一批讽刺诗和教诲诗，以及由斯米尔·弗拉什卡所写的维护波希米亚贵族权利、反对王权的政治寓言《新议会》。

15世纪初，胡斯倡导的宗教改革掀起了胡斯运动，这使捷克改革派或称新教徒同神圣罗马帝国的天主教统治者对抗达两世纪之久。这一时期的宗教斗争及国内冲突促使捷克文被用于实际斗争及论战的目的。胡斯亲自用捷克语进行战斗性的布道，并撰写了一篇改革捷文正字法的论文，题为《波希米亚正字法》。他的继承者之一海尔奇茨基撰写了一批以激进社会思想为内容的论文，由此产生了兄弟联盟或称波希米亚兄弟会，它是摩拉维亚教会的一个分支和原型。此后的两个世纪内，该会成为捷克文学的重要泉源。

16世纪捷克文学多属教诲性及学术性作品，反映欧洲文艺复兴时期的人文主义。摩拉维亚主教布拉霍斯拉夫完成了一部早期新约全书译作。词典编纂者阿达姆进一步丰富了人文主义的捷克语的词汇。然而这个时期最重要的里程碑是兄弟联盟学者的圣经捷文译本，著名的《克拉利茨圣经》（1579～1593），其文体被视为古典捷克文的典范。

1620年奥地利的哈布斯堡王朝打败了波希米亚新教徒，尔后新教教会遭取缔，波希米亚被置于奥地利哈布斯堡王朝的直接统治之下。波希米亚贵族（多数为新教徒）被镇压，取而代之的是很少懂捷克语的新来者。在哈布斯堡王朝的统治下，已往两个世纪的文学传统遭排斥，捷克文学仅仅幸存于政治流亡者之中。在这些流亡者里，考门斯基最为杰出。他的有关教育与神学问题的拉丁文著作及其捷克文著作使他树立起欧洲作家与思想家的地位。他的著作《世界的迷宫和心灵的天堂》（1631）被视为捷克文学散文的重大成就之一。可是，18世纪之前，捷克语实际上未被用于更高的文学的目的。

18世纪后期出现的复古主义与古物研究导致许多捷克学者对本国早期文学及历史进行调查研究。此外，在反抗女皇玛丽亚·特雷西亚统治下的哈布斯堡政府的中央集权趋向过程中，波希米亚爱国主义得到了复活。这两件事与当时的浪漫主义运动相结合使捷克民族文学在19世纪上半叶开始复兴。同时，社会与经济的发展为捷克文学带来了新的中产阶级读者。

捷克的浪漫主义从捷克学者及文学艺术家两个方面吸取发展力量。学者多布罗夫斯基研究与整理了复苏的捷克文学语言。杨容曼以其译作（包括弥尔顿的《失乐园》，1811年出版）与不朽的捷德词典（1835～1839）使捷克词汇得以扩充和现代化。摩拉维亚历史学家帕拉茨基与斯洛伐克考古学家沙法日克也进一步推动捷克文学语言重新繁荣。用捷克文写作的斯洛伐克作家科拉尔创作了第一部以复苏后的捷克语写成的重要著作寓言体十四行诗集《斯拉瓦的女儿》。几部高明的手稿赝品进一步激起了人们对早期捷克文学的兴趣。这几部被称之为中世纪早期的作品，其实出自汉卡之手，他从而也使自己的作品成为浪漫主义诗歌的典范。

马哈是捷克最伟大的浪漫主义诗人，可能也是捷克整个诗坛的泰斗。他的抒情诗、散文片断及抒情史诗《五月》（1836）显示出受到拜伦、司各特及波兰浪漫主义作品的影响，然而马哈以其强烈的诗人想象力及完美的语言超越了这些影响。19世纪40年代，出现了一个反对浪漫主义幻想的流派。政治记者哈夫利切克-博罗夫斯基及女小说家涅姆卓娃由于接触实际问题，作了很多努力使捷克散文从陈旧的古典风格中解放出来，使之更接近于日常用语。涅姆卓娃因《外祖母》一书成为最著名的小说家。这是一部理想化的乡村生活素描作品，其清晰、现实的描述以及强烈的独特语言构成捷克散文的新鲜风格。

以马哈的伟大抒情史诗命名的“五月派”是19世纪下半叶的一个作家流派。他们试图创造一种既富于作家本身的自由主义，又具有实用的民族主义目的的捷克文学。“五月派”的杰出代表是诗人及短篇小说家聂鲁达。他以讽刺短篇作品《小区》（1878）而闻名。“五月派”其他著名人物还有小说家史维特拉、诗人哈莱克等。

19世纪70年代之前，捷克文学完全建立在诗歌与小说之上，而非戏剧作品。文学生命的结晶体现在两个分别与《鲁米尔》和《吕赫》期刊相关的文学流派上。前者强调捷克文学需要欧化，而后者却注重强化本地的传统与主题。世界主义倾向的主要代表是弗尔赫利茨基（本名为 Emil Frída），他可算是捷克最多产作家，他的抒情诗显示出惊人的语言技巧，但大量的历史叙事诗则可能是他的最佳作品。然而，他的最大影响也许出自于他翻译的许多欧洲主要作家的作品。泽耶尔的长篇小说及短篇小说也反映出世界主义的影响。本地主义流派的主要人物是切赫，他撰写了历史叙事诗以及描写捷克乡村生活的风情及讽刺捷克中产阶级市侩作风的散文。

19世纪后期的捷克小说在历史小说家伊拉塞克及温特的作品中展现出一种进行现实主义描述的倾向。这两个人都用浪漫主义的色调描述捷克历史，但其历史情节则以学者的研究为根据。伊拉塞克的小说描述整个捷克历史，一直到他本人生活的时代，但特别集中描述的是胡斯运动时期及1780年开始的民族复兴。19世纪最后10年，诗歌的新倾向开始出现于布热齐纳（本名为 Václav Jebavý）与贝兹鲁奇（本名为 Vladimir Vasek）的作品中。布热齐纳以其高度精巧和独创的语言表达了个人的宗教信仰，他的韵律结构（包括自由格律）对后来的诗人产生巨大影响。贝兹鲁奇是一位地区诗人，德国统治下的西里西亚的捷克人所受的民族与社会压迫使他心神不宁。

随着1918年独立的捷克斯洛伐克国家诞生，捷克文学得以繁荣。捷克戏剧产生于恰彼克与朗格尔的理想主义的和讽刺的剧本。恰彼克的最佳剧作都是揭露20世纪集团化、机械化社会所存在的问题，如让会说话的机器人说英语的《罗素姆万能机器人》（1920）及《生活昆虫》（1921）。恰彼克、哈谢克、楚乔拉等作家的叙事散文达到了新的高峰。第一次世界大战结束后不久，哈谢克开始连载他的长篇小说《好兵帅克》（1921～1923）。这部作品产生于奥匈帝国瓦解之际，至今仍拥有广泛的读者。恰彼克的小说包括威尔斯式的幻想作品、精妙的心理论文及短篇故事。

1918～1945年期间，霍拉、哈拉斯、奈兹瓦尔与塞费特的抒情诗显示出巨大的生命力与多样化，作品质量极高。然而，第二次世界大战后新建立的共产主义制度压制自由的文学活动，只允许符合毫无生气的、受限制的社会主义现实主义信条作品出版。捷克文学必然遭受明显衰落。20世纪60年代初严格的政治控制放松之时，什克沃雷茨基与昆德拉的小说、赫拉巴尔与卢斯蒂格的短篇小说、霍卢布的诗歌及哈韦尔的戏剧开始引起国际上的注意。随着1968年苏联的入侵，这些作家中的许多人在捷克斯洛伐克遭到镇压，尽管他们的声誉在国外仍在增强。在移居西方国家的作家中，昆德拉与什克沃雷茨基很快就在接纳他们的国家里获得声誉。同一时期，国外还对捷克在两次战争期间在抒情诗方面所取得的成就表现出迟到了的兴趣。塞费特以其幸存的主要代表作而获得1984年诺贝尔文学奖。1989年民主革命后，自由文学获得繁荣。曾是持不同政见者的剧作家哈韦尔成为捷克斯洛伐克总统，后为捷克共和国总统。

Czech Republic　捷克共和国　捷克语作 Česká Republika。中欧内陆国家，东与其前联邦伙伴斯洛伐克接壤，南邻奥地利，西南和西北与德国交界，北接波兰。国土包括历史上的波希米亚和摩拉维亚两地（通常称作捷克地方）以及西里西亚的西南部。1918～1992年，波希米亚、摩拉维亚及斯洛伐克统一于独立的国家捷克斯洛伐克。1993年1月1日，捷克与斯洛伐克的联邦和平解散，成立了一个单独的、独立的捷克共和国。首都布拉格。面积78 864平方千米。人口10 202 000（2003）。

土地 捷克地貌大部属波希米亚高地，海拔900米。群山环绕大片高耸的盆地，称波希米亚高原。摩拉维亚走廊有摩拉瓦河流经，为一重要河谷，将西面的波希米亚山地与东面的喀尔巴阡山分开。

捷克共和国地处黑海（东南）与北海和波罗的海（北）之间的欧洲分水岭。易北（拉贝）-伏尔塔瓦（墨尔道）河水系流经西北方向的波希米亚高原，注入北海，流域占全境西部面积的2/3。奥德河向北流经东北各地区，最后注入波罗的海。该国其余地方多属摩拉瓦河流域，该河流向东南，汇入多瑙河后注入黑海。

捷克共和国的气候复杂，主要为温和的海洋性气候，而由西至东大陆性气候的影响逐渐增强。除有些高原地区年降水量在1 500毫米以上外，全国大部地区年平均降水量均在500～760毫米之间。冬季气候温和，布拉格1月平均气温约－3℃。夏季气温不高，7和8月平均约18℃。

虽然大片原始森林面积因农耕和伐木而大为减少，但林地仍为其地貌特征。橡树、山毛榉、云杉为主要树种，按高度由下至上依次分布于各林区。树木线约在海拔1 400米处。各种野生动物在克尔科诺谢山国家公园均可见到，包括鹿和野绵羊。公园亦为滑雪胜地。

尽管采矿已有数百年历史，捷克共和国仍有可供开采的金属矿藏，包括锑、铁、铜、铅、锌、汞、金和锡矿。当地还有铀和低质煤的储藏。

人民 该国西部地区传统上是斯拉夫人在中欧最西端的定居区域。人口中捷克人占9/10以上，而摩拉维亚人自认为在这一多数民族中是一个独特的群体。斯洛伐克人是最大的少数民族。其他种族集团有摩拉维亚东北部的波兰人、波希米亚西北部的日耳曼人和流动性较大的吉普赛人。

捷克语是官方语言，属于使用罗马字母而不是西里尔字母的斯拉夫语族。总人口中估计约有40%为天主教徒。其他各种新教教派包括捷克兄弟会的革新派和东正教会。出于官方无神论时期的遗风，有相当一部分人没有宗教信仰。约有1/5的人口不足15岁，而60岁以上的人口则有1/6。人口出生率及死亡率均使人口自然增长率处于较低水平。国内向城市迁移的人数有所增加；现有3/4以上人口为城市居民。

经济 捷克的经济在20世纪90年代初处于转型时期。1948～1989年间，共产党政府拥有全部主要企业，只在小手工业中允许有自由企业存在。国家的集体农庄或合作社在大部分农村地区处于支配地位。生产和发展由中央制定的5年计划进行调节，对所有经济部门均有定额。国民生产总值主要来自矿业和制造业、贸易及建筑业。随着1989年共产党政权在东欧崩溃，联邦政府推行了一项私有化计划。1993年分为两国时，捷克的经济（以独立的捷克货币为基础）主要以市场为导向。在国民生产总值中占优势的仍是原有的那些部门，但是新的服务行业和商品销售业已越来越具有重要性。旅游业发展迅速。自东欧剧变后，捷克共和国跻身经济迅猛发展的东欧国家之列。2004年加入欧盟。在20世纪90年代末经济衰退，但进入21世纪后逐渐复苏。

捷克的农业在前苏联集团中属最先进之列。农业脱离中央政府计划控制使其更能够适应消费需求和企业生产能力的发展。主要作物有甜菜、小麦、大麦、马铃薯、玉米和各种水果、蔬菜。北波希米亚以啤酒花闻名于世；梅而尼克周围沿伏尔塔瓦河一带及摩拉维亚南部的波德卢普齐地区广泛种植葡萄。主要牲畜有猪、牛（奶牛及肉牛）、绵羊和禽类。林业亦处于重要地位，主要是在南部山区、布拉格西南的丘陵地带和东北的一些地区。

该国能源不丰，烟煤开采量不大，但热电站、家庭供热及化学工业仍以使用褐煤为主。天然气及石油产量有限，使该国主要依赖于俄罗斯的供应。重要的矿产有铁矿石、菱镁矿、铜、锰、锌、铀和各种黏土和建筑石料。

捷克的制造业门类繁多，以国内及进口原料为基础。主要产品包括铁、钢和铝，精炼石油产品，化肥，水泥，棉、毛、合成纤维的织物和服装，音响及电子设备，以及汽车和铁路机车。捷克以其精密仪器和机器制造业闻名于世，精于工厂、电厂和运输系统的设计和建造。传统工艺包括玻璃品、陶瓷、网织品和木雕制作，产品主要供旅游业和出口之所需。

捷克共和国的旅游活动包括冬季和夏季运动，垂钓，狩猎及游览山区风光、众多的历史遗址和传统地区等。游客的开销是外汇的一个重要来源。

铁路网极为发达。大部分货物经由铁路干线输送，但大城镇间的短途铁路则有相当一部分为客运服务。所有的道路网实际上均已铺设路面。连接布拉格和布尔诺与斯洛伐克境内布拉迪斯拉发的高速公路已于1980年通车。主要通航河流有易北河、伏尔塔瓦河和摩拉瓦河。布拉格、俄斯特拉发、比尔森及其他地区中心之间有国内航空服务。该国首都也是欧洲大陆及越洋航线的一个终点站。

该国对外贸的依赖程度很高，自1989年以来已有越来越多的西欧贸易伙伴。主要出口商品有工业机械、公路车辆及配件、钢铁、矿物燃料及润滑油、纺织纱线、织物及服装等。进口商品主要来自出口对象各国，有原油及精炼石油、工业机械、农业及建筑机械、化工产品和食品等。

政体与社会状况 1992年即将独立时通过的捷克宪法，将中央权力赋予两院制议

美国不列颠百科全书公司供图

会——众议院和参议院。独立时,众议院由前捷克国民议会组成,而参议院的新大选日期尚未确定。总统由议会选举产生,并由总统任命总理及内阁成员,负责国家行政。司法体系包括有15个成员的宪法法院、新成立的最高行政法院、以及最高法院、州法院和县法院。在分为两个国家的过程中,分配原联邦军的部队、物资和设施是一项艰巨的工作。捷克与斯洛伐克边境禁止使用军队守卫。

一个全面的社会福利系统为捷克公民提供疾病、工伤和生育福利以及养老金、伤残抚恤金和家庭津贴。医疗保健服务随时均可提供。国民健康和卫生状况良好。捷克共和国的婴儿死亡率和严重传染病发病率均较低。平均预期寿命71岁。

在捷克共和国,一切教育均由国家免费提供。6～16岁的未成年人须接受义务教育。学生从小学毕业后,大多数升入普通中学或职业中学。该国的著名高等学府中有建于1348年的布拉格查理大学,是欧洲最古老的大学之一。

文化生活 捷克的文化曾对欧洲的文学和音乐作出过重大贡献。K.恰彼克、F.朗格尔和V.哈韦尔的戏剧以及J.哈谢克的小说,都闻名于西方。捷克诗人J.塞弗特是1984年诺贝尔文学奖的获得者。除A.德沃夏克外,著名的捷克作曲家还有B.斯美塔那、L.雅那切克和B.马蒂努。

历史 1918年与斯洛伐克结成联邦之前,今捷克共和国的历史在很大程度上乃是**波希米亚(Bohemia)**史。该地区已知的最早居民是属于凯尔特族的博伊人,波希米亚一词即来源于此。约在基督教纪元初始之时,博伊人被后来的日耳曼马科曼尼人所取代。5～7世纪间,斯拉夫人席卷整个地区,其中就有捷克人,这些人于9世纪时已在中波希米亚全境处于优势。摩拉维亚亦于斯拉夫人到达之前有大批凯尔特人、日耳曼人和阿瓦尔人迁入定居。斯拉夫人也在摩拉瓦河一带定居,于是名为摩拉瓦人。附近各族经过长期争夺后,摩拉维亚终于并入波希米亚。

最早的波希米亚王国是在布拉格的统治者普热美斯家族于895年建立的,一直延续至1306年。到1085年,普热美斯王朝已成大业,足使神圣罗马皇帝承认其为王国。1114年,波希米亚国王成为皇帝的选侯之一。普热美斯家族于1306年断嗣,波希米亚王位转由卢森堡家族传承。1346年,查理一世登基,并于1355年成为神圣罗马皇帝。他将帝国政府迁往布拉格,从此开始了一个波希米亚的黄金时代。

由捷克教士兼学者J.胡斯所领导的宗教改革运动,在15世纪盛行于波希米亚。他对操捷克语民众的吸引力和对操日耳曼语天主教徒的排斥,使他的宗教运动带有民族主义色彩。他的胡斯派信徒在后来的一个世纪中,一直为争取帝国内的政治和宗教权力而奋斗。1526年,身为天主教徒的奥地利哈布斯堡王朝获得了波希米亚的王冕。1618年,波希米亚新教徒的反叛引发了"三十年战争"。波希米亚人战败,1627年,神圣罗马皇帝斐迪南二世对非天主教徒开始了残酷的报复,并建立起哈布斯堡王朝的直接统治。1867年后,波希米亚被降为奥地利哈布斯堡王朝版图中的一个省,并一直在奥匈帝国中保持这样的地位。然而,捷克的民族主义在波希米亚逐渐高涨,并开始有政党出现。当第一次世界大战结束,奥匈帝国垮台时,通过波希米亚和摩拉维亚与斯洛伐克的联合,一个独立的捷克斯洛伐克共和国诞生了。波希米亚和摩拉维亚共同构成这个新国家的西部,占其领土的3/5,人口的2/3。

捷克自此以后70年的历史即**捷克斯洛伐克(Czechoslovakia)**的历史。第二次世界大战后,捷克斯洛伐克处于苏联的势力之下,自1948年起即由共产党政府统治。1989～1990年间共产党统治垮台后,在斯洛伐克人中间出现了分裂主义情绪,于是捷克人与斯洛伐克人于1992年达成协议将其联邦国家解散。1993年1月1日,捷克斯洛伐克共和国宣告解体,由两个新的国家代替,即捷克共和国和斯洛伐克;摩拉维亚地区仍属于前者。

Czechoslovak Hussite Church 捷克斯洛伐克教会 捷克斯洛伐克的民族教会。1920年由脱离天主教会的一批神职人员成立。其前身是1890年成立的捷克斯洛伐克公教神长联合会。该联合会主张在礼拜仪典中使用本国语言,主张神职人员独身应出于自愿。它的这些改革要求于1919年遭到梵蒂冈批驳,于是另行成立捷克斯洛伐克教会。该教会在教义上宗理性主义,在组织上仿效长老制。该教会初期兴旺一时。20世纪末有信徒约650 000。

Czechoslovakia 捷克斯洛伐克 捷克语和斯洛伐克语作Československo。原欧洲中部国家,包括波希米亚、摩拉维亚和斯洛伐克传统地区。第一次世界大战结束时,行将崩溃的奥匈帝国的几个省于1918年组成捷克斯洛伐克。该国在两次世界大战之间发展成为东欧最繁荣和政治最稳定的国家。该国1938～1945年被纳粹德国占领,1948～1989年处于苏联控制之下。1993年捷克斯洛伐克以和平的方式分为两个新国家——捷克共和国和斯洛伐克。

第一次世界大战以后,捷克人和斯洛伐克人的政治统一是可行的,因为这两个民族在语言、宗教和总体文化上都有密切的联系。1918年10月28日一个独立的捷克斯洛伐克国由T.马萨里克、E.贝奈斯和其他领导人宣布成立,并很快得到法国和协约国中其他反对奥地利的国家的承认。捷克人居住的波希米亚位于该国西部,摩拉维亚位于中部,斯洛伐克位于东部。波希米亚人和与其密切相关的摩拉维亚人共占这个新成立国家人口的2/3。

在马萨里克(1918～1935任总统)领导下,捷克斯洛伐克成为一个稳定的议会制民主国家和东欧工业最先进的国家。但1933年德国希特勒上台后,捷克斯洛伐克西部苏台德地区人数相当多的德裔少数民族开始倾向于希特勒的国家社会主义(纳粹主义)。在英国和法国的默许下,希特勒于1938年吞并了捷克斯洛伐克操德语的苏台德地区,1939年又占领了波希米亚和摩拉维亚,并使这两个地区全部沦为德国的保护地。斯洛伐克处于德国控制之下,但有名义上的自治权。

第二次世界大战期间,1944年苏军解放捷克斯洛伐克,支持捷克共产党,扼制涌现的众多其他政党。共产党成为最大的党,但仍是少数党。1948年,共产党在苏联的精心策划和可靠的支持下发动事实上的政变,成立了人民共和国。在苏联的控制下,国内的反对派渐渐地受到镇压,并开始实行工业国有化和农业集体化。但在20世纪60年代经济逐渐衰退,政府丧失人民的信任,只得勉强实行有限的改革。改革失败后,1968年1月共产党的领导权落到斯洛伐克第一书记杜布切克手中。他制订了比较开放的改革纲领,鼓励非共产党人士参加政府。并恢复了一些公民的自由权利。但1968年8月华沙条约部队入侵该国,使它又回到符合苏联集团准则的轨道上来。

共产党的新领导人集中精力发展国有经济,同时又压制国内不同政见。因此,20世纪70～80年代,捷克斯洛伐克是东欧比较繁荣的国家之一,同时也是镇压比较严厉的国家之一。1989年底,在苏联领导人戈尔巴乔夫的鼓励下,民主化浪潮席卷整个东欧。捷克斯洛伐克的共产党领导层面对反对其政策的布拉格游行示威,立即对改革的要求实行让步。12月,共产党与非共产党的反对派组织组成联合政府。多党制政体以法律形式确立下来。持不同政见的作家V.哈韦尔成为该国的新总统,1990年6月举行了联邦议会自由选举,非共产党人士赢得明显多数。

随着共产党统治的结束和真正的多党制民主政体的恢复(所谓的"天鹅绒革命"),在斯洛伐克居民中开始出现一种主张成立一个独立的斯洛伐克的情绪。关于经济改革步伐的问题也产生了分歧,斯洛伐克人反对捷克人优先使国营工业迅速私有化的主张。1992年6月议会选举的结果使这些分歧更加突出,当年晚些时候,捷克和斯洛伐克的领导人举行会谈,结果捷克斯洛伐克联邦和平解散,1993年1月1日成立了两个新国家——捷克共和国和斯洛伐克。

Czechowicz, Józef 切霍维奇(1903-03-15,俄罗斯帝国波兰卢布林[今在波兰]～1939-09-09,波兰卢布林) 波兰诗人。出身贫寒。曾在师范学院受过教育。擅长对城市和乡村景色抒发情感并热爱民间文化,这是他诗歌的特色。继第一本诗集《石头》(1927)后,又陆续出版了《普通一日》(1930)、《隔世的歌谣》(1932)、《闪电》(1934)、《再无所有》(1936)及《人的音符》(1939)。他的诗充满对于大难临头和自己死期迫近的预感。1930年定居华沙;德国法西斯入侵后,即撤退到故乡卢布林,后在德军空袭中遇难。

Czernin, Ottokar, Count (Graf) **切尔宁伯爵**(1872-09-26,奥匈帝国波希米亚迪莫库[今捷克共和国迪莫库里]～1932-04-04,奥地利维也纳) 奥匈帝国外交大臣(1916～

1918)。出身捷克贵族。最初踏入外交界是在巴黎大使馆工作(1895),后任驻海牙临时代办(1899)。1903年进入波希米亚邦议会。1912年成为奥地利上议院终身议员,1913年重回外交界,任驻罗马尼亚公使3年。新皇帝查理一世登基后,他被任命为帝国外交大臣(1916)。他曾计划使奥地利迅速退出第一次世界大战,但因德国反对以及同盟国在军事上与经济上的牵连而告失败。1918年因西克斯图斯事件(奥地利与联盟国秘密谈判,但奥皇并未使他知之甚详)被迫辞职。在奥地利共和国成立初年,他是国民议会议员(1920～1923)。

Czernowitz (Ukraine) **切尔诺维茨** 参阅 **Chernovtsy** 切尔诺夫策。

Czerny, Carl **车尔尼**(1791-02-20,奥地利维也纳～1857-07-15,维也纳) 奥地利钢琴家、教师和作曲家,以其钢琴教材著称。先后师从其父及贝多芬学习钢琴,亦受M.克莱曼蒂及J.N.洪梅尔影响。15岁开始在维也纳执教,学生中有F.李斯特和贝多芬的侄子

中国大百科全书出版社供图

以及其他著名钢琴家。出版了近千部作品,包括用8架钢琴(每架4手联弹)为G.罗西尼的两首序曲改编的钢琴曲。但最有影响的是他的钢琴练习曲,受到后世几代教师的极大推崇,包括《快速教材》、《精湛技巧教材》和《左手教材》。这些严格的循序渐进的成套练习曲直至20世纪仍被广泛采用。还著有一篇如何演奏贝多芬钢琴奏鸣曲的论文。

Częstochowa **琴斯托霍瓦** 原波兰中南部省份(1975～1999),现属波兰西里西亚省的一部分。

Częstochowa **琴斯托霍瓦** 波兰中南部城市,自1975年起为琴斯托霍瓦省省会。1826年由旧琴斯托霍瓦(建于13世纪)和亚斯纳古拉(建于14世纪)两居民点合并而成。市内的亚斯纳古拉隐修院有珍贵的壁画和著名绘画"琴斯托霍瓦的圣母",为天主教朝圣地。现为重要的工业城市,有纺织、化工、玻璃、造纸和食品加工工业,还有钢铁厂。人口251 436(2002)。

Czetwertyński FAMILY **切特韦尔滕斯基家族** 波兰王侯家族,基辅大公西亚托波尔克二世的后裔。这一家族的重要人物有:A.切特韦尔滕斯基(1748～1794),他是反对1791年波兰宪法的亲俄塔尔哥维查同盟的最后一名领袖,在T.柯斯丘什科起事期间作为波兰的卖国贼被绞死;S.F.卡利克斯特(1873～1945),他是1906年的俄国杜马代表和1922～1928年的波兰议会议员。

D

D-Day D 日 第二次世界大战同盟国登陆诺曼底的第一天。参阅 **Normandy Invasion**。

D-lines D 线 光谱学中钠的一对标识线,处于光谱中的黄光区。它们靠得很近以致用低分辨率的分光镜难以测出。该线是太阳光谱中从红端开始的第四条显著的吸收线,用字母 D 表示。它又被分解为两部分:D_1 和 D_2,相应的波长为 5 895.94 埃和 5 889.98埃(1 埃 = 10^{-10}米)。已经发现在色球中还有一条波长5 875.62埃的发射线——D_3 线,它是由氦发出的。

D region D 区 电离层中最低的区域,约在 70 ～ 90 千米高度。D 区与其他电离层区(E 区和 F 区)的区别在于自由电子在夜间几乎全部消失,这是因为它们与氧离子重新合并,形成氧分子。因此无线电波不能从 D 区反射回来,但可以穿过 D 区到达上面能强烈反射的 E 层和 F 层。日间从 D 区可得到一些反射,但无线电波强度被减弱。这是日间无线电发射距离明显减小的原因。在其上边界 D 区与 E 区合并在一起。

D_1-trisomy D_1-三体 又称13-三体。一种人类的染色体疾病。在活产儿中发病率为 1/5 000,特征为前脑发育不良、小头畸形、严重精神发育不全、唇裂、腭裂、小眼、多指(趾)畸形、指屈曲畸形、心脏畸形及皮纹(指纹、掌纹及足纹)异常等。本病于 1657 年首次报道,各患者表现不一,存活一年以上者不足 18%。病因为第 13 号染色体呈三体状态。

Da, Song(river, China-Vietnam) **沱江** 参阅 **Black River** 黑水河。

da Costa, Uriel 达·科斯塔 参阅 **Acosta, Uriel** 阿科斯塔。

Da Lat 大叻 越南的自治市。在胡志明市东北,位于林园高原上一个湖畔,海拔1 500米。附近有松林覆盖的丘陵和风景如画的瀑布。初建于 19 世纪。后由法国人发展成为山间游览地、狩猎基地和夏都。终年无霜而凉爽。年降雨量 1 750 毫米,大部分降于7 ～ 10 月。第二次世界大战后成为温带蔬菜种植地,也出产橡胶、茶叶和咖啡。与胡志明市通公路;东南 92 千米处有藩朗港。南面设有机场。人口 102 583(1989)。

大叻市附近的茶田
Shostal 供图

Da Nang 岘港 法语作Tourance(土伦)。越南中部城市。濒临一马蹄形海湾南端,港湾东北有长山(高 1 413 米)屏护,东以山茶半岛和岘港岬与南海分隔。1787 年曾与昆山岛一起割让给法国,1858 年又为法军短期占领,嗣后成为法国保护国以外的法租界。1954 年南、北越分治后,地位日益重要。60 年代始有现代纺织工业,70 年代建立机械和饮料工业;1965 年美军建大型空军基地,扩建港口;80 年代初成为全国最现代化和最大的港口之一。有一座医院和一所 1976 年建立的专科大学。现与胡志明市和河内通公路和铁路,其旅游点有市内的占婆博物馆、市郊的佛洞和市北的五行山。人口770 911(2009)。

Da Ponte, Lorenzo 达·蓬特(1749-03-10,威尼托特雷维索附近切内达～ 1838 - 08 - 17,纽约市) 本名埃马努埃莱·科内利亚诺。意大利诗人、歌词作者。1779 年侨居维也纳,成为约瑟夫二世皇帝的宫廷诗人,为许多音乐家撰写歌词。1783 年与莫扎特相识,为他写了 3 部著名歌剧的歌词:《费加罗的婚礼》(1786)、《唐璜》(1787)、《女人就是这样》(1790)。他的成就在于能够赋予旧的题材以新的生命,并且把悲剧成分和喜剧成分交织在一起。约瑟夫二世死后,他再度漫游。在伦敦居住了一段时期(1792 ～ 1805)后,前往美国,定居纽约,教授意大利语言和文学。所著《回忆录》(1823 ～ 1827)由于描写 19 世纪初的美国而具有一定的价值。

Da Qaidam 大柴旦 又拼Ta Ch'ai-tan。中国青海省海西蒙古族藏族自治州辖镇。位于柴达木盆地中北部,柴达木山西南麓,大柴达木湖畔。原为柴达木行政区首府,1960 年设市,1964 年改镇。面积3.4万平方千米。为柴达木重要交通枢纽,有 215、315 国道在此交会,东通茶卡、西宁,西达茫崖,北至敦煌,南抵格尔木。有电力、机械、冶金、汽车修配、制氧和化学等工业。附近有富含硼锂的伊克柴达木和巴戛柴达木两个盐湖,硼产量在中国名列前茅。人口 13 000(2003)。

大柴旦附近的硼砂湖
中国大百科全书出版社供图

Da Yu 大禹 参阅 **Yu** 禹。

dab 黄盖鲽 又称泥鲽。鲽科黄盖鲽属(泥鲽属,*Limanda*)比目鱼类的统称,产于北大西洋及北太平洋。两眼位于头右侧。欧洲黄盖鲽(欧洲泥鲽,*L. limanda*)产量大,是重要食用鱼,体型小,一般在 25 厘米以下,体浅褐色,有或无暗色斑点。锈色黄盖鲽(锈色泥鲽、黄尾鲽,*L. ferruginea*)为大西洋种;体淡红褐色,具锈色斑;尾黄色。刺黄盖鲽(刺泥鲽、阿拉斯加黄盖鲽,*L. aspera*)产于太平洋,体淡褐色。长头黄盖鲽(吻泥鲽,*L. proboscidea*)也是北太平洋种,体淡褐色,具浅斑,体缘黄色。英语中,dab 一词也用作其他比目鱼的名称,如沙鲆(**sanddab**)、美洲鲽(参阅 **plaice**)。

Dabā (United Arab Emirates and Oman) 参阅 **Dībā al-Ḥiṣn** 迪巴。

Daba Shan 大巴山 又拼Ta-pa Mountains。中国西部大山。嘉陵江和汉江的分水岭,四川盆地和汉中盆地的地理界线。广义为川、甘、陕、鄂四省边境山地总称,含摩天岭、米仓山、大巴山、武当山、荆山等。狭义仅指川、陕、鄂三省接壤的大巴山。呈西北—东南走向。山峰大部分在海拔2 000米以上。因石灰岩分布广泛,喀斯特地貌发育,有众多峰丛、地下河、溶洞等。河谷深切,山谷高差 800 ～1 200米,只有城口、万源等少数小型山间盆地。巴山松、巴山冷杉为特有树种。经济林木以油桐、白蜡树、茶树、竹类为主。木耳生产在中国占重要地位。通江的银耳、城口大木漆以产量大、质量优著称。有大量草山草坡,可用以发展黄牛和山羊饲养。由于成渝、襄渝、安(康)阳(平关)铁路相继通车,又修建了不少穿越大巴山的公路,交通条件已大为改善。

dabbling duck 钻水鸭 又作dipping duck, surface-feeding duck,又称 pond duck(塘鸭), river duck(河鸭)或 freshwater duck(淡水鸭)。构成雁形目鸭科(**Anatidae**)鸭亚科鸭族鸭属(*Anas*)约 38 种和其他属的 5 种水禽。在浅水中搅起水生植物从而食之,很少张翅潜水觅食;也常在水边觅食种子和昆虫。喙扁而宽,后趾无蹼。高漂水上,飞行迅速,大声扑翅跳起然后转为平飞。密集成群。分布全世界,主要在内陆水域,最常见于北半球温带地区,迁徙习性强。雄鸭羽衣有显目的花纹,但在繁殖后不飞行时，体色变得单调，与雌鸭相似。雌鸭稍小于雄鸭，更常大声嘎嘎叫，其声高于雄鸭。巢位于水边稠密植物丛下以草垫起的坑中，常覆盖着雌鸭胸部脱落的绒羽。雌鸭可能不止将卵产于一个窝中，也可能产于同种其他个体的窝中，还可能产于他种鸭窝中。雌鸭单独抱卵，每窝 6 ～ 12 卵，孵化期 20 ～ 25 天，雌鸭单独照料和保护长有绒羽的幼雏。2 周龄幼鸭能飞行。第一年即达性成熟。鸭族包括一些世界上最好的猎禽：黑鸭（*Anas rubripes*）；**绿头鸭**（**mallard**）；赤膀鸭（*A. strepera*）；加尔加尼野鸭（白眉鸭，*A. querquedula*）；针尾鸭（*A. acuta*），可能是世界上数量最多的水鸟；琵嘴鸭（*A. clypeata* 或 *Spatula clypeata*）；水鸭（绿翅鸭），是 *A. crecca* 的亚种和其他种类；赤颈鸭，包括北美赤颈鸭（*A.* [或 *Mareca*] *americana*）及欧洲赤颈鸭（*A.* [或 *M.*] *penelope*）等。

Dabie Shan　大别山　又拼 Ta-pieh Mountains。中国中部山脉，长江、淮河的分水岭。在湖北、河南、安徽三省交界处。大别山西接桐柏山，东延为霍山和张八岭。西段呈西北—东南走向，东段为东北—西南走向。大别山一般海拔 500 ～ 800 米，主峰天堂寨海拔1 729米。山地被断层分割成许多菱形断块，东南侧黄梅到桐城一带，山麓线挺直，坡度达 50°以上，是明显的断层崖。山地南北侧水系较发育，建有梅山水库、佛子岭水库、白莲河水库。大别山海拔 900 米以下属亚热带的北界，温暖潮湿，降水丰富，植物繁茂。有马尾松、杉木、油桐、乌桕、油茶、茶、毛竹等。海拔 900 米以上气候凉湿，多云雾，相对湿度大，以落叶阔叶树为主。大别山北麓建有鸟类自然保护区。

Dabola　达博拉　几内亚中部城镇。近廷基索河，位于福塔贾隆高原东端。在科纳克里—康康铁路线上，靠近马木、库鲁萨和法拉纳公路交叉点。大部分地区是热带稀树大草原，平均高度约 300 米。是稻米、花生、黍类和牲畜贸易中心。居民属穆斯林富拉尼（颇尔）和马林克（曼丁哥）等族。主要出口农产品为花生。人口约 18 428(1983)。

Dąbrowa Górnicza　栋布罗瓦-古尔尼恰　波兰南部西里西亚省城市。濒临黑普热姆沙河，在卡托维兹市东北。1967 年采煤后开始繁荣。19 世纪为采矿与冶金研究中心，建立波兰第一所矿业学校（1889）。1916 年建市。矿区煤层厚度约 24 米，为全世界最厚的煤层之一。扎瓦兹凯矿的部分煤层现辟为国家地质保护区。波兰最大的钢铁公司之一的卡托维兹钢铁公司位于该市。人口 132 236(2002)。

Dąbrowska, Maria　东布罗夫斯卡（1889-10-06，波兰卡利什附近鲁索夫～ 1965-05-19，华沙）　Dąbrowska 又拼 Dombrowska。波兰女作家、评论家。以描写近代波兰的宏伟记事小说《黑夜与白昼》（4 卷，1932 ～ 1934）知名。该书被读者和评论界认为是波兰最优秀的小说之一。曾在波兰、比利时和瑞士的洛桑大学求学，第二次世界大战前在法国和英国居住。1909 年开始为波兰报纸撰写关于政治、经济改革和合作社运动的文章，后来这些成为她毕生写作的主题。第一个短篇小说《珍妮克》发表于 1914 年。20 世纪 20 年代出版了 3 部短篇小说集，其中包括在其终身同情农民的感情激励下写成的《从别处来的人们：故事集》（1926）。后来出版的短篇小说集《晨星》（1955）中有常被人们收入选集的故事《乡村婚礼》，1957 年被译为英文出版，书名为《乡村婚礼及其他故事》。20 世纪 30 年代，东布罗夫斯卡早期对合作社运动的新闻记者式的兴趣随其 4 卷集巨著《黑夜与白昼》第一卷的出版而表现为一种新的形式。《黑夜与白昼》常被人们拿来与公众认可的其他家世小说（如托马斯·曼的《布登勃洛克一家》和高尔斯华绥的《福赛特家世》）相比，它叙述了博古米尔和芭尔芭拉（两者皆出身于家境中落的地主家庭）从恋爱、结婚、生儿育女，直至晚年的生活及博古米尔的死（1863 ～ 1914 年的岁月）。每一个主要人物都被迫在不断变化的社会中重新明确自身的价值。东布罗夫斯卡的主题——在易变的环境中人的发展潜力——得到了细致、深刻的阐述。除其名著和短篇小说外，东布罗夫斯卡写有两部历史剧。她还写有许多随笔，包括一系列关于波兰出生的英国作家康拉德的评论文章《论康拉德》（1959），并且将许多外文著作译成波兰文，其中著名的有 17 世纪英国人佩皮斯的日记。她一生积极参与政治、社会事务，1964 年与其他 33 名波兰作家和学者在一封信上签名，抗议共产党政府的审查制度。尽管东布罗夫斯卡政治立场如此，她是一位受到波兰政府和人民尊重的作家，死后举行国葬。生前未完稿的小说《一个沉思者的奇遇》出版于1970 年。

Dąbrowski, Jan Henryk　东布罗夫斯基（1755-08-29，波兰克拉科夫附近皮耶尔日霍维采～ 1818-06-06，温诺古拉）　Dąbrowski又拼Dombrowski。波兰将军，因参加1794年T. 柯

美国不列颠百科全书公司供图

斯丘什科反对俄国的起义而成为波兰民族英雄。1772 ～ 1792 年在萨克森军队服役。1792 年参加波兰的反俄战争。1794 年参加柯斯丘什科的暴动，在保卫华沙时英勇作战。1795 年波兰第三次被瓜分后前往巴黎。1796 年获督政府同意在意大利组织波兰兵团。1797 ～ 1801 年在意大利战争中曾起过重要作用。1798 年 5 月进入罗马。1802 年以后在意大利共和国服役。1806 年拿破仑叫他在波兰举行起义。他到达波兹南后，于是年底组建7 支波兰部队保卫拿破仑的华沙公国。1809 年在加利西亚参加波兰反对奥地利的战役。1812 年率波兰部队入侵俄国。1813 年参加莱比锡战役。次年返回波兰，俄国沙皇要求他重组波兰军队。翌年任骑兵将军和新波兰王国参议员。

Dacca（Bangladesh）　参阅 **Dhākā 达卡**。

dace　代斯鱼　鲤科多种细长而活跃的小型淡水鱼的俗称。在英国和欧洲，dace 一名专指雅罗鱼（*Leuciscus leuciscus*），该种与圆鳍雅罗鱼（*L. cephalus*）近缘。雅罗鱼常栖息于

雅罗鱼（*Leuciscus leuciscus*）
美国不列颠百科全书公司供图

中速的溪流及江河中；头颇小，体呈银白色，一般体长 25 ～ 30 厘米，重 0.5 ～ 0.7 千克。群聚生活，以动物和植物为食。是良好的饵鱼，虽食用价值不高，但因易受惊难以捕获而为垂钓者所爱搜求。在北美，dace一词用于鲤科多种小鱼，如著名的红腹代斯鱼（鲹属 [*Phoxinus*]），有南方红腹代斯鱼（红腹鲹，*Phoxinus erythrogaster*）和北方红腹代斯鱼（曙鲹，*P. eos*）。前者产于从亚拉巴马州到宾夕法尼亚州及大湖区的清澈小河中，是一种色彩美观的观赏鱼，体长 5 ～ 7.5 厘米，具两条黑色纵条纹；有时养于家庭鱼缸中。曙鲹与红腹鲹相似，产于美国东部和中部的溪流和沼泽中。各种鲹类的雄鱼在春季繁殖季节都呈玫瑰红或鲜红色。其他北美称为 dace 的鱼类包括：斜口鲹属（*Clinostomus*）产于美国东部和中部，体具黑带，长约 12 厘米，雄体于繁殖季节体侧有红色或玫瑰色带，又称红带代斯鱼或玫瑰色带代斯鱼。吻鲹属（*Rhinichthys*）的几个种，其中黑鼻代斯鱼或称黑鼻吻鲹（*R. atratulus*）鳞细，体有黑带，体长 7.5 厘米，分布于从新英格兰到明尼苏达州；长鼻代斯鱼或称长鼻吻鲹（*R. cataractae*）为广布种，吻较长。溪查布鱼（黑斑风鱼）雄体于繁殖季节头上出现许多角状突起，故又称角代斯鱼。

Dach, Simon　达赫（1605-07-29，东普鲁士梅梅尔[今在立陶宛]～ 1659-04-15，柯尼斯堡[今俄罗斯加里宁格勒]）　普鲁士诗人，17 世纪柯尼斯堡中产阶级诗人团体的领袖，这个团体在反映三十年战争时期的紧张和动乱的早期巴罗克文学运动中颇为重要。多年在富裕家庭中当私人教师以谋生，后于 1639 年任柯尼斯堡大学诗学教授。偶然也为柯尼斯堡的中产阶级人家的生死婚嫁写些纪念诗，这些诗悦耳，质朴，富有音乐性。然而，在带有民歌成分的诗和宗教诗中，他都超越了常规写法。他的宗教诗可以被看做 P. 格哈特的赞美诗的先导，后者通常被认为是德国赞美诗作者中的最杰出者。

Dachau 达豪 德国南部拜恩州城市。濒临安珀河，在慕尼黑西北。805年首见记载。长期为小商镇。1934年设市。坐落在小山上，山顶有城堡和堂区教堂(1625)。自然风光秀丽，常有风景画家到此作画。生产纸、硬板纸、电器设备等。1933年纳粹党卫军在此建第一座集中营。20世纪60年代建有博物馆和小纪念教堂。参阅 **Dachau**(集中营)。人口约39 474(2003)。

Dachau 达豪 德国第一个纳粹集中营，1933年3月10日建立。在慕尼黑以北16千米的达豪市郊区。在第二次世界大战期间，除了主营以外，还有150来个支营分散于德国南部和奥地利，统称达豪集中营。主营至少关押过16万人，支营关押过9万人。据不完全统计，至少有3.2万人死于疾病、营养不良和肉体摧残。有更多的人被运往在波兰的灭绝营。达豪是纳粹集中营的原型。其第一任指挥官西奥多·艾克创建了该营的组织结构。后他被任命为所有营地的总指挥，于是其他各营纷纷效仿达豪模式。1942年建成毒气室，但未曾使用。德国医生和科学家在这里建立各种实验室，利用失去自由的人进行的实验包括：①确定突然增加和减少大气压对人体的影响；②研究冷冻对温血动物的影响；③使失去自由的人染上疟疾，用疗效不明的药品进行治疗；④试验饮用海水或不给食物或饮水的结果。在整个第二次世界大战期间持续的这类实验及严酷的生活条件使达豪成为最臭名昭著的集中营之一。战后达豪及其他集中营的医生和科学家在纽仑堡受审，有7人被判处死刑。

Dachlan, Kijai Hadji Ahmad 达赫兰(1868，爪哇日惹～1923-02-23) 印度尼西亚伊斯兰教改革运动“穆罕默德会”的创始人。该运动对印度尼西亚伊斯兰教的习俗、对诸多民族主义领导人均产生了巨大的影响。富商。20世纪初去麦加朝圣。回国后积极从事宗教改革。其改革的实质是试图摒弃阐释伊斯兰教法的四个不同学派，而回到《古兰经》的律例上来，希望这样可以产生适应现代社会的一种伊斯兰思想主体。1912年创立穆罕默德会。该组织强调教育和社会工作，不作政治活动，1920年以后发展到爪哇各地和外岛，对中产阶级的抬头起过推动作用。

dachshund 猎獾狗 在德国用猎狗和㹴狗杂交培育的狗品种，用以猎獾。活泼。身体长，胸部距地面近，腿短、嘴尖，耳长。红棕色或黑、黄褐相间。有两种体型：标准型和小型。有3种不同的被毛：平滑被毛、长被毛和卷曲被毛。标准型体高18～25厘米，体重约7～14.5千克。小型者较矮，体重5千克以下。

猎獾狗
美国不列颠百科全书公司供图

Dachstein 达赫施泰因山 阿尔卑斯山北部山体。在奥地利的上奥地利、萨尔茨堡和施泰尔马克三州交界处。最高海拔2 995米。高山冰川中以哈尔施塔特冰川为最大，面积5.3平方千米。山区景色秀丽，有冰洞和岩洞穴，吸引着滑雪者、登山者和游人。现已发现240多个山洞。

Dacia 达契亚 古代喀尔巴阡山脉和特兰西瓦尼亚地区，现罗马尼亚中部偏北和西部。达契亚人很早便占据了多瑙河以南、山脉以北的广大地区，务农，也开采银、铁和金矿。达契亚人最早于公元前4世纪出现在雅典的奴隶市场，后与希腊人通商(主要买进葡萄酒)，使用希腊货币。他们操色雷斯方言。文化上受相邻的西徐亚人和公元前4世纪入侵的凯尔特人影响。达契亚人公元前112年、前109年及前75年分别加入罗马军队。公元前60～前50年统一，后又分裂。罗马皇帝图拉真于106年征服达契亚，分为上达契亚和下达契亚，分别相当于今特兰西瓦尼亚和瓦拉几亚。159年安东尼·庇护将此地重新划分为三个省，统归一个执政官管辖。168年左右，马可·奥勒利乌斯将三省合为一个军区。

Dacier, Anne 达西埃(1654，法国克莱斯河畔普勒伊～1720-08-17，巴黎) 即A.勒费弗尔。法国古典评论家、翻译家和编辑。她翻译的荷马史诗《伊利亚特》和《奥德赛》、她在被称为“古今之争”的法国文学论战中所起的作用，以及和丈夫A.达西埃在著名的德尔芬古典拉丁名著丛书中所做的工作，使她蜚声全欧。法国人文主义者T.勒费弗尔之女，在父亲的引导下研究古典著作。她把《伊利亚特》(1699)和《奥德赛》(1708)翻译成散文。所谓“古今之争”的文学论战也与这些翻译作品有关，争论焦点是对古典作家与现代作家如何评价的问题。她在这方面的重要著作之一是《趣味衰败原因考》(1714)。

dacite 英安岩 一种火山岩，可视为**安山岩**(**andesite**)含石英的变种。主要与安山岩和粗面岩伴生，并形成熔岩流和岩墙，有时还在古火山的中心形成块状侵入体。像安山岩那样，英安岩也主要由斜长石构成，并含有黑云母、普通角闪石、普通辉石或顽火辉石，一般具有斑状结构(细粒的基质中有分散的较大的晶体)。不过除此之外它还含有石英，呈圆化的熔蚀晶体或颗粒，或是作为基质的一种组分。英安岩所含斜长石可以从奥长石到中长石或拉长石。透长石也可能出现在某些英安岩中，如果含量很多，岩石就向流纹岩过渡。许多普通角闪石英安岩和黑云母英安岩是灰色或浅褐色和黄色的岩石，并含有白色的长石晶体以及黑色的普通角闪石和黑云母晶体。其他英安岩，特别是普通辉石英安岩和顽火辉石英安岩，都是比较深色的。这类岩石产于罗马尼亚、西班牙、苏格兰和新西兰、安第斯山脉、北美西部的内华达州以及希腊等地。

Dacke War 达克战争(1542～1543) 瑞典农民反对国王古斯塔夫一世(1523～1560在位)专制的宗教改革政策而举行的一次起义。由尼尔斯·达克领导。1542年春，瑞典斯莫兰省农民拿起武器，反对国王镇压天主教。同时，贵族和官僚的横征暴敛也加剧了农民的不满。他们捕杀了一些贪官污吏。1542年秋达克领导起义队伍击败国王的军队，同年11月与国王签订停战协定。但是国王决心儆戒斯莫兰省的农民，增派大军，于1543年初粉碎起义队伍。达克阵亡，其他领导人被处死。国王对斯莫兰省的农民课以很重罚金。这次起义虽然失败，但是古斯塔夫为了安定人心，不得不稍收敛其暴政。

Dacko, David 达科(1930-03-24，法属赤道非洲乌班吉-沙里布哈[今中非共和国]～2003-11-20，喀麦隆雅温得) 中非共和国总统(1960～1966，1979～1981)。原为教师。他的亲属B.波冈达当总统时，他任部长。波冈达死后，他继任总统。共和国为一党制国家。1965年12月31日至1966年1月1日的夜里，达科被J.-B.博卡萨将军赶下台。1979年9月17日达科推翻自称为“中非帝国”皇帝的博卡萨一世，宣布恢复共和国，重任总统。任职总统期间遇到众多难题。任职不久即遭遇暗杀行动，幸免于难。1981年重任总统不久班吉发生多起暴乱。1981年9月A.科林巴将军夺取政权，达科再次下台。1992年和1999年两次参加总统选举均以失败告终。

Dacorum 达科鲁姆 英格兰赫特福德行政、历史郡自治市(区)。面积210平方千米。包括奇尔特恩白垩丘陵之一部。1974年建立。区内有几个伦敦外围的城郊社区，其中包括区行政中心新城镇**赫默尔亨普斯特德**(**Hemel Hempstead**)。人口137 807(2001)。

dacryocystitis 泪囊炎 泪囊的炎症。眼泪取道泪囊、经鼻泪管排入鼻腔；泪囊一端开口于眼内眦，一端接鼻泪管，故鼻内的感染可通过鼻泪而达到泪囊，在眼的内眦部引起疼痛肿胀。鼻泪管任何部位发生梗阻，妨碍泪液引流时，可引起泪囊的慢性炎症。

dactyl 长短短格 包括一个长音节(古典诗)或重音节(英诗)其后跟着两个短音节或非重读音节的音步。大概古典诗歌中最古老也最普通的格律就是长短短六音步诗格。荷马的《伊利亚特》和《奥德赛》以及其他古代史诗所用的就是这种格律。这种格律在英诗中颇为罕见，因为长期使用这种格律会破坏词句的正常重音，从而使诗句发生不平衡的振动。直到19世纪，诗人R.布朗宁和A.C.斯温伯恩等成功地运用了这种格律之后，这种格律才得到正常使用。拜伦在《阿比多斯的新娘》中用这种格律写的诗句，就给人以轻快跳动的感觉。

Dactylella 小指菌属 半知菌纲(**Deuteromycetes**)的一个属。共15种。可以穿入线虫体将其杀死。接触线虫时,自菌丝长出一穿通管,进入线虫体内,生长并分株,形成一吸器。分泌出的酶将线虫杀死。

Dactylorhiza 龙爪兰属 兰科的一属。块根蹼足状。约30种,从前均归入 *Dactylorchis* 属。分布欧亚大陆、北非部分地区、阿拉斯加和大西洋岛屿,见于草甸和湿地。沼泽兰(肉红色龙爪兰,*D. incarnata*)、接骨木花兰(接骨木花龙爪兰,*D. sambucina*)和斑点兰(富克斯氏龙爪兰,*D. fuchsii*)在欧洲常见。

斑点兰(*D. fuchsii*)
美国不列颠百科全书公司供图

Dada 达达主义 20世纪初在苏黎世、纽约、柏林、科伦、德国的汉诺威和巴黎等城市兴起的一种虚无主义艺术运动。根据流传极广的说法,"达达"这一名称为苏黎世一群青年艺术家和反战分子所创,他们把裁纸刀插入法德词典,打开后刀子正指着"达达"(dada)一词,于是便把这个听来毫无意义的词作为他们反审美创作和反战行动的专用名称。其思想根源是出于对资产阶级价值观念的憎恨及对第一次世界大战的绝望。法国画家M.杜尚是达达运动的先驱和领导人。1913年他以实物创作了第一件作品《自行车轮》(已轶),由一个自行车轮被倒置在一张凳子上构成。1917年苏黎世小组的首创者之一许尔森贝克把达达主义运动带到柏林,在柏林染上更浓厚的政治色彩。这些艺术家的主要表现方法是照片剪接,即把零碎照片拼贴在一起,并附以解说词。J.哈特菲尔德使用此法获效最佳,尤其后期反对纳粹的作品(例如《凯撒·阿道夫》)更是如此。柏林艺术家同纽约和苏黎世小组一样召开公众大会,观摩者无不为他们荒诞古怪的观点感到惊愕和恼怒。在巴黎,达达主义运动的重点是文学,在其大量小册子和评论中,最值得注意的是《文学》杂志(1919～1924发行)。1922年后,达达主义开始失去影响,其参与者的精力转向**超现实主义**(**Surrealism**)。达达主义对20世纪艺术产生了深远影响。这种追求偶然性的创作技巧后来被超现实主义和抽象表现主义者所采纳。达达主义也是概念艺术的根源。批评家们还强调达达主义对于20世纪70年代朋客摇滚运动的影响。

1920年6月柏林的首届国际达达主义展览会
美国不列颠百科全书公司供图

Daddah, Moktar Ould 达达赫(1924-12-25,法属西非毛里塔尼亚布提利米特～2003-10-14,法国巴黎) 政治人物、独立的毛里塔尼亚首任总统(1961～1978)。以其专制而又开明的统治,使两个分散的、部分是游牧的种族(摩尔人和黑人)联合而闻名。贵族家庭出身。毛里塔尼亚第一个大学毕业生和律师。50年代中期从巴黎归国,参加毛里塔尼亚进步联盟。1957年任领地议员。1958年任行政会议主席,1958年组建毛里塔尼亚联合党。1959年任总理。1961年毛里塔尼亚独立后,出任总统。他的首要目的是民族团结,解决国家分为南部少数农民和中、北部大批摩尔族牧民的棘手问题。曾试图在议会制基础上平衡地方贵族和急躁的现代年轻人,但1964年转而实行毛里塔尼亚人民党(他为总书记)一党专政。1978年7月被M.O.萨莱克中校领导的军事政变推翻。

Daddi, Bernardo 达迪(约1290,佛罗伦萨?～约1355,佛罗伦萨?) 意大利文艺复兴早期画家。乔托的学生,曾受洛伦采蒂的影响,他把乔托的造型与锡耶纳艺术融合起来,使自己在乔托之后成为继承两派风格的代表人物。1328～1348年间的作品,从教堂祭坛的圣母像到为市民祈祷用的小型镶板画无所不包。虽然他表现柔软的服饰质地的造型技巧来自乔托,但通过对曲线的强调给作品增加了体积感。形象都带有一种敏锐开朗的表情,圣母欣然微笑,俯对圣婴。1328年在奥尼桑蒂礼拜堂(现在佛罗伦萨乌菲齐美术馆)完成的三联画是其代表作。其早期作品可在欧洲和北美的画廊中看到。

daddy long legs(insect) **长脚爷叔** 参阅 **crane fly** 大蚊。

daddy longlegs 长脚爷叔 又称harvestman(收割蛛)或盲蛛。蜘蛛纲盲蛛目(Opiliones 或 Phalangida)节肢动物的俗名,7 000种。与蜘蛛目动物(真蜘蛛)不同之处为足极细长;躯体小,球形或卵形,并无一细缢部将其分为两部分。体长1～22毫米,足细长,可为体长的20倍,易断。2眼,在中隆丘上。成体头胸部两侧共有一对腺体,可分泌臭味的液体。长脚爷叔分布广泛,两半球温带地区均极为多见,亦常见于热带。欧洲和北美的典型种类属于长踦科(Phalangiidae),美国及加拿大有约150种。晚夏多见,常见于田野,其步足形似长柄大镰刀及耙,故俗名收割蛛。长脚爷叔为掠食性,食小型昆虫、螨、蜘蛛、新鲜的小动物尸体和植物。雄体较雌体小,外形亦显著不同,具很长的阳具。雌雄于秋季交配,交配后,雌体用其细长、可伸出的产卵器将卵产于土壤的缝隙中。产卵后不久,雌雄成体均死去。春季较暖时幼体孵出。长脚爷叔和蜘蛛都属于蜘蛛类的节肢动物,因此与蝎类、螨类和虱类有亲缘关系。

长脚爷叔
美国不列颠百科全书公司供图

Dadié, Bernard Binlin 达迪耶(1916,科特迪瓦阿西尼～) 科特迪瓦诗人、剧作家、小说家和行政官员。其创作既受到非洲历史传统主题的启发,也出于维护现代非洲争取平等、尊严和自由的愿望。曾在塞内加尔受过高等教育,在那里参加民间文学和戏剧活动促使他开始写作剧本。1947年(在获得黑非洲法兰西学院的毕业文凭并在该学院工作11年之后)返回科特迪瓦,创办国家剧院,最后任艺术研究部门负责人和科特迪瓦文化部长。第一部诗集是《昂然挺立的非洲》(1950),嗣后发表了自传体小说《克兰比埃》(1953)和《一个黑人在巴黎》(1959)。他爱好非洲民间口头传说,收集并发表数卷传说、寓言、民间故事以及谚语,他认为这些民间文学是非洲社会的精神支柱。后又发表两部讽刺美国人和罗马人的生活和社会的小说《纽约的老板》(1964)和《不死城》(1968)。1967～1970年,发表了另一部诗集和几部剧作,其中包括《托戈-格尼尼老爷》(1970)。《陶尔考尔特司令和他的黑人》问世于1980年。

dado　墩身　古典建筑中,柱子底座中段的平面部分,上为座顶,下为座底。后来也指墙面离地面60～90厘米高的护墙,俗称墙裙。16～18世纪时,内墙也采用这种装修,有时用木护墙板或油漆,有时只在适当高度做一横条。

Dādra and Nagar Haveli　达德拉-纳加尔哈维利　印度的中央直辖区,位于印度西部古吉拉特邦与马哈拉施特邦之间,孟买以北130千米处。首府为锡尔瓦萨。该直辖区包括两部分:达德拉(3个村庄)及纳加尔哈维利(锡尔瓦萨市及68个村庄)。由印度中央政府直接管辖。约40%的面积为森林覆盖。其余用于种植水稻及其他谷物,并用于放牧。工业不甚发达。1783～1785年,该地区受葡萄牙人控制。1954年,当地居民发起要求自由运动,迫使葡人放弃控制权,将该地区归还印度。1961年成为中央直辖区。居民大多是印度人,近80%居民为从事农业的阿迪瓦斯部族。锡尔瓦萨是此地区的商业中心。面积共491平方千米。人口约138 401(1991)。

Dādū　达杜(1544,印度艾哈迈达巴德～约1603,印度纳赖纳)　印度教圣者,达杜派的开创者。达杜原为梳棉工,云游四方寻求宗教真理,最后定居于斋浦尔(拉贾斯坦邦)附近纳赖纳,该地至今仍是达杜派的中心。达杜否认《吠陀》(历史最悠久的印度教圣书)的权威,反对种姓区分,摒弃引起教派分化的一切外表崇拜形式,例如朝拜庙宇和圣地。他强调反复呼念大神之名。达杜还坚决主张素食和戒酒。拜他为师的,现有印度教徒,也有穆斯林。达杜的言论和圣诗收在五千偈颂的《圣咏》中,此书是达杜派高度崇敬的圣书。

Dādu　达杜　巴基斯坦信德省的城镇,紧靠印度河西岸。该镇为一销售中心,有公路和铁路与海德拉巴、卡拉奇、奎达相通。有隶属于信德大学的男子学院与女子学院。达杜坐落于肥沃的冲积平原,由印度河苏库尔坝供水的达杜运河系统灌溉。主要农作物有小麦、鹰嘴豆、水稻和高粱。人口98 575(1998)。

Dadu　大都　又拼Ta-tu, Taidu。中国元朝(1271～1368)首都。蒙古语称汗八里(Khanbaliq),意为汗的都城,即今北京(**Beijing**)。

Dadu He　大渡河　中国岷江的最大支流,著名的峡谷河流。古称沫水。在四川省西部。主源大金川发源于青海、四川边境的果洛山,在四川丹巴县与小金川汇合后称大渡河,近河口处有青衣江汇入,至乐山市入岷江。全长1 155千米,流域面积92 000平方千米。上中游多"V"形峡谷,水流湍急。1935年5月,中国工农红军在长征途中曾强渡安顺场渡口,夺取泸定县铁索桥。现大渡河上

四川泸定县城西跨越大渡河的铁索桥
中国大百科全书出版社供图

已架起钢桥,便利了两岸的交通。

DAE　参阅**Dictionary of American English on Historical Principles, A**《美国英语词典(按历史原则编订)》。

Daedala　达伊达拉节　为主神宙斯的妻子赫拉所举行的古老节日,节日在希腊的基塞龙山举行。节日期间一座装扮得像新娘一样的木像被抬出来游行,然后把它连同用作祭品的动物和木制祭坛一道烧掉。有一个神话说,宙斯就用这样一个偶像激起了赫拉的嫉妒,从而使与他疏远的妻子回心转意。这一节日还包括这对夫妇在和解之后重新"结婚"。在整个欧洲,许多春天和仲夏举行的异教仪式一般都有烧木头的习俗。上述神话和烧木头的事实使人推想到,达伊达拉节主要是一个祈求植物丰收的仪式。

Daedalic sculpture　代达罗斯雕刻　指传说中的希腊艺术家代达罗斯的雕刻风格。传说这位艺术家既是凡人,又是神的化身,活动于克里特青铜器时代与希腊古风时期之间。

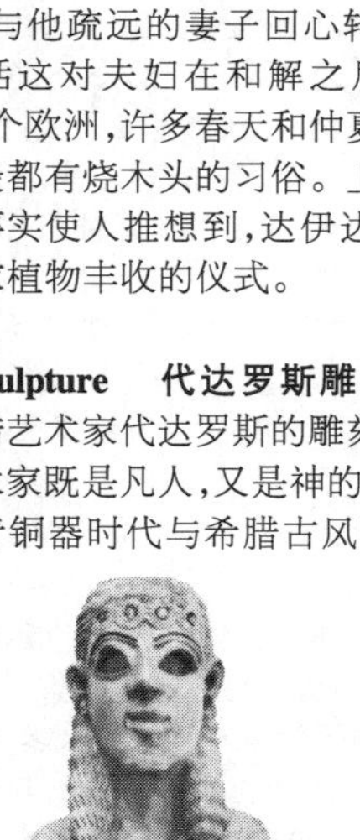

希腊萨摩斯出土的约公元前625年的代达罗斯牙雕——跪人
美国不列颠百科全书公司供图

代达罗斯雕刻受东方影响,正面头像特别是假发式处理,具有东方风格。头发显得剑拔弩张,脸呈三角形,眼睛很大,鼻子突出。女像的躯体富有曲线,腰部较高,衣着轮廓模糊。

Daedalus　代达罗斯　神话传说中的希腊建筑师和雕刻家。据说,曾为克里特王弥诺斯建造过典范的迷宫。失去弥诺斯的宠爱之后,他被投入监狱;他用蜡和羽毛给自己和儿子伊卡洛斯做成翅膀,逃往西西里。但伊卡

罗马阿尔巴尼别墅的浅浮雕——代达罗斯和伊卡洛斯
美国不列颠百科全书公司供图

洛斯因离太阳过近,翅膀被熔化,掉入海里淹死。他的尸体被冲到一个岛上,后来该岛就叫做伊卡里亚。有史时期的希腊人把无法溯源的建筑和雕像都归为代达罗斯的作品。

Daegu (South Korea)　参阅**Taegu 大邱**。

Daehlie, Bjørn　代利(1967-06-19,挪威埃尔沃吕姆～　)　挪威越野滑雪运动员,冬奥会、世界杯和锦标赛创记录的金牌得主,是北欧最卓越的滑雪运动员。十几岁时开始滑雪,1987年达到世界水平。在历届冬奥会共获得8金4银12块奖牌。另外,在1992～1999年间他还荣膺6届世界杯冠军,获得14块世锦赛金牌,绰号"火箭人"。2001年3月因背伤退役。

Daejeon (South Korea)　参阅**Taejŏn 大田**。

daemon　参阅**demon 恶魔**。

Daendels, Herman Willem　丹德尔斯(1762-10-21,荷兰海尔德兰哈特姆～1818-05-02,黄金海岸埃尔米纳[今加纳])　荷兰军人。早年在家乡当律师,领导爱国主义者运动,反对尼德兰执政奥兰治亲王威廉五世。1787年参加保卫阿姆斯特丹的战斗,反对腓特烈·威廉二世(普鲁士的)国王的入侵,失败后流亡法国,加入法国革命军,1793年参与法国对荷兰的入侵。在巴达维亚共和国初期,他两次

(1798年1月和6月)参加以武力推翻联合省政府的活动。1799年在阿尔克马尔战役中指挥荷兰军队,打败英俄联军。1807年荷兰国王路易·波拿巴任命他为亚洲殖民地总督。1815年以后,他代表新的荷兰王国治理非洲西海岸的荷属领地。

Dafana, Tall ad- (Egypt) 参阅 **Daphnae** 达夫尼。

daffodil (*Narcissus pseudonarcissus*) **黄水仙** 又称 common daffodil(普通黄水仙)、trumpet narcissus(喇叭水仙)。水仙属(**narcissus**)具鳞茎的显花植物。原产于北欧,在该处及北美广泛栽培。植株高可达41厘米左右。从鳞茎上生出5或6片叶,长约30厘米。茎上生一朵黄色大花,花冠深裂成6个裂片,中心有一个钟形的副冠,其边缘呈皱褶状。该"喇叭"形部分包含雄蕊,是花中最明显的最具特色的结构。品种多,亲本为黄色,而变种有各种颜色;喇叭形的副冠及花瓣可为对比鲜明的黄、白、粉红或橙色。这些是黄水仙极受欢迎的原因。

Dafla 达夫拉人 又称Bangni(邦尼人)。不丹东部及印度东北山区阿鲁纳恰尔邦(前东北边界行政区)的部落民族。操汉-藏语系的藏-缅语,以刀耕火种的农业及渔猎为生。居住在900～1 800米的高地,房屋建在木桩之上。按父系传代;一个单独的宗系(人口可达60或70人)住在同一幢长形大房之中,中无间隔,但为每对已婚夫妇的家庭单独设一炉灶。除父系家庭外没有正式的社会组织或村政府。信仰同自然有关的各种精灵。

Dafydd AP EDMWND **戴维德·艾布·爱德华** (活动时期约1450～1480) 威尔士诗人。他把24种威尔士吟唱诗的韵律进行权威性的分类和说明(1451年在卡马森诗人年会上宣布)。他是一位吟唱诗大师,著有优美典雅、技巧娴熟的爱情抒情诗、颂词和挽歌。

Dafydd AP GWILYM **戴维德·艾布·格维利姆** (约1320,可能在威尔士卡迪根郡布罗吉宁～约1380,卡迪根郡斯特拉塔佛罗里达) 诗人,被普遍认为是威尔士文学中最伟大的人物之一。他把一种人们还陌生的真实、新奇和自然引入形式主义的诗歌传统中。他的身世人们了解很少,只知道他出身于南威尔士一贵族家庭,认识卡迪根郡许多有名望的家族。他的颂诗和"西威德"双韵体显示出他曾受威尔士吟唱艺术的熏陶。他采用某些诗的规范,较少采用刻板的诗的结构和词汇,反映他曾受行吟诗人和漂泊学者的影响。他最杰出的诗是对自然美和爱情美的精心描绘。他将自由和轻松引入吟唱诗歌,影响了后来一代又一代威尔士诗人。

Dafydd NANMOR **戴维德(南莫的)**(1440以前,威尔士梅里奥尼斯南莫～约1480,卡马森郡怀特兰?) 威尔士诗人,押韵对句"西威德"(cywydd)体大师。他的诗表达了他对传统和贵族政治的信赖。他的许多诗表示支持英格兰都铎王朝的政治抱负;其他则是些朴实、诚挚的爱情诗。《利奥的头发》和《少女的哀歌》被认为是他最优秀的"西威德"诗。

dagala (volcanic formation) 参阅 **steptoe** 岩流竖趾丘。

Dagan 大衮 又拼Dagon。西闪米特农业丰产神,在古代中东广大地区受人崇拜。其名在希伯来语和乌加里特语意为"谷物"。相传犁是此神所创造。据考证,对大衮的崇拜早在公元前2500年左右即已流行,据在沙姆拉角发现的文献载,大衮是巴力之父。沙姆拉角原有重要的大衮庙,巴勒斯坦(在该地大衮是非利士人之神)也有几处大衮庙。

Dagang 大港 中国天津市辖区。华北第二大油田所在地,华北石油及石油化工基地。位于市东南部,距市中心约45千米。濒临渤海湾,跨独流减河、子牙新河尾闾。有李港铁路及津港、津淄、津歧、李万公路联系天津市区和河北省,交通便利。面积940平方千米。原是河北省黄骅县的一部分,沼泽广布,芦苇丛生,人烟稀少。1963年2月划入天津市建立北大港区。因境内有著名的北大港潟湖洼地,故名。1964年1月随着油气田的开发,一批现代化大型石油化工企业相继建成投产。1970年1月撤销北大港区,并入天津南郊区。1979年11月建立大港区,与塘沽、汉沽同为天津滨海新市区和工业卫星城镇。现已建成一个以石油开采和石油化工为主体,兼有农、渔、牧、商业、外贸的新兴综合性工业区,中国重要的油气生产和石油化工生产基地。石油、天然气和地热资源储量丰富,至2005年,已探明地质储量:油8.87亿吨,气360.5亿立方米。年产原油430万吨,天然气4亿多立方米。地热田60多平方千米,日出热水500吨,水温94～96°C,水质好。有石油、化工、电力、建筑、五金、机械、橡胶、食品、纺织、皮革、印刷、塑料、造纸、仪器仪表等工业门类,共1 500余家企业。有耕地1.33万公顷,主要农作物有高粱、玉米、小麦、豆类等。海洋渔业、淡水养殖业以及养猪、养鸡、养貂、养牛等畜牧养殖业发展较快。人口350 000(2005)。

大港油区远眺
中国大百科全书出版社供图

Dagbamba (people) **达格班巴人** 参阅 **Dagomba** 达贡巴人。

Dagda 达格达 又称主神奥凯德或大智赤神。凯尔特宗教传说中的图阿萨·代达南族(达努女神之民)的领袖之一。相传达格达神通广大,拥有取之不尽的神釜、长年结果的果树和两只猪(一只活猪,一只烤猪)。他手执巨棒,既能致人于死地,又能起死回生。还有自动发声的竖琴,其乐音促进四季更迭。他的配偶是不祥的战争女神摩里甘。

Dagens Nyheter 《每日新闻报》 在斯德哥尔摩出版的晨报,是最大和最有影响的瑞典报纸之一,1864年由鲁道夫·沃尔创办。长期以来以全面报道艺术、国际消息、国内政治新闻而知名。政治上一般持自由派立场。20世纪60年代发行量一度居瑞典报纸首位,后被其姊妹报纸小开张的午后报《快报》超过。两报各有单独的编辑班子。90年代初《每日新闻报》发行量在30万份以上。

Dagestan 达吉斯坦 俄罗斯南部一共和国。位于大高加索山岭北麓的东端。面积5.03万平方千米。首府马哈奇卡拉。达吉斯坦意即"山国",最高点巴扎尔久济山,海拔4 466米。东临里海,北以库马河为界。有5个自然区。全境气候温和、干旱。平原地区1月平均气温-3.6°C,7月约达23.5°C。早在15世纪俄罗斯人即渗入这一地区,1813年归属俄国。1921年建自治共和国。约有30个种族集团,81个民族,其中人口较多的是阿瓦尔人、俄罗斯人、达尔金人、库梅克人和列兹金人(共占人口总数的80%)。主要城市有马哈奇卡拉(**Makhachkala**)、杰尔宾特(**Derbent**)、基斯利亚尔、依兹别尔巴什、布伊纳克斯克等。石油和天然气储量丰富。有煤、铁、有色金属和稀有金属矿藏。工业以开采里海沿岸的石油和天然气为主。另有机械制造、建筑材料和木材加工、玻璃制造、酿酒及食品加工等工业。铁制品和毛毯为传统手工业产品。捷列克河和苏拉克河上有水电站。大部分人口以农牧业为主。耕地只占土地面积的15%,主要农作物为小麦、玉米和水稻(捷列克河三角洲)。里海沿岸有渔业。有铁路通往莫斯科、巴库、阿斯特拉罕、古杰尔梅斯等地。马哈奇卡拉为里海的重要港口。达吉斯坦的铁路各站均有公路相连。人口2 067 000(1995)。

Dagestan rug 达吉斯坦地毯 通常指在东

1894年的达吉斯坦地毯
美国不列颠百科全书公司供图

高加索的达吉斯坦共和国(俄罗斯)以手工业编织的小块铺地的用品。编织比较精细,羊毛毯面较薄,毛经,棉纬。图案为几何图形格子,有如配色鲜明的镶嵌工艺品。图案多样,有蜂窝、花瓣或对角排列的光芒四射的菱形、园景以及所谓的城堡等。祈祷毯图案为五边拱门,通常有蜂窝格子,每格有花饰。

Dagestanian languages　达吉斯坦诸语言　又称东高加索诸语言(East Caucasian languages)。是通行于高加索东北部的一个语族包括:阿瓦尔-安迪-迪多语支、拉克-达尔格瓦语支及莱兹基语支。大多数语言的显著特征之一是清辅音的强弱对立。达吉斯坦诸语言常同**纳克诸语言(Nakh languages)**一起划为纳克-达吉斯坦语族或东北高加索语族。参阅 **Avar-Ando-Dido languages; Lakk-Dargwa languages**。

dagger　匕首　外观如小剑的带握柄的短刀。在古代和中世纪,长匕首与短剑常难区分,匕首短小,便于随身暗藏和迅速抽拔,在许多情况下较刀剑优越。匕首的种类繁多,如马来人的波形刀刃匕首,廓尔喀人(尼泊尔的主要居民)的短曲刀,印度人的扁平三棱匕首等。

Daghur　达斡尔族　又拼Dahur、Daur。中国少数民族。主要分布在内蒙古自治区和黑龙江省部分地区,少数在新疆塔城市、霍城县。人口132 394(2000)。语言属阿尔泰语系蒙古

达斡尔族姑娘
中国大百科全书出版社供图

语族。无文字,大多数人使用汉文,少数人兼通蒙古文和哈萨克文。先民分布于外兴安岭以南至黑龙江以北的河谷地带。17世纪中叶以后迁至嫩江流域、呼伦贝尔、爱辉及新疆等地。主要从事农业,兼事牧、猎和伐木业。善制轻便木轮大车,多输往牧区。住房为高大的"介"字形朝南草房,内壁和天棚多有装饰,房外围柳编花篱笆。实行一夫一妻制,恪守氏族外婚制。人死行土葬,长者葬礼隆重。信仰萨满教,少数人信喇嘛教。最大的节日是春节。享有"曲棍球之乡"的美誉。1958年在内蒙古自治区建立了莫力达瓦达斡尔族自治旗,已建立了10个民族乡(镇)。

Daghur language　达斡尔语　中国达斡尔族语言。属阿尔泰语系蒙古语族。分布在内蒙古自治区呼伦贝尔盟境内和黑龙江省齐齐哈尔附近沿嫩江及其支流的一带;使用人口约9.4万。内部没有方言差别,只有布特哈和齐齐哈尔两个土语。达斡尔语(莫力达瓦)语音特点:有21个单辅音,其中包括双唇、舌尖中和舌根部位的清、清送气塞音6个,卷舌、舌叶部位的清、清送气塞擦音4个,唇齿、舌尖前、卷舌、舌叶、舌根部位的擦音6个,双唇、舌尖中、舌根鼻音各1个,此外还有1个边音、1个颤音;2个半元音、11个腭化辅音和12个唇化辅音。双合辅音共有47种结合形式,一般不出现在词中而仅出现在词末,双合辅音还可腭化成圆唇化。有14个单元音,其中包括6个长元音和8个短元音,有8个复合元音。重音落在词的第一个音节上,元音和谐已受到某种程度的破坏。词类有名词、形容词、数词、代词、动词、副词、后置词、助词、连词、语气词、叹词、模拟词。有丰富的形态变化。名词有格(主格、属-宾格、与-位格、离格、造格、共同格、程度格、目标格、方向格、方面从格)、指领(人称指领、反身指领);形容词有级(比较级、最高级);动词有态(被动态、使动态、互动态)、时(过去时、现在将来时)、式(陈述式、祈使式、命令式、允许式、敦促式)。在一般情况下,句子主语在谓语前;宾语和补语在主语后、谓语前;修饰语在被修饰语前。

Dagly, Gerhard　达格利(约1653,比利时斯帕～1714以后?,也许在莱茵兰[德意志])德国皇家宫廷艺术家,欧洲最杰出的漆匠之一,支持巴洛克风格的重要人物。自进口商输入东方国家的商品后,漆器受到热烈的欢迎,因而欧洲艺人也开始仿造。他在斯帕工作过一段时间,在那里工匠们专门制造叫作"斯帕盒"的小漆盒。此外对他的早期生活所知很少。1687年,他在柏林被任命为勃兰登堡"大选侯"腓特烈·威廉的宫廷艺人。威廉在其统治时期,曾召集了许多有地位的艺术家和建筑师到他的宫廷,宣布达格利为"装饰指导"。在这个职位上,他装饰了许多宫廷房间和家具。模仿东方的原型,用绚丽多彩的油漆装饰腓特烈的宫殿墙壁。他的艺术使柏林成为艺术实验中心,以后又影响欧洲的工匠。他用远东格调来提高他所制家具的吸引力,也就是既采取传统的黑色和金色,又在乳白底色上配合使用绿、蓝和红各色。他的作品使具有东方风格的欧洲艺术在18世纪的法国非常风行。1713年,腓特烈·威廉一世继承普鲁士王位,新国王认为艺术不必要,艺人可以省掉,并严格地削减宫廷人员,达格利因此退休。1714年在莱茵兰曾最后听到他的消息。

Dagö(Estonia)　达格岛　参阅**Hiiumaa希乌马岛**。

Dagobert　达戈贝尔特　墨洛温王朝统治者之名,按年代顺序分列于后,并各以●为标记。

● **Dagobert I　达戈贝尔特一世**(605～639-01-19,法国圣但尼)　法兰克王国墨洛温王朝最后一代国王。他在位期间,法兰克王国完成了统一大业。克洛塔尔二世之子。他于623年成为奥斯特拉西亚国王,629年成为整个法兰克领地的国王。他曾与拜占廷皇帝希拉克略签订友好条约,打败加斯科涅人和布列塔尼人,在东部边境征伐斯拉夫人。631年曾率军进入西班牙,支持西哥特人篡权者斯文西拉。他把首都从奥斯特拉西亚迁到巴黎。634年立3岁的儿子西日贝尔为奥斯特拉西亚国王。达戈贝尔特修改法兰克法律,鼓励学术,赞助文艺,创造了第一座宏伟的圣但尼大教堂。

● **Dagobert II　达戈贝尔特二世**(约650～679-12-23,洛林斯特奈附近[今在法国])　法国中世纪墨洛温王朝的奥斯特拉西亚国王。西日贝尔三世之子。656年父王死后,他被赶到爱尔兰某寺院,王位由宫相希尔德贝尔特篡夺。希尔德贝尔特倒台后,达戈贝尔特的堂兄弟克洛塔尔三世为希尔德里克二世取得奥斯特拉西亚王位(662)。675年希尔德里克遇刺,在约克主教威尔夫里德大力帮助下,达戈贝尔特得到了王位(676)。3年后被谋杀。后所有法兰克领地在提奥多里克三世统治下取得名义上统一。

● **Dagobert III　达戈贝尔特三世**(699～715或716)　法国中世纪法兰克人墨洛温王朝国王,711年继承父位。其在位大部分时间受奥斯特拉西亚宫相埃斯塔勒的丕平二世的控制。

Dagobert(leader of First Crusade)　**达戈伯特**　参阅 **Daimbert 戴姆伯特**。

Dagomba　达贡巴人　又称达格班巴人(Dagbamba)。加纳北部地区达格邦酋长领地的主要民族。讲达贡巴语,属非洲诸语言尼日尔-刚果语系古尔语族。达贡巴酋长领地还包括许多臣属部落及一些部落的部分地区,其中有孔孔巴和查科西两部。根据传说,达贡巴王国由北方入侵者建于14世纪。起初向南已拓展至黑沃尔特河一带,但在17世纪中叶因冈加人占领而幅员缩小。17世纪末,达贡巴人臣服于阿散蒂人,被迫每年以奴隶若干作为岁贡;直到1874年,阿散蒂人为英军击败,岁贡才停止。达贡巴人务农,主要种植高粱、黍类、玉米、薯蓣和花生。农务以男子为主,妇女常常参加收割。饲养短角矮牛、绵羊、山羊、鸡和珍珠鸡,也从事渔猎。居住在坚固的带有围墙的村庄,家庭由男子及其妻儿和被赡养者组成。居民分为平民和酋长家族两部分。平民中父系家族是社会组织的基础。宗教信仰主要是祭祖和祭地。酋长阶级最重要的亲族单元是一个传宗集团,称为"当"。

Dagon(god)　参阅 **Dagan 大衮**。

Dagong Bao　《大公报》　中国近代有较大政治影响的报纸。1902年创刊于天津。创办人英敛之,满族宗室。主张君主立宪,变法维新。辛亥革命后因敢于议论朝政,反对袁世凯称帝而赢得读者。1916年9月报馆售归财

阀王郅隆，聘胡政之为经理兼总编辑。后因亲日色彩浓厚，读者寥寥，1925 年 11 月 27 日停刊。1926 年吴鼎昌邀胡政之、张季鸾合作接办，于 9 月 1 日出版。当时提出办报方针

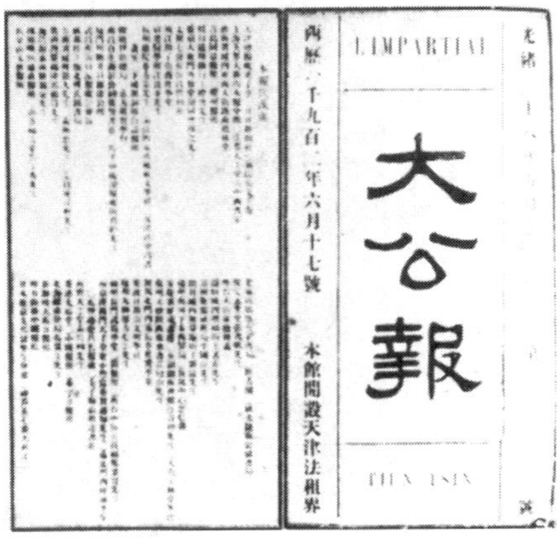
LIMPARTIAL

大公報

西曆一千九百二年六月十七號

本館開設天津法租界

TIEN TSIN

《大公报》创刊号

中国大百科全书出版社供图

为“不党、不卖、不私、不盲”。北伐战争期间该报敢于抨击军阀吴佩孚和政治投机家汪精卫、蒋介石，因而销数渐增。1931 年“九一八”事变后，该报谴责日军侵略，指出明耻教战，逐日刊载王芸生编的《六十年来中国与日本》，宣传爱国、救国。1934 年 1 月开始约请社会名流、学者撰写“星期论文”和专文。1935 年 9 月开始发表范长江的西北通讯《中国的西北角》、《塞上行》，介绍中国共产党的抗日和民主的主张。1936 年日本势力侵入华北后，报纸向南方发展。先后增出上海版、汉口版、香港版、重庆版、桂林版。这段时期以其对国民党政府的政策时有讥评，在知识分子中受到欢迎。1941 年 5 月 15 日曾获美国密苏里大学新闻学院荣誉奖章。1944 年 9 月 1 日重庆版创办晚报。1945 年 8 月抗战胜利后上海版于 11 月 1 日复刊，天津版 12 月复刊。1948 年 3 月 15 日香港版复刊。1949 年 6 月 17 日解放后的上海《大公报》发表《新生宣言》，继续出版。1949 年 2 月 27 日天津版改名《进步日报》。1953 年 1 月 1 日上海版与天津《进步日报》合并出版全国性《大公报》，社址天津。1956 年 10 月 1 日迁北京出版。1966 年 9 月 14 日停刊。香港《大公报》现仍照常出版。

Daguerre，Louis-Jacques-Mandé　达盖尔 (1787-11-18，法国巴黎附近科尔梅耶～ 1851-07-10，马恩河畔布里)　法国画家和物理学家，发明了**达盖尔式照相法（daguerreotype）**，

美国国会图书馆供图

一种最早的实用摄影方法。尽管法国尼埃普斯在 1826 年就拍出第一张永久性照片，但需要曝光 8 小时，而达盖尔的方法只需 20 ～ 30 分钟。1822 年，达盖尔在巴黎开办透景画展览，它是一种用灯光的变化产生各种效果的画片景色展览。从 1829 年起，他和尼埃普斯合作，发展了尼埃普斯的阳光照相法，1833 年尼埃普斯去世，他继续进行实验。1839 年 1 月 9 日，在法国科学院的会议上，达盖尔式照相法由著名天文学家和物理学家 D.F.-J.阿拉戈正式宣布承认。1839 年他和尼埃普斯的继承人分别被授予 6 000 法郎和 4 000 法郎的年金，以奖励达盖尔和尼埃普斯在摄影上的贡献。

daguerreotype　达盖尔式照相法　世界上第一个成功的摄影方法，以法国画家和物理学家达盖尔的姓氏命名。达盖尔于 19 世纪 30 年代与尼埃普斯合作发明了此项技术。他俩发现，如果让一块涂有碘化银的铜版在照相机中曝光，然后熏以水银蒸气，并用普通食盐溶液定影，就能形成永久性的影像。19 世纪中期的大量摄影作品都是用此法制作的，特别是肖像摄影；后为湿珂琊啶照相法所取代。

Dagupan　达古潘　菲律宾港市。在吕宋岛西部，林加延海湾南岸，靠近达古潘河口。由传教士建于 1590 年。是产鱼、盐、稻米、水果地区的出口港。有一所大学，一座教堂和一些制造业。马尼拉-北方铁路及公路网经过此地。1947 年设市。人口约 122 000(1990)。

Dahl，Roald　达尔 (1916-09-13，威尔士兰达夫～ 1990-11-23，英格兰牛津)　英国作家，受欢迎的具有精巧和傲慢特色的儿童读物和成人恐怖故事作者。1932 年从英国著名的雷普顿公学毕业后，达尔未进大学，而是加入了一支前往加拿大纽芬兰的探险队。1937 ～ 1939 年在坦噶尼喀(今坦桑尼亚)的达累斯萨拉姆工作，第二次世界大战爆发后，应征加入英国皇家空军。作为战斗机驾驶员，在利比亚的一次紧急着陆中受重伤。他在美国华盛顿担任助理空军武官之前，一直随空军中队在希腊和叙利亚服役(1942 ～ 1943)。在华盛顿，受小说家福雷斯特的鼓励，写下了在皇家空军时最令人激动的冒险经历，并在《星期六晚邮报》上发表。达尔的第一部作品《小妖精》(1943)是为迪斯尼所写，后来拍成一部受人欢迎的影片。他为成人写了一部短篇小说集《像你一样的人》(1953；修订本 1961)而取得畅销书作家的地位；随后又写了《吻，吻》(1959)。为他自己的孩子所写的儿童读物《詹姆斯和大桃子》(1961)是一本受欢迎的成功之作，《查理和巧克力工厂》(1964)也是一部成功的作品，被拍成电影《威利·翁卡和巧克力工厂》(1971)。达尔还写有几部电影脚本，其中有《你只活两回》(1967)和《奇蒂奇蒂乓乓》(1968)。

Dahlbergh，Eric，Count (Greve)　**达尔贝里** (1625-10-10，瑞典斯德哥尔摩～ 1703-01-16，斯德哥尔摩)　瑞典军人、文官、绘图艺术家。在瑞典对丹麦的战争(1675 ～ 1679)和大北方战争(1700 ～ 1721)中立过功勋。1680 年以后负责城防建筑，曾改筑许多军事要塞。1693 年成为元帅。1696 年任利沃尼亚总督。1700 年大北方战争爆发时，率兵保卫里加，击退了撒克逊人的进攻。两年后返回瑞典。他曾为《古今瑞典》一书作过插图，该书于 1717 年他去世后出版。他因此驰名于世。

Dahlgren，John Adolphus Bernard　达尔格伦 (1809-11-13，美国宾夕法尼亚费城～1870-07-12，华盛顿[哥伦比亚特区])　美国发明家，他发明的滑膛炮在美国南北战争期间得到广泛使用。滑膛炮的形状与汽水瓶相似，这是因为炮管的金属厚度必须随发射时各处内压的不同而变化。1826 年他参加美国海军，1847 年调到华盛顿海军造船厂，开始生产他发明的滑膛炮。滑膛炮最初安装在一艘试验船上，由他指挥于 1857 ～ 1859 年在海上航行。当南北战争爆发时，他是华盛顿海军造船厂里没有因为同情南部邦联而去职的 3 名军官之一。1863 年晋升为海军少将，去世时领导华盛顿海军造船厂。

Dahlia　大丽花属　菊科的一属，约12～20 种，草本植物。原产墨西哥及中美洲海拔高的地区。有块根；叶多对生，全裂、半裂或齿裂。约 6 个种有栽培以观赏其花。野生种的头状花序具盘花和边花，但观赏种(如常见的大丽花[*D. bipinnata*])的多数品种有短的边花。1789 年大丽花从西班牙引入英国，以后英国及其他地方从易变大丽花(*D. variabilis*)及绯红大丽花(*D. coccinea*)培育成无数品种。2 000 个园艺品种可分为 13 大类，包括单瓣、重瓣、奇观、杂色、绒球、仙人球及牡丹花形大

易变大丽花(*D. variabilis*)

美国不列颠百科全书公司供图

丽花。大丽花可为白色、黄色、红色或紫色。大丽花在大部分庭园土壤中均生长良好。夏末开花，一直开到秋霜出现。

Dahlmann，Friedrich (Christoph)　达尔曼 (1785-05-13，瑞典占有的梅克伦堡的城市维斯马[德国]～ 1860-12-05，波恩)　德意志著名自由派历史学家。小德意志统一路线的倡导者，曾在制定 1848 年宪法草案中起重要作

用。该宪法企图使德国统一为君主立宪制国家,未成。1812年任石勒苏益格基尔大学历史学教授。1829年去格丁根大学任教,参加起草有自由主义色彩的1833年汉诺威宪法。1837年国王埃内斯特·奥古斯特拒绝接受宪法,他领导过格丁根大学7位教授的抗议行动,后被解职并被赶出汉诺威。1842年普鲁士腓特烈·威廉四世任命他为波恩大学教授。1848年革命期间在法兰克福议会上,他的思想体现在《基本权利宣言》中,该宪法草案主张在普鲁士领导下实行立宪君主制,言论和宗教自由,以及在法律面前人人平等。达尔曼支持哥达会议(1849),参加普鲁士议会(1849～1850)和同盟议会(1850)。不久退出政治生活。

Dahlonega 达洛尼加 美国佐治亚州北部城市,兰普金县县城(1833)。1828年当地发现金矿,始有人定居。全国掀起第一次淘金热后于1833年设市。1837～1861年曾设有美国造币厂,它所铸金币现被收藏家们视为珍品。达洛尼加是附近农耕地区的贸易中心。农业以饲养适于烤焙的家禽为主。周边众多户外娱乐场所和多样化轻工业促进城市经济的发展。北佐治亚学院创办于1873年。该市为查塔胡奇国家森林的南部入口处。林区内有州立阿米卡洛拉瀑布公园、安娜鲁比瀑布、特拉克罗克隘口及阿巴拉契亚山间小道的一部分。人口3 638(2000)。

Dahmer, Jeffrey 达默(1960-05-21,美国威斯康星州密尔沃基～1994-11-28,威斯康星州波蒂奇) 系列杀人犯。1991年被捕时引起公众对系列谋杀和其他犯罪的高度关注。少年时期就有杀人和伤害人的狂想。1978年在俄亥俄州巴斯镇犯下第一桩谋杀。1987年第二次谋杀。在随后的5年间又杀死了15个男孩和青年男子,大多是在威斯康星州的密尔沃基。虽然其他系列杀人犯的受害者要多得多,但是达默的罪行特别令人厌恶憎恨,因为涉及"吃人"和"恋尸癖"。1992年2月被判处15次无期徒刑;5月又因为其1978年所犯的谋杀罪被加判第16次无期徒刑。关于发生这些犯罪的外在环境,曾经引发政治上的争论。有些人认为,达默得以逃脱侦查的事实说明,警方对调查同性恋者和少数民族受害人的失踪不够重视。达默的案件和1991年放映的电影《沉默的羔羊》引起公众对系列犯罪的关注。其后的几年里,在北美等地,以系列杀人为主题的文艺作品甚为流行,而达默则被视为历史上最臭名昭著的系列杀人犯之一。1994年,他在威斯康星州监狱中被同监犯人杀死。

Dahn, (Julius Sophus) Felix 达恩(1834-02-09,汉堡～1912-01-02,德国布雷斯劳[今波兰弗罗茨瓦夫]) 德国法理学家、历史学家、诗人、小说家,在研究德国古代文物方面极有贡献。1849～1853年在慕尼黑和柏林攻读法律和哲学。后在慕尼黑、维茨堡、柯尼斯堡和布雷斯劳诸大学教法理学,1895年任布雷斯劳大学校长。主要历史著作有:《日耳曼民族历代国王》(11卷,1861～1907)、《日耳曼和拉丁各民族起源史》(4卷,1881～1890)和《从原始起至843年的德国史》(1883～1888)。史诗有:《哈拉德与塞亚诺》(1854～1855)和《阿马林人》(1876)。他的历史长篇小说《争夺罗马》(4卷,1876～1878)备受读者好评。

Dahnā', ad- 代赫纳沙漠 沙特阿拉伯中部微红色的弧形沙漠带。这一沙漠带从内夫得沙漠东北边缘向南延伸约1 300千米,止于鲁卜哈利沙漠西北界。它是连接沙特阿拉伯大沙漠的纽带。由7个被平原互相分隔的主要沙脊构成,宽48千米。当地有泉水和冬牧场。有公路干线穿经。

Dahomey (people) **达荷美人** 参阅 **Fon** 丰人。

Dahomey 达荷美 18～19世纪在今贝宁南部地区一度兴隆的西非王国。据传17世纪初有兄弟3人争夺因奴隶贸易而致富的阿拉达王国。当其中之一赢得王位时,另外两人一个逃向东南,在维达乌以东的滨海地区建立波多诺伏;一个北去,建立阿波美王国,即后来的达荷美的核心。他们都向强大的奥约王国纳贡。后来阿波美成为强国。国王阿加扎(1708～1732)向欧洲商人购买武器,征服了阿拉达(1724)和维达乌(1727)。从此,阿波美王国改称达荷美王国,包括阿波美、阿拉达和维达乌3个省。达荷美王国以向欧洲人出卖奴隶致富。在特格贝苏(1732～1774)、克本格拉(1774～1789)和阿贡格里(1789～1797)几位国王的统治下,获得一些新的领土。伟大的格祖(1818～1858)推翻阿丹多赞(1797～1818)国王后,达荷美达到鼎盛。王国实行绝对君主制,国王至高无上。社会由王族、平民和奴隶3个阶层组成。被征服的领土通过通婚而同化。达荷美为了扩充疆界和掠取俘虏而发动战争。掠来的俘虏作为奴隶卖给欧洲人换取武器,或者放在王室的种植园里干活。1840年以后,由于英国制止奴隶贸易,达荷美王国便出口棕榈油。然而,棕榈油远不及奴隶赚钱,因此,在格祖的继承人格莱莱的执政时期(1858～1889),达荷美的经济日益衰退。1892年法国A.-A.多兹上校率兵击败达荷美人,把达荷美国王贝汉津(1889～1894)放逐到西印度群岛,将达荷美王国并入法属达荷美殖民地,首都设在波多诺伏。

Dahomey (western Africa) **达荷美** 参阅 **Benin** 贝宁。

Dahrīyah 光阴派 在伊斯兰教中,指不信真主而认为万物由光阴主宰的异教派别。据《古兰经》第45章第24节载,他们说:"只有我们的今世生活,我们死的死,生的生,只有光阴能使我们消灭。"故名。在伊斯兰神学文献中,光阴派被描述成自然主义者和唯物主义者,说他们否认任何感官察觉不到的物体的存在。一般虔诚的穆斯林认为,光阴派根据一己的欲望办事而不讲原则,他们不区别人与无生之物,缺乏同情心,不通人情。

Dahshūr 达舒尔 古埃及金字塔遗址,在尼罗河西岸,萨卡拉正南。在五个金字塔中,有两个是第4王朝(约公元前2575～约前2465)国王斯奈夫鲁(公元前2575～前

达舒尔的斯奈夫鲁菱形金字塔
美国不列颠百科全书公司供图

2551)所建。第一个底角52°,后来由于斜坡太陡,上面改为43.5°,因此人们称为"菱形金字塔"。它是古王国时代唯一有两个入口的金字塔,也是五个金字塔中保存状况最好的一个。第二个斜坡底角为43°,因而比前一个低。其余三个属第12王朝(公元前1938～前1756),保存状况不好。第12王朝金字塔附近的王室陵墓中有许多名贵的珠宝首饰。

Dahūk 代胡克 又拼Dohuk, Dhok。伊拉克北部城镇。在库尔德族自治区内。位于底格里斯河谷地北端附近。境内土地不适农耕,只宜种植果木和饲养牲畜。代胡克有水果罐头厂和纺织厂。现在已不断改进现有的旅游点并不断建设新的旅游地。人口约40 100(2001)。

Dahur (people) 参阅 **Daghur** 达斡尔族。

Dai 傣族 又拼Tai。中国少数民族。主要聚居于云南省南部和西部。人口1 158 989(2000)。语言属汉藏语系壮侗语族壮傣语支。原有傣那、傣泐、傣绷、金平4种文字,前

采茶的傣族妇女
中国大百科全书出版社供图

两种现通用于西双版纳和德宏两自治州。先世为汉晋时的"滇越"、"掸"、"擅"和"鸠僚"。因用金、银箔装饰门齿,唐宋时有"金齿"、"银齿"之称。属南诏、大理政权。用象耕田,种水稻,用木棉织布。12世纪前后建立"勐卯"、"勐泐"政权,后者称"景龙金殿国"。元明两代称为"白衣"、"白夷",其地设大、小土

司。清代称为“摆夷”，部分地区改土归流(Gaitu-Guiliu)。过去西双版纳保留了较完整的封建领主制度。农村公社定期分配的土地转化为“召片领”、“召勐”(广大土地和一片土地之主)等农奴主等级的领地。除自由民“召庄”外，按寨领种份地的“傣勐”(本地人)、“滚很召”(官家的人)等农奴等级除交官租、服劳役外，还承担养马、养象、抬轿、哭丧等固定杂役。信仰小乘佛教、拜鬼神。村寨均有佛寺。男子成年前入寺为僧，婚前还俗。“傣历年”称泼水节，互相泼水消灾祈福。有赛龙船、放烟火、丢包、“赞哈”(民间歌手)演唱等活动。舞蹈常模拟孔雀，以象脚鼓伴奏。主食为大米，喜食酸笋。以香茅和茶为饮料。住干栏式竹楼。女子着窄袖上衣和筒裙，以嚼槟榔染黑齿为美。男子有纹身习俗。青年社交、恋爱自由，入赘相当普遍。1953 年建立了西双版纳傣族自治州和德宏傣族景颇族自治州。先后与其他民族建立了孟连傣族拉祜族佤族自治县、耿马傣族佤族自治县、元江哈尼族彝族傣族自治县、金平苗族瑶族傣族自治县等 7 个自治县。

Dai Ailian　戴爱莲(1916-05-10，特立尼达和多巴哥～2006-02-09，中国北京)　中国女舞蹈家、教育家。祖籍广东新会。5 岁开始学习舞蹈，14岁赴伦敦学习芭蕾。曾在伦敦

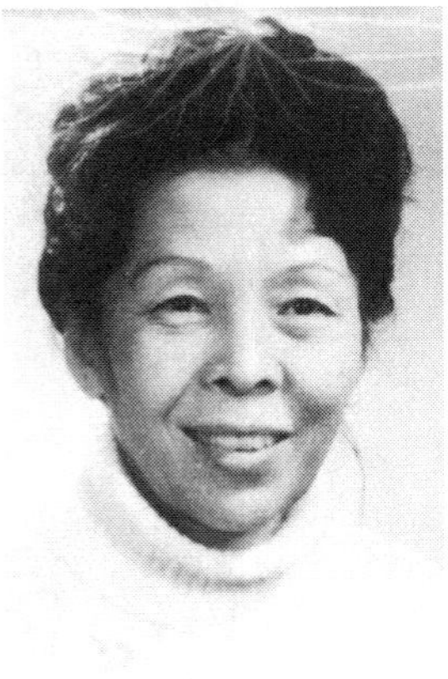

中国大百科全书出版社供图

艺术沙龙表演舞蹈并在电影制片厂、剧院担任舞蹈演员。在此期间创作了《波斯广场的卖花女》、《杨贵妃》、《伞舞》等。在德国现代舞蹈家维格曼(M. Wigman)的舞蹈影响下，萌发了现代舞与芭蕾相互结合的思想，并在自己的表演中付诸实践。1939 年，她以优异的成绩获得尤斯-莱德舞蹈学校奖学金。1940 年到香港，后经澳门到达桂林，创作了《游击队的故事》、《卖》、《空袭》、《东江》、《思乡曲》等作品。同时，她根据瑶族击鼓歌舞创作了《瑶人之鼓》。1942 年秋，她到重庆，先后在国立歌剧学校、国立社会教育学院和育才学校任教。1945 年，她深入西康、川北地区，用**拉班舞谱(Labanotation)**记录了 8 个藏族舞蹈(现存英国伦敦舞蹈中心、美国纽约舞谱中心图书馆)。创作了藏族舞蹈《春游》、《甘孜古舞》，彝族舞蹈《倮倮情歌》，苗族舞蹈《苗家月》，维吾尔族舞蹈《青春舞曲》和《马车夫之歌》。1946 年，她率领育才学校师生在重庆举行了盛大的边疆音乐舞蹈大会，使中国民族民间舞蹈登上了现代舞台，普及推广了民族民间舞。同年秋赴美讲学，介绍中国民间舞蹈。1947 年回国后，先后在上海、北平教授舞蹈。

1949 年以后，先后担任过中央戏剧学院舞蹈团团长、中央歌舞团团长和北京舞蹈学校校长。在此期间，创作了大歌舞《人民胜利万岁》、大秧歌《祖国建设》(1949)、舞剧《和平鸽》(1950)等。1953 年，她根据陕北民间舞蹈编创的《荷花舞》在世界青年联欢节上获金质奖；1956 年，她根据敦煌艺术创作的《飞天》再次在世界青年联欢节上获金质奖。1980 年以来，她举办了多次拉班舞谱讲习班，推广拉班舞谱。曾任中国舞蹈家协会副主席和联合国教科文组织国际舞蹈理事会副主席。

Dai hyakkajiten　《大百科事典》　东京出版的日文大型综合性百科全书，第一版于 1931 ～ 1935 年出版，共 28 卷。1939 ～ 1952 年又出版 4 卷补编。1951 ～ 1953 年重印版为 15 卷。1955 ～ 1963 年新版改名为《世界大百科事典》，33 卷，约收 7 万个由专家撰写的条目，最后三卷为增补资料，补充了1958 ～ 1963 年的最新资料，并有一份世界历史大事年表、一份日本市镇乡村地名录及缩写词和专有名词索引。此书于 1964 ～ 1968 年彻底修订重印，改为 23 卷，另有两卷地图补编。

Dai-Ichi Kangyo Bank　第一劝业银行　2000 年经合并成立瑞穗金融公司的三家日本银行之一。曾为日本最大商业银行之一，国内外都有分支机构。总行在东京。其前身是 1873 年成立的第一银行和 1897 年成立的日本劝业银行，二者都是大商业银行，1971 年两行合并后取现名。经营一般的商业银行业务，另有为公众代理全国性抽签中奖、金融与咨询服务(如自然资源公司)、国际业务(如欧洲货币市场)等。在世界各地拥有子行和联行。2000 年 9 月与富士银行和日本兴业银行合并成立瑞穗金融公司，跃居世界规模最大的银行集团之一。

Dai Jin　戴进(1388～1462)　又拼 Tai Chin。中国明代画家。字文进，号静庵、玉泉山人，钱塘(今浙江杭州)人。早年家贫，曾为金银器工匠，后改学画，宣德(1426～1435)年间征

戴进绘《船家图》

中国大百科全书出版社供图

入京师，艺高遭忌，见谗放归，穷困而死。为明代第一流全能画家。所画道释，如南京报恩寺壁画，“不下唐宋名贤”，受到评论家的高度赞扬，所画人物，创造了蚕头鼠尾、行笔有顿挫的描法，推为绝技，丰富了人物画的表现技法。所画山水，水墨淋漓，遒劲苍润，能自出新意。主要师法南宋李唐、马远、夏圭，亦有取于北宋郭熙，甚至被誉为“画得(宋、元)诸家之妙”。在花鸟方面，他还喜作葡萄，配以勾勒竹、蟹爪草，别具一格，亦推为奇作。去世前一年创作《南屏雅集图》，笔法圆熟，气象苍浑，杨铁崖的形象，寥寥几笔，刻画非常成功。关于他遭谗放归的原因，共有 3 说：①画《秋江独钓图》，钓者穿红袍，谓有违服饰规制；②画《屈原渔父图》与《七贤过关图》，谓讥讽当世；③画龙只画 3 爪、不画 5 爪，谓指斥皇帝。传世作品如：《洞天问道图》、《钟馗夜游图》、《长松五鹿图》、《三鹭图》、《春山积翠图》、《风雨归舟图》、《仿燕文贵山水图》以及前述《南屏雅集图》等，均为精心之作。他在明代前期宣德以至嘉靖先后几近百年之久，影响甚大，从学者甚众。因他是浙江人，画风主要取法南宋画院，被尊为**浙派(Zhe school)**的开创人。

Dai jiten　《大事典》　1953～1954年东京出版的 13 卷本日语插图词典。它实际上是 1934 ～ 1936 年的 26 卷版的缩编本，但增加了一些词条。词典收入 40 多万个现代的、古代的词汇、方言和技术词汇，包括大量外来语。还收入 30 万个人名、地名和书名，配有插图。该词典附有日语语法概要和一份按笔划顺序排列的汉字索引。此外，还收有难读字、词和外国人名、地名的附录。

Dai Kui　戴逵(约326～396)　又拼 Tai K'ui。中国东晋雕塑家、画家、哲学家。字安道，谯郡铚县(今安徽宿县)人。后徙居会稽剡县(今浙江嵊县)。终生隐居不仕。善琴艺，拒不为王公大人鼓奏。人品很高，受到当时名人谢安、谢玄、王珣、王徽之等人的尊敬。著《放达非道论》对当时上层社会人士的放诞行为提出批评；对于当时盛行的“佛教因果报应说”和“神不灭论”有相反看法，著《释疑论》、《流火赋》与名僧慧远等进行辩论。在绘画艺术上，宗教人物、山水风俗、畜兽等各体兼擅，尤长人物，是卫协以后、顾恺之以前最有成就的画家，故谢赫《古画名录》云：“情韵绵密，风趣巧拔，善图贤圣，百工所范，荀(勗)、卫之后，实称领袖。”他的《七贤图》等作品，备受顾恺之的推重。在山水画创始时期，他也是一位先驱者，有《吴中溪山邑居图》等，张彦远评曰：“山水极妙。”尤长于雕塑艺术，相传为会稽名寺木雕无量佛及菩萨像时，隐

于帷中，虚心听取人们的意见，反复修改，三年始成。“范金赋彩，动有楷模”。他在南京瓦棺寺塑的《五世佛》和顾恺之的《维摩诘像》、狮子国(今斯里兰卡)赠送的玉佛，并称“三绝”。相传第一个夹纻佛像即成于戴逵之手。近年来江苏省南京一带出土的《竹林七贤像》与现在所见到的南朝早期有关的金铜佛像，对研究戴逵的绘画和雕塑当有帮助。其子勃、颙，均有父风，勃长于山水画，孙畅之以为超过顾恺之；颙甚精于雕塑，张彦远认为“天机神巧”同于乃父。

Dai language 傣语 中国傣族语言。属汉藏语系壮侗语族壮傣语支。主要分布于中国云南省德宏傣族景颇族自治州、西双版纳傣族自治州、耿马傣族佤族自治县和孟连傣族拉祜族佤族自治县。使用傣语的人口约83万。此外还分布在缅甸掸邦(称为掸语)境内。分西双版纳、德宏、金平、红金4个方言。傣语(西双版纳)语音特点：有21个声母，包括双唇、舌尖中的清、浊、清送气三套塞音和舌根、喉门清塞音8个；舌尖前塞擦音、边音、半元音各1个；唇齿、舌尖前、舌根、喉门擦音共5个；双唇、舌尖中、舌根鼻音各1个；舌根唇化音2个。有93个韵母，其中包括9个单元音韵母，15个复元音韵母和69个带辅音韵尾的韵母(其中包括30个带鼻音韵尾的韵母和39个带塞音韵尾的韵母)。有9个声调，包括6个舒声调，平高(1)(括号内数字为调类，下同)、全降(2)、低升(3)、低平(4)、高升(3)、中平(6)；3个促声调，高平(7短)、高升(7长)、中平(8)。以虚词和词序表示句子成分的语法关系。名词构成中常冠以表示事物类别的词素；人称代词有通称、谦称、卑称、敬称、非敬称、亲密称的区别；动词后加附加音节表示某些特定意义；形容词后能加两个重叠或同韵母同声调的附加音节，表示程度的深浅或具有某些修辞色彩；句子主语在谓语前；宾语和补语在动词后；名词修饰语在名词之后；数词、量词和名词组合时数词、量词在后；数词是“一”时，在量词之后，其余数词在量词之前。词汇中有巴利语借词。原有四种文字，较通用的是德宏傣文和西双版纳傣文。1954年在这两种文字基础上分别进行了改革。

Dai Namboku 大南北 参阅**Tsuruya Namboku IV 鹤屋南北四世**。

Dai Zhen 戴震(1724～1777) 又拼Tai Chen。中国清代思想家、汉学家。字慎修，又字东原。安徽休宁(现属安徽黄山市)人。6次廷试未中进士，后被召任《四库全书》纂修官，1775年乾隆特赐进士，授翰林院庶吉士。两年后病逝于北京。戴震博闻强记，对天文、算学、历史、地理均有深湛研究，在文字、音韵、训诂、名物考证方面更卓然为一代大师。哲学上批判程朱理学和佛家、道家唯心论。认为世界是气的永无终止的变化过程，气的变化过程就是“道”，他批判理学家“理具于心”的观点，提出理是事物之间的区别，人心中并没有理，只能认识客观事物的理。还指斥理学家的“理”是“忍而残杀”的工具，“以理杀人”比“以法杀人”更残酷。主要著作有《孟

中国大百科全书出版社供图

子字义疏证》(3卷)、《原善》、《声韵考》、《声类表》和《方言疏证》等。所著由后人编为《戴氏遗书》，后又改编为《戴东原先生全集》。

Daia(Roman emperor) **达亚** 参阅**Maximinus, Galerius Valerius 马克西米努斯**。

Daiei Motion Picture Company 大映影片公司 日本主要电影制片厂，在战后制作了一些最重要的经典影片，尽管它的发行对象主要为城市青少年观众。1942年，日本政府合并新兴、大都和日活等制片厂，建成了大映影片公司。黑泽明导演的获1951年威尼斯电影节大奖的影片《罗生门》、沟口健二的《雨月物语》和日本第一部彩色片《地狱门》这三部成功的影片缓解了大映公司的财政困难。50年代转而制作宽银幕影片，尽管如此，该公司还是在1971年被迫宣告破产。

Daigak Guksa 大觉国师(1055，朝鲜～1101，朝鲜) 高丽佛教僧人，原为高丽王文宗之子，俗名义天，出家后研习《华严经》。1084年到中国宋朝居留一年半，研究并收集佛经。大觉将天台宗教义带回高丽，天台宗企图调和“教”和禅宗。天台宗开辟了朝鲜佛教史的新阶段，尤其是促进了禅宗转化为曹溪宗；其后，曹溪宗、“教”和天台宗即成为朝鲜佛教三大宗。大觉还在国内搜集、编辑和出版经籍，出版经籍约4 750种，包括《高丽大藏经》的第二版以及颇具权威性的部派佛教经籍总目。

Daigo 醍醐天皇(885-02-06，日本京都～930-10-23，京都) 日本第60代天皇，继续其父限制藤原家族权力的政策，但未能成功。宇多天皇之子。897年即位，但宇多仍作为太上皇继续掌权。醍醐天皇不让藤原氏占有关白(摄政)职位，而以著名学者菅原道真为重臣。901年，菅原道真因藤原时平的谗言而被放逐，从此醍醐天皇便为藤原氏所左右。醍醐天皇死后，藤原氏重占关白职位。

Daigo, Go- 后醍醐(1288-11-26，京都～1339-09-19，日本奈良南部吉野山) 本名尊治，1318～1339年日本天皇。他推翻幕府，恢复皇权之举导致内战，使皇族分为敌对的两派。后醍醐即位时日本正处于大动乱时期。在京都的天皇和在镰仓的将军分别掌握政权。两个政府都缺乏稳定和团结，都不能实际掌权，成为权臣家族的傀儡。在京都于11世纪实行了奇特的“院政”制度，天皇都是在退位后进行统治，天皇的皇位由皇子们轮流继承，以致造成长期仇恨。镰仓幕府的情况也很反常，实权由源氏旁落到北条家族，北条氏以摄政掌权，后又转到长崎高资手中。有鉴于此，后醍醐在登基之前，就企图推翻幕府和恢复朝廷的权力。即位以后继续进行秘密活动，但在1331年终于败露。他打算从京都出逃，却被幕府的军队俘获，流放到隐岐诸岛。在他被幽囚的头一年，他的支持者与幕府军队之间发生一些零星的战斗。1333年幕府军队的一些统帅倒戈，掉过头来向镰仓进攻。足利尊氏则向京都的幕府卫戍部队开刀，将京都拱手交给已经从隐岐诸岛逃出的后醍醐天皇，后醍醐天皇赏给足利尊氏一些土地，任命他当谏议大夫。1335年足利尊氏

美国不列颠百科全书公司供图

自立为将军，他与后醍醐天皇之间爆发了公开的战争。足利尊氏到处招兵买马，组织一支浩浩荡荡的大军。1336年后醍醐再次逃出京都，足利尊氏拥立光明天皇。后醍醐到京都以南的吉野山区建立自己的朝廷，历史上称为南朝，与光明天皇的北朝对峙。

Daikoku 大黑 日本神话中七福神之一，是财神，又是农人的守护神。其像黝黑硕大，右手持如意槌，身背财宝囊，坐在两个米袋上。一般认为大黑就是印度的神祇大黑天，

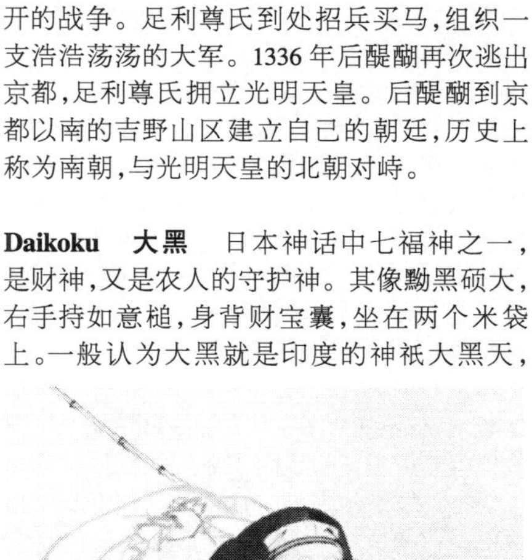

美国不列颠百科全书公司供图

随佛教传入日本。神道教认为大黑就是大国主神，**大国主神**(**Ōkuninushi**)中的汉字“大国”如用音读法读则与“大黑”同音。参阅 **Shichifuku-jin**。

Daily Express 《每日快报》 伦敦出版的晨报，以其迎合时尚的新闻手法和对国际新闻

的全面报道而闻名。从1900年创办以来就积极吸引大众读者,成为与各报在销量上竞争的长期对手。它对国际新闻的全面报道始于第一次世界大战时期,其时该报一美籍战地记者因对战事的报道而受封为爵士。在现时,该报热衷宣传英国产品和本民族特征,在政治上则持独立立场。其他迎合时尚的报纸多为小报,而该报则采取大报的形式。该报为快报报系公司所拥有,1980年归属于一个包括《明星日报》、《星期日快报》的报业集团。

Daily Mail 《每日邮报》 伦敦出版的晨报,长期以来以其国外报道而闻名,是英国最早迎合大众读者的报纸之一。1896年由A.哈姆斯沃思(后封为诺思克利夫子爵[Northcliffe, Alfred Charles William Harmsworth, Viscount])创办,其渊源可追溯至1787年创立的《赫尔期报》,该报于1884年与《赫尔晚报》合并,12年后移往伦敦成为《每日邮报》。该报以独立的社论立场而知名,并因对法国德雷福斯案件(1894～1906)和南非战争(1899～1902)的广泛报道而声誉远扬。该报还与外国报纸以辛迪加方式共用新闻报道和图片。1902年发行量达到100万,与《纽约世界报》和《纽约日报》并列发行量最大的三大报纸。尽管20世纪70年代《每日邮报》的发行量下滑,至20世纪末仍旧是英国最畅销的报刊之一。

Daily Mirror 《每日镜报》 伦敦出版的晨报,注重迎合时尚的新闻手法、销量常居英国各报首位。该报1903年由A.哈姆斯沃思(后受封为诺思克利夫子爵)创办,原是小开张画报。该报一贯重视耸人听闻、充满人情味和涉及人们私生活的新闻报道。其独立政治立场使它在许多报道中能采用"普通老百姓对抗官僚政治"的手法。《每日镜报》属于镜报报系公司,该公司还拥有《体育生活报》、《星期日镜报》和《星期日人民报》。一度在加纳、尼日利亚和塞拉利昂等发展中国家的报纸都有投资。

Daily Telegraph, The 《每日电讯报》 伦敦出版的报纸,与《泰晤士报》、《卫报》并称为英国"三大"最佳报纸。1855年创刊,原名《每日电讯信使报》。一贯把高质量的报道与有趣的选材和社论评述结合在一起,以保守的、中产阶级的观点对新闻做全面报道。新闻特稿是该报成立以来的惯例,该报记者曾报道美国南北战争(1860～1865)和西班牙的卡洛战争(1872～1876)。该报还参与资助H.M.斯坦利19世纪70年代进行的刚果河探险活动。《每日电讯报》也对政府和工会进行调查性报道。该报较少发生劳资争议,在资金上一直保持稳定。1986年加拿大金融家布莱克买下了《每日电讯报》的大部分股份,将其所有权转至加拿大控股公司霍林格公司旗下。1996年又收购了其余股份。尽管舆论责备布莱克收购该报仅仅是为了获利,《每日电讯报》仍然就广泛的题材进行报道,包括艺术、科学和政治。对于布莱克及其管理的质疑和金融丑闻使得该报再次易主。2004年7月该报刊被双胞胎巴克利兄弟收购。

Daily Worker 《工人日报》 原为《工人日报》(1924～1958)或《工人》周刊(1958～1968),纽约市出版的反映美国共产党观点的日报。在不同时期曾作为共产党的机关报或"半官方"喉舌,其读者包括美国政府许多情报部门,它们监视该报的订户名单。1958年该报改为《工人》周刊,10年后恢复成日报,周二至周六出版,并改称现名,以吸引更广泛的读者。该报一贯登载社会发展情况和劳工消息以及反映共产党观点的社论和政治评论。在英国伦敦出版有同一导向的《工人日报》,也出于同一原因改名为《晨星报》。1986年更名为《人民日报》,1999年再次更名为《人民周刊》。1999年后发行量保持在4万份。

Daimbert 戴姆伯特(?～1107-06-14,西西里诺曼大公国墨西拿[今在意大利]) 又名达戈伯特。第一任比萨大主教。1088年任主教,1092年升为大主教。1095年陪同教皇乌尔班二世去法国鼓吹组织第一次十字军。1096年回比萨集结舰队。1098年前往圣地,1100年到达耶路撒冷。他声称耶路撒冷宗主教阿努尔夫是非法选出的,因此取而代之。1100年埃德萨伯爵鲍德温一世进军圣地,成为国王,1102年将戴姆伯特逐出耶路撒冷,并没收他的财产。戴姆伯特回意大利向教皇申诉。在教皇支持下,他再次启航前往叙利亚,但在途中死于西西里岛上的墨西拿。

Daimler, Gottlieb (Wilhelm) 戴姆勒(1834-03-17,符腾堡绍恩多夫[德国]～1900-03-06,斯图加特附近坎斯塔特) 德国机械工程师,汽车工业史上早期的主要人物。早年在斯图加特工业学院攻读工程学,在德国各工程公司任职期间积累了有关发动机的经验。1872年在曾发明四冲程内燃机的N.A.奥托的公司任技术主任。1882年离开奥托的公司,与W.迈巴赫合作创办发动机制造厂。他们获最早的高速内燃机的专利(1885),并研制成功汽化器,使汽油能用作内燃机的燃料。1885～1887年先后把他们早期的汽油发动机用在自行车上(这也许是世界上第一辆摩托车)、四轮马车上和船上。1889年设计成功四轮汽车,这种适于商品化的汽车装有轻金属管构架、后置发动机和由皮带驱动的车轮。次年在坎斯塔特成立戴姆勒汽车公司,1899年制造了第一批梅塞德斯汽车。

Daimler-Benz AG 戴姆勒-奔驰汽车公司 德国的汽车制造业公司,生产梅塞德斯-奔驰高级轿车,也生产喷气式飞机和机动车辆发动机、重型卡车和公共汽车。总部在斯图加特。德国汽车业的先驱本茨和戴姆勒二人都声称自己是汽车用汽油发动机的发明者。本茨1885年制出单缸汽油发动机的汽车,1887年投入市场。戴姆勒1883年设计出一系列汽油发动机,1885年获得以汽油为动力的三轮车的专利权。1901年戴姆勒汽车公司制出第一辆装配有四缸发动机的梅塞德斯车。本茨(奔驰)汽车公司不仅生产汽车而且生产卡车。第一次世界大战前,就开始生产节省燃油的柴油机卡车。1926年两家公司合并,取现名。公司首先将柴油机应用于客用小汽车,1936年就制出装配柴油机的梅塞德斯-奔驰车。第二次世界大战期间,戴姆勒-奔驰发动机广泛应用于德国的坦克、轰炸机和战斗机。1944年该公司的工厂几乎全部被盟军炸毁;后又重建。到20世纪80年代初期,国内外对梅塞德斯车的大量需求使戴姆勒-奔驰汽车公司成为德国销售额最大的汽车制造商。在80年代中期,该公司寻求高技术领域多样化,收购了霭益吉公司(电气系统、汽轮发动机、无线电和雷达通信系统的制造商)、道尼尔有限公司(航空航天和医疗产品的制造商)、电动机和汽轮机联合制造公司(飞机发动机制造商)。

daimyo 大名 约自10世纪起至19世纪后半期,日本最有权势的大领主。得名于大量占有名田。到15世纪中叶,他们各霸一方,形成许多小国,相互厮杀,争夺全国控制权。1603年德川家康建幕府后,规定年产谷物1万石以上的土地领主为大名。他们拥有家臣和侍从,掌握当地的军政大权,简直和土皇帝一样。但是,他们必须效忠将军。德川时代把大名分成亲藩(近亲)、谱代(历代家臣)和外样(诸侯)三类。到德川时代末期,大名已无实权。明治维新后,1868年废除幕府,1869年勒令大名把土地交还天皇,改委以管理相当于他们以前领地的地区长官。1871年废除大名,以前的大名成为领恩俸的贵族,居住在东京。

Daing Parani 达英·帕拉尼(?～约1726) 西里伯斯岛望加锡附近的冒险家领袖,是布吉人进入马来半岛政界的先驱。起初协助拉查·克芝尔攫取柔佛王国的宝座。1722年又反戈一击,为被废黜的苏丹之子苏莱曼夺还其父的王位。为此,苏莱曼特设国王辅佐官职,由布吉人担任。布吉人掌握了柔佛的实权。达英·帕拉尼在干预马来北部吉打国的王室冲突时被杀。

Dainichi-kyō 《大日经》 参阅Mahāvairocana-sūtra《大毗卢遮那成佛神变加持经》。

Dair al-Baḥrī(Egypt) 参阅**Dayr al-Baḥrī达尔巴赫里**。

Dairen(China) 参阅**Dalian 大连**。

dairying 乳品业 农业的一个分支,包括培育、饲养和利用产乳家畜(主要是牛)以生产奶和用奶制造的各种奶制品。最常见的奶制品是黄油、奶油、奶酪、冰淇淋、奶粉、脱脂奶和酪乳等。最早的有关历史记录已记载人类为生产奶类、黄油和奶酪而饲养牛、山羊、绵羊。西南亚是世界上最早驯养喜欢成群的家畜的地方;以奶和奶制品作为人类食物的做法由此推广到其他国家。奶牛在那些牧草和绿色饲料大量生长的地方繁荣昌盛。现代的奶畜饲养业历史极短。最早,人们饲养奶牛的目的只是生产牛奶供农场主人一家食用。当消费者到农场求售或农民将他们的牛奶直接送到用户处时畜奶的销售便告开始。在过去的100年内,五个不同方面的进展使奶和奶制品变成重要的商品：①19世纪中叶左右出现了奶加工的工厂系统，结果产品的一致性比农场生产时加强。②大约同时设计了在消毒条件下将奶浓缩并封入容器的方法。约25年后，开始将奶放入玻璃瓶内分发。随后许多其他技术也有了进展。③最早市镇内销售的奶来自附近的农场。冷冻技术的发明不但使奶类与前相比能在更长的时间内保持新鲜，又使它能运送到世界各个地方。④早期通过铁路将奶运输到大城市。汽车和铺面路出现后，鲜奶便能运送到离产地数百乃至数千英里以外的市场上去。20世纪后半叶的一项进展是低温集乳槽车的应用范围扩大到农场，过去则用运奶车收集牛奶。⑤巴斯德氏消毒法被广泛应用，并执行了有关奶制品卫生要求的法律，这都有益于整个奶品业的发展。通过选择育种，18世纪开始的所谓畜群改良计划大大提高了奶牛的产奶量。许多优良的奶牛品种在其原产地以外已大量饲养，包括来自苏格兰的艾尔郡牛，来自瑞士的瑞士褐牛，来自荷兰和弗里斯兰的荷尔斯泰因-弗里斯牛或荷尔斯泰因牛，来自海峡群岛的根西牛及泽西牛等。除牛外，也有饲养水牛、山羊、绵羊以取其奶者，但生产规模均相对较小，这些奶类也主要在产地内及其附近地区消费。一些山羊奶和绵羊奶也进入贸易渠道（主要以奶酪的方式）。

dais　高台　房间内高起的平台，主要供礼仪用。源自中世纪大厅一端升高的部分，庄园主及其家人在此进餐，以示和侍从及仆人有别。高台的一端或两端常有一间带有凸窗

英国伦敦上院内的高台
美国不列颠百科全书公司供图

的凹室，使进餐位置比大厅中更为隐蔽。该名词在法文中指座位上的华盖。

daisy　雏菊　菊科数种庭园植物的统称。雏菊一词常指茼蒿属的牛眼雏菊（*Chrysanthemum leucanthemum*）和雏菊属的英国雏菊（*Bellis perennis*），又称真雏菊、多年生雏菊。这两个种和其他称为雏菊的植物有共同的特征：头状花序由15～30朵白色的边花围绕一朵鲜黄色的盘花而组成。牛眼雏菊原产于

英国雏菊（*Bellis perennis*）
美国不列颠百科全书公司供图

欧洲及亚洲，但在美国已成为常见的野生植物；多年生，高可达60厘米；叶长圆形，具缺刻，叶柄长；头状花序单生，直径2.5～5厘米，边花白色。栽培的沙斯塔雏菊即最大茼蒿（*C. maximum*），似牛眼雏菊，但花序较大，直径可达10厘米。雏菊属植物为多年生，头状花序单生于长梗上；盘花黄色，边花白色或紫色。英国雏菊常用作花坛植物；叶数多，匙形，稍被毛，生于茎的近基部处，形成莲座状；花梗无叶；花头下有被毛的苞片。英国雏菊的一些品种具重瓣花，另一些品种具粉红色或红色的边花围绕着鲜黄色的盘花。与牛眼雏菊一样，英国雏菊亦原产于欧洲，但在美国已成为常见的野生植物。

Daitō　大东　日本本州大阪府城市，在大阪市之东，自生驹山东延至大阪平原。早期为农业社区。第二次世界大战后建立大型金属加工和电器制造厂，成为工业城市和大阪-神户都会区的市郊住宅区。人口128 838（1995）。

Daitō Islands　大东诸岛　在太平洋琉球群岛。属日本冲绳县。西距冲绳350千米。最大岛屿为北大东和南大东二岛，而较小的冲大东岛则南去150千米。南北大东岛共有面积40.5平方千米，为珊瑚岛屿。岛岸陡峭而内地平坦。大部分可耕地种植甘蔗。人口2 046（1995）。

Daizō-kyō　参阅 **Ta-ts'ang Ching**《大藏经》。

Dajabón　达哈翁　多米尼加共和国西北部城镇。临达哈翁河。建于1771～1776年，在独立战争时期被放弃，光复战争（1865）后人们再度定居。现为当地所产皮革、木材、香蕉、咖啡、蜂蜜的贸易中心。人口25 534（2000）。

Dajia Xi　大甲溪　中国台湾省西北部河流。源出南湖大山，西南流至东势后进入平原区，复西行经台中以北至大安乡入台湾海

大甲溪
美国不列颠百科全书公司供图

峡。全长142千米，流域面积1 235.7平方千米。河流大部分经过高峻山区，水流湍急，是台湾水力资源最丰富的河流，估计达148万千瓦。

Dajjāl, ad-　达加尔　阿拉伯语，意为"欺骗者"，伊斯兰教末日论名词，指末日到来之前将要出现的假救世主。他将统治40天或40年，然后被救世主或马赫迪（意为"被引上正道的人"），或被他们俩消灭，届时普世归向真主。达加尔最早出现于伪基督教启示文学中，在圣训中被重新改写，圣训被认为是先知穆罕默德所述。在圣训中，达加尔被描述为一个肥胖、脸色红润、卷发的独眼人，在其额头上写有k-f-r（卡非尔，即"异教徒"之意）。达加尔将在一个极其苦难的时期出现；犹太教徒将追随他，而且他将在耶路撒冷自称为上帝。他将创造假的奇迹，大部分人将会受骗。此时，救世主将复临。传说认为，达加尔将在东方出现，可能在呼罗珊出现，但也可能在西方出现。同时，根据水手们的传说和水手辛伯达故事的叙述，他是在东印度群岛中的某一岛上，歌舞和美妙音乐声即发自该岛。另一种说法是将其与希腊普罗米修斯的传说联结起来；依其所述，达加尔被缚在海中某岛的一块石头上，并由恶魔喂养。

Dajōkan　太政官　日本奈良时代和平安时代（710～857）封建政府的行政机构。1868年恢复皇权后沿用这一名称，下辖行政、立法和6个其他省（部）。经过几次官制改革，1871年确定分为左、右、正三院。左院司立法，右院辖各省（部），而正院则总管一切。1885年废除太政官制度，建立对天皇负责的内阁。4年后，日本颁布第一部宪法。

Dakar　达喀尔　塞内加尔首都，非洲西岸主要海港之一。位于佛得角半岛东南方，冈比亚河口和塞内加尔河口的中间处，近非洲最西端。是西非最佳港口之一，有石灰石悬崖和一系列防波堤为防护。城市名字由沃洛夫语dakhar而来，意为罗望子树，也是位于目前第一防波堤南面的莱布村庄的名字。

建于1857年，当时法国人在现今独立广场处建立要塞，以保护商人们的利益，这些商人已在此居住了20年，也保护半岛背风面一个无水岛戈雷岛居民的利益。1862年在达喀尔岬修筑了一条短防波堤，在沙滩后面的石灰石低台地建起一座城镇。然而，又过了二三十年，达喀尔才超过戈雷和位于其东21千米、已成为花生贸易的主要出口中心的吕菲

斯克而后来居上。1885年西非第一条铁路圣路易—达喀尔铁路通车,极大地推动了达喀尔的发展,铁路也刺激了沿线的花生种植。1904年达喀尔取代圣路易成为法属西非联邦的首都。

第一次世界大战期间,达喀尔港口渐趋重要。1924年,通往法属苏丹(现马里)的一条铁路线通车,给海港带来了新的转口贸易。达喀尔进行了大规模改建,到30年代已成为该地区主要花生装运港口。第二次世界大战期间,达喀尔同法属西非所有地方一样于1940年承认法国维希政府,自由法国于同年企图保护该市镇所作的努力彻底失败。达喀尔进一步的发展停顿下来,直至1943年法属西非团结在盟军周围才得以重整旗鼓。

在第二次世界大战期间,花生油提炼成为达喀尔一项重要的工业,因为当地和北非需要植物油,而原先大都是在法国炼制的。其他工业也在该市建立起来,但至1961年法属西非分裂成八个独立国家,达喀尔的市场就此缩减下来。达喀尔曾经是马里联邦(1959～1960)的首都,1960年成为塞内加尔共和国的首都。第二次世界大战以来,这座城市在都市建设方面进行了许多扩充。

该市有几个不同地区。南区是公共建筑、医院和大使馆。北面是以独立广场为中心的商业区。北面和东面的区域均与港口有关,诸如港口本身、渔港和花生出口区。距后者不远铁路附近有较古老的花生压碎厂和其他工厂,再往北是汉(Hann)工业区。

该市是热带非洲主要的工业和服务中心之一。其工业有花生油提炼、鱼罐头加工、磨面、酿酒、卡车装配和石油提炼。戈雷附近有极佳的海洋博物馆和历史博物馆,达喀尔有人类学和考古学博物馆。曼努埃尔角附近的悬崖盘旋道路(切入悬崖)使人能将港口和群岛的美景尽收眼底。有些很好的海滩。位于市北的约夫机场是欧洲与南美间航班的重要中途站。人口约1 999 000(1999)。

达喀尔市

美国不列颠百科全书公司供图

Dākhīl Raḥmān, ad-(Umayyad ruler) **达克西尔·拉赫曼** 参阅 **'Abd ar-Raḥmān I** 阿卜杜勒·拉赫曼一世。

Dakhin Shāhbāzpur Island 南沙赫巴兹布尔岛 孟加拉国中南部岛屿,位于梅克纳河口湾。与东南的哈蒂亚岛之间隔沙赫巴兹布尔河,与西南的大陆隔代杜利亚河。由梅克纳河带来的泥沙堆积而成,长69千米,宽16～24千米。常受强大热带气旋和狂风巨浪袭击。与大陆之间有轮船来往。

dakhma 寂塔 印度祆教徒死后暴尸之塔。这种塔立在丘陵上,高约8米,以砖或石块砌成,上面张有格栅,其上露置死者遗体。秃鹫食尽皮肉,骸骨则落入格栅下的坑中。

Dakin's solution 达金氏液 又作Dakin's fluid或Carrel-Dakin fluid。又称卡雷尔-达金氏液。含氯的防腐药,用以治疗伤口感染,是理想的战伤防腐药。始用于第一次世界大战期间,是英国化学家亨利·德赖斯代尔·达金和法国外科医师亚历克西·卡雷尔经长期研究而制成。能溶解死细胞,加速死细胞与活组织的分离。又无一些较强的杀菌溶液(如石炭酸或碘溶液)的弊病(损伤活细胞或在血浆中失去效力)。制备方法是将氯气通入氢氧化钠溶液或碳酸钠溶液中。含0.45%～0.50%次氯酸钠,但不含游离碱。性质不稳定,不能久置。卡雷尔-达金氏疗法是用与盛有达金氏液的容器相连的小管子定期冲洗伤口表面。

Dakota(American Indian) **达科他人** 参阅 **Sioux** 苏人。

Dakota River(U.S.) **达科他河** 参阅 **James River** 詹姆斯河。

Dal River 达尔河 瑞典语作Dalälven。位于瑞典中部。由东达尔河和西达尔河汇聚而成,源起挪威边界。流经贝里斯拉根矿区,向东南流至克吕尔布,后折向东北,在斯屈特谢尔注入波的尼亚湾。全长520千米。该河是瑞典中部木材和炼铁工业的重要动力来源。另有木材流放业。

达尔河上的木材流放池塘

美国不列颠百科全书公司供图

Daladier, Édouard 达拉第(1884-06-18,法国卡庞特拉～1970-10-10,巴黎) 法国政治家。作为总理签订了《慕尼黑协定》,使纳粹德国占领苏台德区(原捷克斯洛伐克一地区)。1919年作为激进党人当选众议员。1924年在第1届赫里欧政府中任殖民部长。1925～1933年历任陆军、公共教育、公共工程等7个部部长。1933年1月31日首次组阁,仅维持到同年10月。1934年1月第2次组阁,仅维持4个星期。1935年领导激进党与L.布鲁姆的社会党以及共产党组成人民阵线联合政府,数度担任部长。在国际形势日益恶化的情况下,他竭力避免与德国发生战争,1938年9月同英国首相N.张伯伦一道与希特勒德国签订《慕尼黑协定》。1940年6月法国沦陷后,他曾打算逃往法属北非建立流亡政府,但在摩洛哥被维希政府下令逮捕,送回法国,并移交给德国人,被囚至1945年。战后重返众议院(1946～1958)。1953年任当时已失势的激进党主席。他反对戴高乐的

美国不列颠百科全书公司供图

1958年新宪法。后离开政界。

Dalai Lama 达赖喇嘛 中国藏传佛教格鲁派(Dge-lugs-pa,黄帽派)首席转世活佛系统的称号。第一世根敦珠巴(1391～1475)为后藏扎什伦布寺创建人和住持。根据喇嘛转世之说,他的继承人被信徒认为是他的转世,也是大慈大悲观世音菩萨的化身。第二世甘东嘉措(1475～1542)任拉萨近郊哲蚌寺住持。哲蚌寺从此成为这一转世活佛系统的主寺。第三世索南嘉措(1543～1588)于访问蒙古俺答汗时始受"达赖"尊号,达赖是他的名字"嘉措"的蒙语音译,意为海洋,表示他的智慧深广。这也是格鲁派势力远播蒙古的开始。这一尊号后被追加于前两任住持。但藏人习惯称达赖喇嘛为杰瓦仁波且。杰瓦是胜者,仁波且是宝的意思。第四世云登嘉措(1589～1617)是俺答汗曾孙,他是这一系统中唯一非藏族的转世。第五世罗桑嘉措(1617～1682)借蒙古顾实汗武力取得对西藏的政治权力,在北京受清廷册封为"西天大善自在佛所领天下释教普通瓦赤喇怛喇达赖喇嘛",并在拉萨建布达拉宫,业绩甚多,称为"伟大的五世"。第六世仓央嘉措(1683～1706)因行为放荡,喜作浪漫诗歌,同他的地位不称,为顾实汗后人所废,解送内地途中去世。西藏一时陷于混乱。第七世格桑嘉措(1708～1757)由清廷派兵护送入藏,并加敕封,平定地方。第八世绛贝嘉措(1758～1804)时,尼泊尔廓尔喀军入侵,清廷派大军击退,加强了对地方的管理。以后第九世隆多嘉措(1806～1815)、第十世楚称嘉措(1816～1837)、第十一世凯珠嘉措(1838～1856)和第十二世称勒嘉措(1856～1875),有的未成年即故世,有的成年后管事未久故世,都由清廷核准委人代为掌办一切事务。第十三世土丹嘉措(1875～1933)于1904年因英军入侵抗英战败后走避内地,一度被清廷夺去名号。后又因不容于驻藏大臣出亡印度,再度被黜。辛亥革命结束后回藏。虽经恢复名号,但因各省军阀割据,国内长期内战,故同内地关系疏远。第十四世丹增嘉措1935年生于青海,1940年坐床。1959年出走印度。

Dalälven (Sweden) 参阅 **Dal River** 达尔河。

Dalandzadgad 达兰扎达嘎德 蒙古人民共和国中南部城镇,地处戈壁沙漠,首都乌兰巴托在其东北偏北514千米处,有公路相通。当地蕴藏的褐煤和烟煤矿用于商业性开采。工业有水泥生产。人口12 800(1999)。

Dalarna 达拉纳 旧称达莱卡尔利阿。在瑞典中部省份。面积29 086平方千米,从挪威边界附近延伸到波的尼亚湾滨的耶夫勒镇。包括贝里斯拉根铁矿区的许多地区。历史上,在为把瑞典从丹麦的控制中解放出来的两次斗争(1434、1521)中,该地起了重要作用。随后法伦的铜矿和贝里斯拉根的铁矿使瑞典在17世纪增强了财力。现经济呈现多样化,有工矿业、农业和林业。又是著名旅游胜地。人口276 636(2002)。

Dalberg, Emmerich Joseph von Dalberg, duc de(duke of) **达尔贝格公爵**(1773-05-30,德国美因茨～1833-04-27,巴伐利亚黑恩斯海姆) 卡尔·特奥多尔·冯·达尔贝格的侄子和继承人;法国拿破仑和路易十八治下的大臣和外交使节。1803年为巴登的驻巴黎使节。他与塔列朗成为密友。1809年开始为法国效劳。1810年拿破仑封他为公爵,任他为枢密顾问。后参加塔列朗的临时政府,并随塔列朗出席维也纳会议,任法国全权公使。1815年第2次复辟后,路易十八任命他为大臣,封为贵族。1816年任法国驻都灵大使。

Dalberg, Karl Theodor von 达尔贝格(1744-02-08,德意志黑恩斯海姆～1817-02-10,德意志雷根斯堡) 美因茨大主教、神圣罗马帝国首相,德意志首主教,莱茵联盟的盟主。德意志贵族家庭出身,曾在格丁根和海德堡攻读教会法规,进入教会后,1772年在爱尔福特主教管区任行政主管。他主张德意志统一,支持1785年成立的诸侯联盟。1787年任美因茨和沃姆斯的主教助理,不久任康斯坦茨主教助理。1802年为美因茨大主教选侯和神圣罗马帝国首相。1803年得到阿沙芬堡和雷根斯堡公国。后又为德意志首主教,教区包括美因茨、科隆和特里尔。1810年他获得富尔达与哈瑙公国以及法兰克福大公的封号。拿破仑失败后,维也纳会议肢解了公国的领地,达尔贝格仅保留雷根斯堡的大主教管区。

Dalby 多尔比 澳大利亚昆士兰州东南部城镇,在康达迈恩河附近的迈奥尔河沿岸。始建于1841年。为本州小麦产量最高地区达令草地北部的商业中心。当地其他产品有木材、亚麻子、牲畜和奶制品等。有铸造、机械、面粉、锯木、农机、黄油制作等工厂和牲畜市场。设有英澳育种(绵羊)学会。每年举办重要的畜产展览会。人口8 338(1986)。

Dalcroze, Émile Jaques 参阅 **Jaques-Dalcroze, Émile** 雅克-达尔克罗兹。

Dale, Sir Henry (Hallett) 戴尔(1875-06-09,英国伦敦～1968-07-23,剑桥) 英国生理学家。1914年分离出乙酰胆碱,与德国药理学家O.勒维因分别发现神经冲动的化学传

美国不列颠百科全书公司供图

递而共获1936年诺贝尔生理学或医学奖。1909年从剑桥大学学医毕业,1904年即在韦尔科姆生理研究室开始研究事业。1914年入医学研究委员会的前身工作,1928～1942年任其后身国立医学研究所的所长。戴尔最早在动物组织中鉴定出组胺(1911),并研究组胺的生理效应,得出结论:组胺与某些变态反应和过敏反应有关。1914年成功地分离出乙酰胆碱,证明它存在于动物组织中,20世纪30年代证明乙酰胆碱从副交感神经系统的神经末梢释放出。他的研究证明乙酰胆碱是神经冲动的化学递质。曾任皇家学会会长。第二次世界大战期间任内阁科学咨询委员会主席。1932年封为爵士,1944年获荣誉勋章。

Dale, Richard 戴尔(1756-11-06,弗吉尼亚诺福克县[美国]～1826-02-26,美国宾夕法尼亚费城) 美国独立战争时期的海军军官。12岁即开始海上生活。曾在效忠派的双桅帆船上担任驾驶员。1776年7月投效大陆军,在双桅帆船"列克星敦"号上担任大副。1777年被英军俘获,囚于英格兰。一年多后逃至法国,在J.P.琼斯的舰上任职。1779年9月在弗兰伯勒角附近俘获"塞拉皮斯"号中,表现突出。战后在美国新建海军中服役,随后在商船上任职。1801年5月重被召回服役,以小股部队成功地封锁的黎波里近海,有效地控制柏柏里海盗达6个月之久。1802年辞职。

Dalecarlia (Sweden) **达莱卡尔利阿** 参阅 **Dalarna** 达拉纳。

d'Alembert's principle 达朗伯原理 牛顿第二运动定律的另一种表述形式,由18世纪法国博学的J.le R.达朗伯所阐明。实质上,它是把动力学问题简化为静力学问题。牛顿第二定律的说法是:作用在物体上的力F,等于物体的质量m与其加速度a的乘积,即$F = ma$;达朗伯的表述方式则是,力F加上质量和加速度乘积的负值等于零,即$F - ma = 0$。换句话说,物体在真实力F与虚拟力$-ma$的作用下处于平衡。虚拟力也叫惯性力或反向有效力。作用于平衡物体的未知力比作用于运动物体的未知力容易确定,对机器部件的力和应力分析,一般可用惯性力来简化。例如在推导一转盘内的应力公式时,最方便的是假定转盘中的一个典型体积元在切向和径向力的作用下处于平衡状态,这些力由应力和惯性离心力产生。

Dalén, Nils (Gustaf) 达伦(1869-11-30,瑞典斯滕斯托普～1937-12-09,斯德哥尔摩) 瑞典发明家,由于发明自动太阳阀获1912年

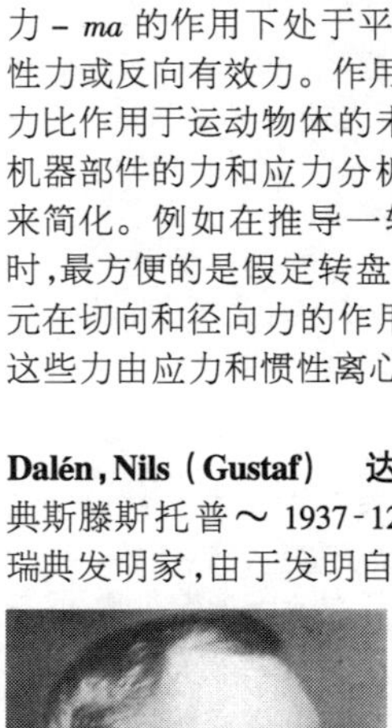

美国不列颠百科全书公司供图

诺贝尔物理学奖。太阳阀靠阳光的作用调节煤气灯光源,使灯在黎明时关闭,黄昏或其他黑暗时开启。这项发明很快在全世界广泛应用于浮标和无人灯塔。1906年,达伦成为经营乙炔的储气器公司的总工程师,1909年任该公司经理,发明了一种称为 Agamassan 的能吸收乙炔的物质,能浓缩乙炔而无爆炸之虞。1913年,在实验时因爆炸而双目失明,但仍继续从事实验工作直到逝世。

Daley, Richard J(oseph)　戴利(1902-05-15,美国伊利诺伊芝加哥～1976-12-20,芝加哥)　美国芝加哥市市长,自1955年起他每隔4年均重新当选,直到1975年。戴利被称为"大城市首领中最有权威的人",因为他通过实行广泛的就业而牢固地控制了芝加哥的政治。在全国民主党政治活动中,他具有很大势力。1933年进入伊利诺伊州律师界,并担任州众议员。此后相继担任州参议员(1936～1946)、州税务官员(1948～1950)、库克县书记员(1950～1955)。担任芝加哥市长期间,他进行了大规模的城市重建和公路建设工程,并对警察部门作了彻底改革,因而赢得芝加哥市工商界的信任。戴利的执政也受到过批评,即在住房和公立学校两方面的种族隔离,他的政府无意加以制止;市政府提倡在商业区建造高层办公楼;1968年民主党全国大会期间,对示威者采取了干涉行动。戴利当政的最后几年,人们对其下层人员的流言蜚语,又使其声誉受损,但无一涉及他本人。1989年他的长子里查德也当选为芝加哥市长。

Dalgaranga Crater　达尔加兰加陨石坑　位于澳大利亚西澳大利亚州达尔加兰加镇附近。直径70英尺(21米),深11英尺。内有铁质和石质陨石碎片。1938年认定为陨石坑。

Dalhousie　达尔豪西　加拿大新不伦瑞克省北部城镇,雷斯蒂古什县县城(1837)。在沙勒尔湾雷斯蒂古什河口,坎贝尔顿东27千米。19世纪初始有苏格兰人定居。以1819～1828年加拿大总督达尔豪西伯爵的爵号命名。出产白报纸、烧碱、氯、木材,有综合性农业、渔业和旅游业。1905年设镇。人口4 775(1991)。

Dalhousie　达尔豪西　印度西北部喜马偕尔邦昌巴县城市。位于喜马拉雅山麓。海拔2 300米。避暑胜地。东北距伯坦果德42千米,有公路相通。有旁遮普大学教师度假中心。人口约6 855(1991)。

Dalhousie, Fox Maule Ramsay, 11th earl of　达尔豪西伯爵(第十一)(1801-04-22,苏格兰安格斯布里金城堡～1874-07-06,布里金城堡)　英国陆军大臣(1855～1858),因在克里米亚战争最后阶段中的行为而受到谴责。原名福克斯·莫尔,1852年成为第2代潘默男爵,1860年成为达尔豪西伯爵,遂改姓拉姆齐。任军职12年后,进入下院(1835～1837,1838～1852)。历任国务副大臣(1835～1841)、贸易委员会副主席(1841)和陆军大臣(1846～1852)。1855年在第1届帕默斯顿政府中又任陆军大臣。他体质健壮,性格坚强,有"野牛"之称。虽然是一个强有力的行政管理人员,但往往笨拙而迟钝。因企图重用驻在克里米亚的一个年轻的亲戚而招致激烈批评,成为贵族任人唯亲而妨碍战争努力的典型事例。

Dalhousie, James Andrew Broun Ramsay, marquess and 10th earl of　达尔豪西侯爵和伯爵(第十)(1812-04-22,苏格兰中洛锡安达尔豪西城堡～1860-12-19,达尔豪西城堡)　英国驻印度总督(1847～1856),他将印度各独立省份一一征服兼并,奠定了现代印度的

美国不列颠百科全书公司供图

行政区划基础,并建成了集权的印度国家。1857年,也就是他退休一年之后发生了印度兵变;往往有人认为这次兵变应由他负责,因为他所进行的变革过于激进,他的政策激起了广泛的不满。

早期经历　达尔豪西是达尔豪西伯爵(第九)拉姆齐的第3子。他的家族有担任文武官职的传统,但是,以当时的标准衡量,并未聚敛大量财富,因而达尔豪西往往陷入经济拮据之中。他身材矮小,体弱多病。他一生自信虽有个人缺陷却能取得公务成就,以此获得力量和满足。他在牛津大学基督堂学院求学时表现平平,其后,于1836年与S.海小姐结婚,次年人议会。从1843年起在R.皮尔的托利党(保守党)内阁中任贸易委员会副主席,从1845年起任主席;在任期间处理一批铁路问题,以善于管理著称。1846年皮尔辞职,达尔豪西也失去官职。翌年,他应辉格党新内阁的要求,出任驻印度总督,是受此任命中年龄最轻的。

到达印度　达尔豪西于1848年1月到达印度,当时印度貌似平静。但是,仅在两年前,锡克教的宗教及军事教派所建立的独立的旁遮普邦军队即曾挑起战争,英国人费了很大力气才得以取胜。在英国人的支持下,新的锡克政权推行新的体制和经济制度,引起不满。1848年4月,木尔坦爆发了局部性的暴乱。这是达尔豪西所面临的第一个严重问题。当地官员要求立即采取行动,但是达尔豪西迟迟不动,于是锡克教所煽动的怨气蔓延到旁遮普全境。1848年11月,达尔豪西派出英军,经过几次战争与胜利,于1849年兼并旁遮普。批评达尔豪西的人们说,他听任局部性的叛乱发展成为全国起事,以便兼并旁遮普。但是,英军总司令曾警告他切勿轻动。的确,达尔豪西最终采取的步骤颇不寻常;木尔坦的起事原来并非反对英国人而是反对锡克政府的政策。无论如何,达尔豪西还是因为他所作的努力而被授予侯爵。

第二次缅甸战争　英国人同缅甸人在缅甸一带的角逐已延续了将近一个世纪,1852年在仰光发生的商务争执又引发了双方之间的新的敌对行动,这种敌对行动加速了第二次缅甸战争的爆发。战事不出一年即行结束,死伤轻微,英国人吞并了仰光和勃固全省。又有人指责达尔豪西实行侵略外交,但是英国确实获得实惠,因为新建立的缅甸政府对外较少侵略性,对内也较少镇压。英国人从战争中所获得的最宝贵战利品仰光发展成为亚洲最大港口之一,这是另一收获。

"权利丧失"和兼并的政策　达尔豪西还利用一切机会以和平手段攫取新领土。东印度公司(当时已不再是独立公司,基本上处于英国政府控制之下)迅速成为在印度的统治势力。该公司与印度各地的统治者缔结盟约,保证支持他们和他们的继承人,从而从他们那里获得许多特许,包括派驻特派代表和军队的权利。这种协定使英国人得以随意支配各邦的大政方针,但是达尔豪西还想寻求获得更多权力。根据惯例,如统治者无自然继承人即须向英国政府请示是否可以收养一个儿子以继其位。达尔豪西提出,如果这种请求遭到批驳,那个邦即处于"权利丧失"状态,从而即成为英国领地。据此,1848年萨达拉被吞并,1854年占西及那格浦尔被吞并。达尔豪西的说法是:关于私产继承权与执政继承权的原则之间有差异,而他的主要论点就是他必须坚持英国统治在道义上和物质上的利益。1856年他吞并奥德,却引起了严重的政治危机。当地并未发生无人继位的问题;纳瓦布(统治者)仅因施政不当而受指责,吞并该邦也违背纳瓦布的意愿。他不顾纳瓦布的抗争,强行转移政权,激怒了穆斯林上层人物。此举对英军中的印度人部队的影响更为危险,这些印度士兵许多是奥德人,在奥德被吞并前他们在故乡占有特权地位,而在英国政府统治下,他们所受待遇同于其他居民,使他们丧失了特权。再者,达尔豪西于1856年离开印度后,奥德的拥有土地的豪绅们也丧失了他们的特权。凡此种种都表明,吞并奥德之举促进了翌年的兵变和叛乱的爆发。

对印度进行西化　达尔豪西的力量不仅在于攫夺领土,他的最大成就是把取得的各省改造成为现代的集权的邦。由于他信仰西方体制,又有管理才能,于是着手开发交通运输系统。他特别注意第一批铁路的规划。利用他在伦敦贸易委员会任职期间所获得的知识,他为日后的铁路建设奠定了基础,规划干线、支线的基本方案,并制订种种规定,保障铁路工人和受筑路工程影响的业主的利益。他规划并建成了电报网络、促成加尔各答至德里的大干线公路的工程,并完成其通往旁遮普的支线。他建立了集中的邮政体系,人们只须按照低廉的统一费率购贴邮票,预付

邮资，即可发信，不必再依靠过去的形形色色的邮寄手段，既不稳妥，费用又高。在社会改革方面，他大力支持在旁遮普和广大西北地区取缔杀害女婴的习俗，并取缔奥里萨山地部落中的人祭习俗。他提倡学校教学使用通俗语言，并特别提倡女子教育。他于1856年离开印度。许多人批评他的兼并政策，说它是导致1857年的兵变和叛乱的因素，这种批评不无道理。关于他的兼并政策的争论，遮盖了他在现代化方面的功绩。他在印度辛勤工作，积劳成疾。去世后侯爵爵位遂即终止。

Dalhousie University　达尔豪西大学　设在加拿大哈利法克斯由私人捐款兴办的高等学府。1818年任新斯科舍副总督的达尔豪西伯爵（第九）创建了达尔豪西学院，1863年成为大学。由于1879年G.门罗给予大笔捐款以及后来洛克菲勒基金会和卡内基基金会的财政支援，这个大学才迅速发展起来。有文理、法律、内科、牙科、卫生专业和研究生院等6个学院。与之有联系的院校有：国王学院大学、圣文森特山大学和新斯科舍技术学院。达尔豪西大学是为大西洋沿岸各省提供内科和牙科专业训练的唯一大学。

Dali　大理　又拼Ta-li。中国云南省大理白族自治州辖县级市，自治州首府。中国历史文化名城，著名风景名胜区。旧称下关。位于省境西部点苍山麓，洱海之滨，扼昆（明）畹（町）公路要冲，是滇藏公路和下关到西双版纳公路的起点。西汉置叶榆县。南朝梁末废。8世纪初南诏王皮罗阁筑龙尾城。宋时仍为国都地。元至元二十六年（1289）置太和

大理三塔
中国大百科全书出版社供图

县，为大理路治。明、清为大理府治。1913年改名大理县。元代设关卡税局，称龙尾关、虎尾关、石桥城。明初称德胜关，不久因修建城隘关寨始称下关。1952年由大理、凤仪二县析置下关市。1958年合并下关市、大理县、凤仪县、漾濞县为大理市。1962年复置下关市、大理县（凤仪并入）、漾濞县。1983年并下关市、大理县，设大理市。面积1 468平方千米。是滇西棉、茶、粮、糖、胡桃等农产品集散中心和各民族交易市场。茶叶贸易仅次于省内普洱茶市。盛产大理石，有“大理石之乡”的美誉。20世纪50年代后，各项建设飞速发展。先后兴建电力、机械、纺织、制茶、制烟、制革、制糖、汽车修配、化工、建材等工业。大理历史上是中国与南亚各国文化交流、通商贸易的重要门户，唐南诏和宋大理国500余年都邑所在地。文物古迹、风景名胜众多。有南诏德化碑、太和村遗址、崇圣寺三塔、蛇骨塔、元世祖平云南碑、杜文秀墓等文物。以苍山、洱海为中心的湖泊山岳，是著名的风景区，苍山雪、洱海月、上关花、下关风构成大理四大奇景，还有蝴蝶泉、洱海公园、清碧溪三潭、下关温泉等旅游胜地。人口590 000（2005）。

Dalí, Salvador　达利（1904-05-11，西班牙菲格拉斯～1989-01-23，菲格拉斯）　又译达里。西班牙超现实主义画家和版画家，以探索潜意识的意象著称。在马德里和巴塞罗那学习美术时，曾兼收并蓄多种艺术风格，显示出作为画家的非凡技能。但是，直到20世纪20

《原子达里》（又称《达里与一切东西悬浮空中》），P.哈斯曼摄于1948年
美国不列颠百科全书公司供图

年代末期，才由两件事情促使其画风日臻成熟。一是他发现了弗洛伊德谈论性爱对于潜意识意象的重要性的著作；一是他结交巴黎的超现实主义者，这群艺术家和作家努力证明人的潜意识超乎理性之上的“更为重大的现实”。为从潜意识心灵中产生意象，达里开始用一种自称为“偏执狂临界状态”的方法，在自己的身上诱发幻觉境界。达利发现这一方法后，画风异常迅速成熟，1929～1937年间所作的画使他成为世界最著名的超现实主义艺术家。在他所描绘的梦境中，以一种稀奇古怪、不合情理的方式，将普通物像并列、扭曲或者变形。达利对这些物像的描绘精细入微，几乎达到毫发不差的逼真程度，通常将它们放在十分荒凉但阳光明媚的风景里，令人联想到他的故乡加泰罗尼亚地区。在这些谜语一般的意象中，最有名的大概是《记忆守恒》（1931），画中以平静得可怕的风景为衬托，停留着一只柔软易曲、正在熔化的表。达利还与西班牙电影导演L.布努埃尔共同制作两部超现实主义影片，即《安达卢西亚的狗》（1928）和《黄金时代》（1930），同样充满怪诞的但富于暗示的意象。20世纪30年代末，在文艺复兴画家拉斐尔的影响下，达利的绘画转趋比较古典的风格，并因此而被超现实派开除。此后，他花费大量时间设计舞台布景、时髦商店内部装饰以及珠宝饰物。在1950～1970年间他有许多宗教题材的绘画作品，但仍探索性爱主题，描绘童年记忆，并且让妻子加拉成为这些题材的中心形象。这些晚期绘画虽然技法纯熟，但客观评价低于其早期作品。在达利的著作中，最有趣味和揭露隐秘的是《萨尔瓦多·达利的秘密生活》（1942～1944）。

Dalian　大连　又作Dalny，Dairen。中国辽宁省辖地级市，主要的对外贸易港口之一。位于辽东半岛南部，东濒黄海，西临渤海，南与山东半岛隔海相望。原为一渔村，汉称三山浦，唐名青泥浦，清初称青泥洼。秦汉时属辽东郡，清属奉天府，1902年置大连市，1945年抗日战争胜利置关东公署，后改称旅大行政公署。1950年改名旅大市，1953年为中央直辖市，1954年改属辽宁省。1981年复称大连市。辖中山、西岗、沙河口、甘井子、旅顺口、金州6区和长海县，并代管普兰店、庄河、瓦房店3个县级市。面积13 238平方千米，其中市区面积2 505平方千米。大连的旅顺口区自古是海上交通要地。清末为北洋水师基地。光绪二十四年（1898）沙俄强租辽东半岛，在旅顺建军港，辟大连为商港。日俄战争后大连市落入日本侵略者之手，直到1945年。1945年以前重工业落后，轻工业也多为小型工厂和手工作坊。20世纪50年代以来已建成部门齐全的综合性工业城市。以机械、石油、化工、纺织为主，还有冶金、钢铁、造船、机车车辆制造、电子等工业。大连是中国最大的苹果产区之一，素称“苹果之乡”。又是中国北方主要渔业基地，水产资源丰富，盛产海带、鲍鱼、扇贝、海参等。大连港港阔水深，冬不封冻，腹地深远，水陆交通便利。陆路有沈大、岫大铁路在此交会，201、202、305国道交叉过境，沈大、大丹高速公路已建成通车。哈大铁路直达港口码头，与大连湾西南部5个港区的专用线相接。港口吞吐量居中国第三位。1976年建成的大连新港（鲇鱼湾）是中国最大的深水海港之一，可同时停靠5万吨和10万吨级油轮。大窑湾港区是中国四大国际深水中转港址之一。大连港定期班轮可达上海、青岛、天津、威海、烟台、龙口等地，并与世界各地60多个港口通航，同150多个国家和地区有贸易往来。有飞往东京、

大连市劳动公园内的足球状绿山建筑艺术馆
中国大百科全书出版社供图

香港、北京、上海、青岛、沈阳、成都等地航班。文教事业发达，有大连理工大学、大连海运学院、大连铁道学院等多所高等院校。市区地处海滨，是著名的旅游、疗养胜地，辟有老虎滩、傅家庄、星海公园、棒棰岛、夏家河子等海水浴场。人口：全市5 620 000（2005）；市区2 750 000（2004）。

Daliang Shan　大凉山　中国西部山脉。在四川省西南部凉山彝族自治州东北部，是大雪山的东南分支。东北—西南走向。海拔大多在2 000～3 000米以上，其中小相岭海拔4 791米。山地西侧美姑、昭觉一带为切割微弱的山原，丘陵起伏，顶部浑圆平坦，林牧业发达。东南侧为金沙江谷地，河谷深切，地面破碎。大风顶一带为大熊猫分布区。已建立自然保护区。大凉山为彝族聚居地区。

Dalin, Olof von　达林（1708-08-29，瑞典温贝里～1763-08-12，斯德哥尔摩）　瑞典作家、历史学家。他写了第一部通俗易懂的瑞典文著作，并致力于把启蒙运动的思想引进瑞典文化。达林是一位贫穷牧师的儿子。曾在隆德大学读书。后到斯德哥尔摩，任贵族的家庭教师，经常出入沙龙。曾匿名在当时瑞典出版的第一种极为流行的文学期刊投稿，后被发现，成为瑞典文学界注意的中心。他最受欢迎的作品是《马的故事》（1740）：马代表瑞典人民，马的主人代表历代瑞典国王。所写的民间谣曲间接地表达了他的政治观点，最著名的是《帽子的谣曲》。达林对历史最感兴趣，用生动的文笔写了3卷《瑞典王国的历史》（1747～1762）。

Dalip Singh　达立普·辛格（1837-09，印度拉合尔～1893-10-22，巴黎）　Dalip又拼Dhulip。幼年为拉合尔的锡克大君（1843～1849）。统治旁遮普50年之久的“拉合尔之狮”兰季特·辛格之子。1839年兰季特死后，权力斗争十分激烈，但达立普的母亲最终立他为大君（1843）。锡克的军队日益壮大，到1845年发生第一次反英的锡克战争时，兵力已超过1839年的一倍，达7万余人。1846年的和约承认达立普为版图缩小的锡克王国的大君，但由英属印度政府监护，英印总督驻拉合尔的代表以大君的名义进行统治。1848年，在木尔坦和赫扎拉两地的反英星星之火终于发展成为锡克遍地的起义，结果导致第二次锡克战争（1848～1849）。在古杰拉特战役（1849-02-21）中，锡克人被击败。同年3月大君被废黜，他的王国并入英属印度。达立普每年领取1.2万镑年金，变成基督教徒，自愿居住英国。1882年由于要求增加年金遭到拒绝，他离开英国前去法国，并且放弃基督教信仰。

Dalkeith　达尔基斯　苏格兰东南中洛锡安政务会辖区和历史郡的自治市（城镇）。在首府爱丁堡附近。爱丁堡就业人员来此居住者渐多。农业、教育和电子工业中心。其他发展中行业有制毯、酿酒和印刷。市南1.6千米处的前洛锡安侯爵住地纽巴特尔隐修院现为成人寄宿制教育学院。1969年建埃斯班克瓦利理工学院。人口11 567（1991）。

Dall sheep（*Ovis dalli*）　**多尔氏绵羊**　即多尔氏盘羊。一种**大角羊**（**bighorn**）。

Dallam, Thomas　达拉姆（约1570，英格兰兰开夏～1614后）　著名英国管风琴制造家，他的几个儿子也以制造管风琴闻名。曾在布莱克史密斯琴行当学徒，后获得同业公会会员身份。1599～1600年旅行君士坦丁堡，将一架机械时钟风琴献给苏丹，此次所作旅行日记于1893年出版。1605～1606年迁住剑桥，为国王学院制造了一架管风琴。1613年，根据T.汤姆金斯的设计为伍斯特大教堂制成一架有两层手键盘的管风琴，又为爱丁堡地区的霍利鲁德皇家礼拜堂制造一架双管风琴。其子罗伯特继承父业，成为布莱克史密斯琴行成员。

Dallán Forgaill　达朗·福盖尔（活动时期6世纪末）　爱尔兰诗人。可能是《圣科伦巴颂》的作者。597年圣科伦巴死，此诗成于其后，是最早的爱尔兰诗歌之一，保存在《牛皮书》和《赞美诗集》中。格律古雅，押头韵，这种形式后来重见于爱尔兰英雄传奇诗。达朗·福盖尔的生平不详。据《圣科伦巴颂》序言说，595年达朗·福盖尔在德鲁姆凯塔的大会上结识圣科伦巴；当时科伦巴正为职业游唱诗人辩解，力陈他们并没有索要过多报酬。据说达朗·福盖尔后来在另一次大会上率领游唱诗人请愿，结果丧生。

Dallapiccola, Luigi　达拉皮科拉（1904-02-03，奥地利帝国伊斯特拉皮希诺［今克罗地亚帕津］～1975-02-19，佛罗伦萨）　意大利作曲家。因运用12音技巧表达热烈感情而受人推崇。童年大部分时间在的里雅斯特度过，第一次世界大战期间与家人一起在奥地利的格拉茨受到软禁。他在那里得以熟悉威

中国大百科全书出版社供图

尔地和瓦格纳的音乐。1921年入佛罗伦萨的凯鲁比尼音乐学院学习。1934年任该校教师。第二次世界大战前，以教师和钢琴家而闻名。很早便对布索尼、勋伯格及韦伯恩的音乐发生兴趣，约于1939年开始试验用12音音乐语言作曲。其三联曲《囚徒之歌》（1938～1941，由合唱、打击乐器、竖琴与钢琴演出）标志着他已是一位成熟的作曲家，该曲部分取材于悼亡弥撒中的圣歌《末日经》，用以抗议法西斯主义；其中用了12音技巧的独特形式。他的声乐作品被公认为最有演出效果。1952年为女儿写的钢琴曲集《安娜丽倍拉的音乐笔记》中的不少素材，也用于为庆祝意大利摆脱法西斯统治而写的《自由之歌》（1955）中。歌剧《夜间飞行》于1940年在佛罗伦萨首次上演。20世纪50～60年代，他在美国马萨诸塞州坦格尔伍德的伯克希尔音乐中心和其他中心教授作曲，成绩显著。对意大利青年一代作曲家尤有影响。杰出的电子音乐作曲家贝利奥就是其学生。

Dallas　达拉斯　美国得克萨斯州北部城市，达拉斯县县城（1846）。临特里尼蒂河的三条支流汇合处。周围为大草原和高地。为州内第二大城市（仅次于休斯敦）。冬季温和，夏季酷热。1841年J.N.布赖恩在河岸附近建起第一所小屋。1856年建镇，1871年建市。19世纪70年代铁路通此后，商业发达，有巨大的批发市场。1907年组成达拉斯棉花交易所，20世纪20年代全国约40%的棉花来自其周围黑黏土地区。1930年9月30日，C.M.乔伊讷发现东得克萨斯大油田，该市因此成为石油工业一大中心。现仍设有数百家石油公司和多家钻探设备供应商号和地球物理勘探商行的总部。第二次世界大战后，有几家制造飞机的大公司设在这一地区，该市近几十年间发展惊人。后又设有电子工厂和

汽车组装厂。现为美国西南部地区银行和金融重镇，有百余家保险公司在此设有总部。计算机科学居领先地位，亦为一个卓越的医疗中心。工业门类繁多，有食品加工、运输设备、机器和飞机部件。服装生产颇为重要，为所在地区的时装中心。是交通运输枢纽，为美国陆军、美国空军世界电讯总部所在地。1973年达拉斯-沃思堡机场开放。J.F.肯尼迪纪念广场就在1963年11月总统遇刺的地点附近。教育机构有毕晓普学院、达拉斯浸礼会大学、贝勒牙科学院、南方卫理公会大学、得克萨斯大学达拉斯保健科学中心、达拉斯大学、埃尔森特罗学院、达拉斯得克萨斯大学及里奇兰学院。该市以文化活动著称，经常不断演出歌剧、芭蕾舞、音乐会和交响乐会。剧场为著名建筑师F.L.赖特所设计。旅游点有3处大湖、州立费尔公园、音乐厅、天文馆、水族馆、动物园、植物园、博物馆、运动场和每年举办的州内最大博览会之一的会址。达拉斯中央市场和雕塑花园是不同凡响的建筑物。人口：市1 188 580；达拉斯主要都会统计区3 519 176；达拉斯-沃思堡联合都会统计区5 221 801(2000)。

Dallas, George Mifflin　达拉斯(1792-07-10，费城～1864-12-31，费城)　美国副总统(1845～1849)和驻英国公使。1814～1816年的财政部长A.J.达拉斯之子。他曾在美国财政部和美国第二银行工作，后进入宾夕法尼亚政界。1831～1833年任美国参议员。1835～1839年任驻俄国公使。后在J.波尔克总统任内成为副总统。1856～1861年任驻英国公使。得克萨斯州和俄勒冈州的达拉斯市都以他的名字命名。

Dallas Zoo　达拉斯动物园　美国得克萨斯州达拉斯市马萨利斯公园内的一所市立动物园。开放于1904年。占地38公顷，收容将近300种、约1 500只动物，以收集爬行类动物的工作著称，其中收集的响尾蛇种类(超过50种)是世界上最多的。该园另外一个特色是它的大型荒漠生态展览，有20多种蜥蜴养在一处具有荒漠植被的户外围场里。此外还饲养着北美最大的一群红鹳。

Dalles, The　达尔斯　正式名称为City of the Dalles(达尔斯市)。内陆港口，美国俄勒冈州沃斯科县府所在地。位于哥伦比亚河南岸，波特兰东121千米处。这个名称首先由法国旅行者所提，他们把河水奔流于其间的玄武岩比作板石。1838年建一贸易站和卫理公会传教团。19世纪40年代和50年代建成利堡和达尔斯堡。居民点成为俄勒冈小道的终点站。19世纪60年代发现黄金，使该城繁荣起来，成为贸易和生活品供应中心；联邦造币厂曾一度设置于此。随着1957年达尔斯水坝(城东5千米处)的竣工，该市成为来自太平洋(城西320千米)的远洋船舶的终点停靠站，装卸谷物、水果、木材、肉类、羊毛和油。城南约80千米处是沃姆斯普林斯印第安人保留地。1857年设达尔斯堡，后为达尔斯市(Dalles City)和达尔斯(The Dalles)。根据1966年的美国宪章修正案，重新命名为达尔斯市。人口12 156(2000)。

Dalling and Bulwer (of Dalling), William Henry Lytton Earle Bulwer, Baron　达林和布尔沃男爵　参阅**Bulwer, Henry Lytton**　布尔沃。

Dallmeyer, John Henry　多尔迈耶(1830-09-06，威斯特伐利亚洛克斯滕[德国]～1883-12-30，新西兰近海上)　英国发明家和透镜制造商。在他作学徒时就显示出科学才能。1851年赴伦敦在一名光学仪器制造者手下工作，以后又在透镜和望远镜制造商A.罗斯处工作。一年后被罗斯聘为科学顾问。他娶了罗斯的次女为妻，并于1859年继承了罗斯的大笔财产中的一部分以及望远镜制造业。转向制造摄影透镜之后，他对用于肖像和风景摄影的透镜、显微镜的物镜以及光学幻灯的聚光镜都进行了一些改进。他装配了数种太阳照相仪(适于拍摄太阳的望远镜)。他的儿子T.R.多尔迈耶(1859～1906)把远距离摄影透镜用于普通摄影(1891年获得专利)，并写了一本这方面的标准著作《远距摄影术》(1899)。

Dalmatia　达尔马提亚　塞尔维亚-克罗地亚语作Dalmacija。克罗地亚的一个区，包括中部沿海地带和沿亚得里亚海的一连串岛屿。大陆上最大宽度约为45千米。从克瓦内尔(夸内罗)湾至科托尔(卡塔罗)的狭处，总长约为375千米。从北至南的主要岛屿(括号内是其意大利语名称)是：克尔克岛(韦利亚)、茨雷斯岛(切尔索)、拉布岛(阿尔巴)、帕格岛(帕戈)、长岛(伊索拉伦加)、布拉奇岛(布拉扎)、赫瓦尔岛(莱西纳)、维斯岛(利萨)、科尔丘拉岛(库尔左拉)、姆列特岛(梅莱达)和拉斯托沃岛(拉戈斯塔)。迪纳拉山脉是一条崎岖而荒芜的山脉，它把达尔马提亚与内陆分隔开，其山峰高度从450米至1 900米以上不等。只有两个主要山口：克尔卡河峡谷和内雷特瓦河谷。达尔马提亚沿岸多海湾和港湾，以风景优美而闻名。气候温和，夏季干燥，秋冬季雨量充足，降雪极少。

已知达尔马提亚的最早居民是伊利里亚人(达尔马提亚之名大概来自伊利里亚一个部族的名称——达尔马塔，他们是印欧血统的人，从公元前约1000年起占领了巴尔干半岛的西北部)。从公元前4世纪起，希腊人开始在此定居，在岛上建立了一些殖民地，其中最著名的有伊萨(维斯)、法罗斯(赫瓦尔)和克基拉梅莱纳(科尔丘拉)及大陆海岸上的一些城镇，其中之一是现代的斯普利特附近的萨洛纳(索林)。希腊人遭到伊利里亚人的反对，呼吁罗马人给予帮助，自公元前229年起，开始了延续多年的罗马-伊利里亚战争。公元前155年，达尔马提亚首府德尔米纽姆被攻陷，罗马文明传入此地。西罗马帝国垮台后，达尔马提亚在481年为奥多亚塞所统治，随后又在狄奥多里克的统治之下，成为哥特人和拜占廷皇帝查士丁尼一世之间战争的战场。

在建立长久的威尼斯统治(1420)前，达尔马提亚曾经历大约30次主权易手。其征服者中包括拜占廷人、希腊人、马扎尔人、鞑靼人、克罗地亚和塞尔维亚的大公、威尼斯人、西西里人和诺曼人。只有克罗地亚国王和威尼斯总督是掌权很久的统治者，给达尔马提亚的特征和意识上留下永久标记。威尼斯的统治建立于1420年，当时的克罗地亚国王那不勒斯的拉迪斯拉斯把国家拱手交给威尼斯共和国，威尼斯的统治于1797年结束。威尼斯人对土耳其人发动的战争是这一时期的重大事件。法国人根据《坎波福尔米奥条约》(1797)把威尼斯划归奥地利，达尔马提亚遂归属奥地利；但在1805年，又根据《普雷斯堡条约》，奥地利将达尔马提亚让给拿破仑。拿破仑垮台后达尔马提亚又归还奥地利，1918年前一直是奥地利的州。在第一次世界大战期间，根据秘密的《伦敦条约》(1915)，盟国同意把大片领土(包括北达尔马提亚在内)划归意大利人，以换取他们的支持。此条约使关于和平解决的谈判恶化。最后意大利和南斯拉夫签订的《拉帕洛条约》(1920-11-12)把整个达尔马提亚划归南斯拉夫，只有大陆的扎达尔(意大利语作扎拉)飞地和沿海岛屿茨雷斯岛、洛希尼岛(卢西诺)和拉斯托沃岛除外。中亚得里亚海中的帕拉格鲁扎群岛也划归意大利。在第二次世界大战期间，南斯拉夫被轴心国瓜分，达尔马提亚为意大利所吞并，但在1947年作为克罗地亚共和国(自1992年起独立)一部分，全部归属南斯拉夫，斯普利特为省的首府。

达尔马提亚的主要城市有扎达尔、斯普利特(德帕拉托)、希贝尼克(塞贝尼科)、杜布罗夫尼克(拉古萨)、特罗吉尔(特拉奥)、科尔丘拉和科托尔。经济以农业为主。土壤不宜种植谷物，但有利于橄榄树、蔬菜和主要是葡萄的生长。达尔马提亚葡萄园产酒量很高。铝土矿由希贝尼克村附近的炼铝厂开采。斯普利特附近的石灰石储量丰富，占克罗地亚水泥产量的一大部分。有化工厂和食品加工厂。主要的造船厂在斯普利特。除克尔卡河及内雷特瓦河中几英里的水道外，河流多不适于航行，但其陡峭的瀑布使其成为天然的水力发电源，旅游业已成为主要经济因素。杜布罗夫尼克(Dubrovnik)和斯普利特(Split)为主要地中海旅游地。

Dalmatian　达尔马提亚狗　以亚得里亚海

达尔马提亚狗
美国不列颠百科全书公司供图

沿岸达尔马提亚地区而得名的狗品种。原产地不明，已知最早见于达尔马提亚。用于放哨、军事、消防、狩猎、牧羊和杂技表演。体壮、匀称、毛短，特征为白色带深色斑点。肩高48～58.5厘米，体重16～25千克。性安稳，友善。俗称英格兰马车狗、消防站狗、葡萄干布丁狗等。

dalmatic　助祭服　天主教助祭及某些基督教安立甘宗会吏的教仪服装。是罩在其他礼服外面的肥大白袍，有套头开口，长袖。用亚麻布、棉布、毛料或丝绸做成，穿时不束带。袖

16世纪的西班牙助祭服
美国不列颠百科全书公司供图

口有彩色条饰，并有彩色直纹自肩部分向前后延伸。

Dalmatie, Nicolas-Jean de Dieu Soult, duc de (duke of)　达尔马提亚公爵　参阅 **Soult, Nicolas-Jean de Dieu** 苏尔特。

Dalny(China)　参阅 **Dalian** 大连。

Daloa　达洛亚　科特迪瓦(象牙海岸)中西部达洛亚省首府。位于全国主要公路交叉点上。是咖啡、可可、可拉果和木材集散地。亦为稻米、木薯、山药、香蕉和棉花贸易中心。有锯木厂和农业技术学院(1967)。生产乌檀和象牙雕刻等手工艺品。原为两个非洲人所建。1903年为法国军事哨所。现贝特人和古罗人占多数。附近有马拉韦公园，为占地10.1万公顷的野生动物保护区。人口：城镇122 933 (1988)；全省359 753 (1988)。

Dalou, (Aimé-) Jules　达卢(1838-12-31，巴黎～1902-04-15，巴黎)　法国雕刻家，以巴罗克风格的寓意性群雕和纯朴的人物雕刻而著称，是法国自然主义倾向的代表人物。早期浮雕和大型纪念碑富有古典主义风格。在巴黎创作的最有名的青铜纪念碑包括：国家广场上的《共和的胜利》(1879～1899)，卢森堡公园内的画家E.德拉克洛瓦纪念碑(1890)。后期的小型雕刻表现出他日益倾向J.-F.米勒绘画所反映的对人生和劳苦持怜悯的、多少有些伤感的观点，其代表作是几座母子题材的群雕以及约1889～1898年为计划中的

达卢的赤陶人塑《农夫》(1897)
美国不列颠百科全书公司供图

《工人纪念碑》制作的若干赤陶工人雕像(巴黎小宫)。

Dalou Shan　大娄山　中国贵州省北部山脉，赤水河、綦江与乌江水系的分水岭。又称娄山。北端延伸到四川省。东北—西南走向，长约300千米，一般海拔1 500～2 000米，最

大娄山险要关口——娄山关
中国大百科全书出版社供图

高峰金佛山海拔2 251米。大娄山北坡陡峻，南坡和缓。以低山丘陵为主，也夹有小型盆地，当地称为“坝子”。大娄山大部为石灰岩组成，喀斯特地貌发育，有溶洞、地下暗河。河流均切割成峡谷。川黔公路和川黔铁路均经此。娄山关为川黔交通要道和军事要隘。

Dalradian Series　达雷德统　前寒武纪晚期到寒武纪早期的岩石地层单位，由高度褶皱、变质的沉积岩和火山岩组成，年龄约5.7亿年。位于英国苏格兰高地东南部，约720千米长的一个带。大多数露头不含化石，仅从顶部附近获得少量北美早寒武世三叶虫类的佩奇虫属(*Pagetides*)化石标本，这样就知道上部是下寒武统，但前寒武纪与寒武纪的界线位置不明确。虽然有加里东造山运动引起的变质作用(地壳中升高的温度和机械应力引起的化学变化和物理变化)，但仍不难弄清沉积类型的原有性质。主要特征在石英岩、钙质灰岩、砾岩及硬砂岩中仍然明显，而细粒沉积岩则由板岩、千枚岩和片岩体现出来。在硬砂岩和石英岩中能见到流水层理。达雷德统总厚度近9 100米，可能代表地槽(地壳中向下的挠曲)堆积物。爱尔兰特别是北多尼戈尔也有达雷德统的层序。

Dalriada　达尔里阿达　英国历史上盖尔人王国，至少从5世纪起即已扩展到北海峡两岸，包括现安特里姆郡北部、北爱尔兰、内赫布里底群岛和苏格兰阿盖尔的部分地区。王国有爱尔兰达尔里阿达和苏格兰达尔里阿达两个部分。初期，阿盖尔有大量爱尔兰北部移民涌入，成为一个爱尔兰人地区。5世纪后半叶，爱尔兰部分的统治家族渡海至苏格兰部分，以多纳德和德诺利为主要据点。爱尔兰部分渐趋衰落，9世纪初维金人入侵后，它在政治上已不复存在。而苏格兰部分则继续扩大。9世纪中叶，苏格兰部分的国王肯尼思一世麦卡尔平使皮克特人永归达尔里阿达统治。此后整个国家被称为苏格兰。

Dalrymple, Alexander　达尔林普尔(1737-07-24，苏格兰中洛锡安纽海尔斯～1808-06-19，伦敦)　英国地理学家，英国海军部第一个水文学家。曾推测南太平洋中有一块面积大、人口多的大陆，并称之为南大陆。1757～1764年为东印度公司在东印度扩展贸易，1779年任公司水文学家。1769年伦敦皇家学会推荐他率考察队去南太平洋，观察金星凌日，他希望趁机在航途中发现南大陆，但该队最后由海军上校J.库克率领，并未见到大陆踪影。1770～1771年出版《南太平洋几次航行与发现史料汇编》，共二卷，书中继续坚持存在南大陆的论点。这书的读者很多。库克第二次出航探索，回国证明大陆并不存在，引起达尔林普尔的反感，遂著文抨击库克。达尔林普尔从1795年起至逝世时止，在英国海军部任水文学家。在职时组织成立了海军部水文处，收集并出版许多有价值的海图。

Dalsland　达尔斯兰　瑞典历史上一省份。在瑞典西南部。与挪威交界。面积为3 708平方千米。现属艾尔夫斯堡省。东南部为平原，其他地区有森林、山脉、湖泊。所处战略地位重要，历史上多次成为瑞典和挪威之间的战场。但只在很短的时期(约1100)从属挪威。至19世纪末，在前200年中很重要的制铁工业衰落，过时的耕作方法不能满足人口增长的需求，人口大量外流到美国和挪威。新工业现已建立起来，包括锯木、金属制造、

纸浆和纸张生产。与挪威和相邻地区之间有铁路相连。亦可从水路经维纳恩湖通往挪威边境。维纳恩湖畔的奥莫尔港与英格兰和欧洲大陆的港口之间有定期班轮。其他重要城镇有梅勒吕德、本茨福什等。人口 54 517(1998)。

Dalton **多尔顿** 美国佐治亚州西北部城市,怀特菲尔德县县城(1851)。四周为科休塔山脉所环绕。1837 年始建,1847 年设建制。该城曾为附近铜矿的运输站。毛纺织业(地毯、床罩、浴衣等)兴起于 1900 年,当时为家庭手工业生产,30 年代实现了机械化生产,产量现仍在全国同类产品中占很大比例。设有多尔顿初级学院(1967)。附近有科休塔国家鱼苗场和州立芒廷要塞公园。人口 27 912(2000)。

Dalton BROTHERS **多尔顿兄弟** 美国西部历史上有名的 4 个抢劫火车和银行的匪贼。L.多尔顿之子,他们的名字是:格拉顿(1861 ～ 1892)、威廉(1863 ～ 1894)、罗伯特(1870 ～ 1892)和埃米特(1871 ～ 1937)。多尔顿一家原居密苏里州,后移居俄克拉何马印第安人居住区。多尔顿兄弟最初都是牛仔,1889 年左右开始偷盗马匹,1890 年后结伙抢劫赌场、火车和银行。1892 年 10 月 5 日晨,罗伯特、格拉顿、埃米特 3 人伙同 D.布罗德韦尔和 B.鲍尔斯,骑马来到堪萨斯州科菲维尔城,前去抢劫银行。有人认出他们,因此当他们从银行走出时,维持治安的公民便向他们密集射击。除埃米特一人受伤外,其余均被击毙。威廉则另组匪帮,于 1894 年 6 月 8 日在家中被警察击毙。

Dalton, John **道尔顿**(1766-09-05/06,英国坎伯兰伊格尔思菲尔德～ 1844-07-27,曼彻斯特) 英国化学家和气象学家。他发展物质的原子论,因而被认为是现代物理科学诸父之一。26 岁时在曼彻斯特长老会的新教学院担任数学和自然哲学教师。1800 年任曼彻斯特文学哲学学会秘书兼化学、数学教师。1817 年担任哲学学会会长,直至逝世。他最初研究气象学,从 1787 年开始直至去世,不间断地将他所住湖区每天的天气变化作记录,共有 20 万个数据。1787 年开始观察极光现象,得出极光射束和地磁有关的结论。他认为贸易风是地球旋转和温度变化所引起。他在哲学学会上宣读过他的许多论文,涉及气压计、温度计、湿度计、降雨和云的形成、大气水分蒸发和分布,以及露点等问题。他第一个确认雨的形成原因不是由于大气压强的变化而是由于气温的降低。他确定水的最大密度点为 5.83 °C(后来证明为 3.98 °C)。道尔顿对科学上许多疑难问题都曾作过探讨。他有非凡的才能,可以综合各种资料作出理论判断。他研究气体并提出气体分压定律,即道尔顿定律(**Dalton's law**)。他最主要成就在化学方面,设计了化学符号制,在 1803 年提出相对原子量,并制成最早的原子量表。道尔顿还发现丁烯和乙醚的组成并找出正确的化学式。他创立原子论,认为一切元素都是由微小、具有相同原子量的不可分割的粒子(原子)所组成。他的研究和著作,许多都收在他的《化学原理的新体系》(第一部分 1808 年;第二部分 1810 年)一书中。他终身隐居未婚,但喜欢追求新知识和解答科学上的各种问题。他是英国皇家学会会员,1826 年获得学会的金质奖章,又是法国科学院通讯院士。他参与创立英国科学促进会,极受人尊敬。

Dalton, William (vaudeville star) **多尔顿** 参阅 **Eltinge, Julian** 埃尔廷治。

Dalton Plan **多尔顿制** 建立在个人学习基础上的中等教育方法。它于 1919 年由 H.帕克赫斯特发展起来,最初用于一所残疾人学校,1920 年推广到马萨诸塞州多尔顿中学。其起因是有些进步教育家对传统的分级制度所固有的缺陷很有反感,因为它忽视了个人学习速度的变量。多尔顿制将学校课程中的每一科目分成几个月度作业,学生可自由地计划自己的功课进度表,但他们必须在完成一项作业后才能开始做下一项作业。教师鼓励学生以小组学习。多尔顿制曾在美国、英国、欧洲及西方殖民世界风行一时,但由于个性色彩过浓而受批评,最终被放弃。参阅 **progressive education**。

Dalton's law **道尔顿定律** 气体的总压力等于气体各组分的分压之和。此分压是各组分气体在相同温度下,单独占有混合气体所占有的体积时所呈现的压力。英国化学家 J.道尔顿于 1801 年提出此经验关系。当假定气体是理想气体而且各组分气体间相互无化学作用时,便可由气体动力学理论导出此关系式。在足够低的压力和高温下,此关系式对于真实气体近似正确。

Daly, (John) Augustin **戴利**(1838-07-20,美国北卡罗来纳普利茅斯～ 1899-06-07,法国巴黎) 美国剧作家和剧院经理,他的剧团在纽约和伦敦舞台占有重要一席。1859 年开始为纽约的几家报纸写戏剧评论。1862 年从德文改编剧本《被抛弃的利厄》,一举成名。第一部自编剧本《煤气灯下》(1867)曾风行多年。1869 年组织剧团,培养出如 F.达文波特和 M.亚当斯这样著名的女演员。最好的剧本是《地平线》(1871)。另一部较好的剧作是《离婚》(1871),曾连续演出 200 场。1879 年在纽约、1893 年在伦敦开设戴利剧院。

Daly, Marcus **戴利**(1841-12-05,爱尔兰卡文郡～ 1900-11-12,美国蒙大拿阿纳康达) 美国矿业界巨头,人称"铜业大王",是世界上最大的铜生产厂家之一阿纳康达铜矿公司的主要发起人。他于 1856 年从爱尔兰移居纽约市,不久向西迁移,先后在加利福尼亚州和犹他州的矿山找到了工作,最后成为内华达州一家辛迪加——著名的康斯托克银矿——领班。他是一个自学成才的采矿工程师,先买进了一些较小矿的股票,又征得了像 G.赫斯特这样的支持者的赞助,得以在 1880 年用 3 万美元买下了蒙大拿州比尤特市附近的阿纳康达矿。起初以为该矿只含有银,但不久就发现了一条富含铜的矿脉,而且经证明是到那时为止所发现的最大的铜矿床。他办了一家大冶炼厂,数年内就成了百万富翁。到 1895 年,阿纳康达公司已是世界上铜的最大生产厂家。戴利在蒙大拿州的政治界十分活跃,曾为争取对该州的控制而同另一位采矿企业家 W.克拉克参议员进行过长期斗争。阿纳康达市的建立主要是通过戴利的努力,他在这个区域内有很多投资项目,其中有一项是大养马场。去世时他所控制的蒙大拿州内的财产价值 7 500 万美元。

Daly, Reginald Aldworth **戴利**(1871-05-19,加拿大安大略纳帕尼～ 1957-09-19,美国马萨诸塞剑桥) 加拿大-美国地质学家。独立地提出了岩浆顶蚀的理论,这种作用使熔融岩浆穿过地壳上升,将周围岩石震裂,但并不熔化它们。这些岩石因为比岩浆密度大而下沉,给岩浆让出上升的位置。这个理论有助于解释许多火成岩地层的构造。1898 年任哈佛大学地质学讲师。1901 年任加拿大国际边界委员会地质师,领导艾伯塔省西部和不列颠哥伦比亚省南部高山区的勘测工作达 6 年之久。1903 年最早提出了岩浆顶蚀理论。1907 年任麻省理工学院地质学教授后,考察了夏威夷和萨摩亚。根据对那些岛屿的研究,提出了环礁和一般珊瑚礁的形成受"冰川控制"的理论。他发现在更新世期间,由冰川的形成与消融而引起海平面升降变化,对珊瑚能慢慢建造起超过 75 米高的结构,起了主要作用。1912 年任哈佛大学地质学的斯图尔吉斯·胡泊尔讲座教授,1942 年退休。

Daly River **戴利河** 在澳大利亚北部地方西北部。由金河、凯瑟琳河和弗洛拉河汇成,向西北流入帝汶海安森湾。全长约 320 千米。流域面积 58 640 平方千米。其主要支流为弗格森河。农业集中在戴利里弗镇,因交通不便及河水间歇泛滥,只能种植花生和烟草。感潮河口以上 115 千米可通航。该河且为伸延至菲茨莫里斯河沿岸的土著居民保留地之东部边界。

dam **水坝** 横亘于江河或海湾上的挡水建筑。旨在解决人类生活、生产用水的需要,并具有防洪、发电、改善航运条件等作用。这种保护和综合利用水利资源的重要建筑能给人类的农业和工业生产带来巨大利益。

水坝按照其截面形状和建筑材料而分成不同的类型,主要类型有:填土坝、填石块坝、填砾石坝、实心砖石(混凝土)重力坝、实心砖石拱坝、重力拱坝、结构砖石坝以及钢或木材坝。上述前 4 种类型自古即已使用,而其他类型则是 19 和 20 世纪中新出现的。现代工程技术人员在设计某一水坝时,须按该水坝基础的土壤性质分析、水坝受力情况、温度及压力变化、当地地下水的化学性质以及发生地震的可能性等因素,而选择最适合该水坝的材料和设计方案。

文献记载中最早的水坝是公元前 2900 年埃及人在尼罗河上建造的一座高 15 米的砌石坝。目前仍在使用的最古老的水坝是叙利亚的一座填石坝,约建于公元前1300年。公

世界最大水坝

名称	类型*	完成年份	河流	国家	规模
按高度顺序					**高度(米)**
努列克水坝	E	1980	瓦赫什河	塔吉克斯坦	300
大迪克桑斯水坝	G	1962	迪克桑斯河	瑞士	285
因古尔水坝	A	1980	因古尔河	格鲁吉亚	272
维昂特水坝 †	A	1961	维昂特河	意大利	262
奇科阿森水坝	ER	1980	格里哈尔瓦河	墨西哥	261
代赫里水坝	ER	2002	帕吉勒提河	印度	261
莫瓦桑水坝	A	1957	德朗斯河	瑞士	250
瓜维奥水坝	ER	1989	瓜维奥	哥伦比亚	246
萨彦-舒申斯克水坝	AG	1989	叶尼赛河	俄罗斯	245
迈卡坝	ER	1973	哥伦比亚	加拿大	242
二滩大坝	A	1999	雅砻江	中国	240
奇沃尔坝	ER	1957	巴塔	哥伦比亚	237
按体积顺序					**体积(千立方米)**
辛克鲁德泰林斯水坝	E	…	… §	加拿大	540 000
新科尼利亚尾矿水坝	E	1973	十英里沃什河	美国	209 500
佩克堡水坝	E	1937	密苏里河	美国	96 050
下乌苏马水坝	E	1990	乌苏马河	尼日利亚	93 000
图库鲁伊水坝	EGR	1984	托坎廷斯	巴西	85 200
阿塔特克水坝	ER	1990	幼发拉底河	土耳其	84 500
古里水坝	EGR	1986	卡罗尼河	委内瑞拉	77 971
奥阿希坝	E	1958	密苏里湖	美国	66 517
加德纳水坝	E	1968	萨斯喀彻温河	加拿大	65 400
门格拉水坝	E	1967	杰赫勒姆	巴基斯坦	65 379
拦海大坝	E	1932	艾瑟尔湖	荷兰	63 430
按水库大小顺序					**水库容量(千立方米)**
欧文瀑布水坝	G	1954	维多利亚尼罗河	乌干达	2 700 000 000 ‖
卡克霍夫斯克水坝	EG	1955	第聂伯河	乌克兰	182 000 000
卡里巴水坝	A	1959	赞比西河	津巴布韦－赞比亚	180 600 000
布拉茨克水坝	EG	1964	安加拉河	俄罗斯	169 270 000
阿斯旺高坝	ER	1970	尼罗河	埃及	168 900 000
阿科松博水坝	ER	1965	沃尔特河	加纳	148 000 000
丹尼尔·约翰逊水坝	M	1968	马尼夸根河	加拿大	141 852 000
古里水坝	EGR	1986	卡罗尼河	委内瑞拉	138 000 000
克拉斯诺亚尔斯克水坝	G	1967	叶尼塞河	俄罗斯	73 300 000
本尼特水坝	E	1967	皮斯河	加拿大	70 309 000
结雅水坝	B	1978	结雅河	俄罗斯	6 840 000
卡布拉巴萨水坝	A	1974	赞比西河	莫桑比克	6 300 000
按发电量顺序					**计划发电量(兆瓦)**
伊泰普水坝	EGR	1982	巴拉那河	巴西－巴拉圭	12 600
古里水坝	EGR	1986	卡罗尼河	委内瑞拉	10 300
大古力水坝	G	1941	哥伦比亚河	美国	6 480
萨彦－舒申斯克水坝	AG	1989	叶尼塞河	俄罗斯	6 400
克拉斯诺亚尔斯克水坝	G	1967	叶尼塞河	俄罗斯	6 000
丘吉尔瀑布水坝	E	1971	丘吉尔河	加拿大	5 428
格朗德河2号坝	R	1978	格朗德河	加拿大	5 328
布拉茨克水坝	EG	1964	安加拉河	俄罗斯	4 500
乌斯季伊利姆水坝	R	1977	安加拉河	俄罗斯	4 320
图库鲁伊水坝	EGR	1984	托坎廷斯	巴西	4 200
德尔贝拉水坝	ER	1977	印度河	巴基斯坦	3 478
伊拉索尔泰拉	…	1973	巴拉那河	巴西	3 200

* 类型代号:A = 拱坝;B = 支墩坝;E = 填土坝;G = 重力坝;M = 连拱坝;R = 填石坝。…无资料。† 维昂特水坝于1963年一次山崩中严重受损,现已不再使用。‡ 导流隧道曾一度关闭,2002年11月水库开始蓄水。§ 艾伯塔麦克默里堡附近。‖ 该水库大部为天然湖泊。

元前700～前250年亚述人、巴比伦人、波斯人修筑了多座供灌溉用的水坝。同一时期在也门、斯里兰卡、印度、中国也修筑了各种水坝,如中国的都江堰,约建于公元前240年。古罗马人在西班牙普洛色皮纳修筑了一座高12米、用混凝土做坝心、外用砖石砌筑、背水面用泥土方支撑的水坝,可看作现代填土坝的先驱。在科纳尔市修筑的另一座水坝采用了倾斜的迎水面,代表了一种更为完善的设计。这两座水坝至今还在使用。550年,拜占廷人在今土耳其-叙利亚边界的德拉建造了一座弯曲结构的水坝,为现代重力拱坝的前身。14世纪初伊朗人在一狭窄的石灰岩峡谷上修筑了一座拱坝,高26米,而坝身的厚度还不到5米,中间弯曲部分的长度和半径均为38米,由两座直线坝座支撑。1579～1589年在西班牙蒂维建造的一座重力拱坝,高42米,在后来近三个世纪中,始终是欧洲最高的水坝。

直到19世纪中叶,人们都是凭经验设计水坝。19世纪50年代,格拉斯哥大学的土木工程教授W. J. M.兰金就疏松土质的稳定性所作的研究,才使科学家和工程师对水坝的设计原理和结构特性有了较为深入的了解。以传统结构理论为基础的混凝土坝的设计有两个发展阶段。1853～1910年,水坝依靠本身的重量和坝基的作用抵抗水在水平方向的推力。1910年后工程师们开始认识到混凝土坝是一种三维整体结构,其应力分布和坝内各点位置的偏移形式复杂,因此逐步采用模型技术。近年来,应用计算机进行有限单元分析,把一个整体结构分成组合件,可对水坝坝基和结构的偏移予以考虑。在第二次世界大战结束前的100年中,设计和建造水坝的经验在许多方面取得了进展。如1936年美国建造的胡佛水坝是一座采用先进理论设计的重力拱坝。1937年竣工的佩克堡水坝,土方量达9 605万立方米,是世界最大的水坝之一。

混凝土和土石是修筑水坝的两种基本材料。两者均有其弱点,须靠正确的设计克服。混凝土抗拉强度差,设计时应尽量减小水坝承受的拉力。混凝土的主要成分水泥在凝结硬化过程中,会因水化作用而略有收缩,在水坝这种大体量建筑中,这种收缩会造成严重的裂隙,对此常采用分块浇注或减少水泥用量等方法予以解决,有时在混凝土中加入某种添加剂、表面活性剂或加气剂以降低水与水泥的比率。泥土和碎石的强度小,易渗透,容易受到流水的侵蚀和破坏,这些缺陷可用填土的方法弥补,纠正坝基偏移造成的变形损害。泥土含有水分和空气,在荷载的压力下,水分和空气的逸出可造成渗漏,引起滑坡,在设计时应对此有所考虑。填土坝易遭地震的破坏。由于计算机模拟试验的发展,已有可能计算出混凝土坝对地表运动的反应。地表运动对填土坝的影响在理论估计上也有了重大的突破。砖石(混凝土)坝和填土坝是现代水坝的两种基本类型。

混凝土重力坝完全靠本身重量抵挡水的水平推力,其截面形状呈直角三角形,三角形的斜边构成水坝倾斜的背水面,坝底宽是坝高的3/4。作用在重力坝上的力主要有水的推力、坝的重力及压力或坝基的反作用力。渗漏引起的浮力对坝有破坏作用,可通过喷涂水泥沙浆或采用截断装置和地下排水来减少渗漏。一种新的趋势是在水坝结构中采用后张预应力钢筋,可使坝的横断面缩小40%。混凝土支墩坝的迎水面大约倾斜25°～45°,以使水的推力向坝基倾斜。用拱将各支墩的突出部分作刚性连接,就形成了连拱坝,如加拿大魁北克马尼夸根河上高214米的丹尼尔·约翰逊连拱坝,顶长1 310米,有14座支墩。与重力坝相比,支墩坝的最大优点是浮力小。混凝土拱坝具有向上游弯曲的薄壳结构,水的侧向压力被传到河的两岸。这种坝有极大的蓄水力,但只适宜建在有坚固岩石的良好地段上。

填土坝与混凝土重力坝的共同点在于两者都是靠本身的重量将水的水平推力变为对坝基的压力,不同点在于填土坝所用的材料对于水的渗透只具备有限的抵抗力。早期填土坝是用同一种材料构筑的同质结构,在水的压力下土壤和碎石很容易被水渗透。一座填土坝有三处结构较弱并容易发生液化：由于孔隙水的压力下游坝脚附近是一个薄弱区；其二是水坝的迎水面，再有水坝的坝基也容易产生渗漏。为了保持水坝自身的稳定，即坝基在水的压力下不产生过分的弯形，坝身不滑坡、甚至崩溃，同时防止土壤的液化，控制水对土壤的侵蚀和渗透，现代填土坝均采用异质结构，即将水坝分成不同的区域，各个区域采用最为适宜的材料建造。今天所有的大型填土坝中心位置附近都建有可塑黏土组成的抗渗透坝心，它可根据迎水面的位置或垂直或倾斜修筑。同时采用坝基灌浆，回填不渗透材料，挖排水井等方法防止渗漏。如埃及阿斯旺高坝坝心是竖直的，用水泥砂浆构筑的防渗漏幕墙延伸至河床下225米。

为防止洪水漫过坝顶损坏水坝以及控制流向下游的水量，需要在水坝旁边修筑溢洪道。溢洪道主要有四种：第一种类似蒸汽锅炉的安全阀，可自动排泄过量洪水；第二种的进口很宽，能通过大流量洪水；第三种可降低洪水的排泄速度以免给下游带来灾害；第四种可使洪水产生一种旋涡，消耗其能量以免对坝身和河床造成损害。除溢洪道外，还可用各种闸门控制的孔道排水。有竖直提升的闸门、倾斜的闸门以及能自动控制上游水库水位的圆闸门。在水坝设计中还需考虑到鱼类的迁徙问题。一般采用鱼道，即一系列阶梯形水池引导鱼通过水坝。

Dam, Henrik　达姆(1895-02-21，丹麦哥本哈根～1976-04，哥本哈根)　全名Carl Peter Henrik Dam。丹麦生物化学家，1939 年与 E. A. 多伊西各自独立地从苜蓿中分离出维生素 K，1943 年共获诺贝尔生理学或医学奖。1929 ～ 1934 年达姆与同事研究了一种以易于出血及凝血时间延长为特征的鸡病，认为其病因是缺乏一种抗出血维生素，以后证明这是一种脂溶性维生素，存在于绿叶中，并命名为维生素 K(凝血维生素)。达姆 1920 年从哥本哈根工业学院毕业，以后于农业兽医学院、哥本哈根大学生理学研究室任教。1940 年赴美讲学并继续从事研究，1946 年返回工业学院。

damages　损害赔偿　在法律上，指由他人的过失所造成的损失或伤害的金钱补偿。要求损害赔偿是大多数民事诉讼的目标。起初，对非法行为的补救是直接的——以眼还眼，以牙还牙。由于货币制度的采用以及对这种报复性的补救的不公平感到不满，导致用金钱赔偿的办法来解决争端。目前这种概念已体现在现行的每种法律中。损害赔偿通常是根据契约和侵权行为法支付的。当契约一方未能履行其义务时，另一方可按以下三条索取赔偿：①归还，即将曾付给毁约一方的任何商品、劳务或金钱归还给他；②预期，即按契约已经完全履行的情况给他报酬(包括契约中预计的利润)；③信赖，即补偿他由于"信赖"契约会被履行而支出的费用或引起的责任。因信赖而发生的损害赔偿限于当事人各方在签订契约时可以合理地预见到的结果。上述这些补偿办法可以用各种联合的方式提出，只要受损害的一方所得的未超过不发生破坏契约的情况下所得的就行。根据侵权行为法，补偿的标准通常是由于非法行为(例如由于过失产生的车祸)的"自然的或近似的"结果而造成的任何损失或伤害的金钱价值。究竟什么损失或伤害是"自然的和近似的"结果，往往很难断定。通常对一些预计的项目——例如利润——不能要求损害赔偿。人身伤害诉讼(例如，由车祸引起的)是关于损害赔偿的诉讼的例证。在这种诉讼中可以考虑的赔偿的因素包括因伤害造成的时间损失(通常由已经发生的工资损失计算)，已经花掉的医药费用的数额，以及一笔旨在补偿被伤害者由于伤害造成的痛苦和折磨的费用。由于在普通法制度中对于因一个非法行为造成的伤害只能作出一个赔偿裁定，因而在这个裁定中还必须包括由于伤害造成的以后将要发生的损失。这些未来的损失，尽管显然是推测的，通常可以包括：丧失挣钱的能力，被伤害者将要付出的合理的医药费用，以及被伤害者肯定将要受到的痛苦。在人身伤害或其他侵权案件中的损害赔偿理论是，应当使被害方处在如果未发生伤害时他会处在的境地，只要金钱赔偿能做到这一点就要这样做。在达到这个目标的可能性上，损害财产利益的情况显然比伤害人身的情况要大得多。在因违约提起的诉讼中，损害赔偿的理论上的目标是使被伤害的缔约方得到如果契约实际履行时他应当享受的利益。例如，将这一理论应用到一项被房主毁约的建房契约上时，就应付给承建人契约上的造价，减去如果房屋竣工要花去的费用。除了旨在直接补偿所受损失的损害赔偿外，也可以要求其他项目的补偿。损害赔偿金往往要支付利息，理由是，当判给一笔钱作为适当的补偿按特定的日期支付时，这笔钱到后来才收到就会造成额外的损失。在有些司法制度下，聘请律师的费用也可以要求补偿。如果造成损失的非法行为出于极端的疏忽或恶意，法院可以判处惩罚性的(又称惩戒性的)损害赔偿，以表示社会的道义谴责。

Damān　达曼　前称达毛。印度西部达曼-第乌中央直辖区城镇。达曼城与周围地区的许多村庄共同形成位于古吉拉特邦东南境内的一个飞地，临阿拉伯海的坎贝湾。达曼有一个易货站，为商业活动中心。达曼根加河通过本城周围地区。稻米为该区主要作物，也引进了小麦。有一个牛奶场，也有些轻工业。渔业和棕榈汁采集业亦占重要地位。制鱼胶用的鱼干输往欧洲。达曼(葡语作达毛)是葡属印度的一部分。1531 年葡萄牙人掠夺并焚毁达毛城，后曾重建。1559 年又被葡萄牙人占领，并使之成为永久性殖民地，达毛遂成为一个繁荣的港口，但随着葡萄牙海权的低落，其重要性亦衰微。葡人统治到 1961 年 12 月，达曼始归还印度。人口 35 743(2001)。

Damān and Diu　达曼-第乌　印度西海岸一中央直辖区，首府为达曼县县城。中央直辖区包括两个互相远离的县(原果阿-达曼-第乌中央直辖区中的果阿已于 1987 年设为一邦)。达曼县在孟买北面的古吉拉特邦海岸。另一县为第乌岛，在古吉拉特邦的卡提阿瓦半岛南部海岸近海。达曼和第乌(连同果阿)原为葡萄牙属地，1962 年归印度所有。达曼-第乌居民绝大多数是印度人，最广泛使用的语言是古吉拉特语。主要经济活动是农业和渔业。作物有大米、玉米、甘蔗、花生、香蕉和椰子。面积 112 平方千米。人口 158 059 (2001)。

Damanhūr　达曼胡尔　下埃及尼罗河三角洲布海拉省省会。曾为古埃及托勒密省省会。1302 年一次地震中遭严重破坏，但在 14 世纪末重建城堡，以阻止贝都因人的入侵。在欧洲中世纪，为开罗至亚历山大大道上的商队城镇，十分繁荣。现为三角洲西部的主要中心，狭轨铁路枢纽。布海拉省的棉花、椰枣、蔬菜和谷物经此转运各地。有椰枣罐头、马铃薯加工、轧棉和纺织业。地处开罗—亚历山大铁路干线上，为铁路、公路和运河枢纽。人口 212 203(1996)。

Damaraland　达马拉兰　纳米比亚历史地区。西、东在纳米布沙漠和卡拉哈里沙漠之间，北、南在奥万博兰和大纳马夸兰之间；以温得和克为中心。该区主要为草原，年降雨量 330 ～ 500 毫米，适于发展牧业。1791 年始有欧洲人到此，至 20 世纪初逐渐取代了土著人。

damaru　达玛鲁　印度和中国西藏宗教仪式中用的鼓。两面蒙兽皮，形似水漏。有鼓锤。信徒认为击鼓召神可与仙界通信息。

damascening　大马士革波纹金属镶嵌　在铁、钢、青铜或黄铜表面上镶嵌金银或紫铜丝的工艺。先用雕刀在金属表面刻一窄痕，然后将金属丝锤入窄痕中。此工艺的名称由大马士革市引伸而来，该市早在 12 世纪就以其应用金属镶嵌装饰的制品而闻名。16 世纪意大利北部的兵器制造，曾用金属镶嵌工艺装饰其产品。19 世纪这种艺术在欧洲，特别在法国和西班牙再度流行。当地以及埃及和伊朗的艺人至今还在制作优质的金属镶嵌制品。

Damascius　达马斯基奥斯(约 480 ～ 约 550)　希腊新柏拉图主义哲学家，雅典希腊学园(公元前 387 年由柏拉图创办)的柏拉图派学者中最后一人。为亚历山大人伊西多尔的学生和密友，曾写过伊西多尔传记。约 520 年起，成为学园主持人。529 年信奉基督教的皇帝查士丁尼封闭学园及其他异教学校时，他还在职。随即与学园其他 6 名成员去波斯，在国王霍斯罗一世的宫中任职。但根据 533 年查士丁尼和霍斯罗一世之间一个条约的某一条款，他们获准返回。现存之主要著作有《关于基本原则的问题和解答》，对新柏拉图主义思想家普罗克洛斯内容丰富的体系作了详细分析。尽管它保存了雅典新柏拉图主义的那种钻牛角尖的逻辑和神智学的幻想，这部作品因主张苦思冥想永远不会求得那种难以言状而又不证自明的原理，还是开辟了通向真正的神秘主义之路。他虽然是一个异教徒,却指出了发展成为后来的基督教的神秘主义者的道路。

Damascus 大马士革 阿拉伯语拉丁字母转写作 Dimashq。在世界古老的城市中,大马士革或许是不断有人居住的最古老的城市。城名的阿拉伯语为位于阿拉伯北方的意思;从此词的语源可以推知大马士革的历史开始于有记载的历史以前。为今阿拉伯叙利亚共和国最大城市及首都。几百年来,大马士革既是征服者又曾被征服,既富有又穷困,并曾为帝国首都。内地移民及地中海周围和西南亚移民在各时期哺育其成长。大马士革常常是东西方强国角逐的中心,其命运往往与遥远的都市相关联。现在是中东欣欣向荣的大都市,保持着历经几百年胜利与灾难不屈不挠的精神,且不乏魅力。面积 105 平方千米。人口 1 489 000(1995)。

自然地理和人文地理

景观 城市位置 水和地理决定了大马士革的位置和作用。早期移居者很自然被吸引到这么一个地方:发源于前黎巴嫩山脉东黎巴嫩山的拜拉达河在该地灌溉大片肥沃绿洲后消失在沙漠中。这片土地,名为姑塔,供养大量人口已几千年之久。大马士革建设在一块平台上,海拔 690 米,俯视拜拉达河。最初的居住区看来位于旧城东部。城市与绿洲一起发展,经过一段时间大马士革便居于支配附近较小居住区的地位。

水的供应有保证,土地肥沃,天赋的条件使大马士革自给自足。地处沙漠边缘,又在通过前黎巴嫩山脉的唯一捷径东端,使大马士革成为商队启程和终止的贸易中心。伊斯兰教兴起以后,大马士革又是通往阿拉伯半岛各穆斯林圣城的朝觐之路的起点。

气候与植物 大马士革距海虽仅 80 千米,因有两座山脉阻隔,年均雨量仅约 178 毫米,大部分在 11 月至翌年 2 月。前黎巴嫩山脉获得的雨和雪总量要大得多,每年补充地下水位,是拜拉达河的一个源头。由于地势高,冬天相当冷,平均气温约为 5 ～ 7 °C。3 月和 4 月为花团锦簇的短暂春季,接着是 6 ～7 个月干热的夏季。平均气温在仲夏约为 27 °C,但有时达 38 °C以上。从沙漠吹来的携带尘土的风经过小山脉有所减弱。

到大马士革的旅行者眼见沿河溪生长的颤杨和白杨、水果(特别是杏)园和坚果园、橄榄园和菜园,印象深刻。1326 年抵达大马士革的阿拉伯旅游作家伊本·拔图塔说,没有文字可以充分描绘该城市的妩媚。他引用 100 多年前的先辈伊本·朱拜尔的话说,大马士革“以芬芳的草花打扮自己”,“四周是花园,如月亮……周围有光环”。一位欧洲旅行家苏切姆在 1350 年写道:这座城市“有花园和果园围绕,里里外外是一汪汪池水、河水、溪水和泉水,安排巧妙,使人心旷神怡”。第二次世界大战后,尽管城市的发展使建筑物与树木和空地的比率激增,大马士革人依然享受有绿洲上的公园和花园。

城市布局 旧城中央,包含其悠久历史上大多数古迹的部分,大致呈长方形,约1 640 码长,1 100 码宽,以古情为界。长方形的长轴为东西向。许多最具突出特色的建筑,其位置为希腊化时代早期的城市规划者所确定,其后的罗马建造者又加以遵循。

大马士革被穆斯林军队攻占后的 13 个世纪里,伊斯兰城市生活和建筑大大湮没了古典式的遗迹,其路面在目前的街面下约 15 英尺。虽然人口在中世纪早期急剧下降,及至 13、14 世纪大马士革已得到恢复并向城墙外发展。新建筑主要沿两轴发展:其一,向西北方,将城市与加西雍山坡上的萨利希耶郊区相连;另一,像一长手指向南方延伸。

现代大马士革城市的规划是委托统治时期法国人所制定,又在 20 世纪 60 年代经过修改的。沿宽阔的大街新建了许多住房,形式是一幢幢水泥公寓。政府建筑物集中在有围墙的城市以西迈尔贾广场四周地区和萨利希耶街以西几个区。富裕家庭向往现代住房和便利设施,从 30 年代开始迁往旧城西北地区,尔后又迁往其他地方。随着人口增长,越来越多的花园和农田改为居住区。附近的农村在行政上和实际上并入城市。政府设法保有绿色地区并划定工业区,减缓了花园和果园的丧失。

人民 大马士革人口接近 1 500 000,比 1945 年增加 6 倍。主要由于农村来的移民,其人口增长率比整个叙利亚高。就业和受教育机会吸引了众多的移民,使大马士革人的平均年龄降为低于全国水平。在宗教上的少数派中,来自拉塔基亚地区的阿拉维派因在政府中居显要地位而引人注意。其他群体在逊尼派穆斯林多数民众中保持着其本体地位。基督徒和巴勒斯坦人为数甚多,但一度兴旺的犹太人口已减至几千。

经济 工业 行政管理是大马士革最重要的经济活动。全国政治和行政,包括庞大的军事机构,以此地为中心。几百年来因其

大马士革市的苏莱曼一世清真寺,远景为加西雍山
美国不列颠百科全书公司供图

华丽制成品(尤其纺织品)负有盛名,自20世纪中叶以来这个日益发展的城市以其劳动大军吸引了许多新工业。各大工厂及大多数工业为国营。纺织厂、化学工业和水泥厂主要分布在南面、东面和东北面。传统工艺仍有人操作,大多数人的衣、食之类所需由私营企业提供。

商业 大马士革作为“沙漠港口”的历史作用已因政治形势的发展和现代商业的规模而发生变化。大多数进口货经由叙利亚的拉塔基亚港和巴尼亚斯港,而不再如大约20世纪中叶以前那样经过黎巴嫩。货物转运到阿拉伯半岛国家,但与伊拉克贸易在1982年关闭边界后已停止。大马士革也在叙利亚国内经销自己的产品和进口商品。每年秋季举行大型国际博览会。

运输 在现代大马士革,内燃机车已取代驴和马作为运输工具,骆驼商队已从城市里绝迹,机动车辆现在是大马士革运输系统的骨干。公共汽车载客行驶在城内和国内其他地方;辅助有“服务车”——行驶在固定路线上的收费小轿车或面包车,一载满乘客便开一趟。主要公路从大马士革向各方辐射,通往贝鲁特、安曼、巴格达和阿勒颇。通往北面霍姆斯的标准轨距铁路线在1983年通车,与全国铁路系统连接。这条铁路及货车运输业将进口产品运到城里。大马士革国际机场在城市以东约20英里。

行政与社会状况 *政府* 大马士革市是与国内13个省同等地位的独立市 。叙利亚总统委任市长,他在由选举产生和任命的委员组成的一个委员会协助下治理城市。大马士革市长是一个含有全国意义的重要职位。政治活动不是市政性的,而是全国性的,因为叙利亚是一中央集权国家,由一党控制公共事务。姑塔区外围部分及庞大周边区是另一个省——大马士革省管区,大马士革市即其首邑。

服务业和保健 人口增长为城市的服务业和保健设施增加了负担。大马士革从拜拉达河的一个源头引水,通过一个有几百年之久并已数次扩大的系统取得。在本地发电,电从幼发拉底水坝的水电站获得。保健工作一直在改善,较国内许多地方好。叙利亚约一半的医生在首都开业,有的在政府设立的医院,有的在私人诊所服务。医院床位与人口比例在提高,但与工业化国家相比仍很低。

教育 一个广泛的公立学校系统为大马士革绝大多数儿童提供小学和中学教育。私立学校是公立学校的补充,另外,还有联合国为巴勒斯坦难民子弟办的一个教育体系。大马士革大学创建于1923年,是叙利亚四所大学中最大最老的一所。还有几所技术培训院校。

文化生活 大马士革是叙利亚政治和文化中心。文化部监督首都文化生活的主要方面,他们努力使本市的传统因素与当代的文化发展相结合。负责维护叙利亚历史文物的国家博物馆和民间艺术和传统博物馆参观者颇多。有一所音乐学院教授传统与西方风格的音乐;另一所学院推进戏剧艺术;还有一所学院主办一个民俗表演团。叙利亚和外国画家的作品经常展出。但是,由于受政府津贴,艺术表现时而受到官方告诫的制约。国家控制以大马士革为中心的出版业。该城市出版3份全国性日报以及国内大部分杂志。大马士革还领导国内书籍出版,政府是为首的出版者。

电视相当普及,节目编排包括当地制作的材料,还有从其他阿拉伯国家和海外输入的材料。大马士革电台用阿拉伯、英、法、土耳其等语言广播。大马士革人越来越喜爱运动。尤其是英式足球已成为全国性的运动,其他流行的运动还有游泳和篮球以及摔跤、拳击和网球。城内的三所体育场馆,活动频繁,吸引了大量群众参加。

历史

早期 1950年的发掘表明,在公元前4千纪时期大马士革东南的泰勒萨利希耶有一个城市中心。在旧城曾发现公元前3千纪时期的陶瓷。公元前2千纪曾为大马士革和姑塔修建一个复杂的灌溉系统,其后几个世纪的统治者相继予以扩建。历史上第一次文字材料提到这个城市的是埃及特勒·埃尔-阿尔马纳的楔形文字碑,碑文中大马士革列入公元前15世纪被征服领土。圣经上称之为阿拉米人的首都。阿拉米人是闪米特人,在运河的部分地方曾留下遗产、地名,并在边远地区留下阿拉米语言。其后公元前的几个世纪,大马士革像中东其他大城市一样落入外国征服者手里,其中公元前8世纪为亚述人,公元前7世纪为巴比伦人,公元前6世纪为波斯人,公元前4世纪为希腊人,公元前1世纪为罗马人。公元前333年,亚历山大的征服使大马士革成为希腊化世界的一部分。几乎长达1 000年之久。阿拉米人的地域与一个新的希腊居民区同时存在,希腊建筑遗迹在有拱顶的街上至今仍可见到。并入罗马帝国延续了希腊化传统。西北角的城堡基础是罗马时期的。往东约220码的大马士革大清真寺为伍麦叶王朝所建,同址还有拜占廷时期的圣约翰教堂、罗马时期的朱庇特神庙和阿拉米的哈达德圣所。纪念扫罗——他后来成为圣保罗宗徒——在大马士革皈依基督教的亚拿尼亚(哈南尼)教堂至今还在。它坐落在直街(今东门街)东端附近。直街是罗马人传统的东西向大街。

公元4世纪末罗马帝国分裂后,大马士革成为拜占廷人重要的军事前哨。但宗教和政治分歧更加使君士坦丁堡脱离叙利亚人。加之6世纪时的波斯战争主要在叙利亚土地上进行,破坏了叙利亚的经济生活。结果大马士革在635年情愿向穆斯林军队打开了大门。

穆斯林城市 大马士革是阿拉伯穆斯林军队在古代世界遇到的第一座大城市。661年伍麦叶第一个哈里发穆阿威叶迁出阿拉伯半岛,在叙利亚首都建立了王朝。此后约一个世纪,大马士革以奢华辽阔帝国之首都而著名,这是伊斯兰世界的最宏伟成就。这一时期至今犹存的主要宏伟建筑大马士革大清真寺,为哈里发瓦利德一世在705年始建。虽曾几度破坏、烧毁和重修,仍是伊斯兰建筑的荣耀。庭院的西墙上残存有8世纪的镶嵌图,表现出房屋、花园、溪流和桥梁等繁荣昌盛的景象,现在人们诠解为天堂或昔日大马士革的情景。

阿拔斯王朝在750年掌权后把穆斯林国家的首都迁至东面的巴格达。此后,直至11世纪塞尔柱土耳其政权上台,大马士革在穆斯林世界的死角逐渐荒芜。阿拔斯政权衰弱后,大马士革及附近地区内其他城市不断交战。社会秩序和经济生活江河日下。

在这个混乱时期,罗马城镇的开放图景大大改观。城市生活几乎无人管,于是越来越集中在人们按共同的民族、宗教或职业特点聚居的地方:穆斯林在城中央,基督徒在东北方,犹太人在东南面。在挡墙后面,每个居民区便是一个小城市,有一领导人,有自己的设施——清真寺、澡堂、公共灶、给水装置和几个市场。旧城里建起了典型的住房,围绕一座有泉水、有树木的院子,一堵空白的墙对着街道。

一个强有力的塞尔柱人努尔丁在1154年攻占大马士革,使之再次成为一个大帝国的首都,于是开辟了一个新纪元。城市复兴了,建造起宗教建筑,引入了新建筑形式,涌现出移民新住区。在他的继承人阿尤布王朝及阿尤布王朝的继承人,即1250～1382年统治埃及和叙利亚的早期几个马木路克人治理下,大马士革继续繁荣。蒙古人占领并部分烧毁该城市是一些不幸的插曲。大马士革是马木路克帝国仅次于开罗的第二大城市,为其第一道防御线;它是实施打击以赶走十字军和蒙古人的军队集结地点。露天市场,即为驻防部队服务的市场,在城堡以北地区发展起来,郊区得到扩展。14世纪时,住在城墙内外的大马士革人一样多。多余的粮食首先运往埃及首都,并鼓励制作奢侈品,诸如锦缎、金属细镶嵌、陶瓷和玻璃,供挥霍的马木路克朝廷铺张浪费,并供应欧洲市场。

大马士革是几朝伊斯兰统治者喜爱的居住地。其中4人——努尔丁、萨拉丁及其兄弟阿迭尔和拜巴尔斯一世——都葬在旧城内。他们的陵墓与穆斯林学院结合在一起,和谐自然地融入城市环境,是大马士革最吸引人的中世纪建筑物。圆屋顶上带格的瓜形拱顶是一个引人入胜的特色。其中两建筑群阿迪利亚学院和扎希利亚学院隔一条狭街对峙相望,现在它们分别为阿拉伯科学院和国立图书馆所在地。

在后几朝马木路克统治下,大马士革遭受贪婪的省市长官们及争夺权力的内乱之害。更悲惨的是1401年帖木儿对城市进行洗劫,并将能工巧匠放逐到撒马尔罕。15世纪中叶,腐败的马木路克领导人争夺权力时,大马士革恢复了一些繁荣。令人费解的是,一项活跃的公共工程计划不但仍在继续,而且较阿尤布王朝统治时更加宏伟豪华。

奥斯曼时期 奥斯曼在1516年征服叙利亚后,大马士革丧失了政治力量但仍保有商业上的重要性。一些条约将东地中海的土耳其和叙利亚港口主要向法国、后来又向其他国家开放。西顿(今在黎巴嫩)是大马士革的主要港口。城内货料激增。这些漂亮的石结构建筑被用作商人客店和货物贮藏、交换和转运之所。及至18世纪,大马士革商人缩小了商栈的露天院子,将之盖上圆屋顶以保护货物免受天气的影响。阿萨德·帕希商栈(1732)是著名的例证。

大马士革继续繁荣的第二个因素是前往麦加和麦地那的朝觐。每年有一大队车马在大马士革帕夏(奥斯曼省长)率领下从大马士革前往穆斯林圣城。朝觐者在车马队出发前花几周时间在大马士革整装补给。该城市也因朝觐者从阿拉伯带回的货物交易而获利。城最南端的迈丹是贸易的活动中心,集中在有绿瓦尖塔的16世纪锡那尼耶清真寺周围。

随着穆罕默德·阿里的得势,叙利亚在1831～1840年再次受埃及控制。欧洲人在较宽松的条件下被允许进入城市,外国学校和传教团得以建立,君士坦丁堡重新获得对叙利亚的控制后,19世纪50和60年代初爆发了一场激烈的宗教狂热。伟大的奥斯曼改革家米德哈特帕夏在1878年任省长后,拓宽街道,改善卫生,改善了城市状况。20世纪初叶,德国工程师修建了大马士革—麦地那铁路线,使朝觐的路程减至5天。第一次世界大战期间,叙利亚首都是奥斯曼军队和德国军队的联合司令部,两支军队强行推进至苏伊士运河,后来又对英国军队及其阿拉伯盟军进行防御战。

第一次世界大战以前及期间,阿拉伯民族主义高涨,在大马士革适得其所,它成为反奥斯曼鼓动的中心。麦加大沙里夫的儿子费萨尔,几次去作秘密访问以争取对阿拉伯事业的支持。奥斯曼司令官贾迈勒帕夏采取对抗行动,在1915年5月6日下令绞死21名阿拉伯民族主义者,人们至今还纪念这一天。奥斯曼人于1918年9月撤离该城。

现代城市 奥斯曼人离去后,大马士革进入一个新时期,其面积、面貌和政治作用都发生了变化。1919年叙利亚国宣告独立,大马士革为首都。1920年初,宣告费萨尔为国王。几个月后,法国人凭国际联盟委任统治权,打败了费萨尔的军队,进入该城。大马士革人抗拒法国接管;1925年的一次起义在法国人炮击城市后被镇压。从1920～1946年为法国委任统治叙利亚时期,大马士革人与同胞一道,为国家独立、为单一的阿拉伯国家这一更大目标而斗争。致力于该目标的复兴党在第二次世界大战中成立于大马士革。委任统治时期延续到1946年4月,法国军队按联合国决议终于撤出叙利亚。大马士革再次成为独立的叙利亚首都。

在共和国体制下,叙利亚动荡的政治生活围绕着大马士革发展。在这一角色中,它的作用像是吸引各种政治力量、经济利益和农民寻求美好生活的一个磁极。国家的领导权几度因政变而在坦克上街的隆隆声中易手。20世纪60年代,复兴党在叙利亚掌权,使政府较稳定。

当代大马士革是一个具有世界上各城市的许多特点和问题的大都市。地形的自然限制及水源限制,说明城市有必要向稍远的卫星社区分散出去。假如伊本·拔图塔、伊本·朱拜尔或其他早期来访者归来,他们不会再那么兴奋地为置于绿色花园丛中的一个城市而欢呼,但他们将看到这座城市正处在向一个现代大都市转变之中的精神风貌和活力。

Damascus, Great Mosque of 大马士革大清真寺 又称伍麦叶清真寺。现存最古老的石结构清真寺。是伍麦叶王朝哈里发瓦利德一世在705～715年间所建。该寺原址在1世纪为希腊朱庇特神庙,后来是基督教施洗约翰教堂。建筑结构中尚有叙利亚-罗马时代残留部分,圣龛中存有施洗约翰(叶海亚)的头骨,伊斯兰教和基督教都以之为圣物。礼拜厅在寺南部,与寺边墙等长,其中立柱成行,上有拱顶,将全厅隔成三条长廊。中央横道上建有八角顶,原为木结构。南侧窗上有大理石窗棂,是伊斯兰建筑中交叉几何图案的最早范例。该寺在1401年为帖木儿所毁,后由阿拉伯人重建,1893年又遭火灾。该寺原有的雄姿虽已无法恢复,但现仍相当壮观。

Damascus Document 《大马士革文献》 又称《扎多基特残卷》。古代巴勒斯坦地区库姆兰地方犹太教艾赛尼派文献,是现存此类文献中最重要者。主要分两部分。"规劝篇"揭示该派教义,强调忠于上帝与以色列人所立之约以及严守安息日和其他宗教节日等问题。这一部分还介绍了该派领袖"正义之师";其人具体身份不详,他受到"邪恶祭司"的迫害与放逐。第二部分列出许多典章,涉及发愿、净身、集会、推选审判官以及卫教士(负责新成员的入教和教育)的职权等事项。《大马士革文献》的编纂年代不详,但不会迟于公元66～70年的犹太人起义,因为库姆兰教团在其后即被解散。

Damascus rug 大马士革地毯 据称16或17世纪继马木路克王朝的地毯艺术之后,在叙利亚大马士革编织的小型铺地用品。底子图案为正方或长方小格子(因此欧洲人称之

17世纪的大马士革地毯
美国不列颠百科全书公司供图

为棋盘式地毯),每格中心为交错繁星,其周围为有小花饰的六角形或八角形。另一种底子图案为大格子,有若干团花图样。原料全部为山羊毛。拴生纳式波斯扣。

Damascus steel 大马士革钢 又作Damasked steel。工业时代以前著名的钢材之一,主要用于制造刀剑。这种钢的制造涉及一种秘密的渗碳方法:在密闭的容器中,将一种熟铁加热到赤热并和含碳材料接触,从而获得含有1.8%碳的铁碳合金。将渗碳后的产品进行退火处理,以便在将其锤打成扁钢前使碳趋于分散,然后再制成刀剑之类制品。大马士革钢异常坚硬,由于原有材料含碳量不同而有波纹状、条带状的外观。有时一条扁钢是由数种钢材层叠熔接而成。把扁钢对折重叠,加以熔接,再对折重叠并再次熔接,直到把数层扁钢锤锻成一体,然后再加工成刀剑。经过淬火和修整,制品具有与众不同的复杂形状。用大马士革钢制成的刀剑大致可按其波纹来判断,因为波纹可用以说明其质地。

damask 花缎 具有图案的织物。因中世纪大马士革(叙利亚)生产的图案精美的织物而得名。花缎原为蚕丝织品,但后来泛指某种图案的织物而不管纤维品种。简单花缎具有一组经纱和纬纱,可织成一种或两种颜色,复杂花缎具有多种纬纱。花段在提花织机上织造,缎底由经纱在2～7根、有时为9根纬纱上越过的浮纱组成。花样是平纹或塔夫组织,经纱与纬纱直角相交,光泽比缎纹区差。途经大马士革的十字军在11世纪把这种织物传入欧洲,在一些种植亚麻的国家建立起亚麻花缎织造业,例如13世纪中叶的法国。佛兰芒人的库特赖城15世纪以亚麻台布著称,在17和18世纪荷兰哈勒姆也由此著名。17世纪后期,威廉三世在爱尔兰建立起花缎织造厂。古代花缎宽45～63厘米,这是能用手把载有纬纱的梭子投经织口、从布边到布边的距离。宽度超过127厘米的由机械织制,大约开始于1835年。

Damaskinos 达马斯金诺斯(1891-03-03,希腊佐尔维察～1949-05-20,雅典) 东正教雅典大主教,1944～1946年希腊内战期间任执政。在他执政期间进行政治建设。他在巴尔干战争(1912)中为陆军士兵,1917年任教士,1922年任科林斯主教。1938年当选为雅典大主教,但首相迈塔克萨斯宣布选举无效,达马斯金诺斯被流放。第二次世界大战期间德军占领希腊后,1941年7月他奉召重任大主教。他反对德军占领希腊,主张掩护犹太人避免纳粹屠杀。德军撤退后,共产党领导的游击队发动内战,经过流亡国外的国王乔治二世同意,他于1944年12月任执政。在16个月的政治危机期间,先后任命五任首相,1945年10月自组临时内阁。1946年9月28日,希腊人民投票赞成恢复君主制后4天,他辞去执政之职,专任大主教。

Damastes(Greek mythology) 参阅**Procrustes 普洛克路斯忒斯**。

Damasus I, Saint 达马苏斯一世,圣(约304,罗马～384-12-11,罗马) 教皇(366～384在位)。他当选教皇后,拥护乌尔西努斯的少数派不承认他合法,他在行政当局的支持下

击败这一派人。达马苏斯一世积极取缔异端，在位期间所举行的两次会议（368和369）都谴责君士坦丁堡主教马其顿尼的谬论和老底嘉主教小阿波利纳里斯的邪说。现存达马苏斯一世文献中有对4世纪异端分子所颁发的24条绝罚令。达马苏斯一世率先称罗马主教法座是教会奠基人使徒彼得一脉相承而来。380年，罗马帝国皇帝格拉提安（西部）和狄奥多西（东部）宣布基督教为罗马帝国国教。382年达马苏斯一世在罗马召集宗教会议，正式宣布罗马教会为其他一切教会之首。达马苏斯一世召开这次会议可能是担心当时号称新罗马的君士坦丁堡势力日大。他责成哲罗姆校订《圣经》拉丁文译本，日后发展成为通俗拉丁文本《圣经》。他在位期间确定弥撒用拉丁文。他发现殉教者坟墓多处，为这些坟墓铭诗，并修复地下墓窟多处。

Damasus II 达马苏斯二世（？，巴伐利亚［德国］～1048-08-09，教皇国帕莱斯特里纳［意大利］） 原名波普。教皇（1048-07-17～1048-08-09在位）。神圣罗马帝国皇帝亨利三世提名他继克雷芒二世之位为教皇，但教皇法座一个月前已为豪门图斯库拉尼家族出身的本尼狄克九世所占。本尼狄克九世原曾于1045年为教皇，同年离位而去。此时本尼狄克九世企图复位，被亨利三世下令驱逐。达马苏斯二世即位23天后病死。

Damaturu 达马图鲁 尼日利亚东北部城镇，约贝州首府。1991年达马图鲁成为新建的约贝州首府。该城位于稀树草原覆盖的平原地带，有利于种植黍类、高粱、花生。该城镇是波蒂斯库姆通往迈杜古里通路上的集市中心。人口141 897（1991）。

Damāvand, Qolleh-ye（Iran） 参阅**Demavend, Mount 达马万德山**。

Damazin, Ad- 达马津 苏丹中东部城镇。临青尼罗河。该镇以东的鲁赛里斯水库可引水灌溉，提高苏丹的农业潜力。工业有面粉厂、制糖厂和榨油厂。有公路和铁路通加雷夫、巴加维、辛贾和森纳尔。建有国内机场。人口8 751（最新统计）。

Damba 丹巴 安哥拉西北部城镇，是咖啡、稻米和甘蔗的贸易中心。在1950年左右，政府在该镇实施非洲人定居方案未成功。后来葡萄牙和佛得角的人来此居住，1975年安哥拉独立前离开这一地区。位于首都罗安达连接扎伊尔的公路线上。设有机场。人口：城镇约27 931（最新统计）。

Daṁbadeṇiya DYNASTY **登巴德尼亚王朝** 1255～1330年统治锡兰大部分地区的王朝，因定都登巴德尼亚，故名。王朝起源不明。1215年在反抗夺取锡兰北方政权的马来人篡位者玛格的斗争中崛起。到1255年已战胜玛格。1260年马来人再次入侵锡兰。尽管从1280年起登巴德尼亚不再作为首都，但登巴德尼亚王朝一直统治到1340年才为甘波拉王朝所取代。

d'Amboise, Jacques 丹波伊斯（1934-07-28，美国马萨诸塞戴德姆～ ） 原名Jacques Joseph Ahearn。美国纽约市芭蕾舞团舞蹈演员和编导（1949～1984），因在性格舞和古典舞中刚健有力的舞姿而受到赞赏。主要在美国巴兰钦芭蕾舞学校接受训练，12岁参加芭蕾协会作职业性首次演出，15岁加入纽约市芭蕾舞团。1953年在克里斯坦森的舞剧《汽车加油站》饰加油站服务员麦克，演技高超，成为全国知名的人物。后被提升为独舞演员。他还在《西部交响乐》（1954）、《星条旗》（1958）、《沉思》（1964）和《谁关心？》（1970）中创作过重要的角色，成为具有高度技巧的性格舞蹈家。他演出的剧目很多，包括《天鹅湖》和《胡桃夹子》中的王子以及《阿波罗》中的阿波罗。1958年在抽象的《古诺交响乐》中创作了一个主要角色。他还在电影《七兄弟的七位新娘》（1954）、《人生最大乐事是自由》（1956）、《旋转木马》（1956）和《不合拍》（1986）中担任角色，并参加百老汇音乐喜剧《胫骨小巷》（1957）的演出。由他编导的作品有以莫扎特《法国号协奏曲第三号》的曲调配舞的15分钟芭蕾舞喜剧《追求》（1963）、以肖斯塔科维奇的《弦乐四重奏第一号》音乐配舞、由三男一女表演的半抽象作品《四重奏》（1964）以及用圣-桑的音乐配舞的《爱尔兰幻想曲》（1964）。丹波伊斯在美国芭蕾舞学校任过教，还在纽约州立大学舞蹈学院任教授及院长，后又在非营利性的国家舞蹈研究所任所长。该所由他筹办，宗旨在于为更多的公立学校教授舞蹈课。

dame school 家庭幼儿学校 妇女为幼儿办的小型私立学校。这种学校是英格兰和殖民地时期美洲开办托儿所和幼儿学校的先驱。英格兰城镇和乡村在16世纪前可能就有了这种学校，并继续存在到19世纪。学校常常办在教师家里，儿童学认字母，并学习《新约》中的一些片段，还要干些家庭杂务。

dame's violet（*Hesperis matronalis*） **紫花南芥** 又作dame's rocket。或称紫花香花芥。十字花科植物。原产欧亚大陆，在英国及北美广大地区已归化。花香似香堇。为庭园观赏植物，高达90厘米。叶狭长有齿，花枝直立，花四瓣，丁香色、紫色或白色，脉纹显著。

紫花南芥（*Hesperis matronalis*）
美国不列颠百科全书公司供图

Dāmghān 达姆甘 伊朗北部城镇。海拔1 200米，在厄尔布尔士山正南不毛的广阔砾石平原上。地处通往呼罗珊的公路和铁路旁。有伊朗最古老的清真寺（约建于9世纪）和塞尔柱时期的几座墓塔。附近有重要考古发掘地。该城是中世纪古米斯省首府和重要城镇，1723年被阿富汗人摧毁。经销阿月浑子和薄壳杏核。人口49 200（1996）。

Damian, SAINT **达米安，圣** 参阅**Cosmas and Damian, Saints 科斯马斯和达米安，圣**。

Damien, FATHER **达米安**（1840-01-03，比利时特雷默洛～1889-04-15，夏威夷莫洛凯） 原名弗斯特。比利时天主教司铎。1858年在卢万加入耶稣和马利亚圣心会，1863年到桑威奇群岛即夏威夷群岛传教。夏威夷政府将麻风患者驱逐到莫洛凯岛卡劳帕帕地方，1873年他自愿作为司铎兼医生到该地工作。1884年达米安染上麻风，为了留下照顾麻风患者而拒绝医疗。他生前死后都有谣传说他品行不端，但死后不久经过调查证明失实。

Damiens, Robert-François 达米安（1715-01-09，法国拉蒂欧卢瓦～1757-03-28，巴黎） 法国的狂热分子。1757年1月5日路易十五在凡尔赛登车时，他用匕首将其刺伤。路易十五仅负轻伤。达米安以杀害国王罪被判处五马分尸刑。在处死前的4个小时，酷吏用烧红的钳子野蛮地撕开他的肉，然后用融化的蜡、铅和烧滚的油浇他的伤口。他被处死后，他的住宅被夷为平地。他的兄弟姊妹奉令更名改姓，他的父亲、妻子和女儿均被放逐国外。

美国不列颠百科全书公司供图

Damietta 达米埃塔 又拼Dimyat。埃及杜姆亚特省省会。位于地中海沿岸下埃及尼罗河三角洲。古埃及重要城市，过去比现在更近海。公元前322年以后，由于亚历山大港兴起而衰落。638年，阿拉伯人使之成为以纺织品闻名的商业中心。在马木路克和奥斯曼时期为流放地。1819年修筑了马哈茂迪耶运河，尼罗河的贸易转至亚历山大；达米埃塔不再是贸易中心，现仍主要同叙利亚贸易。现代疏浚河道后，恢复达米埃塔港，改善港口设施,以减轻亚历山大港的拥挤。工业主要有制革、面粉加工和沙丁鱼罐头等。达米埃塔城内有几座精美的清真寺。有铁路经本哈连接开罗,公路可通塞得港和苏伊士运河区。人口78 854(1996)。

Daminglü 《大明律》 中国明代(1368～1644)的主要刑法法典。30卷,460条。明代开国皇帝朱元璋亲自督责制定。1367年草创,1397年修定正式颁行。大明律继承唐律、

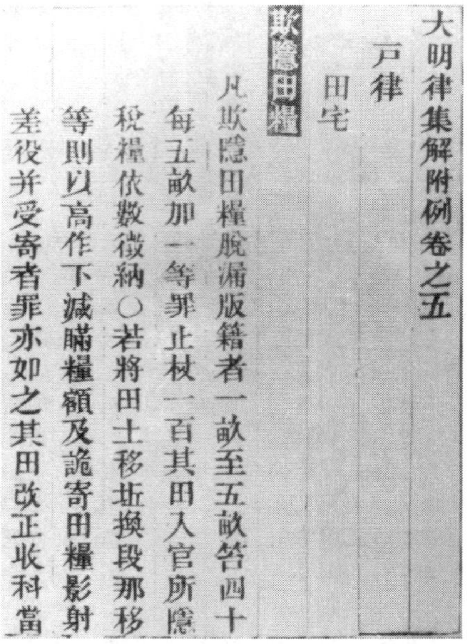
大明律集解附例卷之五
戶律
田宅
欺隱田糧
凡欺隱田糧脫漏版籍者一畝至五畝笞四十
每五畝加一等罪止杖一百其田入官所隱
稅糧依數徵納○若將田土移坵換段那移
等則以高作下減瞞糧額及詭寄田糧影射
差役并受寄者罪亦如之其田改正收科當

《大明律集解附例》书影
中国大百科全书出版社供图

宋律、田制,并创六律新体例。以《名例律》冠首,为六律的总纲,共1卷47条;下分《吏》、《户》、《礼》、《兵》、《刑》、《工》六律。《吏律》33条,分《职制》、《公式》2卷;《户律》95条,分《户役》、《田宅》、《婚姻》、《仓库》、《课程》、《钱债》、《市廛》7卷;《礼律》26条,分《祭祀》、《仪制》2卷;《兵律》75条,分《宫卫》、《军政》、《关津》、《厩牧》、《邮驿》5卷;《刑律》171条,分《贼盗》、《人命》、《斗殴》、《骂詈》、《诉讼》、《受赃》、《诈伪》、《犯奸》、《杂犯》、《捕亡》、《断狱》11卷;《工律》13条,分《营造》、《河防》2卷。对政治、经济、军事、思想文化、道德伦理、婚姻宗族各方面的行为规范作了法律规定。除以重罪镇压反叛行为外,还贯彻了朱元璋重典惩治贪污的思想,加强对贪官和豪强不法行为的制裁。是强化明王朝中央集权统治的工具,在中国古代法制史上占有重要地位。

Dāmir, ad- 达米尔 又拼Ed-Damer或Ad-Damar。苏丹东北部城镇。临尼罗河,在喀土穆东北约250千米处。海拔353米。是北部枣椰产区的商业中心。有枣椰装箱、蒸馏酒精、酿酒,以及番茄、芒果和蔬菜罐头等食品工业。有公路和铁路通尚迪、阿特巴拉和柏柏尔。苏丹港与喀土穆之间长达850千米的油管经过市郊。人口50 995 (1993)。

Damīrī, ad- 达米里(1341,开罗～1405-10-27,开罗) 全名Muḥammad Ibn Mūsā Kamāl ad-Dīn ad-Damīrī。穆斯林教义学家,以其动物百科全书著名。曾师从几位同时代的第一流学者,精通教义学、法律和语文学。他在开罗的几个学校及清真寺,包括爱资哈尔大学定期讲学及布道。他是个泛神论神秘主义者,以苦行主义、祈祷、斋戒闻名。曾六次赴麦加朝圣。其百科全书《动物学百科词典》(约1371)现存3种篇幅不同的阿拉伯文版,尚有波斯文、土耳其文及拉丁文译本。本书条目按字母排列,论述了《古兰经》中提到的动物931种。有些内容离题甚远,例如讨论到鹅的时候,大部分篇幅讲哈里发的历史,意在说明每第六个哈里发如何退位。他的其他著作则专门讨论更为典型的伊斯兰学派传统的题目。

Dammām, ad- 达曼 沙特阿拉伯东部城市,濒临波斯湾。位于巴林岛西北。1938年发现储量极大的油田,成为繁荣的城镇。现为重要海港、石油和天然气中心、该国东部的商业中心和全国唯一铁路的东部终点。该市十分现代化,有广阔的郊区,城市大部建设于20世纪40年代之后。除石油工业外,农业尤其是乳品业也很重要。试验农场饲养大群进口的菜牛和奶牛。设有费萨尔国王大学(1975)。人口:约城镇482 321;大都区1 185 487(1992)。

dammar 达马树脂 又拼dammer。一种常作为薰香用的硬质清漆树脂。产自东南亚特有的针叶树。达马树脂也用于灰泥、清漆和油漆。快干油漆是由达马树脂和硝酸纤维素配制而成。由氯仿或二甲苯配制的达马树脂溶液,用于保存和固定显微镜检查用的动植物切片。达马树脂和松节油可配成优质清漆,干后漆膜明净、平滑、坚硬。

dammar pine 达马松 参阅**kauri pine** *考里松*。

Dammartin 达马尔坦 中世纪法国伯爵领地,位于莫西北的达马尔坦昂戈埃勒(在今塞纳-马恩省)。10世纪时,第一个有史可查的伯爵于格在此修建城堡。11和12世纪时,城堡主势力强大,足以抗衡法国国王或佛兰德伯爵。后来,国王夺占达马尔坦,传给其子菲利浦·于雷佩尔,再辗转经过几个家族之手,1439年终于落入安托万·德夏巴纳手中。此人随贞德征战有功,后在百年战争期间成为盗匪首领,初参加公益会反对路易十一,后又为路易攻打勃艮第人。在亨利·德蒙莫朗西谋反(1632)后,路易十三取消达马尔坦的伯爵爵位,夷平其城堡,并把该领地赐给孔代家族。

Damme 达默 比利时西北部西佛兰德省直辖市。临布吕赫-斯勒伊斯运河。原地处北海茨文河口,13～14世纪为布吕赫的北海港口,其海商法适用于汉萨同盟之商人。15世纪茨文河口淤塞后衰落。现为一围海造田的农业村落。是"佛兰芒诗歌之父"J. van马尔兰特的诞生地(1235)。中世纪古迹有圣母教堂的遗址(1225～1485)和市政厅(1464～1468)。13世纪的圣约翰医院和

达默市的圣母教堂
美国不列颠百科全书公司供图

怀特伯爵的宅第现已辟为博物馆。人口10 706(1992)。

Damocles 达摩克勒斯(活动时期公元前4世纪) 叙拉古僭主大狄奥尼西奥斯的廷臣,因"达摩克勒斯剑"的传说而知名。据说,达摩克勒斯善于歌功颂德,当他盛赞僭主洪福齐天的时候,狄奥尼西奥斯安排了盛宴,邀他入座,而在他头顶上用细线悬挂一把出鞘的宝剑,以此表示大权在握的人往往朝不保夕,正如达摩克勒斯当时的危险处境一样。西塞罗的《图斯库卢姆谈话录》叙述了这个故事。

Dāmodar River 达莫德尔河 印度东北部河流。源出比哈尔邦中南部的焦达讷格布尔高原。向东流592千米,经西孟加拉邦,在加尔各答西南注入胡格利河。沿比哈尔-西孟加拉邦界的达莫德尔河谷有印度最重要的煤矿与云母矿。工业发展迅速。主要煤矿切里亚、拉尼根杰、吉里迪等均为露天矿。沿河建有4座有多种效益的拦河坝,另有一条运河连接煤田和胡格利-加尔各答工业联合体。控制洪水、水力发电、燃煤电厂,以及约38.5万公顷的农田灌溉等工程,主要在西孟加拉邦。造林、养鱼、娱乐和工农业总体发展则遍布河谷。20世纪人口增长迅速。丹巴德、加里亚和辛德里等多数城镇有稠密的铁路和公路网络相连。

Damoh 达莫 印度中央邦城镇。农产品贸易中心。工业有榨油、手工织染、铜器制造与制陶等。每周有牲畜集市。14世纪被穆斯林占领时初显重要,是马拉塔族统治者的驻地。1867年建市。有一座医院和3所学院。人口:城镇75 573;都会区76 758(1981)。

Damophon 达莫封(活动时期公元前2世纪) 古希腊麦西尼的雕刻家,在麦西尼、迈

加洛波利斯、埃吉乌姆及伯罗奔尼撒半岛的其他一些城市制作了许多雕像。公元前183年以后不久,他修复了被地震所毁的菲迪亚斯雕刻的奥林匹亚宙斯雕像。阿卡迪亚的里克苏拉原有一德斯波茵娜神庙,在该庙旧址发现相当多的残片,其中有3个巨大的头像,它们是达莫封所做组雕德斯波茵娜、德墨忒耳、阿耳忒弥斯和巨人阿尼图斯四神像的一部分。德斯波茵娜的衣服是用浮雕装饰的。一枚硬币表明这一雕像是两个神站着,两个神坐着。

Dampier　丹皮尔　澳大利亚西澳大利亚州西北部罗伯恩郡港口城镇。濒临印度洋的尼科尔湾。该镇在通往珀斯(南1 638千米)的西北沿岸公路线上。汤姆普赖斯山和哈默斯利岭所产铁矿石在该地处理后,被运往日本和欧洲。当地用水依靠梅特兰间歇河和一座海水淡化工厂供应,主要产品是盐。人口1 490(2001)。

Dampier, William　丹皮尔(1651-08,英格兰萨莫塞特东科克尔～1715-03,伦敦)　英国海盗。后为英国海军部在澳大利亚、新几内亚和新不列颠沿海地区探险。对自然现

美国不列颠百科全书公司供图

象观察敏锐,在某些方面是科学探险的先驱者。丹皮尔16岁时父母双亡,漂泊到纽芬兰,后到东印度群岛及墨西哥湾。1678～1691年主要在南美西海岸及太平洋地区干海盗勾当。1688年曾到达澳洲,大概是梅尔维尔岛附近的澳洲北海岸,但一无所获,而对当地民族风习十分憎恶。此后10年经历不明。后奉英国海军部之命,于1699年1月14日指挥"雄獐"号海船出发探险。该船绕过好望角,于7月26日到达澳大利亚西部的沙克湾,然后沿海岸北上到达以后所称的丹皮尔群岛,绕过新几内亚岛北面到达新不列颠。他在船只失修而船员不满的条件下继续向爪哇岛巴达维亚(今印度尼西亚雅加达)进发,以便修船并补给粮食及其他航海必需品。1700年10月17日启程返回英格兰,但在翌年2月22日到达阿松森岛附近南大西洋海面时,"雄獐"号漏水严重,只得弃船上岛,停留至4月3日,才得到一支回程的舰队及东印度公司人员救援,返回英格兰。丹皮尔此后又进行了两次海盗活动。第1次获赃物值20万英镑。著有《环球新航行》,于1697年出版,深为读者欢迎。他所率船只的航海日志中有一篇欧洲人对台风的最早记载。

damping　阻尼　物理学中指因能量耗散使机械振荡、噪声、交流电之类的振动所受到的遏制。荡秋千的小孩除非不停地屈蹬腿,秋千的运动终会因阻尼而停止。汽车消振器和毡毯垫都是阻尼器材。一个系统会因阻尼而不能振动。临界阻尼正好阻止振动,或者正好使物体在最短时间内回到静止位置。附加阻尼使系统处于过阻尼,这对于某些弹簧门是合乎要求的。弱阻尼系统的振动会逐渐停止。机械阻尼有许多种。摩擦,又称为干阻尼或库仑阻尼,主要是由滑动面之间的静电引力产生的,它把运动的机械能或动能转化为热。黏性阻尼既可因各运动部件间存在润滑液体造成能量损失而引起,也可因活塞迫使液体穿过小孔造成能量损失而引起,像汽车消振器那样。黏性阻尼力与阻尼器件两端之间的相对速度成正比。振动体的运动也可以用它与所穿行的液体或气体的摩擦来阻止。这时液体的阻尼力与一个稍小于该物体的速度的平方的量成正比。因此属于速度平方阻尼。除了外界阻尼外,还存在因运动结构内部本身的能量损失而引起的滞后阻尼,有时也称结构阻尼。在滞后阻尼中,包含在重复内在形变与回复原有形状之中的部分能量,在晶体点阵中以无规振动的形式耗散;在液体中,以分子的无规振动动能的形式耗散。还有其他形式的阻尼。在有交流电往复流动的共振电路中,例如无线电或电视接收机中,由电阻引起阻尼。接收机收到的信号提供了维持同步共振(**resonance**)的能量。在辐射阻尼中,运动电荷(例如电子)的振动能量转变为电磁能,并以无线电波、红外线或可见光的形式发射出去。在磁阻尼中,运动能量以线圈或铝片(附于振荡体上并在磁极之间穿过)中所感生的涡电流的形式转化为热。

damping-off　猝倒病　由种携及土携真菌引致的植物苗期病。这些真菌有立枯丝核菌(*Rhizoctonia solani*)、螺壳状丝囊霉(*Aphanomy-ces cochlioides*)及腐霉属(*Pythium*)、疫霉属(*Phytophthora*)、葡萄孢属(*Botrytis*)、镰霉属(*Fusarium*)、柱枝双胞霉属(*Cylindrocladium*)、色二孢属(*Diplodia*)、茎点霉属(*Phoma*)和交链孢属(*Alternaria*)等。病害有两种类型:出苗前期猝倒病,萌芽种子腐烂于土内,幼嫩苗于出土前腐烂;出苗后期猝倒病,新苗突然萎蔫,齐土面软腐死亡。木本植物罹病后幼苗萎蔫,但仍保持直立,随后根部腐朽。在寒冷潮湿的土壤中损失最重,发芽及出苗缓慢,这通常见于室内种植的植物。防治猝倒病要播种于光线、排水良好的无菌土壤或无菌混合物(珍珠岩、泥炭藓、蛭石),不可过密和过荫,水分不可过多,避免种植过深和施肥过量,播种无裂缝的健康种子,撒上杀真菌种子保护剂。发病早期可用杀真菌剂溶液控制。

Dâmrei Mountains　象山山脉　旧名Elephant Mountains。柬埔寨西南部豆蔻山脉的支脉,南北走向。名称意为浮云缭绕之山。从泰国湾向北延伸110千米,至波哥山地的高达1 081米的波哥山。山岭西坡林木茂密,年降雨量3 800～5 000毫米;东坡年降雨量仅1 020～1 520毫米。1975年以前,象山山脉一直是柬埔寨的胡椒生产中心。

Damrong Rajanubhab　丹龙·腊贾努巴(1862-06-21～1943-12-01,泰国曼谷)　泰国亲王,蒙库王之子,朱拉隆功的兄弟。泰国现代教育和划省治理的创始人,泰国知识分子的杰出代表。只受过4年正式教育。1881年任皇家卫队团长时创建了玫瑰宫学校。1892年任内政部长。他将100来个省归并为14个"特区",指派受过现代教育的青年官员进行管理。这些官员征收赋税,掌握资源,推行现代的法律和教育。1915年辞去官职,潜心研究学问,致力于保存和出版泰国传统文学和历史著作,他是暹罗学会和国家图书馆的创始人之一。1932年革命后流亡槟榔。著有涉及不同领域的书和文章1 000多种。

Damrosch, Walter Johannes　达姆罗施(1862-01-30,普鲁士布雷斯劳[今波兰弗罗茨瓦夫]～1950-12-22,美国纽约州纽约)　普鲁士出生的美国管弦乐指挥家和作曲家,在美国音乐生活中的活动持续达半个多世纪。其父L.达姆罗施(1832～1885)为德国小提琴家和指挥,1871年定居纽约市。幼年从父

美国不列颠百科全书公司供图

学习音乐。父亲去世后,在纽约交响乐团与其父创建的纽约清唱剧团执棒,又曾在大都会歌剧院(1885～1891)任指挥。其后组建达姆罗施歌剧团(1894～1900),专门演出德国歌剧。1903年重新组织纽约交响乐团,亲任指挥,直到1927年该团与爱乐乐团合并时为止。他志承其父,同是瓦格纳的忠诚支持者。早在1886年即在纽约将歌剧《帕西发尔》以音乐会形式演出。还在美国首次演出勃拉姆斯和柴可夫斯基的交响曲。他是电台广播交响乐的首创人,并为中小学开设每周一次的音乐欣赏广播系列讲座(1928～1942)。所写歌剧有《红字》(1896)、《贝尔热拉克的西拉诺》(1913)和《没有祖国的人》(1937)等。自传《我的音乐生活》于1923年出版。1898～1912年任纽约清唱剧团领导。创办纽约市音乐艺术学院(1905～1926)。出版过一些教科书。

damsel bug　姬蝽　又作nabid bug。又称拟猎蝽。异翅目姬蝽科(拟猎蝽科,Nabidae)昆

姬蝽(*Nabis*)
美国不列颠百科全书公司供图

虫。捕食蚜虫和毛虫。一般分两类：一类长约8毫米，色黄褐，翅发达；另一类较大，色黑亮，翅极短。姬蝽前足稍粗，有两列齿，前足弯曲以便抓握。姬蝽属(*Nabis*)为本科中最常见的属之一，约300种，分布全球。

damselfish 雀鲷 又作demoiselle。鲈形目雀鲷科海产小型鱼类的统称，约250种，主要分布于大西洋和印度洋—太平洋热带水域。体高，尾鳍叉形，类似近缘的丽鱼，而且像丽鱼一样，头两侧各具一个鼻孔。许多种类色彩鲜明，色调常呈红、橙、黄或蓝色。体长大

雀鲷(*Pomacentrus*)
美国不列颠百科全书公司供图

多在15厘米以内。性活泼，行动敏捷，占域行为明显，进攻性强。部分种类以食悬浮水生植物或小动物为主，另一些则为杂食性。大部生活于岩礁中，但某些种类如海葵鱼(双锯鱼)则生活于海葵的触手之间。本科较为人们所熟知的种类大致可以包括：雀鲷属(*Pomancentrus*)五彩缤纷的种类；印度洋—太平洋的三带雀鲷(黑白雀鲷、宅泥鱼，*Dascyllus aruanus*)，鱼体有黑白相间的三条斑纹；加利福尼亚的红衫鱼(*Hypsypops rubicunda*)，又称加里波的鱼，呈鲜橙色，长约30厘米；大西洋的好格雷戈里鱼(真豆娘鱼，*Eupomacentrus leucostictus*)，体色蓝黄相间；热带的岩豆娘鱼(*Abudefduf saxatilis*)，淡蓝和黄色相间。

damselfly 豆娘 蜻蜓目束翅亚目昆虫，种类多，眼向两侧突出，翅具柄。翅狭窄，膜质，翅脉网状，静止时翅沿身体纵轴垂直地立于背上，而不像差翅亚目的蜻蜓那样平展。体纤细，飞行力弱。有一种迷信的说法：豆娘会照顾病蛇至其痊愈，故豆娘有时称为“蛇医”。交配时常排列成串而飞行。若虫生活于水中，腹部末端有3片叶状的结构，称为鳃，用

华美色蟌(*Agrion splendens*)
美国不列颠百科全书公司供图

以呼吸，又有鱼尾似的作用。

Damu 达穆 美索不达米亚宗教所崇奉的神灵。流行于苏美尔人中间，是位于南部水果产地乌尔(吾珥)附近的幼发拉底河畔城市吉尔苏城的保护神。达穆是草木之神，专司草木生气之精髓。另一女神亦名达穆，是伊辛的护城女神尼宁辛娜之女，司掌医疗病痛。

Damville, Henri, sieur de (sire of) 参阅 **Montmorency, Henri I, duc de (duke of) 蒙莫朗西公爵**。

Dan 丹人 又称吉奥人或雅库巴人。居住在科特迪瓦中西部山区和毗邻的利比里亚各地的一个种族语言群体。丹语属于尼日尔-刚果语系曼德语族南部语支。丹人起源于现在居住地以西或西北的某一地方，或许是马林克人(亦即曼丁戈人)之一部分。丹人同其南面的格雷人(或称恩格雷人)的部族亲缘关系较近。丹人居住区为丹格山(又称当山)和图拉山，海拔约450～1 200米，气候炎热潮湿，植被繁茂。这个地区的殖民地以前时期的居民大概多以狩猎和采集为生。他们与世隔绝，历史难以稽考。据说丹人及其邻近部族有战争的历史，但学者们对于他们是否真正参加过那些传说中的战斗，对于这些战斗是否仅为口头传说和一种文化模式的一部分，尚有争议。这一地区传统上的封闭状态可能使这些好战而“原始”的山地人(外界因其危险，极力避开)的神话更加引人注意。基督教的布道活动也很难收效，因为丹人宁愿保持其原有信仰而不变。丹人在传统上划分成以氏族为基础的若干联盟集团，而只有战时才产生临时性的统一的政治机构。现在，在科特迪瓦大村庄(政府为进行更加有效的管理而设立的)或城镇的居民地区，如曼人区及达纳奈人区，就反映出这些老的从属关系。丹人的亲缘关系是双边的，与父、母双方的父系亲族，保持重要的纽带情谊。大多数婚配实行一夫一妻制。丹人在山坡地上种植稻谷和木薯。橡胶和咖啡是重要经济作物，尤以咖啡更为重要。有些种植园由马林克人或其他外地人经营，丹人只是种植园中的劳工。丹人以其所制深暗色硬木面具闻名。丹人面具也有是出自其他当地人之手的，多用于重要仪式上。丹人的主要艺术品还有大型木制“长匙”，那是大人物们的元配的象征；壁画也很有名，多绘于住所的外墙上。

Dan 但支派 犹太人的祖先、《圣经》时代的以色列人12支派之一。摩西死后，约书亚率领以色列人进入迦南，划分12支派各自的领土，但支派所领地区在耶路撒冷西。后来至少一部分迁移到最东北地区，定居在拉亿，更其名为但。大英雄参孙，就是但支派出身，他曾大力打击入侵的非利士人，后为妓女大利拉所出卖。公元前722年，亚述征服以色列王国，北方10个支派不知所终，但支派也在其中。

Dan Patch 丹·帕奇(1896年出生) 美国标准种驾车赛马，被誉为“神马”。1905年创1′55″25世界溜蹄赛纪录，保持33年。1906年又以1′55″跑完溜蹄1英里，但这一成绩未获正式承认。30次1英里溜蹄赛成绩均在2分钟以内。这一成绩一直保持到20世纪60年代。1909年帕奇不再参加赛马。

Dan Takuma 团琢磨(1858-09-07，日本福冈～1932-03-05，东京) 第二次世界大战前，日本最大的家族拥有的联合企业三井财阀的经理。麻省理工学院毕业。日本实业界的重要人物，后因右翼民族主义者视其为投机的金融恶魔而遭暗杀。

Dana, Charles A(nderson) 达纳(1819-08-08，美国新罕布什尔欣斯代尔～1897-10-17，纽约州格伦科夫) 美国新闻记者，因主编《纽约太阳报》而闻名全国。曾在哈佛学院肄业，因健康不佳和经济困难而辍学。1841～1846年参加一乌托邦式的农庄社区生活，后因自己的社会理想得不到实现而离开。1847年参加《纽约论坛报》工作，曾从欧洲发回关于1848年革命的通讯报道。1849年升任总编辑，在报上鼓吹解放奴隶。1862年因与该报发行人意见不合而辞职。旋即应陆军部长斯坦顿之请，任陆军部特别视察员。1864～1865年任陆军部第二部长助理。1868年成为《纽约太阳报》股东和编辑，此后一直主持该报。在他主持笔政期间，《太阳报》成为“报人的报纸”，受到广泛称赞。该报立论活泼，但观点前后不一亦为众所周知。达纳也从早期的自由主义转变成保守主义，支持自由资本主义。曾与人合编《美国新百科辞典》(1857～1863)，单独编辑的《通俗诗册》(1857)极受读者欢迎。著有《南北战争回忆录》(1898)和《编报艺术》(1895)等书。

Dana, James D(wight) 达纳(1813-02-12，美国纽约尤蒂卡～1895-04-14，康涅狄格纽黑文) 美国地质学家、矿物学家和博物学家。他在考察南太平洋、美国西北部、欧洲及其他地区过程中，对于造山运动、火山活动、海洋生物以及大陆和洋盆的起源与构造做了重要的研究。

耶鲁大学图书馆供图

达纳早年就读于查尔斯·巴特勒特学校，1830年作为二年级插班生进入耶鲁学院。1833年他毕业于耶鲁学院，去教巡航地中海的美国海军后补生的数学课。1836年，他回到纽黑文，成为他先前的老师——耶鲁学院化学和矿物学教授B. 西利曼——的助教。能证明达纳巨大工作能力的是1837年他24岁时出版了《矿物学系统》，此书长达580页，并连续再版多次。

1838年，达纳参加了C. 威尔克斯为首的美国南部海洋考察队，在那里服务了4年，也负责很多动物学的工作。他从这个考察队回来后两年，即1844年，他与他的耶鲁学院老恩师的女儿——H. 西利曼结婚，并定居在纽黑文。达纳为科学付出了巨大的努力。1844～1854年，是他最多产的年代，他发表的著作有约7 000个印刷页，另有几百个图版，这些图大多数是他自己画的。他关于威尔克斯考察队的记述，包括4卷有附图说明的四开本书籍和许多短篇文章。

达纳的主攻方向是地质学。在他出版的很多著作中，有《矿物学手册》(1848)和《矿物学系统》的3个版本(1837年第1版)。后者有全新的修订本；在修订本中，他根据数学、物理和化学的原理为矿物分类奠定了基础。在1844～1854年间，达纳对美国地质学影响莫过于他与《美国科学杂志》长期协作的开始，该杂志是由B. 西利曼建立的科学研究的主要机关刊物。达纳作为该刊编者，又是批评文章、新创作文章和有洞察力的综合性文章的撰稿人，对美国地质学产生了巨大的影响。他是那个时代消息最灵通的科学家之一，他对于产生地质现象的物理过程的关切，导致他对若干根本问题，诸如地球物理特征的形成、大陆和洋盆的起源与构造、造山作用的性质以及火山活动进行了精辟的概括。根据他自己的研究和他对其他美国的和外国的地质学家著作的理解，他形成了关于地球是一个在时间上发展着的地质单元的观点。他采用地球由熔融状态变冷收缩的理论，认为现在的大陆标志着那些首先冷凝的地区；以后再发生的收缩使得介于大陆之间的大洋地区沉陷。由于沉陷的洋壳周期性地与皱缩的内部相适应，压力就强烈作用于大陆边缘，引起巨大山脉如阿巴拉契亚山、落基山和安第斯山的隆升。达纳强调地球物理特性之循序渐进的变化，但最初他并不接受生物进化的思想。

在19世纪50年代早期，达纳得到了国际的承认，并与他同时代的其他杰出科学家通信，这些杰出科学家包括：著名美国植物学家A. 格雷，瑞士出生的博物学家、哈佛大学教师I.阿加西斯，以及C. 达尔文。所有这些人对他的思想都有显著的影响。由于哈佛大学有尝试性的聘任达纳的建议，刺激了耶鲁学院的朋友们设立"西利曼自然历史教授席位"，达纳于1856年接受了这个席位。但是，1859年他由于过分劳累而使健康恶化，从此再也没能完全恢复过来。他在以后的35年里被迫过着隐居的生活，他基本上从公共场合隐退下来。对于一个不太谦恭的人来说，这是很困难的，因为在这期间很多学术荣誉向他走来。他所确认的职位有美国科学促进协会会长和美国地质学会会长，他也是美国全国科学院的创始成员。

尽管健康恶化，达纳还是继续出版他的著作，1862年出版了有影响的教科书《地质学手册》(第4版)，1864年出版了更为基础性的著作——《地质学教程》；1872年出版了《珊瑚和珊瑚岛》，此书写于对威尔克斯考察之初，是对珊瑚礁研究的巨大成果。达纳研究珊瑚岛比他以前的任何一个人都更详细，他证实了达尔文关于环礁是洋底下沉证据的观察结论。达纳独立地得出结论认为，造礁珊瑚只能生活在热带浅水中的坚硬基底上，通常围绕火山岛形成裙礁。岛屿侧翼某些深度内发现的珊瑚岩以及仅仅由礁岩构成的环礁，表明太平洋水下的广大的火山岛业已消失，同时留下大群环礁标示着以往火山岛的存在。

达纳晚年思考着对达尔文提出的生物进化的质疑。达纳始终是一个深深笃信宗教的人，他相信物种特创，他也敏锐地意识到物种与它们的环境之间错综复杂的关系。然而，达尔文的感人的论点加以达纳本人的动物学知识，二者结合起来毕竟是有说服力的，所以达纳在其《地质学手册》的最后一版里，采纳了进化论。对于达纳来说，自然的与天赐的应该是不可分割的，大自然以及他所理解的生物的不断改善的模式，就是神灵的具体表现。在达纳的有生之年，美国地质学主要是在他领导之下，从对互无关联的事例的搜集和分类发展成为一门成熟的科学。

Dana, Richard Henry　达纳(1815-08-01，美国马萨诸塞剑桥～1882-01-06，罗马)　美国律师，著有自传性的作品《两年水手生涯》。原在哈佛学院读书，后因视力减退辍学。

美国国会图书馆供图

1834年8月作为水手，乘船前往加利福尼亚以恢复健康。1836年回哈佛学院复学。他的此次旅行不但治好了他的病，还引起了他对被压迫者的同情。1840年他取得律师资格，出版《两年水手生涯》。该书如实地记述一个普通水手的海上生活，描绘了水手们所受的屈辱，出版后立即获得成功，并因其真实的描写而成为一部美国经典之作。1841年出版《海员之友》，后成为公认的阐明海员合法权利和义务的权威性指南。在波士顿，他对因逃跑而受逮捕的黑奴给予免费的法律援助。1868年在国会选举中因所编H. 惠顿的《国际法原理》(1866)被控抄袭而落选。1876年格兰特总统曾提名他为驻英公使，遭到参议院否决。还著有《往返古巴》(1859)、《在激动人心的时代发表的演说》(1910)和《自传》(1953)。

Danakil(people)　**达纳基尔人**　参阅**Afar** 阿法尔人。

Danakil Plain(Ethiopia)　参阅**Denakil Plain** 达纳基尔平原。

Danané　达纳内　科特迪瓦西部城镇，濒临努翁河支流博安河，位于通利比里亚、几内亚和科特迪瓦城镇马恩的公路的交叉点上。是林区的稻米、咖啡和可拉果贸易中心。主要居民为丹人。人口：城镇30 506(1988)。

Danao　达瑙　菲律宾宿务岛东部城市。在宿务市东北约27千米处。建于1844年，为附近煤矿的港口和沿海稻米、玉米产区的服务中心。附近有海滨浴场。1961年设市。人口98 781(2000)。

Dānāpur　达纳布尔　又称迪纳布尔。印度比哈尔邦北部城镇。傍恒河，为重要陆路交通与农产品贸易中心。工业有印刷、榨油和金属制造业。设有马加德大学分校和一个兵站。1887年设市。人口84 600(1991)。

Danaus　达那俄斯　希腊传说中埃及国王柏罗斯的儿子，埃古普托斯的孪生兄弟。他被兄弟逐出埃及后，和他的50个女儿(达那伊得斯姊妹)逃往阿尔戈斯，成为那里的国王。不久埃古普托斯的50个儿子来到阿尔戈斯，达那俄斯被迫同意他们同自己的女儿结婚。但他下令每个女儿都要在新婚之夜杀死新郎。除许珀耳涅斯特拉没有伤害她的丈夫林扣斯外，其余的女儿都按父命行事(一说，林扣斯杀死达那俄斯和他的女儿们并夺取了阿尔戈斯的王位)。为了惩罚达那伊得斯姊妹的罪行，她们被罚要永远往一个无底的水槽里注水。埃古普托斯的儿子们被他们妻子杀死的故事被认为表示夏天阿尔戈利斯的泉水与河流的枯竭。

Danbury　丹伯里　美国康涅狄格州西南部费尔菲尔德县城市，它与丹伯里镇镇区范围相同。位于伯克希尔山麓丘陵，临斯蒂尔河。1685年始有人居住。1702年设镇，1889设市，1965年市和镇合并。现为制造业城市。产品有电气设备、机械等，曾以制帽业(1780)闻名。1869～1981年每年举办丹伯里博览会，规模之大曾为全州之冠。是联合碳化物公司(主要的石化产品生产者)总部所在地。

设有西康涅狄格州立学院(1903)和斯科特-凡顿博物馆。附近有坎德尔伍德人工湖游览区。人口:市 74 848;丹伯里主要都会统计区 217 980(2000)。

Danbury Hatters' Case 丹伯里制帽工会案 全称洛伊诉劳勒案(Loewe V. Lawlor,见美国《联邦报告》第 208 卷第 274 页),是美国最高法院审理的案件。在该案中,工会被判决应受反托拉斯法的约束。1902 年,北美联合制帽工会因未能在康涅狄格州丹伯里的 D.E.洛伊公司中组织工会而号召对该公司的产品进行全国范围的抵制。该公司根据《谢尔曼反托拉斯法》提起诉讼,工会于 1908 年被判处 3 倍的损害赔偿金。该案是工会在使用支援性的抵制上遭到的一次重大挫折。

Danby, Thomas Osborne, Earl of 丹比伯爵 参阅 **Leeds, Thomas Osborne, 1st Duke of 利兹公爵(第一)**。

dance 舞蹈 利用身体动作的一种艺术表达方式,通常有节拍、模式(虽然有些是即兴之作)以及音乐伴奏。舞蹈似乎是最古老的艺术形式之一,实际上在每种文化中都有,而且在湮灭已久的文化的史料中能够得到证实。舞蹈的表演可以有多种多样的主题,如典礼的、礼拜仪式的、巫术的、戏剧的、社交的,或者纯审美的。

Dance, George, THE YOUNGER 丹斯(小) (1741,英国伦敦～1825-01-14,伦敦) 英国建筑师,伦敦大规模城市重建工作的主持人,英国皇家艺术院的创办人之一。小丹斯的父亲老丹斯于 1735 至 1768 年在伦敦的建筑工程中任职。小丹斯是他最小的儿子,年轻时在其父的事务所,并有几年在意大利,受过正式的训练。1768 年父亲去世,他继任父职担任伦敦市规划与建筑督办,不久设计出他的最著名的建筑纽盖特监狱(1770～1778;1902 年拆除),这一建筑以其粗琢石砌结构的坚固和严密而著称。其早期作品充满当时流行于英国的新古典主义风格的典雅形式,伦敦沃尔的万圣教堂(1765～1767)即是一例,也是他少数现存的建筑之一;其不落俗套的新古典主义内部体现了丹斯独创的建筑设计手法。在伦敦街道规划中,他采用了圆形广场(一种交叉路口圆形广场)和新月形布局(半圆排列的房屋)。他的许多计划没有实现,但完成了迈诺雷斯的美洲广场(1768)、芬斯伯里广场(1777)和芬斯伯里竞技场,他还改建了伦敦市政厅、设计了伦敦港的西印度船坞。

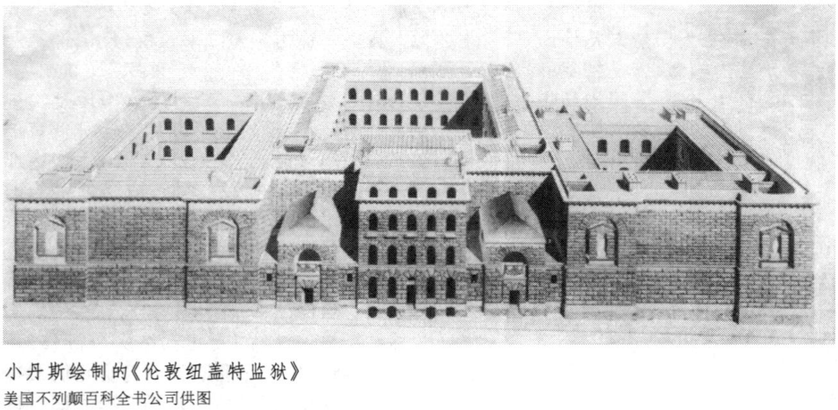

小丹斯绘制的《伦敦纽盖特监狱》
美国不列颠百科全书公司供图

dance fly 舞虻 双翅目舞虻科昆虫,因飞行动作似舞蹈而得名。体小,胸部所占比例较大,腹部长而向后变尖,雄体腹部末端有明显的外生殖器。交配时,雄体给雌体送一只死蝇,待雌体接受并吸吮蝇液时才交配。成虫常栖于潮湿处,吃较小的昆虫。幼虫生活在土壤、水或腐败植物中,也吃昆虫。

dance notation 舞谱 舞蹈动作的书面记录。人们最初尝试用字母符号记录的舞蹈脚本,见于西班牙塞尔韦拉市档案馆,属于 15 世纪后半叶的文献。奥地利的玛格丽特图书馆中也保存有两部此时期用节略字书写的舞谱。16 世纪、18～19 世纪的舞谱渐趋成熟。1892 年,俄国的 V. 斯捷潘诺夫用专门乐谱书写舞谱,为一大进步。但当时使用的只是一些原始的节拍符号,而且与标明舞步的符号是分开的。匈牙利人 R. 拉班于 1926 年发表《舞蹈术》,1928 年发表《动作绘图学》,系统地阐述至今广泛应用的**拉班舞谱**(**Labanotation**)的基本原理,同时,M. 莫里斯也设计了一种方法,1928 年发表《动作记谱法》一书。在此之前,所有的记谱法只限于记录舞步,至此才有了将任何一种类型的动作都记录下来的办法。拉班记谱法是第一次将动作和音乐节奏结合起来,同时加以精确的记录。莫里斯舞谱体系分别标记节奏及速度。另一个有价值的记谱法是贝尼什体系,是 20 世纪 50 年代中期由 R. 贝尼什及 J. 贝尼什创造的。拉班记谱法日益推广,尤其是 1940 年创办了纽约市舞蹈记谱局之后。但目前记谱的速度依然较慢,人们(尤其是哥伦比亚大学)正在努力,将记谱与计算机控制的录像显示终端连接起来,创造一种新的方法。

dance suite 舞蹈组曲 相关舞曲的组合。参阅 **suite**。

dancehall music 说唱音乐 又称 ragga(雷盖),或 dub(配乐说唱)。牙买加的一种流行音乐类型,源于 20 世纪 70 年代末的政治动荡之时,在 80 和 90 年代成为牙买加的主流音乐。其形式是由节目主持人在播放事先录制好的节奏录音(低音吉他和鼓)时吟唱或"演唱",或者"配乐说唱"。这种由主持人边说边唱的模式在 70 年代甚为流行。形式多样的非洲移民说唱方式在北美街头的即兴歌舞中也很常见,都起源于西非的表演模式。80 年代初,音乐主持新秀"黄人"的出现标志着牙买加夜总会的音乐主流从雷盖走向说唱音乐。黄人在当时流行的政治歌曲之外加入了猥亵的歌词而成为所谓的牙买加式"松弛"。这种风格来自以隐喻描绘性生活的传统门托和加勒比人的即兴讽刺民谣。黄人以性和政治为话题来调侃和批评在总理 M.曼利领导下牙买加的社会主义实验的失败。在 20 世纪 80 和 90 年代,电脑制作的韵律加速了说唱音乐的节奏,主持人的说唱变快。现代牙买加说唱音乐的典型代表是破除旧传统的音乐家毕尼·曼。

Dancourt, Florent Carton 当古(1661-11-01,法国枫丹白露～1725-12-07,奥尔良附近库尔塞勒罗瓦) 法国演员和剧作家,风俗喜剧的创始人,法国大革命前最受欢迎的戏剧家之一。出身资产阶级家庭,在巴黎受教育,攻读法律。1680 年与一位女演员结婚,1685 年一起在法兰西喜剧院演出。当古作为喜剧演员和剧作家,因才能出众受到路易十四的宠爱,确立了成为莫里哀继承者的地位。像莫里哀一样,他善于塑造当时社会典型人物,他的喜剧常常抓住近期丑闻,嘲笑那一时期的颓废和虚伪现象。其剧作均用散文体写成,从不企求艺术上的伟大,而是随处可见具有当古式才智的人物、不用费力的对话和其促使喜剧情景达到顶点的能力,把人们的恶习描绘得淋漓尽致。最有名的剧作是《时髦的骑士》(1687),描写一个追求富家女子的男人同时追求 3 个女人。署名当古出版的剧本达 50 余部。

Dandakāranya 丹达卡兰亚 印度中东部的自然区域。其西部包括阿布杰马尔丘陵,东部靠东高止山。包括中央邦、奥里萨邦以及安得拉邦的部分地区。东西长约 480 千米,南北宽约 320 千米,面积约 92 300 平方千米,从北向西南缓倾。属于默哈讷迪河和哥达瓦里河流域。有广袤的森林高原和自东向西渐次降低的丘陵,以及几块相对广阔的平原。高原和山坡有薄肥土层,平原和谷地是肥沃的沉积土壤。约一半地区为具有经济价值的柳安树林所覆盖。经济以自给性农业为基础,农作物有水稻、豆类和油籽。工业有碾米、锯木、骨粉、卷烟、养蜂和家具等。有铝土矿、铁矿和锰矿。苏纳贝达有航空机械厂。拜拉迪勒开采铁矿。1958 年,中央政府设立丹达卡兰亚发展局,以帮助来自巴基斯坦的难民。重要城镇有杰格德尔布尔、瓦尼伯德纳和戈拉布德。

Dandarah 丹达拉 又拼 Dendera。上埃及基纳省尼罗河西岸的农业城镇。建于廷奈特尼塔特古代遗址。曾为法老时代的上埃及第六省省会,供奉主宰苍天和繁衍的女神哈托尔,其神庙保存完好。当前的神庙始建于托勒密王朝时期(公元前305～前30),到罗马

丹达拉镇的哈托尔神庙正面
美国不列颠百科全书公司供图

皇帝提比略时期(公元14～37)建成。庙内有一多柱式大厅,有18根镶有哈托尔头像的柱子。庙后还有一座小型的伊希斯神庙。北面有一圣湖。在那里还发现一座门图荷太普二世(公元前2060～前2010年在位)时的城门,现在存放于开罗博物馆内。人口约27 500(2001)。

dandelion　蒲公英　菊科蒲公英属(*Taraxacum*)多年生杂草。原产于欧亚大陆,现在已经广布于北美温带大部地区。最常见种为药用蒲公英(*T. officinale*),其基生叶莲座

药用蒲公英(*T. officinale*)
美国不列颠百科全书公司供图

状。直根长,茎光滑中空。叶全缘、齿裂或深裂。头状花序单生,黄色,仅有边花。瘦果小,簇生成球状,含一粒种子。嫩叶带苦味,可作沙拉,根可制作类似咖啡的饮料。

Dandenong Ranges　丹德农岭　在澳大利亚维多利亚州南部,墨尔本以东。属东部高地,有数座山峰海拔逾1 600英尺(500米),最高峰丹德农山海拔2 077英尺。因雨量充沛并具有肥沃的火山土,岭上植被茂密,出产水果、蔬菜、乳制品和浆果。现为墨尔本主要风景区,辟有舍布鲁克森林公园和丘吉尔国家公园等自然保护区,其西南坡上的丹德农镇为农产品集散地和加工业中心。20世纪60年代初起,工业迅速发展。1977年成立丹德农岭(规划)管理局,负责控制未来的发展。

Dandie Dinmont terrier　丹迪·丁蒙㹴狗　在英格兰和苏格兰边境地区乡村培育的狗品种。约1700年首次作为一个独立的品种被人提到。后因W.司各特的小说《盖伊·曼纳林》(1815)中的一个人物而得名。与其他㹴狗不同之处是身体并非棱角分明而是曲线柔

丹迪·丁蒙㹴狗
美国不列颠百科全书公司供图

和。眼大,身长,腿短,头大而圆,头顶毛长而光泽,呈冠状,被毛卷曲,毛软硬杂生,胡椒色或芥末色。体高20～28厘米,体重8～11千克。

Daṇḍin　檀丁(活动时期6世纪后期至7世纪初期,印度)　印度梵文散文传奇作家、诗学理论家。学者们仅肯定两部书是他的作品:一部是《十王子传》,另一部是《诗镜》。前者叙述十位王子追求爱情和皇权的传奇故事,充满对人类罪恶的现实主义描绘和超自然的魔力,包括神祇对人事的干预。后者是一部文学批评著作。

Dandolo FAMILY　丹多洛家族　威尼斯历史上显赫的家族。11世纪已经富有,12世纪角逐权势。多米尼科·丹多洛任格拉多大主教(1146～1154)。1192年恩里科·丹多洛任执政官,积极发动第4次十字军远征,一度推翻拜占廷帝国,建立起拉丁帝国,为丹多洛家族在东方的活动留下了广阔空间。此后几代都当执政官。1354年,该家族被热那亚人击败,从此一蹶不振。

Dandolo, Enrico　丹多洛(1107?威尼斯～1205,君士坦丁堡)　威尼斯共和国执政官(1192～1205),以鼓动进行第4次十字军东征、一度推翻拜占廷帝国、扩大了威尼斯的疆土而知名。出身名门。曾出使君士坦丁堡(1172)、西西里(1174)和费拉拉(1191)。85岁时当选为执政官(1192)。他规定执政官的权利和职责;修改刑法;公布民事法令汇编;改革币制,发行银币;促进东方贸易。他先后与维罗纳和特雷维索(1192)、拜占廷帝国(1199)、阿奎莱亚大主教(1200)、亚美尼亚国王和神圣罗马帝国皇帝(1201)订立条约。第4次十字军东征期间,他向法国贵族提供资金,请十字军帮助威尼斯占领君士坦丁堡。他是这次十字军东征的主要组织者。在占领君士坦丁堡以后,由他主持一切事务,极力维护威尼斯的利益。相传他曾把一些珍贵的大理石运送回国,令其子在威尼斯建造丹多洛宫。死后葬于君士坦丁堡圣索非娅教堂。

Dandolo, Vincenzo　丹多洛(1758-10-12,威尼斯～1819-12-12,伦巴第-威尼斯王国瓦雷泽)　意大利化学家和政治家,在科学与政治领域同为革新家。出身寒微。帕多瓦大学毕业。他竭力鼓吹法国化学家A.-L.拉瓦锡的学说。1797年为威尼斯临时政府主要领导人之一,他拥护民主思想,渴望出现一个民主的意大利共和国,至少成立威尼斯共和国。后去法国,写成他的主要政治著作《新人》(1799)。1804年拿破仑任命他为达尔马提亚总督。1809年封伯爵。1814年拿破仑下台后,他返回瓦雷泽,致力于科学研究和写作。

Dandong　丹东　又拼Tan-tung。中国辽宁省辖地级市,以轻纺工业为主的边境城市。位于省境东南部鸭绿江右岸,辖振兴、元宝、振安3区和宽甸满族自治县,并代管东港、凤城2县级市。面积15 030平方千米,其中市区面积830平方千米。市区俗名沙河子,位于距鸭绿江口35千米处,隔江与朝鲜新义州相望,是中朝两国间交通要地。战国时丹东在燕国"障塞之内",秦、汉属辽东郡,设置都尉,驻军固边。唐总章元年(668)属安东都护府。明代建镇江堡要塞。清同治年间(1862～1874)山东移民大量移入。光绪二年(1876)在大东沟设安东县,同年移至沙河镇,成为长白山地区林副产品贸易和输出港口。1904年沈丹铁路建成通车后,丹东地位更趋重要。1933年后建有大型纺织厂、木材加工厂和纸浆厂。1946年以安东县部分地区设安东市。1965年改名丹东市。该市低山丘陵

丹东市容
中国大百科全书出版社供图

区盛产木材、柞蚕茧和烟草。矿产以菱镁矿、硼矿和有色金属为主。岫玉占全国玉石总储量的约60%。建有纺织、造纸、机械、电子、化工等工业。纺织工业尤其发达,有棉纺、丝织、抽丝、化学纤维等工厂,其产值占全市工业总产值1/5以上。沿江有丹东、浪头2港,丹东港大东港区一期工程已经完成,成为东北东部地区又一个便捷的出海通道。沈阳—丹东铁路经鸭绿江大桥可达朝鲜,公路有201、304国道。名胜古迹有鸭绿江国家级风景名胜区、大孤山、凤凰山、五龙

背温泉等，其中城北五龙背温泉已成为中国最大的温泉游泳池。人口：全市2 410 000（2005）；市区750 000（2004）。

dandruff 头皮屑 一种皮肤病变，是头皮脂溢性皮炎（**dermatitis**）的一个症状。

dandy fever 花花公子热 参阅**dengue**登革热。

Danegeld 丹麦税 在英国历史上，指艾特尔雷德二世时期（978～1016）盎格鲁-撒克逊英格兰为向丹麦侵略者行贿而征收的税金，亦指盎格鲁-诺曼诸国王多次征收的捐税或赋税。此词在诺曼人征服以前不见记载。虽然在9世纪时已往往用钱收买丹麦人，但丹麦税通常指从991年开始、断断续续延续到1016年的支付给丹麦人的钱。盎格鲁-诺曼诸国王和安茹王朝的诸国王都征收丹麦税，直到1162年才停止。

Danei, Paolo Francesco 参阅**Paul of the Cross, Saint**保罗（十字架的），圣。

Danelaw 丹麦区 在英国历史上，指9世纪末丹麦人侵军殖民的英格兰北、中、东部地区。11～12世纪，在蒂斯河和泰晤士河之间的全部地区通用的习惯法，既不同于英格兰南部的西撒克逊法，也不同于英格兰西部的麦西亚法。近世学者推断这一地区名源出古英语Dena lagu，即"丹麦人的法律"之意，因其所实行的是丹麦法律。丹麦人并没有在整个这一地区定居，但是他们的强有力的军事贵族统治持续了很长一个时期，影响了当地的风俗习惯。在丹麦区，残留有许多丹麦人名和地名。其法律对破坏治安者重罚，由一个贵族陪审团对嫌疑犯提出判刑意见。

Danewirk 丹麦边墙 又拼Dannewirk。古代丹麦人防止日耳曼人入侵的边境壁垒。边墙长17千米，从石勒苏益格城南起，至霍灵施泰特村附近特伦尼河沼泽止。808年左右由西福尔国王古德弗雷德开始兴建。934年被德意志国王亨利一世突破。此后，丹麦国王蓝牙齿哈拉尔德一世加以扩建，但在974年又为神圣罗马帝国皇帝奥托二世摧毁。15世纪石勒苏益格和荷尔斯泰因实行联合，皆归丹麦国王统治以后，这道边墙化为废墟。1848年丹麦人再度加固，但抵挡不住普鲁士炮兵的袭击。1850年以后丹麦人又耗巨资修复和加固，认为该墙已经坚不可摧。但在1864年的战争中，普鲁士军队绕道施莱，2月6日不费一兵一卒而迫使丹麦人弃阵逃走。随后，普鲁士人将边墙拆毁，但边墙的废墟至今犹存。1900年开始进行发掘，得到一些宝贵文物及古北欧铭文等。

Dang Xuan Khu（Vietnamese Communist leader）**邓春区** 参阅**Truong Chinh**长征。

Dangerfield, Thomas 丹杰菲尔德（1650，英格兰埃塞克斯沃尔瑟姆～1685，伦敦） 英国告密分子。1678年一个叫T.欧茨的人诬称天主教徒阴谋暗杀查理二世国王，夺取政权。丹杰菲尔德趁人心恐慌之际诬告英国的天主教徒策划这一阴谋。他早年曾抢劫自己的父亲，并因伪造证券及其他罪行几度入狱。天主教徒E.塞莉尔夫人曾收买他去制造流言蜚语，败坏那些控诉天主教徒的人们的声誉。但为时不久，他就背叛主子，公开指控天主教贵族通过塞莉尔夫人收买他去暗杀查理二世和辉格党领袖A.A.库珀。尽管他把捏造的罪证放在塞莉尔夫人的饭盆中，但他在法庭上的证词漏洞百出，结果塞莉尔夫人被宣告无罪。此后，他又指控一些身居高位的天主教徒，其中包括查理二世的兄弟约克公爵詹姆斯。1685年因所写反天主教小册子《陈述》（1679）构成诽谤罪，被处以带枷和鞭笞示众，并被律师R.弗朗西斯用手杖打坏一只眼睛。不久死去。

dang gu 党锢 中国东汉（公元25～220）末年士族豪强因反对宦官专权而遭禁锢的政治事件。党锢指将不愿依附宦官的士大夫免官禁锢。党锢政争自延熹九年（166）一直延续至中平元年（184）。东汉和帝（89～105）以后，外戚、宦官交替专权。桓帝时宦官得势，士大夫猛烈抨击宦官集团。166年宦官使人诬告司隶校尉李膺交结太学生共为部党，诽谤朝政。桓帝下诏令郡国逮捕"党人"。李膺和太仆杜密、御史中丞陈翔及陈寔、范滂等200余人被捕。次年桓帝又下诏将"党人"禁锢，终身不得做官。167年灵帝即位，外戚窦武起用李膺、杜密等人合谋诛灭宦官。事泄，窦武、陈蕃被杀害，李膺等人再度被禁锢。169年宦官侯览又使人诬陷张俭等共为部党，同年11月宦官奏请皇帝逮捕虞放、李膺、杜密等百余人，受牵连者达六七百人。172年宦官再次指使司隶校尉段颎逐捕党人、太学生和诸郡生徒千余人。176年下诏凡党人门生、故吏、父子兄弟和五服内亲属，都免官禁锢。党锢前后延续十几年，到184年黄巾大起义灵帝才下诏赦免党人。

党锢政争中受害者李膺（110～169）
中国大百科全书出版社供图

Dângrêk Mountains 扁担山脉 泰国和柬埔寨边境多森林的丘陵山脉，平均海拔为450～600米。东西走向，从湄公河向西伸展约320千米，连接泰国山甘烹附近的高地地区。该山脉基本上是泰国东北呵叻砂岩高原南部陡坡，逐渐向北缓降至泰国的蒙河，南面急降至柬埔寨平原。最高峰海拔761米。

Dangriga 丹格里加 原称斯坦克里克。伯利兹中东部城镇。在加勒比海沿岸北斯坦克里克河口。1823年建立。现为港口和香蕉、木材、椰果和鱼的贸易中心。有橘汁罐头厂。有小海船通伯利兹城，公路通罗灵克里克。人口约7 700（1986）。

Dangxiang 党项 中国古代民族。属羌族（参阅**Di-Qiang**）的一支。东汉时（25～220）羌人分布在今甘肃兰州、甘谷一带。因居地偏西，称西羌。魏晋南北朝（220～589）时西羌势力衰落。党项以拓跋、细封、费昕、往利、米擒、野辞、房当、颇超等姓为部落，游牧于今青海东南、四川松潘以西山谷地带。各姓中拓跋氏最强，逐渐形成以之为首的部落联盟。7世纪初归附唐朝，赐姓李，后受吐蕃势力所迫，迁到今甘肃东部、宁夏和陕北一带，据有银、夏、绥、宥、静五州，与唐保持臣属关系。宋代党项与中原地区茶、马、盐等商品交易频繁，经济贸易关系密切，农、牧业进一步发展，控制了河西走廊。宋仁宗宝元三年（1038）首领李元昊称帝，建立"大夏"政权。与辽、金先后同宋鼎峙而立，因位于宋之西北，又称西夏。共历10帝190年。1227年为蒙古所灭。

Dangzai Island 氹仔岛 在中国澳门市区。位于澳门半岛以南，路环岛以北，西部隔海与珠海市的小横琴岛相望。面积4.1平方千米。人口约7万。原为大、小氹仔两小岛，因沙泥淤积和人工填海合并为一，东西长约3.5千米，南北宽约1.5千米。岛上多小丘，最高点大氹山海拔159.1米。氹仔岛与澳门半岛有长约2 500米的澳氹大桥相连。岛内有澳门大学、凯悦酒家、新世纪酒店、濠苑城、住宅博物馆龙环葡韵、国际机场等高级建筑群。名胜古迹有菩提禅院、四面佛、跑马场等。

Danican-Philidor, André and François-André 参阅**Philidor, André**菲利多尔；**Philidor, François-André**菲利多尔。

Daniel OF KIEV **达尼埃尔（基辅的）**（活动时期1107前后） 俄语拉丁字母转写作Daniil Kievsky。最早的著名俄国旅行家和作家。他关于朝觐圣地的报道，描绘了十字军东征前该地的实况。大约1106～1107年间，他作为俄国隐修院院长访问了巴勒斯坦。他的叙述从君士坦丁堡开始，从那里他沿着自小亚细亚的西、南海岸到塞浦路斯和圣地旅行。他关于耶路撒冷的描写是详尽和准确的，他在那里住了一年以上。他关于该地复活节仪式的报道清楚地显示出那个时代的礼拜仪式和典礼。他3次去死海、希伯伦和大马士革旅行，并声称曾陪伴过耶路撒冷的拉丁国王鲍德温一世。他的报道现在尚存的76份手写本，只有5份注明是早于1 500年的。由C.W.威尔逊注释的英译本（4卷，1895）藏于巴勒斯坦朝觐者经文协会图书馆。

Daniel ROMANOVICH **达尼埃尔(罗曼诺维奇)** (1201～1264) 俄语拉丁字母转写作 Danilo Romanovich。加利西亚及沃利尼亚公国(今分别在波兰及乌克兰)的统治者,中欧东部最有权势的君主之一。他是罗曼·姆斯季斯拉维奇君主的儿子,年仅4岁时,统一了加利西亚与沃利尼亚的父亲在一场与波兰人的战役中身亡(1205)。直至1221年,达尼埃尔才开始打击其他觊觎王位者,以确立统领沃利尼亚的权威,1238年终于得到加利西亚的控制权。此后致力于他的国家的强盛,鼓励移民定居,建造城市(包括利沃夫与海乌姆),并促进国内贸易的发展。蒙古人入侵(1240～1241)后,达尼埃尔被迫承认钦察汗国可汗的宗主地位。他虽对可汗表示忠顺,却与西方邻国密切结交,希望组成联盟以推翻蒙古霸主。为了促进此计划,他让儿子们入赘匈牙利、奥地利及立陶宛皇室,并答应在自己领域中视教皇为宗教领袖。可是并没有援军到来。1256年达尼埃尔独力发动战争,将蒙古人逐出沃利尼亚(约1257)。1260年另一支蒙古军侵入沃利尼亚,迫使达尼埃尔摧毁建在主要城市的要塞。蒙古人撤走后,留下行政专员征收赋税、招募兵士,以维护其永久的权势。达尼埃尔放弃抵抗计划,终其余生做一个不心甘情愿的、但对可汗顺服的臣属。

Daniel, Arnaut 达尼埃尔 参阅 **Arnaut Daniel** 阿尔诺·达尼埃尔。

Daniel, The Book of 《但以理书》 《圣经·旧约》的一卷,又称《但以理预言》(The Prophecy of Daniel),原收在犹太教正典第3类圣录部分,在基督教正典中列在先知书一类。此书前半部用第三人称口气叙述但以理及其友人在尼布甲尼撒二世、伯沙撒、大流士(大利乌)一世、居鲁士(古列)二世历代国王在位期间的经历;后半部基本上使用自述口气叙述但以理3次所见异象及1次异梦,指出作者名但以理。据该书第1章记载但以理是被掳到巴比伦的犹太人。该书一部分用阿拉米文写成(第2章第4节至第7章第28节),由此似乎可以断定其成书时间是在巴比伦作囚虏时期(公元前6世纪)之后。书中关于囚虏时期的叙述有多处讹误。此书中的宗教思想并不属于公元前6世纪的思想,因而许多学者认为它成书于公元前2世纪前半叶,并认为但以理在异象中所见景象反映出犹太人在塞琉西国王安条克四世(公元前175～前164或163)统治下所受的迫害。此书称赞但以理为义人,把他描绘成受迫害的犹太社会中的典范。不知名的作者可能从乌加里特文和腓尼基文资料得到启发,这些资料提到一位传奇人物,他行为端正而睿智明哲。此书用启示文学观点看待历史,生动地描写时间的终结,谓彼时上帝的统治将要奠定,义人复活,信奉上帝的人将要摆脱苦难。此书劝告听到或读到它所传信息的人们要坚忍,甚至要准备牺牲性命。

Daniel, Gabriel 达尼埃尔(1649-02-08,法国鲁昂～1728-06-23,巴黎) 法国历史学家。1667年加入耶稣会。后被路易十四任命为法国史官。著有《法国君主制建立后的法国史》(1713)、《法国军队史》(2卷,1721)以及反对帕斯卡和笛卡儿思想的著作。

Daniel, Peter V(ivian) 丹尼尔(1784-04-24,美国弗吉尼亚斯塔福德县克罗斯内斯特～1860-05-31,弗吉尼亚里士满) 美国最高法院大法官。1808年获得律师资格后在政治上青云直上,他于1809年进入弗吉尼亚州议会,1824年被选入该州的枢密院。1834年被杰克逊总统任命为美国司法部长,1836年任联邦地方法官,1841年被范布伦总统任命为最高法院大法官。他始终是杰斐逊主义者和维护州的权利原则的人。

Daniel, Samuel 丹尼尔(1562?,英格兰萨默塞特汤顿～1619) 英国诗人,他的诗和散文以富于哲理的历史感为特色。1581年入牛津大学。1592年后成为宫廷贵族的教师。1604年安妮女王挑选他撰写她参加过跳舞的假面剧剧本《十二女神幻象》。第一部诗集《迪莉娅及罗莎蒙德的哀怨》(1592)收十四行诗50首,得到斯宾塞的赞赏。《哀怨》是一部独角悲剧,主题为悲叹青春和美貌的易逝。《克娄巴特拉的悲剧》(1594)是一部塞内加式悲剧。《内战》(1595～1609)是一篇描述玫瑰战争经过的诗体历史剧,对莎士比亚的《理查二世》和《亨利四世》有一定影响。最好的诗作或许是《穆索菲勒斯》,内有《为学问全面辩护》。此外尚著有《诗体论文》(1509)、《为韵文辩护》(1603)、《尤利西斯与塞壬》(1605)等。其他假面剧剧本有《特提斯的节日》(1610)、《女王的阿卡迪亚》(1606)。最后一部田园作品是《婚姻之神的胜利》(1615)。还写有远至爱德华三世统治时期的《英格兰大事记》(1612～1618)。

Daniell, John Frederic 丹聂耳(1790-03-12,伦敦～1845-03-13,伦敦) 英国化学家和气象学家。他发明了丹聂耳电池,这对电池发展初期使用的伏打电池是一次重大改进。1820年他发明了露点湿度计(指示大气中湿度的器件),得到广泛应用。在他的《气象论文和观察》(1823)中,丹聂耳发表了他在大气性状和信风方面的发现,此外还对改进的气象设备作了详细的说明。在以后所写的论文中,丹聂耳还讨论了太阳辐射对大气的影响和地球变冷的问题。他的《人工气候在园艺上的应用》论文指出湿度在温室中的重要性。1831年他成为在伦敦新成立的国王学院的第一位化学教授。一年后,由于他发明了一种新型高温计(一种测热器件)以及发表关于高温计用途的文章,被授予皇家学会的朗福德奖章。伏打电池作为最早的直流电源虽然重要,但是它的使用受到限制,因为它在供电后电功率迅速减弱。1836年丹聂耳提出改进的电池,能连续输出稳定的电流。丹聂耳电池给电学研究以新的动力,并且在商业上的应用很多。1837年因为他发明丹聂耳电池,被授予英国皇家学会的最高奖——科普利奖章。

Daniels, Josephus 丹尼尔斯(1862-05-18,美国北卡罗来纳华盛顿～1948-01-15,北卡罗来纳罗利) 美国编辑、第一次世界大战时期的海军部长、外交家。原在北卡罗来纳州经营报业,成为有影响的民主党人。为1912年提名W.威尔逊为总统候选人而工作过。威尔逊当选后任命他为海军部长,直至1921年。1933～1944年任驻墨西哥大使,并成为罗斯福总统的墨西哥问题顾问。

Danielsen, Karen 丹尼尔森 参阅 **Horney, Karen** 霍尔奈。

Danielsson, Anders 丹尼尔松(1784-01-14,瑞典邦达普～1839-04-22,苏特) 19世纪初瑞典杰出的农民领袖。1809年选入瑞典议会的农民院。在其事业顶峰时期,他在该院代表27个区,获得了瑞典议会史上独一无二的成就。他在议会中坚决要求通过一个农民纲领,其中包括:缩减军费、实行民众义务教育、大力压缩行政开支、贸易自由、职业自由以及取消土地税。后来,他的农民纲领中的这些内容都得到了实现。

Daniil KIEVSKY 参阅**Daniel of Kiev** 达尼埃尔(基辅的)。

Danilevsky, Nikolay Yakovlevich 丹尼列夫斯基(1822-12-10,俄罗斯奥廖尔省奥伯茨～1865-11-19,俄罗斯格鲁吉亚梯弗里斯) 俄国博物学家、历史哲学家,著《俄罗斯与欧洲》(1869)。他首先提出历史是一系列不同文明并存的理论,认为俄国和斯拉夫人不必理睬西方,而应专心发展自己独特的文化遗产即政治上的专制主义。据说他"赋予了俄罗斯民族主义一种生物学的基础"。他的思想对俄国思想家(如K.列昂捷夫)和西方哲学家(如O.施本格勒)都有一定影响。

Danilo I 达尼洛一世(约1670～1735-01-11) 彼得罗维奇-涅戈什王朝的门的内哥罗第一代统治者。1696年任符拉迪卡(主教兼国君),拥有从亲属中挑选继承人的权力。1702年圣诞节前夕屠杀国内的穆斯林居民。1712年在查雷夫拉茨大破土耳其侵略军。1715年拜访彼得大帝,与俄国关系密切。死后由侄子S.彼得罗维奇即位。

Danilo II 达尼洛二世(1826-05-25,门的内哥罗涅戈什～1860-08-13,科托尔) 门的内哥罗主教(1851～1852)和国君(1852～1860),他使门的内哥罗上升为公国。1851年即位。1853年曾在奥斯特罗格附近击败土耳其人。但在克里米亚战争中,他对土军却未开一枪一炮。这引起好战山民的强烈不满,终于酿成公开叛乱。1855年颁布新法典,保障臣民享有公民与宗教自由。1860年8月11日在佩萨诺遇刺,两天后死去。刺客是一个因参加叛乱而被放逐的山民。

Danilo Romanovich 参阅 **Daniel** ROMANOVICH 达尼埃尔(罗曼诺维奇)。

Danilova, Alexandra 丹尼洛娃(1903-11-20,俄国彼得霍夫～1997-07-13,美国纽约)

俄国出生的首席芭蕾女演员。将俄罗斯古典芭蕾和佳吉列夫现代芭蕾剧目的训练方法和传统带给美国芭蕾界。曾在列宁格勒的俄罗斯帝国芭蕾舞学校和苏联国家芭蕾舞学校从

丹尼洛娃出演《天鹅湖》的剧照
美国不列颠百科全书公司供图

A.瓦冈诺娃学习芭蕾，当过玛丽亚（今基洛夫）剧院独舞演员。1924年跟随以G.巴兰钦为首的一个小规模芭蕾舞团访问西欧。在那里，全体人员加入了俄罗斯芭蕾舞团，再未返回俄罗斯。她很快就由于在《阿波罗》、《牧歌》和《海神尼普顿的胜利》中都出色地创造了主要角色而出名。1929年佳吉列夫逝世后，她加入蒙特卡洛俄罗斯芭蕾舞团。1933年作为该团首席女演员在美国首次登台并在美国各地巡回演出。她作为一些舞团的客座演员，曾在世界各地演出。丹尼洛娃是1958年卡佩齐奥奖获得者，她既能演出从浪漫主义角色到巴兰钦的抽象剧目角色，又能塑造个性鲜明的人物，因而闻名于世。她塑造得最好的人物有：《美丽的多瑙河》中的街头舞蹈家、《巴黎人的欢乐》中的手套售卖者、《天鹅湖》中的奥吉塔、《葛蓓莉娅》中的斯瓦妮尔达。她还参加过音乐剧《啊，船长》（1958）的演出，并曾执过教，主持过巡回讲座。在电影《转折点》（1977）中，扮演过一个小而重要的角色。她在美国芭蕾舞学校执教时，曾在一年一度的专题演出中上演古典芭蕾舞片段；还与巴兰钦在纽约市芭蕾舞团同台演出《葛蓓莉娅》全剧。还为许多舞团排演过节目。

danio　鲟类　鲤科鲟属（*Danio*）及短鲟属（*Brachydanio*）一些体细长的热带鱼。体强健，常成群活泼地游动。一般体长约4～5厘米。有几种为家养观赏鱼类，例如斑马鲟（斑马鱼，*B. rerio*）具蓝和黄色纵条纹，为人喜爱；巨鲟（马拉巴尔鲟，*D. malabaricus*）长约11厘米，具蓝黄双色条纹。

Danish language　丹麦语　丹麦语作Dansk。丹麦的官方语言。属北日耳曼语支东斯堪的纳维亚语的分支。约1000年时，脱离和它关系密切的其他斯堪的纳维亚语成为独立语言。最古文字记载是发现于日德兰半岛至瑞典南部的如尼文字铭文（约250～800）；最早的手稿可溯至13世纪。丹麦语由较早的斯堪的纳维亚共同语的规范分化而来，显然是变化最大的斯堪的纳维亚语。中世纪时期，因与汉萨同盟的商人不断接触，丹麦语逐渐失去旧有“格”的体系，获得许多低地德语词汇、前缀和后缀。现代丹麦语只有两个“格”（主格、属格），两个“性”（通性和中性），语音体系最突出特征是喉塞音，从原来的声调重音分化而来。由于丹麦对整个斯堪的纳维亚和冰岛所起的巨大政治作用和影响，丹麦语对瑞典语和冰岛语也有某些影响，从基督教改革运动到19世纪，丹麦语一直是挪威官方文牍及行政用语。

Danish literature　丹麦文学　用丹麦语写的文学作品的总称。最初作品见于如尼字母铭文，始自800～1100年。12世纪基督教传入丹麦，拉丁文成为占主导地位的文学语言，这种状况一直持续到1536年宗教改革时为止。当时开展了一场使用本国语的新文学运动。17世纪，欧洲文艺复兴影响到丹麦，使人们醉心于古典文学形式，从而导致了一个伟大的科学和学术成就时代的出现。出生于挪威的霍尔堡和韦塞尔对在18世纪创造丹麦现代文学有很大影响。欧伦施莱厄是19世纪浪漫主义运动的领袖，安徒生则是童话巨匠。后来布兰代斯于1870年左右发起了一场自然主义运动，影响了斯特林堡、易卜生以及其他斯堪的纳维亚作家。其后丹麦又有彭托皮丹、尼克索、迪内森等重要小说家。

Dānishmend DYNASTY　**达尼什曼德王朝**　约1071～1178年统治安纳托利亚中部和东北部的锡瓦斯-开塞利-马拉蒂亚-卡斯塔莫努地区的土库曼王朝。创建者达尼什曼德于1086年以后作为伊斯兰教战士登上历史舞台，1102年占领马拉蒂亚。1127年其子及继承人加齐攻占安卡拉、开塞利和卡斯塔莫努。1134年加齐死后，子穆罕默德继位。1142年穆罕默德死后，达尼什曼德王朝的领土由他的两个兄弟（雅厄巴桑和阿因·道拉）以及他儿子祖·努恩瓜分。1164年雅厄巴桑死后，塞尔柱苏丹基利克·艾尔斯兰二世再次介入锡瓦斯、开塞利的事务。最后入侵达尼什曼德王朝领土。1178年，马拉蒂亚落入塞尔柱人之手，达尼什曼德王朝灭亡。

Danjiangkou　丹江口　中国湖北省县级市。位于省境西北部，汉江上游。市境南有武当山，北有横山，中部为汉江干流形成的丹江口水库库区，低山丘陵占总面积98%。全市面积3 121平方千米。汉置武当县，明入均州，1912年改均县。1983年废县置丹江口市。因市区处丹江入汉江之口，故名。1994年起由十堰市代管。农业主产小麦、玉米、稻、红薯和芝麻、棉花、烟叶等。丹江口水库水产养殖业发达，库区沿岸盛产蜜橘。柞蚕茧产量居全省前列，均州晒烟以质优著称。有桐油、木耳、龙须草和中药材等特产。1958年兴建丹江口水利枢纽工程后，除发展水电工业外，并有机械、纺织、化肥、印刷、食品等工业，著名产品有印刷铅字模、丝毯、柞丝、烙花筷等。襄渝铁路横贯市境南部，是汉丹铁路终点。公路有老白（河）、光丹、丹土等干线会此，可通邻近各县、市及陕西省白河等地。丹江口港为汉江重要港口，扼鄂、豫、陕三省邻界地区水上交通要冲，有码头5座，并建有铁路支线与汉丹铁路相接。丹江口水库库区千吨级船舶可终年通航。1973年建成的丹江口水利枢纽，主坝长1 141米，高97米，顶宽26米，总库容209.8亿立方米。大坝下游左侧建有水电站，总装机容量90万千瓦，年发电量37.4亿度，是鄂、豫两省电力系统的骨干。大坝右侧有升船机，可升降150吨级船舶。经水库控制，基本解决汉江中、下游洪涝灾害，可灌溉鄂西北、豫西南的80万公顷耕地。市境南部武当山是中国著名风景区，亦是中国著名道教圣地，有规模宏大的明代建筑群，1994年12月被列入世界遗产名录。1981年建立武当山自然保护区。人口490 000（2005）。

Danjiangkou Key Water Control Project　丹江口水利枢纽工程　中国汉江上具有防洪、发电、灌溉、航运、水产养殖等综合效益的大型水利枢纽工程。在湖北省西北部，丹江汇入汉江处。汉江是长江中游北岸最大支流。流域内雨量丰沛，但下游常受长江水位顶托，洪涝发生危及武汉市。1958年开始兴建丹江口水利枢纽，1973年9月建成。工程由大坝、电站、通航建筑以及灌溉引水渠首组成。主坝长1 141米，高97米，顶宽26米。坝以上的水库面积约900平方千米，库容达209.8亿立

丹江口水库大坝
中国大百科全书出版社供图

方米，能有效控制汉江上游的洪水。电站建于大坝下游左侧，总装机容量90万千瓦，年发电量37.4亿度，是鄂、豫两省电力系统的骨干电源。大坝右侧装有升船机，可升降150吨级船舶，由此可再上溯陕西省白河、河南省淅川等地。两座灌溉引水渠首距大坝上游约30千米，总引水量为600立方米/秒，可灌溉农田74万公顷。

Danjon, André-Louis 丹戎（1890-04-06，法国卡昂～1967-04-21，巴黎） 法国天文学家，以研制天文仪器有重要成就和研究地球自转著称。他在军队服役（1914～1919）后，自1919年任斯特拉斯堡大学天文台观测员，1930年升任台长，次年任斯特拉斯堡大学天文学教授。1946年任巴黎大学天文学教授；1945年任巴黎天文学研究所所长；1954年任巴黎天体物理研究所所长。从研究方位天文学方法中，丹戎确认中星仪的精度已达极限，于是着手设计新的仪器。他经过研究制成60度棱镜等高仪，现通称丹戎等高仪。4年内就有30多个重要天文台采用。他还研制过其他精密测定方位和星等的仪器，并用这些仪器研究地球自转周期中的不规则现象。他在1958年断定地球自转周期的突然延长同某些特别强烈的太阳活动有关。丹戎于1955～1958年任国际天文学联合会主席，1963年退休，不再从事学术活动。

Danmark 参阅 **Denmark** 丹麦。

Dannay, Frederic 丹奈 参阅 **Queen, Ellery** 奎因。

Dannewirk 参阅 **Danewirk** 丹麦边墙。

D'Annunzio, Gabriele 邓南遮（1863-03-12，意大利佩斯卡拉～1938-03-01，加尔多内-里维耶拉加尔达湖上） 意大利诗人、小说家、剧作家、新闻记者、战争中的英雄、政坛上的

美国不列颠百科全书公司供图

领袖人物，19世纪后期至20世纪前期的意大利文坛泰斗。

邓南遮之父在政治舞台上颇为显赫，是个富有的佩斯卡拉地主。他本人就读于罗马大学。最初的诗作《早春》（1879）发表时，年仅16岁。1882年的《新歌》中的诗作则较有个性，生气蓬勃，且多满怀激情，富于感官刺激的描写。其自传小说《纵情声色者》（1898）塑造了邓南遮笔下许多尼采式充满激情的超人主人公中的第一个；第二个这样的主人公出现在《闯入者》（1892）中。到他最出色的小说《死的胜利》（1894）问世时，他已是驰名作家。《死的胜利》与下一部名作《岩石的姑娘们》（1896）中的男主人公都是但求一逞私欲，全然不顾道德良知的尼采式人物。

邓南遮继续他的旺盛的文学创作直至第一次世界大战。他的最重要的诗歌创作为他的抒情诗集《歌颂蓝天、大海、土地及英雄》（1899）。这一诗作系列的第三本《阿尔奇恩尼》（1904）重现了在一个托斯卡夏天所闻到的气息、尝到的滋味、听到的声音以及所经历的一切，许多人认为这是邓南遮的最伟大的诗作。

1894年，邓南遮与女演员埃列诺拉·杜丝开始了历时很久的私情，并为她写作剧本，其中较为成功的有《琪珴康陶》（1899年首演）和《弗兰契斯卡·达·里米妮》（1901年首演）。以后他终于和她断绝了关系，并在色情小说《生命的火焰》（1900）中公开暴露了他们的私情。邓南遮写得最成功的剧本为《约里奥的女儿》（1904年首演），那是一部写阿布鲁齐农民的恐惧心理与迷信的诗意浓郁的剧本，极有感染力。

其后他又写了几个剧本和一部小说，然而这些作品所得不足以填补邓南遮穷奢极欲的生活方式所造成的亏空。他负债累累，1910年被迫出走法国。第一次世界大战爆发后，他回国竭力敦促意大利参战。意大利宣战后，他亲自参加战斗，在各军种中请求派给他危险的任务。最后他在空军中服役，在作战时失去一只眼。

1919年，邓南遮和300名左右的支持者违反凡尔赛和约的规定，占据了达尔马提亚的港口城市阜姆（今克罗地亚的黑耶卡）城。当时意大利政府和同盟国均主张将其并入新成立的南斯拉夫国家，而邓南遮不无理由地认为该城应属意大利。直至1920年12月，意大利军队强迫他退位时为止，邓南遮统治该城，犹如一独裁者。然而他的胆大妄为的行动确立了意大利对阜姆的某种权益，1924年，该城归并入意大利。邓南遮随后成为一热心的法西斯分子，墨索里尼则授予他封号，为之印行他的作品的全国版，作为回报。但此后他对意大利政治不再有任何影响。他退隐于伦巴第的加尔多内-里维耶拉写下了一些回忆录和忏悔录。

邓南遮丰富多彩的一生、他的臭名远扬的桃色新闻、他在战时的骁勇、他的能言善辩以及他在两次全国性危机中的政治领导作用，使他成为他那个时代的最引人瞩目的人物之一。他的文学作品的特色是它们的自我中心的视角，流畅而音韵铿锵的文句以及一种对感官的满足，无论是对女性或对自然的爱，都强调到了压倒一切的程度。他的散文除诸如《夜》（1921）那样少数自传性作品外，大多冗长乏味。他对当时的思想风格过于敏感，以致他的作品往往皂白不分地反映出其他的作家的影响。他的大部分剧作亦有此病。但《约里奥的女儿》在人物性格方面有生动有力的刻画。

作为诗人，邓南遮得力于他对情感异常敏锐的感觉。在《早春》和《新歌》中他已经显示出能把一个爱上了自然和女人的年轻人的蓬勃朝气和青春活力精确有力地表现出来的惊人天赋。虽然他在以后的诗作中转而写病态颓废的主题，但仍能在他成熟期的出色诗作《歌颂蓝天、大海、土地及英雄》中，特别是在第三本诗集《阿尔奇恩尼》中恢复他的灵感的生气，并且找到了一种新的更富音乐感的形式来表现它。《阿尔奇恩尼》中的一些诗篇表达了邓南遮与自然神会时感官上的欢悦之情，成为现代意大利诗歌中的杰作。

Danquah, J(oseph Kwame Kyeretwi) B(oakye) 丹夸（1895-12，黄金海岸［今加纳］贝蓬～1965-02-04，加纳恩萨瓦姆） 加纳民族主义政治家，K.恩克鲁玛的主要反对派领袖之一。早年在伦敦学习法律。1927年回黄金海岸（即后来的加纳）执律师业。1931年创办《西非时报》。1937～1947年任黄金海岸青年大会总书记。40年代初期积极鼓吹宪政改革。1946年成为议会议员，翌年参加建立黄金海岸统一大会党。这是以黄金海岸社会上主张西方化的人们为主的一个政党，该党要求自治政体。1949年参加官方的宪政改革委员会，受到恩克鲁玛建立的人民大会党领导人的公开谴责。1951年选入议会，但1954和1956年两度落选。1960年决定同恩克鲁玛竞选总统，但只获10%选票。因不断抨击恩克鲁玛政府而于1961年被拘留。1962年获释，当选加纳律师协会主席。1964年初再度入狱，一年后死去。

Dansalan（Philippines） **丹萨兰** 参阅 **Marawi** 马拉维。

danse basse（dance） 参阅 **basse danse** 低步舞。

danse macabre 参阅 **death, dance of** 死亡之舞。

Danshui 淡水 又拼 Tamshui 或 Tan-shui。中国台湾省台北县港口城镇。面积70.66平方千米。位于台北县西北部淡水河口北岸，距台北市约22.6千米。原是台湾古老的港口，明万历二十五年（1597）开始在此驻屯军队。明天启六年（1626）被西班牙占领，筑淡水城堡。明崇祯十五年（1642）西班牙与荷兰为独霸台湾在淡水决战，淡水被荷兰占领。1662年郑成功将其收复后屯兵开垦。1683年清政府进军驻守。18世纪早期该镇商业始渐繁荣。清咸丰八年（1858）开放通商，有航线通上海、香港、新加坡和欧洲，促使淡水迅速发展。当时为台湾省制茶业中心，茶叶通过海运远销欧洲。1862年台湾首先在淡水设海关。1891年通往基隆的铁路筑成，淡水港因淤积严重日渐衰落。现为台北市郊海滨旅游区，设有沙仑、洲子湾两海水浴场。镇内有淡江大学，除红毛城外还有牛津学堂、龙山寺、鄞山寺（汀州会馆）等古迹。人口111 882（1999）。

Danshui He 淡水河 中国台湾省北部河流。源出大坝尖山，北流至莺歌后进入平原。河道分汊，向东北流至板桥又汇合。在万华附近纳新店溪，在台北附近基隆河汇入，西北

由大稻埕码头望淡水河

美国不列颠百科全书公司供图

流经淡水入台湾海峡。全长 158.7 千米，流域面积 2 725.8 平方千米。石门以上一段称大汉溪，河流流经山地，坡陡水急。下游为平原区。1963 年建成台湾北部最大的水利枢纽石门水库。板桥、新店和台北市在清嘉庆末至同治年间的兴起，皆依赖于该河水运之助。

Dante　但丁（1265-05-21至06-20，佛罗伦萨～1321-09-13 或 14，拉韦纳）　意大利最伟大的诗人，也是西欧文学巨擘之一。他以其不朽的叙事诗《喜剧》，后改名《神曲》而享有盛誉。这部中世纪文学巨著，反映基督教对人的现世与永恒的命运的深刻看法。就其纯个人的方面而论，它描绘了诗人自己从故乡佛罗伦萨被流放的经历；就其最广泛的方面而论，它可以被当作一篇以穿越地狱、炼狱和天国的旅行形式出现的寓言来阅读。这部诗作令人惊异的是学识渊博，对当时的种种问题所作的透彻而全面的分析，及其在语言和想象方面的独创性。但丁不用拉丁文而选择意大利文来写作他的诗篇，从而对文学发展的进程产生了决定性影响。他不仅使其祖国初露头角的世俗文化获得了发言权，而且使意大利语在若干世纪内成为文学语言。除了诗作，但丁还写了从有关修辞学的讨论直到伦理学和政治思想等一系列重要的理论著作。他十分精通古典文学的传统，吸收维吉尔、西塞罗和波伊提乌等作家之长为己所用。不过对一个世俗之人来说最不寻常的是，他还令人难忘地掌握了最新的经院哲学和神学。他的学识和他本人对他那个时代激烈的政治论战的参与，使他写下了中世纪政治哲学主要短论之一《帝制论》。

早年生活与《新生》　人们所知道的但丁生平大都出自他本人的叙述。他于 1265 年双子宫时段（5 月 21 日至 6 月 20 日）诞生于佛罗伦萨，终生热爱自己的故乡。但丁描述了他曾作为一名骑兵与支持皇帝而被逐出的佛罗伦萨吉伯林派的战斗经过。他还谈到他的伟大老师拉蒂尼和他才华横溢的朋友卡瓦尔坎蒂，谈到使他的艺术生涯起步的诗歌文化，谈到他在诗歌上受惠于圭尼采里，谈到他的家族的始祖，即读者在《天国篇》的几章中见到的他的高祖父卡恰圭达（这个家族的姓氏阿利吉耶里来自其妻），他还回溯到更远的时代，谈到他的远祖是定居在阿尔诺河两岸的罗马军人，并为此感到自豪。

然而但丁却很少谈到他的直系亲属。《神曲》中未提到他的父母和兄弟姐妹。在《新生》中可能提到过一个姐姐，他的父亲则是但丁和朋友多纳蒂为取乐而互赠的一些不讲礼貌的十四行诗的主题。由于但丁出生于 1265 年，而但丁一家所依附的归尔甫派被流放后直到 1266 年才返回故土，所以但丁的父亲显然不是一个具有被流放资格的重要人物。但丁的母亲去世时他还年轻，肯定不到 14 岁。她名叫贝拉，但不知她属于哪个家族。但丁的父亲日后又娶恰鲁菲为妻，他们生有一子弗朗切斯科和一女加埃塔纳。但丁的父亲死于 1283 年之前，由于但丁在 1283 年已成年，所以能以孤儿的身份出售他父亲拥有的债权。老阿利吉耶里在佛罗伦萨和乡下给他的子女们留下了一笔虽不丰厚但也相当可观的遗产。大约就在这个时候，但丁与 1277 年跟他订婚的杰玛·多纳蒂成婚。

被分别称作吉伯林派和归尔甫派的皇帝党和教皇党之间长期冲突的历史，构成了但丁的一生。在 13 世纪中叶以后，两派的对抗是残忍的和不共戴天的，每一方轮流占据上风，对另一方施以酷刑并流放异乡。1260 年，归尔甫派在取得一段时期的优势之后战败于蒙塔培尔蒂一役（见《地狱篇》第 10、32 章），然而到 1266 年，一支归尔甫派部队在教皇军队和法国军队的支持下，在贝内文托击败了吉伯林派，并把他们永远逐出佛罗伦萨。这就是说，但丁是在一个洋溢着战后的自豪感和扩张主义、渴望把其政治统治扩张到托斯卡纳全境的城市中长大的。佛罗伦萨人认为自己堪与罗马和古代城邦的文明相比美。

佛罗伦萨不仅扩大自己的政治力量，它还打算使自己的知识界处于支配地位。佛罗伦萨知识界的首脑人物是从流放地返乡的拉蒂尼。但丁在《地狱篇》中描写了他跟他的伟大老师邂逅相逢的事，但是，切不可简单地把此事看作一个学生遇到了他的教师，而是应该看作整整一代人遇到了他们在知识界的导师。拉蒂尼在包括卡瓦尔坎蒂、多纳蒂和但丁在内的年轻一代的佼佼者中唤醒了一种新的社会意识，鼓励他们以作家身份用他们的知识和技能为他们的城市或国家服务。但丁很快就接受了亚里士多德关于人是一种社会的（政治的）生物这一思想。即使在《天国篇》（第 8 章第 117 节）里，但丁也完全无可争议地承认下述看法：一个人若非一个城邦的成员，对他来说，情况将糟得多。

同时代的历史学家维拉尼把拉蒂尼描绘成"在使佛罗伦萨人变得文雅并教导他们如何提高讲话技巧，以及如何根据政治哲学引导我们的公众方面的一位先驱和大师"（见《政治学》）。尽管拉蒂尼最重要的著作《宝库》（1262 ～ 1266）是用法文写成的（拉蒂尼在法国度过了其流放岁月），但它的文化却是但丁的文化；它是一座古典文献引文的宝库。第二卷的第一部分包括一篇最早用近代欧洲方言翻译的亚里士多德的《伦理学》。拉蒂尼几乎在哲学、伦理学和政治学的每一个问题或论题上都大量引用西塞罗和塞内加的话。他论述治理的种种问题时，几乎跟但丁日后

D.di 米凯利诺绘《但丁及其作品》（1465）

美国不列颠百科全书公司供图

一样，频频引用《箴言》。拉蒂尼的著作中所阐述的《圣经》及亚里士多德、西塞罗和塞内加的作品，是但丁早期学识的主要来源。

上述一切表明，罗马是与之息息相关的最鼓舞人心的源泉。对西塞罗的崇拜跟对亚里士多德的崇拜一起开始与日俱增；西塞罗不仅被看作是个说教者，而且完全是市民知识分子的楷模。在拉蒂尼的遗产中，日后变成但丁学识一个重要部分的另一个罗马要素，是热爱荣誉，通过全心全意争取优胜来显身扬名。由于这个原因，在《地狱篇》（第 15 章）中，拉蒂尼被誉为用人们使自己不朽的种种办法来指导但丁的诗人，拉蒂尼还在其临别赠言里将他的《宝库》交托给但丁，他相信通过此书能使他活在人们记忆中。

但丁具有非凡的才智和艺术上的自信。他自己曾在《新生》中说，他 18 岁时即已自学了写诗的技巧（第 3 章）。他曾把日后成为《新生》中第一首诗的一首早期写成的十四行诗寄给当时几位最著名的诗人。他收到了答复，不过最重要的答复来自卡瓦尔坎蒂，这就是他们伟大友谊的开端。

正如在伟大的哲人们的所有接触中常见的那样，但丁和卡瓦尔坎蒂之间的关系是复杂的。但丁在《新生》的第 30 章中称，他是在卡瓦尔坎蒂的鼓励下才不用拉丁文而用意大利文写自己的处女作的。尔后在用意大利文写的《飨宴》和用拉丁文写的《论俗语》中，但丁将出面捍卫俗语，这是第一批伟大的、具有

文艺复兴意义的捍卫之一。他日后对这些问题的思考来自他跟卡瓦尔坎蒂的讨论，后者说服了他只用俗语写作。由于在知识方面如此受益于卡瓦尔坎蒂，但丁把他的《新生》献给了卡瓦尔坎蒂——他的莫逆之交。

不过日后当但丁成为佛罗伦萨的行政官之一时，他被迫同意了放逐卡瓦尔坎蒂的决定，后者在流放期间患了疟疾，于1300年8月去世。在《地狱篇》(第10章)中，但丁为他的伟大朋友创作了一篇悼文，这是一篇同对拉蒂尼的悼念一样令人断肠的文字。在上述两篇悼词中，但丁记下了他的感激、他的深情、他对他们的丰功伟绩的正确评价，不过在每一篇悼词中他都不得不记下种种分歧。为了解救自己，他必须寻找(或者已经找到)比他的老友们和老师们所提供的更为强大的另一种艺术上、知识上和精神上的支柱。

使得卡瓦尔坎蒂显然相形见绌的这种精神上的指导者之一就是贝雅特里齐，她是但丁创造的全部文学中最著名的女性形象之一。与但丁思想倾向的不断变化以及他的宦海浮沉一样，她在他的笔下也经历了种种变化——在《新生》中被奉若神明，在《飨宴》的献诗中受到贬抑，直到在《神曲》中才得到更深刻的理解，成为一个引导但丁脱离了"群氓"的女人而备受尊敬。

《新生》(约1293)是但丁一生写的两部诗集的第一部，另一部是《飨宴》。每一部都是诗文合璧，也就是一部由诗和散文构成的作品。在每一部诗集里，散文都是用来把10年间创作的诗连缀在一起的手段。《新生》汇集了从1283年前至大约1292～1293年间但丁的诗作；《飨宴》是一部又厚又大而且气势更为恢宏的作品，它包含了从1294年之前不久直到《神曲》的但丁最重要的诗作。

被但丁称作他的"里贝洛"(libello，意即小书)的《新生》是一部杰作。它共有42章，每章都很简短，并附有对25首十四行诗、一首民谣和4首抒情诗的评注；第5首抒情诗因贝雅特里齐的去世而戏剧性地中断了；散文评注提供了诗歌本身未能提供的背景故事(当然，可以想象，有些诗实际上是出于其他原因写成的，而并不像所说的那样)。故事十分简单，说的是两人都是9岁时但丁第一次见到贝雅特里齐；他们18岁时她跟他打招呼，但丁为掩饰自己对她的爱慕而采取了种种手段，贝雅特里齐不向他打招呼时他产生了恐慌，但丁因她瞧不起自己而感到苦恼，他决心摆脱苦恼只歌颂他心上人的美德；它还讲到他对她的死的预感(一个年轻朋友的预感，她的父亲之死，以及但丁本人预兆性的梦)，最后是贝雅特里齐之死，但丁的悲哀，一个满怀同情心的可爱的女人(一个暂时取代了贝雅特里齐的年轻女人)的诱惑，贝雅特里齐的最后胜利和成为女神；在最后一章里，讲到但丁决定要在稍晚一些时候讲到她，内容是"人们对任何女性都从未涉及过的"。

尽管《新生》具有上述一切明显的自传性，却又是出奇的非个人的。它的背景显然缺乏历史的真实或可描述的细节(因此若要对贝雅特里齐的真实身份作历史的考证是毫无意义的)。评注使用的语言也具有很高的概括性。几乎不见姓名——卡瓦尔坎蒂作为但丁的"莫逆之交"只出现了3次；但丁谈到姐姐时也只是说"那个与我血缘最近的女人"。一方面，但丁指出了感情经历的几个最重要的阶段。另一方面，他似乎使他的描述远离强烈的感情。但丁在这10年中写下的诗作结构宏伟，诗的语言概括性强，这两点表明他早年已怀有超越当地诗人的创作的雄心壮志。

但丁思想的发展和社会经历 仅次于但丁的一个同时代诗人是圭尼泽里，他对改变诗歌的地方性或"城市"性起了极大的作用。圭尼泽里的诗作提供了卡瓦尔坎蒂和但丁正在寻求的东西——寓明显的欢乐感于一种优美明晰的美感中。增强他的诗作感染力的是其理性的、甚至哲学的内容。他的诗是为赞美一个女人和她在她的崇拜者心目中显示出来的美德——温文尔雅而写的。他所赞美的爱情的观念是优美而高贵的生命感的一部分。由于圭尼泽里的影响，《新生》成了诗歌和精神上的一个转折点。如第17章和第21章所述，但丁经历了一次心灵上的变化，他不再写倾诉苦恼的诗，而决定写赞美他心上人的诗，尤其是抒情诗《懂得爱情的女人们》。继这首抒情诗之后他又立刻写下了十四行诗《爱情和高贵的心灵是一回事》。这首诗的第一行显然是圭尼泽里的"每一颗高贵的心里都有爱"的改头换面。这是但丁采用"温柔的新体"——这种新诗体的开端，他在《炼狱篇》(第24章)中惹人注目地解释了这种诗体的重大意义——诗歌借助于这种简单的手法超出了地方色彩较浓的诗歌的狭窄范围。

对哲理诗的这种兴趣使但丁的生活发生了另一个重大变化，他在《飨宴》中叙述了这种变化。但丁说，贝雅特里齐死后，他为了寻求安慰，便开始研究哲学，特别是研究波伊提乌和西塞罗的作品。不料本来只是用来暂时缓解烦恼的消遣竟变成了毕生的爱好，成了但丁一生中最关键的精神活动之一。《新生》中可爱的女人变成了哲学女士，她立刻占据了但丁的整个脑海。为了聆听哲学辩论，他开始参加佛罗伦萨的宗教经院，在短短的30个月内，"对她(哲学)的爱排除并消灭了每一种别的思想"。在他的诗作《通过智慧推动第三界的你》中，他生动地描述了从与贝雅特里齐和《新生》有关的"温柔的旧体"到严密的、甚至是苛刻的与哲学有关的新体的转变。这段时期的研究表现为一系列抒情诗，它们最后形成了《飨宴》中哲学评注的诗歌基础。

另一个重大变化是但丁更为积极地参加市政活动。1295年，他加入了医师和药剂师行会(哲学家可以加入此行会)，这开辟了他担任公职的道路。不过他是在该市政治形势最为严峻的时刻踏入公职人员圈内的。与归尔甫派和吉伯林派纷争时期的情况一样，佛罗伦萨在13世纪90年代再次成为一个分裂的城市。在佛罗伦萨执政的归尔甫派分裂成由多纳蒂领导的"黑党"和但丁所属的"白党"。白党占了优势，放逐了黑党。

有关但丁在1295年以后的活动情况有着丰富的材料。1300年5月，他是被派往毗邻的圣吉米尼亚诺市的使团成员，他的任务是团结托斯卡纳地区归尔甫派联席会议对抗剑拔弩张的新教皇卜尼法斯八世日益增长的野心。1300年他当选为行政官时，大概就已被认定为参加联席会议的那些决心抵抗教皇政策的人的发言人了。于是但丁对教皇权限的态度便彻底改变。1266年，由于法国军队与教皇军队联合扶持，支持教皇的归尔甫派恢复了对佛罗伦萨的统治。然而到了1300年，但丁却反对教皇的领土野心，从而在思想上促成了另一个更大的变化：归尔甫派的温和派但丁由于亲身体验到了教皇参政的种种弊端，终于通过《飨宴》和稍后的论战性著作《帝制论》，以及最重要的是通过《神曲》，成为帝国的政治权力不是来自教皇这一立场最为热烈坦率的捍卫者之一。

此外，种种事件也促使但丁进一步反对教皇的政策。教皇、法国(腓力四世的弟弟布卢瓦伯爵查理和卜尼法斯采取一致行动)和被放逐的归尔甫黑党结成了新的联盟。当布卢瓦伯爵查理希望获准进入佛罗伦萨时，该市却处于政治上犹豫不决的状态。为了查明教皇种种企图的实质，派了几名代表去罗马与他商讨这些问题。但丁就是代表之一，然而"若我去，谁留下；若我留下，谁又去?"这个传奇般的警句说明了他的窘境。但丁遭到暗算。教皇放走了另两名代表，扣押了但丁。1301年11月初，布卢瓦伯爵查理的军队获准进入佛罗伦萨，当天晚上，被放逐的黑党也偷偷摸摸重返佛罗伦萨，并对该市实行了6天恐怖统治。但丁在罗马第一次获悉这一阴谋，尔后又在锡耶纳了解到更为详尽的情况。1302年1月，佛罗伦萨新政府召见他，但他拒不前往，因而与其他三名前行政官一起以莫须有的罪名被判刑。由于再次拒不前往，但丁和其他14名白党成员于1302年3月10日被判处活活烧死。于是但丁遇到了他一生中最严重的危机。在《神曲》中，他屡次大谈这一遭遇；的确，他是把这一遭遇写成了那一长串预言引向的激动人心的中心一幕。然而这也是但丁的用心所在：表现他借以战胜个人灾难的手段，从而使他的诗作成了一部真正的《神曲》。

流放、《飨宴》和《帝制论》 有关但丁流放之初几年的资料相当贫乏，但现有资料已足以提供一幅广阔的图画。被流放的归尔甫白党试图用武力打回老家去，看来但丁起初是他们中的积极分子。这种努力证明是无效的。但丁显然对被放逐的其他佛罗伦萨人(即吉伯林党)的幻想也逐渐破灭，于是他决定通过写作来证明自己的价值，并借此使自己得以返乡。这就是促使他创作《飨宴》(1304～1307)的背景。

但丁原计划写15篇，其中14篇是对不同的抒情诗的评注。他只完成了其中4篇。完成的评注在许多方面超出了诗歌的范围，变成了一个教导纲要，其中有一个哲学业余爱好者大量的任意发挥。但丁创作《飨宴》与创作《神曲》一样，也是旨在把他那个时代种种引起争论的道德问题和政治问题纳入适当的伦理学和形而上学的框架内。

《飨宴》第一篇的大部分热烈而又系统地捍卫了俗语(未完成的《论俗语》[1304～1307]是它的姊妹篇，可能是为配合《飨宴》第一篇而写的，它基本上是一篇论述以严肃的诗歌语言为基础的诗歌创作技巧的实用论文)。但丁成了俗语的伟大倡导者,在第一篇的最后一段中,他实际上预言了俗语的光辉未来:“这将是一道新光,一个新太阳,它将在筋疲力尽的太阳落下后升起,并将照亮由于旧太阳没有照亮他们而一直处于阴影和黑暗中的人们。”但丁描述的革命无非是以教会占主导地位的拉丁文化的没落,以及世俗的、用俗语写作的城市文化的诞生。但丁把自己看作这两种文化之间的一个哲学家、调停者,其使命是帮助教育刚刚获得公民权的广大读者。但丁为之欢呼的意大利文学不久便会成为占主导地位的文学,意大利语也将成为欧洲占主导地位的文学语言,而且这种情况将持续三个多世纪。

在《飨宴》中,但丁的政治和哲学体系几乎已完全成熟。在这部著作中,但丁第一次热烈地捍卫帝国的传统,尤其是捍卫罗马帝国。他介绍了有决定意义的回归概念,即促使灵魂回归上帝这一天生愿望的概念。但它需要通过榜样和教义进行适当的教育。否则它会被错误地导向尘世的目的,社会也会被它的毁灭性力量弄得四分五裂。在《飨宴》中,但丁在他的政治思想与他对人类欲望的理解之间建立了一种联系;倘若教皇贪图尘世的权力,这时就不可能存在能将欲望引向上帝的高尚的精神典范;倘若帝国国势衰弱,就不会存在足以从物质上限制这种欲望的法律。在但丁看来,这就是使意大利陷入混乱的原因,由于他希望改变现状,这又使他开始了写作《神曲》这一壮举。

然而发生了一桩政治事件,起初它使但丁产生了极大希望,后来却又使他陷入更大的幻灭。1308年11月,卢森堡的亨利伯爵当选为德意志皇帝,1309年7月,卜尼法斯的继承人,法国籍教皇克雷芒五世宣布亨利为罗马皇帝,并邀请他去罗马,他将在罗马圣彼得教堂被加冕为神圣罗马帝国皇帝。意大利再次拥有一个皇帝的可能性使意大利为之震惊;但丁支持帝制,他看到实现他的夙愿的日子日益临近:一位能保证恢复和平,同时又宣布自己在精神上服从教皇权威的皇帝即将到来。1310年亨利七世到达意大利,但为时不久他的巨大号召力便开始消失。他在北方逗留过久,使他的敌人得以聚集力量。但丁认为,在反对这一神圣时刻的人们当中,站在最前面的是佛罗伦萨市。

在这些年月里,但丁写了一些重要的政治书信(它们似乎证明了他已享有意大利全国的尊敬和个人的权威),在这些书信里,他赞扬亨利,敦促他勤勉,还谴责了佛罗伦萨。但是,后来克雷芒自己转而反对亨利,这使但丁想起了卜尼法斯的表里不一。此事促使但丁写下了他最伟大的论战性论文《帝制论》(约1313),他在此文中发展了《飨宴》的政治论点。在克雷芒的欺骗行为引起的一片愤怒的气氛中,但丁将他论战的锋芒转向教皇,反对教皇坚持其权力应大于政治统治者的立场,即反对帝国的政治权力来自教皇的论点。在《帝制论》的最后几段中,但丁写道,上帝为人类设计了两个目的:其一是享受现世生活的幸福,这种幸福以地上乐园的形式表现出来;另一个目的是享受永恒生命的幸福,它体现在天上乐园的形象中。尽管这是两种不同的目的,但这两种意愿却并非没有联系。但丁在其《帝制论》的结束语中向他的读者保证,他并不认为“罗马政府一点也不应服从罗马教廷,因为在某些方面我们追求尘世幸福就是为了得到不朽的幸福”。但丁的问题在于他不得不用一种推理的语言来表达一种用比喻的语言和历史范例也许能表达得更为清楚的微妙关系。在全面评述教皇与帝国关系史的同时,但丁以赞许的口吻指出了一些特殊的范例,例如康斯坦丁对教皇的良好愿望。但丁对亨利七世的使命遭到失败所感到的失望来自下述事实:亨利最初的支持者显然是教皇克雷芒,这种情况对于重建两个最高权力机构之间的正确关系似乎是十分理想的。

《神曲》 但丁常说,他的流放岁月是从一地到另一地艰苦旅行的岁月;说得最有力的一句话出自《天国篇》(第17章)中卡恰圭达感人肺腑的恸哭:“尝尝别人的面包方知苦的滋味,爬爬别人的楼梯方知上上下下的路有多难走。”不过创作自己的伟大诗篇是但丁得以承受整个流放生涯的力量源泉,他的《神曲》创作活动可能肇始于1308年以前,完成于他1321年逝世之前不久。此外,但丁晚年在意大利北方许多贵族家庭里受到盛情款待,最值得注意的是拉韦纳市名人弗兰契斯卡的外甥圭多的接待。但丁在拉韦纳市逝世时,圭多为他举行了盛大的葬礼,当时主要的文人墨客都参加了,圭多本人致悼词。

《神曲》的情节很简单:一个人(一般认为此人就是但丁)奇迹般地被赋予作一次超越尘世的旅行的本领,这使他访问了地狱、炼狱和天国的一些幽灵。他有两名向导:一名是带他通过地狱和炼狱的维吉尔,另一名是把他引入天国的贝雅特里齐。通过从1300年耶稣受难日之夜到复活节后几天种种虚构的遭遇,但丁获悉了正在等候他的流放(当然,流放在他写《神曲》时已经开始了)。这一构思使但丁不仅得以根据他正在经历的流放生涯来创作一篇故事,也使他能够说明他借以克服个人不幸的办法,并为解决意大利的困难提出各种建议。于是一个人的流放便成了一个国家的各种问题的缩影,也成了人类堕落的典型。因此但丁的故事就不仅是一个具体的范例,而且还具有特定的历史内涵。

构成《神曲》的基本单位是章。全诗共100章,分为3篇:《地狱篇》、《炼狱篇》和《天国篇》。从技巧上来看,每篇有33章,《地狱篇》增加一章作为全诗的序。大部分的章约有136到151行。诗的韵律系统是三韵句(aba,bcb,cdc等)。因此诗作的每一部分都有“3”这一神圣的数字。

就《地狱篇》的主张和意图而言,但丁与他以前的那些伟大的古典作家都不相同。在荷马的《奥德赛》(第12章)和维吉尔的《埃涅阿斯纪》(第6章)中,对冥府的访问都出现在诗篇的中间部分,因为这中间的几章揭示了生命的基本价值。但丁一方面采用了这一传统形式,另一方面又在创作实践中改而把对冥府的访问作为他旅程的开始。他这样做是因为他的诗作的精神格调不是古典式的,而是基督教式的:但丁的地狱之行是向尘世表示死的精神行为,因此与耶稣自己死的时间一致。(在这方面但丁的方法类似弥尔顿在《失乐园》中的方法。在《失乐园》里,火焰般的但有缺陷的路济弗尔和他那些堕落的天使首先出现)。《地狱篇》描述了一个冒失的开端,当时主人公但丁必须抛弃那些不知何故妨碍他超越他的堕落世界的有害的社会准则。尽管《地狱篇》有回归性质,但他与生死簿上被打入地狱的人们的会见却是诗中最令人难忘的时刻;那些保持中立者、善良的异教徒们、里米尼、阿尔津提、乌贝蒂、维尼亚、拉蒂尼、买卖圣职的教皇们、尤利西斯、乌格利诺,都以巨大的力量唤起了读者的想象。

正如维吉尔和后来的贝雅特里齐所说的那样,对地狱的访问是在真正的回归得以开始之前的一个极端措施,一个虽然痛苦然而必要的行动。这就说明了何以《地狱篇》在美学和神学这两方面都不完善。例如,读者对第34章中与撒旦的最后一次相遇缺少戏剧性或感染力常常表示失望。但由于地狱之行主要是表明分离的过程,因而也只是较充分的发展过程的第一步,所以必须以明显的虎头蛇尾来结束。从某种意义上而言,这是不可避免的,因为撒旦的最后出现并不能提供任何新东西:他在人类历史上的存在所产生的可悲效果,在整个《地狱篇》都已是显而易见的。

在《炼狱篇》开始了主人公痛苦的精神回归过程;事实上这一阶段的旅行可以被看作全诗真正的精神上的起点。旅行者但丁在此为了能升天而征服了他自己的个性。在《地狱篇》中,但丁面对的是一批需要予以抛弃的典型,实际上与此形成对照的是,《炼狱篇》中几乎没有一个人物以典型的面貌出现;所有的悔罪者都是人生旅途中的旅行者。但丁并不是一个一旦被流放就变得令人敬畏的旁观者,而是一个积极的参与者。如果说《地狱篇》是一曲关于被迫的、非自愿的离乡背井的颂歌,但丁从中知道他过去的忠诚是何等有害,那么在《炼狱篇》中,他开始认为基督教把生命看作是一段人生之旅这一基本看法是最恰当不过的。由于贝雅特里齐在地上乐园严肃地驳斥但丁时提醒了他,他谅必学会了如何抵制现世各种靠不住的诺言。

尽管炼狱里的制度十分严厉,它却是促使精神醒悟的王国,大的幽灵是受到款待的。在《地狱篇》里只有讨论命运女神的那一章(第7章)有点哲学味,《炼狱篇》却展示了历史的、政治的和道德的前景。同时它也是一曲颂扬诗和艺术的伟大赞歌。但丁在结束了令人沮丧的地狱之行后宣称:“让诗歌在此从死者身上复活。”这的确说出了他的心里话。地狱里只有一个真正的诗人,在《天国篇》中也不超过两个,但在《炼狱篇》里读者却遇到了音乐家卡塞拉和贝拉夸、诗人索尔代洛,听说了两位圭多(圭尼采里和卡瓦尔坎蒂)、画家契马布埃和乔托,以及一些微型图画画家交的好运。在炼狱的上面几层,读者看到但丁遇到了多纳蒂,听到了对温柔的新体的真正来源所作的解释(遇到卢卡时),又听到他如何在技巧和精通诗艺方面超过了当权的地方诗人圭托内·达雷佐(遇到圭尼采里时)。这时读者观察到,但丁正在重建他的古典传统,而且更为接近但丁自己伟大的本国传统(他认为高于古典传统)。这几章恢复了《地狱篇》(第4章)提出的思路,但丁在那些善良的异教徒中宣布了他自己要写作一部史诗的计划,并把自己列为古典作家的"第六位"。在《炼狱篇》中,他发展了这一传统,把斯塔提乌斯(他的《底比斯战记》的确在事实上为地狱更为可怖的特征提供了素材)搜罗进来,但他也表现了他那起源于圭尼采里的比较现代的传统。他遇到圭尼采里后不久,期待已久的与贝雅特里齐在地上乐园重逢的时刻便到来了。这样看来,但丁从古典著作中不仅获得了他对道德和政治的理解,而且获得了他对史诗的概念,这就是说,故事的结构要宏大得足以囊括他那个时代各种最重要的问题;但是构成他的诗篇的基督教素材的爱的哲学却是从他本国的传统中获得的。

这无疑意味着但丁的向导维吉尔必须让位给其他领袖,而且在一首一般缺乏戏剧性冲突的赞美歌中,摈弃维吉尔成了唯一具有戏剧性的事件。但丁利用维吉尔,这是文学中最可贵的文化利用现象之一。首先,在但丁的诗中,他是古典理性的倡导者。他又是一位历史人物,在《地狱篇》(第1章)中他被描写为这样的人物:"……从前我是人,我的父母是伦巴第人;论籍贯,他们俩都是曼图亚人。我出生在尤利乌斯·凯撒时代,虽然是在晚期,在圣明的奥古斯都统治下我住在罗马,那是信奉虚妄假冒的神祇的时代。"此外,维吉尔与但丁的家乡有关(他提到的都是当时意大利的地方),他的背景也完全是帝国的背景(生于尤利乌斯·凯撒时代,他称赞奥古斯都·凯撒)。他被描绘成一个诗人,其伟大的史诗的主题读起来与但丁诗篇的主题非常相似:"我是诗人,歌唱安喀塞斯的儿子在睥睨一切的伊利昂城被焚毁后从特洛伊迁来的事迹。"以此但丁也是在歌颂佛罗伦萨市的公正的儿子,他被不公正地赶走,被迫像埃涅阿斯那样去寻找一个更好的城市,对但丁来说这就是天国之城。

维吉尔是被但丁仔细研究过的诗人,也是使但丁获得其诗体的诗人。这种优美的诗体给他带来了极大的荣誉。但是但丁在这期间的若干年与维吉尔失去了联系,当维吉尔的幽灵回来时,这幽灵似乎由于长期沉默而变得委靡不振了。但回来的维吉尔已不仅是一位文体家;他是罗马帝国的诗人,是一个对但丁来说具有重大意义的人物,是一个已成为圣人或道德大师的诗人。

维吉尔虽然是理性的倡导者,却已变成传达神恩的使者,他的回来是那些与但丁早些时候与对贝雅特里齐的信任有关的较简单的信念复活的一个部分。当然,维吉尔单靠自己是不够的。不能说但丁摈弃维吉尔;相反,他是悲哀地发现,在维吉尔的著作中,也就是在他的意识中,没有任何争取个人摆脱历史及其发展过程的奴役这种观念。维吉尔在精神上向但丁提供了一个流放者该如何生存下去的教诲,这种教诲不但是维吉尔本人诗作的主题,也是但丁诗作的主题,但他墨守对历史进程的忠诚,这一进程,考虑到是在罗马帝国时代臻于鼎盛的,是具有深刻的安慰作用的。另一方面,但丁决定超越历史,因为历史对他而言已成为一场噩梦。

《天国篇》不愧是史诗真正充满英雄精神的结尾。但丁的诗表现了过去那些似乎蔑视死亡的人物。他们的历史影响仍在继续,他们彻底献身的精神在他们的追随者身上激起了一种兴奋感,唤起了一种认同的愿望。但丁与他的高祖卡恰圭达和圣方济各、圣多明我和圣伯尔纳三位的相遇使但丁超越了自我。因此《天国篇》是一部功德圆满的诗作。它完成了早些时候创作的那些赞美歌所预示了的东西。从美学的角度来看,它完成了诗篇精心设计的回顾与前瞻体系。

评价与影响 但丁的《神曲》并未等待多久便得到了应该得到的认可与荣誉:到1400年时,至少出现了12种详细讲解其意义的评注。薄伽丘撰写了诗人的生平,并在1373～1374年举办了第一批讲解《神曲》的大学讲座(这意味着但丁是第一位写下了能与古典名著一起列入大学课程的杰作的当代人)。但丁以神的诗人而闻名于世,1555年在威尼斯出版他的伟大诗篇的豪华本时便将这一称号中的形容词加在书名上,于是简单的《喜剧》变成了《神的喜剧》或《神曲》。

即使在史诗失去了它的魅力并被其他艺术形式(主要是小说和戏剧)取而代之以后,但丁的声誉仍经久不衰。他的伟大诗篇实际上已享有一部古典名著所特有的一种威力:一连几个时代都能发现,凡是它们自己思想上所关心的事,在诗中均有所反映。在19世纪拿破仑之后的时代,读者发现自己竟与《地狱篇》中那些有影响、有同情心、命途多舛的人物处境相同。在20世纪初期,他们发现这部诗具有通过字句表现出来的艺术力量,这种力量不受其结构和主题的影响,有时与其结构和主题相抵触。再晚一些时候的读者则热切地指出这部诗是一部复调音乐的杰作,一个犹如宏伟的建筑工程那样的综合体,其不同的组成部分既互相衬托,又彼此呼应。但丁不仅在一部描摹生动的作品中创造了一整套引人注目的人物典型。而且创造了一部就其预言和印证相符而言具有伟大修词艺术的诗篇。此外,他还把种种重要的政治、哲学和神学的主题纳入上述一切之中,他采取的办法显示出其聪明才智和崇高的道德观。

但丁的《神曲》是一部650多年来常盛不衰的诗作:它以其惊人的、富有想象力的构思的简单力量不断使一代代的读者为之震惊;100多年来它一直是西方世界所有高等教育课程中的经常性内容;它也始终给我们当代的主要诗人提供指导和营养。叶芝把但丁誉为"基督教世界的主要创造力";T.S.艾略特把但丁誉为在现代世界只有另一个诗人莎士比亚可与之媲美:"(他们俩)平分了现代世界。没有第三者。"总之,在创造业已进入现代思想经常引述并参照的人物典型方面,他们是不分轩轾的。同莎士比亚一样,但丁根据历史人物创造了多方面的典型,并在这一过程中极大丰富了现代神话的宝库。

Dante chair 参阅 **scissors chair 剪式椅**。

Danticat, Edwidge 丹蒂卡特(1969-01-19,海地太子港～) 海地裔美国作家。作品集中描写妇女生活及她们之间的关系,还涉及到权力、不公正和贫困等问题。1973年她4岁时父母迁居美国,1981年与父母团聚。1991年在纽约市巴纳德学院毕业,获得法国文学学士学位。1993年在布朗大学获硕士学位。其硕士论文有部分是自传,叙述海地几代妇女之间的关系,于1994年出版,书名为《呼吸、眼睛和记忆》。第二部小说《种植骨头》(1998)用了海地语中表示收割甘蔗的一个词作书名。小说背景是多米尼加独裁者R.特鲁希略于1937年大肆屠杀海地移民之事。曾获多种奖项。1998年《呼吸、眼睛和记忆》一书被美国访谈节目主持人O.温弗瑞为她的电视图书俱乐部选中。由此她的书拥有了广泛的听众,取得了更大的商业上的成功。

Dantin, Louis 当坦 参阅 **Seers, Eugène 塞尔**。

Dantiscus, Johannes 丹蒂斯库斯(1485-10-31,但泽[今格但斯克]～1548-10-27,波兰利兹巴克瓦尔明斯基) 又名扬·弗拉克斯宾德。波兰诗人。著有用拉丁文写的即兴诗、爱情诗和颂词。波兰文艺复兴时期人文主义的首批代表人物之一。波兰国王西格蒙特一世宫廷官员,1515年曾陪同国王赴维也纳。晚年信奉天主教。

Danton, Georges(-Jacques) 丹东(1759-10-26,法国奥布河畔阿尔西～1794-04-05,巴黎) 法国革命的领袖和演说家,有人认为他是推翻王室和建立第一法兰西共和国(1792-09-21)的主将。随后任公安委员会第一任主席,但他越来越强烈的缓和恐怖统治的要求

美国不列颠百科全书公司供图

以及最终反对恐怖统治的立场把自己送上了断头台。丹东是雅克·丹东律师和他的第2个妻子玛丽-玛黛琳·加缪的儿子。先在香槟的一所学校上学;从1773年起在特鲁瓦的奥拉托利会教徒处受教育。1784年在兰斯获法学学位之后,去巴黎开业。1787年购得枢密院(具有立法和司法职能的委员会)的律师额位。随后他与安托瓦内特·夏庞蒂埃结婚。1789年7月,革命爆发后,丹东报名参加了科德利埃区市民卫队;10月被选为该区长官。1790年春,他和本区一些战斗性极强的人们创立了一个民众组织,后来以科德利埃俱乐部闻名。然而到此为止,丹东只是一个地方上的名人。1790年1月他被选为临时的巴黎公社(市政委员会)成员,但在9月正式成立时又遭排斥。1791年1月他被选为巴黎省的

行政官员，但他对该省的行政机构不起影响。然而同时，丹东在科德利埃俱乐部和另一政治组织雅各宾人俱乐部中红极一时；1791年中不时在两处发表演说。6月，在路易十六企图逃离法国所触发的危机中，他在革命运动中的声望越来越高。然而他的签字并未出现在科德利埃人要求路易十六退位的著名请愿书上。这次请愿在7月17日引起了一些请愿人惨遭国民警卫队的屠杀。在随后的镇压行动中，丹东避居伦敦。以后他回国以法兰西剧院区选举人身份参加立法议会的选举。1791年12月，当选为巴黎公社检察长的第二助理。1792年春的全国危机（4月20日，法国向奥地利和普鲁士宣战）中，丹东重任护民官。6月18日，他抨击拉斐特侯爵（当时担任国王和一位将军的顾问）利用他的地位玩弄政治权术。但他没有参加6月20日在土伊勒里宫前的大示威。尽管他在1792年8月10日推翻王朝的起义中所起的作用至今仍不清楚，但有很多人认为起义成功，他的功不可没。丹东在革命法庭上陈述时曾夸口称自己对8月10日事件"负责"；其实那次起义与其说是丹东或别的哪一个人努力的结果，倒不如说是全城各处斗志昂扬的不知名的市民的集体行动所造成的。但不管他在推翻国王的行动中起的作用是大是小，他到底被立法议会选为司法部长。他名义上不居新政府总统的地位，却凭着他的人格的力量，他的可以夸耀于人的革命经历以及他的迅速作出决断的能力在同僚中处于发号施令的地位。1792年8月25日，当入侵的联军攻占隆维的消息传来时，内政部长J.-M.罗兰建议政府从巴黎迁往布卢瓦，丹东猛烈反对。他随后使行政委员会通过发布的公告带有他个人的印记；公告是一个战斗的号召。9月2日晨，丹东得知凡尔登已被包围，民众冲入监狱搜寻嫌疑犯与卖国贼时，他在立法议会发表了他的最著名的演说："为了打败祖国的敌人，我们需要勇敢，更勇敢，现在勇敢，永远勇敢，这样法兰西便会得救！"就在丹东演说时，在监狱中屠杀已经开始，革命的温和派吉伦特党人攻击丹东，要他对屠杀负责。然而并无证据说明丹东或其他某一个人组织了这次屠杀，虽然可以肯定，他并未采取任何行动来阻止它。正如8月起义一样，9月屠杀也不是一个人而是巴黎的民众的行动。9月6日，丹东被选为国民公会的巴黎代表。他立刻作出一切努力来制止革命政党之间的争执，但是他的和解政策为吉伦特派所挫败，后者要求他在离开司法部长职位时对帐目作出交代。丹东无法说明20万里弗尔的秘密支出是否正当。在这场斗争中，他的政治威信受到很大削弱，本人则愤恨难平。路易十六在国民公会开始受审时，丹东正出使比利时，因而没有参加。但1793年1月15日，他出席国民公会并投票处死路易十六，不得缓免。丹东虽未在审判时出席，但从1792年秋起，他一直参与其事。据曾是一个革命者的德·拉玛特伯爵的《回忆录》称：丹东力求保全国王的生命。现在看来，丹东竭尽全力争取吉伦特派的支持，但告失败。随后又与C.-F.du P.迪穆里埃将军合谋贿赂英国政府进行干涉。只是在这一合谋未遂之后，他才投票处死国王。丹东在革命的主流中仍保有他的地位，但不免时时厕身于阴谋之中。他和比利时军队司令迪穆里埃有过些什么交道至今未得澄清。在内尔温登之役战败（1793-03-18）后，迪穆里埃投向奥地利，吉伦特派指控丹东与迪穆里埃有勾结。丹东毫不畏惧地以同样的指控回敬吉伦特派，赢得了主动。两者的决裂遂告无可挽回。1793年4月7日，丹东任第一届公安委员会委员。委员会于4月6日建立，随即成为革命政府的执行机构。丹东有效地行使政府首脑的权力达3个月之久，其专管范围为外交与军事。在他这一次（第二次）在政府任职期间，他奉行妥协和谈判的政策。他在各方面都尝试与敌人进行外交对话。他认为通过谈判也许可以化解同盟国的联合，甚至可以获得全面和平；毫无疑问，他这样想是完全诚实的。然而在1793年春天，谈判的政策已不再是可能的了；在敌人节节胜利时，企图用谈判来解除他的武装已毫无用处。7月10日，公安委员会的任期届满，国民公会选出了一个没有丹东的新委员会。此后丹东的政治举措愈趋复杂。在各种场合，他支持公安委员会采取的政策，但同时拒绝参与，虽然他的参与能使政局稳定下来。他不时仍以护民官的身份出现，代表人民提出要求。然而他不久便显露出他的目的在于稳住革命运动；很快他——不论他自己是否有意于此——成了宽容派，即从科德利埃俱乐部派生出来的温和派的领袖。在1793年9月4日和5日的巴黎民众大示威中，丹东发表了雄辩的演说，支持所有民众的要求。然而不久，他显然企图对运动加以限制，置于控制之下。例如，他要求当时随时可开会的区代表会议以后减至每周只开两次。丹东的温和立场到1793年秋更是日益明朗。然而他并不亲自干预，而由他的朋友们出面批评政府政策。他对恐怖镇压愈来愈不满，以致最后借口健康或家庭原因，退出政治舞台。据说他曾在1793年10月初对一位友人说过，"我将不能救他们（吉伦特派）的命，"说后便痛哭起来。10月12日他向国民公会请准了假，离开巴黎回他的故乡，虽然他并未明说他回乡的原因。他于11月21日回归故里。丹东回乡后立即恢复政治活动。他坚决支持公安委员会反对反基督教的过激行动，随后又反对取消对宪法允许的牧师支付薪俸，因而也反对宗教与国家分离。丹东支持政府的稳定局势的政策无疑有其不便明言的个人的和政治的动机；他下定决心要搭救他的已被逮捕以及有可能被逮捕的朋友们。但他还要使政府的革命冲劲放慢下来。丹东派的政策与受J.埃贝尔和他在科德利埃俱乐部中的朋友们所支持的风行一时的极端主义——极端恐怖和十足战争——处处针锋相对。1793年12月1日，丹东告知那些革命激进分子，他们的任务已经终结，这样他就明确宣布了他的温和的政治路线。从此以后，不管他本人的意愿究竟如何，他总被认为是温和的反对派的领袖。1794年初，丹东和他的朋友们加强了批评的火力，而以革命的新闻记者《老科德利埃报》的C.德穆兰为他们的代言人。他们不但对罗伯斯比尔实行的恐怖制度而且对革命政府的整个政策挑战，同时唤起了这一政权的反对者的希望。然而当政府一旦明白它不能容忍来自右的方面的大肆攻击时，形势便急转直下。1794年1月，在西印度公司一案中受牵累的剧作家和热诚的革命者法布尔·德格朗丁被捕，丹东要求被捕的代表应公开由人民来审判，他企图以此迂回手法来卫护法布尔。一位代表当场叫道："让坐在法布尔身旁，至今还受他蒙蔽的那个人倒楣去吧！"这显然是在威吓丹东本人。这一事件不只是表明了宽容派攻势的失败，其实他们早已受到连累，如今又遭到他们的敌人埃贝尔的极左派，即忿激派发起的反攻，处境岌岌可危。然而当这一危机越趋尖锐，忿激派的立场越趋强硬时，政府失去了耐心；1794年3月，埃贝尔和科德利埃俱乐部的主要领导人被逮捕。他们被判死刑，于3月24日被处决。宽容派认为他们的时机已到，遂加大他们的压力。但政府毫无向右的温和的反对派屈服之意。丹东受到多次警告，提醒他已处于危急的境地，但他始终临危不惧："他们不敢！"终于在1794年3月29～30日之夜，他和他的朋友们被捕。面对着革命法庭，丹东无所畏惧地说出自己的想法。为了不让他发言，国民公会下令：凡侮辱了国民良知的待决犯不得参加辩论。丹东当即叫道："我将不再为自己辩护。让我去赴死吧，我将长眠于荣耀之中。"1794年4月5日，丹东和他的朋友们被送上断头台。他对刽子手说："把我的头颅给民众看看。费这点儿事是值得的。"

Dantzig, François-Joseph Lefebvre, Duke (duc) de 但泽公爵 参阅 **Lefebvre, François-Joseph 勒费弗尔**。

Danube River 多瑙河 欧洲仅次于伏尔加河的第二大河。源于德国黑林山，全长约2 850千米，流经德国、奥地利、斯洛伐克、匈牙利、克罗地亚、塞尔维亚、保加利亚、罗马尼亚和摩尔多瓦注入黑海。流域面积817 000平方千米，其中约56%的土地由发源于阿尔卑斯山等山区的右岸支流灌溉，年平均流量为6 430立方米/秒。上源布雷格河和布里加赫河两支溪流，从黑林山东麓流出后，于多瑙埃兴根汇合，沿狭窄河床向东北方向流去。在因戈尔施塔特和雷根斯堡之间左边为一风景秀丽的峡谷；右边为巴伐利亚高原。经雷根斯堡后折向东南，经帕绍进入奥地利，冲过波希米亚林山形成一狭窄谷地。经维也纳，在斯洛伐克的布拉迪斯拉发附近，穿过匈牙利门峡进入匈牙利小平原，河岸较低，河面展宽达1.6千米。在科马尔诺以东，多瑙河进入夹在西喀尔巴阡山脉与匈牙利外多瑙山脉之间的维谢格拉德峡。后转向南流，经过布达佩斯之后，流入宽广平坦的匈牙利大平原，向东流经贝尔格莱德至著名水电与航运站铁门峡。在此流程中，多瑙河接纳其主要支流：德拉瓦河、蒂萨河和萨瓦河。铁门峡以下，多瑙河流经广阔平原，奔腾在保加利亚多瑙河平原台地（南）与罗马尼亚平原（北）之间。在克勒拉希以西进入罗马尼亚，向东北流，在拉索瓦转向北流，到加拉茨后突然东流，在图尔恰附近扩展为三角洲，分三股流入东面80千米处的黑海。多瑙河下游为主要货运通道，而

多瑙河与萨瓦河在塞尔维亚贝尔格莱德的交汇处
美国不列颠百科全书公司供图

上游则蕴藏丰富的水电资源。美因-多瑙运河(**Main-Danube Canal**)全长171千米(由凯尔海姆到班贝格),使北海和黑海得以通航;运河于1992年建成。

Danube school　多瑙河画派　16世纪初在多瑙河流域发展起来的一种风景画传统。许多画家曾为之做出贡献,主要人物是雷根斯堡著名画家A.阿尔特多费尔(约1480～

A.阿尔特多费尔绘《雷根斯堡附近的多瑙河风光》(约1522～1525)
美国不列颠百科全书公司供图

1538)。其画虽亦常有人物,且有的用宗教标题,但真正的主题是大自然。他认为人出现在自然中或多或少是偶然的。对一天各时辰的光线变化和一年四季的变化,对盛衰荣枯的循环更迭的兴趣,使他与巴罗克和19世纪浪漫主义风景画家有了精神上的联系。L.克拉纳赫(1472～1553)的早期作品也是多瑙河风景画派的典型。该画派的其他重要画家还有奥地利的W.胡贝尔、德国的J.布罗伊(大),以及德国雕刻家H.莱恩伯格。

Danubian culture　多瑙河文化　参阅 **LBK culture** 线纹陶文化。

Danvers　丹弗斯　美国马萨诸塞州东部埃塞克斯县城镇。位于波士顿东北。17世纪30年代始建,1775年设镇。早期有制鞋、毡毯和制砖业。服务业提供大量就业机会,同

丹佛斯镇的I.帕特南将军出生地
美国不列颠百科全书公司供图

时生产电子设备、灯具、计算机软件和电子通迅设备。建有北岸社区学院(1965)。设有州立医院和州立霍索恩儿童学校。为独立战争领袖I.帕特南将军的出生地。人口25 212(2000)。

Danville　丹维尔　美国伊利诺伊州东部城市,弗米利恩县县城(1827)。临弗米利恩河支流汇合处。原为一印地安人村庄,村西几英里处发现盐田后,白人纷纷来此定居。1869年设市。曾为煤矿业中心。现经济以农业和汽车工业为主。设有丹维尔地区社区学院(1946)。附近有州立基卡普公园和弗米利恩湖。人口33 904(2000)。

Danville　丹维尔　美国肯塔基州中部城市,博伊尔县县城。位于列克星敦西南58千米处,临旧怀尔德内斯大道。约1775年始有人定居,1789年设镇,1836年设市。1785～1792年为弗吉尼亚州肯塔基地区首府。市内的宪法广场(制定第一部州宪法的10次会议地点)历来被当地人民视为该州圣地。E.麦克道尔医生首次成功为人摘除卵巢(1809)的房屋已由肯塔基州医学会修复。设有中央学院(1819)和肯塔基聋人学校(1823)。有烟草、家畜和马匹市场以及一些轻工业。城东北8千米处有赫灵顿湖。市西有南北战争中的战场遗址。人口15 477(2000)。

Danville　丹维尔　美国弗吉尼亚州中南部城市。位于皮茨伊尔万尼亚县境内,但行政独立。距北卡罗来纳州格林斯伯勒东北72千米,临丹河。1830年设镇。1870年设市。19世纪末为烟草河运点和货栈。1848年通铁路后为全国最大烟草市场之一。19世纪80年代建立丹河棉纺厂,成为纺织业中心。其他产品有石膏、轮胎、玻璃、金属器具。建有奇普、圣纳克尔水电站。设有埃弗里特学院(1859)和丹维尔社区学院(1968)。人口:市48 411;丹维尔都会统计区110 156(2000)。

Danzi, Franz (Ignaz)　丹齐(1763-06-15,巴登什韦青根～1826-04-13,卡尔斯鲁厄)　德籍意大利音乐世家中最重要的成员。在歌剧、教堂音乐、利德(艺术歌曲)、交响曲和协奏曲方面虽称多产,但今日最为人所知者唯有室内乐,尤其是木管合奏。从其父学习大提琴,15岁时已在著名的曼海姆管弦乐队中演奏。1790年与歌唱家M.马尔尚结婚,夫妇联袂巡回演出(丹齐作为指挥家),取得成功。1800年其妻去世后隐退,但1807年又接受斯图加特方面聘请任乐长职。1812年去卡尔斯鲁厄担任类似职务。

Danzig (Poland)　**但泽**　参阅 **Gdańsk** 格但斯克。

Danzig, Gulf of　但泽湾　参阅 **Gdańsk, Gulf of** 格但斯克湾。

dao　道　又拼tao,英语作road或way。中国古代哲学术语。其含义有:①宇宙万物的本原、本体。《老子》:“有物混成,先天地生,……可以为天下母,吾不知其名,字之曰道。”②事物普遍规律、根本法则。与具体事物“器”相对。《易·系辞》:“形而上者谓之道,形而下者谓之器。”又与事物特殊规律“理”相对,《韩非子·解老》:“万物各异理,而道尽稽万物之理。”③道德观念、人生观和世界观。《论语·卫灵公》:“道不同,不相为谋。”《孟子·尽心下》:“仁也者,人也,合而言之,道也。”

Dao Khung (Vietnamese philosopher)　**颠僧**　参阅 **Huynh Phu So** 黄富数。

Dao'an　道安(312～385)　中国东晋僧人,般若学“本无宗”主要代表。俗姓卫,常山扶柳(今河北冀县)人。18岁出家。受戒后师父任其游学。后赵时入邺(今河北临漳)为佛图澄弟子。此后在河北、山西一带研习禅学,弘宣佛法。因时局动乱,南下襄阳讲般若学,

讲《放光般若经》15年。东晋太元四年(379)前秦苻坚攻克襄阳,道安被送到长安,常以政事咨询。道安住城内五重寺宣法,受学僧众数千。在长安7年间与法和协助僧伽提婆、昙摩难提、僧伽跋澄译出部分《阿含经》和“说一切有部”论著等佛典。道安主张僧侣废除世俗姓氏,以“释”为姓,为后世僧徒所遵循。道安还制僧尼轨范,就僧团讲经说法、食住及平日宗教仪式规定条例。著有《光赞析中解》、《光赞抄解》、《放光般若析疑准》、《实相义》等。重视注经,对《道行品经》、《安般守意经》、《阴持入经》和《人本欲生经》等佛典作过注疏。编制汉译佛教经录,成《综理众经目录》,已佚。弟子有慧远、僧叡、昙翼、法遇、慧持、慧永等,以慧远最著名。

Daochuo 道绰(562～645) 中国隋唐时僧人,净土宗创始人之一。俗姓卫,并州汶水(今山西文水一带)人。14岁出家,习《大般涅槃经》和般若空理,成为涅槃学者。后住西河汶水石壁玄中寺,寺有《昙鸾和尚碑》,读后深受吸引,遂舍涅槃学改信净土,继承昙鸾法系大弘净土宗。常坐面西,“口诵佛名,日以七万为限”。为感化道俗,道绰“劝人念弥陀佛名,或用麻豆等物为数量,每一称名,便度一粒,如是率之乃积数百万斛者”。对净土宗的创立起很大作用。因久住西河,又称“西河禅师”。著有《安乐集》2卷,阐述净土信仰。著名弟子有善导等。

Daodejing 《道德经》 参阅 **Laozi**《老子》。

Daoguang 道光 参阅 **Qing**——:清朝帝王序列下 **Qingxuanzong Minning** 清宣宗旻宁。

Daonella 鱼鳞蛤 绝灭的斧足类(蛤类)的属。三叠系的标准化石。壳以宽的背部及放

三叠系的鱼鳞蛤(*Daonella*)
美国不列颠百科全书公司供图

射状细线为特征,轮廓呈圆形,可以表明其细生长线。

Daosheng 道生(?～434) 又拼 Tao Sheng。即竺道生。中国东晋佛教僧人。俗姓魏,巨鹿(今河北平乡)人。幼年从竺法汰出家,后上庐山幽栖7年,向慧远和僧伽提婆问学。后知鸠摩罗什在长安(西安)译经,即与慧叡、慧严、慧观等前往受学,并参加翻译《大品般若经》、《小品般若经》等,成为鸠摩罗什的著名弟子。409年回建康(今南京)。道生认为“入道之要,慧解为本”,“言以寄理,入

苏州虎丘的点头石
中国大百科全书出版社供图

理则言息。自经典东流,译人重阻,多守滞文,鲜见圆义。若忘筌取鱼,始可与言道矣”。他钻研众经,斟酌时论,不拘旧说,富有创见。立“善不受报”、“佛无净土”、“顿悟成佛”义。还认为法显译《大般泥洹经》经义不够圆满。既然“一切众生,悉有佛性”,一阐提(断绝善根的人)是众生,也应有佛性,可以成佛。此说受到旧学僧徒攻击,认为是“背经邪说”,受戒律开除处分,逐出建康。不久北凉昙无谶译大本《涅槃经》传到建康,道生说获得证明。一时佛教界都钦佩道生卓识。后人有生公说法顽石点头的传说。晚年在庐山宣讲大本《涅槃经》。著作有《泥洹经义疏》、《小品经义疏》、《二谛论》、《佛性当有论》、《法身无色论》、《佛无净土论》、《顿悟成佛义》、《应有缘论》等,大都佚失,尚存的有《妙法莲华经疏》。另在僧肇《注维摩诘经》、《大般涅槃经集解》中保留若干片段。

daoshi 道士 英语作Taoist clergyman。信奉道教教义并修习道术的教徒。另有“道人”、“黄冠”、“羽士”、“羽客”、“羽衣”等别称,女道士则别称“女冠”。道士中通经典、精戒律的称“法师”、“律师”。精炼养、德行高的称“炼师”。熟习威仪的称威仪师,道行渊博的尊称“先生”、“真人”。道士还按所修经典程度有不同级别称谓。宋以后道士有出家在家之分。全真教道士住道观丛林不结婚,称出家

北京白云观道众在祈福祝祷
中国大百科全书出版社供图

道士。正一道可以婚娶,称在家道士。道士一般是师徒相传。道教认为若不受师,道则不降;而传道度人,须择出身名门、孝于所亲、忠于所君、资性淳良之人。

Daoud(Algeria) **达乌德** 参阅 **Aïn Beïda** 艾因贝达。

Daozang 《道藏》 又拼 Tao Tsang,英语作 Canon of the Way。中国道教经典的总集。《新唐书·艺文志》著录《道藏音义目录》113卷,始有“道藏”之名。晋以前道书不多,葛洪《抱朴子·遐览篇》列道经670卷,符箓500余卷,共1 200卷。陆修静编《三洞经书目录》把道经分为“三洞”,并收入医书药方。北周(557～581)玄都观道士编《玄都经目》2 040卷,其中有诸子书800余卷。《隋书·经籍志》有道经377部,1 216卷。唐开元中编成《三洞琼纲》,凡3 744卷,称《开元道藏》。宋张君房领修道藏,增为4 565卷,名《大宋天宫宝藏》,宋徽宗时继续访求道书,增至5 481卷,并在福州闽县刻板道藏,始有印本。全藏贮存闽县天宁万寿观,称《万寿道藏》。元初宋德方奉

《道藏辑要》
中国大百科全书出版社供图

命刊印道藏于平阳(山西临汾)玄都观,凡7 800余卷。经板藏平阳玄都观,故亦名《玄都宝藏》。明英宗正统九年(1444)邵以正督校全藏,刊成《正统道藏》,凡5 305卷。万历三十五年(1607)续刊道藏180卷,称万历《续道藏》。正续道藏共5 485卷。明刻道藏经板藏于北京大光明殿,1900年八国联军侵入北京时烧毁。道藏按三洞、四辅分类如下:

三洞	洞真部	四辅	太玄部辅洞真
	洞神部		太清部辅洞神
	洞玄部		太平部辅洞玄
			正一部贯通三洞

三洞中每洞又分12类:

十二类	说明
1. 本文	道经原文
2. 神符	以符箓为主的道书
3. 玉诀	道经各种注本
4. 灵图	以图像为主的道书
5. 谱录	记述仙人事迹,以谱系为主的道书
6. 戒律	科戒、规矩、功过格之类道书
7. 威仪	道教礼仪制度及斋醮祭祀等仪式
8. 方法	修行祭炼法
9. 众术	炼丹及变化方术
10. 记传	传记、碑记、宫观志等
11. 赞颂	歌颂、赞词等韵文
12. 章表	斋醮、祀神所用章表、奏疏等

道藏卷帙浩繁,《道藏举要》是《道藏》选本,从《道藏》中抽选176种影印。清代《道藏辑要》收道书287种,另有《道藏精华录》100种,后两者都是《道藏》选本,并增补一些正续《道藏》未收的道书。近代商务印书馆曾影印明《正统道藏》及万历《续道藏》5 485卷,把梵夹本改为线装本共1 120册,包括1 500多种道书。

Daphnae 达夫尼 又作 Tahpanhes 或 Tall ad-Dafana。古代埃及城堡镇，在今东部省坎塔拉附近。1886年英国人F.皮特里在这里发掘出公元前7世纪萨姆提克一世建造的、城墙厚达13米的巨大堡垒。在巴比伦人毁掉耶路撒冷（公元前587）之后，许多犹太难民逃到此地。公元前6世纪雅赫摩斯二世把希腊人的贸易限制在诺克拉提斯城，达夫尼开始衰落。

Daphne 达佛涅 希腊神话中月桂树的化身，用月桂叶编的花环同阿波罗（Apollo）有联系。传说月桂树的这种特殊地位同阿波罗对达佛涅的爱情有关。她是一位河神（大概是拉东）的美丽的女儿，在色萨利、伯罗奔尼撒或叙利亚过着放牧生活。她拒绝所有人（包括阿波罗）的求爱。当阿波罗追求她时，她向大地女神或她父亲求援，于是被变为月桂树。阿波罗使月桂树成为奖励诗人的专用树，在罗马则成为庆祝凯旋的树。琉喀波斯也爱达佛涅，但因阿波罗的嫉妒而被杀害。

Daphne 瑞香属 瑞香科的一属。约50种灌木，原产于欧亚大陆。该属植物株形和花美观，被广泛栽培观赏。最常见的种包括一些低矮常绿类型，在气候温和地区种植于路

一种瑞香属（*Daphne*）植物
美国不列颠百科全书公司供图

边花坛及假山庭园。例如桂叶芫花（*D. laureola*），叶厚，光滑；花小，绿色，着生在枝梢；浆果黑色，有毒。欧亚瑞香（*D. mezereum*）为稍高大的灌木，高1.5米，落叶，花粉红色、有香味，浆果鲜橙色，整株植物都有毒。欧洲瑞香（*D. cneorum*）为耐寒的常绿藤本或地被植物，花粉红色，芳香。常见的温室栽培种有冬瑞香（芬芳瑞香，*D. odora*），有多个品种，花白色到紫色，密集簇生，香味浓郁。印度瑞香（*D. indica*）花红色，日本瑞香（*D. japonica*）花白色或粉紫色，两者均为温室常绿植物。

Daphnephoria 达佛涅弗里亚节 在希腊宗教中，每9年在比奥蒂亚的第比斯为阿波罗·伊斯美纽斯神（源自第比斯的伊斯美诺斯河）或阿波罗·卡拉齐乌斯神（冰雹之神）举行的一次节日。节日期间的游行以一个出身名门、父母双全的男孩为主要角色。走在孩子前面的是他最近的亲属，他们手持饰以月桂花、青铜球并绕以彩带的橄榄枝。跟在后面的是达佛涅弗洛斯（手持月桂者），即阿波罗·伊斯美纽斯的年轻祭司。树枝很可能就是五月柱之类的东西。达佛涅弗洛斯还要在阿波罗神殿献上一座青铜三脚祭坛。传说这一节日起源于向第比斯将领波列玛塔斯显示的幻象，幻象告诉他如果制定达佛涅弗里亚节，第比斯人将能在反对埃奥利亚人和佩拉斯吉人的战争中取胜。

Daphnia 溞属 水蚤（water flea）的一个常见属。

Daphnis 达佛尼斯 传说中的西西里牧人，牧歌的创造者。据传说，他是赫耳墨斯和西西里一个仙女所生的儿子，被牧人在月桂树（希腊语称达佛涅）丛中找到。他后来赢得一个仙女的爱情，但因不忠，被她弄瞎双眼。他试图吹笛唱牧歌借以自慰，但不久即死去，或被赫耳墨斯接上天去。据忒奥克里托斯的说法，达佛尼斯得罪了厄洛斯和阿佛洛狄忒，结果陷入没有回报的恋爱之中而致死，尽管对他同情的阿佛洛狄忒试图挽救他，但未成功。

Dapitan 达皮丹 菲律宾西棉兰老区直辖市和港口。临苏禄海达皮丹湾。是三宝颜半岛主要城镇之一。1963年设建制。经济以农业和渔业为主，椰仁干为最重要农产品。近年来，城市规划者试图发挥该地区风景优美和蔬菜鲜美的优势，将该市规划为生态旅游中心。1892年爱国志士J.黎刹被放逐至此，现仍保留其故居。人口68 168（2000）。

Dapsang（Jammu and Kashmir） **达普桑峰** 参阅 **K2 K2 峰**。

Daqahlīyah, ad- 代盖赫利耶 下埃及尼罗河三角洲东北部一省。临地中海。面积3 471平方千米。省会和最大城市为曼苏拉。境内有许多灌渠和运河，其中以塞吉尔运河最重要。北部为埃及的稻米主要产区。中部和南部盛产棉花。其他作物有玉米、小麦和车轴草。工业以农产品加工为主。有制造业和捕鱼业。1974年北部艾布马迪的天然气投产。设有开罗爱资哈尔大学所属研究所。1955年该省部分地区被划出，设立杜姆亚特省。人口4 223 655（1996）。

Daqing 大庆 又拼 Ta-ch'ing。中国黑龙江省辖地级市。中国最大的石油工业城市。位于哈尔滨与齐齐哈尔之间，地处松嫩平原中部。原名萨尔图（蒙古语意为多风的地方），是安达县的一片大草原，无山无河，多沼泽。原为牧场。1959年9月26日，松基3号探井喷出工业油流。发现油田，命名为大庆油田。1960年撤销安达县设安达市，1965年市县分置，1979年安达市改称大庆市。辖萨尔图、龙凤、让胡路、红岗、大同5区，及肇州、肇源、林甸3县和杜尔伯特蒙古族自治县。面积22 161平方千米，其中市区5 508平方千米。市政府、大庆石油管理局驻萨尔图。大庆油田自1976年起年产原油超过5 000万吨，约占中国原油产量的50%。是中国最大的石油产地，也是世界大油田之一。20世纪60年

大庆市公园
中国大百科全书出版社供图

代起，建有大型炼油厂、热电厂、大庆石油化工总厂。已形成采油、炼油、石油化工配套的石油工业体系。建材、乳品、纺织、酿造等工业也较发达。工业产值居全省第二位。大庆的文化教育事业发展迅速，并建有石油勘探、钻井、采油等方面的科研机构及大庆师范学院、大庆石油学院等。铁路滨洲线、通让线交会于此。有输油管道通往大连、秦皇岛和北京。人口：全市2 610 000（2005）；市区1 180 000（2004）。

Daqing He 大清河 中国海河五大支流之一。在河北省中部。全长448千米，流域面积3.96万平方千米。分南北两大支：北支以拒马河为主，源于涞源县的涞山，经紫荆关至张坊分为南拒马河和北拒马河。北拒马河东流汇白石河为白沟河；南拒马河经定兴、容城至白沟镇与白沟河汇而为一，流向东南。南支是由唐河（滱水）和潴龙河水系汇入白洋淀，后东流称为赵王河。赵王河和拒马河至文安县新镇汇合后始称大清河。大清河流至第十六堡附近与子牙河汇合，经西河闸至天津入海河。沿大清河两岸分布白洋淀、东淀、文安洼等淀洼，可调节洪水。上游有王快、西大洋等水库拦洪蓄水。下游通过新开掘的独流减河引洪水直接入渤海。

Daqing Yitong Zhi 《大清一统志》 英语作 Great Qing Gazetteer。中国清代官修地理总志。共修纂三次：①修于康熙二十五年（1686）至乾隆九年（1744）。内容按首京师，次直隶、各省、外藩及朝贡诸国次序编排。除京师外，每省均先立统部，冠以图、表，首分野，次建置沿革、形势、职官、户口、田赋、名宦。省以下各府和直隶州亦冠以图、表，下分分野、建置沿革、风俗、城池、学校、户口、田赋、土产等21门。自清朝开国之初，历叙至乾隆八年。共342卷。②修于乾隆二十九年至四十九年。共424卷（合子卷为500卷）。俗称"乾隆《大清一统志》"。③修于嘉庆十七年（1812）至道光二十二年（1842）间。定名为《嘉庆重修一统志》，共560卷，内容、体例、考订均更加完整精详，是研究中国历史地理的重要参考书。

Daqīqī 达吉基（？～约976至981，伊朗图斯） 全名艾布·曼苏尔·穆罕默德·伊本·艾哈迈德·达吉基（Abū Manṣūr Muḥammad ibn Aḥmad Daqīqī）。早期波斯诗坛最重要人物之一。生平不详。作为颂诗作者，他写过歌颂

萨曼王朝君主的诗歌和许多抒情诗,但主要是由于一首未完成的介绍拜火教和取自波斯古代神话英雄光辉业绩的叙事诗而为人们所景仰。他为最伟大的诗人菲尔多西铺平了道路,后者在他的《王书》中收有达吉基的诗句。达吉基虽然未能完全获得波斯诗坛韵律和风格的开创者的荣誉,但他确实为之做出了伟大的贡献。他是被一个土耳其奴隶暗杀身亡的。

Daquin, Louis-Claude 达坎(1694-07-04,巴黎～1772-06-15,巴黎) 法国拨弦键琴家、管风琴家和键盘音乐作曲家。作品温柔动人,演奏精确灵巧。达坎是一名神童,6岁时,曾为路易十四演奏。12岁已是专职管风琴师。1739年任皇家礼拜堂管风琴师。其《拨弦键琴乐曲第一集》出版于1735年,其中包括他最著名的作品《布谷鸟》。还出版了一本《管风琴与拨弦键琴圣诞颂歌集》。

D'Aquino, Iva Toguri 户栗郁子(1916-07-04,洛杉矶～) 英文译名达基诺,别号东京玫瑰(Tokyo Rose)。母家姓Ikuko Toguri。第二次世界大战期间日本向美军广播的美籍日人播音员。战后于1949年9月被判犯有叛国罪,判刑10年,罚款1万美元。因表现良好,服刑6年后获释。1977年1月福特总统予以赦免。她于1941年毕业于洛杉矶加利福尼亚大学。1941年7月因姑母患病回到日本。珍珠港被炸、美国参战时,流落日本,被当作敌侨。1943年11月开始为英语广播宣传节目《零点》播音。是被统称为"东京玫瑰"的13名女播音员之一。后来查明,她在东京时拒绝加入日籍,在东京广播电台谋得一份工作,遇到被迫编写英语广播稿的一澳大利亚和一美国战俘,他们曾秘密策划破坏这一广播节目,为此户栗郁子去做播音员。福特总统认定她受误判,故予赦免。

DAR(U.S. organization) 参阅 **Daughters of the American Revolution 美国革命女儿**。

Dār al-Bayḍā', ad-(Morocco) **达尔贝达** 参阅 **Casablanca 卡萨布兰卡**。

Dar es Salaam 达累斯萨拉姆 坦桑尼亚政府所在地、最大城市、工业中心和主要港口。气候湿热,年降雨量1 100毫米。创建于1862年。1887年德国的东非公司在此建

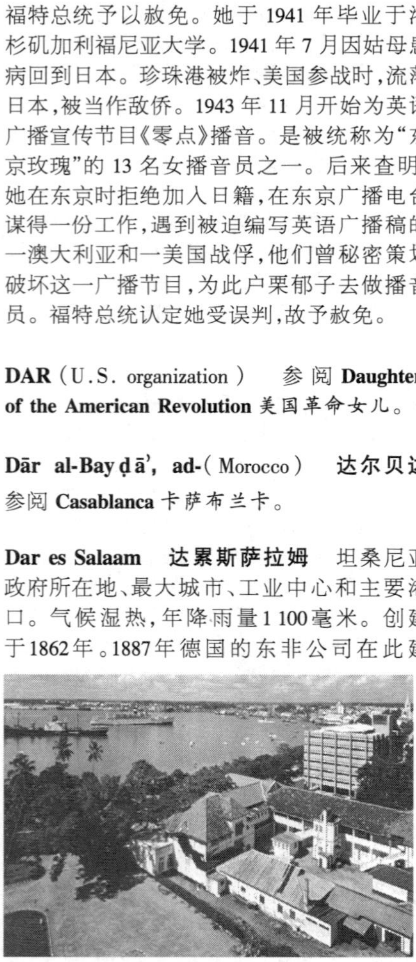

达累斯萨拉姆市的港口
美国不列颠百科全书公司供图

立锚地。1907年成为主要铁路干线的起点。1891～1916年为德属东非的首府。1961～1964年为坦噶尼喀首都,后来为坦桑尼亚首都。在向新首都多多马转移前,自1974年起一直为坦桑尼亚政府所在地。现在是向西通往坦噶尼喀湖畔的基戈马的铁路和向北通往维多利亚湖畔的姆万扎的铁路的终点站。第二次世界大战后城市迅速扩展,兴建了现代化的多层建筑,包括综合性医院、技术学院和高等法院。设有达累斯萨拉姆大学(1961年建成大学学院,1970年升格为大学)、若干所图书馆和研究所,还有国家博物馆(其收藏品中有玛丽·利基1959年在奥杜威峡谷发现的175万年前的人的头盖骨)。达累斯萨拉姆港是坦桑尼亚输出农产品和矿产品的主要港口,也是刚果河物产的转运港。1975年建成的坦赞铁路把赞比亚与达累斯萨拉姆港连接起来。当地产品有肥皂、涂料、卷烟、食品、金属、玻璃器皿、纺织品、木雕和鞋靴。人口1 651 534(1995)。

Darʿā 德拉 又拼Derʿā。叙利亚西南部城镇,豪兰地区重镇。是靠近约旦边界的公路和铁路连结点及安曼、耶路撒冷、海法、大马士革间交通汇集点。当地无工业,是集市中心和要塞。该城有希腊-罗马时期遗址和1253年建造的清真寺。导致拜占廷军队被消灭和阿拉伯人占领叙利亚的耶尔穆克河决战(636)即在该城附近进行;也是第一次世界大战的战场之一。德拉为谷物生产中心(特别是小麦和大麦)。20世纪末叙利亚政府在德拉及其周边地区启动了一些改进农业产量的项目。引进改良的耕种方式,并移走妨碍种植的火山岩。人口180 093(1994)。

Dārāb 达拉卜 伊朗西南部城镇。海拔约1 200米,在一个水源充足的盆地中。冬季气候温和,产水果、谷物、棉花和烟草。附近低地为巴哈鲁族的冬季牧场。盐矿占重要地位。现在的达拉卜城在古代达拉布吉德城遗址的东北。达拉卜的主要遗迹属于萨珊王朝,萨珊城的布局为圆形,直径1.6千米,中心的岩石上建有城堡和四个城门。人口33 718(1986)。

darabukka 达拉布卡鼓 又拼darbuka。高脚杯形小鼓,在伊斯兰古典音乐和民间音乐中(尤其在北非和土耳其)广泛使用。通常用陶土或木制成,或竖拿,或侧放,或置放腋下。演奏时用两手敲击单面的边缘和中心,是亚非的多种高脚杯形鼓之一。H.柏辽兹在其歌剧《特洛伊人》(1855～1858)中,D.米约在其《交响组曲》(1932)中,均曾采用这种鼓。

Darányi, Kálmán 道拉尼(1886-03-22,布达佩斯～1939-11-01,布达佩斯) 匈牙利政治人物,任总理(1936～1938)期间,政界右翼分子在第二次世界大战前的匈牙利影响日益增加。1909年获法学学位后,开始在地方政府工作。第一次世界大战结束时参与推翻共产党短期统治的活动。联盟党党员。1927年选入国会。1935年在亲法西斯内阁中任农业部长。1936年任总理。继续执行亲德、亲意的外交政策。对内则实行新闻检查,采取反犹措施。1938年辞职,后任国会主席。

Darazī, Muḥammad ibn Ismāʿīl ad- 达拉齐(?,突厥斯坦布哈拉～1019或1020) 伊斯兰教伊斯玛仪派宣教师。他大概至少有部分突厥血统,1017或1018年从布哈拉到埃及宣讲伊斯玛仪派教义。博得法蒂玛王朝哈里发哈基姆的宠信,与哈姆扎等人一起提出尊哈基姆为神的教义。哈基姆力促人们相信他是神,达拉齐在开罗主要清真寺宣布这一教旨,遂即引起骚动,他可能因此而死。德鲁兹教派因达拉齐而得名,尽管首先组织该派的是哈姆扎。

Darbār Sāhib(temple) 参阅 **Harimandir 圣堂**。

Darbhanga 达尔彭加 印度比哈尔邦北部城镇。位于巴格马蒂河东岸。为铁路公路枢纽。农产品、杧果与鱼类贸易中心。有碾米、黄麻纺织、制糖和鞋带制造业。1864年设建制,有格梅什瓦拉·辛格·达尔彭加梵文大学和一座博物馆。达尔彭加地处大平原,有沼泽和湖泊。谷物、油菜籽、烟草、甘蔗和杧果为重要农产品。人口218 391(1991)。

Darboux, (Jean-) Gaston 达布(1842-08-14,法国尼姆～1917-02-23,巴黎) 法国数学家,在几何学和解析学方面有重要贡献,达布积分就以他的姓氏命名。先在巴黎法兰西学院任教(1866～1867),后又在路易大帝中学(1867～1872)、巴黎高等师范学校(1872～1873)及巴黎大学(1873～1890)任教。他是优秀教师和著名数学家,此外,还是一个很能干的行政人员。他的数学著作几乎全是几何学方面的。在他早期关于正交曲面的论文(1864～1866)发表后,写了关于二阶偏微分方程的论文(1870),其中蕴含了一种新积分法。在《论异常曲线和代数曲面的类及虚数理论》(1873)中,发展了称为四次圆纹曲面的理论。最重要的著作之一《曲面一般理论和微积分的几何应用教程》(4卷,1887～1896)论述了微分几何,并总结了他以前绝大部分的研究成果。1898年发表《正交系和曲线坐标教程》。另外,还写了关于函数的逼近、不连续函数、动力学等数学课题的论文和报告。

darbuka(drum) 参阅 **darabukka 达拉布卡鼓**。

Darby, Abraham 达比(1678?,英格兰伍斯特郡达德利附近～1717-03-08,伍斯特郡梅德利库尔特) 第一个用焦炭熔炼铁矿石成功的英国铁器制造商。他在布里斯托尔曾用焦炭熔炼铜,1708年建立布里斯托尔制铁公司。他在塞文河畔科尔布鲁克代尔靠近低硫煤供应地购得房地产。1709年他用燃烧焦炭的炉子生产了商品铁,他所建造的、比使用木炭的要大得多的炉子(木炭太脆弱,不能支承炉料重载),立刻显示出焦炭在成本和效率上的优越性。达比炼出的铁质地优良,可制成薄铸件,在制造铁锅和其他空心器皿等用途上能成功地与黄铜竞争。1712年T.纽科门蒸汽机的出现,为铁的应用开辟了一个重要的新市场。1758年达比的大儿子(1711～

1763)继业时，在科尔布鲁克代尔已铸造了100多个纽科门汽缸。1779年，达比的孙子(1750～1791)在科尔布鲁克代尔建造了世界上第一座铁桥。1802年，科尔布鲁克代尔铁厂为英国工程师和发明家R.特里维西克制造了第一台高压锅炉火车头。

Darchan(Mongolia)　参阅**Darhan**达尔汗。

Darcy, Henri-Philibert-Gaspard　达西(1803-06-10，法国第戎～1858-01-03，巴黎)法国水利工程师，最先导出控制均匀多孔介质中液体层流的基本方程(达西定律)，从而奠定了地下水文学的理论基础。在巴黎学习后回到家乡第戎市，承担城市供水系统的设计和建造。在这项工程中，进行了管道水流试验，证实了水流阻力决定于管道材料内表面的粗糙程度，而过去并未考虑过这个因素。为采用砂滤水净化法，又研究了管道被沙填满时的一些情况。达西定律就是根据实验中所收集的资料导出的。"达西"为多孔介质渗透率的标准单位。

Darcy, Thomas Darcy, Lord　达西(约1467～1537-06-30，伦敦)　英格兰有权势的贵族。他反对英格兰脱离教皇管辖，卷入反对亨利八世的宗教政策的叛乱。亨利七世时期担任过军事和外交方面的职务，1504(或1509)年晋升为贵族。1511年率兵去西班牙协助斐迪南和伊萨贝拉镇压摩尔人。1513年亨利八世远征法国时，他参加对泰鲁昂纳的围攻。1529年他转而反对他以前的朋友大法官T.沃尔西枢机主教和亨利八世的政策，坚持认为只有教皇才有权就婚姻问题作出裁决。1535年他就大陆天主教强国入侵英格兰的可能与神圣罗马帝国皇帝查理五世的使节通信。1536年10月北方发生所谓"求恩巡礼"叛乱。他把所防守的约克郡庞蒂弗拉克特城堡拱手让给叛乱首领R.阿斯克。亨利怀疑他叛国，他在伦敦受审后被斩首。

Darcy's law　达西定律　法国水利工程师H.达西发现的(1856)、支配地下水在颗粒介质中或其他液体在渗透物质(如石油流经砂岩或灰岩)中流动的数学关系。它是地下水流动计量工作的基础。关系式的最有用的推导式之一是：流经含水层一定断面面积的水量，等于排水的断面面积、水力梯度(单位长度内水头的变化)与渗透系数的乘积，以算式表示就是 $Q_d = PIA$。式中 Q_d 为每日排水量，P 为渗透系数(即每日流过每单位断面面积的水量)，I 为水力梯度，A 为排水的断面面积。

Dard languages　参阅 **Dardic languages** 达尔德诸语言。

Dardanelles　达达尼尔海峡　旧称赫勒斯滂，土耳其语作Çanakkale Boğazi(恰纳卡莱海峡)。土耳其西北部沟通爱琴海和马尔马拉海的狭窄海峡。全长38英里(61千米)，宽0.75～4英里，位于欧洲加利波利半岛和小亚细亚大陆之间。平均水深180英尺(55米)，中部最狭处最深，达300英尺。水面有一股从马尔马拉海流向爱琴海的急流，另有一股补偿性潜流带回更多盐水。沿岸重要港口有加利波利(盖利博卢利曼尼)、埃杰阿巴德和恰纳卡莱。两岸矗立着许多著名城堡。海中有多种回游于黑海和爱琴海之间的鱼类。公元前480年波斯国王薛西斯一世用船搭浮桥渡过此峡，希腊国王亚历山大大帝于公元前334年出征波斯，也以此法渡过海峡。第一次世界大战中，有一艘英国潜艇穿过水雷区，在博斯普鲁斯海峡入口处击沉土耳其战舰，但协约国始终未能占领该海峡。达达尼尔海峡因系经地中海进入伊斯坦布尔和黑海的门户，一直具有重要的战略地位和经济地位，且具有重要的国际政治意义(参阅**Straits Question**)。

Dardanelles, Treaty of the　《达达尼尔海峡条约》　参阅 **Çanak, Treaty of**《恰纳克条约》。

Dardanelles Campaign　达达尼尔海峡战役(1915-02～1916-01)　第一次世界大战中，英、法对土耳其采取的一次军事行动，旨在夺取61千米长的达达尼尔海峡，并攻占君士坦丁堡。1904～1911年间，英国政府曾考虑过这类冒险计划，而陆、海军都表示反对。1914年11月初协约国与土耳其开战时旧事重提，并认为这是一次危险的但有可能取胜的军事行动。1915年1月2日英国政府响应俄军统帅尼古拉大公的吁请，为了减轻俄国人在高加索一线所受的压力，同意出兵土耳其，并选定达达尼尔海峡作为攻击目标。这次陆、海军联合行动，受到当时的海军大臣W.丘吉尔的积极支持。1月28日，达达尼尔海峡委员会曾决定单独使用逾龄战舰攻打海峡。2月16日，由于认识到不控制两岸，舰队就无法通过海峡，遂改变决定。I.汉密尔顿将军指挥的一支大军集结于埃及，法国政府也派来一支小部队。海军火炮于2月16日开始轰击，但受阻于恶劣气候，直到2月25日始恢复炮击。海军陆战队的爆破组登陆时几乎未遇抵抗，但同样受阻于恶劣气候。3月18日继续炮击。然而，当3艘战舰被击沉以及另外3艘被击伤以后，海军放弃进攻，并得出结论说，没有陆军协助，舰队难以取胜。于是，运兵船开到利姆诺斯岛外，并于1915年4月25日开始联军分两处登上加利波利半岛。滩头部队被杰出的M.凯末尔率领的土耳其援军所阻击。大批英国及自治领部队相继投入战斗，但进展不大。8月6日，再次在西部海岸登陆，开始尚有进展，未几即遭阻截。到了1915年9月，形势十分明显，除非再大量投入援军，无法取得决定性胜利。英国政府决定召回汉密尔顿，以C.门罗中将取代之。门罗建议撤回部队，放弃这一行动。到11月，陆军大臣基钦纳勋爵亲赴战场视察之后，支持这一建议。这次困难重重的撤退系分阶段进行，于1916年1月9日顺利完成。总共有相当于16个师的英国、澳大利亚、新西兰、印度和法国部队参加这次战役。除了逾龄战舰遭受重创之外，英帝国伤亡213 980人。就牵制大批土耳其部队以减轻俄国一线之压力而言，此次战役是成功的。但其所以未取得决定性胜利，是因指挥不当，贻误战机，未能出奇制胜，而且部队缺乏实战经验、装备太差以及弹药严重不足，等等。此一战役在政治上影响极大。全世界得到的印象是协约国军事上无能。撤军决定作出之前，H.阿斯奎斯的自由党政府改组成以他为首的联合政府。强烈支持这次军事冒险的W.丘吉尔从政府中辞职，去法国在一个步兵部队当指挥官。最终，此次战役加速了阿斯奎斯下台，D.L.乔治首相于1916年12月取代了他。

Dardanus　达耳达诺斯　据希腊传说，他是宙斯和七姐妹之一厄勒克特拉的儿子。神话中赫勒斯滂特洛伊城的创立者。特洛亚得的特洛伊人的祖先，又通过埃涅阿斯而成为罗马人的祖先。传说他杀死自己的兄弟雅西乌斯(或雅西翁)之后，从阿卡迪亚越海逃往萨莫色雷斯岛。该岛发生水灾时，他又逃到小亚细亚特洛伊周围的特洛亚得地区。他受到弗里吉亚统治者透克洛斯的热情接待，娶他的女儿巴泰娅为妻，并成为特洛伊王朝的奠基人。

Dardic languages　达尔德诸语言　又作Dard languages，Pisaca languages或Pisacha languages。又称皮萨卡诸语言。系印度-伊朗诸语言中彼此关系极为密切的一个语群。通行于巴基斯坦、克什米尔和阿富汗。达尔德诸语言分为三个分支：卡菲尔语或西部达尔德语、科瓦尔语或中部达尔德语(通行于巴基斯坦西北部吉德拉尔县)以及东部达尔德语(包括辛纳语和克什米尔语)。有些学者用达尔德语来指东部分支，而用皮萨卡语来指整个语群。达尔德诸语言在印度-伊朗语族中的确切位置尚无定论。有些学者认为达尔德诸语言源于尚未分化阶段的印度-伊朗语；有的则将东达尔德语及科瓦尔语两分支划为印度-雅利安语，而以卡菲尔语自成一支。克什米尔语是达尔德诸语言中唯一广泛流行的文学语言。东部分支诸语言(除希纳语外)因受印度-雅利安语的影响而变化巨大。达尔德诸语言的语音系统与其他印度-伊朗诸语言不同，并保留了吠陀梵语之后在印度及伊朗消失的许多词汇。

Dardistān　达尔迪斯坦　巴基斯坦北部与克什米尔北部达尔迪人居住区的传统名称。包括吉德拉尔、本杰科拉河上游、斯瓦德科希斯坦(高地)，以及吉尔吉特专区的北部。普林尼(老)、托勒密和希罗多德等古典历史学家都提到过达尔迪人(达拉达人、达拉德拉人或德达人)，说他们是雅利安种，曾从旁遮普平原上溯印度河河谷，最远到达北方的吉德拉尔。他们在14世纪改奉伊斯兰教，说3种不同的吉尔吉特方言：克霍瓦尔语、布鲁沙斯基语和希纳语。用波斯字母书写。

Dare, Virginia　戴尔(1587-08-18，罗阿诺克岛～?)　在美洲出生的第一个英格兰孩子。因为她是第一个在弗吉尼亚出生的基督教徒，所以取名弗吉尼亚。父亲是A.戴尔。母亲埃莉诺是罗阿诺克殖民地总督J.怀特的女儿。戴尔一家在1587年5月8日离开英格兰到美洲定居的117个人之内，属于W.雷利爵士所资助的远征队。雷利原来企图在切萨皮克湾地区建立居民点，但是远征队所乘船只“狮子”号的船长却让乘客们在罗阿诺克岛登陆。以前有人在此进行殖民冒险，但未成功。除了出生的情况外，V.戴尔的生平依然是一个谜。她出生后9天，即1587年8月27日，她的外祖父怀特总督便离开殖民地前往英格兰，以罗阿诺克代表的身份为殖民地争取进一步的援助和支持。他于11月到达英格兰，当时英格兰正要与西班牙交战。直至1590年8月，怀特才带领一个救援队回到罗阿诺克。他找不到移民的踪影，只发现一根柱子上刻有croatoan的字样。年幼的V.戴尔也与罗阿诺克的所有移民一起失踪。

Dares Phrygius **达勒斯（弗里吉亚的）** 特洛伊的赫费斯图斯祭司，荷马的《伊利亚特》中的人物之一，传说他在荷马之前以“亲眼目睹的”见闻记述特洛伊战争，但这一作品现已失传。拉丁语作品《弗里吉亚人达勒斯的特洛伊陷落史》，据说便是该作品的译文，它可能出现于公元5世纪。在讲拉丁语的西方，从罗马帝国崩溃到文艺复兴，当荷马的作品仅属传闻时，这部作品的影响就已十分巨大。中世纪有关特洛伊的传说多源自该书。参阅**Troy**。

Dareste de la Chavanne, Antoine(-Élisabeth-Cléophas) 达雷斯特（1820-10-28，巴黎～1882-08-06，法国吕斯奈莱艾克斯） 法国历史学家，以权威性巨著《法国史》（9卷，1865～1879）闻名。毕业于巴黎文献学院。1847年在格勒诺布尔大学、1849年在里昂大学任历史学教授，后任里昂大学校长。著有《法国行政史》（2卷，1848）、《法国农民阶级史》（1853）和《法国王朝复辟史》（2卷，1879）。

Daret, Jacques 达雷（约1404，法国图尔奈～约1470） 法兰西文艺复兴早期画家，作品深受佛兰德斯大师的影响，仅1433～1435年的一组作品为人所知。达雷接受佛兰德斯现实主义，而又有所变化。后主持图尔奈的画家协会。其风格可在所作祭坛画中看到。他同时还是插图画家、漫画家。

Darfur 达尔富尔 历史上的比拉德苏丹地区，东接科尔多凡，西迄瓦代，南至加扎勒河，北达利比亚沙漠，大体相当于今苏丹共和国最西部分。史前时期，这一地区的北部居民就与王朝统治以前的尼罗河流域人民有密切关系。约公元前2500年起，埃及商队从阿斯旺前来经商。传说第一代统治者为达朱或达古。他可能与古埃及有某种联系。当时达尔富尔既与新王国时期的埃及，又与库施王国的一些城镇进行贸易。达尔富尔的基督教时期从900至1200年，后来从卡内姆-博尔努王国传来伊斯兰教。达尔富尔1664年首见于史书记载。约1640～1916年，达尔富尔的统治者是凯拉人的主要氏族，但他们在此期间也逐步黑人化，成为达尔富尔人。在19世纪70年代，达尔富尔成为埃及一省。达尔富尔人曾多次起义，都被埃及人镇压下去。1881年由鲁道夫·卡尔·斯拉廷任省督。他虽然抗击苏丹政治领袖马赫迪的军队，但终于在1883年12月投降。此后，达尔富尔便并入苏丹的版图。1898年马赫迪的继位人阿卜杜拉被推翻后，苏丹的英埃共管政府承认阿里·迪纳尔为达尔富尔的苏丹（1899）。1916年达尔富尔成为苏丹的一个省，后又划分为南、北达尔富尔两省。达尔富尔为一片地势起伏的平原，面积44万平方千米。北部主要为阿拉伯人，南部则多为阿拉伯人和富尔人。中部的马拉高地雨水多，可种植谷物和水果，北部干燥地区饲养骆驼、绵羊和山羊。传统手工艺有皮革、木材和地毯制作。20世纪80年代末阿拉伯游牧民族和富尔等农业民族的冲突升级为武装冲突。2003年农业民族袭击政府，政府成立阿拉伯民兵组织回击农业民族。一年之内数以万计的人们（以富尔和其他农业民族为主）丧生，数十万人逃往附近乍得的难民营。

Dargomyzhsky, Aleksandr (Sergeyevich) 达尔戈梅日斯基（1813-02-14，俄罗斯图拉附近～1869-01-17，圣彼得堡） 俄国歌曲、歌剧作曲家。幼年学习小提琴、钢琴，并尝试作

美国不列颠百科全书公司供图

曲。1833年结识M.格林卡后开始作曲。1839年完成第一部歌剧《埃斯梅拉达》，于1847年演出。随后又写两部歌剧：《酒神巴克斯的胜利》（1845年创作，1867年演出）和《鲁萨尔卡》（根据普希金原著，1856年演出）。在歌曲中发展一种独特的幽默与讽刺风格。他的管弦乐《芬兰幻想曲》、《哥萨克舞曲》和《凶恶女魔》等在和声方面很有独创。1866年以后，他努力发展具有戏剧真实性的俄罗斯民族音乐，把普希金的剧本《石客》谱写成一种适合朗诵的音乐散文，整段整段的音乐用全音音阶调式创作，引起M.巴拉基列夫及其小集团，特别是M.穆索尔斯基的兴趣。达尔戈梅日斯基去世后，此曲由C.居伊完成，里姆斯基-科萨科夫配器。

Darhan 达尔汗 又拼Darchan。蒙古人民共和国北部城镇。在乌兰巴托西北。有大型工业联合企业，是蒙古最大的工业中心之一。生产混凝土构件、石灰、水泥、砖和木、钢制品。其他行业有食品加工、车辆修理以及毛纺织品、地毯、加工羊皮和服装业等。有火力发电站向苏赫巴托尔和乌兰巴托以及当地工业供电。人口约85 800（1989）。

Dari language 达里语 印度-伊朗语族伊朗语支语言，跟普什图语一样为阿富汗两种官方语言之一。达里语是阿富汗法尔斯语（波斯语）的方言，用修改过的阿拉伯字母书写，有许多阿拉伯语和波斯语借词。它的句法同法尔斯语的区别不大，其重音不像法尔斯语那样显著突出。达里语以后缀 -ra 作为定语标志。元音系统与法尔斯语有区别，另有附加辅音数个。阿富汗有1/3人口，即约500万人操达里语。它也是塔吉克人、哈扎拉人、恰哈尔艾马克人所操的语言。作为阿富汗境内操不同语言者之间的交际工具，达里语比普什图语使用得更为普遍。

Darién 达连 巴拿马东部和巴拿马地峡最东部的历史地区，一直延伸至哥伦比亚西北部的乌拉瓦湾附近，形成中美洲和南美洲的连接点。为炎热潮湿的热带雨林区，一向人口稀少。1501年才开始有人到达此地，两年后哥伦布在他最后一次航海时看到它。1510年在乌拉瓦湾西侧试建欧洲人在南美的第一个居民点，名为达连安提瓜圣玛丽亚区。1513年巴尔沃亚从这块日渐衰败的殖民地出发进行其著名的向太平洋进军一举。数年后，一些殖民者离开达连居民点去建立巴拿马城；最后，圣玛丽亚区被遗弃。另一次短命的殖民尝试发生在17世纪，当时一家苏格兰贸易公司在贝卢港和卡塔赫纳之间的半途中建起一个居民点。达连的主要城镇拉帕尔马，位于圣米格尔湾附近图伊拉河河口，尽管与巴拿马城有空运往来，仍然处于与世隔绝状态，1970至1980年间，人口减少。达连的种植园栽培玉米和水稻，还饲养牲畜，进行伐木和木材加工。

Darien 达里恩 美国康涅狄格州西南部费尔菲尔德县城镇。临长岛湾。约1641年设居民点，原为斯坦福市的一部分。1737年（米德尔塞克斯教会成立）建为独立社区。1820年设镇。镇公所有描绘英军和托利党人占领该镇（1781）逮捕M.马瑟牧师的壁画。现有许多纽约市上班族居住在此。威德家宅（1680）为最古老的建筑。人口19 607（2000）。

Darien 达里恩 美国佐治亚州东南部城市，麦金托什县县城（1818）。邻近大西洋岸边的奥尔塔马霍河入海处。1736年以J.M.莫尔为首的苏格兰人建造了达里恩要塞。1812年战争之后，由于外地对达里恩周围森林地区木材的需求，该市经济日趋繁荣。1816年设镇，1818年设市。达里恩银行创办于1818年，后成为州内最大的银行之一。南北战争中，“白人救世主”M.弗伦奇组成的“福音军”（黑人斗士）曾纵火焚城（1863-06-11）。城市经济以渔业、海鲜加工、零售业为主。留有一些沼泽地，在海岸附近建有研究机构。建有佐治亚海军大学。人口1 719（2000）。

Darién, Gulf of 达连湾 加勒比海最南端的三角形延伸部分。西南邻巴拿马，东和东南接哥伦比亚。内段称乌拉瓦湾，是哥伦比亚的卡里瓦纳角和蒂布龙角之间的一个浅湾。阿特拉托河三角洲伸入该湾。巴拿马海岸的喀里多尼亚湾畔有17世纪苏格兰殖民

地遗址、沉船和堡垒,它们都是考古学家在1979年发现的。

Darin, Bobby 达林(1936-05-14,美国纽约州纽约~1973-12-20,加利福尼亚洛杉矶) 原名Walden Robert Cassotto。美国歌唱家和歌曲作家,善于表演各个流派的曲目,20世纪50和60年代在美国流行乐坛很受欢迎。8岁时患严重风湿性心肌炎,医生预言他只能活到16岁。但死亡宣判却成了他实现理想和抱负的动力。50年代开始在纽约咖啡厅演唱,后录制唱片。1958年仅以12分钟就完成歌曲《泼溅水声》的创作,一举成名。1959年将《三便士歌剧》的插曲《街头艺人小调》改编为节奏强烈、气概豪迈的《麦克小刀》。尽管后来又创作了《飞越海洋》(1960)等一些热门歌曲,但《麦克小刀》仍然是他的代表作,为他赢得两项格莱美奖。60年代转到电影圈发展,曾获得过奥斯卡提名。他尝试过各种曲风,最后选中民谣摇滚。虽然与T.哈丁合作的影片《如果我是个木匠》(1966)轰动一时,但他在音乐上日益衰落。1973年死于心力衰竭。1990年人选摇滚乐名人堂。

Darío, Rubén 达里奥(1867-01-18,尼加拉瓜梅塔帕~1916-02-06,莱昂) Félix Rubén García Sarmiento的笔名。尼加拉瓜有影响的诗人、新闻记者和外交家。作为兴盛于19世纪末的西班牙-美洲现代主义文学运动的领袖之一,他通过在节奏、韵律和形象方面的实验使大西洋两岸的西班牙语诗歌恢复了活力并现代化。他发展出一种自成一格的诗风,由此开创了一种传统。

他早熟而多产,14岁起即以鲁本·达里奥为名发表诗作和关于爱情、英雄主义及冒险的故事。这些作品虽然形式上着意模仿,却表现出引人瞩目的生动的想象力。1886年,他离开尼加拉瓜开始持续一生的旅行生活。他曾在智利逗留并于1888年将他的短篇小说、描写性散文和诗作编为一集,在当地出版了他的第一本重要作品《蓝》。这一集子很快便在欧洲和拉丁美洲被公认为西属美洲文学一个新时期的先声。达里奥仅在不久前接触了法国高蹈派诗歌,而《蓝》代表了他将这一改变诗风的运动的信条用于西班牙语创作的努力。《蓝》的散文作品扬弃了西班牙传统文句中文法结构复杂的长句,而代之以简洁明了的句子。他的散文诗歌一般都是客观描写,而其题材往往富有异国情调,主要是法国和东方的古典神话。这本集子表现了作者“为艺术而艺术”的志趣,极少涉及日常生活。

他回到中美洲以及两次结婚(婚期均极短暂,第一次以妻子之死告终;第二次以分居结束)之后,1893年,他受聘任哥伦比亚驻布宜诺斯艾利斯领事,该城的大都市气氛使他的精神为之一振。青年作家们把他奉为他们的领袖,于是在他周围,现代主义成为有组织的运动。达里奥的第二部有分量的作品,《亵渎的散文》(1896)继续他在《蓝》中开始的革新的风格趋向,而对异国景色和人物则因受当时法国象征主义诗人的影响不再如实描绘而多以象征手法处理。这一作品是现代主义“逃避现实”阶段的一个高峰。

达里奥于1898年任布宜诺斯艾利斯的报纸《民族报》的记者去欧洲。他以巴黎和马霍卡为基地,为采访和外交使命广泛旅游欧洲大陆各地。此时,随着世界事变和他年事渐高,他的人生观起了深刻的变化。他对艺术王国以外的世界,如1898年西班牙战败后所谓的北美帝国主义的威胁,使用西班牙语的各国人民的团结,西班牙在“新世界”的帝国崩溃之后西属美洲的未来,以及历久常新的人类生存问题,无不极其关注。他的《生命与希望之歌》(1905)反映了他的这种关注,成为他技巧方面的实验以及他艺术上得心应手、挥洒自如的顶峰,一般认为是他的杰作。

1914年第一次世界大战爆发,达里奥离开欧洲时,身患疾病,经济窘迫。为了缓解囊中羞涩之苦,他从事一次北美的演讲旅行,但在纽约得了肺炎。他在回到本国后不久即逝世。

除了他的三部主要的诗文集是他的盛名的基石之外,达里奥还创作了近100篇短篇小说和故事,好几本诗歌、目光犀利的文学批评论文以及发表在《民族报》和其他各处的新闻专稿的集子。

以艺术上的得心应手和技巧的完美而论,达里奥被许多人认为是用西班牙文写作的最伟大的诗人之一。他在整个文学生涯中勇敢地从事许多诗的形式的实验。达里奥革新韵律之多,在西班牙文诗人中可称首屈一指。他的诗作抑扬顿挫,音调铿锵而文字优美。他极好地掌握协韵、音律结构。他的早期的轶事般和描写性诗歌,写外域他乡、神话以及富有异国情调的题材,富于情致;而后期收在《生命与希望之歌》中的诗作含有明显的哲学气息,流露出对生活的悲剧一面,有强烈的动人心魄的感受。

达里奥出版的西班牙文版作品颇多,有A.M.普兰卡特编辑的两卷本全集,1971年出版。L.肯普的英译本《诗选》(1965)有墨西哥作家O.帕斯写的前言和西班牙诗人F.G.洛尔卡、智利诗人P.聂鲁达对达里奥的赞辞。

Darius 大流士 古波斯语作Darayavaush。阿契美尼德王朝国王名。按年代顺序分列于后,并各以●为标记。

● Darius I 大流士一世(公元前550~前486) 波斯国王(公元前522~前486),阿契美尼德王朝最伟大的统治者之一,以其行政管理的天才和宏伟的建筑规划而闻名。安息省长希斯塔斯普之子。据希罗多德记载,居鲁士二世大帝(公元前559~前529在位)曾怀疑他参与反宫廷的阴谋。后来他作为侍卫,随居鲁士之子冈比西斯二世前往埃及。公元前522年冈比西斯卒,大流士赶往米底,在6家波斯贵族支持下杀死居鲁士的另一个儿子巴尔狄亚,宣称他自己为正统的阿契美尼德家族而恢复了王位。大流士最初并未得到普遍的承认,只得用暴力强制推行他的统治。他对巴尔狄亚的杀害激起广泛的反抗,特别是东方诸省。原统治家族的成员纷纷起兵,相继在苏赛纳、巴比伦尼亚、米底、萨加提亚和马尔吉安那建立独立政权。巴比伦尼亚两度造反,苏赛纳三举义旗。在波斯本土,一个叫瓦夏兹达的人自称巴尔狄亚,一时声势十分浩大。但这些起义都是自发的,互不协调,因此,尽管大流士手无重兵,他的手下诸将仍能将其一一平定。公元前518年大流士

公元前6世纪末至前5世纪初的大流士一世坐像浮雕
美国不列颠百科全书公司供图

巡幸埃及。在平定国内叛乱以后,他发动几次巩固帝国边界、阻止游牧部落入侵的战役。公元前519年他进攻里海东岸的西徐亚人,不出数载又到达印度河谷。公元前513年他征服色雷斯东部和盖蒂人,然后跨过多瑙河,侵入西徐亚王国的欧洲领土。但西徐亚的游牧人民在撤退时将家园焚毁一空,他因粮草不继,被迫停止进攻。这时,他的部下已经完全占领了色雷斯,夺取了爱琴海的利姆诺斯岛和伊姆罗兹岛。马其顿也望风投降。为了确保波斯对小亚细亚的希腊人的统治,他认为必须征服希腊。在西徐亚战役之前,大流士就已经派舰队去探察希腊沿海的情况。公元前499年,雅典和埃雷特里亚支持伊奥尼亚进行反对波斯的起义。大流士在平定起义之后,派他的女婿马多尼奥斯远征雅典和埃雷特里亚。但是,马多尼奥斯的舰队为风暴所毁(公元前492)。公元前490年戴蒂斯再次出征,踏平埃雷特里亚,并奴役它的人民。不过,在马拉松被雅典人击败。后来,大流士又准备进行第3次远征,但是壮志未酬就怏怏死去。他对波斯的伟大贡献是健全了国内的行政制度。他划分省区,确定各省每年的贡赋。他开始执行促进帝国贸易和商业的远大计划。他统一货币和度量衡,开辟海陆运输路线,打通从印度河河口至埃及的海上航道。他尊重帝国内各民族的宗教,在埃及整修许多神殿,允许犹太人重建耶路撒冷大教堂。公元前521年,他定都于苏萨,并以波斯波利斯为陪都。

● Darius II Ochus 大流士二世(?~公元前404,巴比伦[今在伊拉克]) 即奥库斯。波斯阿契美尼德王朝国王(公元前423~前404在位)。阿尔塔薛西斯一世之子。原任希尔卡尼亚总督,后从异母兄弟塞基狄亚努斯手中夺得王位。阿契美尼德王朝宫廷中,阴谋和腐化盛行。希尔卡尼亚和米底的叛乱,虽然迅速被镇压,却是不满他的统治的征兆。公元前413年雅典人在锡拉库萨(叙拉古)战败之后,大流士决定收复自公元前448

年起由雅典控制的小亚细亚一些沿海城市。公元前407年派他的儿子小居鲁士任小亚细亚驻军总司令。公元前405年，雅典军队在伊哥斯波塔米战役中被打败。大流士不久也因病死去。

● **Darius III 大流士三世**（？～公元前330，大夏） 又名科多马努斯。波斯阿契美尼德王朝末代国王（公元前336～前330在位）。出自王族旁系，由毒杀了前两任国王的宦官巴戈阿斯拥立为王。大流士要维护自己的独立时，巴戈阿斯又想杀他。但大流士迫其自饮毒酒而亡。公元前336年初马其顿王腓力二世派兵进入小亚细亚。7月腓力被刺身死。公元前334年春腓力之子亚历山大大帝越过赫勒斯滂海峡，翌年攻占小亚细亚的绝大部分，到达西利西亚，公元前333年秋在伊苏斯打败大流士。大流士丢下母亲和妻儿落荒而逃。他写信给亚历山大，表示愿以巨款赎回家属，并将女儿嫁给亚历山大。但亚历山大依然向美索不达米亚进军。公元前331年大流士一败涂地，逃往大夏，后被大夏总督贝苏斯杀死。

Darjeeling 大吉岭 又拼Dārjiling，藏语作Dorje-ling。印度东北部西孟加拉邦最北端的一座城镇。大吉岭位于加尔各答以北491千米。该城坐落在锡金邦内的喜马拉雅山一条狭长的山脊上；此处的山脊至大伦吉德河河床，山势呈陡降状。该城海拔约2 100米。晴天在大吉岭上可以观赏干城章嘉峰（8 586米）的壮丽景色，也可见到额非尔士峰（珠穆朗玛峰）。大吉岭之名意为“雷电之乡”。作为著名的山区游览地，大吉岭有通往加尔各答的公路、铁路及航空线。此城系1835年向锡金首领购买而得，后发展成为英军休养地。1850年曾建为自治城镇。焦拉斯塔有林荫路，是该城的主要商店区和最吸引人的散步场所。城内最高点为天象山（2 175米），山顶有马哈卡尔寺，为印度教及佛教共同的圣地。伯奇山有一天然公园及一所登山运动学院。1865年建立了劳埃德植物园。除了这些景点之外，大吉岭还有一所动物园、一所自然历史博物馆、一个跑马场和几家医院。城内的北

大吉岭镇的迪尔德汉庙
美国不列颠百科全书公司供图

孟加拉大学成立于1962年，该大学在城内有若干附属学院，包括一所医学院。大吉岭所在的地区雨量充足，由于海拔高度不同而气候变化很大，由热带气候至亚高山气候。当地的针叶树森林及橡树森林均能生产有价值之木材。当地经济主要以茶为基础。从达赖平原到海拔1 800米山坡之间有茶种植园。其他作物有水稻、玉米、豆蔻和小麦。人口：镇73 062（1991）。

Dark Ages 黑暗时代 西欧历史的中世纪早期。具体地说，这一术语指476～800年西方没有罗马（或神圣罗马）帝国皇帝的时代，或者更通常地指约500～1000年战乱频仍和实际上没有城市生活的时代。历史学家们现在很少使用此词，因为它含有主观的价值判断在内。虽然有时使用此词是由于对那一时期的情况知道的太少，表示不了解的意味，但它一般含有贬义，即指一个文化愚昧和野蛮的时期。参阅 **Middle Ages**。

dark nebula 暗星云 密度大到足以使远方恒星的光度显著变暗的星际尘埃和气体（参阅 **nebula**）。暗星云的实际或目视大小以及吸光程度很不相同。穿经暗星云的星光会被散射、红化并产生偏振。20世纪初以前，人们以为暗星云可能是空间中的“洞”或“隧道”，因为在该处没有恒星。美国天文学家E.E.巴纳德和德国天文学家M.沃尔夫的照相研究证明了吸光暗星云确实存在。

darkling beetle 拟步甲 鞘翅目拟步甲科昆虫，约12 000种。一般体短，呈黑色，但有的具鲜艳斑纹。有夜行性，故英文名为“夜行虫”。各大洲均有，但在温暖、干燥的地区

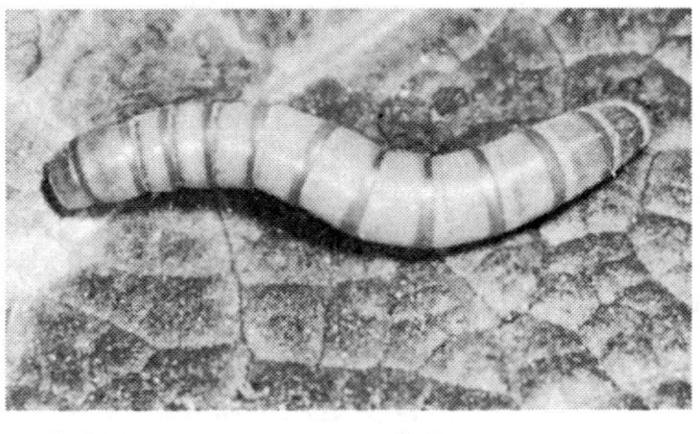

大黄粉虫（*Tenebrio molitor*）幼体
美国不列颠百科全书公司供图

较常见。多食干燥的腐败的植物或动物组织。有的钻木，有的食其他动物的幼虫或生活在蚁巢中。体长2～35毫米，扁形到圆柱形。幼虫约25毫米长，圆柱形。粉虫属（*Tenebrio*）幼虫用作鸟和鱼等宠物的饲料。但粉虫和形体较小的杂拟谷盗（*Tribolium confusum*）都是干燥食品的害虫。在约公元前2500年的一个埃及古墓的粮食罐内曾发现杂拟谷盗的遗体。杂拟谷盗能在各种实验条件下大量饲育，所以也用作种群生态学、遗传学和行为学研究的实验材料。分叉蕈甲（角拟步甲，*Bolitotherus cornutus*）的头上有一对钝的角状突，成虫体长10～12毫米，黑色，鞘翅似一片树皮。幼虫生活于木质的托架菌中。伪金针虫（*Eleodes*）大而光滑，无后翅；在干燥地区两鞘翅愈合以减少体内水分的蒸发。受惊时举起体后部分泌一种难闻的油状液，以为防御。

Darlan, François 达尔朗（1881-08-07，法国内拉克～1942-12-24，阿尔及尔［阿尔及利亚］） 法国海军上将。第二次世界大战期间，达尔朗是P.贝当元帅的维希政府中的主要人物。1902年毕业于法国海军学校。1929年成为海军少将，继而升为海军中将、海军

美国不列颠百科全书公司供图

上将。1939年6月升任海军元帅。1936年起任海军参谋长，1939年8月起任海军总司令。1940年6月法国败于德国后，达尔朗参加贝当政府，于1941年2月至1942年4月任副总理兼外交部长。嗣后，他辞去内阁职务，于1942年成为（维希）法国全国武装部队总司令。1942年11月8日盟军在北非法属摩洛哥和阿尔及利亚登陆，此时达尔朗正在阿尔及尔。他说服当地维希法国的部队让盟军继续登陆，不进行抵抗。随后他与盟军签订休战协定。根据该协定，他的北非部队归自由法国指挥。1942年12月他被一个反维希刺客暗杀。

Darley, George 达利（1795，爱尔兰都柏林～1846-11-23，英格兰伦敦） 英国诗人和批评家。生前不受重视，20世纪才有许多作家称赞他，认为他的未完成抒情史诗《解愁药》（1835）强烈地吸引人们进入一个象征性的梦幻世界。1821年在伦敦成为自由投稿作者，为文学刊物《伦敦杂志》和其他杂志写稿，同时发表了一系列不成功的作品。他最大的成就是他所编的数学课本。

Darling, Flora Adams 达林（1840-07-25，美国新罕布什尔兰卡斯特～1910-01-06，纽约州纽约） 婚前名Flora Adams。美国作家，历史学家和组织者。在“美国革命女儿”等爱国团体的创立初期，是个有影响但有争议的人物。1860年与E.I.达林结婚。丈夫于南北战争期间亡故。经过一番艰辛，她终于回到北方。先是在华盛顿工作，80年代开始写作，出版了《达林夫人书信，或南北战争的回忆》（1883），《动人的倔强女人》（1889），《南部邦联参议员阿森斯》（1889），《裁定公平吗？》（1890）等，并为各种杂志撰写一些浪漫色彩和耸人听闻的小说。1890年，她是“美国革命女儿”的创始人之一，被选为负责组织的总会长。后来她一直声称她和两个朋友在几个月前就提出了这个组织的设想，是她号召举行十月会议的。该组织的官方历史对此则有不同意见。她的组织才干在最初几个月得到了充分发挥。后出版了《战争插曲，或达林主张与美国之争》（1900），她自己有关“美国革命女儿”争论的描述《创建“美国革命女儿”和“革命女儿”》（1901），诗集《1607～1907：弗吉尼亚的记忆》（1907）和《参议员的女儿》（1907）。

Darling, Grace 达林(1815-11-24,英国诺森伯兰班堡～1842-10-20,班堡) 全名Grace Horsley Darling。英国女英雄,以救助海难幸存者闻名。灯塔看守人之女,1838年9月,“福弗尔号”轮船遇暴风沉没后,她成为举国瞩目的焦点。有9人挣扎至附近礁石避难,她和父亲不畏风暴划船前往救援。这一事件唤起了许多人创作诗歌、绘画和歌曲的灵感,使她简直成为众人崇拜的人物。因患结核病突然去世后,葬于班堡教堂墓地,人们为她立了一块装饰华丽的墓碑。附近是达林博物馆。

Darling, Jay Norwood 达林(1876-10-21,美国密歇根诺伍德～1962-02-12,艾奥瓦得梅因) 美国政治漫画家。在漫长的绘画生涯中,受到评论界广泛注意,并于1923年及1943年两次获得普利策奖。1900年毕业于威斯康星州贝洛伊特学院。后在报馆绘制漫画。1906年起成为得梅因《纪事报》的漫画家,直到1949年退休。1917年起,他的漫画由《纽约论坛报》及其所属的报业辛迪加发行。所画关于W.F.科迪(野牛比尔)之死(1917)和罗斯福总统之死(1919)的作品最为有名。第一次世界大战后,作画鼓吹国际联盟是世界和平的希望。是位积极活动的自然资源保护论者,1934年应邀担任美国生物调查会主席,为野生动物获得了资源保护基金和设置保护区的土地。1936年当选为全国野生动物联合会主席。1960年因保护自然资源有杰出贡献而荣获奥杜本勋章。J.M.亨利编的《丁恩的半世纪》(1962)中收有他的漫画。

Darling Downs 达令草地 澳大利亚昆士兰州东南部农牧区。西起大分水岭,南抵德梅里克河及麦金太尔河,大致在康达迈恩河盆地。为一面积约14 200平方千米的台地。为重要的小麦和乳品产区,亦产大麦、燕麦、黑麦、玉米、高粱和黍类。饲养的主要牲畜为牛羊、家禽和猪。有穆尼油气田,煤藏丰富。商业中心在图文巴。

Darling Range 达令山脉 澳大利亚西澳大利亚州大高原西缘陡崖或断层。北起穆尔河,南至布里奇敦,沿珀斯以东的西南海岸绵亘320千米。平均海拔250～300米,最高峰库克山海拔582米。当地产桉树木炭和木馏产品、生铁和铝土等。境内有约翰森林国家公园。

Darling River 达令河 澳大利亚墨累-达令河系中最长的河流。由源出大分水岭(东高地)的几条溪流汇成,靠近新南威尔士-昆士兰边界,离东海岸不远,向西南流经新威尔士州,于文特沃斯(在维多利亚边界上)汇入墨累河,离南澳大利亚州墨累河口241千米,全长2 739千米。达令河的主要源头通常认为是塞文河,塞文河以下依次为德梅里克河、麦金泰尔河、巴旺河,最后称为达令河。主流的下游支流有库尔戈阿、沃里戈、帕鲁、圭迪尔、纳莫伊、麦夸里和博根等河流,排水有涨有落,其后果即造成洪水和旱灾。由于达令河道大部流经大面积的盐碱草原,年平均降雨量不足250毫米,河水因蒸发所失去的水量多于从支流补充的水量,许多支流有时未能到达主流。有些情况是,分流离开主流后就消失在内陆盆地中。但是有些则流入盐浅滩,在多雨年份能形成河流,重新汇入母河。大安娜河(流离梅宁迪湖下方,注入墨累河)和塔利亚沃卡小溪(在威尔坎尼亚附近流离,在梅宁迪附近注入达令河下游129千米处)是这种汇合分流(即河流分离后又重新与主流汇合)的典型例子,全部达令河系统流域面积650 000平方千米,在梅宁迪处年平均放水量为102立方米/秒。该河平均倾斜度为每1千米落差16毫米。达令河的源头自1815年起逐渐由放牧人开拓。1828年新南威尔士州长拉夫·达令爵士派探测员斯特尔特去探查麦夸里河的下游水路。他凑巧先探测了博根河,然后于1829年初,探测了巴旺-库尔戈阿汇流成的达令主流。19世纪下半叶,该河在航行上很重要,但是现在水道运输早已被铁路所替代。250毫米冬季降雨线将达令盆地分为西部干旱或半干旱(草原)牧区和东部湿润农业区。325 000平方千米的牧区几乎全部归牧羊业者所有,每人拥有的土地都很大,足以实行放牧。只有达令河沿岸小片灌溉地区才有农业;威尔坎尼亚、伯克和布雷沃里纳生产饲料,更南一些的马利地区则种植葡萄和柑橘。有几个工程计划使水系区有了发展的极大潜力。1945年的《达令河水坝法案》准许建设一系列水坝,蓄水于水库以提供城市用水和灌溉用水。梅宁迪蓄水工程于1960年完工,建造了蓄水1 794 000 000立方米的一系列水库,解决了灌溉和家庭用水,它不仅控制了墨累河下游的流量,而且还保证向南澳大利亚州提供了更加可靠的灌溉用水。在沿海高地和西坡有一系列水坝控制了洪水,使这一地区可有多样化的农业,使比较干旱的西部平原有较密集的村落。

Darlington 达灵顿 英格兰东西部达勒姆历史、地理郡南端的单一政区和城镇。临蒂斯河。面积198平方千米。初由撒克逊人建立。堂区教堂建于12世纪。19世纪,当地纺织业被机车制造和铁路修造业取代。达灵顿—斯托克顿铁路(1825)是世界上第一条铁路。为重工业和建筑业中心。电信和服务业发展迅速。人口:单一政区101 400(1998)。

Darlington 达灵顿 美国南卡罗来纳州东北部城市,达灵顿县县城。18世纪80年代始有人定居。1835年设镇。1950年设市。经济以农业为基础(烟草、棉花、牲畜、大豆和木材),以制造业为辅(建筑材料、电子、纸制品、钢铁)。设有大型汽车拍卖市场,建有赛车跑道,以举办多项汽车赛闻名,并有赛车博物馆(1965)。人口6 720(2000)。

Darlington, Cyril Dean 达林顿(1903-12-19,英国兰开夏乔利～1981-03-26) 英国生物学家。他对染色体的研究,影响着有性生殖物种进化的基本概念。他曾获肯特郡的怀镇学院理学士学位,后任默顿和贝福德布里的约翰·英尼斯园艺学会会长(1939～1953),1953年被任为牛津大学谢拉德讲座植物学教授。20世纪20年代在约翰·英尼斯园艺学会于W.贝特森领导下开始研究遗传学。但他与贝特森不同,他成为下述学说的早期信奉者:染色体是细胞的成分,用以将遗传信息代代相传。他进而阐明在配子形成过程(减数分裂)中染色体的行为。T.H.摩尔根证明,同源染色体于减数分裂时交换部分物质。达林顿提出一种进化理论:在决定下一代遗传性状方面交换是一个中心变量。其著作范围很广,从纯科学著作(如《遗传系统的进化》,1939)到涉及更大范围的对人类历史上遗传所起作用的讨论。1969年发表《人类进化与社会》,坚持认为种族的智力决定于遗传,从而引起争论。

Darmesteter, Arsène 达姆斯特泰尔(1846-01-05,法国萨兰堡～1888-11-16,巴黎) 法国语言学者。主要通过对古法语的阐释增进了有关法语历史的知识。1881年任巴黎大学古法语和文学教授之前,于1873年发表《论词的构成》。1887年出版《词的生命》。曾与法国语言学家A.哈茨费尔德和A.托马合编了两卷本《法语大词典》(1890～1900)。A.达姆斯特泰尔是东方学家J.达姆斯特泰尔之兄。

Darmesteter, James 达姆斯特泰尔(1849-03-28,法国萨兰堡～1894-10-19,迈松拉菲特) 法国学者,以研究古伊朗语,特别是以琐罗亚斯德教圣典《阿维斯陀》英译本和法译本闻名。达姆斯特泰尔的第一部重要著作是有关琐罗亚斯德神话的论文,发表于1875年。1877年开始在巴黎高级研究院讲授古伊朗语,并继续其学术研究,1883年出版《伊朗语研究》。1885年任法兰西学院教授,次年游历印度,回国后发表阿富汗歌曲译文和一篇很有价值的关于阿富汗语言和文学的论文。其《阿维斯陀》英译本是与L.H.米尔斯协作完成的,收入英裔德国东方学家和语言学家M.缪勒所辑《东方圣书》(卷4、23和31,1883～1887)中。其法语译本《阿维斯陀》(3卷,1892～1893)附有一篇有关这部经典成书年代的考证文章。他认为现存的阿维斯陀篇章,最早的撰成于公元前1世纪,主体部分则成书于公元3世纪。他还出版了其弟法国语言学者A.达姆斯特泰尔的遗作。

Darmstadt 达姆施塔特 德国中南部黑森州南部的行政专区。东与巴伐利亚、南与巴登-符腾堡、西与莱茵兰-普法尔茨、北与吉森和卡塞尔两个行政专区交界。面积7 446平方千米,与历史上黑森-达姆施塔特和拿骚的北部范围相等。1945年建专区,为黑森州南部两个行政专区最南的一个。1980年行政区域改组时被划分,北边的地区成为新的吉森专区之一部分。达姆施塔特行政专区之名取自该区的行政中心。

达姆施塔特中部有东西流向的美因河及其支流尼达河和金齐希河穿过。美因河在威斯巴登市和美因茨市附近与莱茵河(达姆施塔特的西界)汇合。以出产芦笋及其他蔬菜出名的肥沃的上莱茵平原,从该区的南界往北直达达姆施塔特市，由此向东展宽，形成莱茵-美因盆地。盆地被专区边缘的高地所围绕，包括西北方的陶努斯高地的南边陡峭悬崖，东北方的福格尔斯山，东边的施佩萨特山，以及南边的奥登林山。铁路、公路及水运网穿过高地峡谷，会合于莱茵-美因盆地中的大型工业城市群。城市群的主要中心有黑森州的最大城市美因河畔法兰克福、州首府威斯巴登以及达姆施塔特、奥芬巴赫、哈瑙、吕塞尔斯海姆、巴特洪堡等城市。在美因河畔法兰克福南边的沙质土壤带，可见大片的针叶森林。莱茵-美因盆地自法兰克福以北与黄土覆盖之韦特劳肥沃平原相连，该平原在西黑森盆地最南部。西黑森盆地从法兰克福延伸至黑森的北界，介于中莱茵高地和黑森中央高地之间。韦特劳有陶努斯高地遮挡北来的寒风，故气候温和，有益于达姆施塔特的主要农业区。小麦和甜菜是主要农作物。

该区人口密度从威斯巴登西边陶努斯高地的每平方千米 20 人以下，到莱茵-美因盆地的每平方千米 500 人以上。将近 60% 的人口聚集在拥有 2 万以上居民的城镇中。莱茵-美因盆地是德国主要的工业区之一，以各种轻工业著称，最主要的是机械与机器制造，以及化学工业。美因河畔法兰克福是德国主要的商业城市及交通中心。奥芬巴赫是国内主要皮制品产地。哈瑙是重要的橡胶制品产地。葡萄酒的生产集中在威斯巴登西边陶努斯高地陡峭南坡上的莱茵高地区和奥登林山西坡上的贝格施特拉瑟地带。该专区的高地区的旅游胜地、矿泉、美丽的山毛榉和橡树林是盆地内拥挤的都市地区居民理想的休闲所在。威斯巴登号称有 27 处温泉，为全世界闻名的疗养胜地，也是著名工业中心。专区多数人口是黑森州法兰克人的后裔，讲莱茵流域的古法兰克方言。大约 2/3 是基督教新教徒，1/3 是天主教徒。乡间主要的居住区模式是大而不规则的村落，高地则以孤立的农庄与小村舍较为普遍。农庄建筑通常是法兰克(中德)式的，有两层楼、露明木架的房屋以及谷仓。该区主要大学是歌德大学，校址在法兰克福。人口约3 712 000(1999)。

Darmstadt　达姆施塔特　德国中南部、黑森州城市。位于奥登林山和莱茵河之间平缓起伏的平原上，在美因河畔法兰克福南和美因茨的东南面。11 世纪首见记载。14 世纪为小村庄。1330 年设市。1919 ～ 1945 年为黑森州首府。工业特别是化学工业的发展，使城市在 19 世纪迅速扩大。著名化学家 J. von 李比希 1803 年在此出生。该市最为繁荣昌盛时期是在伯爵领主路德维希十世统治时期(1790 ～ 1830)。他成为第一位大公称路德维希一世，他建立了新镇。名胜有路德维希十世像(33 米高)、公爵城堡、克兰尼施泰因狩猎棚(现为博物馆和狩猎公园)和沙皇尼古拉二世建俄罗斯教堂等。城东马蒂尔登赫为艺术家聚居地。城西莱茵河上库科普夫岛辟有自然保护区。市内有博物馆、图书馆和科技大学(1836 年建立)，以及工科、美术、音乐等学院，还有一个陶瓷博物馆。工业种类繁多，主要制造业有化工、机械、无线电和厨房用具。人口约 139 698(2003)。

达姆施塔特市的婚礼塔(左)和俄罗斯教堂
德国旅游新闻处供图

Darnah　德尔纳　又拼 Derna。利比亚东北部地中海沿岸城镇。建于 15 世纪。遭受多次天然灾害(1816 年瘟疫流行，1834 年发生地震、霍乱流行)。19 世纪 50 年代以前为买卖奴隶的港口。1911 ～ 1912 年意大利在此修筑碉堡。第二次世界大战的北非战役使当地遭受严重破坏。1942 年被英军占领。有一小港湾为优良的近海锚地，亦是季节性捕捞海绵的基地。有包括服装厂在内的轻工业。当地产香蕉、葡萄和其他水果与蔬菜。为小型的冬季休养地。人口76 596 (2003)。

利比亚的德尔纳镇
美国不列颠百科全书公司供图

darnel　毒麦　即稗麦(tare)。一种黑麦草(**ryegrass**)，为黑麦草属(*Lolium*)的有害杂草。

Darnel's case　达内尔案　(1627 ～ 1628) 又称五爵士案。英国臣民争取自由的一个著名案件，对通过《权利请愿书》起了促进作用。1627 年 3 月，T.达内尔和其他 4 个爵士(J. 科贝特、W. 厄尔、E. 汉普登、J. 赫文厄姆)因拒绝交纳国王摊派的款项而被查理一世下令逮捕。五爵士要求国王说明逮捕他们的原因。同年 11 月，英国高等法院开庭辩论他们要求人身保护的申诉。五爵士的辩护人根据中世纪的先例，包括《大宪章》第 39 款，认为非经法律手续不得剥夺任何人的自由。国王的代表根据都铎王朝的先例，认为国王有任意逮捕臣民的权力。五爵士于次年获释。议会继续讨论这个案件。查理一世表示同意不再监禁拒绝交纳摊派款项的臣民。但是，下院仍坚决要他接受其对《大宪章》的解释。《权利请愿书》(1628)就是在这样的僵局下产生的。

darner　参阅 **dragonfly** 蜻蜓。

Darnley, Henry Stewart, Lord　达恩利勋爵　(1545-12-07，英格兰约克郡坦普尔纽索姆～1567-02-09 或 10，爱丁堡)　即 H. 斯图亚特或阿尔巴尼公爵。苏格兰女王玛丽的第2个丈夫，英王詹姆斯一世(苏格兰王詹姆斯六世)的父亲，英国以后历代君主的直系祖先。第 4 代伦诺克斯伯爵 M. 斯图亚特之子。母亲玛格丽特为亨利七世的孙女，拥有继承英格兰王位的权利。她计划让儿子与有资格继承王位的玛丽结婚，使他得以继承英格兰的王位。玛丽的第 1 个丈夫法国国王弗朗西斯二世死后不久，两人就在巴黎相识。1565 年 2 月伊丽莎白一世女王允许达恩利前往苏格兰，玛丽封他为罗斯伯爵和阿尔巴尼公爵。同年 7 月 29 日两人按照天主教仪式举行婚礼。这一婚姻触犯了苏格兰的新教政府的利益，即玛丽的异母私生兄弟莫利伯爵 J. 斯图亚特的政治野心和汉密尔顿继承苏格兰王位的权利。达恩利因猜忌女王的秘书 D. 里奇奥而参与暗杀里奇奥(1566-03-09)。他出卖了同谋者，但同谋者向玛丽出示了他亲笔写的同意暗杀里奇奥的证据，使他有口难辩。1566 年 6 月 19 日达恩利和玛丽生子詹姆斯，解决了英格兰王位的继承问题。但当玛丽离开他们临时居住的爱丁堡附近的菲尔德教堂时，房屋被炸毁。达恩利的尸体在附近的花园里被发现，显然是被人勒死的。3 个月后，玛丽就和策划这起暗杀的第 4 代博思韦尔伯爵 J. 赫伯恩结婚。

美国不列颠百科全书公司供图

Darqāwā　德加维教团　苏非派(伊斯兰教神秘主义者)兄弟会组织，沙兹里教团的分支，18 世纪末由穆来·阿比·德加维(约 1737 ～1823)创立于摩洛哥。该教团成员一般不参与社会生活，但在 19 世纪初在摩洛哥策动反对奥斯曼帝国的斗争并在阿尔及利亚支持民族主义事业,反对阿卜杜卡迪尔的政策。该教团分布在摩洛哥、阿尔及利亚、埃及、黎巴嫩和斯里兰卡等地。

Darquier de Pellepoix, Louis 达基耶·德佩尔贝(1897-12-19,法国卡奥尔～1945?) 法国政客,作为反犹和勾结纳粹德国分子而臭名昭著。出身于享有一些盛名的一个世家。在图卢兹大学理科毕业后成为企业管理人员。曾任巴黎市政委员会委员,组织法国反犹大会,创办恶毒的《法国锁链》杂志,由设在德国的国际反犹组织提供资助,第二次世界大战开始后被取缔。1939年因反犹宣传曾两次被监禁。1942年5月任维希政府犹太人问题专员,推行灭绝犹太人的纳粹政策。菲利普·贝当憎恶他,称他是“肆虐狂先生”。1944年1月,因滥用被没收来的商品受到指控而被捕,并被迫辞职。解放后一度传闻已被处决,后又传说仍在西班牙活着。1947年12月受到缺席审判,被判死刑。

Darracq, (Pierre-)Alexandre 达拉克(1855-11-10,法国波尔多～1931,摩纳哥) 法国汽车制造商,最早大批量生产汽车的制造商之一。在塔布兵工厂做制图工作积累经验后,1891年开办格拉迪托尔自行车公司。1896年将公司出售,曾一度制造电车并生产米勒牌摩托车。1898年开始制造莱昂博耶牌小汽车,这是他第一次大量生产汽车。1904年生产的达拉克飞行15型汽车,质量优良。他还制造赛车,创办训练赛车驾驶员的学校。达拉克V-8型赛车在1906年时速达197.06千米。他用达拉克、塔尔博特-达拉克和塔尔博特3种牌号生产汽车,他的公司在1920年曾与塔尔博特-森宾公司合并,1952年解散。

Darragh, Lydia Barrington 达拉赫(1729,爱尔兰都柏林～1789-12-28,美国宾夕法尼亚费城) 婚前名Lydia Barrington。美国独立战争时期女英雄,据说曾挽救华盛顿将军的部队免遭英军进攻。1753年与教师W.达拉赫结婚。婚后不久即与丈夫移民美国,定居费城。初次发表于1827年后来又经过加工的故事,说她以如下方式挽救了华盛顿将军的部队:英军占领费城期间,W.豪将军将司令部设在她家对面。1777年12月2日夜,英军副官长和其他军官征用了她的一个房间举行会议。通过钥匙孔偷听,达拉赫得知他们计划两夜后在8英里外的怀特马什攻打华盛顿。12月4日那天清晨,她以需要到法兰克福面粉厂去取面粉为名获得通行证,得以离去。在去怀特马什的路上,她遇到她的朋友T.克雷格上校。她将所听到的一切告诉了上校。那天夜里行进的英军发现大陆军装备齐全已准备反击,豪将军被迫退回费城。达拉赫逝世前一直生活在费城。

Darriwilian Stage 达里维尔阶 澳大利亚(在一定程度上也是新西兰)的奥陶纪(从5.05亿年前延续到4.38亿年前)地质时代单元。比雅平阶年轻,比吉斯伯恩阶老。其特点是含有笔石化石动物群,由雕笔石属(*Glyptograptus*)和双笔石属(*Diplograptus*)的若干种组成。达里维尔动物群同北美及欧洲化石组合相比,其亲缘关系更接近于北美化石群。

Darrow, Clarence (Seward) 达罗 (1857-04-18,美国俄亥俄金斯曼附近～1938-03-13,芝加哥) 美国律师,曾在许多重大的刑事审判中担任被告辩护人。他的工作使他在美国法律史上占有一定的地位。他还以演说家、

芝加哥历史学会供图

辩论家和杂文作家而闻名于世。达罗于1878年在俄亥俄州获律师资格。1887年赴芝加哥,立即参加了试图为被控在秣市骚乱(1886-05-04)中犯谋杀罪的无政府主义者辩护的工作。1890年任芝加哥市政机关法律顾问,后担任芝加哥和西北铁路法律事务总代理人。离开西北铁路后,曾为美国铁路工会主席E.V.德布兹和其他工会领导人辩护,这些人因在普尔曼罢工(1894-05～07)事件中藐视法庭而受到联邦追诉。尽管德布兹和他的同事们被判定有罪,而且该判决又经美国最高法院确认,但达罗作为一个劳工律师和刑事律师因此而闻名全国。在宾夕法尼亚州无烟煤矿罢工期间(1902～1903)举行的仲裁听证会上,他作为罢工矿工们的诉讼代理人,在盘问中不仅揭露了煤矿中恶劣的工作条件,而且揭露了使用童工的程度。1907年,他使被控暗杀爱达荷州前州长F.R.斯托伦堡的激进的劳工领袖W.D.海伍德(“大个子比尔”)被判无罪。

第一次世界大战后,达罗为几个被控违反州煽动叛乱法的反战示威者进行了辩护。在田纳西州举行的著名的J.T.斯科普斯审判案(1925)中,达罗为一个高中教师进行了辩护,这个教师由于讲授达尔文的进化论而触犯了一条州法律。在斯威特一案(1925～1926)中,他使一个黑人家庭被判无罪,这个家庭曾同企图要把他们一家从底特律的一个白人居民区的住所中赶出去的一群暴徒进行格斗。在他的演说和著作中,他为只雇用工会会员的制度和无限制的言论自由辩护,并反对死刑、禁酒、保护性关税和国际联盟。他的著作有:《以眼还眼》(1905,小说);《犯罪:它的原因和对待它的方法》(1922)和《我的一生经历》(1932)。

darshan 见 印度教名词。指礼拜仪式中吉神、吉人或吉物的显现。据说见者大吉。见又指精神领袖古鲁会见信徒,君主会见臣民,神庙等崇拜对象接待朝圣者。在印度哲学中,此词又指对事物的不同观点和对《吠陀》的不同解释,即见解。

Dart, Raymond A(rthur) 达特(1893-02-04,澳大利亚昆士兰布里斯班图旺区～1988-11-22,南非约翰内斯堡) 澳大利亚出生的南非体质人类学家和古生物学家。他对人类化石的发现,使人类起源进化的研究获得重大的进展。1924年,正当人们认为亚洲曾是人类摇篮的时候,他对发现于南非喀拉哈利大沙漠附近的汤恩头骨的类人特征的辨认,证明了达尔文的预言,即这种人类远祖类型会在非洲找到。达特把这个头骨作为一个新的属和种的典型标本,命名为“非洲南猿”。他宣称,一种生物,其脑量大小如猿类,就可能有接近于人类的牙齿和各种姿态特征。由于此说必须借助于“马赛克”式进化原理,即某些特征优先于其他特征的进化方式,而在开始时受到怀疑与非难。他的说法也与E.史密斯的马赛克式进化论点截然不同,后者认为人类之形成始于脑容量的加大。但是,达特终于在有生之年看到他的理论为进一步发现的南猿类化石所证实,这些化石遗存是20世纪40年代末在南非马卡潘斯盖发现的。后来L.S.B.利基续有发现,从而确定了非洲为人类最早的发祥地。达特曾就读于昆士兰大学和悉尼大学。1923～1958年曾在约翰内斯堡的威特沃特斯兰德大学医学院任教,该校建立了非洲人类问题研究所以表彰其成绩。

Dart, Thurston 达特(1921-09-03,伦敦～1971-03-06,伦敦) 英国音乐学家,拨弦键琴演奏家和指挥家。作为一位研究早期音乐的专家,达特曾就读于皇家音乐学院和埃克塞特的大学学院,后赴比利时随C.凡·登·博伦学习。1947年起任教于剑桥大学,1964年去伦敦大学国王学院任教,曾担任《盖尔平社刊》编辑、《不列颠音乐》丛书秘书及伦敦“音乐爱好者协会”艺术指导。作为学者及演奏家,其研究范围集中于J.S.巴赫、J.布尔的作品,及16～18世纪的键盘与康索特重奏音乐。共录制唱片80余张,有独奏和重奏。这些唱片特别令人感兴趣,因为他对一些原始资料所作的研究导致对巴赫管弦乐作品的颇多争议的诠释。

darter(water bird) **冲鹈** 参阅 **snakebird 蛇鹈**。

darter 镖鲈 鲈形目鲈科镖鲈亚科(Etheostominae,有时列为镖鲈科)约100种小型细长淡水鱼的统称。均原产北美东部,生活于清澈溪流的近底层。觅食或受惊扰时,

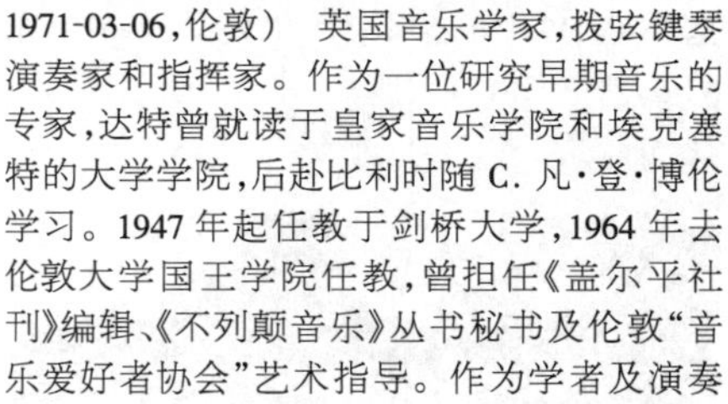

镖鲈(*Etheostoma osburni*)
美国不列颠百科全书公司供图

机敏地冲来窜去,故英文名意为“冲鲈”。以其他小型水生动物为食。具2背鳍,体长2.5～23厘米,但多为5～7厘米。有些种类

是北美颜色最鲜艳的鱼类之一,春季生殖季节的雄鱼尤为艳丽。产卵习性不一,一些种类把卵产下或埋好即弃之不顾;另一些种类则雄鱼筑巢护卵,直至孵化。许多种镖鲈已渐罕见,有几种(包括美国东南部小田纳西河中的著名种螺镖鲈[*Percina tanasi*])在《红皮书》中列为濒危种,面临绝灭的原因是丧失自然生境。1978 年螺镖鲈在法律界引起一场争论,因为该物种是濒危种,这使一个水坝的建设延迟二年之久,该水坝的建立似乎使其有限的生境受到威胁。

Dartford 达特福德 英格兰肯特行政、历史郡的一个城镇、自治市(区)。在泰晤士河南岸,与大伦敦毗连。面积 73 平方千米。古时为市场交易中心。因地处伦敦和欧洲大陆之间主要交通线,与英国历史上许多重大事件有关联。亨利八世和伊丽莎白一世在此建有私人宅邸。16 世纪,英国最早的一些造纸试验在这里进行;造纸业现仍重要。其他行业有白垩土开采和水泥生产。工业和住宅区均集中在北部;南部仍具农村特点。人口:市区 59 411(1991);区85 400 (1998)。

Dartmoor 达特穆尔高地 英格兰西南部德文郡西部荒野山地。南北长约 37 千米,东西宽 32 千米。最高的耶斯山和海威尔赫斯山分别为 619 米和 621 米。撒克逊时代为王室林地。1337年起属康沃尔公爵。1951年划

达特穆尔高地景观
美国不列颠百科全书公司供图

为国家公园,占地 946 平方千米。达特、提河、埃文等 8 条河流在此发源。有畜牧、采石和旅游业。最大居民点为普林斯顿,1850 年以来用作严重罪犯的关押地。当地荒野景观常成为英国侦探小说(如 A. 柯南道尔的《巴斯克维尔的猎犬》)的场景。

Dartmoor 达特穆尔马 一个小型马品种,高约12手宽(122厘米),耐劳,在育成地英格

达特穆尔小型马
美国不列颠百科全书公司供图

兰德文郡的达特穆尔保持于半野生状态。是不列颠群岛育成的 9 个马品种之一,用以出口。达特穆尔马被视为优秀的供儿童乘骑的小型马,也是培育体型较大的小型马的优良基础种马。从一开始其体型及颜色即多种多样。根据达特穆尔小型马协会的规定,本品种需符合一套标准,最受欢迎的颜色为褐色、黑色和栗色。英语中,Dartmoor 一词又指一个毛长、无角的英国绵羊品种——达特穆尔绵羊。

Dartmouth 达特茅斯 加拿大新斯科舍省中部偏南哈利法克斯县城市。有铸造、炼油、造船、飞机零件和电器制造等工业。建有 1 236 米长的安格斯·勒·麦克唐纳吊桥。1 597米长的阿·默里·麦凯吊桥和轮渡通省会哈利法克斯。附近为海军水上飞机基地和贝德福德海洋学研究所。市名来历可能依英国同名城市,也可能为纪念达特茅斯伯爵第二。1873 年建镇,第一、二次世界大战中经济飞速发展。1961 年镇与邻近 7 个社区合并为目前的市。人口65 629 (1996)。

Dartmouth 达特茅斯 英格兰德文行政、历史郡南哈姆斯区的堂区(城镇)。濒临英吉利海峡,在达特河口湾西岸。作为划艇运动中心,有造船、机车制造和制陶业。保存有 15 世纪古城堡。1944 年,美国军队的分遣队由此出发驶向诺曼底海滩。设有英国皇家海军学院。人口 5 676(1991)。

Dartmouth 达特茅斯 美国马萨诸塞州东南部布里斯托尔县城镇。位于新贝德福德附近,临巴泽兹湾。包括农基特、北达特茅斯、南达特茅斯和阿波纳甘塞特旅游村。17 世纪 50 年代始建。1664 年设镇。在菲利普王战争(1675 ~ 1676 年土著印第安人和白人殖民者之间爆发的一次战争)中被破坏殆尽。后因捕鲸和造船业兴起而重新繁荣。现在经济依靠旅游、与服务业相关的活动和农业。北达特茅斯有东南马萨诸塞大学。巴泽兹湾旁有州立德马雷斯特劳埃德公园。人口约 30 666 (2000)。

Dartmouth (of Dartmouth), George Legge, 1st Baron 达特茅斯男爵(第一)(1647 或 1648 ~ 1691-10-25,伦敦) 英国海军上将和总司令,在查理二世和詹姆斯二世时代以功业卓著而闻名。曾在剑桥大学国王学院求学,第二次英荷战争(1665 ~ 1667)期间志愿入海军服役。他是约克公爵(后为詹姆斯二世)家族成员,曾任朴次茅斯要塞司令和陆军军需局长。1682 年受封达特茅斯男爵。1683 年率舰队前往丹吉尔,摧毁防御工事,救回英军。1685 年詹姆斯二世即位后,他任侍从长和伦敦塔总监。1688 年詹姆斯二世因恐奥兰治的威廉入侵,任命达特茅斯为舰队总司令。他本人虽忠于詹姆斯,但属下大多数军官并非如此,有意避免与威廉交战。他曾拒绝帮助国王将威尔士亲王爱德华驱逐出境。詹姆斯二世本人逃往法国后,他离开舰队并宣誓效忠威廉和玛丽。但 1691 年 7 月他因叛国罪被捕,并被控企图将朴次茅斯拱手让给法国并任法国舰队司令。他虽抗辩无罪,但在问题未澄清前死于伦敦塔内。

Dartmouth, William Legge, 2nd Earl of, Viscount Lewisham, Baron Dartmouth of Dartmouth 达特茅斯伯爵(第二)(1731-06-20 ~ 1801-07-15,英国肯特布莱克希思) 即W.莱格。英国政治家,在导致美国独立战争的事态发展中扮演了重要角色。受教育于威斯敏斯特学校和牛津大学三一学院。1750 年继承祖父爵位,1754 年 5 月成为贵族院议员。1765 年 7 月任贸易理事会主席和枢密官,任期内反对《印花税法》,致力于废除该法。1772 年任殖民地事务大臣。面对殖民地中日益增长的敌对情绪,他采取和解政策以使紧张状态缓和下来。由于波士顿茶党的反对,这一政策失败;他便设法重新加强对北美各殖民地的控制。他支持《不可容忍法》,但该法令像《魁北克法》(1774)一样,加剧了紧张局势。他拒绝进一步和解,1776 年主张采用高压手段镇压日益发展的反叛。由于不愿发动一次反对殖民者的战争,他于 1775 年 11 月辞职。但为了支持诺思勋爵,他仍然留在内阁担任掌玺大臣,直至 1782 年为止。他是虔诚的福音派英国国教徒。新罕布什尔州汉诺威的达特茅斯学院是以他的名字命名的。

Dartmouth College 达特茅斯学院 美国新罕布什尔州汉诺威的男女同校的私立文学院。其历史可追溯到 1769 年,当时英王乔治三世批准了新罕布什尔省督 J. 温特沃思起草的办学许可证,翌年,E. 惠洛克牧师在新罕布什尔的荒野上修建一座木棚,作为该院校舍,以英国基金理事会主席达特茅斯伯爵(二世)的名字为校名。现在,达特茅斯学院被认为是美国最具革新色彩的小型文科学院之一。该校实力特别强的学科包括英语、化学、地质、历史、数学和语言。它还设有一些特别课程,如亚洲研究、黑人研究、环境、美国土著、城市事务等。该校主要强调本科教育,采用小班授课、多种讨论会等方法进行教学,师生接触密切。该校还因具有高质量的医学、工程、商业等专业而闻名。注册学生总数约为 5 200 人。

Dartmouth College case 达特茅斯学院案(1819) 全名是"达特茅斯学院理事会诉伍德沃德"案,美国最高法院案例。在该案中,最高法院认为,1769 年经英国国王乔治三世批准的《达特茅斯学院章程》本身是一项契约,因此,新罕布什尔州议会无权加以修改。该章程授权一个永久性理事会负责管理学院。1815 年,由于一场宗教争论,理事会撤销了院长约翰·惠洛克的职务。新罕布什尔州议会的反应是通过一项关于修改学院章程并建立一个监事会以代替理事会的法令。理事会于是对 W.H.伍德沃德(学院秘书和惠洛克先生的同盟者)提出诉讼,但在州法院败诉。达特茅斯学院的一个校友,当时最著名的律师丹尼尔·韦伯斯特代表理事会在美国最高法院出庭,该法院撤销了新罕布什尔州法院的判决。美国最高法院认为,联邦宪法第一条第十

款禁止各州改变任何契约(在本案为章程)中规定的义务。美国最高法院裁决说,达特茅斯学院的创建人与理事会签订契约,由后者永久使用创建人提供的基金。这个裁决适用于企业的章程,产生了深远的影响。它使企业、公司免受政府许多法规的约束。

darts 投镖 室内射靶游戏。玩法是将插有羽毛的镖投向划分成许多扇形区的圆靶,每一个区都标有数目字。19世纪这种游戏在英国的酒店和客栈开始流行,到20世纪更

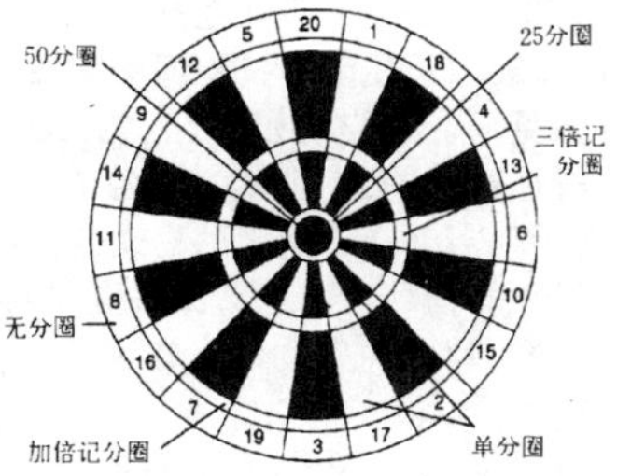

投镖游戏板

加盛行。圆靶通常由软木、猪鬃或榆木制成。靶面分成20个扇形区,上面标有1～20分的数字,6个同心圆的分值如下:里靶心50分,外靶心25分,靶心以外有一个较宽的单分圈、一个较窄的三倍记分圈,又一个较宽的单分圈,以及最靠外的一个较窄的加倍记分圈。投镖的动作不受限制,通常从3个传统距离投出:2.43米、2.59米或2.74米。靶心位置离地1.73米(不列颠群岛以外的国家在规则上会略有差异)。参加有组织的投镖赛时,每名运动员使用3个有一定重量的带羽毛的镖,镖的长度一般为16厘米。通常运动员从记双分开始(把镖投向加倍记分圈)。赛前先确定301或501为开始的分数。在投镖过程中,将各次得分累加起来,把它从开始的分数中扣除,到投完最后一镖时,必须刚好达到0分才能获胜。在酒吧进行的非正式比赛中,常采取累进计分法,先达到预定分数即为胜者。

投镖游戏还有下列几种玩法:"板球"玩法,分两队,选手们交替向靶心和扇形区投镖得分;"足球"玩法,由两人参加,谁先投中里靶心的就可以尽量用投中加倍记分圈的办法多得分,直到另一人投中里靶心为止;"全盘玩法",参加人数不限,要求每人先投加倍记分圈,然后按顺序从1到20投向各扇形区。中世纪时有一种投镖游戏是用来训练英国射箭手的。从亨利八世起这种游戏为都铎王室的君主们喜爱。英国的现代投镖游戏一般在酒吧或俱乐部等公共场所而不是在家里进行。估计英伦三岛700万投镖爱好者中约有100万人参加了7 000个俱乐部。这些俱乐部是大英帝国全国投镖协会(NDA,成立于1953年)的会员。主要的年度锦标赛有朗斯代尔勋爵士有奖赛(始于1938～1939年,自1962年后受NDA管辖)和"世界新闻"个人锦标赛(始于1947～1948年)。全世界有许多其他国家也有投镖协会,它们与总部设在伦敦的世界投镖联合会有联系。

Daru, Pierre-Antoine (-Noel-Mattieu-Bruno), Comte 达吕伯爵(1767-01-12,法国蒙彼利埃～1829-09-05,默朗) 拿破仑时代的军事行政与组织官员。1784年进入军事行政机关。1795年调到陆军部。他具有军事行政才能,历任陆军部秘书长(1800)、帝国参议(1805)、大军总监(1806)和陆军大臣(1811)。深受拿破仑信任,1807年受委管理被征服的普鲁士和奥地利领地。1814年拿破仑战败后引退,但在百日统治期间,他又为帝国服务。在波旁王朝复辟期间,他在贵族院任职,反对极端保王派的反动政策。他以大部精力用于研究历史与文学,著有《威尼斯共和国史》(7卷,1819)和《布列塔尼史》(3卷,1826)。

Daruma(Buddhist monk) 参阅 **Bodhidharma 菩提达摩**。

Darwin 达尔文 澳大利亚北部地方首府和主要港口。位于达尔文港入口处东北面的低半岛上,达尔文港是帝汶海克拉伦斯海峡的一个深水湾。1839年英国皇家舰艇"比格尔号"上的测量员斯托克斯发现该港,遂以英国博物学家达尔文的姓氏命名。1869年前该地区仍无人定居,1911年前人们称之为帕默斯顿,直至1911年,该地区由南澳大利亚省转归澳大利亚联邦管辖,才以港口的名称重新命名。20世纪30年代,空运有了发展,第二次世界大战期间,此地用作燃料和军事基地,达尔文从而得到发展。1942年遭到日军猛烈的轰炸,后已大规模修复重建。1959年正式设市。1974年一场飓风几乎将城市全部破坏;2/3的居民被疏散。经政府的协助,达尔文第二次重建,现在已成为澳大利亚最现代化城市之一。现为日益发展的内地牧区和矿区的服务中心;其经济还依靠政府事业、砖瓦制作、水果罐头业、肉类加工包装、锯木业以及出口牲畜、稻米、铀矿石和一些珍珠母。又是东西岸船运路线的终点、至伯德姆(向东南路长509千米)铁路的终点、至艾丽斯斯普林斯(向东南1 535千米)斯图尔特公路的终点、至南澳大利亚州阿德莱德的陆路电报线路的终点,以及通往英国的海底电报线路的终点。人口约69 809(1991)。

Darwin, Charles (Robert) 达尔文(1809-02-12,英国什罗普郡什鲁斯伯里芒特～1882-04-19,肯特道恩唐别墅) 查尔斯·罗伯特·达尔文是英国博物学家,他提出以自然选择为基础的进化学说,在生物学中引起一场革命。其父罗伯特·韦林·达尔文是伦敦以外业务最繁忙的开业医生之一。祖父E.达尔文也是医生,为《动物生理学或生命规律》一书的作者。外祖父J.韦奇伍德是手工艺者兼企业家。达尔文在从事专业工作的中上阶层占有一个稳固的地位,这使他在社交和专业工作中都能得到许多好处。

青年时代与教育 达尔文8岁时母亲去世。除了丧母之痛,他的童年还是非常幸福的,他受到令人敬慕的一位哥哥和姐妹们以及达尔文和韦奇伍德两个大家族的悉心照料和鼓励。他酷爱收集标本和做化学实验,但他在什鲁斯伯里的学校里是一个极平凡的学生,校长S.巴特勒博士强调的是古典文学,他曾公开斥责达尔文做化学实验是浪费时间。16岁时,他被送到爱丁堡大学学医。当时还没有麻醉药,病人动手术时十分痛苦,他看到这种情况很难过。在苏格兰的两年内他与动物学家R.格兰特和地质学家R.詹姆森建立了友谊并从中获益,前者引导他研究海生动物,后者使他对地球的历史产生越来越浓的兴趣。

达尔文对医学缺乏热情,他父亲对此十分失望,1827年送他到剑桥大学学习神学。那时他与大多数英国人一样信仰英国圣公会的信条。他在基督学院的成绩就如在爱丁堡一样并不出色。他把许多时间花在与朋友一同狩猎、射击、骑马和运动上。剑桥大学并不授予自然科学的学位,但在表兄威廉·达尔文·福克斯的引导下,他结识了以牧师兼植物学家J.S.亨斯洛为首的剑桥科学家们,威廉·达尔文·福克斯是一位昆虫学家,他使达尔文终生喜爱收集甲虫。亨斯洛经常在家里招待客人,达尔文很快成为他家的常客,每天陪他散步,被称为"与亨斯洛一起散步的人"。亨斯洛支持达尔文对科学的强烈兴趣,鼓励他对自己的能力充满信心。

1831年春季,达尔文离开剑桥大学,为到加那利群岛作科学旅行进行准备,他读了A.洪堡的《新大陆赤道地区旅行记事》,这是记述在中美洲和南美北部旅行经历的一部科学游记。亨斯洛推荐他陪同剑桥大学伍德沃德地质学教授A.塞奇威克到北威尔士旅行3周以学习野外地质考察工作。

1831年8月,在亨斯洛的推荐下达尔文应海军部之邀到皇家海军考察船"比格尔号"上担任不领报酬的博物学家。这艘船计划考察南美东西海岸,然后考察太平洋岛屿,建立一系列测时站。亨斯洛向海军部推荐说达尔文观察敏锐,又可以与年轻的贵族船长R.费茨罗伊作伴("比格尔号"船上已有一位博物学家兼医生,但费茨罗伊觉得他不善交际)。起初罗伯特·达尔文不同意儿子作这次旅行,理由是这种旅行太危险,而且对他所学的专业并无裨益,但经他妻兄乔赛亚·韦奇伍德第二的说情,他改变了主意。

1831年12月27日,达尔文搭乘"比格尔号"从英格兰普利茅斯港起航。这原是一艘装有10门炮的双桅帆船,经整修为一艘三桅帆船。这次航行原计划2年,结果持续了5年。在这段期间,他仔细地记下大量笔记,又寄回许多地质标本和生物标本。

"比格尔号"航行 达尔文在给费茨罗伊写的表示接受随船博物学家的职位的信中说,他把这次航行视作"第二次生命"。毫无疑问,在考察南美大陆和近海岛屿加拉帕戈斯群岛的几年,他在收集、观察和理论思考方面的能力大为提高。他经常晕船,在船体剧烈颠簸时便平躺在吊床上,只要有机会他便长时间在陆上逗留。他喜欢热带地区的那种异国情调。他喜欢冒险,敢于到武装的政治反叛分子出没的地区活动;在阿根廷与牧人一同骑马出行;在考察中要进行收集和射击,这证明他早些年热心体育运动是大有好处的。他与水手一道将船上的小艇拉向上游,有一次他跑去救回一艘被潮浪卷走的小船,从而拯救了考察活动。面对危险和种种不适的生活条件他好像是以一种强烈的好奇心去承受。他给他一位姐姐写信说:"事实上世界

展现在我们面前。想想安第斯山脉、瓜亚基尔茂密的森林、南海的岛屿和新南威尔士吧。我们将要见到多少宏伟的有特色的景象,多少奇妙的人类部落啊!这是多么好的研究地质学、研究种类繁多的生物物种的机会啊!这种前景不是能使最委靡不振的人重新振作起来吗?”

船上的图书馆藏书很多,达尔文又把他自己的许多书籍带上了船,这使船上的书更为丰富。他带来的最重要的科学著作是C.赖尔的《地质学原理》,亨斯洛曾力劝他读此书但不要相信它。赖尔认为地球的表面通过局部扰动,如火山喷发、地震、侵蚀和沉积等的连续、累积的效应而在一个很长的时期内逐渐变化。这样的扰动存在于遥远的过去,现在能看到的是其后果。这种观点与大部分同时代地质学家的看法大相径庭,后者坚信地球表面的变化是持续短暂的剧烈活动的结果,这些剧烈活动能在整个地球上使高山涌

美国不列颠百科全书公司供图

现,洪水泛滥。在航行的头几个月内达尔文通过自己的观察,转而相信赖尔的观点。

“比格尔号”访问了加那利群岛西南约1 800英里的圣地亚哥岛,这是佛得角群岛的一个火山岛。达尔文从港口观察到海边悬崖上有一条白色的岩带,离悬崖基部约45英尺,水平地延伸,其成分为石灰质,包含许多贝壳,几乎所有这些贝壳都能在海岸边发现。达尔文推论,在古代火山喷出的熔岩流到当时的海底,将它焙烤成坚硬的白色岩石。整个海岛后来抬升,形成白色岩带以下的海边悬崖。达尔文同时观察到海岛地表并非由一次剧烈火山喷发造成,而是经过一系列喷发形成的。他辨认出最初的地表沉降(地表在最早的火山口周围下沉),其他火山口喷发时新熔岩造成的地面上升,以及在一个长时间内发生的进一步沉降和进一步上升。

后来,达尔文在智利平生第一次亲眼目睹了地震。他看到大地在他眼前上升。后来,1835年穿越安第斯山之后他给姐姐写信说,他能“在一定程度上理解各种各样将这大山脉抬升的力量”。他在海拔12 000英尺的高度发现了已成为化石的贝壳,他推论一连串洋底火山喷出巨量熔岩,随后又发生隆起和断裂等过程,从而形成安第斯山脉。他对整个南美大陆感到惊异不止,认为它对赖尔的思想来说是一个巨大的试验场。他给表兄W.福克斯写信说:“在美洲所有事物无不规模宏大……”

达尔文根据他在“比格尔号”航行中收集到的资料写成了一本论述南美地质学的书。虽然他关于大陆变化的理论后来已被板块构造学所取代,但他当时给亨斯洛的信中描述了他的见解,亨斯洛将其摘录并在剑桥哲学学会和伦敦地质学会宣读,这使达尔文在回国以前就在科学界有了名声。

还在航行期间达尔文就对赖尔的珊瑚礁是由火山活动形成的观点提出异议。达尔文认为珊瑚礁是地壳逐渐变化过程的一部分,某些陆地沉降,相应地另一些地方则上升。他解释说,珊瑚仅生长于浅海,海床下沉时,珊瑚便不断积聚而形成珊瑚礁。他预言说,如果整个岛屿沉没到海洋平面下,而珊瑚继续生长,则珊瑚礁会变成围绕潟湖的环礁。赖尔信服这种新理论,并予以支持,20世纪的深海钻探进一步证实了这个说法。

达尔文对地质现象作了思考,这对地质学和他的科学思想发展都十分重要。他检查过的许多岩石含有化石,他不断接触到绝灭物种的遗迹,许多绝灭物种与现存物种有相似之处,这些都向他提出一个问题:新物种靠何种机制取代已绝灭的物种?

在航行过程中,达尔文对自己的观察建立了信心并相信自己有能力抓住一个问题并扎扎实实地解决它。航行过程中他们经常远离社会,却不断接触新的现象,这些都使他养成在他那个时代人们熟悉的科学文化范围内独自思考的习惯。他把不同的能力结合起来:既热衷于仔细地收集事实,又喜欢对这些事实进行理论探讨;能这样做的人是不多见的。他在整个大陆的规模上就其地质现象进行思考,这促使他去探寻一些普遍性的规律。“比格尔号”的航行把达尔文转变成一个独立思考的有冒险精神的科学家,敢于接受物种演变的异端思想。

《物种起源》 1836年达尔文回到英格兰时受到科学界的欢迎,他们把他视为自己的一员。他很快被吸收为地质学会会员,第二年被选为该学会理事会成员。1838年达尔文被选入雅典娜学会,这是一个仅吸收文学、艺术或科学方面杰出人物的俱乐部。1839年他被选入皇家学会。他通过哥哥伊拉兹马斯结识了历史学家T.卡莱尔和女权主义者H.马蒂诺。他也是C.巴贝奇的友人,巴贝奇发明了许多东西,包括计算机。

但同时,达尔文开始在某种意义上过一种双重生活。一方面,他忙于为世人撰写《“比格尔号”所到达的各地区的地质史与自然史的考查日记》,该书于1839年出版。其体裁在某种程度上模仿洪堡的著作,就如达尔文以后的著作一样,文体明晰,充满许多深刻的描述,显得更加生动,既容易理解又有说服力。达尔文又在准备他的地质学著作,并主管由专家进行的对“比格尔号”所收集有关动物资料的分析和《“比格尔号”航行动物志》一书出版(该书于1839～1843年出版,并得到政府1 000镑的资助)。在私下达尔文开始记录了大量笔记,在其中提出一系列有关“物种问题”的问答。他又与育种家、园艺家、博物学家、动物园饲养员等通信或与他们讨论,并且大量读书,从而收集有关物种的事实。

达尔文在收集证据以证实其生物进化的理论时,并不将他在这方面的兴趣告诉别人。他很清楚其他一些离经叛道的科学家遭受过厄运。他在笔记中写道:“想想对早期天文学家的迫害——再联系到每位科学家的主要好处,他们只是提前几年推行他们的科学发现而已。”达尔文的观点不仅在科学上是激进的,还可以被控为亵渎神灵和煽动异端邪说。当时英国受福音派影响极大,人们对自然世界的理解是这样的:上帝的精神存在于自然界,表现为上帝创造了新的动物或植物物种,以取代绝灭的物种。达尔文面对着许多令人费解的证据,对这种生物观在理智上越来越感到难以接受。

航行归来之后,达尔文即将他收集的标本交给剑桥和伦敦的编目专家。在南美他发现了已绝灭的犰狳的化石,这化石犰狳与现存的犰狳十分相似但不相同。在阿根廷他发现不同的地理环境中有不同的种;例如,在南美大草原上有体型巨大的鸵鸟,而南方的巴塔哥尼亚地区只有体型小得多的鸵鸟,这两种鸵鸟均与非洲的鸵鸟近似但又不相同。加拉帕戈斯群岛在厄瓜多尔海岸以西的太平洋中,群岛上的鸟类和龟类往往与邻近大陆上的相应物种相似,但群岛内部各相邻的相似岛屿却有着很不相同的动物种群;这事实令达尔文困惑。在伦敦,达尔文得悉他从加拉帕戈斯带回来的多个雀类标本属于不同的种,而不如他原来想的那样属于不同的变种。他又得知嘲鸫有3种,加拉帕戈斯的龟类至少有两种,并且有如该群岛的大多数动物种类一样,原产于这些岛屿而非南、北美大陆。

达尔文接到这些报告之后,他对物种不变的怀疑便具体化为一种演化的信念。1837年3月,他在笔记本中写到从一个地方到另一个地方,从一个时代到另一个时代物种都在改变。他继续分析他的资料,寻找这种过程的机制。1838年10月达尔文读了T.马尔萨斯的《人口原理》,马尔萨斯认为人口按几何级数增加,而食物供应仅按算术级数增加,因此人口的增加总被有限的食物供应所遏制。达尔文在他的《自传》中回忆说,他认识到假设生存斗争到处存在,则“有利的变异往往得以保存,而不利的变异则往往遭到毁灭……其结果是新种的形成。于是,我最终在这得出一种理论”——自然选择原理——“用它来解释许多现象”。

达尔文的创见超出了对自然界的残酷性的观察,以前其他科学家和哲学家也已注意到生物物种间斗争的残酷性,如狮子吞食羊羔。而达尔文看到了同一物种内个体间的竞争。他认识到,在一个地区种群内,举例说,喙较尖锐、角较长或羽毛较鲜艳的个体与其他个体相比,生存和生殖后代的机会更多。如果这些有利的性状得以传到新的一代,最后就会在未来的世代中占优势。达尔文便这样将进化分析的焦点从物种间竞争转移到种

内竞争。他把自然选择视为有利变异传递到后代,竞争性较差的个体的性状逐渐从种群消失的机制(后辈的生物学家更进一步,认识到种内变异为物种个体基因的变异,他们将进化解释为自然选择了与有利性状有关的基因)。达尔文发现了自然选择后,便急着予以证实,他进而向动、植物育种家提出更多的问题,他希望从他们的人工选择经验中了解自然选择是如何起作用的。

达尔文仍面对一个趋异的问题,趋异即来自同一祖先的近缘物种在进化中发展出不相似的特征。他在航行过程中观察到不同的大片陆地上出现了趋异的物种。达尔文认为海岛中的种群借风力或水传布,从而解决了地理分布之谜。物种进化的理论就这样解决了许多比较解剖学、胚胎学和古生物学之谜。

生物进化的思想不是新东西,在一代人以前E.达尔文,以及法国的布丰、孟德斯鸠、莫佩尔蒂、狄德罗和时间离他最近的拉马克均已提出这种思想。拉马克提出最早的进化图解:从单细胞生物到人各种生物像阶梯一

伦敦南面肯特郡道恩唐别墅的达尔文故居
中国大百科全书出版社供图

样排列。但这些早期的进化论者谁也没有提出进化的机制,也没有提出有说服力的证据。拉马克提出一个假说:自然生殖不断出现;生物体有一种要达到完美的“内部感情”,动物为适应变化的环境而获得的性状可以传到后代。

达尔文注意到这些不同的解释,但不为它们所影响。他的理论植根于直接观察和发现普遍规律的企图。他把进化型式描绘成一颗分支的树,而不是一个简单的阶梯。首先,达尔文不接受这种流行的观点:生物体完全适应其环境。相反,他认为自然世界卷入一场互相竞争的个体间无尽无休的斗争之中,这些个体对环境的适应能力各不相同。其他人也见过斗争,但只见过种间斗争,从未见过种内斗争。把对生物间斗争的认识从种间斗争前进到种内竞争,达尔文引进了种群概念,这就是栖息于一个局部地区的由一定物种的个体组成的群体,该群体中每一个个体均与其同胞有所不同,他认识到,由于种内竞争,那些具有更新适应环境的性状的个体得以生存,正是种内竞争最终造成新种的进化。

到1842年,达尔文对自己的理论的可靠性深信不疑,他就此写成一份草稿,1844年他另写成一份更长的提纲,并让他的朋友,植物学家J.D.胡克看过,他不愿将他的理论公之于众,他在以后的10年内全力写一篇关于藤壶的论文,他在文中暗示藤壶是自然选择的产物,但没有直截了当地这么说。在这一时期,英国学术思维的环境发生了变化,讨论进化已是司空见惯的事。但达尔文仍不打算发表他的论文。谁也不知道达尔文几时才会判定发表论文的时机已经成熟,但1858年6月18日他改变了主意。那天他收到A.R.华莱士寄来的一篇论文,华莱士是一位博物学家,在马来群岛工作,他在文中将达尔文搞了20年的理论精确地总结出来。看来他毕生工作的成果要被别人占了先,达尔文也感沮丧,但他的朋友和知己赖尔、胡克和T.H.赫胥黎帮他解决了难题,他们安排伦敦的林奈学会于1858年7月1日举行学术报告会,会上同时宣读达尔文和华莱士的论文。

2年前达尔文已开始写一份篇幅很大的手稿,这时他开始写他一篇“摘要”。这篇摘要《论物种通过自然选择的起源,或在生存斗争中有利种类的保存》于1859年11月24日出版。该书第一版一上市即售罄,到1872年该书已再版6次。达尔文的理论迅速为大多数科学界人士所接受。除他的老同事A.塞奇威克那样的坚持旧观点的人和对他进行人身攻击的生物学家R.欧文那样的人外,主要的反对来自牧师。他们认识到进化论与《创世纪》的字面解释不一致。保守的基督徒感到自然界(或生物界)按照物理世界一样的规律行事这种观念对他们是一个威胁。达尔文的世界中没有为神灵的干预留下一席之地,人类也未被置于较其他动物优越的地位之上。达尔文将人类连同自然界其他事物一起,视为一个连续统一体的一部分,而不是按神灵的律令单独分开。

《物种起源》出版后达尔文继续写作,而他的友人,尤其是赫胥黎在公众面前捍卫这个理论。1860年6月,英国科学促进协会在牛津大学举行的一次会议上,赫胥黎与得过R.欧文指点的牛津主教S.威尔伯福斯辩论。威尔伯福斯神气十足地问赫胥黎究竟通过他的父系还是母系是猿猴的后裔。赫胥黎回答说他并不因为自己的祖先是猿猴而感到羞耻,但如果祖先是用辩才为谬误服务的人他却会感到羞耻。赫胥黎和胡克在牛津辩论中灭了威尔伯福斯的威风,继续宣扬这些文章有如进化论的福音书。

达尔文在以后的三本书里把他的理论作了全面的解释,这三本书是《物种起源》的续篇。在《动物和植物在家养下的变异》(1868)一书中,达尔文提出他的泛生假说(试图用以解释可遗传的性状是如何获得的,但这个假说无充分理论,细胞生物学和遗传学发展之后,这问题才得到解释)。

在《人类的由来及性选择》(1871)一书中,达尔文直接谈到人类进化这个有争论的问题,在《物种起源》中他只是涉及了一下,而在本书中他对此加以详述。他将进化的范围扩大了,不仅包括躯体的性状还包括心理和精神方面的性状,他强调人不仅在躯体结构方面与大型猿类相似,在心理方面亦与之相似。他预言:“这样的时刻已经为期不远了,那时如果熟悉人和其他动物结构的比较以及人和其他动物的发育的博物学家竟然还相信人类和其他动物都是各不相干的创造行动的结果,这就令人奇怪了。”

该书后半部详述了性选择理论。达尔文观察到在某些种中雄体与其他雄体争斗以接近雌体;但在另一些物种中,如孔雀,就存在另一种社会系统,即雌体按照力量或美观等性质来选择雄体。20世纪的生物学家将性选择理论扩展,认为雌体会选择能对后代的生存作出贡献的雄体,亦即能使下一代更有竞争力的性状借雌性选择得以保存。虽然当时大部分科学家拒绝接受达尔文关于雌性选择的理论,他终生顽强地捍卫自己的观点。虽然今天这理论也未被普遍接受,但在进化论生物学家中有许多拥护者。

达尔文《物种起源》的最后一部续篇是《人类和动物的表情》(1872),他试图借此扫清假定存在于人与非人动物之间的最后一道障碍——只有人才能表露痛苦、焦虑、悲伤、绝望、欢乐、爱、忠心、恨、愤怒等感情这种认识。达尔文将对人类面肌和发声的研究与相应的感情状态联系起来,并认为非人动物若表现出相同的面部动作和声音则也表示相似的感情状态。本书为行为学、神经生物学和心理学中的传播理论奠定了基础。

以后的著作 达尔文一生中写过两类著作,一类涉及生物各物种的共同规律,如有关进化论的四部著作;另一类涉及单一的问题,如关于藤壶的论文。随着时间的推移,他的兴趣从地质学到动物学又到植物学。他后期的作品中包括了理论的解释,而他早期的作品主要包含资料。他在《论英国和外国兰花借助于昆虫传粉的种种技巧》(1862)一书中证明植物显示出种种复杂的适应性特征,借以增加物种生存的机会。举例说,这样的特征之一便是异花传粉(花粉从一朵花传到另一朵花的机制)。在解释蜜蜂与兰花的相互依赖关系时,达尔文提到靠风力传粉的花颜色不鲜艳,而那些需要吸引昆虫传粉的花则具颜色鲜艳的花瓣和气味芬芳的蜜腺。在《同种植物的不同形式的花》(1877)中,他描述了他的观察:在某些种植物的花中,花药和花柱的长度各异,这也是异花传粉的另一种适应机制。达尔文在肯特郡唐镇住宅的花园中做实验,种了两大片柳穿鱼,一片来自异花传粉结成的种子,另一片来自自花传粉的种子,他是从同一亲本植物获得这两种种子的。他说:“令我惊奇的是,来自异花传粉种子的植株发育成熟后,一般说与来自自花传粉种子的植株相比更高更强壮。”随后他又花了12年时间用57种植物进行园艺实验,并在《植物界异花传粉及自花传粉的效果》(1876)一书中描述了他观察的结果。他在书中提出:无论在动物还是植物,有雌雄性之分在遗传上是有优越性的,这样可保证异体受精,他通过实验知道异体受精可产生更健康、更强壮的后代。

在《论攀缘植物的运动和习性》(1875)一文中,达尔文用适应来解释了某些植物茎的生长趋向,这些植物的茎向着热和光的方向盘旋,按顺时针或逆时针方向弯曲。他通过实验发现攀缘植物不会缠绕直径大于6英寸的物体。达尔文解释说,这种特性可避免藤本植物攀上大树,因为树上部的枝条会使该植物得不到阳光。他还对使某些植物攀缘和

弯曲的机制感到兴趣,他继续进行实验,并指出"植物最顶部存在某种物质,该物质受光的作用,并将其效应传递到植物靠下的部位"。他在《植物的运动能力》(1880)一书中报告了他的研究。

达尔文一次偶然观察到苍蝇为茅膏菜的捕虫叶所捕获,于是开始研究食虫植物。植物的活细胞具有与动物细胞相似的感应和反应的能力,这点给他印象尤深。1875 年达尔文在《食虫植物》一书中发表了他的发现。他最后一部植物学著作是《蠕虫作用下腐殖土的形成》,出版于 1881 年他逝世前 6 个月。他在书中证明,蠕虫吞食消化植物的落叶,并将有机物质进行再循环,从而促成腐殖土的形成。这项研究在定量生态学领域中起到开拓性的作用。

风云人物 达尔文过着一种独立的科学家的生活,单独在家里工作,在维多利亚女王时代的英国仅极少数人有幸得以过这种生活。R.达尔文赠予的金钱使查尔斯不必寻找职业。他航行归来之后便很清楚自己永不可能像他的老师亨斯洛一样担任牧师。他也不想像他的哥哥、上流社会人物伊拉兹马斯一样过独身生活。权衡了婚姻的利弊之后,他向表妹埃玛·韦奇伍德求婚,他们于 1839 年 1 月 29 日结婚。埃玛带来了财富和挚爱,又善于持家,这使达尔文得以在以后的 40 年中平安地工作。新婚之后,达尔文夫妇迁到伦敦高尔街的一所房子居住,但他的健康情况在几年之内日渐恶化,他们不得不迁往乡间。1842 年他们迁到肯特郡道恩的唐别墅,该地距伦敦仅 16 英里,但进城却不很方便。

查尔斯与埃玛生过 10 个孩子,两个在婴儿时期即已夭折,第 3 个(安妮)10 岁时死去。存活的 5 个儿子离家上学。乔治、弗朗西斯和霍勒斯成为杰出的科学家,伦纳德是皇家部队的少校,也是工程师和优生学家。威廉·伊拉兹马斯和他的姐妹们一样默默无闻。两个女儿留在家里陪伴母亲并待嫁。亨利埃塔后来出嫁,而伊丽莎白一直在唐别墅独居。达尔文钟爱妻女,但把她们当小孩子一样看待,碗橱和其他存储处的钥匙都锁在抽屉里,达尔文拿着抽屉的钥匙,埃玛每次要开抽屉都得向他要钥匙。

达尔文在《人类的由来及性选择》一书中写道,多数动物种类的雌雄两性幼时都像成年雌性,他认为其理由在于雄性在进化上较雌性先进。他对妇女的态度带着他这种科学观点的色彩。他写道:"雌性不如雄性那么热切,却是娴静的,"雌性参与挑选配偶时,所挑选的"不是最具吸引力的雄性个体,却是最不讨人厌的个体。"

他在医学院的所见使他同情流行的反活体解剖运动,但他在 1876 年 6 月 23 日致伦敦《泰晤士报》的一封信中告诫妇女不要卷入这种运动,他写道:"女人们因为心肠软,又非常无知,会成为活体实验最激烈的反对者,但我希望当她们知道使用麻醉药后进行的这类实验已经挽救了并且将来还会继续挽救成千上万妇女的生命,使她们脱离缠绵的疾病和可怕的死神后,会停止这种反对态度。"所有残忍的表现都令他反感,他强烈反对奴隶制。

达尔文珍视他在英国社会中不受干扰的地位,害怕疏远那些他知道会对他的理论感到不快的人。他一开始从事研究便从伦敦的科学界受益匪浅,这些人帮助他鉴定从"比格尔号"带来的标本,与亨斯洛、胡克、赖尔和赫胥黎就学术问题交换意见,也给他很多启发。他是保守的英国社会的受益者,害怕受到排斥,这也是他迟迟不发表其理论的原因之一。他也害怕(他知道会这样的)他的想法会伤害他的挚友亨斯洛,尤其是埃玛,他们都是虔诚的基督徒,对他们来说他的理论是异端邪说。

他很清楚,公布自己的理论对于与自己关系如此密切的社会来说意味着什么。于是在他的科学与这种认识之间的冲突便表现为躯体上的痛苦,这个一度富于冒险精神的年轻博物学家在 40 岁前便是一个半残疾人。对达尔文所患的疾病,人们作过各种各样的推测。1837 年他开始写第一本关于演变的笔记时,某些症状——痛苦的胀气、呕吐、失眠和心悸便大量出现。虽然他在南美接触过多种昆虫,可能感染了查加斯氏病或某些其他热带病,但以他的学术活动为背景仔细分析症状的发作,便可以发现这些症状可能是精神性的。在以后的几十年内达尔文的疾病时轻时重。但在他生命的最后 10 年,他不再思考进化论问题而致力于植物学研究时,他的健康状况是剑桥时代以来最好的。

达尔文把他在唐别墅的家变成一个实验室,他在这里的花园中做实验并观察当地的动物区系。猫和狗成了他家庭的一部分,1839 ~ 1856 年间这个家庭中一直有学龄以下的儿童。达尔文过的也不是隐居的生活,他常参加在伦敦举行的科学会议;1842 ~ 1881 年间他离家的时间约达 2 000 日。他是 57 个重要的外国学会的成员,在道恩也是一位重要人物、公谊会教友俱乐部的司库和治安法官。他送孩子们参加村里的舞会,即使他是宗教怀疑论者,他还是参加作为村中生活一部分的教堂活动。

1882 年 4 月 19 日达尔文逝世于唐别墅。数小时内噩耗传到伦敦,议会决议将他葬于威斯敏斯特大教堂。这时,通过自然选择的进化学说已被普遍接受。以后遗传学和分子生物学的发展对他的思想作了修改,但他的工作仍是现代进化论的核心。

Darwin, Erasmus 达尔文(1731-12-12,英国诺丁汉郡埃尔斯顿霍尔~ 1802-04-18,德比郡德比) 英国著名医师,C.达尔文的祖父、F.高尔顿的外祖父。曾在剑桥大学

美国不列颠百科全书公司供图

(1750 ~ 1754)和爱丁堡大学(1754 ~ 1756)受教育。发现在诺丁汉行医没有前途,便改在利奇菲尔德开业,获得成功。乔治三世要召他到伦敦,任他的私人医生,但被谢绝。在利奇菲尔德时,与很多名人相识,其中有普里斯特利、卢梭和约翰逊。1781 年迁居德比,创办哲学学会,并在利奇菲尔德开一家药房(1784)。他是个自由思想者和激进分子,常用韵文抒发思想和撰写科学论文。最有名的著作是《植物园》(1794 ~ 1795)和《自然的殿堂或社会的起源》(1803)。他在《动物生物学或生命规律》(1794 ~ 1796)中提出了与拉马克相似的进化观点,认为物种演变是有目的地适应环境的结果。他体现了 18 世纪唯物主义的观点与准则,他从简单的观察作出的结论已经预示着 19 世纪将有更杰出的科学发现。主要著作还有《住宿学校女生管理计划》(1797)和《植物学,或农业与园艺的哲学》(1800)。

Darwin, Sir George (Howard) 达尔文(1845-07-09,英国肯特郡道恩~ 1912-12-07,剑桥郡剑桥) 英国天文学家。他支持月球在形成以前是地球的一部分的理论。他是著

美国不列颠百科全书公司供图

名生物学家 C.达尔文的第二个儿子。1883 年,他成为剑桥大学天文学和经验哲学教授。他发表于 1884 年有关潮汐的巨著是以 P.S.拉普拉斯和开尔文勋爵的方法为基础的。在发表于 1898 年的一篇题为《太阳系中的潮汐和类似效应》的论文中,他讨论了作用在地-月系的潮汐摩擦,并由此论证了月球是由于太阳的潮汐作用,把处于熔融状态的地球物质拉出形成的。但现在已认为这一假说不大可能成立。他的伟大功绩在于,率先在地球物理中运用数学分析方法来发展日-地-月系统的演化理论。达尔文对 3 个互相绕转的天体(如日-地-月系统)的轨道作过深入研究,即计算出每个天体在某一时刻的位置。作为他研究月球起源理论的一部分,他研究了旋转流体能稳定的形状。他的结论是,呈梨状旋转流体是稳定的,这个结论现在认为不对。1899 年,他成为皇家天文学会主席,6 年后成为英国协会的主席。他受到多次奖励,1905 年还被授予巴思二级勋爵称号。

Darwin Rise 达尔文海梁 位于西太平洋和中太平洋广大地区的海底隆起,为纪念 C.达尔文而命名。所在位置与中生代(2.25 亿年前至 0.65 亿年前)即已存在的一条大海梁相当。长逾 10 000 千米,大约从马里亚纳海沟东边向东南延伸至土阿莫土群岛、宽约

4 000千米。特点是有许多海底平顶山和珊瑚环礁。海底山顶处的最大深度约为 1 600 米。有数条海岭和海槽与之平行分布,并有横向断裂带将其切割。有一大群为熔岩流所漫溢的扇状群岛位于该海梁之上。现今该地区无地震活动,显示有正常热流穿过洋底。海岭和海槽地形、早先的火山活动和位居大洋盆地之中间,都让人推断这个地区早先是隆起。有充分证据表明此区沉降:浅水生物被发现于海底山顶,在挖泥样品中发现氧化铁,表明曾进行过侵蚀和风化作用。达尔文海梁上很多火山锥应该是曾经出露在过去的海面之上。达尔文由向上生长的珊瑚环礁的出现而把这个地区认为是沉降区,这与他的洋底下沉而形成环礁的理论是相吻合的。这沉降被认为是从白垩纪以来就连续出现的。这样一个沉降区的存在在海洋地质系中是有意义的,因为它证明地壳大的垂直运动也发生在海下。

Darwinism 达尔文主义 C.达尔文提出的关于进化机制的生物学学说,用以解释机体变化的原因。从 1837 年开始,达尔文即从事研究这个目前尽人皆知的概念,即进化在本质上是由下述三种因素互相作用而发生的:①变异,一种自由化的因素,普遍存在于一切生物中。达尔文对此并未试图加以解释。②遗传,一种保守力量,使相似的机体形态代代相传。③生存竞争,决定能适应一定环境的变异,从而通过选择性生殖率来改变生物体。新达尔文主义用新的知识取代了早期的概念,彻底排除了拉马克获得性遗传理论的影响。现代科学家比达尔文能更满意地区分开不遗传的躯体变异和能真实遗传的变异。

Darwin's finch 达尔文雀 参阅 **Galápagos finch 加拉帕戈斯地雀**。

Darwin's frog(*Rhinoderma darwinii*) **达尔文氏蛙** 尖吻蟾科不多几个种之一,一种小型蛙。产于阿根廷和智利。为达尔文于航行世界途中所发现。是罕见的具有孵卵习性的两栖类。雄蛙把将要孵化的卵抓起,将发育中的幼蛙放入其可膨胀的声囊里直到幼蛙能独立生活为止。

darwīsh(Islām) 参阅 **dervish 德尔维希**。

Daryā-e Nūr 海之光钻石 伊朗王冠上各种珠宝中最大和最美丽的钻石。为浅粉红色、板状的宝石,重约 185 克拉,来自印度安得拉邦戈尔孔达。刻在背面的是法塔赫·阿里·沙阿的名字和他死的年份(1834)。安大略皇家博物馆的专家们推定"海之光钻石"是一个大的台形金刚石之主要部分,这台形金刚石是法国宝石商让-巴蒂斯特·塔韦尼耶 1642 年在戈尔孔达见到的。大台形金刚石的另一部分被认为再切割成一卵形、桃红色重 60 克拉的宝石,名叫"眼之光宝石"。

Das, Chitta Ranjan 达斯(1870-11-05,加尔各答～1925-06-16,印度大吉岭) 英国统治时期孟加拉独立党领袖。早年任律师,为许多被指控犯有政治罪行的人进行辩护。他强烈反对英国在印度的统治,支持甘地的反英不合作运动。1921 年入狱 6 个月。1922 年成为印度国大党主席。后来,当独立党成为孟加拉最大的政党时,他拒绝出任首席部长。声称自己的目的是推翻英印政府,而不是同这个政府合作。1924 年当选加尔各答市市长,努力改善该市印度居民的状况。1925 年与英国印度事务大臣伯肯黑德谈判,但在未达成协议之前死去。

Dāsa 达塞人 又拼 Dasyu。印度土著居民,曾与入侵的雅利安人进行战争(约公元前1500)。雅利安人描述他们皮肤黑黝,声调刺耳,崇拜阴茎形象。这一记述使许多学者相信,印度教徒崇拜其宗教象征林迦(liṅga)即来源于此;不过林迦也许是指其性行为。达塞人居住在设防地方,并由此出外袭击他人。据认他们是侍候婆罗门、刹帝利和吠舍 3 个较高等级的原始首陀罗人或农奴。他们不能参加这 3 个等级的宗教仪式。

Dasam Granth 《达萨姆·格兰特》 印度锡克教第十代亦即末代祖师辛格的著作集。全称《第十帝之书》,帝指祖师。内收布拉吉语、印地语、波斯语和旁遮普语颂神诗歌、哲学著述、印度教神话、自传和色情寓言。

Dasgupta, S(urendra) N(ath) 达斯古普塔(1885-10,印度孟加拉库什蒂亚～1952-12-18,勒克瑙) 印度教哲学家。所著《印度哲学史》(5 卷,1922～1955)是权威作品。他经过研究东西方思想,综合吠陀文献、耆那教义(特别是其中的神秘主义)、英国和美国的新实在论以及突生进化论而提出他自己的哲学体系。曾在加尔各答梵文学院获梵文硕士和哲学硕士学位,遂即任吉大港学院常任教授,着手撰写《印度哲学史》。于 20 世纪 20 年代初期游学英国,以关于当代欧洲哲学的论文获剑桥大学博士学位。回国在加尔各答从事教学与研究。为欧洲哲学界所接纳,曾数次作为访问学者到欧美讲学。他提出,心识与知识的复合体是历史与进化过程的一部分,这种过程始于时与空基本母体而经历不同生物发展阶段。这一过程的终结就是个人所奉为最高形式之爱的神圣至福。

dash(race) **冲刺** 参阅 **sprint 短距离跑**。

dasheen(tropical plant) 参阅 **taro 芋**。

Dashennongjia 大神农架 中国湖北省西部山地,属大巴山东段。地势高耸,不少山峰超过 2 500 米。大神农架主峰神农顶海拔 3 105米,号称"华中第一峰"。湿度大,宜于多种林木生长。1 700 米以下为常绿阔叶、落叶阔叶混交林,以青栲、铁橡树、枹树、栓皮栎等为主;1 700～2 300 米以华山松、油松、锐齿栎为主;2 300 米以上气候冷湿,出现以巴山冷杉为主的暗针叶林带。山地森林覆盖率达 70%,有珙垌、香果树、楠木、麦吊杉、黄杉等珍贵树种。为中国著名的神农架自然保护区的重要部分,并被联合国教科文组织列入国际生物圈保护区网络。

Dashkova, Yekaterina Romanovna Vorontsova, Knyaginya(Princess) **达什柯娃**(1743 或 1744-03-28,圣彼得堡～1810-01-16,莫斯科附近) 即 Y.R. 沃龙佐娃。叶卡捷琳娜二世大帝的朋友和 18 世纪俄国文学艺术的主要庇护人。出身显赫的沃龙佐夫家族。1759 年与达什柯夫亲王结婚。曾参加推翻彼得三世的政变,拥立叶卡捷琳娜为俄国女皇。18 世纪 60～70 年代,大部分时间住在国外。1782 年回圣彼得堡,叶卡捷琳娜女皇任命她为艺术科学院院长。翌年任俄罗斯科学院首任院长。在她主持下,俄罗斯科学院编纂一部俄语辞典。保罗一世即位后,于 1796 年撤销她的职务并勒令她离开圣彼得堡。

daśnāmī sannyāsin 商羯罗遁世派 8世纪印度教哲学家商羯罗创立的十个湿婆派之一的虔修教派。它们至今还活跃在印度。该派信徒身穿赭色长袍,有条件者肩披虎皮或豹皮以备坐用。他们身上带有用火化尸体余烬涂画的标记,即 3 条横线,或在前额或在其他部位;还佩戴念珠,长发披肩或者盘髻于顶。有些极端信徒裸身露形。

Dass, Petter 达斯(1647,挪威阿尔斯塔海于格附近北海勒依～1707,阿尔斯塔海于格) 挪威诗人。当时学究气盛行,文人唯雕琢词章是务,他以其文字清新活泼、语言通俗为群众所喜爱而出人头地。他在挪威北部的阿尔斯塔海于格地方任牧师,向该教区散居的渔民、牧民和农民布道终其一生。他的诗稿传诵于教区居民之间。诗集中只有《挪威山谷之歌》(1683)是他在世时出版的。最有名的诗作为《诺尔兰的号角》(写于 1678～1700 年,出版于 1739 年),精确而有风趣地描绘出诺尔兰地区的自然风貌、人民和生活。

Dassault, Marcel 达索(1892-01-22,巴黎～1986-04-18,巴黎) 原名 Marcel Bloch。法国飞机设计师和实业家。他的公司在第二次世界大战后几十年中制造欧洲最先进的军用飞机。犹太内科医生之子。他获得航空器设计及电子工程学位,第一次世界大战期间为法国设计飞机。20 世纪 20 年代涉足房地产业。1930 年再度置身航空领域,创办了自己的公司,制造军用和民用飞机,取得巨大的成功,而名利双收。第二次世界大战期间他拒绝为德国工作,被关进布痕瓦尔德集中营。战后他的飞机制造公司生产出欧洲第一种超音速战斗机"神秘"式和三角翼战斗机"幻影"式(1966)。各型"幻影"式作战飞机在第三世界国家中很受欢迎,并成为世界上使用最广的军用飞机。1967 年达索公司与另一家运输机制造商布雷盖航空公司合并为达索-布雷盖飞机制造公司。1951～1955 年和 1958 年至逝世,担任国民议会议员。

Dassault Industries 达索企业 法国公司,其与航天有关的几个主要子公司专门从事生产军用和民用飞机,生产基于计算机的设计、制造和生产管理系统,以及航空模拟器。其最初的子公司是由法国飞机设计师 M.达索于第二次世界大战结束时建立的达索飞机制造公司，1990 年改用现名。总部设在法国的沃克雷松。达索企业是达索家族的控股公司。在达索飞机制造公司中，达索企业占有 49% 的股份，欧洲宇航防务集团（EADS）占 46%。达索飞机制造公司的产品包括：世界各国空军广为采用的“幻影”2000 喷气战斗机和阿尔发喷气教练机与歼击机，为法国武装部队生产的新一代多功能喷气战斗机“阵风”，法国海军所用的双涡轮螺旋桨大西洋 ATL2 海上巡逻机和隼式商用喷气飞机。2000 年达索飞机制造公司雇用的职工约有 11 000人。达索企业的其他主要子公司有设在美国的达索隼式喷气飞机公司，从事航天模拟器开发和技术资料供应的索吉科技公司和达索系统公司。1981 年建立的子公司达索系统公司在 CAD/CAM/CAE 和 PDM 方面居世界领先地位；其航天方面的客户有波音公司、洛克希德-马丁公司和空中客车公司。M.达索在 1945 年创办了马塞尔布洛克飞机公司。他在第一次世界大战时的法国，以及后来在 20 世纪 30 年代，曾经设计并制造飞机。第二次世界大战期间因参加抵抗运动的活动被关押在德国的布痕瓦尔德集中营。战后改为姓达索，公司也因此改名。该公司的销售量虽然迅速增长，但职工人数仍相对较少，因为大多数实际生产都是转包给国有的南方飞机制造公司。1977 ～ 1981 年间，法国政府掌握达索公司 45.76% 的股权，该公司于 1998 年转让给法国宇航公司（欧洲宇航防务集团的前身）。

dassie（mammal） 参阅 **hyrax 蹄兔**。

dassie rat 参阅 **rock rat 岩鼠**。

dastgah 达斯特格 在伊朗艺术音乐中，指一组音，它们独有的特征以及一组互相关联的传统旋律构成即兴演奏的基础。达斯特格与阿拉伯的**莫卡姆**（**maqām**）属类似体系，这反映出阿拉伯人一度对伊朗的统治。每一个达斯特格（即旋律调式）所固有的音构成一条七音音阶。虽然广泛运用的有 50 多种，但理论家通常只记叙 12 种主要调式。演奏时乐师采用调式中的 7 个音，其中 3 个音供调式内部的可变音高用，还有几个音供转调（从一个调式换到另一调式）用。演奏以一些称为“古谢斯”（gūshehs）的传统旋律实体为基础。演奏者可从一组与某一达斯特格有关的“古谢斯”中选定几条，并决定按什么顺序和如何演奏它们。所有 12 种达斯特格中的 200 余条“古谢斯”合在一起，统称“拉迪夫”（radīf）。伊朗的达斯特格表现出与阿拉伯传统失去联系后从莫卡姆逐步演化的过程。

Dasvant 达斯万德（活动时期约16世纪，印度） 印度莫卧儿帝国重要画家，为阿克巴王朝的史官推许为“时代最伟大的画家”。生平不详。推测是印度教徒，出身微贱。后为阿克巴所赏识，命波斯画师阿卜杜勒-萨马德教其习画。其署名的细密画存者不多，斋普尔的《拉兹姆书》（印度史诗《摩诃婆罗多》的波斯文译名）大多数插图由其构图。由助手彩绘。只有《鹦鹉之书》手抄本中的细密画（藏克利夫兰艺术博物馆）是他亲手完成的唯一作品。

Dasyu（Indian aborigine） 参阅 **Dāsa 达塞人**。

dasyurid 袋鼬类 袋鼬科的有袋动物，包括本地猫、袋鼬、袋鼠之类。共约 50 种。分布于新几内亚、阿鲁群岛、澳大利亚及塔斯马尼亚。参阅 **native cat**; **Tasmanian devil**; **crest-tailed marsupial rat**; **marsupial mouse**; **numbat**。

袋鼬（*Sminthopsis*）
美国不列颠百科全书公司供图

Daszyński, Ignacy 达申斯基（1866-10-26，俄罗斯帝国波兰加利西亚兹巴拉日～ 1936-10-31，波兰切申附近贝斯特拉） 波兰社会党领袖和爱国者，第一次世界大战后在恢复波兰共和国方面表现突出。1892 年在加利西亚参与组建波兰社会民主党。1897 ～ 1918 年任奥地利帝国议会议员。1903 年起多次参加社会党国际会议，一贯坚持波兰的独立和统一。1912 年起与 J.毕苏斯基合作。同年在克拉科夫任波兰社会党机关报《前进报》总编辑。1918 年 11 月 7 日在卢布林任临时政府总理。翌年 1 月 26 日选入议会。1920 年 7 月至次年 1 月任民族联合政府副总理。1928 ～1930 年为议会议长，反对毕苏斯基的独裁倾向。1931 年因病退休。

database 数据库 又拼data base，又称电子数据库。泛指经过特殊组织的可供计算机快速查询和检索的数据群或信息。数据库的结构应使数据的存储、检索、修改和删除以及各种数据处理工作容易进行。数据库可储存在磁盘、磁带、光盘或其他辅助存储设备中。

数据库由一个或多个文件构成。这些文件中的信息可分解为许多记录，每个记录由一个或多个字段组成。字段是数据存储的基本单元，且每一字段所含的信息是关于数据库所描述实体的一个特征或属性。利用关键字和各种排序指令，用户可以快速在许多记录中查询、重新排列、组合和选择字段，以便在特定的数据集合上进行检索或产生报表。

数据库的记录和文件必须组织好以适合于信息检索。早先的系统按字母、数字或时间的顺序排列；随后出现的直接访问存储器可以通过索引随机存取数据。查询是用户检索数据库信息的主要手段。在典型的查询中，用户提供一串字符，计算机向数据库查找相应的序列，并提供出现那些字符的源材料；例如，用户可以请求其中对人的最后名字的字段内容是 Smith 的所有记录。

大数据库的许多用户无论何时都必须能快速控制数据库内的信息。再者，大企业和其他组织机构往往会建立许多单独的文件（其中包含相关的和甚至重叠的数据），而且它们的数据处理工作常需将数个文件中的数据连接起来。数种不同类型的数据库管理系统已经开发出来以支援这些需要，其中有齐平型、层次型、网络型、关系型和面向对象型。

在齐平型数据库中，记录按实体的简单表格组织起来；许多小型计算机的简单数据库都是齐平结构的。层次型数据库的记录组成树状结构，记录的每一级又分叉为一群较低的层；在层次型数据库中，不同层的记录群之间是单连接的。与此不同，网络型数据库记录群之间是多连接的（通过链接或指针）；网络型数据库的速度和多功能性使它们在企业中获得广泛应用。关系型数据库用在文件或记录之间的结合不能用链接表示的地方；简单的齐平表格变为一行表（或“关系”），而且可用数学方法将多个关系联合起来产生所期望的信息。面向对象型数据库存储和控制更复杂的数据结构（称为“对象”），这些对象被组织在各个层次，链系中的各个层次都可以继承其较高层次的特性；这个数据库结构是最灵活和最能适应环境的。

许多数据库中的信息是由文件的自然语言正文构成；面向数字的数据库主要包含如统计、表、财务数据，以及原始的科学和技术数据等。小数据库可运用在小型计算机系统上，而且可供个人在家中使用。这些以及较大的一些数据库在企业日常活动中日益显出其重要性。典型的商业应用包括预订机票、生产管理、医院中的医疗记录，以及保险公司的法律记录等。最大的数据库通常用于政府机构、企业组织和大学。这些数据库可包含摘要、报告、法令、电信业务、报纸和杂志、百科全书，以及各类目录等。参考书目数据库包含文献目录或索引，从它们那里可以得知书、期刊和其他出版物中的信息所在处。目前存在数以千计的可公开访问的数据库，其中包含法律、医学、工程、新闻和时事、比赛、分类广告及教学课程等主题。科学家、医生、律师、财政金融分析家、证券经纪人和各类研究人员都日益依靠这些数据库来快速选取大量信息。

data compression 数据压缩 又作 data compaction。存储或传输给定的信息段所需的数据量减少的过程，典型情况下是采用编码技术实现的。有许多种方法可以压缩数字计算机和通信设备所用的二进制数据。二进制系统用一组 8 个二进制数字（称为“字节”，其中每个数字称为1“位”，可以是“0”或“1”）代表一个字母或数字字符。基本数据压缩法是关键字编码法，即把频繁出现的单词（例如“the”）转换成双字节记号。比较高级的技术则对通常出现的文本模式进行分析、识别，然后用单个字符和符号来代替，如词组“going to”中的“ing to”可以变换为“$”，这样就显著地减少了大块文本的尺寸。也可以用比8位少的位串来代表常用字符和符号，最常用的字符用最少的位数来代表。采用可变长位串压缩法时，成功译码的关键是必须明确无误地识别表示字符结束的位。哈夫曼编码是这种技术中广泛使用的一种。游程长度编码法用于包含重复性字符的数据，它把重复的串存储一次，同时指出重复的次数。数据压缩的主要好处是：更大的数据存储容量(特别是只读光盘)，更高效地通过传真机和调制解调器传送信息，更有效地加密(即隐藏信息的意义)。最高级的数据压缩法的特征是时间与速度二者兼顾。一般是给压缩程序分析数据的时间越长，压缩量就越大(极端情况除外)。

data encryption　数据加密　又作encryption或encipherment。把信息隐藏起来成为“密文”，即使数据对未授权的人变得不可理解的过程。解密则与此相反，是把密文还原为原来格式的过程。从罗马时代起，就已采用手工加密了，但这一术语现在已经发展成与采用电子计算机进行信息隐蔽紧密地联系在一起了。加密是以**密码学**(**cryptology**)为基础的。计算机通过对一块数据施加一种算法(即一组完成既定任务的规程或指令)来对数据进行加密。只有报文的发送者和预期的接收者知道的个人密钥(或名字)被用来控制算法对数据的加密，这样形成的密文只有用该密钥才能解密。20世纪70年代末以来，出现了两类加密方法。传统的对称加密技术要求加密和解密双方有同样的密钥。常用的对称加密系统是数据加密标准(DES)，这是一种极其复杂的算法，已被美国国家标准局批准作为标准。非对称加密技术(即公钥密码术)要求有一对不同的密钥：一个用于加密，另一个用于解密。这种加密技术可以在位于不同地方的有关各方之间传递隐蔽的数据，而无需传递未加密的密钥。常用的非对称加密标准是RSA算法。随机选择的、长度足够的密钥被认为是几乎不可攻破的。从256个现有的ASCII字符中随意选择10个字符作为密钥，假如犯罪者每秒钟可以试用10 000个不同密钥的话，则可能需要约400亿个世纪才能破解。

Datangxiyuji　《大唐西域记》　英语作Records of the Western Regions of the Great T'ang Dynasty。又称《西域记》。佛教史籍。记述唐玄奘西行求法经历的行传。玄奘述，其弟子辩机撰文。12卷。书中详细记述了138个国家、地区、城邦的地理、山川、城邑、交通、风习、物产、政治文化，特别是当时佛教状况、佛教古迹以及历史传说、人物传记等。为研究印度、尼泊尔、巴基斯坦、孟加拉国以及中亚等地古代历史、地理、宗教和文化的珍贵资料，也是研究中西交通史的宝贵资料。考古学者根据此书对王舍城旧址、鹿野苑古刹、阿旃陀石窟、那烂陀遗迹进行探查发掘，获得充分证实。《大唐西域记》有法、英、日等各

大唐西域記卷第十
三藏法師玄奘奉詔譯
大揔持寺沙門辯機撰
僧伽羅國
摩訶剌侘國

金代据北宋官本刻《大唐西域记》书影
中国大百科全书出版社供图

语言译本。清朝的丁谦著有《大唐西域记考证》。

date line　日界线　参阅 **international date line** 国际日界线。

date palm (*Phoenix dactylifera*)　**枣椰树**　又称海枣。棕榈科乔木，产于加那利群岛、北非、中东、巴基斯坦、印度及加利福尼亚。株高约23米，树干上显见剪去老叶的基桩，树冠由美丽光泽的羽状叶构成，叶长约5米。花穗从头年长出的叶的叶腋分枝，雌雄异株。栽培种常人工授粉。浆果(椰枣)含一粒种子，通常长圆形，但其形状、大小、颜色、质地、果肉的黏度等因栽培条件不同而差异很大。一条枝上可结1 000多个果，重8千克以上。干果重量的50%以上是糖，蛋白质、脂肪和

成熟的椰枣
美国不列颠百科全书公司供图

矿物质各占2%。栽培史十分久远，从远古时代即受珍视。在有灌溉条件的北非及中东荒漠地区曾是主要食物，及主要的经济收入来源。在18世纪和19世纪初，西班牙传教士将其带到新大陆。枣椰树全株都有经济价值：树干供材用；小叶可编织篮筐；叶的中脉可制家具；叶基作燃料；果柄搓绳索及作燃料；纤维可制绳索及包装材料；种子磨碎后作饲料；果制糖浆、酒精、醋和一种烈酒；树液可直接作为饮料或发酵后饮用，但由于抽取树液会严重损伤植株，故仅用几乎不产果的树抽取树液。植株砍伐后，幼嫩顶芽可做沙拉。枣椰树可用种子繁殖，但种植园内通常靠根出条分株栽植，根出条在植株尚年轻时即发出，部位多在近茎基部处。分株在生长3～6年后形成自己的根，此时可以移植。种植后4～5年始果，10～15年为盛果期，每株年产40～80千克以上。枣椰树能活到150年，但产量随树龄的增长而下降，商业栽培需较早更新。埃及、爱尔兰、沙特阿拉伯和伊拉克是重要出口国，阿尔及利亚和突尼斯所产者在欧洲也很著名。在美洲主要产于加利福尼亚。在欧洲地中海沿岸，枣椰树作为观赏树。基督教徒于棕榈主日，犹太人于住棚节时用枣椰树叶为装饰。印度生产的枣椰糖用近缘种林生海枣(*Phoenix sylvestris*)的树液制成。

Datia　德蒂亚　印度中央邦中北部城市。为重要铁路、公路枢纽，谷物与棉花贸易中心。德蒂亚有石城墙环绕，是前德蒂亚土邦的首府，有数座宫殿和花园。高粱、玉米、小麦和豆类为周围地区的主要农产品。1907年设镇。有几所学院。人口约65 565(1991)。

dating　年代测定　在地质学中，年代测定是确定地球历史事件年代表的方法，在很大程度上，是利用在海洋和大陆环境里，整个地质历史时期积累起来的沉积岩中生命演化的证据。为了测定过去的地质事件、作用过程、地质建造及化石有机体的年代，地质学家们采用了多种技术。其中包括建立一个相对年代表，在这相对年代表中，地质事件可以按彼此相对正确的顺序或相对已知事件来论正确的顺序排列。用放射性年代测定和其他方法可以给出以距今多少年而论的绝对年代表。这两种方法通常同时使用，例如在前后相续的地质事件的顺序可以与其他地区的绝对年代表相对比。就其最简单的形式而言，相对年代测定运用两个主要概念——年代顺序和同时性。例如，如果通过观察岩层在特殊地点呈现出的地层层序，就能确定出一系列地质事件和有机体的年代序列，那么这就可以提供参考序列，其他地区不完整的记录可以与这参考序列对比。在这种类型的对比是以同时性事件(例如同一次爆发的火山灰层或窄时性的生物化石遗体)为根据的那些地方，发展出来的对比方案就成为相对年代学的框架。因此，地层积叠顺序与区域性甚至全球性同时性事件的鉴别是极其重要的。绝对年龄的测定是通过认识地质记录中一些随时间变化过程的效应而确定的。这些过程可以是由于季节旋回或放射性衰变的结果。季节旋回形成年周期性的沉积层序，例如冰川纹泥，

可以计数，也可以通过比较它们的厚度和特征而将它们从一地到另一地加以对比。依据所使用的放射性同位素的半衰期，通过放射性定量分析测年可应用于几天到几十亿年的时间量级。放射性年代测定所涉及的原理与测年所使用的物质变化很大。例如，**碳14年代测定法**(**carbon-14 dating**)使用于大约为500～50 000年的时间量级，并且对于那些在其生存期间曾与大气中的碳14进行交换的生物遗体化石可以使用。这种作法是依据这样一个假设：就是当用以测年的有机物与大气中的碳进行交换时放射性碳与非放射性测的比值是大致固定的。**钾-氩年龄测定法**(**potassium-argon dating**)用在其中放射性同位素钾40(半衰期为13亿年)衰变为氩40的结晶岩石里。这种测年法可以用于测定地球上一些最古老的岩石。而**铷-锶测年法**(**rubidium-strontium dating**)可以测定更古老的年代，并且已经用来估测太阳系的年龄。还有几种测年技术可以提供间接的或替代性的年代表。这就是说，一旦时间尺度用放射性测年手段测定后，它就可以用来建立具有地质意义的年代表。在地质历史时期，地磁场曾多次改变极性。根据钾-氩年龄测定法测定洋底玄武岩中的极移变化的记录，可以为洋底扩张和长期海洋沉积提供时间尺度。因为任何一种测年方法在实践中都会遇到数据误差和统计不确切，因此各种方法之间的彼此协调一致就是很重要的。

Datini, Francesco　达蒂尼(约1335，佛罗伦萨附近普拉托[意大利]～1410-08-16，普拉托)　从事国际经营的意大利商人和银行家，他的信函、文件和帐簿是研究欧洲中世纪经济史的重要历史档案。早年在佛罗伦萨的商店中当学徒。后去当时的教皇所在地法国阿维尼翁，在那里经营甲胄、布匹、宗教用品、意大利图画、珠宝等达32年。1386年他将总部迁回佛罗伦萨，经营丝绸、保险业、开设银行，在意大利、西班牙设立一系列办事处，并与布吕赫、伦敦做生意。

Datiscaceae　四数木科　又译达提斯卡科，秋海棠目的一科。含3属，其中*Octomeles*属的两个种在马来西亚乌木林中为最高的树木之一，与原产于亚洲中南部的裸花四数木(*Tetrameles nudiflora*)都是雌雄异株。地中海至中亚所产的大麻四数木(大麻达提斯卡，*Datisca cannabina*)植株形似大麻，高2米；复叶，小叶片3～7枚，互生，具锯齿；雌株开黄花；根可提取一种黄色染料。团伞花序四数木(*D. glomerata*)原产于北美西南部沿海地区，株高1.25米，叶深裂，花不显著。

Dato Iradier, Eduardo　达托·伊拉迪耶(1856-08-12，西班牙拉科鲁尼亚～1921-03-08，马德里)　西班牙政治家，1913～1921年任保守党领袖，3次出任总理，曾进行过某些有益的改革，但未能有效地控制动乱及弥合党内分歧。在1892年任内政部次长和1899年任部长期间，他实施《工人补偿法令》和《雇用女工管制条例》。1902年任司法部长，1907年任马德里市长。1913～1915年任总理，因党的领袖A.毛拉拒绝组阁，两人意见分歧，严重削弱了保守党的实力。第一次世界大战爆发后，他使西班牙保持中立，并同意成立加泰罗尼亚自治政府。1917年6～10月他又执政，为对付罢工、动荡及近乎叛乱的形势，解散了议会，中止了宪法对罢工权利的保护。1920年又出任总理，设置劳工部，设法恢复党内团结及控制加泰罗尼亚的动荡局面，后被无政府主义派系的刺客暗杀。

datolite　硅硼钙石　一种不常见的矿物，属钙硼硅酸盐[$CaBSiO_4(OH)$]，呈白色或无色的矿脉和裂隙充填物产于基性火成岩中，也产于金属矿脉中。一些著名的矿床在美国马萨诸塞州韦斯特菲尔德、新泽西州伯根山以及苏必利尔湖铜矿区。其他矿床见于挪威、意大利和塔斯马尼亚。关于更详细的物理性质，参阅 **silicate mineral**(表)。

Datong　大同　又拼 Ta-t'ung。中国山西省辖地级市，省内第二大城市。位于省境北部，内外长城之间，大同盆地北端，有桑干河支流御河贯穿。中国历史文化名城。战国时代

大同市附近的云冈寺庙
美国不列颠百科全书公司供图

已建城。秦置平城县。北魏在此建都，除建宫殿、官邸外，并在城西云冈广建佛窟。北魏迁都洛阳，城市发展停滞。唐开元十八年(730)置云中县，辽重熙十三年(1044)分置大同县，为西京大同府治。一直是中国北方的军事重镇。1912年废府，仍为大同县。1949年析县置大同市。辖城区、矿区、南郊、新荣4区及大同、天镇、灵丘、阳高、左云、广灵、浑源7县。面积14 176平方千米，其中市区面积2 080平方千米。1917年京包铁路北平至大同段修通，1921～1922年又西延至原绥远省(今内蒙古自治区)归绥(今呼和浩特)和包头，1937年同蒲铁路修通，大同成为京包与同蒲两铁路的交会点，为晋、冀、内蒙古3省(区)的交通枢纽。它还是煤炭的集中产区、晋北及内蒙古邻近地区农牧产品的集散中心。煤炭储量高达375亿吨，为优质动力煤，供应全国20多个省、市、自治区，并远销国外。利用煤炭优势建立120万千瓦的大型坑口电站和50万伏大同至北京超高压输电线。现已建成中国重要的煤炭、电力、建材基地。还发展了化工(氯丁橡胶和麻黄素)、机械(机车和柴油机生产闻名全国)、制糖等工业。1991年又建成大同至秦皇岛全长895千米的铁路，此外，还有贯通全省南北，全长733千米的大同至运城公路。北岳恒山、悬空寺、云冈石窟、辽代木结构建筑"上下华严寺"、唐代的善化寺，以及明代的九龙壁等，都是著名的文物古迹。人口：全市2 990 000(2005)；市区1 410 000(2004)。

Datong　大同　英语作 Great Harmony。中国儒家描绘的理想社会。出自《礼记·礼运篇》。"大同"是最高的理想社会，特征是天下为公。在大同社会里，选贤与能，讲信修睦。故人不独亲其亲，不独子其子；使老有所终，壮有所用，幼有所长，矜寡孤独废疾者皆有所养。男有分，女有归。货恶其弃于地也，不必藏于己；力恶其不出于身也，不必为己。是故谋闭而不兴，盗窃乱贼而不作，外户而不闭。这种思想对后来社会改革家、进步思想家起过启迪作用，如洪秀全、康有为、谭嗣同和孙中山都受过"大同"思想影响。大同也是道家的人生理想。《庄子·在宥》："大人之教，……处乎无响，行乎无方，洁汝适复之挠挠，以游无端。出入无旁，与日无始，颂论形躯，合乎大同。"大同还指消除种族界限的境界。刘基(伯温)《郁离子·神化篇》："故中国以夷狄为寇，而夷狄亦以中国之师为寇。必有能辨之者，是以天下贵大同也。"

Datta, Michael Madhusudan　达达(1824-01-25，印度孟加拉萨格尔达里～1873-06-29，加尔各答)　Datta 又拼 Dutt。诗人、剧作家，近代孟加拉语文学第一位伟大诗人。就学于加尔各答的印度学院，该学院是接受西方教育的孟加拉中产阶级的文化中心。1843年，成为基督教徒。他的主要作品包括散文剧本、长篇叙事诗与抒情诗，大多写于1858～1862年之间。他的第一部剧作《希尔米什塔》(1858)取材于古代梵文史诗《摩诃婆罗多》中的一篇插话，获得巨大成功。他最重要的作品《因陀罗耆的伏诛》(1861)是一部据《罗摩衍那》的主题写成的史诗。他坚持不懈地尝试各种句法和诗体，最先采用"阿米特拉克萨"(一种有连续长句与多变化停顿的无韵诗体)、孟加拉文的十四行诗(彼特拉克体的与莎士比亚体的都有)以及许多独创的抒情诗节。

Datta, Narendranath (Indian mystic)　**达达**　参阅 **Vivekananda 辨喜**。

Datura　曼陀罗属　玄参目茄科(**Solanaceae**)的一属。有几种供药用，有的种因具芳香的喇叭状大花而栽培观赏，在温暖地区很多种是杂草。该属的**曼陀罗**(**jimsonweed**, *D. Stramonium*)可药用，具有麻醉和催眠效用。毛曼陀罗(*D. innoxia*)等长期为许多民族，包括墨西哥印第安人用于宗教仪式。

Daubenton, Louis - Jean - Marie 多邦通(1716-05-29,法国科多尔蒙巴尔～1800-01-01,巴黎) Daubenton 又拼 D'aubenton。法国博物学家,比较解剖学与古生物学的先驱。1742 年,著名博物学家 G.布丰请他为一套雄心勃勃的博物学著作(《博物学》,1794～1804)写解剖学文章,他为该书第一部分描写了 182 种四足动物,此后他与布丰发生争吵,于是合作告终。2 年后他们之间的友谊重新恢复。他被任命为布丰的助手,为巴黎植物园博物学部保管员及演示员。曾完成许多动物学论述和解剖,研究了现代动物与化石动物的比较解剖、植物生理学和矿物学,成果很大。进行过农业实验,将美利奴羊引进法国。1775 年任医学院博物学讲师,1778 年任法兰西学院动物学教授。1793 年巴黎植物园改为自然博物馆时,他成为首任馆长。去世前一个月被选为法国国民议会议员。

Dauberval, Jean 多贝瓦尔(1742-08-19,法国蒙彼利埃～1806-02-14,图尔) 法国芭蕾舞蹈家、教师和编导,常常被认为是喜剧芭蕾这一流派的创始人。1761年在巴黎艺术学院

多贝瓦尔与女演员阿拉尔演出《西尔维亚》(1766)
美国不列颠百科全书公司供图

(今歌剧院)首次登台演出,以其哑剧舞蹈才能出众而闻名于世。1773 年任助理芭蕾教师。1783 年到波尔多当舞蹈演员,后任教师。他是编导 J.-G.诺维尔的高足,对传播老师的"情节芭蕾"观点做了不少工作。他的学生中包括有时被称为"俄罗斯芭蕾舞之父"的 C.季德洛以及曾将舞剧介绍到意大利的 S.维加诺。在他编导的一些舞剧中最著名的有《关不住的女儿》(1786),剧中他的妻子(诺维尔最器重的芭蕾女演员之一)M.狄奥多尔创造了主角莉丝的形象。《关不住的女儿》既是最早的喜剧芭蕾之一,又是最早包含现实主义而不是神话或空想人物的舞剧之一。这个舞剧和 V.加莱奥蒂所创作的《丘比特和芭蕾教师的奇想》(1786)一起,乃是迄今还保留在当代舞蹈团演出节目中的两个最古老的舞剧。

Daubigny, Charles-François 杜比尼(1817-02-15,巴黎～1878-02-19,巴黎) 法国风景画家,以经过精确分析的色彩运用和描绘自然光为追求目标,对 19 世纪晚期的印象派画家产生过很大影响。1835～1836 年,他在意大利研究古代大师的作品。回巴黎后开始进行历史和宗教题材的创作。1838 年首次参加官方沙龙画展。青年时期曾从事书籍插

杜比尼绘《瓦兹河沿岸》(1872)
美国不列颠百科全书公司供图

图,但志趣在风景画方面。他按照"巴比松画派"的主张作画,反对传统风景画程式,主张到户外直接写生。1852 年和柯罗会面以后,其创作开始通过细心观察以加强色调的表现力,构图只保留必不可少的,最为简洁的结构部分。19 世纪 50 年代末,其风格仍然严谨,但开始具有更多的个人抒情意味。他不断探索从物象表面到产生空间效果的光的反射,以求能传达出风景的瞬息印象。

Däubler, Theodor 多伊布勒尔(1876-08-17,奥匈帝国的里雅斯特[今在意大利]～1934-06-14,德国圣布拉辛) 德国诗人,他的非凡活力、诗的想象力和乐观主义,同当时的许多作家所表达的绝望情绪形成鲜明的对照。曾在欧洲、中东和埃及广泛游历,并发现了许多不同的灵感来源。他的诗得益于古典的和浪漫主义的美学之处不少,虽然产生的极大影响是由于他早年热衷于表现主义,如他的文章《新观点》(1916)和《为现代艺术而战》(1918)。多伊布勒尔的主要作品《北极光》(1910,经多处修改后于 1921 年再次发表)是一首 3 万多行的叙事诗,也是一种别有独创性的宇宙神话。他用挥洒自如的夸张语言表达自己不切实际的见解,以致有时近似怪异和荒诞不经。他的其他诗作有《星孩儿》(1916)、《通向北极光的阶梯》(1920)、《星光灿烂的路》(1915)和《希腊十四行诗》(1924)。还发表过小说《非洲故事》(1928)和《擎着火炬的女神》(1931)。

Daubrée, Gabriel-Auguste 多布雷(1814-06-25,法国梅斯～1896-05-29,巴黎) 法国地球化学家和采用实验方法研究各种地质现象的先驱。1838 年起任上莱茵省区域采矿工程师 8 年,编出一幅全区的地质图。并任斯特拉斯堡大学矿物和地质学教授,建立了研究地质作用和成矿作用的实验室。1861 年任巴黎自然科学博物馆地质学教授,成为科学院院士。次年起兼任帝国矿业学院教授。最早的著作涉及到矿物合成,热泉中矿物形成作用的研究以及将这些发现应用到矿床成因上。还对砾石、砂和泥的形成,对岩石的破裂、特别是节理和断层的形成、岩石的变质作用、片理的发育(重结晶和不规则薄片的形成)等各方面进行了实验研究。1867～1886 年,任矿山总监察,后终身任名誉监察长。1869 年他当选为荣誉军团团长。晚年多病,但仍收集了大量陨石,并在 1886 年发表了《陨石和地球的地质构成》一书,提出了陨石的分类系统,介绍了陨石的成分及其与地球岩石的关系,还描述了陨石通过大气层时形态的变化。关于石灰岩中地下水的化学作用的研究见于《地下水》一书(1887)。最重要的著作是《实验地质学中的合成研究法》(1879),反映了他的主要兴趣。铋土(daubreeite)和陨辉铬铁(daubreelite)这两种矿物的学名都是根据他的姓氏命名的。

Daud Khan, Mohammad 达乌德(1909-07-18,阿富汗喀布尔～1978-04-27,喀布尔) 阿富汗政治人物。在喀布尔和法国接受教育。1946～1953 年任国防部长。1953～1963 年任首相,鼓吹普什图民族统一主义,意欲在巴基斯坦与阿富汗的普什图地区建立更大的"普什图斯坦",致使两国交恶,最终导致达乌德辞职。1973 年 7 月 17 日,他发动政变,推翻查希尔王朝,建立阿富汗共和国,自任总统。达乌德力图镇压左派,减轻对苏联的依赖。1978 年 4 月 27 日在政变中被杀,由 N.M.塔拉基领导的共产党政府执政。

Daudet, Alphonse 都德(1840-05-13,法国尼姆～1897-12-16,巴黎?) 法国小说家。他的作品主要以其富于幽默感和描绘法国南方风土人物的人情味而为人所不忘。他的长篇小说《小弟弗罗蒙与长兄黎斯雷》(1874)获法兰西学院奖。

美国不列颠百科全书公司供图

生平 都德是一个丝绸工厂主的儿子。1849 年,他的父亲被迫出售作坊,迁至里昂。他本人最初厌恶当地的潮湿,但不久发现罗讷地方放浪形骸的生活正合他的心意。14 岁时,他写下了他的最早的诗作和第一部小

说。1857年,他的父母失去了全部资财,都德因而不得不放弃上大学的希望。他在阿莱斯一所学校当助理教员6个月,感到难以适应终被开除。但这段时间的生活经他增饰和删削之后成为他的半自传体小说《小东西》(1868)的素材。这一年末,他去巴黎和他的哥哥埃内斯特在一起。

这时,都德一心一意从事写作并开始出入于文人聚集之所,不问其为上流或下层。他少年英俊,曾和一个名玛丽·柳的模特儿有过一段私情。他的唯一一卷诗集《女恋人》(1858)便是献给她的。两人之间漫长而时有风波的恋情反映在很久以后写成的小说《萨福》(1884)中。都德也向报纸,特别是《费加罗报》投稿。1860年,他与19世纪复兴普罗旺斯语言和文学运动的领袖米斯特拉尔相识,后者唤醒了他对法国南方生活的爱好。一般认为南方人生性热情,倾向于艺术和声色;而北方人则崇尚道德理智,自律较严。同年他被莫尔尼公爵雇用作秘书工作。

他的健康受早年贫困和以后性病的影响开始恶化,而性病最后终于夺去了他的生命。都德在1861～1862年的冬季旅居阿尔及利亚,在那里写了《杀狮者夏帕坦》(1863),书中捕杀狮子的英雄可以看作作者以后笔下的达达兰雏型。都德的第一个剧本《最后的偶像》,在1862年巴黎的奥德翁剧院上演时引起轰动。1862年末的冬天他在科西嘉岛度过,在《磨坊书简》(1869)中他曾回忆这段岛上生活。1863～1865年间(直至莫尔尼逝世),他的全部社交生活为他提供了在《富豪》(1877)一书中进行无情剖析的素材。1867年1月,他和他深爱的阿拉尔结婚。阿拉尔本人也是一位颇有才情的作家,在他以后的创作中给了他极大的帮助。他们生有两子,莱昂和吕西安;一个女儿名埃德梅。

普法战争爆发后,都德应征入伍,但在1871年巴黎公社实行恐怖统治时逃离巴黎。从他的第二本短篇小说集《月曜日故事集》(1873)可以看出:这次战争对他的创作有深刻的影响。他的《塔拉斯孔城的达达兰》(1872)出版后未获好评,然而今天它的好冒险的主人公已被看作不通世事却偏要自吹自擂的漫画化了的人物典型。他的剧作《阿莱城的姑娘》也不成功(不过它在1885年再度上演时受到赞赏)。他的下一部小说《小弟弗罗蒙与长兄黎斯雷》则是成功之作,获法兰西学院奖。此后几年中,他名利双收——但仍受到一些含有敌意的批评。

都德在最后数年中受到他的性病引起的脊髓病的极其痛苦的折磨。他企图通过研究这一病症来缓解他的痛苦,写了《疼痛》(至1931年才出版)。他凭仗惊人的自制力继续写作各类作品,并招待巴黎的文学音乐界人物。他对青年作家悉心扶持,例如对普鲁斯特就是如此。1895年,他访问了伦敦和威尼斯。他死得很突然。

评价 从心理角度看,都德体现了一些彼此矛盾的因素的综合。他的生活经历在每一社会层次上以及在旅行过程中都促进了他的天赋的发展。他是个地道的法国南方人。他对激情深有体会,又能用地中海的阳光似的开朗的眼光看待世界。他任自己的想象自由飞翔,而对人类举动的细节从不放过。他一生都在观察别人,并将观察所得记在小本中,这些小本成为他的灵感的蓄水池。他认为一部小说应该是"那些任何历史都不会光顾他们的人的历史"。但是他的态度中并无冷淡无情的成分(他甚至曾被指责为多情善感),他也不抱任何成见。与其他自然主义者不同,他认为世界如此多样,而小说家们专去写它比较丑恶的方面,这是一种歪曲。

同时,他对客观事物细节的注意与他对人的仁爱之心的表现以及对人和物中蕴含着的奥秘的尊重三者并行而不悖。世上万物在他眼里无不有一种内在的实质,他以与再现物质现象时同样忠实的态度再现这内在的实质。最后,他认为激情赋有一种有如命运的力量的东西,这一观念表现在他的许多作品中。它用仁爱之心冲淡了他的讽刺的尖刻,使他与狄更斯以及莫泊桑同声相应。

都德的作品就其整体说来,与其说构成一个延续的演化进程,倒不如说展示了一个阶段性的过程,在不同的阶段,不同的文学倾向陆续有所表现。《塔拉斯孔城的达达兰》的反浪漫主义的冷嘲热讽与《磨坊书简》近似点画法和印象派画家的写实主义大异其趣。以后则是《阿莱城的姑娘》的悲剧调子,旨在补救他以前对南方人气质的讥嘲。而在《小东西》和《月曜日故事集》中,同情和焦虑多于嘲讽。随着年岁的增长,都德对人与人关系中的巨大冲突越来越关注。《雅克》(1876)写了一个苦苦挣扎在肉体的爱和母爱之间的女人;《努马·卢梅斯当》(1881)写的是男人和女人身上南北方性格的尖锐矛盾;《福音传教士》(1883)中表现了亲子之爱与宗教狂热的对抗;《小教堂》(1895)写出了嫉妒中的对立面;《萨福》则在道德问题背后包含着都德对整整一代青年的估价以及一个恋人不得不在自由和对他要离开的姑娘的怜悯之间取其一的古已有之的两难处境的描述。《阿拉当的宝藏》(1897)、《人生笔记》和《新笔记》显示都德是位无所忌讳的心理学家,他在弗洛伊德之前就已开始剖析各种情结。真理与幻想,无情的描绘与诗,目光如炬的严肃态度和幽默感,嘲讽与同情,凡是构成人的尊严的所有彼此对立的成分在都德的最出色的作品中无不形成浑然一体的描绘。

Daudet,(Alphonse-Marie-)Léon 都德 (1867-11-16,巴黎～1942-07-01,法国普罗旺斯地区圣雷米) 法国新闻记者、小说家和最利害、最勇敢的善辩论者。其文学声誉主要来自他的报刊文章和生动的回忆录。著名小说家A.都德之子。在转到新闻工作之前是学医科的。第一部小说是《黑星》(1893),随后写了《庸医》(1894),对医学界进行了严厉的抨击。小说《莎士比亚的漫游》(1896)比以后的许多作品都更为成功。主要新闻活动始于1908年,当时他与莫拉斯把《法兰西行动》报办成一份公开表达反动派、民族主义以及保王派观点的日报。其他作品中,最重要的是《战前》(1913),既披露作者的预见性,又披露其守旧性。《图像世界》(1919)则是一部坚决反对弗洛伊德的心理学著作。还有激烈地抨击1789年以后在法国受到崇拜的假神祇的《愚蠢的十九世纪》(1922)。他的回忆录资料丰富,极为生动,但不免过于偏颇。

美国不列颠百科全书公司供图

Dauferi(pope) **道费里** 参阅 **Victor III, Blessed 维克托三世(蒙福者)**。

Daugava River(Europe) **道加瓦河** 参阅 **Western Dvina River 西德维纳河**。

Daugavpils 陶格夫匹尔斯 德语称迪纳堡。俄语(原)称德文斯克(Dvinsk)。拉脱维亚东南部城市。濒临西德维纳河。始建于13世纪70年代。1772年第一次瓜分波兰时划归俄国。彼得斯堡—华沙铁路和奥廖尔—里加铁路的修建使其大为发展。现为公路和铁路的重要枢纽。有机车和车辆维修厂。工业产品有电子仪器、自行车、合成纤维、轮胎帘子布、亚麻布、家具、靴鞋、食品等。里加工业学院在此有分院。人口约129 000(1991)。

Daugherty, Harry Micajah 多尔蒂(1860-01-26,美国俄亥俄华盛顿县府～1941-10-12,俄亥俄哥伦布) 美国律师、W. G. 哈定的政治事务总管,在哈定手下任司法部长期间(1921～1924)被指控腐败。1881年获密歇根大学法学学位,后回故乡执律师业。曾任俄亥俄州议会两届议员(1890～1894)。1893年到哥伦布市作律师。1902年帮助年轻的哈定竞选副州长。以后主持哈定的历次竞选(包括1914年竞选参议员,1920年竞选总统)。哈定当选总统后,任命他为司法部长。他遭到公众的激烈反对,1922年几乎受弹劾。1924年3月,被C.柯立芝总统免职。1927年因司法部长期间的受贿和欺诈行为而两度受审,但因陪审团意见分歧而不了了之。后在俄亥俄州从事律师业务。

Daughters of the American Revolution(DAR) **美国革命女儿** 美国爱国组织,1890年10月11日成立,1896年12月2日由国会核准。会员仅限于美国革命时期支持独立事业的士兵或其他人士的直系后裔;申请参加的人必须年满18周岁,"本人合格"。到20世纪末,会员人数共约18万,有3 000多个地方分会遍布美国和若干其他国家。该组织通过其全国性机构的分部执行3方面的任务:历史分部强调研究美国历史和保存有美国特色的文物;教育分部提供奖学金和贷款,资助失学青年学校和进行美国文化训练的学校,主办各种奖励,出版适当教材;爱国分部则出版《美国革命女儿杂志》和《国防新闻》。

Daughters of the Confederacy, United 参阅 **United Daughters of the Confederacy** 南部邦联女子联合会。

Daukantas, Simanas 道坎塔斯(1793-10-28,立陶宛卡尔维亚伊～1864-12-06,俄罗斯帝国立陶宛帕皮莱) 立陶宛历史学家,用立陶宛文撰写立陶宛历史的第一个人,立陶宛民族复兴的先驱。1816～1818年在维尔纽斯大学学习语言和文学,后来学习哲学、法律和历史。1825年获法律硕士学位。后在拉脱维亚里加总督府任译员。1835年去圣彼得堡,在议会和档案室工作,有机会研究有关立陶宛国家的重要文献。1850年退休。他的两部主要历史著作是:《立陶宛人、高地人、萨莫基蒂亚人的性格》(1845)和《萨莫基蒂亚史》(1891～1896)。他的著作对立陶宛的民族运动发生很大影响。

Daulat 道拉德(活动时期16～17世纪,印度) 印度莫卧儿帝国有影响的画家。在阿克巴、贾汗季王朝时期从事绘画。他可能是一位宫廷画师之子。道拉德所作肖像工巧绝伦。在一画册的页边上,曾画自己和几位莫卧儿艺术家的肖像(藏德黑兰皇家图书馆)。其自画肖像和录事阿卜杜尔-拉希姆肖像并载于内扎米的《五卷诗》1596年迪索姆·贝林斯手抄本中(藏不列颠博物馆)。为《阿克巴书》(切斯特·比蒂收藏)和《巴布尔书》(藏印度国立博物馆)所绘插画,均属上乘之作。道拉德还工于金叶花饰,作品多见于贾汉季所集画册中。

Daulatābād 道拉达巴德 又称代瓦吉里或代奥吉里。印度马哈拉施特拉邦村庄和古城。12世纪晚期雅达瓦王朝国王毗拉马在高大岩盘上建筑坚固碉堡。中世纪一直为行政中心。后由穆斯林德里苏丹统辖,17世纪以后衰落。

Daumier, Honoré(-Victorin) 杜米埃(1808-02-20或26,马赛～1879-02-21,法国瓦尔蒙杜瓦) 法国讽刺画家、油画家、雕塑家。祖父与父亲皆绘装饰画,教父是画家。7岁随父至巴黎,13岁时父亲精神失常,遂做工谋生。最初给法庭监守官当信差,因而熟悉法院的情况,后到书店当店员,透过书店的窗子,可以观察到闹市中可供漫画素材的形形色色的人物。1825～1828年他决定专门从事梦寐以求的绘画艺术。杜米埃艺术生涯可分为两个阶段:1830～1847年作石版画、漫画和雕刻;1848～1871年趋于印象派艺术。1830年开始作讽刺画。1832年因讽刺国王而被判处徒刑。1833年2月获释后,继续反抗君主政权和当时的政治制度。描绘了商人、律师、医生、教授、小资产阶级等各种典型人物。他善以雕刻式的手法处理石版画,巴尔札克曾说他得米开朗琪罗的神韵。杜米埃曾创作过七月王朝政治人物的泥塑,这些小型胸像颇具独创性,在雕塑史上占有重要地位。1848年以后,潜心研究新技法,其印象派风格的绘画得到诗人波德莱尔及朋友的支持,在形式或题材方面都具有高度的独创性,曾受到马奈和莫奈的赞赏。其主要题材有:道德风尚、圣路易岛上的日常生活、洗衣妇疲倦地爬上楼梯、酒徒们在小酒店里喝酒,以及戏院、火车厢、法庭、画室等。对宗教题材不感兴趣,偶尔画历史主题,如《卡米勒·德穆兰》(描绘1789年发动群众的革命领袖)、《移民》(讽刺拿破仑三世的独裁统治)等。1871年参加巴黎公社,此后双眼几乎失明。1878年在巴黎举办画展,其油画开始受人称赞。主要作品:油画《三个律师谈话》(约1843～1846)、《共和国》(约1848)、《酒徒们》(约1856)、《洗衣妇》(约1860～1862)、《三等车厢》(约1862)、《堂·吉诃德》(约1868);石版画《立法肚子》(1834)、《出版自由》(1834)、《请原谅,先生,如果我有一点打扰您》(1844);素描《两个人向左观看》(约1840)、《行家》(约1858)、《喝汤》(约1860～1862);雕刻《难民》(1848～1849)等。

杜米埃绘《离婚妇女》(1848)
美国不列颠百科全书公司供图

Daun, Leopold Joseph, Graf von 道恩伯爵(1705-09-24,维也纳[奥地利]～1766-02-05,维也纳) Daun又拼Dhaun。奥地利陆军元帅,反对普鲁士的七年战争(1756～1763)期间的奥地利总司令。曾在意大利西西里战役(1718)、莱茵河战役(1734～1735)、对土耳其战役(1737～1739)和奥地利王位继承战争(1740～1748)中取得实战经验。此后,他开始改组奥地利陆军,增加军队实力,加强纪律和训练,并创办士官学校。结果,奥地利的陆军成为一支劲旅,远比普鲁士君主腓特烈大帝所预料的更为强大。在七年战争期间,他常常因战略过于拘谨而引起非议。然而,他在科林打败了腓特烈(1757-06)后接替洛林的查理为奥军最高指挥官。他在霍赫基尔希(1758)和马克森(1759)战胜普鲁士,但最后在托尔高(1760)被击败。1762年任帝国军事委员会主席,再次推动军事改革。

Daunou, Pierre - Claude - François 多努(1761-08-18,法国布洛涅～1840-06-20,巴黎) 法国政治家、自由主义理论家和历史学家。1777年加入奥拉托利会(在俗司铎修会)。1787年授教士职。法国大革命期间,他从加来海峡省选入国民公会,强烈反对审判路易十六和取缔吉伦特派。1793年被捕。翌年12月又回国民公会。他是1795年宪法的主要起草人,国立研究院的创始人。1799年拿破仑政变后,他参加共和八年宪法的起草工作。后来任国立档案馆馆长(1804～1815)。著有《教皇世俗权力史论》(1810),支持拿破仑反对教皇庇护七世。

dauphin 多芬 1350～1830年法国王储的称号。1349年查理五世当王储时购得多菲内(**Dauphiné**)的土地,法国王室以"多芬"作为法国王储的称号。多芬这一称号来自人名多芬,自4世纪末起,这个名字在西欧即以各种不同的形式出现。法国东南部的维耶努瓦家族第一位拥有此称号的统治者是12世纪的吉格四世多芬。他的继承者经常采用这一称号,以致于人们认为这是维耶努瓦家族的统治者特有的称号。到13世纪末,正式采用多芬一词作为称号,而多芬的整个采邑则叫做多芬领地或多菲内。1349年法国的查理成为维耶努瓦的多芬,1364年登法国王位,1368年他将多菲内赐予儿子(后来的查理六世),从此,法国国王的长子成为多芬便成了惯例。在奥弗涅,多芬领地或称奥弗涅的多菲内,其演变情况也大致相同。直到1693年归属法国国王之前,奥弗涅的多菲内一直归蒙庞西耶家族所有。从1436年开始到1693年,为了区分两者,法国国王的多芬继承人有时称为"国王多芬",而奥弗涅的多芬则称为"亲王多芬",因为蒙庞西耶家族在血缘上是法国的亲王。

Dauphin 多芬 加拿大马尼托巴省西南部城镇。临多芬湖西面的弗米利恩河。在温尼伯市西北323千米。1739年法国探险家和商人来此,以法国王储称号(dauphin)为之命名。

1882 年建立居民点。通铁路后成为周围农业区的服务中心和加拿大国家铁路管理局所在地。该镇还是附近赖丁山国家公园、省立达克山公园和森林的旅游基地。每年举行加拿大的国家乌克兰节(8 月)。1898 年建村;1901 年建镇。人口 8 453(1991)。

Dauphin Island　多芬岛　在墨西哥湾。位于美国亚拉巴马州西南岸莫比尔湾入口处。属莫比尔县。长 24 千米,宽 8 千米。17 世纪末起,曾先后为法国、西班牙、英国占有。1813 年归属美国。现为游览区。该岛遭遇周期性飓风。保存的一座城堡现为历史遗址。岛上还有鸟类栖息地。每年 7 月举办亚拉巴马深海捕鱼比赛。

Dauphiné　多菲内　法国历史和文化区。包括法国东南部的伊泽尔、上阿尔卑斯和德龙 3 省,相当于前多菲内省。中心部分的维耶努瓦四周地区是前维耶努瓦伯爵领地,原为阿尔勒王国的一部分和神圣罗马帝国的封地。12 世纪上半叶,当地伯爵首以多芬为名。其领地几经转手后归属维耶努瓦家族。此时"多芬"这一传统名称变成一种头衔,该家族据有的封地统称多菲内。后代多芬的领地不断扩大,并建立行政司法机构(参阅 **dauphin**)。1349 年,因财源枯竭,多菲内被卖与后来的法王查理五世。1457 年并入法兰西王国。地形属阿尔卑斯山最西部的外露层,与法国阿尔卑斯山最高部分相接。西为罗纳河谷地。宗教以天主教为主,德龙省南部有较大基督教区。伊泽尔省一些地区居民仍住在传统的石筑房屋,乡村到处有礼拜堂。地方膳食多用乳酪、淡水鱼、小龙虾、蘑菇、马铃薯和水果。所产查尔特勒烈性酒选用 130 种植物馏制而成。地区方言受普罗旺斯影响并在衰亡中。伊泽尔南部广泛通行意大利语。

Dauphiné Alps　多菲内山　法国东南部科蒂安山脉(**Cottian Alps**)西支脉。位于阿尔克河谷和伊泽尔河谷与迪朗斯上游河谷之间。由佩尔武山、贝勒多讷山和大鲁斯山组成。许多山峰高逾 3 050 米,最高峰埃克兰峰达4 102米。山区盛行滑雪和登山运动。

Daur(people)　参阅 **Daghur 达斡尔族**。

Daura　道拉　尼日利亚卡齐纳州城镇和世袭酋长国名。该地区最古国系一女王所建。9 ～10 世纪由女王统治。为豪萨人精神故乡。1805 年护教战争中被富拉尼人征服,并建立酋长国。附近建立了一些敌对的豪萨人王国。1903 年被英、法两国瓜分。1967 年划入中北州。1976 年属卡杜纳州。80 年代末归属新成立的卡齐纳州。该镇地处热带稀树草原。与卡齐纳镇、卡诺、赞戈和津德尔通公路。为当地农牧产品(高粱、粟、洋葱、花生、棉花和生皮)贸易中心。棉纺、花生出口业亦重要。豪萨和富拉尼居民从事牛、羊、马和驴饲养业。镇内有保健站和地方政府参议会。人口:城镇约 46 954(1991)。

Daurat, Jean　参阅 **Dorat, Jean 多拉**。

Dauser, Sue Sophia　多瑟(1888-09-20,美国加利福尼亚阿纳海姆～ 1972-03-08,阿纳海姆)　美国护士、海军军官。第二次世界大战时负责筹建海军护士队,后即由其管理,并同时争取女性军官与男性军官享受同等军阶军饷待遇。1907 ～ 1909 年就读于斯坦福大学,1911 年进入洛杉矶加利福尼亚医院护士学校,1914 年毕业。1917 年 9 月参加海军预备役,次月即服现役。1918 年 7 月参加海军正规部队。第一次世界大战后期在爱丁堡第三基地医院服役,后辗转于布鲁克林、纽约和加利福尼亚圣迭戈以及舰上服役。1923 年随 W. G. 哈丁总统乘"汉德森"号访问阿拉斯加,并在他最后生病期间负责护理。她后来在关岛、菲律宾、加利福尼亚圣迭戈、华盛顿州皮吉特湾及马雷岛和加利福尼亚州长滩服役。1939 年被任命为海军护士队总监,担负着双重任务:组织和管理大大扩建的护士队为第二次世界大战作准备及在整个大战期间承担任务,为海军护士争取公平合理的军阶和特别待遇。1942 年 7 月,国会为护士规定了相关的军阶(军衔和制服,但无正规军阶的授衔、军饷和其他福利)。她成为少校。1942 年 12 月,规定了同等的军饷。1943 年 12 月升为上校(相应军阶),是当时妇女在海军取得的最高军阶。1945 年 11 月退役,不久被授予优异服务勋章。在她的领导下,海军护士队由 600 人增加到11 500人。她后来在加州拉米萨安度晚年。

Dausset, Jean-Baptiste-Gabriel-Joachim　多塞(1916-10-19,法国图卢兹～2009-06-06,西班牙马约卡帕尔马)　法国血液学家、免疫学家。因研究免疫反应遗传基础的成就,和 G. 斯内尔、B. 贝纳塞拉夫共获 1980 年诺贝尔生理学或医学奖。第二次世界大战期间曾参加自由法国部队。战后继续未竟的医学学业。1945 年获巴黎大学学位。到哈佛大学进修后任全国输血中心主任。1958 年后在巴黎大学及法兰西学院任教。研究了多次接受输血的患者的免疫反应后,正确地假设,反应水平的不同与人的某种遗传变异有关。后证明存在有一种基因复合体,称之为 HLA(人白细胞 A 复合体),HLA 与斯内尔研究过的小鼠的 H－2 抗原同功,两者后来被视为脊椎动物共有的主要组织相容性复合体的两个类型。

Dāvangere　达文盖雷　印度卡纳塔克邦(原迈索尔邦)中部城镇。为重要铁路、公路枢纽,棉花和谷物贸易中心。有大规模棉纺织工业。周围村庄有棉、毛纺织手工业。有几所隶属于迈索尔大学的学院。人口 266 082(1991)。

Davao City　达沃城　菲律宾棉兰老岛东南城市。位于达沃湾北部达沃河口,是棉兰老东南部地区的中心,其商业范围包括约 50 个小港。近海岛屿萨马尔岛所形成的帕基普丹海峡是圣安娜港和萨萨深水港的天然屏障。两港均为岛际间的客运和货运港口。达沃市为装运马尼拉麻的国际码头,面积 2 212 平方千米,是世界最大城市之一,是地区商业和行政中心。第二次世界大战前为日本殖民地,拥有大片马尼拉麻种植园。第二次世界大战时城市被毁,重建的城市有西班牙、美国和摩尔式的混合风格。生产马尼拉麻纤维、纺织品、水泥、木料等。有机场和公路。市内有棉兰老大学、达沃女子学院等。附近有海滨浴场、养鱼场和珍珠养殖场。1936 年设市。人口约 1 147 000(2000)。

Davel, Jean-Abraham-Daniel　达夫(1670-10,瑞士莫伦斯～1723-04-24,维迪)　瑞士民众领袖,沃州英雄。1536 年沃州被伯尔尼吞并,在伯尔尼官员的治理下,民众积怨日深。1723 年达夫成为怨民中的首要人物,他率领民众前去首府洛桑,强烈要求宣布沃州独立。但洛桑市议会拒绝他的要求,将他引渡给伯尔尼当局处决。他上断头台的英雄气概赢得许多人的景仰。他成为沃州争取独立的不朽的象征,在当地传统中占有重要地位。

Davenant, Sir William　戴夫南特(1606,牛津～ 1668-04-07,伦敦)　英国诗人、剧作家和剧院经理。由于下列作品获得成功,被封为桂冠诗人:喜剧《众才子》(1634),假面剧《爱之神殿》、《英国获胜》、《卢米纳利亚》,诗集《马达加斯加》(1638)。由于克伦威尔时期禁止演戏,他写《第一天的欢乐》(1656)时,以《演说和音乐》之名做伪装,力使戏剧得以恢复,并继而创作英国第一部公演歌剧《围攻罗得岛》(1656),首次利用彩画舞台布景和女歌唱演员。莎士比亚是他的教父,据传还可能是他的父亲。1622 年在伦敦任青年侍从,同时创作他早期复仇悲剧,如《阿尔博文》(约 1629),以及悲喜剧,如《上校》。B. 琼森去世后,他于 1638 年被指定为桂冠诗人。1643 年被查理一世封为爵士。随后他加入了被击败并流亡到巴黎的斯图亚特王室。查理一世被处决后,由王后派往美洲支持那里的保王党事业。途中被捕,监禁于伦敦塔,直至 1654 年。王政复辟后,于 1660 年得到建立新剧团的特许状,在林肯律师学院广场创办新约克公爵剧场。1667 年与诗人 J. 德莱顿一起改编莎士比亚的剧作《暴风雨》。

Davenport　达文波特　美国艾奥瓦州东部城市,斯科特县县城(1838)。在密西西比河北岸。1839 年设镇,1851 年设市。是"四市"联合体(另为莫林、东莫林和罗克艾兰)中最大的城市。1856 年在此建成第一座密西西比河铁路桥。内河与铁路运输的发展使该市成为商业中心。制造业有农机、服装、铝合金和食品等。另有水上赌场。设有:帕尔梅脊柱按摩疗法学院、马丽克雷斯特学院、圣安布罗斯学院(1882)和帕尔梅初级学院;一座市立美术馆。1851 年设市。人口:市 98 359;达文波特－莫林－罗克艾兰联合都会统计区 359 062(2000)。

davenport　翻板写字台　18世纪的一种桌面板可翻开的小写字台。右边为一排深的抽屉,左边是虚饰的抽屉面板。斜坡桌面藏有一个墨水池,桌面前部向外伸出超过抽屉,由固定在基座上的一对柱子加以支撑。桌面后部平正,由穿孔黄铜围栏在三面加以保护。

19世纪初期的英国黄檀木翻板写字台

美国不列颠百科全书公司供图

有的还装有一块书写用的抽板，用以在正面或在一侧扩大书写面积。第一张这样的写字台是英国吉洛公司于18世纪末为船长达文波特制造的。现代这一词指的是带软垫的大型沙发。

Davenport，Charles Benedict　达文波特（1866-06-01，美国康涅狄格斯坦福～1944-02-18，纽约科尔德斯普林港）　美国动物学家。对优生学和遗传特征的研究有重大贡献，把统计技术用于生物学研究的先驱。曾在哈佛大学学习动物学，1892年获博士学位，后留校任教，1899年到芝加哥大学任教，1901～1904年任该校动物博物馆馆长。1904～1934年任纽约州科尔德斯普林港实验进化论研究站的遗传学研究室主任，并建立优生学档案室，1910～1934年担任该室主任。在哈佛大学讲授实验形态学期间，他将统计方法用于种群研究。他是最早（1902年后不久）承认重新发现的孟德尔遗传理论的科学家之一，他能做到这点的部分原因是曾用鸡和金丝雀进行了育种实验。他在《遗传与优生》中论证：应用遗传原理可以改良人种。其他重要著作包括：《统计方法与生物变异》（1899）、《优生学》（1910）和《躯体结构及其遗传》（1923）。

Davenport，Edward Loomis　达文波特（1815-11-15，波士顿～1877-09-01，美国宾夕法尼亚坎顿）　19世纪中期美国最有才华和最受欢迎的演员之一。扮演的3个最佳角色

美国不列颠百科全书公司供图

是：哈姆雷特、《尤利乌斯·凯撒》中的布鲁特斯和马辛杰的喜剧《还旧债的新法》中的奥弗里契爵士。不顾家庭反对，1836年以迪先生为艺名首次登台，饰《还旧债的新法》中的威尔都。此后10年，他在固定剧团和巡回演出中扮演了范围广泛的各种角色。1847年起在英国居住6年，同莫厄特配戏，在布尔沃-利顿的《莱昂夫人》、诺尔斯的《驼子》和莎士比亚的《无事生非》中扮演角色。后来又同布鲁克交替扮演《奥瑟罗》中的奥瑟罗和伊阿古，赢得评论界的极大赞誉。在英国期间还扮演过夏洛克和李尔王。1854年返回美国，连续20年扮演各类角色，直到健康不支才中断艺术生涯。

Davenport，Fanny Lily Gypsy　达文波特（1850-04-10，英国伦敦～1898-09-26，美国马萨诸塞南达克斯伯里）　19世纪颇为成功的美国女演员。E.L.达文波特之女，自幼喜爱

美国不列颠百科全书公司供图

戏剧，6岁就担任有台词的角色。15岁首次扮演成人，后进入费城牌坊街剧团。在A.戴利的指导下经验日益丰富，扮演过多种角色均获成功。1877年成立自己的巡回演出剧团，保留剧目日益丰富，最成功的是1880年的《一个美国姑娘》。1882年买下S.萨尔杜的《费多拉》在美国的版权。该剧在巴黎由S.伯恩哈特主演轰动一时，在美国自1883年在纽约首演至1887年久演不衰。后又推出《托斯卡》（1888）、《克娄巴特拉》（1890）和《吉斯蒙达》（1894）等剧。1898年3月最后一次在芝加哥大歌剧院演出后退休，居住在南达克斯伯里。

Davenport，John　达文波特（1597-04，英格兰沃里克郡考文垂～约1670-03-15，马萨诸塞波士顿）　英国清教派牧师，纽黑文殖民地（今康涅狄格州纽黑文）的创建者之一。曾受教育于牛津大学，后当选为伦敦圣斯蒂芬教堂牧师。1633年移居荷兰，任阿姆斯特丹英国教会牧师。因与荷兰宗教官员发生争吵，遂于1637年与友人T.伊顿及其追随者同去美洲，次年4月创立纽黑文殖民地。他任纽黑文教堂牧师，伊顿当选为总督，政教密切合作。他在宗教和市俗事务中均起重要作用。1661年他允许两名曾审判查理一世的法官在纽黑文避难。他反对纽黑文与康涅狄格殖民地合并，失败后于1667年应邀充当波士顿第一教堂牧师，次年12月就任。但因他反对"半约"制度引起教会分裂，另一派人成立了波士顿第3教堂。

Davenport，Thomas　达文波特（1802-07-09，美国佛蒙特威廉斯敦～1851-07-06，佛蒙特索尔兹伯里）　美国发明家，可能是他最先成功地发明了可供销售的电动机，并巧妙地将它用作许多机器的动力。曾在佛蒙特州布兰登当铁匠，1831年在纽约州克朗波因特的一家钢铁厂看到有人使用电磁铁后就开始试验电磁铁。1834年他造了第一台电动机，用电池作电源；此电动机有一个轮和两个电磁铁的轮辐，处在另两个固定电磁铁之间。轮上的磁铁与整流子开关相连；通电时，轮即迅速转动。次年用电动机带动一辆小车在圆轨道上运行，这是电气铁路的第一个有记载的实例。1837年他因为改进磁力和电磁推动机械的方法而获得专利。他在纽约市建立了一个工作车间，开始出版一种电磁学和机械学的刊物，就用他自己发明的电动机操作印刷机，但由于得不到足够的财力支持，创办不久即行停刊。

Davenport ware　达文波特陶器　英格兰斯塔福德郡龙波特的约翰·达文波特制作的奶油色陶器，始于1793年。以彩绘或印花而边缘镂空的盘碟取得很大成功。他从1800年开始生产日用骨灰瓷，至1810年已大规模生产，并持续到1887年。达文波特善于采用描金、彩底、嵌花边饰、生动写实的果品和花卉以及日本图案来装饰他的丰富多彩的制品。

Daventry　达文特里　英格兰北安普敦行政、历史郡的一个城镇和区。达文特里区面积666平方千米。主要为乡村。下设70多个堂区。区的中心是历史上的达文特里城镇。首府达文特里在英国内战中曾为查理一世的大本营。1925年后成为国际广播中心，建有英国广播公司（BBC）的大功率长波发射站。1932年后使用短波向英联邦国家定时广播。现已向全世界播音。城镇主要行业有靴鞋、轻型机械、滚珠轴承等制造业。设有皮契利猎狐总部。人口：城镇21 731；区71 838（2001）。

Davey，Marie Augusta　玛丽·奥古斯塔·戴维　参阅 **Fiske，Minnie Maddern** *菲斯克*。

Davey，Norris Frank　戴维　参阅 **Sargeson，Frank** *萨吉森*。

David　大卫　又译戴维。希伯来语作Dawid。统治者之名，按国别分列于后，并各以●为标记。

以　色　列

● **David　大卫**（?，犹太王国伯利恒～约公元前962，耶路撒冷）　古以色列国第2代国王（继扫罗［Saul］之后），在位时期约公元前1000～约前962年。曾建立控制整个以色列的统一王国，定都耶路撒冷。在犹太人的传

说中，他成为理想的国王，一个绵长朝代的开创者，他的形象和王权都凝聚着以色列人民对救世主的殷切期望。由于他是实现未来美梦的象征，《新约》的作者们强调耶稣是大卫的后裔。在伊斯兰教圣训中，他也极受尊重。

早年 大卫是耶西最小的儿子，而耶西则为波阿斯和路得的孙子。大卫最初的工作是在以色列第1代国王扫罗的宫廷中当侍从，同扫罗的儿子和继承人约拿单结为契友，并成为扫罗之女米甲的丈夫。他在对非利士人作战时英勇超群，因而深受百姓爱戴，这引起扫罗的猜忌，阴谋将他杀死。他向南逃到巴勒斯坦海岸平原的犹大国和非利士国，在那里开始为自己的前程打基础。

大卫最初是个逃犯，扫罗悬赏征求他的头，他在犹大国的沙漠边境地区过着罗宾汉式的生活。他成为其他亡命徒和逃难者的领袖和组织者；据《圣经》记载，"……被压迫的、负债的或不满现状的人群都投奔他；大卫成了他们的领袖"。这群人逐渐得到当地居民的欢心，因为保护他们不受其他匪徒的侵扰，或者当他们受到袭击的时候，前去追讨劫掠者，使被抢走的财物归还原主。虽然为了逃避国王扫罗的搜捕，大卫有时投奔非利士人的迦特诸王，但是在犹大国人民的眼中竭力保持了爱国者的形象，甚至显示出他实际上是发疯的扫罗的一个清白无辜和忠心耿耿的仆人。他又以种种政治姿态赢得许多犹大长老的支持。于是，他等待时机一到，便使自己"应邀"出任国王，首先是犹大推他在希伯仑登位，后来是整个以色列拥他临朝，不是作为扫罗的反叛者，而是作为扫罗的真正继位人。当扫罗和约拿单在基利波山与非利士人作战而阵亡时，这种时机就到来了。

王位 大卫进入希伯仑，在那里被拥立为国王。在8年之间，他不得不与伊施波设的王位要求和武装力量进行斗争。伊施波设是扫罗的在世的儿子，也已加冕为国王。但是，内战以伊施波设被自己的廷臣杀害而告结束，大卫受膏成为整个以色列(包括犹大以外各支派)的国王。他进而攻克由异族耶布斯人占据的围有城墙的耶路撒冷城，定为新联合王国的首都，并将以色列宗教的最高象征神圣的约柜迁来。他彻底打败了非利士人，使他们不再成为以色列人安全的严重威胁，他还吞并了沿海地区。他进一步建立帝国，成为与以色列接壤的许多小王国的最高领主，包括以东、摩押和亚扪在内。大卫约从公元前1000年起在位40年左右(至公元前962)。

大卫作为战士和帝国创立者的伟大成就，受到了相互联系在一起的家庭争吵和政治叛乱的损害。为了把组成他的王国的各个不同集团结合在一起，大卫从每一集团娶一妻子，建立一个后宫。如此产生的家庭与传统的氏族结构即血缘关系的家庭大相径庭。大卫的妻子们大多是互为百分之百的异族，他的孩子们缺乏为解决冲突或为树立继承权提供先例的已有社会模式的直接支持。于是，大卫的第3子押沙龙就杀害了大卫的长子暗嫩，因为后者强奸了前者的妹妹和后者的同父异母妹她玛。押沙龙先是流亡在外，后与大卫王和解，但过了一段时间，便利用他在人民中间的威信和几名廷臣的支持，发动叛乱，迫使父王越过约旦河逃跑，而自己一度成为耶路撒冷和后宫妃嫔的主子。最后，押沙龙的军队被打败，他本人为大卫的将领约押杀死。大卫的王位结果由他和拔示巴所生的儿子所罗门继承。

《圣经》中(《撒母耳记》上、下)记述大卫政治生涯的作者们显示出深刻理解大卫的性格。大卫是这样一个人，他能够在特定情况下留下不可磨灭的个人印象。他加倍付出扫罗嫁女米甲所提出的聘礼，就表明这种采取奇特行动以耸人听闻的才能。与这种利用当前情况来满足一时需要的能力相辅相成的是，他具有使自己在特殊情况下的举止行为为长远目标服务的本领。例如，《撒母耳记》24和26章叙述他两次在有力量刺杀扫罗王的时候却不肯下手，这不仅仅提供一个鼓舞人心的范例，表明你死我活斗争的一瞬间的侠义精神；同时也有助于大卫作为一个堂堂大丈夫的声誉万古长存，他即使在当逃犯的年代，仍然极端尊重现存的社会制度，特别是国王的神圣职责("上主选立之王")。扫罗和约拿单死后，大卫再次肯定这一点，在那个时刻，为了他自己的前程，他这样表态是至关重要的。一个年轻的亚玛力人前来向大卫报告扫罗的死讯，表示他有一份功劳。他以为自己一定会由于带来好消息而受奖赏，可是他估计错误，连命都搭上了。大卫意识到在国难临头的时刻，他与扫罗之间的分歧是无关紧要的。由于亚玛力人伤害上主选立之王，大卫把他杀掉了。大卫和部下为扫罗和约拿单举行了追悼仪式，并为他们作了一首非常感人的挽歌。过了一些时候，大卫在希伯仑称王之后，听说约旦河外基列镇的雅比人对扫罗王忠心耿耿，寻回扫罗和约拿单的尸体隆重下葬。他派人前往那个城镇，表扬当地人民冒着很大危险采取的效忠行动。在这一插曲中，他的做法也是既有政治目的，又出于真心实意，非常适应当时的形势，即对于大卫的前程和民族的生存来说，所有以色列人的和解是头等重要的大事。

在押沙龙叛乱的场合，父爱与政权之间发生了尖锐的冲突。当大卫听到儿子被杀的消息时，悲痛欲绝，哀哭说："我儿押沙龙啊，我儿，我儿押沙龙！恨不得我替你死……"但是，他受到自己的将军约押的叱责，这位将军曾不顾国王的口喻，将年轻的反叛者杀死。约押说他更关心的是自己的敌人而不是自己的支持者，说他有失去群众拥护、从而丢掉王位的危险。于是，他重新振作起来，以往日的精力和计谋从事团结和调和以色列各不同派别的工作，包括镇压另一次叛乱，这次叛乱的首领是便雅悯支派比基利的儿子示巴。

政治成就 大卫是以色列第一位成功的国王。他统一了以色列所有的支派，成为整个民族的实际统治者，并且创立了一个持久的王朝。因此，他在扫罗王的失败之处得到成功，于以色列的历史和传统中占有独一无二的地位。《撒母耳记》(下)9～20章和《列王纪》(上)11～22章是了解他和后继者在位情况的原始资料。一般认为，这一"历史"是大卫在位时期刚结束不久就写成的；就其本身而论，可能是西方世界编纂历史的最古老作品，通称"大卫家族史"，又称"王位继承史"，在研究大卫将具有个人魅力的政治领导和权威转化为世袭君主政体时所面临的各种问题的场合，它是一面特别明亮的镜子。

在大卫登上王位以前的若干世纪期间，以色列人曾经结成松散的支派联盟。最著名的是北方联盟，以示剑为中心。以法莲支派在这一联盟中占主要地位。一个支派是氏族的集合体，而一个氏族则仅是扩大的家族。以色列社会的血缘和家族性质是闪米特人传统的一个基本特征，直至今日在阿拉伯半岛的阿拉伯人社会中依然原封未动。20世纪在那里创立了沙特王朝，其情况与3 000年前大卫面临的问题和取得的成就又何其相似并发人深思。例如，使大卫不得不逃亡一段时间的押沙龙叛乱，以及大卫存世的长子亚多尼雅与拥立所罗门者竞争紧抓王位继承权，都是非常接近于成功的，因为他们求助于地方和支派权威的传统，而赢得许许多多对于大卫帝国建立之后权力迅速集中感到失望的人的支持。比方说，在《撒母耳记》(下)15章中，押沙龙在争取人民支持时说，他愿意按王国以前的方式从事审判工作，像长老站在城门前一样。具有讽刺意味的是，大卫争取地方氏族的支持一帆风顺地登上了王位，而押沙龙则试图以同样的方法取代他的父亲。后来，在所罗门的临朝时代已经结束时，由于这些宗族主义传统又死灰复燃，统一的王国便支离破碎了。社会进化的车轮滚滚向前，使得重建部落社会成为不可能的事情；但是，不论在大卫的时代还是以后，部落遗风的生命力依然非常强烈。因此，大卫的地位有一种根本性的不稳定因素存在；他所面临的问题是：必须取得群众的同意和树立他的政权的合法性，因为在以色列的社会结构和传统中，这种制度是一种舶来的新奇事物，依照古代近东君主政体的模式确定的。

大卫在构成犹大的部落单位中的地位是牢不可破的，因为他巧妙运用当地氏族结构的社会和政治手段把各部落联合到一起并树立了对犹大的统治权。犹大承认他的合法性和永不脱离他的王朝，就是这个缘故。他极力谋求整个以色列的拥戴，首先是彻底打垮非利士人，保证了全境的安全；其次是使耶路撒冷城既成为以色列政权的中心，也成为以色列人宗教崇拜的圣地。从政治的角度看，这一努力有所不足，因为王国在所罗门去世后即已分裂；但是，从宗教和膜拜的角度看，它最终是成功的，因为被称为"大卫城"的耶路撒冷成为了全体犹太人的"圣城"，而大卫王室的"受膏者"弥赛亚则是以色列的上帝与其子民之间的相互关系的一种标志。

宗教作用和重要性 在以色列的宗教传统中，大卫的君主世系(即"王室")成为上帝与民族之间的联结的首要象征；国王是神和他的人民之间的中保。正如在许多古代传说里一样，国王被认为既是神又是人。英语messiah(弥赛亚)一词源出hameshiach("膏立者")，这是大卫世系国王的称号。因此，在后来的灾难时期，以色列开始等待一位弥赛亚，即能够救赎人民及其土地的上帝力量的新中保。基督教指定耶稣为大卫的儿子，把它确信上述希望已经实现戏剧化了。大卫以两种姿态长久存在他的人民的记忆中：一是他的政权的伟大开创者，一是人民宗教信仰的一个主要面的象征。

从《撒母耳记》(下)5～8章可以看出大卫为了自己、他的一家和他的城市达到这种地位的过程。大卫占领耶路撒冷以后，用以锡安山为中心的膜拜控制该城人民和他们的宗教团体。以前的(耶布斯人)统治者既是国王又是高级祭司，在该城与城神之间起调解人的作用。在以色列的宗教中没有国王承担调解和祭司职责这样的先例，也不曾见过以有城墙的城市作为行政和崇拜的中心。很明显，大卫只是把耶布斯人在锡安的膜拜仪式接收过来，使之为我(和以色列人)所用。从大卫开始，在整个君主制度时期的约400年间，以色列的锡安山拜神活动是国王的一个中心任务，不仅作为祭祀的司仪，而是实质性的，作为一个无论公私都体现出上帝与民族之间的关系的形象。君主政体以前以色列在示剑等地的崇拜则截然不同，特点为上帝与子民间订一个"约"，由支派首领担任联系工作。大卫承袭和改组耶路撒冷的古代膜拜仪式，向以色列提供一种新的敬神活动，这种活动突出了他自己的地位以及其本身的崇高意义。

以色列的上帝名为耶和华。大卫规定此名为耶路撒冷(大概以前称"撒冷")的神祇的最高名称，以表明他征服了这个城市。所有以前神祇的名称和称号，例如"至高者上帝"，都变成了以色列的上帝、征服者耶和华的定语或称号。虽然用以色列人对上帝的称呼代替了所有其他的称呼，崇拜的实质依然大同小异：耶和华创造了世界和统治各民族；他树立了王权作为他主宰一切的标志和手段；锡安是他选定的、由他膏立的国王大卫的宝座所在地。耶和华本身是在锡安山上加冕的，他选立的国王坐在他的右手给他当摄政。因此，大卫与耶路撒冷自建城之日起就在那里就位的国王兼祭司的世系一脉相承，而根据可能由此产生的一个传说，麦基洗德是这一世系的早期代表人物，当人类的祖先亚伯拉罕把1/10战利品送给他的时候，他曾向亚伯拉罕祝福。

大卫作为给他的国王身份赋予神圣意义的一种手段而采用耶路撒冷的古老膜拜，并由于他凭借耶和华的力量取得胜利而将其更名为对耶和华的膜拜；同时，他还作了一次重大的改动，使新圣坛及其祭祀适应以色列实行君主制以前的经验。他把约柜带到耶路撒冷，以它为膜拜的中心对象。据传说，约柜曾随以色列人漂泊在荒野，并带领他们进入自己的土地。它是一个长方形的木匣，原来无盖，确定并表明耶和华与以色列人民在一起。以色列人与约柜的关系极为密切，达到可以称呼它为耶和华的程度。在作战时携带约柜，表示耶和华为以色列打仗；在荒野中携带约柜，表示耶和华与人民一起流浪。每年祭祀时，朝圣是节期的主要活动，而列队行进显然是带着约柜。约柜是耶和华在场的标志甚至是体现。大卫为了使君主制以前的以色列人接受锡安山上国王的膜拜仪式，除了把约柜及其一切古老的联系并入新的仪式而外，不可能找到更好的方法。大卫改组锡安的膜拜，使其承认王权是上帝在大地上存在的实质和手段，这对于人类的宗教史、特别是整个西方世界的宗教经验具有重大的影响。正因为如此，耶路撒冷成为了"圣城"，大卫成为了一位所期待的弥赛亚的原型。作为弥赛亚的象征，大卫的回来，或者大卫的"儿子"来临，就意味着在历史中重申神的统治和存在：审判它，救赎它，更新它。因此，大卫成为未来实现最终和平的象征。在公元前最后两个世纪，犹太教中盛行启示文学作品。在这类作品里，大卫的象征作用侧重于他作为神的中保的身份。大卫的儿子主要成为一个天堂的形象，即加冕统治世界万邦的上帝之子。这就是基督教兴起的温床。在锡安膜拜的神秘主义中，大卫是祭司兼国王，是上帝与人之间的中保，而新的宗教即用赋予大卫的各种称号和职能来解释耶稣的生涯。

苏 格 兰

● **David I　戴维一世**(约1082～1153-05-24，英格兰坎伯兰卡莱尔)　苏格兰最强有力的国王(1124即位)之一。他在苏格兰实行盎格鲁-法兰西(诺曼)式的贵族统治，在王国历史上起了重要作用。他还改组苏格兰基督教，使之适应欧洲大陆和英格兰的习惯，并创立许多宗教团体(大部分属于西多会和奥古斯丁会)。苏格兰国王马尔科姆三世和王后玛格丽特的幼子。早年生活大部分在内兄英王亨利一世的宫廷中度过。1113年与诺森伯里亚伯爵沃尔特奥夫之女结婚，从而获得英国亨廷登的伯爵领地。他在盎格鲁-诺曼人的帮助下，从其兄苏格兰国王亚历山大一世那里得到统治坎布里亚、斯特拉斯克莱德和部分洛锡安的权力。1124年4月亚历山大去世，他继任国王。他承认侄女神圣罗马帝国皇后马蒂尔达为英国亨利一世的继承人，自1136年起替她对继亨利为王的斯蒂芬作战。同年与斯蒂芬缔结短期和约，斯蒂芬将坎伯兰割让给他。他在苏格兰初步创建了中央政府，铸造了第一批苏格兰钱币，修建了许多城堡，在这些城堡周围出现第一批苏格兰自治市：爱丁堡、斯特灵、贝里克、罗克斯堡，或许还有珀思。作为坎布里亚的统治者，他使盎格鲁-诺曼人为他效力。他在位期间，许多盎格鲁-诺曼人移居苏格兰，建立了一些著名的家族，并与苏格兰原有的贵族联姻。他授予这些家族和讲法语的移民土地，他们则为他服兵役或提供金钱。

● **David II　戴维二世**(1324-03-05，苏格兰法夫邓弗姆林～1371-02-22，爱丁堡)　苏格兰国王。1329年即位，但被流放或监禁达18年之久。在位期间与英格兰断续进行耗费巨大的战争(苏格兰独立战争的一个阶段)，君权衰落，诸侯的权力加强。根据《北安普敦和约》，1328年4岁时与英格兰国王爱德华三世的妹妹乔安娜结婚。1329年6月7日继承其父罗伯特一世成为苏格兰国王。1333年爱德华三世的陪臣巴利奥尔成为实际上的苏格兰国王，1334年戴维流亡法国，受到腓力六世的优遇。1339和1340年参加腓力对爱德华三世的战争，1341年回苏格兰，但作为国王除对英格兰进行过一些袭击外，毫无作为。在法国包围被英格兰占领的加来期间，他前去支援腓力六世。1346年10月17日在达勒姆郡内维尔十字路口兵败，受伤被俘，1357年以交纳赎金为条件获释，但苏格兰政府付不起这笔赎金。1363年他建议由英格兰国王的一个儿子继承苏格兰王位，以此来取消这笔赎金，但是遭到苏格兰议会的反对。他的合法继承人(即后来的罗伯特二世)也与他反目成仇。晚年在财政上铺张浪费，进一步激起人们的反对。

David　戴维　巴拿马西部奇里基省省会。临戴维河，四周为果树林。是涂巴拿马都会区外最大的城市。重要的商业中心。有肉类加工、食品加工(蔗糖、咖啡和可可)、酿酒和制革等工业。亦以生产马鞍马具闻名。1738年建立。仍保留不少殖民时期的传统。市内有圣何塞教堂和钟楼。人口76 481(2000)。

David　大卫　文艺复兴时期意大利美术家米开朗琪罗在1501～1504年间完成的大理石雕刻。原是为佛罗伦萨大教堂制作的，但

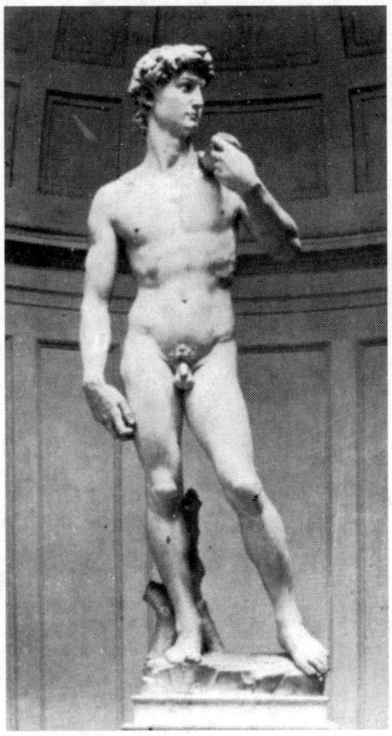

大卫像(高4.1米，台座除外)
中国大百科全书出版社供图

最后被安置在韦基奥宫前。原作现存佛罗伦萨美术学院，市政广场上置有一座复制品。

David，Saint　大卫，圣(约520，威尔士彭布罗克郡圣布赖兹湾附近～约600，米尼维亚)　David威尔士语作Dewi。威尔士的主保圣人。据威尔士学者里基法奇所著圣徒传记(约1090)载，酋长桑特强奸大卫之母而生大卫。他曾在卡迪根学习，在为镇压贝拉基(**Pelagius**)异端而召开的兰德维-布列菲会议上可能曾发挥重要作用。后来可能曾主持在阿斯克河畔卡利恩举行的胜利会议，这次会议宣告贝拉基派在不列颠境内失败。他把教会管辖中心自卡利恩迁到米尼乌。大卫在南威尔士各地建立教会多处。在圣大卫有他的祠堂，现为重要朝圣地。

David ap Gruffudd　**戴维**（？～1283-10，英格兰什罗普什鲁斯伯里）　威尔士北部圭内斯最后的土王，他发动反对英格兰人的大规模反叛，但去世时威尔士完全落入英格兰的统治之下。他的祖父卢埃林·阿普·约尔沃思使圭内斯成为威尔士的权力中心。1255年他曾试图阻止兄弟卢埃林·阿普·格鲁菲德为圭内斯王，未果。于是当卢埃林与英王亨利三世（1216～1272在位）和爱德华一世（1272～1307在位）作战时，他继续反对卢埃林。1277年爱德华一世将威尔士东北部的土地让与他作为报答。但是，邻近地区的英国官吏的暴虐统治深深激怒了他。1282年3月22日，他攻击克卢伊德的哈瓦登的英国驻军，展开了争取民族独立的最后斗争。同年12月卢埃林被英军杀死，他成为圭内斯王。他继续抵抗英国人，直到1283年6月被人出卖就缚为止。同年10月被英人绞死和碎尸。

David ap Llywelyn　**戴维**（约1208～1246-02-25，威尔士圭内斯阿伯）　威尔士王，1240～1246年威尔士北部圭内斯国的统治者。父亲卢埃林·阿普·约尔沃思使圭内斯成为威尔士的权力中心，母为英王约翰的私生女琼。虽然父王指定他为继承人，但异母兄弟格鲁菲德却反对他。当年迈的卢埃林患病时，他捉住格鲁菲德并将其囚禁（1239）。1240年4月卢埃林去世。次年8月英王亨利三世强迫戴维割让部分领土，并将格鲁菲德交给英格兰人。亨利打算在必要时将格鲁菲德释放出去反对戴维。但是1244年，格鲁菲德企图从伦敦塔逃跑时折颈致死。戴维消除了对手的威胁，遂发动反对亨利的战争，并自称为威尔士王。这是威尔士统治者首次采用这个头衔。在战争进行中，戴维患病去世。

David, Eduard Heinrich (Rudolph)　**达维德**（1863-06-11，普鲁士莱茵省摩泽尔河畔埃迪格～1930-12-24，柏林）　德国社会民主党修正主义派领袖、魏玛共和国（1919～1933）早期的部长。早年当中学教师。1893年创办《德国中部星期日报》。1894年发表一系列文章，反对把传统的马克思主义理论应用于小农阶层。1903年选入德国国会，不久即成为社会民主党的主要发言人。1918年10月任外交部副部长；1919～1920年间在魏玛共和国历任魏玛国民议会议长、不管部部长和内政部长。著有《社会主义和农业》等。

David, Félicien-César　**大卫**（1810-04-13，法国卡德内～1876-08-29，圣日尔曼昂莱）　作曲家，其创作为法国浪漫主义音乐增添了东方异国情调。1829年曾在普罗旺斯地区艾克斯任圣索弗尔大教堂唱诗班指挥，1830年在巴黎音乐院学习，翌年参加圣西门主义的社会主义兄弟会，成为其主要艺术代表人物，为其礼拜仪式创作圣歌。1833～1835年在中东宣传该教教义。后期作品融合了曾在耶路撒冷、开罗与叙利亚听到的音乐。1844年完成的“交响颂歌”《沙漠》类似清唱剧与歌剧，采用了阿拉伯旋律，颇有感染力，获得巨大成功。在其5部歌剧中，《拉拉·鲁克》（1862）上演40年而不衰。他还写过交响颂歌、歌曲及室内乐等作品。他的音乐深得柏辽兹和圣-桑赞赏，先现了比才《德谢米雷》、德利布《拉克梅》、威尔地《阿伊达》，以及其他浪漫派歌剧中的东方色彩。

Dávid, Ferenc　**戴维**（1510，特兰西瓦尼亚科洛斯堡～1579-11-15，瓦拉几亚德瓦）　拉丁语作 Franciscus Davidis。上帝一位论派布道家、著作家和神学家。1567年以前经意大利医学家布兰德拉塔劝化，改信上帝一位论。波兰国王西格蒙德死后，信奉天主教的国王巴托里于1571年前后继位，迫害一位论派。此时戴维鼓吹基督根本不应受崇拜，这一观点与布兰德拉塔的学说相抵触，布兰德拉塔支持巴托里，并与一位论神学家索齐尼共同劝说戴维不要坚持其固有立场。和解绝望后，戴维一派人便分离出去，号称戴维派或老一位论派，以区别于布兰德拉塔的新一位论派。戴维派又称不拜基督派，有人指责戴维倾向于犹太教。1579年戴维以标新立异、亵渎神明罪受审，被判无期徒刑，死于狱中。

David, Gerard　**戴维**（约1460，尼德兰奥德瓦特～1523-08-13，布鲁日）　画家，布鲁日画派最后的大画家。他早期作品的风格形成于北方城市哈勒姆。已显示出他在色彩上的才能。在布鲁日，他学习和研究了尼德兰画派大师J.凡·爱克、R.凡·德·韦登等人的作品，并受到画家H.梅姆灵的指导和影响。成名作有祭坛画《冈比西斯的审判》（1498）和三联画《基督洗礼》（约1502～1507），双幅的《圣母领报》（纽约大都会艺术博物馆）和《圣母同天使及诸圣徒》（1509，鲁昂美术馆）。这些成熟期作品显示出他处理光线、体积和空间的高超手法。《冈比西斯的审判》表明他也是最早运用意大利文艺复兴时期的画法而取得光辉成就的尼德兰画家之一。

戴维绘《圣母子与圣徒及捐助人》（约1505）
美国不列颠百科全书公司供图

David, Jacques-Louis　**大卫**（1748-08-30，巴黎～1825-12-29，布鲁塞尔）　法国新古典主义重要画家。画风严谨，技法精湛，在反对洛可可陈腐画风、恢复古代优良绘画传统方面有巨大功绩，并对以后的浪漫主义、现实主义以及学院主义的绘画发展都有重要影响。幼时由叔父抚养，学习古典文学和素描，后随历史画家维恩学油画。18岁时入皇家绘画雕刻学院深造，1774年画《安基库与斯特拉托尼》，获罗马奖学金。1775年前往意大利研究艺术，参观古迹，吸收17世纪博洛尼亚画派、普桑和卡拉瓦乔的艺术精华。并对德国画家孟斯和艺术史家温克尔曼倡导的新古典主义

大卫自画像，1794年
美国不列颠百科全书公司供图

发生兴趣。1780年回巴黎，成功地创作了《求乞的贝利萨里》，把古代的崇高感与普桑的绘画技法结合起来。《安德洛马哀悼海克多》一画使他1784年成为皇家学院的院士。同年到罗马创作《贺拉斯兄弟之誓》，1785年在巴黎展出，其英雄主义的主题，庄重的色彩和严谨的构图，使他一举成名。接着在1789年创作《布鲁特斯》。此时法国革命已经开始，这幅画立即在公众中引起巨大反响。在革命初期，大卫成为罗伯斯比尔领导的雅各宾组织的成员，一名负有政治使命的艺术家。1792年被选入国民议会，同时投了处死路易十六的赞成票。1793年完成名作《马拉之死》，这是在革命领导人马拉遇害不久画的，这件作品意味着其新古典主义画风向悲剧现实主义转变。1794年反革命政变后，大卫被捕，在狱中画了《卢森堡花园景色》，这是透过窗口画的风景画。获释后主要从事艺术教学和肖像画创作，欧洲各地有上百个青年画家向他学习绘画，其中有后来的艺术大师格罗、安格尔等。1799年拿破仑掌权后，大卫成为拿破仑一世的宫廷首席画师，1805～1808年创作歌颂拿破仑的《加冕》，1810年创作《授旗式》。1815年拿破仑失败后，大卫流亡布鲁塞尔。晚年在比利时学生纳维兹的协助下，完成肖像画《根特三妇人》。主要作品还有：《苏格拉

大卫绘《贺拉斯兄弟之誓》(1784)
美国不列颠百科全书公司供图

底之死》(1787)、《球厅宣誓》(1791)、《萨宾妇女》(1794 ～ 1799)、《马尔斯与维纳斯》(1824)等。

David, Star of　大卫之盾　希伯来语作 Magen David ("Shield of David")。由两个等边三角形重叠而成的六角星形犹太人标志。见于犹太教会堂、犹太人墓碑和以色列国旗。在历史上使用这个标志的不限于犹太人,它起源于很古的时代,与五角星一起,当作法术符号和装饰图案。在中世纪,犹太人日益经常地使用大卫之盾,但并无特别的宗教意义;中世纪一些基督教大教堂也饰有大卫之盾。在犹太教礼文中,"大卫之盾"一词的含义是上帝是大卫的保护者,在中世纪犹太教神秘主义者中流传,他们施法力于大卫王之盾,就像早些时候(非犹太教)法术称五角星为"所罗门之印"一样。喀巴拉派推广大卫之盾,用

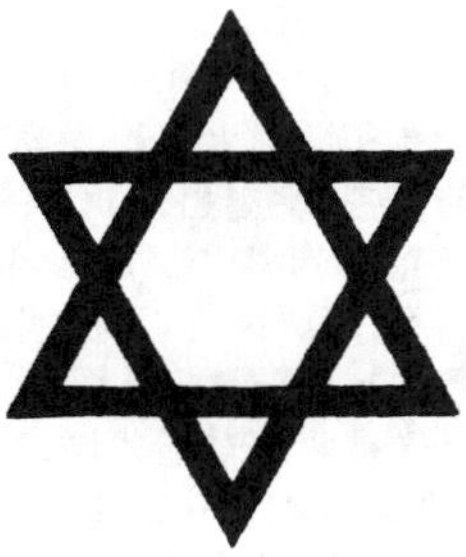

大卫之盾

以祛除恶魔。布拉格的犹太人社区率先以大卫之盾为正式标志,从17世纪起,六角星就成为许多犹太人社区的正式印鉴图案和犹太教的通用徽号,虽则它并不具有《圣经》或《塔木德》所规定的权威。到了19世纪,大卫之盾已经基本上为全体犹太人所采用,效法基督教用十字架的前例,以之为醒目而简单的犹太教标志。在纳粹控制下的欧洲,犹太人被迫佩带黄色徽章,于是大卫之盾又用以象征殉教和英勇。

David, Sir T(annatt) W(illiam) Edgeworth 戴维(1858-01-28,威尔士加的夫附近圣·法甘教区～ 1934-08-28,悉尼)　澳大利亚地质学家,以其研究澳大利亚的地质成果著称。1882 ～ 1891年,作为助理地质师参加政府对新南威尔士的调查,1891年任悉尼大学地质学教授。在主持研究澳大利亚晚古生代(3.45亿年前至2.25亿年前)主要冰川作用证据时,绘制了第一幅悉尼-纽卡斯尔盆地地质图,并研究了环礁的建造。1897年任埃利斯群岛考察队队长;1907 ～ 1909年参加沙克尔顿南极探险队,任科研负责人。1909年1月16日率领小分队最先到达南磁极。著有《英国南极探险队地质记录》(1909)及《澳大利亚地质》(1932)。他于1920年获爵士称号。

David d'Angers, Pierre-Jean　大卫·当热(1789-03-12,法国昂热～ 1856-01-04,巴黎)法国雕刻家,其风格与19世纪初的新古典主义相对立。是雕刻家之子,17岁带着11个法朗到巴黎,在 P.-L. 罗兰门下学习。1811年获罗马奖,后来到意大利,在 A. 卡诺瓦的雕刻室工作。1816年在短期访问伦敦后返回巴黎,接到许多重要的雕刻订单。回到巴黎后的第一件作品是凡尔赛宫的《孔代像》,显示出更具写实手法的新趋势。1827年访问英格兰,1828及1834年两次访问德国。他在政治上持激进立场,1851年12月 L. 波拿巴政变之后,他不得不短期避离法国。当时许多著

中国大百科全书出版社供图

名人物和贵妇都请大卫作胸像和纹章雕饰。在昂热的大卫博物馆可以看到所藏大卫作品,包括原作和复制品,近于完备。其最重要的作品有先贤祠三角墙的雕刻,表现了大革命以来的法国主要人物的气概;斯特拉斯堡的古滕贝格纪念碑;拉雪兹神甫公墓的戈贝尔将军纪念像;罗浮宫的"菲罗普曼像"以及1831年在魏玛公共图书馆送给诗人歌德的胸像。

David de Mayrena, Marie-Charles　大卫·德·梅瑞纳(1842-01-31,法国土伦～ 1890,新加坡附近雕门岛)　法国冒险家。他骗取了西贡法国当局的信任之后,前往昆嵩,在那里自封为色登族国王,称马里一世。他宣布以天主教为法定宗教,但是,他不但没有强迫大部分穆斯林臣民改变信仰,而且声明他自己接受伊斯兰教。他设计了一面国旗,并在香港定制"马里一世勋章"。1889年去香港,要求法国正式承认他的王国。在遭到法国人拒绝之后,梅瑞纳又给德意志皇帝写信请求给予支持。这封信被法国殖民当局截获。梅瑞纳认为法国当局会处死他,就携带金银财宝逃到雕门岛。一说他在那里为党羽所杀,一说他是自戕。

Davíd Stefánsson(Icelandic writer)　**达维德·斯特凡松**　参阅 **Stefánsson, Davíd** 斯特凡松。

Davidescu, Nicolae　达维德斯库(1888,布加勒斯特～ 1954)　罗马尼亚诗人和小说家。早期诗作《铭辞》(1916)显然受法国作家波德莱尔的影响。在散文作品中,小说《湖底仙女》(1912)是一部象征主义作品,《无声的小提琴》(1928)则属于社会心理学范畴。在叙事诗《人之歌》(1928 ～ 1937)中,他旨在重新塑造世界历史。

Davidis, Franciscus　参阅　**Dávid, Ferenc** 戴维。

Davidović, Ljubomir　达维多维奇(1863-12-24,塞尔维亚弗拉什科波尔耶～ 1940-02-19,贝尔格莱德)　塞尔维亚-克罗地亚-斯洛文尼亚王国首相(1919 ～ 1920,1924)。达维多维奇1901年被选入议会,同年参与创立独立急进党。1912年当选为该党领袖。1914 ～ 1917年出任教育大臣。1919年成立民主党后,他一直任该党领袖。1919 ～ 1920年任民主党和社会党联合政府首相。1924年7月再度任各党联合政府首相,但不久即垮台。他相信一个基于中央集权制的真正的民主政府能够把塞尔维亚人、克罗地亚人和斯洛文尼亚人逐步融合成一个国家,但他的政治经验却引导他去促进一个基于塞尔维亚-克罗地亚-斯洛文尼亚协议及议会制基础上的联邦国家的运动。他是联合反对派的首领之一。

Davidson, Bruce　戴维森(1933,美国伊利诺伊奥克帕克～　　)　美国摄影师和电影制片人,其观察敏锐而富于情感的照片,常常表达出寂寞与孤独的主题。他于1951 ～ 1954年和1955年先后在纽约罗彻斯特理工学院和耶鲁大学设计学院学习摄影,在为《生活》杂志工作一年后于1958年加入玛农图片社。戴维森拍摄了许多杰出的专题摄影报道

照片,如《马戏团小丑》、《布鲁克林青年帮》、《威尔士矿城》、《伦敦生活》等。他的最重要的计划是以两年时间,用大型相机为纽约东哈莱姆的一个街区的居民拍摄1 000多张照片,从中选出123张编成《东区100街》(1970)一书。这些照片的特点是生动感人,突出摄影者与他的主题之间的亲切而融洽的场面。他还为《美国生存》(1973)一书提供过照片,并由C. 希尔撰文。1979年出版了《B. 戴维森:摄影作品》一书。戴维森还制作过几部电影短片。

Davidson, John　戴维森(1857-04-11,苏格兰伦弗鲁郡巴尔黑德～1909-03-23,英格兰康沃尔彭赞斯)　苏格兰诗人和剧作家,擅长抒情叙事歌谣。他的诗反映了流行一时的“世纪末”的绝望心情。从爱丁堡大学毕业后,一方面当教师,一方面写无韵诗剧,但未获得好评。1890年前往伦敦,从事新闻工作并为谋生而写长篇和短篇小说。后来以《舰队街田园诗》(1893)和《民谣和歌曲》(1894)及1896年出版的第二部田园诗成名。曾计划写戏剧三部曲,但只出两部,分别于1907年和1908年出版。因勉力养家而精疲力竭并为公众对他作品的反应而越来越失望,遂投水自尽。他的诗歌在风格和技巧上变化很大,最有名的是《一周三十先令》。

Davidson (of Lambeth), Randall Thomas Davidson, Baron　戴维森(兰贝斯的)(1848-04-07,爱丁堡～1930-05-25,伦敦)　基督教圣公会坎特伯雷大主教(1903任职)。在其任职25年期间,他在议会关于道德及民族问题的辩论中是重要的发言人。1902～1906年,

美国不列颠百科全书公司供图

在就学校是否应设宗教课和礼拜仪式繁简等问题的争论中,他作为温和派,力求调和两派极端主张。首相阿斯奎斯早已企图抑制议会上院的权力,戴维森在上院发表的演说,在说服圣公会众主教支持阿斯奎斯方面起了决定性作用,1911年法案终于得以通过,阿斯奎斯如愿以偿。戴维森热心于普世教会运动,1920年任兰贝斯会议主席,主张与东正教加强联系。

Davidson, Thomas　戴维森(1817-05-17,爱丁堡～1885-10-14,英格兰苏塞克斯布赖顿)　苏格兰博物学家和古生物学家,研究腕足类的权威。腕足类是海洋无脊椎动物的一个门,腕足类化石是已发现的最古老的化石之一。在爱丁堡大学(1835～1836)和欧洲大陆学习期间,参加过几次地质旅行。此后不久他就开始研究腕足类,这项研究成了他的终生事业。他又是个有造诣的画家,亲手为自己的经典著作《不列颠腕足类化石专著》(6卷,1851～1886)绘制了250帧精美的图版。他还以《现代腕足类》这篇详尽的研究报告而知名。

Davie, Donald Alfred　戴维(1922-07-17,英格兰约克郡巴恩斯利～1995-09-18,德文埃克塞特)　英国诗人、文学批评家和教师。他是影响20世纪50年代英国诗歌的一个主要保守人物。1947年获剑桥大学文学士学位,1951年获博士学位。第二次世界大战期间在皇家海军服役。曾在都柏林三一学院(1950～1957)、剑桥大学(1958～1964)、埃塞克斯大学(1964～1968)和加利福尼亚斯坦福大学(1968～1978)任教。他是50年代一个英国诗人团体“回归传统倾向”的主要人物。第一部诗集是《理智的新娘》(1955),接着出版了《一个冬天的天才》(1957)、《埃塞克斯诗歌》(1969)、《在停着的火车里和其他诗》(1977)和《烧焦或冰冻》(1988)。1972年出版《诗集1950～1970》。文学评论有:《诗人雕塑家庞德》(1964)和《大不列颠诗歌史,1960～1988》(1989)。

Davies, Arthur B(owen)　戴维斯(1862-09-26,美国纽约州乌蒂卡～1928-10-24,佛罗伦萨)　美国油画家、版画家、壁毯设计家。其作品以具有传统的牧歌情调和浪漫风格而闻名。他最先把欧洲现代派绘画介绍到20世纪初的美国。早期用浪漫主义手法描绘具有空气感的风景,如《伊利运河沿岸》(1890)。1900年后,他创造了自己最具特色的作品——优雅的人体和神话动物聚集在横构图的浪漫背景之中,营造出优美的田园景色,如《顶峰》(1910)和《独角兽》(1906)。1908年他组织八人画派(**Eight, The**)(又称“垃圾箱画派”)画展。1913年他作为美国个体画家协会主席,举办军械库展览会(**Armory Show**)介绍欧洲和美国的现代派画家。他也采用立体主义风格,创作出由自然物象和人体组成的几何形的、有节奏感的连续图案画,如《舞蹈者》(1913年之后)。晚年从事铜版和彩色石版画,并为法国戈布兰壁毯厂设计画稿。

Davies (of Llandinam), David Davies, 1st Baron　戴维斯(兰蒂纳姆的)(1880-05-11,威尔士蒙哥马利郡兰蒂纳姆～1944-06-16,兰蒂纳姆)　国际联盟的英国发起人、组建一支防止战争的国际警察部队的倡议者。在剑桥大学国王学院毕业后,1906～1929年任下院工党议员。在第一次世界大战中参加作战,战后他与国际联盟的工作紧密联系在一起。1933年裁军会议失败后,他创建新联邦协会,并任司库,该组织致力于建立一个更有效的国际联盟,它拥有警察力量和无偏见的法庭,对国际争端有广泛裁判权。他就这一问题写了许多书和小册子,其中有《20世纪的问题》(1930)。

Davies, David Ivor　戴维斯　参阅**Novello, Ivor** 诺维洛。

Davies, (Sarah) Emily　戴维斯(1830-04-22,英格兰汉普郡南安普顿～1921-07-13,伦敦汉普斯特德)　英国争取妇女受大学教育运动中的先驱,剑桥格顿学院主要创建人。伦敦大学学院1870年接纳女生入学,应归功于她。她曾与博迪昌夫人及E. 加勒特一起参加妇女解放运动;曾和D. 比尔及F.M. 巴斯一道,为妇女争取参加大学考试的权利在学校调查委员会上作证(1864～1868);坚持妇女应和男子在同等条件下进入大学。1869年戴维斯和她的朋友们在希琴创办一所女子学院,1873年迁至剑桥,成为格顿学院。在伦敦她是校董(1870～1873),在格顿学院她担任教职(1873～1875)。著作有《妇女高等教育》(1866)及《关于妇女问题的一些想法,1860～1908》(1910)。1927年,B. 斯蒂芬为她写的传记《艾米丽·戴维斯和格顿学院》出版。

Davies, John (grammarian)　**戴维斯**　参阅 **Rhys, Siôn Dafydd** 里斯。

Davies (of Hereford), John　戴维斯(约1565,英格兰赫里福德郡赫里福德～1618-07,伦敦)　英国诗人、写作大师,当时最优秀的作家。主要作品《微观世界》(1603)是一篇说教的宗教论文。在其《愚蠢的惩罚》(约1611)的机智短诗中,有关于同时代名人B. 琼森和莎士比亚的评介。《写作教师》(1636),是一本流行的写作指南。

Davies, Sir John　戴维斯(1569-04,英格兰威尔特郡蒂斯贝里～1626-12-08)　英国诗人、律师。曾在牛津大学读书,1588年进入伦敦中殿律师学院,1595年成为律师。早期诗作大多是警句诗,收集在各种选集中。《戴维斯和马洛警句诗与哀歌》(1590?)收有马洛遗诗,是坎特伯雷大主教在1599年下令焚毁的书籍之一。《管弦乐队》(1596)是一首以伊丽莎白时代天体和谐的宇宙论为背景,赞美舞蹈艺术的诗。在《汝应自知》(1599)中,他明确阐述了自己对自然和灵魂永存的哲学见解。同年出版《阿斯特拉亚赞歌,离合诗》,以每节第一行的首字母组成“伊丽莎白女王”字样。最后诗作是两篇对话体诗,载于戴维森的《狂想诗集》(1602)。1622年出版自己的诗集。曾任爱尔兰首席检察官、议长等职,1621年当选为英格兰议会议员。1626年被任命为大法官,但尚未就职即去世。他还是文物收藏者学会的创办人之一。

Davies, Marion　戴维斯(1897-01-03,美国纽约布鲁克林～1961-09-22,加利福尼亚洛杉矶)　原名Marion Cecilia Douras。美国演员。13岁在百老汇首次登台,后不断演出。1917年,54岁的已婚报业大亨W.L.赫斯特与她相识,两人之间保持亲密关系长达34年,直至他1951年去世。赫斯特曾不惜巨资捧红她。她在早期影片中即有不俗表演,但《懦夫》和《好卖弄的人》(均1928)两片获更大成功。第一部有声片是《好莱坞的讽刺剧》(1929),最后一部影片是《夏娃之后》(1936)。据说她曾卖掉首饰帮助赫斯特渡过难关。赫

美国不列颠百科全书公司供图

斯特死后，她与老友 H.G.布朗结婚。退出好莱坞后，从事房地产投资，支持慈善事业，并帮助 J.F.肯尼迪竞选总统。

Davies, Peter Maxwell　戴维斯（1934-09-08，英格兰曼彻斯特～　　）　英国作曲家、指挥家和教师，所作富有强烈革新精神的音乐使他成为自 B. 布里顿以来影响最大的英国作曲家。曾就读于皇家曼彻斯特音乐学院（1952 ～ 1956）和曼彻斯特大学（1952 ～ 1957），后在意大利（1957 ～ 1959）师事作曲家 G. 佩特拉西。1959 ～ 1962 年在希伦塞斯特文法学校教授音乐，逐渐形成一些教学方法，帮助孩子们演奏演唱比较复杂的现代音乐作品。因获奖学金，得以于 1962 ～ 1964 年在普林斯顿大学随 R. 塞欣斯深造。返回英国后，于 1967 年和作曲家 H. 伯特威斯尔共同创建“皮埃罗演奏团”（1970 年易名“伦敦之火演奏团”），这是一个技艺精湛的重奏团体，旨在演奏现代音乐。他常在国内外指挥这一重奏团，并为之创作了许多作品。作为作曲家，他的大量作品都以坚定的创新精神和大胆探索各种音乐形式为特色。早期作品中特别引人注目的是从中世纪和文艺复兴音乐中借用素歌段落和其他素材，把它们糅进极其复杂的对位式或序列主义作品中。管弦乐队的《短拍》（1958）和《约翰·塔弗纳〈圣号经〉的第二幻想曲》（1964）是这第一时期的代表作，其中音乐滑稽模仿和讽刺因素越来越突出。《启示与堕落》（1965）以及《疯狂国王歌曲八首》（1969）之类音乐戏剧作品代表了他的风格的第二时期，其特点是把截然不同的音乐因素结合起来，造成暴力和狂热感情的戏剧效果。歌剧《塔弗纳》（1962 ～ 1970）将他的逐步形成的音乐语言归纳为 16 世纪的主题、复杂的节奏、滑稽模仿的因素和表现主义的力量。70 年代初戴维斯迁居奥克尼岛，那里的清幽景色和寂寞的工作环境对他的音乐产生了决定性的影响，在其作品中更为抒情、更加沉思的特色清晰可辨。这第三时期中比较著名的作品有《第一交响曲》（1976）、《第二交响曲》（1980）和《协奏交响曲》（1982）等。

Davies, Robertson　戴维斯（1913-08-28，加拿大安大略泰晤士维尔～ 1995-12-02，安大略奥兰治维尔）　加拿大剧作家、小说家。他的作品对加拿大人的乡土观念和循规蹈矩做了细致的描述。曾在英国牛津大学受教育并参加老维克剧团，受过表演、导演和舞台监督等方面的训练。1942 ～ 1963 年主编彼得伯勒《观察家》，1960 ～ 1981 年在多伦多大学教英语。作品有剧本《厄洛斯在进早餐》（1949）和《在我内心深处》（1950），是有关加拿大人的准则和价值观念的讽刺作品；他还出版了几部幽默散文集，如《塞缪尔·马奇班克斯的日记》（1947）和《塞缪尔·马奇班克斯的席间闲谈》（1949）。戴维斯的 3 个长篇小说三部曲使他赢得了加拿大最杰出作家的声誉。萨尔特顿三部曲包括《受暴风雨摆弄的》（1951）、《恶意的影响》（1954）和《弱点的混合体》（1958）。德特福德三部曲包括《第五件事务》（1970）、《人头狮身蛇尾兽》（1972）和《奇异的世界》（1975）。康沃尔三部曲包括《叛逆天使》（1981）、《骨头里长了什么》（1985）和《奥尔甫斯的里拉琴》（1988）。

Davies, Samuel　戴维斯（1723-11-03，特拉华纽卡斯尔县～ 1761-02-04，新泽西普林斯顿）　英属北美殖民地基督教长老会牧师。他为不服从圣公会的宗教人士辩护，并促进“大觉醒”奋兴运动在南方的兴起。1747 年受按立，大觉醒时期主要在弗吉尼亚汉诺威一带工作。当时该殖民地长老会信徒因不参加圣公会而受迫害，他在地方议会上为受迫害者辩护，并谋取英格兰和苏格兰非圣公会人士的支持。1754 年法国印第安人战争爆发，弗吉尼亚政府无暇顾及戴维斯，而且他当时也在讲道中号召弗吉尼亚人奋起保卫领土。戴维斯在访问英格兰和苏格兰期间，曾为新泽西学院（今普林斯顿大学）筹款，1759 年任该校第 4 任校长至去世。戴维斯的讲道词汇编发行 20 多版，他也是美洲最早获得成功的赞美诗作家之一。

Davies, William Henry　戴维斯（1871-07-03，威尔士蒙茅斯郡纽波特～ 1940-09-26，英格兰格洛斯特郡内尔斯沃斯）　英国诗人。他的抒情诗铿锵有力、纯朴自然，具有与他的大多数乔治时代同代诗人的诗不同的风格。曾当过画框匠学徒，后徒步遍游美国，多次乘牲畜船横渡大西洋。在企图跳上开往加拿大克朗代克的火车时失去一只脚后，在英格兰当小贩和街头歌手。1905 年在伦敦出版第一部诗集《灵魂的摧毁者及其他诗》。最著名的散文作品是《高级流浪汉自传》（1907），萧伯纳为其写有序言。随后出版《自然诗及其他》（1908）。诗集有《四十首新诗》（1918）、《诗 1930 ～ 1931》（1932）和《最孤独的山》（1939）。1942 年出版《诗集》。

Davila, Arrigo Caterino　达维拉（1576-10-30，威尼斯共和国帕多瓦萨科［意大利］～ 1631-05-26，维罗纳）　威尼斯历史学家，所著《法国内战史》（1630）获得巨大成功，付印有 200 多版。约 1583 年给法国亨利二世的王后卡特琳当侍从。后来从军，迄 1598 年实现和平为止一直参加内战。后返回帕多瓦从事学术研究。

Dávila, Pedrarias（Spanish colonialist）　**达维拉**　参阅 **Arias Dávila, Pedro 阿里亚斯·达维拉**。

Davis　戴维斯　美国加利福尼亚州中部约洛县城市。位于萨克拉门托河谷，萨克拉门托正西。19 世纪 60 年代创建。1917 年设市。现为教育中心。亦有食品加工和钢结构制造等轻工业。设有加利福尼亚大学多所分院：农学院、兽医学院、文理学院、工程学院、法学院、教育学院和医学院。亦是国家灵长目动物研究中心（1962）和着重研究美洲印第安文化和奇卡诺文化的 D-Q 大学（1970）所在地。人口60 308（2000）。

Davis, Alexander Jackson　戴维斯（1803-07-24，美国纽约州纽约～ 1892-01-14，新泽西西奥兰治）　美国建筑师、设计师、制图员、插图画家，因他的创新和景色如画的乡村住宅而最著名。他帮助建立了 19 世纪中叶常见的“哥特式木建筑”风格的美国乡村住宅类型。戴维斯为熟练的建筑设计师并与建筑师 I. 汤结识，1829 年成为他的合伙人。汤和戴维斯的事务所设计了许多希腊复古式风格的公共建筑物，包括印第安纳波利斯的印第安纳州议会大厦（1831 ～ 1835）、罗利的北卡罗来纳州议会大厦（1833 ～ 1840）以及纽约市的西长老会教堂（1831 ～ 1832）和海关大厦（1833 ～1842）。在此时期，戴维斯推出的独创性构件是一种窗户类型，后来他称它为戴维斯式窗——上下连为一体的多层窗，常为凹式。1835 年戴维斯开始他自己的实践。他集中精力设计哥特和意大利风格的、有托座的及其他各种风格的市郊和乡村住宅。他受到英国的景色如画理论的影响，并曾与美国园艺家和建筑师 A.J.唐宁合作，第一次是为他的《村舍》（1842）和《乡村住宅建筑》（1850）两本书作插图，后来为唐宁所计划的花园市郊卢埃林公园（新泽西州西奥伦治，1852 ～ 1869）设计房屋。戴维斯为仿哥特式风格的领袖人物和景色如画乡村住宅的最著名建筑师之一；已知他在别墅、宅第和村舍等方面的设计有 100 多项已经施工。戴维斯在 60 年代兴趣转移，事业衰退，于退休多年后去世。

Davis, Angela (Yvonne)　戴维斯（1944-01-26，美国阿拉斯加伯明翰～　　）　美国有斗争精神的黑人活动家，1970 ～ 1972 年间被控合谋犯罪，遭到监禁和受审，由是闻名全世界。戴维斯的父母都是教师，她于 1961 ～ 1967 年间在国内外学习，后在圣迭戈加利福尼亚大学由马克思主义哲学教授赫伯特·马库泽指导攻读博士学位。尽管在该大学洛杉矶分校担任讲师时成绩突出，但由于她的政治观点，1969 年大学董事会仍将她解聘。因致力于争取黑人罪犯获得公正待遇，她倾慕一革命青年乔治·杰克逊，他是索莱达德（监狱）兄弟会的成员。1970 年 8 月 7 日在一次罪犯企图绑架法官逃离加利福尼亚州马林县法庭的未遂事件中，乔治的兄弟乔纳森与法官等 4 人被杀害。戴维斯因涉嫌同谋成为联邦调查局追捕的要犯。1970 年 10 月她在纽约市被捕，解回加利福尼亚州，被控犯有伙同绑架谋杀罪。经审讯,一个白人陪审团宣布戴维斯无罪。她的自传《A.安杰拉·戴维斯》于1974年出版,1988年再版。1980年戴维斯由美国共产党提名竞选副总统失败。另著有《妇女、种族和阶级》(1981)及《妇女,文化和政治》(1989)等书。

Davis, Arthur Hoey 戴维斯 参阅**Rudd, Steele 拉德**。

Davis, Benjamin Oliver, Sr. 戴维斯(老) (1877-07-01,美国华盛顿[哥伦比亚特区]～1970-11-26,伊利诺伊北芝加哥) 美国陆军中第一位黑人将军。以志愿军身份参加美西战争(1898)后,在美军第9骑兵师当二等兵。历时两年升为上士,并于1901年被任命为少尉军官。在其后的40年中,在利比里亚和菲律宾服役,并在威尔伯福斯大学和塔斯基吉学院教授军事学。在所有授予他的任务中,都刻意避免出现可能由老戴维斯指挥白人部队和白人军官的局面。他晋级很慢,在1930年始成为第一位黑人上校。1940年,F.罗斯福总统擢升他为准将。1941年指挥第2骑兵师后,他被任命为陆军总检察长。在第二次世界大战期间,他领导一个特别单位,负责监护陆军中黑人士兵的状况和士气,并在欧洲战场担任种族关系的特别顾问。老戴维斯在服役50年后于1948年退役。

Davis, Benjamin Oliver, Jr. 戴维斯(小) (1912-12-18,美国华盛顿[哥伦比亚特区]～2002-07-04,美国华盛顿[哥伦比亚特区]) 飞行员、军官和行政官员。是美国空军第一位黑人将军。老戴维斯之子。1932年进入纽约州西点军校以前,曾在芝加哥大学攻读。1936年毕业后被委派到步兵部队。1941年与第一批黑人一道进入陆军航空队,并接受飞行员训练,毕业后被提拔为中校,并组建第99战斗机中队。这是第一个全由黑人组成的空军单位,在地中海战区担任战术支援任务。1943年组建并指挥第332战斗机大队(全是塔斯基吉学院出身的空勤人员)。到战争结束时,戴维斯本人共完成60次飞行战斗任务,被提升为上校。第二次世界大战后,他还统率过其他几支部队。1948年,协助制定把空军从陆军中分离出来的规划。1950年在空军学院毕业后,在朝鲜战争中指挥一个战斗机联队,并于1954年晋升为准将。戴维斯是第一位升至空军少将(1959)的黑人军官,1965年升为空军中将。1970年退休后,被任命为民用航空安全主任。他在任职位期间提出种种措施并加以互相协调,有效地结束了当时在美国的空中劫持浪潮。1971年担任运输部助理部长。

Davis, Bette 戴维丝 (1908-04-05,美国马萨诸塞洛厄尔～1989-10-06,法国巴黎) 原名鲁思·伊丽莎白·戴维丝。美国电影女演员。以其出色塑造的坚强女性性格而著称。曾在纽约学习戏剧,1926年从扮演舞台小角色开始艺术生涯。1931年去好莱坞,扮演次要角色,直到她在《人性的枷锁》(1934,旧译《孽债》)中成功地塑造伦敦女侍者米尔德里德,才确立了她作为重要女演员的声望。因在《危险》(旧译《女人,女人》)一片中对一个上年纪的嗜酒明星的有力刻画,于1935年获奥斯卡金像奖。30年代她演的其他值得注意的影片还有《化石林》(1936)、《无赖荡妇》(1938,旧译《红衫泪痕》,为她赢得第二个奥斯卡金像奖)、《昏暗的胜利》(1939)、《伊丽莎白和埃塞克斯的私生活》(1939,旧译《卿何薄命》)等。1940年之后拍的影片有《书信》(1940,旧译《香笺泪》)、《伟大的谎言》(1941)、《夏娃的故事》(1950)和《处女皇后》(1955)等。60年代和70年代早期,在一系列恐怖的影片中扮演主角,这些影片有《婴儿简会发生何事?》(1962)、《死去的敲钟人》(1964)、《嘘,别作声,亲爱的夏洛蒂》(1964)、《女保姆》(1965)、《生日》(1967)和《林中哨兵》(1980)等。她还获得过艾莱奖和美国电影学会终身成就奖。著有自传《孤独的生活》(1962)。

美国不列颠百科全书公司供图

Davis, Charles Harold 戴维斯 (1857-02-02,美国马萨诸塞东剑桥～1933-08-05,康涅狄格米斯蒂克) 美国画家。他擅长对风景画作浪漫的处理手法,尤以出色的云景效果见长。1880年作为波士顿美术博物馆附属学校的学生被派到巴黎。在朱利昂学院的勒费弗尔和布朗热指导下学习。以后去巴比松,在枫丹白露森林中画了许多风景画。1906年他成为全国设计学会的会员并多次获奖,包括1889年巴黎大展中的银质奖。美国一流的博物馆中都藏有其重要作品。

Davis, Charles Henry 戴维斯 (1807-01-16,美国马萨诸塞波士顿～1877-02-18,华盛顿[哥伦比亚特区]) 美国海军军官、科学家。当海军军官学校学员以前曾在哈佛大学就读两年,后又在出海巡航的间隙返校研读数学。对马萨诸塞州、罗得岛州和缅因州海岸最先作过综合性考察;极力呼吁出版《美国航海天文历》(1849),并亲自主持准备此项工作数年。他为科学进步不倦地工作,是1863年建立的全国科学院的创始人之一。内战期间,建议建造"班长"号浅水重炮舰,并曾在密西西比河上游指挥联邦军炮艇纵队。1863年晋升为海军少将。他是一位有实际经验的海军军官,也热爱文学,著有科学书籍多部。

Davis, Sir Colin (Rex) 戴维斯 (1927-09-25,英国萨里韦布里奇～) 英国指挥家,当代表演柏辽兹作品的权威,曾录制其全部管弦乐及歌剧作品。先在伦敦皇家音乐学院学单簧管,后改学指挥。1957年被聘为英国广播公司苏格兰管弦乐队助理指挥,1959年于音乐节大厅指挥歌剧《唐·乔凡尼》,获好评。1961～1965年任萨德勒的韦尔斯剧院音乐总监。1967～1971年为英国广播公司交响乐队首席指挥。1971年继索尔蒂任科文特加登歌剧院音乐总监。1980年被封为爵士。戴维斯热情、生动而清新的表演为他对柏辽兹、莫扎特、斯特拉文斯基和梯皮特作品的指挥增添了光辉。

Davis, David 戴维斯 (1815-03-09,美国马里兰塞西尔县～1886-06-26,伊利诺伊布卢明顿) 美国政治人物,林肯的亲密同事,南北战争之前、战争期间和战后担任最高法院法官和参议员。1835年从耶鲁大学毕业,获法学学位。同年在伊利诺伊州执律师业,翌年在布卢明顿开办事务所。1844年进入州议会,1848年起任巡回法官,这时与林肯成为知交。在1860年的共和党代表大会上,他为林肯竞选总统出力。林肯当选后,他担任总统顾问,1862年任最高法院法官。1877年辞去法官职务,由伊利诺伊州选入美国参议院。

Davis, Dwight F(illey) 戴维斯 (1879-07-05,美国密苏里圣路易斯～1945-11-28,华盛顿[哥伦比亚特区]) 美国网球运动员,后成为美国内阁成员。他因捐赠银杯作为世界网球团体赛的奖杯(戴维斯杯)而闻名。曾连续3年(1899～1901)赢得美国男子双打冠军(同其哈佛队友沃德合作)。曾参加最初在两次戴维斯杯赛(1900、1902)获胜的美国队,1900年任美国队队长。1911～1915年任圣路易斯市园林局长,扩建体育设施,其中包括美国第一批市属网球场。在柯立芝总统任期内任助理陆军部长(1923～1925)和陆军部长(1925～1929)。在胡佛总统任期内任驻菲律宾总督(1929～1932)。

Davis, Elmer (Holmes) 戴维斯 (1890-01-13,美国印第安纳奥罗拉～1958-05-18,华盛顿[哥伦比亚特区]) 美国新闻播音员和作家,第二次世界大战时美国战时情报局局长。曾在《纽约时报》任职,1939年担任哥伦比亚广播公司新闻播音员,受到全国听众欢迎。

美国国会图书馆供图

1942年起任情报局长。对其开明的立场，特别是反对军事当局检查新闻，人们褒贬不一。1945年加入美国广播公司重操旧业。曾三次获皮博迪奖。他曾公开批评参议员麦卡锡调查所谓共产党渗入政府的行动。

Davis, H(arold) L(enoir) 戴维斯 (1896-10-18，美国俄勒冈扬卡拉～1960-10-31，得克萨斯圣安东尼奥) 美国小说家和诗人。他对美国西部作了现实主义的描写，抛弃了把牧童作为主角的老一套模式。他干过各种工作，当过牧童、排字工人和测量员等，后以写作出名。他模仿19世纪德国诗人D.von李利恩克龙的风格写成的诗使他首次获得好评。后在H.L.门肯的鼓励下尝试写作散文，发表在《美国信使》月刊上。1932年，他靠古根海姆资助金前往阿根廷，在那里写出《角中之蜜》(1935)。这部小说获1936年普利策奖，并使他获得西方小说家的名声。他的作品从容不迫地描写迷人的景色。他不侧重情节，而侧重于平静地全面描写最后一批拓荒者涌向俄勒冈的时代。晚年作品包括《安谧之地》(1949)和《遥远的音乐》(1957)。

Davis, Henry Winter 戴维斯(1817-08-16，美国马里兰安纳波利斯～1865-12-30，马里兰巴尔的摩) 美国脱离联邦危机时期马里兰州的联邦主义者，A.林肯的严厉批评者，南北战争期间国会重建计划的共同起草人。在凯尼恩学院毕业后，又入弗吉尼亚大学学习法律。1840年在亚历山德里亚执律师业。1852年加入辉格党，后转入美国党(一无所知党)。1854年进入众议院。在南北对立中，他起初保持中立，但到1860年则站到共和党人一边。由于他的努力，马里兰州得以留在北部联邦。1861年竞选失败，后遍游北方，鼓吹拥护北部联邦，因此成名。但他严厉批评林肯的战时政策。1863年再次当选为众议员，继续批评林肯和政府官员。他反对林肯的南部各州重建计划，并与韦德共同提出《韦德-戴维斯法案》。该法案主要有3点：①南部各州必须有半数以上选民赞成分离，才能建立合法政府，反对林肯提出的有10%选民赞成即可建立合法政府的主张；②剥夺南部邦联大批人士而不光是南部邦联领导人的选举权；③立即解放黑奴，反对林肯提出的由各州自行处理的方案。《韦德-戴维斯法案》虽经参众两院通过，但被林肯否决。戴维斯于1864年失去议席。

Davis, Jefferson 戴维斯(1808-06-03，美国肯塔基克里斯琴县～1889-12-06，新奥尔良) 美国南北战争期间南部邦联(1861～1865)的总统。战后被监禁两年，被控叛国，但未受审。3岁时随全家迁居密西西比州的一座种植园。13岁进特兰西瓦尼亚学院学习，后在美国军事学院学习4年，1828年毕业。他以中尉衔驻在威斯康星准州，不久参加黑鹰战争。1835年退役，在密西西比维克斯堡附近经营种植园。但他听任荒草丛生，而用大量时间研究宪法和阅读世界文学作品。1845年选入美国国会。后参加对墨西哥的战争，在布埃纳维斯塔战役中获胜，从而成为举国敬

美国国会图书馆供图

仰的英雄。他所运用的卓越战术甚至赢得欧洲报界的赞扬。他在凯旋以后进入参议院，很快就担任军事事务委员会主席。1853年F.皮尔斯总统任命他为陆军部长。他极力扩充军备，加强沿海防务，并领导通往太平洋的铁路的勘查工作。当南北双方争吵日烈时，他呼吁双方保持和睦。1860年12月南卡罗来纳退出联邦时，他还反对分离。A.林肯当选总统以后，他认为新任总统将会对南方采取强制政策，其后果将极为不幸。当密西西比退出联邦后，他在参议院作了一次感人肺腑的告别演说，热切盼望同胞之间保持和平。然而，还没有等到他返回布赖尔菲尔德的种植园，在亚拉巴马州蒙哥马利举行的邦联大会已经选举他担任临时总统。他就职于1861年2月18日，他采取的第一个行动是派遣使团前往华盛顿，以防止发生武装冲突。林肯拒绝接见他的使节，并为派遣一支武装舰队前往南卡罗来纳州的查尔斯顿“援救”萨姆特要塞作准备工作。在林肯宣布征召7.5万名志愿人员以后，南方又有4个州(包括弗吉尼亚)退出邦联。戴维斯面临一场可怕的危机。他不得不在战争状态下塑造一个崭新的国家。这个国家除了棉花和勇气而外，没有任何其他的资源。它的白人的总人数为北方的1/4，工业能力微不足道，铁路线也少得可怜。没有面粉厂，没有海军，也没有造船厂。纯粹农业经济的南方不具备任何抵御外敌入侵的条件。戴维斯派人去欧洲购买防御武器和军火，并派代表试图争取英国和法国的承认。在内部他面对无穷尽的麻烦。在R.E.李将军未经他同意即向北方投降以后，他便和政府向南转移，打算渡过密西西比河坚持斗争。1865年5月10日黎明，戴维斯在佐治亚州的欧文维尔附近被俘。他戴着脚镣，被囚禁在弗吉尼亚州门罗堡的炮台中。1867年5月戴维斯获释，去加拿大进行疗养。他为恢复自己的健康，曾5次去欧洲旅行。后来在田纳西州一家保险公司担任董事长，1877年退休。著有《邦联政府兴衰史》。

Davis, Joe 戴维斯(1901-04-15，英国德比郡怀特韦尔～1978-07-10，汉普郡) 英国台球和落袋台球运动员。自1927年起到1946年退休一直是落袋台球世界冠军。在其台球生涯中共获689个连续百分，并创连续获147分的世界纪录。1928～1933年保持台球世界冠军，以后一直保持英国冠军。1963年获英帝国勋章。

Davis, John 戴维斯(约1550，英格兰德文达特茅斯附近的桑德里吉～1605-12-29或30，新加坡附近宾坦岛外) Davis又拼Davys。英国航海家。曾试图寻找穿过加拿大北极地区进入太平洋的西北航路。1585年开始了他的第一次西北探险。到达冰封的格陵兰东岸之后，向南行，绕过费尔韦尔角，然后沿格陵兰西岸向北航行。转入他认为去中国的方向之后，在伸入巴芬岛的坎伯兰海峡中航行了一段距离，但是最终又折回。1586和1587年，他再次试图找寻西北航路。在后一次航行中，穿过了以他命名的海峡进入巴芬湾，沿格陵兰西岸向北航行，到达接近北纬70°的迪斯科岛。戴维斯在处理同格陵兰的爱斯基摩人关系时显示了他的创造力。他身边带着乐师，让他的水手们按乐调起舞，这样有助于和这些喜好交际的民族建立亲切的关系。沃尔辛厄姆角及坎伯兰海峡是他所命名的许多北极地名中的两个。他曾指挥过“黑犬”号攻打西班牙舰队(1588)，并曾与托马斯·卡文迪什一起进行了最后一次航行(1591)。在寻找穿过麦哲伦海峡的航路时，发现了福克兰群岛(1592-08-09)。曾与沃尔特·雷利航行到加的斯和亚速尔群岛(1596～1597)，并在1598和1601年伴随一些探险队到达过东印度群岛。在第三次去东印度群岛的航行中，被日本海盗所杀害。他曾发明了整个18世纪都在使用的象限仪。撰有一篇有关航行的论文《海员的秘密》(1594)，他的著作《世界水道测量志》(1595)论述了西北航路。

Davis, John W. 戴维斯(1873-04-13，美国西弗吉尼亚克拉克斯堡～1955-03-24，南卡罗来纳查尔斯顿) 美国民主党保守派政治人物，1924年竞选美国总统候选人失败。1899年选入西弗吉尼亚州众议院。1910年选入美国众议院。1913～1918年出任司法部副部长。在1919年的巴黎和会期间，担任W.威尔逊总统的顾问。1918～1921年任驻英大使。1924年民主党全国代表大会提名他为总统候选人，但在大选中惨败于共和党候选人C.柯立芝。

Davis, Katharine Bemen 戴维斯(1860-01-15，美国纽约巴法罗～1935-12-10，加利福尼亚帕西菲克格罗夫) 美国刑罚学家、社会工作者和作家。对19世纪末20世纪初美国的监狱管理改革发挥了重要作用。1892年毕业于纽约州的瓦瑟学院，又进入纽约市哥伦比亚大学深造，1897年进入芝加哥大学攻读博士学位并在该校及柏林大学和维也纳大学工作，1900年获得经济学博士学位。1901年，出任新成立的纽约州立贝德福德希尔斯妇女教养院院长。在此后的13年中，该院以其在监狱管理方面的种种尝试而闻名。她成立了监狱农场，开设各种职业课程、建立公共厕所制度。她对辨别各类犯人，分清是可改造自新的、是惯犯，还是怙恶不悛的，颇有兴趣。她在这方面的工作也引起J.D.洛克菲勒(小)的关注，1912年他在教养院相邻的土地上成立了社会卫生实验室进行进一步的研究。1909年，在赴欧洲期间，西西里岛墨西拿地方

美国不列颠百科全书公司供图

遭遇灾难性大地震，她在组织自助救济方面的工作，赢得了国际声誉。1914年被任命为纽约市罪犯改造专员，为该市第一位在政府中担任高级职务的妇女。她很快着手改进15所刑罚机构的状况，特别是制止贩毒、分离女犯、改善饮食和医疗设施。为犯罪男童成立了新汉普顿农场学校，制订了分开拘留妇女的计划。1915年，主要由于她的努力，纽约市议会制定了不定刑期的判决和假释监督计划。同年12月，她被提名为纽约市假释委员会第一任主席，担任该职直至1918年委员会撤销。1918年起至1928年退休，她一直是社会卫生局董事会董事和秘书长，这个局是洛克菲勒基金会管理贝德福德希尔斯实验室的一个部门。她在那里主持研究毒品买卖和成瘾、"贩卖妇女"、各种形式的少年犯罪，以及公共和社会卫生等各个方面的问题。1929年出版了《2200名妇女性生活中起作用的因素》，还为专业和大众杂志写了许多文章。

Davis, Kingsley　戴维斯（1908-08-20，美国得克萨斯塔克西多～1993-02-27，加利福尼亚斯坦福）　美国社会学家、人口统计学家，首先使用"人口爆炸"及"人口零位增长"两个新词汇。戴维斯开始专门研究美国社会，后来根据对每个社会的人类生境所作的实地调查分析，进而提出一门有关世界社会的普通学科。他于1933及1936年分别获得得克萨斯大学硕士学位及哈佛大学博士学位。1934～1936年任史密斯学院社会学讲师，1936～1937年任克拉克大学助理教授，1937～1942年任宾夕法尼亚州立大学副教授，后任系主任。1949年完成第一部重要著作《人类社会》，当时正担任普林斯顿大学人类学及社会学副教授。后去哥伦比亚大学担任教职兼任该校应用社会学研究部主任（1949～1955）。他精通人口统计学，自1945年主编《变迁中的世界人口》一书之后，益发为世所重，其统计方法成为重要的人口分析工具。1955～1977年执教于伯克利加利福尼亚大学，1971～1977年任社会学及其比较研究教授，1977年起担任南加州大学社会学教授。曾由卡内基公司赞助，领导社会科学工作组赴非洲10国考察，指导对印度、欧洲及拉丁美洲各社会的研究工作。《印度与巴基斯坦的人口》（1951）、《拥挤的半球：美洲人口之变迁》（1958）及《1950～1970年之世界都市化概况》（2卷，1969～1972年出版）等著作包含着他对人类社会这门普通学科提出的社会学说。

Davis, Miles　戴维斯（1926-05-25，美国伊利诺伊奥尔顿～1991-09-28，加利福尼亚圣莫尼卡）　全名Miles Dewey Davis III。美国爵士乐小号手、乐队领队和作曲家，从20世纪40年代后期起对爵士乐持续产生影响。戴维斯是著名牙科医生之子，13岁开始吹小号，不久即随圣路易斯一些本地的爵士乐队演出。1944年迁居纽约市，名义上是为了就学于音乐艺术学院（今为朱利亚德学院），但实为与C.帕克、D.吉莱斯皮和其他人一起演奏比博普爵士乐。约自1944年起在帕克及其他乐队演出，至1948年建立自己的乐队，开始摆脱比博普爵士乐而追求更多试验性的新风格。虽然他的小号风格影响了其他小号手，其中有些又进而影响别人，如C.布

美国不列颠百科全书公司供图

朗和F.哈伯德。但他最重要的还是作为一位乐队领队，在现代爵士乐3个不同时期的萌芽阶段将一些主要革新者聚集一堂，灌制的唱片肯定了新出现的流派，如作曲家兼乐曲改编家G.埃文斯，集作曲、改编与萨克斯管演奏于一身的G.马利根以及萨克斯管演奏家L.科尼茨于1949年出的《冷静爵士乐的诞生》唱片集；集作曲、改编与钢琴演奏于一身的埃文斯和次中音萨克斯管演奏家J.科尔特兰于1959年出的《类似蓝调》唱片集；作曲、改编兼钢琴演奏的札文纳尔和作曲家兼萨克斯管演奏家W.肖特等人于1969年创作的《不愉快的事在酝酿》。这些唱片具有强大冲击力，分别为20世纪50年代西海岸的"冷静爵士乐"风格、60年代的调式手法和70年代的爵士摇滚手法提供了准则。60年代同肖特、钢琴家H.汉考克、低音提琴家R.卡特和鼓演奏家T.威廉斯组成戴维斯五重奏团，是爵士音乐史中最出色的演奏组合之一。虽然有时会失之于许多音乱成一团，但他通常表现出现代爵士乐中一种最经济、最富思想内容的小号风格。他的即兴演奏中的从容审慎、速度调节和抒情性都很引人注目。尽管爵士乐在商业上市场不大，戴维斯的唱片却一连30年销势不减。他的作品中最常被他人演出的有《纳迪斯》《四》《里程碑》《太阳能》和《那又怎样》。

Davis, Mount　戴维斯山　美国宾夕法尼亚州最高点。海拔979米，位于阿勒格尼和阿巴拉契亚山脉一条山脊上。在萨默塞特县境内，萨默塞特西南偏南24千米处，接近马里兰州边界。

Davis, Ossie; and Dee, Ruby　戴维斯和迪伊（戴维斯1917-12-18，美国佐治亚科格代尔～2005-02-04，佛罗里达迈阿密滩；迪伊1924-10-27，美国俄亥俄州克利夫兰～2014-06-11，纽约新罗谢尔）　戴维斯原名Raiford Chatman Davis；迪伊原名Ruby Ann Wallace。美国夫妻演出队，致力于非洲裔美国人的电影戏剧，并热心支持民权及人道主义事业。1995年双双荣获全美艺术奖。戴维斯就读于哈佛大学，后在纽约从事写作。第二次世界大战后改事演艺，1946年在百老汇首演《杰布》时遇到迪伊。时值迪伊毕业于亨特学院，正在美国黑人剧团见习。1948年两人结婚，在舞台、银幕和电视上联袂出演，其中最杰出是《如愿珀莉》（1961）。戴维斯还曾编导电影《棉花来到哈勒姆》（1970）。迪伊则是戏剧《阳光下的葡萄干》（1959）原班底演员，并在1961年的同名影片中上镜。其后继续演出、创作并参加民权运动。与S.李合作的影片有《不做亏心事》（1989）和《马尔科姆·艾克斯》（1992），后一部影片是对已故民权领袖的忠实赞颂。

Davis, Paulina Kellogg Wright　戴维斯（1813-08-07，美国纽约布鲁姆菲尔德～1876-08-24，罗得岛普罗维登斯）　婚前名Paula Kellogg。美国女权主义者和社会改革家，争取妇女选举权运动初期的活跃分子。

美国不列颠百科全书公司供图

1820年父母双亡，由姑母抚养成人。1833年与商人F.赖特结婚。二人均积极支持禁酒、废奴、妇女权利及其他改革，参与组织1835年10月在纽约州尤蒂卡举行的反对奴隶制会议，并因此遭到暴徒袭击。1845年丈夫去世后，她继续活跃于改革工作。1849年再嫁民主党人、珠宝制造商T.戴维斯。她带头计划安排在马萨诸塞州伍斯特举行第一届全国妇女权利大会，于1850年担任大会主席。1853～1855年，其丈夫成为国会议员，她也随夫前往华盛顿哥伦比亚特区，并于1853年2月创办一个女权期刊，该期刊为最早的女权斯刊之一。1868年，参加创建新英格兰妇女选举权协会。1869年全国争取选举权运动分裂，她随S.B.安东尼加入全国女权

运动联合会,次年联合会组织在纽约市召开大会时,她起了很大作用。

Davis, Raymond, Jr., 戴维斯(小) (1914-10-14,美国华盛顿哥伦比亚特区～2006-05-31,纽约布卢波因特) 美国物理学家。1942年获得耶鲁大学博士学位,1948年加入纽约布鲁克海文国家实验室。1985年,接受宾夕法尼亚大学的教授职位。因为对中微子探测研究的贡献,与小柴昌俊共同获得2002年诺贝尔物理学奖。R.贾科尼凭借他在X射线方面的研究工作也分享了这一年的诺贝尔物理学奖。戴维斯的工作集中在对中微子(一种长期困扰着科学家的基本粒子)的研究。20年代,科学家猜测太阳的光芒来自于氢—氦核聚变反应中放出的能量。理论计算表明这种反应应该放出大量的中微子,并且以恒定的强度轰击着地球。然而,由于中微子和物质的相互作用很微弱,每一兆个中微子中只有一个会被地球挡住,因此中微子以"不可探测"而闻名。科学家推测核反应也许会产生带有足够能量的可探测的中微子。如果这种中微子和氯原子碰撞,便会产生一个放射性的氩原子核。60年代,戴维斯在美国南达科他州的一个金矿中建立了中微子地下探测器——一个装满了600多吨纯净四氯乙烯液体的巨大容器。他计算出高能中微子穿过这个容器之后平均每个月可以产生20个氩原子,并且改进了用来记录这些氩原子数目的技术。经过25年的观测,戴维斯证实太阳的确产生了中微子,但是随后发现探测到的中微子数目比预期的要少。这就是有名的"太阳中微子问题"。他的结果被小柴昌俊所证实,后者还发现了中微子在飞行过程中类型转变的证据。正是这种类型的转变导致了戴维斯的测量误差。

Davis, Rebecca Blaine Harding 戴维斯 (1831-06-24,美国宾夕法尼亚华盛顿～1910-09-29,纽约芒特基斯科) 婚前名Rebecca Blaine Harding。美国作家,其小说《炼铁厂的生活》被视为是美国文学向现实主义过渡的一部作品。1848年从华盛顿女子书院毕业。1861年4月出版小说《炼铁厂的生活》,她作为描写生活的现实主义作家的名声由此开始。1863年与L.C.戴维斯结婚。其后的30年间,她的小说、为儿童写的故事、散文和文章定期刊登在当时多数最重要的刊物上。1869年起,还担任了几年《纽约论坛报》的特约编辑。作品有《等待判决》(1868)、《约翰·安得罗斯》(1874)、《我行我素》(1878)、《那塔斯夸》(1886)、《美国生活剪影》(1892)和自传体小说《零碎闲话》(1904)等。

Davis, Richard Harding 戴维斯 (1864-04-18,美国宾夕法尼亚费城～1916-04-11,纽约芒特基斯科) 美国浪漫派小说家,当时最知名的新闻记者。就学于利哈伊大学和约翰斯·霍普金斯大学。1886年成为《费城纪事报》记者,1890年任《哈泼斯周刊》主编,曾到世界各地采访。他1892～1896年发表的一系列著作,记录了他对美国西部、欧洲和南美的印象。从希土战争到第一次世界大战,他每次都去当战地记者。在西美战争中,他不顾规定亲自参加圣胡安山战役。第一次世界大战期间,几乎被德国人作为间谍枪毙。早期小说,特别是《加莱加尔及其他故事》(1891)、《范比伯及其他》(1892)和《兰森的

美国国会图书馆供图

蠢事》(1902),一经发表即获得成功。他发表的许多著作由C.D.吉布森做插图。1897～1909年,他出版了7部受欢迎的小说。他写过25个剧本,其中有几个很成功,如《兰森的蠢事》(1904)、《独裁者》(1904)和《文明小姐》(1906)。

Davis, Ruth Elizabeth (American actress) **鲁思·伊丽莎白·戴维丝** 参阅**Davis, Bette 戴维丝**。

Davis, Stuart 戴维斯 (1894-12-07,费城～1964-06-24,纽约市) 美国早期抽象美术家,其立体派城市风光画色彩艳丽,具有个人特色。16岁跟"八人画派"领导人R.亨利学画。

戴维斯绘《殖民地时期的立方主义》(1954)
美国不列颠百科全书公司供图

1913年在著名的军械库展览会上展出5幅水彩画。以后几年中力求构图严谨,不模仿真实色彩和淡化空间等欧洲新画派的特点。后试作拼贴画,如《红运》(1921,纽约现代艺术博物馆藏),最后达到一种完全非幻觉的风格。在1927～1930年间所画的《打蛋机》组画中,这种风格已达登峰造极。1928年去法国,比较写实地描绘巴黎街景。20世纪30年代创造出一种新的风格,即以色彩单调的几何形有节奏地交相掩映为一方,用直线透视法画出轮廓清晰的物象为另一方,进行二者之间的对比。其代表作有《柔和的房间》(1945～1951)和《小巨人静物》(1950,弗吉尼亚美术博物馆藏)等。这些作品构思精巧,气氛欢快,富有情趣,完全为当时风行的抽象表现主义所无。《殖民地时期的立方主义》是其后期典范作品。

Davis, Thomas Osborne 戴维斯 (1814-10-14,爱尔兰科克郡马洛～1845-09-16,都柏林) 爱尔兰作家和政治家,青年爱尔兰运动的主要组织者和诗人。他是一个新教徒,在都柏林三一学院求学时,就主张各教派和各阶级联合起来,掀起波澜壮阔的民族运动。1842年参与创办《民族》周刊,该刊支持D.奥康内尔恢复爱尔兰议会的主张并成为名为青年爱尔兰的作家组织的喉舌。他写过一些爱国诗篇,如《复兴的民族》和《丰特努瓦之战》。他的著作实际上已成为新芬党的信条。1945年,在纪念他逝世100周年时,出版了他的《散文和诗歌集》。

Davis, William Morris 戴维斯 (1850-02-12,费城～1934-02-05,美国加利福尼亚帕萨迪纳) 美国地理学家、地质学家、气象学家和地貌学奠基者。1870年起作为气象学家在阿根廷科尔多瓦气象台工作了3年。1876～1912年在哈佛大学任教。著有《气象学基础》(1894)一书,作为大学课本,使用了30多年。19世纪70年代,其兴趣转向地形研究。所著《宾夕法尼亚的河流与河谷》(1889)一书,为戴维斯景观分析系统奠定了基础,这也许是他对自然地理学最重要的贡献。书中提出了陆地的自然面貌是由侵蚀作用造成的长期、连续、有规律的变化的结果。这种随时间进展的顺序变化构成了侵蚀循环,这种循环对于了解现代景观和地质历史是极重要的。1912年退休后,担任许多大学的客座讲师,把很多时间用于写作和野外研究,并领导了对珊瑚礁与珊瑚岛的详细研究,其结果发表于《珊瑚礁问题》(1928)。在他发表过的500多篇著作中,包括《自然地理学》(1898)、《地理学论文集》(1909)和《石灰岩洞穴成因》(1930)等。

Davis Cup 戴维斯杯 颁发给每年一度国际草地网球比赛优胜者的奖杯,这项比赛原来由业余男队参加。正式名称是国际草地网球挑战杯。该奖杯是1900年美国人D.F.戴

戴维斯杯
美国不列颠百科全书公司供图

维斯为美国队和英国队之间进行的一场比赛捐赠的。戴维斯本人作为美国队成员参加了1900年和1902年的最早两次比赛,美国队在两次比赛中都取得了优胜。开始时,戴维斯杯赛的各轮比赛包括4场单打和1场双打。1904年比利时和法国也加入戴维斯杯赛。自

1912年起，戴维斯杯赛处于国际草地网球联合会的监督之下，现已发展成为真正具有国际规模的赛事。比赛时，把世界划分成数个赛区，各赛区冠军互相较量以争夺决赛权。戴维斯杯赛的上届冠军只需参加决赛，但从1972年起必须通过赛区比赛才能进入决赛。1970年以后，准许在各全国性协会登记注册的职业选手参加比赛。澳大利亚、美国、英国和法国在比赛中一直占据优势。1980年，捷克斯洛伐克成为赢得该杯的第一个共产党国家。

Davis Mountains　戴维斯山脉　美国落基山脉的南段。大部在得克萨斯州西部杰夫戴维斯县境内。从马尔法镇向北延伸45英里(72千米)。许多山峰海拔超过7 000英尺(2 100米)，利弗莫尔峰(又名鲍尔迪峰)海拔8 382英尺，为该州第二高峰。戴维斯堡村海拔5 050英尺，为该州最高的居民村，是前往风景秀丽的戴维斯山脉州立公园等处的旅游基地。

Davis Strait　戴维斯海峡　北大西洋海湾。长约400英里(650千米)，宽200～400英里。位于巴芬岛(加拿大属)东南部和格陵兰西南部之间，将巴芬湾(北)和拉布拉多海(南)隔开，形成穿越加拿大北极群岛、沟通大西洋和太平洋的西北航道的一部分。西格陵兰洋流的较暖海水沿格陵兰岸北流，拉布拉多寒流则挟带大量冰块沿巴芬岛东岸南流注入拉布拉多海和大西洋。冰河运动不断将来自格陵兰内地巨大冰盖的冰山送入海中。主要船行航线多在近格陵兰的暖水域，故巴芬岛沿岸少有永久性村落。格陵兰主要港口(包括腓特烈斯霍布、戈特霍布和荷尔斯泰因斯堡)通航季节自仲夏延至秋末，但每年变化很大。1585年航海家J.戴维斯曾在此海峡考察，因之得名。

Davison, William　戴维森(约1541～1608-12-21，伦敦斯泰普尼)　英格兰女王伊丽莎白一世的秘书，因与处死苏格兰女王玛丽一事有牵连而闻名。据他自己所述，他是苏格兰人的后裔。1566年作为英格兰使臣H.基利格鲁的秘书前往苏格兰，他在那里逗留10年左右。1576～1579年受雇在荷兰充当密探，1583和1584年被派往苏格兰，1585年又被派往荷兰，次年返英。1586年成为议员和枢密官，9月30日成为F.沃尔辛厄姆(**Walsingham, Sir Francis**)的主任秘书。作为枢密官，他参加审理苏格兰女王玛丽的委员会，虽未参加审判，但亲自取得伊丽莎白签署的处决玛丽的许可状。伊丽莎白在当时和尔后接见他时表示她希望避免承担处死玛丽的责任，但负责看守玛丽的狱吏们拒绝听从。此时枢密院决定立即执行判决，1587年2月8日将玛丽斩首。伊丽莎白闻讯大怒，主要怨恨戴维森。据她说戴维森没有服从她不要将许可状交给他人的指示。他被捕关押在伦敦塔。1587年3月28日星法院宣判他无罪，但判他交纳1万马克罚金，并继续监禁。他于1589年9月获释，似乎始终未交罚金，而且一直照领秘书年金，直到死去。

Davisson, Clinton Joseph　戴维孙(1881-10-22，美国伊利诺伊布卢明顿～1958-02-01，弗吉尼亚夏洛茨维尔)　美国实验物理学家，因发现电子可以像光波一样地被衍射，从而

贝尔电话实验室供图

证实了L.德布罗意关于电子具有波粒二象性的论点，与英国的G.P.汤姆孙共获1937年诺贝尔物理学奖。他在普林斯顿大学取得哲学博士学位。一生中大部分时间是在贝尔电话实验室度过的。在该室最初是研究金属受热时发射电子，以后参与研制电子显微镜。在1927年和L.H.革末发现电子束被金属晶体反射时，显出与X射线及其他电磁波相似的衍射图样。这一发现使人对亚原子粒子的波粒二象性有更深的理解，在研究核、原子和分子的结构时是有用的。

Davitt, Michael　达维特(1846-03-25，爱尔兰梅奥郡斯特赖德～1906-05-31，都柏林)　爱尔兰土地同盟创始人，该同盟对不在地主制组织反抗，要求确定土地使用期、合理的租金和佃农自由出售自己的所得，以减轻佃农的贫穷。佃农之子。10岁便开始在棉纺厂作工，1年后在一次机器事故中失去一只手臂。1865年加入争取爱尔兰政治自由的国际秘密革命团体芬尼亚兄弟会。1868年成为类似组织爱尔兰共和兄弟会的书记。1870年因向爱尔兰输送武器被捕，判处15年徒刑。在狱中确定了将C.巴涅尔的宪政改革与芬尼亚兄弟会的行动主义相结合以鼓动政治和土地改革的计划。1877年假释后重新加入爱尔兰共和兄弟会，并去美国，在那里深受H.乔治关于土地垄断与贫困关系的思想影响。回爱尔兰后在巴涅尔的合作下组织土地同盟。1882年当选下议员，但因曾经坐牢而被取消资格。1881～1882年和1883年因发表煽动性演讲被监禁。由于他公开鼓吹乔治的土地改革理论，巴涅尔与他分道扬镳。1892和1893年又当选议员，但均被剥夺席位。1895年再次当选，1899年为抗议南非战争而辞职。著有《爱尔兰封建主义的垮台》(1904)。

Davos　达沃斯　罗曼什语作Tavau(塔沃)。瑞士东部格劳宾登州城镇，由达沃斯普拉茨和达沃斯多尔夫两个村庄组成。位于兰德瓦瑟河达沃斯谷，海拔1 560米。1160年和1213年的历史文献中提到达沃斯，当时为讲罗曼什语的居民定居。但在13世纪大批从上瓦莱迁来的讲德语的居民来此定居。1436年成为10个司法区联盟的首府。1477～1649年间属奥地利。19世纪60年代以后成为上流社会的疗养地。20世纪发展成为有国际声誉的冬季运动中心。乘电缆车可登上帕森滑雪道2 652～1 554米，这是世界上最好的滑雪道之一。20世纪90年代因举办由世界各国政治家、金融家参加的世界经济论坛而闻名。2002年世界经济论坛会址由达沃斯迁往纽约。达沃斯也是瑞士阿尔卑斯学院(1946)的所在地。居民主要讲德语，信仰基督教新教。人口11 325(1998)。

Davout, Louis-Nicolas, DUC (duke) D'AUERSTEDT, PRINCE D'ECKMÜHL　**达武**(1770-05-10，法国阿努克斯～1823-06-01，巴黎)　法国将军，拿破仑麾下杰出的野战指挥官。贵族出身。受过传统军事训练。1790年率领他的联队参加拥护大革命的起义。他在1792～1793年的比利时战役中立有战功，并因阻止C.迪穆里埃将军叛国而闻名。1798～1799年随拿破仑远征埃及。后晋升少将。在任第3兵团司令时，他身经奥斯特利茨(1805)、奥尔施泰特(1806)、耶拿(1806)、埃劳(1807)、埃克米尔(1809)、瓦格拉姆(1809)诸战役，屡建奇功。1808年受封奥尔施泰特公爵，次年受封埃克米尔亲王。1814年拿破仑垮台后引退。在百日统治期间，他出任陆军大臣。波旁王朝复辟后他拒不效忠，至1817年8月以后才被承认为法国贵族，保留一切称号。

Davy, Edward　戴维(1806-06-16，英国德文郡奥特里～1885-01-26，澳大利亚昆士兰马姆斯伯里)　英国医生、化学家和发明家，发明电磁转发器(用于中继电报信号的装置)，还发明了电化学电报(1838)。戴维写过一本《化学实验指南》(1836)。1839年移居澳大利亚。在该处除行医外，还兼做编辑、农民、工厂经理。在离开英国前卖掉了他的电报专利，由于买主没有把该发明用于商业，以致几十年间他的贡献被忽视。1836年他研制了电磁转发器，用继电器接收并放大电信号。

Davy, Sir Humphry　戴维(1778-12-17，英国康沃尔彭赞斯～1829-05-29，日内瓦)　英国化学家。曾发现好几种化学元素(其中包括钠和钾)和化合物，并发明了矿工安全灯。1795年曾跟一位外科医生兼药剂师学医，希望最后能取得医生资格。由于D.吉迪(后来的吉尔伯特，1827～1830年皇家学会会长)的帮助，戴维开始研究化学，并在1798年被委任为气体研究所化学方面的负责人，调查各种气体的医疗作用。他以特有的热情投入这项工作，表现出实验技巧上的杰出才能。他研究了氮的氧化物和含氮酸的组成，还研究了氨，报道了吸入氧化亚氮的后果，他几乎因吸入水煤气而丧生。1800年他把这些研究成果发表在《化学和哲学研究》一书中，并很快地因此出了名。1801年他被邀请到新近创建的大不列颠皇家协会作讲演，获得成功。1802年成为化学教授，1803年被接纳为英国皇家学会会员。由于他在伏打电池、制革和矿物分析上的研究，1805年荣获科普利奖章。1807年被推选为皇家学会秘书。由于对电化学的研究使他得以从化合物中离析出金属钠、钾，1808年又离析出碱土金属。他还发现了硼、碲化氢和磷化氢。他说明了氯气与盐

酸的关系，否定了拉瓦锡“一切酸都含有氧”的理论。他还解释了氯气的漂白作用。1812年发表的《化学哲学原理》第一部分记述了他的这些研究。他在皇家协会的最后的重要作为是会见了M.法拉第，并在1813年让法拉第成为他实验室的助手。1813～1815年他到欧洲大陆游历。他带着一个小小的手提式“实验室”，并利用法国和意大利的各种研究所研究并发现了碘，发现它具有与氯类相似的化学性质。他还分析了许多传统的颜料样品，并证实了金刚石是碳的一种同素异形体。他返回英国不久，应邀去研究煤矿中沼气和空气混合爆炸的条件，由此他发明了矿工用安全灯并研究了火焰，获得伦福德奖章。1820～1827年他任皇家学会会长。这期间他研究了电产生磁现象的原因和海水对金属的腐蚀作用，1826年他的报告“论电和化学变化的关系”就包含了他的电化学见解，这使他获得了皇家学会的皇家奖章。由于健康的原因，1827年他辞去了皇家学会会长职务。

Davy lamp　戴维灯　由H.戴维于1815年发明的安全灯(safety lamp)。

Davys, John　参阅 **Davis, John** 戴维斯。

daw(bird)　参阅 **jackdaw** 寒鸦。

Dawānī　达瓦尼(1427，伊朗卡泽伦地区达汪～1502或1503)　全名穆罕默德·伊本·查拉勒丁·达瓦尼。法学家和哲学家。在15世纪中，对维护伊斯兰哲学的传统曾起过重要作用。曾任各种司法和教学职务，包括法尔斯省的教法官和设拉子教义学院院长。著有哲学著作约75种。大致分为两类：一是对启示学派创始人苏哈拉瓦迪·马库尔哲学的评价；另一类是伦理道德哲学著作。《穆斯林实用哲学》(1839)一书论公正的统治者的行为准则，介绍理想社会的各种成分以及治理理想社会的方法。他还力图说明，神秘主义世界观与哲学世界观应当互相调和。

Dawenkou culture　大汶口文化　中国黄河下游地区新石器时代文化。主要分布于山东和江苏北部。1959年在山东泰安大汶口一带发现。碳14测定并经校正的年代约为公元前4300～前2500年。大汶口文化的居民体格较高，男子平均高1.73米，并流行拔除

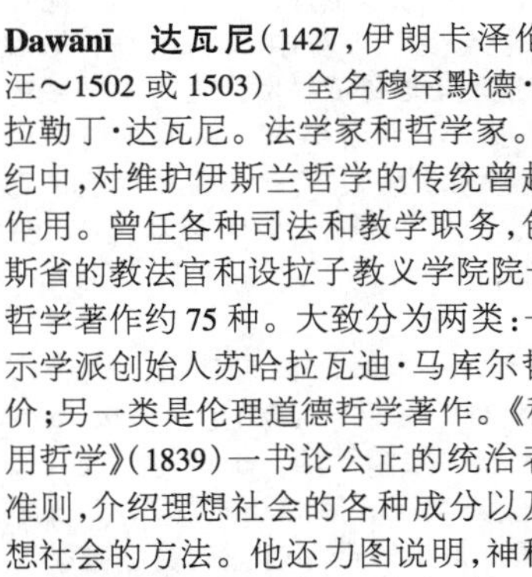

山东泰安大汶口出土的彩陶背壶
中国大百科全书出版社供图

上颚侧门齿的风俗。以经营农业为主，兼养家畜。石器制作精美，常见器物有斧、穿孔扁斧、铲、锛、凿等。制陶工艺发达，除红陶、黑陶和灰陶外，还有青灰陶和白陶。多数陶器素面无纹，少数有篮纹、镂孔、刻划和彩纹等。在大口尊上常刻有象形的原始文字。工艺品制作精致，有象牙雕筒和梳等，有的骨筒上镶嵌松绿石。玉斧、玉瑗、玉珠等工艺水平也很高。遗址中有氏族公共墓地，墓葬排列整齐，头朝东方。以单人葬为主，也有少数夫妻合葬。不少墓有木椁。大墓随葬品可达一二百件，其中有玉器、象牙雕刻、龟甲、鳄鱼板等。有些墓用猪头随葬，一墓有十几个乃至二十几个。一般的墓只有几件粗糙陶器或石器，说明当时已有明显的贫富之分。大汶口文化继承青莲岗文化，开始于公元前4300年，在公元前2500年前后过渡为山东龙山文化。

Dawes, Charles G(ates)　道威斯(1865-08-27，美国俄亥俄玛丽埃塔～1951-04-23，伊利诺伊埃文斯顿)　美国副总统、大使，第一次世界大战后关于德国清偿赔款问题的《道威斯计划》的制订者。就学于玛丽埃塔学院和辛辛那提法学院。1887～1894年在内布拉斯加州林肯市当律师，后迁至埃文斯顿市。1897～1902年任美国通货检察局局长。第一次世界大战时，任美国驻法国远征军军需部部长。1921年任美国第一任预算局局长。他受协约国赔款委员会委托，为解决德国无力向协约国清偿赔款问题，于1924年提出在美国投资者的贷款援助下重组德国财政的《道威斯计划》(**Dawes Plan**)。在C.柯立芝总统任内(1925～1929)任副总统。1929～1932年任驻英国大使。1932年经济大萧条时回国，主管复兴金融公司。同年辞职。1925年与英国奥斯汀·张伯伦爵士共同获得诺贝尔和平奖。

美国国会图书馆供图

Dawes, Sophie　道斯　参阅 **Feuchères, Sophie Dawes, baronne de** 弗歇尔男爵夫人。

Dawes, William Rutter　道斯(1799-03-19，伦敦～1868-02-15，英国白金汉郡哈德纳姆)　英国天文学家。因测量大量双星和对行星进行许多精密观测而闻名。他原来学医，学成后于1826年起在哈德纳姆和利物浦开业，随后又成为基督教牧师。1829年，他在兰开夏的奥姆斯柯克建造了一座私人天文台，在该台测量了200多颗双星，1839年到伦敦摄政公园南别墅主持毕晓普天文台。后来，他在肯特郡的克兰布鲁克(1844)、肯特郡的沃特灵伯里(1850)以及哈德纳姆(1857)等地也建立了私人天文台。他也是独立发现土星“暗环”(1850)的几个人之一；他在木星大红斑被普遍确认的前数年就已经观测到它了(1857)；1864年他还绘制了很精确的火星图。1855年道斯获皇家天文学会金质奖章，并于1865年被选为英国皇家学会会员。月球上有一座环形山用他的名字命名。

Dawes General Allotment Act　《道斯土地分配法案》(1887-02-08)　美国在印第安人部落成员间分配印第安人保留地的法律，目的在于将印第安人改造成为白人式的农民。经马萨诸塞州参议员H.L.道斯数次提出，于1887年2月在国会通过。法案规定，由总统颁发授地证。每户户主受地160英亩，未婚成年人每人授地80英亩。受地人在25年内不得转让其土地所有权。印第安人受地后即成为美国公民，受联邦、州和地方法律的约束。《道斯土地分配法案》原意在于保护印第安人的福利，但得不到足够的票数，直到加以修改允许分配后的土地可以出售才为议会通过。法案实施后，印第安人的生活日趋恶化。部族社会的结构解体了，不少游牧的印第安人不适应农业的生活。由于这项法案允许拍卖所谓“剩余”的土地，1887年印第安人拥有的1.38亿英亩土地，到1932年已有2/3落入白人手中。

Dawes Plan　《道威斯计划》　第一次世界大战后，为德国战争赔款所作的一项安排。在英美政府倡议下成立专家委员会，由美国财政专家C.G.道威斯主持，提出一项有关德国战争赔款假定数字的报告。1924年8月16日，协约国各国及德国同时接受该报告。虽未确定赔款总额，但第一年将赔偿10亿金马克，到1928年将增至25亿。这项计划规定德国改组国家银行，并向其提供第一笔8亿马克的贷款。《道威斯计划》似乎成效卓著，到1929年时，对德国的种种严格控制被认为可以取消，赔款总额得以确定。确定赔款总额是由《扬计划》(**Young Plan**)完成的。

Dawhah, ad-(Qatar)　参阅 **Doha** 多哈。

Dawlish　道利什　英格兰德文行政、历史郡特格恩布里奇区的一个堂区(镇)。濒临英吉利海峡。19世纪开始兴旺起来。狄更斯和奥斯汀在小说中描写过此镇。通铁路。有一条连接埃克塞特和牛顿阿伯特的铁路线，是英国风景最优美的地区之一。铁路线通过海岸边的悬崖隧道。人口9 648(1991)。

dawn horse　曙马　已绝灭的始马属(*Hyracotherium*)动物，为马的祖先，在始新世早期(5 780万年前至5 200万年前)于北美和欧洲繁荣兴盛。北美的种类以前单独列为一个属——始祖马属(*Eohippus*)，但现将所有已知的曙马类均归入始马属。曙马与所有奇蹄哺乳动物的共同祖先近似，肩高30～60厘米。后肢较前肢长，适于奔跑。身躯苗条，四肢细长，脚长。不同个体的颅骨长度各异；某些标本的面部(眼前方的部分)相对较短，这是一

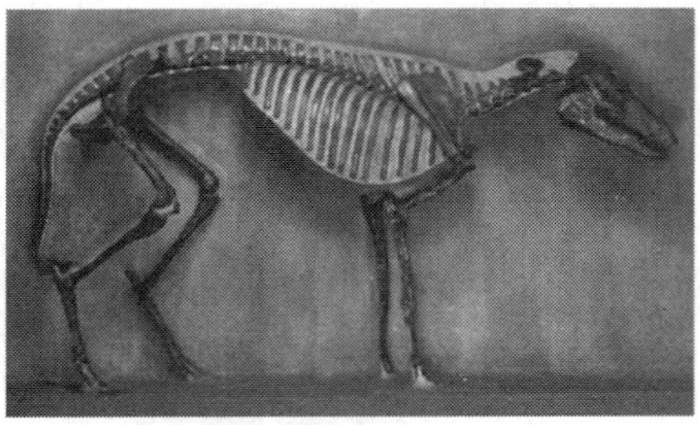

曙马(*Hyracotherium*)骨骼
美国不列颠百科全书公司供图

个原始的形态;而另一些标本的面部相对较长,形状更像现代马类。身躯离地面较高,由几乎垂直的趾支持。虽然前足具4趾,后足具3趾,前后足均仅3趾有功能。趾端均有小蹄。曙马的切牙小,颊牙的牙冠极低。总之,曙马的牙尚处于原始状态,但已有明显的进化趋势。曙马食树木的嫩枝嫩叶而非食草。可能主要靠奔跑来逃避捕杀。曙马的后代进化为山马属(*Orohippus*),山马属种类与曙马的不同之处主要在于牙系。

dawn redwood(*Metasequoia glyptostroboides*) **水杉** 杉科水杉属(*Metasequoia*)的唯一现存种。落叶乔木,发现于中国中部的偏僻山谷。小枝和叶均沿枝成对生长。叶亮绿色,羽状,

水杉(*Metasequoia glyptostroboides*)

秋季变成红棕色。球果有一细长梗。水杉属的化石曾被认为属于红杉属(*Sequoia*)。大量化石表明,在白垩纪和早第三纪,水杉广泛分布于亚洲和北美的中、高纬度地区,并被认为是一群绝灭植物。20世纪40年代,在中国中部海拔700～1 400米的山区发现数千株存活的水杉。1941年,水杉属才作为一个独立的属。现水杉通过种子和插条繁殖在全世界广泛栽培。

Dawson **道森** 加拿大育空地区西部城市。在克朗代克和育空河汇合处,近美国阿拉斯加的边界。以地质学家和探险家G.M.道森姓氏命名。1896年附近发现黄金后发展起来。1898～1953年为该地区行政中心。大部分易采的金矿枯竭后此地衰落。现为游览地和当地物资集散中心。市内有作家杰克·伦敦和R.W.塞维斯故居。每年8月举行黄金发现日纪念活动。1967年设为国家史迹保护区,现为加拿大、美国共管克朗代克国际淘金古迹公园一部分。1906年设建制。人口972(1991)。

Dawson, George Geoffrey **道森**(1874-10-25,英国约克郡克雷文斯基普敦～1944-11-07,伦敦) 原名G.G.鲁宾逊。英国记者,曾两度出任《泰晤士报》主编(1912～1919,1923～1941)。受教于伊顿公学和牛津大学马格达伦学院。1898年当选为牛津万灵学院研究员,后从事文职工作,于1901年赴南非任高级专员米尔纳勋爵私人秘书。因偶然机缘步入新闻界(米尔纳劝《约翰内斯堡明星报》业主委任道森为主编,以保证米尔纳返英后其政策可继续获得支持),曾担任《泰晤士报》驻约翰内斯堡通讯记者。因其所写通讯深得诺思克利夫勋爵赏识,于1912年被任为《泰晤士报》主编。后因诺思克利夫欲将该报垄断为个人政策之工具,二人于1919年决裂,道森同意离职,由H.W.斯蒂德继任。1922年诺思克利夫逝世,约翰·雅各布·阿斯特(后封为勋爵)成为该报主要业主,于1923年邀请道森返任,同意其拥有决定办报方向之权力。道森任《泰晤士报》主编为时逾25年,对许多事务有过重大影响。他将《泰晤士报》办成了他本人的政策工具。曾先后与鲍德温、张伯伦、麦克唐纳交往甚密,是与《圆桌》季刊有联系的一个集团领袖。该刊设法通过与国家政治领导人的私下交往,对国家政策施加影响。自视为"幕后统治集团秘书长",坚信绥靖政策,通过《泰晤士报》以及与内阁大臣的个人关系成为绥靖政策的主要决策人之一。这一政策最终导致同意希特勒占据捷克斯洛伐克苏台德地区的《慕尼黑协定》(1938)。

Dawson, Sir John William **道森**(1820-10-30,加拿大新斯科舍皮克图～1899-11-20,蒙特利尔) 加拿大地质学家,对古植物的研究做出了许多贡献,并扩展了加拿大地质学的知识。在任新斯科舍省督学期间(1850～1853),研究了该省各地的地质情况,并专门调查了含煤地层中的化石森林。1855年发表研究成果《阿卡德期地质学》,同年任蒙特利尔麦吉尔大学地质学教授和校长。在以后的38年间,他把麦吉尔大学从一个人员不足、没有地位的学校改造成闻名世界的先进大学。此外,他创造了科学写作的高速度,平均每年10多篇论文。曾讲授地质学、古生物学、植物学、动物学、化学和农学等课程。他还帮助创建了蒙特利尔师范学院,并任该校校长13年。1859年宣布发现了当时所知最早的陆地植物裸蕨,这是在泥盆纪(3.95亿年前至3.45亿年前)地层里找到的。在《煤炭时代的呼吸空气生物》(1863)中,描述了新发现的各种动物化石,包括第一个呼吸空气的爬行动物(名为*Dendrerpeton*)的遗骸。他于1884年获爵士称号。

Dawson Creek **道森克里克** 加拿大不列颠哥伦比亚省东部城市,位于接近艾伯塔边界的道森河畔。为阿拉斯加公路的起点,又是来自温哥华的不列颠哥伦比亚铁路和来自埃德蒙顿的北部艾伯塔铁路的终点。城市经济主要靠农业(主要是谷类、饲料作物种子)、牲畜饲养、伐木业、旅游业(狩猎和钓鱼)、卡车运输和炼油业。1936年设村,第二次世界大战中通往阿拉斯加费尔班克斯公路建成后得到发展。1958年设市。人口10 981(1991)。

Dawson River **道森河** 在澳大利亚昆士兰州东部。源出卡那封岭。流向东南、东北转向北,汇入菲茨罗伊河。全长640千米。建有道森河谷灌溉工程(1923)。

dawsonite **碳钠铝石** 一种碳酸盐矿物 $NaAlCO_3(OH)_2$,可能由铝硅酸盐分解而成。属于低温热液成因的碳钠铝石首先发现于加拿大的蒙特利尔,其他产地有意大利的托斯卡纳区阿米亚塔山附近和阿尔及尔。在美国怀俄明州格林河附近的油页岩中,碳钠铝石呈大面积矿层产出,是铝的一种来源。碳钠铝石详细的物理性质,参阅 **carbonate mineral**(表)。

Dax **达克斯** 法国西南部阿基坦大区朗德省城镇。临阿杜尔河,东北距波尔多88英里(142千米)的公路程,南离西班牙的比利牛斯边界50英里。作为矿泉胜地,其温泉和泥浴从罗马时代起就以治疗风湿病闻名。地处朗德森林边缘,为一旅游中心。高卢-罗马人所建城墙遗址上已修成林荫大道。罗马城墙附近的温泉水温高达64 °C。阿杜尔河附近有附设斗牛场的公园。有地方性小规模木工和制革业。人口:市19 515;大都会区37 289(1999)。

Daxing **大兴** 中国北京市辖区。位于市境南部。地处华北平原北部,地面海拔15～45米,由西北向东南缓倾。永定河、龙河、凤河、凉水河、天堂河等呈扇状流贯,沿河低地多盐碱,并有条状沙带和沙丘。属温带季风气候。年平均气温11.5 °C,年降水量560毫米,无霜期193天。面积1 040平方千米。区政府驻黄村镇,金代因地处荒野原名荒村,元代谐音名黄村。镇面积11平方千米,是北京市以轻纺工业为主的卫星城镇。秦置蓟县,治所在今北京城西南。辽初改蓟北县,后改析津县。金贞元二年(1154)始名大兴县,寓兴旺发达之意。1928年隶河北省。县治屡迁。1954年迁至黄村镇。1958年划归北京市,更名大兴区。1960年复名大兴县。2001年改大兴区。农业以小麦、水稻、玉米、棉花、花生为主,为京郊水稻主产区之一。盛产北京填鸭、牛奶、鱼及梨、苹果。庞各庄、榆垡为京郊西瓜著名产地。林木覆盖率达16.4%,50%耕地实现了农田林网化。工业有纺织、化工、机电、建材、食品等。京沪铁路、京津公路穿过区境。境内有明清皇家苑囿南海子。人口560 000(2005)。

Daxue **《大学》** 又拼Ta hsüeh,英语作Great Learning。中国儒家经典之一,原属《礼记》中的一篇。宋代程颢、程颐将它从《礼记》中抽出加以改编,使之独立成篇。朱熹在二

程改编的基础上继续加工，分为“经”、“传”，作成章句，通过注释阐发己意，并将它和《论语》、《孟子》、《中庸》合编为《四书》。朱熹认为其中“经”是孔子的学生曾参（公元前

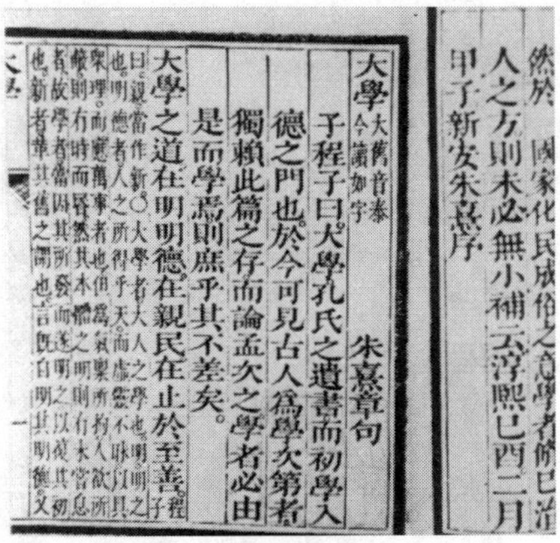
然於國家化民成俗之意學者修己治人之方則未必無小補云淳熙己酉二月甲子新安朱熹序

大學 朱熹章句

子程子曰大學孔氏之遺書而初學入德之門也於今可見古人爲學次第者獨賴此篇之存而論孟次之學者必由是而學焉則庶乎其不差矣。

大學之道在明明德在親民在止於至善。

朱熹集注《大学》明刻本书影

中国大百科全书出版社供图

505～约前436）记述孔子的话，“传”是曾参门人记述曾参的话，但无明确根据。清初陈确曾著《大学辨》予以反驳，认为《大学》决非秦以前儒者所作。《大学》着重阐述了个人道德修养与社会治乱的关系，以“明明德”、“亲民”、“止于至善”为修养的目标。又提出实现天下大治的八个步骤，即“格物”、“致知”、“诚意”、“正心”、“修身”、“齐家”、“治国”、“平天下”。其中每一个都以前一个为先决条件，而“修身”是其中最根本的、具有决定意义的一步，前四个是“修身”中最根本的、具有决定意义的一步，是“修身”的方法途径，后三个是“修身”的必然效果。从天子到庶人“皆以修身为本”，每个社会成员特别是统治者道德修养的好坏决定着社会的治乱。宋明理学把总括封建纲常的“理”或“知”看作天地万物的主宰，是对这一观点的继承和发展。《大学》和《中庸》一样提倡“慎独”，主张在无人监督的情况下诚心诚意地恪守道德规范。

Daxue Shan 大雪山 又拼Ta-hsüeh Mountains。位于中国四川省西部。又称折多山。属横断山脉北部，南北走向，北接牟尼芒起山，南止小相岭。属断块山地。长350多千米。一般海拔5 000米。主峰贡嘎山，海拔7 556米，为四川省最高峰。是大渡河、雅砻江的分水岭。雪线高度5 500～6 000米，有现代冰川、永久积雪分布。1935年5月中国工农红军长征时经过此山。

day 日 天体绕自转轴旋转一周所需的时间；特别是指地球的自转周期。恒星日是地球相对恒星背景自转一周所需的时间，亦即一个恒星两次通过同一子午圈所观测到的时间。视太阳日是太阳连续两次通过同一子午圈之间的时间。由于地球的轨道运动，看上去太阳相对于恒星每天略微向东移动，所以太阳日比恒星日长约4分钟，亦即平太阳日是平恒星时的24小时3分56.555秒。更经常地是用太阳时来表示恒星日，即1恒星日等于平太阳时的23小时56分4秒。平太阳日是太阳日的平均值。这是由于太阳日的长度在一年中因地球轨道运动速度的变化而略有改变。太阳日在天文实践中和民间生活上，都是基本的时间单位。它从子夜起计，经过24个小时走到下一个子夜。为了平常记时方便，通常将1日划分为两个12个小时的单元。从子夜到正午的12个小时记为AM（拉丁文ante meridiem的缩写，意即午前），从正午到子夜的12个小时记为PM（拉丁文post meridiem的缩写，意即午后）。按日字意的规定，无论哪一种日，指的都是从子夜到下个子夜之间的24小时，而不是日出和日落之间的白日时光。

Day, Arthur L(ouis) 戴（1869-10-30，美国马萨诸塞布鲁克菲尔德～1960-03-02，华盛顿［哥伦比亚特区］） 美国地球物理学家，以研究岩石和矿物在极高温和极低温下的特性而著名。研究过温泉和地震，研究过高温的绝对测量法以及关于火山的物理和化学问题。1900～1907年，在美国地质调查局工作，1907年任华盛顿（哥伦比亚特区）华盛顿卡内基学会地球物理实验室主任。1936年退休。1933～1941年任全国科学院副院长，1938年兼任美国地质学会主席。学会设立有用以纪念他的戴氏奖。

Day, Benjamin Henry 戴（1810-04-10，美国马萨诸塞西斯普林菲尔德～1889-12-21，纽约市） 美国印刷业者和新闻工作者，美国第一张“便士”报纸——《纽约太阳报》的创办人。为扩大发行量，他强调新闻的人性方面，强调要报道犯罪行为以便引起轰动，但应有怜悯心和幽默感。他雇用记者乔治·威斯纳为“警察局”专栏撰写短文，使威斯纳成为美国第一个采访警方消息的记者。1824年戴在马萨诸塞州斯普林菲尔德《共和党人报》当印刷学徒工，1831年移居纽约并自办印刷所。他创办《太阳报》的部分原因是为了扩大其印刷所业务。1835年他登出了一则假新闻，伪称一科学家在月球上发现了人类和植物。这条新闻引起新闻界的愤慨，但使该报读者大为称快。到1839年，该报发行量增至5万份。1840年改办另一种“便士”报纸——《真正的太阳报》。1842年创办《乔纳森兄弟》杂志，该杂志重印英国旧小说。

Day, Clarence (Shepard) 戴（1874-11-18，纽约市～1935-12-28，纽约市） 美国作家。耶鲁大学毕业。1897年入纽约证券交易所工作，并成了他父亲的经纪公司的合伙人。翌年参加海军，但因患关节炎退役。第一部著作《猿猴世界》于1920年出版，接着又出版了

美国不列颠百科全书公司供图

《乌鸦巢》（1921）、《无法表达的思想》（1928）。他的《上帝和我父亲》（1932）、《同爸爸生活在一起》（1935）和《同妈妈生活在一起》（1936），取得很大成功。他经常为《纽约人》杂志撰稿。1939年，《同爸爸生活在一起》由H.林赛和R.克劳斯改编并演出，在美国舞台上风行10年之久。

Day, Doris 戴（1924-04-03，美国俄亥俄辛辛那提～ ） 原名Doris von Kappelhoff。美国女歌唱家和电影演员，20世纪50年代在音乐剧电影和60年代初在性感喜剧中的表演使她成为著名好莱坞明星。十几岁开始在电台演唱时，便将姓氏改为戴。曾在B.拉普和B.克罗斯比的乐队中担任歌手，1940年加入L.布朗乐队，灌制了几张流行的唱片，其中包括《感伤之旅》。1947年开始独唱，作为一位录音艺人获得很大成功。演唱以水晶般清澈的音色见长，又善于朴实无华地表达强烈感情。戴第一次饰演电影主角是在《公海浪漫曲》（1948）中。此后参加了一系列音乐剧的演出，包括《灾星简》（1953）、《年青的心》（1955）、《要么爱我，要么别理我》（1955）和《睡衣游戏》（1957）。她的银幕形象是一个身心健康、聪颖明智的妇女，永远乐观，个性坚强却不露声色，代表了20世纪50年代理想的美国妇女。接着她又主演了一系列不落俗套的性感喜剧，主要有《教师的宠儿》（1958）、《枕边絮语》（1959）、《情人归来》（1962）、《那貂皮的触感》（1962）、《它的整个激动》（1963）和《别给我送花》（1964）。这些喜剧使她成为好莱坞卖座率最高的演员。1968～1973年，她在每周一次的电视系列剧《多丽丝·戴表演展》中扮演主角。

Day, Dorothy 戴（1897-11-08，美国纽约州纽约～1980-11-29，纽约） 美国女记者与社会改革者。出生于纽约市布鲁克林，成长于芝加哥，返回纽约之后为立场激进的《呼唤》与《群众》等刊物工作。随着女儿的出生（1927），她改变了激进主义的作风并皈依天主教。曾为自由派天主教期刊《共和国》执笔，后与P.莫林（1877～1949）于1933年共同创立《天主教工人》期刊，该刊物表达了她的“人格主义”观点。她在市区建立慈善之家帮助贫困的人，作为这场天主教工人运动的活动之一。莫林死后，她仍继续出版这份刊物并经营慈善之家。虽然她的和平主义言论受到保守派天主教徒的批评，但也影响了一些自由派天主教徒如T.默顿和贝里根兄弟丹尼尔和菲利普。

Day, John 戴（1574，英格兰诺福克科斯顿～1640?） 伊丽莎白时代剧作家。他在诗体寓言剧《蜜蜂们的议会》中表现出不同寻常的想象力。戴大约在1598年成为剧场主兼经理菲利普·亨斯洛的编剧，并以此资格与著名剧作家托马斯·德克、亨利·切特尔及其他一些次要作家合作。戴现存的第一部剧本是与切特尔合写的《贝特奈尔·格林的盲人乞丐》（1600）。他的其他剧本有《玫瑰回廊》（1606）和《令人难以喘息的心情》（1608）。戴的名望主要来自《蜜蜂们的议会》一剧，习惯

上人们认为该剧的写作日期是1607年，然而现存版本的日期均不早于1641年。这是一部优秀的假面剧，实际上是一部田园牧歌式的系列剧，写蜜蜂们的“行为、生育、争斗和追求”。它们在蜂王普罗雷克斯领导下举行一次议会，向熊蜂、黄蜂、雄蜂及其他各种昆虫提出抱怨。作者正是用它们来代表人类中的各种不同类型。这部讽刺性寓言剧以一位神仙国王奥伯龙的王政进步为结尾，他在所有的蜂中间实施正义和公平。

Day, Sir Robin　戴（1923-10-24，伦敦～　）英国电视记者，是该行业中第一个被封为爵士的人（1981）。先就读于本布里奇学校，后入牛津大学圣埃德蒙学院。1952年执律师业。参加华盛顿的英国新闻处工作后，于1954年成为记者。1955年入独立电视新闻，担任驻议会通讯记者。1957年成为埃及总统纳赛尔在苏伊士危机后接见的第一个西方记者。1959年他主持或参加了英国广播公司的各种电视、广播时事节目，以访问政界人物时纠缠不休甚至粗鲁无礼而出名。1959年作为自由党候选人竞选议员失利。由于对电视业的贡献，他曾多次获奖，包括1974年的R.丁布尔比奖。著有《电视报导国会的实情》（1963）、《日复一日》（1975）等书。

Day, Stephen　戴（约1594，伦敦～1668-12-22，马萨诸塞剑桥）　英国北美殖民地第一家印刷厂的创办人。原系英格兰剑桥锁匠。1638年与非国教牧师J.格洛弗订约在北美创办印刷厂。不久格洛弗死去，他与其遗孀在马萨诸塞剑桥建起工厂，1639年正式开工。首先出版3部书为：《自由民誓言》（1639）、《航海历书》（1639）和《赞美诗全集》（1640）。去世后由其子马修接办工厂，兼作排字工。格洛弗遗孀改嫁哈佛学院院长H.邓斯特后，该厂成为哈佛大学出版社的前身。

Day, William R(ufus)　戴（1849-04-17，美国俄亥俄拉韦纳～1923-07-09，密歇根麦基诺岛）　政治家、美国最高法院法官（1903～1922）。1870年毕业于密歇根大学。取得律师资格后，在俄亥俄州坎顿城操律师业。1886年被任命为民事诉讼法院法官，后被任命为美国地方法院法官，但因病未能上任。1897年麦金利总统任命他为助理国务卿，1898年美西战争爆发后任国务卿。他反对由于战争而产生的帝国主义情绪，为反对直接占领菲律宾，以及为公平地购买该群岛而辩护。5个月后他辞去内阁职务，以便率领美国代表团与西班牙商谈和约。1899～1903年任美国上诉法院法官，后被T.罗斯福总统任命为最高法院法官。作为一个左右逢源的法官，他一般与自由主义分子一起投票支持解散托拉斯，以及坚持认为各州有权通过促进健康和安全的法律。但又与保守主义分子站在一起，阻止联邦政府将这类改革强加于各州。

day-care center　日托儿所　又称日托中心、幼儿园或托儿所，为日间照管婴幼儿的机构。约在1840年法国就有此类机构，1869年法国政府承认托儿所组织。19世纪后半期大部分欧洲城市和工业中心都建立有日托儿所，例如英国第一个日托儿所就是在1860年建立的。为幼儿及其家庭服务，欧亚各国的历史要比美国长久一些。一般美国的日托中心都是私立的，而且质量参差不齐。在很多国家，日托机构均附设在母亲的工作场所。在大多数社会主义国家，照料婴儿和进行学前教育已成为一种正常的措施。在某些国家，如法国和意大利，这些措施则包括在正规的公立学校体制之中。

day fighter　昼间战斗机　无夜间导航设备及夜间瞄准具的战斗机。

Day-Lewis C(ecil)　戴-刘易斯（1904-04-27，爱尔兰莱伊什郡巴林塔伯特～1972-05-22，英国赫特福德郡哈德利伍德）　20世纪30年代英国主要诗人。最初写左翼政治口号诗，后改写形式更为传统的个人抒情诗。1968年成为桂冠诗人。曾用尼古拉斯·布莱克的笔名写过一些侦探小说，如《谋杀的时刻》（1948）和《暗中私语》（1954）。牧师家庭出身，牛津大学毕业，1935年前在中学任教。30年代同奥登等左翼诗人交往密切。组诗《磁山》（1933）和评论《对诗歌的一点希望》（1934）突出表现了他当时的观点。1946年在剑桥大学任教，讲稿以《诗歌的形象》（1947）为题出版。1952年出版了应英国广播公司之约翻译的维吉尔史诗《埃涅阿斯纪》。他还译过维吉尔的《农事诗》（1940）和《牧歌》（1963）。1951～1956年任牛津大学诗歌教授。自传为《被埋葬的日子》（1960）。《诗集》出版于1954年。后来出版的诗集有《房间和其他诗》（1965）和《窃窃私语的根》（1970）。

day lily　萱草　又称黄花菜。百合科萱草属（*Hemerocallis*）植物约15种多年生草本植物的统称。分布中欧至东亚。叶基生成簇，狭长，剑形。根肉质。花漏斗状或钟形，黄

萱草（*Hemerocallis*）
美国不列颠百科全书公司供图

色、橘黄色或红色，簇生于长花梗之顶，开花后迅速凋谢，故得其英文名。果为蒴果。部分种栽培供观赏，花和芽可供食用。

Day of the Dead　鬼节　西班牙语作Día de los Muertos。墨西哥节日，纪念死去的亲人，消除对死亡的恐惧。节日起源于墨西哥原住民。在“死亡女神”的引导下，庆祝活动持续1个月。西班牙人来到墨西哥后，鼓励原住民信奉天主教，将鬼节的日期改在万圣节和万灵节（分别为11月1日和2日）。现在，各个地区庆祝鬼节的方式有所不同。在一些农村地区，家庭用蜡烛、万寿菊、死者生前最喜爱的食物来装饰亲人的坟墓，意思是邀请死去的亲人回来团聚。在城市地区，人们会上街庆祝，饮酒狂欢。鬼节有浓厚的黑色幽默风格，节日的玩具和食物通常被做成骷髅等象征死亡的形状。

Dayak　达雅克人　又拼Dyak。婆罗洲（现加里曼丹）南部和西部的非穆斯林土著民族。多数沿较大的河流两岸居住。达雅克为一通名，并无严格的种族或部落含义，可用于称婆罗洲内陆任何非穆斯林土著民族，以与沿海

婆罗洲的达雅克人
美国不列颠百科全书公司供图

地区大部分马来人口相对应。达雅克人可分为各种支系，但其界线很难确立。最重要的大群体是：婆罗洲中部和东部的巴豪诸部落（包括卡扬人和克尼亚人）、婆罗洲南部的恩加朱诸部落、婆罗洲西南部及沙捞越的陆地达雅克人、沙捞越的伊班人或沿海达雅克人。20世纪末，婆罗洲的达雅克人口估计约为200万～220万。这些滨河而居的民族，都群聚于一幢长形大房之内，其成员很少超过数百人，他们自成社区，奉行父系及母系传宗制度。家庭为社区基本单元，儿女在结婚前与父母一起生活。男孩常常要在本村以外去找未婚妻，婚后则从妻居住。各社区之间虽在语言、风俗及婚姻方面有密切联系，却缺乏全部落的统一形式。在伊班人和陆地达雅克人中间，不存在阶级区别。卡扬人和克尼亚人则分为三个社会等级：上层包括村长的家庭及其近亲；中层为一般村民；下层由战俘及其他道德败坏分子构成。一般说来，达雅克人的经济活动主要是在山地轮种稻谷，辅以渔猎。他们使用铁制工具，主要武器是刀剑、标枪及吹天枪。他们的语言都属澳斯特罗尼西亚（马来-波利尼西亚）语系的印度尼西亚语族。达雅克人的宗教信仰是万物有灵和多神崇拜，仪式完备而复杂。过去部落间经常爆发战争，猎头是主要特征之一。沿海达雅克人一名，现在虽仍正式使用，但却是一种误用，因为它所指的伊班人，主要是一个河滨与

山地民族，经济活动以生产水稻为主。

Dayan, Moshe　达扬（1915-05-20，巴勒斯坦代加尼亚[今在以色列]～1981-10-16，以色列特拉维夫）　以色列军人及政治家。他领导以色列对阿拉伯邻国取得引人注目的胜利，以色列人视他为安全的象征。达扬生于以色列建立的第一个合作农场（基布兹），成长于该国第一个创办成功的农业合作居民点（莫夏夫）。1937年他从特别夜战连队中的英国军官温盖特上尉学习游击战术，从此进入军界。特别夜战连队是为了同巴勒斯坦地区的阿拉伯叛乱分子作战而组建的，是犹太军队的核心。达扬坚信，犹太人要独立就必须进行战斗，于是参加非法的犹太人防御部队哈加纳，因而被英国当局逮捕受监禁（1939～1941）。获释后率领巴勒斯坦地区犹太人部队在叙利亚与法国维希政府的军队作战，丧失左眼，其后所戴黑色眼罩成为他的特征。

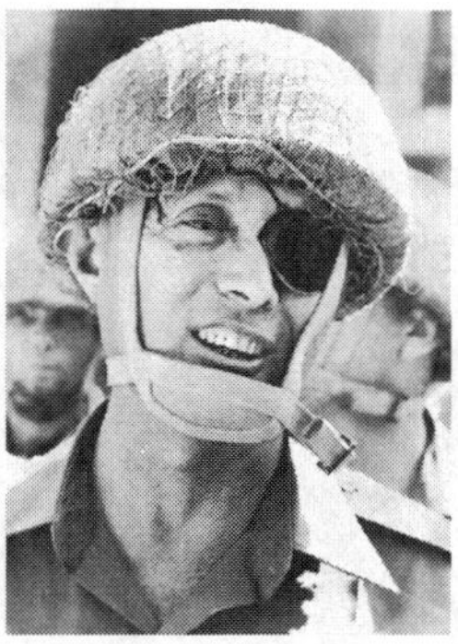

美国不列颠百科全书公司供图

在1948年的以色列独立战争中，达扬任耶路撒冷地区司令官，1949年参加约旦与以色列之间的停战谈判，在任以色列武装力量参谋长期间（1953～1958），他策划并领导了1956年入侵西奈半岛的行动。通过与埃及的军事冲突，他奠定了军事指挥官的声誉。著有关于那次战役的回忆录《西奈战役日记》，于1966年出版。

1959年达扬以以色列工党联合政府中的以色列工人党身的分被选进议会，由长期训导他的本-古里安总理任命为农业部长。1964年以本-古里安为首的一派与以新总理艾希科尔为首的一派发生政治冲突，达扬辞职。1965年达扬再以本-古里安的分裂党派以色列工人联盟成员的身份当选为议会议员。当以色列即将与阿拉伯邻国交战时，他于1967年6月1日被任命为国防部长。在六日战争（1967-06-05～06-10）中，他同参谋长拉宾一道指挥战事，其后他又治理以色列所占领土。在70年代初，达扬日益影响以色列的外交事务，但1973年10月6日（犹太教赎罪日）埃及和叙利亚突然攻击以色列，舆论界纷纷嘲笑达扬未使以色列事先有准备。1974年6月，拉宾继梅厄任总理，并未延揽达扬入阁。4年后，达扬以贝京政府的外交部长身份担任戴维营协议的主要设计人之一。其后，贝京计划将依法仍为约旦领土的约旦河西岸领土正式划归以色列管辖，达扬于1979年10月愤而辞职。1981年他创立新党特勒姆党，主张以色列单方面撤出在1967年战争中所占领土。

达扬的自传《我的生平》于1976年出版。达扬死后，人们对他私藏大量古物议论纷纷，这些古物一部分是他生前未经授权擅自不按科学方法发掘而来。最后，他的继室夫人把这些古物卖给了以色列博物馆。

Dayananda Sarasvati　达耶难陀·娑罗室伐底（1824，印度古吉拉特坦卡拉～1883-10-30，拉杰布达纳阿杰梅尔）　本名穆拉·桑卡拉。印度教苦行者和社会改革家，雅利安社的创始人（1875）。自幼接受适合富足婆罗门子弟的教育，为了探索不死的途径而习演瑜伽术。他为了逃避包办婚姻，弃家出走，加入婆罗室伐底苦行教团。此后15年（1845～1860），遍历印度各地探求真道，拜斯瓦米·毗罗耶难陀为师。导师不索学费，只要求他毕生努力复兴吠陀印度教。他在贝拿勒斯（瓦拉纳西）由摩诃罗阇主持的公开辩论中，力驳印度教正统派学者，提出自己的观点，初露锋芒。1875年4月10日，他创导的雅利安社在孟买举行第一次会议。嗣后他倡导许多重要的社会改革，反对童婚、主张寡妇再嫁，向一切种姓提倡有关吠陀的研究并创办许多教育机关和慈善机构。雅利安社在印度独立前在振奋印度民族精神方面做出重大贡献。达耶难陀在猛烈抨击某土邦主后突然死亡，一说他是被土邦主指使人置毒害死，但此说未经证实。

Dayao culture　大窑文化　中国旧石器时代早期和晚期的石器制作场。20世纪70年代在中国内蒙古呼和浩特东郊发现，因发现于大窑村而得名。地质时代分别为中更新世和晚更新世。在10米厚的黄土中埋有两厚层燧石块、石片、石屑和石碴。石器类型有刮削器、尖状器、砍斫器等。其中大量龟背状刮削器最为特殊，其大小、形状和制法都很一致，是大窑文化中有代表性的石器。砍斫器是将厚大石片、石块用一面或两面加工法制成。尖状器较少，尺寸不超过5厘米，但制作精致。在呼和浩特市东郊乃莫板村的脑包梁也发现一处石器制作场。其时代和文化性质与大窑石器制作场完全一样。

Daye　大冶　又拼Ta-yeh。中国湖北省县级市。位于长江中游南岸，幕阜山北缘，长江流经东北隅，水系以大冶湖流域为主。矿产丰富，主要有铁、铜、煤、磷、石灰石、大理石、铅、锌等。隋为永兴县地。唐天祐二年（905）析置青山场院。北宋乾德五年（967）南唐析武昌三乡与青山场院合置大冶县，取"大兴炉冶"之意命名。元、明、清先后属兴国军、路、州、府。1959年划归黄石市，1994年撤县设市，仍由黄石市代管。面积1 566平方千米。春秋战国已探矿冶炼，唐代有官办炼铁炉，11～12世纪大规模开采铜矿，1890年成立汉（口）冶（大冶）萍（乡）煤铁公司，成为中国近代第一个钢铁企业。1949年后扩建大冶钢厂，并新建一批中小型钢铁企业，成为湖北省第二大钢铁工业中心。现已建成采矿、冶金、电力、机械、燃化等工业，是武汉钢铁工业的铁矿基地，黄石市重工业原料供应地。农业以水稻、棉花、苎麻、小麦为主，亦富水产。武汉—大冶铁路贯穿市境，并有铁山—灵乡、新下陆—铜录山铁路支线通矿区。公路有武全、铁贺诸干线，可通邻近县市。水路以长江为主，设有河口码头。内河从大冶湖可达长江，从保安湖可进入梁子湖。大冶湖东建有东西大港通长江，并建有四顾闸和电排站。名胜古迹有石龙头旧石器时代遗址、楚国铜录山铜矿井遗址、北宋青山场炼炉遗址及贵村鄂王城、南宋绍兴年间（1131～1162）的天台寺等。人口890 000（2005）。

dayflower　鸭跖草　鸭跖草科鸭跖草属（*Commelina*）植物，约100种，分布广泛，为茎柔弱的草本。仅几种有园艺价值。墨西哥鸭跖草（天蓝色鸭跖草，*C. coelestis*）、铺散鸭跖草（竹节花，*C. diffusa*）和直立鸭跖草（*C. erecta*）蔓生，开蓝色小花，常作地被物种植。特别是在潮湿阴凉的地方，通过扦插、播种及卧茎生根，蔓延生长很快。花凋谢迅速，故得其英文名。

daylight saving time　夏令时　统一将时钟拨快，以便在通常的非睡眠时间内延长白昼时间的一种时制。主要在夏季施行。在北半球，通常在3月底或4月开始拨快一小时，到9月底或10月再拨回去。澳大利亚、英国、德国和美国等都在第一次世界大战期间采用过夏令时，以便减少对人工照明的需求而节约燃料。在第二次世界大战期间某些国家继续将时钟拨快一小时，如美国从1942年2月9日起至1945年9月30日止施行这一时制。英国则在一年中按月份采用"双夏令时"，即夏季比标准时拨快2小时，冬季拨快1小时。以前，美国的夏令时从4月的最后一个星期日开始，于10月的最后一个星期日结束。1986年，美国国会通过一项法律，将夏令时提前到4月的第一个星期日开始，但仍然于10月的最后一个星期日结束。在大多数西欧国家，夏令时开始于3月的最后一个星期日，结束于9月的最后一个星期日。在英国和许多其他国家，夏令时从3月30日起至10月26日止。

Dayr al-Baḥrī　达尔巴赫里　又拼Dair al-Baḥrī或Deir el Bahri。埃及底比斯古代墓地的考古遗址。位于尼罗河西岸，在国王谷地以东悬崖之间的平地上。遗址有3个古代建

达尔巴赫里的门图荷太普二世陵庙（左）和哈特谢普苏特王后的陵庙（右）

美国不列颠百科全书公司供图

筑：①国王门图荷太普二世的陵庙（约公元前1970），上层建筑多已荡然无存；②哈特谢普苏特王后的梯形庙宇（约公元前1470），公元1894～1896年出土；③约公元前1435年图特摩斯三世所建的庙宇，位于前两座庙宇之间，公元前1160年被岩崩所毁。3座庙宇曾有很长的通道与建有码头设施的谷地庙宇相连。

Dayr al-Madīnah　达尔马迪纳　上埃及底比斯的古代遗址，位于尼罗河西岸。原为营造王室陵墓的工人所居的村庄。现照原样保存。这对了解古代工人的生活情况大有帮助。遗物还有很多纸莎草纸和贝壳碎片，它们不仅有助于了解当时工人日常生活中有关文学和宗教的内容，也可了解有关第20王朝（公元前1190～前1075）的政治经济情况。

Dayr az-Zawr　代尔祖尔　又拼 Deir ez-Zor。叙利亚东部城镇，位于幼发拉底河右岸，1867年由奥斯曼人建城，以控制幼发拉底地区的游牧部落。1918年为英国占领，1921年后由法国统治。1941年重被英军占据，以防止叙利亚和黎巴嫩落入轴心国之手。1946年归属叙利亚。现为阿勒颇—摩苏尔和大马士革—摩苏尔两条公路线上重要贸易中心，并靠近几条穿过沙漠的道路。代尔祖尔有一所大学（1977），是绘画、雕刻、戏剧艺术及民间舞蹈文化中心。博物馆中收藏有附近地区的出土文物。主要旅游景点为1924年法国人修筑的横跨幼发拉底河吊桥。人口约103 890（1985）。

Dayton　代顿　美国俄亥俄州西南部城市，蒙哥马利县县城（1803）。西南距辛辛那提87千米。地当大迈阿密河低洼的泛滥平原，在斯蒂尔沃特、马德和沃尔夫3河汇流处。是

代顿市的代顿艺术学院
美国不列颠百科全书公司供图

包括凯特林、迈阿密斯堡、乔尼亚、费尔伯恩、奥克伍德和迈达利亚在内的都会区之中心。1795年后由一批独立战争退伍军人初建，以其中J.代顿的姓氏命名。后发展成为农产品运输港。运河和铁路的修通促进了城市工商业的发展。1805年设镇。1841年设市。1913年水灾后兴建了综合性水利工程迈阿密水利区。现为一大城市化地区的中心和农业地区的集散中心。两次世界大战后，作为国家航空中心，建有空军技术学院、空军基地和航空博物馆（1971）。生产汽车零件、机床、冰箱、空调器、计算机、纸张等。设有代顿大学（1850）、赖特州立大学（1967）、辛克莱尔社区学院（1887）等。有艺术研究所、自然史博物馆和交响乐团。市内黑人诗人P.L.邓巴故居辟为纪念馆。人口：市178 540（1994）；代顿-斯普林菲尔德都会统计区956 412（1995）。

Dayton　代顿　美国田纳西州东南部城市，雷亚县县城（1890）。西南距查塔努加58千米，临里奇兰河。约1820年始建。1895年设市。1925年7月在市内里亚县法院发生所谓"猿猴审判"案，判一生物教员讲授进化论有罪。审判中，W.J.布赖恩代表原告指控生物教员J.T.斯科普斯犯有渎神罪；而著名律师C.达罗出面为斯科普斯辩护。城市经济依靠农业（马铃薯、南瓜、苹果、白菜和草莓）和制造业（家具、袜类、服装和取暖设备）。每年5月举办田纳西草莓节。设有布赖恩学院（1930）。人口6 180（2000）。

Dayton, Jonathan　戴顿（1760-10-16，新泽西伊丽莎白～1824-10-09，美国新泽西伊丽莎白敦）　美国制宪会议最年轻的代表、众议院议长、后来的俄亥俄州的开发者。1776年在新泽西学院（普林斯顿大学）毕业后加入民兵，曾参加纽约和新泽西战役，1781年升为上尉，两年后退役。嗣后学习法律，执律师业。1786～1787年在新泽西州议会工作，27岁时选入制宪会议。1790年当选为众议员，他支持A.汉密尔顿的财政方案，主张镇压威士忌酒事件的农民起义，赞成与英国签订《杰伊条约》（1794）。在最后两届任期中，他担任众议院议长。1799～1805年任参议员，多次投票反对杰斐逊政府。1814～1815年任新泽西州议员。他显然在1807年的A.伯尔西部阴谋中起了某些作用（可能被指控叛国），但终未被起诉。此后，他以大部分时间经营在俄亥俄的10万公顷地产。

Daytona Beach　代托纳比奇　美国佛罗里达州东北部沃卢西亚县城市。北距杰克逊维尔145千米，临大西洋和哈利法克斯河。始建于1870年。1876年设市。现为著名的四季旅游地，有各种轻工制造业。1903年起，驰名世界的奥蒙德-代托纳海滩（沙白而硬，长37千米，低潮时宽150米）被用于车速实验场，1935年M.坎贝尔驾蓝鸟车曾在此创下时速445.49千米的纪录。设有贝休恩-库克曼学院（1872）、代托纳比奇社区学院（1958）、恩布里·里德尔航空大学（1926）及国际赛车、赛狗场。人口：市64 112；都会区493 175（2000）。

Dayu Ling　大庾岭　中国南岭山地五岭之一，赣江和北江分水岭。又称梅岭。在江西与广东两省边境。为花岗岩断块山，东北-西南走向，海拔1 000米左右。相传汉武帝时有庾姓将军筑城于此，因有大庾之名。大庾岭古道崎岖险峻，唐曾辟新道，设驿站，宋置梅关，为江西、广东间主要通道。大庾岭位置偏南，气候湿润，植物茂盛。为著名钨矿产地，储量占中国的1/2以上。

Dayushan　大屿山　又作 Lan Tao Island。旧称大濠岛。中国香港岛以西约10千米（6英里）的岛屿，为新界的一部分。长约27千米，宽约10千米，面积150平方千米（58平方英里），最高峰凤凰山海拔934米（3 064英尺）。岛上覆盖着草丛和灌木，海岸有小块可耕地。种植稻谷与蔬菜。位于西南的石壁水库为集水设施；岛上有公路系统，渡船可通屯门和维多利亚港。随着香港经济迅速发展，1984年决定在大屿山北岸的赤鱲角兴建大型国际机场（耗资110亿港元），以缓解香港与九龙的拥挤状况。机场距九龙市中心约30千米。机场项目包括高速公路、铁路、海底隧道、两座跨海大桥、填海用地和新市镇等基础设施。机场于1998年4月投入使用后，年客运量可达3 500万人次，年货运量达300万吨。

Dazai Osamu　太宰治（1909-06-19，日本青森县金木～1948-06-13，东京）　原名津岛修治。日本小说家，第二次世界大战结束时代表当时文艺界呼声而崭露头角。他的阴暗、

东京国际教育情报学社供图

扭曲的调子完全抓住了战后日本的混乱情况，因为这时传统价值已失去人们的信任而年轻一代又以虚无主义的态度对待过去的一切。太宰生在日本北部，是一个富有的地主和政治家的第6个儿子，他常常回到他小说借以取材的背景中去。虽然他的许多作品的主导情绪是忧郁的，但他也因其幽默而著称，这种幽默时而接近闹剧的程度。他的第一部短篇小说集《晚年》（1936）表明他是一个具有潜力，能用多种风格和题材写作的多才多艺的作家，但是他却倾向于"私小说"（个人小说）这个形式，从此，在他小说的大多数人物身上都可以看到作者本人的影子。他十分注意写作技巧，他的短篇小说决不仅仅是一种忏悔的记录；尽管如此，他的艺术手法常常为他那远近知名的放荡，特别不断为年轻读者所关注的放荡所掩盖。在日本作家当中，几乎只有太宰一个人在战争年代（1941～1945）不断发表具有真正文学价值的作品。《童话草纸》（1945）是根据传统故事改编而成，风格隽永，妙趣横生。《津轻》（1944）大概是他最出色的作品，这是对他的出生地的一部具有深切同情心的回忆录。他战后的作品——《斜阳》（1947，英译本1956）、《维扬的妻子》（1947，英译本1956）、《没有做人的资格》（1948，英译本1958），英译者都是唐纳德·基

恩——绝望情绪日益强烈，反映了作者情感方面的危机。太宰早年曾几次自杀未遂，但1948年他还是自杀了，留下一部未完成的小说，该书起了个不吉利的名字《再见吧》。

Dazangjing　《大藏经》　又拼 Ta-ts'ang Ching。中国和日本佛教界列为经典的全部佛教文献汇编。内容复杂，中国标准版本共收2 000多部，日本最新版本收3 000多部。梵文典籍的1世纪汉文译本是《大藏经》的主体，以后陆续充实，一直到8、9世纪。许多经籍梵文本已经失传，仅存汉文或藏文本。《大藏经》收小乘佛教特别是小乘说一切有部的

宁波天一阁收藏的贝叶经——《大藏经》
中国大百科全书出版社供图

著作，此外还包含后期密教论著和中国作者撰写的佛教史、僧人传，以及元、明两代（13～17世纪）佛教诗集。参阅 **Bka'-'gyur; Bstan-'gyur**。

Dazhao Monastery　大昭寺　又拼 Zuglakang (Jokhang) Monastery。中国吐蕃王朝早期佛寺。位于西藏拉萨。始建于7世纪中叶，相传是在松赞干布（Srong-brtsan-sgam-po）支持下，由文成公主择址，尼泊尔尺尊公主修建。初名惹刹，后改称祖拉康、觉康，清代命名为大昭寺。17世纪曾进行大规模修葺与扩建，后经历代扩建而形成今天的规模。为国家重点文物保护单位。寺为木石混合结构整体为传统的藏式平顶建筑。建筑基本沿中轴线分布，平面呈凹字形。神殿为密闭的楼院，南北宽82.5米，东西最长处97米余。楼高4层，中间有天井。一、二层为早期建筑，采用唐式的梁架、斗栱和藻井，内廊檐部有成排具尼泊尔、印度特色的伏兽和狮身人面木雕。释迦牟尼佛殿位于神殿正中，上下贯通两层楼。三、四层建筑为后世增建。殿堂内供奉一尊释迦牟尼铜坐像，相传为文成公主带至拉萨，高1.5米，通体鎏金，造型精美生动。寺内存唐卡（卷轴画）数百，有明永乐皇帝颁赐的胜乐金刚和大威德金刚唐卡。寺前有823年所立唐蕃会盟碑及相传为文成公主所栽唐柳。

Dazhou　达州　中国四川省辖地级市。新兴工业城市。川东商贸、金融、交通文化中心。位于四川盆地东北部，大巴山南麓的盆周山区，渠江上游支流州河河畔。秦时属巴郡之地，东汉和帝永元年间（89～105）置宣汉县（今达县）。南朝梁大同二年（536）为万州治所。西魏废帝二年（553）改县名为石城，改万州为通州。隋开皇十八年（598）改通川县，后为通川郡、通州治所。北宋乾德二年（964）改通州为达州，因水路通达而得名。明洪武九年（1376）废通川县，降达州为达县。1976年将达县城区等地划出设立达县市。1993年改名达川市。1999年撤达川地区和县级达川市，设地级达州市。面积16 591平方千米，其中市区面积451平方千米。辖通川

达州风光
中国大百科全书出版社供图

区和达县、宣汉、开江、大竹、渠县5县，代管万源县级市。境内地处川东平行岭谷区、盆中丘陵区和盆北低山区的连接地带，多丘陵和低山。蕴藏煤、铁、天然气等矿产。盛产水稻、小麦、棉花、蚕茧、苎麻、桐油、山货等农林产品，是四川最大的苎麻产区和商品牛、山羊板皮生产基地之一。重要的国家级商品粮基地之一。工业以纺织、化工、食品、钢铁、煤炭、建材等部门为支柱。主要产品有棉布、针织内衣、毛巾床单、生丝、食品罐头等。所产灯影牛肉驰名中外。达州是襄渝铁路上的大站。210、318国道和达渝高速公路等过境。市区以下的州河河段可通航。有定期航班飞往成都、南充等城市。是川、陕、鄂边境的交通要道和物资集散地。有铁山森林公园、龙爪塔、真佛山古庙建筑群等名胜古迹。人口：全市6 370 000（2005）；市区390 000（2004）。

dazhuan　大篆　参阅**zhuanshu 篆书**。

Dazu　大足　中国重庆市辖县。著名的“石刻之乡”。位于四川盆地东南部，重庆市西北部，距重庆市渝中区160多千米。面积1 390平方千米。县名取地大而物产丰足之意。始

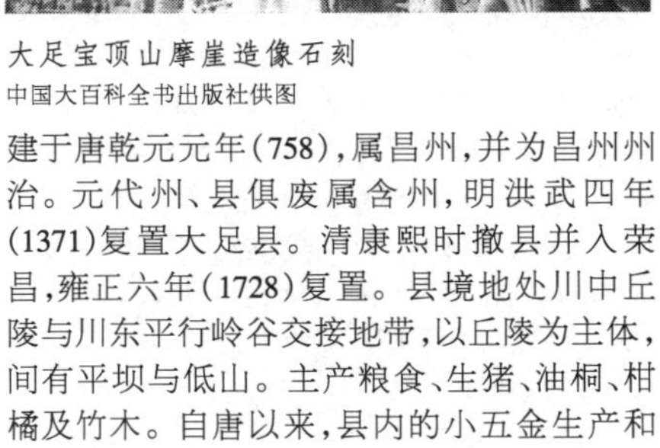

大足宝顶山摩崖造像石刻
中国大百科全书出版社供图

建于唐乾元元年（758），属昌州，并为昌州州治。元代州、县俱废属合州，明洪武四年（1371）复置大足县。清康熙时撤县并入荣昌，雍正六年（1728）复置。县境地处川中丘陵与川东平行岭谷交接地带，以丘陵为主体，间有平坝与低山。主产粮食、生猪、油桐、柑橘及竹木。自唐以来，县内的小五金生产和竹编是传统的手工业，其中龙水菜刀为传统产品。大足石窟与云岗石窟、龙门石窟鼎足而立，全县有唐宋石刻43处，共有人物造像5万余尊，其中北山石刻、宝顶山石刻、石篆石刻、石门山石刻和南山石刻规模宏大，前两者摩崖造像为中国石窟造像的代表。属中国重点文物保护单位。1999年12月大足石刻被列入世界遗产名录。大足石刻于唐景福元年（892）昌州刺史韦君靖开始雕凿。主要题材有阿弥陀佛、药师佛、地藏菩萨、千手千眼观世音菩萨和经变浮雕等净土、密宗造像。宝顶山石窟始建于南宋淳熙六年至淳祐九年（1179～1249），题材多密宗形象，也有一些禅宗造像，是早期密宗与禅宗相结合的重要实例，其中如六道轮回、广大宝楼阁、华严三圣、千手观世音、孔雀明王经变、毗卢道场、父母恩重经变、大方便佛报恩经变、十大明王、牧牛道场等造像表现佛教艺术进一步与儒教结合并深入社会下层。宋代开凿的石门山和石篆山石刻有儒、释、道三教造像。县内还有龙水湖、古溶洞及大足石刻艺术博物馆等游览参观景点。大足与成都有直达班机。人口920 000（2005）。

Dazu stone sculptures　大足石刻　参阅 **Dazu 大足**。

dB（unit）　参阅 **decibel 分贝**。

D.B.E.　大英帝国二等女爵士　dame commander of the British Empire 的缩写，大英帝国勋位第二级中最高阶者。参阅 **British Empire, The Most Excellent Order of the**。

dc（electricity）　参阅 **direct current 直流电**。

DC（Italian political party）　参阅 **Christian Democratic Party 天主教民主党**。

DC－3　DC－3飞机　又名“空中列车”（skytrain）、道格拉斯DC-3、C-47（美国陆军）、R4D（美国海军）或达科他（英国空军）。世界上首次获得巨大成功的民航机和军用运输机。1935年首飞，它是下单翼双发动机的飞机，按不同构型，能乘坐21或28名旅客，或装载6 000磅货物。飞机全长64英尺多一点，翼展95英尺。DC-3生产不久就占有了初期的民航业。在20世纪40年代中期，美国的300架民航机中有275架是DC-3。它可运送28名旅客或全副装备的伞兵或18副伤员担架和3名医务人员。用于运输军用物资时，可装两辆轻型卡车，或任何能进入舱门而重量不大大超过3吨的物资。一种专门运兵的型号称为C-53，它可用来拖曳滑翔机；如果拆掉发动机（罩上空的发动机整流罩），再除去其他无用的重量，它本身也可成为一架高效率的高速滑翔机。用作滑翔机时，可载40名全副装备的士兵，最大拖航速度达290英里/时，比以前任何一种运输滑翔机的速度高90英里/时，比它本身作为运输机时的速度高26%。DC-3作民航机时由双人机组驾驶，通常还有一名客舱服务员。军用型用较大马力的发动机，机组为3人。DC-3的主起落架能收放，但可转向的后轮不能收起。军航和民航的飞行员都喜欢DC-3飞机，它易于起飞，在1万英尺高度可舒适地以185英

里/时速度巡航,升限为23 200英尺。失速速度小(67英里/时),飞行员说它能"自己"着陆。巡航航程1 500～2 100英里。到1945年DC-3生产线关闭前,共生产10 926架,其中10 123架为军用机。由于它易于操纵和维修,能在短跑道上起飞和着陆,可靠性十分出色,所以全世界大部分地区都曾使用过这种飞机。

D.C.B. **巴思二等女爵士** dame commander of the Bath的缩写,巴思最高荣誉勋位第二级中最高阶者。参阅 **Bath,The Most Honourable Order of the**。

D.C.M.G. **圣米迦勒与圣乔治二等女爵士** dame commander of St. Michael and St. George的缩写,圣米迦勒与圣乔治英勇勋位第二级中最高阶者。参阅 **Saint Michael and Saint George, The Most Distinguished Order of**。

D.C.V.O. **维多利亚二等女爵士** dame commander of the Royal Victorian Order的缩写,维多利亚皇家勋位第二级中最高阶者。参阅 **Royal Victorian Order**。

DDT **滴滴涕** 二氯二苯基三氯乙烷(dichlorodiphenyltrichloroethane)的缩写,又称1,1,1-三氯-2,2-二对氯苯基乙烷。一种合成的有机卤化物杀虫剂。作为多种昆虫的接触性毒剂具有高毒效,似乎是通过破坏神经系统发生作用的。1874年首次由三氯乙醛和氯苯在硫酸存在下反应制得DDT。其杀虫性能是瑞士化学家P.H.米勒(**Müller,Paul Hermann**)于1939年发现的。在第二次世界大战期间和战后,发现了DDT对虱子、跳蚤、蚊子(依次为斑疹伤寒、鼠疫、疟疾和黄热病的传染媒介),对美国科罗拉多州的马铃薯害虫、舞毒蛾以及农作物的其他害虫都有良好的毒杀效果。许多种昆虫能迅速繁殖抗DDT的种群,而且DDT高度稳定,能累积于昆虫体内。当这些昆虫成为其他动物的食物后,那些动物,特别是某些鸟类和鱼类则中毒而被危害。因这两个缺点,在20世纪60年代,DDT用作杀虫剂的价值已急剧下降,1972年美国对DDT的使用规定了严格的限制。纯DDT为无色晶体,熔点109 °C。工业品为无定形粉末,熔点低一些。一般含有65%～80%的有效化合物,而与几种有关联的物质在一起。DDT可做成低熔点的粉剂,也可做成水悬浮液喷洒。

de **德** 又拼te,英语作virtue。中国古代哲学术语。指人间以至宇宙间一切事物的特殊属性。《管子·心术上》:"虚无无形谓之道,化育万物谓之德。"《管子·心术上》更进一步说:"德者,道之舍。"又指德行。道家认为德是道的表现形式,即是"道"的内涵本质。《易乾·文言》:"君子进德修业。"

De Amicis,Edmondo **德·亚米契斯**(1846-10-31,撒丁王国奥内利亚～1908-03-11,意大利博尔迪盖雷) 意大利小说家、诗人、游记及儿童读物作家。军校学习后在炮兵部队服役,为陆军杂志《意大利军队》写过多篇报道军队生活的小品文。随后出版《短篇小说集》(1872)。有些评论家认为这是他最优秀的作品。他还写了一些诗歌、长篇小说、游记及散文,但其主要作品是带有感伤色彩的儿童故事《心》(1886,中译本名《爱的教育》)先后被译成25种以上文字。

De Bakey,Michael Ellis **德巴基**(1908-09-07,美国路易斯安那莱克查尔斯～2008-07-11,得克萨斯休斯敦) 美国外科医师,用外科方法治疗循环系统缺损和疾病的先驱。1932年设计滚柱泵——心内直视手术时使用的心-肺机的组成部分。又用冷冻血管移植来治疗主动脉瘤,到1956年首创用塑料管代替移植物。1963年将机械装置植入胸腔以辅助心脏活动,获得成功,患者于移植术后存活4日。德巴基毕业于新奥尔良图兰大学医学院,并获医学(1932)和理学(1935)博士学位。1948年出任得克萨斯州韦科贝勒大学医学院外科教授,科主任。1963年与人合得艾伯特·拉斯克临床研究奖,1969年获罗斯福夫人人文奖。1958～1970年编辑了《外科学年鉴》。著有《活的心脏》(1977,与A.古托合著)等。

de Beer,Sir Gavin(Rylands) **德比尔**(1899-11-01,伦敦～1972-06-21,英国苏塞克斯奥尔弗里斯顿) 英国动物学家、形态学家,以对实验胚胎学、解剖学和进化方面的贡献闻名。他注意分析发育过程,发表了《实验胚胎学入门》(1926),指出某些按胚层理论一向认为自中胚层衍生的结构(如某些软骨和皮内骨的成牙质细胞)其实是外胚层(神经嵴)形成的。最重要的著作是《脊椎动物的头颅发育》(1935)。1940年著《胚胎与祖先》,提出滞留发生(祖先的青少年或婴幼儿的特征保留在成熟的个体中)的概念,这同种系重演的理论(生物在胚胎发育中重复其各个祖先的成熟阶段)相反。后提出"新生进化"的概念,说明初期阶段在化石记录中之所以不显,是因为它们是在祖先青年时期的软组织中存在的。他发现始祖鸟化石中有胸骨,该胸骨有爬行类的特征,也有鸟类的特征,这启发了他的"镶嵌进化"的想法,就是说,一种动物进化为另一种,是一点一点地变化成的。他还做过垂体的基础研究。他对研究文物很感兴趣,表现为用生物学方法来研究历史问题,例如用花粉分析、冰川学和其他技术来探索汉尼拔经过阿尔卑斯山的进军路线,用血型资料来探索小亚细亚埃特拉斯坎人的起源。他曾在牛津大学(1926～1938)和伦敦的大学学院(1945～1950)任教,1950～1960年任不列颠自然历史博物馆长。曾获皇家学会达尔文奖章(1958)和林奈学会金质奖章(1958)。还著有:《胚胎学与进化》(1930)、《脊椎动物学:脊索动物比较解剖学、胚胎学和进化入门》(1962)、《实验胚胎学原理》(与J.S.赫胥黎合著,1963)、《进化图解》(1964)。

De Beers Consolidated Mines,Ltd. **德比尔斯联合矿业公司** 南非的矿业公司,世界上最大的金刚石产销企业,为一家持股公司亦即南非英美公司的附属单位。总部在南非金伯利。金刚石于19世纪60年代中期在南非金伯利附近农场首次被发现。农场中建起两所金刚石矿场——金伯利矿和德比尔斯矿,它们虽已不再生产,却一度是世界上金刚石产量最大的矿场。1873年英国冒险家兼企业家罗得斯买下德比尔斯矿;他以此为财务基础最后买得非洲南部的大部分金刚石矿场。他1888年组建德比尔斯采矿公司。为了控制销售市场,他在19世纪90年代中期之前已组织金刚石辛迪加——今日中央销售组织之前身。1902年罗得斯逝世,德国人奥本海默到非洲任该辛迪加的代表。奥本海默发现自己在德比尔斯不受欢迎,便转向金矿采掘业去发家致富,1917年组建英美公司。第一次世界大战后,他又折回到金刚石贸易,购得西南非洲(今纳米比亚)的金刚石矿场,并收买了德比尔斯公司的控制股权。他任德比尔斯公司董事长后,加强对罗得斯所开创的金刚石市场的垄断。现在中央销售组织控制了近80%的世界金刚石贸易。德比尔斯公司还在炸药与化工企业,黄金、煤、铜等矿场,以及合成金刚石行业拥有权益。

De Bono,Emilio **德·博诺**(1866-03-19,意大利卡萨诺达达～1944-01-11,维罗纳) 意大利将军,早期即追随法西斯主义,曾帮助其创始人及党魁墨索里尼取得政权。1884年从军任少尉。第一次世界大战期间对奥作战有功。1920年以少将衔退役。他帮助组织法西斯党,并参与向罗马进军。墨索里尼掌权后任警察总监和法西斯民军司令,后任的黎波里塔尼亚总督。1935年意大利人侵埃塞俄比亚时,一度任总司令,尔后晋升陆军元帅。1942年任国务大臣。最后因反对墨索里尼而被处决。

de Broglie wave **德布罗意波** 又称物质波。在时间或空间中变化的物质客体与描述波的数学方程相符合的性状。法国物理学家L.德布罗意类比已从实验证实的光的波粒二象性,在1924年提出粒子也可能有波动性。3年后,又在实验上探测到电子的波动性。宏观物体的波长都可以算出,但远比电子波长小,因此它们的波动性从来没能探测到,只显示粒子性。所以德布罗意波只在亚原子粒子领域起重要作用。德布罗意波说明了一些亚原子粒子的波能穿过势垒,就像声波透过墙壁(这在传统上是意料不到的)。例如,在重原子核的α衰变过程中,作为一个粒子(α粒子)的能量不足以克服原子核周围的势垒;但是作为波它就可以穿过势垒。与绕原子核旋转的电子有关的绕闭合环路的德布罗意波能够存在的条件使原子中的电子只能选取某些特定的组态。粒子的波动性对于外力作用的反应遵从量子力学中的一个基本定律,它的数学形式就是薛定谔方程。

De Busne,Antoine(composer) **德·比斯内** 参阅 **Busnois,Antoine** 比斯努瓦。

de Cabeçon, Antonio(Spanishcomposer)参阅 **Cabezón,Antonio de** 卡韦松。

De Camp, Maria Theresa 德坎普 参阅 **Kemble, Maria Theresa** 肯布尔(夫人)。

de Chirico, Giorgio 德·希里科(1888-07-10,希腊沃洛斯～1978-11-09,罗马) 意大利画家,"形而上绘画派"奠基人之一。1906 年在慕尼黑美术学院学习。早期画风受A.

德·希里科绘《预言者的报酬》(1913)
美国不列颠百科全书公司供图

勃克林影响;其在佛罗伦萨时的一些作品,如《一个秋天下午的谜》(1910),已脱离了勃克林的风格。1911 年迁巴黎后,所画的一些隐晦的预示着不祥的场面颇受毕加索与阿波里耐赞赏。代表作有《预言者的报酬》(1913,费城艺术博物馆藏)和《一条街的秘密和忧郁》(1914,康涅狄格州新迦南斯坦利·R.里索收藏)。1915 年起改变早期风格,构图更加密集,造型奇特,排列得也更加随意。这个时期的作品如《形而上的伟大内涵》和《预言者》色彩较前鲜明,画面上加进了裁缝用的人体模型、饼干、画架上的画等形象。到 20 世纪 20 年代中期,则采用更加写实主义和浪漫主义的手法。

De Forest, Lee 德福雷斯特(1873-08-26,美国艾奥瓦康瑟尔布拉夫斯～1961-06-30,加利福尼亚好莱坞) 美国杰出的发明家,发明了三极真空管。它的发明使无线电现场广播

卡尔弗公司供图

成为可能,在 1947 年晶体管问世以前,三极真空管是所有无线电、电话、雷达、电视以及计算机系统中的关键元件,并对技术、社会、文化各方面都带来深刻的影响,实际上改变了 20 世纪生活的特性。50 年间共有 500 个专利。他幼年热爱科学技术。1893 年进入耶鲁大学设菲尔德理学院,对电学,特别是对电磁波的传播深感兴趣。1899 年获物理学哲学博士学位。他的博士论文《平行导线两端赫兹波的反射作用》可能是当时美国有关无线电的第一篇博士论文。毕业后先在芝加哥西方电气公司实验室工作,在那里发明了电解检波器和交流发射机。1902 年,为了引起人们对这种新型通信工具的注意,他公开演示用于商业、新闻、军事的无线电报通信装置。1907 年他取得三极电子管的发明专利权,这是一种装有栅极的热电子三极真空管,用三极管作检波器比当时采用的电解质或碳化硅三极检波器更为灵敏。同年,他用语言和音乐向纽约市区的广大听众作实验性广播。1912 年他用多个三极管连续放大微弱的高频无线电信号,效果比用单个三极管好得多,这对无线电和长途电话通信是一个重大的发展。1920 年他开始研究有声电影,1923～1927 年期间他发明在影片边上录上声音信号的有声影片。几年后普遍使用的有声影片,原理上和他发明的基本一样。他在 20 世纪 30 年代发明医学上应用的高频电热理疗机。第二次世界大战期间他在贝尔电话实验室指导军事研究工作。德福雷斯特的发明并没有给他个人带来经济利益,但普遍赢得了"无线电之父"、"电视之祖"的光荣称号。

De Gasperi, Alcide 德·加斯贝利(1881-04-03,奥匈帝国蒂罗尔特伦托附近皮耶韦-泰锡诺[今在意大利]～1954-08-19,意大利塞拉迪瓦尔苏加纳) 意大利政治家、总理(1945～

美国不列颠百科全书公司供图

1953),对第二次世界大战后该国的物质和精神复兴都有所贡献。从 24 岁起便主办《新特伦蒂诺报》,维护意大利的文化和本地区的经济利益。1911 年,他作为意大利人的代表被选入奥地利国会,同其他意大利籍议员一道谋求把特伦蒂诺并入意大利。当特伦蒂诺于 1919 年归属意大利以后,他于 1921 年被选为意大利议会议员。当时,他是意大利人民党的创建者之一。因敌视法西斯党徒而于 1927 年被捕,并判处 4 年徒刑。通过教皇庇护十一世的疏通,服刑 16 个月后获释,于 1929 年成为梵蒂冈教廷的图书馆长。第二次世界大战期间,积极从事抵抗运动,将意大利人民党成功地改组为天主教民主党。1943 年法西斯政权倒台后,重新回到意大利政治舞台前列。任天主教民主党书记,在 I.博诺米的首届内阁(1944-06)中任不管部部长。在此后的两届内阁中,均任外交部长。1945 年 12 月 10 日,组成自己的内阁,当政达 7 年以上。德·加斯贝利与盟国签订和约,并使之获得议会批准(1947-09)。此后不久便颁布了新宪法(1948-01)。在意大利南部和中部推行一项长期的土地改革计划,建立若干以天然气为燃料或利用火山天然蒸汽的发电站,以求扩大对意大利自然资源的利用。在外交方面,他努力恢复意大利在国际政治中有影响的地位。为了密切同西方的关系,意大利于 1951 年加入北大西洋公约组织,此后不久即开始重新武装。帮助组织了欧洲理事会和欧洲煤钢联营(1951)。他的政府于 1953 年倒台后,成为天主教民主党总书记,1954 年 5 月又被推选为该党主席。

De gata ga(Cherokee chief) **德加塔加** 参阅 **Watie, Stand** 沃蒂。

de Gaulle, Charles 参阅 **Gaulle, Charles (-André-Marie-Joseph) de** 戴高乐。

De Geer, Gerhard (Jakob), Friherre (Baron) **德耶尔**(1858-10-02,瑞典斯德哥尔摩～1943-07-23,萨尔特舍巴登) 瑞典地质学家,地质年代学中纹泥计层法的创始人。1878 年在瑞典地质调查局工作。1879 年获乌普萨拉大学地质学硕士学位。他在一系列考察中研究斯匹次卑尔根的冰川。1897 年成为斯德哥尔摩大学教授,1902～1910 年任该校校长,1924 年退休后仍任该大学地质年代学研究所所长。他观察到湖泊沉积层由成对的纹层沉积物(即纹泥)组成,也就是浅色的粉砂层与暗色的黏土层相交替。这些代表一年的堆积,这样就提出了单纯以计纹泥层数来为沉积物纪年的方法。他对试图把离开得很远的冰川湖区的纹泥层序加以对比,但他关于这些层序的结论之价值为一些权威人士所怀疑。在斯德哥尔摩的国际地质学大会(1910)上介绍了纹泥计层法。《瑞典地质年代学》(1940)是他关于这个问题的最后一篇论文。

De Grey River 德格雷河 在澳大利亚西澳大利亚州西北部。源出罗伯逊岭,称奥科弗河,先向北流,后转向西北与纳拉金河汇合后称德格雷河。沿途接纳肖河和库尔甘河等主要支流,最后注入印度洋的布雷克湾。全长 306 千米。1888 年发现皮尔巴拉金矿后,大批采金者涌入河谷定居。澳大利亚的大北方公路在德格雷村越过该河。

de Hartog, Jan 德哈尔托赫 参阅 **Hartog, Jan de** 哈尔托赫。

De Havilland, Sir Geoffrey 德·哈维兰(1882-07-27,英国萨里黑斯尔米尔～1965-05-21,赫特福德郡沃特福德) 英国飞机设计师、制造家,远程喷气机飞行的先驱。他是最早的喷气式飞机制造人之一,生产出吸血鬼式和毒辣式喷气战斗机。1910 年他制造的装有 50 马力发动机的飞机飞行成功。第一次世界大战期间,他是飞机制造公司的总设计师和试飞员,生产了许多成功的战斗机和轻型轰炸机。1920 年 9 月组成德·哈维兰飞机公司,由于生产飞蛾式轻型双座飞机的成功,公司获得大利,开始在英国开展飞行俱乐部的运动。第二次世界大战期间,公司最成功的产品双发动机的蚊式飞机,是胶合板结构

的高速多用途飞机。战后他领先制造彗星式客机和D.H.鬼怪式喷气发动机。1944年受封为爵士。

de Havilland, Olivia (Mary)　德·哈维兰 (1916-07-01,日本东京～　) 美国电影女演员。父亲是英国专利代理人,母亲是演员。德·哈维兰与其妹琼·芳登于1919年随母亲移居加利福尼亚。上学时,参加当地剧团演出《仲夏夜之梦》,被选中在1935年华纳兄弟影片公司摄制的同名影片中扮演赫米娅。后与弗林搭档演出了30年代和40年代的许多古装惊险片,包括《布拉德船长》(1935)、《轻骑兵旅的冲锋》(1936)、《侠盗罗宾汉》(1938)和《马革裹尸》(1941)。她还在《金发女郎》(1941)、《阻止黎明》(1941)和《雄性动物》(1942)中扮演爱情女主角,以及在《乱世佳人》(1939)中扮演梅拉妮·威尔克斯。1945年德·哈维兰在同华纳兄弟影片公司的一场创立先例的诉讼中胜诉,取消了该公司在她7年合同期满后要她补足6个月工作的处罚。她于是有可能扮演更富挑战性的角色,以在《风流种子》(1946)和《女继承人》(1949)中的表演两度获得奥斯卡最佳女演员奖,并因《毒龙潭》(1948)一片获奥斯卡奖提名。1955年移居法国,此后间或拍摄影片,演出的主要影片有《广场之光》(1962)、《笼中女》(1964)和《别出声,亲爱的夏洛蒂》(1964)。她还演了几部电视剧。

De Havilland DH-98 Mosquito (British aircraft) **德·哈维兰DH-98型蚊式飞机**　参阅 **Mosquito** 蚊式飞机。

De Kalb　迪卡尔布　美国伊利诺伊州中北部迪卡布尔县城市。临基什沃基河。1838年始建。1856年设镇。1877年设市。经济以农业(尤其是杂交玉米种子)、蔬菜种植和制造业(电器和精密设备)为主。设有北伊利诺伊大学(1895)、基什沃基学院(1968)。人口约39 018(2000)。

de Klerk, F.W.　德克勒克 (1936-03-18,南非约翰内斯堡～　) 全名Frederik Willem de Klerk。政治家,1989～1994年任南非总统。他结束了南非的种族隔离制度,并议定了向多数派执政的过渡。与曼德拉因努力在南非建立非种族主义的民主制度进行合作而共同获得1993年诺贝尔和平奖。他是一位重要的政治家之子,1958年以优等成绩获波切夫斯特鲁姆大学法学学位。随后在弗里尼欣开设律师事务所,颇为成功,在市政和商界也十分活跃。虽然他于1972年被任命为波切夫斯特鲁姆大学行政法教授,但同年代表国民党当选议会议员,故从未担任教职。他的法律才能和所受到的尊敬,使他担任过若干重要的部长职务,包括矿业和能源(1979～1982)、内政(1982～1985)、国民教育和规划(1984～1989)。1986年被选为下院议长。1989年1月博塔总统患病后,德克勒克被选为国民党主席,并在博塔痊愈后成功地阻止了他的复出。9月14日被南非三院议会正式选举为总统。德克勒克之所以能在政治上获得成功,与他在德兰士瓦建立的权力基础有关,1982年起他即为该省国民党主席。作为总统,他保证加速前任开始的改革过程,并就制订废除种族隔离后的新宪法主动与国内4个种族(白人、黑人、有色人和印度人)集团的领袖举行会谈。虽然面临议会中右翼保守党的强烈反对,他还是很快采取行动释放包括曼德拉(1990年释放)在内的所有重要的政治犯,并取消对南非非洲人国民大会(ANC)和泛非大会的禁令。此后他频繁地与黑人领袖会晤。1991年他的政府立法废除影响在南非居住、教育、公共福利设施和保健等方面的种族隔离法律。1992年举行公民投票,国内几乎有69%的白人投票者赞同他的改革政策。同年就提出的给占多数的黑人公民权并导致各种族参加全国选举的一部新宪法与曼德拉及其他黑人领袖进行严肃的谈判。同时他的政府继续系统地拆除种族隔离制度的立法基础。在德克勒克领导下,执政的国民党和非洲人国民大会于1993年夏就向由多数派管辖过渡问题达成协议。1994年4月南非第一次有各种族参加的选举中,德克勒克领导了国民党的竞选运动。非洲人国民大会在新的国民议会中获得了多数席位。德克勒克随即参加由曼德拉组成的民族统一政府,担任第2副总统。

de Kooning, Elaine　德·库宁 (1920-03-12,美国纽约州纽约～1989-02-01,纽约长岛南安普敦) 婚前名Elaine Marie Catherine Fried。美国女画家、教师和艺术评论家,大概以肖像画最驰名。在纽约市美术学校求学时,经人介绍与艺术家威廉·德·库宁在1938年相识,1943年结婚。她最初是为赚钱而写艺术评论文章,但妙笔生花,观察入微,终生此道未辍。此外,曾在全国各地的学院和大学任过教职。1952年在纽约市斯特布尔美术馆举行第一次个人展。她以行动绘画和抽象表现主义的手法描绘许多主题,特别是风景和男人像。她绘有两幅肯尼迪总统肖像画。

de Kooning, Willem　德·库宁 (1904-04-24,荷兰鹿特丹～1997-03-19,美国纽约东汉普顿) 荷兰出生的美国画家,抽象表现主义代表画家,尤以其行动绘画形式知名。作品自20世纪30年代早期即介于具象与抽象之间,50年代后期的作品对美国当代年轻艺术家影响甚大。他5岁时父母离异,由母亲抚养。1916年在一家艺术装饰公司当学徒,同时入鹿特丹工艺美术学院夜班,学习创作与实用艺术8年。1920年开始在一家百货公司任艺术指导,接触到现代艺术运动,特别是蒙德里安等人的风格派,该派多致力于艺术中的几何型结构、抽象和简化等。1926年迁入美国新泽西州的霍博肯,后到曼哈顿,受艺术家兼艺术批评家格雷厄姆和画家高尔基的影响,1928年开始作静物写生和人物画。30年代初期研究抽象艺术,运用有机抽象形式和简单几何构图。这些早期作品曾影响过当时的青年画家毕加索和米罗。1935年开始为公共事业振兴署联邦艺术设计局工作,有时也作壁画设计。曾为纽约世界博览会药剂厅和杰克逊总统图书馆设计和制作壁画。1938年画成一些抒情的彩色抽象画,如《山水》和《挽歌》。40年代以"女人"和"站立的男人"为题材作画,多为几何图形化形象。1946年使用搪瓷釉料绘制大幅抽象画《八月的光》、《黑暗的星期五》等,基本是黑色加些白色,而《苏黎世》一画又是白色加些黑色的调子。到50年代,成为抽象表现主义绘画的领导人物。1948年在北卡罗来纳的黑山学院任教,1950～1951年在耶鲁艺术学校任教。50年代再次采用过去使用的有机抽象形式作为女性的象征,1952年创作《女人1号》使用很多"变形"。同时期也画了一些其他以"女人"为题材的作品,引起轰动。因为这些画使用了具象画法,而当时其他抽象表现派画家正在使用抽象画法。德·库宁使用和调配颜色十分粗犷,像是喷吐在画布上。1955年在《风暴女人》一画中,直立的人形似乎全部为抽象背景所吸收。其风景画表现出复杂的构图与色彩,向一种纯朴的粗枝大叶画法发展。1963年迁移到东汉普顿,这时期画的《女人在田园》、《女人与孩子》等,仍是对女性人体的一种讥讽。

德·库宁夫妇

美国不列颠百科全书公司供图

De Koven, (Henry Louis) Reginald　德科文 (1859-04-03,美国康涅狄格米法尔敦～1920-01-16,伊利诺伊芝加哥) 美国作曲家、指挥家和评论家,对创立美国轻歌剧风格有所贡献。牛津大学毕业(1879)后,赴德、奥、法等国学习作曲。回到美国后,为《哈珀周刊》和纽约《世界报》撰写音乐评论。1887～1913年谱写轻歌剧20部,其中最成功的是《罗宾汉》(1890),曾上演3 000余场。其他作品有《罗布·罗伊》(1894)、《少女马利安》(1901),以及两部大歌剧《坎特伯雷的朝圣者》(1917)和《瑞普·凡·温克尔》(1920)。

De la Gardie, Jacob Pontusson, Greve (Count)　德拉加尔迪 (1583-06-20,瑞典爱沙尼亚雷瓦尔[今爱沙尼亚塔林]～1652-08-16,瑞典斯德哥尔摩) 瑞典政治家、军人。1606～1608年在荷兰军事领袖奥伦治亲王拿骚的莫里斯麾下任职。回国后,他把莫里斯的进步思想介绍给瑞典军队。1608～1613年国王查理九世派他统帅驻俄国的瑞典军队。1610年他攻克莫斯科，占领俄国西北部的大片领土。同年，他大败于克卢什诺。1621年以后在利沃尼亚（在今爱沙尼亚与拉脱维亚境内）抗击波兰军队。1626～1628年任瑞典军总司令。他始终主张瑞典与波兰和平相处，1635年代表瑞典出席同波兰签订《斯图姆斯道夫停战协定》。德拉加尔迪于1613年成为政务会议委员。1620年晋升元帅。在克里斯蒂娜女王未成年期间（1632～1644），他是统治瑞典的五位摄政者之一。

De la Gardie, Magnus Gabriel, Greve(Count) 德拉加尔迪（1622-10-15，瑞典爱沙尼亚雷瓦尔～1686-04-26，瑞典文加恩） 瑞典政治家。1660～1680年为瑞典政府的主要领导人。查理十一世未成年前，他主持摄政团，1672年查理亲政，他任首席大臣。1675年瑞典与丹麦和勃兰登堡发生战争，使德拉加尔迪的外交政策遭到非议。由于军队装备不良，暴露出财政管理的混乱状况，他因此被撤职。后死于穷困潦倒之中。

de la Mare, Walter (John) 德拉·梅尔（1873-04-25，英国肯特查尔顿～1956-06-22，米德尔塞克斯特威克纳姆） 英国诗人和小说家，具有唤起生活中瞬息消失的朦胧时刻的非凡能力。伦敦圣保罗学院毕业，

美国国会图书馆供图

1890～1908年在英美石油公司伦敦办事处工作。1902年以笔名W.拉马尔发表《童年之歌》后，日益热衷于写作。1904年出版第一部长篇小说《亨利·布罗肯》，1906年出版《诗抄》。主要著作有：《诗集》（1920，1935，1942）、《韵文和诗歌集》（1944）、《儿童故事集》（1947）。小说中，《一个侏儒的回忆录》（1921）富有诗意的幻想达到极点。还写有童话剧《横渡》（1921）、随笔和文学研究文章。他的选集《到这里来》（1923）常被认为是英语中最优秀、最富有独创性的。1948年得殊勋爵士称号，1953年得功绩勋章。晚期诗歌有《取水镜》（1945）、《旅行者》（1946）、《亲密的伙伴》（1950）和《啊，可爱的英国》（1953）。

de la Mare, William (philosopher) 参阅 **William de la Mare** 威廉（马雷的）。

De La Ramée, Maria Louise 德拉拉梅 参阅 **Ouida** 韦达。

de la Renta, Oscar 德拉伦塔（1932-07-22，多米尼加共和国圣多明各～ ） 多米尼加出生的美国服装设计师。其作品的特点是融合了欧洲的奢华和美洲的休闲。18岁时离开多米尼加共和国，前往西班牙马德里圣费尔南多皇家美术学院学习绘画。1961年定

美国服装设计师O.德拉伦塔（左）和时尚杂志主编A.温托尔（右）
美国不列颠百科全书公司供图

居法国巴黎，担任朗万-卡斯蒂略公司首席设计师A.卡斯蒂略的助手。1963年移居纽约市，为E.阿登设计妇女时装和成衣。1965年在纽约市开设以自己名字命名的服装设计公司。他的服装品牌很快就向上流社会妇女推出豪华休闲装。60年代后期和70年代初期，他受吉普赛和俄罗斯服装的启发设计出的系列新装首次引起人们的注意。这些新装反映出他既有美洲运动服设计的功底，又有欧洲女装设计的功底。他最著名的设计也许是妇女晚礼服和套裙。这些年来他设计的服装已成了忠实的名流客户以及前第一夫人J.肯尼迪、N.里根和H.克林顿衣橱中的必备服装。他的产品在拉丁美洲极受欢迎。由于他在家乡多米尼加共和国的慈善活动和他个人成就，他被授予J.P.杜阿尔特功勋奖章和C.科隆奖章。1973～1976年和1986～1988年间任美洲时装设计师协会主席，1990年获该协会颁发的终身成就奖。2000年获该协会女装设计师年度大奖。

De la Rey, Jocobus Hercules 德拉雷伊（1847，奥兰治河自治区温堡附近～1914-09-15，约翰内斯堡） 南非战争中布尔人的卓越领袖。作为利希滕贝格的代表，在国会中反对P.克留格尔总统。1899年南非战争爆发后成为将军，参加西部战役，在游击战中屡立战功。战后，他支持人民党领袖L.博塔。1910～1914年为联邦首届参议院议员。第一次世界大战爆发时，策划西德兰士瓦起义，在约翰内斯堡被巡逻警察枪杀。他的死激发了同年10月的起义。

de la Roche, Mazo 德·拉·罗奇（1879-01-15，加拿大安大略纽马基特～1961-07-12，多伦多） 加拿大女作家。关于贾尔纳山庄的怀特奥克世家的长篇系列小说，使她成为1925～1950年间最受欢迎的"家世小说"作者之一。她的成名之作《贾尔纳山庄》（1927）写到祖母艾德琳的百岁寿辰，文章中描述艾德琳是一个精力充沛的人物。这部家世小说虽非按年月顺序写成，却连续写了15部，描述了怀特奥克家族100年的历史。虽然贾尔纳的事情发生地在安大略，但是故事在美国和欧洲却比在加拿大更为流行。她的其他作品包括儿童故事、游记、剧本和自传《敲响变化的钟声》（1957）。

De la Rue, Warren 德拉鲁（1815-01-15，海峡群岛根西～1889-04-19，伦敦） 英国天文摄影的先驱。几乎所有现代天文观察都在应用他的方法。德拉鲁在巴黎圣巴尔贝学院学习后，到其父的印刷厂工作，并于1851年发明了第一台显影机。1852年起，他把兴趣集中于摄影在天文学的应用上。在萨里郡的基尤，用一个特制的望远镜，按照英国天文学家约翰·赫歇尔的建议，每天都对太阳进行拍摄。所拍摄的太阳和月亮的立体照片，在1862年伦敦国际博览会上引起轰动。1860年在西班牙指导一次日食考察，拍摄的观察资料证明，在日全食时所看到的日珥，是和太阳有关，而不是和月亮有关。德拉鲁对化学和电学也作出许多贡献，尤其是根据蓄电池实验，他发明了氯化银电池，还研究了铂丝电灯泡和气体放电。1850年，德拉鲁被选为伦敦皇家学会会员。1864年被授予该学会的皇家勋章。他也是皇家天文学会会员和法国科学院院士。其著作有《太阳物理学研究》（1865～1868）。

De La Soul 灵魂乐队 美国说唱乐乐队，1989年的首张专辑《跳跳乐》是街头歌舞史上最有影响的专辑之一。成立于1988年，成员是纽约市阿米蒂维尔的三个高中学生庞斯德诺斯（凯尔文·默瑟的别名）、鸽子特鲁高伊（戴维·若利科奥的别名）和梅斯（文森特·梅森的别名）。三重唱《蹩脚调子》是他们里程碑式的首张专辑。其特点是概念化、层次繁密并且充满离奇的间歇，对乐队自身的未来和其他说唱乐队都有深刻的影响。1991年的第二张专辑《灵魂已死》问世，歌曲主题非常严肃，涉及乱伦、死亡和成功前的压力。90年代中期的另类街舞音乐《镶嵌思想》和《高标桩》等日益具有虚无主义和超唯物主义色彩，但在曲调和歌词上对说唱乐都有所贡献。一反词句肤浅乐曲乏味的老套，乐队以坦率而明快的风格为街头歌舞开创了新的时代。2000年该乐队又推出专辑《嵌花重击》，这是《真正艺术智慧》三部曲的第一部。

De La Warr, Thomas West, 12th Baron 德拉沃尔（1577-07-09～1618-06-07，弗吉尼亚或新英格兰近海） 即T.韦斯特。De La Warr又拼Delaware。后译特拉华。英格兰人，弗吉尼亚的建立者之一，特拉华湾、特拉华河和特拉华州均以他的姓氏命名。早年在尼德兰和爱尔兰作战。1601年因涉嫌反对伊丽莎白一世而一度被囚禁。1610年任弗吉尼亚总督。同年3月率3艘舰船和150名移民出航，6月10日到达詹姆斯敦，他在詹姆斯河口修筑两座堡垒，重建詹姆斯敦，收拾了混乱局面。1611年回到伦敦，出版关于弗吉尼亚

情况的《报告书》。1618 年再度去美洲，途中去世，被海葬。

De Leon, Daniel 德莱昂（1852-12-14，荷属安的列斯库拉索岛～1914-05-11，美国纽约州纽约） 美国社会主义者，世界产业工人联盟的创建者之一。他是早期美国劳工运动中社会主义的主要宣传家之一，但是他的不妥协立场常常造成党内的不和。1874 年来到美国，1890 年参加社会主义劳工党。几年内成为党的领导人物之一，编辑党报《人民周报》（后称《人民日报》），将党发展为有纪律的全国性组织。他指责当时的工会领导不够激进，1895 年领导脱离劳动骑士团的一个派别，后组成社会主义产业和劳工联盟。在 1905 年芝加哥代表大会上，他协助建立世界产业工人联盟，社会主义产业和劳工联盟随即与之合并。但是极端主义分子反对他的主张，支持更极端的策略，竟拒绝他参加 1908 年世界产业工人联盟代表大会。于是他创立了另一个分裂的组织——工人国际产业联盟，但这个组织遭到失败。

De Long, George Washington 德朗（1844-08-22，美国纽约州纽约～1881-10-30，西伯利亚[俄罗斯]） 美国探险家。他的损失惨重的北极探险，为一股穿过北极地区的连续洋流提供了证据。在参加一支极地探险队于 1873 年环行格陵兰时，他曾设想出一个到达北极的计划。1879 年 7 月乘"吉内特"号从旧金山出发，穿过白令海峡，沿亚洲东北部海岸外侧向朗格尔岛航行。当时许多人认为朗格尔岛很大，往北延伸很远。德朗希望沿着该岛海岸能航行多远就多远，然后乘雪橇去北极。9 月 5 日，船只在该岛以东的赫拉尔德岛（今赫勒尔德岛）附近为浮冰包围，在向西北漂移了 21 个月之后，德朗发现朗格尔岛面积不大。"吉内特"号在北纬 77°15′、东经 155°处被冰块挤破（1881-06-12），次日沉没。船员们（包括德朗在内），带着大部分给养和三只小艇逃出。他们的目的地是位于大约 1 000 千米以外的西伯利亚海岸。他们在以后的两个月横穿浮冰时，忍受了极大艰苦。在到达无冰的海面后，有一只小艇连同艇上人员失踪。剩下的两只小艇失散。德朗的小艇到达勒拿河三角洲东侧，他的工程师梅尔维尔的小艇则到达西侧。梅尔维尔小组得救，但德朗及其小队人员相继死于严寒和饥饿。德朗的航行日记一直记到他死前不久的日子，死后一年被找到，出版为《吉内特号航行记》（1883）。"吉内特"号沉没三年后，其残骸在格陵兰西南岸上的一片大浮冰块上被发现。这一发现为横贯北极的漂流理论提供了新的论据。

de los Ángeles, Victoria（singer） 参阅 **Ángeles, Victoria de los** 安赫莱斯。

De Mille, James 德米尔（1836-08-23，新不伦瑞克圣约翰[加拿大]～1880-01-28，新斯科舍哈利法克斯） 加拿大作家。写过 30 多部有广泛影响的长篇小说，尤以语言机智、幽默著称。在意大利阿卡迪亚学院求学时，曾在欧洲广泛旅行，因此他的许多小说以意大利风光为背景。曾做过书商，但未获得成功。1860～1864 年任阿卡迪亚学院古典文学教授，后任达尔豪西大学英文教授（1864～1880）。他为成年人写的通俗小说包括：惊险小说《密码》（1871）；喜剧性冒险小说《道奇俱乐部》（1860）；历史传奇《公元一世纪罗马的故事》（1867）。对青年读者有吸引力的作品有《白十字同乡会》丛书，是加拿大最早出版的儿童冒险故事。他的想象力在《在铜圆筒内发现的一篇奇异手稿》（1888）中得到充分发展，故事以未来世界为背景。

De Morgan, Augustus 德·摩尔根（1806-06-27，印度马都拉～1871-03-18，英国伦敦） 英国数学家和逻辑学家，在逻辑研究方面的主要贡献在于制定德·摩尔根定律，以及导致关系论的发展和现代符号逻辑或数理逻辑的诞生所做的基础工作。1828 年任新创建的伦敦大学学院数学教授。在该校除 1831～1836 年的 5 年外，一直任教到 1866 年他协助创建伦敦数学学会并担任第一任会长时。他的目标是把数学置于更严密的基础之上。早期的著作之一《算术原理》（1830）的特点是把数和量的概念从哲学上加以简单而透彻的阐述。1838 年他定义并引进数学归纳法来描述过去在数学证明上一直使用的但不甚明了的方法。他是那些认为代数具有纯符号性质的剑桥数学家中的一员。他指出有不同于普通代数的代数结构的可能性。在《三角学与双重代数》（1849）一文中，给复数以几何的解释（这里双重代数的意思是复数的代数），从而提出了四元数的概念。他建议使用斜线分隔号"/"来印刷分数，对数学符号作了有益的贡献。他断言从亚里士多德传下的逻辑不必要地受到了限制。对逻辑改革作出了最大的贡献。几乎完全是由于他和英国数学家 G. 布尔的著作，才出现 19 世纪上半叶开始的逻辑研究的复兴。

De Niro, Robert 德·尼罗（1943-08-17，美国纽约州纽约～　　） 美国电影演员，以对人物的出色的性格刻画而著称。德·尼罗 16 岁时从中学退学，攻读戏剧课程。后在外百老汇演出舞台剧，1968 年在影片《问候》中初登银幕，后以其在影片《慢慢地敲鼓》（1973）中的表演而获得高度赞扬。同年开创了电影制作史上成功的演员-导演合作制，在马丁·斯柯席斯执导的《穷街陋巷》中担任主角，从此开始与斯柯席斯组成电影史上最成功的演员与导演搭档之一，接连主演了斯柯席斯的 5 部影片：《出租汽车司机》（1976）、《纽约，纽约》（1977）、《愤怒的公牛》（1980）、《喜剧之王》（1983）和《好伙计》（1990）。在这些影片中，德·尼罗扮演的多是个性刚强执著却情绪不平衡的悲剧人物。他在其他影片中扮演了一些较为克制却同样令人难忘的角色，这些影片有：《教父（续集）》（1974）、《1900 年》（1976）、《最后的大亨》（1976）、《猎鹿人》（1978）、《真正的忏悔》（1981）、《堕入情网》（1984）、《传送》（1986）、《午夜狂奔》（1988）和《斯坦利和艾里斯》（1989）等。他因《教父（续集）》和《愤怒的公牛》分别获得奥斯卡最佳男配角奖和最佳男演员奖。德·尼罗的表演强劲有力，跌宕起伏，感情真切，许多评论家赞许他是同一代美国电影男演员中之佼佼者。

De Palma, Brian（Russell） 德·帕尔马（1940-09-11，美国新泽西纽瓦克～　　） 美国电影导演和编剧，以其深受希区柯克（又译希契科克）影响的风格化的惊险悬念片而著称。在中学时便设计和制造了他自己的计算机，因而进入纽约市哥伦比亚大学物理系。后来却迷上了电影，1962 年获得哥伦比亚大学学士学位后，接受戏剧研究生奖学金入纽约布朗克斯维尔市萨拉·劳伦斯学院学习，1964 年获文学硕士学位。在此期间完成了他的第一部故事片《婚宴》（1964，于 1969 年公映）。有一段时间，他以拍摄纪录片和商品推销片维持生计。他的第一部获得票房成功的影片《卡丽》（1976），描写一个孤独的少女对折磨她的一群少年的血腥报复。随后，他又拍摄了几部在票房上成功的影片，包括悬念片《整衣杀人》（1980）、《吹熄》（1981）和《双重躯体》（1984），这些影片明显地借鉴了希区柯克的手法。他还拍摄了两部盗匪片《疤面人》（1983）和《铁面无私》（1987）。德·帕尔马以探讨性、死亡和执迷等主题而闻名，但也拍摄过几部喜剧片。

De Palma, Ralph 德帕尔马（1884-01-23，意大利～1956-03-31，美国加利福尼亚南帕萨迪纳） 早期赛车运动中最著名的美国赛车运动员之一。1892 年定居美国。1912 年和 1914 年全国赛车冠军。1915 年以平均时速 89.84 英里的成绩创印第安纳波利斯 500 英里赛纪录，并保持至 1922 年。1919 年 2 月 12 日在佛罗里达州的代托纳比奇创时速 149.875 英里的 1 英里赛世界纪录。1934 年退出赛车运动。1916 年成立底特律德帕尔马公司，生产赛车以及汽车和飞机引擎。在此之前参加过"自由"型飞机引擎的设计工作，此种引擎在第一次世界大战中驰名。还曾在美国俄亥俄州代顿麦克科克陆军飞机场任飞行指导。

de Quervain's thyroiditis 德·凯尔万氏甲状腺炎 参阅 **granulomatous thyroiditis** 肉芽肿性甲状腺炎。

De Quincey, Thomas 德·昆西（1785-08-15，英格兰兰开夏曼彻斯特～1859-12-08，苏格兰爱丁堡） 英国散文作家和评论家，以《一个英国鸦片服用者的自白》一书闻名。出

美国不列颠百科全书公司供图

身商人家庭。15岁入曼彻斯特文法学校，17岁离校去威尔士。1803年入牛津大学伍斯特学院，在那里形成了“启迪人类”的大志。他博览群书，写过有关历史、传记、经济学、心理学和德国玄学的作品。1804年为减轻面部神经病痛开始吸鸦片。1813年成为正牌的“瘾君子”。德·昆西最先认识到W. 华兹华斯和S.T. 柯尔律治的《抒情歌谣集》的革命意义，1807年成为这两位诗人的密友。1821年在《伦敦杂志》发表《自白》以后，立即成名。这部作品一方面根据亲身体会说明吸毒的害处，但另一方面又有些自相矛盾地讲吸毒后的飘飘然之感。1856年出版著作全集时，他对《自白》又重新改写，加进不少材料。自传性作品有《湖畔回忆录》；文学评论有《论〈麦克白〉剧中的敲门声》(1823)。他的性格极为孤僻，特别在1837年妻子死去之后，更是整日喷云吐雾。虽然他的著作有14卷之多，但除了《自白》外，没有一部较好的作品。

De Sanctis, Francesco 德·桑克蒂斯 (1817-03-28，那不勒斯王国莫拉伊尔皮纳[今在意大利]～1883-12-29，那不勒斯) 意大利著名文学评论家，自由主义爱国者。其著作对理解意大利文学和文化至今仍极宝贵。曾参加1848年那不勒斯革命，被波旁分子囚禁数年。后流亡都灵和苏黎世，成为著名讲师。1860年回到意大利，从事教育改革，1861～1862年任教育部长；1871年任那不勒斯大学比较文学教授。他精通文史，所作文学评论包含哲学知识，尤其是黑格尔美学。关于意大利诗人的论文：《批评文集》(1866)、《批评文集新编》(1873)，把诗人和他们那一时代的社会联系起来。他的杰作《意大利文学史》(1870)，不仅是一部文学史，而且也阐明了意大利社会从13世纪到19世纪的发展过程。

De Sica, Vittorio 德·西卡 (1901-07-07，意大利索拉～1974-11-13，法国巴黎) 意大利电影导演，同R. 罗塞里尼一道在新现实主义运动的一些最卓越的影片中满怀同情地探讨第二次世界大战后意大利人民的问题。他在1923年参加一个表演团体，成为早场演出的走红演员和歌手。他在M. 卡梅里尼导演的《耍无赖的人》(1932)中扮演的第一个电影角色为他确立头牌电影明星的地位，而《两打红玫瑰》(1940)则使他成为叫座的导演。其后转向新现实主义的导演模式，特点是表现情绪上的压抑、社会性的主题以及对人与人之间终能和睦相处的信念。在1945年后意大利重新觉醒的时期，他逐渐成为摄制伟大的人道主义影片的导演。他的影片描写的都是关于所谓上流社会以外的人们的故事，具有悲剧性质的深刻含义。如《擦鞋童》(1946)描写意大利贫穷的儿童；《偷自行车的人》(1948)描写战后一个家庭因自行车被窃而遭受的苦难；《米兰的奇迹》(1950)则把社会性讽刺同幻想场景结合在一起；《温别尔托·D》(1952)是关于一个孤苦零丁的领养老金者的故事，与他形影相随的狗在影片结束时死去了。他的4部影片——《擦鞋童》、《偷自行车的人》、《昨天，今天和明天》(1964)和《芬氏花园》(1971)都获得美国电影艺术和科学学会颁发的奥斯卡最佳外国片金像奖。他后来拍摄的影片远逊于他的那些新现实主义作品。最后两部影片是《旅行》(1974)和《短暂的假期》(1974)。

De Tham 提探 (约1860，越南北方安势～1913-01-10，安势附近) 又名黄花探。越南抵抗战士，法国殖民主义的敌人，在法国人统治印度支那的最初20年间一直激励鼓舞越南人的民族主义精神。原姓张。父母都反对越南的阮氏统治者，他们参加一次反对国王的密谋，事败后母亲被处死，父亲自杀。他随叔父逃往安势，改姓黄。后参加当地起义的海盗集团，以勇敢和神出鬼没著称。他组织游击队，对欧洲殖民主义者构成严重威胁，而在本国人民中几乎是一个传奇人物，以“安势猛虎”闻名。1885年与胡志明的外叔祖父合作。1894年与法国人达成临时协议，保持安势为自己的独立领地。1908年与其他民族主义者共同搞河内投毒阴谋，企图在一次法国人的宴会上杀死客人，但没有成功。此后法国人悬赏购买他的头颅。最后他被3个追随他的华人刺杀。

de Tirtoff, Romain (designer) **德·蒂尔托夫** 参阅 **Erté 埃尔泰**。

de Toni-Fanconi syndrome 德托尼-范可尼二氏综合征 又称范可尼氏综合征或胱氨酸贮积病。以肾小管不能对水、磷酸盐、钾、葡萄糖、氨基酸及其他一些物质进行重吸收为特征的一种疾病。其原因为肾小管功能的损害。原发性者或为遗传性(如**胱氨酸病[cystinosis]**)，或为获得性(如反复受到抗菌药物或毒素的影响)。治疗旨在去除原发病因，补充磷酸盐、钾及摄入足量的液体以帮助补偿由肾脏丢失的物质；否则，可导致骨软化、肌无力及脱水等。

de Valera, Eamon 德·瓦勒拉 (1882-10-14，纽约市～1975-08-29，都柏林) 爱尔兰政治家、爱国者、总理(1932～1948，1951～1954，1957～1959)和总统(1959～1973)。自1913

美国不列颠百科全书公司供图

年起积极投身革命，1918年成为新芬党主席，1924年创立共和党。1937年使爱尔兰自由邦与英联邦分离，成为一个“主权”国家，改名爱尔兰。他的学术造诣也广受尊重，1921年成为爱尔兰国立大学校长。

早年在当地政府办的学校和都柏林布莱克罗克学院接受教育；后毕业于皇家大学，是爱尔兰语复兴运动的热烈支持者。1913年加入爱尔兰志愿军，抵抗对爱尔兰内部自治运动的镇压。在1916年复活节都柏林反英起义中被捕，1917年获释，1918年5月再次被捕，流放英格兰，备受爱戴，1918年12月革命的新芬党(意思是唯有我们自己)选举他为主席，该党在这一年议会选举中赢得爱尔兰全部选区的四分之三。在1919年2月德·瓦勒拉戏剧性地从林肯监狱越狱后，乔装改扮前往美国，在那里筹集资金。1921年停战后回到爱尔兰，委派全权代表去伦敦谈判，但他拒绝接受他们签订的条约，因为这项条约虽允许成立爱尔兰自由邦，但却同意将北爱尔兰排除在外，并强行宣誓效忠英国国王。

在爱尔兰众议院以微弱多数批准该条约后，德·瓦勒拉在接踵而至的内战中支持共和主义者进行反抗。W.T. 科斯格雷夫的爱尔兰自由邦内阁将他监禁，1924年获释，接着组成一个共和主义反对党，但在众议院里没有席位。1927年他说服其追随者将效忠宣誓看做是“空洞的政治程式”而在上面签字，接着他的新成立的共和党进入众议院，要求废除效忠宣誓，废除总督，废除当时设立的参议院，以及废除支付给英国的土地承购年金。1932年科斯格雷夫内阁为共和党所击败。作为新内阁首脑，德·瓦勒拉立即断绝与英国的关系。他拒付土地年金，从而引起一场经济战。1937年自由邦宣告成为主权国家，称爱尔兰，勉强承认自愿效忠英国国王。欧洲战争的威胁导致张伯伦于1938年结束“经济战”，双方互相作出让步。英国放弃科夫、贝雷黑文和斯威利湾海军基地。1939年9月第二次世界大战爆发后，德·瓦勒拉立即宣告爱尔兰保持中立，并将抵抗不论来自何方的攻击。

1948年，反对党在小党的支持下组成以J.A. 科斯特洛为首的多党政府。这个不稳定的联合政府不到3年即告垮台，具有讽刺意味的是，它却通过正式的法律宣布爱尔兰为共和国，而德·瓦勒拉一直避免这样做。德·瓦勒拉继续执政至1954年，这一年科斯特洛组成他的第二届多党内阁。1957年3月，德·瓦勒拉获得了他所要求的绝对多数。1959年他同意竞选总统，辞去政府首脑和共和党领袖职务。6月当选为总统，1966年连选连任。1973年退休，住进都柏林附近的一家小型私人疗养院。

de Valois, Dame Ninette 德·瓦卢娃 (1898-06-06，爱尔兰威克洛郡布莱辛顿～2001-03-08，英国伦敦) 爱尔兰舞蹈家、编导和皇家芭蕾舞团(1956年10月起更此名)的创始人。曾从E. 切凯蒂学习，并在哑剧、时事讽刺剧与歌剧中担任舞蹈演员。1923年参加S. 佳吉列夫的俄罗斯芭蕾舞团任独舞演员。1926年改任佳吉列夫俄罗斯芭蕾舞团的客座演员，并在伦敦创办了舞蹈艺术学院。她为L. 鲁宾逊(在都柏林的阿比剧院)和T. 格雷(在剑桥的节日剧院)创作过舞蹈。1931年为卡玛戈学会创作芭蕾舞剧《约伯》获得成功，随后和老维克剧院经理L. 贝利斯合作，在1931年创办了维克-韦尔斯芭蕾舞团和萨德勒的韦尔斯舞蹈学校。德·瓦卢娃在《芭蕾舞团巡礼》(1937)和《请和我跳舞》(1957)中描绘了这个舞团从创办到1956年成为皇家芭蕾舞团的整个历史。除了领导她所创建的这个舞团之外,还编导过许多芭蕾舞剧,包括《一盘死棋》(1937)和《堂吉诃德》(1950)。通过从英国传统中吸取舞蹈素材,如受W.贺加斯的连环版画启发编成的《耙子的发展》(1935)和以T.罗兰森的同名漫画为原型的《远大前程》(1940),她创建了一个民族色彩十分浓厚的芭蕾舞团。她的情节舞剧把男演员放在重要位置,给他们提供往往为其他编导所忽视的艺术表现机会。1951年被封为不列颠帝国女爵士,1963年从皇家芭蕾舞团团长的职位上退休。

de Varona, Donna 瓦罗纳(1947-04-26,美国加利福尼亚圣迭戈～) 美国运动员和体育节目播音员。13岁时是罗马奥运会美国最年轻的游泳选手。在1964年东京奥运

美国不列颠百科全书公司供图

会上获个人400米混合泳和4×100自由泳接力金牌。17岁时打破18项游泳世界纪录。后成为电视网第一个女评论员。她积极推动男女平等运动;作为参议院顾问,曾参与制订《美国业余体育法》。成立妇女基金会,并当选为主席(1976～1984)。1986年获加州大学洛杉矶分校政治学学士学位。

De Vinne, Theodore L(ow) 德维因(1828-12-25,美国康涅狄格斯坦福～1914-02-16,纽约市) 美国印刷史著作家。1849年受纽约印刷商F.哈特雇用,1859年成为公司股东。约在1864年开始撰写有关印刷业经营方面的著作,但不久就转向印刷格式和工艺史方面。1873年,哈特公司开始印行《圣尼古拉斯传》和《世纪》,书内插图达到了新的印刷水平。到1883年,公司改称德维因公司,获得全国最出色印刷厂的声誉。他是格罗里埃俱乐部的创办人和积极分子,主持印制了格罗里埃早期发行的大部分图书,其中一部分是由他写作或编辑的。他是一位高水平的印刷工匠,而不是伟大的创造性艺术家,所印制的最朴实无华的书籍被认为是他最好的印刷品。关于印刷术文献最重要的著作有:《活字版印刷实践》(1900～1904)、《印刷术的发明》(1876)、《安特卫普的克里斯托夫·普朗坦与普朗坦-莫尔杜斯博物馆》(1888)、《15世纪意大利著名出版家》(1910)。

De Vio, Tommaso 德·维奥 参阅**Cajetan**卡耶坦。

De Voto, Bernard (Augustine) 德沃托(1897-01-11,美国犹他奥格登～1955-11-13,纽约市) 美国小说家、记者和评论家,因关于美国文学和西部边疆历史的著作闻名。在哈佛大学获文学学士(1920)后,曾在西北大学(1922～1927)和哈佛大学(1929～1936)任教。后任《星期六文学评论》编辑,两年后辞职,返回马萨诸塞的剑桥并在那里度过晚年。他虽然写有一些长篇小说,但使他获得众多读者的作品却是在《哈珀斯》月刊上发表的杂文。他学识渊博,文笔犀利、率直,是当时颇负盛名的评论家和历史学家。著有:《马克·吐温的美国》(1932)、《感情迸发的马克·吐温》(1940)、《创作时的马克·吐温》(1942)、《跨过宽阔的密苏里》(获普利策奖,1948)、《小说界》(1950)、《当今》(1951),以及他编辑的《刘易斯和克拉克的日记》(1953)。小说有《弯曲的路程》(1924)和《山中时日》(1947)。由W.斯特格纳所写的他的传记《不舒适的椅子》1974年出版,他的《书信选》1975年面世。

De Vries, Peter 德·夫里厄斯(1910-02-27,美国芝加哥～1993-09-28,康涅狄格诺沃克) 美国编辑、小说家,以讽刺作家、语言学家和富于喜剧性的幻想家而广为人知。双亲均为荷兰移民。在芝加哥南区加尔文派的熏陶下成长,1931年毕业于密歇根州大急流城的加尔文学院。1938～1944年在芝加哥《诗歌》杂志任编辑,后参加《纽约人》杂志的编辑部。第一部小说《但是,谁惊动了夜贼?》(1940)因有漫画家查尔斯·亚当斯为其插图作画而最著名,后两部小说几乎无人问津。他的头一部短篇小说集《不,我看过这部电影》(1952)曾得好评,随后发表的小说《爱的渠道》(1954)成为畅销书,并被成功地改编成戏剧和电影。后期作品包括《我想吃苹果》(1956)、《邪恶的庇护所》(1959)、《鲁本,鲁本》(1964)、《更狂热的音乐》(1977)和《无精打采地走向卡拉马祖》(1983)。

De Wint, Peter 德·温特(1784-01-21,英格兰斯塔福德郡斯通～1849-01-30,伦敦) 荷兰血统的英国风景画家和建筑画家,19世纪早期英国主要水彩画家之一。1802～1806年随版画家J.R.史密斯学画。后以教学为生。1811年成为水彩画家协会会员。喜画农村风景,其水彩画富于绘画性,色彩丰富,笔触奔放自如,在同时代人中颇为罕见。

de Wolfe, Elsie 德沃尔夫(1865-12-20,纽约市～1950-07-12,法国凡尔赛) 全名Ella Anderson de Wolfe,婚后名Lady Mendl。室内装饰设计家、沙龙女主人和女演员。以其富有革新精神的、反维多利亚式的室内装饰而驰名。幼年时大部分时间在爱丁堡求学。她到纽约市开始步入社会,参加为募捐而进行的业余戏剧演出。约在1890～1905年为职业演员,专演配角。1905年告别舞台,按照老伙伴E.马伯里和S.C.休伊特的建议,开始以室内装饰为业。她接受的第一个委托是纽约市白色图案的斯坦福聚居点俱乐部。她在该处表明了她的主要设计原则:简单、明快(利用镜子以及油漆和织物的轻淡色泽)和视觉的(而非式样的)统一。她以这些原则促进了室内装饰流行款式的改变。她所著《房间的高级趣味》一书于1913年问世。她是一位著名的沙龙女主人,曾长期居住法国,第一次世界大战时期留在那里看护士兵,因而获十字军功章。1926年与查理·门德尔爵士结婚。

deacon 助祭 源出希腊文diakonos(帮手)。在中国,天主教译为"助祭";新教译为"执事"或"会吏";东正教译为"辅祭"。助祭在主教、长老-司铎、助祭三级神品制中处于最低级。在早期基督教中,助祭依照上级指示负责辅助会众中的实际工作和慈善工作,在东正教、安立甘宗和20世纪60年代以前的天主教中,助祭一职实际几乎完全不再是独立主要神品而成为等待祝圣为司铎的过渡性见习阶段(一般是一年)。在20世纪,天主教会重新重视常设助祭一职,1957年教皇庇护十二世曾谈到设置在俗神品助祭的可能性。其后,第二次梵蒂冈会议决定恢复常设助祭一职,既缓和司铎的缺乏,又重申传统的三级神品制。与作为任司铎的预备阶段的旧助祭不同,新恢复的助祭一职是受祝圣的神品,已婚和单身男子皆可充任。虽然是"任命"而不经祝圣,女助祭直至约11世纪起与男助祭履行类似的职务;在19世纪以前和现代女助祭运动兴起以前,女助祭在东派教会远较在西派教会更为常见。女执事(女会吏)存在于新教许多会派中,如圣公会、长老会、信义会和浸礼会。新教各会派执事(会吏)一职有几种形式。在公理会(独立派)中,从平信徒中选举执事,组成执事会,在地方教会负责财务及行政事务,分发圣餐。这种执事实际是管理教会的长老。在长老会中,按规定设有执事会,可以分发圣餐,探望生病的教友,分配捐赠财物。在欧洲大陆,特别是在德国和斯堪的纳维亚,在1833年首创执事学院,培训在堂区内进行社会服务和青年工作的执事。

Dead, Book of the(Egypt) 参阅**Book of the Dead**《死者书》。

dead reckoning 航位推算 无须借助对天体的观测而根据已知的航行起点、航向、已航行的距离(用速度推算)和已知或估计的偏移,来推算船舶或飞机所在的位置。

Dead Sea 死海 阿拉伯语拉丁字母转写作al-Baḥr al-Mayyit,希伯来语拉丁字母转写作Yam ha-Melaḥ(意为"盐海")。以色列和约旦之间的内陆盐湖,地球上最低的水域,水面平均低于海平面约400米。北半部属于约旦;南半部由约旦和以色列瓜分。然而在1967年阿拉伯—以色列战争之后,以色列军队便一直占领整个西岸。

西岸为犹太山地,东岸为外约旦高原。约旦河从北注入。死海长80千米,宽处为18千米。表面面积约为1 020平方千米,最深处为400米。湖东的利桑(意为"舌")半岛将该

湖划分为两个大小深浅不同的湖盆;北面的较大,包括该湖总表面面积的3/4左右,深400米;南面的小而浅(平均不到3米)。在圣经时代和公元8世纪以前,仅在北面湖盆周围有人居住,当时湖面比20世纪末的水平约低35米。1896年湖面升至最高水平(低于海平面389米)。1935年后,湖面再度下降。

死海之名至少可追溯到希腊化时代(公元前323至前30年)。自从亚伯拉罕(希伯来人的祖先)时代和所多玛及蛾摩拉的毁灭(据《旧约》记载,这两城因罪大恶极而被天火焚烧;两城旧址现可能已沉入死海南部)以来,死海一直同圣经历史联系在一起。该湖的干涸河流先为大卫(以色列国王),后为希律一世大帝(犹太国王)提供了避难场所,在公元前40年安息人围攻耶路撒冷时,希律一世把他自己关在梅察达古堡中。梅察达古堡曾是3年围困的地点,最后于公元73年其犹太奋锐党守军集体自杀,古堡被罗马人摧毁。留下今称《死海古卷》的圣经文稿的犹太教派曾在该湖西北的山洞中藏身。

死海位于约旦-死海地沟(560千米长)的最低部,是东非大裂谷的北部延续部分。这是一块下沉的地壳,夹在两个平行的地质断层崖之间。从该湖看,沿摩押高原边缘的东部断层崖比坡度较小的犹太隆皱特征的西部断层崖更为清晰。

在侏罗纪和白垩纪(2.06亿年前至6500万年前),地沟形成之前,面积很大的地中海覆盖着叙利亚和巴勒斯坦。在中新世(2380万年前至530万年前),海床隆起,产生外约旦高地和巴勒斯坦中央山地的隆皱结构,出现形成死海凹地的断面。当时死海的面积与现在大小基本相同。在更新世(180万年前至1万年前),死海升到比其现在水面高约200米的高度,形成一片广阔的内陆海,从北部的哈勒河谷地区延伸约320千米,至其目前南部边界以南64千米处。大约250万年前或稍后时期,大量河水流入该湖,淤积了厚厚的沉积物,内有页岩、泥土、沙石、岩盐和石膏。以后形成的泥土、泥灰、软白垩和石膏层落在沙土和砂砾层之上。由于在最近1万年中,水蒸发的速度比降水补充的速度快,该湖逐渐缩减至目前的大小。在此过程中,露出2至6千米厚的覆盖死海湖谷的沉积物。

利桑半岛和塞多姆山,历史上称作所多玛山是由地壳的运动产生的。塞多姆山的陡峭悬崖高耸在西南岸上。利桑半岛由泥土、泥灰、软白垩和石膏层形成,隔层中夹有沙土和砂砾。利桑半岛和死海湖谷西侧类似物质形成的湖底向东部下降。据猜测,是塞多姆山和利桑半岛地势上升,形成了死海的南部急斜面。随后死海的水冲过这一急斜面的西半部,淹没死海目前较浅的南端。

死海位于沙漠中。降雨极少且不规则。利桑半岛年降雨量约为65毫米,塞多姆城(靠近历史上的所多玛城)只有50毫米左右。由于该湖的海拔很低,有遮蔽物,冬季气候温暖宜人,1月份南端塞多姆城平均温度17 °C,北端14 °C;从无冰冻。夏季则非常炎热,8月份塞多姆城平均温度34 °C,最高记录达51°C,湖水蒸发——每年蒸发量平均约为1 400毫米——往往在湖面形成浓雾。河上大气湿度从5月份的45%至10月份的62%不等。湖面和陆地常有微风,白昼湖上的风向四面八方吹去,然后夜间又反过来吹向湖中心。

水源来自约旦河,冬季和春季水量较大,平均每年5.4亿立方米。4条不大但常年不断的河流,欧宰姆河、扎尔卡梅恩河、马吉卜河和哈萨河,从东部由约旦穿过深深的山峡直泻而下。来自许多其他河流的河水时而短时间地从邻近高地或阿拉伯谷地流入。含有硫磺的热泉水亦注入河中。由于夏季湖水蒸发,特别是冬季和春季又有河水流入,湖水水位出现季节性变化,从30至60厘米不等。

死海的水含盐量极高,越到湖底含盐量越大。湖中实际上有两个不同的水团。自水面至40米深度,水温19～37 °C不等,含盐量略低于300‰,水中含有丰富的硫酸盐和碳酸氢盐。在40至100米的过渡地带后,下层水温不变,约为22 °C,含盐量更高(大约为332‰),含有硫化氢和高浓度的锰、镁、钾、氯和溴。深水中有饱和的氯化钠沉淀到湖底。下层水已化石化(即很咸和很浓,长期沉在湖底);上层水是圣经时代后几世纪时的古代水。

由于盐水浓度很高,游泳者极易浮起。约旦河的淡水留在表面;在春季,顺湖水看去,远在河水注入死海的入口以南50千米处都可看见其泥土色。

由于含盐量极高,除细菌外没有其他动植物。涨潮时从约旦河或小河中流来的鱼立即死亡。除河岸的植被外,仅有的植物也是间歇性的,主要是盐生植物(在盐碱地生长的植物)。

死海是很大的盐储藏地。盐主要蕴藏在西南岸上的塞多姆山中。自古代起,这里的盐已有少量开采。1929年在约旦河口的卡利亚开办了一所钾碱厂。以后在塞多姆建立了辅助设施。在1948～1949年的阿拉伯—以色列战争中,卡利亚的工厂被摧毁。死海工厂有限公司1955年在塞多姆兴建一所工厂,生产钾碱、镁和氯化钙。另一家工厂生产溴和其他化学产品。

由于死海位于有争议的约旦—以色列边界,因而一直未能大规模用来通航。湖岸荒芜,固定居民点很少。只有塞多姆的工厂和卡利亚的几家旅店和矿泉疗养地,西部的恩盖迪地区还有一个基布兹(以色列农业社区)。湖岸偶尔可见小片耕地。

Dead Sea Scrolls 《死海古卷》 在犹太旷野沙漠洞穴和古废墟中发现的写在皮卷和纸莎草纸上的古代手稿。这些手稿是现代考古学史上颇为重要的发现。它使学者能够把希伯来文《圣经》的成书时间推定在公元70年以前,对自公元前4世纪至公元135年间的巴勒斯坦历史获得新的认识,并阐明早期基督教与犹太宗教传统之间的关系。

在犹太旷野中发现古代文献的地点主要有5处:古姆兰遗址、穆拉巴干河、海韦尔河(哈布拉干河)和泽利姆河(塞亚尔干河)、达利耶干河以及梅察达。第一批古卷于1947年被一个年轻的贝都因牧羊人在死海西北岸古姆兰遗址地方的洞穴里偶然发现后,立即被称为《死海古卷》。此后在附近地区又屡有

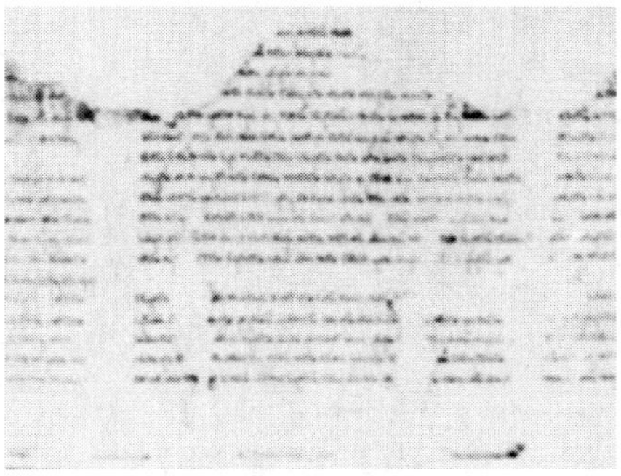

《死海古卷》经文
美国国会图书馆供图

古卷发现(特别是在20世纪50年代至60年代中期),通称《死海古卷》。

在古姆兰附近11处洞穴发现的大量文献,长期以来据推测都属于自公元前2世纪中叶至公元68年活跃在古姆兰地区的原教旨主义犹太教艾赛尼派的藏书。一些学者认为这些古卷不是艾赛尼派僧侣的作品,而是他们收集的重要犹太著作,在公元67～73年罗马人入侵期间,将其藏匿起来加以保护。虽然这些文献本身所标年代介乎公元前3世纪中叶至公元68年之间,但大多数作品撰写于公元前1世纪至公元1世纪,最古老的文献是与《圣经》相符的。

保存最完好的文献是在古姆兰1号洞发现的经卷,包括:一卷以赛亚古卷《社区规则》(《艾赛尼派教导和戒律手册》)、《光明之子与黑暗之子的战争》(或称战争古卷)、一卷感恩赞美诗、一卷哈巴谷书的评注。

第2号洞仅存碎片。3号洞出土的考伯古卷是一份庙堂宝藏及其埋藏地点的清单。4号洞隐匿着据说是艾赛尼藏书的主要部分。大约有400卷手稿,保存状况普遍不佳,大多数是教派的著作。约100卷为《圣经》手稿,是除了《以斯帖书》以外的全本希伯来文旧约。

从第11洞也发现了几份保存良好的文件包括一部附有真作的、作者不明的和向不为人知的赞美诗,还有一卷《利未记》抄本(时间为公元前3世纪)。《圣堂古卷》于1967年从贝都因人手中购得,可能是早在十余年前自11洞取走的。其保留下来的66根立柱为理想的耶路撒冷圣殿的建筑提供了细节。

第2处遗址穆拉巴干河,位于古姆兰南方18千米处,藏有巴尔·科赫巴(曾于公元132～135年领导犹太人誓死反抗罗马人)的军队之幸存者所留文件。除了巴尔·科赫巴的两封信和以希伯来文、阿拉米文、希腊文记载的法律文件及公元1、2世纪的圣经残片之外,考古学家还发现一卷引人注目、保存完善的12小先知古卷,实际上和传统的圣经文本相同。

1952年牧羊人报告在恩盖迪南方发现第3处遗址,作为证据,他们呈交一卷已失传的小先知古卷的希腊文译本(公元1世纪)、一封巴尔·科赫巴的信、圣经残片和巴尔·科赫巴时代以阿拉米文、希腊文、纳巴泰文书写的法律文件。在泽利姆河附近挖掘时,从"古卷洞窟"发现明确的巴尔·科赫巴时代的证据,从"书信洞窟"发现15页巴尔·科赫巴的纸莎草纸文件和一首赞美诗残篇。后来又挖出巴

尔·科赫巴的其他书信和一大堆以纳巴泰文、阿拉米文和希腊文书写的文件。在海韦尔河附近的"恐怖洞窟"(内有骷髅遗骸),则发现一些小先知古卷的希腊文校订本。

第4处遗址位于古代的杰里科以北13.6千米处,出土约40卷严重损坏的文件。那些文件是公元前331年被亚历山大大帝的士兵屠杀于该地的撒马利亚人藏在山洞中的。这些法律文件除了封印用古希伯来文外,全部是阿拉米文。在巴勒斯坦发现的最早期的(公元前375～前335)大量纸莎草纸文件,对历史学家来说,其价值是无限的。

第5处遗址在梅察达,发掘到一卷《便西拉智训》(约公元前75)的希伯来文原稿和《诗篇》、《利未记》、《创世记》残片。还发现一卷《安息日祈祷歌古卷》,可能出自艾赛尼派作者之手,类似原稿也在古姆兰第4洞发现。

由于古卷很多是微小的易碎残片,所以许多至今尚未刊印。但《死海古卷》仍然具有重大的历史价值,因为它们揭示了基督教和希伯来犹太教的产生。

deadly sin　大罪　又称cardinal sin。早期基督教隐修体系中规定的重大罪行,一般有7种,6世纪由圣格列高利(伟大的)列出。传统上开列的七大罪是:①骄傲;②贪婪;③邪欲,指放荡或违禁的性欲;④忌妒;⑤暴食,通常包括酗酒;⑥怒;⑦懒惰。13世纪神学家托马斯·阿奎那在所著《神学大全》中对这一问题有经典性的论述。这几种大罪是欧洲中世纪道德剧和艺术常用的主题。

Deadwood　戴德伍德　美国南达科他州西部城市,劳伦斯县县城。在布莱克山北部贝尔富什河支流的一个峡谷中,海拔1 382米。在1876年淘金热中建立。1881年设市。后城

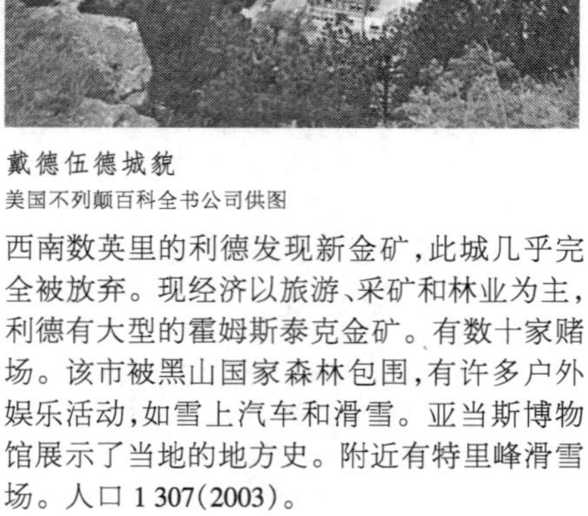

戴德伍德城貌
美国不列颠百科全书公司供图

西南数英里的利德发现新金矿,此城几乎完全被放弃。现经济以旅游、采矿和林业为主,利德有大型的霍姆斯泰克金矿。有数十家赌场。该市被黑山国家森林包围,有许多户外娱乐活动,如雪上汽车和滑雪。亚当斯博物馆展示了当地的地方史。附近有特里峰滑雪场。人口1 307(2003)。

deafness　聋　部分或全部失听的一种病理状态。主要分两种:①传导性聋。外部世界到内耳神经细胞之间的声音振动通路中断。如耵聍堵塞外耳道、镫骨固定不能将声波传导到内耳。②神经性聋。由于内耳感觉细胞损伤(如过度噪声造成的伤害)或前庭耳蜗神经损伤,妨碍了携带声音信息的神经冲动由内耳传导到脑内的听中枢。先天性耳聋多为神经性聋,治疗效果不佳。

Deák, Ferenc　戴阿克(1803-10-17,奥地利帝国匈牙利舍伊特尔[今在匈牙利]～1876-01-28,布达佩斯)　匈牙利政治家,人称"智者"。经他谈判,导致1867年二元制奥匈帝国的建立。戴阿克是一位富有的匈牙利地主之子。早年习法律,毕业后在佐洛州行政机关工作。1833年代表该州出席匈牙利议会以代替卸任的兄长。在该届议会及以后的1839和1841年两届议会中,戴阿克成为要求匈牙利政治解放和内部革新的领袖,并因此出名。1843年再次当选为议员,但他拒绝就任,以抗议选举中的舞弊行为。此时他无可非议的高尚品德、他的远见卓识和渊博的法律知识,使他成为他的阵营中最受尊敬的人物。"全国反对派"的1847年议会改革方案就是由他起草的,由于健康关系,他未得选入这一组织。1848年3月奥皇批准成立独立的匈牙利内阁,新首相L.包贾尼伯爵坚请他出任司法大臣。任内他主要负责起草进行改革的《四月法案》,于1848年4月11日得到奥皇批准。此后数月,他参加了匈牙利政府与其反对者进行的大部分谈判。同年9月28日包贾尼辞职,他也拒绝再接受任命。1849年1月,他作为另一个代表团的成员参加与奥地利的布达占领军司令阿尔弗烈德的交涉。因受阻未能再入议会,他即返回故里,在庄园中隐居,度过了几年平静生活。奥地利当局亦未打扰,认为他的活动并未构成谋反,只是拒绝一切邀请,不与他视为非法的政权合作。1854年,他将庄园出售后移居佩斯。在佩斯,戴阿克在所有为匈牙利政治僵局寻找实际可行的光荣出路的人们中成了圣哲。由于戴阿克坚决拒绝认可任何不承认《四月法案》具有合法效力的政权,1861年召开的议会被解散,重又实行君主专制。后来奥皇弗兰西斯·约瑟夫逐渐认识到他在国际上的困难处境,终于感到有必要与匈牙利和解。戴阿克不论在私下谈话和公开言论中,尤其是他1865年4月16日发表的《复活节篇章》,均提出了匈牙利的条件,于是达成了1867年的《奥匈协约》,并据以建成二元制帝国。戴阿克是《奥匈协约》的创始人。《协约》的各部分的设计虽非完全出自戴阿克之手,但他的那种信念,即确信一个宪法上令人满意的匈牙利与一个强大的帝国可以而且必须并存,是使协议得以达成的基础;而且没有他的明智、果断、正直和这些品质在两个阵营里所激发的信心,达成协议也是不可能的。

Deak, Nicholas L(ouis)　迪克(1905-10-08,匈牙利特兰西瓦尼亚～1985-11-18,美国纽约州纽约)　银行家,国际知名小额汇兑服务机构的创始人、贵重金属商人。1929年在瑞士纳沙泰尔大学获经济学博士学位。1930～1935年间在匈牙利贸易学会工作,1935～1937年任英国海外银行匈牙利和罗马尼亚分支机构的经理。曾在国际联盟的经济学部工作了两年。1939年创建迪克公司,但1942年公司停业,他参加了美国军队。1943年成为美国公民,最后成为战略情报局的高级情报官员。1946年迪克重操旧业并与外汇商佩雷拉集团合伙。多年间迪克的业务发展迅猛;最盛时期,母公司迪克公司有3家银行和70来家提供各种金融业务的国际公司。在70年代后期和80年代前期,公司受一系列有关"洗钱"的丑闻影响而受损;1984年迪克公司及其两家分公司办理了破产程序。1985年迪克在办公室里被一个心理极不平衡的女人杀害。

Deakin, Alfred　迪金(1856-08-03,澳大利亚维多利亚墨尔本～1919-10-07,墨尔本)　澳大利亚总理(1903～1904,1905～1908,1909～1910),曾制订关于限制非白人移民、社会福利和保护本国工业等政策。1880年进入维多利亚立法议会,任职达20年。作为联邦运动领袖,曾参加1891和1897～1898年的会议,起草建立澳大利亚联邦的宪法法案,并于1900年赴英促成该法案在英国议会通过。他是自由党领袖,在头两任总理时与工党共同组织政府。在第3任时与保守党联合。因此举不得人心,他不久即在大选中失败。著有《联邦的故事》(1944)。

Deakin, Arthur　迪金(1890-11-11,英格兰沃里克郡萨顿科尔菲尔德～1955-05-01,莱斯特郡莱斯特)　第二次世界大战后头10年间的英国工会组织领袖。出身于补鞋匠家庭,13岁在南威尔士一家钢铁厂做工。第一次世界大战期间为工会主义积极分子,1919年成为工会干部。1932年任运输与普通工人工会普通工人部全国书记;当时运输与普通工人工会是英国最大工会组织。1940年E.贝文参加战时内阁,他接任总书记。迪金自1945年起,终其余生一直在英国工会组织中占有支配地位,其影响甚至超过20世纪30年代的贝文。他善于进行工资谈判,但支持工党政府节制工资的政策。他坚持反共立场,1948年领导不属于共产党的工会退出世界工会联合会(当时他是世界工联主席),并建立敌对组织国际自由工会联合会。1951年工党政府垮台后,他反对A.比万的左翼集团,维护了艾德礼在工党内的领导地位以及工党的亲美政策。1954年任枢密顾问官。

Deal　迪尔　英格兰肯特行政、历史郡多佛尔区城镇。濒临英吉利海峡。有天然良港。据称公元前55年凯撒大帝在此登陆。1539年亨利八世在此建造了3座城堡,其中沃尔默城堡为**五港同盟**(**Cinque Ports**)港务长官的官邸,迪尔城堡尚存,但桑当城堡已毁。当地港湾曾是西、荷之间海战(1639)和英、荷之间海战(1666)的战场。19世纪发展成度假胜地。渔业和造船业仍重要。有轻工业。人口28 504(1991)。

dealfish　粗鳍鱼　月鱼目粗鳍鱼科粗鳍鱼属(*Trachipterus*)几种体型细长的海产鱼类的统称。俗称板条鱼。栖于不深于400米的中层水域。体长而侧扁;头短;口窄,牙细弱;背

鳍延伸整个背部，无臀鳍，尾鳍无或极小，胸鳍小，幼鱼的一些鳍条极长。体长可达2.5米。全世界分布。最普通的种为北方粗鳍鱼（北极粗鳍鱼，*T. arcticus*）。

Dean, Dizzy　迪安（1911-01-16，美国阿肯色卢卡斯～1974-07-17，内华达雷诺）　美国职业棒球投手，全国棒球联盟圣路易斯枢机队队员。在5个赛季中（1932～1936）他用右手投球，胜120场，4次居联盟首位，4次使击球手击球不中出局。在1934年赛季赢30场，其弟保罗（亦是枢机队投手）赢19场。迪安30岁退休时共胜150场，负83场。1936年臂部受伤，因而过早地离开球坛。1953年入选棒球名人堂。

Dean, Forest of　迪恩森林　古老的皇家橡树和山毛榉树林。在英格兰格洛斯特郡西部，塞文河与怀河之间。约占地10 500公顷。1938年辟为国家森林公园。境内社区有小工业。保存有罗马遗迹：道路、别墅和制铁场。

Dean, James (Byron)　迪安（1931-02-08，美国印第安纳马里恩～1955-09-30，加利福尼亚帕索-鲁布勒斯）　又译迪恩。美国电影演员。以扮演50年代惶惑、急躁、空想的青年典型而受到崇拜。1954年在纽约上演的话剧《不道德的人》中，他扮演一个敲诈勒索的阿拉伯人，初露头角，乃与好莱坞签订演出合同。在影片《伊甸园东方》（1955）中，他把一个忧郁、急躁的男青年角色演得惟妙惟肖。后来又主演影片《无因的反叛》（1955），该片

迪安在《巨人》中的剧照
美国不列颠百科全书公司供图

描写被误解的青少年当中爆炸性的社会关系。在影片《巨人》（1956）中，扮演一个粗野的、不守习俗的牧场工人。这3部影片使迪安成为受挫折青年人的化身，因此成为美国青年的崇拜对象。在《巨人》公映以前，他因车祸惨死，引起全国青年的哀悼。

Dean, John Wesley, III　迪安（1938-10-14，美国俄亥俄阿克伦～　）　美国律师，尼克松时代任白宫顾问，他将官方参与水门事件一事向外披露，最终导致尼克松总统辞职和他与其他高级助手被监禁。1961年毕业于俄亥俄伍斯特学院。1965年在乔治敦大学获法学学位。1966～1967年任众议院司法委员会少数党首席顾问。1969年由尼克松政府任命为副总检察长。1970年尼克松选他为白宫顾问。1972年尼克松委任他为调查白宫人员可能卷入水门事件的特别小组组长。据后来揭露，迪安拒绝提供一份拟议中的掩盖真相的假报告，当白宫卷入的证据日益明显时迪安开始向联邦调查人员呈述一切。1973年4月尼克松撤销迪安职务。两月后迪安向参议院调查委员会公开作证，揭露包括总统在内的白宫官员为何阻挠调查，掩盖1972年6月17日发生在水门民主党全国委员会总部的事件的大量细节。后来由于他在水门事件中所扮演的角色入狱。著有《盲目的野心》（1976）。

Deane, Silas　迪恩（1737-12-24，康涅狄格格罗顿～1789-09-23，英国肯特迪尔附近海域）　美国第一个派驻国外的外交官（1776），在争取为美国革命事业所迫切需要的法国援助方

康涅狄格州历史学会供图

面作出贡献。1761年取得律师资格。曾作为康涅狄格州代表参加在费城举行的大陆会议（1774～1776）。会议派遣他担负去法国寻求财政和军事援助以及探讨结盟的可能性的秘密使命。他取得值达600万镑以上的武器，并运回美洲，对1777年10月在萨拉托加决定性地战胜英军作出重大贡献。1777年11月会议召回迪恩，但在离巴黎之前，他与另外两名专使（A.李和B.富兰克林）已经与法国谈判，签订了商业条约和同盟条约（1778-02-06）。基于李的影射，回国后被控侵吞公款，谋国不忠。1780年以平民身份回到法国，致函在美旧友抨击与法国结盟，主张与英国妥协。当这些信件于1781年在纽约亲英报纸《皇家新闻》上披露之后，他被斥为卖国贼。他开始流亡生活，先在根特，后去伦敦。他在伦敦发表答辩书：《致美国自由和独立的公民们》。5年后返美途中，在船上神秘死去。1842年，美国国会为他平反。

De'ang　德昂族　原名崩龙族。中国少数民族。主要分布在云南省西南部潞西、瑞丽、陇川等县山区。人口17 935（2000）。语言属南亚语系孟高棉语族佤德昂语支，有3种方言。多兼通汉、傣和景颇语，使用傣文。先民为汉晋时的濮人，隋唐时的茫蛮、朴子蛮、望苴子蛮等。先后臣服于汉晋等王朝及唐宋时的南诏、大理。元以后成为傣族土司的属民。1985年经国务院批准根据自称更名为“德昂”。种茶有数百年历史。冶炼、金属加工、纺织有较高工艺水平，银匠尤负盛名。住房有竹制干栏和土屋两种。笃信小乘佛教和原始宗教。男子衣襟、头帕两端缀彩色小绒球，

德昂族姑娘
中国大百科全书出版社供图

戴大耳坠、银项圈。在脚、臂、胸部刺动植物图案。女子穿各色筒裙。主要节日有泼水节、采花节、关门节等。1988在云南潞西市建立了2个民族乡。

De'ang language　德昂语　中国德昂族语言。属南亚语系孟-高棉语族佤德昂语支。主要分布中国云南省德宏傣族景颇族自治州潞西县和临沧地区镇康县等地。使用人口约1万。此外还分布在缅甸境内。德昂语（潞西）语音特点：有3个单辅音，其中包括双唇、舌尖中和舌根三个部位的清、浊和清送气的塞音9个和1个喉门塞音；舌面前的塞擦音3个，唇齿、舌尖前、舌面前、喉门擦音5个；双唇、舌尖中、舌面前和舌根鼻音各分清、浊；边音和颤音各分清浊，此外还有1个带喉塞的舌尖中鼻音和1个舌面半元音。有12个复辅音，主要由基本辅音加后置辅音构成，构成复辅音的后置辅音是边音和颤音。有10个单元音韵母；19个复元音韵母；51个带鼻音韵尾的韵母；70个带塞音韵尾的韵母；20个带擦音韵尾的韵母和15个带颤音韵尾的韵母。带韵尾的主要元音分长短。以虚词和词序表达句子成分的关系。人称代词有单数、双数、复数的区别；数词除固有数词外还有借自傣语的数词；动词重叠有强调作用；有些动词前置与声母同部位的鼻音有区别时态和程度的作用；有些形容词前置与声母同部位的鼻音则有表示性状、程度加深的作用；句子主语在前，谓语在后；宾语、补语在谓语后；定语在中心词后；状语则可在中心词前，也可在后。

Dearborn　迪尔伯恩　美国密歇根州东南部韦恩县城市。与底特律毗邻，临鲁日河。是H.福特的诞生地和福特汽车公司研制，生产的总部所在地。1795年建居民点。1893年设村。1927年设市。1917年建福特公司所属鲁日河汽车装配厂后，汽车工业开始发展。设有亨利福特社区学院（1938）和密歇根大学迪尔伯恩分校（1959）。有亨利福特博物馆和迪尔伯恩历史博物馆。人口89 286（1990）。

Dearborn, Fort　迪尔伯恩堡　美国伊利诺伊州东北部芝加哥市密歇根路桥南端的碉堡和围栏。临芝加哥河狭窄河湾。迪尔伯恩堡1803年因印第安人骚乱而建。1816年被焚

后重建。1836年废弃。

Dearborn, Henry **迪尔伯恩**(1751-02-23,新罕布什尔汉普顿～1829-06-06,美国马萨诸塞罗克斯伯里) 美国军官、国会议员、陆军部长,今芝加哥心脏地区所在地即迪尔伯恩堡即以他的姓氏命名。早年习医。后从军,参加美国独立战争。他的日记详细记述各次主要战役,颇有价值。1793～1797年为国会议员(代表马萨诸塞州),1801～1809年在T.杰斐逊总统政府中任陆军部长,1822～1824年任美国驻葡萄牙公使。

Dearg, Loch (Ireland) 参阅**Derg, Lough 德格湖**。

Déat, Marcel **德阿**(1894-03-07,法国盖里尼～1955-01-05,意大利都灵) 法国政客、与纳粹德国主要合作者之一。早年是个有才华的学生,从师范学校毕业后在兰斯教哲学。1926年作为社会党人当选为众议员,但在1932年因反对布鲁姆的领导而脱离该党。30年代,德阿在政治上稳步转向右翼。他采纳"秩序、权威、民族"这个口号,1933年7月协助组成法国社会党,作为布鲁姆的社会党政策的另一选择。他短期任航空部长后(1936)失去了在众议院的席位。德阿直言不讳地赞慕希特勒的国家社会主义,1939年4月撰文《为但泽而死吗?》,认为法国对于保卫波兰、反对希特勒不感兴趣,引起全国争论。1940年6月法国被德国占领后,他留在被占领区,成立了通敌的全国人民联盟。1944年3月参加赖伐尔政府,任劳动和社会事务部长。德国崩溃后,德阿失踪。1945年6月因叛国罪被缺席判处死刑。后来发现意大利北部的一个修会收留并藏匿他直至去世。最后几年,他曾撰写回忆录(未发表)。

death **死亡** 生命过程的完全停止。死亡是一切生物的必然归宿。死亡的概念由于神秘和迷信始终是一个晦涩费解的问题。关于人类死亡的精确定义也有争议,并因不同的文化背景和不同的法律制度,有不同的理解。像呼吸、生殖和物质代谢等一些常用的生命指标,有些时候或对某些生命形式也不适用。例如,细菌是一种结构完整的单细胞生命形式,在低温或干燥环境中,可被完全脱水而变成干粉,但如再遇到适当的环境,它们又会重新回到生命形态,执行它们的生命功能。除非把它们的分子结构重新编排一下,使其不能再繁殖,否则就不能称之为死亡。哺乳动物死亡诊断的传统标准是呼吸、心跳、脉搏停止,瞳孔散大、角膜反射消失,皮肤、黏膜、指甲青紫等。但是随着医学科学的发展和现代器官移植技术和生命支持系统的广泛应用,人的死亡标准又成为问题的焦点。因为现代医学不仅能把呼吸、心跳停止很长时间、对外界刺激完全没有反应的病人救活,而且能用人工方法维持患者的生命活动。因此现代对死亡的界定应制订一个新的准则,特别是牵扯到被救助者及可能捐献其健康器官的人。同样处在死亡线上的患者,哪些人应该把他们的正常器官贡献出来?哪些人应该得到这种捐赠,值得用各种方法维持他的生命?这里,最重要的科学标准应该是①脑干功能是否健全;②自主呼吸能否维持。有一种观念认为,尽管死亡之后人类的肉体腐败,但死后其人仍有某种东西超越死亡而存在。这种看法实际上存在于过去和现在的所有宗教之中,并决定着对一个人和他在宇宙中地位的评价。

Death, Angel of **"死亡天使"** 参阅**Mengele, Josef 门格勒**。

death, dance of **死亡之舞** 又作danse macabre。暗示死亡之不可抗拒和一视同仁的比喻性题材,主要出现于中世纪末期西欧的戏剧、诗歌、音乐和美术中。用文字或绘画表现生者与死者同行或共舞,生者依尊卑排列,从教皇、皇帝到儿童、文书和隐士,死者则带领这些人走向坟墓。起源于13世纪或14世纪初期的诗歌,这些诗歌宣传人人必有一死,尊卑概无幸免。14世纪中期欧洲流行鼠疫,1337～1452年法英两国进行百年战争,中世纪末期人们时常想到死亡,这可能是死亡之舞这一题材风行的原因。滑稽舞剧和道德剧无疑促进死亡之舞在形式上的发展。在文艺复兴时期,死亡之舞的观念丧失了令人恐怖的威力,但这一题材仍十分普及。在法国19世纪浪漫主义文学和19、20世纪的音乐中,死亡之舞这样一个古老的题材又有所抬头。

death mask **遗容面模** 用蜡或石膏从死者脸上拓制的面型。遗容面模是真实的肖像,有时需要在面模的眼睛上进行一些加工,使其更像死者活着时一样。从古代埃及开

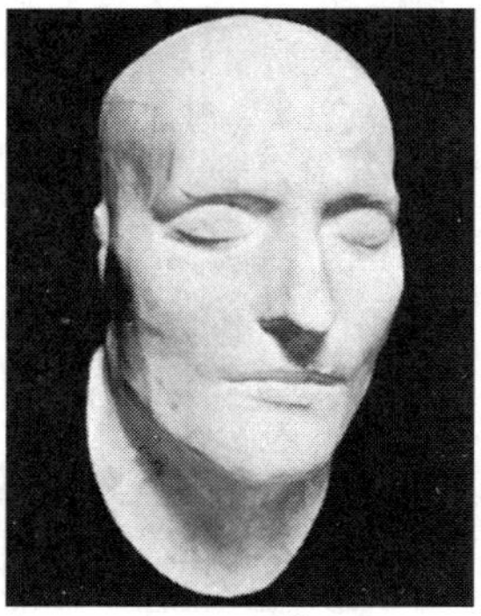

拿破仑的遗容面模
美国不列颠百科全书公司供图

始,遗容面模就成为肖像雕刻家可靠的凭借。近世纪以来,遗容面模被保存下来当做怀念死者的信物。自13世纪,遗容面模就为雕刻家制作墓葬肖像提供了原型。在中世纪,法国与英国把这种面模作为王室殡葬仪式中的肖像,供人瞻仰。亨利七世的面模大概是保存得最完整的。其他著名人物的面模有I.牛顿、贝多芬及拿破仑·波拿巴。与遗容面模相对应的是生者面模,后者是从生者脸上直接翻制的。

Death of God movement **上帝死亡运动** 基督教(主要是新教)的激进神学派别,20世纪60年代产生于美国。该派的基本思想是:在现代世界信仰上帝,既不可能也无意义,人应当在世俗生活中寻求满足。

death-qualified jury **死刑案件陪审团** 在美国法律中,指被宣布适合审理死刑案件的陪审团。陪审员是否适合审理可判死刑的案件,与他对死刑的看法有关系。但是究竟什么样的看法会使陪审员不合格,则是一个争论很大的问题。根据长期的实践,一位可能被选为陪审员的人如果在为防止抱有偏见而进行的事先询问中表示反对死刑的话,他就没有资格参加陪审团。1969年,美国最高法院审判一谋杀案("威瑟斯彭诉伊利诺斯"案)以后,美国在这个问题上的理论已经改变。最高法院认为不能仅因一个人抽象地反对死刑就决定他没有资格担任陪审员。某个人或许反对死刑,但他仍能在法律未变更前忠于自己依法行事的义务,履行担任陪审员职责的誓言,依法审判案件。最高法院的理由是:陪审团在无期徒刑和处决之间作出决定是表达社会的良心,如果把反对死刑的人统统排除在陪审团之外,那么陪审团也就不可能不偏不倚地表达社会的良心了。但是最高法院对该案的判决并未改变这样一个规则,即凡是预先表示完全拒绝判处死刑的人,应当排除在陪审团之外。至于事先表明他们对死刑的看法会影响自己对被告人是有罪还是无罪(即被告人是否确实实施了犯罪行为,而非被告人应受何种刑罚)作出不偏不倚裁断的人,同样也属于排除之列。陪审团审判死刑案件的资格与死刑本身的实践显然是有密切联系的,在许多废除了死刑的国家,也就不存在审判死刑案件的资格问题。

death rate **死亡率** 一定数量的人口中死亡人数所占比例。一般按每1 000个居民中每年死亡的人数计算。参阅**vital rates**。

death tax **死亡税** 指对死者所遗留的财产或对受益人所继承的财产所课的税。它同赠与税一样,是对无偿转让财产(即转让财产时不给以补偿)所课的税。死亡在大多数国家被认为是一种应课税的事。支持课征死亡税既有法律的又有社会的缘由。在法律上,死亡税可以被认为是对死后转移财产的特权所支付的一种费用。从社会的角度上看,死亡税可为财富分配的不公平起到缓解作用,并为分散大笔遗产提供了一个机会。反对高额死亡税的主要理由是它们可能对课税的良好动机起反作用。当课征死亡税使财富积累受阻而妨碍经济增长时,这可以说就是经济学上应用死亡税的极限。死亡税的象征意义大于实际意义。它们是国家财政收入中税收金额最少的税种之一;由于所得税、销售税和货物税的增长,死亡税的重要性已微乎其微。美国联邦遗产税仅占联邦总税收额的2%以下。大多数具有发达税务制度的国家,其死亡税所占的比例亦与此类似。死亡税的主要作用,是鼓励人们对遗产进行规划,鼓励人们利用法律服务将税金减至最低程度;其作用对整个经济消费来说是微乎其微的。死亡税的确能起到比较均富的作用,不过在多数国家其作用不大。一项重要而常被忽视的作用

是它对企业结构和实务的影响,它是为了纳税需要对遗产进行评估而产生的影响,是遗产为一小型企业或农场时所产生的流动性问题的影响。死亡税一般都是高额累进税制,有些国家最高等级的累进率接近 100%。实际上,人们大多并不交纳死亡税;对于那些应纳死亡税的人来说,逃税是轻而易举的,这里出现了一个公平与否的严重问题。逃税办法包括各种受托管理安排,死前将自己的财产移交出去,或捐赠给慈善、宗教和教育机构(一般免交死亡税和赠与税)。现存的免税和税率结构是一种对于受照顾的机构和对于财富及所得再分配的社会政策的体现。对于给配偶和子女的遗产或对于给慈善机构的捐赠进行免税和按低税率课税,都体现了照顾家庭或私人支持慈善事业的社会政策。

Death Valley 死谷 美国加利福尼亚州东南部因约县境内一构造性洼地。大致呈南北走向,长约 225 千米,宽 8 ～ 24 千米,是北美洲最炎热、最干燥的地区,最低处低于海平面 82 米,是西半球最低的地方。早先拓荒的移民在此难以通过,因而得名"死谷"。后成为开发硼砂的中心。现在,其独特的环境吸引众多的旅游者和科学家。1933 年辟为国家保护区。夏季气温经常超过 49 °C,1913 年曾记录到高达 57 °C的气温,地面温度曾达到 94°C。冬季最低温度很少降到 0 °C。根据 20 世纪近 50 年的记录,平均年雨量仅为 42.2 毫米,最多一年为 114.3 毫米,有连续两年几乎无雨。谷地西侧为帕纳明特山脉,东侧为阿马戈萨山脉。1868 年一位加利福利亚州地质学家首次在科学报告中涉及死谷。19 世纪 80 年代发现硼砂后始引人注意。地质上构成大盆地西南部分的一部分,即美国西部的水文学部分。两壁岩层,主要为前寒武纪晚期(5.7 亿年前)至三叠纪(2 亿年前)的海相沉积岩。有些地方沉积岩下垫有更加古老的变质岩和花岗岩。中生代中期(1.8 亿年前)发生的造山运动使这一地区从海底上升为陆地。中生代后期或新生代初期(约 6 700 万年前)地壳发生一系列断裂和褶皱。第三纪中期(约 3 000 万年前)发生的一次垂直的块断层,造成了现代的死谷。谷底的沉降过程一直继续到现在。根据大地测量结果推算,谷底在 20 世纪中下降了大约 100 毫米左右。历史上有一个时期曾有较多的水汇入死谷。在更新世威斯康星冰期(约 5 万年前),谷内有一深达 180 米的湖泊。直到2 000 ～ 5 000年前,谷底仍有一浅湖,由于强烈的蒸发,目前只剩一片盐盘,周围还有一些盐沼和沼泽。南北两端的阿马戈萨河和索尔特河(意即盐河)也仅有短促的季节性地表径流。水分的缺乏使死谷变成一片荒漠,仅可见到一些耐盐碱的盐渍草、盐草和灯心草生长在沼泽边缘。动物有野兔、沙漠林鼠、狐、郊狼和著名的沙漠大角羊。

deathwatch beetle (*Xestobium refuvillosum*) **红毛窃蠹** 鞘翅目窃蠹科小甲虫。体长1～9毫米,圆柱形。受惊时缩足装死。在旧家具或木中钻孔时,头或大颚碰撞坑道壁而发出卡塔声。这声音其实是求偶的信号,但按

红毛窃蠹(*Xestobium refuvillosum*)
美国不列颠百科全书公司供图

迷信的说法,这预兆死亡即将来临,故本虫英文名意为死兆甲虫。

Deauville 多维尔 法国北部下诺曼底大区卡尔瓦多斯省海滨胜地。位于图克河口与特鲁维尔相对;距巴黎 206 千米的公路里程,距鲁昂 89 千米。巴黎-诺曼底高速公路和当地机场喷气式客机跑道的修建促进了旅游业的发展。1860 年由莫尔尼公爵始建,现为繁华的夏季旅游地。冬季为教育中心。有夜总会、码头和一个大型会议中心。人口 4 371 (1999)。

Deba Habe 代巴哈贝 尼日利亚包奇州城镇。在贡贝-努曼公路线上。为富拉尼、豪萨、泰拉和坦加勒人的农牧产品(高粱、粟、豇豆、牛、羊、驴)贸易中心,花生和棉花集散地。贡贝地区最大城镇之一。人口约 25 788(最新估计)。

débat 辩论 流行于中世纪的一种文学作品,作品中常有两个或两个以上的寓言式人物就某一主题(最常见的为爱情、道德或政治)进行讨论或辩论,然后将该问题提交评判员。也指文学作品中两个人物之间进行的冗长讨论、辩论或哲学争论。

debate 辩论 两个人、组或集团之间正式的、口头的交锋,一般是按一定的方式或程序提出论据以支持一个问题相对立的一方。在英国下议院,所提交的各项议案须经三读,每读提供对所包含的原则或具体条款进行辩论的机会和场合。美国国会遵循相似的程序,众议院辩论议案时有具体的时间限制;参议院则没有时间限制,一般的做法是对议案进行辩论,直至各人发表意见为止,然后投票表决。在学校、社团或在电台和电视上的正式辩论,一般遵循下列程序:提出的题目是一个正面的决议,例如,"决议:应宣布罢工为非法"。通常每组两人,两个组就赞成和反对这一决议进行辩论。两个组得到一样多的时间,第一段时间——通常每人可发言 10 ～ 15 分钟——陈述自己一方的意见,然后有较短的一段时间反驳对方的意见。发言者的次序在各组交叉,由赞成的一方开始争论,通常由反对的一方开始反驳。争论采取以证据支持论点的形式,在反驳时,可以提出新的证据,但不得提出新的论点。一名中立的仲裁人充当辩论的主席。由于时间有限,正式的辩论不允许彻底探讨复杂的问题,而被看做是一种练习,可以借此提高辩论的能力,并像棋赛一样,为非参加者提供观赏斗智的乐趣。在一次开展得好的辩论中,发言者往往不感情用事,或能超然事外,保持一种冷静的学术态度。

Debbora (Old Testament) 参阅 **Deborah** 底波拉。

debenture stock 公司债券 指由某公司或公众团体发行、附有偿还借款和付息的详尽条款,并以公司的全部或部分财产为保证的借款契约。通常发给贷款人的公司债券是注明债券金额并附有息票的。债券持有者可提出信托证书指定受托人保护其利益。如果发生违约情况,则债券持有人可指定涉讼财产管理人去查封财产并将其变卖成现金,以偿还所保证的借款。

Debestēvs (Baltic deity) 参阅 **Dievs** 迪夫斯。

Debije, Petrus Josephus Wilhelmus 参阅 **Debye, Peter(Joseph William)** 德拜。

Debir (ancient Palestine) **代比尔** 参阅 **Kiriath-sepher** 基列西弗。

debit card 借记卡 与信用卡类似的一种卡,能将买方的资金划入卖方的帐户,可作为支付手段。金融机构通过处理借记卡交易可以减少交易成本(银行处理支票交易的成本更高),并且可以得到即时支付。虽然金融机构即时获得了资金,但卖方通常要在几天后才能获得资金,这一点与信用卡相同。借记卡与储值卡不同。储值卡是从存储于卡中的现金值中简单地减去交易额。

déblé 代布勒 西非塞努福人的女性木刻像,在举行仪式时用于击节,以提高土壤肥

科特迪瓦塞努福人的代布勒
美国不列颠百科全书公司供图

力。波罗(或洛)男性秘密会社的新人会者在表演丰产舞时,均用上臂持这种像,众人一齐以它们的沉重基座敲击地面以成节奏。他们在挖掘竞赛中亦将代布勒置于田间。

Débo, Lac 代博湖 马里中部湖泊,在东北240千米的廷巴克图(又称通布图)和南面80千米的莫普提之间的尼日尔河段;尼日尔河在这一地区接纳许多湖泊和支流。

Deborah 底波拉 又拼Debbora。《圣经·旧约》(《士师记》4:5)所载女先知和女豪杰。在她的鼓舞下以色列人打败迦南人。《底波拉之歌》(《士师记》5)据考证是她所作,可能是《圣经》中最古老的章节,对了解公元前12世纪以色列人的文化有重要意义。底波拉负责掌管会幕的明灯。根据《士师记》第5章的说法可以判断,以色列人当时居住在山地和森林地区,但中部地带被迦南人(也可能是埃及人)筑堡隔断。在士师和先知底波拉的鼓舞下,以色列人各支派团结一致,冲向在塔纳赫地区的敌人。突然发生的雷雨使迦南人心惊胆战,基顺河泛滥将他们冲没,于是以色列人大胜。

Deborin, Abram Moiseyevich 德波林(1881-06-16,俄罗斯帝国立陶宛乌皮那～1963-03-08,莫斯科) 笔名为阿布拉姆·莫伊谢耶维奇。俄国马克思主义哲学家,鼓吹黑格尔辩证法。出身于小资产阶级家庭。1903年参加列宁的布尔什维克运动,1907年受格奥吉亚·普列汉诺夫影响,成为孟什维克。1908年毕业于伯尔尼大学。1917年回到列宁一边,并于1921年被派往斯维尔德洛夫大学,他在该校作为哲学教师和《苏维埃哲学》的编辑而享有盛名。但在1929年被剥夺一切重要的教育职位和编辑职位,1931～1953年,仅在苏联科学院保留了一个次要职务。斯大林逝世后,重新撰写有关社会思想的著作,如《当代社会政治学说》第1卷(1958)、《哲学和政治》(1961)。早期重要著作有:《列宁与现代物理学危机》(1930)及《哲学和马克思主义》(1930)等。

DeBrazza's monkey (*Cercopithecus neglectus*) **白须长尾猴** 体型巨大、色彩鲜明的长尾猴。分布于非洲中部、埃塞俄比亚和肯尼亚西部,特别是河流和沼泽地附近的森林中。

白须长尾猴(*Cercopithecus neglectus*)
美国不列颠百科全书公司供图

具白须,被毛黄灰色、缀以细斑,大腿上有一白纹,手、脚和尾黑色。前额眉际由红毛构成的眉带具白梢,该带上方又有一黑带。面颊灰黑色或灰黄色。体粗壮,但不如其他长尾猴(**guenon**)活跃。雌性体重约4千克,雄性体重约7.5千克。

Debré, Michel(-Jean-Pierre) 德布雷(1912-01-15,巴黎～1996-08-02,卢瓦尔蒙特路易) 法国政治领袖,戴高乐将军的亲密助手。在起草第五共和国宪法中做出杰出贡献并任首届总理。曾获博士学位。在政治学院进修后任文官,步步高升。第二次世界大战爆发后,他应征入伍,1940年5月被俘,后越狱。他在摩洛哥的拉巴特参加抵抗运动,后返回法国德占区从事地下工作。1944年同戴高乐将军初次相识。次年在戴高乐临时政府中负责策划政府行政改革。在规划萨尔地区的新地位方面发挥重要作用。1948年作为戴高乐的法兰西人民联盟的成员选入参议院,1955年作为社会共和党(人民联盟的新名称)人重新当选。1958年6月戴高乐任总理,他出任司法部长,并成为开创第五共和国的新宪法的主要起草人。1959年1月戴高乐担任总统后,任命他为总理。他坚决支持戴高乐的从阿尔及利亚脱身的政策。这同他以前所作许诺抵触,使其处境尴尬,1962年4月为蓬皮杜所代替。1963年5月被选入国民议会。1966年回到政府,任经济和财政部长。1968年5月任外交部长。1969年6月任国防部长。1981年竞选总统失败。他写过一些政治著作。

Debrecen 德布勒森 匈牙利5个直辖市之一,自1876年起也是豪伊杜-比豪尔州首府。在尼尔谢格地区沙土平原的西南端和霍尔托巴吉干草原东端。匈牙利东部最重要的

德布勒森市19世纪的归正大教堂
美国不列颠百科全书公司供图

城市之一,是历史悠久的贸易、宗教、政治和文化活动中心。14世纪设市,在土耳其占领期间及以后颇为著名。其集市以马匹和家畜著称,是中世纪闻名的、很有特色的集市。该市成为当时匈牙利最富有和最有影响的城市之一。1849年革命政府领袖科苏特曾在此宣布匈牙利脱离哈布斯堡王朝统治而独立;随后革命遭镇压,该市也被俄国干涉军队占领。第二次世界大战期间,曾一度成为匈牙利临时政府所在地。在昔日的集市(现为科苏特广场)上矗立有引人注目的归正大教堂;在这公园般的广场上还树立有科苏特的塑像。现有3所大学:科苏特大学(1912,原为1550年创立的一所新教徒学院)、德布勒森医科大学(1951)和德布勒森农业科学大学(1868)。交通便利,有许多公路和铁路在此集中,还有飞机场;因此,工商业很发达。有医药、家具、滚珠轴承等制造业,还有制陶、制靴和手工外衣等手工艺。人口约217 706(1994)。

Debrett's Peerage 《德布雷特氏贵族名鉴》 全称《德布雷特氏贵族和男爵及御用商人名鉴》。英国贵族名录。J.德布雷特于1802年在伦敦初次出版时将其定名为《英格兰、苏格兰、爱尔兰贵族名鉴》。《名鉴》载有关于王室、枢密院顾问官、苏格兰最高法庭法官、男爵及苏格兰家族、氏族领袖的资料。1990年修订版贵族占了1 336页,准男爵占了968页,并均附有插图说明,但旁系分支则只列在世的,而未列其全部世系。逊于《伯克氏系谱》(**Burk's Peerage**)。德氏《名鉴》新增收的名字有贵族的收养子女、私生子女、在世者的已死亡子女的名录。还列入了绝嗣的、中止爵位、爵号未定或放弃爵位的贵族和准男爵。

Debreu, Gerard 德布鲁(1921-07-04,法国加来～2004-12-31,巴黎) 法国出生的美国经济学家。对经济理论有重要贡献,1983年获诺贝尔经济学奖。1946年获巴黎大学经济学博士学位。1950年在芝加哥考尔斯经济学研究基金会工作,1955年随基金会迁至康涅狄格州纽黑文的耶鲁大学。1962年在加利福尼亚大学伯克利分校任经济学和数学教授,1975年加入美国籍。1959年发表经典专著《价值理论:经济平衡的规律分析》,在书中,他为1776年首次被亚当·斯密所阐明的供需平衡现象提供了数理根据。获得多项荣誉。1976年被授予法国荣誉爵位勋章。1977年当选国家科学院院士。

Debs, Eugene V. 德布兹(1855-11-05,美国印第安纳特雷霍特～1926-10-20,伊利诺伊埃尔姆霍斯特) 美国劳工组织者,1900～1920年5次为社会党的总统候选人。他14岁入铁路工厂做工,后成为机车司炉。1875年组织火车司炉兄弟会的地方分会,1880年当选为该兄弟会全国书记兼司库。1893年任美国铁路联盟主席。1894年4月该联盟组织罢工要求大北铁路公司增加工资成功,因而名闻全国。同年领导芝加哥的普尔曼车辆公司工人罢工(参阅**PullmanStrike**),后被判处半年

美国国会图书馆供图

徒刑，声名益显。在狱中博览包括马克思著作在内的各种书籍，深受启发，从此对传统的政治与经济概念尤其是资本主义日益持批判态度。他拥护人民党的主张，1896年支持W.J.布赖恩竞选总统的活动。次年宣称信仰社会主义，1898年领导建立政党，1901年命名为美国社会党。1900年为该党的总统候选人，仅得9.6万张选票；1904年选票增至40万张。1905年参加建立世界产业工人联盟，旋因害怕其激进而退出。1908与1912年又参加总统竞选；1920年因批评政府入狱，但在选举中却获票最多，约91.5万张。因1918年被判定煽动罪而被剥夺的公民权直至1976年才得以恢复。他热情、正直、诚恳，得到群众的支持。他口才极佳，主要靠演讲和撰文维持生活。著有《为工会主义与社会主义辩护》(1904)和《铁窗生涯》(1927)。

debt, public　参阅 **public debt** 公债。

debtor and creditor　债务人和债权人　指存在于两人之间的一种关系，其中一方(即债务人)可被强制为另一方(即债权人)提供劳务、金钱或货物。这种关系也可以因为债务人未能向受害人交付损害赔偿金或向社会交纳罚金而产生。不过，这种关系通常是指债务人已从债权人得到某物，为此债务人已许诺日后以偿付作为报答。如果债务人在限期内或者在商业上可通融的期限内没有清偿，而通常的讨债办法又无效果时，律师就可以开始正式的讨债程序。有时可以采用扣押债务人的财产、工资或银行存款等强制偿还手段(参阅 **garnishment**)；也可以对债务人财产行使留置权，即准许地方官员或法定强制执行人员查封债务人的财产，予以拍卖，并以拍卖所得偿还债务。监禁债务人的做法目前已不再采用。讨债程序可以受到豁免法律规定的限制。按豁免法律规定，对债务人的某些财产不得查封和拍卖用以清偿债务。上述的豁免范围包括若干种款项、人寿保险金和若干种地块。

Deburau, Jean-Gaspard　德布劳(1796-07-31，波希米亚科林[今在捷克共和国]～1846-06-17，法国巴黎)　波希米亚出生的法国哑剧演员。生于一个杂技演员之家，早年即随家庭一起去欧洲巡回演出。15岁加入菲南比勒家庭杂技团，终生在该团表演。他创造出皮埃罗这个感人的角色，这个角色身穿布袋式白戏装，举动幼稚，常作为乐观但最终失败的情人出现。无论观众或评论家对该角色均十分欣赏。这一角色对20世纪20年代在英国极受欢迎的"共同乐观"音乐会讽刺剧及马尔索所创造的比普均有影响。他去世后，由其子查理在菲南比勒家庭杂技团中继续饰演皮埃罗。

Debussy, Claude　德彪西(1862-08-22，法国圣日耳曼昂莱～1918-03-25，巴黎)　法国作曲家，其作品是20世纪音乐中的开创性力量。他发展了一种具有高度独创性的和声与音乐结构体系，在很多方面表现出当时印象派和象征主义画家和作家所追求的理想。主要作品包括《贝加马斯卡组曲》(1890～1905)中的《月光》、《牧神午后序曲》(1894)，歌剧《普莱雅斯和梅丽桑德》(1902)和《大海》(1905)。

美国不列颠百科全书公司供图

早期　德彪西9岁时就显示出钢琴家的天赋。1873年入巴黎音乐学院学习钢琴和作曲，1884年以其康塔塔《浪子》获罗马大奖。青年时代在极其动荡的环境中度过。物质生活和感情生活中的极端变化几乎使他手足无措。他和双亲居住在贫穷的巴黎郊区，突然得到俄国百万富豪梅克夫人的资助，雇佣他陪她和她的孩子们弹二重奏。在巴黎音乐学院的长长的暑假期间，他曾随梅克夫人到她在欧洲各地的豪华住宅。在巴黎时他和歌手B.瓦斯尼埃尔相恋；她启发了他的许多早期作品。显然，来自许多方面的影响折磨得他心神不安。这些年的一波三折形成了他早期风格的敏感性。这种早期风格在他最佳作品之一的《月光》中得到很好说明。《月光》这一曲名涉及一首民歌，法国哑剧中描写害相思病的皮埃罗的场景习惯上均以此曲作为陪衬。事实上德彪西后来的音乐中许多皮埃罗式的联想，例如管弦乐《意象》(1912)和《大提琴与钢琴奏鸣曲》(1915)都与此有关。

中期　作为罗马大奖的拥有者，德彪西可在罗马梅迪契别墅逗留3年，在号称"理想"的条件下从事创作。获得这一国家大奖的作曲家大多都认为这个文艺复兴时期的雄伟宫殿中的生活令人厌倦，而希望回到比较简朴熟悉的环境中去。德彪西呆了两年终于也逃离别墅，回到巴黎的瓦斯尼埃尔身边。在这一时期中德彪西过着放荡不羁的生活。他的作品的主要音乐影响来自瓦格纳和俄国作曲家鲍罗丁与穆索尔斯基等人。瓦格纳实现了一些作曲家以及象征主义诗人和印象派画家的"给人以感官享受"的主张。他的"整体艺术创作"的概念鼓励艺术家们将其感情反应作精妙的阐释，并将他们的往往是残缺朦胧且隐而未露的梦境加以具体化。德彪西正是以这种精神写了交响诗《牧神午后》。他的其他早期作品表现出他和英国前拉斐尔派画家的密切关系。在他一生的事业中，他不断地开辟新天地。他断言探索是音乐的精髓。他唯一完成的歌剧《普莱雅斯和梅丽桑德》表明瓦格纳的技巧可以如何用于刻画这部歌剧中朦朦胧胧似梦似魇而且注定要自戕的人物。德彪西和他的台本作者梅特林克声称，在写这部作品时萦绕他们心头的是埃德加·爱伦·坡的恐怖故事《厄舍古厦的倒塌》。《普莱雅斯》的风格被更大胆、更高度色彩化的手法所取代。海景画《大海》受到英国画家特纳和法国画家莫奈的思想的影响。在他的创作中，犹如在他的私人生活中一样，他急切地从他的富于幻想的头脑所能探索到的每一个领域去积累经验。

晚期　1905年德彪西的非婚生女克劳德-爱玛出生。1904年他已与妻子莉莉·特克西尔离婚，随后又与女儿的母亲爱玛·巴达克结婚。这一事态引发的流言蜚语使他反感，于是他到英国南海岸的伊斯特本去寻求避风港。他为女儿写了钢琴组曲《儿童乐园》(1908)。德彪西的信手拈来的自发性和他的感知的敏感特点帮助他敏锐地洞悉儿童心理，这种洞察力在《儿童乐园》、《12首前奏曲》(共2卷，1910，1913，钢琴)和芭蕾舞剧《玩具盒》(1919)中特别明显。在后来的几年中德彪西的器乐写作的特色是追求幻觉，特别是那首古怪的宛如隔世的《大提琴奏鸣曲》。

创作的演变　德彪西的音乐是对19世纪传统语言的一系列发难中最早的一次。他不相信19世纪的程式化和声程序，设计了一种"21音音阶"来"淹没"调性意识。同样的，他的不断求索的头脑也对管弦乐队中传统的乐器用法提出了挑战。他反对传统的观念，认为弦乐器不一定以抒情为主，而木管乐器像人声一样，也能表达极其变化多端的色彩。事实上，在他的音乐中，传统的管弦乐结构以印象派画家的手法逐渐加以削弱或细分，最终每一乐器几乎成为一个独奏者，就像在一个庞大的室内乐重奏中那样。

在后半生，他虚构了一个无中生有的自我，称为"克罗士先生"，与他就艺术和音乐的性质问题进行假想的对话。在他最后的作品钢琴曲《白与黑》(1915)和《练习曲12首》(1915)中，德彪西开拓了一些作曲格式，它们以后将在斯特拉文斯基和巴尔托克的风格中得到发展。若不是癌症夺走他的生命，他一定会参加第一次世界大战后几次重要的作曲运动。评价德彪西的作品不能只从音乐的水平考虑。他的朋友、作曲家杜卡曾这样说，"你必须寻求他的音乐中的诗"。他的音乐中不仅有诗，而且常常有来自绘画的灵感。德彪西对法裔美国籍作曲家瓦雷兹说："我几乎和热爱音乐一样热爱绘画。"

Debye, Peter (Joseph William)　德拜(1884-03-24，荷兰马斯特里赫特～1966-11-02，美国纽约州伊萨卡)　荷兰语作 Petrus Josephus Wilhelmus Debije。物理化学家，因对偶极矩、X射线和气体中光散射的研究获1936年诺贝尔化学奖。1910年在慕尼黑大学获物理学博士学位后，在苏黎世、乌得勒支、格丁根和莱比锡等大学讲授物理学。1935年任柏林威廉皇家理论物理学研究所所长。1940年德军入侵他的祖国之前两个月去美国纽约州伊萨卡，在康奈尔大学讲学，随即留在那里直至1950年作为化学系主任退休。德拜第一个重要研究工作是关于偶极矩的研究，提供了分子中原子的排列和原子间距的知识。1916年，提出粉末状固体物质能用于X射线研究晶体结构从而免除了首先要制备良好晶体这一困难步骤。1923年,他取得了他的最重要成就之一,和E.休克尔将S.阿伦尼乌斯关于溶液中盐离解为带正、负电的原子(离子)的理论加以推广,证明不是部分电离,而是完全电离。

Debye-Hückel equation 德拜-休克尔方程 阐述电解质溶液某种性质的数学表达式。电解质就是能以带电微粒(离子)的形式存在于溶液中的物质。这种溶液常常表现为溶解微粒的数目大于或小于实际存在的微粒数目。德拜-休克尔方程考虑了各种离子间的相互作用。离子间的相互作用是引起电解质稀溶液性质和所谓的理想溶液性质不一致的主要原因。

decadence 颓废期 指文艺在取得伟大成就的纪元之后,出现的一段衰落或退化的时期。如拉丁文学在黄金时代结束后开始的白银时代,以及发生在19世纪末的法国和英国的颓废运动。

Decadent 颓废派 19世纪末诗人,尤其是法国象征派诗人,及同时代的英国晚期唯美派诗人都属于颓废派。两派均渴望文艺能摆脱工业化社会对物质的追求。两派中一些成员在道德品行上的放荡扩大了"颓废"一词的涵义,该词几乎是"世纪末"的同义语。在法国,P.魏尔兰欣然接受"颓废"这个词。1886～1889年间,A.巴茹创办的《颓废》评论杂志问世,魏尔兰就是投稿者之一。法国颓废派声称C.波德莱尔是他们的启发者,兰波、马拉梅和科比埃尔是他们的同仁。另一个重要人物就是小说家J.于斯曼,他的《逆流》(1884)被西蒙斯称为"颓废"的祈祷书。英国颓废派诗人包括19世纪90年代的A.西蒙斯、O.王尔德、E.道森、L.约翰逊等等。

Decadentism 颓废主义 意大利文艺运动,其名称来自19世纪最后10年兴起的法国和英国的颓废派。该运动的作家(没有在这种情况下的内聚力)对实证主义的反应一般是个别地强调本能、非理性、潜意识,并以个人和科学的理性主义,以及人在群体中的重要地位相对立。该运动的作家有A.福加扎罗、G.帕斯科里、G.邓南遮、I.斯韦沃等,他们在风格和哲学观点上相去悬殊,但是都力图以高度的主观性来表现社会和世界。20世纪初,评论家B.克罗齐抨击了这个运动。第二次世界大战后,这一运动略有恢复,到60年代,在马克思主义评论家C.萨利纳里的抨击下,又趋于衰落。

decal 贴花印刷 又作decalcomania。使印在特制纸张上的图样形成薄膜,以便移印到其他物体表面的技法。此法广泛适用于装饰和标印任何不能接受印刷机压印的物件。贴花印刷的方法根据需要的不同而异。例如施于打字机和货运汽车之类的贴花印刷,先在有渗透性的纸上涂上一层淀粉、白蛋白和甘油的溶液,把所需呈现的图像印在这张纸上,再在纸上涂上几层不透明的白色油墨(这种油墨涂上后看不出来),最后在图像上涂上一层叫做黏贴剂的水溶性胶液,趁潮湿时贴到物件上,揭去潮湿的底纸,图像就牢牢印在物件上。将图移印于窗户上的方法在程序上则相反,在纸上先印上几层不透明的白油墨,最后才印上图像,以便图像贴到玻璃上时可以看得见。用于瓷器和炉灶上的移印图则用矿质颜料以耐热。贴花印刷法在20世纪中叶的美术中又有特殊的应用,即采用含树胶不透明的水彩颜料敷涂纸张,再将纸压印到帆布或另一张纸上,然后揭去,就会产生出类似海绵状的特异的图案。超现实主义画家M.恩斯特就曾在自己的绘画中应用这种技法。

Decalogue(biblical precepts) 参阅**Ten Commandments**十诫。

Decamps, Alexandre(-Gabriel) 德康(1803-03-03,法国巴黎～1860-08-22,巴尔比宗) 19世纪最早由新古典主义转向浪漫主义的法国画家之一。青年时代漫游中东,在描绘东方生活和风景时大胆忠于自然,技法特点为颜色和光与影的强烈对比,这使得保守派评论家对他的作品大惑不解。但是,人们不久就承认了他的才能,把他与E.德拉克洛瓦和J.韦尔内并列,并作为法国绘画的领袖之一。他的大半生在巴黎附近度过,非常喜爱动物,特别是狗,嗜好各种户外运动,后在枫丹白露狩猎时坠马而死。他取材异常广泛。由于漫游中东的结果,他可能是最早以天然地方背景描绘圣经故事情节的欧洲画家之一。他的作品属于这一类的有:《被弟兄出卖的约瑟》,《从尼罗河中取出的摩西》,以及用炭笔和白粉所作描绘参孙生平轶事的9幅雄劲有力的速写。在他的历史画中,《辛布里人的败北》给人留下的印象大概最深。他还作过许多风俗画,主要是法国和阿尔及利亚家庭生活的场景,作品具幽默感。在他描绘狗、马和猴一类动物的千姿百态的绘画和素描中,同样充满一种奇特的幽默。《猴子鉴赏家》可能是他全部作品里最出名的一幅,这是对法国画院评审团的巧妙讽刺,该团曾经拒绝接受他的几幅早期作品,因为这些作品离经叛道,不合已知的任何标准。

decapod 十足类 十足目(Decapoda)的甲壳动物。8 000多种,包括虾、龙虾、蛄、寄居蟹、螃蟹等。因胸部有十对步足而得名。体形大小和结构差异极大,长尾派种类(虾类)体细长,具长的腹部,尾扇发达,足亦通常呈细长形。短尾派的种类(蟹类)体扁平,并向侧方伸展,腿多粗短,尾扇退化;蜘蛛蟹两螯张开后螯尖相距可达4米。十足类主要为海生,在温暖或热带地区的浅水环境中甚为丰富,在世界范围内有商业性捕捞。某些虾类栖于开阔的海洋,具发光器,其功能为帮助取食或识别同种个体。已知的十足类中约10%栖于淡水或陆栖。生物体要能栖于淡水,就必须能使其血液浓度维持在高于环境的水平,并能降低其体表的通透性,陆栖的十足类,如某些寄居蟹和招潮蟹,已演化出可调节体液浓度的机制,故可防干燥和过热。某些十足类的鳃表面血管丰富,故能在陆地上呼吸。陆栖十足类必须经常回到海中产卵,而大部分淡水十足类终生稽栖于淡水中,幼体孵出时即形似成体。十足类与其他生物体之间的关系多种多样。例如,寄居蟹会将海葵或苔藓动物群体携带于自身的壳上,结成共栖关系。豌豆蟹(牡蛎豆蟹,*Pinnotheres ostreum*)则寄生于美洲牡蛎体内,可造成鳃部的损伤。某些虾类与鱼共生,会将鱼口部和鳃部的寄生物移去。十足类可表现多种多样的行为应答。寄居蟹和一些短尾派蟹类会寻找空的贝壳钻人以保护自己的身体,随着自己身体的增大连续寻找更大的贝壳。十足类基本的移动方式是游泳和爬行,但长尾派十足类能借屈曲腹部迅速向后移动,有的种类能拍动叶状的游泳足(腹足)或用胸部附肢挖掘以钻洞而居。十足类多为雌雄异体,但也有一些种类为雌雄同体,受精多在体外进行,但少数种类为体内受精。交配行为多样,与蜕皮的周期有关。雄性的十足类只能在外骨骼完全硬化后才能交配,而某些雌体只能于蜕皮后壳软时方能交配。大多数十足类将卵黏附在腹部附肢上直至孵化。幼体有4个基本的类型(移动方式也是幼体分类的根据之一):无节幼体、原水蚤幼体、水蚤幼体和后期幼体。大部分幼体孵出时处于水蚤幼体阶段。十足类的身体可分为3个部分:头、胸和腹;均由体节构成。头和胸愈合,称为头胸部。每个体节有1对附肢,最前端的2对附肢(第一触角和第二触角)由一条分节的柄和几条鞭构成,用作嗅觉、触觉和平衡器官。头部其余3对附肢分别为司咀嚼的大颚和扁平对形成叶片状用以把持物的第一及第二小颚。胸部有8对附肢,前3对形成口器,后5对为步足。腹部的附肢可变形,用以游泳、输送精子、钳夹,第6对附肢与尾节合并成尾节。头胸部覆以背甲(头胸甲),背甲并向两侧延伸,盖住位于胸部体侧的鳃。心脏位于背甲后部,消化道上方。消化管基本为一直管,由口道(前肠)、中肠和肛道(后肠)组成。排泄器官是开口于触角基部的腺体。中枢神经系统由一个食管上神经节和下食管神经节组成,由侧向的神经相连。眼通常发育良好,具有含色素的多面角膜,而某些深海种类无眼。

Decapolis 德卡波利斯 公元前63年罗马征服巴勒斯坦后在东巴勒斯坦组成的10个古希腊城市的联盟。德卡波利斯一词大体上也指这些城市连成一片的地区,只有约旦河以东的一处例外。联盟的10个城市是:斯基索波利斯(今以色列贝特谢安)、希波斯、加大拉、拉法那、狄翁(狄乌姆)、佩拉杰拉什、费拉德尔菲亚(今约旦安曼)、卡纳萨和大马士革(今叙利亚首都)。最北端的是大马士革,最南端的是费拉德尔菲亚。联盟原首都为加达拉,后迁至大马士革。参加德卡波利斯的城市是把它当作相互保护和为了对付他们的闪族邻人而求得安全的一种手段。同盟受罗马的叙利亚长官的节制,不过他在东巴勒斯坦的权力有限。德卡波利斯创造了丰富的希腊化文化,哲学家、讽刺作家迈尼普斯便是这一文化的代表人物之一。该联盟一直存留到公元2世纪。

decathlon 十项全能 运动员连续在两天内先后参加10个田径项目的比赛。1912年十项全能作为一个持续3天的比赛项目进入了奥林匹克运动会。十项全能包括下列项目:(第一天)100米短跑、跳远、铅球、跳高和400米跑;(第二天)110米栏、铁饼、撑杆跳、标枪和1 500米跑。根据国际田径联合会(IAAF)确立的评分表对运动员们在各项比赛中的得分进行评定。随着世界纪录的提高,对评分表定期修改。1912～1936年间使用第一个表,当时十项全能还是持续3天的比赛;1936～1950年用第二个表(1952年仅略作修改);1952～1964年用第三个表。所有这些评分表都强调优异的单项成绩。1964～1985年间使用的第四个表和1985年推出的第五个表都偏重那些在所有10个项目中得分均匀的运动员。芬兰的A.耶尔维宁、美国的J.鲍什和德国的H.西韦特是根据第一个评分表评出来的优秀运动员,西韦特于1934年确立了8 790.46分的最后纪录。根据第二个评分表评出的优秀选手有:美国的G.莫里斯,他于1936年创造了7 900分的世界纪录;美国的R.马赛厄斯,他于1950年获得两项奥运会冠军,并创造了8 042分的纪录。1952年,根据第三个评分表,马赛厄斯曾先创立了7 887分的纪录,但是后来这一纪录数次被美国的R.约翰逊、苏联的V.库兹涅佐夫和台湾的杨传广所打破。杨传广于1963年创造了9 121分的最后纪录。根据第四个评分表,杰出的运动员有美国的B.詹纳和英国的D.汤普森。根据第五个评分表,美国的D.奥布赖恩和捷克共和国的T.德沃拉克位于杰出运动员之列。关于奥运会冠军参阅**Olympic Games**。

Decatur 迪凯特 美国亚拉巴马州北部城市,摩根县县城(1891)。临田纳西河。1820年设市,名罗得费里,1826年改今名。1836年成为州内第一条铁路终点站。南北战争中曾被南、北两军占据并遭破坏。重建后逐渐恢复。现在的城市由迪凯特和阿尔巴尼(原名新迪凯特)合并而成。有港口运输、旅游和多种制造业。设有田纳西流域学院(1941)和州立J.C.卡尔霍恩社区学院(1969)。人口:市53 929;迪凯特都会统计区145 867(2000)。

Decatur 迪凯特 美国佐治亚州西北部城市,迪卡尔布县县城(1823)。在亚特兰大市东郊。1823年设镇,1922年设市。原为农贸中心,周围地区早先开山采石。附近的斯通山高245米,在州立陵园内,该山峰为北美洲最大的花岗岩体露头。南北战争中南方将领R.E.李、S.杰克逊和南部邦联总统J.戴维斯的肖像雕刻在斯通山上(1970)。随当地农业的衰落,城市人口逐渐增长。市内有艾格尼丝·斯科特女子学院(1889)和哥伦比亚神学院(1828,基督教长老会)。人口18 147(2000)。

Decatur 迪凯特 美国伊利诺伊州中部梅肯县城市。临桑加蒙河湾。1829年建为县城,其名取自美国海军英雄S.迪凯特(又译德凯特)。1836年设村。1855年设市。市内费尔维尤公园保留有林肯工作过的法院,其

迪凯特市米利金大学的文科楼
伊利诺伊州商业和经济发展部供图

首次发表政治演说的地点已辟为市中心林肯广场。现为重要通讯中心和物资集散地。有大型玉米和大豆加工厂,还有拖拉机、电动平土机、轮胎和总气管及总水管设备等制造业。设有米利金大学(1901)和里奇兰社区学院(1971)。人口:市79 285(2003);迪凯特都会统计区114 706(2000)。

Decatur, Stephen 德凯特(1779-01-05,美国马里兰塞因帕克森特～1820-03-22,马里兰布莱登斯堡) 美国海军军官,在1812年战争中担任重要军职。1798年入伍。1804年美国

美国海军学院博物馆供图

炮舰"费城"号为的黎波里人所俘,德凯特率一支远征队伍进入的黎波里港焚毁该舰,一举成功,在炮火中组织撤退,仅一名士兵负伤,因战功卓著被擢升为舰长并荣获国会颁赠的军功佩剑一把。在1812年战争中,他的战舰"合众国"号俘获英舰"马其顿人"号。1813年升任海军少将,指挥驻纽约港海军中队。但在反封锁战斗中,他的旗舰"总统"号被迫向优势的英军投降(1815-01)。后在地中海反击阿尔及尔、突尼斯及的黎波里等地的海盗船的军事行动中,屡建功勋。1815年11月升任海军署长。他在决斗中丧生。

decay(plant disease) **腐朽病** 参阅**rot** *腐烂病*。

decay constant 衰变常数 放射性原子的原子数衰变速率与原子数之比,用下列方程式表示:$dN/dt = -\lambda N$,dN是原子数减少量,dt是时间增量,λ是衰变常数,N是任何时间放射性同位素的原子数。衰变方程式的积分得出$N = N_0 e^{-\lambda t}$表明放射性原子的起始数目N_0按指数衰变,速率决定于衰变常数,放射性原子起始数目衰变一半所需的时间叫做半衰期($T_{1/2}$)。半衰期与衰变常数的关系为$T_{1/2} = 0.693/\lambda$。

Decazes, Élie, Duke(duc) **德卡兹公爵**(1780-09-28,法国圣马丁德拉伊～1860-10-24,德卡兹维尔) 即格吕克斯堡公爵。法国波旁王朝复辟期间温和君主立宪派头目。早年业律师。后历任地方法官(1806),路易·波拿巴在荷兰的参议(1807)和巴黎上诉法院法官(1811)。波旁王朝复辟后,他任巴黎警察局长,后升任全国警务总监。他是国王路易十八的亲密顾问,由于反对白色恐怖,成为温和的君主立宪派领袖。1818年12月任内务大臣,成为J.德索尔政府中的实力人物。他赞成取消审查制度,重新审定税制,但他的计划均遭到极端保王派的疯狂反对。后正式出任首相,但任期很短。1820年封为公爵,出任驻英国大使,1821年任贵族院议员。1830年支持奥尔良派的革命。他对阿韦龙区的煤炭和钢铁生产组织工作做过重要贡献。该区中心城镇德卡兹维尔以他的名字命名。

Deccan 德干高原 讷尔默达河以南的印度整个南部半岛。中央为很高的三角形台地。"德干"一称源于梵文"达克西纳",意即"南方"。高原的东、西两侧为东、西*高止山脉*(Ghāts),相会于高原的南部顶端。北部的终端为索德布尔岭。德干高原的平均海拔约600米,大致向东倾。主要河流:戈达瓦里河、克里希纳河及高韦里河均从西高止山向东流入孟加拉湾。高原气候比沿海干燥,若干地方甚为干旱。德干的早期历史不详。有迹象表明此地在史前期曾有人类居住。由于雨量稀少,在未引进水利灌溉技术之前,耕种必定十分困难。高原的矿藏资源较多,促使许多低地统治者为之争斗。

Deccani painting 德干绘画 16世纪后期兴起于印度半岛德干苏丹国内的一个细密画画派,具有本土艺术与外来艺术高度融合的优美风格。细长的形象似乎与维查耶那加尔的壁画有关联,而繁花密枝的背景、高高的地平线与风景的普遍出现,又表明受波斯画影

18世纪中叶的德干绘画
美国不列颠百科全书公司供图

响。德干颜料浓艳明亮，很多用金和白粉制成。最早的作品是1570年出自比贾布尔的《奴柔姆-厄娄勒姆》（"科学之星"，现存都柏林切斯特·贝蒂图书馆内）。17世纪以来，北方莫卧儿画派和德干画派相互影响。德干画派对发展拉贾斯坦和中印度的印度教王朝宫廷细密画也起了作用。

Decebalus　戴凯巴路斯（？～106）　居住在今称为罗马尼亚地区内的达契亚人的国王。他把达契亚各部落统一为一个民族，并领导他们与罗马帝国进行过多次战争。他在公元85年执政后，立即进攻罗马的莫西亚行省（巴尔干半岛东南部）。89年罗马皇帝图密善与他缔和，此后10年的和平使他得以巩固自己的政权。101年图拉真亲自统率大军征伐达契亚（史称第一次达契亚战争），攻陷达契亚王国的首都萨尔米泽杰图萨（在今罗马尼亚），翌年戴凯巴路斯被迫同意罗马占领军在达契亚驻防。105年戴凯巴路斯击败罗马占领军，并入侵莫西亚（史称第二次达契亚战争）。106年图拉真再次攻占萨尔米泽杰图萨，戴凯巴路斯战败后愤而自杀。107年达契亚成为罗马的一个行省。

deceleration injury　减速运动伤　人体在快速运动物体上或内部随之一同运动时，由于物体突然停止运动而造成的冲击性损伤。见于高速汽车、火车、船只或飞机突然刹车或减速时，或乘坐者从其中甩出时。多数减速运动试验在飞行条件下进行，通常飞行时加速度系数远比在陆地为大。加速力和减速力可用重力加速度（*g*）计量。影响减速运动的因素是初速度、减速所经距离及所需时间、力的方向和分布面积。驾驶员耐受减速的最佳位置是背向加速方向，并依靠在固定的金属座椅上，座椅靠背应有1.3厘米厚的可吸收能量的毡垫。当发生减速运动时，驾驶员身体压向座位，而由座椅支撑；如果这时背对加速运动方向而坐，则加速运动时驾驶员被压向座位，但减速时驾驶员被抛向前面。若受减速作用力的影响超过0.2秒，便可引起体液移位或组织变形。如果面向前方而坐，耐受减速作用的时间不足0.2秒，则人体可耐受的最大减速作用力为30*g*。反应为血压降低、脉搏加快、虚弱无力及皮肤苍白。如果面向后方而坐，则可耐受35*g*，且很少有明显不适。大风和气流阻力在减速运动中亦可造成人体损伤（如座椅弹射、跳伞和打开座舱罩时）。空气阻力所致的减速往往要比机械制动所致的减速造成的损害大，因为减速所用时间较长，并且驾驶员还必须以不同的体位来承受冲击力作用。减速运动伤包括休克、脑震荡、皮肤擦伤、扭伤、皮肤撕裂伤、内部器官破裂、骨折、呼吸和循环停止、严重出血及不可恢复的器官损害。

December　十二月　格雷果里历的第十二个月份。参阅 **month**。

December Ninth Movement　"一二·九"运动（1935）　中国北平（今北京）爆发的学生抗日救亡爱国运动。1931年日本占领中国东北后，逐步深入华北。1935年下半年控制察哈尔（今并入河北、山西），企图在冀东成立傀儡政权。国民党政府采取不抵抗政策，准备成立"冀察政务委员会"，使"华北政权特殊化"。

"一二·九"运动中学生与国民党政府军警英勇搏斗
中国大百科全书出版社供图

中国共产党于8月1日发表宣言，号召全国人民抗日救国。12月9日北平学生6 000多人举行示威游行。国民党政府调集大批军警镇压，打伤很多学生。次日全市学生总罢课。12月16日学生、市民1万多人又举行示威游行，迫使"冀察政务委员会"延期成立。北平学生的爱国运动在全国引起反响。杭州、广州、南京、上海、天津、武汉、长沙等地学生相继示威游行，要求国民党政府停止内战，实行抗日，形成遍及全国的抗日爱国运动。

Decembrist　十二月党人　俄语拉丁字母转写作Dekabrist。指在1825年12月26日（俄历12月14日）领导一次未成功起义的俄国革命者。他们的殉难激励了俄国后来的持不同政见者。十二月党人原为上层阶级分子，大多数当过军官，有的人还参加了拿破仑战争后俄国对法国的占领或在西欧某地服役；少数人是共济会成员，有的还是俄国秘密的爱国（后来是革命的）团体——救世军联合会（1816）、福利会联合会（1818）和北方协会（1821）及南方协会（1821）——的成员。北方协会趁沙皇亚历山大一世去世而新王尚未即位的短暂混乱时期发动起义，说服圣彼得堡的一些军队拒绝向尼古拉一世宣誓效忠，并要求他的兄弟康斯坦丁继位。可是这次暴动的组织工作很差，被轻易地镇压下去，王子特鲁别茨科伊上校是临时专政者，立即逃走。南方由切尔尼戈夫军团发动的起义也很快失败了。接着是由尼古拉亲自参加的一场大规模的调查活动，结果是对289名十二月党人进行了审判，5人被处死（彼斯捷尔、穆拉维约夫-阿波斯托尔、卡霍夫斯基、别斯图热夫-留明和雷列耶夫），31人被监禁，其余被流放到西伯利亚。

decemviri　十人团　拉丁语，意"10个人"。在古罗马，指任何由10人组成的政府委员会。这一名词最常用于"法律起草十人团"——一个在公元前451～前449年取代正式长官职权的临时性立法委员会。其任务是制订一套法典，以解决贵族与平民之间的权力斗争。第一届十人团班子施政稳健，于公元前451年草拟十铜表法。第二届委员会完成了《十二铜表法》，其中两项法律对平民不利。公元前449年，十人团因暴戾恣睢而被迫下台。身份审查十人团设立一个民事法庭，决定个人的自由或者奴隶身份。当有个人自由发生疑问的案件时，它开庭审理。

Deception Bay　迪塞普申湾　澳大利亚昆士兰州东南部一海湾与旅游城镇。因注入海湾之迪塞普申河而得名。该河因河口有许多浅滩而于1823年被探险家J.奥克斯利命名为迪塞普申河，现称卡布尔彻河。该湾所在城镇又以此湾而得名。迪塞普申湾镇位于卡布尔彻镇东南约14千米及布里斯班市以北约40千米处，可提供安全的游泳区域、钓鱼、划船与各项水上运动。雷德克利夫市位于构成本海湾南界的同名半岛上。迪塞普申湾镇人口5 773（1986）。

Deception Island　迪塞普申岛　南极半岛岸外德雷克海峡内，南设得兰群岛的一个岛屿。为一沉没的火山，山口（直径16千米）形成南极最优良的锚地之一。1910年起为进入英属极地的中心港口。自1906至1931年也是捕捉鲸鱼和海豹的工作站，在第二次世界大战期间是英国军事基地。英国、阿根廷和智利均称对该岛拥有主权并在岛上设有工作站。1967年起接连发生火山喷发和地震。

Déchelette, Joseph　德谢莱特（1862-01-08，法国罗阿讷～1914-10-08，埃纳）　法国考古学家，所著《史前、凯尔特和高卢罗马考古学指南》（1908～1914）一书，是一部重要的法国史前史著作。曾发掘博乌莱山高卢遗址，写成《比布拉克特古罗马城堡》（1903）。一生著述120种，以《指南》一书最为著名。

decibel（dB）　**分贝**　表示两个电功率或声功率之间比率的单位，也用作量度声的相对响度的单位。1分贝（即0.1贝尔）等于功率比的常用对数的10倍，即声的强度加1倍意味着增加了3分贝多一点。按通常习惯，声强的描述是该声的强度与人耳刚能听到的强度的比较。例如90分贝（即9贝尔）的声比勉强能探测到的声要强10^9倍。分贝还用于表示两个电压或电流的量值之比，这时，1分贝等于比值的常用对数的20倍。贝尔这一术语由纪念发明电话的A.G.贝尔而命名。

deciduous forest　落叶林　主要由全部树叶季节性脱落的阔叶树组成的植被。落叶林出现在三个中纬度地区，这些地区属温带气候，有冬季、全年有降水，如北美东部、欧亚大陆西部和东北亚。落叶林也可沿河床和围绕水体伸展到比较干旱的地区。关于热带地区的落叶林，参阅 **monsoon forest**。中纬度落叶林的优势树种有栎、山毛榉、桦、栗、白杨、榆、槭和椴。这些树种形状和高度各异，生长浓密，只有相当少量的光线能透过多叶的林冠。灌木主要见于近林中旷地处或森林边缘，这些地方光线比较充足。春季的森林内有丰富的草本显花植物，此时乔木尚未长满叶子。落叶林茁壮成长的土壤属灰棕壤和棕色灰壤，这些土壤略带酸性，并具有一个粒状腐殖质层，称为细腐殖质，是由有机物质和矿质土壤组成的多孔混合物。

在林中的细腐殖质中栖居着许多细菌和无脊椎动物，例如蚯蚓。蜗牛、蛞蝓、昆虫和蜘蛛是落叶林常见的动物种类，此外还有许多冷血脊椎动物，例如蛇、蛙、蝾螈和龟鳖。鸟类的代表有莺、鹟、绿鹃、鸫、啄木鸟、隼和枭。重要的兽类包括小鼠、鼹鼠、花鼠、兔、鼬、狐、熊和鹿。温度、湿度和海拔的不同，可能导致在落叶林类型中形成不同的植物群丛，典型的例子如北美东部落叶林的北部以山毛榉和槭占优势，这个植被的南部则以栎和山核桃占优势。

decimal number system　十进制数系　又称印度-阿拉伯数系或阿拉伯数系。数学中，采用10个不同数字0,1,2,3,4,5,6,7,8,9和小数点组成的位值制**数系(number system)**。其中，用以表示一个数的数字按照它所在的位置而取不同的位值。在基为10的系统里，数543.21表示和数$(5\times10^2)+(4\times10^1)+(3\times10^0)+(2\times10^{-1})+(1\times10^{-2})$。

Děčín　杰钦　德语作Tetschen(泰辰)。捷克共和国北捷克州城市。在易北河(拉贝河)峡谷中，邻近德国边界。为周围旅游风景区的经济和文化中心。建于12世纪，第二次世界大战前，居民大多为德意志人。河港繁荣。工业有金属加工及纸张、纺织品和化学品制造。人口约55 112(1991)。

decision problem　判定问题　对于数学和形式逻辑中的一类问题，在选定其中任何一个问题之后，寻求可对该问题得出一个明确回答"是"或"否"的一种算法或重复程序，这就称为"判定问题"。这个方法就是逐次进行由预先规定的规则所确定的有限数量的步骤。这个术语特别用于这样的求解步骤：在一个特定的逻辑系统中，即逻辑演算或形式数学系统中，某个特定的"合式公式"(按照既定的构成规则形成)是否能够证明为该系统的一个定理。

decision theory　决策理论　统计学中提出和解决一般决策问题的理论和方法。决策问题可以概述为以下诸项内容：一组可能的环境状态或可能的初始条件；若干可供选择的试验和对应于这些试验的可能结果，这些试验可提供有关事务状态的信息作为制定决策的准备；若干可供选择的行动(即决策函数)，这些行动与试验及其结果有关；一组可能的行动后果，其中每一个可能的行动赋予每一种初始条件以某一个确定的后果。问题是在选定试验和决策函数的条件下估计各种后果出现的可能性，同时，按决策者的价值标准或偏好对一切可能出现的后果给出效用函数。所谓问题的最优解就是选择最优决策函数。最优决策函数使每一个试验结果对应一个最优行动，而最优行动使效用达到极大；同时，问题的最优解还包括选择一个最优的试验。

Decius, Gaius Messius Quintus Trajanus　德西乌斯(约201，下潘诺尼亚布达利亚[塞尔维亚斯雷姆斯卡米特罗维察附近]～251)　罗马皇帝(249～251)。与莫西亚哥特人侵者作战，并在帝国范围内发动首次有组织的迫害基督徒活动。曾任元老院议员，并担任过执政官。约245年皇帝腓力(阿拉比亚)任命他为多瑙河地区驻军长官。249年部下拥立他为皇帝。251年6月，他在多布罗加沼泽地与侵入莫西亚的哥特人作战时阵亡。他在位期间颁发一道诏书(约250-01)，命令全体公民在长官的参加下履行一次宗教祭祀仪式。随后，他对公然违抗政府命令的基督徒进行迫害，将罗马、耶路撒冷和安条克的主教处决。这是在帝国范围内第一次有组织的迫害基督徒活动。

Decken, Karl Klaus von der　德肯(1833-08-08，勃兰登堡科岑[德国]～1865-10-02，索马里巴尔代雷附近)　德国探险家。曾到东非探险，为攀登乞力马扎罗山的第一个欧洲人。1860年到马拉维湖(尼亚萨湖)地区探险。次年与一位地质学家到乞力马扎罗山，1862年登上了约4 200米高处，观察了终年积雪的山顶，确定高度为6 100米左右，并绘制了该地区的地图。1863年到马达加斯加和马斯克林群岛。1865年冒险进入索马里，乘小轮船沿朱巴河上驶，轮船在巴尔代雷上游急湍中沉没，德肯在此和另外3个欧洲人被索马里人杀害。

Declaration of Human Rights　参阅**Universal Declaration of Human Rights**《世界人权宣言》。

Declaration of Sports(England)　参阅**Sports, Book of**《关于体育运动的布告》。

Declaratory Act　《公告》(1766)　英国国会在废除《印花税法》时发布的一个声明。其中宣称它在美洲的征税权与在英国无异。虽然《印花税法》的废除安抚了殖民地的人民，但是《公告》却维护了英国国会有全权"在任何情况下"制定对美洲殖民地具有约束力的法律的原则，从而使殖民地人民感觉到英国国会有扩大帝国版图的意图。《公告》表明英国对18世纪美洲殖民地在政治上的逐渐觉醒茫然无知。英国国会命令纽约议会休会(1767)以及颁布新条例和法规，使殖民地人民对英国国会威胁殖民地自治制度的疑惧日益增长。

declaratory judgment　说明性判决　在法律上，指司法部门的一种意见，其目的只在于确认或澄清以前尚不肯定或有疑问的有关法律或当事人权利的一个或几个问题。说明性判决具有约束力，但与其他判决或法院意见不同的是，它没有执行程序。它仅仅宣告或者说明原告人、被告人或双方必须尊重的权利或必须避免的错误，或者就某一有争议的法律问题发表法院的意见，而不命令做任何事情。虽然一项说明性判决必须针对一个实际的争端而不是假想的争端，但是不一定需要一项导致刑事责任或要求民事损害赔偿的实际错误行为已经发生或即将发生，或酝酿发生。美国法律中的说明性判决是经过一项联邦法令，即《说明性判决法令》(1934)加以规定的。

declination　赤纬　天文学名词。指天体到天赤道的南或北角距离。用赤经、赤纬可确定天体在天空的位置，北纬为正，南纬为负。因此，赤纬+90°是指北天极，0°指天赤道，赤纬-90°指南天极。赤纬通常用小写希腊字母δ表示。

decompression chamber(medical device)　**减压舱**　参阅**hyperbaric chamber**高压舱。

decompression sickness　减压病　又称bends或caisson disease(沉箱病)。自高压环境骤然转至低压环境时，由于体内有气泡形成而引起的机体生理变化。非增压座舱式飞机驾驶员、潜水员和沉箱工人最易罹患。在常压下人体组织内溶有少量与空气成分相同的气体，当驾驶员升向高空时，外界压力降低，这些气体便脱离溶解状态。如果上升很慢，则气体有足够时间自组织弥散至血流内，然后进入呼吸道自体内呼出。潜函病为减压病的一种，可因潜水员呼吸压缩空气而引起。当潜水员沉入水中时，外部压力随深度而成比例增加，此时呼吸的压缩空气的压力与周围水压相等。潜水员在水下停留的时间愈长、下沉得愈深，体内吸收的压缩空气就愈多。因此当潜水员上升时，就必须有足够时间使这些多吸收的气体逐渐排出，以免在组织内形成气泡。导致减压病的气体主要是氮气。氧气吸入后被体细胞耗用，产生的二氧化碳可被不断呼出，只有氮气在组织内积聚直至达到饱和。当外界压力低于饱和压力时，多余的氮气即释出。氮气易溶于脂肪组织，因此，富含脂质的组织吸收的氮气较多。神经系统约由60%的脂质组成。若气泡在脑、脊髓或周围神经形成，便可引起麻痹和惊厥(潜水员麻痹)、肌肉协调障碍和感觉异常(潜水员蹒跚)、麻木、恶心、言语缺陷及人格改变。当气泡在关节积聚时，通常有关节剧痛和活动受限。小的氮气泡积于皮下形成皮下气肿，可引起红疹、瘙痒(潜水员痒)，症状通常于10～20分钟后消失。若见剧咳和呼吸困难(称为气窒)，便说明呼吸系统内有氮气泡，可致胸痛、呼吸烧灼感及严重休克。氦远不及氮易溶于人体组织。使用氦氧混和气代替空气可减少减压病的发生。将患者放在高压舱内先加压，后逐渐减压常可达到解救目的，但对已形成的组织损害无效。

decongestant　减充血药　减轻患感冒及枯草热等病时出现的鼻黏膜水肿的药物。用药方式为经鼻腔喷雾、滴鼻或气溶胶吸入，进入鼻腔后，能收缩血管壁肌肉而使鼻腔黏膜皱缩，因此减低发炎部位的血流量。此种作用主要影响小动脉，虽然毛细血管、静脉及较大动脉对之亦有一定程度的反应。此类药物是拟交感神经药物。肾上腺素即是一种主要的减充血药。其他减充血药的化学结构与肾上腺素相似，故作用亦相似。其中应用最久、最重要的是麻黄碱，最初由数种麻黄属灌木的叶中取得。麻黄在中国已有5 000多年药用的历史。麻黄碱及其他减充血药,包括盐酸脱羟肾上腺素、苯异丙胺及其衍生物、盐酸萘唑啉等,已能用化学合成法制造。因为这些药物的作用时间均很短暂,故必需反复应用;但常用之后,可被吸收入血,引起神经过敏、失眠、眩晕、头痛、心悸等。

deconstruction 解构 由J.德里达在法国开创的文学批评学派或运动。他在20世纪60年代后半叶初期出版的一系列书籍中,对西方传统的形而上学发动了一次较大的批判。解构可以被想象为对方法学的一次考察。像弗洛伊德的心理学理论和马克思的政治理论一样,德里达的解构方法离开了索绪尔坚持随意解释语言符号的立场,接着正式成为后现代主义的一个重要部分,特别是在后结构主义的文学理论和文本分析方面。德里达和后来的批评家的解构原则虽然颇获公认,它们仍然多少引起了一些争议。哲学上的解构为了揭露西方形而上学所依据的那些心照不宣的假说的偏见(专用的术语),对许多分等级的对立面如因与果、有与无、口述("语言中心论")与笔写等提出了质询。解构分解了作者用以提出主张的语言逻辑,这个过程显示了所有文本如何伤害了自身,因为每件文本都包含着恰巧与其开始所主张的命题相对立的其他命题不自觉的"痕迹"。解构伤害了"语标中心论"(照字义解释,就是以词、以那个原始的引发其他词的词为中心,其他概念如真实、同一和必然都因该词而得以确证;但是,更通常被理解为对理由和合理性的信任,即信任意义本来存在于世界上,不取决于任何人试图用词来表现它)。从这个观点可以看出,文本的"意义"只同作者有意识的意向具有偶然的联系。解构批评的效果之一就是把语言从概念和词语对象拆散开来。在许多美国学者看来,解构似乎是超越"新批评"(及其对文本的强调)的合乎逻辑的一步,它在耶鲁大学已为曼和米勒等人接受并加以发挥。其他与之观点相近的学者有哈特曼、贝尔西、布卢姆、多纳托、费尔曼、富科、约翰逊、赛义德、卡勒和加雅特里·斯皮瓦克等。

décor simultané (theatre) 参阅 **multiple setting** 多重布景。

decorative art 装饰艺术 各种能够使人赏心悦目而不一定表达理想或观点、不要求产生审美联想的视觉艺术。一般还有实用功能。陶瓷制品、玻璃器皿、宝石、家具、纺织品、服装设计和室内设计,一般被认为是装饰艺术的主要形式。此外,还包括从书籍装帧到军器制造等多种其他活动方面。按传统观念,往往指欧洲为满足上层和中产阶级需要而以手工制作或生产数量有限的奢侈品。这一名称目前仍用于整个历史上的部分西方艺术,但装饰艺术从美术中的分出已是大势所趋。根据历史记载,第一次使用"装饰"一词是在1791年。19世纪通常用来泛指机器生产的小型艺术品,后逐渐被认为可用于任何能加于平面的艺术修饰。现今通用"应用艺术"一词。后又被视为廉价产品生产的一个要素,名为"工业艺术"。这种观点曾受到以W.莫里斯为首的"艺术和工艺运动"的反对。今天,装饰艺术家既可对投入大批量生产的高质量作品进行设计,也可直接用手工方式生产个别产品。过去不存在美术和装饰艺术之分,历史上包括拉斐尔和弗拉戈纳尔在内的许多伟大画家都曾从事装饰艺术的创作。19世纪和20世纪早期,随着两种艺术的区分,艺术家也逐渐趋于专业化。

但近几十年来,许多艺术家曾通过装饰艺术或"手工"作品参与当代美术问题的讨论,结果,美术与装饰艺术的界限又日益难以明确区分。例如,尽管有许多当代陶器艺人创作价廉物美的产品,但有些人(如P.沃尔科斯,R.达克沃思,R.阿内森和R.德·沃尔)却力图通过陶土作品达到与当代美术家的创作更密切联系的意图。非西方文化通常对装饰艺术和美术不加区分。例如,在东亚,陶瓷制品、书法以至插花(特别是在日本)都被赞誉为创造性艺术。

decoupage 剪纸装饰术 模仿图画,将纸剪贴在木板、金属板或玻璃板上的艺术。虽然它的技巧多种多样,但一般包括4个基本步骤:剪出图样、拼成景物或故事、进行粘贴、在图样上涂多层薄漆。作为一种家具装饰,剪纸装饰术起源于17世纪的法国,受到传统剪纸艺术,包括中国古代的剪纸术、西伯利亚人的毛毡补花术和波兰民间的剪纸术等的影响。18世纪把专门印制的图样上优美动人的图案剪下来粘贴在扇子、屏风和发刷等梳妆用具上,这在整个欧洲成为一种时髦的消遣。19世纪出现的从一个小孔窥视风景缩图的西洋镜是剪纸装饰术的产物。20世纪60年代,剪纸装饰术在美国重又流行,成为盒子、托盘、纸篓、灯罩、箱子和屏风上很受欢迎的装饰品。

Decoux, Jean 德古(1884,法国波尔多~1963-10-21,巴黎) 法国维希政府驻法属印度支那总督。1935年升任海军中将。1939年出任法国驻远东海军司令。1940年7月法国投降德国后,任印度支那总督。同年9月与日本签订条约,向日本开放海防港口和允许日本军队进驻东京(今在越南北部)。1941年他动员印度支那的人力物力为日本侵略战争服务。他力图改善印度支那人民与法国殖民主义者的关系,建立了一些青年团体和其他组织,但这些团体组织后来都反对法国殖民主义统治的卷土重来。第二次世界大战结束前夕转向戴高乐将军领导的自由法国,暗中破坏日本侵略军的力量。1945年3月被日军逮捕。第二次世界大战后因参加维希政府和支援日寇的罪行被法国判处徒刑2年。1949年出版回忆录《我当总督的经过,1940～1945年》。

decree, interlocutory (law) 参阅 **interlocutory decree** 中间判决。

decretal 教令 天主教名词,指教皇对有关教规的问题的书面答复,现称"敕答"。仅对某一具体问题具有权威性,而不具有普遍法律效力。然而,教令对教会法的发展和解释影响很大,因为在解决类似问题时常引用教令作为依据,也有一些教令经教皇批准成为教会法。

Decretum Gratiani (12th-century church law) 参阅 **Gratian's Decretum**《格拉蒂安教令》。

Decroly, Ovide 德克罗利(1871-07-23,比利时龙瑟～1932-09-10,布鲁塞尔) 比利时致力于残疾和正常儿童教育的先驱。原为医生,在一所学校负责反常儿童的医治工作,因而对教育发生兴趣,并于1901年在比利时于克勒建立充满家庭气氛的反常儿童学院。他使儿童在这个学校获得的知识远比在许多正常儿童学校获得的更好也更扎实。这一成功促使他在1907年开办一所"修士学校"。这是一所为正常儿童办的学校,在那里他进一步运用他的教学方法,将教室看作一个工场,课程以儿童的需要为依据,而在食、宿、防御和工作4个范畴内将课程组织起来。儿童的需要成为一年学习的中心,并在儿童需要的范围内,鼓励儿童发展个人兴趣。他的方案被称为德克罗利方法。

decubitus ulcer 参阅 **bedsore** 褥疮。

decurio 什长 复数decuriones。在古罗马,10人一组的首领,这一称号既用于文官,也用于军人。文官的什长指地方议会成员,掌握地方行政、财务和司法大权。武官的什长指骑兵分队的军官。

Dedekind, (Julius Wilhelm) Richard 戴德金(1831-10-06,不伦瑞克公国不伦瑞克[德国]～1916-02-12,不伦瑞克) 有高度独创性的德国数学家。他借助于算术的概念重新定义了无理数,并在代数数论的创建工作中提出了数域、环、理想等基本概念。1848年前在不伦瑞克上大学预科时,主要兴趣在化学和物理;1848～1850年在卡罗林学院,兴趣转向微积分、代数和解析几何,这有助于提高其数学水平以及后来能在格丁根大学在C.F.高斯的指导下研究高等数学。1854～1858年成为格丁根大学不拿工资的讲师,在讲课中可能首次介绍了伽罗瓦理论,同时还听狄利克雷的课。这些经验使他看出需要借助于算术的性质来重新定义无理数。1858年到苏黎世理工学院工作。1862年在不伦瑞克的工学院任教,在那里他发展了一种想法:有理数和无理数可以构成一个(无空隙的)实数连续统,只要实数和直线上的点有一一对应的关系。他用算术概念重新定义无理数的方法就是有名的戴德金分划。1872年他在《连续性和无理数》一文中发展了无理数的算术表示。还提出能与自己的真子集建立一一对应的集合是无穷集。在1879年发表的《代数数论》中提出理想的理论。尽管他的关于数学基本理论的许多重要思想,在他有生之年并未被人们充分承认,但仍然影响着现代数学的发展。

Dedham 戴德姆 美国马萨诸塞州东部诺福克县城镇、县城(1793)。临查尔斯河,紧靠波士顿西南。为马萨诸塞湾殖民地最早移民点之一。1635年始建。1636年设镇。现主要为住宅区,有轻工业。镇上的费尔班克斯家宅(1636)被认为是美国现存最老的木板房。伍德沃德(菲希尔)客店为1774年9月通过抗议英国殖民统治的萨福克决议的会址。人口23 464(2000)。

Dedication, Feast of(Judaism) 参阅 **Ḥanukka** 再献圣殿节。

deduction 演绎 逻辑中,从一个或若干陈述(前提)严格证明或者推导出一个陈述(结论);即一连串的陈述,其中每个陈述如不是一个前提,就是这证明中前面一个陈述的结论。这种用法使亚里士多德所称的三段论普遍化,但三段论现在被看做只是演绎的一种特殊情形。同时,大多数逻辑学家都认为:所谓演绎的进行就是"从一般到特殊"或者"从共相到殊相"这种传统观点是错误的,而予以摒弃。有些专家认为一切正确推理形式上都是演绎的,并且由于这个原因和其他一些原因而否定演绎和归纳之间的对比。

Dedza 代扎 马拉维中部城镇。位于代扎山(2 198米)山麓,靠近莫桑比克边界。气候凉爽宜人,水源充足。是附近肥沃农业区(稻米和马铃薯)的贸易中心。山上种植大片软木林。有锯木厂。设有林业学校。以前人口稀少。20世纪20和30年代自莫桑比克迁来许多逃税的移民。人口5 578(1977)。

Dee, John 迪(1527-07-13,英格兰伦敦~1608-12,萨里莫特莱克) 英国炼金术士、占星家和数学家,对英国数学的复兴有重大贡献。1547~1550年,在欧洲大陆讲学和学习,1551年回英国,获得政府授予的奖金。后任玛丽·都铎女王的占星官,不久以魔术师罪名遭监禁,1555年获释。他受到伊丽莎白一世的宠幸,除在宫廷中从事占星术和卜卦外,还向正在探险的驾驶员和航海家作出指导和建议。1570年欧几里得著作的第一部英译本出版,虽然公认此书是亨利·比林斯利爵士所译,但很可能是他译了该书的一部分或全部,他还写了序言,提高了当时人士对数学的兴趣。1595年成为曼彻斯特学院院长。

Dee, River 迪河 在苏格兰格兰扁行政区。源出海拔1 250米的凯恩戈姆山脉,东流145千米至阿伯丁注入北海。上游在高原峡谷中,水流湍急。自阿博因以下河谷加宽,两岸为良田沃野。盛产鲑鱼。

Dee, River 迪河 在北威尔士和英格兰。长约110千米。源出圭内斯郡斯诺登尼亚国家公园的杜尔特山谷斜坡上,水流湍急,注入巴拉湖。再向东北流至科文,向东流经兰戈伦山谷。通过托马斯·特尔福德高架渠(1805),至什罗普郡联合运河。向北蜿蜒越过柴郡平原的富庶牧草地和切斯特流入人工水道。河口湾长19千米,宽8千米,是一片沼泽地。河口主要城镇为弗林特。

Deeds of the Romans(book) 参阅 **Gesta Romanorum**《罗马人传奇》。

deep-scattering layer 深海散射层 生物群(通常为鱼群)活动的水平区域。在许多海域中,水下存在深海散射层,因其能散射或反射声波,使测深仪产生回波,故名。原先有人误认为深海散射层就是海底,后来发现它在黄昏时向水面上升,而在黎明时向下沉,于是推断它是由生物体组成的。拖网船的经验和用潜水器观察都证实了这一点。

deep-sea fish 深海鱼 见于大洋深处(通常在600米以下乃至2 700米)的硬骨鱼纲鱼类。分属10多个科,特征是口大、眼大,身体某一或某些部分有发光器。发光器既用于诱捕猎物,也用于引诱配偶。深海鱼在进化过程中为适应压力极大、极寒冷和黑暗的生存环境而形成了这些特殊习性。深海鱼的栖息地在世界上最为特殊。由于深海中的竞争不如岸边或浅海中那么激烈,使许多原始类群得以存活至今。最重要的深海鱼类群有深海垂钓鱼、蝰鱼及钻光鱼。深海垂钓鱼属角鮟鱇亚目,它们诱捕猎物的方法是摇动脊鳍的鳍棘作为诱饵;蝰鱼属于蝰鱼科,有许多尖状牙,是可畏的掠食性鱼;钻光鱼属于钻光鱼科,是世界上数量最多的鱼类之一。

deep-sea trench 深海沟 又称大洋沟、海沟。指大洋底上任何两壁陡峭的狭长凹陷,里面出现大洋的一些极深处(深约7 300米~11 000米以上)。已知的这一类最深凹陷是位于北太平洋西部的马里亚纳群岛以东的马里亚纳海沟。海沟一般邻近向大海一侧的岛弧或大陆边缘的山脉,并与之平行。地球上20条主要海沟当中,有17条见于太平洋。仅有的两条大西洋海沟是加勒比群岛以北的波多黎各海沟和南美洲同南极州之间的德雷克海峡以东的南桑威奇海沟。唯一的一条印度洋的主要海沟是印度尼西亚以南的爪哇海沟。海沟的横剖面一般呈V字形,靠近陆地的一侧更陡些。海沟的典型坡度在4°~16°的范围之内,不过在赤道带南太平洋的汤加海沟里测到了45°的陡坡。海沟的中轴部一般是由停滞的沉积物构成的狭窄的、平坦的深海平原。地球物理资料提供了关于海沟成因的重要线索。在海沟里并没有出现地球内部热流方面的不正常或者地磁场方面的变化。不过,精密的测量结果显示重力值一般比正常值低。这些负的重力异常值一般说明位于海沟下面的那部分岩石圈(构成地球坚硬的最外层的地壳和上部地幔)正在逆着均衡作用的浮力被迫下冲。对重力数据的这种解释得到了地震学研究的证实。所有海沟都与震源带有关。沿太平洋周围的地震都发生在海沟附近,而且在靠近陆地的一侧,深度在地下55千米范围内,甚至更浅些。海沟距离陆地越远,发生地震的深度也越大——500千米,甚至更深。这样,震源便限定在与陆地呈约45°倾角插在大陆底下厚约20千米的扁平带内。对这些地震带以及历次地震的分析结果表明,地震活动性是由岩石圈板块与其连带的地壳下降到软流圈(岩石圈底下的部分熔融的层)里引起的;大洋沟就是这种运动在地形上的表现。大洋岩石圈的下沉可以解释海沟范围内聚积起来的沉积物何以相对地贫乏。少量的褐色或红色黏土、硅质有机物遗体、火山灰和火山弹,以及从浊流(满载沉积物的水流)中和海沟壁的滑塌中产生的粗粒的粒级递变层,出现在海沟的轴部。水深不到4 500米的海沟壁上的沉积物主要是钙质有孔虫软泥。大量沉积物不能聚积起来的原因在于不是被俯冲的大洋岩石圈拖到地球内部去了,就是被扭曲成了褶皱体而被压制成大陆边缘的新的物质了。

deer 鹿 偶蹄目鹿科(Cervidae)反刍哺乳动物,每足具4蹄,二大二小;大部分种类的雄体及少数种类的雌体有角。鹿类的共同特征就是具分叉的角。鹿主要栖于森林,但亦可见于多种多样的生境,如荒漠、冻原、沼泽及高山山腰。原产于欧洲、亚洲、北美、南美及北非,已引入夏威夷群岛、澳大利亚和新西兰等地区。有约16属,30种。虽然各家分类不同,但通常分为4个亚科:麝亚科(Mos-

两头雄性欧洲赤鹿(*Cervus elaphus*)在发情期为争夺雌鹿而角斗

美国不列颠百科全书公司供图

鹿角的发育：（上）狍（*Capreolus capreolus*）角上覆以嫩皮；（中）美洲赤鹿（*Cervus canadensis*）的角上嫩皮脱落；（下）驼鹿（*Alces alces*）的角充分发育
美国不列颠百科全书公司供图

chinae)、麂亚科（Muntiacinae）、空齿鹿亚科（Odocoileinae）及鹿亚科（Cervinae）。鹿的肩高各异，南美短尾鹿属（*Pudu*）的种类——南美短尾鹿肩高约30厘米，而驼鹿（*Alces alces*）肩高达2米或更高。鹿类一般身体柔软而结实，尾短。耳大，但通常细长。腿通常细长，足部有偶数的蹄。被毛一般稍显粗糙，但外观甚为光滑。有的鹿类的被毛更为粗浓蓬松，尤其是在严冷的季节。毛色通常为浅褐至黄褐，胸部及喉部常有白色。大部分种类幼体的皮毛有斑点。某些种类，尤其是体型较小者，成年后仍保持身上的斑点。除麝（*Moschus moschiferus*）和獐（*Hydropotes inermis*）外所有鹿类的成年雄体均有角，而驯鹿（*Rangifer tarandus*）则雌雄均有角。鹿角为实心的骨质突出物，从额骨生出，每年脱落一次并重新生长。鹿角初生时为小球状，覆以一层软皮，呈天鹅绒状。鹿角生长迅速，随着鹿角的生长，大量骨质沉积在其基部，限制了血液循环，最后血液循环完全停止，鹿角表面覆盖的皮肤干燥。随后皮肤被磨脱，动情期开始时坚硬的鹿角充分发育。不同的种类鹿角的外形各具特征。有的种类的角具一主干，并有一个至多个尖叉；另一些种类的角呈二叉状甚至更复杂的分支。通常鹿类发育到壮年时期，其角最大、形状也最复杂。过了壮年期鹿角往往退化。鹿角基部的骨质被重吸收，从而导致鹿角脱落。重吸收过程使鹿感到不适，便在树上或其他硬物上磨擦其角。鹿角基部变得相当脆弱时，整个鹿角便脱落。麝、獐、麂属（*Muntiacus*）的种类以及毛冠鹿（*Elaphodus cephalophus*）的上犬牙长，似獠牙。鹿为草食性，以草、嫩枝、树皮、芽为食。通常群居。有些种每年进行长距离的迁徙。清晨及近黄昏时最活跃，中午及夜间休息。多数鹿类生活于由家族成员组成的小群中，但雄体往往季节性地独居。在暖和的气候条件下，一年中任何时间都可进行生殖活动，在寒冷的气候条件下生殖活动于秋冬进行。妊娠期短至麝的5个月，长至狍（*Capreolus capreolus*）的10个月。每产1～2仔，水鹿每产可多至7仔。多数鹿类为一雄多雌。雄鹿与其他雄鹿角斗以争夺雌体。特别在动情期，鹿类的行为可能变得难以预测。北美驼鹿以性情暴躁著名。鹿用角或蹄攻击敌手，角用以戳刺，蹄用以猛踢。偶然，两只角斗的雄鹿的角紧紧缠在一起，双方均饥饿而死。人类捕猎鹿类以食其肉，取其皮，鹿角可作装饰品，中国人很早就以鹿茸入药。在某些地区，驯鹿饲作家畜。多数鹿类的肉被视为佳肴。鹿皮经适当鞣制即成软皮革。驯养的鹿类，著名的如驯鹿，可提供味似牛肉的鹿肉、皮革、奶，又可用作役畜或坐骑。

Deer, The Book of　《迪尔集》　有彩饰的拉丁文手稿，可能写于9世纪圣科伦巴在迪尔隐修院（今苏格兰阿伯丁郡）建立的一寺院，内有用12世纪拉丁文和苏格兰盖尔文增补的篇章。包括《约翰福音》全部和其他3部福音书的部分章节、《使徒信经》的早期文本，以及后来苏格兰的大卫一世授予修士的特许状。大写字母、页边和福音书作者画像等彩饰与早期爱尔兰福音书相似。《迪尔集》是1860年在剑桥大学的图书馆被发现的。12世纪盖尔文备忘录（现存最早写于苏格兰的盖尔文史料），为有关苏格兰历史上一个鲜为人知的时代即凯尔特时代末期提供了资料。它们记录了部族组织、土地划分、寺院土地所有权的细节，还记述了创立过程。

deer mouse　鹿鼠　参阅 **white-footed mouse** 白足鼠。

deer tiger　鹿虎　参阅 **puma** 美洲狮。

Deere, John　迪尔（1804-02-07，美国佛蒙特拉特兰～1886-05-17，伊利诺伊莫林）　美国农具发明家及制造者的先驱。迪尔17岁时当铁匠学徒，4年后开始自己的铁匠生意，并在他的家乡佛蒙特州的各村镇工作了12年。1837年33岁时迁往西部，最后定居于伊利诺伊州的大迪图尔。他在该地开设铁匠作坊，次年接来妻儿。他与安德鲁斯少校结成合伙关系。迪尔在其频繁的修理工作中发现，美国东部自19世纪20年代以来使用的木-铸铁结构的犁不适用于中西部草原的黏重土壤。他开始实验，到1838年，他和他的合伙人已售出3具新式铁犁。他继续进行实验，造出10具改进犁，并于1840年造出40具新式犁。到1846年，年产铁犁约达1 000具。考虑到大迪图尔的地理位置在资源和运输方面不利于发展，1847年他将作坊的合伙股份售给安德鲁斯后迁到伊利诺伊州的莫林。在该地他开始使用进口的英国钢材，取得很大成功，随即和匹兹堡的钢厂洽商研制出与英国材质相当的钢板。1857年迪尔的钢犁年产量高达10 000具。1858年，迪尔招他的儿子查尔斯为合伙人，1863年又招其女婿维利为合伙人。1868年正式组成迪尔公司。迪尔终生任该公司的总经理。后迪尔公司逐渐开始制造耕作机和其他农机具。

Deere & Company　迪尔公司　美国农业机械与工业设备的主要制造商。总公司在伊利诺伊州莫林。1836年迪尔（**Deere, John**）创制出适于美国中西部草原土地耕作的钢犁，次年他组建企业生产与销售这种犁。1868年他将自己企业改组成为迪尔公司。1958年约翰·迪尔-特拉华公司成立，当年又兼并老迪尔公司及其子公司而取现名（迪尔公司）。20世纪60与70年代农业技艺迅速发展，农业经济规模显著扩大。该公司为适应大型农场的需要，致力生产大型拖拉机、打包机、播种机和收割机。但为了支持中小型农场各种作物的生产，该公司极力主张"灵活制造"体制。1981年，该公司按此体制在艾奥瓦州建成一厂，耗资15亿美元，广泛使用计算机和机器人，可同时启用许多小型装配线生产各种不同的产品，甚至在产量很低的情况下也可赢利。为此，在20世纪后期该公司成为美国最大的农业设备制造商。另外，迪尔公司在国内外的工厂还生产叉车、推土机、工业拖拉机等工业设备和链锯、草坪管理设备等消费用品。

Deering, William　迪林（1826-04-25，美国缅因南巴黎～1913-12-09，佛罗里达科科纳特格罗夫）　美国企业家、慈善家。1870年左右他与刚买到马拉谷物收割机制造权的E.H.甘蒙合伙在伊利诺伊州普拉诺建厂。1875年买下甘蒙的股份，并将工厂迁往芝加哥，从事制造与收割机联合使用的双捆束机。1883年组成威廉·迪林公司（后改称迪林制造公司），1900年展出第一台自动推进收割机。1901年他退休后，该公司并入国际收割机公司。迪林任伊利诺伊州埃文斯顿加勒特圣经研究所和西北大学董事长多年，他对这两个机构和芝加哥韦斯利纪念医院（现为西北纪念医院的一部分)提供了大部分捐款。

Deeside(Scotland) **迪赛德** 参阅 **Kincardine and Deeside** 金卡丁-迪赛德。

Deeside(Wales) **迪赛德** 参阅 **Alyn and Deeside** 阿林-迪赛德。

defamation **破坏名誉** 在法律上,指发表虚假的材料(告诉第三者)以抵毁他人的名声,企图使其名誉扫地。这是一个难以捉摸的概念,具有人类所能想象的各种各样的形式。尽管破坏名誉这一概念是英国法律的一项创造,但类似的原则在几千年以前就存在了。依照罗马法,污蔑人的吟唱要处死刑。按早期的英国法和日耳曼法,对侮辱人的处罚是割掉舌头。到18世纪末期的英国,只有污蔑他人犯罪或有性病以及诋毁他人的业务能力,才能构成诽谤罪,而且一直到1891年《诽谤妇女法》把污蔑妇女不贞定为非法行为为止,并没有增加其他的罪名。法国的破坏名誉法从历史上看比较严厉。1881年开创现代法国破坏名誉法的一项法令,要求在报纸上以显著地位刊登撤销诽谤材料的声明,而且只有在发表的材料是涉及知名人士时,才准许以真实情况作为辩护的理由。在现代,德国的破坏名誉与此类似,但一般准许以真实情况作为辩护的理由。在意大利,真实情况很少可以作为破坏名誉的借口,破坏名誉要受刑事处罚。一般地说,构成破坏名誉,必须是发表的材料为虚假,并且没有得到所指的被破坏名誉者的同意。对言词或图画按照其通常的用法和根据发表材料的上下文加以解释,仅仅伤害感情不是破坏名誉;必须有损害名誉的情况。对被破坏名誉的人不一定需要指名,但必须是可确定的。对一群人只有在公布的材料涉及全体成员——特别是当这群人为数很少时——或者某些成员的名誉特别受到损害时,才是破坏名誉。文字诽谤和口头诽谤是破坏名誉在法律上的两种分类。一般地说,文字诽谤是用印刷品、图画或任何其他有形标记来破坏名誉;口头诽谤是用言词破坏名誉。电子通讯设备的出现使这种分类多少有些混淆。有些国家把通过广播进行的破坏名誉视为文字诽谤,另外一些国家则把它视为口头诽谤。电视也出现了类似的问题。尽管文字诽谤和口头诽谤都具有破坏名誉的要素,但这种分类是重要的,因为它们所要求承担的责任各不相同。这种不同通常反映了这样一种政策:即要求人们所说的没有像要求他们所写的那么严格——以避免一些琐细的争讼;也还反映这样一种政策:用较严厉的刑罚以维护书面文字的可靠性。法律也承认,用文字破坏名誉要比"仅仅说说而已"的危害性大。对文字诽谤和口头诽谤所要求的损害赔偿也不同。文字诽谤诉讼要求赔偿因破坏名誉而造成的一切有害后果——如果后果涉及损害名誉,可要求一般的损害赔偿;如果涉及特殊的经济损失,则要求特殊的损害赔偿。在关于口头诽谤的诉讼中,人们只能要求特殊的损害赔偿,但在某些司法制度下不作区分。按照各种不同的法令,破坏名誉只有在它引起破坏治安的情况下或以某种其他方式直接危害公共利益时,才受刑事处罚。一般说来,对破坏名誉要负责任的人包括每一个参与发表材料内容的人。因此,编辑、经理甚至报纸业主都要对他们的报纸刊登诽谤材料负责,而报贩和经销人则不负责任。公布的材料的真实性通常可作为破坏名誉责任的一个辩护理由。由于某种特殊关系或地位而产生的法律特权也可以免除责任(例如,美国的参议员不能因为他们在参议院会议上说的任何事情而被追诉)。在某些地方,宣传工具根据"公正的评论和批评"的原则,拥有广泛的自行斟酌决定权,但是这种评论必须是针对一个人的工作——而不是私生活——并且必须在事实上准确。

defecation **排粪** 又作 bowel movement。将固体或半固体的废物(粪便)排出消化道的动作。人类通常每日排粪1～2次,但排粪次数各人不同,从每日数次至每周3次均在正常范围以内。结肠壁的肌肉收缩(蠕动),将粪便推向直肠,暂时贮存于此。直肠因粪便充盈而扩张,肠壁的伸张感受器受刺激,产生排粪要求。若1～2分钟内粪便不能排出,便意即可消失。直肠内的粪便可返回结肠,其中部分水分又被吸收。若便意持续受到抑制,粪便即变得干硬,并引起便秘。直肠充盈时,内部压力增高,这压力作用于肛管,使之扩张,直肠缩短,肠壁的蠕动波将肠腔内的粪质推入肛管,粪质进入肛管后,盆膈的肌肉收缩,使肛管进一步扩张。肛门部有内括约肌及外括约肌,用以阻留或排出粪便。粪便排出时,盆膈肌肉收缩,使肛门向上提升,以防止肛管脱垂。排粪时亦常引起排尿动作。排粪时胸肌、膈肌、腹壁肌及盆膈肌收缩,均压迫消化管;肺部吸满空气,将膈肌向下压,呼吸暂停;血压增高,心脏泵出的血量减少。有报道曾见排粪时血压升高到使动脉瘤破裂,或使血管内的血凝块脱落流至远隔部位,造成死亡。排粪可为随意的动作,但在脊髓外伤或老人的大小便失禁时则为不随意动作。疼痛、恐惧、体温升高及躯体或神经系统疾病均可影响排粪动作。腹泻和排便规律异常是某些疾病的特殊症状,如痢疾、霍乱等。

defender of the faith **信念捍卫者** 拉丁语作 fidei defensor。教皇授予英格兰君主的称号。1521年10月11日首次授予。教皇利奥十世因国王亨利八世写一本反对路德的小册子而赐给他这个称号。后来亨利与教皇决裂,教皇保罗三世撤销了他的称号。但1544年议会决定恢复这一称号,英格兰王室的继承者沿用至今。自乔治一世时期起,英格兰钱币上常铸有 Fid. Def. 或 F. D.,就是这一称号的缩写。

Defenestration of Prague 参阅 **Prague, Defenestration of** 布拉格扔出窗外。

Defense Advanced Research Projects Agency **国防高级研究计划局** 缩写为 DARPA,亦称高级研究计划局(ARPA,1958～1972、1993～1996)。美国政府机构,1958年为促进具有潜在军事用途的技术研究而建立。规划局的大多数研究项目都归入机密类,但许多军事创新对民用事业具有重大影响,特别是在电子、电信和计算机科学等领域。该机构还因设计开发了阿帕网(ARPANET)而著名,这是一个时间共享计算机的早期网络,它构成了因特网的基础。该计划局的创建起因于1957年10月苏联发射人造地球卫星,许多美国人把这次发射看作是意料之外的技术成就,是如同日本袭击珍珠港一样的挑战。D. D.艾森豪威尔总统在采取其他对策的同时建立了该计划局,目的在于选出和组织具有竞争力的美国导弹和太空研究项目,并且划清军用和民用太空研究的界线。到1960年,计划局完成了第一个目标,将全部民用太空项目移交给国家航空航天局以及把军用太空项目移交给美国武装力量的各个部门。随后,计划局继续研究反弹道导弹、核试验检测、雷达、高能射束、计算机科学和先进材料。在其他创新中,计划局的研究项目包括"隐形"化合物——使敌方雷达看不到美国的一些飞机(F-22歼击机和B-2轰炸机)——以及新的战场探测设备、蓝绿激光器、无声的潜艇监测、模拟真实的计算机绘图和毫微技术。在后冷战时期,计划局在所谓的军事革新(RMA)背后发展信息技术方面起到了关键作用——就是为军队更换高技术和精密军需品。组织国防高级研究计划局与国防部的其他组织不同,它没有自己的实验室或研究设备,仅保持一个办公场所。计划局并不雇用大批长期固定职员,而是与杰出的科学家签订短期合同(一般3～5年),请他们作为项目管理人进行直接研究。这些项目管理人在资金方面拥有相当大的自由度。项目管理人通常在专业领域内组成一支有各大学和机构的人员参加的项目工作组。计划局尤以为"革新"观念提供资金而出名,这些观念符合计划局进行高风险、高回报投资的全面策略。例如,计划局的第三任局长 J. 图伊纳(1961～1963)确认计算机技术可以影响国家武装力量的命令、控制和通信的问题。因此,1962年他监督建立了由 J. 利克利德尔指导的信息处理技术局(IPTO)。利克利德尔原是麻省理工学院的心理学家,曾活跃于初创的人-机互动的研究领域中。1962～1964年,作为信息处理技术局局长,他开始实施信息技术中三次最重要的发展:在各主要大学内建立计算机科学部门、时间共享和建立计算机网络。时间共享 20世纪50年代,计算机有一个房间那么大,而且制造和操作都极昂贵。由于计算机运行的费用极高,所以研究人员必须编排有限的访问时间。在用户的输入程序(穿孔卡)中任何排印或程序错误都会对计算机的下一次操作造成长时间等待。由于计算机运行时间大量被花费在输入数据和打印结果上,计算机的处理能力常被闲置。通过多路编码数据"同步"运作,计算机的资源获得更有效的使用,时间共享得到发展。事实上,计算机的中央处理器(CPU)在等候输入信息或打印结果时可以迅速从一个用户转换到另一个用户。这表明用户们通过输入指令后按回车键,与计算机直接产生互动,此时计算机的所有处理能力似乎都集中在其程序上。对利克利德尔来说,时间共享是通信和计算方面的问题，并且他给麻省理工学院(MAC 项目)、加利福尼亚大学洛杉矶分校(UCLA)和加利福尼亚大学伯克利分校的时间共享和建网研究提供了资金。他的目标不仅是简单地发展时间共享，而且还要组成一个研究人员的团队，他们将使新机器成为调查研究的重要组成部分。调查军事实用技术是信息处理技术局(IPTO)和国防高级研究计划局的管理人员的一个基本目标，而长期目标是培养大批科研人员，这些人能够利用通常的一套标准和做法发展和继续重新设想出一种专门的技术。建网实行时间共享就已经考虑到建立地区网络，但是不久令人担忧的各种技术限制就出现了。除某个点之外，增加更多用户使系统速度减慢很多，以致系统反应迟钝，好像在“打盹”。解决方案是设法把各种不同的地方时间共享网联结在一起，使计算资源也能实现共享。1966 年信息处理技术局出资建立了各大学和与其签订合同的公司之间的高速网。这就是阿帕网(ARPANET)的开始。阿帕网并非只是因特网的前身。它为整个一代的计算机科学家的成熟提供了共同的技术背景。此网与现存的计算机网在两个不同方面存在不同。第一，此网并不与终端主机间单个计算机共享(如在时间共享中)，而是连接一切时间共享计算机的网络。第二，此网使用新的未经证实的信息包转换技术。在此之前，各网络都是把硬件连接在一起的，非常像一个电话系统，其中个体是用特殊的专用线路连接的。信息包转换的工作很像一个邮政系统，也就是信件或电文有标出的目的地和返回地址，但没有强制性的投递邮路。对信息包转换的另一种想法是在这样的网络中传送电文所需要的智能是分散的，并通过系统发送。这样的系统使军方特别感兴趣，因为即使网络有一部分被摧毁，它仍然能够管理电文并规定传送路线。1979 年当 R.卡恩成为信息处理技术局领导人时，国防部已拥有多路不相容的信息包转换网。卡恩兴建与这些网完全不同的因特网，直至创建著名的传输控制协议/网络互联协议(TCP/IP)，这是涉及工业、学术界和军事部门的一个处理程序。国防高级研究计划局再次雇用专家，让这些专家与有能力的机构签订合同，从而通过研究并创造出最终产品。当然，甚至计划局也未曾能够预见到因特网最终发展的状况。

defense economics　国防经济学　与军事开支的经济效益、战时的经济管理和和平时期的军事预算管理有关的国民经济管理的一个领域。针对 20 世纪战争的规模迅速扩大和武装力量所维持的数额大大增加，国防经济学应运而生。军事技术费用的日渐增多也大大加强了战争和防御准备对各国国民经济的影响。战争不可避免地耗资巨大。战争的耗费包括：战争中伤亡人员的预先收入，对战争中永久伤残人员所进行的终身医疗看护，在冲突中所摧毁和破坏的有形资本，对武装力量供应武器的花费，维持武装力量的费用以及将资源从可转化为未来经济能力的和平投资项目中转移出来所导致的经济损失。为避免战争的耗费，多数国家都在探索能调配资源维持最低水平的军事能力来防止侵略，以使侵略者发动战争所耗费的资财将远远超过其可能的收获。那些卷入战争的国家必须将其经济总产量和政府预算中的很大的一部分投入到军事开支中去，这时他们所投入的财力是大大高于他们过去在和平时期奉行防止侵略时所投入的财力的。政府为进行战争筹措资金所采用的财政和金融政策，总称为**战时财政(war finance)**；战时财政是国防经济学的一个分支。除战时财政外，国防经济最主要关切的问题是资源在军用和民用部门之间的分配以及这种分配对国民经济可能产生的影响。在核时代，经济学家还关切武装力量内部之间的分配问题，即关切各兵力的大小和性质并关切各兵力武器的选择和设计。实际上，现代国防计划和武器发展已提出一些极其复杂的问题。在第二次世界大战后的数十年内在这些领域进行决策程序合理化的努力，已经创造出许多新的、迅速扩散为民用的管理技术。

defense mechanism　防御机制　在精神分析的理论中，防御机制是指当人遇到不能解决的问题时，能够在精神上达成某种妥协的这样一组心理过程。这种过程常常是无意识的，但这种妥协通常表现为人们试图自我遮抑那些因担心自己的尊严会受到贬抑、焦虑会不断发生时出现的那种内驱力和情感。这一概念来自精神分析理论中关于人的思想中存在有多种力量在进行互相对抗、斗争的假说。这一名词最早见于弗洛伊德的文章《防御性神经精神病》(1894)。精神分析学家描述的主要的防御机制包括：①压抑，即通过打消或压抑一种非分有害的想法、感受或愿望，使这种意识退缩到思想中的无意识部分去。如癔病性健忘症患者常常把刚刚做过的，或目击过的某起不轨行为的事件本身及其周围环境全部统统忘掉。②反应形成，是针对某一事件而产生的想法、感受或愿望的意识固结，而这种想法、感受或愿望却与和该事件相联系的、下意识的但通常是可怕的意识冲动完全相反。例如，一个母亲养了一个她不想要的孩子，但她对这种想法感到内疚，结果为了使孩子和她本人都确信她是个好母亲，因而对这个孩子过分溺爱。③投射，一种防御形式，一个人的不良情感可以通过这种防御转移到另外一个人身上，此时，这些不良情感以一种来自外部世界的威胁的形式而出现。当一个人受到他自己的愤怒情感的困扰时，却非难一个平时对他怀有成见或有敌对情绪的人，这是一种常见的投射形式。④退化，由于受到某些危险或冲突的推动，回到发展的早期阶段和使他们满意的已经使他们放弃的形式。例如，一个年轻少妇在第一次和丈夫吵架后，可能跑回娘家寻求保护。⑤升华，一些本能性的驱动力(通常为性本能)向一些非本能性方向偏转即为升华。精神分析理论认为：原赋与性冲动的能量可能会转向去追求更合理甚至更有社会价值的成就，如成为艺术家、科学家等等。⑥否认，指有意识地否认已感知到痛苦事实的存在。在否认有关同性恋、仇视心理和本人子女的智力缺陷等问题时，一个人往往会回避那些最令人难堪的思想、感受或事件。⑦掩饰，为导致某行为的真正的，但是令人害怕的原因换一个说法，目的是使人们感到安全、合理。虽然精神分析学家把防御机制全都列入神经官能症章节，但防御活动就其本身而言并无病理意义。

Defence of Rights, Associations for the　权利保卫协会　土耳其语作 Müdafaa-ı Hukuk Cemiyetleri。第一次世界大战中，奥斯曼帝国战败后，1918 年在安纳托利亚和色雷斯建立的以反对外国占领、保卫土耳其领土完整为宗旨的爱国同盟，是土耳其为独立而斗争的政治工具。参加同盟的是中产阶级，包括城镇的显贵、宗教界人士、地主、商人和小官吏(许多人是 1918 年解散的联合和进步委员会的成员)。安纳托利亚东部的权利保卫协会于 1918 年 7 月 23 日～8 月 7 日在埃尔祖鲁姆举行第一次代表大会，9 月 4 ～ 11 日在锡瓦斯举行第二次代表大会。第二次代表大会决定建立全国性的“安纳托利亚与鲁梅利亚权利保卫协会”，由穆斯塔法·凯末尔领导其常设代表委员会。1920 年 4 月凯末尔在安卡拉召集大国民议会时，权利保卫协会的两派发生冲突，维新派拥护共和制，保守派则赞成君主制。于是，凯末尔建立了自己的权利保护集团。1923 年 9 月权利保卫协会改为人民党(后又改称共和人民党)，在 1923 ～ 1950 年间一直统治土耳其。

Deffand, Marie de Vichy-Chamrond, marquise du　德芳侯爵夫人(1697，法国勃艮第田园堡～ 1780-09-23，巴黎)　法国女文人，社交界名人。出身贵族家庭。受教育于巴黎

美国不列颠百科全书公司供图

一隐修院。21 岁嫁给亲戚德芳侯爵，1722 年即与丈夫分居。那时，她过着在摄政王奥尔良公爵腓力二世的手下人当中习以为常的花天酒地的生活。她本人也成了公爵的情妇。在索镇常见她的踪迹，在那里，曼恩公爵夫人常摆设筵宴，招待大批名流，其中有丰特奈尔、朗贝尔侯爵夫人、伏尔泰和巴黎最高法院院长埃诺。德芳侯爵夫人与后者过从甚密，直至他于 1770 年去世。当她自己举办沙龙时，她吸引了科学家、作家、才子以及在文艺界和上流社会稍有影响的人物。1754 年前后双目失明，便聘请莱斯皮纳斯小姐帮助她招

待客人。后者的机智和容貌把某些客人从德芳侯爵夫人身边引开。1764年德芳侯爵夫人将她辞退,结果夫人的沙龙即变得门庭冷落,因为莱斯皮纳斯小姐的辞职使许多宾客觉得这里的沙龙失去了吸引力。她与伏尔泰通信长达43年,所写书信才气横溢,使读者赞叹不已。但是最佳的还是写与比她年幼20岁的H.沃波尔的信件,她对他感情至为炽热。

Defferre, Gaston　德费尔(1910-09-14,法国马赛附近马西亚格～1986-05-07,马赛)　法国政治家、社会党领袖,长期任马赛市长(1944～1945,1953～1986)。律师之子,就读于艾克斯(普罗旺斯地区)法学院,1931年执律师业。第二次世界大战期间参加抵抗运动,并在战争行将结束时短期任马赛市长。从1945年起至去世时止,他差不多一直是国民议会议员。他赞成法国海外领地包括阿尔及利亚在内的独立。1958年戴高乐上台,德费尔没有在议会里取得席位,1962年重返议会,并重振社会党反对戴高乐总统。1969年作为社会党总统候选人进行竞选,未能成功。作为一个好斗的政治家(曾在1967年与戴高乐派的一位议员进行决斗),他在70年代支持密特朗竞选总统,后作为内政部长,于1982年负责采取权力下放措施,这是密特朗总统领导下的社会党政府最重大的行政改革之一。他的最令人敬畏的权力基地是马赛市政厅,他在那里主政33年,成功地对付了来自右翼的挑战,主持建立了一个现代化城市,增建该市供人愉快享用的社会和文化娱乐设施,并极力改善该市的财政和住房情况,以及解决1962年阿尔及利亚移民大量拥入的问题。

Defiance　迪法恩斯　美国俄亥俄州西北部城市,迪法恩斯县县城(1845)。临奥格莱塞河、蒂芬河与莫米河汇流处,距托莱多西南97千米。初建于1822年,为莫米河谷农产品集市。1836年设市。1845年迈阿密至伊利运河开通后,工业有所发展。现在生产螺栓、手工工具、金属铸件和玻璃纤维等。有迪法恩斯学院、迪法恩斯城市公园及温彻斯特要塞纪念桥。人口16 768(1990)。

deficit financing　赤字财政　政府所采取的货币支出超过岁入的财政措施。预算赤字的出现有多种原因,而赤字财政通常是指利用降低税率或增加政府岁出以达到有意识地刺激经济发展的目的。政府实行赤字财政对国家经济的影响可能很大。普遍认为不必像以往那样追求按年度预算平衡,应代之以在整个经济周期期间保持预算平衡。有些经济学家已完全摒弃平衡预算的概念,认为将其视作国家政策的标准是不适当的。赤字财政的产生,也可能是由于政府无能,引起大量逃税或浪费所致,而与有计划的反周期性对策活动无关。当资本市场尚未发展时,赤字财政可导致政府借欠外债。

definite proportions, law of　定比定律　说明每个化合物所包含的元素的重量比是固定不变的。虽然长期以来许多实验工作者大体上已接受了这个原理,但直到1797年才由法国化学家J.-L.普鲁斯特在对一系列物质的组成,特别是铁的氧化物的研究后,首次为此定律提供了确证。另一位法国化学家C.贝特莱反驳普鲁斯特的论点,认为化合物的组成不是固定的。但苏格兰化学家T.汤姆孙证实了其中的一部分,并于1801年把普鲁斯特确认的论点"金属不能有无限的氧化度"写进了《不列颠百科全书补编》"化学"条目中。后来(1808)英国化学家J.道尔顿在他的化学原子论中又对定比定律这一原理作了具体而系统的阐述。

deflation　吹蚀　在地质学中,指由干燥未胶结的沉积物构成的平坦地区,如在沙漠、干涸湖底、泛滥平原和冰水沉积平原等地区,松散物质被风剥蚀的作用。黏土和粉砂级的颗粒被风的扰动涡漩所卷起,并且可以被吹到几百千米以外,然后沉降下来形成黄土层。遭吹蚀的局部地区可以形成吹蚀凹地或吹蚀坑,其规模可以直径3米、深不足1米,到直径几千米、深数百米不等。美国怀俄明州的"大凹地"就是风蚀成的,长达14.5千米,深50米。如果一个地方的吹蚀作用向下剥蚀到潜水面,进一步的吹蚀作用就被抑制了,除非由于蒸发,潜水面也下降了。撒哈拉沙漠中的某些绿洲就是这样形成的,并低于海平面。沙子由盆地吹出,在盆地之背风侧形成沙丘沉积。

Defoe, Daniel　笛福(1660,英格兰伦敦～1731-04-24,伦敦)　英国小说家、报纸撰稿人、小册子写作者。《鲁宾逊漂流记》和《摩尔·弗兰德斯》的作者。曾被称为英国小说和

美国不列颠百科全书公司供图

报刊文学之父。他的政治诗《真正的英国人》是当时英国销售最广的诗篇。在英国托利和辉格两党相互偏见很重的时代,笛福虽倾向于辉格党,但企图用著作和行动去调解党派和宗教斗争,结果两边都不讨好。出生于伦敦反对英国国教的新教徒家庭,未能进入牛津或剑桥大学,被父亲送到纽因顿一个由教长莫顿主持的十分出色的学院就读。笛福在那里所受的教育,在许多方面比他在任何英国大学可能受到的教育更好、更广泛。1683年开始经商,到过国内外许多地方,1692年他经手保险的商船在英法战争中受损失而破产。1703年又因政治罪人狱,他那兴旺的砖瓦生意也随之失败,以后再也未积极从商。笛福忠诚地支持信奉新教和来自荷兰的威廉三世国王。1701年写了讽刺诗《真正的英国人》,驳斥了反对"外族"国王的种族偏见。1702年又写了最有名的政治小册子《消灭不同教派的捷径》,讽刺保守派对非国教信徒的迫害。1703年5月被政府逮捕并被3次罚戴枷锁站立。笛福为此写了一篇《立枷颂》(1703),人民向他的枷锁献花、祝酒并当街出售这首诗,反而把这次事件变成了一种胜利。由于哈利议长出力,笛福才得以释放,此后他为哈利写小册子和做情报员。随后他在英国周游了许多地方,这些旅行20年后以另一种形式结出了果实。他1724～1726年出版了《不列颠全岛记游》3卷,其中引用了他自己过去的许多观察。在安妮女王统治时期,他的杰出成就是办《评论》杂志,自1704～1713年稿件几乎全部出自他一人之手,初为周刊,1705年扩为每周3期。实际上是政府的主要喉舌。他的作品极大地影响了后来期刊文章和报纸的发展。1715年写了《家庭指导》。1719年根据一些航海家和流亡者的记载,写了长篇小说《鲁宾逊漂流记》。一位德国评论家曾称之谓"世界性的书"。小说富有魅力,创造的人物和情节在某种意义上使每一个读者都会设身处地想象而感到引人入胜。小说有许多译本、仿作和改编本,成为世界闻名的著作。1722年笛福接连出版了《摩尔·弗兰德斯》、《大疫年日记》、《杰克上校》等著作,展现了作为小说家洞察人类本性的卓越才能。他的最后一部重要著作——小说《罗克亚娜》,出版于1724年。

defoliant　脱叶剂　一种化学粉剂或喷洒剂,施于植物以使树叶提早脱落。有时施用于农作物,例如棉花,以便采收。作战时也用来销毁敌人的农作物和消除敌军的隐蔽。越战期间南越人和美军即曾使用脱叶剂于上述军事用途。各种脱叶剂中有较大争议的是通常名叫**药剂橙**(**Agent Orange**)的化合物。

deforcement　强占　在英国财产法中,指不正当地取得和占有属于他人所有的土地。这个术语获得法律上的意义最早是在封建时期的英国。强占主要出现在以下的一些情况:佃户占有的土地被领主没收(由于佃户对庄园有不正当行为或者未按时向领主交纳地租);或另外发生了某种事件,将佃户土地没收交给领主以示惩罚;或是佃户或其他人不正当地占有领主的土地。强占作为一个一般概念,包括比较具体的侵夺土地(参阅**adverse possession**),也包括占有剥夺(第三者强迫合法继承人离开他继承的土地的行为)。但是,强占与侵夺土地、占有剥夺不同的是,它并不以土地被不正当强占去的受害人原来占有该土地为必要条件。因此,强占还包括侵入行为和侵占行为,即第三者非法进入并占据原属于他人的空地。强占一词的法律意义在现代已经少用了,已被非法占有等更为具体的术语所取代。

DeForest, John William　德福雷斯特(1826-05-31,美国康涅狄格汉弗莱斯维尔～

1906-07-17,康涅狄格纽黑文) 美国现实主义小说家。以描写南北战争的优秀小说《雷文纳尔小姐从脱离派转为北方派》(1867)闻名。出身于棉花加工商家庭,因身体不佳而未上大学。1848～1849年去中东旅行,回国后写学术性著作《康涅狄格州印第安人史》(1851),旋又前往欧洲。1851～1854年在欧洲广泛阅读欧洲特别是法国文学作品。他写过两本游记:《东方见闻》(1856)和《欧洲见闻》(1858)。美国南北战争爆发时,他组织纽黑文志愿军参加战斗。后人根据他的遗作整理的《一个志愿兵的经历》(1946)和《在重建中的一个联邦军官》(1948),都是记述他在南北战争期间的经历。1869年他写了一篇具有重大意义的文章《伟大的美国小说》,号召美国小说家充分地反映现实生活。他根据在南卡罗来纳州的经历写了两部小说:《凯特·博蒙特》(1872)和《流血冲突》(1881)。另有两部小说描写格兰特总统执政时期华盛顿的腐败现象:《诚实的约翰·文》(1875)和《恶作剧》(1875)。最后一部小说《爱人的反叛》(1898)是描写美国独立战争的故事。

deformation and flow 形变和流变 在物理学中,形变是物体在机械力的作用下,形状或尺寸的变化;流变是物体受力过程中发生的形变的连续变化。日常的物质一般分为固体、液体或气体。在正常情况下气体和液体能相当自由地流动,而固体则在受力时才发生形变。大多数固体最初发生弹性形变,即当载荷移去后,它们仍恢复初始形状。诸如金属、混凝土或岩石等刚性材料能承受大的力而形变却很小,但若施加的力足够大,则材料不再只通过弹性形变来承受外力。这些都与材料的内部结构有关。当对诸如一大块岩石或混凝土等脆性材料施加的力越来越大时,就会达到其内部结构不再能只靠弹性形变来抗衡外部载荷的一点,于是试件会突然断裂。这一性状是脆性材料的特征:从整个试件到破裂的转变几乎是瞬时的,且几乎没有前兆。

对于诸如软钢或铝等韧性材料,经初始的弹性形变阶段后到达试件的弹性变形极限。然而在这种情况下,材料不破裂,而是通过其内部结构的调整来适应所受的外力,进而在外力作用下产生塑性形变。材料在外载荷下呈现流变的迹象,这一流变是塑性的,因为若移去载荷,试件会保持其形变。最后,达到塑性流变的最后阶段,形变最后集中趋向于一区域而破裂。

韧性材料在载荷下发生塑性流变的能力在工程应用中是十分重要的。因此,在技术中特别是在大量的、具有各种复杂形状物体的生产中,了解塑性流变是必要的。岩石在高温和高压条件下的性状同韧性物质一样,塑性流变也是试图了解在这种条件下岩石的运动和流变的重要因素。这一过程使地球表面成形,尽管此时间尺度(几百万年)与一般工程技术人员感兴趣的完全不同。

材料可简单地分成固体、液体或气体,现在根据亚微观结构与力学性质的联系,可扩充为一些更复杂的结构类型如下:

气体 由无规运动的分子组成,分子间无引力,其速度与气体温度有关,气体分子碰撞时就像是体积可以忽略的弹性球。这些假设是气体分子运动论的基础。根据气体分子运动论可以预言,气体压强和体积的乘积除以绝对温度为一常量。大多数气体在很宽的条件范围内与这一关系十分符合。

液体 其分子相互接触,但相互之间容易滑动。在这样一种"理想流体"中不可能存在剪应力。水是最常见的液体,其性质与理想流体很接近。

黏性液体 其分子与周围分子接触,但有相互作用力,因此,在这种液体内,剪切运动受到阻滞。这些内部剪力产生诸如糖浆、重油或熔融塑料等液体的特征性态。这种运动称为剪切流动,是一种能量耗散过程。下面列举一些例子以供比较:甘油(一种黏性流体)在室温下的黏度为15泊,水为0.01泊,空气为1.8×10^{-4}泊。

线性弹性固体 其分子可想象为通过像弹簧一样的弹性力连接在一起。对于小形变,形变作为外加载荷函数的图形为一直线。这种变形是能量存储过程,例如弹簧受压缩的情况。在形变较大时,这种弹性固体或呈现脆性(其内部弹力遭到破坏)或呈现延性(其某些内部机制允许原子结构内产生剪切位移)。对于具有晶体结构的材料来说,这些剪切位移常与晶体点阵内的缺陷相联系。这种缺陷称为位错,它们使晶体结构具有承受塑性形变而不致断裂的能力。在材料科学中,研究位错在塑性流变中的作用,构成了一个主要研究领域。

黏弹性固体 其载荷-形变关系与时间有关。若对材料骤加载荷并保持不变,则由此产生的形变不是即时达到的。相反,固体逐渐变形并经较长时间后才达到其稳态形变。这一性状称为蠕变。若对材料骤加一固定形变,则产生的初始应力可能很大;当材料使其本身适应外加形变时,这些应力就缓慢地松弛到稳态值。这一过程称为应力松弛。无法用简单分子模型来解释这一过于复杂性状的物理原因。此性状是玻璃、橡胶、许多塑料和若干金属的特性。

塑性固体 在这些材料(如铅)中,弹性的性状或是很小或是根本不存在,因此产生的形变都是永久性的。

以上分类覆盖了大多数工程和天然物质的性状,然而有时难于将某一物质划归任何一类。另一方面,一材料可能在室温时划归某一类,又可能在较低温度下划归另一类。时间尺度也与材料的分类有关。例如,岩石用于普通工程时可用弹性固体有效地表示其特性,但在时间尺度可能是几百万年的地质研究中,必须把它们列为黏弹性固体。

最后,还有数量不断增长的合成物质,其奇特性质与以上描述的任何一类都不一样。

Degas, (Hilaire-Germain-)Edgar 德加 (1834-07-19,法国巴黎～1917-09-27,巴黎) 法国画家,被誉为表现动态人物的绘画大师。他使用多种方式作画,尤其是色粉画画法。以油画、素描和芭蕾舞女演员与赛马的铜像最为知名。德加出身于一个有权势的大资产阶级家庭。他家在银行业及商业上与意大利和美国均有交往。他从路易-勒-格朗公立中学毕业后一度学习法律。但于1855年进入美术学院,在画家J.-A.-D. 安格尔的学生L. 拉莫特画室学画。当时安格尔作为绘画技法和题材上正统学院派捍卫者的长期地位正受到G. 库尔贝的写实主义和E. 德拉克洛瓦的浪漫主义的挑战。

年轻的德加似乎想按法国传统作一名历史题材画家,沿正统的道路取得成功。为进一步实现这一目标,他游学佛罗伦萨、阿西

德加自画像,约1857～1858年
美国不列颠百科全书公司供图

西、罗马和那不勒斯,认真观察临摹A. 曼特尼亚、S. 波提切利、小霍尔拜因、N. 普桑等人的作品,这些人都是以人物描绘细致入微出名。1860年之前,德加创作了几幅出色的家庭肖像画,虽然旧的技法的影响十分明显,但是有所提高,紧张和活跃的都市气氛毫无疑问是19世纪中期的东西。《莫毕里公爵夫人像》是这些作品中的典型代表。硕大朴素的宽阔画面设计,颇为直截了当地模仿安格尔的风格;油彩凝重而典雅,颜色冷峻而严谨,有许多黑色或暗淡的过渡区间。1860年德加以其《斯巴达的姑娘们向青年们挑战》作为古典题材画家在艺术界第一次公开亮相。画中的裸体形象虽然是安排在和谐的群体之中,但是她们是在天然风景中的现实少女,而不是世外桃源环境中理想化的裸体人。1861年以后,德加再次以学院派风格创作《赛米拉米斯创建巴比伦》时,似乎已经要放弃历史题材绘画,开始从巴黎快节奏的城市生活中寻找创作题材。这可能是由于他受到同时代画家库尔贝、E. 马奈(1862年相识)及同时代小说家的启发,也是由于他于19世纪50年代后期从日本版画艺术中发现了令人赞叹的既程式化又纪实的特征。同时他很重视当时法国版画家P. 加瓦尔尼和H. 杜米埃的杰出作品。由此可见,德加自1862年开始画骑马人,画他们的马,画隆尚赛马场的时髦观众,以及不久之后开始画音乐家群体肖像及舞台题材等等就不足为奇了。这些题材的作品中所画的对象都具有各种惯常的动作。德加终生为这种题材着迷。这种题材的作品中首屈一指的是《非奥克尔小姐表演芭蕾舞〈源泉〉》。德加19世纪70年代的肖像画较早期作品更自如,更富于自然主义风格,但是仍然以源于小霍尔拜因和意大利北方一些著名肖像画家的创作原则为基础。

德加绘《等待：舞女和拿伞的女子在长凳上》(约 1882)
美国不列颠百科全书公司供图

1870～1871 年普法战争期间，德加在炮兵部队服役。复员后开始创作宏伟的群体人物画，这些人物呈动态而又不拘形式。他还继续研究创作舞台演员和音乐家群体像，开始运用人物变位组合和非正统的剪辑与配景等这些近似摄影师的取景手法来表现室内外瞬间景象。他超凡的形态意识和技巧总能对难以表现的动态题材提供相称的画面，不论这个瞬间是多么短暂。《勒皮克子爵和他的女儿》就是一个优秀范例，也是他的芭蕾舞题材的室外画变体。这种题材给德加描绘在快速交错运动中的多人物群体提供了广阔的天地。1872 年 10 月德加出访美国，逗留了 5 个月，创作了一幅最著名的描绘全神贯注于"职业性"动作的人物画，即 1873 年的《新奥尔良棉花公司》。这幅画表明德加虽然已经完全放弃了早年作历史题材人物画的野心，但是仍然充分运用了正式传统的构图原则。德加在 19 世纪 70 年代的群像画大都以相当广阔的背景空间为衬托，给人物留有充分的活动余地。但是到 70 年代末，他转而对描绘更加紧密并列与重叠群体的可能性深感兴趣，并且更加注意人物之间的空隙在形态上的特点。1884 年的名画《洗衣妇》，以其画面上的人为空隙和立体形状与画面的协调，表明德加的这种创作旨趣已经达到了一个新的高度；令人想起 16 世纪中期威尼斯画派的技法，不过在这里是以纪实的眼光应用于随便的日常平凡生活的题材。这一时期德加已经开始创作色粉画，有时使用调以挥发性溶剂的混合技法，其室内浴女组画就进行了上述的研究。后期的一些作品在适应性与表面结构之间达到了惊人的协调。画面上的肉色是由比印象派画家所用的色点更密集的纯色条纹组合而成，然而又与他们使用的色点一样，在一定的距离上令人产生一种立体感的幻觉。1880 年以后德加常搞些雕塑创作。他以自己绘画中的舞蹈演员、浴女和马为模特创作了一些小型铜像，再次显示出他善于揭示那些普通的，而人们又不注意观察的人与动物的动作之潜能的天才。实际上，德加可能是有史以来研究与创作中第一位用毫不动情的冷静目光去观察模特的艺术家。德加爱好摄影，他的观察力与快速摄影机极为相似。晚年视力衰退，后一眼失明，另一眼也接近失明。他去世后留下一批他同时代画家的素描与油画作品的珍贵收藏和自己的一本诗稿，其中大部分是十四行诗。

Degema　代盖马　尼日利亚南部河流州城镇和河港。临桑布雷罗河。初为伊乔人传统集市中心(鱼、木薯、芋、棕榈产品、大蕉和薯蓣)。19 世纪初奴隶贸易衰落后，成为棕榈油、棕榈仁的主要出口港。后被以东 27 千米的哈考特港所取代。现可容纳吃水 5 米的船只。代盖马地处沼泽和热带雨林地区，该地区河流很多，有捕鱼和棕榈油港口，已开发石油和天然气。代盖马有一家综合性医院。人口约 8 693(1971)。

degenerate art　颓废艺术展览　德语作 Entartete Kunst。指 1937 年纳粹在慕尼黑举办的现代艺术展览，它被纳粹宣称为"布尔什维克党人和犹太人颓废作品文化文献"。展出的作品只包括依据宣传部长 J. 戈培尔的命令从德国各博物馆中所没收的大约 1.6 万件现代艺术作品之中的一小部分。毕加索、康定斯基、基尔希纳、诺尔迪和 20 世纪其他重要艺术家的所谓颓废作品与精神病患者的绘画并列展出，任凭新闻界和德国人恶毒嘲弄。举办这次展览旨在与同时由纳粹头目所嘉许的另一展览形成对照，后者的作品一律是学院派风格，并以法西斯英雄行为和献身精神作为典型题材。1939 年在瑞士路塞恩拍卖了许多被没收的作品，另有一些作品被纳粹分子卖到国外，据信剩余作品被埋藏在柏林。

degenerate gas　简并气体　在物理学中，指由具有半整数内禀角动量(自旋)的亚原子粒子构成的一种特殊气体，在高密度情况下出现。这种粒子称为费米子，因为描述它们的微观行为是用一组量子力学规则，即**费米-狄拉克统计法(Fermi-Dirac statistics)**。根据这些规则，一个系统的每个量子力学态只能被一个费米子所占据。随着质点密度的增加，其他的费米子只好占据能量越来越高的能态，因为低能态已被逐渐填满。逐渐填满高能态的过程，使费米气体的压强(称为简并压强)不断增加。所有低于临界能量(称为费米能)的能态全被填满的费米气体称为完全简并的费米气体。像电子、质子、中子和中微子这些粒子全都是费米子，它们都服从费米-狄拉克统计法的规律。一般金属和白矮星内部的电子气就是简并电子气的两个实例。

Deggendorf　代根多夫　德国东南部巴伐利亚州城市。在巴伐利亚和波希米亚森林西麓，施特劳宾以东。临多瑙河，在其与伊萨尔河汇合点上溯 4 千米处。约建于 750 年。1242 年传到巴伐利亚公爵家族，1316 年建市。河流和山林使城市风景如画。城市保持着中世纪格局。名胜古迹有市政厅(1335)、巴罗克式教区教堂和圣徒墓地教堂(1337)等。历史博物馆内有许多著名的考古展品。作为集市中心，有纺织、金属加工业、酿酒业等，有一船坞。人口约 31 229(2003)。

degree　学位　又作 academic degree。在教育中学院和大学为了表示学者完成一门学业或表示学者的学术成就的水平而授予的头衔。

学位的等级制度可追溯到 13 世纪欧洲各大学，各系被组成行会。各系教师持证执教，学位实际上就是证明他们已达到行会中"师傅"水平的专业证书。最初欧洲的高等教育只有一个学位——硕士或博士。学士学位最初只是通往硕士学位的一个等级，授予在 3～4 年中修完指定的三学科(即语法、修辞、逻辑)并已通过教师主持的考试的候选人。这样，学士学位持有人便完成了学术生涯中的第一个等级，并能开始读硕士或博士学位课程。完成这些课程后要接受校长委员会和系里教授们的考核。如果考试合格，便获得硕士学位或博士学位，从而可加入教师行会。学位证明他可在任何一所大学任教。

硕士、博士和教授这些词从前都是相等的。博洛尼亚大学于 12 世纪后半叶最早授予民法博士学位，后来给教会法、医学、语法、逻辑和哲学等科授予类似的学位。然而在巴黎大学，更经常使用"硕士"一词，英国的牛津大学和剑桥大学采用巴黎的体制。在许多大学，文科或语法各系科的持合格证书的学者称做硕士，而在哲学、神学、医学和法律等系科，则称做博士。也许是因为必须先当文学硕士才能继续研读其他学科，所以博士学位就被看成较高的称号(英美两国常见的"文学硕士"和"哲学博士"学位就源自这种习惯)。在德国的大学，硕士和博士称号最初也是可互换的，但不久，博士一词就用来指各系科的高级学位。德国这种习惯最终被全世界采用了。

在美国和英国，现代的学位等级通常是学士、硕士和博士。学士学位标志着完成本科学习，通常需 4 年；硕士学位则需再学 1～2 年；而博士学位通常要求更长期的研究工作。英国和美国的大学习惯上将学士学位作为文科或理科的第一级学位，再修 1～2 年课程后，通过考试或完成一篇研究论文，可获得第二级学位文学硕士或理学硕士学位。在牛津和剑桥大学，文学学士获得者只要缴一定的学费，便可在进入大学 6～7 年后获文学硕士学位。所有招收攻读高级学位学生的大学均可提供哲学博士学位。学生经过漫长的学习，通过考试或有独创的研究工作，被授予博士学位。美国有一比较新的学位——大学专科，由两年制专科学校或社区学院为修完两年课程的学生颁发证书,学术地位比较低。

一些常见的学位:

B.A.,或 A.B.	文学士
B.Acct.	会计学士
B.Agri.	农学士
B.Comm.	商学士
B.E.,或 B.Ed.	教育学士
B.F.A.	美术学士
B.L.S.	图书馆学士
B.S.	理学士
M.A.,或 A.M.	文学硕士
M.B.A.	工商管理学硕士
M.L.S.	图书馆学硕士
M.S.	理学硕士
D.D.S.	牙科博士
J.D.	法学博士
M.D.	医学博士
Ph.D.	哲学博士

20 世纪专门化的迅速扩展使美国、英国及其他说英语国家的高等学校系统颁发的特定学位的门类越来越多。例如,美国目前颁发 1 500 多种不同的学位,最多的是科学、技术、工程、医学和教育方面的学位。然而,最常见的学位还是文学士和理学士,可在其后加上一专门领域(如:B.S.Pharm.,即药学士)。这些专门领域在各毕业水平上有相应的称号。

除了一些特例,大陆欧洲的大学现已废弃了学士和硕士这些中间学位。20 世纪后半叶,法国的学位制度作为大学改革的一个主要的组成部分正在发生变化。业士学位(baccalauréat)是授予完成了中等学业的法国学生的,并使之可升入大学。学生在大学学习 3 年或 4 年后,获得准许证,可任中学教师或接着进行更高水平的学习。当前,法国也颁发硕士(maîtrise)学位。硕士学位获得者通过竞争考试,获得一张叫做学衔考试合格(agrégation)的证书,即可任大学本科教师。文科和理科均授予博士学位(doctorats)。

在德国,只授予博士学位,对那些不想达到博士学位要求的学生则提供毕业文凭考试。

在俄罗斯,大学 4 年或 5 年的学科结业时,授予毕业文凭。副博士学位须经过几年实际工作和学术研究工作并完成一篇论文,方可获得,同美国的哲学博士学位大体相当。科学博士学位只由一个特设的国家专门委员会在承认他的研究有独创性,而且很重要时才予以颁发。

在日本,常见的学位是学士(gakushi),大学学习 4 年后授予,博士学位(hakushi)则需要再学习 2～5 年。日本也授予硕士学位(shushi)。

除了通过学习、研究获得的学位外,大学和学院还颁发荣誉学位,如古典文学博士(L.H.D.)、文学博士(Litt.D.)和民法学博士(D.C.L.),表示对其突出贡献的承认,而不考虑其学术成就。

degree of freedom (mathematics) 参阅 **freedom, degree of** 自由度。

Degrelle, Léon 德格雷尔(1906-06-15,比利时布永～) 比利时雷克斯党的创建者和领袖,第二次世界大战中曾与德国人合作。长于演说,早年投身政界。1930 年组织雷克斯运动。雷克斯运动原为执政的天主教党的一个派别,后成为反对党,该党 1936 年在议会中获得 21 个席位。后来在意大利独裁者 B. 墨索里尼资助下,雷克斯运动变成法西斯组织。30 年代末,雷克斯党曾与分离主义的佛兰德国民党的 16 名议员结盟组成虚弱的联合政府。第二次世界大战中,他与德国占领军合作。1941 年 8 月组织并指挥瓦隆人和佛兰德人突击队,在俄国前线作战。在他领导下雷克斯党控制了比利时的地方政府和报纸。1944 年 9 月比利时解放后,他逃往西班牙,次年 12 月以叛国罪被缺席判处死刑。后在 F. 佛朗哥庇护下,成为西班牙公民。

degu (species *Octodon degus*) **八齿鼠** 啮齿目八齿鼠科唯一的昼行性动物,分布于秘鲁和智利的草原。长约 25～31 厘米(连同尾部),重 170～300 克。毛浅灰褐色,带橙色。眼周有一淡色环斑。会挖掘复杂的洞系,由多数个体共同使用。几个雌体可在一个窝内喂养其早成的幼仔。八齿鼠常为害农业。

Dehiwala-Mount Lavinia 代希瓦勒-芒特拉维尼亚 斯里兰卡西南海岸城市区。位于科伦坡以南,主要是科伦坡市的居民区。该区芒特拉维尼亚是海滨胜地,代希瓦勒以动物园著称。在 20 世纪中期发展很快,人口约 196 000(1990)。

Dehmel, Richard 戴默尔(1863-11-18,普鲁士勃兰登堡文迪施-赫尔姆斯多夫[德国]～1920-02-08,汉堡附近布兰克内瑟) 德国诗人,由于在形式和内容上的革新,对当时的青年作家产生过重大影响。戴默尔于 1887 年完成学业,后任保险公司职员,1895 年成为自由作家。早期作品选择自然主义的社会题材,是描写劳动阶级悲惨生活的第一位主要作家。在尼采的影响下颂扬个人主义和放纵本能与情欲的生活,同时又感到自我牺牲和追求和谐的伦理思想的吸引力,这一冲突形成他波澜激荡的个人生活及作品的内容及风格。作品的特点是热情奔放的表达和绮丽动人的文采,其佳处是感情细腻,其劣处则是有意煽情。在第一本诗集《解救》(1891)里,冲突表现在纵欲和禁欲两相矛盾之中。但他相信爱和性的神密力量,从而找到了这一冲突的解决。他最终把男女间的肉体关系看作人的个性的充分发展和更高级的精神生活。这就是他的主要小说《两个人》(1903)的主题。他对于性题材的处理不仅是热烈的,而且就当时来说,也是惊人地坦率。他本着自我牺牲的精神,在第一次世界大战中志愿服役。可是,他及时猛醒,这种幻灭表现在他的最后作品——战时日记《在民族与人类之间》一书(1919)里。其他重要作品有《女人与世界》(1896)、《维纳斯的变迁》(1907)以及《妩媚的荒野世界》(1913)等。

Dehmelt, Hans Georg 德梅尔特(1922-09-09,德国格尔利茨～) 德国出生的美国物理学家。他和德国物理学家 W. 保罗分享 1989 年诺贝尔物理学奖金的一半;另一半授予美国物理学家 N.F. 拉姆齐。德梅尔特因开发彭宁阱而分享诺贝尔奖。彭宁阱是一种在足够长的时间内保存少量离子(带电原子)或电子的电磁设备,以便对它们的性质进行空前精确的测量。德梅尔特从 1940 年起在德国军队中服役,1945 年为美军所俘。战争时期在军队中学习过物理学,战后入格丁根大学继续学习,1950 年在该校获博士学位。1952 年到美国,1955 年开始在华盛顿大学任教,1961 年成为正教授,同年入美国籍。1955 年德梅尔特开发的彭宁阱能够将电子和离子长时间相对孤立地约束在小空间内。1973 年德梅尔特用他的设备隔离出单个电子进行观察,崭新的技术开辟了精确测量电子关键性质之路。德梅尔特和他的合作者以空前的精确度开发了测量原子频率和单个量子性跳变(原子能级间的跃迁)的方法。70 年代中,德梅尔特用他的阱测量电子的磁矩,精确到万亿分之四,是当时电子磁矩的最精确量度。

Dehon, Léon-Gustave 德翁(1843-03-14,法国拉卡佩勒-昂蒂耶拉什～1925-08-12,比利时布鲁塞尔) 别名约翰(耶稣圣心会的)。法国天主教司铎,耶稣圣心司铎会创立人。该会致力于宣传圣心教理。德翁于 1868 年在罗马接受司铎职务,曾参加 1869～1870 年第一届梵蒂冈会议。返回法国后,1871 年担任圣康坦本堂司铎,积极从事社会工作。1877 年在教区内成立圣心祭品会。1906 年他将耶稣圣心司铎会总会迁往比利时的布鲁塞尔。1923 年该会获得教皇本尼狄克十五世批准,现该会遍布五大洲。

Dehra Dūn 台拉登 印度北方邦城市。位于喜马拉雅山山麓,海拔 670 米。始建于 1699 年。现为山区胜地,北方铁路与公路终点站,印度测量局与林业部的总部所在地。主要工业为茶叶加工。设有森林研究院、考古勘测研究所、两所军事院校、几个博物馆和 3 所大学。台拉登县面积3 088平方千米。境内多山,有 2 400 米以上高峰。种植水稻、小麦、粟、茶树和其他农作物,并出产木材。台拉登镇北的马苏里为避暑胜地,里希克什为朝圣中心。人口:城市270 159;都会区368 053(1991)。

Dehri 代赫里 印度比哈尔邦罗赫达斯城市。在宋河西岸。是公路和铁路枢纽,位于宋河灌渠网渠头。有一座水电站。工业有铁路工厂、制糖厂、锯木厂、酥油厂等。人口约93 594(1991)。

Dehua porcelain 德化瓷 又拼 Te-hua porcelain。中国福建德化产瓷器。宋、元时(960～1368)即盛产"影青"(青白釉)瓷器,大量销售东南亚各地。明、清(1368～1911)两代以白瓷闻名中外,称"建白釉"或"白建"。其白釉如象牙、凝脂,一般用"象牙白"、"猪油白"或"鹅毛白"形容其美质。胎体纯净细致,

清代的德化瓷观音像
美国不列颠百科全书公司供图

透光性能良好。胎釉中含铁、钛等杂质极少，因而莹润如玉。除日用品盘、碗、炉、瓶外以瓷塑佛像最负盛名。18 世纪时大量销往欧洲，并被英、法等国仿制。现产雕塑艺术陈设品多用贴花、印花、堆花作装饰。

dehydration 脱水 指人体内水分的丢失。但它几乎一无例外地伴有不同种类、不同程度的电解质（如氯化钠等）代谢紊乱。据此，脱水可以简单地分为以下类型：①以丢水为主（高渗性脱水）；②以丢盐为主（低渗性）；③水、盐成比例地丢失（等渗性）。除了钠离子外，脱水时还会伴有其他电解质（例如钾）的丢失以及酸碱平衡的紊乱。因此，不管治疗何种类型的脱水，不仅需要补充丢失的水分，而且必须保证恢复体液中各种电解质的正常浓度和分布。脱水成因可以是水的入量不足，或是出量太多。最常见的原因是不能喝水。断水的后果远较断食更为严重。人类每天通过排尿、呼吸、不自觉出汗和胃肠道失去的水分约为 1 200 毫升，约占体液总量的 2.5%。除此而外，如果出汗大量增加，如在热带海洋上失事舰船的水手或沙漠中迷路的旅行者，用不了几个小时，脱水即可致人休克或死亡。当危重病人出现吞咽困难，或因年老、疾病、意识不清所致无口渴感时，身体每天丢失的水分不能得到及时补充，在这种情况下，病人很快发生脱水及其合并症。

前已述及，失水常伴失盐。以失水为主的脱水见于：糖尿病患者的尿中含有糖分，尤其是当血液和体液 pH 值下降时，出现尿量剧增（利尿）。还见于：给危重病人吃高蛋白饮食时，蛋白质的分解产生大量含氮化合物——尿素，也必须随尿排出，造成尿量增加（也是一种利尿）。尿崩症患者因抗利尿素分泌不足，不能浓缩尿，这样，为补足大量排尿所失水分，患者必须狂饮，而且这种病人的尿中所含盐量极低。如病人肾脏有病，肾小管不能重吸收水分，也可见到类似情况。而大面积烧伤患者，大量水分通过烧伤的皮肤流失。

以失盐为主的脱水见于肾上腺皮质功能不全——阿狄森氏病。由肾上腺皮质分泌的醛固酮激素控制着肾小管对钠的重吸收。阿狄森氏病患者体内这种激素分泌减少，结果随尿排出的钠量增加，血钠水平下降（低钠血症）；为求血液渗透压的平衡，须增加水分的排泄，从而造成严重的脱水。慢性肾功能不全患者的肾脏不能正常行使功能，可能发展为对盐的保存无能。在这种情况下，如果还像其他肾炎病人那样限制盐的摄入量，则可加重病情，甚至产生类似肾上腺皮质功能不全的临床症状。

胃肠道内的液体正常日更新量约计 8 升，接近人体水分总量的 20%。呕吐、腹泻可导致大量水分及相关电解质（如钠、钾）的丢失。由此而引起的电解质不足的确切性质，部分取决于产生症状的病变部位，部分取决于病人是否喝水或正在接受输液。如无合并症，未经治疗的呕吐或腹泻所导致的脱水，通常可引起水、电解质平衡紊乱。

脱水的症状部分取决于病因，部分取决于是否还有相关盐分的丢失。如果失水大大多于失盐，则细胞外液的渗透压会变得比细胞内者为高，此时水分从细胞内向细胞外液转移（细胞内脱水），以降低细胞外液渗透压来保持内外平衡，并维持细胞外液的正常容量。但细胞外液中的水分大量流失，可造成严重脱水。此时病人烦渴，伴单纯脱水（不失盐或少失盐）。在那些失盐多于失水的情况下，细胞外液和血清中钠离子浓度减少，渗透压降低，故水进入细胞内以平衡内外渗透压。这样就出现了细胞外脱水，而细胞内无脱水的情况。此时患者无口渴感。

失水和失盐的结果比较

症状和体征	单纯失水	单纯失盐
口渴	+ + +	无
倦怠	+	+ + +
起立时昏倒	后期有	+ + +
尿量	少	正常，后期少
尿中盐含量	经常 +	常无（阿狄森氏病除外）
呕吐	无	可能 + + +
痛性痉挛	无	可能 + + +
血清 NaCl	正常或稍高	明显减少 + + +
血清量	正常，后期少	明显减少 + + +
血中尿素含量	+	+ + +
血容量、体液量减少	无或轻度	+ + +
血液黏稠度	正常	明显增加 + + +
血压	正常	明显下降 + + +
水分吸收	快	慢

+ 号表示严重程度，从轻（+）到十分严重（+ + +）

失水、失盐（电解质）所致脱水的对比列于表中。表列出水、盐丢失的程度影响临床表现。但很显然，不管是水还是盐，都不可能被耗尽，当其中一种浓度降低，另一种浓度就会发生相应的改变，其中，机体的代偿机制发挥重要作用。

两种类型的脱水都伴体重减轻，每天可达 2 ～ 3 磅。失水不失盐的脱水者均伴烦渴，口干、思水、唾液减少，长期水摄入受到限制者都有吞咽困难。烦渴可能是细胞脱水和细胞内渗透压升高的必然表现。实验表明：细胞损失其水分的 1%，即感到口渴。当脱水进一步发展，组织开始皱缩，皮肤开始干燥起皱，眼睛发涩，眼球变软。进一步发展为中度脱水，不仅上述症状更明显，而且可伤及大脑的体温调节中心。水、盐再进一步丢失，血容量和心输出量减少，则首先降低皮肤的供血量，使汗量减少直至无汗，主要散热通路闭塞，体温急剧上升。

虽然细胞内、外液量有明显变化，但血浆量的变化发生最晚，变化幅度也最小。在某种程度上，血浆量靠组织液来维持。不过，如果血浆减少，则心输出量也会减少，脉搏加快，这是一种生理状态的危象。

人类长时间脱水时的肾脏变化也倾向于尽量维持一种正常状态。但如果脱水持续到血浆量已经开始下降，则尿量急剧减少。只要尿量能维持在 30 毫升/小时以上，肾脏即可有效地排泄掉全部含氮的和不含氮的废物。一旦尿量低于这个水平，肾脏就不能有效地行使功能，上述废物开始在体内积蓄，其在血中的浓度开始上升。至此，我们清楚了长时间严重脱水能产生什么样的后果。水、盐在体内的正常分布被破坏，血浆量减少，血液黏稠度增加；结果，肾功能降低，尿量减少，体内代谢产物集聚。不过，最具生命威胁的症状是皮肤丧失排汗功能，使体温升高，心输出量降低，可致顽固性休克。一旦发生肾功能衰竭，就意味着身体全部水分的 8%（4 升）已告丢失。如果失水量达到 5 ～ 10 升，患者病危，血浆量减少，血液黏稠度增加，肾功能衰竭，血中尿素含量升高，血压下降。一个健康成人如失掉 12 ～ 15 升体液即可死亡；如为儿童、老人或残疾者，轻、中度脱水即可致死。

脱水的治疗效果不仅取决于丢失水分的补充情况，而且取决于能否重建体内电解质（盐）的正常水平和有效地控制含氮代谢产物的生成、排泄。但在采取上述治疗措施之前，必须去除病因。海员或沙漠旅行者必须首先给予救助；呕吐婴儿应先予以控制呕吐；导致脱水的原发病（如阿狄森氏病）应是治疗计划的主要内容。医生在取得准确的生化报告后，按照各种电解质、其他血液成分以及血浆量的实际水平设计适当的补液（一般为生理盐水）治疗方案并付诸实施。病人在接受正确的输液治疗后，人体的细胞、细胞外液和血浆容量之间的正常关系即可逐渐恢复；肾脏也可恢复功能，重新清除积存在循环血液中的代谢废物，机体将重建自身的正常平衡。

dehydration 脱水 多种食物的保藏方法。在加工时除去食品中的水分，以阻止微生物的生长，可延长保藏期。为古老的食物保藏方法之一，史前人类已用太阳晒种子，北美印第安人用日晒保存肉片，中国的干蛋、日本的干鱼和米也采用脱水的方法。1795 年，法国开发了热空气脱水法。近代脱水技术能使体积缩小到原来的 1/15。第二次世界大战时，因海上长途运输大量食品的需要，促进了脱水技术的发展。体积小的优点为登山、露营、救济组织所重视，可及时为紧急事故或灾区提供食物。脱水方法和设备因食品种类而不同，包括隧道干燥、窑式干燥、烤炉、烘箱、真空设备等，也有小型家用设备。设计的基本要求是干燥时间短，这有助于保持食品的原有性质。真空干燥对果蔬特别适宜。冷冻干燥在冻结条件下脱水，适于热敏性食品。冷冻干燥的肉类制品稳定性好，复水后接近鲜肉。乳制品是最主要的脱水食品，主要采用喷雾干燥法生产大量脱水全脂奶粉、脱脂乳、酪乳、蛋类等。

Deighton, Len　戴顿（1929-02-18，英格兰伦敦玛丽莱博恩～　）　英国作家、新闻记者、电影制片人和重要的间谍小说作家。最著名的作品是《伊普克雷斯案卷》（1962），一部描写间谍机构内部的欺诈和背叛的作品。曾先后就读于伦敦圣马丁艺术学校和皇家艺术学院。毕业后从事过糕点师、为多家报刊撰稿的烹调专栏作者、服装厂经理、新闻摄影记者等工作。第二部小说《柏林的葬礼》（1964），继续采用间谍活动和悬念结合的手法。两年以后，另一部情节紧张的间谍小说《十亿美元富翁布雷恩》（1966）问世，表现了他独具匠心，长于构思。1967 年发表的《一处昂贵的死亡地》，文笔明快、情节发展迅速而合乎情理，被一些批评家认为是他最好的小说之一。在《轰炸机》（1970）中，他记述了第二次世界大战时一次指挥失误的轰炸飞行。1972 年出版《特写镜头》，放弃写悬念主题，代之以独特的批评见解去考察好莱坞的电影事业。1974 年又恢复间谍小说写作，发表《间谍故事》。后来出版的小说有：《昨天的间谍》（1975）、《XPD》（1981）、《再见，米老鼠》（1982）和《冬天》（1987）。他的许多小说被改编成电影，如《伊普克雷斯案卷》、《柏林的葬礼》、《十亿美元富翁布雷恩》和《一处昂贵的死亡地》。他还写有几部关于第二次世界大战的历史故事（如《闪电战：从希特勒的发迹至敦刻尔克大溃退》，1979）和一些烹调用书。

Deimos　火卫二　火星两颗卫星中靠外面的一颗，1877 年由美国天文学家 A. 霍尔发现。是一颗大小约为 15 千米 × 12 千米 × 11 千米的不规则的、有环形山的天体，每 30.3 小时绕火星公转一周，距火星 23 459 千米（6.9 个火星半径），轨道接近圆形，轨道平面与火星轨道平面倾角不超过 2°。火卫二的最长轴总是对着火星，这使它的自转周期和公转周期相等。位于火卫二南极附近的最大环形山约 2.5 千米宽。火卫二也同火卫一一样，表面呈灰色并很暗（反照率 7%，为月球表面反照率的一半）。这些事实连同火卫二平均密度较低（低于 2 克/厘米^3），说明火卫二是由含碳的物质构成的，很可能是火星俘获来的一颗像小行星那样的天体。尽管火卫二的引力加速度很小（大约 10^{-3} 伽），表面上仍然有相当数量的表土。

Deinocrates　参阅 **Dinocrates** 狄诺克拉底。

Deioces　台奥赛斯（活动时期公元前 8 世纪末和前 7 世纪初）　小米底酋长，臣服于伊朗中部阿塞拜疆的马纳王国。据希罗多德记述，他联合米底所有部落，成为米底人第一代国王。建都埃克巴坦那（今伊朗的哈马丹）。在位 53 年（公元前 728 ～前 675）。

Deiotarus　德奥塔鲁斯（？～公元前 40）　托列斯托波伊人（居住于西加拉西亚即今土耳其西部）的郡守，后来成为加拉西亚全境的国王。他是罗马人的忠实盟友并卷入罗马将军间的内战。本都国王米特拉达梯六世第三次入侵时（公元前 74），他将侵略军赶出弗里吉亚。为此，公元前 64 年庞培封他为国王，并把本都东部划归他统治。此外，罗马元老院又将小亚美尼亚和加拉西亚的大部分地区并入他的领地。在公元前 49 ～前 45 年罗马内战中，他支持庞培和元老院贵族党反对凯撒。公元前 48 年庞培在法萨卢斯战败后，他逃往亚细亚行省。次年凯撒赦免了这位国王。然而，德奥塔鲁斯继续支持反凯撒党，直至公元前 42 年此党在菲利皮彻底败亡为止。此后，他支持后三头执政，并依然控制其王国，直至去世为止。

Deiphon　坚外壳虫属　三叶虫（绝灭的节肢动物）的属。北美志留系（4.38 亿年前至 4.08 亿年前）岩石中的化石，由于极不寻常的体形而易辨认。除了发达的刺状部分，肋叶

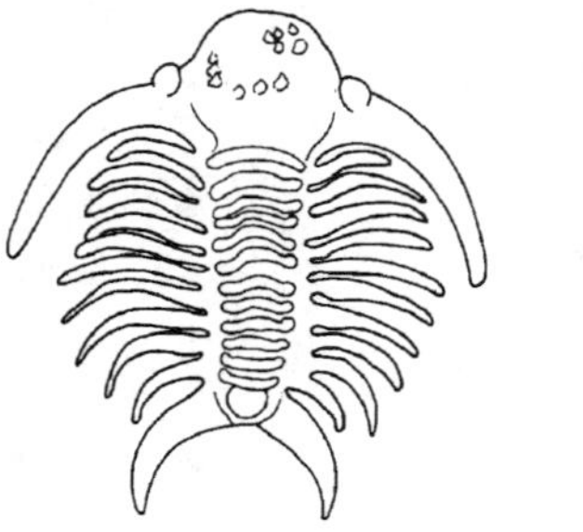

福氏坚外壳虫（*Deiphon forbesi*）

（中轴两侧）细小，但有发达的棘节。尾部小，不仅后部的边缘，而且前部的边缘都有发育粗大的刺。头部是很大的球形，表面有许多小瘤。

Deir el Bahri（Egypt）　参阅 **Dayr al-Baḥrī** 达尔巴赫里。

Deir ez-Zor（Syria）　参阅 **Dayr az-Zawr** 代尔祖尔。

Deira　德伊勒　英国历史上北方的一个盎格鲁-撒克逊王国。7 世纪末与邻国伯尼西亚（**Bernicia**）合并，形成诺森布里亚王国。德伊勒位于亨伯河和蒂斯河之间的地带。传说，其第一个见于记载的国王是艾尔，统治时期为 560 ～ 588 或 590 年。他死后，德伊勒被伯尼西亚的艾特尔里克占领，艾特尔里克之子艾特尔弗里思统治两个王国至 616 年，艾尔之子埃德温又从 616 年统治至 632 年。埃德温之堂兄弟奥斯里克从 632 年至 633 年统治德伊勒。633 ～ 641 年艾特尔弗里思之子奥斯沃尔德统治时期两王国又复合并。奥斯沃尔德的兄弟奥斯威 641 ～ 670 年统治伯尼西亚，德伊勒则由奥斯里克之子奥斯温统治到 651 年，他死后，伯尼西亚王室成员统治德伊勒直到 678 年。

Deirdre　黛特　早期爱尔兰文学厄尔斯特系列故事中的忠贞不渝的爱情故事《尤斯内奇诸子的命运》里温柔美丽的女主人公。故事写于 8 或 9 世纪，15 世纪时经修改后与《图里安子女的命运》和《李尔子女的命运》一并收入《三个说来伤心的故事》。据保存在《伦斯特集》（约 1160）中的较早的文本描述，黛特出生时，一个凯尔特巫师预言，许多男子将因她而死。她在与世隔绝中成长，出落得如花似玉。国王康纳尔爱上了她，但她却钟情于尤斯内奇之子诺伊西。他们私奔至苏格兰，同行者有诺伊西的两个兄弟。他们在苏格兰过着世外桃源的生活，直至被奸诈的康纳尔骗回爱尔兰。尤斯内奇诸子均被杀害，并因此在厄尔斯特引起一系列反叛与流血事件。黛特为免遭康纳尔毒手，以头触岩，自杀身亡。后来的文本删去了故事的前半段，大力渲染悲剧的结局，使黛特在自尽前与康纳尔共同生活了一年，但她从未露过一丝笑容。这个故事在爱尔兰和苏格兰流传甚广，仍保留在 20 世纪苏格兰的口头传说中。它的文学影响持续至 20 世纪初，爱尔兰出生的英国作家 W.B.叶芝和 J.M.辛格当时曾将这一主题写成剧本。

Deirgeirt, Loch（Ireland）　参阅 **Derg, Lough** 德格湖。

Deisenhofer, Johann　戴森霍费（1943-09-30，德国楚萨马尔泰姆～　）　德国生物化学家。由于测定了某些对光合作用至关重要的蛋白质复合物的结构，与 H.米歇尔和 R.胡伯尔共获 1988 年诺贝尔化学奖。1974 年戴森霍费获西德马克斯·普朗克生物化学研究所博士学位，在研究所继续研究工作直到 1987 年。同时他还担任了位于美国得克萨斯州达拉斯的霍华德·休斯医学研究所的科研工作，与米歇尔和胡伯尔一起，开始研究在某些光合细菌中发现的蛋白质复合物。已知这些被称为光合反应中心的蛋白质复合物在引发一种简单类型的光合作用中起关键作用。1982 ～ 1985 年，三位科学家利用 X 射线晶体学测定构成蛋白质复合物的 1 万个以上原子的准确排列方式。他们的研究加深了对光合作用机理的一般了解，揭示了植物和细菌的光合作用的相似性。

Deism　自然神论　一种非正统的宗教见解，其主要阐发人是英国的一批著作家，从 17 世纪前半叶的 E.赫伯特到 18 世纪中叶的 H.圣约翰。一般地讲，“自然神论”所指的可称之为自然宗教，即承认某一部分宗教知识，这种宗教知识既是每人天生的，也可以通过运用理性获得，与通过启示或某一教会的训诲所获得者相对。当时有 3 种现象引起学术界的关注：人们日益相信人类的理性；宗教界人士声称，强调教条和忌恨不同信仰都是依据启示，这种说法受到怀疑；上帝被赋予有秩

序的世界的理性设计师的形象；这3种关注强烈地影响了自然宗教的鼓吹者。

正统基督教教义强调，人类既然有罪，其理性即已朽坏。文艺复兴时代的人文主义否定这种说法，并且阐明普遍的信念，谓人类的理性有能力区别何者为宗教及道德真理，何者为超自然的启示即特殊的教会学说。与此相似，自然神论者说，全世界各种宗教和基督教会的崇拜形式、虔修方法及教义十分差异，但都有普遍公认的宗教及道德原理为共同的合理的核心。早期的自然神论者说，表面上的礼仪和教义差别并不重要，应当予以容忍。

但是，到了17世纪末和18世纪初，J.托兰德、沙夫茨伯里伯爵、M.廷得尔、T.伍尔斯顿和A.柯林斯所代表的一批自然神论者，却斗志十足，居然运用理性去解剖正统基督教本身的虔修和习俗。他们反对天主教的繁文缛礼和复杂风俗的服饰，认为它们与异教的迷信同属一类。他们也不赞成基督教(新教)一些派别的令人生厌的"热心"和刻板的个人虔修，提倡严肃的道德修养和对理性宗教的容忍。

激进自然神论者与正统基督教思想家之间的主要争论在于，诉求上帝之启示而以之为终极真理之显示的作法是否适当。许多正统派思想家争辩说，当自然理性使人接近宗教真理，超自然的启示是必要的补充，可以更加明确而有效地传授这种真理。托马斯·阿奎那所开创的天主教传统，确实是重视正确的理性，认为它总是与启示真理和谐，能够揭示上帝的自然的道德法。针对此点，自然神论者提出，只有自然宗教才是真实的，不含附会之说，对于基督教加之于通过理性而掌握的朴素道德法的种种附加道理，他们一律加以猛烈抨击。

正统的犹太教-基督教思想认为，上帝积极地参与形成并支撑人类的历史；而自然神论者则提出，上帝在完成了初始的创世之功后，即退而超然自在，听任世界根据合理的自然法则运行。牛顿认为，宇宙是遵循着稳定的合理的法则运作的机构，这种见解具有普遍的威信，自然神论者借助于这种有普遍威信的见解，把古典的意匠论加以修改而提出以世界的合理秩序为证据，推断合理的造物主的存在。

在英国，随后在德国，自然神论者对于基督教教义的抨击一直是温和的；但是在法国，腐朽的天主教高级神职人员的政治影响，激起强烈的反教会情绪，自然神论者的抨击极为激烈尖刻。伏尔泰认为，"每一个明智的人，每一个善良的人，都应当对基督教感到发指"。对于许多法国哲学家来说，自然神论只是他们走向彻底无神论途中的一站。

到了18世纪末，自然神论除了成为英国、法国及德国知识界中占主导地位的宗教见解，也跨过大西洋，形成上层美国人的宗教观。美国最初的3位总统都同意自然神论的信仰。

Deivas (Baltic deity) 参阅 **Dievs** 迪夫斯。

deivė (Baltic folklore) 参阅 **lauma** 萝玛。

Déjerine-Roussy syndrome 德热林-鲁西二氏综合征 又称丘脑综合征。由丘脑后部病损(常为脉管病损)引起的神经障碍。因法国神经病学家朱尔·德热林(1849～1917)及G.鲁西(1874～1948)而得名。特征为身体一侧浅感觉永久性丧失、轻度瘫痪和轻度共济失调；识别物体的能力完全或接近完全丧失；轻瘫侧持续严重疼痛；患侧肢体有不自主的不可控制的舞蹈病——手足徐动征样运动。该综合征常伴情绪紧张及疲乏。

Dekabrist (Russian revolutionary) 参阅 **Decembrist** 十二月党人。

Dekéleia (Cyprus) 参阅 **Dhekélia** 泽凯利亚。

Deken, Aagje 代肯(1741-12-10，荷兰阿姆斯特尔芬～1804-11-14，海牙) 荷兰女作家。与B.沃尔夫(**Wolff, Betje**)合著荷兰第一部长篇小说《萨拉·比尔格哈特小姐传》(1782)。在1776年结识沃尔夫之前，代肯就写过一本鲜为人知的祈祷诗集。1777年，沃尔夫的丈夫死后，两人同住并开始合作写小说。她们的第三部作品《萨拉·比尔格哈特小姐传》改变了荷兰文写作的方向。代肯和沃尔夫发展了塞缪尔·理查逊在英国采用的书信体写作方法，写出了这部现实主义小说，人物刻画细致入微，又没有伤感情调和矫揉造作的描述。代肯年轻时在孤儿院生活过，还当过佣人，这段经历对她以后构思小说情节很有帮助。后来她们继续用书信体形式合著了一些不太出名的作品，包括《威廉·莱芬德先生传》(8卷，1784～1785)、《科娜利亚·维尔兹许特小姐传》(6卷，1793～1794)。1788年普鲁士入侵期间，两人移居法国特雷乌，在那里生活了10年。她们在《漫游勃艮第》(1789)中叙述了对法国农村的印象。

Dekker, Eduard Douwes 德克 参阅 **Multatuli** 穆尔塔图里。

Dekker, Thomas 德克(约1572，英格兰伦敦～约1632) 英国剧作家和散文小册子作者，以对伦敦生活的生动描写闻名。生平不详。仅知他于1598年首次作为剧作家被提及。在以后30年中，他为了生计，至少参与42部剧本的写作工作。他构思戏剧情节的能力不强，在"诗人之战"或称"剧院之战"的争论中，被琼森在《冒牌诗人》(1601)中揶揄，他也反唇相讥。与别人合写的剧本保存至今的有11部，合作者有米德尔顿、韦伯斯特、马辛杰、福特和罗利等。出自他一人之手的有5部，最著名的可能是《鞋匠的节日》(1600)和《诚实的妓女》(第2部，1630)。1603年发表的散文小册子《怪异之年》是第一本涉及伦敦和鼠疫的作品，写得很有生气；《伦敦更夫》(1608)之类的作品系袭用格林等人关于无赖和犯罪的素材写成。1613～1619年因欠债而入狱。收入奥弗伯里(**Overbury, Sir Thomas**)1616年出版的《人物集》的他匿名发表的6幕监狱情景的戏可能是根据亲身经历写成。德克参与策划了1603年庆祝詹姆斯一世进入伦敦的街头娱乐活动，筹办了1612年伦敦市长的盛大游行。

Del Castillo, Michel 德尔·卡斯蒂略 参阅 **Castillo, Michel del** 卡斯蒂略。

Del Monte Food 德尔·蒙特食品公司 主要从事食品的加工、装罐和销售的美国公司。该公司是香蕉及菠萝的主要生产者和销售者，并拥有附属机构从事货运、公共仓储、常规食品供应、零售、建筑物维修和安全保卫等业务。辅助性经营包括农场、牧场、渔场、包装和印刷。在19世纪70年代和80年代，加利福尼亚州成为水果及蔬菜的主要产地，1899年，该州境内的11家主要罐头公司合并成为加利福尼亚水果罐头协会。1916年，该协会又兼并了两家罐头公司和一家食品经纪公司，成为加利福尼亚食品包装公司，销售德尔·蒙特牌的产品。这家新公司当时拥有60多家罐头厂，其中有一些位于华盛顿州、俄勒冈州、爱达荷州和阿拉斯加州。1917年，该公司在夏威夷购进菠萝田及一家罐头厂，在20世纪20年代又在佛罗里达州、美国中西部和菲律宾有了罐头厂。在第二次世界大战以后，该公司又在几个国家兴建或购进了更多的设施。由于这样一些多国业务，加利福尼亚食品包装公司已不能反映现状，于是在1967年采用了德尔·蒙特公司这个名称。德尔·蒙德公司(总公司设在旧金山)于1979年合并于雷诺工业公司(总公司设在北卡罗来纳州温斯顿塞勒姆)。10年后将其鲜果业务出售，更名为德尔·蒙德鲜果公司。尽管不隶属于德尔·蒙德食品公司，其仍然销售德尔·蒙德牌的菠萝、香蕉等产品。1989年雷诺工业公司将旗下德尔·蒙德食品业务出售给私人投资商。1999年德尔·蒙德食品公司成为一家公开交易公司，生产水果和蔬菜罐头、婴儿食品、金枪鱼和宠物食品。使用商标包括德尔·蒙德、康塔迪娜和斯达克斯特。

Del Rio 德尔里奥 美国得克萨斯州西南部城市，巴尔韦德县县城(1885)。位于圣安东尼奥以西223千米，濒格兰德河，有桥与墨西哥的阿库尼亚城相通。现在的市区建于1872年，1911年设市。为进口港，旅游业发达，也是广大牧区的商业中心。东部紧接劳克林空军基地。溯河而上19千米为国际阿米斯特德水坝和面积3.4万公顷的人工湖与休养地。人口33 867(2000)。

Delacour, Jean Theodore 德拉库尔(1890-09-26，法国巴黎～1985-11-05，美国加利福尼亚洛杉矶) 美籍法裔鸟类饲养家。以发现并饲养若干种世上极稀有的鸟类而著名。少年时在法国收集了1 300余只活鸟，这些鸟类及其栖居地均在第一次世界大战中被德军所毁。后来他到亚、非及南美考察，并重新进行收集，藏品置于诺曼底的克莱尔别墅，规模比第一次大一倍多。20世纪20年代将活的爱德华兹氏雉带至英国。1924年由越南北方带来一对未命名的深蓝色的雉(当时称为帝国雉)，并笼养繁育成功。他也发现了许多其他鸟及哺乳动物的新种及亚种并予命名。1920年创办一份鸟类饲养杂志《鸟》(后并入《法兰西评论》),并经常为之撰稿。1931年著权威性的《法属印度支那鸟类》。第二次世界大战期间,他建的鸟舍又毁于德军。后赴美,1946年入美国籍。但又返回克莱尔重建鸟类饲养场及动物园,后将这些赠给法国。1951～1960年任洛杉矶县立博物馆馆长。

德拉克洛瓦绘《沙尔丹纳帕勒之死》(1827)
美国不列颠百科全书公司供图

Delacroix, Eugène　德拉克洛瓦(1798-04-26,法国沙朗通-圣-莫里斯～1863-08-13,巴黎)　著名的法国浪漫主义画家。想象力丰富、才思敏捷,是印象主义和现代表现主义的先驱。其艺术继承了文艺复兴以来的威尼斯画派、伦勃朗、鲁本斯和康斯太布尔的成就,对后代艺术家如雷诺阿、莫奈、塞尚、高庚、凡高、马蒂斯和毕加索等都有很大影响。他善于运用色彩,造型技巧可与提香或鲁本斯等人相媲美,作品富于表现力。从小接受古典教育,在充满艺术气氛的家庭中受到音乐、戏剧等各方面熏陶。1815年师事学院派画家盖兰,并受其友人英国画家波宁顿、波兰作曲家和钢琴家肖邦以及法国女作家乔治·桑等艺术家浪漫主义思想的影响。他的第一件杰作《但丁和维吉尔共渡冥河》,是受但丁《神曲》的启示,但悲剧性的感受却来自对米开朗琪

德拉克洛瓦绘《自由领导人民》(1830)
美国不列颠百科全书公司供图

罗和鲁本斯的缅怀。土耳其人在希腊的大屠杀激发他创作了巨幅油画《希俄斯岛的屠杀》,把占领者的狂妄自大、无辜希腊人的恐惧和失望,以及广阔天空的悲壮气氛等,表现得淋漓尽致,极为统一。他很喜爱英国画家波宁顿、透纳和康斯太布尔的艺术,1825年去伦敦,1827～1832年间创作了一批杰作,如:《南希之战》、《普瓦捷战役》、《自由领导人民》、《沙尔丹纳帕勒之死》以及为歌德的《浮士德》作的一组17幅石版插图等。1832年去摩洛哥旅行,摩洛哥人的生活和当地的自然景色鼓舞他创作出像《阿尔及尔妇女》这样色彩绚丽的作品。1833年第一次为市政建筑作装饰。他善于安排色彩,并把各种构图因素统一于细节中,如在凡尔赛历史博物馆的装饰画《塔衣波之战》和《十字军占领君士坦丁堡》中,他把历史、神话、哲学、宗教和人们的苦难融合在一首雄壮的交响曲中。1835～1861年创作了许多大型装饰画,如:在波旁宫帝王大厅的天顶上画的一些寓言画,1847年完成的图书馆天顶的两个半圆形和20个穹隅的装饰画,1846年完成的卢森堡宫图书馆的一个半圆形、一个小圆顶和4个穹隅,1851年完成的罗浮宫阿波罗画廊的中央天顶,为巴黎市政厅和平大厅画的天顶画、8块嵌版和11块门楣(1849开始,毁于1871),为圣叙尔皮斯教堂的神圣天使小教堂天顶画的《圣米歇尔》,在壁上画的《雅各布与天使》,以及《赫利奥多鲁斯》(1861完成)等。德拉克洛瓦1863年病逝后,留有6 000多幅素描、风景画和油画,以及重要的艺术家手记《日记》(已被译成多种文字出版)。

Delafosse, Charles(Baroque painter)　**德拉福斯**　参阅 **La Fosse, Charles de 拉福斯**。

delafossite　赤铜铁矿　黑色的铜和铁氧化物($CuFeO_2$),与其他铜和铁的氧化物矿物伴生的次生矿物,产于墨西哥的索诺拉、西班牙的佩德罗索以及德国的普法芬罗伊特。在美国亚利桑那州比斯比很丰富,也发现于内华达州及爱达荷州。关于详细的物理性质,参阅 **oxide mineral**(表)。

Delage, Yves　德拉热(1854-05-13,法国阿维尼翁～1920-10-07,索镇)　法国动物学家,以研究及阐明无脊椎动物生理学及解剖学而闻名。1886年发现半规管的平衡-稳定功能。1880年在巴黎大学、1881年在卡昂讲授动物学;1884年任吕克的动物考察站站长,1886年任巴黎大学名誉动物学教授,1878年及1902年任罗斯科夫海洋动物考察站站长。研究过甲壳纲动物的血液循环,在海绵(如蟹奴属[*Sacculina*])胚胎学上有过重大的发现,研究了藤壶(如蛞蟹奴属[*Peltogaster*])及扁虫(如旋涡虫属[*Convoluta*])的神经系统。研究出一种培养海胆的方法,用化学剂使卵细胞人工受精。后转而研究生物学上更为普通的问题。思考了在生物体及物种内生命如何通过细胞质显示的问题,并检查了细胞的力学问题。著有《原生质结构、遗传原理及普通生物学的重大问题》(1895)及《理论动物学》(6卷,1896～1903)。

Delagoa Bay　德拉瓜湾　葡萄牙语作 baía de Lourenço Maraues(洛伦索-马贵斯湾)。在东非莫桑比克东南海岸,靠近南非边界。长19英里,宽16英里。湾口有旅游胜地伊尼

德拉瓜湾的沿岸公路
美国不列颠百科全书公司供图

亚卡岛,湾头附近为莫桑比克首都马普托港。V. da 伽马远征队的一个队员在1502年发现。葡萄牙商人1544年第一次到此勘查。原为

输出象牙和奴隶的口岸,印度洋贸易的中间站,去南非钻石和黄金产地的门户,葡萄牙人、荷兰人、英国人和布尔人皆欲据为己有,争论不休。1875年以仲裁方式划归葡萄牙。马托拉河、滕贝河、厄姆贝卢济河注入内湾,马普托河和科马蒂河注入外湾。

delaine 德兰薄花呢 用精梳羊毛制成的高级粗纺或精纺毛织物。原为妇女高级礼服用衣料。现在结构紧密的平纹全毛织物亦称德兰薄花呢。德兰羊属美利奴型,饲养于美国、澳大利亚、新西兰、德国、波兰和法国的少数地区。

Delalande, Michel-Richard 德拉朗德 (1657-12-15,巴黎～1726-06-18,法国凡尔赛) Delalande 又拼 De Lalande。18世纪初法国主要圣乐作曲家,是能在吕里在世时有一定影响的少数作曲家之一。曾在圣日耳曼・洛克塞鲁瓦教堂任唱诗班歌手,并学习数种乐器。又曾在巴黎4座教堂任管风琴师,并应聘指导法皇路易十四的女儿的音乐教育。1683年任皇家教堂总监,至1704年,成为皇宫圣乐唯一管理人,也是皇家室内乐主要负责人。他的声望主要在于为凡尔赛宫教堂合唱队和管弦乐队写的42首经文歌。其对位技巧严格稳定,歌词处理手法巧妙高超,法国和意大利风格的揉合经过精心安排。他为法国圣乐做出的贡献犹如吕里对于法国歌剧的贡献。器乐曲《皇帝晚餐交响曲》,受到路易十四极大赞赏。也写世俗康塔塔与田园牧歌,同时还为巴黎的耶稣会学院上演的宗教悲剧谱写音乐。

Delambre, Jean-Baptiste-Joseph 德朗布尔 (1749-09-19,法国亚眠～1822-08-19,巴黎) 法国天文学家。曾编制天王星位置表。1771年成为税收总长达西的儿子的家庭教师。1788年达西建造一座天文台供德朗布尔使用。他在这座天文台中几乎不间断地进行观测和计算,并于1792年出版《太阳、木星、土星、天王星和木卫星表》。1795年法兰西研究所成立后,他被接纳进该所,1803年成为该所数学部终身秘书。1795年起在经度局任职。1792～1799年,他测量了从法国的敦刻尔克到巴塞罗那的子午线弧段,并在《公制的基础》(3卷,出版于1806,1807,1810)一书中详细介绍了这项工作。1807年成为巴黎法兰西学院天文学教授,并从1808年起任帝国大学的司库,直到1815年该大学停办为止。他还写过一些关于古代、中世纪和近代天文学史方面的论著。经度局于1817年重新出版他的《木卫星表》。为纪念他的功绩,月球上有一座大环形山用他的名字命名。

Delamere (of Dunham Massie), George Booth, 1st Baron 德拉米尔男爵(第一) (1622-08～1684-08-08,英格兰柴郡邓纳姆梅西) 英国政治家,1659年8月领导了一次反对共和政府的保王派未遂叛乱。此次叛乱预示着导致1660年斯图亚特王朝复辟的保王高潮的兴起。1645年为长期议会议员。1654和1656年为克伦威尔摄政时期的议会议员。1655年任柴郡军事专员和战时财政大臣。但当一批军官于1659年5月夺取了克伦威尔之子和继承人理查德的权力后,他被排斥出议会。他于是参加保王派,策划在英国各地造反。8月19日,他夺取了柴郡,但其他地方的起义已告失败。J.兰伯特将军在楠特威奇布里奇将他击败。他化装成女人逃走,但不久被捕,关入伦敦塔。1660年1月保王军击败兰伯特后,他获释。他参加拥立查理二世的协商议会。1661年封男爵。此后,主要从事地方政治活动,关心非国教教徒的权利。

Delamere (of Vale Royal), Hugh Cholmondeley, 3rd Baron 德拉米尔男爵(第三) (1870-04-28,英国柴郡皇家谷～1931-11-13,肯尼亚洛雷绍) 即H.乔姆利。英国东非保护地(今肯尼亚)的欧洲殖民者领袖。他喜好争论,发言直率,是肯尼亚白人社会的中心人物。认为只有欧洲人在非洲定居才能给非洲带来文明,始终鼓吹白人优越论。1903年定居肯尼亚,获得10万英亩土地,从事畜牧和耕种。同年当选农场主和种植园主协会(1904年改为殖民者协会)主席。1907年任首届立法会议成员。1920年当选裂谷省议会议员。1925年出资组织一次有肯尼亚、坦噶尼喀、北罗得西亚、尼亚萨兰代表参加的大会,商讨如何巩固白人在非洲的统治。1923和1930年两度率领代表团赴伦敦为海外移民者的利益奔走。

DeLancey, James 德兰西 (1703-11-27,纽约市～1760-07-30,纽约市) 英属纽约殖民地副总督和首席法官。纽约商人之子,曾被送到剑桥大学学习,后在伦敦学习法律。回纽约后,1729年成为总督的参议。1733年任殖民地最高法院首席法官。1753～1755年和1757～1760年任殖民地副总督。他曾坚定地捍卫君权,主审曾格(Zenger, John Peter)诽谤案。但在G.克林顿任总督期间(1743～1753),他一反原先的立场,反对总督的政纲,并利用他在英格兰的影响使克林顿被召回。他顶住来自英格兰和总督D.奥斯本爵士的压力,努力保持殖民地会议在纽约政府中的主导地位。1754年批准创办国王学院即后来的哥伦比亚大学。他主持阿尔巴尼会议。1755年他出席殖民地总督与E.布雷多克将军间的战时会议。

Delane, John Thadeus 德莱恩 (1817-10-11,英国伦敦～1879-11-22,伯克郡阿斯科特) 任英国伦敦《泰晤士报》主笔达36年。童年时住家与《泰晤士报》创办人J.沃尔特二世为邻。他在牛津大学完成学业后进《泰晤士报》工作,不久该报主笔T.巴恩斯去世,沃尔特任命年仅23岁的德莱恩为主笔。在德莱恩主持笔政的漫长年代,使该报威望达到空前高度,19世纪中期该报发行量达7万份。作为内阁大臣和政府高级官员的密友,有人指控他谄媚政府,他断然否认。事实上,该报在他主持笔政期间,曾不断地影响着政府的政策。其编辑方针是,力求保持公正,虽然他个人赞成自由主义的事业。1845年他组织了"泰晤士特快列车"从亚历山大港向伦敦传送邮件,较通常邮递抵达伦敦提前两周。1877年因自觉精力不济而告退。

Delaney, Shelagh 德莱尼 (1939-11-25,英格兰兰开夏索尔福德～2011-11-20,萨福克) 英国女剧作家。18岁时写有《尝一口蜂蜜》,1958年在伦敦首演,颇得好评。两年后在纽约市演出,获戏剧评论界奖。该剧以英国北部工业区为背景,写一个私通怀孕者的故事,1961年拍成电影。第2部剧作《恋爱的狮子》(1961)不大受欢迎。随后出版短篇小说集《驴鸣悦耳》(1963)。1968年发表的电影剧本《查利得意洋洋》受到广泛赞赏。第3部剧作《杰克建造的房子》(1977)原为电视创作。20世纪70和80年代主要为广播电台和电视台写作。

Delano, Jane A(rminda) 德拉诺 (1862-03-12,美国纽约蒙图尔福尔斯～1919-04-15,法国萨沃奈) 美国护士、教育家。第一次世界大战期间曾征募了2万多名护士到海外服役。1886年毕业于纽约贝尔维尤医院护士学校,1887～1888年为佛罗里达州杰克逊维尔市的护士总监督,在人们还不知道蚊能传播黄热病时就坚持使用蚊帐以防止该病播散。她在亚利桑那州的比斯比建立了一所医院,为矿工治疗猩红热。1909～1912年任红十字会全国护理委员会主席及美国陆军护士队总监期间,曾执行一项计划,使红十字会护士服务队成为陆军护士队的后备力量。这样,当美国参加第一次世界大战时,即有8 000名护士可随时待命开赴海外服役。1918年任战时组织护理局局长,向陆军、海军及红十字会组织输送护士。1900～1912年连任三届美国护士协会会长。1908～1911年任《美国护理杂志》理事会主席。1913年与伊莎贝尔・麦克艾萨克合著《美国红十字会基本卫生及家庭护理课本》。

Delany, Martin R(obison) 德拉尼 (1812-05-06,美国弗吉尼亚查尔斯镇～1885-01-24,俄亥俄齐尼亚) 美国黑人废奴主义者、医生、南北战争战前的编辑。幼年随全家迁往宾夕法尼亚。19岁时,晚上在黑人教会读书,白天在匹兹堡工作。他在两名医生的教导下,学会当助理医生和牙科大夫的本领,前往美国南部和西南部开业。后回匹兹堡创办《神秘》周报,专门报道美国黑人的困苦情况,并捍卫妇女权利。1846～1849年与纽约州废奴主义领袖F.道格拉斯合作,出版《北极星》周报。3年后他决心正规地学习医术,后来成为匹兹堡的著名医生。为了抗议美国压迫黑人,他于1856年迁到加拿大行医。南北战争开始后回国,在志愿军中当外科医生。1865年成为少校。战争结束后,他成为被解放黑奴事务管理局官员。1874年在南卡罗来纳州竞选副州长失败。著有《从政治上考虑美国黑人的情况》(1852)。

Delaroche, (Hippolyte-) Paul 德拉罗虛 (1797-07-17,巴黎～1859-11-04,巴黎) 法国画家。19世纪中期学院派画家,风格介于古典主义与浪漫主义之间,在创作写实的历史题材画方面取得了较大成就。其作品造型稳定、坚实，表面圆润，显示出高度成熟的技巧。在创作构图时，通常先用腊做模型。其许多历史画曾广为流传，并通过版画复制品为千

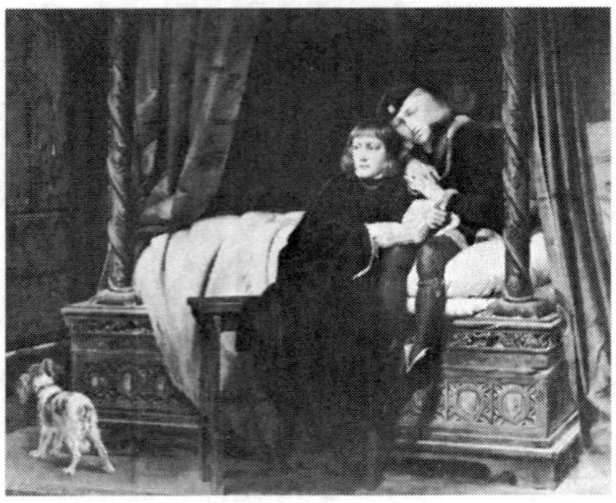

德拉罗虔绘《爱德华的王子》(1830)
美国不列颠百科全书公司供图

家万户所喜爱。影响最大的一幅是《爱德华的王子》(1830，巴黎罗浮宫)，描绘的是爱德华四世的儿子被囚于伦敦塔中的场景。

delator 揭发者 古罗马的告密分子。揭发者如果是公民，则会得到赏金或褒扬；如果是奴隶，则会得到自由；如果是外国人，则会取得罗马公民籍。诬告者要受到剥夺公民权、烙刑、鞭笞等惩罚。但因他们的活动对皇帝大有用处，一些诬告者未受到惩罚，反而得以执掌政治权力。

Delaunay, Charles-Eugène 德洛内 (1816-04-09，法国巴尔斯河畔吕西尼～1872-08-05，瑟堡附近) 法国数学家和天文学家。他的月球运动理论对行星运动理论的发展起了关键性的作用。他从1836年起在矿业学校学工程技术，1843年成为工程师，1858年任总工程师。1841～1848年，在巴黎大学同J.B.毕奥一起研究数学和天文学。1850年起在巴黎综合工科学校讲授力学，后来在矿业学校任教。1855年成为科学院院士，1870年继U.J.J.勒威耶任巴黎天文台台长。他的著作包括《力学基础教程》(1850，1874第8版)、《天文学基础教程》(1853，1870第5版)、《月球运动理论》(2卷，1860～1867)、《论理性力学》(1856，1873第4版)、《地球自转的变慢》(1866)和《天文学进展》(1867)等书。

Delaunay, Robert 德洛内 (1885-04-12，巴黎～1941-10-25，法国蒙彼利埃) 法国画家。第一个将颤动的色彩引进立体主义而形成俄耳甫斯主义(**Orphism**)，是最早的完全非具像的画家之一。善于把色面并列，造成构图的紧张气氛，从而促进抽象美术的发展。曾受后印象派装饰性和非幻觉派用色法的影响。1910年画了两组画：《教堂》和《埃菲尔铁塔》，对立体派绘画作出了贡献。其理论新颖独特，和正统的立体派画家有所区别。他的俄耳甫斯风格被他的妻子索尼亚·德洛内所接受，并对表现主义画派在慕尼黑的团体青骑士派画家的作品有直接影响。后转为完全没有主题的绘画，画了几组有名的组画，如《彩色圆盘》、《窗》等。1937年德洛内夫妇为巴黎博览会画了几幅引人注目的大型印象派

德洛内绘《埃菲尔铁塔》(1910～1911)
美国不列颠百科全书公司供图

的抽象装饰壁画。

Delaunay, Sonia 德洛内 (1885-11-14，俄罗斯帝国乌克兰格拉季日斯克～1979-12-05，巴黎) 油画家、插图画家及纺织设计家，第一次世界大战前抽象艺术的先锋，法国画家罗伯特·德洛内的妻子和协作人。生长在圣彼得堡，在卡尔斯鲁厄学习绘画，后移居巴黎，深受后印象主义和野兽主义画风影响。1910年与罗伯特·德洛内结婚，当时她的画风趋向以单纯色彩和谐平列的俄耳甫斯立体主义，并把其原则引进到纺织设计、陶艺装饰、舞台美术设计及其他实用艺术。最重要的作品是为B.森德拉尔的诗集创作的俄耳甫斯主义风格的插图。20年代运用抽象的和谐色彩设计纺织物与服装，对国际时装有巨大影响。30年代重操绘画，1937年与丈夫一起为巴黎博览会设计了巨幅壁画。1941年丈夫去世后，她于1964年在罗浮宫博物馆举办画展，成为在世期间实现此举的唯一女性。

Delaware 特拉华人 又称Lenni Lenape(伦尼-莱纳佩人)。操阿尔冈昆语的北美印第安部落联盟，居住大西洋沿岸，约自今特拉华州亨洛彭角至长岛西部。特拉华人特别集中于特拉华河流域一带地方，联盟之名即取自此河。特拉华人以农业为主，辅以渔、猎。夏季聚为若干村社，人口可达数百之众；冬季则以小型家庭群组形式，游猎于自己的地段之内。特拉华人有3个氏族，实行母系制；氏族再分为家族，家族成员一般共同居住在一所长房里。若干家族组成自治村社，公元1600年时，这类村社约有30或40个。村社内有由各家族的族长及其他著名人士组成的议事会，决定公共事务。家族内最年长的妇女有权任免族长。特拉华人是印第安部落中对W.佩恩最为友善的一支；他们所得到的回报却是臭名昭著的“量步购地”，这是一项剥夺他们的土地并强迫他们迁往原来划给易洛魁人的土地上定居的条约。1690年后，特拉华人因遭受白人入侵和易洛魁人统治，分几个阶段向西移动，在俄亥俄地区为萨斯奎汉纳河、阿勒格尼河及马斯金格姆河等河水所阻，在印第安纳地区为怀特河所阻。经过60余年的流动生活之后，俄亥俄河沿岸的特拉华人剩余部分及新增人口，重新燃起部落联盟的希望，坚决主张脱离易洛魁人的羁绊而独立，并反对不断入侵的白人。在法国及印第安人联合抗英战争中，特拉华人击败英军将领E.布雷多克的部队，并在美国革命初期支持美国人。1795年订立的格林维尔条约，使他们割让了俄亥俄的各处土地。许多家族聚成的村社解体，但到1835年，这类村社又在堪萨斯出现。1867年，多数家族被迁往俄克拉何马。20世纪末，约有3 000名特拉华人生活于俄克拉何马州、威斯康星州及安大略省。

Delaware 特拉华 美国最初13州中首先批准联邦宪法的一州。位于大西洋沿岸中部波士顿至华盛顿(哥伦比亚特区)都市走廊地带。面积5 294平方千米，为全国倒数第2位，而人口密度则位居全国前列。该州人口和工业均集中在北部的威尔明顿周围，沿岸高速公路和铁路分别由北面的宾夕法尼亚和东面的新泽西通过该地，然后向南面和西面进入马里兰。该州其余部分位于德尔马瓦半岛东北角，半岛其他地区分别属于马里兰州和弗吉尼亚州。首府多佛。

特拉华在历史上、地理上和经济上与宾夕法尼亚，尤其是费城有最密切的联系，穿过宾州及费城的特拉华河和其他交通干线成为特拉华州的贸易通道。该州的纽卡斯尔、肯特和萨塞克斯3县设立于1680年。稳定性和保守性是特拉华州，尤其是南部地区的特点。1964年之前，该州政治生活一直由南部地区所控制，这与其人口比例极不相称。基于以上原因，该州现仍固守着一些陈旧的制度。

该州北部的制造业联合企业使特拉华成为全国工业最发达的州之一，尤以化学研究最为著名。该州常被说成是受许多大公司，特别是庞大的杜邦工业集团所控制，但在20世纪60年代中期以前，南部农业地区超强的政治势力足以抵消威尔明顿地区工业巨子所带来的影响。所有派别集团都一致同意保留自由公司法，即鼓励许多其他地方的美国企业在特拉华州挂名注册。

自然地理与人文地理

土地 地形 特拉华主要地区位于大西洋海岸平原，是除佛罗里达以外全国地势最低的一州。特拉华的大西洋沿岸是长达37千米的沙滩，从马里兰州的芬威克岛延伸到特拉华湾河口的亨洛彭角，仅在印第安河入海口有一较大断裂处。海滩大部分是在大西洋与一系列潟湖或浅湾之间形成的低平沙洲，只有靠近南部州界的贝瑟尼比奇和沙滩北端附近的里霍博斯两处的陆地与海洋直接相接。

特拉华湾沿海一带多沼泽。一些支流河，如默德基尔河、米斯利恩河和圣琼斯河的入海口水位很浅，在刘易斯以北只有供渔船

流经特拉华州北部皮埃蒙特的布兰迪万河
美国不列颠百科全书公司供图

安全出海的港口。再向北，在特拉华河两岸的佩恩港、纽卡斯尔和埃奇莫尔等地，有地势较高的旱地。该州主要港口威尔明顿位于特拉华河的支流克里斯蒂娜河口。

该州大部分地区的溪流自西向东注入特拉华河、特拉华湾和大西洋，但西南部的楠蒂科克河及其数条支流均流入切萨皮克湾。波科莫克河流经该州最南端的赛普里斯沼泽地（本特沼泽地），穿过马里兰州界注入切萨皮克湾。

大部分沿海平原土壤肥沃，地势平坦，很少地方超过海拔18米，南部沙壤较多。茂密的林地、溪流和淡水池塘使单调的地形增添了几分色彩。偶尔，如在敖德萨，公路旁会突然出现一些村庄，村中教堂的尖顶一眼望去十分醒目。

切萨皮克-特拉华运河横贯平原北部边缘附近，经清淤深挖及修直河道后可通远洋货轮。这条运河使费城与巴尔的摩之间的水路缩短数百英里，并为巴尔的摩提供了一条比切萨皮克湾更短的入海水路。一般认为，该运河构成了南部农业区与北部工业区的分界线。虽然运河南、北两边地形相似，但许多特拉华州人相信运河两岸的气候有差异。

从该州西北角放眼远望，可见到运河上数座高耸的大桥、纽卡斯尔北部横跨特拉华河的巨大双桥，以及特拉华城中一排排提炼厂烟囱；山前地带绵延起伏的山丘从宾夕法尼亚一直向南伸延。该地区仅约占全州总面积的1/15，但在此地区及其边缘却居住着全州大部分人口。纽卡斯尔县的艾尔布莱特路是该州最高点，海拔仅135米。艾恩山和切斯纳特山独具特色，延伸入纽瓦克西南部平原，山上有许多过去开采铁矿时留下的露天矿坑。

威尔明顿的中心区位于向克里斯蒂娜河及其主要支流布兰迪万河交汇处倾斜的数座小山上。那里的通航水域航道与为制造业提供动力的瀑布相距不远。铁路和公路沿该瀑布线与东部海岸平行，使威尔明顿处于费城和巴尔的摩之间的交通要道上，并促进了威尔明顿与其他城市之间空旷地区的都市化。

气候 特拉华的气候湿润温和。该州北部纽卡斯尔县机场日平均温度为12 °C。7月平均最高温度30 °C，1月平均最低温度-5 °C。该州南部气温一般比上述温度约高2 °C。8月是仅次于7月气温最高的月份，也是降雨量最大的月份，月平均降雨量约140毫米，而2月雨量最小，平均降雨量仅约76毫米。年平均降雨量接近1 140毫米。

动植物 特拉华是宾夕法尼亚州和纽约州特有植物与沿海的马里兰州和弗吉尼亚州常见植物之间的过渡地区。北部主要是硬木林，而南部则松林与硬木林兼而有之。动物有鹿、狐、浣熊、负鼠和麝鼠。海滩和沼泽成为许多野禽的冬季栖息地，也是鹬类候鸟迁徙途中的落脚点。

住区模式 1945年之后，从威尔明顿市迁出的居民和多数新到特拉华州来的白人大都居住在未注册建制的威尔明顿郊区。该州有一半以上人口住在威尔明顿市外，但乘公交车上、下班十分便利。这片郊区还包括特拉华州第二大城市纽瓦克。因而，郊区现已成为特拉华州人口、政治权力和财富最集中的地区。居住在郊区的多数是白人，但也有几个黑人居民比较集中的区。

第一次世界大战后，联邦法律限制了移民大量入境，但特拉华的人口增长在20世纪中叶仍达到最高峰。从1950～1960年，该州人口增长约40%，之后开始下降。新来者中有许多是高水平的科技人员。威尔明顿也有大批黑人移民，多数是没有任何技术的体力劳动者。

人民 特拉华和大西洋沿岸中部各州一样，殖民地时期的人口非常混杂。在英国人到此之前，已有瑞典人（与他们同来的还有芬兰人）、荷兰人与非洲奴隶，他们多数定居在北部现今的纽卡斯尔县。英国殖民者不仅来自海外，有的也来自宾夕法尼亚和马里兰。部分从宾夕法尼亚来的移民是教友派的工匠和商人；从马里兰来的往往是带有奴隶的种植园主。与英格兰人一同到此的还有一些威尔士人。1715年之后，大批爱尔兰人到此定居，多数为长老派教友，是被称为苏格兰-爱尔兰人的苏格兰后裔。英国人和奴隶主要定居在特拉华州南部。

独立战争后，一小批法国人从西印度群岛来到纽卡斯尔和威尔明顿，还有少数人来自法国，其中包括杜邦家族的祖先。19世纪中叶，大批德国人和信奉天主教的爱尔兰人到此定居。19世纪末，又有大批意大利人、波兰人和犹太人以及少量的乌克兰人、俄罗斯人、斯堪的纳维亚人和希腊人到此定居。

特拉华州农村地区的种族集团包括来自长岛、定居于肯特县从事马铃薯种植的波兰人，在霍克辛种植蘑菇的意大利人，第一次世界大战后来自艾恩山的一批芬兰人，多佛附近的一个阿曼派教徒定居点；此外，在肯特县切斯沃德和萨塞克斯县印第安河海湾旁居住着一些历史原因形成的混血种族，他们被称为摩尔人和楠蒂科克人。20世纪中叶，又有大批拉丁美洲人，主要是波多黎各人来到此地，他们和第一代早期移民一样，定居在威尔明顿。人口709 000（1994）。

经济 特拉华的繁荣有赖于其优越的地理位置：美国10大城市中有4座位于特拉华周围240千米以内。

农业 虽然农业人口持续减少，但农业依然重要。农民现金收入主要靠饲养家禽。萨塞克斯县为家禽饲养中心。大豆仍是重要作物，其他主要农产品包括玉米、蔬菜和牛奶。沿海和内陆水域盛产鱼、牡蛎和蟹。仅有的矿业是开采砾石和砂。

工业 特拉华的主要经济企业是制造业，特别是化学工业尤为发达。威尔明顿有“世界化工之都”之称，是若干化学工业公司的行政与研究机构的所在地，杜邦公司、海格立斯公司和卜内门化学工业有限公司（美洲）是其中最大的几家。主要化工产品有颜料、尼龙和石化产品。特拉华还有数家汽车装配厂、一家炼油厂、一家人造橡胶厂、数家包装厂、数家纺织厂和各类食品加工厂。

20世纪初，特拉华州便开始了一项公司注册业务，许多在该州注册的公司基本上是在其他州经营。该州为公司提供优惠的法规（并经常加以修改使之适应不断变化的商业情况）、交通便利的地点、合理的税收、各项稳定的制度以及一个在公司诉讼方面经验丰富的司法体系。公司特许税是该州税收的一个重要来源。

运输 特拉华最繁忙的高速公路是威尔明顿与其各郊区之间的路段以及穿过该州北部从纽约或费城至巴尔的摩或华盛顿的州际公路。贯通该州南北的杜邦高速公路重要性稍次。全州的道路、桥梁及各城市的街道都由州政府负责维护。位于纽卡斯尔附近横跨特拉华河的双桥和刘易斯与开普梅之间的渡口由特拉华与新泽西两州组建的一个联合机构共同管理。

费城与巴尔的摩之间的客运铁路穿过特拉华。该州的南部州界和该州北部均有货运服务。威尔明顿当地的公共汽车运输由政府经营。威尔明顿是大西洋海岸的一个重要港口，有该州最大的飞机场。

行政与社会状况 *政府* 特拉华州宪法的第4稿于1897年正式通过，后又经多次修改。宪法修正案需要连续2届议会的2/3票数表决结果，其间还要进行一次选举。州长每4年选举一次，仅可连任一届，对宪法修正案无否决权。过去，议会权力一直很大，州长的权力相对较小，但1970年采取了顾问团形式的政体，州长的行政权力得以加强。由62人组成的两院制立法机构称为州议会。

特拉华州司法系统一个不寻常的特点是保留有衡平法院。该法院负责处理有关公民权的衡平案件和特拉华州各公司的诉讼。美国多数州现已将衡平法院并入法院。最高一级法院是州最高法院，负责审理衡平法院和高级法院的上诉。地方法院是州司法系统的最基层单位，由治安法官主持，他们之中很少有人是律师。特拉华州所有法官均由州长任命。

特拉华州的县级政府权力普遍不大。过去，各县政府受推举的征税法庭领导，该法庭负责规定税率和各项拨款。但是，纽卡斯尔和萨塞克斯县的征税法庭现已被选举产生的权力较大的参议会所取代。纽卡斯尔县还选举一名县行政长官，负责任命其他主要行政官员。特拉华州还以采用一种英国古代的建制而闻名，即县以下的行政单位百户邑。但这些单位现已不再具有行政职能，只作为一个纯粹的地理名称保留下来。

由于特拉华州面积甚小，其他州许多由地方政府办理的事务在该州均由州政府办理。结果，州的税收和债务相对较重，而地方税收和债务则较轻。州的主要收入来源是个人和公司的所得税。该州不征收一般销售税和州财产税。县政府和市政府的主要收入来源是房地产税。学校费用主要由州政府提供，但各学区必须在公民投票赞同的情况下，通过征收财产税及其他税收为新校舍的建设及包括薪水在内的学校日常开支筹集部分资金。

特拉华州的民主党和共和党势均力敌，但民主党拥有较多登记的选举人。许多选举人拒绝表明党派倾向，而更多的人则在两党之间摇摆不定。1978年开始对所有公职实行候选人初选制度，而在此之前该制度并未认真执行。

美国南北战争后，特拉华州的民主党人利用他们对估税员与收税员职务的控制，阻碍黑人取得选举人资格，而共和党人却积极争取黑人选票，于20世纪初在黑人选票的帮助下赢得该州控制权。1932年，民主党人放弃了他们过去只争取白人选票的做法。最初，他们只在全国选举上赢得黑人的选票，但在其后20年中，特拉华州的黑人也逐渐和北部各州的黑人一样，与民主党重新结盟。此后，仅有一位极得人心的共和党人得到黑人的支持。两党的共同支持使一项公平住房法得以通过。

教育 特拉华大学原名纽瓦克学院，建于1833年。1952年有学生1 500人，现已约达2万人。该州因人口少，单独建一所医学院费用太大，因此与费城杰斐逊医学院商定为来自特拉华州的学生在各年级留有一定数量的名额。兽医和牙科医生的培养也与上述做法相似，因为特拉华州的教育机构并没有设置这些学科。州政府对公立学校承担主要责任。

保健与福利 该州公民一直请求州政府为其提供更多的服务。各种费用，特别是教育和福利方面的开销增加，部分原因是人口增长以及不少年轻夫妇携带子女人境，另一方面是因为弥补了过去长期忽视的社会需求。现已建立了幼稚园、残疾人学校和精神病诊疗所。

文化生活 威尔明顿郊区有2座大博物馆。亨利·弗朗西斯·杜邦·温特瑟博物馆及花园以收藏美国装饰艺术品著称，陈列展品的房间是当时那一特定历史时期的产物，未做丝毫改动。哈格利博物馆中存有杜邦公司早期的厂房和其他建筑物，以及室内陈列品，展现了美国制造业的发展过程。其他令人感兴趣的博物馆包括格林维尔的特拉华自然历史博物馆、多佛的特拉华州立博物馆和威尔明顿的旧市政厅。

该州一批具有历史意义的房屋长期对外开放，其中包括多佛附近的约翰·迪金森宅第、米尔福德的帕森·索恩宅第以及位于敖德萨和纽卡斯尔的一些旧宅。在纽卡斯尔，旧县政府所在地（一座美国初期的政府大厦）周围的几个街区使参观者联想起弗吉尼亚州重建的旧威廉斯堡，所不同的是纽卡斯尔的建筑物需要修复的不多。格林河畔的伊曼纽尔圣公会教堂创建于1703年，其墓地有许多珍奇异石。附近的长老会教堂建于1707年。荷兰人占领时期的建筑物现已荡然无存。1698年为瑞典路德派公理会在威尔明顿修建的瑞典旧教堂今已改属圣公会。瑞典人曾将传统的圆木建筑结构引入美洲，但现今除几座小圆木房屋的部分结构外，此类建筑已无处寻觅。

该州第一流的科研图书馆是特拉华大学图书馆。世界知名的专业性图书馆还包括：以工商业发展史书籍为特色的哈格利图书馆和专门收集有关装饰艺术和手工艺品资料的温特图尔博物馆图书部。威尔明顿自由图书馆是纽卡斯尔县联合图书馆系统中最大的一座。特拉华州图书馆委员会为该州南部各县服务；许多市镇还拥有一座它们自办的图书馆。长期以来，威尔明顿一直是著名的插图画家最为集中的地方，他们当中许多人是H.派尔直接或间接的弟子。派尔的作品陈列在特拉华艺术博物馆。N.C.韦思是派尔的一位学生，他的家在穿过宾夕法尼亚州界不远处的查兹福德，该地因韦思家族成员创立布兰迪万画派而闻名。该画派成员多数是风俗画和写实画家。威尔明顿有一座正规剧场、一家大歌剧院，后改建为州表演艺术中心。专业的特拉华剧团在威尔明顿拥有自己的大楼。阿登为一小村庄，以其专业及业余戏剧演出而著称，其中包括吉尔伯特和沙利文轻歌剧每年一度的演出。

特拉华的海滩不仅是该州居民喜爱的游乐地，而且是邻近地区尤其是华盛顿特区居民时常光顾的娱乐场所。里霍博斯和印第安河海湾是驾舟、捕鱼和捞蛤的绝好去处。一些州立公园，如卢姆塘州公园，被开辟成游乐园。在哈灵顿每年举办一次为期一周的特拉华州商品交易会。斯坦顿、多佛和布兰迪万百户邑等地的同注分彩赌博赛马场吸引了众多游客。

历史

印第安人 首批欧洲人到来时，特拉华（或伦尼-莱纳佩）印第安人居住在特拉华州北部和中部以及宾夕法尼亚州和新泽西州的河沿岸地区。他们使用一种阿尔冈昆语的变体。这些印第安人的村落自行其政，在政治上实行分散管理。他们是和睦的民族，以农业、狩猎和捕鱼为生。比较好战的是敏夸人，亦即萨斯奎哈纳人，他们居住在西部，经常袭击莱纳佩人。住在特拉华南部的是一些讲阿尔冈昆语的部落，如楠蒂科克人、阿萨蒂格人和查普唐克人。

殖民地 在特拉华的刘易斯建立第一个欧洲人居民点的荷兰人1631年被印第安人杀害。由瑞典人在克里斯蒂娜堡，即今威尔明顿建立的一个永久居民点直到1638年才完成。他们在“新瑞典”这块殖民地上建造了也许是美洲第一批圆木小屋。1655年，来自新阿姆斯特丹（纽约）的荷兰人征服了瑞典人。1664年，英国人又从荷兰人手中夺取了该殖民地。其后，除1673年荷兰人短时间重新夺回该地外，特拉华在行政区划上作为纽约的一部分直至1682年。同年，彭威廉为使其宾夕法尼亚殖民地与大西洋相连，向约克公爵索取特拉华，约克公爵遂将该地割让与他。彭威廉曾试图将特拉华各县与宾夕法尼亚合并，但双方对此均表不满。1704年，他只好同意特拉华自成一殖民地。在美国独立之前，宾夕法尼亚和特拉华两地一直同属一位被英国国王任命的总督。虽然在1610年便已有特拉华海湾之称，其后邻近地区亦逐渐使用此名，但直到1776年特拉华才成为正式的名称。特拉华一名源自弗吉尼亚总督特拉华十二世男爵、托马斯·韦斯特爵士。

独立战争与建州 独立战争期间，特拉华在英军进攻费城途中受到入侵，并经常遭到英国船只的威胁。但该州最值得纪念的事件是1776年7月1～2日，罗德尼为打破特拉华代表团内僵局并投下特拉华殖民地赞成独立的一票，从家快马加鞭飞奔费城的壮举。特拉华最引以为荣之事莫过于1787年12月7日迅速批准联邦宪法，使特拉华获联邦“第一州”称号。

当全国党派之分出现时，特拉华成为北部联邦同盟一州，追随A.汉密尔顿和J.亚当斯的政党直至19世纪20年代。其后，特拉华又坚决支持辉格党，激烈程度有如以前支持联邦党。

南北战争及战后 南北战争的到来并未对特拉华脱离联邦产生重大影响。自荷兰殖民地时期起特拉华便是一个蓄奴区，但后来主要由于自发的解放奴隶，奴隶人数锐减，从

1790年的8 900名减至1860年的1 800名。更为重要的是特拉华与宾夕法尼亚及北方的经济联系,由于河上贸易及新铁路网建成这种联系又进一步增强。特拉华虽然在感情上是联邦政府的支持者,但从未投票支持过林肯。战后重建时期出于对被占领的南方的同情,许多选举人转而支持民主党。到19世纪末,经济现实的重要性又重新得到认识,特拉华成为坚决支持共和党的一州,直到20世纪30年代大萧条时期。

经济发展 特拉华州主要城市威尔明顿发展成一座制造业城市。到1920年,威尔明顿不仅居住着该州一半人口,并且至少控制着全州一半的财富及经济力量。威尔明顿各工厂的产品多种多样,但在20世纪该城变为全国化学工业的行政管理中心。20世纪80年代,随着特拉华取消对利息费的限制,纽约市和全国其他地方的许多大银行纷纷在该州开设分行。

Delaware 特拉华 美国俄亥俄州中部城市,特拉华县县城(1808)。位于哥伦布北面40千米,濒临奥伦丹加河。1808年始建,为著名疗养地,1903年建市。市内有俄亥俄卫斯理大学,卫理公会神学校。城南有珀金斯天文台。有R.B.海斯总统出生地纪念碑。第二次世界大战后,工业有所发展。产品有载重汽车车身、模具、工具、起重机、建材和化工品等。每年9月举行古典式的跑马赛。人口约21 289(1993)。

特拉华市俄亥俄卫斯理大学的格雷小礼拜堂
美国不列颠百科全书公司供图

Delaware, Lackawanna and Western Railroad Company 特拉华-拉克万纳-西方铁路公司 从宾夕法尼亚东北部运出煤炭的美国铁路企业。原名利格特峡铁路公司。1851年获特许,改称拉克万纳-西方铁路公司。最后,铁路从宾夕法尼亚州的拉克万纳谷地西通布法罗,北通安大略湖,东通新泽西州的霍博肯。20世纪初公司兴隆,随着对用煤发热的需求下降及其他运输方式的兴起,收入下降。1960年同伊利铁路公司合并,改名伊利-拉克万纳公司。1972年该公司破产,1976年被联合铁路公司(Consolidated Rail Corporation)接管。

Delaware, Thomas West, 12th Baron 参阅 **De La Warr, Thomas West, 12th Baron** 德拉沃尔。

Delaware Aqueduct 特拉华输水道 从卡茨基尔山水源向纽约市供水的美国特拉华输水系统的圆形隧道部分。隧道建于基岩中,最早建成的一段自朗特奥水库到希尔维尤水库,长137千米,现已延长至170千米。建于1937～1953年,至1965年最后完工。在某些地段隧道深达地表以下约750米,最后21千米的最大直径为6米。

Delaware Bay 特拉华湾 美国东岸北大西洋海湾。由特拉华河与阿洛韦河汇合处向东南延展至新泽西州开普梅与特拉华州亨洛彭角之间的湾口,湾域长84千米,湾口宽19千米。为新泽西州和特拉华州州界的一部分,也是大西洋岸内水道重要的一段。沿湾主要为低沼地。湾北接深10米、宽180米的特拉华河水道,通抵费城。

特拉华湾亨洛彭角的灯塔
美国不列颠百科全书公司供图

Delaware River 特拉华河 美国大西洋边坡河流。源出纽约州斯科哈里县。沿宾夕法尼亚和纽约州、新泽西和宾夕法尼亚州、特拉华和新泽西州州界南流,至新泽西州的特伦顿(距河口210千米)即为海潮区。全长(以最长支流计)650千米,流域面积29 630平方千米。有6条主要支流。沿河主要城市有杰维斯港、伊斯顿、费城、切斯特、特伦顿、卡姆登和威尔明顿。1857年铁路修通前,该河上游商业兴隆。早期所修运河现仅有特伦顿至新不伦瑞克和连接特拉华河和切萨皮克湾的两条运河仍通航。1936年成立流域4州州际委员会,以防治河水污染和为保证城市用水、开发沿河地区制订规划。1776年圣诞节夜,乔治·华盛顿率军在特伦顿上游渡河,成功地袭击了驻特伦顿的英军。

新泽西州托克斯岛处的特拉华河
美国不列颠百科全书公司供图

Delblanc, Sven 德尔布兰克(1931-05-26,加拿大马尼托巴斯旺里弗～1992-12-15,瑞典乌普萨拉) 瑞典20世纪60～70年代著名小说家。从第一部小说《寄居蟹》(1962)起就开始探讨人类自由以及爱情和神秘主义在人类生存中的作用。他善于运用语言,对许多青年作家有很大影响。他交替运用怪诞、幻想和神话的情节,对社会现实所作的详细描述比较成功。他还写过剧本,近作有《理查德·瓦格纳》(1978)。由于他对18世纪瑞典文学和斯特林堡的作品的潜心研究,1965年乌普萨拉大学授予他比较文学博士学位。1970年获得"小说杰作奖"和"佐恩奖"。

Delbrück, Berthold 德尔布吕克(1842-07-26,普鲁士普特布斯[德国]～1922-01-03,耶拿) 德国语言学家。致力于句法研究,为印欧诸语言比较句法研究之首创者。1870～1912年任耶拿大学梵语和比较语言学教授。1871年出版有关梵语和希腊语虚拟语气和祈求语气的经典著作《句法研究》,对比较句法问题作了第一次系统而全面的研究。但其巨大成就还是5卷本《印度日耳曼语比较语法大纲》(1886～1893)中所撰关于句法的3卷。该书与布鲁格曼所写有关语法的2卷合刊,于1897～1916年间出增订本。德尔布吕克把大量语句进行比较、对照和分类的方法,其后虽有所扩展和改进,但始终为学术界所采用。他还著有《语言研究导论》(1919)。

Delbrück, Max 德尔布吕克(1906-09-04,柏林～1981-03-09,美国加利福尼亚帕萨迪纳) 德国出生的美国生物学家,分子遗传学的先驱。与A.D.赫尔希及S.卢里亚因对噬菌体的研究而共获1969年诺贝尔生理学或医学奖。1930年获格丁根大学物理学博士学位。1932～1937年在柏林任威廉皇帝化学研究所研究助理时对噬菌体产生了兴趣。1937年逃离纳粹德国,迁居美国,在加利福尼亚理工学院(1937～1939;1947～1981)及范德比尔特大学(1940～1947)任教。1945年入美国籍。1939年发现噬菌体的一步生长过程,即噬菌体经过1小时的潜伏期后,将繁殖产生数十万个子代。1946年德尔布吕克和赫尔希分别发现,不同种类的病毒遗传物质可以结合形成新类型的病毒(以前认为这个过程只存在于具备性过程的高等生物中)。

Delbrück, (Martin Friedrich) Rudolph von 德尔布吕克(1817-04-16,柏林～1903-02-01,柏林) 政治人物,俾斯麦自由贸易政策在普鲁士和德意志帝国的主要执行者。1837年进入政府工作。1848年调到商业部。到1854年,促使汉诺威、奥尔登堡和绍姆堡-利珀参加关税同盟;1853年,说服奥地利恢复与德意志其他各邦的贸易关系。1862年以后历任北德意志邦联总理办公厅主任(1867)、俾斯麦在联邦关税委员会中的代表以及普鲁士的不管部部长(1868)。1870年10月,当德意志在普鲁士领导下的联合成为现实可能时,他出使南德意志诸邦，对于11月份缔结的凡尔赛协定做出重大贡献。1871担任首相办公厅主任。他热烈拥护自由贸易。1876年俾斯麦提出国家接管铁路的计划后，他挂冠而去。1879年他在帝国议会中反对新的保护关税政策，后退出政坛。

Delcassé, Théophile 德尔卡塞（1852-03-01，法国帕米耶～1923-02-22，尼斯） 法国外交部长（1898～1905，1914～1915），第一次世界大战前形成的欧洲联盟新体系的主要设计者。原系新闻记者，曾大力支持L.甘必大的温和共和纲领和J.费里的殖民扩张政策。1885年选入众议院。1893年进入A.里博内阁，任工商和殖民地事务副部长，1894～1895年任殖民地事务部长。1898年在H.布里松政府中任外交部长。在连续6届政府中蝉联此职。由于害怕德、意、奥匈三国同盟，他认为只有继续与俄国保持友好关系和与英国取得新谅解，才能妥善维护法国的利益。1904年4月8日缔结《英法协约》。同时为1907年的《英俄协定》开辟道路，从而使得三国协约成为第一次世界大战中联盟国家的核心。1905年因其政策遭到M.鲁维埃总理反对而辞职。他的下台扩大了德国的影响，接踵而来的是法国反德情绪的增长。1909年东山再起，任调查法国海军软弱原因的委员会主席。1911～1913年任海军部长，为英法舰队一旦发生战争时互相合作而作出安排，这项安排是两年后第一次世界大战开始时促使英国站在法国一边向德国宣战的一个决定性因素。战争期间，他在R.维维亚尼政府中任外长，直至1915年退休。

Deledda, Grazia 黛莱达（1875-09-27，意大利撒丁努奥罗～1936-08-15，罗马） 意大利文学中**真实主义**（**verismo**）流派女作家。1926年获诺贝尔文学奖。未受过正规学校教育，17岁时便开始写作，重要著作有：《离婚之后》（1902）；《埃里亚斯·波尔托卢》（1903）描写一个前罪犯与其兄弟的新娘相爱的故事；《灰烬》（1904）是一个私生子造成其母自杀的故事（1916搬上银幕）；悲剧《母亲》（1920）叙述一位母亲实现了使其子成为教士的梦想，却发现儿子受肉欲的引诱而不能自拔。她的近50部小说均抒发了类似的主题。自传小说《科西玛》在其逝世后于1937年出版。

Delehaye, Hippolyte 德莱阿耶（1859-08-19，比利时安特卫普～1941-04-01，布鲁塞尔） 比利时学者，主张通过考古资料和校勘方法编写以传记为纲的教会史的倡导者。1879年参加耶稣会，1890年受神职，后参加从事续编圣徒传的**博兰德会**（**Bollandists**），1912年成为该派首脑。他积极整理现存圣徒传记，专门研究公元最初几个世纪的圣徒生平文献。

Delémont 德莱蒙 德语称代尔斯贝格（Delsberg）。瑞士西北部侏罗州首府（1979）。在索尔讷和比尔瑟河汇流谷地。727年始见记载。11世纪为巴塞尔公国君主兼主教的夏季行宫。1793年被法国占领，1815年归属伯尔尼。名胜有主教城堡（1721）、带屋外楼梯的市政厅（1745）、16世纪文艺复兴时期喷泉和圣马塞尔教堂（1766）。以制造手表和精密仪器著称。有公路、铁路通巴塞尔、比尔和法国的贝尔福。居民大多讲法语，信奉天主教。人口约11 400（1983）。

Delescluze, (Louis-) Charles 德勒克吕泽（1809-10-02，法国德勒～1871-05-25，巴黎） 法国革命者、巴黎公社重要领袖、激进共和党人。在1830年群众起义时期，他还是一个大学生。作为人民之友社的活跃分子，因与暗杀国王路易-菲力普的事件（1832）有牵连，被迫逃亡布鲁塞尔。1841年回国，定居在瓦朗谢讷，主编激进的《北方大公报》。1848年七月王朝覆灭时他积极参与北方的革命活动。不久回到巴黎，创办《民主与社会革命报》，攻击路易-拿破仑。1849年因与激进派6月13日起义有牵连，流亡英国。1853年回国后被捕，送至法属圭亚那囚禁。著有《从巴黎至卡宴，一个流放犯的日记》（1869）。出狱后继续从事新闻活动，抨击第二帝国。1870年皇帝退位后，他当选进入新的国民议会（1871）。1871年参加巴黎公社起义，在巷战中阵亡。

Deleuze, Gilles 德勒兹（1925-01-18，法国巴黎～1995-11-04，巴黎） 法国哲学家和文学评论家。曾执教于巴黎大学（1957～1960）、里昂大学（1964～1969）和万塞纳大学（1969～1987）。他以对哲学的历史文献资料的诠释闻名。最出名的著作是与J.加塔利合著的《反俄狄浦斯》（1972）。

Delft 代尔夫特 荷兰西部南荷兰省城市。临鹿特丹和海牙之间的斯希河。1075年建立，1246年设市。16、17世纪为著名的荷兰白釉蓝彩陶器贸易中心。18世纪其地位被鹿特丹取代。现生产陶瓷、酒精、盘尼西林和机器。设有工科大学（原为皇家学院，1842）和水利实验站。古建筑有中世纪哥特式古教堂和哥特新教堂（原为圣乌尔苏拉教堂，1381～1496）。1584年沉默者威廉一世遇刺的普林森霍夫宅第（原为一女修道院）现已成为博物馆。其他名胜有文艺复兴风格的市政厅（1618）、军械库（17世纪）、范埃尔凡博物馆和范梅尔滕博物馆。著名画家J.弗美尔亦出生在此。人口96 689（2003）。

delftware 代尔夫特陶器 又作delft。17世纪早期首先在荷兰代尔夫特生产的一种锡釉陶器。后来荷兰陶工将锡釉技术连同代尔夫特的名字一起传到英国。现在代尔夫特陶器一般指在荷兰和英国制作的陶器，以便与法国、德国、西班牙和斯堪的纳维亚国家出产的彩陶器以及意大利出产的马约利卡陶器区别开来。参阅**tin-glazed earthenware**。

Delhi 德里 印度中北部城市和直辖区（包括德里和新德里）。德里为印度第3大城市，人口仅次于加尔各答和大孟买。新德里为印度联邦首都，在德里（被广泛称为旧德里）之南。德里位于喜马拉雅山脉以南约160千米，在恒河支流亚穆纳河西（右）岸。坐落在德里直辖区内，海拔213～305米。德里直辖区面积1 485平方千米，其中，旧德里932平方千米，新德里438平方千米。直辖区东面是北方邦，北、西、南3面为哈里亚纳邦。一般认为该城市是以公元前1世纪时在位的国王拉贾·迪卢（Rājā Dhilu）命名的，德里名称为其音变。德里不仅是全国的政治中心，也是印度运输网的中心。

德里为一连串的强大帝国或王国之首都，有许多废墟标志着各城市的位置。据广泛传说，德里已7度改变城址，但有些权威将较小城镇和碉堡计算在内，声称德里易址已15次之多。所有这些地点都位于一个叫做德里三角区的三角形地区内。该三角形之两边，西面边界和南面边界为多岩石的阿拉瓦利岭，第三边是亚穆纳河移动多变的河道。德里目前的西部边缘是阿拉瓦利岭向北延伸部分，称德里山。

自然地理和人文地理

景观 **气候** 德里气候极为干旱，夏季炎热。这与一般盛行大陆气流有关，大陆气流从西面或西北面进入，只有在季风（带雨的风）季节海洋气流从东面和东南面带入更多的潮湿。3月中旬至6月底为夏季，平均最高和最低气温分别为36 °C和25 °C；雷暴和飑频繁，4、5月间最多。炎夏以后的季风季节持续到9月底，平均降雨量约660毫米。季风后的10～11月，是转为冬季气候时期。冬季从11月下旬到2月中旬。一年内大部时间，德里空气干燥，4～6月相对湿度很低，7、8月份湿度显著增高，天气闷热。德里日平均气温以5月份最高；月平均气温以6月份最高，该月夜间气温也最高，日平均气温可上升至43 °C；1月份最冷，平均最高气温和最低气温分别为21 °C和7 °C。随着人口、工业和汽车增多，空气和水污染更甚。有时，冬季月份会发生逆温（大量暖气留在夜间变凉的地面上便可发生逆温），阻止污染物质分散开来，大大增加污染程度。

动植物 德里地区的天然植物覆盖随不同的地形而变化。山脊和山坡上到处是金合欢之类的棘刺树。在季风季节，草本类植物生长茂盛。黄檀（印度黄檀）树，产生深棕色坚实耐用木材，在直辖区的班加尔（平原）地区很普遍。河上植被，有水生植物和草，生长在亚穆纳河两岸。新德里以其开花的林荫路著称，道旁树木有印度楝（一种抗旱的生淡黄果实的树）、乌墨蒲桃（一种生可食的葡萄般果实的树）、芒果、菩提树（一种无花果树）和黄檀树。新德里还以许多种开花的植物著称，在冬天色彩缤纷。其中包括大量多色彩的季节性花：菊花、福禄考、堇菜和马鞭草。从冬到春，天气转变缓慢，只有花卉可表明季节的变化，12月份开菊花，到2月份便是玫瑰花。直辖区的动物，如同植物一样，极其多样。食肉动物有栖息在丛林、矮森林和山区的豹、鬣狗、狐、狼和豺。沿亚穆纳河有些地方有野猪。猴子不罕见。鸟类极多，包括山鹑（灰色与黑色）、鸽子（黑色与蓝色）、鹧鸪和丛林鹑。山脊上有许多孔雀。亚穆纳河盛产鱼，时而可见鳄鱼。

城市布局 德里的城市平面图是一种

新、老道路与环行模式的混合物。旧城回旋的形式与新德里现代交通干道的斜线特征，对比特别鲜明。

旧德里的街道型式反映了旧时防御的一些需要，几条横路从一个主要城门通往另一个。偶或有直通街道从一次要城门通往主轴。其他街道的走向、长度和宽度则往往不规则，只适合步行。因此，整体图景是一个通往住宅和商业区的弯曲狭窄的街道、死巷、小弄堂和僻径组成的令人迷惘的混杂结构。与旧德里恰相反，在北面的文官宅院区（原是英国人为高级官员修建的居住区）和在南面的新德里草青树绿，井然有序而静谧，给人一种比较开阔的印象。

1911年决定将印度首都从加尔各答迁至德里，并成立了一个城市规划委员会后，在赖辛那小山丘周围、原德里以南3英里处选定了城址。那是山岭和河流之间一个排水良好、有益健康的地区，大有发展余地。赖辛那小山丘一览整个地区，高出平原15米，但山头20英尺被炸掉，以形成一个平顶供主要政府建筑之用，并用其山石充填凹地。城市布局就以此矮的卫城为中心向四面铺开。

新德里城市平面图的特点是宽阔的林荫道两旁各有两行树，造成开阔的视野，并连接各个景点。几乎每一条主要街道都有一特定的焦点遮挡远景尽头，因此没有一条林荫道消失在地平线上。除了街道呈斜线的排列以外，城市面貌最显著的特征是中央维斯塔公园，东起国家体育场，经全印度战争纪念门（俗称印度门）和中央秘书处，直至西面的总统府。这是东西向的主轴，将新德里分为两部分，时髦人物光顾的购物中心——康诺特普莱斯在北，大片居民区在南。

① 土地使用。德里的土地使用模式受到德里发展局20年（1962～1981）总体规划（虽属部分）实施的很大影响。概言之，公共和半公共土地使用集中在新德里的中央秘书处地区和文官宅院区的老秘书处地区，次要的中心区在东部的因陀罗普罗斯泰园区（办公楼中心）和南部的罗摩克里希纳（办公兼居住楼群）。许多小制造厂盘踞在旧德里各处，但主要工业区已集中在西部的纳杰夫格尔路（什里瓦吉路）和南部的马图拉路，那里已按规划建成一个大的工业区（奥克拉）。商业性土地使用区主要在钱德尼楚克和克里保利地方（都在北部），旧德里的萨达尔市场，德里西部格罗尔巴格的阿杰莫尔汗路和新德里康诺特普莱斯区。在其他地区也开发了若干区的和当地的购物中心。德里大学位于城北，那里有不少大学教育和高等专业学校。包括尼赫鲁大学、印度技术学院等院校在内的另一个教育中心位于德里南部。

② 传统地区。在德里这样一个带有历史烙印的城市，本地影响最突出的地区和具有殖民地和现代化影响特征的地区泾渭分明。虽然德里的社会结构已从一致性变为与其首都地位相符的多样性，但旧德里、文官宅院区、政府兴建的住宅区和新近开发地区的居民区各有特性。旧德里居住区有一种强烈的邻里情谊氛围，部分是由特殊的住房布局促成的；宅门或门道内便是私人住宅和院子，或是单间住宅（一间的住房面向院子或其他种围墙，只有一个出口或门可通街道）。文官宅院区是较高收入群体的住所。政府兴建的住宅区也是不同收入集团分开居住。在一些发达区，已有了混合居民区。外国大使馆集中地恰那基亚布利（通称外交飞区）是国际建筑的缩影。在诸如孟加拉市场区或格罗尔巴格都形成了一些文化“岛”。例如，后者分别以孟加拉、南印度和旁遮普各地文化为特征，尽管鲜明的文化特征因其他城市居民迁入正在消失。城市外观的另一侧面是贫民窟，居住者大多是建筑工人、清洁工人、工厂里的劳工和其他低收入群体。也有一些城区的村居，如戈德拉穆巴拉克布尔，那里的房屋和街道保有农村的特征，虽然居住者有城市职业。

新德里的中央秘书处

美国不列颠百科全书公司供图

③ 建筑。在印度或许没有其他城市可以在历史遗迹的数量上与德里相比。这些雄伟的建筑物表现了1600年前笈多王朝至英国统治时期印度的建筑型式。在新德里可以看到勒琴斯爵士和贝克爵士等建筑师的风格。要研究印度-穆斯林建筑，德里有特别丰富的材料。早期普什图风格的古迹（1193～1320），以库瓦特·乌尔·伊斯拉姆清真寺、顾特卜高塔、苏丹伊尔杜德米什墓和阿拉伊大门为代表，显示了采用和融合印度教材料和风格表现伊斯兰主题和要求。其后，以图格拉克巴德及赛义德国王（1414～1451）和洛提国王（1451～1526）陵墓为代表的普什图风格，特征是圆屋顶和装饰更好，并使用更好的大理石和铺瓦。其后，以红堡和大清真寺（朱马清真寺）为代表的莫卧儿建筑，显示出更多使用大理石、以花纹装饰外表和建造球茎状圆屋顶和高耸的尖塔。红堡是德里最重要的建筑物之一。用红砂岩砌成的巨墙，高75英尺，内有宫殿、花园、营房等建筑群。其中最著名的两处是勤政殿和枢密殿。勤政殿有60根用红色砂岩建成的柱子，支撑着平顶。枢密殿较小，有一白色大理石亭子。英国人时期的建筑风格，以中央秘书处、议会大厦和总统府（前英国总督府）为代表，系现代英国派建筑最好的特色与印度传统形式相结合。独立以后时期，德里的公共建筑开始显示一种实用的倾向，并寻求印度风格与西方风格的综合；但这种企图并非总能获得成功，如见诸最高法院大楼、科学宫（一会议厅）和政府各部。儿童大楼（一儿童中心）和拉宾德拉大楼（一美术中心）体现了使用现代材料的新风格趋向。沿亚穆纳河滨水区修建了纪念20世纪国家领导人如圣雄甘地、尼赫鲁和夏斯特里的陵园。

人民 德里的人口自1911年的240 000人已增加约40倍。最高增长率出现在1941～1951年间（主要因为宣告独立时大批难民涌进城市），此后人口稳定增长，很大部分仍属移居。德里人口的组成反映了其真正的世界性，一半以上的居民来自区域以外。移民大多来自印度其他邦和邻近国家，长住的外国人只占很小比例。人口的宗教组成也很不同。人口中大多数是印度教徒，其次是穆斯林，还有少数锡克教徒、耆那教徒、基督教徒和佛教徒。人口：旧德里约9 817 439；新德里约294 783；德里直辖区约13 782 976（2001）。

经济 德里的经济以服务业最重要，是最大的雇主。工业为第二，商业为第三。农业一度对直辖区经济作出意义重大的贡献，但现已不重要。德里劳动人口很大的比例从事各种服务，包括公共行政、自由职业、文艺以及各种私人服务、家务和非熟练劳务。作为一商贸中心，德里许多世纪以来在印度北部占主导地位。在现代，德里还成了一个制造业中心，印度最重要的出口货物来源。

工业 德里以传统的艺术品著称，如象牙雕刻和绘画、金银绣制、饰器和青黄铜器。在现代，工业已多样化，德里的小型工业企业制造尖端产品，如电子和工程器材、汽车部件、精密仪器、机床和电器等，已变得很重要。也生产衣着服饰、体育用品、皮革制品、手工织品和手工艺品。并已发展了大规模兴旺的旅游业。

金融和贸易 德里作为首都和主要工业

城市的地位更加突出了其金融、批发贸易和供应中心的作用。德里是印度储备银行及国家银行等金融机构地区办事处的总部，也是保险事业各部门总部，重要的股票交易中心。德里久已是印度北部许多地方的主要供应中心，经营种类繁多的物品。不少销售贸易是在旧德里地区内进行的，多数市场相距很近。

运输 德里的地理位置在印度大平原上，德干高原与塔尔沙漠在喜马拉雅山前形成一条窄走廊，使印度西北部往东部平原的所有陆路必须通过德里，成为次大陆运输网的枢纽。有5条全国性公路在德里汇合。还有几条铁路线在德里相遇，使该城与全国各地连接。德里是国内、国际航空运输在印度北部最重要的终点。英迪拉·甘地国际机场在城市西南，经营国际航线。附近的巴勒姆机场是国内航空中心。城里原来为较少人口设计的交通运转模式，因德里人口的爆炸性发展而负担过重。道路系统的改善（如增加立交桥和地下通道，加宽主要大街）缓解了最严重的交通堵塞，但仅交通流量（包括行驶缓慢的车辆，如牛车、三轮车和自行车）便使德里行路难，高峰时尤甚。公众客运设备仍不够，主要的公共运输工具是不断增加的公共汽车队。在城内乘长途车辆上下班因开设环行路公共汽车服务和环行火车而较便利。

行政与社会状况 *政府* 1947年印度独立时，德里是专员管辖的省。1952年成为中央治理的邦，但在1956年其地位改为中央政府的直辖区。20世纪90年代初定为国家首都区。1958年建立了城乡区统一的市政当局。1966年的德里行政法进一步改变了行政体制。根据现行安排，德里实行副总督和执行理事会、选举产生的城市委员会及市政厅三层治理。副总督由印度总统委任，是直辖区最高行政长官，由4名理事组成的执行理事会（有一名首席执行理事）协助履行职权。城市委员会纯属审议机构。市政厅是地方选举产生的机构，控制着大多数法定的自治机构，令人注目的例外是新德里市政委员会、德里军营区管理局和德里发展局。新德里市政委员会是中央政府任命的机构。军营区管理局的成员，一部分选举产生，另一部分指定，其中包括一些当然官员。

住房 1947年后，由于印度和巴基斯坦分治，致使难民涌入，而德里又成为印度首都，城市住房情况恶化。此后的建房工作不足以弥补缺口或跟上人口的增长。这就迫使很大比例的城市人口在拥挤地区和非获准住处寻找栖身之所，或在贫民窟擅自定居。旧德里传统的住房是未经规划的二三层或更多层老结构，一居室单元所占比例很大。在文官宅院区有若干旧平房。在新德里，政府兴建的住房区的住房条件讲究，按收入分片。20世纪50年代以来，推行了一个兴建新房、修复旧房的计划，由若干机构管理，如直辖区政府、各种市政府、德里发展局、各个体和合作组织。

旧德里的大清真寺
美国不列颠百科全书公司供图

公用事业 供水、排水、污水排除、管理和清扫是市政厅应管的工作。城市运输、电力发送等工作，虽非职务，也由市政厅承担，由3个法定机构——德里供水和污水处理事业局、德里供电事业局和德里运输公司承担。尽管供水系统已多次改善和扩大，德里的饮水供应仍不敷需要。主要的水源亚穆纳河在夏季几个月几乎干涸。境内地下水一般稍带咸味，因此德里必须依靠毗邻的几个邦解决部分需要。大部分德里居民得不到合格的污水排放，把排水系统延长到新区，并扩大老区的排水量，两者都需要改进。污水处理设施也不够。

德里的电力供应靠当地烧煤的热电站发电，加上直辖区以外的电源。如其他事业一样，电力供应一直分配得不成比例。

保健和保障 德里的综合保健标准在全国平均水平以上，但保健设施的使用差别很大。城市的许多保健工作由一大批对抗疗法诊疗所、阿尤维达和希腊式诊疗所（即大多使用草药和矿物药的土法医疗）和顺势疗法诊疗所提供。大多数较大的医院——如拉姆·曼诺哈·洛希亚博士医院、萨切塔·克里帕拉尼夫人医院和洛克·纳雅克·J.P.纳拉扬医院都由全国政府或德里政府管理。

德里救火会经管直辖区的城乡地区。在乡区，夏季开设临时救火站。德里警察署由德里政府的警察专员领导。城市分为4个警察区，各设一督察领导。

教育 德里现代教育的发展跟得上人口的扩张。小学教育几乎普及，并有很大部分学生上中学。各级妇女教育发展的步伐比男子教育快得多。高等教育院校中，最重要的是德里大学，设有许多学院和研究所。主要专业和研究学院有印度农业研究所、印度技术学院和全印度医学科学所等。

文化生活 德里的文化生活受其人口的世界性之影响，其人口来自印度和世界各地，具有不同文化背景。借鉴和吸收西方文化颇多，这一过程在独立以后因为现代大众传播媒介的影响而加快。但是，电视也促使人们更意识到地区和国家的利益。虽然早期的文化活动（如舞蹈、音乐和诗会）已被电影院、卡巴莱和俱乐部所取代，但仍有些剧团和提倡本土文学艺术的团体。印度的许多主要文艺团体（包括国立音乐、舞蹈和戏剧院、国立美术院和国立文学院）设在德里，许多图书馆、档案馆和博物馆也设在德里。德里举办许多博览会和节日。除了各种贸易和图书博览会外，还每年主办一次电影节。德里有许多宗教团体捐助不间断的宗教节日和庆典。德里是一个花园和泉水的城市，其著名的如彩灯照明花园和精心设计和布置的莫卧儿花园。历史文物古迹周围有许多公园和花园区，如洛提花园（在洛提墓周围）和菲罗兹·沙·科特拉广场（在阿育王柱周围）。主要娱乐区在德里山和亚穆纳河边地区。德里有良好的运动设施，其中许多是1982年主办亚洲运动会时兴建的。

历史

历史上最早提及德里居民点的是摩诃婆罗多史诗（关于婆罗多王后裔的叙事）。它讲起一个名叫因陀罗普罗斯泰的城市，是般度国王坚战指导下约于公元前1400年建在一座大高地上，约在后来的历史性古堡和胡乌雍墓之间某地。虽然因陀罗普罗斯泰已荡然无存，传说中它是一座繁华的城市。如前所述，第一次提及德里地名似在公元前1世纪，拉贾·迪卢在未来的顾特卜高塔附近建立了一座城市，并以自己的名字为之命名。此后，德里几经变迁，直至12世纪才重新地位显著，成为科汉（卡哈马纳）统治者普利色毗罗阇三世的都城。12世纪末，普利色毗罗阇被打败后，德里落入穆斯林手中。穆伊兹（奴隶）王朝奠基者和著名的顾特卜高塔（13世纪初建成）建造者艾拜克也选定德里为首都。阿拉-乌德-丁·卡尔吉（1296～1316）在顾特卜高塔东北3英里外的锡里建立了第2个德里城。第3个德里城由吉亚斯-乌德-丁·图格鲁克（1320～1325）建于图格鲁克巴德，但由于缺水，不得不废弃而保留顾特卜高塔附近旧址。他的继承者穆罕默德·伊本·图克鲁克将城市往东北扩展，在周围修筑新的城防工事，于是，成为第4个德里城，名叫杰汉巴那。这些新居留地位于顾特卜高塔附近的旧城与锡里堡之间。穆罕默德·伊本·图克鲁克的继承者菲罗兹·沙·图格鲁克完全废弃此处，1354年往北迁都至因陀罗普罗斯泰古址附近，建立了第 5 个德里城，菲鲁扎巴德，在今菲罗兹·沙·科特拉地区。

帖木儿在 14 世纪末入侵并洗劫德里后，最后一个苏丹国王迁都阿格拉，德里的重要性暂时缩小。第一个莫卧儿王朝统治者巴伯尔于 1526 年重新定都德里。其子胡马雍在菲罗兹·沙·科特拉与布拉纳戈拉之间建一新城丁巴那。舍尔沙于 1540 年推翻胡马雍，将丁巴那夷为平地，建新的首都舍尔沙希(希拉纳戈拉)作为第 6 个德里城。

莫卧儿皇帝阿克巴(1556 ～ 1605)和贾汗季(1605 ～ 1627)将其总部分别迁至法塔赫布尔锡克里和阿格拉后，德里又失去其重要性。但阿克巴之孙沙·贾汉奠定了第 7 个德里城——沙贾汉纳巴德的基础时，该城于 1638 年又恢复了昔时的辉煌和尊严。沙贾汉纳巴德后来便称旧德里。城市之大部分仍在沙贾汉城墙的范围内，在其统治下修建的几座门——克什米尔门、德里门、土库曼门和阿杰梅里门至今犹在。

18 世纪中叶莫卧儿帝国衰落后，德里又面临许多变迁——马拉塔人(半岛印度人)侵袭、波斯的纳迪尔·沙阿入侵以及马拉塔人的短期统治——其后，英国人于 1803 年到来。在英国统治下，城市繁荣起来。但 1857 年印度人叛乱时期，叛乱者夺取城市达数月之久，后来英国人恢复了权力，莫卧儿王朝统治告终。1912 年英国将英属印度首府从加尔各答迁至已部分建成的新德里。新德里于 1931 年完全建成。

印度独立后德里的发展远远超过原来规模，从北往南沿亚穆纳河展开，往东越出东岸，向西越过德里山。新德里原毗邻德里，现在是大德里城的一部分，帝国以前建都之址也如是。在古老陵墓和城堡之间，高耸的塔、商业大厦等现代建筑拔地而起。该城市也为迅速发展付出了代价。与其他殖民地大城市一样，大量移民涌入城市寻求工作机会，加重了城市基础设施方面的压力。最大的问题为在 20 世纪最后二十年中人口增长两倍多。此外，该市被列为世界交通状况最差的城市之一。自 20 世纪 80 年代以来，采取了许多环保措施，空气质量大大提高。但人口过密、交通堵塞和基础设施负担过重仍然是城市发展的主要障碍。

Delhi, University of　德里大学　设在印度德里的国立高等学府。1922 年建立时为寄宿大学，后发展成一个教学和联系机构，现在则成为印度的联合大学之一，负责管辖分设在大德里市区的许多学院。附属有医学、护理、教育、农业和技术等许多学院，以及专为女生设立的经济发展研究所、德里社会工作学院和国际研究学院。大学本部设有文、理、教育、应用科学、法律、医学、印医、数学、管理、音乐美术、社会科学及技术等学院。用英语和印地语进行教学。

Delhi boil (infection)　**德里疖**　参阅 **Oriental sore** *东方疖*。

Delhi Pact　《德里协定》(1950)　又称《尼赫鲁-利亚格特协定》。1949 年 12 月印度与巴基斯坦两国由于东巴基斯坦问题而关系紧张。据估计，在 1950 年期间有 100 万人离境逃亡——印度人离开东巴基斯坦，穆斯林离开西孟加拉邦。1950 年 4 月 8 日，印度总理尼赫鲁与巴基斯坦总理利亚格特·阿里汗签此协定，允许逃亡者返回原住地处理自己的财产，掠走的妇女和财产一律归还，不承认强迫改宗，确定少数民族的权利。还建立了少数民族委员会以实施这些条款。协定实施后，两国关系一度改善。

Delhi sultanate　德里苏丹国　13～16世纪印度北部的主要穆斯林王国。由古尔的穆罕默德建立。苏丹伊尔杜德米什(1211 ～ 1236 在位)以德里为永久性都城，并牢牢控制住印度北部平原上的主要城镇。他死后，在基亚斯-乌德-丁的统治下，有一个近 40 年的稳定时期。1290 ～ 1320 年，德里苏丹国成为一强大帝国。阿拉-乌德-丁(1296 ～ 1316 在位)征服古吉拉特(约 1297)和拉贾斯坦的主要城堡(1301 ～ 1312)，并使印度南部的主要印度教王国降为附庸(1307 ～ 1312)。他的军队还击退河间地带的察合台蒙古人所发动的猛烈进攻(1297 ～ 1306)。1398 ～ 1399 年帖木儿入侵德里苏丹国，把德里洗劫一空。15 世纪上半期，德里苏丹国下降为地区性国家。15 世纪下半期又部分地恢复霸权。1526 年被莫卧儿首领巴伯尔消灭。莫卧儿统治 15 年之后，阿富汗苏尔的舍尔沙在德里重建苏丹国。1555 年德里被巴伯尔之子胡马雍攻陷。1556 年胡马雍之子阿克巴彻底打垮印度的喜穆将军，德里苏丹国从此在莫卧儿帝国中消失。

Delhi Zoological Park　德里动物园　1957 年创立于印度新德里的动物园，由国家出资经营。占地面积 97 公顷，共展出并繁育至少 185 种、1 700 多只动物。其中包括白虎和眉杈鹿(坡鹿)的繁殖种群。大部分动物是以无栅的壕沟式兽圈展出，还有一群狮尾猕猴在园中自由活动。

Delia　提洛节　爱奥尼亚人在提洛岛为崇祀希腊的阿波罗神每 4 年举行一次的古老节日。当地人称之为阿波罗尼亚节，这一名称似乎一直用于每年一次的相应节日。这一节日后来随着爱奥尼亚政治上的衰微而一蹶不振，但在公元前 426 年，雅典人又将它作为帝国政策的一部分而加以恢复。

Delian League　提洛同盟　希波战争期间，公元前 478 年在雅典领导下成立的古代希腊国家联盟，总部设在提洛。如修昔底德所描述，组织这个同盟的初衷是邀约全体希腊人加入同盟，一齐抵抗阿契美尼德的波斯。事实上雅典所关心的是进一步支持安纳托利亚的爱奥尼亚人，并向波斯人索取赔偿；而斯巴达方面则不愿使自己在海外的负担过重。雅典人负责派遣部队的指挥官，并规定各国应出多少船只或金钱，金钱由 10 个雅典司库官收存和保管。各盟国代表的表决权相等，每年开会一次，同盟金库设在提洛的阿波罗神庙内。最初的同盟国家可能包括除埃伊纳、米洛斯和锡拉以外的大部分爱琴群岛、哈尔基季斯的大多数城市、赫勒斯滂和博斯普鲁斯沿岸、埃奥利亚一部分、爱奥尼亚大部分以及东方少数多里安城市和非希腊的卡里亚城市。最初 10 年间只有一些分散的反抗波斯的行动：色雷斯埃伊昂的波斯驻军被逐；雅典派往埃伊昂的移民地被当地土人破坏，但派往锡洛斯岛的移民地却很顺利；色雷斯沿岸的城市均被争取过来；多里斯库斯攻而未克，成为波斯在欧洲仅存的唯一驻军要塞。约公元前 467 ～前 466 年，同盟取得重大胜利，雅典统帅西门率领一支实力雄厚的同盟舰队，沿安纳托利亚南海岸挺进，赶走波斯驻军，并使沿海各城市加入同盟。后来他又在潘非利亚的尤利曼东大败波斯舰队，劫掠波斯兵营，击溃塞浦路斯援军。公元前 461 年，雅典和斯巴达关系中断，同盟的政策进入一个新阶段。公元前 460 ～前 446 年雅典与伯罗奔尼撒同盟交战，同时发动大规模的东方攻势，企图取得对塞浦路斯、埃及和东地中海的控制权。虽然雅典及其盟军在对斯巴达作战时节节胜利，征服了埃伊纳、比奥蒂亚和希腊中部，但同盟舰队在埃及却几乎全军覆没，进一步的扩张已被遏止。雅典害怕波斯乘其海上失利大举进攻，公元前 454 年将同盟金库迁往雅典。此后 5 年，由于斯巴达(公元前 451 年订 5 年停战协定)、波斯(约公元前 449 或 448 订卡利阿斯和约)和雅典前嫌尽释，提洛同盟便成为举世公认的雅典帝国。早在公元前 472 年左右，埃维亚的卡利士斯便被强制加入同盟，纳克索斯想脱盟自立，亦被压制屈服，这时雅典的帝国主义已经十分露骨。公元前 463 年萨索斯的起义受到镇压，公元前 5 世纪 50 年代米利都、埃利色雷和科洛丰均发生反雅典的运动。由于雅典干涉内政(强制实行民主政治和驻军)，干涉司法，所以盟国的独立日益遭到蹂躏。同盟理事会议最后长期休会，雅典甚至动用同盟的储备金来重修被波斯人损坏的雅典神庙。雅典参加伯罗奔尼撒战争(公元前 431 ～前 404)给盟国带来更多的苛刻要求：增加贡金作为战争费用，增派援军补充损失。尽管在米蒂利尼(公元前 428 ～前 427)和哈尔基季基(公元前 424)发生暴动，雅典西西里之战失败后各地纷纷起义(公元前 413)，但雅典在大多数城市中仍得到民主派的支持。公元前 405 年雅典在伊哥斯波塔米战败后，斯巴达提出议和条件，结果在公元前 404 年解散同盟。此后斯巴达不善于管理前雅典帝国，有利于雅典势力东山再起。到公元前 377 年，雅典以及希俄斯、米蒂利尼、梅塞莫纳、罗得斯和拜占廷形成一个新的海上同盟的核心，目的在维护和平并防范斯巴达的侵略。到公元前 371 年斯巴达被比奥蒂亚人击败时，加入同盟的至少有 50 个国家。但因把盟国维系在一起的对斯巴达的共同恐惧已不复存在，同盟日见衰微。该同盟实际上于公元前 338 年在喀罗尼亚为马其顿的腓力二世所打垮。

Delibes，(Clément-Philibert-)Léo　德利布(1836-02-21，法国圣日耳曼-迪瓦尔～ 1891-01-16，巴黎)　法国歌剧和芭蕾作曲家，第一个为芭蕾谱写高质量音乐的人。他的开拓性的芭蕾交响乐作品为严肃的作曲家打开一个新天地，而他的影响则可以在柴可夫斯基以及其他为舞蹈创作的作曲家的作品中找到。他的音乐作品——轻快、优美、雅致、带有异国情调的倾向——反映着法国第二帝国时代的精神风貌。德利布就读于巴黎音乐学院，师从有影响的歌剧作曲家 A. 亚当。1853 年在歌剧院伴奏，1863 年担任巴黎歌剧院的伴奏，1881 年任音乐学院作曲教授，1884 年成为法兰西学会会员。他第一批上演的作品是与奥芬巴赫和其他轻歌剧作曲家合作的一系列有趣的小歌剧、滑稽剧和笑剧。他与 L. 明库斯合作创作了芭蕾《源泉》(1866)。这部舞剧的成功促使他下决心谱写他的大型芭蕾舞剧《葛蓓莉娅》(1870，取材于 E.T.A. 霍夫曼的故事)和《西尔维亚》(1876，取材于神话)。他同时也发挥了歌剧才能，写了喜歌剧《国王如是说》(1873)之后，又写了严肃歌剧《让·德·尼韦尔》(1880)和《拉克梅》(1883)，后者是他的杰作。《拉克梅》以花腔女高音咏叹调的"钟声之歌"闻名，并且还包含一些用新奇的异国情调的乐曲来描绘的东方场面。他还谱写了一些教堂乐曲以及一些富有诗情画意的歌曲，其中《加迪斯的姑娘们》一曲具有音乐大师比才的风格。

delict　不法行为　在罗马法中，指由于过错所引起的赔偿义务。一直到 2、3 世纪，公罪才和私罪分开，并由刑事法院审理。从那时起，民事诉讼就成为私人侵害的补救方法。法律源自罗马法的一些国家的近代习惯：不法行为意指在民事方面的过错，相当于英美法中的民事侵权行为。罗马的民事不法行为法主要是刑罚性的，尽管罚金被理解为赔偿金，常常 2 倍或 3 倍于损失，而且交给受害人，而不交给国家。不法行为有 4 种主要形式：盗窃、抢劫、伤害以及对财产的损害而引起的损失。关于处理伤害，罗马法的最早法典即《12 铜表法》(公元前 451 ～前 450)表明该法是处在转变阶段，即从私人复仇制度变为国家坚持受害人必须接受补偿以代替复仇，而且确定赔偿的数目。一个人若打断另一个人的肢体，如果就此达不成协议，那么同态复仇，即受害人可以同样的伤害施加给对方，仍然是允许的。可怀疑的是，复仇的做法是否还被使用过。早先，各种犯罪行为的损害赔偿金都是由法律规定的，但货币价值的变动使得这些规定失败了。后来在根据情况确定损害赔偿金时就允许有某种伸缩性。此外，伤害也不只是包括人身方面的侵害，破坏名誉和侮辱行为也列在其中。《12 铜表法》关于财产损失的条款无从得知，但无论如何这些已被公元前 3 世纪初期的《阿奎拉法律》(Lex Aquila)所取代。这部法律涉及奴隶、牲畜及房屋。如果一个奴隶或一条放牧的牲畜被非法地杀死，损害赔偿金的数目就要等于前一年的奴隶或牲畜的最高价值。将其他财产烧毁、折断或损坏，其赔偿金就要等于各该物近 30 天来的最高价值。无论是哪一种情况，损害必须是由过错或过失行为所引起的。

Delilah　大利拉　《圣经·旧约》所载以色列人的领袖参孙最后一次爱情事件的中心人物。她是非利士人使用贿赂来哄诱参孙道出自己力气的秘密在于长发，遂利用参孙对她的信任，将他出卖给敌人。她的名字从此成为性感和不忠女人的同义词。

Delille, Jacques　德利尔(1738-06-22，法国艾格佩斯～ 1813-05-01，巴黎)　法国诗人和古典学者，被誉为法国的"维吉尔"。所译维吉尔的《农事诗》(1770)奠定了他的名声。36 岁进入法兰西学院。1804 年译《埃涅阿斯纪》，1805 年译弥尔顿的《失乐园》。他自己写的诗《花园》(1782)、《大自然三界》(1809)，均描写大自然，颇为造作，一度受圣塞弗兰修道院资助，但他仅仅是挂名的神父。他确实结过婚，并到过德国、英国和瑞士游历。逝世后，人们为他举行过隆重的葬礼，但他的名字很快便被人遗忘。

delimitation, legislative　参阅 **legislative apportionment 议员人数分配**。

Delingha　德令哈　中国青海省海西蒙古族藏族自治州辖县级市，自治州首府。德令哈蒙语意为"广阔的金色原野"。位于省境北部柴达木盆地东北边缘，背靠宗务隆山，巴音郭

德令哈市馒头山小凉亭
中国大百科全书出版社供图

勒河将市区分为东西两部分。1956 年成立德令哈工作委员会。1958 年设德令哈县，1962 年撤销并入乌兰县。1966 年自治州首府由大柴旦镇迁此。1973 年设州直属的德令哈城关区，1988 年设市。面积27 613平方千米。境内海拔2 996米。交通便利。青藏铁路由省会西宁经此再达柴达木盆地南缘的格尔木。青新公路经此东通茶卡及西宁，西达大柴旦、茫崖。市区依山傍水，宜农宜牧。农作物以小麦、青稞、油菜为主，还有豌豆和马铃薯，为柴达木盆地粮、油产区和主要垦区之一。牧畜以羊为主。盛产大黄、枸杞、黄芪、雪莲等药材。矿藏有煤、云母、自然硫、芒硝、沙金等。工业有钢铁、煤炭、电力、水泥、榨糖、农机修造、建材、塑料、地毯、农畜产品加工等，是青海高原上新兴的工业城市。居民以藏族、蒙古族、回族居多。人口60 000(2005)。

delinquency　未成年人犯罪　未成年人实施的犯罪行为。未成年人成为成年人的年龄，一般在 15 岁到 18 岁之间，这要取决于他所在的国家。未成年人犯罪意味着不符合社会的法律标准或道德标准的行为。

在西方国家里，未成年人犯罪行为在 14 岁到 15 岁这个年龄组最为普遍。在 14 岁时，大多数未成年人犯罪行为涉及轻微偷窃。到 16 岁或 17 岁时，比较粗暴和危险的行为，包括殴打和使用武器，变得普遍起来。大多数未成年犯不把这种行为延续到他们的成年生活中，因为随着他们生活环境的改变和他们有了工作、结了婚，或者仅仅是度过了他们的狂暴的青春期而成熟了，他们的行为通常就会符合社会标准。虽然证据模棱两可，但大多数未成年犯的确适应了一种非犯罪的生活，然而未成年犯沦为罪犯的比例高于非未成年犯。

有可能概括一下未成年犯的组成情况，因为有些特点是大多数未成年犯共同具有的。在美国，男孩构成未成年犯人口的 80%，这个比例在整个欧洲和日本也大致相同。一般认为，下层阶级的未成年犯感到他们自己阶层的价值观念同中等阶层的价值观念发生矛盾。下层阶级的行为模式似乎倾向于显示倔强，敢于冒险和蔑视权威。中等阶层的人重视获得地位，这是那些缺少充分的教育和良好的就业机会的下层阶级的未成年人往往得不到的。

学校往往是这些未成年人犯罪行为的发源地。大多数未成年犯在学校里表现不好而且对学校的环境感到不快。很多未成年犯是中途退学者，小小年纪便离开了学校，但又没有工作机会。还有很多因素是未成年犯的家庭共有的。他们的父母往往是酗酒者，本身就搞犯罪活动，不能给他们的孩子提供感情上或经济上的支持。管教不经常，而且往往依靠体罚。

某些个性素质同许多未成年犯联系在一起。这些素质包括：自我陶醉，感情冲动，以及需要立即满足。有些研究也已做到从身体方面把未成年犯描述为身强体壮的类型。人们以很大程度的怀疑接受这些关于一般未成年犯的身体和个性组成的概括。一般认为，大多数未成年犯不可能这样容易地被人们从未成年人口中识别出来。

未成年人集团往往实施未成年人犯罪行为，并不仅仅是出于对社会的失望，而且出于需要在他们的集团中获得地位。一个集团能够给一个未成年人提供他不能从学校或其他机构得到的报偿。一般认为存在 3 种类型的集团：①"犯罪"集团。有严密的组织，位于贫民区，在那里犯罪是一种公认的生活方式；②"好斗"集团。对仍然处在他们能够达到的范围之外的中等阶级的价值观念抱着敌对的情绪；③"逃避现实"集团。利用毒品和其他逃避现实的措施使他们自己从他们认为是个人的失败中解脱出来。

现在人们相信，未成年犯可能在很小的时候就被察觉，即在他们上学以后两年到三年之间。对未成年人犯罪的预测取决于儿童在学校中的行为和儿童的家庭生活的质量，这种质量要受这样一些因素的影响，例如其家庭是否单身父(母)的家庭，或是否有强烈的亲子关系。尽管往往能够识别一个潜在的未成年犯，但迄今尚无任何形式的措施能够防止这种类型的儿童变为未成年犯。

国家有责任对付未成年的罪犯。缓刑是最常用来处理未成年犯的方法，这种方法是对未成年犯判处刑罚但缓期执行，未成年犯则必须按照一些规定的规则生活，在一位缓刑官的监督之下。最经常的情况是对被控犯有轻微罪行的初犯和未成年犯判处缓刑。缓

刑可以是一项法律的强制规定，也可以让法院斟酌决定。缓刑要求未成年犯过一种稳定的、从事生产的生活，有可靠的经济收入。如果不能满足这些要求，他就可能被投入一个管教机构。未成年犯有时被放在一个稳定的家庭里教养，这是使一个未成年人不被送入管教机构的最终的办法。

对待缓刑中和管教机构中的未成年犯的方法很多，从严厉的惩戒方法到着重心理分析和集体治疗的心理疗法都有。缓刑官必须力求在担负执法者和社会工作者的双重任务中把权威和同情结合在一起。这就使得缓刑官的任务极端困难，而责任却是重大的。尽管缓刑制度存在不少问题，但一些研究报告已经表明，缓刑在70%到90%的案件中是有效的。

deliquescence　潮解　指某些物质能从空气中吸收湿气以致溶解在吸收的水中生成溶液的过程。当生成溶液的蒸气压小于空气中水蒸气的分压时就会发生潮解。当空气足够潮湿时，所有可溶性盐都将发生潮解。物质从空气中吸收湿气（但还没有达到溶解的程度）的特性称为吸湿性。煅烧的氯化钙能沉降道路灰尘就是由于它的潮解作用。粉状或薄片状氯化钙能吸收大于自身重量的水分而变成液体，以保持路面潮湿。

delirium　谵妄　一种以定向障碍和思维混乱为特征的精神障碍，表现为对周围环境的错误理解。患者瞌睡、坐卧不宁，为想象中的灾难而恐怖不安。可有幻觉、见到可怕的动物、幻想房屋着了火。随后可出现躁狂性兴奋。谵妄常见于中毒、引起脑损害的疾病（如发热、心力衰竭、头部外伤等）、镇静药（尤其是溴剂）过量之后。巴比妥酸盐药瘾者突然停药亦可促发。酒精中毒性谵妄亦称震颤性谵妄，以震颤为特征，其病因不仅是饮酒过量，还包括衰竭、缺食、脱水等。在谵妄发作前，患者往往因呕吐、躁动不安而体力衰退。令人迷惑的环境变化可加速谵妄的发生。若患者已处于发作的边缘，离家进入医院后，环境的改变即可使之进入谵妄状态，让其家人随来陪伴可以减轻发作。原发的躯体疾病得到控制后，谵妄可立即缓解。恢复与否不仅决定于毒物的清除，亦决定于脑损害的程度及机体的修复能力。

Delisle, Guillaume　德利尔（1675-02-28，法国巴黎～1726-01-25，巴黎）　法国地图制图家，曾领导法国地图制图技术的改革。他是天文学家J.-N.德利尔的哥哥，天文学家J.D.卡西尼的学生，掌握了利用天文观测精确定位的方法。他精确描绘了大陆轮廓，降低了经线定位的整体误差，比过去的地图有相当大的进步。他最早的一批作品在1700年出版，包括两个天体仪（地球仪和天球仪），各大洲地图和世界两半球地图。他绘制地图约100幅，并写了关于测量术和古代地理的著作。1718年任法国国王的第一任首席地理学专家。

Delisle, Joseph-Nicolas　德利尔（1688-04-04，法国巴黎～1768-09-11，巴黎）　法国天文学家。他认为有时出现在太阳周围的多层彩环是云层中水珠衍射日光造成的。他还通过观测金星和水星的凌日，计算太阳到地球的距离。1725年，德利尔前往俄国圣彼得堡创办天文研究所。原计划停留4年，后来却一直在那里工作了22年，并培养出俄国的第一代天文学家。1738年，他发表《天文学的历史和进展》一书，书中首次提出测定太阳黑子日心坐标的方法。1747年他返回巴黎，任海军部地理天文专员，在克吕尼公馆设立天文台。1753年他组织世界范围内的1761年金星凌日观测，这是有计划地研究这种现象的一次创举。

délit　轻罪　参阅**crime, délit, and contravention** 罪、轻罪和违法。

Delius, Frederick (Theodore Albert)　戴流士（1862-01-29，英国约克郡布雷福德～1934-06-10，法国卢万河畔格雷）　作曲家，19世纪末振兴英国音乐的最杰出人物之一。曾

中国大百科全书出版社供图

就学于伦敦国际学院。1886年赴莱比锡接受比较正规的音乐训练，结识挪威作曲家E.格里格。两年后赴巴黎，1897年在巴黎附近的卢万河畔格雷定居，1903年与画家J.罗森结婚。创作歌曲、管弦乐组曲《佛罗里达》与歌剧《艾梅林》。1893年出版了由小提琴与管弦乐队演奏的《传奇》。接着又创作一些更加雄心勃勃的作品，在20世纪最初10年，特别是在德国，引起人们极大兴趣。在他的6部歌剧中，《柯恩迦》（1895～1897）、《乡村罗密欧与朱丽叶》（1900～1901）与《芬尼莫尔与格达》（1908～1910）等3部，以及几部大型合唱与管弦乐曲如《阿巴拉契亚》（1902）、《海之飘流》（1903）、《巴黎：伟大的城市之歌》（1899）等，都首先在德国上演，以后通过他的作品的最优秀表演者、英国指挥家T.比彻姆大力鼓吹，其声誉传至英国。60岁后双目失明而且瘫痪，但仍继续通过助手进行创作，其他主要作品有：使用尼采诗文谱写的《生命弥撒曲》（1904～1905）与《安魂曲》（1914～1916）；管弦乐曲《布里格集市》（1907）。就其音乐语汇的独特新颖而言，戴流士的音乐可与他的同时代人埃尔加媲美，但他的表情幅度不如埃尔加宽广，其创新也较少活力。至今仍继续上演和录制的作品有：音诗《群山之外》（1895），两首管弦乐《狂想舞曲》（1908和1916）；小乐队曲2首，《春日初听布谷鸟鸣叫》（1912）与《河上夏夜》（1911）；以及为管弦乐队、合唱队与独唱而写的《日落之歌》（1906～1907）等。

Dell, Floyd　德尔（1887-06-28，美国伊利诺伊巴里～1969-07-23，马里兰贝塞斯达）　美国小说家、激进的新闻工作者，所写小说研究第一次世界大战前后美国放荡不羁的文人在性道德和政治观点上的变化。他是一位早熟的诗人，家道贫寒。16岁辍学后进工厂做工。1908年去芝加哥当记者，不久就成为该城进步文学运动的领导人。1909年任《晚邮报》副刊《星期五文学评论》的助理编辑，1911年任主编，使其成为美国最著名的文学副刊。作为评论家，他促进了S.安德森和德莱塞的事业。他从青年时代起就是一个社会主义者。1914年移居纽约，任左翼刊物《群众》副主编，直至1917年。1918～1924年任《群众》的后继《解放者》编辑。1920年出版第一部、也是他最好的主要是自传性的小说《傻瓜》，次年出版续集《野蔷薇》。《回家》（1933）写他35岁以前的生活。在此以前，他出版了几部长篇小说，如《珍妮特·马奇》（1923）、《逃亡》（1925）和《在格林尼治村的爱情》（1926）。非小说类作品有关于育儿的《你曾是孩子吗?》（1919）、传记《厄普顿·辛克莱》（1927）和陈述他在性问题上的观点的《机器时代的爱情》（1930）。根据他的长篇小说《一个未结婚的爸爸》（1927）与T.米切尔合作改编的剧本《小事件》于1928年上演，颇受欢迎。德尔在20世纪30年代晚期移居华盛顿，参加"联邦作家计划"的工作。该计划结束后，他继续在政府中工作，1947年退休。

Della Casa, Giovanni　德拉·卡萨　参阅**Casa, Giovanni Della** 卡萨。

Della-cruscan　秕糠诗派　18世纪晚期英国的一个风格矫饰做作、修辞华丽的诗歌流派。中心人物是意大利秕糠学会会员R.梅里。W.吉福德在《巴维亚德》（1791）和《梅维亚德》（1795）两书中对该学会进行讽刺。该词后来指迂腐、做作的文风。

Della Falls　德拉瀑布　加拿大不列颠哥伦比亚省温哥华岛上从德拉湖降落至德林克沃特湾峡谷的三条瀑布的总称。它们位于阿尔伯尼港磨坊镇西北部约60千米处，离科特尼镇的西南面大约同等距离。德拉瀑布直泻440米，是加拿大最高的瀑布，由冰河湖水形成，以1899年第一个来访的捕兽人、探矿者德林克沃特的妻子的名字命名。德拉湖深藏在多山的斯特拉思科纳省立公园内，海拔1 080米。瀑布的四周被岛上四座最高峰——大因蒂里厄山（1 860米）、罗索山（1 962米）、塞普蒂默斯山（1 950米）和九峰（1 842米）所环绕。

della Porta, Giacomo (architect)　参阅**Porta, Giacomo della** 波尔塔。

della Porta, Giambattista (philosopher)　**德拉波尔塔**　参阅**Porta, Giambattista della** 波

尔塔。

Della Robbia, Andrea 德拉·罗比亚(1435-10-20,佛罗伦萨[意大利]～1525-08-04) 佛罗伦萨雕刻家,为路加·德拉·罗比亚之侄。1482年叔父去世后接管家庭作坊。与路加同为熟练的大理石雕刻家。最有名的作品是佛罗伦萨儿童医院正面的10个圆形弃婴壁龛(约1463)。对叙事性雕刻很感兴趣,从而把路加的浮雕发展成为大型彩饰浮雕。在意大利许多教堂均可见到这类作品,其中包括阿西西圣马利亚教堂和佛罗伦萨圣克罗齐教堂的天使。在其他国家的博物馆中也有这种作品。

Della Robbia, Giovanni 德拉·罗比亚(1469-05-19,佛罗伦萨[意大利]～1529) 佛罗伦萨雕刻家,安德烈亚·德拉·罗比亚之子。1525年其父死后接管家庭作坊。早期最著名的作品有佛罗伦萨新圣马利亚教堂的洗手所和圣保罗教堂凉廊的圆形装饰。早期与其父合作,受其父强烈影响。最有代表性的作品是皮斯托亚圣诞节医院的表现慈善事业的饰带(1525～1529)。其学生B.布格利奥尼(1461～1521)和S.布格里奥尼(1494～1576)曾协助进行这件工作。其弟吉罗拉莫·德拉·罗比亚(1488～1566)曾在安德烈亚的工作室接受训练,并与父、兄合作。约1527～1528年,他到法国受雇装饰马德里堡中被毁坏的陶塑。1547年回到佛罗伦萨。1559年重返马德里堡工作,并先后在枫丹白露、圣但尼工作。

Della Robbia, Luca 德拉·罗比亚(1399或1400,佛罗伦萨[意大利]～1482-02-10) 雕刻家,佛罗伦萨文艺复兴风格的先驱者之一。其家庭作坊主要从事加釉赤陶用品的生

德拉·罗比亚的浮雕《吹号者和舞蹈的儿童》(1431～1438)

中国大百科全书出版社供图

产,早期主要从事大理石雕刻。1431年开始作佛罗伦萨大教堂北面圣器收藏室门上的《圣诗班》(或称《唱诗廊》),这是他最重要的作品,共有10幅人物浮雕:两组歌咏少年,吹鼓手,歌舞者,用不同乐器演奏的儿童。儿童形象天真朴质。其他重要大理石雕有:佛罗伦萨附近佩雷托拉的神龛(1441年为佛罗伦萨新圣马利亚教堂所作),以及费索利主教费代里吉陵墓(1454～1457,佛罗伦萨)。早期有文献记载的加釉赤陶塑作品是佛罗伦萨大教堂北面圣器收藏室门上的《耶稣复活》弧面窗(1442～1445)。与之对称,后又在大教堂南面圣器收藏室门上作《耶稣升天》浮雕,用色更多。用加釉赤陶作过许多装饰性作品,其中最重要的有:F.勃鲁涅列斯基设计的帕齐小礼拜堂的《耶稣门徒》圆壁龛(1443以后不久);佛罗伦萨圣米尼亚托教堂十字架小礼拜堂(米开罗佐设计)屋顶(约1448);乌尔比诺圣多明我教堂大门上的弧面窗(约1449)。用这种材料的最后一件重要作品是佩西奥的主教宫祭坛雕刻(1472以后)。其他国家也藏有他的许多名作。

della Scala FAMILY **斯卡拉家族** 又称斯卡利杰家族。13世纪晚期至14世纪统治维罗纳的著名家族。尽管11世纪时已很显赫,但王朝的创立者为马斯蒂诺一世,他于1259年成为首席执政官。坎格兰代一世(1329卒)是这一家族中最伟大的人物,但丁被放逐时,他曾予以保护。他对维琴察和帕多瓦进行一系列的战争,都取得胜利。1318年把管辖权扩大到费特雷和贝卢诺。1327年任皇帝驻曼图亚代表。1387年,维斯孔蒂家族兼并维罗纳城,斯卡拉家族的统治宣告结束。

Della Valle, Federico 德拉·瓦莱(约1560,皮埃蒙特阿斯蒂[意大利]～1628,米兰) 意大利戏剧家、诗人。在20世纪被认为重要文坛人物。生平不详。1628年在都灵和米兰发表了3部悲剧,其中《苏格兰女王》(1591)具有浓烈的抒情性,描写玛丽女王临死时虽然渴望重见苏格兰故土,但也只好做一个殉难者。其他两部悲剧的女主人公都是《圣经》人物:以斯帖和犹滴,也以宫廷的腐败和残暴为背景,描写她们为了信仰而进行不妥协的斗争。德拉·瓦莱的这种悲剧观点,也见之于他的悲喜剧《弗里加的阿德朗达》(1595)。

Dello Joio, Norman 戴罗·乔伊奥(1913-01-24,美国纽约州纽约～2008-07-24,纽约东汉普顿) 美国新古典主义风格作曲家。出身音乐家庭,随父学习管风琴。曾在音乐艺术学院和朱利亚德研究生院就读,后在兴德米特指导下学习作曲。作为一位新古典主义作曲家,他常将传统曲式(利车卡尔、变奏曲、奏鸣曲、恰空舞曲)与现代音乐技巧相结合,作品虽和声守旧,但节奏活泼,旋律动人。其合唱曲特别有名。1957年,弦乐曲《圣经〈传道书〉沉思曲》获普利策音乐奖。其他作品有:歌剧《鲁昂的磨炼》(1955;1959年修改,易名为《圣女贞德的胜利》及《血红的月亮》(1961),混声合唱曲《大卫诗篇》(1950),由管风琴、铜管与弦乐演奏的《根据V.阿尔布里奇主题而作的对唱幻想曲》(1965),合唱与管弦乐队的《召唤》(1970),管风琴、铜管、弦乐与合唱的《纪念教皇约翰二十三世弥撒曲》(1975),管弦乐队、独唱、合唱、朗诵与舞蹈的《如在梦中》(1978)等。1972～1978年间执教于波士顿大学。

Delmarva Peninsula 德尔马瓦半岛 美国大西洋沿岸平原的一部分。在切萨皮克湾(西)与特拉华河、特拉华湾和大西洋(东)之间,范围包括特拉华、马里兰和弗吉尼亚州部分地区。该半岛长约290千米,宽约110千米。有切萨皮克湾桥-隧道连通半岛南端的开普查尔斯和弗吉尼亚州的诺福克。小莱恩纪念桥西连安纳波利斯。切萨皮克通特拉华的运河横跨北部的地峡。渔业、旅游、养禽和种植蔬菜为当地主要行业。商业中心为马里兰州的索尔兹伯里。

Delmas, Jacques(-Pierre-Michel) 戴尔马 参阅**Chaban-Delmas, Jacques(-Pierre-Michel)**沙邦-戴尔马。

Delmenhorst 代尔门霍斯特 德国西北部下萨克森州城市。濒临代尔姆河,在不来梅以西。1254年首见记载。1371年建制。19世纪末开始工业化。现为制造业中心,主要产品为亚麻油,其他产品有软木、地板和食品等。人口约75 986(2003)。

delomorphous cell(anatomy) **显形细胞** 参阅**parietal cell**壁细胞。

Deloney, Thomas 德洛尼(1543?,英格兰诺里奇?～1600) 英国民谣、小册子和散文故事作家,英国最早的通俗小说作家。在诺里奇以纺织为业,并写咏事谣曲。他还通过写小册子参与宗教论争,因被指控有煽动性的言论,在伦敦遭到禁止。他在内地做流动纺织工和销售谣曲,顺便为他的散文故事收集素材。其《友善诗集》(1593)中,有许多曲调新颖的悦耳歌曲和优美歌词。他的《纽伯里的杰克》(1597)、《高贵的行业》(卷1、卷2;1597～约1598)和《雷丁的托马斯》(1599?)为T.德克等剧作家提供了情节。《高贵的行业》是故事集,每个故事颂扬一种行业:裁缝、鞋匠和织工。他的作品尽管流传很广,但仍被受过大学教育的作家指责为不过是个谣曲制造者和粗俗传奇故事的供应商。他的文学功绩迟至20世纪才得到公认。

Delorme, Marion 德洛尔姆(1613-10-03,法国巴黎～1650-07-02,巴黎) 法国名妓。让·德隆之女。曾为诗人J.瓦莱的情妇。但不久又另谋新欢,与路易十三的宠臣森-马尔侯爵过从甚密。她在巴黎皇家广场设立的上流社交界沙龙吸引了许多文人与政界人士。1642年森-马尔因叛国罪被处决后,她又有许多情夫,其中包括昂吉安公爵(后称大孔代)、怀疑论者圣-埃弗勒蒙和财政总监M.P.德梅里。据说她与煊赫一时的黎塞留枢机主教也有暧昧关系。在投石党运动期间(1648～1653),她的沙龙成为市民阶级和贵族叛逆者的聚会场所。后来,法国政府强迫她离开皇家广场。她死于穷困之中。A.de维尼和V.雨果都在作品中描写过她。

Delorme, Philibert 德洛尔姆(1510至1515,法国里昂～1570-01-08,巴黎) 16世纪文艺复兴时期法国伟大建筑师之一,他对古典柱式能融会贯通又具有独创性,能出以巧思而形成法国古典主义特征。他是石工师傅

德洛尔姆约1552年设计的阿内城堡的大门
美国不列颠百科全书公司供图

之子,1533～1536年居住罗马,受让·杜·贝莱主教的影响,接受了人文主义观点。他在圣莫代福塞为贝莱主教建造了一座别墅(约1541～1547),并被任命为王太子(以后亨利二世)的建筑师。1548年任建筑监察官,建造了若干重要建筑物,如圣但尼的弗兰西斯一世的陵墓(1547)、枫丹白露宫的扩建(1548～1558)等,可惜这些建筑俱已被毁。1559年亨利二世死后失宠,转而从事写作。以实践经验为基础,撰写了《实用经济地建筑的新发明》(1561)和《菲利贝尔·德洛尔姆建筑初集》(1567,1568修订版)。阐述他如何把文艺复兴建筑的精神融会到法国古典传统中去。1564年,王太后卡特琳将他召回,设计最后的杰作——巴黎的土伊勒里宫。

Delors, Jacques (Lucien Jean) 德洛尔 (1925-07-20,法国巴黎～) 法国政治家,1985年起任欧洲共同体(EC)执行机构欧洲委员会主席。德洛尔是法兰西银行的一位信差之子,他自己也于1945年进入该银行工作,后获巴黎大学经济学学位。他活跃于基督教工会联合会(1964年改名为民主工会联合会)内,1950年被任命为该联合会的经济顾问。他在法兰西银行很快晋升至经理职位。1962年任国家计划总委员会社会事务部主任。1969～1972年任沙邦-戴尔马总理的"新社会"计划的社会事务首席顾问。1974年加入社会党,1976年任党的国际经济关系全国代表。1979年当选为欧洲议会议员,任议会经济和货币委员会主席。1981年新当选的社会党总统密特朗任命德洛尔为经济和财政部长。当时法国经济正处在衰退之中,德洛尔开始实行加强政府控制和消费的社会党复苏计划。但他最后终于说服密特朗接受他的紧缩计划,在恢复经济相对稳定方面获得了成功。德洛尔1985年离开政府任欧洲委员会主席。他使长期停滞的欧洲共同体获得了新的活力,促进改革并说服会员国同意建立单一市场,从1993年1月1日起生效,成为迈向经济和政治全部一体化的第一步。

Delos 提洛 现代希腊语作Dhflos。希腊基克拉泽斯群岛最小的岛屿之一。又称小提洛。西有里尼亚岛,东有米科诺斯岛。面积3.4平方千米。在爱琴海古代历史上一度是宗教、政治和商业中心,目前几乎为无人居住的荒岛。岛上遍布起伏不平的花岗岩山地。1873年以来,法国的雅典学派一直在该岛从事挖掘,已发现的各式各样古建筑遗物可与德尔斐和奥林匹亚两地的古建筑媲美。提洛建筑遗迹中最著名的雕刻品为巨大的阿波罗神像残骸和九尊大理石狮。在岛的西岸发现四组古建筑遗址:一个商港及其附近的许多神庙;阿波罗宗教城(包括一座宏伟的圣殿);辛索山庙堂和一座剧场;萨克雷湖区。第一组包括一条宽13米的大路(游行之路)、多立斯式阿波罗神庙(公元前5世纪中期至前3世纪)、多立斯式雅典神庙(前425～前417)、祭坛、摆满许愿物的庙前大道、前希腊时期大厦阿耳忒弥斯神庙。第二组包括阿波罗神庙外空地上的崇拜阿耳忒弥斯的极北居民少女墓穴、狄俄尼索斯庙、阿佛洛狄忒庙和赫耳墨斯庙。第三组包括码头、仓库、公元前3～前2世纪民居、公元前3世纪剧场(辛索山缓坡)、古基克拉泽斯民居遗迹(前三千纪)、宙斯和雅典娜神庙、外族神庙、埃及神庙、叙利亚神庙。第四组包括意大利广场(岛上面积最大之建筑有拱门、多立斯式柱)、泰奥弗拉斯托斯广场(公元前2世纪晚期)带爱奥尼亚列柱廊的大宫殿、约165米长的体育场。公元前三千纪末期岛上已有人居住。公元前10～前9世纪爱奥尼亚人带来勒托崇拜(据传说,勒托为阿耳忒弥斯和阿波罗之母)。荷马史诗《奥德赛》中提到该岛在当时已是繁荣的商港和宗教中心。波斯战争结束后,公元前478年建立了以雅典为首的提洛同盟。伯罗奔尼撒战争结束时,斯巴达立即让提洛独立。在亚历山大帝国崩溃之后的150年内一直是独立的岛屿。公元前166年以后的罗马统治时期,这里成为自由港。公元1世纪,由于贸易航线改道,提洛岛的商业一蹶不振,因而岛上的神教也随之消亡。公元前88年,本都国洗劫该岛,千万居民遭屠戮。公元前69年遭海盗袭击。公元前42年恢复雅典统治,但据希腊地理学家鲍萨尼阿斯记载,当时岛上几乎荒无人烟。到中世纪,威尼斯人和土耳其人将岛上的古建筑拆毁,作为建筑材料运走。人口16(1981)。

提洛岛上的古代剧场遗址
美国不列颠百科全书公司供图

Delphi 德尔斐 最重要的古希腊阿波罗神庙所在地,也是阿波罗神谕的发布地点。位于福基斯地区帕尔纳索斯山低处陡坡之上,距科林斯湾10千米。古希腊人曾视此地为世界中心。据古代神话记载,宙斯大神曾放出两只雄鹰,一只自东方起飞,另一只发自西方,并使二鹰俱朝中心地带飞翔。结果它们会于德尔斐,相会之点则以神庙中一块巨石为记,巨石名为"脐石"。另据传说,德尔斐地方之神谕,本来是由大地女神该亚发布的,神庙则由她的孩子巨蟒皮同守卫;后来阿波罗杀戮皮同,乃自建其神谕于该处。

考古发掘显示,德尔斐自迈锡尼时代后期(公元前14世纪)起,一直有人居住,但其历史实际始于前6世纪。当时由于大约发生于前590年的"圣战"把那个对过境朝圣者课税的克里萨镇夷为平地之后,就开放了进入德尔斐的免费朝圣的通路。德尔斐曾加入近邻同盟并成为同盟主要中心之一。公元前582年,德尔斐重办泛希腊皮同竞技大会,以后每4年在该地举行一次。此时德尔斐神谕的声誉达到了顶点。人们不仅为私事求祷于神谕,而且国家大事亦来问卜,因此神谕之言往往影响国家政策。由于希腊每逢决定移民海外进行垦殖时也要求卜于神谕,神谕的名气遂传播于整个使用希腊语的地区。

德尔斐建于公元前4世纪的剧场和阿波罗神庙
美国不列颠百科全书公司供图

公元前356～前346年间,福基斯人强占了德尔斐,并肆行抢掠神庙财宝,后为马其顿王腓力二世所驱逐。在罗马时代初期,德尔斐屡遭洗劫；据说尼禄就曾运走该地附近的500座雕像。随着基督教的传播，德尔斐这所往日异教徒的圣殿也日趋衰颓。公元4世纪中叶，背教者尤里安试图重建神庙，但神谕却对这位皇帝的热心没有别的回答，只是哀叹神庙已经逝去的荣耀。

1890年以前，德尔斐遗址曾属现代的卡斯特里村的区划范围。1890年该村被迁往附近一址，更名为德尔斐村。始于1892年的发掘工作，曾揭示古代德尔斐的建筑规划，其建筑物遗存，可以由公元2世纪地理学家鲍萨尼阿斯的著作进一步得到证实。神庙所在的圣所略呈长方形，面积甚大，环以围墙。其中有圣路一条，在圣所范围内蜿蜒而上，直达阿波罗神庙本身。圣路两侧罗列着许多纪念碑、柱及宝库。纪念碑、柱是国家或私人对阿波罗的奉献品，以资答谢神恩。圣所居中是宏伟的阿波罗神庙，现在这座神庙建于公元前4世纪，仅存地基、一些台阶和几根圆柱。德尔斐神谕是在庙后部一室内发布的。从遗址上现存残迹可以看出，还有两处更早的阿波罗神庙。第一座可溯至公元前600年前后，现存一些古典风格的柱头和墙基。这座神庙于公元前548年毁于大火。第2座建于公元前6世纪末，尚有许多墙基和一些山形墙上的雕刻品保存下来。当地曾经有为数甚多的宏伟建筑，雅典的这个建筑是在原来的基址上重建的，其墙壁上刻有加注乐谱的阿波罗颂歌若干首，因此闻名。参阅 **oracle**。

Delphin Classics　王储经典名著　法王路易十四时期的拉丁古典名著。由P.-D.于埃和太傅J.波舒哀于1670至1680年监修，供王太子阅读。

Delphinium　飞燕草属　显花植物的一属，其种类为园艺花卉，常称*燕草飞*(**larkspur**)。

Delray Beach　德尔雷比奇　美国佛罗里达州东南棕榈滩县的城市。位于大西洋沿岸的西棕榈滩南30千米处。来自密歇根的殖民者乘船于1894年在此登陆，此时大西洋沿岸水道已通至此。1896年设城镇，当初以购置这块土地谋发展的议员林顿的姓氏命名为林顿。约1901年以底特律的一个区名重新命名为德尔雷。水道的西面(大陆)于1911年设镇，东面(海滩)直至1923年才设置为德尔雷比奇镇。1927年上述两社区合并成立德尔雷比奇市。以广阔的公共海滩为基础的旅游业是主要的产业。其他经济活动有商业性花卉栽种、柑橘类水果种植和高技术产业。人口60 020(2000)。

Delsberg（Switzerland）　**代尔斯贝格**　参阅 **Delémont** *德莱蒙*。

Delta　德尔塔　加拿大不列颠哥伦比亚省西南部区属自治镇。在温哥华大都会区南部，弗雷泽河三角洲与邦德里湾之间。除北部主要为住宅区外，大部分为乳牛场、菜园和经济作物区。工业大部集中在弗雷泽河上的安娜西斯岛上，以捕鱼、鱼罐头加工、食品加工及造纸为主。西海岸外侧乔治亚海峡内建有占地约22公顷的人工岛，岛上有装运煤炭的罗伯特班克大港。此地有几处良好的海滩及至温哥华岛的轮渡。1879年设建制。人口88 978(1991)。

Delta　德尔塔　尼日利亚南部一州。北接埃多州，东连阿南布拉州，东南和南邻河流州，西临大西洋的贝宁湾，西北与翁多州交界。该州东面和南面紧靠尼日尔河下游与三角洲。1991年将以前本代尔州南半部划出，设立德尔塔州。州的首府为尼日尔河畔的阿萨巴。州的大部分在尼日尔河三角洲，海拔不足150米。三角洲内多红树沼泽，北部还混杂有淡水沼泽地。许多相互连接的水道及福卡多斯河与埃斯克拉沃斯河可用于运输，二河皆注入贝宁湾。该州居民：东部有伊博人，北部有埃多人即比尼人，南部和西部有伊泽基里人、乌尔霍博人、伊索科人和伊乔人。农业是经济的支柱。出产薯蓣、木薯、油椰产品、稻米和玉米，供当地食用。德尔塔通过尼日尔河三角洲港口布鲁图、福卡多斯、科科、萨佩莱和瓦里输出大量石油、橡胶、木材、棕榈油和棕榈仁等。石油利用管道从乌盖利油田及其他主要油田如瓦里(这里有一炼油厂)、科科、埃斯克拉沃斯和沿海附近大油田输出。工业包括玻璃和玻璃瓶工厂、纺织厂，以及塑料、橡胶、胶合板、天然气、船艇建造、锯木、家具等工业企业。在阿拉贾(邻近瓦里)有一家大钢铁联合企业。面积17 698平方千米。人口2 873 711(1995)。

delta　三角洲　河流入海时在河口处堆积的低平原，主要由河流沉积物组成。约2 500年前，希罗多德因尼罗河入海处的汊河和海将平原围成三角形，乃用希腊文字母Δ(delta)命名。但是世界上的三角洲并不都呈三角形，其外形受沉积物所填充的水体轮廓的控制。故现今使用的三角洲一词已不再代表其外形，只要是河流在其河口堆积的水上、水下平原，即称为三角洲。早在史前时期，三角洲就对人类起了重要作用。泥沙等洪汜沉积物有利于农业生产。随着农业技术的进步，尼罗河及底格里斯-幼发拉底河的三角洲平原上兴起了伟大的文明。近年间，地质学家所找到的世界大部分石油资源，都是蕴藏在古三角洲岩系中。三角洲是在河流对泥沙的搬运和堆积能力超过波浪与洋流搬运能力的情况下形成的。其大小、外形、结构、组成和成因极为多样。有许多因素影响着它的特征，主要因素是：①流域内的地质条件和沉积物来源；②气候条件(决定着流往三角洲的河水流量、泥沙量和输送频率)；③构造稳定性(上升的幅度与频率)；④河流坡降与洪水特征；⑤堆积和侵蚀作用的强度；⑥潮差和岸外浅海的动力条件。这些因素与时间的不同结合就产生复杂多样的三角洲。影响三角洲的重要因素之一是气候类型，在热带多雨地区，河流流量和输沙量比较稳定，所以三角洲上河道系统也比较稳定。相反，干旱区河流来水来沙变幅极大，三角洲上的汊河总不能适应，所以旧的河道淤塞了，新的河道又冲出来，河道系统常在迁徙中。许多大三角洲发育于沉降盆地中，受区域构造和断层活动的控制。三角洲地区原是沉降盆地，是它将河流吸引到该处，还是因为堆积了大量河流沉积物而导致地壳挠曲和沉降，对此仍有争论。此外，差异沉积负载引起的局部压实作用在三角洲的形成中也有重要意义，在有大量细粒沉积物堆积的三角洲区尤为突出。在河口区形成的沉重沙体，沉陷到下伏的松软泥体中，将大片泥体压升到表面，在河口周围形成泥岛。

三角洲基本上有三个组成部分。靠陆地的部分称为上三角洲平原；中部称为下三角洲平原；岸线以外，位于海面以下的部分称为水下三角洲。这三个部分的比例变化，形成了三角洲的不同大小与外形。上部三角洲平原开始于三角洲的顶点，全部位于潮水入侵范围以上，完全由河流作用形成。河道两旁常有天然堤，河道之间常有大片淡水湖泊、沼泽、湿地。通常在潮差小的地区最发育，例如尼罗河、勒拿河、伏尔加河等三角洲。下部三角洲平原为潮水周期淹没，其上地形由河海相互作用而成，河道之间地形复杂，有半咸水的小海湾、湿地、红树林沼泽、盐分高的潮坪和滨岸堤等。通常在潮差大的地区最发育，例如恒河与布拉马普特拉河联合三角洲有大半部分属此。水下三角洲全部位于海面以下，通常在大陆架上形成明显的突起，以海洋作用为主。其形成常受岸外坡度和泥沙量的控制。在岸外坡度和缓的大陆架上最为发育，例如亚马孙河、奥里诺科河、黄河等三角洲；在大陆架坡度很陡或在近河口处有巨大海底峡谷处则很小，甚至不发育，例如刚果河三角洲，尽管它的输沙量很大。

三角洲上河口的形状多样。有的呈喇叭形；有的呈类似突堤的尖嘴形。河口外有由于河水流出槽道，流速降低，使粗粒物质沉积而成的浅滩区，称为河口沙坝。三角洲的地层，无论在由河口至岸外线海的水平方向，还是在自下而上的垂直方向上，都有发育良好、由粗变细的沉积层序。而在沉积结构上则可分为顶积层、前积层和底积层三部分。顶积层相当于陆上三角洲平原区的堆积，由通常在横剖面上呈透镜状的河床沙层，覆盖于河床沉积之上的天然堤粉沙、黏土层，以及夹处于这两种沉积之间的河间地带泥炭与黏土层所组成。前积层就是三角洲前缘堆织，形成于三角洲岸线以外的海洋环境中。接近河口处有堆积成河口沙坝的粗沙。它们向海和向侧方变细，成为较深水中的粉沙、粉沙黏土或黏土互层，往往有水下块体运动产生的变形。底积层相当于三角洲前缘以外的海积黏土层。三角洲结构上这三个部分的相互关系在典型的三角洲剖面上有清楚的表现。

三角洲的发育外伸还受地质时期的影响，在不同时期向不同方向迁移，有三种外伸迁移类型：①舌状迁移型，具有复杂汊河的舌状三角洲堆积体向海外伸，使三角洲由许多重叠交替的舌状堆积体组成，而被废弃的三角洲则受后期侵蚀，形成岸外沙岛；②汊河迁移型，通过形成一系列新汊河、废弃旧汊河而使三角洲外伸；③河道交替延伸型，各汊河河道较长时期稳定并向外延伸，从而使三角洲随之外伸，多发育于基底稳定、河流作用胜过海洋作用的地区。三角洲在不同地质时期都曾形成，并已在世界各地所有地质时期的地层中辨认出来。许多古老的、尤其是墨西哥湾的第三纪三角洲，蕴藏着大量石油。

对三角洲的研究已从自然调查转入模拟实验，尽管这样还有许多困难。最近已应用计算机，代替实验槽内的模拟实验，进行模拟演算，通过数秒钟的运算即可重建几百年的三角洲沉积过程。

Delta 德尔塔 美国犹他州中西部米勒德县城市。原为1906年成立的梅尔维尔合作农场，1911年德尔塔土地管理公司投资重组，改名德尔塔。起初生产甜菜，20年代开始发展多种农业，并成为苜蓿主要产地。现有萤石矿、发电厂和旅游业。1989年成立大盆地历史博物馆，博物馆场地上复原了第二次世界大战期间关押日裔美国人的托帕兹安置中心营房。1911年设市。人口3 209(2000)。

Delta "德尔塔"号运载火箭 美国在1959年开始研制的3级运载火箭。第一个型号能把220千克有效载荷送入480千米高的轨道。60年代初期，用它发射了"泰罗斯"气象

1966年发射的"德尔塔"号运载火箭
美国不列颠百科全书公司供图

卫星和"回声"1号、"电星中继"卫星和"辛康"等通信卫星。改进后的型号具有更强大的第一级，能把450千克的有效载荷送上800千米的轨道，1964年8月19日用它把"辛康"3号通信卫星射入轨道。此外还制造了几种长贮箱"德尔塔"号运载火箭。另一种改进型的"德尔塔"号运载火箭具有惯性制导系统，可2级或3级发射。2级发射时能把1 630千克有效载荷送入370千米高的轨道。

Delta Air Lines, Inc. 德尔塔航空公司 美国航空公司。1930年12月31日成立，原名德尔塔空运公司，1945年采用今名。初在美国南部与墨西哥从事农业喷洒，后逐步发展，尤其于1934年后发展载运乘客和货物，业务遍及全美东南部，并与美国大陆和海外各地也有许多联系。总部设在佐治亚州的亚特兰大。1924年起，纽约一飞机制造商开始在美国南方经营农业喷洒业务。1928年路易斯安那州一群生意人购得这项经营权，组成德尔塔航空服务公司，并于翌年作客运业务，1930年成立德尔塔空运公司。60年代中叶前，该公司最重要的负责人为C.E.伍尔曼，(1890? ～1966)；他在1928～1945年任副总裁与总经理，1945～1965年任总裁，1966年去世时为公司最大股东。30年代，两家后来并入德尔塔航空公司的芝加哥-南方航空公司及东北航空公司兴起。芝加哥-南方航空公司的前身为太平洋海岸航空公司，成立于1933年；因1934年获得一条由芝加哥往新奥尔良的美国邮递航线，而于1935年12月3日组成芝加哥-南方航空公司，其后航线遍及密西西比河流域并达加勒比海；1953年与德尔塔合并。东北航空公司于1933年成立，原名波士顿-缅因航空公司，1940年易名为东北航空公司；到1944年，已飞重要的纽约-波士顿航线及东北其他航线；1972年与德尔塔合并。1987年，德尔塔获得在加利福尼亚州和美国远西拥有黄金路线的西部航空公司。1991年，德尔塔购得破产的泛美世界航空公司的部分所有权，得到后者经营的去欧洲、中东和南亚的航线。

Delta Amacuro 阿马库罗三角洲 委内瑞拉东北部的州。东北濒大西洋。地貌为三角洲沼泽区。有26条奥里诺科河支流经此入海。长期为印第安人居住地。20世纪60年代后发展显著。种植香蕉、棉花、花生、水稻、甘蔗等作物。州首府图库皮塔附近产原油。有公路通图库皮塔。交通以河运为主。面积40 200平方千米。人口91 085(1990)。

Delta Cephei 仙王座δ 造父变星的典型星，位于仙王座中。它以约5天9小时的规则周期发生光变，最暗时目视星等为4.34等，最亮时约为3.6等。英国天文爱好者J.古德利克于1784年发现此星有亮度变化，视向速度的周期变化(现认为是恒星本身脉动的结果)则于1894年确定。

Delta Project 三角洲工程 荷兰西南部的一项庞大的防洪工程。用海堤连接几个岛屿，把莱茵河、马斯河、斯海尔德河的港湾封闭起来，形成若干大淡水湖，使海潮不能流入。海堤全长约30千米，由荷兰工程师J.范威恩设计。1953年的特大洪水灾害后不久开工，1986年基本完成。完工后各河流汇入的淡水将逐渐冲走堤内的海水，使该地区免遭千百年来所受北海肆虐之苦。

delta ray δ射线 在物理学中，带电粒子穿过物质时对原子中任一电子产生的反冲作用使该电子获得足够能量，随后这个电子又从沿途的其他一些原子中打出来许多电子，这种具有足够能量的电子就是δ射线。能引起δ射线的带电粒子通常比较大，例如α粒子，但也可能是高速电子。当这样的粒子在物质中减速时，通过电离作用使成千个电子从原子脱逸出来，产生可以探测出来的电子和正离子的尾迹。这些脱逸电子的能量通常是低到不能再引起电离。但是，在初级致电离粒子的路径上，通过接近于正碰的方式，有比较大的能量周期性地传给电子，这些电子就是产生次级电离的高能电子，它们被J.J.汤姆孙命名为δ射线。被强的致电离粒子留下浓密径迹的照相乳胶显影后，δ射线的径迹看来好像是许多波状的纤细枝叉。δ射线有时被推广用到能产生次级电离的任何反冲粒子上。

Deltatheridium 三角齿兽 哺乳动物中已绝灭的原始属。化石见于蒙古的晚白垩世(9 750万年前至6 640万年前)地层中。为很小的一种食虫动物，代表一个进化阶段。现代食虫动物、现代有胎盘哺乳动物均可能由这个发展阶段派生而来。头骨只有5厘米左右长。具有原始的牙齿和进化的牙齿的混合特征。

deltoideus muscle 三角肌 覆盖于肩部的体积硕大的三角形肌肉。主要功能为向侧方抬臂。起点为锁骨外前1/3及肩胛棘下缘。以厚腱终于肱骨中部外侧的三角肌粗隆。

Deluc, Jean André 德吕克(1727-02-08，瑞士日内瓦～1817-11-07，英国伯克郡温莎) 瑞士出生的英国地质学家、气象学家，其理论研究影响到19世纪气象学著述。德吕克曾受过数学和自然科学教育，后从事商业活动，在旅欧经商过程中收集矿物、植物标本。1773年他经商受挫，离开日内瓦移居英国，从此献身于科学事业并成为皇家学会的会员。他曾任夏洛特王后的侍读，这使他有大量的时间和机会游历欧洲大陆。他研究过热和压强对水银气压计的影响，作为科学登山活动的先驱，最先发表了利用气压计测定山高的一些正确规律。他发现水在4 ℃时密度最大，并提出了这样的理论：在任意给定的空间内，水蒸气的量与它扩散于其中的空气的密度无关。作为业余物理学家，他用锌和镀银纸制作过与伏打电堆类似的"电柱"，曾一度流行用于电学实验。

delusion 妄想 一种盘踞在病人头脑之中，而且和病人的切身利益有关的信念，尽管逻辑荒谬或与事实不符，但病人仍坚信不移。见于偏执狂、精神分裂症、抑郁症以及老年性精神病、麻痹性痴呆、谵妄状态等。妄想在强度、广度及内容连贯性上可有各种不同的变异。在某种程度上，妄想是合理化、个体所希望的事物等正常思维的病理性扩张。被害妄想和夸大妄想最为常见，另外还有疾病妄想、罪恶妄想、控制妄想及钟情妄想等。

Delvaux, Paul 德尔沃(1897-09-23，比利时列日昂泰～1994-07-20，弗尔纳) 比利时超现实派主要画家。描绘存在于不可思议的时间和地点里的呆若木鸡的人们。第二次世界大战前，曾受古典建筑和16世纪早期风格主义绘画的影响。西班牙画家S.达里、意大利画家G.德·希里科，以及比利时画家R.马格里特曾给他很深影响，于1935年参加他们的超现实主义画派。其代表作是《回声》

美国不列颠百科全书公司供图

(1943)和《埋葬》(1951)。德尔沃的作品曾在南北美、非洲以及欧洲很多地方展出,在意大利与比利时获优等奖。1952 ～ 1962 年在布鲁塞尔任绘画教授。

Delvigne, Henri-Gustave　德尔维涅(1799,汉堡[德国]～ 1876-10-18,法国土伦)　法国陆军军官和发明家,设计新型步枪并参与推广筒形子弹。青年时代参加法国陆军,被授予皇家禁卫队上尉军衔。1826 年造出德尔维涅步枪,药室比枪管细。当弹丸顺枪管向药室落下后,用推弹杆推压,使弹丸膨胀并与膛线槽紧密吻合。虽然这种步枪尚有若干缺陷,但在阿尔及利亚使用时性能良好,因此得到广泛应用。早在1830年德尔维涅就开始做细长形子弹的实验。他设计了凹底铅笔形子弹,在发射时,这种子弹会膨胀以适合膛线槽。虽然他在进一步发展这种子弹方面贡献很少,但其基本概念却被法国发明家C.-É.米尼埃用来制造著名的米尼埃子弹。德尔维涅还设计了后膛步枪,1842 年为法国所采用。德尔维涅的实验和研制工作对其后轻武器的发展是重要的。他还设计了新的手榴弹。

Delyn　德林　威尔士东北部克卢伊德郡的一个区。1974 年设立。面积 278 平方千米。位于威尔士北部沿海地区,自迪河河口湾西岸向西延伸至克卢伊德丘陵。迪河河口湾以东是英格兰两个区:威勒尔和埃尔斯米尔港。位于霍利韦尔的格林菲尔德谷,是英国工业革命的摇篮之一。德林至今仍是高度工业化的地区,虽然其重点已从传统的炼铁和造船转向多种规模小一些的工业,如机械制造、化工和合成纤维等。郡首府及区首府莫尔德,是有限农产品的销售中心。弗林特是重要的人造纤维及化工生产中心。德林区的旅游胜地有霍利韦尔堂区教堂的圣瓦恩弗里德泉,以及迪河河口湾沿海的范围辽阔的鸟类保护区。公认为威尔士小说之父的 D.欧文于 1836 年即出生于莫尔德。沿迪河河口湾两岸有铁路,离海岸较远的内地有一条与铁路并行的公路。人口约 66 000(1989)。

dema deity　德玛神　新几内亚南部马林德-阿尼姆的几个神话中的祖先中的任何一个,即被称为"德玛"诸神的神话的核心。德玛神话中的决定性行动是祖先部落对一位德玛(祖)神的诛戮。这一行动导致祖先世界向人类世界的过渡。在许多古代神话中,人类诞生出现在宇宙诞生之后。神的世界和随之而来的人类世界之间的决裂,可能是由于偷盗一种神圣的财物(例如一个民族英雄盗窃火种或谷物)所致。这种行径,如果看作是一种坏事,就是把人类处境当成一种惩罚。在其他传说中,人被说成是一个聪明的盗贼,而人类的状况和文化被认为是对时机的把握。另一种看法认为,神祖世界和人类世界之间的决裂,同一个祖先或祖先神被其他祖先杀害有关。这个体系所用的词就是"德玛"诸神。德玛神体系中得到最为广泛引用的一例,是丹麦人类学家 A.E.延森整理的关于海努韦莱的塞兰神话。自从德玛神在新几内亚首次被发现以来,已经了解到"德玛"诸神具有许多种植块茎的民族的文化特征。死后肢解的基本动机似乎反映了一个事实,即一个块茎必须切成小碎块掩埋起来,以便繁殖物种。

Demades　狄马德斯(约公元前380～前319)　雅典演说家和外交家,他靠充满活力的演说和把握舆论的机敏才能从卑微的出身一跃而在政治中占有主导地位。他反对狄摩西尼试图发动雅典去反对马其顿腓力二世的作法,但是在喀罗尼亚一战(公元前 338)中他却对马其顿人作战并且被俘。获释后,他协助马其顿与雅典进行和谈。腓力二世的继承人亚历山大大帝对狄马德斯的仰慕使得这位征服者在雅典叛乱(公元前 335)后对雅典表现宽大。公元前 324 年狄马德斯建议给予亚历山大以神圣的荣誉,但是在公元前324 ～前 323 年的冬天人们发现他受贿以及对亚历山大的罪行。为此他支付了巨额罚金,并失去公民权。前 322 年恢复了他的公民权,以便他能同马其顿的摄政安提帕特商谈结束拉米亚战争(公元前 323 ～前 322 年雅典对马其顿的战争)的和约。出发前,他劝说公民对狄摩西尼及其追随者处以死刑。他这次出使所缔结的和约对雅典人不利。公元前 319 年他再次奉派去马其顿宫廷,但安提帕特或他的儿子卡山得得悉狄马德斯同摄政佩尔狄卡斯相勾结而把他处死。他的演说没有一篇保存下来。

demand (economics)　需求　参阅 **supply and demand** 供求。

demand curve　需求曲线　经济学中表示产品价格和对产品需求数量之间的关系的曲线图。图的纵坐标表示价格,横坐标表示需求数量。无甚例外地,需求曲线是从左至右向下倾斜的曲线,因为价格和需求量成反比例关系,即产品的价格越低,对该产品的需求量就越多,销售量越大。

Demaratus　德马拉托斯(活动时期公元前 6 世纪末～前 5 世纪初)　与克莱奥梅尼一世共为斯巴达国王。他曾破坏克莱奥梅尼关于雅典和埃伊纳的计划。为此克莱奥梅尼错

美国不列颠百科全书公司供图

误地指控他不合法而迫使他逃往波斯。波斯把小亚细亚西北部的几个小城交给他统治。公元前 480 年,他随同薛西斯讨伐希腊。希罗多德记载过他向薛西斯献策和提出警告的几个故事。

Demavend, Mount　达马万德山　波斯语作 Qolleh-ye Damāvand。伊朗厄尔布尔士山脉的死火山峰,在德黑兰东北 68 千米处。海拔约 5 600 米至 5 800 米以上,比周围的山地高出 900 ～ 2 450 米。陡峭的火山锥由熔岩流和熔岩灰堆积而成。顶上为有硫磺沉积物的小火山口。火山口以下有两条小冰川;有喷烟孔、温泉和矿物沉积(石灰华)。波斯的一些传说中都提到达马万德山,其中之一说它是挪亚方舟的停泊地。

Demchukdongrub　德穆楚克栋鲁普(1902-02-08 ～ 1966-05-23)　中国抗日战争时期日本扶植的蒙古军政府首领。6 岁袭内蒙苏尼特部右翼旗札萨克多罗杜陵郡王。1919 年加冕后亲政。1924 年升锡林郭勒盟副盟长。1931 年代理盟长后曾联合锡林郭勒盟、乌兰察布盟和伊克昭盟盟长致电南京国民政府,要求"内蒙高度自治"。1934 年"蒙古地方自治政务委员会"成立,任秘书长,与日本加紧勾结。1936 年在日军控制下成立蒙古军政府。1939 年改为"蒙疆联合自治政府",任主席。1945 年日本投降后蒋介石委为"蒙旗先遣军总司令"。1949 年 12 月进入蒙古人民共和国。1950 年2月27日在蒙古人民共和国被捕,引渡回

国,受到监禁。1963年获特赦,在内蒙古自治区政协文史馆工作。后在呼和浩特病死。

deme 德谟 希腊语作dēmos。古代希腊的农村地区或村庄,以区别于**城邦(polis)**。dēmos也指普通百姓(有如拉丁语的plebs)。克利斯提尼在雅典进行民主改革时(公元前508～前507),阿提卡的德谟(即雅典周边地区)在地方和国家的行政机构中具有自己的地位。18岁的男子在他们当地的德谟中登记,从而获得公民的身份和权利。阿提卡的德谟是具有警察权力并且有自己的财产、祭仪和官员的地方机构。它的成员集会决定它的事务并且掌握财产记录以便征税。布列泰(雅典的布列,即五百人会议的成员)从每一德谟按其规模的大小而选出。由于德谟最初是自然形成的地区,它们的大小相去甚远。前5世纪时大约有150个德谟后来增至170个。一个典型的德谟有3名布列泰,但是最大的德谟则多达22名。德谟一词在希腊化和罗马时期仍指地方上小的区域。公元5～6世纪,这一词在君士坦丁堡则用来指赛马场的派别。

dementia 痴呆 因大脑的病理改变而引起的慢性、进行性的智力功能衰退。痴呆最常见于老年人,最初症状是短期记忆丧失,另外还有精神混乱,过于兴奋和个性紊乱。原来,痴呆和老年性愚钝是二个概念,后者被认为是因为年轻时的某些原因,而使65岁以上的老人患病的一种病态,称为**阿尔茨海默氏病(Alzheimer's disease)**,又称早老性痴呆。但现在人们认识到:无论年龄大小,所有痴呆患者的症状全都一样。绝大部分痴呆病人都有不可逆的大脑退行性病变——阿尔茨海默氏病。这些病人都表现为首先丧失近期记忆和高级智力功能,如判断和抽象推理,然后是更严重的记忆丧失,导致对空间和时间的定向障碍;他们变得情绪不稳定,精神和体力衰退,最后甚至出现语无伦次。痴呆也可以是其他大脑退行性病变的症状,如**皮克氏病(Pick's disease)**。痴呆的另一重要病因是脑动脉硬化,这一类病人约占病人总数的20%。痴呆常常是亨廷顿氏舞蹈病、**麻痹性痴呆(paresis)**和几种类型脑炎的症状。发生在甲状腺功能减退、某些代谢性疾病和某些恶性肿瘤病人身上的痴呆症是几种可以治疗和控制的情况。在这些情况下,治疗原发病可以控制痴呆的发展,但不能消除已有的症状。全部痴呆病人中约有10%～20%的病例是属于这类可以治疗和控制的情况。

dementia paralytica(disease) 参阅**paresis麻痹性痴呆**。

Demerara River 德梅拉拉河 在圭亚那东部。源出中部林区,向北流,在乔治敦注入大西洋,全长346千米。无重要支流。海轮可上行105千米到林登,小船可再上行40千米到马拉利。其名为古老的荷兰殖民地德梅拉拉的名称。德梅拉拉在1831年与埃塞奎博和伯比斯合并成为英属圭亚那(1966年成为独立的圭亚那共和国)。

demesne 领主自留地产 在英国封建法律中,指未授给完全保有地产权的佃户、而是留归领主自用和占有,或者由农奴(维兰)和保有租赁权的佃户占有的那部分庄园。当维兰的土地使用形态发展成为比较固定的登册的保有权,而保有租赁权的佃户的土地也不得提前被收回时,"领主的自留地产"逐渐受到限制,通常指领主的房产、园林和周围的土地。王室自留地产,是指王室领地中没有交给封建佃户而由王室土地管理人经营的那部分土地。这部分土地后来交给国会,以换取每年的拨款。古时候的领主自留地产是指1066年以王室名义授予的土地,这些土地上的佃户享有许多特权,例如可以免除通行税等等。参阅**copyhold;freehold**。

Demeter 得墨忒耳 希腊宗教崇拜的女神,她是宙斯的配偶,司掌农耕。希腊诗人荷马的诗中很少提及她,她也不属于奥林匹亚诸神之列,但她可能有悠久的历史。有关她

公元前4世纪中叶的得墨忒耳塑像
美国不列颠百科全书公司供图

的传说集中于她的女儿**珀耳塞福涅(Persephone)**的故事。珀耳塞福涅被哈得斯(冥王)劫走,得墨忒耳外出寻女,在旅途中把自己的秘仪泄露给热情款待她的埃勒夫西斯人(参阅**Eleusinian Mysteries**)。除宙斯之外,她还有一位配偶,即雅西昂(克里特人),为他生了普路托斯(财神)。她有时还作为健康、生育和结婚之神出现。人们还给她加上一些政治的和种族的头衔,其中最重要的是近邻同盟保护神。她的表征为谷物的穗,装满花、谷物和各种果实的神秘的篮子。在希腊艺术作品里,她和赫拉相似,但她气度较高雅,表情也较温和;她的形象比较舒展、丰满。她有时驾着由马或龙拉的战车,有时步行,有时单独或同女儿一道坐在宝座上。意大利人认为她就是他们的**刻瑞斯(Ceres)**。

Demetrios OF ALOPEKA **德米特里(阿洛佩加的)**(活动时期公元前5世纪末～前4世纪中期) 又拼Demetrius。希腊雕塑家。以其栩栩如生的现实主义雕像而著称。他的风格与其前代理想化的雕刻家克雷西勒斯的风格形成鲜明对比。他主要雕刻半身像;他所雕的《佩利丘斯》,一位科林斯将军半身像深得卢奇安的赞赏。现存有几件作品被认为出自德米特里之手——其中最为著名的为《利西玛奇》(雅典娜的一位女祭司)的头像,现存不列颠博物馆(但并无一件得到证实)。然而在雅典的卫城曾发现一尊雕像底座,上载铭文说明该雕像的雕刻者就是德米特里。

Demetrios(Orthodox patriarch) 参阅**Dimitrios迪米特里奥斯**。

Demetrius 德米特里 统治者之名,按国别和任期顺序分列于后,并各以●为标记。

与此相等的外语:

希腊语 Dimitrios

俄语 Dmitry 或 Dmitrii

大 夏

● **Demetrius 德米特里**(活动时期公元前2世纪) 大夏国王。欧西德莫斯之子和继承人。一些学者认为,他在位期间为约公元前190～约前167年,后为欧克拉提德斯所杀。他曾在印度北部开疆辟土,实际上重建了孔雀帝国。但其他学者则认为,在印度开疆辟土的是另一个小德米特里(同样是大夏国王,但非欧西德莫斯之子),与他没有关系。事实是,两者之一首先在希腊用双语的浮雕铸币。

马 其 顿

● **Demetrius I** POLIORCETES **德米特里一世**(公元前336,马其顿～前283,西利西亚) 马其顿国王(公元前294～前288)。亚历山大大帝的将军安提柯一世之子,他在父亲的战役中功勋卓著,他曾试图重建其父以亚细亚为基地的帝国。虽然在对埃及总督托勒密一世和纳巴泰人的战斗中未能成功,但他在公元前307年从马其顿的卡山得手中解放了雅典,并在公元前306年在萨拉米斯(塞浦路斯)对托勒密取得了决定性胜利。由于他围攻罗得岛(前305),他得到了"波利奥克勒特斯"(包围者)的绰号。他被其父从希腊召回后,又参加伊普苏斯战役。其父在这次战役中阵亡,并失去大片领土(公元前301)。德米特里在希腊保持一个立足点,公元前294年再度占领雅典,自立为马其顿王。公元前288年,他被他的对手利西马科斯和皮洛士赶跑。公元前285年他终于向西利西亚的塞琉古一世投降。普卢塔克把他列入《列传》。

● **Demetrius II 德米特里二世**(约公元前276～前229) 马其顿国王(公元前239～前229)。约公元前263年还是一个孩子的德米特里二世由于打败和废黜伊庇鲁斯的亚历山大,挽救马其顿的危局,从而赢得声誉。当他即位时,他面对的是埃托利亚人与亚该亚人的联合(后来又加上伊庇鲁斯同盟)。在受到这样威胁的情况下,他又因达达尼亚人的入侵而不得不北上迎敌。他的战败和阵亡严重地削弱了王国和君主制。

叙 利 亚

● **Demetrius I** Soter (Preserver) **德米特里一世(保护者)**(约公元前187～前150) 叙利亚国王(公元前 162 ～前 150)。属塞琉西王朝世系。塞琉古四世(公元前 187 ～前 175 在位)之子,曾作为人质被带到罗马。公元前 162 年在希腊政治家波里比奥斯的帮助下逃回叙利亚,要求王位。在打败叛将提马科斯后,罗马元老院承认他为国王。公元前 160 年,他平定巴勒斯坦犹太人的叛乱。后与篡位者亚历山大·巴拉斯作战时丧生。

● **Demetrius II** Nicator (Victor) **德米特里二世(胜利者)**(公元前161～前125) 叙利亚国王(公元前 145 ～前 139;公元前 129 ～前 125)。德米特里一世之子。公元前 150 年巴拉斯篡位,其父在战斗中被杀,他逃亡国外。公元前 147 年率克里特雇佣兵回国,两年后废黜巴拉斯,自立为王。公元前 140 年击退安息人的入侵,但次年败北,为安息人所俘。公元前 129 年获释回叙利亚,但在第二次即位后只能管辖王国的一部分。约 4 年后被暗杀。

弗拉基米尔

● **Demetrius(II) Donskoy** 参阅 **Dmitry(II) Donskoy** 季米特里(II)·顿斯科伊。

Demetrius Chalcondyles **德米特里·卡尔孔狄利斯**(1424,雅典～1511,米兰) 文艺复兴时期希腊语和柏拉图派哲学教师。1447 年赴意大利,该处的枢机主教贝萨里翁成为其恩主。1463 年,被任命为帕多瓦大学教授,1479 年被罗伦佐·戴·梅迪契召赴佛罗伦萨,1492 年迁居米兰。在复兴西方世界文艺的过程中,他同 M.菲奇诺、波利齐亚诺和 T.加扎有交往。曾出版荷马(1488)和伊索克拉底(1493)的作品,以及《苏达辞典》(1499)等书之第一次印本,并以问答形式出版一部希腊语法。

Demetrius of Phaleron **德米特里(法莱隆的)**(约公元前350,雅典附近法莱隆[希腊]～?) 又称德米特里(法莱雷奥斯的)。希腊演说家、政治家、哲学家。曾被马其顿的卡山得将军任命为雅典总督(公元前 317)。他偏爱上层阶级,实施的是早期政治理论家(如亚里士多德)的思想。公元前 307 年雅典恢复民主制度,他逃往第比斯,后又逃往埃及,在托勒密宫廷中任高官,作为演说家声誉极高。

Demetrius, Pseudo- 参阅 **Dmitry, False** 伪季米特里。

Demetrius Cydones **德米特里·西多内斯** 参阅 **Cydones, Demetrius** 西多内斯。

Demetrius Triclinius **德米特里·特里克利尼乌斯** 参阅 **Triclinius, Demetrius** 特里克利尼乌斯。

Demetz, Frédéric-Auguste **德梅**(1796-05-12,法国巴黎～1873-11-02,巴黎) 法国法理学家,少年犯感化院的早期倡导者,这种感化院是 20 世纪建立的英国博斯托尔感化制度的先河。他在担任法官期间(1821 ～ 1840),对于把少年犯同惯犯关押在一起生活的问题感到担忧。因此,他于 1840 年在图尔附近的卢瓦尔河谷创立了梅特赖感化农场。把少年犯分成小组居住在分隔的院落内,院落内设有工场,由一个组长和两名助手监督。还让他们参加户外劳动和文娱活动,参加宗教活动并接受初等教育。梅特赖农场中的措施类似后来在英国实行的博斯托尔制度。

Demidov family **杰米多夫家族** 18世纪俄国以制铁和采矿发财致富的一个家族,曾积极赞助文艺、科学事业。第一代尼基塔·杰米多维奇·安图菲耶夫(1656 ～ 1725,1702 年改姓为杰米多夫)是图拉的铁匠,最初打造兵器,聚集资财。彼得大帝赐给他土地以后,他就在图拉创办一个翻砂厂。是彼得使这个以前是农奴的杰米多夫成为贵族。其子阿肯菲(1678 ～ 1745)继承并扩充他的事业,在乌拉尔山开采金、银和铜。主要由于这两代人的努力,到 18 世纪末,杰米多夫家族控制了许多广阔的庄园和企业,他们所生产的铸铁占全国总产量的 40% 左右。以后,该家族的其他成员大多从事慈善事业。

deMille, Agnes **德米尔**(1905-09-18,美国纽约州纽约～) 美国舞蹈家和编导。她在所编导的音乐剧和芭蕾舞中进一步发展了舞蹈在情节方面的作用,并创造性地应用

美国国际通讯社供图

了美洲主题、民间舞蹈和各种手势。她父亲是剧作家威廉·德米尔,母亲是著名经济学家亨利·乔治之女,叔父是电影导演塞梭·德米尔。她自幼(1914 年起)生长在加利福尼亚州的好莱坞,就学于洛杉矶加利福尼亚大学,取得英语学士学位。同时她还学习舞蹈。其后她迁居纽约市,1929 ～ 1940 年在美国和欧洲作巡回演出,举办独具幽默特色的哑剧舞蹈小品演出会。她在兰伯特芭蕾舞团的芭蕾舞剧中创作了第一批主要角色,还表演了 A.图德的作品,后又学习现代舞。她最重要的芭蕾舞剧之一《竞技表演》(1942),是为蒙特卡洛俄罗斯芭蕾舞团创作的。这是舞蹈动作中有踢踏舞的第一出芭蕾舞剧,还使用了美国特有的舞蹈姿势:驯马和拉控套马索的动作。她 1940 年参加纽约市的芭蕾舞剧院,大部分芭蕾舞剧都是为该剧院编排的。有《迷河传奇》(1948)、《庆丰收》(1952)和《三个童女和魔鬼》(1941)。1929 年,德米尔为《黑无赖》编排舞蹈动作,这是她为歌舞片编舞之始,她在这方面也有同样卓越的成就。1943 年她为《俄克拉何马!》设计舞蹈。在这个百老汇歌舞剧中,她不仅使舞蹈增加了戏剧气氛,而且在美国戏剧史上,第一次使舞蹈在情节发展上起到推动的作用。由她编导的歌舞片还有《维纳斯的一触》(1943)、《骑马舞蹈表演》(1945)、《布里格东》(1947)、《男人更喜欢金发碧眼人》(1949)、《装饰你的小客车》(1951)、《穿粉红紧身衣的少女》(1954)和《阴暗处的 110 个》(1963)。她曾为电影《罗密欧与朱丽叶》(1936)等设计舞蹈,还导演戏剧及为电视节目作舞蹈设计。她著作甚多,其中有《致一位青年舞蹈演员》(1962)、《舞蹈的书》(1963)、《利齐·博登》(1968)、《旅俄日记》(1970)和《美国舞蹈》(1980);还有自传和友人传记《马莎:马莎·格雷厄姆的生平与工作》(1991)。

deMille, Cecil B. **德米尔**(1881-08-12,美国马萨诸塞阿什菲尔德～1959-01-21,加利福尼亚洛杉矶好莱坞) 又译地密尔。美国电影制片人兼导演。以善于运用豪华壮观的场

美国不列颠百科全书公司供图

面吸引广大观众而雄踞好莱坞近 50 年之久。他是剧作家亨利·德米尔之子。在宾夕法尼亚军事学院和美国戏剧艺术学院毕业后,于 1900 年开始戏剧演员生涯。不久和哥哥,剧作家威廉·德米尔开始合作。1913 年德米尔和拉斯基、高德温以及弗里德等人组建了拉斯基故事片演出公司,后改组为派拉蒙影片公司。德米尔本人的第一部影片是西部片《异种婚姻》(1914),这是好莱坞最早的大型故事片之一。他善于满足观众需求的才能使他在导演行业不受注意的那个时代成为"知名的"导演。1919 ～ 1923 年期间,德米尔拍摄了几部反映战后打破道德束缚的喜剧片,但后来又开始摄制圣经题材的影片,并以豪华壮观的场面和布景取胜。其中《十诫》(1923)和《万王之王》((1927)的观众估计达 8 亿人次。德米尔以性格坚强处事果断闻名。他头一个在摄影棚中使用话筒,也是第一个安装扩音器以下达命令的导演。他还以右翼政治观点和全力反对工会而著称。在随后的数十年中,他集中精力摄制豪华巨片,顶峰之作是《参孙与达利拉》(1949)、《戏王之王》(获 1952 年奥斯卡最佳影片奖)和他的第 70 部也是最后一部影片《十诫》(1956)的重拍版。他的其他主要影片有《十字军东征》(1932)和《太平洋联盟》(1939)。虽然许多评论家认为

德米尔的作品缺乏艺术价值，他还是在他独创的史诗片样式中取得了显著的成功。曾获包括奥斯卡奖在内的众多奖项。

Deming 德明 美国新墨西哥州西南部城市，卢纳县县城(1901)。在拉斯克鲁塞斯以西约89千米。该城地处明布雷斯河(那里水流在地下)宽谷，并被山脉包围。1881年，德明是作为圣菲和南方太平洋铁路交汇点上的一个铁路服务点而建立的。它因南方太平洋铁路的一个主要建造者查里·克鲁克的妻子玛丽·安·德明·克鲁克而得名。作为贸易和航运中心而发展起来，周围有灌溉农场和牧场，出产棉花、牲畜、饲料谷物和水果。铜、锰、铅、萤石和银的开采和冶炼对经济也很重要。1902年成为一个著名的退休者社区。城东南19千米处有公园。人口14 116(2002)。

Deming, W. Edwards 戴明(1900-10-14，美国艾奥瓦苏城～1993-12-20；华盛顿) 美国统计学家、教育家和顾问。他所提倡的工业生产质量控制法在20世纪后期帮助日本的许多工业提高到全球最高水平。戴明是一位小城镇律师的儿子，1921年在怀俄明大学获理学士学位，1924年在科罗拉多大学获理科硕士学位，1928年在耶鲁大学获数学物理博士学位。然后他在几所大学教过物理，在美国农业部做过数学物理工作(1927～1939)，又在美国人口调查局做过统计顾问(1939～1945)。自1946年起，他在纽约大学工商管理研究院任统计学教授，他还在私人企业兼任研究顾问。30年代戴明对在工业上利用统计分析的方法取得质量控制的较好效果产生了兴趣。1950年他被邀请到日本向该国的总经理和工程师讲授新的方法。戴明的观念被日本公司急切地采纳，公司赞成大搞质量控制，使日本产品在世界上许多地方统治了市场。日本的大公司在严格的质量控制竞赛中获得优胜者，则被授以戴明奖；这种奖就是以戴明的名字命名的。80年代，美国各公司要与外国制造商进行更有效的竞争，于是也采纳了戴明的观念。戴明的质量控制方法，集中起来就是：系统地检查产品的疵点，分析疵点的成因并加以纠正，然后将纠正的效果体现到随后的产品质量中去。

Demirel, Süleyman 德米雷尔(1924-10-6，土耳其伊斯兰科伊～　) 土耳其政治家，土木工程师，7次出任总理。农民家庭出身。伊斯坦布尔技术大学毕业(1948)。1961年进入政界，当选国民议会议员。1964年成为正义党领袖。1965年10月大选，正义党获胜后任总理，他改善了土耳其与北大西洋公约组织的关系。在1969年选举中，他再次获胜，但他的温和政策受到左右两派的攻击。1971年3月被军队首领赶下台。正义党与一些较小的右翼党派合并组成的国民阵线使他于1975年3月再次成为总理。他不顾极端分子的暴力、恐怖活动以及通货膨胀、贸易赤字，坚持经济增长的政策。1977年12月因下院提出不信任案，他再次辞职。1979年11月重新执政，但1980年9月12日被军事政变推翻。他一度被禁止参加政治活动，1991年11月大选中祖国党失败，他第7次出任总理。

Demiurge 巨匠造物主 希腊语作Dēmiourgos，意为“公务工人”。哲学上指制造并安排物质世界以使之符合理性的和永恒的理想之次要神祇。此词在古希腊原意为“匠人”或“工匠”(广义不仅包括体力劳动者，还包括使者、占卜人和医生)，柏拉图将它修改，加以使用，到公元前5世纪，则指某些行政官吏或由选举产生的官员。柏拉图在他用对话体写成的《提麦奥斯篇》里使用了这个名词，这是一篇阐述宇宙论的著作，其中说明巨匠造物主利用原先存在的混沌作材料，根据永恒形体的模型对这些材料加以安排，生产出世界上一切物质的东西，包括人体。有的学者认为，巨匠造物主是柏拉图对积极理性的人格化。这个名词后来被某些诺斯替教徒所采用，他们根据其二元世界观认为，巨匠造物主是邪恶力量之一，他创造了被鄙弃的物质世界，与圣善的至尊上帝完全不同。

democracy 民主 英语此词源出希腊语dēmos(人民)和kratos(统治)，因而字面意思是“人民统治”。在当代的用法上，民主有几种不同的意义：①由全体公民依照多数裁决程序直接行使政治决定权的一种政体，通常称为直接民主；②公民不是亲自而是通过由他们选出并对他们负责的代表去行使同样权利的政体，称为代议制民主；③一种通常也是代议制、多数人在保证全体公民享受某些个人或集体权利诸如言论自由和宗教信仰自由的宪法约束的构架内行使权力，称为自由民主或宪政民主。民主起源于古希腊的某些城邦。在这些城邦，立法机构由全体公民组成，这种制度之所以可行，是因为一个城邦的人口鲜有超过1万者，其中女子和奴隶又无政治权利。公民有资格担任各种行政及司法职务，有些通过选举，其他通过抽签指派。不存在分权制，一切官吏都向人民大会完全负责，人民大会有权在行政及司法乃至立法问题上采取行动。希腊的民主制度是短暂的一段历史插曲，它对现代国家的实践几乎没有什么直接影响。从希腊城邦的衰落到现代宪政的兴起，民主的实践有2 000年之久的间隔。现代民主思想在很大程度上形成于中世纪的思想和制度，特别是关于以神授法、自然法和习惯法制约权力之运用的观念。欧洲的各国国王往往咨询国内不同“等级”即不同利益集团以争取他们支持国王的政策，包括征税的权利，民主实践也从这种情况中得到发展。把这些利益集团的代表人物召集起来开会，是现代议会和立法机构的起源。许多深刻的思想及社会演变，主要体现在启蒙运动时代和美国独立战争及法国革命时期所兴起的关于天赋权利及政治平等的观念，也促进了议会及立法机构的产生。通过自由普选而产生的代议制议会，在19、20世纪成为民主政体的主要机构。在许多国家，民主的含义还包括竞选公职、言论和出版自由以及法治。共产党在20世纪对民主的定义与此颇不相同。前苏联集团内的“人民共和国”回避西方的民主标准，不通过竞争而根据单一的党内指定候选人名单“选举”官员。他们的论点是：政治上的一致和生产资料的集体所有制足以保证人民的意志得以实现。

Democratic Action 民主行动党 西班牙语作Acción Democrática，旧称National Democratic Party(1936～1941)。委内瑞拉的社会民主政党。成立于1936～1937年，原为民族民主党，1941年改为现名，由R.贝坦科尔特领导。该党支持1941年推翻政府的军事政变，随后执掌政权。在民主选举中赢得70%以上民众的支持。1948年被军事政变推翻，受到军事独裁政府的镇压。1958年推翻独裁政府后的30年间，重新成为该国最具影响的政党。80年代末，因经济恶化而丧失民心。1988年党内出现纷争。虽然90年代因内部纷争受到削弱，不过该党仍为21世纪该国选举的主要力量。在组织结构上等级分明，总书记大权独揽，正式决定均由其领导的全国执委会作出。自80年代起，该党倡导新自由主义经济政策，解除对经济的控制，实行国有企业私有化，大部分民众对此深为不满。约有党员100万。

Democratic Centralist 民主集中派 苏联共产党内的一个反对派。他们反对党和政府机构的权力集中化。1919～1920年间形成。大部分成员为知识分子。由萨普龙诺夫、斯米尔诺夫、奥辛斯基领导。1918年他们反对国家对工业的集中控制。1920年继续抗议活动。但在1921年3月党的第10次代表大会上反对派受到谴责，民主集中派因大会通过组织改革决议而暂停活动。后因决议未能实施又恢复活动。1923年他们联合其他反党分子批评党中央领导人(46人声明)，1926～1927年他们反对斯大林日益增强在党内的统治地位，但是斯大林击败了反对派。在苏联共产党第15次代表大会(1927-12)上，有18名民主集中派分子被开除出党。20世纪30年代，经过历次清洗运动，大多数民主集中派分子被捕，不是送到劳改营，就是被处决。

Democratic Constitutional Rally 民主宪政联盟 突尼斯政党，原名社会主义宪政党(1964～1988)和新宪政党(1934～1964)，1956年领导突尼斯脱离法国而独立并执政至今。新宪政党由较为保守的**宪政党(Destour)**内不满的年轻成员于1934年成立。经过与其原所属组织的激烈斗争，它在布尔吉巴的领导下在1937年成为突尼斯的主要政党。在整个40年代，它不断遭到法国当局的打击，1953年发动武装起义，使突尼斯在1956年获得独立。独立后组成新宪政党政府。1958年布尔吉巴被任命为突尼斯首任总理，并于1959年以压倒多数票当选为总统。然而，新宪政党内部在50年代初开始分裂，一派支持布尔吉巴，另一派支持在布尔吉巴被法国人监禁时领导该党的优素福。优素福1955年被开除出党，定居开罗，发动反对新宪政党、法国当局及布尔吉巴的游击战。在从事几年恐怖活动之后，1961年8月14日优素福遇刺，其追随者不久亦销声匿迹。与此同时，该党巩固了其对突尼斯社会各阶层的控制并自定为突尼斯唯一政党，1964年和1988

年两易其名。直至1981年突尼斯才允许反对党存在。

Democratic League of China 中国民主同盟 中国民主同盟（简称“民盟”）的前身是“中国民主政团同盟”。成立于1941年。是由中国青年党、国家社会党（1946年改称民主社会党）、中国农工民主党、救国会、中华职业教育社、乡村建设派和不属于上述党派的有关人士组成。在香港出版《光明报》，以“贯彻抗日、实践民主、加强团结”为号召。1944年9月在重庆举行全国代表会议，决定改团体会员制为个人参加，并更名为“中国民主同盟”。1946年在重庆出版机关报《民主报》。民盟在团结、抗日、民主问题方面与中国共产党一道同国民党作坚决斗争。1946年1月，民盟同中共合作促进了重庆政治协商会议的召开。1946年底国民党撕毁政协决议，民盟同中共一道拒绝参加伪国大，并先后把投靠国民党的青年党和民社党清除出盟。在争取和平民主、反对内战的斗争中，民盟领导成员李公朴、闻一多、杜斌丞、杨伯恺、于邦齐等被国民党特务分子所杀害。1947年10月国民党当局宣布民盟为“非法团体”，民盟总部被迫解散。1948年1月，民盟在香港召开第三次中央全会，公开宣告与中共携手合作，为彻底推翻国民党政权、建立新中国而奋斗。1948年5月，民盟响应中共召开新政协、成立民主联合政府的“五一”号召。1949年9月，参加创建中华人民共和国以及通过临时宪法——“共同纲领”的中国人民政治协商会议第一届全体会议。中华人民共和国建立后，正式宣布接受中国共产党领导，并以《共同纲领》作为自己的政治纲领。民主同盟明确为以中上层知识分子为主的具有政治联盟特点的、致力于社会主义事业的政党，是与中国执政党中国共产党通力合作的一个参政党。1966年后的文化大革命10年期间，民盟被迫停止活动。1979年10月召开第四次全国代表大会，全面恢复工作，把工作重点转移到为四个现代化建设服务上来。1983年12月举行第五次全国代表大会，确定民盟是以从事文化教育方面工作的知识分子为主的社会主义劳动者和拥护社会主义的爱国者的政治联盟，是为社会主义服务的政党。到2002年底，民盟全国共有盟员15万余人。

中国民主同盟第一次全国代表大会部分代表及工作人员合影
中国大百科全书出版社供图

Democratic Left 民主左翼党 北爱尔兰和爱尔兰共和国历时短暂的社会主义政党。源于新芬党（爱尔兰共和军的政治组织）。1969年新芬党（和爱尔兰共和军）分裂为“临时”派和“正式”派。“正式”派逐渐摒弃传统的民族主义，1977年更名新芬—工人党，1982年又改名工人党，决心作为马克思主义政党参加选举。后党内“保守派”与“改革派”发生冲突。改革派在1992年2月召开的特别会议上未能赢得与会多数代表的支持，领导人P.德罗萨及部分成员另组新党，定名为民主左翼党。1992年11月在大选中赢得4席，1994年补选又赢得2席。1994年12月与工党、爱尔兰统一党组建联合政府。民主左翼党在其章程中自称为“民主的社会主义政党”，力图在原有的马列主义和传统工党的社会民主政策之间实行一条中间路线。在爱尔兰各政党中最不具民族主义色彩。在组织上，年度代表大会为最高领导机构。休会期间由选出的执行委员会主持工作。其选举支持率在城市地区（尤其是都柏林）更高，工人阶级的支持率尤其高，但中产阶级也有支持者。1999年并入工党，P.德罗萨成为工党主席。

Democratic Party (Japan) 参阅 **Minseitō 民政党**。

Democratic Party 民主党 南非共和国自由主义政党，1989年成立，由**进步联邦党**（**Progressive Federal Party**）与其他两个较小的自由主义政党——全国民主运动和独立党——合并组成。民主党支持南非黑人多数拥有充分的选举权和其他公民权利，号召结束政府对人权的侵犯。1994年在该国种族隔离政策解体后的首次民主选举中，民主党获得国民议会的7个席位。1999年获得38个席位，成为第二大党。2000年该党与新国民党和联邦联盟党组成民主联盟，成为南非第一大反对党。次年，新国民党退出联盟。

Democratic Party 民主党 美国两大政党之一，传统的党徽是驴。从20世纪30年代起，以《快乐的日子又回来了》作为党歌。党的历史可上溯到1792年，当时一个全国性选民团以共和党人或杰斐逊共和党人名义支持杰斐逊，强调反对君主思想。这个党曾有各种名称，直到19世纪30年代，杰克逊担任总统时才采用今名。

杰斐逊创立该党时，以成立平民政府为原则。但该党最初当选的几任总统——杰斐逊、麦迪逊、门罗及亚当斯——都出身贵族，受过贵族教育，直到杰克逊于1829年就任总统，才有一名“平民出身”者进入白宫。从1837年杰克逊退休到1860年，有4名民主党人当选总统，他们是：范布伦、波尔克、皮尔斯及布坎南。民主党在这一时期，除了1840年及1848年两次选举外，每次总统选举都大获全胜。不过在19世纪40到50年代，该党因奴隶问题及向西部扩展问题，内部发生争执。南方民主党人由戴维斯领导，坚持保护各地奴隶制度；北方民主党人由道格拉斯领导，主张平民主权主义，在此主义下各地居民可投票禁止奴隶制度。1860年民主党在南卡罗来纳州的查尔斯敦该党总统候选人提名大会上，因奴隶制度问题造成分裂。北方民主党人推举道格拉斯为总统候选人，南方民主党人则支持保护奴隶制度，推举布雷肯里奇为总统候选人。此一南北分裂对于民主党是灾难性的。新成立的反对奴隶制度的共和党在林肯领导下，于1860年赢得首次全国性胜利及总统选举团大部分选票。1860～1900年间，民主党仅在克利夫兰两度任总统期间（1885～1889、1893～1897）掌握过8年总统权力。内战后的数十年，南方白人将共和党看成是南北战争的发动者和激烈改革派，因此这些选民一直到20世纪中叶都坚决支持民主党。民主党在这个时期基本上是保守和以农业为主的，党员都反对大型商业，反对保护关税，而支持低价位货币政策。1896年民主党因自由铸造银币问题，及当时该党总统候选人布赖恩提出平民方案而再度分裂，布赖恩当年落选。民主党因经济上支持急进主义而于1896年以后再度沦为一少数党。

20世纪初叶，由于美国经济不断工业化与公司化，需以政府力量加以调节，民主党乃得逐渐复兴。1912年民主党因威尔逊当选总统而重新执政。威氏的当选主要归因于共和党选票由塔夫脱和进步党候选人西奥多·罗斯福两人平分所致。在“新自由”口号下，威尔逊经国会立法，使联邦政府对银行和工业界有更广泛的调节权力。威氏还提出其他改革方案。1916年威尔逊连任总统，但他的理想经证明其对大众的吸引力不如共和党对20年代繁荣的大商业的率直的建议。1920、1924及1928年的总统选举民主党均告失败。

“大萧条”以及共和党明显地无力也无意采取政府行动对抗严重后果，遂使民主党在候选人富兰克林·罗斯福领导下，于1932年重新取得政权。罗斯福的有活力的“新政”政策和他灵活的政治技巧，使小农户和其他团体结合成为民主党的中坚，这些人包括北方的城市投票集团、有组织的工人、黑人和其他少数民族、自由分子、知识分子和改革派人士。这种大结合使民主党一直当政到1952年，不但成为美国的大党，而且使民主党在20世纪的以后年代中，得以控制国会中的两院，至少也能控制一院。

1952年民主党在总统选举中失败，一直到1960年肯尼迪当选总统才重新取得政权。民主党在肯尼迪及其继任者约翰逊任内，由于对民权法案及反隔离法案的支持，使该党丧失许多南方传统支持者。1964年约翰逊虽以压倒性多数当选总统，但他由“大社会”法案所获得的广大支持，却因美国参加越战受到严厉反对而被抵消。1968年的总统选举中,分歧的民主党遂败于共和党。民主党在卡特领导下重新当选一届总统(1977 ～ 1981)。但在连选中卡特败于保守的共和党人里根,1988 年共和党人布什又接替里根担任总统。民主党除去 1981 ～ 1987 年在参议院外,继续控制着国会。1992 年总统大选中布什败北,民主党克林顿当选总统。1994 年民主党失去对参议两院的控制。在克林顿的第二任期内,国家经济出现自 20 世纪 20 年代以来最繁荣的时期,但克林顿因与白宫实习生传出丑闻而受到众议院弹劾,不过 1999 年参议院宣布其无罪。2000 年克林顿政府的副总统 A.戈尔轻松当选民主党总统候选人。在全国大选中 G.W.布什以微弱优势获胜当选总统。2004 年民主党候选人 J.克里不敌布什,在总统选举中告败。

Democratic Progressive Party(DPP) **民主进步党** 台湾政党,由一批台独分子于 1986 年组成,他们从一开始就致力于谋求台湾人民自治、民主自由、与中国大陆建立经济联系,以及多党制。因为 1949 ～ 1987 年实施的军事管制法条例禁止成立新党,民主进步党于 1983 年非正式成立,并成为台湾行政当局于 1986 年正式承认的第一个反对党。它于 1989 年赢得了 101 个议席中的 21 席。在 1994 年 2 月台湾省、市选举中,民进党候选人陈水扁击败国民党候选人黄大洲,当选台北市长。

Democratic Socialist Party(Italy) 参阅 **Italian Democratic Socialist Party 意大利社会民主党**。

Democratic Socialist Party 民社党 日语拉丁字母转写作 Minshatō。日本政党。由 1959 年从日本社会党分裂出来的温和社会主义者于 1960 年建立,之所以分裂出来,是因为所谓的社会党的马克思主义教条主义及其把自己定为是"阶级"的党的缘故。该党的主要基础是日本第二大工会联合会——全日本劳动总同盟。该党赞同温和的社会主义演变,首先是改善工人福利,并仅将少数几个关键工业行业国有化。该党反对任何包括共产党人的左翼联盟。曾与新进党组成政党联盟,联盟于 1997 解散。许多前成员转而支持成立于 1996 年并发展为最大的反对党的日本民主党。

Democratic Unionist Party(DUP) **民主统一党** 北爱尔兰的联合主义政党。1971 年由 I.佩斯利领导北爱尔兰统一党中持强硬路线的派别组建,与北爱统一党竞争新教社区的选票。1973 年首次参选,在地方议会选举中赢得约 4% 的选票,并在北爱新议会选举中赢得 11% 的选票。该党强烈谴责成立北爱执行机构的建议,反对 1973 年计划成立跨边界议会的《向阳谷协议》。1986 年开始与北爱统一党合作,反对上年达成的《英爱协定》。在 90 年代中期的多党会谈中两党分歧日深,1998 年拒绝接受会谈所达成在北爱尔兰成立新权利共享政府的《受难节协议》(1998)。参加 1998 年 6 月的议会选举,并赢得 20 个席位(18.5% 的选票),成为议会的第三大党。1984 年佩斯利再次当选欧洲议会议员,同年该党在选举中得票最多(近 34%)。后在地方选举中的支持率逐年降低。1997 年在议会选举中赢得约 14% 的选票,地方选举赢得 16% 的选票。2001 年在北爱下议院选举中赢得超过 22% 的选票。2003 年在北爱尔兰议会选举中超过北爱统一党,成为北爱尔兰最大的联合主义政党,并在 2005 年的英国大选中赢得 9 个席位。在诸多社会问题上通常持保守立场,但自诩为"体制上的右派,社会政策上的左派"。支持与英国联合,避免与爱尔兰政府作任何接触,坚决反对新芬党参加任何分享权利的社会公共机构。选民多为北爱乡村人口及城市工人阶级和一些笃信宗教的团体。在组织上,其执行委员会包含来自各选区的 5 名成员和各大学及青年组织的党领导和代表,负责日常党务及甄选党的干事。

Democrats of the Left 左翼民主党 意大利语作 Partito Democratico Di Sinistra。前身为意大利共产党(1921 ～ 1991)。意大利第 2 大主要政党,西欧最大的共产党。1921 年 1 月,意大利社会党极左翼的持不同政见者成立了意大利共产党。新党发展很快,在 1926 年墨索里尼的法西斯政权取缔所有政党以前,议会中已有共产党议员。其后,意大利共产党转入地下,建立了一个后来被证明对意大利抵抗运动很重要的组织。第二次世界大战后,意大利共产党同其他 5 个反法西斯政党一起组成几届联合政府,直到 1947 年 5 月,天主教民主党总理德·加斯佩里将意大利共产党和意大利社会党从新政府中排除出去。但意大利共产党持续在选举中获得民意的支持,确保它得以继续影响意大利的政治生活。尤其是共产党人能从社会党左翼手中赢得选票,影响了社会党的政策。1956 年斯大林的错误被揭露,接着苏联镇压了匈牙利的叛乱,这时,共产党领导人陶里亚蒂为协助党摆脱苏联,提出"多中心主义"思想,即各国共产党有限独立的体制。1964 年陶里亚蒂逝世后,意大利共产党几乎分裂为"俄国派"和"意大利派"。尽管有这一冲突和左翼的其他分裂活动,意大利共产党在 1968 年的议会选举中仍赢得 26.9% 的选票。这一胜利,再加上意大利共产党在 1969 年明显地接受民主进程,提出了意大利共产党参加政府的问题。从 1972 年起直到 1984 年逝世,一直领导意大利共产党的贝林格是"欧洲共产主义"或"民族共产主义"的主要倡导者之一,该主义主张依各国或各地区的需要和状况,将共产主义原则作弹性调整。到 80 年代后期,东欧的事件更使共产党的牌子在党内令许多人大感厌恶。为了巩固左翼力量,为建立更广泛的基础以对抗天主教民主党,意大利共产党于 1991 年改用现名。20 世纪 90 年代与其他左翼中间党组成橄榄树联盟。1996 ～ 2001 年成为意大利执政联盟的中坚力量,党首 M.达莱马出任总理(1998-10 ～ 2001-04)。左翼民主党内部分为两个派别,支持经济自由化的中立派势力和另一认同传统共产主义政策及政府调控经济的派别。

Democritus 德谟克利特(约公元前460～约前 370) 在宇宙原子论的发展方面占重要地位的希腊哲学家。其生平资料大都来自不可靠的传说:他可能是色雷斯阿夫季拉一位富有的公民,曾在东方广泛游历,享有高龄。据第欧根尼·拉尔修称,其著作达 73 种,几乎包括人类知识的一切部门。但仅留存几百个片断,大多属伦理学论文。对留基伯的学说进行过加工和提炼,用多元和运动解释宇宙。无数的原子在无限的空间或虚空(科农,或称真空,它虽然是无形的,却是存在着,因而是现实的事物)中运行。原子是永恒存在的,没有起因,"不可分",也看不到,相互间只有形状、排列、位置和大小之区别。原子和虚空是他提出的最终的现实事物。物质的现象是由原子的组合而产生的。虽然一切原子从根本上说是相同的,但例如水的原子是圆而光滑的,它们相互间不能"勾住",因而就像小球那样相互滚来滚去,而铁的原子则粗糙不平,因而互相黏附在一起成为"固"体。现象中质量的差别(热与冷、硬与软、苦与甜)只是因"惯例"而存在,不是原子本身固有的质量。由于原子是永恒的,因此从这个词的绝对意义上来说,没有任何事物产生或消灭。但是由原子构成的化合物却易于增加和减少,从而可以用来解释一件事物的出现与消灭或它的"生"与"死"。他认为,既然原子是没有始因的和永恒的,则运动也是如此。他提出一个纯机械体系的固定的和"必然的"法则,在这一体系中并不存在一个具有确定目的的理智的动机。德谟克利特解释宇宙的来源时指出,最初原子运动是全方位的,形成一种"震动"或"摆动"的过程,由此产生撞击,进而形成回旋运动,同类原子聚集起来,构成大的物体乃至世界。这是一种"必然"的结果,是原子本身性质的表现。在神学方面,他认为,人们信神是因为他们想用一种超人作用解释非常的现象(雷、电、地震)。其伦理体系建立在实践的基础之上。此体系提出了一个最终的善("愉快")的境界,"灵魂在此境界中宁静地生活,不受恐惧、迷信或任何其他感情干扰"。

demography 人口统计学 对人口的统计学研究,尤其是关于人口的规模、密度、分布以及人口统计(出生、结婚、死亡等)的研究。当代人口统计学所关心的事包括"人口爆炸"、人口和经济发展的相互影响、计划生育的作用、城市人口拥挤、非法移民以及劳动力统计等问题。人口统计学起源可追溯到英国人格朗特的著作《从自然和政治方面观察死亡登记表》(1662)。它审查了 16 世纪末以前的死亡和洗礼的每周记录(即"死亡登记表")。为寻求统计上的规律性,格朗特对伦敦及农村社区的男女出生比率及死亡-出生比率作出了估计。他最著名的贡献是编制了第一张死亡表,通过分析出生率和死亡率,他能粗略地估算出当时达到服役年龄的男子人数、育龄妇女人数、家庭总数,甚至伦敦的居民总数。聚斯米尔希也进行了这种研究,他在《神圣的秩序》(1741)中分析了勃兰登堡及普鲁士各省市 1 056 个教区的人口总数。聚斯米尔希也编制了若干死亡表,其中最著名的是第一份普鲁士全境人口的死亡表(1765)。18世纪欧洲人寿保险的发展及对公共卫生的日益注意,加深了人们对死亡率研究工作的重大意义的认识。19世纪民政部门开始代替教会对重大公众事件(出生、死亡、结婚)进行登记。19世纪时还开始了人口普查。19世纪大部分时间内,人口统计的研究仍侧重在死亡率方面;直到人口统计学家注意到工业国家人口出生率在19世纪后半叶已明显降低,他们才开始以研究死亡率的同样兴趣研究出生率和人口繁殖。出生率差异这一现象,连同它关于选择(淘汰)、尤其是关于智力进化的含义,引起了广泛的注意,这在达尔文的学说及高尔顿的著作中皆有所证明。在两次世界大战期间,人口统计学表现出更加广泛的、跨学科的特点。1928年建立了国际人口问题科学研究联合会。尽管人口统计分析日益复杂,并且致力于人口统计学的研究机构、期刊及国际组织激增,但是大部分人口统计研究的基础仍然是人口普查和出生、死亡登记。然而,即便是最精心收集的统计数字也不一定完全准确,以地方当局签发的证书为基础的出生、死亡和结婚统计只有在有长期登记传统的国家里才是准确的。

demoiselle(fish) 参阅 **damselfish** 雀鲷。

Demolder, Eugène **德莫尔德**(1862-12-16,比利时布鲁塞尔～1919-10-08,法国埃索讷) 比利时小说家,19世纪末"青年比利时"文艺复兴运动的成员之一。曾学法律,回忆录《律师生涯》记载了处于比利时文学改革前列的一个阶层的人们的专业生活和文化生活。在早期作品,如《伊普达姆的传说》(1891)中,他把福音书故事搬到中世纪佛兰芒语的环境里,有人把其中的场景描写比做画家勃鲁盖尔的油画。德莫尔德在《翡翠路》(1899)这个情节纷繁的故事中,对17世纪低地国家一个本有可能成为画家的人的一生作了丰富而生动的描述。另一部重要小说是《蓬帕杜尔太太的园丁》(1904),以法国为背景。在这一追述一个讲究风雅的时期的作品中,德莫尔德的风格和主题极其协调。《坐汽车周游西班牙》(1906)是最早描写乘汽车旅行的游记之一。

demon **恶魔** 又拼daemon。全世界各宗教中共有的概念,为数众多的恶性精神存在体、能力或素质,它们在超然境界与世俗境界之间进行干预。在古希腊,恶魔指一种超自然之力,意外突发之事,凡不知为何神所为者,一般归之于恶魔。早在赫西奥德的史诗中,就说人死了变成恶魔,后来的哲学思辨家认为,这些存在体低于神而高于人,可能也是必死的。因此,基督教徒就认为,异教诸神的行动就是恶魔所为,而恶魔即是堕落的天使。琐罗亚斯德教相信有各级恶魔,为首者是安格拉·曼纽(后称阿里曼)。犹太教所相信的恶魔体系各不相同。恶势力之王据说住在旷野荒漠、废墟和坟墓,他们使人身体失调、心理混乱、灵性错乱;他们的名称有撒旦、贝赖、马斯泰玛等等。基督教相信的各层次恶魔来自不同来源:犹太教、琐罗亚斯德教和诺斯替教以及基督教未传到之前的各地土著宗教。在《新约》中,耶稣称别西卜为鬼王,认为他与撒旦同等。在欧洲中世纪和宗教改革运动时代,人们提出了许多恶魔体系,例如与七大罪相关的七个恶魔:路济弗尔("明亮之星、早晨之子";骄傲)、玛门(贪婪)、亚司马提(淫荡)、撒旦(嗔怒)、利维坦(妒忌)和贝尔费戈尔(懒惰)。伊斯兰教认为众鬼之首是易卜劣斯,又名晒依陀乃。婆罗门教认为,众多的阿修罗是与诸神为敌的恶魔,其中包括那伽、阿希和劫萨。害人的恶魔中有罗刹,他们住在坟地,使人妄为,攻击圣者,形状丑恶,还有使人暴死的毕舍遮。佛教认为,恶魔阻碍人修成涅槃,其中重要的例子是魔,他曾与他的女儿罗蒂(乐欲)、罗伽(贪欲)和坦诃(动欲)诱惑佛陀,妄图阻止他彻悟。大乘佛教传到中国的西藏和内地,以及日本,这些地方的民间宗教中的许多恶魔也融进了佛教传说。

Demonesi Insulae(Turkey) **代莫内西群岛** 参阅 **Kızıl Adalar** 克孜勒群岛。

Demophoon **得莫丰** 希腊神话中埃莱夫西斯王凯勒欧斯的儿子。得墨忒耳女神在到处寻找她的女儿珀耳塞福涅时,成为他的保姆。为了对庇护过她的人表示好感,她想烧掉孩子身上会死掉的部分,使他得到永生,但她的这一举动被孩子的母亲当场制止,因为她误以为得墨忒耳要伤害这个孩子。女神一怒之下迅速从火中抽回孩子,致使他不得永生。据另一个说法,这次意外使得莫丰死在火里。这之后不久得墨忒耳便离开了埃莱夫西斯。

Demopolis **迪莫波利斯** 美国亚拉巴马州西部马伦戈县城市。位于汤比格比和黑沃里尔河汇流处。始建于1817年。早期经济以棉花种植业为主,后来肉牛、乳制品和伐木业占主要地位。制造业包括纸制品和水泥,食品加工占重要经济地位。莫比尔到亚拉巴马内陆水运系统的通道。市内多希腊复兴式建筑。附近迪莫波利斯湖为游览中心。另有契卡索州立公园。人口7 540(2000)。

Demorest, Ellen Louise Curtis **戴莫雷斯特**(1824-11-15,美国纽约斯凯勒维尔～1898-08-10,纽约州纽约) 婚前名Ellen Louise Curtis。美国女商人。许多人认为她是可大批生产的服装纸样发明人。18岁时毕业于斯凯勒维尔中学,随后开设一妇女头饰用品商店。1858年与W.J.戴莫雷斯特在纽约市结婚。短时间在费城居住时,萌发了大批生产用于家庭服装缝制的精确纸样的想法。1860年,她和丈夫回到纽约市。她在百老汇开设了戴莫雷斯特夫人时装店,她的丈夫开始出版《戴莫雷斯特夫人时装镜》季刊,每份杂志赠送一份纸样。随着纸样大受欢迎,他们不久即自己通过遍布全国的代销网点推销纸样。销量最高的1876年,共售出300万份。季刊的成功导致其扩版改版。其丈夫创立了邮购业务,经营缝纫辅助件和其他商品,她本人则开发出一种廉价的圈环裙和一系列新的紧身褡、化妆品和其他产品,同时经营自己的商店。她雇用了一大批妇女,包括众多非裔美国妇女,与她们的白人工友同工同酬,并且积极参与纽约女子医学院和妇孺寄宿所的管理。1886年参与成立姐妹俱乐部。80年代生意衰落,主要原因是他们未能将他们的服装纸样创意申请专利,结果出现了竞争者。1887年,戴莫雷斯特出让了纸样生意。

dēmos(in ancient Greece) 参阅 **deme** 德谟。

Demosthenes **狄摩西尼**(?～公元前413) 雅典将军,他在伯罗奔尼撒战争(雅典对斯巴达的战争,公元前431～前404)期间表明自己是一位富于想象力的战略家。公元前426年他围攻莱夫卡斯的科林斯移民地未获成功,试图入侵埃托利亚时又遭惨败。但他成功地保卫了科林斯湾中雅典的海军基地纳帕克图斯,打退了斯巴达人从陆上的进攻,并且在阿尔戈斯附近的奥尔帕和阿尔戈斯以北山中的伊陀曼取得了对斯巴达人的两次决定性胜利,从而弥补了他的失败。公元前425年,他受命使用舰队在伯罗奔尼撒周边作战。他加强了麦西尼亚的皮洛斯地岬的工事,当舰队主力驶往西西里时,只有5只舰船留在皮洛斯的港湾内。斯巴达人占领了邻近的斯法克蒂里亚半岛后,他设法对付斯巴达人的进攻,返回的雅典舰队包围了斯巴达人。他和政治家克里昂携手打败并俘获了被搁浅的敌人。公元前424年狄摩西尼进攻麦加拉而未成功,入侵比奥蒂亚的行动也失败了。公元前413年当雅典人包围叙拉古时,他奉命增援尼西亚斯将军。在俯瞰该城的高地上一次夜袭失败后,狄摩西尼建议立刻撤退,但尼西亚斯反对。当撤退终于开始时,狄摩西尼领导的部队落在后面,不得不投降。狄摩西尼被俘后被处死。

Demosthenes **狄摩西尼**(公元前384,雅典～前322-10-12,阿尔戈利斯卡劳里亚) 雅典政治家,公认的古希腊最伟大的演说家,他发动雅典反对马其顿的腓力,稍后又反对他的儿子亚历山大大帝。他的演说提供了有关公元前4世纪雅典政治、社会和经济生活的珍贵资料。

狄摩西尼是柏拉图、亚里士多德的同时代人。富有的刀剑工匠之子。7岁时,其父去世,留下大量遗产,但他的监护人只给他很小一部分。他体质纤弱,无法接受传统的希腊体育训练。为了控告他的监护人,他决心把自己训练成演说家。希腊传记作家普卢塔克在他的《希腊罗马名人传》里生动地记述了狄摩西尼练习发声、矫正口吃缺陷的艰苦努力。尽管如此努力,他在公众集会上的第一次发言仍受到听众的讥笑。公元前363年,他对阿弗布斯等3个监护人的诉讼比较成功。不仅争回部分遗产,且在发言的策略和辩论的方法方面学到很多东西。他的3篇控诉演说和2篇反对雕刻家安特诺尔的演说都留存下来了。后来,他为起诉或应诉的人撰写发言稿,挣取丰厚的报酬,并使之成为一项终生的事业,甚至在他最激烈地卷入反对马其顿腓力的斗争时也没有放弃这项事业。公元前354年,当传闻波斯国王有可能对雅典发动进攻时,狄摩西尼在公民大会上发表了

美国不列颠百科全书公司供图

他第一次重大的演说《论海军的实力》，取得巨大的成功。他说理缜密的演说有助于说服雅典人不动声色地建立起自己的海上力量，以便使波斯人看到，虽然雅典不会发动进攻，然而它做好了战斗准备。他指出，如果雅典首先发动进攻，它是不会有任何盟友的；但是如果波斯人首先动手的话，每一个希腊城邦就会同雅典联合起来。在这里，狄摩西尼第一次提出了一个贯穿于他的全部社会活动的论点：雅典维护其民主自由的最好的办法是一方面对所有其他城邦保持自己的独立性，另一方面每当受到威胁时则准备结成临时的同盟。

当时的雅典，某些利益的代表，特别是有钱的人们，宁愿有一个寡头政府也不愿有一个民主体制；许多商人则宁愿为了和平而付出任何代价。大多数雅典公民虽然一方面同意视马其顿人为蛮族，但另一方面他们却又不信任其他希腊城邦，诸如第比斯和斯巴达。雅典的公民大会是一个组织松散、往往又喧闹的集体，它的成员多达 6 000 人，任何公民都可以发言，但只有最优秀的演说家才能长期保持自己的地位。狄摩西尼的机智锋利占有突出的地位。他在《论金冠》这篇演说中面对他终生的对手埃斯基涅斯的攻击而为自己辩护，他甚至不惜使用“阴险的畜生”、“无聊的空谈者”、“宫廷败类”以及“下流东西”之类的词来骂他。狄摩西尼不仅比大多数人更善于谩骂，他还认识到使听众失去对他的敌手的尊重的好处。

他十分勤奋地研习希腊的历史并且在他几乎所有的演说中使用细致的历史对比。他经常要求雅典人回忆历史，记住他们过去的民主信念，提醒他们过去是多么憎恨专制的君主。他对民主制度的偏爱使他的演说具有一种人道主义的博大气势。

公元前 351 年初，狄摩西尼发表了第一篇反对腓力的演说，奠定了他作为反马其顿帝国野心的领袖人物的地位。此后 29 年间，狄摩西尼从未动摇过这一立场。正如普卢塔克所说，“他为自己选定的目标是崇高的和正义的，这就是保卫希腊人以对抗马其顿人”。狄摩西尼在演说中提醒雅典人，他们曾打败过和腓力一样强大的斯巴达人；还讽刺地指出，如果腓力像雅典人想象的那样胆怯，他就永远也不会征服他们的领土了。最后他要求自己的同胞把他们自己的事情掌握在自己的手里，而不要让腓力不出马就取得胜利。可是，演说并未能唤起雅典人。腓力进入了哈尔基季基，并对奥林索斯城形成威胁，该城向雅典求援。公元前 349 年，狄摩西尼发表了 3 篇激动人心的演说(《奥林索斯演说》)，呼吁援助奥林索斯，可是该城仍然未得到雅典的重大支援，于翌年陷落了。公元前 346 年 4 月腓力和雅典人终于同意缔结菲罗克拉忒斯和约，狄摩西尼部分地出于争取时间准备长期斗争，也同意缔结和约并参加使团去同腓力谈判。谈判中，腓力慑于狄摩西尼的口才有意不与他对话而只与另一名使节埃斯基涅斯对话。由此，这两个人回国后成了死对头。狄摩西尼痛斥埃斯基涅斯，而埃斯基涅斯则要人们相信腓力的善意。后来，狄摩西尼在《论和约》的演说里虽然谴责了和约的条款，但认为人们还不得不尊重它。当腓力继续推行使希腊各城邦，如第比斯和斯巴达相互对立的策略时，狄摩西尼又成为派往伯罗奔尼撒寻求支持以反对腓力的使节之一。但出使徒劳。腓力还就此向雅典提出抗议。公元前 344 年狄摩西尼在《反腓力第二演说》中反驳说，如果他早知道腓力会自食其言，他是决不会同意缔结和约的。他还断言，埃斯基涅斯和其他人骗了雅典人，使他们有了一种错误的安全感。公元前 343 年秋，狄摩西尼在《伪使团》的演说中指控埃斯基涅斯提供假报告，出坏主意，不听从指示并且有受贿的嫌疑。但是经公审后，法庭宣告埃斯基涅斯无罪。

威胁和反威胁的混乱格局一直继续到公元前 341 年。当时一位雅典将领因在切尔松尼斯附近的地方活动惹恼了腓力，腓力要求把他召回。狄摩西尼在《关于切尔松尼斯》的演说中指出，马其顿人的“阴谋诡计”的背后乃是要削弱雅典人反对腓力征服的意志。他宣称：“腓力正在同我们作战并且他已撕毁了和约。”此后不久，狄摩西尼又发表了他在反腓力的长期斗争中也许是唯一最成功的一篇演说：《反腓力第三演说》。结果，狄摩西尼得以控制海军并实现他早在前 354 年提出的改革海军的计划。此外，还组成了一个庞大的反腓力同盟，其中包括拜占廷和雅典先前的敌人，如第比斯。随后的战争互有胜负。在海上，雅典是强大的；但在陆上，腓力却几乎是不可抗拒的。因为杰出统帅指挥下的马其顿军队不仅纪律严明，且有骑兵配合；而希腊同盟所依靠的主要是民兵集团。公元前 338 年腓力在希腊中北部的喀罗尼亚的一次关键性的战斗中打败了同盟军。据普卢塔克记载，狄摩西尼参加了这次战争，但在抛掉武器后逃跑了。不过民众还是推选他对战死者发表葬礼演说。在雅典的演说家和外交家狄马德斯缔结和约后，腓力的行动有所节制。虽然腓力的胜利使亲马其顿一派的力量大为加强，但腓力并未占领雅典。公元前 336 年腓力被暗杀，希腊大为震惊。当其子亚历山大继位时，许多希腊人相信自由即将恢复。但不到一年，希腊人就发现亚历山大是比其父更加不可调和的敌人：因为他竟摧毁起来反对他的第比斯城(前 335)。亚历山大曾要求雅典交出曾经反对过他父亲和他本人的狄摩西尼和其他 7 位演说家。此后，亚历山大开始侵略亚细亚，远征印度，雅典才摆脱了他的直接军事威胁。

公元前 330 年埃斯基涅斯指控泰西封在赞扬演说家的爱国精神和对国家的贡献时，说的都是假话。这一指控的真正目标是狄摩西尼，结果两人的对垒引起了整个希腊的注意，因为不仅狄摩西尼，而且还有过去 20 年的雅典政策都面临考验。在此情况下，评审团至少需要 500 位公民，但大批雅典人、甚至外邦人都赶来听取这场辩论。

埃斯基涅斯指控狄摩西尼在政策上摇摆不定，接受贿赂，并且在战斗中表现怯懦，针对上述指控，狄摩西尼发表了被认为是修辞艺术杰作的《金冠演说》，它涉及希腊同腓力和亚历山大整整 20 年的纠葛。在每一种情况下，狄摩西尼都把自己的政策同他所说的埃斯基涅斯这个马其顿人的奸细的卖国行为作了对比。正如向来的情况那样，他对历史细节的掌握给人们以深刻的印象。他一次又一次地向听众发问，在发生危机的时候人们需要做的是什么以及由谁来做。他当面对埃斯基涅斯说“你的政策支持了我们的敌人，而我的政策是我们国家的政策”。他指责埃斯基涅斯是可鄙的叛徒、腓力的走狗。评审团的判决极为明确：埃斯基涅斯甚至未能得到 1/5的支持票，不得不被流放；而狄摩西尼和他的政策得到了人民的普遍赞同。

但是 6 年后，狄摩西尼却因犯了重罪而被判刑，越狱后亡命他乡。原来他被控收取从亚历山大那里逃亡的一个名叫哈尔帕洛斯的人存在雅典的 20 塔兰敦。狄摩西尼被判有罪入狱，并课以 50 塔兰敦的罚款。这一案件的某些情况仍不清楚。值得注意的是法庭对他的罚款只是案涉金额的 2.5 倍，而不是通常的 10 倍。越狱使他不能回来筹措应付的罚款。一度是雅典的领袖人物现在却成了逃离自己人民的避难者。

但是第 2 年，出现了戏剧性的转折：亚历山大去世了，马其顿人的势力似乎终于崩溃；缔结了一个新的反对马其顿人的同盟。雅典人召回了狄摩西尼，并且提供给他用以支付罚款的钱。但是，当亚历山大的继承者安提帕特逼近的时候，狄摩西尼和其他演说家再次逃离了雅典。于是他先前的友人狄马德斯说服雅典人宣判狄摩西尼的死刑。狄摩西尼在逃避安提帕特的追兵途中服毒自杀了。尽管狄摩西尼长期为国家服务，但最后还是为立场不坚定的雅典公民所遗弃，因此他的死可被视为雅典民主体制衰落的一个象征。

他死后，学者们在亚历山大图书馆细心地编纂了他的著名演说手稿。公元前 44 年罗马演说家西塞罗在同狄摩西尼反对腓力的相似环境中发表一连串反对安东尼的演说时，西塞罗的演说被称为《反腓力演说》，由此可见狄摩西尼声誉的久远。学习狄摩西尼的演说曾是罗马学童演说训练的一部分。在欧洲中世纪和文艺复兴时期，他的名字就是口才的同义语。

Demotic Greek language　通俗希腊语　希腊语作 Demotiki 或 Romaiki。又称现代希腊语。希腊现代俗语，已成标准口语，到 20 世纪几乎成为文学创作的唯一语言。1976年1月根据政府法令，通俗希腊语已取代**纯正希腊语**（**Katharevusa Greek language**）而成为这个国家的官方语言，用于政府和法律文件，用于法庭和议会，用于各类学校，也用于各种报刊及其他出版物中（纯正希腊语仍用于一些法律文件和其他技术著作中，因其中包括大量已有定评的文献资料）。虽然古希腊语词汇、语音和语法仍为通俗希腊语的基础，但已有显著的更改和简化。

外国词汇和句型结构大量渗入，反映出自东罗马帝国建国（325）开始，经过十字军东征，到威尼斯及土耳其的入侵这一段时期中，各种支配后古典时期希腊的外国势力的影响。土耳其统治时期，希腊文学传统中断，停止发展。19世纪初希腊重新获得独立后，许多民族主义者认为人民的语言已退化而加以轻视，于是试图发展一种人造语言，即纯正希腊语，使之成为与古典规范相近的语言。这是一种有意识的仿古活动。1967年军事独裁建立时，新的保守主义扩展到语言上，强行规定在学校里使用纯正希腊语。然而，1974年希腊恢复政治民主后，语言民主随之产生，通俗希腊语——按字面意义为“大众”语言——才得到官方认可。

demotic script 古埃及通俗体文字 埃及象形文字的草写体，从公元前7世纪早期直到公元5世纪用于手抄本中。这种文字从较早的象形文字铭文和**僧侣体文字**（**hieratic script**）派生而来，并在萨姆提克一世（公元前664～前610）统治期间开始代替僧侣体。至公元前5世纪，虽然僧侣体还用于经文中，但通俗文字已在埃及各地普遍用于商业和写作。通俗文字在托勒密王朝（公元前304～前30）期间开始为希腊字母所取代，但在菲莱岛上的爱西斯女神庙中祭司们所雕刻的粗糙的通俗文字，则是晚至公元452年的作品。

Dempsey, Jack 登普西（1895-06-24，美国科罗拉多马纳萨～1983-05-31，纽约州纽约） William Harrison Dempsey的别名。又称Manassa Mauler。美国重量级拳击世界冠军。许多人认为他是一个受人崇拜的职业拳击手。1919年7月4日他在俄亥俄州托莱多市经过3个回合击倒J.威拉德，从而夺得重量级世界冠军，直到1926年9月23日在费城经过10个回合按得分被判败于G.滕尼才失去冠军称号。登普西于1914年用黑小子（Kid Blackie）的名字开始参加拳击赛。1918年与1919年初，他取得令人瞩目的战果，常常在第一回合就把对手击倒，从而赢得了同威拉德交手的机会。这位年已37岁的冠军表现出不是年轻的登普西的对手，在第一回合中竟被登普西击倒在地7次。1923年9月14日在纽约市，登普西在同阿根廷重量级选手L.A.费尔波的卫冕战中也打得很干脆，登普西在第一回合中被击出台外以后，在第2回合就用重拳把费尔波打败了。在以后3年里，登普西只打表演赛。31岁时，他与滕尼初战，发现自己年纪太大，难以和经过精心训练的对手较量。1927年9月22日在芝加哥，他俩再次在著名的“长呼数之战”中相遇。在

美国不列颠百科全书公司供图

第7回合中，登普西把滕尼打倒在地以后在旁边等着，而不是走到中立角去，从而失去了取胜机会。后来滕尼恢复过来，在第10回合再次按得分取胜。登普西的拳击风格是几乎连续不断地进攻。他一会儿上、下疾动，一会儿左、右躲闪，一会儿蹲下来以使人目眩的速度向对手打出短拳。他以连续不断的动作和快速的进攻作为防守手段。在30年代，登普西在许多表演赛中亮相，但已不是有力的冠军争夺者。1940年他同不知名的对手较量时夺得3次击倒对手的胜利。之后，他不再参加比赛，改做拳击和摔跤裁判。第二次世界大战时他在海岸警卫队任海军少校。1914～1940年，他共参加84场拳击赛，胜62场，其中的51场把对手击倒在地。最后，他在纽约市开饭馆取得了成功。他的自传于1977年出版。

Dempsey, Miles Christopher 登普西（1896-12-15，英国柴郡新布赖顿～1969-06-05，伯克郡亚坦顿） 英国陆军军官，第二次世界大战期间，盟军挺进西欧的英军主力第二集团军

美国不列颠百科全书公司供图

指挥官。1915年加入英国陆军，第一次世界大战期间在法国作战。1939年二战开始时为中校，在法国指挥步兵旅，1940年5～6月敦刻尔克撤退期间负责掩护英军后卫。升任中将后于1942年11月，在北非指挥第八集团军第八军。在1943年7月西西里战役中，其部队是蒙哥马利军团的右翼，9月担任跨越墨西拿海峡攻入意大利半岛“尖端”的先头部队。他率领他的第八军沿意大利西海岸向北冲击，17天行军480千米与M.克拉克中将指挥的美军部队于萨勒莫会师。1944年6月进攻诺曼底时，蒙哥马利选中他指挥既有英军也有加拿大和波兰军队的第二集团军。6月第二集团军于7月6日成功登上海滩，向内陆挺进，不断迫使德国装甲兵大部队后退，而西面的美国第八军亦于7月25日突破诺曼底德军防线。登普西率第二集团军于莫尔坦、法莱斯战役后，东向横扫法国北部和比利时。在英军夺取荷兰阿纳姆受挫后（1944-09），率第二集团军于1945年3月渡过莱茵河向西北挺进攻入德国，攻克不来梅、汉堡和基尔，到1945年5月已进抵丹麦边境。德国投降后，先后出任东南亚（1945～1946）和中东（1946～1947）盟国陆军总司令。1944年受封为爵士，1947年退休。

Dempsey, Nonpareil Jack 登普西（1862-12-15，爱尔兰基尔代尔郡柯伦～1895-11-02，美国俄勒冈波特兰） John Edward Kelly的别名。爱尔兰出生的美国赤手拳击运动员。幼年移居美国，擅长摔跤，后从事拳击。在拳击中使用杰克·登普西之名。1883年开始练习拳击，很快就转为职业选手，第二年获中量级冠军，直至1889年未曾一次败北。1889年输给G.拉布朗什，但因拉布朗什超过中量级体重，故仍保持冠军称号。事实上，登普西在整个中量级比赛中，体重从未超过次中量级。1891年败于B.菲茨西蒙斯。1895年因肺结核体格孱弱退休，数月后病故。1954年入选《拳坛》杂志的名人堂。

Dempsey, Sister Mary Joseph 德姆西（1856-05-14，美国纽约萨拉曼卡～1939-03-29，明尼苏达罗切斯特） 原名Julia Dempsey（朱莉娅·德姆西）。美国护士兼行政主管。其杰出的专业和行政能力以及对护理教育所作出的贡献使人铭记。1878年8月，朱莉娅进入圣方济各会修道院，教名玛丽·约瑟夫。之后数年间，她曾在很多地方任教。1889年应召赴罗切斯特圣玛丽医院工作。这家医院由梅奥家族创办，经营者主要是威廉·W.梅奥和他的两个儿子查尔斯·H.梅奥和威廉·J.梅奥。玛丽·约瑟夫曾在地方护士学校获得学历，1890年成为威廉·J.梅奥的外科助理护士，直至1915年。在该职位上，她显示出杰出的专业技能和判断能力。1892年9月被任命为圣玛丽医院院长。在她余生的40多年中，医院经历了6次大扩充，床位从45张增至600张，并及时引进了最先进和高效的设备，特别是手术室设备。1906年开办圣玛丽护士学校。1915年组织美国和加拿大天主教医院协会，并被选为副主席。除了在圣玛丽医院工作外，其非凡的行政能力和医学技能对梅奥兄弟成功建立世界著名的外科业务和梅奥门诊部作出了重大贡献。

Dempster, Arthur Jeffrey 登普斯特（1886-08-14，加拿大安大略多伦多～1950-03-11，美国佛罗里达斯图尔特） 美国物理学家，1918年研制出第一台质谱计。这在分析化学成分和确定一种元素中各种同位素的相

芝加哥大学供图

对丰度时很有用。登普斯特发现了大量核素，包括用于原子弹的铀235。1936年同美国的K.T.班布里奇和奥地利的J.H.E.马陶赫研制成双聚焦型质谱仪，用于测量原子核的质量。此后专心致力于发展质谱术。

Demre（Turkey） **代姆雷** 参阅**Myra米拉**。

demurrer 抗辩 在法律上，指一方假定承认对方提出的某些事实属实，但又主张这些事实尚不足以构成请求救济理由的一种法律程序。若对抗辩进行裁决，则将就案件在抗辩中提出的法律问题迅速作出处理。刑法上的抗辩通常是以起诉或申请中含有某种缺陷为依据，即所提供的事实不足以构成重罪或严重的犯罪。民事诉讼中的抗辩也往往以起诉有错误或者有遗漏作为依据。一般抗辩所攻击的是起诉或答辩的全部内容；特殊抗辩所攻击的是起诉或答辩的结构、形式或其中的某一部分。

Demuth, Charles 德穆思（1883-11-08，美国宾夕法尼亚兰开斯特～1935-10-23，兰开斯特） 美国画家。把欧洲现代派各艺术运动引进美国，是**精确主义**（**Precisionism**）绘画的主要代表。德穆思早期在宾夕法尼亚美术学院学画。1907～1913年几次去欧洲学习。

德穆思绘《我看见金色的数字5》（1928）
美国不列颠百科全书公司供图

M.杜尚和立体派画家的作品在他全部绘画生涯中一直起着重要的影响。回美国后，为文学名著作插图。后来画了一组以花卉、马戏团和咖啡馆为题材的水彩画，这些作品使他成为当代第一流水彩画家。晚年把广告和张贴栏画进市景画中，如《兰开斯特，建筑物》（1930）等。

Den Bosch（The Netherlands） **登博斯** 参阅**'s Hertogenbosch 斯海托亨博斯**。

Denakil Plain 达纳基尔平原 又拼Danakil。又称丹卡利。埃塞俄比亚东北部干旱低地，与吉布提接壤。在东非大裂谷和阿瓦什河北端，与红海有若干活火山相隔。进入平原之水均就地蒸发，无一河流流出。北部科巴辛克大盆地低于海平面116米。达纳基尔平原乃由内陆海蒸发而成，约1 200平方千米覆盖盐层，估计盐储量超过100万吨，达到112万吨。盐被切割成盐块，用骡运往埃塞俄比亚的其他地区。与吉布提的阿法尔人有亲缘关系的游牧民族实际上是该平原的唯一居民。南部有达纳基尔国家公园，占地约3 000平方千米。

Denali National Park and Preserve 迪纳利国家公园和禁猎区 位于美国阿拉斯加州中部。1980年由麦金利山国家公园和迪纳利国家纪念馆组成。迪纳利是麦金利山原先的阿萨帕斯卡印第安语的名字。它高达6 194米，是北美最高峰。面积321万公顷。区内有阿拉斯加山脉巨大冰川以及大量野生动物。

denaturation 变性 改变蛋白质分子结构的生物学过程，包含蛋白质分子内许多弱键（如氢键）断裂的现象。在天然状态下正是这些弱键使蛋白质维持其高度有序结构，变性的结果造成结构松散、空间构象破坏。许多变性蛋白质是不溶性的。产生变性作用的方法很多，如加热，碱、酸、尿素或洗涤剂处理，以及激烈震荡等。在去除变性因子和恢复有利于天然状态的条件时，有些蛋白质能回复原来的结构，这种现象称为复性。具有复性的蛋白质有血清白蛋白、血红蛋白及核糖核酸酶等。许多蛋白质，如卵清的变性是不可逆的。变性作用的共同后果是丧失生物学活性，如酶变性后即失去催化能力。

Denbigh 登比 威尔士语作Dinbych。威尔士登比郡集镇。属登比历史郡。1283年设自治市，筑有城堡。英国内战期间（1642～1651）古堡被拆掉。15～16世纪是威尔士最重要城镇之一。现为主要集镇，有一些现代化工业。人口8 529（1991）。

Denbighshire 登比郡 威尔士北部的郡。北临爱尔兰海。康维河构成大部分的西部边界。东北部大致以克卢伊迪安岭为界。登比郡高地多古坟。当地发现的青铜器时代末期黄金和装有手柄的斧子表明迪河上游河谷和克卢伊德河谷当时已是重要通道。当地山寨和后来的古罗马时代塑像表明威尔士北部沿海道路的重要性。圭瑟琳和彭特勒沃伊勒斯的刻石可追溯到古罗马时期。兰戈伦附近的埃利塞柱讲述不列颠人和艾特尔弗里思率领的诺森伯里亚入侵者在切斯特大战（约614）的事迹。古迹还有在凯珀尔加蒙的墓穴和兰戈伦附近西多风格的瓦勒克鲁西斯隐修院（约建于1200）遗迹。该郡是根据亨利三世的法令设立的。旅游业为地区主要产业，现由郡理事会管理。兰戈伦每年举办世界瞩目的国际音乐节，该镇有皮毛和羊毛工业。里辛的城堡被改作高级酒店。登比镇有轻型制造业。科文是以农业为主的集镇。沿岸有著名的普雷斯塔廷和里尔海滨胜地。内陆地区经济以养羊和乳业为主。面积839平方千米。人口90 500（1998）。

Dench, Dame Judi 登奇（1934-12-09，英国北约克郡约克～ ） 原名Judith Olivia Dench。英国女演员。曾在伦敦中央讲演与戏剧艺术学院学习。1957年因在老维克剧团的《哈姆雷特》一剧中扮演奥菲莉娅而崭露头角。1977年在皇家莎士比亚剧团上演的《麦克白》剧中扮演麦克白夫人，荣获伦敦西区剧场经理协会（现为伦敦剧院协会）颁发的最佳女演员奖。参演的电视剧包括两部BBC电视剧：《好浪漫》（1981～1984）和浪漫喜剧《几度春风》（自1992起播出）。还出演过多部由舞台剧改编的电视片，以及电影如《看得见风景的房间》（1986）、《孽恋红杏》（1988）、《黄金眼》（1995）、《明日帝国》（1997）、《黑日危机》（1999）和《谁与争锋》（2002）等。在《布朗夫人》（1997）中扮演维多利亚女王，荣获奥斯卡奖提名和金球奖的最佳女演员奖；在《莎翁情史》（1998）中扮演伊莉莎白女王，荣获奥斯卡最佳女配角奖；在《携手人生》（2002）一片中扮演英国作家I.默多克，荣获奥斯卡提名。1970年被授予大英帝国四级爵士，1988年晋升为大英帝国女爵士。

Dendera（Egypt） 参阅**Dandarah 丹达拉**。

Dendrobium 石斛属 兰科的一属，1 500种，附生。原产亚洲热带和亚热带区、太平洋岛屿及澳大利亚。有的种花小色淡，有的种花大艳丽，单生、簇生或呈一弓状花穗；侧生

鸽子兰（*D. crumenatum*）
美国不列颠百科全书公司供图

萼片在基部连合，形成一个小囊。假鳞茎球状或芦杆状，高5厘米至4.5米。鸽子兰（袋状石斛，*D. crumenatum*）花白色；牛兰（*D. taurinum*）产菲律宾，花瓣扭曲，鹿角状；黄瓜兰（*D. cucumerinum*）原产澳大利亚，叶似黄瓜，常见。

dendrochronology 树木年代学 又作tree-ring dating。根据对树木年轮的分析，测定和解释过去发生的主要活动，特别是古气候和气候变化趋势的科学。用小样钻孔器（一种

简单的小口径金属管，能钻进树干，得出从树皮到树心的钻蕊）取得样品。将钻蕊在实验室里切开，年轮便可计数和测量。

Dendrocolaptidae 砍林鸟科 雀形目的一个鸣禽科，由一些淡棕色的鸟类构成，分布于从墨西哥到整个南美洲的森林和丛林地带。代表种类为镰嘴鸟（scythebill）及攀木鸟（woodcreeper）。

dendrogram 参阅 phylogenetic tree 种系树。

Deneb 天津四 又称天鹅座α，最亮的恒星之一，目视星等为 1.26 等，距地球约为 1 400光年，是 20 颗最高恒星中最远（因而也是实际光度最亮）的恒星之一，位于天鹅座。

Deneuve, Catherine 德纳芙（1943-10-22，法国巴黎～ ） 原名 Catherine Dorléac。法国女演员，以典型法国人的美貌以及在几位世界上最伟大导演所执导的电影中饰演过角色而闻名。父亲 M.多利雅、母亲 R.德纳芙都是法国演员。她在四姐妹中排行第三。1957 年在电影《女中学生》中扮演一个小角色。1960 年出演《小猫》，从此正式开始从影生涯。在 J.德米导演的经典爱情影片《谢堡的雨伞》（1964）中有上佳表演，一跃成为国际明星。20 世纪 60 ～ 70 年代，世界上一些最知名的电影导演纷纷邀请她拍摄电影，如 R.波兰斯基《冷血惊魂》（1965）、T.扬《魂断梅耶林》（1968）以及 L.布努埃尔《白日美人》和《特莉丝塔娜》（1970）。后两部电影均大获成功。她偶尔也出演美国影片。尽管她在许多国家拍过电影，但多数还是在法国拍摄的。主演过 F.特吕福导演的《骗婚记》（1969）和《最后一班地铁》（1980）以及德米导演的《驴皮公主》（1970）等。90 年代，拍摄的影片很少。其中有《印度支那》（1992），她因此获得奥斯卡最佳女演员奖提名。还有《黑暗中的舞者》（2000），该片获得戛纳国际电影节金棕榈奖。从 1985 至 2000 年，她一直是装扮雕像玛丽安（法兰西共和国的象征）的模特。

Deng Jiaxian 邓稼先（1924-06-25，中国安徽怀宁～ 1986-07-29，北京） 中国核物理学家。中国研制原子弹、氢弹及新型核武器在技术上的主要参与者、领导者。安徽省怀宁县人。先祖邓石如为清代著名书法家、篆刻家。其父邓以蛰为美学家，长期在北京大学、清华大学任教授。邓稼先 1945 年毕业于西南联大物理系，随后在北大物理系任教。1948 年赴美留学。1950 年 8 月，以“The Photo-disintegration of the Deuteron”（氘核的光致蜕变）论文获普度大学物理学博士学位。同年 9 月回国。先后在中国科学院近代物理研究所（今中国原子能科学研究院）任助理研究员、副研究员（1952）；第二机械工业部核武器研究所理论部主任、副所长、所长；核工业部第九研究院副院长、院长；国防科工委科技委副主任等职，在技术方面组织、领导中国核武器研制的系统工程，主攻爆轰物理、流体力学、中子输运、高温高压状态方程等基础理论课题。70 年代以后，组织、领导中国新型核武器的研制工作并获得成功。1980 年当选为中国科学院数学物理学部学部委员。因在领导研制中国原子弹、氢弹工作中的杰出成就而多次获得国家科学技术进步奖。

Deng Xiaoping 邓小平（1904-08-22，中国四川广安～ 1997-02-19，北京） 又拼 Teng Hsiao-p'ing。中国共产党、中国人民解放军、中华人民共和国的主要领导人之一，无产阶

中国大百科全书出版社供图

级革命家、政治家、军事家和外交家。社会主义改革和现代化建设的总设计师，建设有中国特色社会主义理论的创立者。原名邓先圣，学名邓希贤，5 岁上学，高小毕业后考人广安县中学。1919 年秋在重庆勤工俭学留法预备学校学习。1920 年赴法国勤工俭学，1922 年参加中国社会主义青年团，1924 年参加中国共产党，后转往苏联学习。1926 年底回国，被派往中国西北部革命军队中从事政治工作。1927 年底到 1929 年任中共中央秘书长。1929 年底和 1930 年初，他和张云逸等在中国南部的广西省领导百色起义和龙州起义，创建中国工农红军第七军、第八军和左江、右江革命根据地。1931 年到位于江西省南部和福建省西部的中国革命根据地，先后担任中共县委书记、省委宣传部长、军委总政治部秘书长、红军报纸《红星》报主编。其间由于拥护毛泽东的正确主张，一度被当时党内“左”倾的领导者撤职。1934 年 10 月参加长征，年底任中共中央秘书长，后任红一军团政治部宣传部长、政治部副主任、主任。1935 年 1 月参加了在贵州省遵义县城召开的中共中央政治局扩大会议。抗日战争爆发后，中国工农红军改编为国民革命军第八路军，他任八路军政治部副主任，后任一二九师政治委员，中共中央太行分局书记、北方局代理书记。他和师长刘伯承共同领导创建了太行、太岳等抗日根据地，卓有成效地开展了晋冀鲁豫这些地区的抗日战争。1945 年在中共第七次全国代表大会上当选为中央委员。解放战争时期，任中国人民解放军晋冀鲁豫野战军、中原野战军、第二野战军政治委员；中共中央晋冀鲁豫局书记，中原局、华东局第一书记。1947 年同刘伯承一起率军南渡黄河，挺进大别山地区，开始了人民解放军对国民党军队的全国性战略进攻。在解放战争的战略决战阶段，他担任统一指挥中原野战军、华东野战军的总前委书记，同这两个野战军的领导一起，指挥了淮海战役、渡江战役，攻克了国民党政府首都南京和上海、苏、浙、皖、赣等广大地区。接着他和刘伯承率部向西南进军，占领了云南、贵州、四川、西康诸省，参加领导了和平解放西藏，完成中国大陆的解放。

中华人民共和国建立后担任中央人民政府委员、中共中央西南局第一书记、西南军政委员会副主席、西南军区政治委员，领导西南地区的政权建设、社会改造和经济恢复。1952 年任中央人民政府政务院（1954 年改为国务院）副总理。1954 年任中共中央秘书长，同年任国防委员会副主席。1955 年中共七届五中全会上，增选为中央政治局委员。1956 年任中共中央政治局常务委员、总书记，协助中央主席、副主席主持中央的日常工作。1956 ～ 1963 年，他多次赴莫斯科同苏联领导人进行谈判，坚决维护中共独立自主的原则立场。

在 1966 年开始的“文化大革命”中，他失去一切领导职务，遭到公开批评和谴责。1969 ～ 1973 年间下放到江西省南昌市郊的一个工厂从事体力劳动。1973 年 3 月恢复副总理职务。1974 年 4 月代表中国政府出席联合国第六届特别会议，首次向全世界阐述了毛泽东关于三个世界划分的战略思想。周恩来总理病重以后，他主持党、政府和军队的日常工作，并于 1975 年 1 月任中共中央副主席、国务院副总理、中共中央军委副主席和中国人民解放军总参谋长。他在这一年的大部分时间中着手对“文化大革命”以来所造成的严重混乱局面进行全面整顿，同当时拥有很大权力的江青集团进行针锋相对的斗争。但是，斗争未能取得胜利，因此受到迫害，1976 年 4 月又被撤销一切职务。

1976 年 10 月江青集团被清除，“文化大革命”结束。1977 年 7 月中共十届三中全会恢复了他原来担任的党政军领导职务。1978 年 3 月当选为中国人民政治协商会议第五届全国委员会主席。同年 12 月举行的著名的中共十一届三中全会，开辟了中国改革开放和集中力量进行现代化建设的新时期。他在这个会上对中国共产党政策的历史转变起了决定性的作用。以后，他相继担任中共中央政治局常务委员、中共中央顾问委员会主任、中共中央军事委员会主席、中华人民共和国军事委员会主席等职，1989 年退休。

他大力支持和推动农村改革，推进以城市为中心的全面经济体制改革，最早提出社会主义也可以搞市场经济的思想。他倡议兴办经济特区，开放 14 个沿海城市，开发开放上海浦东新区，推动中国全面对外开放格局的形成。为解决香港、澳门、台湾问题，他创造性地提出“一个中国，两种制度”和平统一的构想，按照这个构想，香港于 1997 年回归中国，澳门也于 1999 年回归中国。他提出要坚持独立自主的和平外交政策，主张以和平共处五项原则作为建立国际政治经济新秩序的准则。在他的主持下，中国同美国建立了外交关系；缔结了中日和平友好条约；恢复了

中苏两党两国的关系，发展了同周边国家和第三世界国家的友好关系，为打开中国外交的新局面，争取有利的国际环境来进行中国现代化建设，维护世界和平，作出了不懈的努力。

1992年他视察中国南方的武昌、深圳、珠海、上海等地，发表重要谈话，总结改革开放以来的基本经验，从理论上回答了一些重大问题，为确立社会主义市场经济、为在中国确定市场经济的改革目标模式奠定了思想基础，并将改革开放和现代化建设事业推进到新的阶段。1997年召开的中共十五大将建设有中国特色的社会主义理论概括为邓小平理论，指出它是当代中国的马克思主义，是马克思主义在中国发展的新阶段，并在党章中明确规定，中国共产党以马克思主义、毛泽东思想、邓小平理论作为自己行动的指南。他的主要著作收入《邓小平文选》(3卷本)。

Deng Xiaoping Theory　邓小平理论　马克思列宁主义的基本原理同当代中国实践和时代特征相结合的产物，**毛泽东思想**在新的历史条件下的继承和发展，当代中国的马克思主义，中国共产党集体智慧的结晶。邓小平理论坚持解放思想、实事求是，在新的实践基础上继承前人又突破陈规，开拓了马克思主义的新境界。邓小平理论坚持科学社会主义理论和实践的基本成果，抓住"什么是社会主义、怎样建设社会主义"这个根本问题，深刻地揭示社会主义的本质，把对社会主义的认识提高到新的科学水平。邓小平理论坚持用马克思主义的宽广眼界观察世界，对当今时代特征和总体国际形势，对世界上其他社会主义国家的成败，发展中国家谋求发展的得失，发达国家的态势和矛盾，进行正确分析，作出了新的科学判断。邓小平理论形成了新的建设有中国特色社会主义理论的科学体系。中共十五大在党章中将邓小平理论确立为党的指导思想，明确规定：中国共产党以马克思列宁主义、毛泽东思想、邓小平理论作为自己的行动指南。

Deng Yingchao　邓颖超(1904-02-04，中国广西南宁～1992-07-11，北京)　又拼 Teng Ying-ch'ao。中国共产党第十一、十二届中央政治局委员，中国人民政治协商会议第六届全国委员会主席。祖籍河南省。幼年丧父，靠母亲行医、教书过清贫的生活。1913～1920年在京、津受小学和师范教育，后任小学教员。1919年五四运动时，和周恩来、马骏、郭隆真等共同领导天津学生爱国运动，并于1920年共同组织进步团体觉悟社。1924年发起组织天津女界国民会议促成会，响应孙中山号召的召开国民会议解决国是的运动。她是天津最早的共青团员之一，1925年初转为中国共产党党员，任中共天津地委妇女部长。1925年调广东，任中共广东区委员会委员、妇女部长。同年与周恩来结婚。当时国共两党实行合作，共产党员以个人身份参加国民党，她在1926年举行的国民党第二次全国代表大会上被选为候补中央执行委员。她同国民党妇女部长何香凝真诚合作，争取实现各界妇女大联合。1927年国共合作全面破裂后，她在上海坚持中国共产党的秘密工作，曾任中共中央妇委书记。1932年进入位于江西省南部和福建省西部的中央革命根据地，从事共产党和工农民主政府的工作。1934年参加长征，

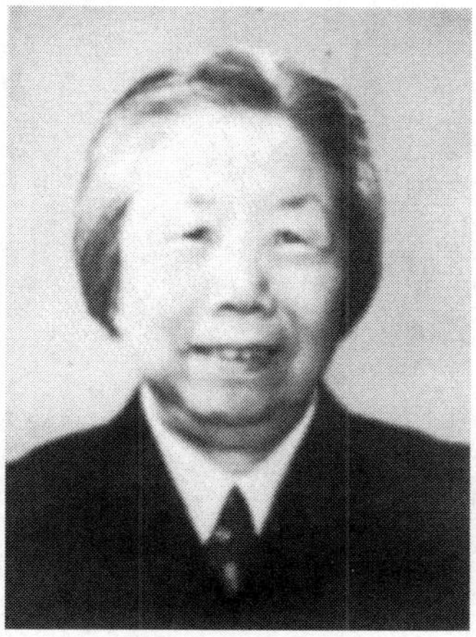

中国大百科全书出版社供图

她是为数不多的参加长征的妇女之一。1937年国共第二次合作期间，先后在国民党中央政府战时所在地武汉、重庆做抗日民族统一战线工作，发动妇女参加抗战、参加民主政治运动，并与各界妇女组织战时儿童保育会，抢救战地儿童。1938年当选为国际反侵略运动大会中国分会理事。同年，担任国民参政会中共方面的参政员。1939～1946年，她大部分时间在重庆，任中共中央南方局委员兼妇委书记。1945年在中共第七次全国代表大会上，被选为中央候补委员。同年任中央妇委副书记。1946年作为中共代表团成员，出席蒋介石召开的政治协商会议。同年当选为国际民主妇联理事。1948年任中央妇委代理书记。1949年中华人民共和国建立后，任第一至第五届全国人民代表大会常务委员会委员，第一至第三届全国妇联副主席，第四届全国妇联名誉主席。从1956年中共第八次全国代表大会起，为历届中央委员。清除江青集团后，1976年冬当选为人大常委会副委员长。1978年中共十一届三中全会上当选为中共中央政治局委员、中央纪律检查委员会第二书记。她坚决地为端正党风严肃党纪而努力，历来主张"党的纪律，对于全党党员绝无例外"，"既律下，同时亦律上的"。1977年以来，先后访问了缅甸、斯里兰卡、伊朗、柬埔寨、日本、朝鲜、泰国、法国等国。1982年任中国人民对外友好协会名誉会长。1983年在中国人民政治协商会议第六届全国委员会第一次会议上当选为全国政协主席。她提出人民政协要在爱国主义旗帜下，贯彻大团结、大统一的精神；倡导人民政协发扬政治协商、民主监督、合作共事、广交朋友的传统作风。1988年辞去领导工作。

dengue　登革热　又称花花公子热。由蚊传播的急性发热性病毒性传染病。特征为关节剧痛、僵直，故又称断骨热。患者短期内卧床不起，但几无致死者。有媒介蚊种处即有本病，但只在气候暖和的地区造成地方性流行，媒介为埃及伊蚊，与黄热病相同。蚊只有叮咬了发病头三天的人或某些猴类才能受染；病毒在蚊体内还需发育8～11天才能传播给易感者。此后该蚊终生保持其传染性。蚊叮咬时，病毒随其唾液微滴注入被咬者皮肤内。本病诊断主要根据临床发现，即起病突然、中等程度发热、关节剧痛、眼球后剧痛、短暂缓解后体温再度上升、特殊皮疹、中性白细胞计数明显下降等。无特效药；治疗主要在缓解症状。临时性预防措施为将可疑和确诊病例于发病头三天内进行隔离，使用纱门、纱窗、蚊帐和驱蚊剂以防蚊咬。根本性的预防措施为灭蚊及消除其孳生地。

Dengyō Daishi　传教大师　参阅 **Saichō** 最澄。

Denham, Dixon　德纳姆(1786-01-01，英格兰伦敦～1828-05-08，塞拉利昂弗里敦)　英国军人，早期西非探险家之一。参加拿破仑战争后，1821年与W. 奥德内博士和H. 克拉珀顿中尉一起进行穿过撒哈拉沙漠到乍得湖盆地博尔努的探险。历经艰险，于1823年2月到达博尔努首府库卡。1823年12月，他一人去乍得湖沿岸和沃贝河、沙里河和洛贡河下游考察。1825年回国，成为名人。1827年擢升中校，被任命为西非获自由奴隶的总监。次年任驻塞拉利昂总督，后在那里病逝。

Denham, Sir James Steuart, 4TH BARONET　德纳姆(1712-10-21，苏格兰爱丁堡～1780-11-26，爱丁堡)　苏格兰经济学家。1724～1725年在爱丁堡大学学习，1735年取得律师资格后，旅游欧陆，与詹姆斯党政治有牵连。他卷入1745年斯图亚特觊觎王位者暴动，使自己不得不继续流亡国外，直至1763年才返回爱丁堡，并退隐至科尔尼斯。主要著作有《政治经济学原理探讨》(1767)。持重商主义观点，认为政府在社会的经济发展方面，尤其是在人口管理与就业方面居关键性地位。他认为，为了促使市场平衡，政府干预也是可取的。他相信一个工业发展中的国家会由于工资的上涨而失去国际市场，因此提出依靠国内市场的重要性。他的关于货币在经济发展中作用的理论仍受到现代经济学家们的重视。

Denham, Sir John　德纳姆(1615，爱尔兰都柏林～1669-03-10，英格兰伦敦)　诗人，他使描写独特风景的闲暇冥想诗成为英语中一种新的诗体。曾就学于牛津大学并成为律师，但积极从事写作。翻译过《埃涅阿斯记》6卷，其中部分后来出版。1641年上演的无韵诗历史悲剧《索菲》和诗《库珀之山》(1642)，使他一举成名。内战期间，他为查理二世的事业在国内外四处奔走，1660年王政复辟后，受封巴斯爵位，并被选入皇家学会，任国会议员数年。死后，葬于威斯敏斯特教堂。他的诗基本上是说教式的。人们认为，他的力量来自他的思想，特别是他措词简洁的伦理常谈。王政复辟时期和18世纪的评论家则称赞他对发展封闭的英雄双行体诗所作的努力。他的《库珀之山》在很大程度上促使了这种诗体的流行。这是一种描写风景的新颖诗体，为后来的英国诗人模仿达百年之久。

denial of Not-Being(philosophy) 参阅 **Not-Being, denial of** 对非存在的否认。

Denikin, Anton Ivanovich 邓尼金(1872-12-16,俄罗斯帝国波兰华沙附近～1947-08-08,美国密歇根安阿伯) 俄国将军。曾参加日俄战争和第一次世界大战。1917年二月革命后任临时政府参谋长,7月解职。1917年8月因与科尔尼洛夫将军合谋推翻临时政府被捕。十月革命后越狱南逃。1918年4月继被杀的科尔尼洛夫任南俄白军司令。1919年初盘据北高加索,5月经乌克兰向莫斯科进军。10月在距莫斯科402千米的奥廖尔被红军击溃,率残部退往新罗西斯克,后撤往克里米亚。1920年4月将残部交弗兰格尔将军后移居法国,写回忆录《俄国内乱史》。1945年移居美国。

Deniliquin 德尼利昆 澳大利亚新南威尔士州中南部里弗赖纳地区主要城镇。临爱德华兹河(墨累河支流),距维多利亚州边界50千米。建于1845年。1848年设镇。现为贝里昆、登尼梅和沃库尔灌溉区的行政和商业中心。当地以美利奴种羊饲养业驰名。产肉牛、肥羔羊、稻米、水果、烟草和谷物。工业有黄油、乳酪、甘露酒、钢铁制品和木材厂等。位于里弗赖纳和科布公路的交会点。是通往伊丘卡的铁路起点站。有航空线通悉尼和墨尔本。人口约8 510(1994)。

denim 粗斜棉布 又称劳动布。用染色(通常为蓝色)经线和白色纬线织成的耐用斜纹织物,也可织有有色条纹。据说,其英文名来自法文 serge de Nîmes。粗斜棉布是经过纱线染色和缩绒整理的,通常是全棉织物,也有相当数量是棉-合成纤维混纺织物。粗斜棉布在服装工业,特别是重体力劳动者所穿工装裤和裤子的制造中使用了数十年,已显示出它的耐久性。这样的质量还使粗斜棉布在20世纪末用于制作休闲服。参阅 **jeans**。

Denis, Saint 丹尼斯,圣(?,罗马?～258?,巴黎) 又拼 Denys,拉丁文拼作 Diony- sius。巴黎首任基督教主教,法兰西主保圣人。他是罗马皇帝德西乌斯在位时期被派到高卢地区传教的七主教之一。任巴黎主教后,在罗马皇帝瓦莱里安迫害基督教徒时殉难。据9世纪的传说称,丹尼斯在蒙马特尔被斩首之后,无头尸体将他的头带到了现建有圣丹尼斯隐修院教堂的地方。在宗教艺术中他被描绘成一个活着的无头人物。

Denis the Little 参阅 **Dionysius Exiguus** 狄奥尼西(小)。

Denis, Maurice 德尼(1870-11-25,法国格朗维尔～1943-11-13,巴黎) 法国画家,象征主义运动的主要艺术家和理论家之一。曾在朱利安美术学院师事J.勒费弗尔(1888),后在巴黎美术学院学习。他抵制印象派的自然主义倾向,接受高更的影响。曾参加象征主义运动及其后的一个支派。这些画家统称纳比画派(**Nabis**)。在访问意大利后,又深受14和15世纪意大利湿壁画家影响,如作品《向塞尚致敬》(1901)表明他开始强调题材、传统的透视法和立体感。其杰出的装饰壁画可在法国很多教堂及巴黎香榭丽舍剧院的天花板

德尼绘《缪斯》(1893)
美国不列颠百科全书公司供图

上看到。1919年和G.德瓦利埃尔一起创立圣艺术画室。其作品是复兴法国宗教美术活动中的一支主要力量。

Denishawn School of Dancing and Related Arts 丹尼斯肖恩舞蹈学校 舞蹈学校和舞团,由R.圣-丹尼斯和她丈夫T.肖恩创建于1915年。它被公认为美国现代舞的摇篮,全面地促进了非芭蕾舞的舞蹈运动,培养了一些主要现代舞蹈演员,如M.格雷厄姆、D.汉弗莱和C.魏德曼。由于夫妻俩深信所有舞蹈技术都是有用及有教育意义的,因此该校设有各种课程:东方舞、西班牙舞、原始舞蹈和芭蕾舞基础。除他们自己的富有革新精神的技巧外,后来还增设了R.拉班和E.雅克-达尔克罗兹在欧洲提倡的现代舞技巧。这所学校在纽约市和美国其他城市设有分校。该团上演由圣-丹尼斯和肖恩编导的一些节目,从朴素的独舞一直到日本、印度、中东或者美洲印第安人题材的色彩丰富的作品。丹尼斯肖恩舞团的演员经常在美国各地巡回演出,也在东方做过表演(1925～1926)。该舞团在1931年圣-丹尼斯和肖恩分居之后解散。

Denison 丹尼森 美国得克萨斯州中北部格雷森县城市。位于距俄克拉何马州边界不远的谢尔曼和特克索马湖附近。南距达拉斯117千米。原为南方陆上邮路的一个驿站。

丹尼森市的艾森豪威尔总统出生地
美国不列颠百科全书公司供图

1872年成为密苏里-堪萨斯-得克萨斯铁路交会点。1891年设市。经济以农业为主,近年来轻工业(服装、制铝和塑料制品)和运输有所发展。艾森豪威尔总统的出生地已辟为州历史纪念地。旅游业是在特克索马湖旅游区、黑格曼国家野生动物保护地和艾森豪威尔州立公园的基础上发展起来的。人口:市22 773;谢尔曼-丹尼森都会统计区110 595(2000)。

denitrifying bacteria 脱氮细菌 把土壤中的硝酸盐转变为大气中的游离氮的微生物,会降低土壤肥力及农作物产量。包括脱氮硫杆菌(*Thiobacillus denitrificans*)、脱氮微球菌(*Micrococcus denitrificans*)及塞拉蒂氏菌属(*Serratia*)、假单胞菌属(*Pseudomonas*)和无色杆菌属(*Achromobacter*)中的某些种。铜绿假单胞菌(*Pseudomonas aeruginosa*)在厌氧条件下(如沼泽地或水淹土壤中)将使固氮减少达50%。但因硝酸盐极易溶解于水,会不断从土壤中滤入附近水体,若无脱氮作用,地球上的氮终将汇集到海洋。参阅 **nitrogen cycle**。

Denizli 代尼兹利 土耳其西南部城市。位于门德雷斯河支流居吕克苏河附近的格克贝尔山(2 308米)山麓。14世纪时称拉迪克,为土耳其重要城镇,以纺织品、刺绣制品及繁茂的花园闻名。屡经18～19世纪的地震破坏。迪纳尔-伊兹密尔铁路的支线经此。周围农业地区的主要经济活动为种植棉花、谷物、无花果、烟草和饲养牲畜。城北帕穆克卡莱为游憩胜地,周围有温泉形成的石灰石沉积物,有绚丽壮观的小瀑布和深潭。人口204 118(1990)。

Denmark 丹麦 又拼Danmark。全称丹麦王国。从西欧中部向北伸延的一个半岛上的小国,面积43 093平方千米(不包括格陵兰岛与法罗群岛两个自治属地)。首都哥本哈根。

丹麦本土南北长约335千米,东西宽约290千米。该国在地理、文化、商业上是连接斯堪的纳维亚与中欧的桥梁。其陆地唯一邻国是南面的德国,两国交界处亦仅长约68千米。丹麦海岸线全长7 300千米(包括该国400个岛屿),沿西部的北海、北部的斯卡格拉克海峡以及东部的卡特加特海峡、松德海峡(又称厄勒海峡)和波罗的海延伸。人口约5 223 000(1995)。

土地 丹麦本土位于日德兰半岛,为一低地区,平均海拔低于30米,最高点于丁山位于日德兰半岛中东部,仅高173米。地形特征受北欧冰川作用影响很大:自然景观的冰碛自日德兰半岛西岸的尼苏姆湾向东延伸至维堡,再折向南,贯穿全境。冰碛将半岛分成沙堆石砾覆盖的西日德兰和以沃土平原为主的丰饶的东日德兰。丹麦的两个最大岛屿,西兰岛(哥本哈根即位于该岛)和菲英岛,共占该国陆地总面积的1/4以上。

丹麦最长河古曾河全长158千米,源于日德兰半岛中东部,注入东海岸的兰讷斯湾。境内有许多小湖泊,阿勒湖为其中最大的一个,面积40平方千米。

气候温和湿润,各地年降雨量在800～

400毫米之间，年平均气温2月为0°C，7月16°C。

丹麦在北海地区丰富的油气田中的产量小于英国和挪威，但足够满足国内需求的一半。除大片石灰石矿外，该国几乎无其他矿产资源。

人民 丹麦现在的人口是新石器时代以来长期种族混居而形成的，以碧眼金发的北欧型为主。日德兰南部有一日耳曼人居民区。其他少数民族包括土耳其人、南斯拉夫人、伊朗人和巴基斯坦人，大都属于来此打工的“客籍工人”。

丹麦语是日耳曼语系的一支，与挪威语有许多共同之处。国教是福音派路德教，几乎所有丹麦人都信奉该教。

人口自1981年以来呈下降趋势，主要是由于人口老龄化所致（死亡人数超过出生人数）。平均预期寿命相当高，男性为75岁，女性79岁。哥本哈根都会区人口占该国总人口的1/5以上，与丹麦其他主要人口中心（如日德兰半岛上的奥胡斯、奥尔堡以及菲英岛上的欧登塞）不同，该地区人口已不再增长。

经济 尽管该国自然资源相当贫乏，丹麦国民却享有世界上只有少数几个国家可与之相比的生活水准。丹麦属混合型经济，主要以服务业、制造业和金融业为基础。国民生产总值的增长快于人口增长，与其他西方工业化国家相近。

丹麦的土地有近1/2为可耕地，且普遍多产。农耕已实行集约化；大部分农场属中型农场，为家庭所有。主要作物为大麦。其他重要作物有小麦、油菜、甜菜和马铃薯。牧场约占土地面积的1/20。牲畜以猪为主，另有数量较少的菜牛和奶牛。林地，包括自然生长的落叶树和人工种植的云杉和枞树，约占土地面积的1/10以上。丹麦岛屿星罗棋布，海岸线很长。海岸大部形成峡湾，多天然港湾，有利于渔业、航运和相关产业的发展。丹麦的渔业（主要为海洋渔业）捕获量居世界前15位。

丹麦矿产业规模较小，以开采花岗岩和高岭土为主。原油、石油产品和煤约占该国进口额的1/10。

制造业发达并且种类繁多，雇用了1/5的劳动力。主要产品有非电动机械和仪器、食品（不包括鲜肉）、金属制品、化学品及肉制品。电力几乎全靠燃煤发电厂。

旅游业占有重要地位。每年都有大批游客来此，大多前往哥本哈根及其邻近的沿海度假胜地。

丹麦在第二次世界大战后实行的工业化计划增加了对原材料和能源燃料的需求，这些几乎全都依赖进口。1970年北海发现石油，能源进口费用稍有减少。部分由于政府实行大规模社会福利计划，预算赤字已成为该国经济很平常的现象。全国有1/4以上劳动力受雇于社会服务机构。在丹麦工会属于合法组织，可以完全自由地组织和进行各种工会活动，并代替政府执行失业保险计划。

该国有广泛的道路和高速公路系统，所有公路均已铺设路面。20世纪90年代起在哥本哈根修建全自动地铁系统，2002年首次开通。另有约420千米的内陆水道。由丹麦国有铁路公司经营的渡轮往来丹麦各岛屿与日德兰半岛之间，并通往德国、瑞典、英国和挪威。丹麦许多良港为其15家航运公司提供了良好的运作条件。哥本哈根东南10千米处的凯斯楚普建有国际机场。

出口以机械和仪器为主，包括工业机械、电器设备和船舶。主要进口产品有电动及非电动机械设备、食品和运输设备。主要贸易伙伴有德国、瑞典、英国和法国。

政体与社会状况 丹麦为一君主立宪国，国王只拥有形式上的权力。其最重要的任务是任命首相和内阁阁员，而首相及阁员则对议会负责。议会的179名议员（包括法罗群岛的2名和格陵兰的2名）按比例代表制由选举产生。依1953年宪法规定，首相可以随时解散议会，重新举行新的选举。丹麦实行多党制，但通常无一政党能赢得超过半数以上的席位。社会民主党（主要代表工人和公务员）一向是该国主要政治组织。但在20世纪80年代，非社会主义政党（保守的人民党和自由党）的联盟得以掌权。司法系统的最高权力机关是最高法院。

丹麦为世界上实行社会福利制度历史最长、范围最广的国家之一，该项制度为全体公民提供养老、伤残、生育、死亡和疾病等各项福利。其成效再加上高质量的生活水准，使丹麦国民的健康状况极佳。

丹麦实行7～16岁未成年人的义务教育。大多数学校为公立，可免费就学。该国共有大学5所，包括哥本哈根大学（1479年创建）。

丹麦的新闻媒体不受政府审查。电台、电视台由丹麦广播公司经营。该公司为一独立的公共机构，靠向收音机和电视机的拥有者收费维持。

丹麦有一些国际知名的作家、舞蹈家和表演艺术家。著名作家包括挪威出生的霍尔堡、安徒生和哲学家兼神学家克尔恺郭尔。1917和1944年的诺贝尔文学奖获得者，分别是丹麦小说家H. 彭托皮丹和J.V. 延森。丹麦皇家芭蕾舞团亦因19世纪A. 布农维尔对舞蹈艺术的贡献而闻名世界。丹麦皇家艺术学院成立于1754年，曾培养出雕刻家B. 托瓦尔森和现代建筑师A. 雅科布森。

历史 考古遗迹证实丹麦早在10万年之前即有人类活动。石器时代（公元前1万～前1 500年），丹麦人由以渔猎为生过渡到较为安定的农耕生活。公元前约2800年，南部地方出现“单坟文化”并扩至丹麦全境。到公元400年前后，政权已逐渐巩固，并与俄罗斯人建立了贸易关系。约公元200年前后，丹麦首次发现北欧古字碑文，这种书写方式可能最早是受拉丁字母的启发。

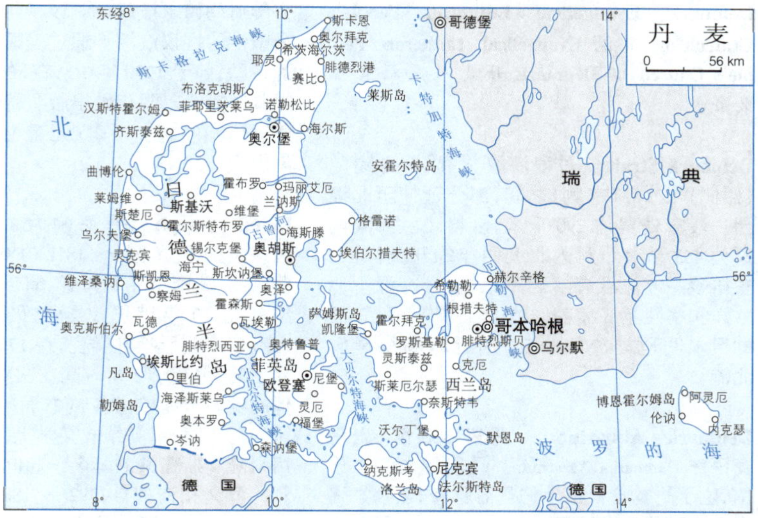

美国不列颠百科全书公司供图

8世纪末查理曼的法兰克帝国向北扩张，使丹麦与欧洲其他国家的来往更加密切。法兰克人的征讨于9世纪初受到阻遏，811年签订条约，规定以艾德河为丹麦与其南邻各国之间的边界。海盗对该地区的扩张始于公元7世纪，基督教则于10世纪传入丹麦。在克努特国王带领下，英丹帝国建立，该帝国疆土包括瑞典的一部分，一直维持到1035年克努特去世为止。

中世纪时期丹麦的贵族与未来的国王相互竞争，最终导致以前设想的每年一次的国会于1282年开始运作。14～15世纪，丹麦的贸易因德国人控制的汉萨同盟势力强大而受到阻碍。主要通过皇室联姻而与挪威和瑞典于1397年结成的同盟一直延续到1523年，但从1448年开始，丹麦和瑞典之间曾发生过战争，同盟也时断时续。

16世纪期间，丹麦爆发内战，导致福音派路德教的建立和贵族势力的加强。17世纪，丹麦为夺取波罗的海霸权，曾发动许多次消耗国力的战争。由于作战多次失利，丹麦终于在1660年签订《哥本哈根和约》，划定了挪威、瑞典和丹麦的现在边界。

战后经济萧条，但在18世纪因扩展殖民地市场的贸易而稍有起色。19世纪初的拿破仑战争又一次使国库空虚，1814年丹麦不得不割让挪威给瑞典。1864～1866年，丹麦又将石勒苏益格-荷尔斯泰因丢失给普鲁士人。

1849～1915年，丹麦先后3次立宪，1920年经公民投票收回石勒苏益格北部，1940～1945年被纳粹德国占领。

1945年丹麦承认冰岛独立，并于1948年准许法罗群岛实行内部自治。该群岛自1380年以后一直是丹麦的一部分。格陵兰岛于1953年正式并入丹麦，1979年核准内部自治。丹麦是北大西洋公约组织（1949）的发起国之一，并于 1973 年成为欧洲经济共同体成员。20世纪 90 年代间经济进一步发展，失业率下降，丹麦人面临三大政治经济问题：围绕移民和难民地位产生的政治分歧；在多数人支持强大的社会福利体系的同时，一些人试图降低实施这些福利计划所支付的高税额；与欧盟关系问题产生分歧。最终于 1993 年加入欧盟，但对欧盟的某些条款持保留态度。2000 年全民公决再次否决加入欧元区。尽管面临诸多问题，但 21 世纪初丹麦经济仍保持繁荣，实现国家货币坚挺、贸易平衡和预算盈余。强大的信息和环境技术预示着国家的美好前景。

Denmark, Evangelical Lutheran People's Church of 参阅 **Evangelical Lutheran People's Church of Denmark** 丹麦人民福音信义会。

Denmark Strait 丹麦海峡 位于格陵兰(西侧)和冰岛(东侧)之间，部分延伸至北极圈。最窄处宽约 290 千米，从格陵兰海向南延伸 483 千米而到达北大西洋的开阔洋面。东格陵兰寒流沿海峡西岸南流，带有源于北冰洋和格陵兰岛冰盖的冰山。另有一股较暖的伊尔明厄洋流的分支，贴近冰岛海岸向北流。

Denmark's Aquarium 丹麦水族馆 丹麦语作 Danmarks Akvarium。丹麦最大的水族馆，位于哥本哈根市外的夏洛滕隆，以收集稀有鱼类著称。藏有近 200 种 3 000 多条海洋和淡水鱼类，包括肺鱼、洞穴盲鱼、弹涂鱼和美国的白鲟；还展出海葵、章鱼等海洋无脊椎动物。1939 年开放，1974 年扩展成一套景观式的水族馆。水族馆在丹麦皇家科学院的支持下开展有关鱼类生理和寄生现象的研究。

Denner, Johann Christoph 登纳（1655-08-13，莱比锡[德国]～ 1707-04-20，巴伐利亚纽伦堡） 德国乐器制造家、单簧管发明者。其父亨利希曾制造号角和呼唤动物的哨子。他从父学习制造乐器，并成为优秀演奏家。主要致力于改进过去的木管乐器，所制竖笛、长笛、双簧管和大管等发音准确、誉满全欧。约 1690 ～ 1700 年间发明单簧管。有一种单簧芦笛是登纳所熟知的，很可能他就是因为试图改进芦笛而终于发明了单簧管。

Dennett, Mary Coffin Ware 丹尼特（1872-04-04，美国马萨诸塞伍斯特～ 1947-07-25，纽约韦莱舍） 婚前名 Mary Coffin Ware。美国改革家，以其积极支持随时免费实施节育和性教育而为人铭记。原习美术并执教，1900 年与波士顿建筑师 W. H. 丹尼特结婚后，随同丈夫一起工作，一度任室内装璜师，但兴趣已开始转向其他方面。曾出任马萨诸塞州妇女选举权协会外勤秘书（1908 ～ 1910）并迁居纽约任全美妇女选举权协会通信秘书（1910 ～1914）。此后即活跃于和平主义与社会主义团体。1916 年起，任美国反对军国主义同盟外勤秘书。第一次世界大战美国参战后，她辞去民主党全国委员会妇女部门的职务，参加创建激进反战团体"人民委员会"。1915 年，她开始关注另一事项，即节育问题。领导一些人接收并改组了 M. 桑格夫人领导的全国节育联盟，将联盟的工作方向由抗议转向公众教育和游说废止限制性立法。1918 年，计划生育联盟成立，她出任领导，直至 1925 年。1922 ～ 1925 年主编《节育先驱报》。1925 年当计划生育联盟投票支持桑格夫人主张限由医师提供节育信息的立场时，她辞去领导职务。1926 年她发表了《节育的法律》，论述性生活乃是生活的自然和令人愉快的部分，原发表于《医学评论》杂志（1918），后以宣传册形式广泛分发，1922 年以涉嫌诲淫被禁止邮寄。1928 年因继续通过邮件回应索取该宣传册的请求被起诉。1929 年她的定罪引发全国性的抗议浪潮。通过美国公民自由联盟的帮助，她于 1930 年 3 月在联邦上诉法院赢得判决撤销。同年她出版了《谁诲淫?》一书，详述该案经过。所著《儿童性教育》于 1931 年出版。

Dennie, Joseph 丹尼（1768-08-30，马萨诸塞波士顿[美国]～ 1812-01-07，宾夕法尼亚费城） 美国小品文作者、编辑，也许是 19 世纪最初 10 年美国文坛上最主要的人物。1790 年毕业于哈佛学院，在 1794 年进入律师界之前，他花了 3 年时间在法院充当书记员。他的实习未能显出在这方面的才华，此时他转向写作，和泰勒结成文学上的伙伴关系，使用科隆和斯蓬蒂的笔名一起向当地报纸投讽刺的散文和诗稿。1792 ～ 1802 年间丹尼写定期的"大杂烩"小品文。为新罕布什尔州沃波尔的著名报纸《农民周报》写系列温文尔雅的论道德小品文《俗人布道》，从而树立了他的文名。1796 ～ 1798 年担任《农民周报》编辑。丹尼的编辑工作和《俗人布道》小品文所表现出强烈的亲联邦主义者倾向使他于 1799 年获得了国务卿皮克林私人秘书之职。为此他迁至费城居住，但是 1800 年皮克林被亚当斯总统免职，他也就此结束了这项工作。丹尼毫不气馁，于 1801 年开始与迪金斯一起编辑一种政治文学期刊，名为《代表作选辑》，该刊物遂即成为当时美国最具特色的文学周刊。他将自己的《俗人布道》小品文也编入该选辑内，同时还向坎贝尔、亨特和穆尔以及其他名作家、名诗人等约稿。作为星期二俱乐部的创办人，丹尼成为费城贵族文学圈子的中心人物，一度还是美国文学方面的主要评论家。他嘲笑本土美国人的粗俗，对所有民主革新都持反对态度；另一方面却极力颂扬英国的文学、风度和老练。他还提倡见解正确的评论标准和鼓励有才华的青年作者，其中之一就是欧文。

Dennis 丹尼斯 美国马萨诸塞州东南部巴恩斯特布尔县城镇。地跨科德角，包括丹尼斯港、东丹尼斯、南丹尼斯和西丹尼斯 4 村。1639 年始建。1793 年设镇。旅游、其他服务业和蔓越橘种植业为经济支柱。有著名的美国东部夏季剧场。许多纽约的舞台演出在此试演。历史遗址有 J. 丹尼斯宅第（1736）和杰里科故居（1801）。面积 54 平方千米。人口15 973(2000)。

Dennis, Eugene 丹尼斯（1905-08-10，美国华盛顿西雅图～ 1961-01-31，纽约州纽约） 美国共产党领袖、工人组织家。1945 ～ 1957 年任美共总书记，1959 ～ 1961 年任党的全国主席。他在西雅图干过多种行业，参加过世界产业工人联盟。1926 年加入共产党。后到加利福尼亚州组织工人，多次被捕。1930 年判刑后，在保释中逃跑，在苏联等国逗留了几年，1935 年回国。此后他在党内地位开始擢升。1949 年他和其他 10 位共产党领导人被判犯有阴谋煽动用暴力推翻政府罪，为此而坐牢 3 年零 9 个月。在他担任共产党领导期间，他支持党继续与苏联结盟和屈从于苏联，虽然 50 年代中期赫鲁晓夫上台后，他部分地批判了斯大林主义。

Dennis, John 丹尼斯（1657，英格兰伦敦～ 1734-01-06，伦敦） 英国评论家、剧作家。一贯强调激情在诗中的重要性，因而后来跟 A. 蒲柏长期争论。在哈罗公学和剑桥大学求学，曾赴欧陆游历，后定居伦敦，与文坛名流交往甚密。尽管他的剧本很多，但很少成功之作。最重要的文艺批评著作有《戏剧的作用》（1698）、《现代诗歌的进步与改造》（1701）、《诗歌评论的依据》（1704）和《论莎士比亚的天才和作品》（1712）。他的基本论点是：文学，尤其是戏剧，可以同宗教相比之处在于它的效果是以情动人。在英国诗人中，他所崇拜的是 J. 米尔顿。这一偏爱也许能解释他对蒲柏的反感，甚至可以说明他们之间的敌对。

Dennis, Nigel 丹尼斯（1912-01-16，英国萨里布莱奇利～ 1989-07-19，伦敦） 英国小说家和评论家，用许多荒诞的情节和诙谐的妙语来讽刺精神病治疗、宗教和社会行为，以讽刺小说《身份证》（1955）闻名。早年住在罗得西亚（今津巴布韦），后去德国留学。1934 年前往美国，1935 ～ 1936 年在纽约全国电影评论委员会工作，后任《新共和》杂志助理编辑和书评撰写人。1940 ～ 1958 年专为《时代》周刊撰写书评。1960 ～ 1963 年任《遭遇》杂志戏剧评论员，1967 ～ 1970 年回该杂志任联合主编。他的书评还定期刊载在《星期日电讯报》上。其他长篇小说有《男孩和女孩出来玩耍》（1949）和《井然有序的一家》（1966）。《作牛鸣》系对宗教的讽刺剧，1957 年上演。剧本《人民的八月》（1961）写报纸的威力，讽刺更加辛辣，受到人们赞扬。

Dennison, Aaron Lufkin 丹尼森（1812-03-06，美国马萨诸塞缅因区弗里波特～ 1895-01-09，英国沃里克郡伯明翰） 制表家，最先制造零件可以互换的怀表，被推崇为美国制表业之父。18 岁时在缅因州布伦斯威克当学徒，学习手工制表技术。后来到波士顿自己办厂，并在斯普林菲尔德兵工厂研究大批量生产枪支的技术。1850 年他克服了用机器生产小型零件的技术困难，并建立工厂开始向市场供应第一批工厂生产的廉价表。1857 年财政恐慌中他的工厂被迫破产，1859 年由一些新的赞助人将该厂改组为美国沃撒姆制表公司。他在制造纸盒及其他纸制品中采用机器,并创办丹尼森制造公司。

Denon, Dominique Vivant, Baron　德农（1747-01-04,法国索恩河畔沙隆～1825-04-27,巴黎）　法国艺术家和考古学家。原在巴黎学法律,后转向戏剧。23岁时写出一部成功的喜剧,也作画,受路易十五赏识。1772～1787年出使俄国、那不勒斯和瑞士。1787年成为画院院士。法国大革命期间返回巴黎。1798年随拿破仑远征埃及,经常在敌人炮火下对当地的古迹写生。1804年任博物馆总监,随拿破仑出征,为其搜罗美术品出谋划策。这些美术品后来大部分收藏在罗浮宫。所著美术史在死后出版(4卷,1829)。

Denpasar　登巴萨　印度尼西亚巴厘省省会。位于巴厘中南部,新加拉惹南70千米处。是巴厘岛上最大的城市,也是巴塘县的县城。1906年巴塘土王反抗荷兰国民军的一次战斗就发生在这里。为纪念这一事件,在该市中心建筑了一个大型露天广场——普普坦广场。居民大部分是巴厘人。使用以帕拉瓦文字书写的印度尼西亚语的一种方言,实行一种受印度教习惯影响很深的伊斯兰教仪式。另外,有以经营纺织品为主的阿拉伯和印度商人,以及经营当地大部分商业的华人。居民中有一些基督教徒。工业有食品加工、造纸、印刷、机器制造与维修。手工业为沙岩雕刻、织布、椰壳与骨头雕刻、制绳、编织篮子,以及生产椰壳粗硬纤维和金银珠宝饰物。公路把登巴萨、新加拉惹和岛上的其他城市连接起来。登巴萨有一个国际机场;还有国家考古学研究中心的分会;一个于1932年由荷兰政府建造的巴厘博物馆,馆内保存着史前至20世纪初期的巴厘艺术品;以及乌达亚纳大学(1962)。吸引游人的地方有珀默朱坦寺庙、圣约瑟教堂、梅雷迪思纪念图书馆、达东市场、科卡尔(表演艺术学校)、印度尼西亚舞蹈学院和阿比安科哈斯艺术中心。人口532 440(2000)。

densitometer　显像密度计　用测光法记录照相胶片的透明度(入射光的透射比例),以测量其密度(变黑程度)的仪器。用目视法测量时,使用两束等强度的光,一束光经过引导穿过胶片,另一束光的强度用光劈、可变光阑或通过移动光源加以调节,直至用肉眼或光电管判断两者强度相等为止。经过适当的标定,密度可直接读数。另一种方法是用光电管分别测量同一束光在有、无胶片阻挡时的强度,两者的强度差即可作为显像密度的度量。用同样方法也可测量照相胶片以外的其他半透明物质,如太阳镜的显像密度。

density　密度　单位体积物质的质量。一般固体、液体和气体的密度都列于教科书和手册中。知道了密度,就很容易由物体的体积得出它的质量,或由质量求出体积;质量等于体积乘密度,体积则等于质量除以密度。实用中人们更注意的是物体的重量而不是质量,重量可由物体的质量乘以重力加速度得出。各种物质单位体积的重量也都列成表格。它有各种不同的名称:重量密度、比重(specific gravity)或单位重量。粒子密度则是指单位体积内的粒子数,而不是单个粒子的密度。

density current　异重流　在液体或气体中,由于作用在密度有小量差别的流体层上的重力而产生的流动,也称密度流。两种流体或同一流体的两部分,由于温度、盐度或悬浮泥沙浓度不同,都有可能形成密度差。自然界存在的一种异重流是沿洋底或湖底的潜水流。其产生的原因在于,进入海洋或湖泊的水较冷、盐度较高、悬浮泥沙较多,其密度大于周围的水,所以潜入水下,在重力作用下沿底部流动。此外,密度差使潜水流与上覆水的混合不断放慢,但还是能保持相当长的距离。异重流有重要的现实意义。例如,湖中泥沙从浑浊流(即由悬浮泥沙引起密度差的异重流)中沉积出来,可使水库库容急剧减小。同样,大量被污染或加热的工业废水也会形成异重流,它将对周围的人或动物群体造成有害影响。因此已经开展许多有关异重流性质的研究,如在实验室中研究小股浑浊流,或在湖中直接进行观测。间接证据有力地表明,在海洋底部有大尺度的浑浊流,许多研究者认为,这种浑浊流由聚集在水下峡谷上端的泥沙坍塌所造成。大量泥沙坍塌形成很稠的泥水混合物,它最终流入深谷,在海底铺开,并在深水中沉积形成沙层。反复沉积,形成水下扇形结构,同发生于很多河谷入海口的冲积扇极为相似。沉积岩被认为是由古代的浑浊流所形成,这与地质记载是一致的。

Densmore, Frances　登斯莫尔（1867-05-21,美国明尼苏达雷德温～1957-06-05,雷德温）　人类文化学家。美国研究印第安歌曲与音乐的权威,发表了大量关于印第安文化及其生活方式的著作。在奥伯林音乐学院学习以后,1907年在美国人类文化学办事处从事印第安音乐的研究工作。后又同时与该办事处和史密森学会合作,为国家科研委员会进行一项关于墨西哥海湾沿岸印第安人的调查。她的著作详尽地分析了印第安人的音乐,及他们创作和演唱歌曲的环境,从而提出对印第安人的一种新的观念。由于对美国音乐学做出的贡献,她荣获美国全国作曲家与指挥家协会的1940—1941年度奖。1941～1943年任国家档案馆顾问,并建立史密森-登斯莫尔美国印第安音乐录音收藏馆。

Densușianu, Ovid　登苏夏努（1873-12-29,罗马尼亚弗格拉什～1938-06-09,布加勒斯特）　罗马尼亚民间传说研究者、语言学家和诗人。曾把欧洲现代派思潮引进罗马尼亚文学。先后在雅西、柏林和巴黎求学,后任布加勒斯特大学罗曼诸语言教授。由于受西欧象征派的强烈影响,反对当时在罗马尼亚创建的田园派文学,1905年创办了持对立观点的刊物《新时代》,前后出版20年。他用法语写《罗马尼亚语言史》(1901～1914),用罗马尼亚语写《罗马尼亚语常用辞典》(1909)、《人民诗歌选集》(1920)、诗集《照在铺路石上的阳光》(1920)及《现代罗马尼亚文学》(1920～1933)。

Dent, Edward John　登特（1790-08-19,伦敦～1853-03-08,伦敦）　英国高精度钟表制造商。向R.里彭学制钟手艺,在1815～1829年间享有精密时计制造家的声誉,向海军部和东印度公司供应时计。1829年,由于他造的时计采用了一种减小由温度波动造成走时误差的方法,从而确立了他的地位。1830～1840年,他与J.R.阿诺德合伙制造头等钟表。此后,由于他在伦敦拥有三家钟表店,皇家天文学家G.爱里推荐他制造新皇家交易所塔楼的大钟,他建立一个车间来造这个钟,并于1844年安装完毕。1852年他受托制造威斯敏斯特的议会大钟,现称大本钟,钟未造成就去世了。登特曾在里彭死后与其遗孀结婚,这个钟后来由里彭的儿子F.里彭·登特于1854年造成。

dental auxiliary　牙科辅助人员　根据训练及经验取得资格,在牙科医师的指导及监督下进行牙科工作的人员。一部分人员在牙科医师的诊所中直接为其工作;另一部分则在独立的诊所或技工室,根据牙科医师的工作委托单或处方而进行工作。牙科辅助人员主要有3类:①牙科技士,在有执照的牙科医师指导下洁治患牙及指导牙科保健知识。也可为牙齿投照及冲洗X射线片、调合充填材料、给氟防龋以及协助牙科医师的治疗工作。在美国,牙科技士也受雇于公立学校,定期去学校为儿童检查牙齿并将需治疗者转给牙科医师。在医院工作的技士可为住院及门诊患者进行一定的医疗操作。②牙科技工室技士,接受有执照的牙科医师的工作委托单或处方后,按要求制作各类修复体,如全口托牙、部分托牙、冠、桥及其他赝复体。但技工室技士不得为患者戴入修复体,也不得为患者取制作托牙或其他装置的牙颌印模。③牙科助理员,牙科辅助人员中有65%属牙科助理员。其工作由牙科医师根据对专业知识需要的程度而委派。通常要求牙科助理员能为患者做就诊前准备:准备需用器材(包括器械的消毒和安放);通晓器材及设备的名称;保管预约、检查、治疗及供应等的记录。越来越多的助理员正在接受训练,以在治疗椅旁协助牙科医师进行牙体治疗、外科手术和修复治疗;很多牙科助理员也正在接受牙科X射线工作的训练。

Dentatus, Manius Curius　登塔图斯（?～公元前270）　罗马将军。曾征服萨谟奈人,打败伊庇鲁斯国王皮洛士。平民出身,可能具有萨宾人血统。公元前290年出任执政官,曾大败萨谟奈人,结束一场长达50年的战争。同年他平定萨宾人的叛乱,授与他们无投票权的公民地位。公元前284年,他打退塞农人的入侵。公元前275年皮洛士从西西里返回意大利,登塔图斯在贝内温敦(今贝内文托)附近将其彻底击败。公元前274年,他第4次也是最后一次出任执政官,任内征服了卢卡尼亚人。公元前272年任监察官期间,他兴修一条把阿尼奥河水引入罗马城的输水管道,但在工程竣工前去世。后世作家把他理想化,描绘为古罗马简朴、俭省的典型。

denticle 锯齿 牙形石(牙齿状小化石,见于海相地层,代表一段很长的地质时期)的一部分。虽然锯齿类似齿锥,但通常比独特的齿锥小,形态和构造有较大变化。可以互相密集排列或被大小不同的间隙分隔开,可以形成清楚的界线或互相间部分融合。形态方面,可以是针状、多刺状即锯齿状。在有些牙形石内其完全缺失,牙形石的主要部分仅由一个齿锥组成。其形态、数目、排列往往具鉴别性,并且代表特殊的牙形石类别。有些形态中,出现几乎直的排列。其他的可能弯曲,甚至撕裂成几个分枝。拥有锯齿的较早期牙形石形态,一般由一个承托着锯齿排和主齿的齿棒组成,较晚期的形态中,主齿和锯齿排位于每侧平台的侧面。

dentine 牙本质 又拼 dentin。构成牙主体的微黄色组织,硬度高于牙骨质,低于牙釉质,主要由结晶的磷酸钙及磷酸盐构成。人和其他哺乳动物的牙髓腔及板鳃亚纲鱼类(如鲨鱼、鳐鱼等)楯鳞的中央腔周围有一层成牙质细胞,能生成牙本质,有胞浆突起,伸入牙本质钙化部分的小管之中。痛觉、压痛、温度觉通过成牙质细胞的突起传入牙髓内的神经。继发性牙本质是排列不规则的小管性牙本质,终生不断形成,用以修补因病缺损的牙本质,见于龋洞开始形成的地方、牙釉质磨耗的地方。年龄较高时髓室内继发性牙本质亦堆积。哺乳动物以外的脊椎动物无牙釉质,代之以较牙本质坚硬较釉质软的透明牙本质。少数动物(鲽鱼、鳕鱼)则有血管性牙本质,其中无小管,牙本质直接从毛细血管取得营养,营养效率较高,但质较软,对疾病的抵抗力亦低。构成鲨一类鱼的楯鳞的物质亦称为牙本质。参阅 **cementum; enamel**。

dentistry 牙科学 以牙齿及其周围结构(如颌骨和牙龈)的疾病为研究内容的医学分支学科。包括龋齿的修补和拔除、咬合畸形的矫治、口腔正畸,以及假牙的设计、制作和安装等。口腔疾病的治疗最早见于中、远东的古代文明。最初,拔牙也是理发师的事。14 世纪,在牙科学最发达的法国出现了专业拔牙师。但直到 18 世纪,牙科学的范围还只限于拔牙、止痛。到了 19 世纪,美国首先完善了成套的牙科医疗设备。最早的牙科钻是手动的。牙医一只手旋转钻柄,另一只手按住钻头;后来改用脚动。1870 年发明了电动牙科钻,但过了很长时间,直到电已经普及到家庭后,电动牙科钻才被推广使用。20 世纪 50 年代,高速气动牙科钻问世,转速高达 40 万转/分,并以其极佳的临床效果迅速地把电动牙科钻逐出历史舞台。19 世纪末期,麻醉剂和 X 射线影像诊断技术在牙科学领域中的应用,极大地提高了牙科学疾患的诊断、治疗的水平。

假牙在 18 世纪就已经很流行了,但那时的技术很不成熟。当时是用石膏取印模,这种印模必须被敲碎才能取下,然后再重新拼起来。牙托的材料是木头、象牙或龟板,牙是用象牙或瓷制成。然后再用钢丝固定。带上这样的假牙真和上刑一样,其难受程度可想而知。后来对假牙材料作出很大改进:作印模的材料改用蜂蜡,后来是用塑料;假牙托用橡胶,尔后是塑料制成;现代技术都是利用水的表面张力将假牙托稳定在牙龈上,这就对印模的材料和取模技术有严格的要求。20 世纪后半期,假牙植入技术已得到迅速的发展。现代牙科学的主要成果还有:①大力推广口腔卫生计划,预防龋齿和牙龈疾病;②氟化物防龋技术;③口腔正畸学。1840 年,世界第一座牙科学校成立于巴尔的摩。今天,世界大多数国家的正规口腔医学教育的学制是 5～6 年,然后还必须通过国家笔试和操作考试。口腔医学特别重视实际操作能力,因为成套的牙科设备精细、复杂,手术术野窄小、材料杂多。此外,牙科医学还包括清洗牙垢、去除菌斑、口腔卫生保健咨询、残牙修复和牙列整形等。

Denton 登顿 美国得克萨斯州北部城市,登顿县县城(1857)。位于达拉斯-沃思堡西北约 56 千米处。1857 年始为永久性居民区。1866 年设建制。虽地处工农业地区,但主要为文化、科研和教育中心,有北得克萨斯州立大学(1890)、得克萨斯女子大学(1901)和州立登顿学校,后者专为弱智者所设。该市也是联邦政府第一个地区性处置紧急状况中心,为东北 5 州地区民防、灾难和准备行动的指挥部。登顿县历史博物馆内陈列许多史前古器物。人口 80 537(2000)。

D'Entrecasteaux Channel 当特尔卡斯托海峡 塔斯曼海的小海湾。位于澳大利亚塔斯马尼亚州东南岸和布鲁尼岛之间。向东北延伸约 55 千米,与德文特河河口湾相连。西岸有凹入的埃斯佩兰斯港和休恩河三角湾。为霍巴特港的南部人海口,也是该州扇贝捕捞业(5～7 月间)中心,但捕获量正在下降。

D'Entrecasteaux Islands 当特尔卡斯托群岛 位于太平洋西南部的所罗门海域。从新几内亚东端向沃德·亨特海峡展开。较大的岛屿有**诺曼比岛(Normanby Island)**、**弗格森岛(Fergusson Island)**、**古迪纳夫岛(Goodenough Island)**,较小的岛有萨纳罗阿(韦勒)和多布诸岛,均为火山岛,海拔 1 500～2 400 米,为森林覆盖。可能是被海淹没的山脊的突露部分。总陆地面积 3 142 平方千米。沿海一些地段土壤肥沃,出产椰干。人口约49 167(1990)。

denture 假牙 缺齿的人工替代物,缺齿可为多个,假牙还替代牙齿附近的牙龈组织。全口假牙替代上下颌的全部牙齿。部分假牙常用于替代一两个或几个相邻的牙齿。这种部分矫正器可为活动的或固定的;常利用剩余牙齿作为支持或借以取得稳定。有时用外托牙可以提高稳定性,外托牙是利用剩余牙和牙根作支持物的矫正器。外托牙还有一个好处,就是剩余的牙根可以帮助保持牙槽骨(即固定牙的颌骨);如果使用全口假牙,退化的骨、神经等组织可以借此保持下来。现在还研究出一种分两步走的治疗方法:先在颌骨上手术植入钛制固定装置,然后再装上假牙。对于因骨吸收(颌骨萎缩)而无法配戴假牙的人,此法特别有效。

Denver 丹佛 美国科罗拉多州首府,丹佛县县城(1901)。位于大平原西缘,落基山脉弗朗特岭东侧,当切里河和南普拉特河汇合处。海拔 1 609 米,气候清新干燥。1859 年

丹佛市的州议会大厦
美国不列颠百科全书公司供图

淘金热时被拓居。1860 年与奥勒里合并,次年设建制。7 年后被定为永久性首府。后因连遭火灾、水灾、兵灾破坏,城市发展缓慢。1870 年接通横贯大陆的太平洋联合铁路,不久堪萨斯大西洋铁路又通此。结果经济繁荣,人口剧增(从 1870 年的 4 759 人增至 1890 年的 106 713 人)。农业、畜牧业和商业为主要经济项目。1906 年建成美国造币局丹佛分部,大约生产美国钱币的 75%,也是美国第二大金库。该地区设有菲茨西蒙斯陆军医疗中心(1918)、劳里空军基地(1938)、落基山兵工厂和空军财会中心等。现为密苏里河和太平洋各州之间最大城市和工商业、交通业中心。有美国最大牲畜市场之一。拥有职业棒球、篮球、橄榄球、曲棍球和足球队。作为冬季运动中心,附近多滑雪场。设有丹佛大学(1864)、里吉斯学院(1888)、科罗拉多女子学院(1909)等多所高等教育机构。名胜有州议会大厦(1887～1895)、市活动中心等。市内公园多达 150 个。丹佛山区公园在落基山麓和一大片风景区内。第二次世界大战后随都市的发展,四周出现许多卫星城。市东北角有斯泰普尔顿国际机场。人口:市约 554 636;丹佛主要都会统计区 2 109 282;丹佛-博尔德-格里利联合都会统计区 2 581 506(2000)。

Denver and Rio Grande Western Railroad Company 丹佛-里奥格兰德西方铁路公司 原美国的铁道企业,1870年特许成立,名为丹佛-里奥格兰德铁路公司。最初运营从丹佛至盐湖城的窄轨线。1901 年收购了里奥格兰德西方铁路公司。1934 年凿通落基山脉的 10 千米莫法特隧道,丹佛和盐湖城之间的行车时间缩短了 8 小时。该公司营运科罗拉多州和犹他州的线路,是美国少数几个自营客运的铁路公司之一。货运收入主要来自烟煤、褐煤,其他有食品、木材和机动车辆。铁路线长达 4 800 千米,连通密苏里和犹他州。1988 年被南太平洋铁路公司并购。

Denys, SAINT 参阅 **Denis, Saint 丹尼斯,圣**。

Deo Van Tri 刁文池（约1849，越南西北部～1908-03-01，莱州） 老挝名金雍。东京地区（今越南北部）凶猛而自行其是的泰族土司，曾建立一个半独立的封建王国，与统治越南其余地区的法国人共处。泰族头人刁文笙之子。刁文笙于1869年占领了越南黑水河地区。16岁随父抗击撣人，保卫了越南王国。他因作战勇敢，被越南朝廷封为黑水河地区酋长。在1885年的抗法战争中，他再一次为越南王朝效忠。1888年开始为法国殖民政权服务。曾随同法国人A.巴维到各地探险以及出使中国。1894年参加印度支那与中国划定边界的工作。

Deoband school 德奥班德学院 印度重要的穆斯林宗教学院（马德拉沙）。1867年由穆罕默德·阿比德·侯赛因建立于北方邦萨哈兰普尔市。该校的神学主张一直受到18世纪伊斯兰改革主义者瓦里·阿拉和19世纪初叶印度瓦哈比教派思想的很大影响。该校主要为穆斯林社团培养教长。有来自世界各地的学生约1 500人。

Deoghar 代奥克尔 又拼Deogarh。印度东北部比哈尔邦东北部城镇。重要铁路公路枢纽与农产品贸易中心。以其22个湿婆神庙著称，附近有许多佛教遗迹。设有一所医院、一个结核病诊所、一个麻风病院和帕戈尔布尔大学的几个学院。1869年设市。人口：镇76 322；都会区85 846（1991）。

Deogir（India） 代奥吉里 参阅**Daulatābād 道拉达巴德**。

deontological ethics 义务学 哲学中，特别强调人类行为的义务与道德之关系的理论。因此，义务学的焦点集中于逻辑和伦理学。义务逻辑的目标是制定这样一些一般原理：如"没有什么东西能够既是应尽的又是禁止的"和"由义务所强制的承诺本身就是应尽的"。至于特定的道德义务则尚未得到阐明。在义务伦理学中，一个行为之所以认为道德上是善的，是由于行为本身的某个特征，而不是由于它的效果好。诸如"为义务而义务"、"美德是它本身的酬报"和"哪怕天塌下来，也要履行正义"等说法都是描述这种伦理学的。比照说来，目的论的伦理学认为，道德的基本标准正是一个行为所产生的价值，而义务学的理论则由于它的中心原则在于一个行为要符合某种规则或规律，所以被称为是形式主义的。斯多葛派是古典时代的主要义务学派。他们认为，道德智慧在于"按照自然"生活。在斯多葛派看来，自然是一种理性的世界秩序，如果人能分清自己力所能及的事物和非力所能及的事物，他就能与自然和谐地共处。犹太教和基督教由于强调服从上帝意志的义务，也可视为是信奉一种形式主义的伦理学。近代的主要形式主义者是18世纪德国的批判哲学奠基人I.康德，他的伦理学深受基督教和启蒙运动的唯理论的影响。康德认为，除了善的意志之外，没有什么东西是绝对地善的，而善的意志不仅是愿意按照道德规律行动，也是出于对这规律的尊重，而不是出于自然倾向。他认为道德规律是一种断言命令——即无条件的命令——并相信它的内容可由人类理性独自确定。理性发端于这样的原则："只能依据这样的准则来采取行动，靠这一准则你能同时指望它将成为一条普遍的规律。"然而，康德的批评者也对他的下述观点提出了疑问：一切义务皆可从这条纯形式的原则导出；他们辩解说由于他专心于理性的一致，就忽视了道德义务的具体内容。在20世纪，英国哲学家W.D.罗斯回答了这种反对意见。他认为，许多"自明的义务"，而不是导出它们的单一的形式原则，其本身是不证自明的。罗斯把这些自明的义务（例如信守诺言、赔偿、感恩和正义）同实际的义务区别开来，因为"任何一个可能的行动都有同其正确或错误有关的许多方面"；在"根据这行动的全部本质来形成一个判断"以作为在特定情境中的一个实际义务之前，必须权衡这些方面。

Deor 《迪奥》 42行古英语英雄诗，是有叠句的两首现存古英语诗中的一首（另一首是残存的《乌尔夫和伊瓦舍》）。这是一位吟唱诗人迪奥的哀诉，他在宫廷里的位置被另一吟唱诗人所取代，地产和领主的恩赏被剥夺。迪奥以不规则诗节追述日耳曼传说中5个不同人物遭难的事例。

Deoria 代奥里亚 印度北方邦东部城镇。位于戈勒克布尔东南约50千米处，在通往比哈尔邦的主要铁路线上。农产品贸易中心。有制糖厂。主要农产品为甘蔗、稻米、油籽和豆类。附近的格西亚以佛陀圆寂和焚化地著称，是著名朝圣中心。人口81 943（1991）。

Deosai Mountains 代奥赛山 印度次大陆北部喜马拉雅山系中山脉，位于查谟和克什米尔巴基斯坦控制区中西部。从印度河弯曲处的本吉伸延190千米到苏鲁河。主要山体由前寒武纪沉积岩构成，亦有后期花岗岩。有几个山峰海拔超过5 500米。山区中的代奥赛盆地海拔4 000米，可能为一冰斗。山区崎岖，几无人烟，植物稀少，有土拨鼠等高山动物。山麓有斯卡都等几个村庄。布尔吉山口位于斯卡都西南。

deoxyribonucleic acid 参阅**DNA 脱氧核糖核酸**。

deoxyribose 脱氧核糖 又称D-2-脱氧核糖。**脱氧核糖核酸（DNA）**的五碳糖组分。脱氧核糖与磷酸基交替连接组成脱氧核糖核酸多聚体的"骨架"，并与含氮碱基相连。脱氧核糖核酸和核糖核酸不同之处就在于脱氧核糖取代了核糖。脱氧核糖于1935年合成，但直到1954年才从脱氧核糖核酸中分离来。

Depardieu, Gérard 德帕迪厄（1948-12-27，法国沙托鲁～　　） 法国电影演员，以戏路宽广而著称。移民劳工之子，几乎未受过正规教育，15岁赴巴黎学习表演。在短片《垮了的一代与小猫》（1965）中初登银幕，70年代初期开始在正片中扮演小角色。在影片《华尔兹舞女》（1973）中扮演年轻的暴徒，开始引人注目。随后拍摄了一些巨片，如贝尔托卢奇的《1900年》（1976），特吕福的《最后一班地铁》（1980）、《霹靂》（1980）、《马丁·盖雷的归来》（1981），瓦伊达的《丹东》（1982）、《让·德弗罗莱特》（1986）及其续集《甘泉马侬》（1986）。他主演了影片《卡米耶·克洛代尔》，又译《罗丹和他的情人》（1989），并于1990年因主演《西拉诺·德贝热拉克》一片而获得戛纳国际电影节最佳男演员奖。德帕迪厄扮演的角色非常广泛，包括历史人物（从农民到法国大革命领袖丹东和艺术家罗丹）和当代人物（从作曲家到暴徒）。他以在银幕上塑造男性魁梧雄壮而又温文尔雅并富于感情的形象著名。曾一年拍摄6部影片，80年代后期成为法国最受欢迎的演员，并享有国际声誉。

département 省 法国和某些前法属殖民地地方政府的最大单位。各省1790年设立。每一省均由选举出的地方议会管辖，负责地方事务、法律和预算。省长代表中央政府，又是地方议会的行政首脑。法国大革命以前的法国地方单位是军区，大约相当于旧地区，诸如弗朗什孔泰、普罗旺斯、勃艮第、布列塔尼等。但是到法国大革命的时候，这种区分似乎与古代政体的行政管理不善关系过分密切，经米拉波建议，遂将地区分成省，在平均大小和人口数目上大致相同，各省取名于河流、山脉或其他突出的地理特征。1860年从新吞并的萨伏伊和尼斯划分出来设立3个省。1871年普法战争后失去的3个省下莱茵、上莱茵和摩泽尔于1919年收回。其他省有时由于人口和土地的变化而设立。20世纪末，省的数目几达100个。省中最大的城市一般总作省会用。每个省由省长主持，下设专区，每个专区由区长管辖。专区下又设区，区下面为镇，镇约相等于英国的堂区（即郡下的分区）。

department store 百货公司 经营多种商品的零售企业。所售商品中通常有妇女和女孩的成衣及装饰品、男人和男孩的成衣及装饰品、毛棉布料与家用纺织品、家用小器皿、家具、电器及附件，有时还有食品。商品按类别分放于各个部门，受经理和顾客的监督。此外，还设有推销、广告、服务、会计以及预算管理部门。巴黎的**廉价市场（Bon Marché）**在19世纪初原为小规模商店，现在则常被视为首创的一家百货公司。百货公司的发展与19世纪大规模人口中心的形成、交通运输的发展以及利用电气作动力和照明，都有密切关系。在19世纪期间，许多杂货店都扩大其经营范围，发展成为百货公司。在美国，20世纪20年代有些百货公司在各个城市开设分公司，第一批这类联号中就有彭尼公司和西尔斯-娄巴克公司。

depersonalization 人格解体 心理学概念。人对自己或周围世界的一切都感觉不真实的状态。除非真实感之外，人格解体可能还包括：感到自己的精神已经从自己的肉体中分离出去；感觉自己身体肢端的大小尺寸变得很不协调；感觉自己好像从远处看到了自己，或者感到自己已经变成了一台机器；等等。有相当数量的青春期和成年早期的年轻人在正常的人格统合和个性形成的过程中都会有轻度的人格解体的感觉，这对其社会和心理功能并无损害；甚至健康的成年人在经历了长时间的情绪紧张之后也可能出现这类感觉。但如果因此而造成社会适应或职业上的问题，就应考虑作为一种障碍并进行治疗。人格解体还可能是某些精神障碍的附带症状，如抑郁症、歇斯底里和精神分裂症等。按照S. 弗洛伊德的说法，自我是"现实的代表"，所以人格解体就成为自我功能损害的结果。人格解体常被解释为一种无意识地要逃避无法忍受的或具有威胁性的现实情境的防御性反应。人格解体一词还用来表示在工作场所和社区中丧失了个人所具有的特征而导致的一种社会心理障碍。

Depew, Chauncey Mitchell　迪普 （1834-04-23，美国纽约皮克斯基尔～1928-04-05，纽约市） 美国铁道行业律师和政治家，善于演说。迪普曾任纽约州议会议员、州秘书。1866年拒绝担任美国首任驻日本公使。1885～1898年任纽约中央-哈得孙河铁路总经理，1898年起任整个范德比尔特铁路系统董事长。1888年迪普被提名为共和党总统候选人，但他退出竞选运动，支持B. 哈里森当选。1892年拒绝出任国务卿。1899～1911年任美国参议员。

depletion allowance　耗减优惠　指征收公司所得税时，允许可耗尽的矿藏资源（如石油或天然气）的投资者从其总收入中扣除矿藏的耗减额。支持实行这种优惠的理论认为，必须有某种赋税减让以鼓励在风险大的产业中的投资。耗减优惠虽与折旧（**depreciation**）相似，但有实质性的差异：其一，难以估量某项矿藏业已耗减的百分比有多大；其二，实际矿藏价值往往要远远大于投资总额。寻找矿藏虽有相当大的风险，而一旦找到则获利甚多；即使没有赋税减让，高额投资也是值得的。美国为鼓励石油生产于1918年首次颁行耗减优惠，称为发现耗减。事实证明，发现的价值难以估算，当然计算耗减优惠额也就困难，因而1926年就对石油和天然气资产改行百分比耗减优惠，纳税人可从其销售额中扣除某一固定百分数作为耗减优惠，而不考虑投资额。此外，这一产业中的投资者还可以扣除资本费用，从而获得双重利益。1931年以后，国会将百分比耗减优惠的应用扩大到诸如与金属、硫、煤等有关的许多其他采掘工业。多年来耗减优惠的支持者和反对者争论不休，莫衷一是。1969年石油和天然气的耗减优惠从27.5%减为22%。1975年一些大生产商的耗减优惠已全部取消，仅有某些独立的小公司和厂矿才可享有百分比耗减优惠，但自1984年开始它们这种优惠也要逐渐削减至15%。

deportation　驱逐出境　将被认为对所在国家社会治安有害的外国人递解出国境。驱逐出境常常有更广泛的含义，包括放逐、流放以及将犯人遣送流放地。在罗马法中，驱逐出境本来是指终生流放到外国，常常是一个小岛。驱逐出境起先是对政治犯施行的，但是后来渐渐成了对那些在财产和名声方面受到怀疑的人实行的手段。它也是对通奸、谋杀、放毒、伪造、贪污等其他罪行的一种惩罚。驱逐出境的同时要没收财产，取消公民资格，褫夺公权。将罪犯遣送到国外去的做法始于15世纪的欧洲，当时葡萄牙将囚犯押送到南美洲，那些人成了巴西最早的移民。法国在大革命时期开始实行驱逐出境的做法，尽管因为在拘留犯人的地方法属几内亚的岛上，尤其在臭名昭著的魔鬼岛上，条件很坏，受到了公众的抨击，但这种做法一直延续到1938年。俄国彼得大帝在1710年下诏将政治犯送到西伯利亚，这种方法于是开始，并延续到20世纪。驱逐出境在英国，是从允许被捕者宣誓不回英国来代替受罚的政策演变而来的。他要宣誓离国，并永不回还，这常常是犯人免受极刑的唯一选择。后来这种将定罪的犯人遣送出境以代替死刑的办法，逐渐形成正式制度。被判到北美和澳大利亚服劳役的囚犯受的是非人的待遇，于是产生了公众要求改革刑法的压力。这种做法在19世纪50年代废止。

在当前英美法律中，驱逐出境是一条民法，适用于既非该国出生又未加入该国国籍的人。如果外国人非法进入所在国家，没有护照，或没有签证，他一般要（但不一定要）回到他所来的那个国家去。外国人凡受公众指控，犯有道德败坏等罪行，或者参与颠覆活动者，也可能受到驱逐出境处理；但在家庭分裂不合理而无生活来源的情况下，美国法庭予以宽大。驱逐出境也需要与不准人境、引渡、放逐区分开。不准入境，是官方拒绝外国人进入本国；引渡是指将罪犯送回其畏罪逃离的国家；放逐是指长期不许回国，或许是自愿，或许是根据当局命令。参阅 **exile and banishment; penal colony**。

deposit, certificate of (CD)　存款单　银行确认存款的收据。常用的存款单有活期存款单、定期存款单等数种。活期存款单可见票立即付款，不带利息。它主要是订约承办人出价时作为诚意的证明或履约的保证；它也可被用作获取贷款的抵押品。定期存款单带有利息，应在指定日期或指定日期以后付款。定期存款的利息较活期存折或结单储蓄账户的利息为高。存款人如在定期存款到期之前提取存款，则失去利息。自20世纪60年代初期创办定期存款单以来，它已成为重要的储蓄方式。通常两种存款单都是可转让的，不需凭存款单另开支票。在美国，有些存款单可以转让，并可用以作为贷款的抵押品。对带有利息的存款单，美国政府规定有利息的最高限额。

deposit account　存款账户　参阅 **time deposit** 定期存款。

depot trade　库藏交换　参阅 **silent trade** 无声交易。

depreciation　折旧　会计上对一项资产在其经济寿命期间价值减少所计算的收费。折旧包括由于使用、年龄和自然力影响（即风吹雨打）的损耗，它还包括陈旧——即由于具有同样目的的更新颖、更有效的某种产品问世而丧失用途；但折旧不包括由于火灾、事故或灾害所造成的突然的、不可预料的减失。折旧既适用于机械、建筑物之类的有形财产，又适用于租赁权、版权之类寿命有限的无形财产。但不适用于土地。为方便起见，折旧的帐目常按资产的特点和工作寿命相近似，进行分类保管。对一项可折旧的资产，在其工作寿命期间扣除折旧费的总规则，并不能决定每一年折旧费是多少钱。直线折旧法、固定百分比折旧法，还有用得更少的年金折旧法，都是标准的方法，这几种方法扣除的折旧费分别是固定不变的、逐渐减少的和逐渐增多的。有时候，折旧费根据使用（例如卡车每年行驶的里程）不同而不同。特殊规则可允许不可再生的资本（如一处正在开采的矿砂）的耗减，为了课税，超过其原始成本。迄今折旧都是根据历史成本而不是根据可能的重置成本，是根据武断的规则而不是根据应用来定出确切的赋税责任，并使帐目的审计标准化；不过，在转换物价水平时这些衡量折旧的基数已显得特别不够完善。

depressant　抑制药　降低机体生命器官活动能力的药物。中枢神经系统抑制药包括全身麻醉药、阿片制剂、乙醇和催眠药等。安定药主要作用于脑低级中枢，可缓解精神紧张，但仍保持精神敏锐。

depression　萧条　指经济周期（**business cycle**）中经济活动的严重下降。其特征是工业生产急剧减缩，普遍失业，建筑项目大量减少或停止增长，以及国际贸易与资本流动锐减。个别国家可能发生小的商业紧缩，这与其他国家的经济周期无甚关联。与这类小的商业紧缩不同，严重的萧条几乎都是世界性的，如1929年开始的大萧条（**Great Depression**），它是20世纪最严重和最广泛的经济大衰退。

depression　抑郁症　一种以悲伤、活力和生活乐趣减少为特征的心境或情绪状态。抑郁者常表现出某个或某些下列症状：情绪低落、无望感或悲观厌世；自尊心下降而自我贬低的倾向增强；生活乐趣减少或根本失去了这种乐趣；能量或活力下降；思维迟钝、动作缓慢、食欲不振、失眠或存在其他睡眠问题等。抑郁症有别于失去亲人的悲痛和丢失心爱之物的懊恼。当存在某种令人悲哀的事件时，抑郁的确认是指那些抑郁心境的持续时间过长及严重程度与诱发性事件不相符合的情况。如果病人的抑郁症状和躁狂症状交替出现，此即所谓躁狂抑郁性精神病（**manic-depressive psychosis**）。

抑郁症可能是最常见的精神病，人类对它的认识可追溯到希波克拉底时代，他称此症为忧郁症。此病患者之症状均不相同，病程可短可长、可轻可重、可急可缓。此症多见于女性，男性中发病率随年龄的增长而增高,女性峰值处在 35 ～ 45 岁。抑郁可由多种原因诱发,像幼丧父母或其他儿童期精神创伤以及贫困等极为不幸的生活经历是导致个体在其后的生活中对抑郁的易感性增加的原因。虽然应激性事件具有潜在的影响作用,但是人的心理和生化机能对本病的发生起着重要作用。最主要的生化原因可能是大脑中的一种或几种单胺化合物(主要有去甲肾上腺素和 5 -羟色胺)释放过程的调节障碍。有部分抑郁症患者的病因,被认为就是脑中这两种物质的量减少,或是活性下降。

治疗抑郁症的常用的治疗方法有 3 种。其中以心理治疗和药物治疗最为重要:前者旨在解决作为病因的心理冲突,并给予情绪上的支持;后者指的是抗抑郁药物的应用。此类药物可能是通过直接干预脑的生化过程,恢复生化平衡,以达到治疗的目的。三环抗抑郁药物的作用机制是抑制脑内单胺神经介质的生理灭活过程,这样,它们就可以更多地集中起来,更长时间地和神经细胞受体结合,以实现改善和提高患者情绪的效果。实际上,这些抗抑郁药物就是单胺氧化酶抑制剂,它们理所当然地要干扰单胺氧化酶(参与去甲肾上腺素和 5-羟色胺的降解过程)的活性。第 3 种治疗技术是电休克疗法,让电流快速通过病人大脑,使病人出现惊厥。此法对那些严重的抑郁症患者有效。在临床实践中,常常是 3 种治疗方法的综合应用才能取得良好效果。

Depression, Great 参阅 **Great Depression** 大萧条。

Depretis, Agostino 德普雷蒂斯(1813-01-13,意大利王国梅扎纳科尔蒂～ 1887-07-29,意大利斯特拉代拉) 意大利政治家,民族复兴运动左翼领袖,曾 3 次任意大利首相。1834 年毕业于帕维亚的法律学校。1848 年当选为第一届皮埃蒙特议会议员,从此连选连任直至去世。1859 年任布雷西亚总督,1861 年意大利政治统一后,历任公共工程大臣(1862)、海军大臣(1866)和财政大臣(1867)。1873 年成为左派的名义领袖,1876 年任首相。1881 年再度组阁。1882 年与奥匈帝国和德国结成三国同盟。后在非洲推行殖民政策。1887 年意大利入侵埃塞俄比亚失败后,他的政府立即倒台。同年他再次任首相,数月后死于任上。

depth charge 深水炸弹 水面舰艇或飞机用来突击处于下潜状态的潜艇的武器。第一次世界大战中,英国为对付德国潜艇研制了第一种深水炸弹。深水炸弹就是装满炸药的霰弹筒,投掷在预计潜艇出没地附近。它在水中下沉,通过水压阀控制在预定深度起爆。深水炸弹很少直接命中潜艇,而是用它的爆炸冲击波使潜艇的接合部位松动,仪表损坏,迫使其浮出水面,然后用舰炮将其摧毁。反潜舰艇可在潜艇周围按一定散布图形投掷深水炸弹,以增大毁伤潜艇的概率。第一次世界大战末期,研制了深水炸弹的推进装置,能在空中飞行百米左右,增大了舰艇攻击潜艇的有效半径。第二次世界大战中英国皇家海军的"豪猪"深水炸弹由 24 个小型高爆炸弹组成,投射距离达 228 米。战争期间使用的其他常规深水炸弹重量高达 1 360 千克。现代深水炸弹发射器由计算机控制,可将 180 千克的深水炸弹投射在以军舰为中心 1 800 米的散布面内。核深水炸弹装有核弹头,其杀伤半径极大。也研制出由飞机投射的深水炸弹。

depth finder 测深仪 又称回声测深仪(echo sounder)。测定水深的船用水下仪器。在紧贴水面下发出声波(声脉冲),声波从水底返回(回声),测定声波来回的时间,算出水深。各种重要等级的船只,不论军舰或商船,甚至小船上几乎都使用回声测深仪。依据同样原理,声脉冲也用于探测水下物体。第二次世界大战时声呐(**sonar**)曾广泛地用于搜索潜艇。它的和平用途,除了防止船只搁浅外,还用来测定鱼群位置、测量北极地区的冰层厚度,以及绘制海洋图。回声测深仪可连续工作,每小时记录数千个声测数据,供制作海底剖面图之用。水道测绘学家用回声测深仪制作海洋图及从事测量工作,发现水下暗礁及浅滩。最早的一类实用声测深仪是美国海军于 1919 年研制的,称为海斯声测深仪。约在 1927 年,一种类似的回声测深仪以商品名 Fathometer 制成问世。这些早期仪器所用的基本原理至今并无重大改变。

现代测深仪包括一个能产生强大脉冲电能的发射机和一个换能器,换能器将脉冲电能转换成水中的声波,接收到回声后又转换成电能,经放大后输送到指示器上。其频率范围通常为低于 15 千赫的声频。

Derʿā (Syria) 参阅 **Darʿā** 德拉。

Dera Ghāzi Khān 德拉加济汗 巴基斯坦中部旁遮普省城镇。1867 年设市。1908 ～ 1909 年部分毁于印度河洪水。新市镇建于 1911 年,有公路与木尔坦相通,印度河低水时期有浮桥可通往加济卡德和穆扎法尔格尔。传统工业有地毯和挂毯织造与木制玩具制造,新兴工业有碾米、磨粉、棉纺织以及绳索、纤维制造。有一个医院和旁遮普大学的一个学院。小麦、粟和椰枣为周围地区主要农作物。普遍养牛。人口 188 149(1998)。

Dera Ismāīl Khān 德拉伊斯梅尔汗 巴基斯坦西北边境省、市镇。15 世纪俾路支酋长伊斯梅尔汗所建,因而得名。旧城原在新镇东面 6 千米处,1823 年被印度河水冲毁。新镇于 1867 年设市。德拉伊斯梅尔汗为重要的交通枢纽。经印度河上的一座桥通往东面 19 千米的达里亚汗。有一所医院、两个公园、四个主要商场和白沙瓦大学的几所学院。高马尔大学成立于 1974 年。漆器、玻璃制品、席、象牙制品和腰布(围裙)为主要手工业制品,工业有纺织厂、面粉厂、榨油厂、碾米厂和肥皂厂等。周围地区种植小麦、巴吉拉(粟)、格兰姆豆和卓瓦尔(高粱)。大量饲养骆驼和绵羊。该地区为帕坦族与俾路支族结合地。人口 90 357(1998)。

Derain, André 德兰(1880-06-10,法国沙图～ 1954-09-08,加尔什) 法国画家。反对先锋派的非具象的表现方法,是法国传统现实主义最坚定的支持者。他是野兽派里具有独特风格的画家之一,用色明亮、随意,用

德兰自画像
美国不列颠百科全书公司供图

笔自然、有断有续。其绘画风格接近塞尚作品。晚期作品风格是传统的,多为风景、静物、肖像和裸体画。在装饰画方面相当有才能。作过舞台设计,尤以为俄国芭蕾舞团作的设计而闻名。也画过很多书籍插图。

derasha 讲道 犹太教名词。指解说教义,通常由拉比在会堂进行。犹太男童在受诫礼即成年教礼上通常要讲道,女童也可在受诫礼上讲道。自公元 70 年耶路撒冷被毁以来的许多讲道词见于塔木德的非律法部分,米德拉西大部分内容也是这种讲道词。

Derbent 杰尔宾特 俄罗斯西南部达吉斯坦共和国城市。位于里海与高加索山脉最为靠近的一段狭窄地区。438 年建为西南欧通往西南亚商道上的要塞,曾为阿拉伯人、鞑靼人控制,1813 年被俄罗斯人占领。有许多古迹。现代工业有毛纺、酿酒和罐头食品工业。该市建有一个大型罐头厂。2003 年古城区和许多防御系统被列为世界遗址。人口 100 800(2002)。

Derby 德比 澳大利亚西澳大利亚州北部西金伯利郡一城镇和港口。位于金湾(临印度洋的一小海湾)内一半岛的西岸上,在菲茨罗伊河口附近。该镇是 1883 年为一牧区服务而建立的,以当时任英国殖民地国务大臣的德比勋爵的姓命名。在内地的金伯利黄金热时期(1885)该镇开始繁荣。位于通往珀斯的大北公路线旁,为运输西金伯利郡牛群的主要港口。从菲茨罗伊河谷及利奥波德王岭运来的肉牛都送往德比的各个屠宰场。扬皮湾(在德比以北 130 千米处)内的科克图岛和库兰岛上所产铁矿亦从德比港输出。人口 3 236(1996)。

Derby 德比 英格兰德比地理、历史郡的单一政区和城市。临德文特河,地处奔宁山

脉南端重要道路会合处。单一政区包括德比市及其周边郊区。面积78平方千米。9世纪由丹麦人创建。1750年开始生产瓷器。1773年乔治三世光临该市以后,其瓷器被授予王冠标记的专利。此后该地瓷器有王冠德比之称。1890年维多利亚女王又将其改称为皇家王冠德比。1719年从意大利引进机器纺丝技术。至今纺织厂在该市经济中仍占重要地位。19世纪发展为铁路中心。1888～1974年为郡级市。现有纺织、铁路修造和飞机工业。开设有大型牲畜市场。人口235 800(1998)。

Derby 德比 美国康涅狄格州西南部纽黑文县城市。东距纽黑文数英里,在胡萨托尼克和诺格塔克两河汇合处。1642年始建为商站,1675年设镇,1893年设市。原为造船、运输和渔业中心,19世纪中叶已衰落。现经济以多种制造业为主。人口12 391(2000)。

Derby 德比马赛 英国传统马赛之一。始于1780年,以创办人斯坦利即第12世德比伯爵而得名。比赛限用3岁雌、雄幼马,每年6月的第一个星期三在萨里郡埃普瑟姆唐斯

在埃普瑟姆唐斯举行的德比马赛
美国不列颠百科全书公司供图

举行。跑道长约2 400米。此后许多马赛均称德比。于是德比遂泛指任何类型的马赛。关于1949年以来德比马赛的优胜者,参阅**Sporting Record**:Horse racing。

Derby, EARLS OF 德比伯爵 英格兰封爵贵族,属斯坦利家族。按年代顺序分列于后,并各以●为标记。

● Derby, Henry, earl of 德比伯爵 参阅**Henry**(England)亨利(英格兰)项下的**Henry IV** 亨利四世。

● Derby, Thomas Stanley, 1st earl of 德比伯爵(第一)(约1435～1504-07-29,英格兰兰开夏郡莱瑟姆) 又称斯坦利男爵(第二)。英国玫瑰战争后期的显要人物。出身名门,1454年给亨利六世当侍从,开始参与政治。1461年爱德华四世任命他为柴郡首席法官。10年后兰开斯特家族复辟时,他站在其姻兄沃里克一边。沃里克失势后,他任王室事务总管。他是爱德华四世的遗嘱执行人之一,最初忠于幼主爱德华五世。然而,当理查三世即位时,他表示默认,并继续担当总管的职务。约1482年他与M.博福特(流亡在外的H.都铎的母亲)结婚。1483年H.都铎(未来的亨利七世)叛乱,德比的妻子深深卷入其中。1485年初他要求退隐兰开夏的领地,这引起理查的疑心。同年夏,理查要求他把儿子斯特兰奇勋爵送到宫廷作为人质。H.都铎登陆后,他借故离开理查。8月22日博斯沃思原野战役那天早晨,理查召他,被他拒绝。理查下令处死其子,但后者逃脱。战后亨利七世恢复他的全部职务,封他为伯爵。

● Derby, Edward Stanley, 3rd earl of 德比伯爵(第三)(1508或1509～1572-10-24,英格兰兰开夏郡奥姆斯柯克附近莱瑟姆府邸) 英格兰贵族。第2代德比伯爵之子,1521年继承伯爵爵位。幼时,枢机主教沃尔西曾是他的监护人。成年后即从政。1536年参加镇压所谓的"求恩巡礼"起义。但他仍信仰天主教,反对爱德华六世时代所进行的宗教改革。在伊丽莎白时期,他的两个儿子卷入释放苏格兰女王玛丽的密谋,他也被怀疑不忠。

● Derby, James Stanley, 7th earl of 德比伯爵(第七)(1607-01-31,英格兰兰开夏郡诺斯利～1651-10-15,兰开夏郡博尔顿) 即J.斯坦利,又称斯特兰奇男爵(1642年以前)。英国内战期间著名的保王派将领后被议会派处死。第6代伯爵威廉的长子。1625年进入议会,1628年5月进入上院。1642年内战爆发后,忠于查理一世,主要在兰开夏作战。1643年去马恩岛戡乱。1644年夏随鲁珀特亲王在北方作战,参加马斯顿荒原战役。查理一世在北方彻底失败后,他退守马恩岛,为保王派提供避难的场所。1642年9月其父死后,他继承了伯爵爵位。1650年1月查理二世任命他指挥柴郡和兰开夏的保王派反攻军,1651年8月15日在怀尔沃特登陆,8月25日在威根全军覆没。他勉强逃脱,在伍斯特与查理会合。后在楠特威奇附近被俘,9月29日被军事法庭判处死刑。他请求议会赦免,虽然O.克伦威尔予以支持,但遭拒绝。他试图逃跑,但又被捕获,在博尔顿被处决。

● Derby, Edward (George Geoffrey Smith) Stanley, 14th earl of 德比伯爵(第十四)(1799-03-29,英格兰兰开夏郡诺斯利帕克～1869-10-23,伦敦) 即E.斯坦利。英国政治家,长期担任保守党领袖(1846～1868),3度任首相,最出众的议会辩论家之一,但在政治上声望不高。1820年进入议会。1830年任爱尔兰事务大臣。1831年参加内阁。1834年因爱尔兰教会问题辞职。1841年进入R.皮尔政府,1845年因废除《谷物法》问题辞职。1851年继承伯爵爵位。1852、1858和1866年3次出任首相。任职期间通过的立法有:在议员中废除对犹太人的歧视;将对印度的行政管理由东印度公司移交给国王;1867年的《改革法案》。作为保守党领袖,他没有B.迪斯累里那样精明强干,但迪斯累里评论他说:"他废除了奴隶制,教育了爱尔兰,改革了议会。"他使保守党人接受迪斯累里为他的接班人,为选举胜利做了准备。

Derby ware 德比瓷器 约于1750～1848年在英格兰中部德比制造的瓷雕和餐具。最著名的早期雕像的特点是基底釉料回缩。通称"露骨棱"的形象,造型精美,手法卓越,瓷

约1780年的德比软料瓷雕组像——什一税猪
美国不列颠百科全书公司供图

质柔和而凝重;仿意大利青铜器的一对所谓"佛罗伦萨野猪"是最著名的范例。1756年,W.杜埃斯伯里在德比建立了另一座工厂。该厂自诩为"第二德勒斯登",生产造型优良、颜色浅淡的瓷雕,常仿制切尔西瓷器(往往以假乱真)和迈森瓷器。餐具喜用花卉和五颜六色的昆虫图案作装饰。1770年杜埃斯伯里买下切尔西工厂以后,设计风格开始由洛可可瓷器转向新古典瓷器。在18世纪最后几十年期间,瓷器的彩绘达到精美绝伦的地步,而不上釉(本色)雕塑,其中有一部分以法国塞夫尔的产品为基础,则成为德比瓷器中最精湛和最昂贵的佳品。杜埃斯伯里于1786年去世,1815年工厂出租,约1845年将许多模具卖掉。一般说来,19世纪产品较以前的出品逊色。现代的皇家王冠德比工厂始自1875年。

Derbyshire 德比郡 英格兰东密德兰地区的行政、地理和历史郡,北部为荒原,南部为特伦特低地区,南北景观差别很大。有海皮克区的旅游业以及东部和南部煤田的采煤和轻工业。行政郡包括8个区:安伯谷、博尔索弗、德比郡戴尔斯、东北德比、南德比、切斯特菲尔自治市、伊里瓦希自治市和海皮克自治市。马特洛克为行政中心。地理郡所辖范围包括全部行政郡和德比单一政区。历史郡所辖范围包括整个地理郡及设菲尔德都会自治市部分地区和东斯塔福德郡部分地区。

从地形上看,该郡分为两部分:北部高地地区,最高为海皮克区;德比市周围较小的南部低地地区。该郡西北部的大部分地区位于英国第一个国家公园皮克区国家公园(1951)内。奔宁山脉(高地)的南端止于德比郡北部的德比穹地。这块穹地是石灰岩构成的高地,周围为砂岩。穹地北部是金德斯考特高地和布里克娄高地,表层石南属植物丛生并且覆盖着泥炭。穹地东部露出地表的煤系含

有煤层,有重要的经济价值。该郡南部是起伏不平的原野,结构为泥灰岩和石子层,有的地方表层还覆盖着泥砾。德比市东南有德文特河与特伦特河汇合,德文特河流域几乎全部位于德比郡内。

郡内有许多史前遗迹,包括克雷斯韦尔绝壁重要的旧石器时代遗址和尤尔格雷夫附近阿伯低地的青铜器时代早期遗址,这个遗址有数量很大的一系列几乎扁平的石头。罗马人曾在德比郡修筑军用道路和要塞网。唯一一处显然用于非军事目的的遗址在巴克斯顿,是一个罗马矿泉镇。罗马人还开采当地发现的铅矿。

盎格鲁-撒克逊人来到此地以后,德比郡成为麦西亚王国的一部分。873年,丹麦人占领麦西亚人的宗教中心雷普顿,后在此地区定居并修建德比城。18世纪前,德比郡主要是一个牧区,有一些采矿业和采石业。中世纪时,对皮克地区出产的铅需求量相当大。

17世纪开始相当大规模地开采德比郡东部的铁矿石。18世纪该郡的工业进一步发展。1717年德比一家丝厂建成,这是英国第一座现代化工厂。1771年理查德·阿克赖特在克罗姆福德建起第1座水力纺织厂。18世纪和19世纪初,德比郡的山谷成为重要的纺织厂厂区。在该郡东部,铁矿和煤矿的开采日趋重要。德比也发展成为一个制造中心,1908年罗尔斯-罗伊斯公司(1906年成立)在此建立起第1座工厂。19世纪东部和南部煤田迅速发展,切斯特菲尔、博尔索弗、奥尔弗里顿和伊尔基斯顿等城镇成为该郡的工业中心。

20世纪传统工业衰落。目前采煤集中在几个大型煤矿。德比郡最后一批高炉于1974年停止使用,但该郡仍为各种类型的铸铁件和铸钢件的最大生产地。机械制造工业和化工工业仍占据重要地位。巴克斯顿和威克斯沃思附近的石灰石开采量约占全国开采总量的1/5。在北部旅游业很重要,其乡间景色迷人,此外,德比郡还有许多15世纪以来留下的宏伟房舍。其中最著名的有哈登、哈德威克、查茨沃思、博尔索弗、萨德伯里和萨顿斯卡斯代尔。还有许多在建筑学上有重要意义的小屋,以及风景如画的城镇和乡村。人口970 100(1998)。

Derbyshire Dales　德比郡戴尔斯　英格兰德比行政、历史郡一区,面积795平方千米,风景秀丽,约一半地区在皮克区国家公园内。罗马人曾在威克斯沃思和卡斯尔顿之间的地区开采铅矿,采铅业持续至19世纪。1771年理查德·阿克赖特爵士在克罗姆福德建造第1座水力棉纺厂,因此18世纪中棉纺业甚发达。第1座水力棉纺厂建成不久,其他用湍急河流的水力为动力的纺织厂纷纷兴建起来。以乳品业为主的农业直到目前仍是最重要的行业。该区有许多村庄和小镇,莫尼亚什、威克斯沃思、邦萨尔和泰兹韦尔逐渐发展为开采铅矿的社区,而贝克韦尔和阿什本则发展成农产品商镇。马特洛克是沿德文特河河谷而建的一系列居民点,其中有马特洛克巴斯,是19世纪时的疗养地。该区有很多历史建筑,如在查茨沃思、哈登和萨德伯里的大宅邸。人口70 700(1998)。

derebey　地利贝伊　安纳托利亚的封建领主,他们从18世纪初起实际上已独立于奥斯曼的中央政府。到19世纪,封地消失后,"地利贝伊"指土耳其南部和东部对农民行使"半封建"权利的世袭大地主。地利贝伊对中央政府的财政和军事义务很明确:战时率人到军中服役,苏丹可授与副督或征税官的头衔。然而,在其所属土地上,他们独立行事。俄土战争期间(1768～1774)奥斯曼政府依靠他们的支持,使他们的势力增长。谢里姆三世统治期间(1789～1807)他们不仅控制着安纳托利亚的多数省份,而且在帝国事务中扮演了重要角色。穆罕默德二世(1808～1839在位)推行中央集权化,削弱他们的势力,从伊斯坦布尔派官员去取代他们的行政职能。1866年丘库尔地区残存的地利贝伊也被武力制服。

Derekh Eretz　端正行为　犹太教名词。指犹太人随时必须具有的高雅作风和高贵操行,具体表现为以礼待人和为人谋福。犹太人认为,端正行为一方面是律法所规定,另一方面又是律法的基础。关于这个主题有两部专著:《大端正行为论》和《小端正行为论》,两部都附于《巴比伦塔木德》。

Deren, Maya　黛伦(1917-04-29,乌克兰基辅～1961-10-13,美国纽约州纽约市)　原名Eleanora Derenkowsky。有影响的导演和表演艺术家,常被称为美国先锋派电影摄制之母。她拍摄的影片不仅富有诗意,而且还很具有启发性,对人体和心灵有深刻的理解,显示出电影在探讨这些题材的潜力。1922年随父母移民美国,定居纽约州锡拉丘兹,后在锡拉丘兹大学攻读新闻学(1933～1935)。1936年毕业于纽约大学。1939年在马萨诸塞州北安普敦市史密斯学院获得文学硕士学位。因对现代舞蹈感兴趣,开始在舞蹈编导K.邓翰手下工作。1941年随邓翰及其舞蹈团在洛杉矶作巡回演出时,与捷克电影摄制人A.哈米德相遇。第二年两人结婚。1943年他们共同执导《午后的迷惘》。他们在自己家中拍摄,哈米德任摄影师,黛伦演主角(哈米德出演一个小角色)。该片用创新的摄影技巧和叙事结构描绘出介乎主观感受和客观经历之间的,纠缠牵连在一起的梦一般的一连串事件。作为美国实验派电影最有影响力的作品之一,该影片被认为是美国先锋派电影运动的开山之作。她去世前还拍了5部短片,还有几部未完成。她对舞蹈和宗教仪式十分感兴趣,1947年去海地旅游,研究并拍摄伏都文化。著作《神圣的骑者:海地的活神》(1953)是一部很受重视的人种学专著。除了拍电影,她还就独立电影问题举行讲座、授课和写作。为推广的电影及先锋派电影,她创建了创新电影基金会,为独立电影摄制者提供基金和支持。主要理论著作《论述艺术、形式和电影诸想法的变体》于1946年出版。

Derg, Lough　德格湖　爱尔兰语作Loch Dearg或Deirgeirt。爱尔兰香农河畔的一个湖,位于蒂珀雷里、戈尔韦和克莱尔3郡的交界处。德格湖长39千米,宽1～13千米,面积96平方千米,最深处为36米。湖上有许多岛屿。南端有一条峡谷,是爱尔兰最早的水力发电站所在地。湖的北端有波塔姆纳镇,南端有基拉罗和巴利纳镇。多尼戈尔郡的德格河畔也有一个名字相同的湖。

Deringer, Henry　迪林格(1786-10-26,美国宾夕法尼亚伊斯顿～1868)　美国军械工,迪林格手枪的发明者。其父为制造肯塔基步枪的军械工。迪林格年轻时就在弗吉尼亚州里士满的火器制造厂学徒,1806年移居费城,创办武器工厂,很快同美国政府签订供应各种枪枝的合同。早期生产的雷管式手枪是一种长管枪,设计时有背带。1825年以后专门制造单发手枪,最出名的产品是有保险的袖珍手枪。这种手枪易于掌握,在短距离内相当准确。枪长不到6英寸,口径0.36～0.45英寸不等,而以0.41英寸最普遍。这种型号的手枪后来被许多工厂所仿造,在19世纪40年代及美国内战时期非常流行。直到20世纪后期,仍有制造和出售,通常口径为0.22英寸,有时镀金。

derivative　导数　又称微商,数学中,函数对一个变量的变化率。它的几何意义可以解释为函数图形的斜率,更准确些,是函数图形在其上一点的切线的斜率。它的计算,除了在曲线的情形必须用极限过程外,可以从直线的斜率导出。直线的斜率公式是$(y_1-y_0)/(x_1-x_0)$,如记$h=x_1-x_0$,$f(x)=y$,则成为$[f(x_0+h)-f(x_0)]/h$(图1)。对曲

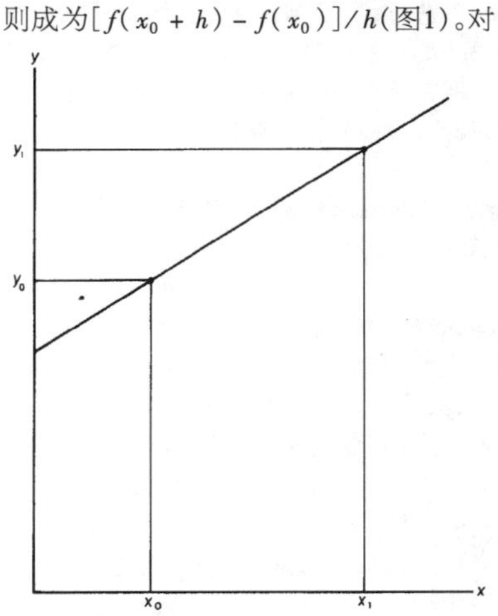

图1

线讲,这个比依赖于点的选取,反映了曲线在不同点有不同的斜率。为了求得在某一定点的斜率,计算上述比值时需要另取一点,这出现了一个困难,因为一般讲,这个比值并不表示在那一个点的斜率,而表示这两点间的一段曲线的平均斜率(图2)。为了克服这个困难,需要一个极限过程,办法是另一个点实际上并不选定,而是作为一个变量,就像上面直线的比值中的h那样。这时求**极限(limit)**就是要求出该比值(称为差商)当h趋向于0时所趋向的数,使得该比值更准确地反映图形在给定点的真正斜率。有时必须在差商$[f(x_0+h)-f(x_0)]/h$中作某些简化,改变它的形式以便能更直接求它当h趋向于0时的

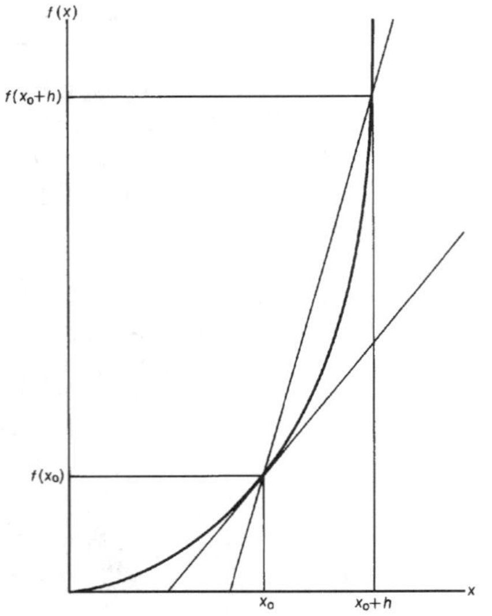

图 2

极限。在求 x^2 当 $x=2$ 的导数时,差商是 $[(2+h)^2-2^2]/h=(4+4h+h^2-4)/h=(4h+h^2)/h$,分子分母仍同时趋向于 0,但如果注意到 h 并不真正是 0 而仅仅是十分接近于 0,就可以消去 h 而得到比值等于 $4+h$;容易看出,当 h 趋向于 0 时它的极限为 4。总之,$f(x)$ 在 x_0 的导数,记为 $f'(x_0)$ 或 $\left(\frac{\mathrm{d}f(x_0)}{\mathrm{d}x}\right)$ 或 $Df(x_0)$,定义为

$$\lim_{h\to 0}\frac{f(x_0+h)-f(x_0)}{h}。$$

只要极限存在,微分法,即导数的计算,很少需要用到基本定义,而是通过 3 或 4 个基本函数的导数公式,并用 4 条基本规则,把函数分解成较简单的函数而完成的。导数不同程度地出现在微积分、微分方程和各种包括瞬时速度、极值、曲线分析及逼近的应用问题中。

dermal leishmaniasis　皮肤利什曼病　参阅 **Oriental sore** *东方疖*。

dermatitis　皮炎　又称湿疹。一种皮肤炎症。症状特点有:暗红色、稍隆肿、起水泡、有渗出、常伴瘙痒。湿疹一词原指有炎症的皮肤的起水泡、渗出状态,现通常用作皮炎的同义词。皮炎可作如下分类:接触性皮炎,病因是皮肤接触了刺激性物质,或是接触了可使患者产生过敏反应的物质;接触强酸、强碱或其他化学物质都可以导至皮炎;此外,有些东西虽然无毒,如化妆品、肥皂、衣物等。其本身也没有刺激性,但如果某人因曾反复与之接触而被致敏,当他再次与之接触时,即可发生皮肤过敏性炎症。在美国等国家,接触性皮炎最常见的原因是毒葛。另外还有许多种植物也可致皮炎。致病化合物有:镍、铬一类的金属,苯胺染料及多种药物。接触性皮炎的预防应着眼于确定特异性的刺激原,然后脱离接触即可。特发性皮炎,病因不明,似有家族倾向,其成员可患枯草热和气喘。本病多累及婴儿、儿童和青年。症状特点:患处皮肤呈暗红色、增厚、干燥并呈鳞片状剥脱、伴瘙痒;面、颈、手、足、肘弯、腘窝等处为好发部位。淤血性皮炎,病因为慢性循环障碍、静脉淤血,尤其是静脉曲张。病变多累及双小腿和双踝。慢性循环障碍可致淤血性水肿,它对皮肤有一种进行性加重的刺激,常引起皮肤溃疡。预防措施:尽早设法改进双下肢的血液循环状态,如穿支撑长筒袜,或去医院做手术,从根本上解决静脉曲张的问题。脂溢性皮炎,顾名思义,本病之病因与病变分布和皮脂腺的分布及分泌旺盛一致,多见于头皮、前额、眉弓、颜面中线、耳后、腋下等部位。病变最大的特点是脱皮屑。最多累及头皮,故 dandruff 一词一般专指头皮屑。大部分有脂溢性皮炎的人都有油性皮肤。在婴儿期,本病通常表现为头皮表面粘有一层黄色脱屑,俗称"摇篮帽"。神经性皮炎,由于皮肤奇痒,患者总是去挠、去抓,最后把这块皮肤抓成炎症。据信,瘙痒是神经性的。

dermatology　皮肤病学　皮肤疾病诊断和治疗的医学专科。于 18 世纪发展成内科学的一门次级专科。因为梅毒常会表现为皮疹,所以皮肤病学早期和性病学结合在一起。现代皮肤病学则于 20 世纪初期梅毒的特效药发现后才出现。由于皮肤病变仅用肉眼即可观察到,所以皮肤病学很早便成医学的独立分支,然而其科学基础要到 19 世纪中期奥地利医师 F.冯·黑布拉以病理组织切片来阐释皮肤病变后才告确立,此后皮肤科医师着重于皮肤病的描述和分类。20 世纪 30 年代,从 S.罗思曼开始强调皮肤病的生物化学和生理学研究,使 20 世纪后半期皮肤病的治疗方法更先进更有效。如今,皮肤科医师已能有效控制皮肤真菌感染,早期诊断和治疗皮肤癌症,控制天疱疮和红斑狼疮等致死性皮肤病,以及减缓牛皮癣的症状。

dermatomyositis　皮肌炎　一种皮肤及随意肌(尤其是肩带肌和盆带肌)的慢性变性性炎症。受累肌肉疼痛、软弱,面、颈发红,上睑及眼周皮肤呈紫红色,受累皮肤、肌肉内常有钙质沉积。若皮肤正常或仅轻度受累,则称为多肌炎。皮肤及肌肉均受累的成年患者中 10%～20% 可见恶性肿瘤(如乳房、胃、卵巢、肾的恶性肿瘤),肿瘤切除后皮肌炎可缓解。其他治疗措施为对症治疗。

dermestid beetle　皮蠹　鞘翅目皮蠹科昆虫,约 700 种,分布广。是重要的室内害虫。通常褐或黑色,有的种色彩鲜艳或有斑纹。虫体为长形或卵圆形,长 1～12 毫米,密被易擦掉的绒毛或鳞片。幼虫是唯一被毛的鞘翅目幼虫,食皮革、毛、角、皮张、羽毛等,为害远大于成虫。火腿皮蠹(*Dermestes lardarius*)的幼虫取食乳酪、干肉(尤其是火腿和咸肉);成虫卵圆形,黑或褐色,有黄色带纹及深色斑,6～7.5 毫米长。在室内羽化后,到窗口附近飞行,以便出外觅食花粉。花皮蠹属(*Anthrenus*)的种类俗称地毯皮蠹,幼虫红褐色或金褐色,长约 5 毫米,严重为害皮革、家具、地毯、毛毯和毛呢服装;成虫卵圆形,一般长 2.2～3.5 毫米,取食花粉,有鲜艳的鳞片,形似瓢虫。小圆花皮蠹(*Anthrenus verbasci*)和标本花皮蠹(*A. musaeorum*)是博物馆的重要害虫,取食剥制的鸟兽标本和昆虫标本。要用防虫的展览柜,或经常用杀虫药进行防

(上)火腿皮蠹(*Dermestes lardarius*);(下)一种皮蠹(*Trox scabrosus*)
美国不列颠百科全书公司供图

制。标本制作者有时也用它们的幼虫来清除附在动物骨头上的软组织。谷斑皮蠹(*Trogoderma granarium*)原产于印度次大陆,现已遍及世界上大部分地区,为害极大,是唯一取食贮粮的皮蠹。

dermis　真皮　又作 corium。皮肤的一层,较厚,位于表皮下面,由结缔组织构成。在脊椎动物的不同类群,真皮的发育程度不同:水生动物的真皮相对较薄而简单,而陆生种类的真皮则越来越厚,越来越复杂。最早的真皮为一种骨质沉积,如皮盔(原始鱼类)、鳞(鱼和某些两栖类)、骨板(鳄、蜥蜴、龟、犰狳)。鱼的鳍条是真皮的衍生物,就像许多类色素细胞一样。与其他脊椎动物相比,哺乳类的真皮比表皮更厚,部分原因是胶原结缔组织丰富。经鞣酸处理后真皮变为皮革。人类的真皮呈脊状向表皮突出,称为乳头(构成乳头层)。神经穿过真皮到乳头,感受冷、热、痛和压。汗腺和油腺、毛囊茎部、甲床、血管、淋巴管位于较深的网状层。

Dermot MacMurrough　德莫特(?～1171-05-01)　爱尔兰语作 Diarmaid MacMurchada。爱尔兰的伦斯特王。他请求英格兰帮助他解决内讧,导致盎格鲁-诺曼人的入侵和英格兰对爱尔兰的征服。1126 年继承父位。其王位受到一些角逐者的反对。为树立自己的权威,1141 年他将伦斯特北部的 17 个反叛首领杀死或刺瞎双目。1153 年诱拐布赖夫尼(今利特里姆郡和卡文郡)王蒂尔南·奥鲁瓦克的妻子,因而与蒂尔南结下深仇。1166 年德莫特被逐出爱尔兰。英格兰国王答应召集南威尔士一些盎格鲁-诺曼封建领主,主要是第 2 代彭布罗克伯爵 C.德克莱尔支援他。1167 年他同这些人返回伦斯特建

立据点。1170年8月彭布罗克抵达,德莫特协助入侵者攻克都柏林,后将女儿伊娃嫁给彭布罗克。他死后,由彭布罗克继续统治伦斯特。

Dermoût, Maria　德茂特(1888-06-15,荷属东印度群岛爪哇北加浪岸[今印度尼西亚]～1962-06-27,荷兰诺德韦克)　荷兰女小说家。以善于描绘荷属东印度群岛的殖民地生活著称。她是荷属东印度公司雇员的后裔,童年在中爪哇一个甘蔗种植场度过。尽管她去荷兰上完中学,但婚后很快就返回东印度群岛。德茂特63岁时才得以出版她的作品。最初的两部小说:《昨天》(1951)、《千头万绪》(1955),都是对自己早年生活带虚构性的描述。尽管她的文笔简练,但这两部小说对岛上的生活,无论在殖民者方面或当地人方面都还是作了丰富多彩的描写。她的其他作品还有短篇小说集《镶着宝石的发梳》(1956)、《海妖们》(1963)和随笔集《蒂法洪的游戏》(1954)。她的作品得到评论界的好评,不仅由于其文笔清晰,还由于对殖民主义及与之并存的原始美景及生机作了细致入微的描绘。

Derna (Libya)　参阅 **Darnah 德尔纳**。

Derpt (Estonia)　**德尔普特**　参阅 **Tartu 塔尔图**。

derrick　井架　在梁端装有滑车,用以升降重物的装置。在石油工业中,井架为木制或钢制塔架或构架,竖立在油井井眼上方,用以支承钻井用的滑车、升降钻井工具并取出和插入钻杆或套管。装在汽车上的类似的较小构架,也称为井架。井架是一种**起重机**(**crane**)。

Derrida, Jacques　德里达(1930-07-15,阿尔及利亚埃尔比亚尔～2004-10-08,法国巴黎)　法国哲学家和有创见的思想家,他对西方哲学的批评包括文学、语言学及精神分析学。德里达就读于巴黎高等师范学校,1965年起在该校讲授哲学史,1960～1964年在巴黎大学执教。1962年出版第1本书——E.胡塞尔所著论几何学中的一节译文和他所写的绪论。5年后他的3本颇具影响的著作问世:《语言与现象》(论胡塞尔)、《写作与差异》及《关于语法学》,这是他称之为"语法学"的这一新写作学的大纲。1972年出版《哲学的界限》(论语言学、文学与哲学的界限),《见解》(一系列访谈,1981年译成英文)和《传播》。德里达不接受柏拉图与卢梭所持语言为写作之要的观点,宣称"除文章本身外皆不足道"。他把通过口头语言的直接性和当面性可以清楚表达意思的想法当作"语言折中主义"而不予考虑,甚至不赞成书面文学追求确切性,而另提出"反结构"战略,以便使那些为人们所怀疑与抵制的抽象假定能够明确。德里达的后期作品包括《画中真理》(1978)和《明信片》(1980),后者的名称源自一张印有柏拉图口授令苏格拉底笔录的明信片。他还写有自传体的《割礼告白》(1991)。

derringer　迪林格手枪　又拼 deringer。19世纪早期美国费城军械工迪林格制造的袖珍手枪。

Derry (Northern Ireland)　**德里**　参阅 **Londonderry 伦敦德里**。

Derung　独龙族　中国少数民族。聚居于云南省贡山独龙族怒族自治县独龙江流域的河谷地带。人口7 426(2000)。语言属汉藏语系藏缅语族景颇语支。无文字,现试行一套文字拼音方案。族称始见于《大元一统志》,

独龙族姑娘
中国大百科全书出版社供图

被称为"撬"。过去以"刀耕火种"农业为主,采集和渔猎占一定比重。手工业有藤、竹编织,以及用简陋的工具纺织麻布。男子娶舅父之女为妻,过去有一夫多妻、妻姐妹婚、非等辈婚、转房等婚姻习俗,现在一夫一妻制已确立。过去男女均散发,少数女子曾有文面习惯。住房分木楞房和竹蔑房两种。人死后行土葬或水葬。唯一节日是"卡雀哇",时在农历腊月,无固定日期,欢庆4～5天不等。过去相信万物有灵,崇拜自然和鬼神。1956年成立了贡山独龙族怒族自治县。

Derung language　独龙语　中国独龙族语言。属汉藏语系藏缅语族景颇语支。分布在中国云南省贡山独龙族怒族自治县,使用人口约1.1万。此外还分布在缅甸境内。有独龙江和怒江两个方言。独龙语语音特点:有27个单辅音声母,其中包括双唇、舌尖中、舌面中、舌根塞音各分清、浊共8个;舌尖前、舌面前塞擦音各分清、浊共4个;唇齿、舌尖前、舌面前、舌面中、舌根部位的擦音共7个;双唇、舌尖中、舌面前、舌面中、舌根鼻音各1个;双唇、卷舌、舌面半元音和边音各1个。有5个腭化辅音和8个圆唇化辅音。有11个复辅音声母,分别由塞音、鼻音、擦音与边音、卷舌半元音结合而成。有7个单元音韵母、9个复元音韵母和99个带辅音韵尾的韵母;带韵尾的主要元音分长、短。有3个声调:高平、高降和低降。词类有名词、代词、数词、量词、动词、形容词、副词、助词、情感词、连词10类,有丰富的黏着和屈折形态变化。例如动词有人称、数(单数、复数、双数)、体(将行体、已行体、完成体)、式(陈述式、祈求式、命令式)、态(自动态、使动态、互动态)等语法范畴。句子主语在谓语前;宾语在主语后,动词之前;名词、代词修饰语在中心词之前,形容词、数量词修饰语在中心词之后。

Deruta ware　代鲁塔陶器　16世纪上半叶在意大利佩鲁贾附近台伯河上的小镇代鲁塔生产的一种著名的锡釉陶器。代鲁塔陶器的特点是具有独特的珍珠母型金属光泽,装

1515年的代鲁塔陶盘
美国不列颠百科全书公司供图

饰也有特色。在上光技艺方面,代鲁塔的陶工们采用了一种金色虹彩,其效果仅次于古比奥陶器。虽然代鲁塔锡釉陶器主要表现文艺复兴时期流行的装饰特点,但至少在下列两方面有所创新:盘碟的造型带有浅浮雕作装饰,下部则着成深色以衬托出更佳的光泽效果;盘碟的宽边用交错的几何形条纹划分成不同的边饰。这些盘碟所描绘的是神话或宗教的主题,其本身有时有些笨重,且瓶罐的图案有时显得平淡而粗糙。然而,在它最成功的时期,代鲁塔锡釉陶器自有其出众的艳丽。

Derviş Mehmed Zilli (Ottoman traveler)　**德尔维斯·穆罕默德·齐利**　参阅 **Evliya Çelebi 艾弗里雅·切莱比**。

dervish　德尔维希　阿拉伯语拉丁字母转写作 darwīsh。即托钵僧,指苏非派教团(伊斯兰教神秘主义者)的成员。这种教团自12世纪起相继成立,其成员必须服从首脑,事奉师长。德尔维希教团主要的功修仪式为"齐克尔",即反复诵读赞颂安拉的祈祷词,以此作为达到入神境界的途径。德尔维希可以集体生活,也可以在俗,他们一般都出身于下层阶级。在中世纪地处伊斯兰世界中央的各国,德尔维希教团在宗教、社会和政治生活中发挥重要作用,但目前他们的寺院常为政府所控制,他们的教义学主张也不受正统派重视。

Derwent, River　德文特河　在英格兰北约克郡。源出菲林代尔斯高沼地,流经峡谷和河谷,汇入乌斯河,全长92千米。

Derwent River　德文特河　在澳大利亚塔斯马尼亚州。源出中央平原圣克莱尔湖,流向东南,注入斯托姆湾。全长182千米。其上游各大支流广泛用于水力发电。中游一带受河水灌溉的冲积阶地上种植蛇麻草。新诺福克周围的农业区则以果园为主。霍巴特市位于该河河口湾。此段河流形成良好的深水

德文特河
美国不列颠百科全书公司供图

港。河上架有塔斯曼桥。

Derwent Water 德文特湖 位于英格兰坎布里亚行政郡湖区国家公园内。属坎伯兰历史郡。长约5千米,宽0.8～2千米,深22米。德文特河自南端注入,从北端泄出。几处湖岸林地(属国家文物托管委员会)常有游人前往。

Derwentside 德文特赛德 英格兰东北部达勒姆行政、历史郡的一个区。面积271平方千米。在泰恩河畔纽卡斯尔市西南约20千米。该区原是奔宁山东北的旧产煤区。采煤业始于17世纪,19～20世纪初,附近港口通铁路后采煤量增大,但至20世纪后期仅有3处煤井维持作业。康塞特是该区最大的城镇和行政中心。该区其他较大的城镇斯坦利镇有纺织和钢材加工业。人口88 200(1998)。

Derzhavin, Gavrila Romanovich 杰尔查文 (1743-07-14,俄罗斯喀山～1816-07-20,诺夫哥罗德兹万卡) 18世纪俄国最伟大和最有独创性的诗人。他最优秀的作品是抒情诗和颂诗。1762年从军,1772年任军官。1777年进入圣彼得堡民政机关。在以后26年中,他先后担任奥洛涅茨和坦波夫省省长、枢密顾问、司法大臣等职务。他的《费丽察颂》(1782)是献给叶卡捷琳娜大帝的,并得到她的欢心,一度成为她的私人秘书。他的开明政治倾向最终于1803年结束了他的前程,他遂于当年退隐到他在兹万卡的领地。他的作品有助于冲破古典诗歌风格的束缚。他的抒情诗和颂诗包括《梅谢尔斯基公爵之死》(1779)、《上帝》(1784)和《瀑布》(1791～1794)。

Des Moines 得梅因 美国艾奥瓦州首府。波克县县城(1845)。位于该州中南部,玉米带的中央,是包括西得梅因、厄班代尔和普莱森特希尔在内的人口最多的都会区的中心。1843年始建得梅因堡。1851年建镇。1857年州首府从艾奥瓦城迁此,建市。1910～1920年随当地煤矿开发而迅速发展起来。得梅因市现为交通中心、保险业、批发、零售、制造业(轮胎、农用工具为主)、政府机构和出版中心。设有德雷克大学(1881)、格兰德维尤学院(1896)和得梅因大学骨科与外科医学院(1898);KRNT剧院(全国最大的剧院之一),

得梅因市的州议会大厦
艾奥瓦州发展委员会供图

艾奥瓦州露天市场和艾奥瓦州农业博物馆等。人口:市198 682;都市区456 022(2000)。

Des Moines Register, The 《得梅因记事报》 艾奥瓦州得梅因出版的晨报,美国最有影响的地方报纸之一。1856年创刊。1902年吞并其竞争对手《得梅因先导报》(1849年创刊),改名为《记事与先导报》。次年老加德纳·考尔斯收买该报,1908年又收买晚报《得梅因论坛报》,两报均由得梅因记事报与论坛报公司出版,各设编辑部。到1927年该市另两家报纸停刊。20世纪后期《论坛报》停办。《得梅因记事报》以其社论、出色的州内新闻报道和漫画而出名。1925年考尔斯聘请G.盖洛普调查读者意见,是为盖洛普民意调查之肇始。

Des Moines River 得梅因河 源出美国明尼苏达州西南部的谢特克湖。东南流,在艾奥瓦州的凯奥库克西南汇入密西西比河。全长845千米,总落差419米,流域面积40 940平方千米。艾奥瓦州哈姆博尔特以上河段也称韦斯特河。主要支流有伊斯特河和拉孔河。从19世纪30年代末至南北战争结束,得梅因河是艾奥瓦州中部的主要商业动脉。后因铁路兴起,水运衰落。1958年筑有雷德罗克、赛勒维尔水坝控制洪水。沿河主要城市有奥塔姆瓦、得梅因、道奇堡、伊斯特维尔,均在艾奥瓦州境内。

Des Périers, Bonaventure 戴佩里埃 (约1500,法国阿尔奈勒迪克?～约1544,里昂) 法国小说家及人文主义者。以思想自由而闻名。1533或1534年,访问当时法国最开朗的、收容许多自由派学者的城市里昂。曾协助R.奥利韦唐及勒菲弗尔·戴塔普尔译述《旧约全书》口语本,并协助E.多雷编写《拉丁文诠解》。1536年被纳瓦拉女王昂古莱姆的玛格丽特封为御侍,成了她的秘书,誊写她的《七日谈》。有些作家认为《七日谈》其实是戴佩里埃所作。玛格丽特宫廷中所许可的自由讨论,助长了思想的放纵,既为加尔文教派亦为天主教人士所不满,这在戴佩里埃猛烈攻击基督教的著作《明第洋琴》(1537)中表现为对宗教的怀疑。该书的4篇对话虽然模仿卢奇安的讽喻体裁,其真意却昭然若揭,因而被索邦神学院禁止刊行(约1538),但同年该书在巴黎重印。他的著作树敌甚多,于是他离开巴黎,在里昂定居。传说他1544年死于自杀,但此说可疑。他的文集于1544年出版,包括诗集《塞内加之后的四枢德论》以及柏拉图《消解篇》的译文。1558年在里昂出版的他的故事及寓言集《趣闻与欢谈》,是他声誉所系之书。用16世纪的刚健、机智而生动的法语平直道来,引人入胜。

Des Plaines 德斯普兰斯 美国伊利诺伊州东北部库克县城市。位于芝加哥西北临德斯普兰斯河。1835年设居民点。1873年设村。1925年合并另一村庄,建制改市。原为住宅区,20世纪50年代在南郊兴建奥黑尔国际机场后,工业发展迅速。设有奥克顿社区学院分校(1980)。人口约58 720(2000)。

Des Plaines River 德斯普兰斯河 源出美国威斯康星州东南部基诺沙县。南流入伊利诺伊州,经芝加哥西北郊至福里斯特维尤,转西南,经洛克波特和乔利埃特,汇入坎卡基河成为伊利诺伊河。全长177千米。1900年修通该河与芝加哥河南支流间的运河,使密歇根湖湖水泻入伊利诺伊河。1933年修通大湖区-密西西比河水道系统,有运河(1967年加宽)连接该河与卡柳梅特港。

Des Prés, Josquin(Renaissance composer) 参阅 **Josquin des Prez** 若斯坎·德普雷。

Desaguadero River(Nicaragua) **德萨瓜德罗河** 参阅 **San Juan River** 圣胡安河。

Desai, Morarji 德赛(1896-02-29,印度古吉拉特邦珀德里～1995-04-10,孟买) 印度总理(1977～1979)。乡村教师之子,曾在孟买大学就学。1918年在孟买邦政府当小官吏。1930年辞职,参加甘地的非暴力不合作运动。在争取独立的斗争期间,他在英国人的监狱中被关了10年。后在孟买邦政府中任部长,

1952 年升任首席部长，以善于使用行政手腕和严厉出名。1956 年他在印度政府中任贸易及工业部长。1963 年辞职。1967 年出任副总理。1969 年辞职，任国大党反对英迪拉·甘地派别的首领。1975 年因政治活动被捕，1977 年获释。出狱后积极从事人民党的活动。同年人民党在议会选举中取得压倒的胜利，德赛出任总理。两年后，由 4 个小党组成的人民党开始解散。他于 1979 年 7 月 15 日宣布辞职。

Desaix de Veygoux, Louis - Charles - Antoine 德塞（1768-08-17，法国里永附近～1800-06-14，马伦戈［意大利］） 又称韦古骑士。法国陆军中的英雄人物。在法国革命战争时期（1792 起）的德意志斯特拉斯堡战役（1793）、美因茨战役（1794）、曼海姆战役（1795）、巴伐利亚战役（1796）中，以及从黑森林撤退时，都表现得十分英勇。1797 年横渡莱茵河时受伤。他前往意大利看望拿破仑，著有《旅行记》（1907）。1798 年率兵前往埃及，通过金字塔战役占领了上埃及。后在海上被俘。1800 年 6 月 11 日才在皮埃蒙特找到拿破仑。旋被派往马伦戈（06-14）参战，在开始反攻时中弹身亡。

desalination 脱盐 又作 desalting。从海水（有时从内陆海的微咸水）、富含矿物质的地下水（例如地热盐水）和城市污水中排除盐分的过程。此法可使无用的水变得适用于人类消费、灌溉、工业用途和各种其他用途。现有脱盐技术需要大量能量，所以制法昂贵。因此，此法一般仅用于不能经济地利用淡水源的地方。海水脱盐是个古老的想法。亚里士多德记述过公元前 4 世纪希腊海员用的蒸发法。8 世纪一位阿拉伯作者写过一篇关于蒸馏法的论文。19 世纪汽船航海的发展，要求给锅炉提供无腐蚀性水；1869 年英国第 1 次授予一种脱盐方法以专利权。同年，英国政府在亚丁建立了第 1 座水蒸馏工厂，以向停泊在红海港口的船舶供水。1930 年在委内瑞拉附近的荷属安的列斯群岛的阿鲁巴岛建立了第 1 座提供商业用水的大型蒸馏装置。蒸馏仍然是使用最广的脱盐方法。可采用多效蒸发器或快速蒸发器。前者由一系列的蒸发器组成，盐水在长而竖立的管中被加热而蒸发。热蒸汽又用来加热进入下一个蒸发器的盐水，在此过程中蒸汽被冷却而凝成淡水。因为多效蒸发器能重复利用余热，它处理进入装置的水所需的燃料，比单个蒸发器要少。在快速蒸发器中，将加热后的海水喷入减压柜。在此低压下，水在较低的温度下蒸发，因此，快速蒸发器需要的热量较少，从而需要的燃料也较少。多级快速蒸馏系统由一系列在逐级降低的压力下工作的闪蒸室组成。这种系统比单级装置更为有效，处理能力更大，因此被很大的蒸馏工厂采用，例如沙特阿拉伯朱拜勒的设备，每天可生产 100 万立方米蒸馏水。在富有盐水和强烈阳光的地区，可采用简单的蒸馏设备。利用阳光的热量使透明罩下方的盐水部分蒸发。在罩的下面，蒸汽冷凝并流入集水槽。此法的主要困难是如何将阳光的能量集中在小面积内。薄膜法一般用于处理稍咸的内陆水，其盐分含量远低于海水。这种方法之一是反渗透法，盐水受压，被迫向薄膜渗透；淡水通过薄膜而浓缩的矿物盐类则被留下。另一种薄膜法是电渗析法。它利用电势驱使溶盐的阴、阳离子通过不同的半渗透性膜过滤器，而淡水被留在两个过滤器之间。当盐水结冰时，冰晶体不含盐分。有些脱盐方法即利用这种现象。但是，实际上还有相当多的盐水留在晶体之间，而冲洗这些盐水所需的淡水量与晶体融化后所得的淡水量不相上下。20 世纪末叶，全世界数千个脱盐工厂每天共生产 800 万立方米以上的淡水。蒸馏法已用于约一半现有的工厂，并供应全世界约 3/4 的脱盐水。其他工厂大都采用薄膜法。由于中东富油国家生活水平的提高，伴随着淡水消费量的剧增，所以 20 世纪 70 和 80 年代全世界的脱盐能力迅速扩大。中东国家约生产全世界总产量的 75%，美国生产 10% 左右，欧洲和非洲各生产全世界总产量的 5% 左右。世界最大的脱盐工厂在阿拉伯半岛。

Desargues, Girard 德扎尔格（1591-03-02，法国里昂～1661-10，法国） 法国数学家，引入射影几何学的主要概念。他是黎塞留枢机主教和法国政府的技术顾问。根据笛卡儿传记的作者 A. 巴耶所述，德扎尔格于 1628 年和笛卡儿相识。他早年情况少为人知，约 1630 年成为巴黎的一个数学家组织的成员，这个组织最著名的成员是 M. 梅森。他在《论透视截面》（1636）中提出了两个三角形透视的定理，但没有受到同代人的重视。他最重要的著作《试论锥面与平面相截的结果的初稿》（1639）对把射影几何学应用到圆锥截面理论上做了大胆的创新，这对他的追随者、优秀数学家 B. 帕斯卡有重要的影响。但他在这部著作中独特地借用植物学名词作数学术语，不用笛卡儿符号，致使该书 200 年间无人问津。1845 年，发现了他的手稿，由于对射影几何学的兴趣正在复苏，他的贡献的重要性才充分被人们所认识。

Desargues's theorem 德扎尔格定理 法国数学家 G. 德扎尔格（1591～1661）在 1636 年发现的一个定理，它启发了法国数学家 J. V. 彭赛列在19世纪早期研究并推动了

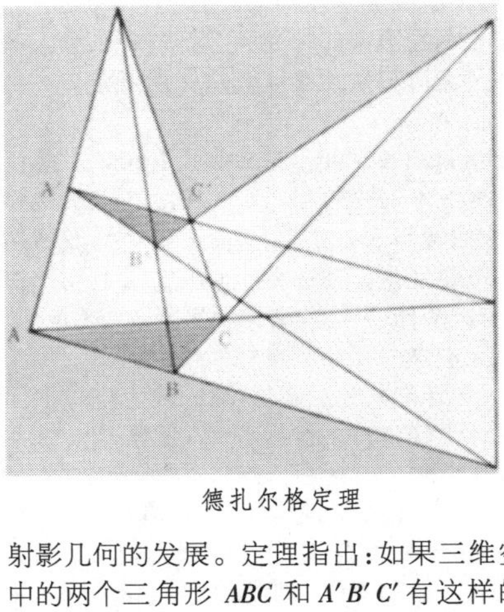

德扎尔格定理

射影几何的发展。定理指出：如果三维空间中的两个三角形 ABC 和 $A'B'C'$ 有这样的位置关系，即从一点可以透视地看到它们（直线 AA'、BB' 和 CC' 同时交于一点），则当它们没有两条对应边平行时，三对对应边的交点在同一直线上（见图）。若有两条对应边平行时，就只有两个而不是三个交点。这时定理必须修改以包含这种结果：这两个交点应当在与这两个三角形的平行边相平行的直线上。为了包括这种特殊情况，彭赛列没有修改这个定理而代之以修改欧几里得空间本身，其办法是引进假设的无穷远点，这是射影几何发展的关键。在这个新的射影空间（添加了无穷远点的欧几里得空间）中，每条直线都补充了一个无穷远点，平行直线有公共的无穷远点。在彭赛列的发现之后，射影空间中的德扎尔格定理可以陈述得比较简单，在这个结构中，其他的定理随之也可以比较简单地只用直线的相交和点的共线性来陈述，而无需涉及距离、角度、全等或相似性等度量概念。

Desbordes-Valmore, Marceline 德博尔德-瓦尔摩尔（1786-06-30，法国杜埃～1859-07-23，巴黎） 法国女诗人，浪漫主义时代的女文人。法国大革命时家庭遭到破坏，被迫迁至法属殖民地瓜德罗普。母亲逝世后，她重返巴黎，靠登台表演为生，同一个名叫瓦尔摩尔的二流演员结为伉俪。当疾病影响到她的嗓子时，她转而从事写作。她深沉、忧郁的诗歌《可怜的花朵》（1839）、《哭泣》（1833）和《花束与祈祷》（1843）均以宗教、忧虑、死亡和作者对女儿及故乡之爱为主题。散文作品《画室》（1833）是自传性的。诗人波德莱尔很看重她的作品，而魏尔兰亦承认曾受到她的教益，在他的《厄运诗人》（1884）一书中给予她一席之位。

Desborough, John 德斯巴勒（1608-11-13，在英格兰剑桥郡埃尔蒂斯利受洗～1680，伦敦） 又拼 Disbrowe。英格兰军人，O. 克伦威尔的妹夫，共和国时期在政治上起过突出作用。内战初期参加克伦威尔的骑兵团，屡立战功。1651 年 9 月参加伍斯特战役，几乎俘获查理二世。他在共和国时期历任要职。1653、1654 和 1656 年为议员。1655 年负责治理英格兰西部 6 郡。他强烈反对克伦威尔登王位。克伦威尔死后，他和 C. 弗利特伍德一起策动和组织军队反对 R. 克伦威尔当政，迫使后者于 1659 年 4 月解散他的议会。王政复辟后，他逃往尼德兰。1666 年被勒令回国，因被控叛国，1666 年 7 月～1667 年 2 月被监禁在伦敦塔。

descant 迪斯坎特 又拼 discant。指在已被人熟知的旋律之上加添创作出的或即兴演奏的对位旋律。它也可指一种高于正常音区的乐器，如"迪斯坎特竖笛"。在中世纪后期的音乐中，迪斯坎特指一种特定的奥加农风格，即在把节奏加以重新安排的素歌旋律上增加一个或更多的对位旋律。

Descartes, René 笛卡儿（1596-03-31，法国图赖讷拉艾～1650-02-11，瑞典斯德哥尔摩） 法国数学家、科学家和哲学家。将哲学思想从传统的经院哲学束缚中解放出来的第

美国不列颠百科全书公司供图

1人。黑格尔等人称其为近代哲学之父。作为彻底的二元论者,笛卡儿明确地将心灵与肉体区分开来。心灵的作用正如其著名命题所表达的:"我思,故我在"。在这方面,他是在纯粹机械论原则的基础上提供全面解释的第1人。笛卡儿生于图赖讷省一穿袍贵族家庭。1637年笛卡儿第1本哲学专著《方法谈》问世。他认为人的心灵基本上是健全的,是获得真理的唯一手段。在《方法谈》中,提出4项方法准则:①在通过自明的事实树立确信以前,对一切公认的观念和意见必须怀疑。传统的道德原则暂时被接受,因为在进行根本变革的过程中,生活还必须继续。②对于必须解决的问题进行如何分析问题的指导。一旦心灵消除各种偏见,它就必须像数学家那样对每一个研究中的难点详加分析,以便找出所研究的问题中确实有关的东西,并尽可能缩减为最简单的材料。③思想应有条理,必须从最简单最容易理解的对象开始,逐渐达到更复杂的知识。④注意概括推理的各个环节,保证无遗漏。这些简单原则不能被视为是机械的公式,而应看做是建立在数学运用基础上的思想训练方法。为了找到自明的论据以建立其科学体系,《方法谈》第4部分概述了其学说的形而上学基础。认为物质世界科学必须以现实世界的绝对确实性为基础,怀疑的方法被普遍运用。但至少在我怀疑时,我必须存在。由于怀疑即是在思想,所以"我思,故我在"。以此为出发点,笛卡儿引伸出一切哲学命题。1644年《哲学原理》出版。此书第1部分正式重述其哲学原理,其余3部分通过物理、化学、生理学全部领域按照单一的机械学原理的体系对一切自然现象进行逻辑性描述。在历史上,这3部分的重要性在于用科学的解释对所有"精神的"或质的观念全盘否定,同时也对神学的或其他为一定目的服务的事业予以否定。他用机械学词汇解释所有物理现象,将这些词与几何学观念相联系,利用假说进行概括,为使用近代方法研究科学理论开辟道路,此其著作的积极方面;另一方面,有些观点经常错误,或过时。《哲学原理》是献给伊丽莎白公主的。笛卡儿在和她的通信中着重谈及灵魂和肉体之间相互作用问题。对此问题,他在实际上和理论上无系统地简要地叙述了对伦理学的一些观点。从生理学讲,他认为相互作用的中心是位于大脑底层中央的松果腺,是最完善的机器,通过条件反射进行活动,但心灵或理性意志力能控制自发的本能和欲望所产生的影响。肉体的卫生是重要的,但同样也需要有精神上的卫生。而精神卫生是以对制约行为的心理和生理因素的真正了解为基础的。同时,它也是以"善良意识"的训练和"智慧"的获得为基础的。而这又有赖于对形而上学真理的了解,其中包括对上帝的了解,亦即对至善的了解。因而笛卡儿得出结论:道德活动以对事物相对价值的真正了解为基础。

descent 宗系遗传 公认的社会家系体制。各个社会都不相同,一个人可以据此宣称和另一个人的亲属关系。如果在承认亲属关系时不加以任何限制,那么人人都会互相是亲属;但是在多数社会里,在承认共同祖先方面都实行一些限制,因而,人就会认为,同他有关系的人并非都是亲属。宗系遗传制度的实践意义在于,根据它,一个人可以依照他与另一个人的关系申明自己的权利、义务、特权或地位,在这里,第1人与第2人之所以存在着关系,或由于第1人是第2人的祖先,或由于两人共认一位祖先。当以亲属关系决定继位、遗产或住宅继承时,宗系遗传制度具有特殊影响。限制亲属关系之认同的方法之一是仅强调双亲中一方的种种关系。这种所谓"单系"亲属制度有两种主要类型:父系(或男系)制度强调父亲方面的种种关系;母系(或女系)制度强调母亲方面的种种关系。根据双重单系宗系遗传制度,一个社会里有父系原则和母系原则同时运作,有两个系列的长期性群体,一个人属于各自系列的群体。在双边(或双系)宗系遗传制度下,某一亲属群体的成员,可以从父系或母亲任何一方的关系声称自己的资格。单系制度与所谓同族制度大不相同,根据同族制度,每一个人对父系及母系亲属负有同样的义务及责任,反过来,也可以从父系及母系亲属指望获得同样的权利和特权。例如,在母系社会里,一个人只知自己对母亲的氏族成员负有义务,而根据同族制,他在某种意义上感到对双亲的氏族成员都具有联姻关系。这种同族制度的实践意义可能在于,或者个人可以据之提出对与自己同属一个宗系的另一个人的权利要求,或者,个人可以通过血统即宗系遗传制度享受某种地位或特权。在结构上并从权利及义务上讲,同族制度是模糊的,趋向于成为工业化程度较高的国家的特性,在这些国家,个人的权利及义务日益为制度及法律所规定。

Deschamps(de Saint-Amand), Émile 德尚(1791-02-20,法国布尔日~1871-04-23,凡尔赛) 法国诗人。在浪漫主义运动的发展中具有重要地位。1818年,他在文坛上初试锋芒,与拉图什合作发表了两部剧本。5年后,同雨果创办浪漫派刊物《法兰西缪斯》。他为《法国与外国研究》(1828)写的前言堪称浪漫主义运动的宣言。他翻译的《罗密欧与朱丽叶》(1839)和《麦克白》(1844)虽从未上演,却亦很重要。他数次为歌剧写脚本,尤以为柏辽兹的《罗密欧与朱丽叶》写的歌词最为有名。散文作品有《生理学故事》(1854)和《荒诞的现实》(1854)。

Deschamps, Eustache 德尚(约1346,法国韦尔蒂~约1406) 笔名莫雷尔。法国诗人和法国第1部诗论《修辞艺术》(1392)的作者。出身中产阶级家庭。在兰斯受教育于诗人纪尧姆·德·马肖,后者对他产生过长时期的影响。他在奥尔良攻读法律之后,就在查理五世与六世时的行政部门与外交部门任职。闲时进行诗歌创作,曾写过闹剧、传统情诗和讽刺诗——最著名的是一首讽刺妇女的诗。据德尚自己描写,他生性乐观,百年战争使他备受苦难,然而,他的最后诗作依然是他生活时代的真实反映,表达了他对人民疾苦的同情和对祖国的热爱。英国诗人G.乔叟曾受其影响。

Deschanel, Paul(-Eugène-Louis) 德夏内尔(1855-02-13,布鲁塞尔~1922-04-28,巴黎) 法国政治家、第三共和国期间的重要议会领袖、第10任总统(1920-02-17~-09-20)。在大

美国不列颠百科全书公司供图

学时攻哲学、法律和文学,成绩优秀。毕业后一度在地方政府中任职。1885年选入众议院,与进步共和党人站在一起,注意社会问题和外交事务。1899年被选为法兰西学院院士,一生都在不断地撰写政治和文学方面的著作,其中有《社会问题》(1898)、《演说家与政治家》(1888)、《论政治哲学》(1899)和《甘必大》(1920)等。曾两次任众议院议长(1898~1902,1912~1920)。1920年当选共和国总统,7个月后因病辞职。

descloizite 羟钒铅锌石 含铅、铜和锌的钒酸盐矿物[$(Zn,Cu)PbVO_4(OH)$],通常呈棕红色到黑褐色的连晶皮壳或圆形的纤维块体。外形变化不一,矿物标本色调呈橙红色到黑色和各种绿色,与相似的矿物羟钒铜铅石形成固溶体系列,在羟钒铜铅石的晶体结构中,铜交代了锌。这类矿物与钒铅矿一起产在铜和铅矿床的氧化带中,如在纳米比亚的奥塔维地区,这类矿物十分丰富;又产于墨西哥的圣路易斯波托西、德国的巴登和美国的新墨西哥州。详细物理性质,参阅 **vanadate mineral**(表)。

descriptive ethics 描述伦理学 参阅**comparative ethics 比较伦理学**。

Dese 德塞 又拼Dessie或Dessye。埃塞俄比亚中部城镇。地处大裂谷西部悬崖。海拔2 300米。商业和交通中心。在几条公路的

交叉点孔博勒查西北25千米处。既是历史悠久的农贸市场(谷物、油籽、皮革、蜂蜜、蜜蜡),又是进口商品的集散地。有手工业和面粉厂。人口117 268(1994)。

Deseado River　德塞阿多河　在阿根廷南部。源出布宜诺斯艾利斯湖。大体向东和东南流,经圣克鲁斯省在科卢埃尔凯克和哈拉米约附近潜入干燥的土壤。在德塞阿多港复出并注入大西洋。全长约610千米。下游用于灌溉。

desensitization　脱敏　又称降低敏感作用。一种治疗方法:对患者连续注射过敏原(如花粉、室尘等),逐渐增大剂量,以消除变态反应。注射的提取物经过提纯,加入碱性缓冲液,常加入肾上腺素以减轻局部炎症反应。治疗枯草热的有效率约为80%,疗程3个月。哮喘的疗程较长。有效率达90%。过敏原明确、种类少的患者疗效较好。脱敏机制为血清中产生阻抑性抗体,与变应原优先结合,防止了抗体与变应原在皮肤上结合。参阅**allergy;anaphylaxis;antibody;antigen**。

Deseret News,The　《犹他新闻》　犹他州盐湖城出版的日报,由摩门教会主办。1850年创刊时为双周刊。部分是由于新闻纸张缺乏,该刊直到1867年才改为日报,是为数不多的受欢迎的英语宗教报纸之一。该报除刊登教会新闻以外也登载一般新闻,多由通讯社提供。

世界荒(沙)漠

荒(沙)漠位置	面积(平方千米)
非洲	
撒哈拉沙漠(北非)	8 600 000
利比亚沙漠(利比亚、埃及和苏丹)	…
卡拉哈里沙漠(西南非)	930 000
纳米布沙漠(西南非)	135 000
北美洲	
大盆地荒漠(美国西南部)	492 000
奇瓦瓦荒漠(墨西哥北部)	450 000
索诺兰荒漠(美国西南部及下加利福尼亚)	310 000
科罗拉多沙漠(美国加利福尼亚和墨西哥北部)	…
尤马荒漠(美国亚利桑纳州和墨西哥索诺拉)	…
莫哈韦荒漠(美国西南部)	65 000
南美洲	
巴塔哥尼亚荒漠(阿根廷南部)	673 000
阿塔卡马荒漠(智利北部)	140 000
亚洲	
阿拉伯沙漠(西南亚)	2 330 000
鲁卜哈利沙漠(阿拉伯半岛南部)	650 000
戈壁(蒙古和中国东北部)	1 300 000
克孜勒库姆沙漠(哈萨克斯坦－乌兹别克斯坦)	300 000
塔克拉玛干沙漠(中国北部)	270 000
卡拉库姆沙漠(土库曼斯坦)	350 000
卡维尔盐漠(伊朗中部)	260 000
叙利亚沙漠(沙特阿拉伯、约旦、叙利亚和伊拉克)	260 000
塔尔沙漠(印度、巴基斯坦)	200 000
卢特荒漠(伊朗东部)	52 000
澳大利亚	
维多利亚大沙漠(西澳大利亚和南澳大利亚)	647 000
大沙沙漠(西澳大利亚北部)	400 000
吉布森沙漠(西澳大利亚)	…
辛普森沙漠(北部地方)	145 000

desert　荒漠　任何植物稀疏、极端干旱的广阔陆地区域。它是地表的几种主要生态体系类型之一,有特有的尤其能适应严酷环境的动植物群落。

常用来划分荒漠区的干燥度是年降水量等于或小于250毫米。大约5%的陆表接受如此有限的降水量。荒漠集中分布于高纬度、极地周围的地区和中低纬度两个不相连的陆地围绕带。高纬度寒冰的荒漠包括南极和格陵兰终年积雪的荒漠以及北美和欧亚大陆季节性冰雪消融的冻土地带的一部分。这些极区年降水量很少,仅127毫米。然而,冻土带中的岩石裸露的类荒漠地带形成原因复杂,部分地而不是全部与干旱有关,因为大部分冻土地带在短暂的寒冷加剧的季节里都有充足的水源供应。干热地区能提供最熟知的荒漠特征的例子,这些地区与寒冷的极地荒漠几乎没有物理的与生物的联系。热带沙漠分布在赤道南北纬度大约15°～30°之间,包括北非的撒哈拉沙漠、印度次大陆的塔尔沙漠、澳大利亚的维多利亚大沙漠以及西南非的卡拉哈里沙漠。这些荒漠的起源与位置主要归因于干燥,这种干燥是由于从副热带无风带的高压带向热带信风带下沉中受挤压而变热的空气具有高湿度容纳力所致。降水量的减少和极快速的大量蒸发是两个主要因素,它们共同作用使这些地区干燥,尤其是大陆西部。中亚的戈壁和塔克拉玛干沙漠深处大陆内部,远离潮湿气流,而阿根廷南部安第斯山脉以东的荒漠则可作为位于潮湿气流通道上的高山创造雨影效应的实例。

各个荒漠的气候条件都是极具特征的,不同荒漠变化很大。热量与中纬度荒漠在季节性温度变化的差异是明显地把热带荒漠与中纬度荒漠分开。后者季节性温度变化与日温变化一样都是最大的。例如,在戈壁沙漠,冬季强烈、严寒的暴风雪普遍,部分地区每年长达6个月的平均温度在冰点以下,但在最热的月份中,平均气温可达41～43℃。大多数干旱气候的一个显著特征是降水量的变化。多年也许没有可测的降水,继之以一次洪水。一般而言,这种降水的变化率是与年平均降水量成反比,总降水量愈少,则这种变化愈大。

荒漠地带可以由岛山、高原或平原组成。众多的荒漠占据着广大的山体环绕的盆地,某些地区称之为封闭洼地。荒漠的地表物质包括裸露的基岩、卵石和大砾石的平原和流沙的广袤地带。风成沙通常认为是荒漠的典型特征,在北美荒漠中它只占大约2%,在撒哈拉沙漠中占10%,在阿拉伯沙漠中占30%。极区以外,荒漠地形主要是风化作用、风成作用和流水作用过程形成的。岩石的碎屑化作用主要是温度的大幅度波动引起岩石热胀冷缩的结果。风携带大量尘土云并推动大量沙沿地表向前运动,这些物质又成为磨蚀工具将岩石刻划、琢磨、打光。细小物质持续地被搬运出去就产生具有残留卵石与巨砾表面的风蚀盆地。猛烈而短暂的不常有降雨

美国加利福亚州死谷的荒漠
美国不列颠百科全书公司供图

引起洪水突然爆发，这些洪水从高处以片流或急流的形式急冲直下穿过久旱的干谷或干河。在因渗入地下和蒸发而耗散之前，快速流动的河流将大量的泥沙和岩石碎片携带短距离即搬运入荒漠盆地。封闭洼地中水的向心流动常形成山前侵蚀平原，上部是被侵蚀的基岩，下部是起伏不平的联结冲积扇坡面。从高地溶蚀而来的矿物盐被带至盆地中心，聚积于生命短促的湖中，这些湖由于没有与海相通的出口，逐渐演变为盐渍地。

不同的荒漠，动植物居群在质和量上都趋于不同，但这些动植物都具有相同的生理与行为特征，即善于获取和保存贫乏的水资源。植物大都低矮、多刺、叶片小或无叶、颜色从淡灰到浅绿，具有庞大而大多数情况下很深的根系。减小的表面、日间气孔关闭、不透水的角质层、似蜡的表面以及聚集了大量水的多汁液器官，对多年生植物而言，这些都是很重要的遗传特性。躲避干旱的一年生短命植物在干旱时期潜伏着，雨后则大量出现。盛行的旱生植物（适于干旱区生存）有龙舌兰、仙人掌、菊科植物和丝兰。典型的荒漠动物群由昆虫（和节肢动物）、爬行动物、鸟类、许多啮齿类动物和少量的大型哺乳动物组成。夜间生活习性是啮齿类动物发展的很好的特征，但大多数荒漠鸟类和爬行动物在日间活动。多数动物仅在可得到水时饮水，但在缺水时，它们依靠食多汁液的植物获取的液体以及被捕食动物的血液与其他组织维持身体水分的需要。许多昆虫和一些啮齿类动物（如大袋鼠和袋鼠）利用新陈代谢的排泄水，骆驼甚至自驼峰内积累的脂肪的氧化作用取得大量水分，动物对水的保护方式各有不同。爬行动物和一些昆虫有不透水的覆盖物，哺乳动物在排泄前通过重吸收而浓缩尿液，爬行动物没有水分损失地以尿酸晶体形式排出含氮废物。夜间生活的习惯避免了需水的紧迫，一些动物像大地松鼠在极端炎热干旱的时候夏眠（进入蛰伏状态）。

Desert Artesian Basin（Australia） **荒漠自流盆地** 参阅 **Canning Basin** 坎宁盆地。

Desert cultures **荒漠文化群** 北美洲古代文化，以内华达、犹他及亚利桑那等州的大盆地为中心，其年代为公元前8000年或前7000年至前2000年。人群以采集野生植物、籽实及捕捉小猎物为主；社会群组大概很小，且居无定所。他们使用筐、网、粗磨石、简单骨器以及有柄或刻槽的打制成的尖状投掷器。参阅 **Cochise culture**。

desert dormouse **荒漠睡鼠** 参阅 **Selevin's mouse** 月鼠。

Desert Fathers **旷野教父** 3世纪起在埃及旷野实行禁欲苦修的早期基督教隐士。他们奠定了基督教隐修制的基础。其中帕科米乌斯修士（约290～346；参阅 **Pachomius, Saint**）建立9座男隐修院和两座女隐修院，被公认为是西方世界集体隐修制的创始人。早期修士发清贫、祈祷和劳动三愿。参阅 **monasticism**。

Desert Fox, The（German field marshal） **沙漠之狐** 参阅 **Rommel, Erwin** 隆美尔。

desert lynx **荒漠猞猁** 参阅 **caracal** 狞猫。

desert palace **旷野宫殿** 倭马亚王朝（公元661～750）的统治者和贵族在叙利亚、约旦、巴勒斯坦等地所建行宫。过去学者认为这些豪华的建筑群是游牧部族统治者和王室

约旦阿木赖宫的伍麦叶王朝时期的旷野宫殿
美国不列颠百科全书公司供图

成员因厌倦城市生活而建的乡间休养地，但根据现在考察，这些住宅都位于有灌溉系统的庄园、兵营和贸易中心，它们似应为堡垒兼作田猎居所。每一处除住宅外，大都还有清真寺、浴室以及供议事或娱乐之用的大厅。现存的宫殿内部多装饰华丽，装饰图案与游牧帐篷中的装饰织物图案相同。

desert pavement **荒漠砾石盖层** 干旱区中细砾、砾石或巨砾的带棱角的交织的碎块构成的地面。形成于平坦或坡度和缓的荒漠坪、扇形地或山麓冲积平原，以及老的更新世湖成阶地和河流阶地。偶然降水的渗透引起地面下粉砂颗粒向侧方和坡下移动，致使砾石集中。而且，地表细粒物质在风的作用下不断移出，加速了砾石集中的过程。荒漠地区砾石的集中有时叫做滞留砾石，指细粒物质移出后剩的残留物。所以，覆盖层是水和风的共同作用造成的。毛细管水的蒸发可能造成碳酸钙、石膏及其他盐类的沉淀，把砾石胶结起来，形成荒漠砾岩。砾石区往往紧实而平滑，以致风蚀不再发生。在撒哈拉荒漠中，这样的地区常是商队穿行的路线。石漠的情况与此类似，风将大部分碎屑物质移走，只留下散布零星巨石的赤裸裸的岩石地表。

Desert Rats **沙漠老鼠** 第二次世界大战时期英军队伍“第七装甲师”的绰号，此师曾在北非参加击败德国军队。“沙漠老鼠”由哈丁将军统率，特别著名的一次战役是与隆美尔（绰号“沙漠之狐”）将军指挥的颇有经验的德国非洲军团3个月的苦战。“图卜鲁格老鼠”一词是德国对外宣传广播员W.乔伊斯，即“哈哈勋爵”使用的一个诨名，更普遍地指保卫利比亚图卜鲁格港口的任何盟军（包括澳大利亚、英国和波兰的部队）。

desert varnish **荒漠岩漆** 又作patina。荒漠地表卵石和岩石上淀积的暗红至黑色的矿物薄膜（一般为氧化铁、氧化锰和二氧化硅）。岩漆物质一般来自周围的岩石和土类物质，随着露水和毛细管水的蒸发，水中溶解的矿物质在表面淀积下来，风磨蚀掉较软的盐类，并把岩漆磨出光泽。岩漆形成的速度因地而异，在干旱区一般约需2 000年，它附着在这样古老的石器和天然物体上。但莫哈韦沙漠岩漆形成的时间还不到50年。其形成既需要高蒸发率，又需要足够的降水。

desertification **沙漠化** 由气候变化、人类影响或两者共同作用所引起的沙漠环境向干旱或半干旱地区延伸或侵入的过程。气候因素包括有短暂但严重干旱的时期和长期趋向干燥的气候变化。人类因素指气候的人为改变，如破坏植被（导致非自然的严重侵蚀）、过度耕作、因灌溉或工业用水而耗尽地面和地下水、露天剥采等，使干旱地区生物环境退化。沙漠化使干旱或半干旱地区维持生命的能力逐渐枯竭。在此过程中，地下水位下降，表土层及水分盐化，地面水减少，侵蚀加剧及天然植被绝灭。遭受沙漠化的地区可能同时显示所有这些现象，不过，其中一种现象就足以证明沙漠化的存在。沙漠化常易发生在那些久经干旱或经受人类过度使用土地的地区并向干旱或半干旱地区扩展。沙漠化也发生在野生生物和植物群体之间的平衡失调的沙漠区内。例如，美国西南部的索诺兰沙漠和奇瓦瓦沙漠，在近100年已经明显地变得更荒芜以至于野生生物和植物群体已经逐渐减少。1968～1973年，非洲萨赫勒地区的严重干旱加剧了沙漠化，加速了撒哈拉沙漠的南移，引起了公众的关注。1977年，联合国在肯尼亚内罗毕召开的关于沙漠化会议，专门讨论了沙漠化在世界各地的影响。

Desgarcins, Magdeleine-Marie **德加桑**（1769，法国蒙多凡～1797-10-27，巴黎） 原名路易丝·德加桑。法国最伟大的悲剧女演员之一。在法兰西喜剧院首次登台，演出拉辛的《巴雅泽》（1788），这使她立即成为剧院的正式演员。1791年，法国大革命的斗争引起剧院分裂，她和经常同台演出的F.塔尔玛另建新剧院，先后成功地演出《李尔王》、《奥瑟罗》和拉阿尔普的《梅拉妮与维吉妮》等剧。

Deshoulières, Antoinette du Ligier de la Garde **德祖利埃**（1638-01-01，巴黎～1694-02-17，巴黎） 法国女诗人。1672年起直至逝世，她主持的沙龙是当时文坛名士荟萃之所。她也是攻击拉辛的诗剧《菲德拉》小集团的主要成员。1672年开始在《风流信使》杂志发表诗歌。她的作品，尤其是田园诗和牧歌，在18世纪曾经传诵一时。早期作品歌颂大自然的纯朴与欢乐，并记述法兰西王朝的种种轶事。后期诗作描写自己年老，癌症缠身，贫穷潦倒的痛苦心情。她还写了一部歌剧《琐罗亚斯德》（1680）和两部悲剧：《茹尔-安托万》和《真塞里克》（1680）。

Desiderio da Settignano **狄赛德里奥**（约1430，佛罗伦萨共和国塞廷纳诺[意大利]～1464-01，佛罗伦萨） 佛罗伦萨雕刻家，其大理石浅浮雕以微妙的处理和高超的技巧在

狄赛德里奥的《少妇胸像》(约 1460 ~ 1464)
美国不列颠百科全书公司供图

15 世纪独步一时。1453 年加入佛罗伦萨木石雕刻师同业公会。曾受雕刻家多那太罗浮雕的影响。其巧妙、敏锐和高度独创的风格，最突出地表现在优美动人的妇女和儿童半身像上。这些抒情性作品表达了愉快、兴奋、忧郁、凄凉等各种心绪和感情。其构思和高度精炼的大理石雕刻技巧确立了他作为浅浮雕大师的地位。最著名的作品有圣母子、圣约翰和圣婴耶稣等习作。1453 年后设计和刻制了佛罗伦萨圣十字教堂中的 C. 玛索平尼纪念碑，建筑细部丰美，肖像雕刻备受赞扬，在佛罗伦萨纪念碑史上有特别重要的地位。1451 年后，为帕齐小教堂刻了顶部饰带。1461 年完成圣洛伦佐的大理石祭坛神龛，是 15 世纪的装饰杰作。

Desiderius（pope） **德西德里乌斯** 参阅 **Victor III, Blessed** 维克托三世(蒙福者)。

designer drug **化合致幻药** 又译设计师药。管制麻醉物质的合成形式。制造化合致幻药是为了生产执法机构没有明确列入违禁品的药物，分子结构与相关的管制物质略微不同。由于是在秘密的实验室制造，作业人员通常是外行人，这类毒品十分危险。最著名的是 MDMA(学名 3,4 亚甲二氧基甲基苯丙胺)，是脱氧麻黄碱的变种，市面上俗称“摇头丸”。为了对抗疾病而设计来与特定的蛋白质或酶作用的非麻醉的合成化合物，也称化合致幻药。

Desio **代西奥** 意大利北部伦巴第区米兰省城镇。在欧洲中世纪时代，该教区有 40 多座教堂。庇护十一世诞生于此(1857)。有丝织、食品罐头、冶金等工业。人口：城市区约 34 276(1990)。

Desiosi, Compagnia dei **希望剧团** 意大利 16 世纪晚期和 17 世纪早期上演即兴喜剧的表演团体之一。这个时期被看作是即兴喜剧的黄金时代。希望剧团的团长迪亚娜是位著名的女演员和诗人。据文献记载，希望剧团的活动可追溯到 1581 年，包括去曼图亚、克雷莫纳、维罗纳、米兰、博洛尼亚、热那亚和罗马的巡回演出。

Désirade, La **拉代西拉德** 加勒比海小安的列斯群岛中的岛屿。位于向风群岛中部。为法国瓜德罗普海外省的一个属岛。在格朗德特尔岛东 10 千米处。为一珊瑚岛，略成椭圆形，面积 70 平方千米。1958 年以前作为收容麻风病人的孤岛达 200 多年。居民主要以捕鱼和在船上做工为生。耕地少。人口 1 610(1990)。

desk **书桌** 供写字或公共阅读用的桌、架或箱，上面为倾斜式或平式，常常装有抽屉、分隔间或文件格。最早的书桌很可能是为教堂用而设计的。早期英国书桌既重且大，是从教堂里牧师的读经台演变而来的。印刷术发展后，桌子的体积变小，成为一种可以移动的、有倾斜式盖面的箱子，称为写字箱，有的设有抽屉和存放书信的格子。多数写字台和以后的写字柜(下面有抽屉，上面有小橱)的盖面在前边或后边装有合叶；前边装有合叶的盖面由可从框架内抽出的滑板或由固定于盖面内的铰接支柱支撑在水平位置上，或者两者兼有。16 世纪后期，这种写字箱大都装在架子上，18 世纪，书桌式样繁多，一种小型的可移动的“女式书桌”在英国广为流行。在法国，人们习惯于写便条，这已成为一种社会癖好，书桌种类多样。在这一时期，许多书桌装有精巧的机械装置；这一时期流行的是圆柱桌面书桌和桌面可以卷缩的书桌。圆柱桌面书桌有一个 1/4 圆弧状的活动硬板遮盖书桌内部，将这桌面滑入书桌体内的同时，便可抽出一个可以写字的平面。第一个桌面可以卷缩的书桌是为路易十五设计的。18 世纪初期，英国盛行一种可容纳膝部的书桌。桌面由两摞小柜或抽屉支撑，其间隔可容纳坐在书桌前的人的双腿。同类大型书桌称做图书馆桌或两人合用桌，可供两人面对面使用。从维多利亚时代初期起盛行的学校用书桌是从可移动的书桌和读经台演变而来的。现代书桌反映符合时代潮流的式样。有的书桌只有书写用的桌面，或许还有一个抽屉存放书写用具；有的书桌装有几个抽屉、可放打字机或计算机键盘的设施以及其他反映现代工作和家庭需要的配件。参阅 **bureau; secretary**。

Deskey, Donald **德斯基**(1894-11-23，美国明尼苏达布卢厄斯～1989-04-29，美国佛罗里达韦罗滩) 美国工业艺术设计师，在其倡导下，建立起工业艺术专业。他先后就学于伯克利加利福尼亚大学、旧金山马克·霍普金斯艺术学校(现称旧金山艺术学校)、芝加哥艺术学院，1920 ～1922 年到巴黎学习。曾任宾夕法尼亚州亨廷顿的朱尼亚塔学院艺术系主任，后任纽约大学工业艺术设计系主任。任职期间所作作品得到国际艺术与设计界的承认。德斯基最初的职业是设计广告，后设计家具和室内装饰。他将工业材料创造性地运用于装饰的做法受到赞誉，并引起洛克菲勒中心的注意，该中心于 1932 年和他签订创纪录的巨款合同，装潢无线电广播城音乐厅内部及设计家具。这项任务的结果极为出色，使德斯基在他 1926 年已经创办起来的咨询公司的基础上建立了唐纳德·德斯基联合股份有限公司。除了为大企业设计包装和产品外，德斯基的公司还为纽约和西雅图的世界博览会中一些美国展馆作设计，为纽约市若干俱乐部、饭店和旅馆以及若干政府办公大楼的内部装饰作设计。他发明了一种称为“韦尔德特克斯”的高压金属薄板。

desktop publishing **台式出版系统** 又称桌面出版系统。利用个人计算机完成出版任务，以替代需要十分复杂的设备和更多人力的出版方法。它可由一个人全部完成文献资料的文本、数据、图像、表格和其他形象资料的编排，并用激光印刷机或更先进的排印机来印刷。台式出版系统较之传统出版设施的主要优点是成本低且容易操作。典型的台式出版系统包括个人计算机、视频监控器、高清晰度印刷机和各种输入装置，如键盘、鼠标或数字型扫描器。有些系统还与先进的存储器、通信装置和其他外部设备结合成一整体。台式出版系统的操作还需选用某一种应用软件组合。文本和图形资料通常用若干软件程序形成或处理，然后使用者结合页面排版程序，即可进行拼版合成。功能较强的台式出版软件系统的程序，可提供具有各种特色的文字处理和制图功能。

Deslandres, Henri-Alexandre **德朗达尔**(1853-07-24，巴黎～1948-01-15，巴黎) 法国物理学家和天体物理学家。1894 年发明太阳摄谱仪。这是一种拍摄太阳单色像的设备(美国的 G.E. 海尔在一年以前，也独立地发明了这样一种仪器)。他于 1874 年在综合工科学校毕业之后，曾参军 7 年。随后到综合工科学校实验室和巴黎大学任职。德朗达尔在 1886 ～ 1891 年间研究分子辐射中的光谱并提出一些有关分子谱带的定律。1889 年进入巴黎天文台，致力研究天体物理学，先是研究分子光谱，继而研究行星、太阳和其他恒星的光谱。在转到默东天文台后，他继续从事这方面的研究。1908 年任默东天文台台长。在他的主持下，巴黎和默东两天文台于 1926 年合并。他继续担任台长到 1929 年退休。1902 年，他当选为法国科学院院士，1920 年任该院院长。1913 年当选为英国皇家天文学会会员，1921 年为英国皇家学会会员。后又当选为美国全国科学院院士。1913 年获皇家天文学会金质奖章。

desman **麝鼹** 鼹科两种半水栖兽类的统称。是俄罗斯中部和南部水流缓慢的河流中的俄罗斯小麝鼹(*Desmana moschata*)和欧洲比利牛斯山脉湍急溪流中的比利牛斯鼩鼹

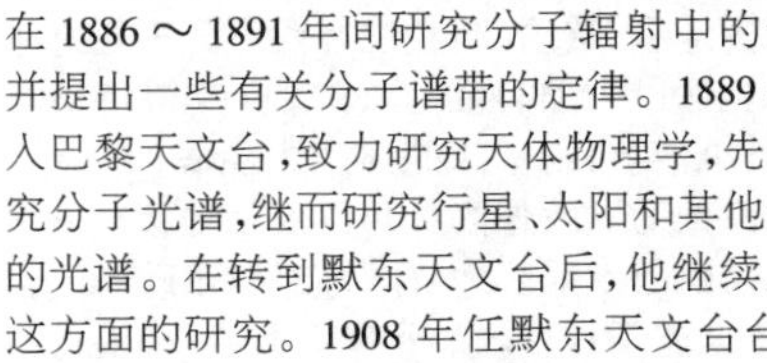

俄罗斯小麝鼹(*Desmana moschata*)
美国不列颠百科全书公司供图

(*Galemys pyrenaicus*)。均吻长似喇叭，后足有蹼，尾部略平，被毛浓密，褐色。俄罗斯麝鼹体长42厘米(包括尾21厘米)，比利牛斯鼬鼹稍小。

Desmarest, Nicolas 德马雷(1725-09-16，法国苏莱讷～1815-09-28，巴黎) 法国地质学家，发现玄武岩起源于火山，这一发现摧毁了水成学派关于一切岩石都由原始海洋中沉积作用形成的理论。从1757年起，膺法国政府命，在全国推广先进的机械制造方法，并从其他国家引进新的工艺流程。1788年被提升为机械制造总监和署长。1792年在法国大革命期间被捕入狱，险被处死，但后来，又应召到政府任职。1763年最先冒险进入法国中部的奥弗涅山区，并发现了大规模的玄武岩堆积，他把这些堆积看作是来自附近古火山的熔岩流进行了追索。此后花11年功夫，测绘了地图，并撰写论文，提出他的发现。他的研究揭示出许多河谷是流经它们的河流侵蚀形成的。表明玄武岩是火成起源的许多地图和论文，对改革许多地质理论起了作用。去世前，将5卷本《自然地理学词典》的前4卷编好，连同他身后经过校订的第5卷，都收在1781～1832年陆续出齐的《分类百科全书》内。

Desmarets, Nicolas, MARQUIS DE MAILLEBOIS **德马雷**(1648-09-10，巴黎～1721-05-04，巴黎) 即马耶布瓦侯爵。法国路易十四时代最后7年的财政大臣。财政大臣J.-B.柯尔贝尔之侄。他在财政部门平步青云。但在柯尔贝尔去世(1683)后，他因与伪造案有牵连而遭放逐。1686年返回巴黎，提出一系列值得重视的提议，揭露了法国危急的经济形势。在法国同奥地利、英国、荷兰进行西班牙王位继承战争(1701～1714)后，财政危机变得特别严重。1703年路易十四的财政大臣M.沙米亚尔任命他为财政督察员。1708年他接替沙米亚尔为财政大臣。他立即推迟偿还政府的借款，降低若干种贷款的利率。此外，他发行皇家彩票，使硬币贬值，建立10%的收入税(1710)。虽然他的巧妙财政措施使法国度过了战争，但是国家债台高筑，难以处理。1715年他建议国家宣布破产。同年9月路易十四去世，由路易十五即位，摄政奥尔良公爵菲利浦二世将他革职。

Desmarets de Saint-Sorlin, Jean 德马雷(圣索兰的)(1595，巴黎～1676-10-28，巴黎) 法国散文作家、诗人、剧作家、基督教论战者、政治家。法兰西学院首任院长。他触发了后世称之为"古今之争"的长期文学论战。他主张现代法国文学的真正楷模应是罗曼语传说故事和《圣经》，而不是古希腊、罗马作家的作品。在发表了若干文学作品之后，他写了一部通俗传奇小说《阿丽雅纳》(1632)，终于得以进入巴黎文学界。他巴结枢机主教黎塞留，在黎塞留庇荫下历任政府要职，并写出几部悲剧和悲喜剧，其中最优秀者为《幻觉者》(1637)。他狂热宣扬基督教，抨击詹森派。他反对古典派，因为他深信文学应该反映基督教教义。他在好几部著作中反映了这种观点，其中《法国语言和诗歌与希腊、拉丁语言和诗歌之比较》(1670)和《捍卫法国诗歌及语言》(1675)触发了"古今之争"。

desmid 鼓藻 绿藻门(Chlorophyta)双星藻目(Zygnematales)一类美丽的单细胞微小绿色藻类(有时呈丝状或群体)。形状差异很大。典型者细胞对称地分为两半，成为在中央联结的两个"半细胞"。有3层细胞壁，壁上充满孔道及果胶质的针状体；胶状物质流过微孔引起不规则运动。有性世代通常行接合生殖(暂时联合以交换核物质)。当不形成接合管时，两个原生质体在包绕细胞的胶质鞘内联合。细胞分裂通常在接触点上进行，两个"半细胞"经分裂而形成两个完整的鼓藻。孢子罕见。鼓藻广泛分布世界，通常见于酸沼和湖泊中。由于大多数种都限制在一定的分布范围，因而专一鼓藻的存在有助于决定水样的特性。镰刀形的新月藻属(*Closterium*)是常见的鼓藻之一，常含有石膏晶体。

Desmond 德斯蒙德 古爱尔兰语作Desmuma，"南芒斯特"之意。爱尔兰古代的一个地区，大致为今凯里郡和科克郡的领域。11～17世纪，德斯蒙德往往指两个差别很大的地区。盖尔人的德斯蒙德包括今梅恩河以南的凯里郡和今科克郡科克市以西和以北的地方。盎格鲁-诺曼人的德斯蒙德则包括梅恩河以北的凯里郡、今利默里克郡大部、蒂珀雷里郡西南部、科克郡东部和南部，以及沃特福德郡东部。1329年M.菲茨杰拉德被封为德斯蒙德伯爵。1601年该伯爵领地转封给英格兰的菲尔丁家族。1675年起由该家族与登比家族共同领有。

Desmond, Gerald Fitzgerald, 14th (or 15th) earl of 德斯蒙德伯爵(第十四或第十五)(约1538～1583-11-11，爱尔兰凯里格莱纳金蒂) 即G.菲茨杰拉德。爱尔兰天主教贵族，伊丽莎白时代爱尔兰反对英格兰统治的3大叛乱之一的领导人。德斯蒙德伯爵(第十三)詹姆斯·菲茨约翰之子。1558年继承父亲在芒斯特(爱尔兰西南部)的封号和领地。不久，与奥蒙德伯爵(第十)发生领土纠纷。双方于1560年将此事诉诸伊丽莎白，德斯蒙德因态度傲慢，曾短时被女王囚禁。1564年返爱尔兰，与奥蒙德伯爵交战，次年初在阿费恩战役中受伤被俘。后女王作出有利于奥蒙德的裁决，德斯蒙德不从，于1567年被捕，软禁在都柏林和伦敦达6年之久。其间他的堂兄弟菲茨莫里斯发动反英叛乱，但在1573年2月达成妥协。不久德斯蒙德获释。1579年菲茨莫里斯在罗马教皇和西班牙国王的支持下，率领由意大利人和西班牙人组成的军队入侵爱尔兰。菲茨莫里斯阵亡后，由德斯蒙德来统率这支教皇军。德斯蒙德号召爱尔兰贵族参加保卫天主教信仰，进行反对英格兰新教徒的斗争。英格兰残酷地进行了镇压，他在一次小型战斗中毙命。因在他之前的爵位继承有争议，所以他也许是第14代，也许是第15代德斯蒙德伯爵。

Desmoulins, (Lucie-Simplice-) Camille (-Benoist) 德穆兰(1760-03-02，法国吉斯～1794-04-05，巴黎) 温和民主派、法国大革命时期最有影响的新闻记者之一。1785年当律师，因口吃不能顺利工作。但在1789年大革命爆发后，他却突然成为一个娓娓动听的演说家。同年7月12日，他号召巴黎民众拿起武器。嗣后巴黎群众起义以攻陷巴士底狱(7月14日)而达到高潮。不久他出版小册子《自由法国》。同年9月发表著名的《街灯对巴黎人的演说》，支持革命的国民议会进行的资产阶级民主改革，阐明共和思想。两个月后创办《法兰西与布拉班特革命报》，抨击妨碍民主运动的政策。1791年6月路易十六企图逃出巴黎未遂，之后德穆兰强化了废黜国王建立共和国的运动。但议会于7月22日

美国不列颠百科全书公司供图

下令逮捕他，他藏匿起来直到9月大赦。在雅各宾俱乐部和科德利埃俱乐部中，他同G.丹东有密切的关系。在参加人民起义(1792-08-10)推翻君主制后，丹东出任司法部长，他任司法部秘书长。9月被选入国民公会。他和山岳派一道激烈地反对温和的吉伦特派。1793年5月发表《布里索派始末记》，说布里索派是外国敌人的走狗，从而严重地削弱了吉伦特派的影响。6月2日，吉伦特派被逐出国民公会，山岳派控制了革命领导权。然而，到同年12月他与丹东成为雅各宾阵营内温和派的首领，其主要敌人为左翼的埃贝尔分子。他在1793年创办的《老科德利埃报》中抨击埃贝尔派鼓吹的"非基督教化"。拥有全权的救国委员会的主要发言人罗伯斯比尔支持德穆兰的反埃贝尔运动。但是不久，德穆兰在报纸上又猛烈攻击救国委员会控制经济和实行恐怖政策。1794年3月29日夜，罗伯斯比尔同意逮捕德穆兰和丹东等人。二人被指控参与"外国的阴谋"而于4月5日被送上断头台。

Desnos, Robert 代斯诺斯(1900-07-04，巴黎～1945-06-08，捷克特雷赞) 法国诗人。曾与A.勃勒东一起参加早期的超现实主义运动。由于他有进入催眠状态叙述自己的梦想、写作和绘画的本领，不久便成为超现实主义运动中最有才干的成员之一。他在这段时间写的作品发表在超现实派杂志《文学》上，以后编入《自由或爱情!》(1927)一书中。幽默、温情及性爱充满了他的作品，变幻多端的写作技巧从未影响作者内心的艺术灵感。在《肉体与财产》(1930)中，梦想与现实融和成一幅幅自由组合的图画。同年，他摆脱了勃勒东那种空谈理论和僵硬的超现实主义，随

后10年从事电影和广播剧本的写作，包括非常成功的《方托玛的悲歌》(1933)。后又放弃超现实主义诗体那种荒诞离奇的试验，改而采用更传统、更古典的形式，以表达他那被第二次世界大战激发起的人道主义同情心。在20世纪40年代，他同P. 艾吕雅和L. 阿拉贡一样，成为讴歌人类希望的诗人。在这段时间，他的作品有《财产》(1942)、《清醒状态》(1943)和《地区》(1944)。他由于参加了抵抗运动而被逮捕和流放，后死于伤寒。1953年，出版了他的文集，包括早期超现实诗歌及其后期的作品《共管区》。

Desnoyers, Auguste-Gaspard-Louis, Baron 德努瓦耶男爵(1779-12-19，巴黎～1857-02-16，巴黎) 即布歇-德努瓦耶。法国版画家。曾学铜版画和油画。赴意大利后，1800年入塔尔迪厄画室，成为当时最著名的铜版画家。1805年因复制拉斐尔的作品成名，曾受拿破仑一世委托，为其复制身穿加冕礼服的全身像。1825年任查理十世的宫廷版画师。所制印版有75幅。

Despard, Edward Marcus 德斯帕德(1751，爱尔兰莱伊什郡～1803-02-21，伦敦) 英国陆军军官，殖民地行政官员，曾组织反对英国政府的密谋活动。1766年参军，升至上校。1781年被派往中美洲，任罗阿坦岛总督。不久又任英属莫斯基托海岸和洪都拉斯湾总督。1784年任英属尤卡坦行政官。由于支持新移民对早期移民的土地要求，引起不满，1790年被召回国。1798～1800年曾被监禁。后来他开始组织阴谋活动，企图发动兵变，在伦敦起事，暗杀英王乔治三世，并攻占伦敦塔和英格兰银行。由于泄露消息，他于1802年11月16日被捕，经审讯后与几名同谋者以叛国罪在纽因顿监狱中处决。

Despenser, Hugh Le and Hugh Le 德斯彭瑟父子(父1262～1326-10-27，英格兰格洛斯特布里斯托尔；子？～1326-11-24，赫里福德赫里福德) 英格兰国王爱德华二世声名狼藉的宠臣，均被反对爱德华的伊莎贝拉王后和R. 莫蒂默处死。1295年老德斯彭瑟作为贵族进入议会。他曾为爱德华一世在法国和苏格兰作战，数次被派为使节，包括两次出使罗马教廷。1312年成为国王的首席顾问。1315年受反对派首领兰开斯特伯爵托马斯排挤，离开宫廷和枢密院。此后即为其子谋利。小德斯彭瑟当国王尚为威尔士亲王时即在宫中任职，1318年给国王当侍从。1321年父子两人都在议会中遭到权贵们的攻击，因为他们侵吞大量财富，儿子又目空一切，贪得无厌。国王不得不同意将他们放逐。老德斯彭瑟前往国外，儿子则在英吉利海峡的五港地区进行海盗活动。1322年3月巴勒布里奇战役后反对派垮台，德斯彭瑟父子重掌权力。老德斯彭瑟封温切斯特伯爵。小德斯彭瑟极力扩大侍从室的势力，一些领地的税收，国王的私人收入统归其管，但他贪婪成性引起人们的不满。他于1306年与格洛斯特伯爵的女继承人埃莉诺结婚，在格拉摩根和威尔士得到一些领地。当伊莎贝拉王后和莫蒂默发动叛乱时，他们父子随同国王西逃。老德斯彭瑟防守布里斯托尔，但于10月26日献城投降，次日即被处以绞刑。小德斯彭瑟也与国王一同被俘，一个月后被绞死。

Despiau, Charles 德斯皮奥(1874-11-04，法国蒙德马桑～1946-10-30，巴黎) 法国雕刻家，发展了一种类似A. 马约尔的敏锐的古典风格。他为雕刻作品所画的裸体习作也得到很高评价。当过罗丹的助手，但后来抵制了罗丹的浪漫主义，主张恢复古代古典雕刻

德斯皮奥的《波莱特》(1910)
美国不列颠百科全书公司供图

的严肃纯朴。主要用石膏塑造，有时也用石头。只完成一件大型作品，是为故乡作的战争纪念碑(1920～1922)。其胸像作品尤以性格刻画敏锐而著称，也作等身人像，多为裸体。其铜雕有《半人半兽的牧神》(1924)、《夏娃》(1925)和《多明尼克》(1926)等。赤陶作品有《阿西阿》(1938)。

Desportes, Alexandre-François 德波尔特(1661，法国尚皮尼厄勒～1743-04-20，巴黎)

德波尔特自画像《猎人肖像》(1699)
美国不列颠百科全书公司供图

法国画家，擅长画动物、狩猎场面和图案纹章，18世纪最先直接以大自然为对象作风景画的美术家之一。常为其他美术家作小幅装饰画。肖像画相当成功。1695～1696年间受波兰国王约翰三世索别斯基邀请，为波兰王室画过不少肖像。回国后，受到路易十四的赏识。开始画狩猎景象，并画犬、花卉及水果等静物画。1699年被选入法国皇家学院。曾为皇室别墅作装饰画。1712年到伦敦，备受欢迎。德波尔特6个月后返回法国，继续为摄政当局服务，并接受了许多路易十五的委托，其中最大的项目是壁毯画《印度》(1687～1730)组画。

Desportes, Philippe 德波尔特(1546，法国沙特尔～1606-10-05，邦波隐修院) 法国宫廷诗人。他轻快流畅的诗作为法国17世纪新情趣的产生铺平了道路。他的十四行诗成为伊丽莎白时代后期诗人的范例。他的风格以意大利诗人，主要是彼特拉克、L. 阿里奥斯托和P. 本博等的风格为依据。1567年前后，他成为安茹公爵亨利所宠爱的诗人。1573年当亨利被选为波兰国王时，德波尔特陪伴他到克拉科夫。次年，查理九世逝世，他又伴随亨利回到法国。他的《初作集》(1573)使他成为龙萨的竞争者。1583年，他写的《最后的爱情》(1583)发表，这标志他与世俗诗歌的告别。他所译的《赞美诗》(1591，1598，1603)受到马莱伯的批评，却得到他的外甥、诗人雷尼耶的有力辩护。他的清澈和谐的风格受到英国诗人E. 斯宾塞、M. 德雷顿、S. 丹尼尔等的赞赏和接受。

Desprez, Jean-Louis 德普雷(约1743，里昂～1804-03-29，斯德哥尔摩) 法国画家、舞台美术家和建筑师，法国从古典主义转向新古典主义的一个重要人物。早年作品《神殿葬仪》在美术学院获优胜奖，他所描绘的墓地和仪式场景带有迷人的诗意，并在舞台布景中运用获得成功。1776年设计的一幢别墅获建筑学大奖。其风格属于浪漫的古典主义。1788年建成乌普萨拉的植物园，以"古风"的多利斯柱式支撑低矮的门廊而著称。

Desrosiers, Léo-Paul 德罗西耶(1896-04-11，加拿大魁北克贝捷～1967-04-20，蒙特利尔) 加拿大法语作家，以写历史小说著称。还兼做记者、编辑和图书管理员等工作。描写魁北克乡村生活的短篇小说集《灵魂与风景》曾获1922年智力竞赛奖。第1部长篇小说《从北到南》(1931)描写19世纪40年代淘金热高潮时，主人公为了躲避乡间的粗俗而逃往加利福尼亚。小说《大搬运的参加者》(1938)描写1800年前后两家毛皮公司间激烈残酷的竞争，获达维德奖。他在三部曲《你走过》、《忧愁和痛苦》、《山顶上的抢掠》(1958～1960)里，从哲学角度研究了现代中产阶级社会。

Dessalines, Jean-Jacques 德萨利讷(约1758，西非～1806-10-17，海地雅克梅勒) 海地皇帝，1804年宣布海地独立。他早年在法属西印度殖民地圣多明各(海地)当奴隶。1791年参加奴隶起义。由于屡建战功，他成

为黑人领袖图森-路维杜尔的亲密助手，图森自立为圣多明各总督，名义上效忠革命的法国。1802年图森被法国远征军推翻。1803年拿破仑宣布恢复1794年废除的奴隶制。德萨利讷等人发动起义，他们在英国的支持下将法国人赶走。1804年1月1日，德萨利讷以总督名义宣布国家独立，依照阿拉瓦克语，定国名为"海地"。同年9月，他自立为皇帝，称雅克一世。德萨利讷继续奉行图森的许多政策，包括在种植园使用强制劳工，以防止回复到自然经济。他仇恨白人，没收白人的土地，不准他们拥有财产，发起消灭白人的运动。这些屠杀以及他的财产法有效地防止白人重新统治占国家人口80%以上的黑人。他还歧视杰出的穆拉托人。他在镇压穆拉托人领袖A.S. 佩蒂翁领导的叛乱时被打死。随后佩蒂翁和黑人领袖H. 克里斯托夫分割了海地。

Dessau　德绍　德国中东部萨克森-安哈尔特州城市。在哈雷市东北，穆尔德河与易北河汇合处。1213年首见记载。1603～1918年一直为安哈尔特王朝伯爵、贵族和公爵的驻地。1945年前一直是安哈尔特州的首府。18世纪在莫西考区建安哈尔特家族的城堡，内有一洛可可时代的博物馆，并收藏很多绘画。第二次世界大战中，许多古建筑物遭到破坏。1996年市内鲍豪斯建筑被联合国教科文组织列入世界遗产名录。市政厅、国家大剧院和圣约翰大教堂（1690～1702）已经修复。哲学家M. 门德尔松1729年出生于本市。第二次世界大战前是大飞机工厂所在地，现在工业有生产挖泥机机器的造船厂，还有国营军火企业，汽车、机械、工具、化工等工厂。为铁路枢纽，在柏林—贝尔齐希—莱比锡线上。有一个内陆港和飞机场。人口约78 380（2003）。

Dessau, Paul　德绍（1894-12-19，汉堡～1979-06-28，东柏林）　德国作曲家和指挥家。以与B. 布莱希特合作的歌剧及其他声乐曲最为著名。他本人亦热衷于布莱希特的社会主义哲学思想。指挥生涯中包括在科隆（1919～1923）和柏林（1925～1933）的职务。1942年在美国开始与布莱希特的长期合作。其中《大胆妈妈和她的孩子们》（1946）最受欢迎。1948年后，在东德继续合作，他最成功的歌剧《卢库勒斯的审判》（1949，布莱希特撰写台本）即作于这一时期。其他作品还有悼念斯大林的康塔塔（1953）和歌剧《爱因斯坦》（1971～1973）。

dessert　尾食　西餐的最后一道菜。在美国指烤馅饼、糕点、冰淇淋、布丁和新鲜的或煮熟的水果。在英国，餐后食用果仁、水果和波尔图葡萄酒或其他甜葡萄酒。在法国则食用水果、奶酪和葡萄酒。在西班牙、葡萄牙和拉丁美洲国家食用方形敞露大果馅饼以及用鸡蛋、牛奶、水果做成的各种甜食。在中欧和北欧的食谱中是精制的糕点和果馅饼。在印度是加玫瑰香精、蜂蜜、果仁的甜布丁和硬饼。很多食谱不用甜食，而用水果、茶或咖啡。在日本和中国，精制的糖果蜜饯主要用作零食，而不在进餐时食用。18、19世纪，尾食在欧洲宫廷宴会中盛极一时。吃尾食需要喝甜葡萄酒，著名的有波尔图甜葡萄酒、雪利酒、马德拉白葡萄酒、匈牙利托考伊红葡萄酒、法国骚多恩白葡萄酒等。在就餐结束时喝甜露酒（或露酒）和白兰地可以帮助消化。

Dessie（Ethiopia）　参阅 **Dese 德塞**。

Dessoir, Ludwig　德索瓦（1810-12-15，普鲁士波森［今波兰波兹南］～1874-12-30，德国柏林）　德国演员，以扮演莎士比亚剧中人物出名。早年曾在多家剧院舞台习艺，1839年加入卡尔斯鲁厄宫廷剧院。1849～1872年应柏林宫廷剧院特邀，在德国各地作客座演出。1855年他去伦敦演出，评论家们认为他扮演的奥瑟罗胜于基恩和麦克里迪对该角色的塑造。他扮演的奥瑟罗外表文静，感情强烈，同当时把这个摩尔人演得出奇暴戾的习惯做法形成鲜明对比。

Destinn, Emmy　德斯丁（1878-02-26，奥匈帝国布拉格［今在捷克共和国］～1930-01-28，捷克布杰约维采）　原名埃马·基特尔。捷克女高音歌唱家 。以嗓音富丽宏亮著称，并具有极高悟性与戏剧才华。原姓基特尔，后因曾从M. 洛伊-德斯丁学唱而改姓老师的姓氏。1898年在柏林首次登台演出，扮演《乡村骑士》中的桑图扎。施特劳斯选她在歌剧《莎乐美》中任主角，1906年在柏林和巴黎首演。1904年在伦敦科文特加登剧院饰演《唐·乔凡尼》中的安娜。1908年在纽约市大都会歌剧院首演，饰威尔地歌剧中的阿伊达，十分成功。她还扮演过普契尼《西部女郎》中的明尼，莫扎特《魔笛》中的帕米娜，梅耶贝尔《胡格诺派教徒》中的瓦伦蒂娜和瓦格纳《名歌手》中的爱娃。

Destiny, Stone of　命运石　参阅 **Scone, Stone of 斯昆石**。

Destouches, André Cardinal　德图什（1672-04-06受洗，法国巴黎～1749-02-07，巴黎）　原名André Cardinal。法国歌剧作曲家，给当时的各类作品带来了一种全新的格调。安德烈·卡迪纳尔是巴黎富商、德·图什和德·吉耶维耶庄园主艾蒂安·卡迪纳尔之子，但他直到1694年才开始采用源自其父身份的"德图什"这一名称为姓，后即以这一姓氏而知名。曾受耶稣会教育，不足15岁时随一位神父去暹逻（即泰国）旅行，1688年返回法国，4年后作为一名火枪手参与围攻那慕尔。据说他是在军营生活中发现自己的音乐天才的；1694年脱离军役，寻求音乐生涯。1713年在皇家音乐学院（即巴黎歌剧院）被委任为总监。1728年成为该院的指挥，但两年后放弃职位。德图什的第一部歌剧《伊塞》于1697年上演。作品尚有歌剧9部、饮酒歌多首、康塔塔2首和经文歌若干。

Destouches, Philippe Néricault　德图什（1680-04-09，法国图尔～1754-07-04，福特瓦索）　法国戏剧家。其剧作给法国古典喜剧传统带来了英国王政复辟时期戏剧的影响。在图尔和巴黎进行正规学习之后进入外交界，先被派往瑞士，1717年被派往伦敦。在那里他结识了英国作家，并开始喜爱英国风俗习惯和英国王政复辟时期的戏剧。返回巴黎后，其喜剧《结了婚的哲学家》（1727）获得成功，但同时代人认为其剧作道德说教味道太浓。代表作《目空一切的伯爵》（1732）反映了以剧中主人翁为代表的贵族和新兴资产阶级之间的冲突。

Destour　宪政党　突尼斯政党。主要活动于20世纪20～30年代。它唤醒民族意识，反对法国的保护国权力。前身为青年突尼斯党，1912年转入地下。1920年6月4日再次出现，改称宪政党。开始主张完全独立。在保守派反对下，又同意暂时为保护国。1933年5月被官方取缔。1934年3月发生分裂，一些青年党员组成新宪政党（后改名民主宪政联盟）。1957年解体。

Destourian Socialist Party（Tunisia）　社会主义宪政党　参阅 **Democratic Constitutional Rally 民主宪政联盟**。

destroyer　驱逐舰　19世纪后期以来执行多种任务的快速军舰。驱逐舰一词源于19世纪90年代制造的用于保护战列舰免遭鱼雷艇袭击的250吨级船。这些当时称为"消

美国基德级驱逐舰"卡拉汉"号
美国不列颠百科全书公司供图

灭鱼雷艇的船"随后就变成了超级鱼雷艇。因此，到第一次世界大战，它们通常被部署在舰队前方，搜寻敌舰队，用炮火击退敌驱逐舰，接着发射鱼雷突击敌战列舰和巡洋舰。由于潜艇成为发射鱼雷的主要船只，驱逐舰装备了声呐和深水炸弹，保护商船队和主力舰队免遭潜艇袭击。第二次世界大战中，驱逐舰又装备了雷达和高射炮，其护航任务扩展到包括防空在内。战后，在向导弹时代转变的过程中，驱逐舰继续执行防空和反潜双重任务。现代驱逐舰的装备包括舰空导弹、反潜鱼雷、反舰导弹以及一二门约4～5英

寸口径的主炮。许多驱逐舰载有反潜直升机。现代驱逐舰的排水量为4 000～7 000吨不等，速度大于30节，舰员约300名。

Destutt de Tracy, Antoine-Louis-Claude, Count(comte) **德斯蒂·德·特拉西**(1754-07-20，法国波旁～1836-03-09，巴黎) 哲学家、军人、主要的观念学家(他是哲学上观念学派创始人)。1789年被选入三级会议之前，是邦提耶夫团的团长。1792年年初升为旅长，不久即辞职。以后，他开始参加青年哲学家集会。这种集会在爱尔维修夫人(哲学家克劳德·爱尔维修之遗孀)的著名的沙龙中举行。法国革命恐怖统治时期被囚禁约一年。他是法国国立研究院副院士，又是法兰西学院院士(1808)。拿破仑一世统治时期为参议员，王政复辟后，成为贵族。1796年第一次提出"观念"一词作为他自己所倡"观念学"的名字。在J.洛克著作影响下，他在《观念学原理》(4卷，1801～1815)中提出其基本思想。和É.B.德·孔狄亚克(1715～1780)的感觉论一样，观念学强调人的感觉在知识形成中的重要性。但他进一步改进孔狄亚克的观点，强调感觉的生理性质。认为人的思想不过是经过精心加工的感觉，是神经系统的一种活动。自觉行动的4个主要方面——知觉、记忆、判断和意志——都运用感觉各种不同的配合。由于在检验知识方面过分依靠人的感官，观念学不仅威胁了宗教学说，而且威胁了世俗的权威。从1803年起，拿破仑就镇压这一运动。除一篇未完成的论文《论意志及其作用》(1805)外，其他著作还有《普通语法》(1803)、《逻辑学》(1805)。《孟德斯鸠〈论法的精神〉注释》写于1808年，同他有通信联系的T.杰弗逊曾翻译并修订过此书(1811)。

DESY **德国电子同步加速器实验室** Deutsches Elektronen-Synchrotron (英文German Electron-Synchrotron)的别名。德国最大的粒子物理学研究中心，位于汉堡。DESY由德国联邦政府和汉堡市联合投资兴建；此外，参加实验的外国科学家也捐赠设备。该实验室创立于1959年，当时开始建造一台电子同步加速器，1964年建成，并最终可以产生74亿电子伏(7.4吉电子伏)的能量级。10年后建成双环存储装置(DORIS)，该装置能使电子束和正电子束(每束3.5吉电子伏)对撞；1978年，每束能量提高到5吉电子伏。DORIS现已不再用作对撞机，但其电子束为多种材料的实验提供同步加速器型辐射(主要在X射线和紫外波段)。正电子-电子串联式环形加速器(PETRA)是一个每束能量可达19吉电子伏的较大的对撞机，于1978年开始运作。使用PETRA的一些实验在次年首次给出胶子(在夸克间传送强力的粒子)存在的直接证据。1992年建成的实验室的最新装置为强子-电子环形加速器(HERA)，它是第一个能使电子和质子对撞的机器。HERA由位于周长为6.3千米的单筒道中的两个环构成；一个环加速电子至30吉电子伏，另一个环加速质子至820吉电子伏。它正在用来继续研究夸克。

detached retina **视网膜脱离** 一种眼科病，视网膜的大多数层与脉络膜脱离，但最外层(色素上皮层)仍与脉络膜相粘连。视网膜脱离一般只发生于中年以上的人(**晶状体后纤维组织增生**[**retrolental fibroplasia**]的患者除外)；通常无直接的发病原因，但可以是物理性外伤的结果。发病时无痛苦，但患眼出现进行性的视力模糊。为使视网膜恢复到正常位置，应将其后方的积液引流，并在眼球壁上施加热力、激光束或低温冷冻，以引起炎症，并产生使视网膜复位的黏附作用。

Detaille, (Jean-Baptiste-) Édouard **德太耶** (1848-10-05，巴黎～1912-12-23，巴黎) 法国画家，以善于描绘战争场面和军事生活著名。其作品成为人们研究19世纪晚期军事历史的重要资料。曾师事梅索尼埃，吸收其一丝不苟、精确写实的技法。1883年和A.德·纳维尔合作创作了两卷有丰富插图的著作《法兰西军队》。他的以普法战争为题材的画作(如《保卫香巴尼》，1879)曾使他名噪一时。最有代表性的作品是描绘拿破仑一世及其军队的作品。也画过一些肖像画和非军事题材画。

detection **检波** 在电子学中，对无线电波进行整流，并从中还原出它所携带的任何信息的过程。检波实质上是**调制**(**modulation**)的逆过程。

detective story **侦探小说** 通俗文学体裁，描写刑事案件(通常为凶杀案)的调查和破案过程。侦探小说的传统要素为：①似乎毫无破绽的刑事案件；②旁证所指的遭误控的嫌疑犯；③愚笨警察的拙劣工作；④侦探更敏锐的观察力和更强的思维能力；⑤令人惊奇和意想不到的结局，侦探告诉人们他如何查明谁是罪犯。侦探小说常用的一条原则是，表面看来令人信服的证据，其实是毫不相干的。同时，通常的套数是：那些可推导出问题的符合逻辑的答案的线索，在侦探得到它们并通过对这些线索的符合逻辑的解释而推断出问题答案的同时，也清楚地呈现在读者面前。

第一篇侦探小说是E.A.坡的《莫洛街谋杀案》，出版于1841年4月。侦探这门职业仅在此之前几十年才出现。人们普遍认为作者是受维多克的《回忆录》(1828～1829)的影响，后者于1817年在巴黎建立了世界上第一家侦探所。小说中的法国侦探迪潘还出现在另外两篇小说中：《玛丽·罗热的秘密》(1845)和《被窃的信件》(1845)。侦探小说的篇幅也很快从短篇小说扩充到长篇小说。

法国作家E.加博里欧的《勒鲁日案件》(1866)是一部极其成功的小说，有几部续集。W.科林斯的《月亮宝石》(1868)至今仍为英国最佳侦探小说之一。A.K.格林因发表《利文沃兹案件》(1878)而成为美国最早的侦探小说家之一。澳大利亚作家F.休姆所著《双座马车的秘密》(1886)曾是一本极其畅销的书。

在所有虚构的侦探中，以福尔摩斯最为著名。他与忠实而有些迟钝的朋友华生医生首次出现在柯南道尔的小说《血字的研究》(1887)中，尔后又继续出现在20世纪的这一类故事集里，如《福尔摩斯回忆录》(1894)和较长的《巴斯克维尔的猎犬》(1902)。福尔摩斯的侦探风格具有如此大的魅力，以至柯南道尔的逝世并没有结束福尔摩斯的侦探生涯，一些作家常常根据原作中提及的情节加以发挥，试图继承福尔摩斯的传统。

20世纪初期出现了一批优秀的侦探小说，其中包括M.R.莱因哈特的《环形楼梯》(1908)、G.K.切斯特顿的《布朗神父的清白》(1911)及其他教士侦探小说。1920年后，许多小说中侦探的名子变得家喻户晓，如F.W.克罗夫茨的《木桶》(1920)中的检查官弗伦奇；A.克里斯蒂的《斯泰尔斯的神秘案件》(1920)中的普瓦罗和《教区牧师住宅凶杀案》(1930)中的马普尔小姐；D.L.塞耶斯的《谁的尸体?》(1923)中的温西勋爵；S.S.凡·丹因的《本森凶杀案》(1926)中的万斯；以及F.丹奈和M.B.李合著的《罗马帽子的秘密》(1929)中的奎因。

在某种意义上，20世纪30年代是侦探小说的黄金时代。上面提及的侦探继续出现在新的小说里。这一时期D.哈米特的作品也很流行，他根据自己当私人侦探的经历撰写短篇和长篇小说。其中著名的有描写萨姆·斯佩德的《马尔他的猎鹰》(1930)。在哈米特的作品中，侦探的性格描写变得与早期侦探小说中的推理一样重要。《瘦汉》(1932)风格较为传统，塑造了尼克和查尔斯，增添了一对机智的夫妇的令人刺激的侦探故事。继哈米特之后有R.钱德勒和R.麦克唐纳，他们也侧重描写粗暴但富有人情味的侦探的性格。他们小说中的主角分别是马罗和阿契尔。20世纪40年代末，M.斯皮兰保留了哈米特等人那种硬汉派侦探小说的写法，但在作品中着重描写性和虐待狂，继《我和陪审团》(1947)之后，这已成为公式，为他带来惊人的收益。

20世纪30年代末，由于采用大量发行的平装书，侦探小说作家变成巨富。他们之中，在美国有E.S.加德纳，他小说中的律师梅森在法庭上破案；R.斯托特，塑造了身材肥胖、喜爱兰花的侦探沃尔夫及其文雅的助手古德温；F.洛克里奇和R.洛克里奇，他们描绘了另一对聪明的诺思夫妇。在法国，有G.西默农，他以连珠炮般的速度写出一部又一部小说，使其小说中的主角检查官迈格雷成为继福尔摩斯之后最著名的侦探之一。其他继承福尔摩斯的传统或独辟蹊径的作家包括N.布莱克(诗人戴-刘易斯的笔名)、M.英尼斯、D.N.马什、J.泰伊，以及C.迪克森(即J.D.卡尔)。

美国神秘故事作家协会是一个旨在提高神秘故事、包括侦探小说水准的专业团体，成立于1945年。它通过其一年一度的授予优秀作品以埃德加·爱伦·坡奖发挥了重大影响。自冷战出现后，人们对间谍和国际阴谋的兴趣增加，悬念小说对侦探小说的流行造成了一些不利影响，但坡和柯南道尔的继承者们仍拥有广大读者。

论述侦探小说的重要著作有H.海克拉夫特的《杀人取乐》(1941；增订本1968)及J.巴曾与W.H.泰勒合著的《犯罪目录》

(1971)。参阅 **mystery story; hard-boiled fiction**。

detention, preventive（law） 参阅 **preventive detention** 预防性拘留。

detergent 洗涤剂 清除固体外表不纯物使之成为悬浮液的多种特别有效的表面活性剂的总称。洗涤剂也往往用作乳化剂。洗涤剂通常不是指油脂皂化而得的肥皂，而是指一种合成物质。在水中洗涤剂的主要用途是洗杯、碟和衣服。在非水介质中的作用有以下几种：作为扩散剂加到汽车引擎的润滑油中，以防止汽缸壁上沉积清漆似的聚积物；加到汽油里，可防止汽化器中产生树胶似的残渣；加到干洗溶剂中有利于除去外衣上的泥土。参阅 **surface-active agent; soap**。

determinant 决定子 决定不同细胞的特征的遗传物质成分。该词于19世纪末为德国生物学家A.魏斯曼所创。他提出假设：只有性细胞保留有全套决定子并能将其遗传给子代。其他细胞只保留有决定它们所在器官或组织特征的决定子。

determinant 行列式 某种算式的简写记号，它首先被明确地认可和使用于17世纪末和18世纪初的线性方程组的研究中。行列式记号没有引起任何新的数学突破、深刻的见解或概念化，但事实证明它是研究多种数学课题和应用的一个极其有用的工具。行列式定义里的基本对象是方阵。一个方阵 A 是由一组数排成的一个方的阵列，这些数称为方阵的元素。例如：

$$A=(3)\qquad A=\begin{pmatrix}4&2\\1&3\end{pmatrix}\qquad A=\begin{pmatrix}1&4&2\\2&5&3\\2&2&4\end{pmatrix}$$

(a)　　(b)　　(c)

其中(a)是 1×1 方阵（一行和一列），有1个元素；(b)是 2×2 方阵（两行和两列），有4个元素；(c)是 3×3 方阵（3行和3列），有9个元素。一般地，对于任一正整数 n，一个 $n\times n$ 方阵由排成 n 行和 n 列的 $n\times n$ 个实数组成，如

$$A=\begin{pmatrix}a_{11}&a_{12}&\cdots&a_{1n}\\a_{21}&a_{22}&\cdots&a_{2n}\\\cdots&\cdots&\cdots&\cdots\\a_{n1}&a_{n2}&\cdots&a_{nn}\end{pmatrix}$$

元素由带有下标的符号 a_{ij} 表示，其中第一个下标 i 指明这个元素所在的行，第二个下标 j 指明元素所在的列。

对于一个固定的正整数 n，所谓“行列式函数”乃是一个法则，它规定如何取任一 $n\times n$ 方阵 A 的元素施以某种特定的算术运算以求得一个唯一的数作为结果，用这个方法得到的数就称为方阵 A 的“行列式”，并且用符号 $\det(A)$ 或 $|A|$ 表示。当 $n=1$，方阵 A 由一个元素 a_{11} 组成，因此 $\det(A)$ 定义为 $\det(A)=a_{11}$；当 $n=2$，定义 $\det(A)=a_{11}a_{22}-a_{21}a_{12}$。一般地，对于任一正整数 n，$\det(A)$ 的表达式由一些项的和与差组成，其中每一项是方阵 A 的不同行不同列的 n 个元素的乘积。例如对上面(a)、(b)、(c)三个方阵，其行列式分别为：$\det(A)=a_{11}=3$，$\det(A)=a_{11}a_{22}-a_{21}a_{12}=4\times3-1\times2=10$，$\det(A)=a_{11}a_{22}a_{33}+a_{12}a_{23}a_{31}+a_{13}a_{21}a_{32}-a_{11}a_{23}a_{32}-a_{12}a_{21}a_{33}-a_{13}a_{22}a_{31}=1\times5\times4+4\times3\times2+2\times2\times2-1\times3\times2-4\times2\times4-2\times5\times2=-6$。

在西方，行列式表达式的第一个明确的出处（虽然没有现代的名称或符号），是在德国数学家G.W.莱布尼兹于1693年写的一些信中。他曾致力于研究两个未知量三个线性方程的方程组，用现代记号可表示成

$$a_{11}+a_{12}x+a_{13}y=0,$$
$$a_{21}+a_{22}x+a_{23}y=0,$$
$$a_{31}+a_{32}x+a_{33}y=0。$$

在这些方程里 a_{ij} 表示常数，而 x 和 y 表示要确定的或“要解”的未知量的值。同时满足所有这三个方程的 x 和 y 的值称为这个方程组的一个（联立）解。莱布尼兹在这些信里说到他曾证明，这样的方程组有解的充分必要条件（实际上只是必要条件）是方程组的常数满足等式

$$a_{11}a_{22}a_{33}+a_{12}a_{23}a_{31}+a_{13}a_{21}a_{32}$$
$$=a_{11}a_{23}a_{32}+a_{12}a_{21}a_{33}+a_{13}a_{22}a_{31}。$$

用现代行列式记号就是 $\det(A)=0$，其中 A 是以方程组的常数 a_{ij} 为元素的 3×3 方阵。

行列式类型的算式在18世纪被其他几个数学家继续使用过，其中有É.贝祖，他证明了对于任一正整数 n，n 个未知量的 n 个线性方程的方程组：

$$a_{11}x_1+a_{12}x_2+\cdots+a_{1n}x_n=0,$$
$$a_{21}x_1+a_{22}x_2+\cdots+a_{2n}x_n=0,$$
$$\cdots\cdots\cdots\cdots\cdots\cdots\cdots\cdots$$
$$a_{n1}x_1+a_{n2}x_2+\cdots+a_{nn}x_n=0,$$

有非零（联立）解，当且仅当（用现代的记号）$\det(A)=0$，其中 A 是方程组的常数 a_{ij} 作为元素的 $n\times n$ 方阵。

除了研究行列式在线性方程组上的用处以外，就行列式本身去研究它们的表达式和性质的第一个数学家是A.范德蒙德。他对行列式的早期阶段的理论的贡献之一，是用 $n\times n$ 方阵 A 里的较小的子方阵的行列式以表示 A 的行列式的方法。这个方法和其他一些类似的方法，在简化大型方阵的行列式计算方面是极其有用的。然而，直到1812年法国数学家A.-L.柯西提出一篇关于行列式的84页论文时，真正能够称为行列式及其性质的近代研究才实际上开始。正是柯西把曾经被莱布尼兹、贝祖、范德蒙德及其他人使用的算式叫做行列式，并且明确规定了方阵 A 的行列式的符号 $|A|$，方阵的行列式表达式中元素的排列以及用下标表示元素在方阵里的位置。他还证明了，如果两个 $n\times n$ 方阵 A 和 B 相乘（根据方阵乘法法则）且其积是 $n\times n$ 方阵 C，则 $\det(C)=\det(A)\times\det(B)$。柯西还把行列式的记号和用法推广到关于波的传播、几何以及物理方面的问题。其他数学家也开始广泛使用行列式，例如英国数学家A.凯莱在他发展的 n 维空间解析几何里，C.G.雅可比和E.C.卡塔兰在研究变量变换下的多重积分里，拉格朗日在研究特征方程和表示行星运动的线性微分方程组里都应用了行列式，这些正好是19世纪以来行列式的一些用法。行列式本身至今仍是研究课题，并且作为简洁的记号在其他数学研究领域里一直在使用，是数学家们最广泛地使用的工具之一。

determinism 决定论 哲学中的一种理论。主张一切事件，包括道德的选择，完全受先前存在的原因的决定。这些原因排除自由意志和人能够另作行动的可能性。这种理论主张宇宙完全是合理的，因为对任何特定情境的完全知识都肯定对这种情境的未来也可能有准确的知识。皮埃尔-西蒙在18世纪制定了这个题目的经典公式。在他看来，宇宙的现状，乃是它的先前的状态的结果，也是随之而来的状态的原因。假如一个心灵，在任何特定的时刻，能够知道在自然界中活动的一切势力，以及它的所有组成要素的相应地位，它从而就会确然知道每一个东西的将来和过去，不论它的大小。波斯诗人欧玛尔·海亚姆在其作品中也表达过类似的观点（“创世之初，末日已定”）。另一方面，非决定论虽然不否认行为榜样和某些外在势力对人类行为的影响，却坚持自由选择的实在性。

deterrence 威慑 一种军事战略，指主要大国以有效地使用迅速和压倒一切的报复行动相威胁，使其对手，在其可能的选择中排除进行核打击。核武器问世后，威慑成了核大国和其主要联盟的基本战略。它的基础是每个国家保持能使侵略行动归于失败的高水平摧毁能力，就是说使可能发动进攻的国家看到并信服其对手在经受一次突然袭击之后，其幸存下来的力量仍能使发动进攻者遭受无法承受的损害。威慑成功的关键在于可能的侵略者不清楚对手在遭到袭击而且损失严重的情况下是否仍会实施报复，即使要冒在第二次打击中遭受更惨重损失的危险。总之，威慑必须具备两个基本条件：使人信服在遭到一次突然袭击之后仍有力量进行报复；使人看到决心进行报复的可能性，虽然不是进行报复的必然性。

Detmold 代特莫尔德 德国西北部北莱茵-威斯特伐利亚州东北部一行政区，其北、东两面与下萨克森州交界，东南邻黑森州，西南接阿恩斯贝格行政区，西连明斯特。面积6 518平方千米，范围与历史上较大的**威斯特伐利亚**（**Westphalia**）地区的东北部和过去德意志最小的利珀邦之和相当。代特莫尔德行政区成立于1947年，以其行政机关所在地为名。平坦的明斯特兰低地为北德平原的延伸部分，以一片宽阔的海湾形态插入位于威悉山地（以威悉河为界的一片丘陵地区）与绍尔兰高原之间的代特莫尔德区的西部。该地区雨水充沛，土质为两合土，因而是理想的牧场。代特莫尔德低地的主要城市居特斯洛拥有多种工业，其周围许多城镇则专门从事家具制造。位于明斯特兰低地正东边缘上的森讷，地面覆有一层厚约25米的冰川河流沉积的沙，构成一片广阔的灌木丛生地带。帕德博恩也位于该低地的东边缘上，是黑尔韦格走廊区的铁路和公路交通枢纽，为周围农业

区的交易及输出中心。

威悉山地位于明斯特兰湾的东和东北边缘，由许多独立的山脉组成，按政治区划分属于代特莫尔德区和下萨克森州。代特莫尔德区山脉的特征是有几条崖面向内的陡崖和狭长的山脊，其中包括向东南弯曲的条顿堡林山、埃格山和在北部的维恩山。代特莫尔德市及该区最大的城市比勒费尔德市位于有森林的条顿堡林山的北坡上。比勒费尔德拥有各种行业，但以传统的亚麻制品行业最为著名。陡崖之间为一洼地，黑尔福德镇位于洼地中央，洼地内土层为肥沃的两合土，盛产甜菜、小麦和各种蔬菜。利珀山地的沙岩丘陵绵延于同下萨克森州相接的东部边境上。散布在耕地与牧地中间的山毛榉树林，供应当地家具和造纸工业所需原料。在维恩山脉以北，威悉山地与北德平原相邻。威悉河在明登附近通过一风景如画的峡谷流出山区。威悉山地内有许多温泉疗养胜地，其中有巴特·萨尔茨乌夫伦和巴特·迈恩贝格等。

代特莫尔德行政区居民大多数为西撒克逊人后裔，操一种低地德语方言。65%以上居民信奉基督教新教，约30%为罗马天主教徒。人口密度从森讷和威悉山地僻远地区中的每平方千米不到50人，变化到比勒费尔德的每平方千米超过1 000人不等。显著的农村居住方式为分散的农庄或松散聚集的农庄。行政区内高等教育以比勒费尔德大学和帕德博恩综合大学为中心，后者是进行高等技术训练的大学级机构。人口2 048 600(2000)。

Detmold 代特莫尔德 德国西北部北莱茵-威斯特伐利亚州城市。位于条顿堡林山东坡，濒临韦勒河。12世纪为利珀公国都城和州首府。约1 350年设建制。市西南山上矗立有57米高的巨大的阿米尼乌斯雕像。他于公元9年在此率领切鲁西人击败罗马人的入侵。此地也是783年查理曼的军队和撒克逊人之间一次争斗的战场。作为景色宜人的住宅城市，有利珀-德特莫尔德亲王别墅(1550)和新宫(1708～1718)，后者现为州立博物馆和西北德意志音乐学院。工业以家具生产为主。人口73 880(2003)。

detonator 雷管 参阅 **blasting cap 起爆筒**。

Detrez, Conrad 德特雷(1937-04-01，比利时海尔河畔罗克朗日～1985-02-12，法国巴黎) 全名Conrad Jean Detrez。比利时有政治意识的小说家，其作品充满活力、带有黑色幽默。曾在比利时卢万的天主教大学攻读神学，后放弃学业。24岁赴巴西游览，在巴西讲授法国文学，并积极参加革命活动。被巴西当局驱逐出境，赴阿尔及利亚和葡萄牙。1978年定居巴黎。1982年成为法国公民。最初翻译出版巴西作家的作品和革命论说文。最著名的小说是《供燃烧的野草》(1978)。书中叙述了那个理想幻灭的主角在闯荡南美多年之后决定返回到革命热情已经削弱的欧洲的情景。对左倾知识分子的批评仍然是他后期作品的一个主题。他还出版过诗集《勇敢的鼓吹者》(1982)。

Detroit 底特律 美国密歇根州东南部韦恩县县府所在地。濒底特律河(与伊利湖和圣克莱尔湖相连)，与加拿大安大略省温莎隔河相望。1701年一位法国商人卡迪亚克创建

底特律河畔的文艺复兴中心
美国不列颠百科全书公司供图

此城。他在河畔建城堡并命名为底特律(海峡)庞恰特雷恩以纪念他的保护人。这里成为一个重要的皮货贸易基地，后来英国人简称它为底特律。

1760年在法国与印第安人的战争中，底特律向英国人投诚。法国的印第安人盟友著名的有以庞蒂亚克为酋长的渥太华，1763年试图占领城堡未果。《杰伊条约》(1794-11-19)规定英国人从西北地区撤出，1796年底特律转归美国管辖。

1805年成为新设立的密歇根准州的首府。同年一场大火烧毁许多建筑物，市镇必须重建。1812年战争一爆发，底特律又向英国人投降，但美国人于1813年9月重新占领该城。1815年设市。

1818年，五大湖上游的第一艘汽轮开始定期往返于布法罗与底特律之间。通过铁路和水路，谷物和其他农业品涌入该市加工，然后运往国内其他各处或运往欧洲。此时底特律被视为美国磨粉中心。自1837年密歇根州成立以来底特律就是它的首府，直至1847年首府迁往兰辛为止。

美国南北战争(1861～1865)结束之后，底特律从早期的乡商角色变为工业巨头。它成为世界汽车之都完全得力于亨利·福特，这位汽车制造商引进装配线和每日5美元的最低工资(1914)。第一次世界大战中，底特律的工业发展大大加速，在此期间，它是军火的主要生产者，吸引了一大批移居者，尤其是南方的黑人。1943年该市的白人和黑人发生了争斗。1967年又发生一次种族骚乱，造成大量的财产损失。结果，成立了几个组织来缓和种族紧张局势和改善社区关系。

该市尽管是个多样化制造业和航运基地，其经济对凡影响汽车工业繁荣的国内外大事仍然异乎寻常地敏感。经济的繁荣或萧条在底特律所感觉到的要比国内大多数地区更为强烈。20世纪80年代初该市的工业和一些较富裕的白人社团继续向郊外迁移。它无法应付社会服务的上涨价格也仍然是个主要问题。

第二次世界大战以后，城市规划在河边建设一个市中心，许多旧的和不美观的建筑物被拆除，1950年新的市建筑物之一，退伍军人纪念馆建成。其他名胜现在有市-县行政大厦、亨利和埃兹尔·福特礼堂(底特律交响乐团就在该礼堂演出)、科博大厅(这是一座会议厅和展览厅)、科博竞技场和一座坐落在文艺复兴中心的73层旅馆(1977)。

市里有州立韦恩大学和底特律大学。重要的文化机构有克兰布鲁克艺术学会和底特律文化中心，包括主要的公共图书馆、底特律艺术馆和几个博物馆。在郊区的迪尔伯恩，亨利·福特博物馆展出所有类型的运输装备，毗连的格林菲尔德村则建有早期的美国建筑物并展出早期的工艺品。

1914年，底特律成立了一支交响乐队，每年夏季音乐会都在露天的贝尔岛公园举行。公园里还有一个植物园、一个儿童动物园和一个水族馆。有3座机场为该市服务。人口：市约951 270；底特律都会统计区4 441 551；底特律-安阿伯联合都会统计区5 456 428(2000)。

Detroit Institute of Arts 底特律艺术馆 位于美国密歇根州底特律的一座艺术博物馆。以收藏19世纪以来的美国油画和自文艺复兴时期至巴罗克时期的荷兰、佛兰德斯和意大利绘画闻名。馆中的美国艺术收藏品由美国艺术档案馆加以扩充增多，艺术档案馆是附属于史密森学会的5个地区研究中心之一。该馆于1885年由一些底特律市民建立，1919年捐献给该市，1927年迁入现在的新古典主义风格的建筑。该馆经1966年和1971年的增补而扩大。艺术馆中心广场装饰有一套27幅由墨西哥画家D. 里维拉绘制的描写汽车工业的壁画。

Detroit River 底特律河 美国河流。美国密歇根州(西)和加拿大安大略省(东)之间的界河，连结圣克莱尔湖(北)和伊利湖(南)。河水西南和南流，经过底特律和温莎(安大略)，长51千米，宽1.5～2.5千米。河中主要岛屿有贝尔(底特律市公园)、格罗塞(在密歇根)和法廷(在安大略)等岛。

Detroy, Jean-François (French painter) **德特鲁瓦** 参阅 **Troy, Jean-François de 特鲁瓦**。

Dettifoss 代蒂瀑布 冰岛东北部瀑布。位于冰岛第二长河菲约吕姆河上。落差44米，为冰岛最大瀑布，水电资源为冰岛之冠。风景优美且有路直达，为旅游胜地。

Deucalion 丢卡利翁 希腊传说中普罗米修斯(人类的创造者)的儿子，色萨利地方佛提亚城的国王。皮拉的丈夫；他又是希腊民族神话传说中的祖先赫楞的父亲。当主神宙

斯决心发洪水毁灭人类时，丢卡利翁做了一只木船，和他妻子飘流到帕尔纳索斯山。在他们奉献牺牲，并请示如何使人类重新繁衍时，他们得到的指令是把他们母亲的骨骼抛向身后。夫妇二人正确地理解了这一指令，这是要他们把山边（“母亲大地”）的石头投向身后，于是便这样做了。丢卡利翁投掷的石头变成了男人，皮拉投掷的石头变成了女人。

Deulino, Truce of **《杰乌利诺停战协定》**（1618-12） 中止俄波敌对冲突的协定，有效期14.5年。1609年波兰国王西格蒙德三世趁俄国沙皇V. 舒伊斯基的统治摇摇欲坠之机，向莫斯科大公国宣战。波军包围斯摩棱斯克，西格蒙德企图让其子弗瓦迪斯瓦夫登上莫斯科大公国的王位。1610年8月，莫斯科的领主和贵族承认弗瓦迪斯瓦夫，并为波军打开城门。但西格蒙德本人想当沙皇，向莫斯科大公国重开战端。依照《杰乌利诺停战协定》，俄国将斯摩棱斯克以及俄罗斯西部的波军占领地区割给波兰。协定于1632年到期后，双方又爆发敌对冲突。

Deus (Nogueira Ramos), João de **德乌斯（诺盖罗·拉莫斯）**（1830-03-08，葡萄牙阿尔加维圣巴托洛梅乌-迪梅西尼什～1896-01-11，里斯本） 葡萄牙抒情诗人。他的作品是葡萄牙浪漫主义诗歌最后的重要表现，同时也是反叛浪漫主义的最初迹象。在科英布拉大学攻读法律，过着诗人那种放荡不羁的生活，所作诗篇大多仅向朋友们朗诵，其中许多首由于他们搜集并送到报刊发表才得以留存。1859年毕业后，留在科英布拉至1862年，成为当时冲破文学形式主义的年轻诗人中颇有影响的人物。虽然他的第1本诗集《田野里的鲜花》（1868）出版后，博得好评，但他仍是入不敷出。1869年，他在朋友帮助下当选为议员，但他却因一个原则性问题而弃职。后来他发明一种新的读写教学法，写成《幼儿拼音读本》，与他的第2本诗集《散叶》同时发表于1876年。1888年，他的朗读法为政府所采用，并任命他来推广。他的诗集《鲜花盛开的田野》于1893年出版。1895年，他被公开称为他这一代人中最伟大的葡萄牙诗人。他在20世纪初的葡萄牙文学中有很大影响。虽然他的文化修养有限，题材狭窄，但是他破除了浪漫主义的过分夸张，创造出一种更加富于表现力的诗歌语言。

deus ex machina **舞台机关送神** 古希腊和罗马戏剧中及时出现的一位天神，由他阐明并解决戏中的纠结。这种戏剧性装置用来表现神从天空出现的传统，即一种通过起吊机方法而达到的效果。这种戏剧装置可追溯至公元前5世纪，一位天神出现在索福克勒斯的《菲罗克忒忒斯》之中。在欧里庇得斯多部戏剧中也用神的介入来解决相持不下的危机。自古以来，这个词组也用来表示一个不期而至的救星，或用于表示一种似乎令人不能置信的摆脱混乱、恢复秩序的事件。

deus otiosus **退隐神** 宗教史和哲学史上的一种概念，谓高位神退而不再直接、细琐地管理世界。他把地上的一切工作委托给人类列祖和自然精灵，让他们在高位神与人之间作调解人。在西方哲学中，这种观念是属于自然神论的。在自然神论兴盛时代鲜有自然神论者明确地表示这种看法，但是反对自然神论的人们力图迫使自然神论者断言：上帝创世之后，即行退隐，不再干涉自然的进程和人间世道。

Deusdedit, SAINT **狄乌迪弟，圣**（？，罗马［意大利］～618-11-08，罗马） 又称阿德奥达图斯一世。教皇（615～618在位）。在位期间，拜占廷帝国企图再次向意大利伦巴第人开战而未果。他废除教皇格列高利一世和卜尼法斯四世赞许修士而贬抑未受神职之教士的政策。

deuterium **氘**（D或^{2}H） 又称重氢。氢的同位素，原子量约为2。氘核由1个质子和1个中子构成，其质量为普通氢核的两倍。氘为稳定原子，在天然的氢化合物中占0.014%～0.015%。1931年，H.C.尤里及其助手F.G.布里克韦德和G.M.墨菲发现氘。尤里预言分子氢（H_2）的蒸气压和1个氢原子被氘取代后的对应分子（HD）的蒸气压应该不同，因而用蒸馏液氢方法分离这两种物质是可能的。在液氢蒸馏的残余物中检测到了氘（利用其原子光谱）。G.N.路易斯采用E.W.沃什伯恩发现的电解浓缩法首次制备了纯氘。电解水（实际上通常采用氢氧化钠作电解质的水溶液）时，即水被电流所分解，生成的氢气中氘所占份额低于剩余水，这样便使氘浓缩于电解后剩余的水中。经连续电解使水的体积减少到原来的十万分之一时，可获得几乎是极纯的氧化氘（D_2O，重水）。此法在第二次世界大战前用于氧化氘的生产。但在第二次世界大战期间，还使用其他方法生产大量氧化氘。氘能参与普通氢所特有的各种化学反应，生成相似的化合物。然而，氘的化学反应比普通氢慢，这是区别两种形式氢的一种判据。因氘有这种性质，在涉及氢的化学反应和生物化学反应研究工作中，广泛用它作同位素示踪原子。在氘原子或氘与更重的氢同位素氚的高温核聚变过程中释放出大量能量。这类反应已用于热核武器中。1953年以后，稳定的固态物质氘化锂（LiD）已用来代替氘和更稀少的氚。分子形式的同位素氘（D_2）和氘化氢分子（HD）的物理性质与普通氢分子的物理性质对照比较见下表。

氢分子物理性质比较表

	H_2	HD	D_2
在三相点（K）时固体摩尔分子体积（cm^3）	23.25	21.84	20.48
三相点（K）	13.96	16.60	18.73
三相点的蒸气压（mmHg）	54.0	92.8	128.6
沸点（K）	20.39	22.13	23.67
三相点的熔化热（cal/mol）	28.0	38.1	47.0
气化热（cal/mol）	216*	257†	293**

*20.39K †22.54K **23.67K

deuterium oxide **氧化氘** 参阅**heavy water** 重水。

Deutero-Isaiah **《以赛亚外集》** 英语又作Second Isaiah。指《旧约》中《以赛亚书》的一部分（第40～66章），其成书年代较前一部分晚。参阅 **Isaiah, Book of**。

deuterocanonical books **次经** 由天主教会列为正典，但犹太教和基督教（新教）列为外典的经籍。另确为真正经籍，但后来附加于正典的著作，也称次经。参阅 **apocrypha**。

Deuteromycetes **半知菌纲** 又作Fungi imperfecti。真菌中的一个人为分类群。只详其无性世代，故名。借无性孢子（分生孢子或粉孢子）或芽殖繁殖。依子实体的有无分4目：球壳孢目（Sphaeropsidales），具瓶状的分生孢子器，内生分生孢子；黑盘孢目（Melanconiales），具垫状分生孢子盘，上生分生孢子；丛梗孢目（Moniliales），分生孢子生于分生孢子梗上；无孢菌目（Mycelia Sterilia），未见孢子。本纲包括植物病害（如*炭疽病*［**anthracnose**］、*葡萄孢疫病*［**botrytis blight**］、*萎蔫*［**wilt**］）、人和动物疾病（如*念珠菌病*［**candidiasis**］、*曲霉病*［**aspergillosis**］、*癣*［**ringworm**］）的病原体。*青霉属*（**Penicillium**）种类可用以制药。

deuteron **氘核** 重氢核，由一个质子和一个中子构成。氘核通常由重氢原子电离，剥离掉唯一的电子而形成，在粒子加速器中积累高能后用作产生核反应的射弹。质子俘获一个慢中子也产生氘核，同时放出一个γ光子。

Deuteronomic Reform **申命改革** 《圣经·旧约》所载犹大国王约西亚（约公元前640～前609在位）所推行的宗教大改革。因以公元前662年前后在圣殿发现的律法书为依据而学者认为该书即为《申命记》第12～26章所载律法，故名。在这次改革中，异教祭坛与偶像迁出圣殿，农村异教庙宇禁止崇拜丰产神，耶路撒冷圣殿被确立为全国崇拜中心。

Deuteronomist（D） **申典作者** 简称D，圣经学者用语。指《五经》特别是《申命记》以及《约书亚记》、《士师记》、《撒母耳记》、《列王纪》等书所据的一种资料来源的作者。其词汇和风格均有独特之处。

Deuteronomy **《申命记》** 《圣经·旧约》的第5卷。在形式上是摩西在以色列人进入迦南地之前对他们的临别嘱咐。摩西回顾以色列的历史，重申他在何烈山（西奈山）颁布的律法，指出只有恪守这些律法才能在迦南兴旺繁荣。但学者普遍认为此书当是在以色列历史上较为晚近的时期写成。书中提出的史学观念是：忠于雅赫维，恪守他的诫命即得赐福；崇拜外邦的神，背弃雅赫维的律法将受诅咒；全体以色列人只能在一处圣地（耶路撒冷）崇拜雅赫维，祭司、先知、国王都必须遵守雅赫维通过摩西所授律法。

Deuterostomia 后口动物 包括棘皮动物、脊索动物、毛颚动物和腕足动物在内的一组动物，根据胚胎发育情况而归为一类。与*原口动物类*(**Protostomia**)同属体腔动物。后口动物的口是由胚孔以外的另一个开口开向胚肠发育而成，而胚孔则发育成为肛门。体腔由胚肠壁外的组织芽发育而来。许多后口动物具有幼虫阶段。

deutoplasm 滋养质 参阅 **yolk** *卵黄*。

Deutsch(painter) **多伊奇** 参阅 **Manuel, Niklaus** *马努埃尔*。

Deutsche Angestellten-Gewerkschaft (DAG) **德国雇员工会** 德国白领工会组织，于1945年第二次世界大战结束后不久在西德成立，认为白领工人应该有一个与其他工人工会分开的单独组织。1964年该组织有40%的成员在商业机构工作，其余的成员受雇于政府和财政机构。该联合会设有一个强大的中央行政机构，一般回避同政治紧密联系。

Deutsche Bank AG 德意志银行 德国最大的银行，也是世界最大的银行之一。在欧洲、南北美洲和澳洲设有国外办事处。1957年后，总行设于美因河畔法兰克福。该行是欧洲银行国际公司的成员。通过这种关系，并通过与各大国际银行、国内银行的联系，向全世界提供银行服务。德意志银行由普鲁士国王威廉一世于1870年3月10日颁发执照在柏林创立，4月9日开始营业。1871年在不来梅，1872年在汉堡、上海和横滨，1873年在伦敦开设分行。19世纪末叶，已吞并了不少德国银行，资本约增值为10倍。20世纪继续扩展。在经历大萧条袭击的困难后，银行在纳粹政权下大为繁荣。第三帝国崩溃时，银行在柏林和东德的办事处被苏联人封闭或没收；西德的分支机构一度被拆散，1947～1948年改组成10家独立的银行。到1952年，这10家银行已并成3家。1957年，这3家银行又重新合并，组成单一的德意志银行。20世纪90年代有几次重大的收购行为，其中包括收购美国信孚银行。其主要业务在欧洲，此外在亚洲、北美洲和南美洲也有银行。至21世纪初该行在世界70多个国家拥有1 200万客户。

deutsche Blumen 德意志花饰 一种陶器上的花卉装饰，由德国式(亦即欧洲式)的自然主义的花卉组成，可为单朵也可成束。虽然在约1730年维也纳也产生过一类自然主义的花饰，但只是自1740年左右在迈森工厂生产的瓷器上出现德意志花饰之后，这种花饰才流行起来。用来装饰瓷器的这些花卉最初系临摹当时的自然历史书籍或版画，约到1750年开始师法自然，花饰更加富有生气。由于被广泛效仿，这种装饰风格在18世纪中期之后便传播到一些陶瓷生产中心，如德国的赫希斯特、弗兰肯塔尔和柏林以及英国的切尔西、鲍和伍斯特。

饰有德意志花饰的瓷盘，约1750年
美国不列颠百科全书公司供图

Deutsche Bücherei 德国图书馆 德国最大的非专业性的研究图书馆，馆址在莱比锡。成立于1912年。收藏德国出版的图书、国外出版的德文图书、德文书的外语译本和涉及德国和德国人的图书。出版《德国国家书目》，设立一集中编目机构。藏书约700万册。

Deutsche Bundesbahn 德意志联邦铁路公司 英语作German Federal Railway。德国的国营铁道系统，第二次世界大战后建立。德国铁路始于1835年12月7日，当时仅有纽伦堡与菲尔特之间5英里(8千米)长的线路。到1850年约有3 600英里，1900年已增至31 000英里。1870年以后各州开始将私营铁路转为公有。1920年整个铁路网由一家国营铁路公司经营，30年代中期营运的线路达35 000英里。第二次世界大战后，留给西德的铁路约有19 000英里。遭受严重破坏的铁路大多已重修、重建。1970年已有5 300多英里实现了电气化。同其他铁路企业一样，该公司的不少业务现也被其他运输业，特别是长途卡车运输业抢占。1950～1975年间，该公司的货运占全国货运量的比例已从50%降至10%以下。客运有较大进步，从汉堡到慕尼黑的522英里行程，高速列车仅用7小时，时速可高达90英里以上。

Deutscher Gewerkschaftsbund (DGB) **德国工会联合会** 德国主要工会组织。1949年在慕尼黑成立，不久便成为西德最大的工人组织，下有16个工会。1990年德国统一后，前东德的工人并入德国工会联合会。德国工会联合会主要是蓝领工人的组织，但也包括许多白领工人和文职人员。它回避同政党联系，但是在政策问题上它倾向于支持社会民主党。1991年会员总数约1 180万(包括东德并入的约380万工人)，约占德国全部劳动力的1/3。

Deutscher Werkbund 德意志工匠联盟 1907年在慕尼黑建立的工匠艺人协会，旨在提高工业产品和建筑的设计，使之具有良好的工艺质量。会员包括从事工商业及家庭日用品设计的艺术家、手艺人和从事建筑业的建筑师。领导人是建筑师H. 穆特西乌斯和H. 范德费尔德。两人深受19世纪英国艺术和手工艺运动领导人W. 莫里斯的影响。莫里斯主张复兴工业手工艺，并使之成为设计者和手工艺人的合作事业。而这两个人又把这种想法扩大，把机器制造的产品也包括在内。两人还主张产品的形式完全由功能来决定，应取消装饰。联盟成立后不久就分为两派，一派以穆特西乌斯为首，主张充分发挥机器大生产和设计标准化的作用；另一派以范德费尔德为首，坚持个人艺术表现的价值。联盟在1914年的科隆年会上决定采用了穆特西乌斯的主张。联盟成立后立即产生影响，奥地利、瑞士、瑞典和英国相继出现了类似的组织。联盟于1914年在科隆举办工艺美术和建筑展览会，展出的建筑物中，有用混凝土、钢和玻璃建造的一些现代建筑的突出范例，进一步扩大了影响。联盟的活动因第一次世界大战而中断，1927年又在斯图加特举办重要的展览会，该展览会由德国建筑师L. 密斯·范·德·罗厄主持，呈现了当代欧洲住宅建筑设计与营造的概貌。参加展出的许多建筑师的作品，如密斯、格罗皮厄斯和勒·科比西埃所设计的房屋，都按照穆特西乌斯的主张，采用高度标准化的材料及设计，以便用低廉的成本大规模地修建住宅单元。1930年参加巴黎工艺美术和建筑展览会，在展览中，联盟又一次强调了材料和设计的标准化对大量生产住宅单元的重要意义。1933年联盟因纳粹执政而解散，但第二次世界大战后又恢复活动。

Deutsches Museum 德意志博物馆 全称德意志自然科学与技术博物馆。1903年建于慕尼黑，1925年开馆，其组织机构与管理方式为以后芝加哥科学和工业博物馆的模型。所藏许多有价值的技术史和自然科学藏品，在第二次世界大战期间被毁，后又得到恢复。

Deutsches Theater 德意志剧团 德国私人戏剧社团。1883年由剧作家拉隆格创建于柏林，以对抗一种过时的演剧传统。它运用深具影响的迈宁根剧团的集体表演风格来上演剧目。1894年在O. 布拉姆领导下，剧团与自由剧院合并。1905年起在M. 赖恩哈特领导下剧团经历一次复苏，20世纪20年代和布莱希特一起再次得到复兴。第一次世界大战后剧团被解散，后在希尔佩特领导下重新恢复。希尔佩特在该团担任演员，并于1937年接替赖恩哈特担任领导直至50年代，他同时还在格丁根市的德意志剧院担任领导工作。

Deutsches Wörterbuch 《德语词典》 由雅科布·格林和威廉·格林创始按科学方法编写的第一部德语词典。这部词典包括自路德(约1500)以来到歌德(1832卒)时期止的(新)高地德语文学语言中一切字词的词源和历史，并用引文说明，还有重要的方言词和词形。但都省略了发音法。格林兄弟完成了这部计划中的巨著的前4本。雅科布负责编卷1(1852年在莱比锡出版)、卷3和卷4中到Frucht(水果)一词部分。威廉负责编卷2。其他的一些德国语言学家，主要是那些赞同格林兄弟所制订的目标和原则的学者，在他们兄弟逝世后，继续编写这部词典。由于东、西德学者间的合作加速了它的完成(1960)。

Deutschland 参阅 Germany 德国。

Deutschlandlied 《德意志之歌》 1922～1945年为德国国歌，也是1950～1990年西德的国歌。1990年起成为德国统一后的国歌。歌词为民族诗人、大学教授霍夫曼·封·法勒斯莱本于1848年所写的诗，曲子为J. 海顿于1797年所谱的奥地利帝国国歌。1922年8月11日，魏玛共和国采用此歌曲和该诗的第一段定为德国国歌。纳粹德国保留此歌，与纳粹党歌《霍尔斯特·韦塞尔之歌》并列为国歌。但在纳粹时期，《德意志之歌》有了令人遗憾的内涵。1848年，原诗意在号召人们致力于建立一个统一的国家，但后被一些人错误地解释为德国追求建立世界霸权。因此在第二次世界大战后，该诗不再被用作国歌。1950年，西德重新选用该诗的第三段作为正式的国歌。

Deutschnationale Volkspartei 参阅 **German National People's Party** 德国国家人民党。

Deux-Sèvres 德塞夫勒 法国西部普瓦图-夏朗特大区省份。下分尼奥尔、帕尔特奈和布雷叙尔3个专区，属普瓦捷教育区。主要由前普瓦图省组成。面积6004平方千米。

德塞夫勒省图阿尔的图埃河
美国不列颠百科全书公司供图

省名源出流经境内的塞夫尔尼奥尔特斯和塞夫尔南特斯两条河流。几乎全境为农区，仅有小集镇，是乡野出游地。气候冬温夏暖，每年降雨200多天。北部丘陵以养牛为主，南部种植谷物。东部地区和南部边境多林地。自西面至省会尼奥尔有新开垦的肥沃沼泽地。帕尔特奈、图阿尔和尼奥尔均在法国最古老城镇之列。圣迈克桑莱科勒有一所著名的军校。梅勒镇是驴种区中心。人口342 812（1982）。

deva 天 又译提婆，即印度吠陀时期所奉诸神之一。这些神分为天神、气神和地神，有伐楼拿天、因陀罗天、苏摩天等。后来一神论兴起，各神都从属于一个至高之神。在吠陀时代，诸神分为两类：提婆与阿修罗。在印度，众提婆逐渐强于阿修罗，阿修罗最终成为魔鬼。参阅 **asura**。

Deva 德瓦 罗马尼亚中西部城市，胡内多阿拉县县城。位于穆列什河两岸，海拔180米。城旁耸立有城堡山（371米）；从山上俯视穆列什河谷，一览无余。山顶有13世纪蒙古人入侵时所建城堡的废墟。在13和14世纪期间，该城在城堡的庇护下曾有发展；但19世纪初城堡在一次军火爆炸中被摧毁。1621年建筑的伯特伦城堡矗立于山脚下，现为地区博物馆。德瓦工业很少，仅有一些食品加工厂；附近还有小型铜矿和安山岩矿。人口约72 362（1982）。

Devadāsī 黛瓦达西 梵文，意为神的侍女。原为印度南部佣于大寺院之妇女种姓。这一种姓约始于9、10世纪印度南部大举兴修寺院的时代。她们为神像打扇、掌灯和歌舞以娱神，在保存文化遗产方面起了重要作用。其子女有同等的继承权，这在印度教各种姓中是少见的作法。在20世纪以前，她们到处可见。1800年左右建志补罗大寺有黛瓦达西100名。因其职业包括寺院卖淫，故为社会所不齿，这个种姓及其职业已开始消亡。

Devadatta 提婆达多（活动时期公元前6世纪，印度） 佛教僧人，佛陀（释迦牟尼）的堂兄弟。据说提婆达多和阿难陀一起在佛陀说法的第20年参加僧团。又15年后，他因与摩揭陀国太子阿阇世王友善而得势，在僧团集会上正式要求佛陀隐退并由他继任僧团之首，遭到否决。据说阿阇世王在提婆达多的怂恿下害死老父国王频毗娑罗，提婆达多三次谋害佛陀未逞。他曾鼓动佛陀弟子约500人另立门户。

Devagiri（village, India） **代瓦吉里** 参阅 **Daulatābād** 道拉达巴德。

devaluation 货币贬值 以金、银或外币表示的一国单位货币在汇价上的下跌。货币贬值目的在于消除持续的国际收支逆差。因为货币贬值具有降低用进口国货币表示的本国出口货的价格的效果，同时也具有对本国购买者来说提高进口货价格的效果。如果出口货和进口货的需求都是相当有弹性的，则该国来自出口的收入将上升，用于进口的支出将下降。这样贸易收支就趋于平衡，国际收支有所改善。如果出口增加造成全面的经济扩展，以及不伴随有扩张性货币政策的利率增高，则可能出现另一好处，即资本的流入将增加而流出则减少。如果国际收支的不平衡是一国经济基本结构不合理所造成，则货币贬值将不起作用。

Devanāgarī 天城体文字 又称那伽里字母。印度的一种文字，用于书写梵语、普拉克里特语、印地语和马拉塔语（摩剌陀语）等。原由北印度碑铭字母笈多体发展而来，进而可溯源于波罗米文字，而波罗米字母则是所有现代印度书写系统的源头。天城体文字从公元7世纪开始使用，11世纪趋于成熟，其特征是，字母的上方有一长而平的笔画，在现代书写时，连写成一条连续的水平线。天城体文字从左到右书写，有48个字母——34个辅音和14个元音和双元音。尽管天城体文字原是字母文字，但它实际上是自成音节的，在每个辅音后面，都有一个短 *a* 音，若附有表示其他元音的符号时，则无此 *a* 音。过去天城体字母往往在书写时不用元音字母，有时造成混乱。

devarāja 提伐罗阇 古代柬埔寨吴哥高棉帝国的缔造者阇耶跋摩二世于9世纪初创立的对“神王”的崇拜。几百年间，这种信仰一直是高棉诸王王权的宗教基础。它源出印度和土著传统，说国王是神圣的普世统治者，乃印度神湿婆的化身，人们用林伽（男性生殖器之像）代表湿婆的神性，把它供在山上庙宇之中。保卫王国包括保卫林伽在内。高棉时代这种庙宇建筑宏伟，足见这种信仰受到重视。

Devawongse Varoprakar, Prince 德瓦旺·瓦罗巴卡（1858-11-27，曼谷～1923-06-28，曼谷） 暹罗外交部长（1885～1923）。蒙库王之子，国王朱拉隆功的同父异母弟弟。在受过不多的正规教育以后，给国王当私人秘书。因有外交天才，1885年被朱拉隆功任命为外交部长。他在外交部建立了暹罗第一个西方化的现代官僚机构。他决心使那些强迫暹罗签订不平等条约的西方强国给予暹罗以平等的待遇，废除西方强国在暹罗的治外法权。

development 发育 机体在一生中，大小、形态、功能不断改变的过程。通过发育，机体的遗传潜力（基因型）被翻译为能行使一定功能的成年系统（表现型）。最简单的发育形式便是器官系统大小或结构的改变（大小的改变多为增大），但简单的生长也很少不伴有化学或功能的改变。一般说，生物的发育包括大小的增加和整个机体复杂性的增加。但在某些情况下（如从能动的早期阶段变态为座生的或寄生的成体）则某些结构会丧失或退化。发育可分为形态发生（器官系统形成不同的结构）及分化（细胞、组织具备特殊的、独特的生物学功能）。在大部分情况下，两个过程同时进行，要完成必需的生理功能便需要一定的结构。在动、植物的不同的器官系统，两个过程进行的速率各不相同，如在人类，生殖系统尚未开始向成年型发育时，脑的体积和复杂程度已与成人相同。

动物和植物的发育沿不同的途径进行。在植物存在着多相发育现象，即各世代交替采取不同的发育形式。一种形式称孢子体，由性细胞（配子）融合产生，含两套染色体（二倍体），孢子体性成熟后产生只含一套染色体的后代，即配子体。配子体为单倍体，性成熟后产生单倍性的配子，配子结合后又开始新的周期。动物也经过单倍体阶段，但染色体减数仅发生于二倍体亲体的性器官内。配子体产生后立即结合形成二倍体的胚，并无独立的单倍体世代。雄体产生精子，雌体产生卵子，精卵结合（受精）形成合子，合子即分裂成许多小细胞（卵裂）。在陆上产卵的动物（如鸟、爬行动物），其卵在发育过程中从卵黄取得营养。低等脊椎动物的卵产在水中，卵中卵黄量少。孵出的幼体会直接从环境中摄取营养物质。多数哺乳动物的卵极小，附于母体子宫内，胎盘在子宫内形成，将营养物质从母体输送给胎儿。昆虫及其他无脊椎动物的幼体经变态而成为成体。

胚胎经数次分裂后形成空心的囊胚,后经原肠胚阶段,细胞分为3层,并分别移至其应有的位置。外胚层在外,形成皮肤、感觉器官及神经系统;内胚层在内,形成消化道、泌尿道及肺;中胚层居中,形成肌肉、骨骼、结缔组织。随后器官发生,先形成原始形态的器官系统。原肠胚背部的神经褶封闭成管状,后细胞团缩窄、扩张,形成神经系统。脊椎动物的肺由组织表面的囊状突起延长分支而成。脊椎动物的肌肉-骨骼系统由原始组织局部增厚形成。动物出生时发育并未完成。许多无脊椎动物及低等脊椎动物孵出时形态与成体不同,称为幼体,幼体摄食并生长为成体。有些对幼体有重要功能而对成体无用的结构(如蝌蚪的尾)于成年后分解消失,而新的结构(如蛙腿)从在幼体阶段处于静止状态的胚性组织中产生,这种过程称为变态。其他脊椎动物(如哺乳动物)降生时即形似微型的成体,以后的进一步发育较为简单。初生时性器官发育不完全,性器官的成熟即意味着进入成年期,如人类的许多生后发育过程于发身期进行,此时第二性征出现,男性的睾丸和女性的卵巢分别产生成熟性细胞。

所有植物发育过程中均有两个截然不同的世代,但某些植物(如藻类)的两个世代外形相同,而另一些植物(如显花植物)的一个世代(通常为单倍性的配子体)则终生生活于其亲体体内。高等植物的雄性配子体可为仅含3个细胞的花粉粒,由风、水或动物带到雌蕊形成花粉管,达到雌配子体,使之受精,形成合子。植物的合子与动物的合子一样,分裂为多数小细胞,并迅速分化。分裂3次后,子叶、胚根、胚芽、胚轴的分化即已完成,发育继续进行,直至形成微小的植物体(籽苗)。随后,发育停止进行,到种子播散在适于生长的条件中时才开始萌发,发育重新开始。萌发时籽苗先从周围环境吸水、变大,不久根、茎顶端的分生组织即迅速分裂,分生组织细胞每次分裂均产生一个分裂细胞用以继续生长,一个营养细胞帮助生长锥后方的细胞伸长。沿茎间断排列着成小簇的分生组织细胞,叶即由此产生,其形态决定于分生组织内不同细胞的生长率。原始分生组织出现分支,形成次生根及茎的侧枝。分生组织产生的营养细胞在分生组织后排成长链,上有坚硬的木质素沉积,妨碍物质通过细胞壁的弥散,并导致细胞的死亡。空的细胞壁构成长管——木质部,用以输送水分。茎外表面的细胞壁上沉积角质及木栓质,形成木栓和韧皮部。新的维管束细胞由形成层产生。整个生长过程由赤霉素(一种植物激素)控制。

development bank 开发银行 旨在对欠发达地区的生产性投资提供中长期资金(常随带有技术援助)的全国性或地区性的金融机构。20世纪50年代以来,开发银行数目迅速增多,它们受到国际复兴开发银行及其附属机构的资助。大型地区性开发银行有:美洲开发银行、亚洲开发银行、非洲开发银行。开发银行对公私团体单独提供或与其他金融机构联合提供特定的全国性或地区性项目的贷款。虽然大多数开发银行的工作重点偏重于工业部门,但有些也与农业部门有关。开发银行可属国家所有和经营或属私人所有和经营,政府常对这类私人银行提供大量的资金援助。开发银行所提供的融资的形式(股权或贷款)及费用,是根据银行获得资金的花费及取得利润以支付股息的需要而决定的。

developmental psychology 发展心理学 又称毕生发展心理学。心理学的一个分支。研究发生在人生全过程的认知、动机、心理生理功能和社会功能的变化。在19世纪和20世纪初,发展心理学家们主要致力于儿童心理学,到20世纪50年代开始对人格变量与儿童教养之间关系的问题发生兴趣。B.F.斯金纳的行为理论和J.皮亚杰的认知理论都是关于从儿童到青春期的生长和发育的。然而,在50年代,E.埃里克松坚决认为,除了儿童发展期外,在成人心理的发展过程中也存在着几个有意义的阶段。于是,心理学家们开始考虑人从胎儿到死亡这整个一生中的行为发展,包括子宫内期及出生后能影响个体理化环境的各个方面。到20世纪后叶,发展心理学家们对涉及一生心理过程的更广泛的课题感兴趣,包括遗传与环境的关系问题、发展的连续性和间断性问题以及整个人生发展的行为和认知基础问题。参阅 **child psychology; psychological development**。

Deventer 代芬特尔 荷兰中东部上艾瑟尔省城市。临上艾瑟尔运河西端的艾瑟尔河。8世纪在一座教堂周围发展起来,中世纪日趋繁荣成为文化中心。14世纪G.赫罗特在此创办共同生活兄弟会进行宗教活动。1500年前后为荷兰最主要的印刷业中心。当地特产有地毯、挂毯和蜂蜜饼。有机器厂和铸造厂,制造自行车和砖。中世纪建筑有大教堂、圣尼古拉斯教堂和市政厅(13世纪)。仍保存有几段旧城墙。有市立博物馆及一热带农业博物馆。其图书馆保存了10世纪以来珍贵手稿。人口约66 398(1989)。

Deventer, Conrad Theodor van 德芬特 (1857-09-29,荷兰多德雷赫特～1915-09-27,海牙) 荷兰法官和政治家,他的思想对荷兰在荷属东印度的殖民政策的发展有深刻影响。早年习法律,1880年去东印度群岛,担任律师和司法界各种职务。1897年回国,加入自由民主党,并拟定新的殖民计划,主张发展福利事业,分散行政权力,任用更多的当地人担任政府高级职务。1899年发表《道义上的欠债》一文,论述荷兰人应该承认在道义上对东印度群岛负有责任。他主张荷兰应大量拨款在东印度群岛兴办教育,发展经济,以便全部偿还自1867年以来在那里榨取的财富。他的呼吁引起公众的注意,并且构成1901年开始实行的"道德政策"的基础。

Devereux, Robert 德弗罗 参阅 **Essex, Robert Devereux, 2nd Earl of 埃塞克斯伯爵(第二); Essex, Robert Devereux, 3rd Earl of 埃塞克斯伯爵(第三)**。

Devereux, Walter 德弗罗 参阅 **Essex, Walter Devereux, 1st Earl of 埃塞克斯伯爵(第一)**。

Devers, Jacob L. 德弗斯 (1887-09-08,美国宾夕法尼亚约克～1979-10-15,华盛顿[哥伦比亚特区]) 美军将领,所率第6军团在第二次世界大战期间成功地攻入中欧的德军控制区,对欧洲大陆摆脱纳粹控制作出贡献。1909年毕业于西点军校。第二次世界大战期间任欧洲战区司令。1944年任北非战区司令和地中海战区盟军最高副司令。1945年初率第6军团扫荡阿尔萨斯,渡过莱茵河,横扫德国南部,直至瑞士边境,最后进入奥地利,在意大利北部与盟军会合。1949年退役前的任职是陆军地面部队司令。

Devey, George 德维 (1820,英国伦敦～1886-11,东萨塞克斯黑斯廷斯) 英国建筑师。在成为建筑师之前,曾学习绘画。曾设计大量的居住建筑,包括旅舍、别墅及乡间宅院。对19世纪后期和20世纪初期的英国非学院派建筑师很有影响,如W.E.内斯菲尔德、E.R.罗布森、J.J.史蒂文森都认真研究过他设计的肯特郡贝特先格的一座砖墙住宅(1857)。1870年罗布森任伦敦教育委员会建筑师时所作的标准设计即以这座住宅为蓝本。C.F.A.沃伊齐曾作他的助手。他一生以改建、扩建乡村住宅著称,如肯特郡的彭赫斯特府邸。

devil 魔鬼 一般指鬼王,在各宗教有不同名称。西方各一神教认为魔鬼是堕落的天使,他曾出于狂妄企图篡夺独一上帝之位。

《玛丽女王诗篇》中的图案花饰——"撒旦之下地狱"

美国不列颠百科全书公司供图

在犹太教和基督教教义中,魔鬼名撒旦。《旧约》如《约伯记》第1、2章中记载,撒旦在雅赫维面前检举世人,但不与上帝为敌。可是在以后的犹太教教义和基督教教义中,撒旦成了鬼王(《马太福音》25:41),并有别西卜(蝇王或粪王)(《马太福音》12:24 ～ 27)明亮之星、早晨之子等不同名称。根据基督教神学,撒旦的主要活动是引诱人抛弃生命与救赎之路而走向死亡与毁灭。他是因骄傲而堕入人间的众天使的首领,他的主要对手是上帝众天使军之帅米迦勒。伊斯兰教教理学多处提到易卜劣厮(魔鬼),他又名晒依陀乃(色旦)或阿都安拉(真主之敌)。据《古兰经》说,世界初创之时在阿甸园(伊甸园)引诱好娃(夏娃)犯罪的就是易卜劣厮。

devil ray　蝠鲼　又作 manta ray。又称毯魟。鲨纲蝠鲼科几个海产属鱼类的统称。体平扁,宽大于长。胸鳍长大肥厚如翼状,头前有由胸鳍分化出的两个突出的头鳍,似魔鬼

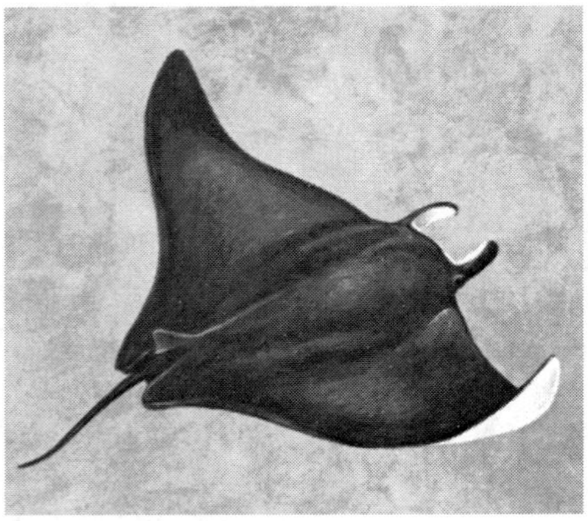

大西洋毯魟(*Manta birostris*)
美国不列颠百科全书公司供图

的角,故英文意为"魔鬼魟"。尾长,鞭状,一些种类的尾上具一个或更多的毒刺。蝠鲼与鲨、鳐近缘,见于沿大陆及岛屿暖水海区。在水面或近水面处游泳,拍打胸鳍前进,有时可跃出水面或在水面翻筋斗。以头鳍扫拢浮游生物及小鱼为食。最小的蝠鲼是澳大利亚的无刺蝠鲼(*Mobula diabolis*),体宽不超过60厘米。大西洋毯魟(巨蝠鲼、双吻前口蝠鲼,*Manta birostris*)是本科中最大种类,宽可超过7米,体黑或褐色,强劲有力,但不伤人;旧时传说它们将潜水采珍珠的人包住吞食,但这是无根据的。

devil worship　魔鬼崇拜　参阅 **satanism** 撒旦崇拜。

Deville, Édouard Gaston (Daniel)　德维尔　(1849-02-21,法国拉沙里泰～1924-09-21,加拿大安大略渥太华)　法国出生的加拿大国土测量专家,改进了具有实用价值的摄影测绘法。德维尔原在法国海军服役,领导南太平洋诸岛和秘鲁等地的水文测量,直到1874年。后去加拿大,1875年任魁北克省测量督导。1881年任自治领土地测量督导,4年后升任测量总监。他设计了一种制图系统,就是根据从地面上三角架摄得的照片之测绘交会法而成图。著有《摄影测量》(1895)等。

Deville, Henri-Étienne Sainte-Claire　德维尔　参阅 **Sainte-Claire Deville, Henri-Étienne** 圣克莱尔·德维尔。

devil's advocate　追谥候选人资格审查员　拉丁语作 advocatus diaboli。天主教会官员,负责坚持信仰原则,严格审查宣福礼或谥圣典仪的候选人,检举其缺点。这个职位是由教皇西克斯图斯五世于1587年正式设立的。

devil's arrow　魔鬼缝针　参阅 **dragonfly** 蜻蜓。

Devils Island　魔岛　法语作 Île du Diable。法属圭亚那大西洋岸外一个多岩石的小岛。该岛系包括三个小岛的萨吕群岛中最小的一个。距大陆及库鲁河口约16千米。此岛为一

法属圭亚那海岸外的魔岛
美国不列颠百科全书公司供图

狭长带状,长约1 200米,宽约400米,大部分为棕榈树覆盖。在整个萨吕群岛建成实行最大程度防备措施的囚禁区之前,该岛曾作为囚犯流放地的一部分,是囚犯中麻风病人隔离区。岛上最著名的囚犯是阿尔弗雷德·德雷福斯,一个法国陆军军官,他被不公正地判处叛国罪,于1895年4月13日到达该岛。1899年6月5日他被释放。在被监禁期间,他曾写过一本日记和1 000多封信。在他之后,又有其他的政治犯被囚于此。第一次世界大战期间,有些间谍和逃兵也曾被囚于此,他们主要来自热带国家,而不是在法国出生的人。1938年6月17日颁布了一项法令,停止将囚犯运送到法国的罪犯流放地,不过最后一批囚犯直到1953年才离开魔岛。后来该岛发展成为冬季游览地,旅游业渐趋兴旺。

Devils Lake　德弗尔斯莱克　美国北达科他州东北部城市,拉姆西县县城。靠近德弗尔斯湖。1882年初建,1894年建市。原为德弗尔斯湖轮船航行的起点,1909年湖面缩小6千米,航行终止。后发展成为一谷物(以小麦和玉米为主)、牲畜、家禽和乳品产区的贸易中心。生产金属箔制品、面粉、农具和化肥。1941年建立湖区初级学院。西南有萨利兹山国家猎物保护区,南有托顿堡印第安人保留地。人口7 222(2000)。

Devils Postpile National Monument　魔桩垛国家保护区　美国加利福尼亚州中段东部的马德拉县境内的国家保护区。位于圣华金河的中间河叉上。这个系统由高约12 ～ 18米、直径25～75厘米的多边形玄武岩柱构

魔桩垛国家保护区内的玄武岩岩柱
美国不列颠百科全书公司供图

成,是在大约90万年前由赤热熔岩的冷却、开裂作用造成的。占地3平方千米的魔桩垛于1911年7月6日被宣布为国家保护区。

Devils Tower National Monument　魔塔国家保护区　美国第一个国家保护区,1906年设立。在怀俄明州东北部,贝尔富什河附近。面积5.4平方千米。该地有著名的天然石塔,是残留的火山侵入岩受侵蚀形成。塔

魔塔国家保护区
怀俄明州旅游管理委员会供图

高264米,平顶,四周有凹槽。顶部长有艾灌丛、苔藓和草,并有金花鼠和鸟类栖息。周围原野上有松树林。保护区内有博物馆和野营地。

devil's walking stick (Plant)　参阅 **angelica tree** 多刺楤木。

Devine, Maj. M. J. (religious leader)　参阅 **Divine, Father** 神圣之父。

devir (Judaism)　参阅 **Holy of Holies** 至圣所。

devitrification　脱玻作用　玻璃质物质的结构转变为结晶质固体结构的过程。多数天然玻璃都是硅酸盐,其原子结构不具备形成晶体所需要的重复排列。玻璃是由于岩浆冷

却得太快因而无法建立这种有规则的结构而形成的。不过玻璃在低温下一般是不稳定的,其原子排列可以重新调整,而形成比较稳定的结构。这种脱玻作用的过程是很慢的,但过了几百万年之后,玻璃就会形成完全结晶质的物质了,因此,非常古老的玻璃质岩石很少见。

Devizes 迪韦齐斯 英格兰威尔特行政、历史郡肯尼特区的城镇(堂区)。濒临已废弃的肯尼特和埃文运河。早年建有罗马人要塞。1141年获建镇特许状。中世纪为重要集镇。现为谷物和牛、猪交易中心,有肉和乳品加工厂、瓦厂和机械厂。是英国最古老的鼻烟制造地。人口13 205(1991)。

Devo 退化乐队 美国新浪潮乐队,组建于俄亥俄州阿克伦。其名称取自该乐队人类衰退理论的主题。成员为M.马瑟斯堡、J.卡赛尔、B.马瑟斯堡、B.卡赛尔和A.迈尔斯。1972年由两名艺术专业的学生组建,后来他们的兄弟也加入进来。演奏时采用人如机器的形象,头戴花盆式头饰,身着连衫裤工作服,伴以重机械噪声(包括B.马瑟斯堡发明的机械鼓),借以表达现代科技的非人性后果。起初是以演奏时的恼人形象强调他们的观点。随着1976年单曲《猿人》的热销,1978年推出首张专辑《我们是不是人类?我们在退化》,获得极大成功。1980年的单曲《鞭打它》轰动一时,并对其他乐手们有深远影响,但后来受欢迎程度减退。

Devolution, War of 权力转移战争(1667~1668) 法国和西班牙之间在西属尼德兰(今比利时)的所有权问题上发生的战争。权力转移是西属尼德兰某些省份处理土地继承的一种习惯。根据这一习惯,首次结婚所生的女儿比以后结婚所生的儿子有优先权继承。法国路易十四发动这场战争即以此为借口,认为这一习惯也适用于拥有国家主权的领土。这样,他的妻子玛丽·泰蕾萨就应该继承她父亲西班牙的腓力四世(1665卒)在尼德兰的大部分西班牙领土,而不是由她的同父异母的弟弟、西班牙的查理二世(他是癫痫病患者,可能活不长久且无子嗣)来继承。法国军队在蒂雷纳元帅指挥下于1667年5月开进佛兰德,马到成功。路易十四转而采取外交手段,于1668年1月同神圣罗马皇帝利奥波德一世缔结条约。根据条约,双方同意于西班牙国王死后,在彼此间瓜分西班牙的领土;条约还规定若干尼德兰领土将同时并入法国。法国曾经企图争取英格兰支持它的要求,但英格兰新内阁转而与德国、瑞典结盟。这几个盟国为了限制法国扩张,便说服西班牙同意接受适当的条件,如果证明这样做无效,它们就在战争中支持西班牙。拟议中的和解条件与路易十四同神圣罗马帝国皇帝已经同意了的大体一样,于是很快于1668年4月在艾克斯拉沙佩勒缔结和约。而在这之前,孔代亲王率领法军占领了弗朗什孔泰。以后该省虽归还西班牙,但法国保有贝尔格、菲尔纳、阿尔芒蒂耶尔、奥德纳尔德、库特赖、里尔、杜埃、图尔奈、班什、阿特和沙勒罗瓦。

Devon 德文 英格兰的行政、地理和历史郡,为大不列颠的西南半岛的一部分。行政、地理和历史郡所辖范围略有不同。历史郡包括整个地理郡、西多塞特区的小片地方和北康沃尔的大块领地。德文地理郡是英格兰第三大地理郡,囊括行政郡所辖范围,还包括普利茅斯和托贝单一政区。行政郡包括东德文、中德文、北德文、南哈姆斯、特格恩布里奇、托里奇、西德文自治市和埃克塞特市。郡内有达特穆尔国家公园(为高逾600米的花岗岩高地)和埃克斯穆尔国家公园(局部,为高约480米的有较多农田的高地)。两地为本郡主要河流发源地。中部和西北部有大片草地。东南部土壤最肥沃。沿海气候温和,内地和高海拔地区气候多极端变化。南部海岸降雨量为760毫米,埃克斯穆尔为1 500毫米,至达特穆尔达2 000毫米。境内多史前遗迹。8世纪末成为一个郡。851～1003年屡遭丹麦人袭击。撒克逊人在此建有4座要塞。诺曼人建有数座城堡,后来这些城堡四周兴起城镇。12～17世纪当地有重要采锡业;至19世纪已开采铅、银、铁、铜和锰矿。从中世纪起,埃克塞特、普利茅斯、巴恩斯特布尔和达特茅斯即为兴旺的港口,出口锡和布(主要行业),19世纪两者均趋衰落。现经济以农业为主。约30%的劳力从事农业和与农业有关的行业。以牲畜、大麦、马铃薯、蔬菜、花卉、水果和饲料为基础。荒地和高地为粗放牧场和重要的乳品产地。广泛放养乳牛、肉牛和绵羊。沿海和内地乡村有旅游业。布里克瑟姆和普利茅斯有渔业。地方工业有纺织、乳制品、玻璃、毛纺、编织和造船等。普利茅斯和埃克塞特为主要工业中心。除埃克塞特以外,主要城镇均分布在沿海。普利茅斯、埃克塞特和托贝为三个大城市和销售服务业中心。埃克塞特为郡首府,有大教堂及大学城;托贝是主要的度假胜地之一。面积:行政郡6 561平方千米;地理郡6 703平方千米。人口:行政郡692 400;地理郡1 068 400(1998)。

Devonian Period 泥盆纪 4.08亿年前至3.60亿年前的一段地质年代,是古生代的第4个纪,在志留纪之后、石炭纪之前。泥盆纪常被划分成早泥盆世(4.08亿年前至3.87亿年前)、中泥盆世(3.87亿年前至3.74亿年前)和晚泥盆世(3.74亿年前至3.60亿年前)。这个纪内所形成的岩层构成泥盆系。

泥盆系的岩层各大洲均有发现,但是最早被认作重要岩层系列是在英格兰西南部的德文郡和康沃尔郡。早期地质学家R.I.麦奇生和A.塞奇威克的研究结果于1839年确立了泥盆纪。他们的成果不久就为研究别处相似地层的欧洲和美洲的调查者的著作所证实。

泥盆纪是世界古地理中有重大变迁的一个纪。地球的外貌和今天的情况大不相同,南半球当时有个庞大的大陆,赤道区域还有其他一些陆块。西伯利亚同欧洲之间隔着一片广阔的大洋。北美大陆同欧洲大陆在早泥盆世期间发生过碰撞,结果引起了加里东造山运动(造山幕)。这次运动促成了大量岩浆活动,例如叫作深成岩体的巨大花岗岩体的侵入作用。中泥盆世时期,在今美国东部境内的阿巴拉契亚山脉北部出现了阿卡迪亚造山幕。在北美洲北部和西部、南美洲西部、东亚以及澳大利亚东部,那些大构造板块(即构成地壳和上地幔的板块)也有大规模运动。全球许多地方还经历了强烈的火山活动和地震活动。

将大陆隔离开的赤道附近的海里有由珊瑚虫和其他生物体所造成的大范围的礁石。在北美洲、中亚以及澳大利亚,受陆地包围的大片浅海区变成了蒸发岩盆地,有大量的岩盐、石膏和其他矿物在盆地里沉淀下来。在大陆台本身及其边缘上,隆起的多山地区遭受激烈侵蚀,产生出大量的粗粒沉积物,被堆积在低洼地中和海里,变成了“老红砂岩”地层。荒漠条件广布于许多地区,而其他地区却有丰沛的降水量。在泥盆纪时一年被认为大约有400天,每天约21小时。这势必会对潮汐或许还会对海岸的侵蚀速率有过一点小的但不是无足轻重的影响,助长了海域的迅速扩展。

有证据表明,沿大洋脊裂隙的火山活动对泥盆纪时期各大陆的大泛滥是有影响的。当洋脊随着融熔岩石的侵出而增长时,大洋水位升高到了大陆的边缘上,到晚泥盆世时,所覆盖的地球面积的百分比要比今天大得多。

泥盆纪的特点在于有各种不同形式的动物群和植物群。在海生无脊椎动物当中,双壳腕足类和牙形石类已变得高度多样化而且极为丰富。软体类发生了迅速演化,菊石类(现已绝灭的一组头足类)出现了,是从其依旧存在的鹦鹉螺类的祖先进化来的。珊瑚虫和相似的动物都很丰富,所以供其他动物用的岩礁栖息地变得很普遍。对比之下,笔石类绝灭了,三叶虫也衰落了(只有蚜头虫属幸存下来)。

在泥盆纪期间出现了许多类型的原始鱼,它们既在海水环境中繁殖,也在淡水环境中繁殖。所以该纪通常被称为“鱼类时代”。无颌的、披着厚重盔甲的鱼(属于无颌纲)出现了,也出现了鲨形鱼和肺鱼。到泥盆纪末,扇骨鱼类(一种用肺呼吸的、有扇鳍的硬骨鱼类),显然是四足的两栖动物的祖先。

维管植物在泥盆纪期间经历了巨大的多样变化。蕨类和原始裸子植物的集群生长终于形成了最早的森林,比如美国东北部的吉尔博阿森林之类。这些是石炭纪(3.60亿年前至2.86亿年前)的巨大沼泽森林的先驱。

接近泥盆纪终了时,有许多海生无脊椎动物类遭到了绝灭。受到特别严重打击的有群体的板状珊瑚和层孔虫类,还有其他一些多种多样的与岩礁环境有联系的种类(例如正形贝式和五房贝式的腕足类)。

还没有任何解释这一全球范围现象的假说是可以全盘接受的。较可理解的原因似乎是,陆棚浅海的加深导致了岩礁和有关的动物群的破坏,或者是,此时在大洋水的大侵袭和大撤退之后接着广泛地出现了缺氧的(氧气不足的)环境。

Devonport 德文波特 澳大利亚塔斯马尼亚州北部城镇。临默西河河口。1893年由托基和福姆比两村合并成立。为一服务中心。有港口设施。位于巴斯公路线上。有铁路(限货运)通东南70千米的朗塞斯顿。轮渡与航空线通墨尔本。经此输出纸张、纺织品、地毯、食品、马铃薯、水泥和板材。人口22 645(1986)。

Devonshire, EARLS AND DUKES OF 德文希尔伯爵和公爵 英格兰布朗特(Blount)和卡文迪什(Cavendish)家族中封爵贵族头衔。按年代顺序分列于后,并各以●为标记。

● **Devonshire, Charles Blount, Earl of 德文希尔伯爵** 参阅 **Mountjoy, Charles Blount, 8th Lord** *蒙乔伊勋爵(第八)*。

● **Devonshire, William Cavendish, 1st Earl of 德文希尔伯爵(第一)**(1552-12-27～1626-03-03,英格兰德文希尔哈德威克豪尔) 又称哈德威克的卡文迪什男爵。德文希尔长期世袭贵族的第1代。威廉·卡文迪什爵士和他的第3个妻子伊丽莎白·哈德威克(后为什鲁斯伯里伯爵夫人)之子。青少年时代在伊顿公学和格雷律师学院受教育。1580年成为爵士,1605年封男爵。1608年继承母亲的大批财产。曾参加发起弗吉尼亚公司,并成为百慕大领地的被授予者之一。1618年由詹姆斯一世封为德文希尔伯爵。其曾孙成为德文希尔伯爵(第四)和德文希尔公爵(第一)。

● **Devonshire, William Cavendish, 1st Duke of 德文希尔公爵(第一)**(1640-01-25～1707-08-18,英格兰伦敦) 英国议会运动领袖。这个运动的目的是排斥天主教徒约克公爵詹姆斯(后成为詹姆斯二世)的王位继承权,后来又邀请奥兰治的威廉入侵英国。他是第3代德文希尔伯爵的长子(1684年他继承此爵位)。1661年从欧洲回国,任议员,不久即以坚决而大胆地反对查理二世的政策出名。1679年任枢密官,但因见到罗马天主教的利益处处占有优势,就与W.罗素勋爵一道挂冠。他在贵族院弹劾首席法官斯克罗格斯在最高法院武断行事,并公开指责国王的顾问们。罗素被审判时,他曾为之辩护。他反对詹姆斯二世的政府,曾因在宫廷中争吵被处以罚金和短期监禁。1688年革命使他再次成为重要人物。他是在邀请奥兰治的威廉前来英国的文件上签字的七个人之一,并被任命为新宫廷的事务大臣。1694年被封为哈廷顿侯爵和德文希尔公爵。他最后的政治活动是协助缔结英格兰和苏格兰的联合(1707)。

● **Devonshire, William Cavendish, 4th Duke of 德文希尔公爵(第四)**(1720～1764-10-03,奥属尼德兰列日省斯帕[今在比利时]) 即W.卡文迪什。又称哈廷顿侯爵。七年战争开始时的英国首相(1756-11～1757-05)。第3代公爵W.卡文迪什的长子。1741和1747年选入下院。1751年进入上院。1754年任爱尔兰总督。次年继承公爵爵位。1756年同意担任名义上的首相(因W.皮特拒绝在纽卡斯尔公爵的内阁中任职,而一些辉格党大家族又阻碍皮特任首相),由国务大臣皮特掌握实权,指挥作战。次年辞职,成为宫廷大臣(1757～1762)。

● **Devonshire, Spencer Compton Cavendish, 8th Duke of 德文希尔公爵(第八)**(1833-07-23,英国兰开夏下霍尔克～1908-03-24,法国戛纳) 即S.C.卡文迪什。又称哈廷顿侯爵。英国政治家,因反对本党(自由党)的爱尔兰自治政策,导致他出任自由联合主义党的领袖(1886),并日益和保守党一致。他曾三度推辞首相职位(1880,1886,1887)。1857年进入下院。1866年2～7月任陆军大臣。W.E.格莱斯顿第1次出任首相时,他是邮政总长(1868～1871),主持英国电报业的国有化工作,后改任爱尔兰事务首席大臣。1875年1月格莱斯顿暂时退出政界时,他成为下院自由党领袖。格莱斯顿第2次执政期间(1880～1885),他担任印度事务大臣直到1882年12月,以后又回到陆军部。他对指令戈登将军于1884年由苏丹撤出英军部队负有责任,但他曾一再敦促内阁速派远征军以解救戈登,虽然结果并不成功。整个这一时期,他在内阁中带头反对安抚爱尔兰民族主义分子。1882年5月4日,格莱斯顿试图通过任命他的弟弟弗雷德里克为爱尔兰事务大臣以表示同他和解,但两天后弗雷德里克在都柏林遭到暗杀。当1886年2月格莱斯顿再次出任首相时,他拒绝了他的领导人完全赞同爱尔兰自治运动的作法而成为新的自由联合主义党领袖。6月,他在下院击败了格莱斯顿的《自治法案》使政府倒台。保守党领袖、索尔兹伯里侯爵(第三)发现有赖于他的联合主义党在下院保持多数,提出由他组阁,被他两次拒绝(1886-07,1887-01)。1893年9月,他在上院再次击败格莱斯顿的《自治法案》。1895年他拒绝出任外交大臣,后在索尔兹伯里侯爵第三的内阁(1895～1902)及相继的A.J.贝尔福的保守党政府(1902～1905)中任枢密院长,负责学校事务,1903年因坚决主张自由贸易而辞职。在联合主义党中,支持殖民大臣J.张伯伦帝国保护主义的人数超过了他的自由贸易派,1904年5月,他辞去了自由联合主义协会主席职务,让位于张伯伦。

devotio moderna 新虔信派 14世纪末至16世纪天主教内部的一派,他们强调默思和内省,不重视仪式和表面行为,摒弃13、14世纪着重思辨的灵修理论。该派产生于尼德兰,后传至德意志、法兰西北部、西班牙等地,也可能曾传到意大利。该派创始人格鲁特建立共同生活弟兄会。他死后,门生在荷兰境内温德斯海姆成立奥古斯丁会吏支会。这两个社团是该派的主要代表。

Devrient, Eduard 德弗里恩特(1801-08-11,柏林～1877-10-04,德国卡尔斯鲁厄) 演员、导演、演出经理、莎士比亚戏剧德文翻译家和《德国戏剧艺术史》(1848)作者。此书第一次详细叙述德国戏剧的发展过程。杰出的浪漫派演员路德维希·德弗里恩特之侄,作为歌剧演员开始其艺术生涯。1829年3月在巴赫的《马太受难曲》首次重演时饰演基督。1844～1852年在德累斯顿当演员和舞台导演。1852～1870年为霍夫剧院导演。他上演的德国古典剧目和莎士比亚剧目达到很高成就。其德文莎士比亚戏剧虽有删改,但比以往的译本更适合舞台演出。

Devrient, Emil 德弗里恩特(1803-09-04,柏林～1872-08-07,德国德累斯顿) 19世纪德国演员,以扮演年轻英雄角色出名。杰出的浪漫派演员路德维希·德弗里恩特之侄。1821年在不伦瑞克首次登台。1831年在德累斯顿加入宫廷剧院,直到1868年在那里退休。他最大的成功是1852～1853年在伦敦主演歌德的《托夸多·塔索》、《埃格蒙特》以及莎士比亚的《哈姆雷特》等剧。

Devrient, Karl August 德弗里恩特(1797-04-05,柏林～1872-08-03,德国汉诺威) 德国演员。以扮演席勒的《华伦斯坦》、歌德的《浮士德》和莎士比亚的《李尔王》等剧中的英雄和个性角色而赢得声誉。杰出的浪漫派演员路德维希·德弗里恩特之侄。1819年在不伦瑞克开始演员生涯。1821～1835年在德累斯顿表演,他在那里与一位女歌唱演员结婚。后来在汉诺威取得舞台表演上的最大成功,并一直居住在那里。

Devrient, Ludwig 德弗里恩特(1784-12-15,柏林～1832-12-30,柏林) 德国浪漫主义时期最伟大、最有独创性的演员。他的气质、人物塑造和经历可以和同时代英国演员E.基恩相媲美。在人物塑造上,他既不遵循当时的表演学派,也不摹仿以前任何演员。出身于布商之家,拒绝为父亲的商务工作,几次逃离家庭。有一次参加了军队。当他决定当演员时,为了不使双亲更加烦恼,他用了艺名。起初他在图林根一个外省戏班里学戏,后来在德绍宫廷剧院登台演出,表演个性角色的才能从此得到发展。1809年,加入布雷斯劳市剧院,艺术上日臻成熟。演员兼剧作家伊夫兰对他的天才感到惊奇,并帮助他进入柏林皇家宫廷剧院的戏班。1814年在柏林首演,饰席勒《强盗》中的弗兰茨·摩尔。1816年任舞台监督,不过只管喜剧,同时也只分配他扮演喜剧角色。由于他更喜欢悲剧,渐渐变得消沉起来,饮酒过度。几年过去,他病了,由于痛风症而跛足。1828年在维也纳布尔格剧院演出,他恢复了精神,像以前一样演出。但在柏林的最后几年,仍有点放荡,去世时仅48岁。他最成功的角色是弗兰茨·摩尔和一些莎士比亚戏剧中的人物,包括夏洛克、李尔王、理查三世和法尔斯塔夫。他的侄子和侄孙均曾为德国舞台戏剧做出过重要贡献。

Devrient, Max 德弗里恩特(1857-12-12,汉诺威～1929-06-13,瑞士库尔) 德国演员。长于表演悲剧角色,尤其是歌德、席勒、莎士比亚剧作中的悲剧角色,但在表演喜剧方面也受到赞赏,特别是扮演莎士比亚喜剧《驯悍记》中的彼特鲁乔。杰出的浪漫派演员路德维希·德弗里恩特之侄孙,著名的性格演员卡尔·奥古斯特之子。1878年在德累斯顿首次登台,后曾在德国广泛巡回演出。

Devrient, Otto **德弗里恩特**（1838-10-03，柏林～1894-07-23，德国什切青） 德国著名演员、导演、演出人和剧作家。杰出的浪漫派演员路德维希·德弗里恩特之侄孙，其父爱德华·德弗里恩特为导演、莎剧翻译家和戏剧史学家。他受他父亲的教导，早年受雇于卡尔斯鲁厄、斯图加特、柏林和莱比锡等地，1863年回到卡尔斯鲁厄从事导演工作，10年后进入魏玛宫廷剧院，1876年导演了《浮士德》，该剧在一个3层舞台上演出，他本人扮演墨菲斯托菲里斯。其后在曼海姆和法兰克福任导演。1883年在耶拿编写一出耶稣受难复活剧，在纪念路德的节日上演。1884年迁至奥尔登堡，在那里任导演直至去世。他还写过几出悲剧。

dew **露** 夜间空气中的水汽在露天的物体表面凝结形成的水滴。它形成于晴朗无风或更多的是微风宜人的夜晚。当物体表面温度低于水的冰点时，水汽凝结物形成白霜（参阅**frost**）。露之所以只形成于晴朗的夜晚，是因为在这样的夜晚，暴露的物体表面通过辐射向空中放热。除非这样的热量损失为来自物体内部的有效的热传导所补偿，其表面会变冷。大部分物体，包括草片、叶、花瓣都比空气散热快，所以夜间这些物体常比空气冷。这些冷的表面使贴近其表面的空气变冷，如果空气有足够的大气湿度，空气温度就会降到露点以下。这种情况发生时，水汽便由空气中析出，在物体表面凝结。露的形成要靠水汽扩散来维持水量供应。至于有植物生长的土壤上方水汽的垂直扩散，可能有两种情形。一种是水汽由大气向上运动扩散，当水汽含量随高度递增时出现这种情况。另一种是水汽向上运动，这种扩散方式出现于当土壤表面温度高于叶面温度时。据此，露可以分为：①水汽在空气中向下扩散形成的，称为结露；②水汽从土壤下垫面向上扩散形成的，称为蒸馏露。

测量露的大小的方式很多，诸种测量仪器中，有雷克多孔石膏盘与经油漆处理的木板组装的德万尼露计。为了确定露的大小，可以称量雷克盘，而德万尼露计则需去查看它的刻度。一些研究者研制出记录露的天平秤，这种天平秤的表面和暴露的面与尽可能远的周围环境表面相一致。通过这种露天平秤可以很好地观察蒸馏现象：在某些情况下，尽管叶上有露形成，但记录却显示没有质量增加，甚而有所损失。这种露应归因于水汽由质量体系的一部分扩散至另一部分，也就是从土壤到叶。对形成于植物表面的露水的大小还不能很好地知道。可能出现这种情况，在有露水的夜晚，露水量可以很小变化到0.51毫米。G. 霍夫曼估计的最大可能露水量为10小时的夜晚0.03英寸，但是这一数量仅仅出现在极其例外的情况下。全年露水总量可在0.5英寸左右（在寒冷和近干热气候下）到约3英寸（在半潮湿温暖气候下）之间。由于土壤蒸馏而生成的露不能看作是获得水分，所以全年的露水量从水文学观点看意义不大。然而，在一些荒漠和半干旱地区，全年露的净获量在降水量中占很大的比例，露水可能成为植物和动物的主要水分来源。这种情况下，露对岩石的风化也可设想为起了重要作用。从生物学观点看，露的实用性和露可以刺激有害于植物的真菌类生长一样，都是值得怀疑的。

dewan 参阅 **divan** 迪万。

Dewantoro, Ki Hadjar **德万托罗**（1889-05-08，荷属东印度爪哇日惹[今印度尼西亚]～1959-04-26） 印度尼西亚塔曼西斯哇（意为“学生的花园”）学校系统创始人。出身于贵族家庭。曾入东印度医专，中途退学。后积极参加爱国运动，主张直接摧毁荷兰人的政权。他是伊斯兰教联盟万隆支部的成员，东印度党的创始人。由于在《快报》上发表一篇《假如我是一个荷兰人》，1913～1918年被流放到荷兰。他在那里改变了原来的主张，认为应当用印度尼西亚文化传统解决荷兰殖民统治带来的问题，教育是使印度尼西亚人增强力量的最好方法。他深受意大利教育改革家M. 蒙台梭利的进步理论和印度诗人、哲学家R. 泰戈尔的影响。1922年7月他创办第一批塔曼西斯哇学校。这种学校不采取正式的教学，而注重学习爪哇人的传统技能和生活准则，特别是音乐和舞蹈。为了帮助学生解决现代生活的问题，也教授一些西方的课程。后来，塔曼西斯哇学校发展到整个印尼群岛。第二次世界大战以后，德万托罗仍始终不渝地领导塔曼西斯哇。他逝世时被誉为民族英雄。

Dewar, Sir James **杜瓦**（1842-09-20，苏格兰金卡丁昂福斯～1923-03-27，英格兰伦敦） 英国化学家和物理学家，设计了双层壁的真空瓶用于低温现象的研究，该瓶就以他的姓氏命名。曾在爱丁堡大学就读，后任剑桥大学（1875）和伦敦英国皇家协会（1877）教授。毕生兼任这两处职务。1867年提出了苯的结构式。研究光谱学25年以上。1891年制出大量生产液氧的机器，约在1892年他构思了用带真空套的容器储存液化气体的设想，结果这种容器能非常有效地防止外来热量的流入，成为低温科研工作的一种主要工具。杜瓦瓶的原理也已广泛应用于普通的保温瓶。杜瓦第一个于1898年把氢液化，1899年把氢固化。1904年封为爵士。1905年发现用冷却的活性炭有助于产生高真空，以后在原子物理学中证明有用，还同F.A.阿贝耳一起发展了无烟线状火药。

Dewās **代瓦斯** 印度中央邦西部城市。位于马尔瓦高原的查蒙迪山麓。山上有代维瓦西尼神殿。城南有耆那教和印度教遗迹。代瓦斯市为主要陆路枢纽和农产品贸易中心。代瓦斯的主要工业有轧棉、磨粉、手工织布和肥皂制造。该地还设有音乐学院与维克拉姆大学教育学院。代瓦斯地处马尔瓦高原的平坦地区。流经该地区的水流有讷尔默达河、锡布拉河和加利信德河。小麦、高粱、水稻、棉花和油籽为主要农作物。人口约163 699（1991）。

dewberry **露莓** 蔷薇科悬钩子属（*Rubus*）植物，因茎部缺乏木质纤维而匍匐生长的黑莓。在美国东部及南部，悬钩子属几个匍匐种，尤其是匍匐枝悬钩子（*R. flagellaris*）、贝利悬钩子（*R. baileyanus*）、硬毛悬钩子（*R. hispidus*）、恩斯伦悬钩子（*R. enslenii*）及寻常悬钩子（*R. trivialis*）的果实均佳。有些品种，尤其是Lucretia，有栽培。参阅 **blackberry**。

Dewey, George **杜威**（1837-12-26，美国佛蒙特州蒙彼利埃～1917-01-16，华盛顿[哥伦比亚特区]） 美国海军指挥官，美西战争期间在马尼拉湾战役中击败西班牙舰队。

美国海军学院博物馆供图

1858年毕业于海军学院，3年后得海军上尉衔。南北战争期间在联邦海军中服役，曾参加新奥尔良战役（1862）以及哈得孙港和唐纳森维尔战役（1863）。1864～1865年调到北大西洋封锁海军中队，1897年调到美国亚洲海军中队。他努力研究西属菲律宾群岛情况，使舰队作好战斗准备。1898年4月美西战争爆发，他从香港驶向菲律宾，在马尼拉湾与西班牙海军相遇，不费一兵一卒击败了西班牙舰队。由于他的胜利，美国攫取了菲律宾，把势力扩展到西太平洋。返美时在一片欢腾声中回到纽约，成为终身海军上将。生前最后17年任海军总署署长。

Dewey, John **杜威**（1859-10-20，美国佛蒙特伯灵顿～1952-06-01，纽约州纽约） 美国哲学家、心理学家和教育家。与皮尔斯和詹姆斯共享实用主义哲学学派创立者之荣誉，

美国不列颠百科全书公司供图

并协助建立实用心理学派。曾入伯灵顿大学学习，毕业后在中学任教3年。1882年秋进入约翰斯·霍普金斯大学研究哲学，受在该校讲学的密歇根大学哲学教授莫里斯影响。莫里斯是新黑格尔主义领袖人物之一。1884年

获约翰斯·霍普金斯大学哲学博士学位。同年秋天,应莫里斯邀请到密歇根大学执教,被任命为哲学和心理学讲师。除1888～1889年曾在明尼苏达大学任哲学教授外,十余年间均在密歇根大学研究新黑格尔主义和实验生理心理学。1894年赴芝加哥大学任教,抛弃黑格尔主义,转而接受工具主义。与同事共同发表《逻辑学研究》论文集。詹姆斯盛赞此书,认为这是芝加哥哲学体系诞生的标志。杜威在心理学方面最重要的著作《心理学中的反射弧概念》是实用心理学创立的标志。该书主要观点是强调有机界对环境的适应。在教育学上的主要著作有《学校与社会》(1899)、《孩子和课程》(1902),提出并论证其教育哲学主要原则。1904年进哥伦比亚大学任哲学教授。在该校任教25年,成为美国最著名的教师之一。在哥伦比亚执教期间,著述浩繁。其学术思想涉及之论题范围甚广,包括逻辑与知识理论、心理学、教育、社会哲学、美术和宗教。《经验和自然》(1925)是其杰作,系统地叙述其哲学之重要方面。他关心时事,经常向各刊物投稿,为美国最出色的评论家之一。第一次世界大战后,杜威在"消除战争"运动中起过重要作用。因对美国两大政党成为大企业之工具感到不满,曾试图在美国组织第三政党。由于名望高,有许多国家邀请其讲学,其中有日本、中国、土耳其、墨西哥、俄国等。在国内外13所大学享有名誉学位。1932年被选为美国教育协会名誉主席。1938年被选为美国哲学协会终身名誉主席。

Dewey, Melvil　杜威 (1851-12-10,美国纽约亚当斯中心～1931-12-26,佛罗里达莱克普拉希德)　美国图书馆学家,发明图书目录"杜威十进分类法",对美国图书馆学的发展有重大贡献。1874年在阿默斯特学院毕业,留校任图书馆代理馆长。1876年发表《图书目录分类法和分科索引及图书馆图书的排列法》,文中概述了后来以杜威十进分类法而闻名的方法。这一方法被英语国家图书馆普遍采用。1877年移居波士顿,与人合办《图书馆杂志》并担任编辑。美国图书馆联合会成立时他是发起人之一。1883年任纽约哥伦比亚学院图书馆馆长,同时创办第一所训练图书馆馆员的图书馆管理学校。1889～1906年任纽约州立图书馆馆长,同时任纽约州立大学秘书(1889～1900)和纽约州图书馆总监(1904～1906)。他全面整顿纽约州立图书馆,使该馆成为全美效率最高的图书馆;同时建立流动图书馆制度和开展图片收集工作。

Dewey, Thomas E.　杜威 (1902-03-24,美国密歇根奥沃索～1971-03-16,佛罗里达巴尔哈伯)　精力充沛的美国检察官,连任3届纽约州州长(1943～1955),长期担任共和党领袖,1944和1948年两度被提名为该党总统候选人,但均落选。1926年在纽约州取得律师资格。1935～1937年任特别检察员,因负责调查纽约州的一起有组织的犯罪案件而为全国所瞩目:在73起长期未破的诈骗案中破获72起。1937年当选为地方法院检察官。1938

美国不列颠百科全书公司供图

年竞选州长失利,但从1942年起连续三度当选。任职期间,以政治观点温和、办事效率高而著称。杜威作为共和党1944年总统候选人,无法战胜具有崇高战时威望的在职总统F.D.罗斯福。但民意测验家曾断言他将获得1948年选举的胜利。为了避免得罪任何部分的选民,杜威展开了不明确表示政见的竞选活动,结果意外地被H.S.杜鲁门总统所击败。1952年共和党全国代表大会上,杜威作为该党东部领袖,对提名D.D.艾森豪威尔为总统候选人、R.M.尼克松为副总统候选人起了关键作用。1955年在第3任州长任期届满后,他重执律师业。

Dewey Decimal Classification　杜威十进分类法　图书馆藏书的分类排列方法,它把各门知识分成10大类,每一大类占100个数码。这10大类是:000～099为总类;100～199为哲学和心理学;200～299为宗教;300～399为社会科学;400～499为语言;500～599为自然科学和数学;600～699为工程技术;700～799为艺术;800～899为文学和修辞学;900～999为历史、传记和地理。每一大类又分为10个副系列,如欧洲史序位为940。以下继续按十进制数字细分,如英国史位于942,斯图亚特时期史为942.06,英联邦史为942.063。杜威十进分类法,是以W.T.哈里斯为圣路易斯公共图书馆所编制的分类法为基础,由美国图书馆学家M.杜威于1873年为阿默斯特学院图书馆编制的。1876年初次发表,到20世纪晚期已出20版。这种数字制的分类法提供了一种快速图书识别和定位手段。为了区分同一类中的书籍和迅速处理收回书籍起见,许多图书馆还加上一个图书号码,这号码是从卡特或卡特-桑伯恩所编的著者号码表中采用来的,可进一步明确书的著者和类型。杜威十进分类法因编制了简明和详备的目录,可适用于各种规模的图书馆。杜威十进分类法互见索引包含全部涉及的项目,按字母顺序排列。

Dewhurst, Colleen　杜赫斯特 (1924-06-03,加拿大魁北克蒙特利尔～1991-08-22,美国纽约南塞勒姆)　美国女演员,20世纪下半叶在百老汇领导了奥尼尔戏剧的演出,是奥尼尔戏剧在百老汇的主要阐释者。父亲是一位职业曲棍球球员。后来她移居纽约市,进入美国戏剧艺术学院学习表演,并私下师从J.安东尼和H.克勒曼。1952年她首次登上百老汇舞台,在奥尼尔《榆树下的欲望》中扮演小角色。1956年在纽约莎士比亚戏剧节演出的《驯悍记》中扮演凯蒂,首次引起观众的注意。1958年她与G.C.斯科特合作,在《黑暗中的孩子们》中露面,次年又与他合作,分别扮演《安东尼与克娄巴特拉》中的男女主角。后来她与斯科特曾有两度婚姻和离异。杜赫斯特在奥尼尔剧作中扮演的最著名角色有:《榆树下的欲望》(1963)中的艾比·普特南、《更加辉煌的宅邸》(1967)中的萨拉·麦洛迪、《哀悼》(1972)中的克里斯蒂·曼农、《私生子的月亮》(1973)中的乔茜·霍甘和《直到夜晚的漫长一天》(1988)中的玛丽·蒂龙。她创造的其他舞台角色还有《伤心咖啡馆之歌》(1963)和《生不带来死不带去》(1983)中的人物。杜赫斯特也拍电影,并在许多电视剧中担任角色。1985～1991年她担任演员协会的主席,这是一个职业演员的工会组织。

Dewi, SAINT　参阅 **David, Saint 大卫,圣**。

DeWitt, Lydia Maria Adams　德威特 (1859-02-01,美国密歇根弗林特～1928-03-10,得克萨斯温特)　美国女实验病理学家,结核病化学疗法的研究者。1898年在密歇根大学获得医科学位,留校讲授解剖学,直到1908年。后任教于密歇根州立大学(1908～1910)、华盛顿大学(1910～1912)和芝加哥大学(1912～1926)。以研究结核病理学闻名。曾对有毒金属和染料之间的联系进行过彻底的分析,为后来的研究工作树立了标准,导致成功地治疗该病。还对神经系统的解剖及公共卫生的措施等进行了重要的调查研究。著作甚多,其中的《结核病化学疗法》(1893)及《结核病化学》(1923)系与他人合著,受到高度重视。

Dewsbury　迪斯伯里　英格兰西约克都会郡柯尔克利斯都会自治市的城镇。属约克历史郡。濒科尔德河,在利兹西南偏南14千米。1086年的《末日审判书》中提及的迪斯伯里早在13世纪即有羊毛工业,但在产业革命前没有很大发展,在产业革命期间成为粗羊毛产区的天然中心。20世纪末期纺织业衰落,经济主要依靠工程业和轻型制造业。一种传统说法是:约克的第一任大主教保利努斯于公元627年在迪斯伯里传教,撒克逊时代迪斯伯里教区面积为1 000平方千米以上。另一种传统说法是,罗宾汉在柯尔克利斯的大公园中去世并埋葬在那里,该处有12世纪西多会修道院遗址。万圣教区教堂(大部分在18世纪重建)保留了9世纪的盎格鲁-撒克逊雕刻品。1862年设建制。人口50 168(1991)。

Dewson, Mary Williams　迪尤森 (1874-02-18,美国马萨诸塞昆西～1962-10-22,缅因卡斯廷)　美国经济学家和政治组织者。1897年毕业于马萨诸塞州的韦尔斯利学院。任波士顿妇女教育与工业联盟经济研究员三年,后任马萨诸塞州少女假释部主管(1900～1912)。1911年任马萨诸塞州最低工资立法委员会秘书。1912～1917年从事乳品业,后重返公职,任美国红十字会难民局驻法国地区负责人两年,其后,任全国消费者联盟调研秘书(1919～1924)和纽约消费者联盟会长(1925～1931)。曾积极协助F.D.罗斯福1930年竞选纽约州长及1931年竞选总统。1933年任民主党全国委员会妇女部主任。1933～1935年任全国复兴总署消费者顾问委员会顾问。1936～1937年任民主党全国委员会副主席,并任总统经济安全顾问委员会顾问。1937年任社会保障委员会委员。1938年因健康原因辞职。1940年复出,参与F.D.罗斯福的第三次总统选举,后负责罗斯福基金会和国际移民署。

Dexippus, Publius Herennius　德克西普斯(约210～270后)　古罗马历史学家和雅典政治家,公元3世纪的史学权威之一。据后人记述,他有3部重要史著,分别记述亚历山大大帝后继者历史(4卷)、公元238年后罗马帝国与哥特人的斗争史(1卷)以及自传说时代到公元270年的罗马编年史(12卷)。三书均失传,但有许多片断散见于后世史家著作中。据雅典一些铭文记载,他曾在雅典身居要职。267年左右,曾召集约2 000名同胞击退了哥特人对雅典的进攻。

dextromethorphan　右甲吗喃　用吗啡合成的镇咳药。其氢溴酸盐为白色结晶或白色结晶性粉,可溶于水、乙醇及氯仿。可制成糖浆剂或片剂口服。作用于中枢神经系统,抑制咳嗽反射,但与其他一些吗啡衍生物不同,既无成瘾性,又无中枢抑制作用及止痛作用。大剂量服用可导致知觉错乱,并引起幻觉。长期大剂量服用会损害记忆力。与抗抑郁病药物等其他药物服用可致死。

dextrose(sugar)　**右旋糖**　参阅**glucose**葡萄糖。

dey　代　奥斯曼帝国阿尔及尔省和突尼斯省授予干练的海盗头目的荣誉头衔。也指土耳其禁卫军军官的一个较低的等级。在16世纪晚期,突尼斯的"代"是军队司令,后来为国家元首。这一头衔在1705年已从官方文件中消失。从1689年起,阿尔及尔第一摄政者由土耳其禁卫军军官中选出,也用"代"这个头衔。他的范围仅限于阿尔及尔,实际上拥有绝对权力。1671～1830年共有30个"代"统治阿尔及尔。

Deyang　德阳　中国四川省辖地级市。位于成都平原北部,沱江支流绵远河和石亭江、涪江支流凯江流经市区。西汉置绵竹县,北周废。西晋太康元年(280)置德阳县,东晋改长阳县。唐武德三年(620)复置德阳县。1955年起筹建工业区,1958年正式选点布厂,作为中国第二个五年计划时期建设的重点地区。1983年,析德阳县、绵竹县和绵阳地区等部分置地级德阳市。1984年撤销德阳县并入德阳市。辖旌阳区及中江、罗江2县,并代管广汉、什邡和绵竹3县级市。面积5 818平方千米,其中市区面积1 093平方千米。市境南部和东部多平原与丘陵,西部属茶坪山地。有磷矿石、天然气、煤、铁、石灰石、大理石等矿产。其中磷矿储量达2亿吨,有四川最大的金河磷矿,并成为主要磷化工业基地。德阳农业发达,是四川省粮、油、烟、猪、棉基地之一。工业以机械、食品为主体,拥有中国最大的重型机械制造企业——中国第二重型机械集团公司、东方电机厂、东方汽轮机厂等大型企业。机械工业产值约占全市工业产值的1/4以上。名特产品有中国名酒剑南春、长城牌雪茄烟、绵竹大曲、松花皮蛋、德阳酱油、天府花生、中江挂面及什邡板鸭等。德阳北邻绵阳,南连成都,交通发达,宝成铁路及德阳—汉旺、广汉—木瓜坪两支线通过市内,并成南高速公路、108国道等过境。德阳孔庙博物馆已建成开放。人口:全市3 810 000(2005);市区620 000(2004)。

Deyssel, Lodewijk van　戴塞尔(1864-09-22,荷兰阿姆斯特丹～1952-01-26,哈勒姆)19世纪末至20世纪初荷兰的主要作家和评论家。曾参加同先锋派文艺杂志《新向导》有联系的不可知论个人主义团体。他的评论文章热情洋溢,辑成《文集》(11卷,1894～1911)。在写作初期,他崇拜左拉,出版了一本自然主义小说《一件风流韵事》(1887)。后来放弃自然主义,写印象主义的散文和过分雕琢的散文诗。他观察敏锐,纤毫毕现,富有表现力,是多年来对荷兰文学创作和评论有巨大影响的人物。

Dez Dam　迪兹水坝　旧称巴列维水坝。横拦伊朗迪兹河的拱坝,1963年完工。高203米,顶长212米,体积49.5万立方米,直到60年代末,是伊朗最大的发展计划工程。

Dezfūl　迪兹富勒　又拼Dizfūl。伊朗西南部城市。临迪兹河,海拔143米,近扎格罗斯山麓。迪兹河上有一座410米长的桥梁,据说为沙浦尔二世(死于379)所建。1978年伊朗革命前该城曾发生暴乱。迪兹富勒是洛雷

迪兹河左岸的迪兹富勒市
美国不列颠百科全书公司供图

斯坦地区牧民的冬季市场。有公路通阿瓦士,河另一岸有铁路车站和机场。上游32千米处的巨大的迪兹水坝可提供丰富电力并增加灌溉量。是中东最大的水坝之一,高203米,宽212米,至20世纪60年代末是伊朗最大的发展项目。人口202 639(1996)。

Dezhnëv, Cape　参阅**Dezhnyov, Cape**杰日尼奥夫海角。

Dezhnyov, Cape　杰日尼奥夫海角　又拼Dezhnëv,英语作East Cape(东角)。俄罗斯最东部楚科奇半岛最东端的海角,隔白令海峡与阿拉斯加的威尔士王子角相望。1879年俄国人为纪念1648年首次到达此地的俄国探险家S.I.杰日尼奥夫同F.A.波波夫而命名。

Dezhnyov, Semyon Ivanov　杰日尼奥夫(约1605,俄罗斯韦利基乌斯秋格～1673初,莫斯科)　又拼Dezhnëv。俄罗斯探险家,已知乘船驶过白令海峡的第一个欧洲人。他是在西伯利亚服役的哥萨克,从17世纪40年代初起经常在北方旅行。1648年从科雷马河乘船向东行驶至白令海峡,绕过亚洲的东北端(今称杰日尼奥夫角),到达阿纳德尔河。他从而证明亚洲和北美洲不相连,但他的报告一直压在雅库茨克的档案馆里,德国历史学家米勒1736年才发现此报告,所以杰日尼奥夫的发现过了将近100年才在V.白令和其他人考查此地区后方为人所知。

Dezhou　德州　中国山东省辖地级市。位于省境西北边缘,邻接河北省,京杭运河流贯。德州已有2 000多年的历史。秦为鬲县地。隋仁寿元年(601)置长河县,唐元和十年

德州市北郊的苏禄国东王墓
中国大百科全书出版社供图

(815)移治今市区。五代周废县为镇。北宋景祐元年(1034)为将陵县治所。元宪宗三年(1253)升将陵县置陵州。明洪武元年(1368)降为县,洪武七年为德州治所。1913年废德州为德县。1948年析县设德州市。1994年升为省辖市,辖德城区和陵县、宁津、齐河、武城、庆云、平原、夏津、临邑8县,并代管乐陵、禹城2县级市。面积10 356平方千米,其中市区面积538平方千米。历来是战略要地和交通中心。元代是京杭运河上主要供应站。明代是江南漕运北京的重要转运地,建有两座大型粮库。明正德六年(1511)为加强防御,修筑城垣,周长达11千米。20世纪初运河废弃,津浦、胶济铁路相继建成,德州仍处于交通要道,可与青岛港、天津港相联。1940年又建成德州—石家庄铁路,德州成为铁路交通枢纽和华北平原农产品(如豆类、棉花、粮食、花生、烟叶等)的集散中心之一。特产有德州扒鸡和西瓜。工业有棉纺、机械、化工、电子、建材、卷烟、面粉、榨油、食品、电力等部门。京沪、京九、石德、邯济、津

浦等铁路与104、105、106、205、308、309、220国道及京福高速公路等交织成网。有董子(仲舒)读书台和东方朔墓、苏禄国东王墓等古迹。人口:全市5 500 000(2005);市区:570 000(2004)。

Dga'-ldan 噶尔丹(1644? ～1697-05-03) 中国清代厄鲁特蒙古准噶尔部首领(1676～1697在位)。也先后裔,父巴图尔珲台吉为准噶尔部有权势的首领。他早年去西藏学习当喇嘛。1671年因兄僧格被弑,他回突厥斯坦,击败政敌。由于具有军事才能,又是声望很高的喇嘛,很快就凌驾于准噶尔部其他首领之上。他占领整个东突厥斯坦,然后又征服外蒙古。1690年率兵攻打北京,未能得逞。1696年康熙皇帝联合喀尔喀部,亲自率兵8万人越过蒙古进行追击,在宗莫德(今乌兰巴托附近)将其击溃。虽然他的妻儿被杀,但噶尔丹拒绝投降。他带领一股人逃往阿尔泰山。1697年暴病而死。

Dge-lugs-pa 格鲁派 又拼Gelukpa。中国藏传佛教教派。"格鲁"藏语意为"德行楷模"或"善规"。因该派僧人戴黄色僧帽,俗称黄帽派或黄教。15世纪初由宗喀巴创立。他主张严守戒律,恢复独身,禁食酒肉,虽继续尊重当时西藏盛行的金刚乘密教传统,但对密教及其仪式适当控制。该派先后在拉萨附近建成三大寺,甘丹寺(1409)、哲蚌寺(1416)和色拉寺(1419)。1578年哲蚌寺的住持首次获得达赖喇嘛称号,此后主要是同噶玛派争夺西藏领导权。1642年蒙古酋长固始汗受达赖五世罗桑嘉措和罗桑却吉坚赞之请,出兵打败支持噶玛派的藏巴汗,使格鲁派取得管理西藏世俗事务的权力。1645年,固始汗赠罗桑确吉坚赞以班禅博克多的称号,从而建立了班禅转世系统。1713年清朝正式册封班禅五世罗桑意希为班禅额尔德尼。1751年,清廷正式授权达赖七世格桑嘉措管理西藏地方政务,此派遂成为西藏的执政宗派。

DGI 德格伊 Dirección General de Inteligencia的缩写。古巴秘密情报总局。该机构是卡斯特罗掌权后,1961年在苏联克格勃的帮助下建立的。曾向卡斯特罗提供1962年美国中央情报局策划猪湾入侵的情报。它负责搜集古巴国内外的情报、反情报以及制造假情报的活动。

DGSE 国外安全总署 全名Direction Générale de la Sécurité Extérieure。旧称国外资料收集与反间谍处(1947～1981)。法国政府的秘密情报与反情报机构,隶属国防部。1947年成立,由以前许多独立的谍报机构(有些创立于拿破仑时代,有些创立于第二次世界大战自由法国时期)合并而成,独立地位一直维持到60年代中期。后因国外资料收集与反间谍处涉嫌绑架杀害居住巴黎的摩洛哥革命分子本·巴尔卡而划归国防部统辖。1981年改组为国外安全总署,其任务为搜集外国情报,保证国内安全。其工作与组织的详情从未对外公开。

Dhahabī, al- 德哈哈比 参阅**Aḥmad al-Manṣūr 艾哈迈德·曼苏尔**。

Dhākā 达卡 又拼Dacca。孟加拉国首都。位于托莱索里河支流布里根加河北岸。历史可追溯到公元第一个千年纪。17世纪作为莫卧儿帝国孟加拉省首府(1608～1639和1660～1704)时地位开始重要。曾是繁荣的海上贸易中心。穆斯林时期的历史建筑物有拉尔巴格堡(1678)、比比帕里妻子(1684卒)的坟墓、巴拉卡特拉大旅馆(1664)以及什叶派胡赛尼达兰清真寺(1642)。还有700多个清真寺。1704年省府移往穆尔希达巴德后,达卡进入了一段衰落时期。1765年起受英国人统治。1864年设市。衰落持续到达卡被定为东孟加拉和阿萨姆省首府(1905～1912)。在20世纪初期,达卡是商业和学术中心,以后成为东孟加拉省省会(1947)和东巴基斯坦首府(1956)。达卡在1971年独立战争中受严重破坏,后成为新独立的孟加拉国的首都。包括南面16千米的河港纳拉扬甘杰在内,达卡是全国最大的商品集散地。传统产品有贾木达尼(优质细布)、刺绣、丝织品、珠宝。该城设有达卡大学(1921)、贾汉吉尔诺戈尔大学(1970)、许多国立学院、一所工业和技术大学、一个核科学训练与研究中心、一个博物馆和一个图书馆。周围地区是被梅克纳河、博多河、贾木纳河环绕的平原,溪流遍布。主要农作物是稻、黄麻、甘蔗、油籽。有一个国有牧场。工业有黄麻加工、制绳、制筐、生产棉布和造船。人口:城市5 643 235;都会区约10 403 497(2001)。

达卡市的巴伊穆卡拉姆清真寺及大型购物中心
美国不列颠百科全书公司供图

Dhamār 扎马尔 也门西部城镇。位于也门高地,坐落在宽19千米的谷地。在阿拉伯地理学和哲学家亚库特(1179～1229)的著作中记述了扎马尔华丽的公共建筑和四周肥沃的土地。长期是数百年来占统治地位的伊斯兰教栽德派的主要宗教中心。有一所著名的经学院。该城作为君主国的中央省或扎马尔省前首府,被瓦齐尔家族当作酋长领地一直统治到1944年该国政府改组时。大部分住房是土坯结构的平房。有数座精致的清真寺。现为四周谷物产区的集散中心,有一些手工业。当地为也门良种马的著名产地。人口73 691(1992)。

dhamma(religious concept) 参阅**dharma 法**。

Dhammapada《法句经》 巴利文佛经,是宣传基本教义的箴言集。共有423首偈颂,分为26品。另有内容略微不同的普拉克里特文、梵文、汉文和其他文字版本。《法句经》在上座部国家和大乘佛教国家都流行。在斯里兰卡,几个世纪都用为沙弥课本,据说每个僧人都能背诵。

Dhamtari 特姆德里 印度中部查蒂斯加尔邦东南部城镇。位于默哈讷迪河西岸。为铁路支线终点,农林产品贸易中心。有碾米、磨粉与虫胶等工业。设有拉维尚卡尔大学的两个学院和一个工业学校。1881年设市。人口69 400(1991)。

Dhānbād 丹巴德 印度比哈尔邦东部城镇。位于达莫德尔河谷。重要农产品贸易中心。有比哈尔大学的印度采矿学院与中央燃料研究所。达莫德尔河由东向西穿过该地区,两岸有灌溉水池和种植水稻、玉米和油籽的农田。附近的切里亚煤矿与拉尼根杰煤矿使该地区成为印度重要产煤区。人口:城镇151 789;都会区815 005(1991)。

Dhanvantari 驮那婆多利 印度教神话中为诸神治病的神医。据说众天神和众阿修罗合力搅乳海寻找甘露,最后驮那婆多利手执一杯甘露涌出水面。

Dhār 塔尔 印度中央邦西部城镇。坐落在温迪亚山北坡。控制通往讷尔默达河谷的山口。与印多尔通公路。为重要农产品集散地。有轧棉与手工织布业。有图书馆、医院、音乐学院与维克拉姆大学分校。塔尔周围由马尔瓦高原的一部分和尼马尔地区构成,两者被温迪亚山分开。高粱、玉米、豆类和棉花为重要农作物。境内有默希、讷尔默达和昌巴尔等河,富灌溉之利。人口59 200(1991)。

Dharamsāla(India) 参阅**Dharmshāla 特尔姆萨拉**。

dharana 专注 梵语作dhāraṇā,意为执持。在印度的瑜伽派哲学中,指达到等持(即精神完全集中的状态)的八个阶段中的第六个阶段。在专注阶段,精神集中其注意力于一件外部事物上。专注到足够长的时间,便达到更深的精神集中状态,即禅定(梵语意为沉思)阶段。在这一阶段里,沉思者和沉思的对象发生经久不变的物我同一的感觉。这两个阶段和最后的等持阶段颇为相似而不易区分。

dharani　陀罗尼　佛教与印度教中所使用的据说具有灵异效验的语句。一般人念诵可以禳灾得福,瑜伽师念诵可以促进人定。陀罗尼是长篇经籍的精华,念诵它可以帮助记忆全文内容,以正确方式念诵,其效验同于念诵全文。

dharma　法　巴利语作dhamma,即达摩。印度教、佛教和耆那教名词。其含义甚多:根据印度教义,法既是支配个人行为的宗教伦理规范,也是处在不同等级、不同地位、不同人生阶段的人应追求的人生四目的之一。佛教认为,法是佛陀所揭示的适用于任何时代任何人的普遍原理和真谛;法、佛陀和僧伽一起构成佛教信仰的要素三宝。在耆那教哲学中,法除了作道德解以外,还指永恒的质,它是使万物得以运动的介质。

Dharma-Ṭhākur　达摩-达古尔　印度东部民间信奉的神灵。他属性复杂,起源不详。在包括现代西孟加拉邦大部分的拉尔赫地区,农民尊达摩-达古尔为大神。此神没有固定形象。拜他时可以拜石,拜还愿木牌,也可拜木拖鞋。他保祐丰产,医治疾病。对达摩-达古尔的崇拜与对太阳的崇拜有关,据说在每年达摩祭期间祭此神可促使季风雨降临。

Dharmakīrti　法称(活动时期7世纪)印度佛教哲学家和论理学家。他断言只有推理和直接知觉才是可靠的知识,又说在知觉过程中,认识力和被认识者分属不同要素。根据他的见解,无论是分析性或综合性的推理,其对象都是共相(全称命题);而知觉的对象,无论是通过五官、思量、自我意识或修习瑜伽所感知,均属自相(纯粹特称命题)。

dharmapāla　明王　藏语作drag-gshed。藏传佛教所崇奉的八神中的任何一位。明王本性仁慈,但其像可怖,用以镇慑恶魔。对于八大明王的崇拜始于8世纪,相传密宗僧人莲华生征服吐蕃恶神,迫使他们许愿保护佛教徒和佛教。在绘画、雕塑和舞者面具方面,各明王面带愠色,三目,披头散发,戴髑髅冠,佩人头串成之环,脚踏众人或兽,常有女性配偶相伴。或单独供奉,或集体供奉。通常所列八大明王是:①拉摩(藏语:女神;梵语称"室利提毗"或"迦罗提毗"),是令人生畏的拉萨护城女神,八大明王中唯一女性;②仓巴嘎波(藏语:白梵天;梵语作"悉陀梵天");③别则(藏语:隐形铠甲);④阎魔(梵语;藏语作"辛杰"),是死神,有时有其妹阎弥陪同;⑤俱吠罗,又名毗沙拏(藏语作"囊多拉";是财神,八大明王中仅有此神面貌和善);⑥大黑天(藏语作"贡波");⑦何耶揭唎婆(梵语:马颈;

19世纪西藏绘画中的拉摩像
美国不列颠百科全书公司供图

藏语作"塔仁");⑧焰鬘得迦(梵语:服魔;藏语作"辛杰舍")。

Dharmapuri　特尔默布里　印度东南部泰米尔纳德邦西北部城镇。因是桑格姆文学诗人阿瓦伊亚尔的家乡而知名。现为农产品贸易中心,有一些轻工业。城西约48千米处的高韦里河霍格纳卡尔瀑布为著名朝圣地。周围地区开采硝石和盐类。主要粮食作物为杂粮,但灌溉地大量种植水稻。主要经济作物有棉花、芝麻和花生。并产良种牛。人口51 223(1981)。

dharmashastra　法论　古印度法学。目前从根本上讲仍是居住在巴基斯坦、马来西亚、东非以及印度国外其他地区的印度教徒的家庭法。在印度国内,经过立法机关修改,也仍然有效。法论虽然广泛论述法庭和诉讼程序,但主要不是讲司法行政,而是讲面临各种难题时如何正确行事。凡受过传统教育的印度教徒都了解法论的基本原则,如义务重于权利;妇女永远处在最近的男性亲族的保护之下;国王(即国家)必须保护臣民不受精神的和物质上的伤害。法论在古代传到缅甸、泰国、巴厘等东南亚地区;这些地区的法论文献逐渐地丧失印度特色,吸收本地习俗。法论著作用梵文写成,共有5 000多部,可分成3类:①"经"(格言警句);②"传承"(长短不等的诗体论文);③"集"(各种传承的摘编)和"注(个别分段传承的评注)。"集"和"注"供法律顾问使用,在"经"和"传承"之间发挥很好的调和作用。法论所使用的方法主要是阐述古代的经文、格言或诗体,在它们含义模糊时加以解释,如果必要时使用传统的解释科学(弥曼差)以弥合不同的传统。在可能的情况下,法论准许奉行习俗,只要这种习俗是能够确定的,而且其内容不违背婆罗门(祭司阶级)理解的生活准则。婆罗门的伦理使法论具有它的格调,并且提供了对于能够由印度的国王们施行的印度人民的很多习俗的检验标准。古老的印度法学是由18世纪英国的东方学学者和法学家威廉·琼斯爵士介绍给西方的。他的许多追随者们认为法论是一种祭司的权术,目的是要使最低层的种姓首陀罗和不可接触者处于较高的种姓的控制之下。法论在年代上与犹太法律相同(或者更早,如果它确实渊源于吠陀的话),但它的根源更易于追溯,更复杂,和较少法典化。它比罗马法更持续和长久。英国在印度的统治通过严格适用传统的规则和引进关于先例的概念而影响了印度的法律制度。紧随外国统治之后的社会的飞速变化,要求对印度的法律作很多调整。例如,在法论中没有关于准许合法离婚或关于女儿和儿子一样在父亲死后同等地继承其遗产的规定。这就需要创制新的条文,而这是不可能的。因此,在1955～1956年,首先是零碎的后来是全面的立法,改变了法院执行的印度的法律制度。逐渐地,由于法官们不熟悉梵文,古老的法论条文开始为现代的、世界性的司法和社会概念所代替。

dharmasutra　法经　梵语作dharmasūtra,意即正义之线,构成印度法的最早来源的数种人类行为宝鉴的通称。主要由包括人与人之间、人与国家之间法律要点的简要法则线索组成,涉及种姓与人在社会、经济、宗教关系上的各种实际准则。为了便于记忆和老师的口头诠释,这些准则被改编成散文,形成了课堂演讲摘要的形式,后来在准则的各节中配上多音韵的诗。此种诗体日渐流行,最终导致全以诗体表达的作品问世。先前存在的法经韵律诗译文就被称作法论,尽管现今后一名词通常被用来指支配印度宗教与社会生活的习惯法和惯例的整体。

Dharmavamsa　达尔玛旺夏(?～约1007,爪哇[今印度尼西亚])　东爪哇国王(约985起),第一个生平有详细记载的爪哇历史人物。他是一个湿婆教国王,在位时期文学发达,印度史诗《摩诃婆罗多》已有爪哇文译本。现在巴厘仍然通用他所确定的法典。他和巴厘及部分婆罗洲建立起从属关系,并进攻苏门答腊室利佛逝王国。室利佛逝派兵进行报复,将东爪哇夷为平地,他也被杀。

Dharmshāla　特尔姆萨拉　又拼Dharamsāla。印度西北部喜马偕尔邦城市,坐落在喜马拉雅山低坡。特尔姆萨拉是景色优美的疗养胜地,出产汽水,附近开采石板。1905年该市毁于地震,此后重建。1959年,达赖喇嘛从西藏出走后曾居住在特尔姆萨拉。人口17 320(1991)。

Dhārwād-Hubli (India)　参阅 **Hubli-Dhārwād** 胡布利-塔尔瓦德。

Dhaulāgiri　道拉吉里峰　尼泊尔中北部喜马拉雅山山地。位于河水很深的喀利河峡谷的西面。有许多超过7 620米的冰雪覆盖的山峰,其中有道拉吉里第一峰、第二峰、第三峰和第四峰。道拉吉里第一峰高8 167米,是世界最高山峰之一。该峰南面有一峭壁,高达4 600米。由于山峰陡峭,且气候严寒,使

从尼泊尔中北部的喀利河峡谷远眺道拉吉里峰
美国不列颠百科全书公司供图

人很难攀登到山顶。直到1960年5月13日,艾泽林率领瑞士远征队登上了峰顶。此峰之名源于两个梵文字,意为“白色的山”。

Dhaun, Leopold Joseph, Count(Graf) von 参阅 **Daun, Leopold Joseph, Count(Graf) von** 道恩伯爵。

Dhebar Lake 泰伯尔湖 印度西北部拉贾斯坦邦阿拉瓦利岭东南的大型水库。满水时面积约50平方千米。17世纪后期在戈马蒂河上用大理岩筑坝形成,有水渠向西面的村庄引水。湖北端散布林木覆盖的小岛群,沿岸有渔村。

Dhekélia 泽凯利亚 又拼 Dekéleia。塞浦路斯东南部的英国军事飞地。根据1959年《伦敦协定》,塞浦路斯获得独立,该地保留为英国拥有主权的基地。位于拉纳卡湾北岸,北界是1974年确定的塞浦路斯共和国(南)和土耳其管理的塞浦路斯区(北)之间的部分边界。有医院和小型机场。该地和西南部英国另一军事领地阿克罗蒂里(总面积256平方千米),是英国军队训练和演习的场地,并用以支援联合国驻塞浦路斯的军队。

Dhenkānāl 滕加纳尔 印度东部奥里萨邦中东部城镇。稻米、油籽和木材市场,以及手工织布中心。原为滕加纳尔土邦首府,该邦于1949年并入奥里萨邦。设有滕加纳尔学院(1959)。周围地区产稻米和油籽,林产品占重要地位。有纺织、铜器和其他手工业。人口46 250(1991)。

Dhībān(Jordan) **济班** 参阅 **Dibon** 底本。

dhikr 齐克尔 又拼 zikr(阿拉伯语原意为“提醒自己”或“提及”)。又译迪克尔。伊斯兰教神秘主义者(苏非派)的祈祷,其主旨是颂扬真主,并求得灵性完美。起初只是简单地背诵《古兰经》和禁欲、神秘教派的经籍;后来发展成为规定的姿势和顿挫朗诵或低吟固定词语,如:“万物非主唯有真主”;“安拉至大”;“赞颂安拉”;“求安拉饶恕”等。齐克尔是苏非派用以努力实现人主合一的途径。

Dhiliyiánnis, Theódoros 季利伊阿尼斯(1826-04,希腊卡拉夫里塔～ 1905-05-13 或06-13,雅典) Dhiliyiánnis 又拼 Deligiánnis 或 Diliyiánnis。希腊政治家,曾5次出任首相(1885～1886,1890～1892,1895～1897,1902～1903,1904～1905)。他是具有侵略性且往往不负责任的光复主义的坚决鼓吹者。他同改良主义政治家K.特里库皮斯的严重对立主宰了19世纪最后25年间的希腊政治。曾在雅典大学学法律。1862年担任希腊外长,1867～1868年任驻法大使,1877年在A.库蒙祖罗斯的政府里任外长时,他主张干预俄土战争;次年,他作为代表出席试图解决东方问题的柏林会议。当他的对手特里库皮斯鼓吹成立立宪政府、进行内部改革时,支持“伟大理想”(保证要把在土耳其人统治下的全部希腊人解放出来,甚至收复君士坦丁堡即伊斯坦布尔)的季利伊阿尼斯却从事于制订一项侵略性的对外政策,并组织保守的国民党以便同特里库皮斯的自由党相抗衡。1885年季利伊阿尼斯组成了他的第一任政府,当保加利亚宣告脱离土耳其而独立时,他准备进攻土属马其顿,只因列强封锁了希腊各港口时,这一冒险行动才被制止。1896年在克里特岛爆发反土耳其起义的激励下,他于翌年4月对土耳其宣战,派出一支舰队前往该岛,并派出王储康斯坦丁率领的陆军攻打马其顿和伊庇鲁斯。但陆军吃了败仗,希腊不得不把北部边界的12个战略据点割给土耳其。作为首相的季利伊阿尼斯引退后,仍在众议院保有1个席位,不过他的声望远不如前了。在第5次出任首相期间,因为严厉对付赌业辛迪加而被暗杀。

Dhílos(Greece) 参阅 **Delos** 提洛。

Dhlomo, R(olfus) R(eginald) R(aymond) 德洛莫(1901,纳塔尔锡亚穆[南非]～1971) 非洲小说家、记者、编辑。用祖鲁语及英语写作,在亚当斯师范学院获教师证书,先后在《班图世界》等杂志社任编辑。他的《一个非洲悲剧》(1928)是祖鲁作家用英文写的第一部小说,内容为城市对一对来自乡村的恋人的腐蚀作用。用祖鲁文写的主要小说有《恩登格齐的女儿诺玛兰加》(1934)、《恶人的道路》(1946),分别描述约翰内斯堡和纳塔尔的祖鲁人生活。他的其他许多祖鲁语作品都是有关祖鲁王朝成员的半传记故事。

Dhodhekánisos(Greece) 参阅 **Dodecanese** 佐泽卡尼索斯。

Dhofar 佐法尔 阿拉伯语拉丁字母转写作Ẓufār。阿曼南部历史地区。从阿拉伯海岸舍尔拜塔特角向西南伸展至阿曼与也门边境。北界从未划定,但通常包括位于内陆约240千米处的穆格欣旱河在内。佐法尔东北部是一片多石平原的大沙漠和沙丘,将其与阿曼北部隔开。阿拉伯海岸的塞拉莱平原(长约64千米,宽1.5～9.5千米)以其季风气候、温带植物和鸟类生物,被认为是阿拉伯半岛特别是其西南部最美丽的地方。有常流河流经,使其成为阿曼最肥沃的地区。往内地约16千米,崎岖的盖拉山海拔900～1 200米。向北为多卵石的沙漠。北部沙漠与沙特阿拉伯的鲁卜哈利沙漠相连。佐法尔是被人认为《圣经》中所提到的俄斐的地方之一。远在公元前12世纪已有居民点。公元12世纪末为穆罕默德·门贾瓦统治的阿曼属国。19世纪初期由穆罕默德·阿贾比统治。1965年鄂塔里部落在也门(亚丁)的支持下,反抗泰穆尔苏丹的限制政策,1975年失败。佐法尔主要农作物有椰子、苜蓿、高粱、香蕉和蔬菜。是世界乳香主要产地,也是养牛区。东北部有油田。城镇分布于沿海平原,主要有塞拉莱(前阿曼苏丹永久驻地)、米尔巴特、塔盖、赖苏特和赖赫尤特。佐法尔的山区居民几乎全是卡拉人、谢瓦人和马拉人;塞拉莱平原上内志人和卡的尔人则较多。

Dhok(Iraq) 参阅 **Dahūk** 代胡克。

dhole(species *Cuon alpinus*) **豺** 又作 red

北京动物园内的豺(*Cuon alpinus*)
中国大百科全书出版社供图

dog。犬科亚洲野生食肉动物。栖于亚洲中部和东南部的森林地带,其身体构造的特点是缺一对下磨牙。体长76～100厘米,尾长28～48厘米,体重14～21千克。毛色从浅黄到微红褐色,但腹部毛色较浅。豺通常结群,每群多至30只,捕食各种兽类,如鹿和野羊之类。据报道也攻击虎和熊等大型动物,妊娠期9个星期,一窝2～6仔。

Dholpur 托尔布尔 印度西北部拉贾斯坦邦东部城镇。位于昌巴尔河北岸。始建于11世纪,原称达瓦尔布尔,后简称托尔布尔。今城建于老城以北,以防昌巴尔河侵蚀。曾为托尔布尔土邦首府,该邦1949年并入拉贾斯坦邦。附近默杰贡德湖畔的几座寺庙每年有庙会。农产品集散中心,与北面的阿格拉、德里和南面的瓜廖尔通公路。有铁路工厂和手工织毯与玻璃制造等业。设有一座医院和一所学院。每年定期举行牛、马集市。人口44 375(1981)。

dhoti 多蒂腰布 印度男子传统用的长缠腰布。缠于臀部和大腿,一端绕过两腿间,然后塞于腰带内,像条宽松下垂长及膝盖的裤子。做腰布用的薄棉布也叫多蒂,常是白色,布边有彩色条纹,原称“巴里达纳”。古时多蒂腰布男女都用。多蒂腰布的衍生物在泰国是“帕农”,在斯里兰卡是“康波”,在印度尼西

19 世纪中叶的印度绘画中缠多蒂腰布的男子
美国不列颠百科全书公司供图

亚和马来西亚是“莎笼”。

dhoum nut 参阅 **doum nut** 姜饼棕榈果。

dhow 阿拉伯三角帆船 红海及印度洋上常见的独桅或双桅阿拉伯帆船。通常用斜三角帆，大型阿拉伯三角帆船的主帆远大于后

驶离桑给巴尔海岸的阿拉伯三角帆船
美国不列颠百科全书公司供图

桅帆，船首呈尖形，并向前上方突出，船尾有的开有窗户，并加装饰。

dhrupad 德鲁帕德 印度斯坦音乐中的古代声乐曲式。呈四部结构，其前有很长一段开场的即兴演唱（称为“阿拉帕”），然后通过节奏和旋律的精心发挥而加以扩展。德鲁帕德与后来的比较短小的卡亚尔曲式有联系，卡亚尔曲式的流行程度已颇使德鲁帕德相形见绌。古典德鲁帕德风格庄重威严，要求演唱者有较长的气息控制。这一曲式用于赞美英雄、神灵和君王。

Dhū al-faqār 脊柱剑 在伊斯兰神话中，指穆罕默德的女婿、第四代哈里发阿里的双锋神剑。此剑起初为异教徒伊本·穆奈比所有；624 年拜德尔之战中被穆罕默德缴获，然后传给阿里。据说剑上刻有铭文，结尾语是：“穆斯林杀异教徒不抵命。”此剑最后归阿拔斯王朝的哈里发所有。

Dhū an-Nūnid DYNASTY **左农王朝** 11世纪在托莱多建立的穆斯林柏柏尔人王朝。在诸王国混乱时期，这个王朝曾统治西班牙中部从瓜达拉哈拉和塔拉韦拉到穆尔西亚的大片地区。早在 8 世纪中叶，这个家族就已在托莱多东北定居，颇有势力。

在分裂西班牙伍麦叶国家的内战（1008 ～1031）中，统治托莱多的阿卜杜勒·拉赫·伊本·左农及其子伊斯梅尔·扎菲尔是率先拒不承认科尔多瓦伍麦叶哈里发中央政权的北方领袖。扎菲尔在托莱多自立为国王，一直统治到 1043 年。其子叶海亚·马蒙（1043 ～1075 在位）数度与基督教徒结盟，反对穆斯林敌人，甚至在宫廷中款待过卡斯蒂利亚和莱昂国王阿方索六世（1072）。1065 年，马蒙占领了埃米尔的首都巴伦西亚，并在 1074 ～ 1075 年据有伍麦叶王朝原来的首都科尔多瓦。但马蒙的孙子叶海亚·卡迪尔（1075 ～ 1092 在位）不久就失去了巴伦西亚和科尔多瓦。与阿方索六世的结盟加速了左农王国的灭亡。卡迪尔虽然曾短期收复了托莱多，但他将其首都让给了基督教徒，换取了巴伦西亚（1085）。1092 年卡迪尔在该地被暗杀。

Dhuburi 图布里 印度东北部阿萨姆邦西部城镇。傍布拉马普特拉河，邻近孟加拉国。为稻米、黄麻、鱼类等产品的贸易中心。有一家火柴厂。有公路和铁路通附近地区、加尔各答和孟加拉国。人口 66 216（1991）。

Dhūlia 杜利亚 又称杜勒。印度西部马哈拉施特拉邦西北部城镇。在主要公路和铁路线上。1601 年属莫卧儿帝国，18 世纪被马拉塔人占领，1818 年割让给英国，并入孟买管区。原为农产品贸易中心，后发展为工业城镇。有棉纺织厂，还有轧棉、卷烟和榨油等小工业。设有浦那大学的 13 所学院。杜利亚周围广大地区包括索德布尔岭与萨德马拉岭（西高止山支脉）等两座山系，达布蒂河流经其间的肥沃谷地，为肯代什棉产区的一部分。其他重要农作物有花生和辣椒。农产品多运往孟买。人口 210 759（1981）。

Dhulip Singh 参阅**Dalip Singh**达立普·辛格。

dhyāna 禅那 又译禅或静虑。印度哲学中，指达到涅槃的静坐默念过程中的一个阶段。参阅 **Buddhist meditation**。

Dhyāni-Buddha 禅佛 在大乘和金刚乘（即密宗）佛教中，指 5 位自太初以来即永远存在的“自生”佛的任何一位。这5位佛一般

爪哇婆罗浮屠一座窣堵波阶梯平台上的禅佛（8 世纪建造）
美国不列颠百科全书公司供图

指毗卢遮那、阿閦佛、宝生、阿弥陀佛和不空成就佛。近年来，学者们指出“禅佛”一词并不见于原始佛典。但是这一术语仍常被人使用，当描述 5 位习定状态的佛像时更是如此，如在一些曼荼罗（行宗教仪式和修习禅定时使用的象征图形）中，在窣堵波的四边和顶部，或印度尼西亚婆罗浮屠巨大建筑的阶梯平台上。5 位佛陀的艺术造型几乎是一致的，皆身穿袈裟，盘腿而坐，发式相同，双耳垂肩，但颜色、象征、手势和面对的方向则各有不同。这 5 位不灭的佛与其他 5 法数如五蕴、五大、五根等有关联，因而可以认为整个宇宙由他们分据，并由他们发源。每一位佛陀代表组成整个宇宙和个体的精神和物质的总和的五蕴之一。根据对这一体系的详细解释，佛教诸神中，其他神祇大都与这 5 位佛陀之一有关，为他的“家属”，反映他的特征，诸如颜色、方向和象征，当在艺术作品中表现这些神祇时，通常在他们的上方有“父”佛的图像。另外，据说每一位“自生”佛陀化身为世间的佛陀或菩萨，各有其明妃（或称佛母）、座骑、佛号、自然的力量、特别的感觉器官、知觉和人体的象征性部位。为对抗 5 佛体系所带来的多神论倾向，有些部派将 5 位佛陀中之一（通常为毗卢遮那）奉为本初佛。有时把 5 位之外的一位佛陀奉为本初佛。藏传佛教各派以金刚持为本初佛，尼泊尔的一些部派则以金刚萨埵为本初佛。

Di 狄 中国先秦时期对西北和北方民族的称谓，又用以泛指北方民族。狄字或作“翟”。狄人部落众多，春秋时以赤狄、白狄、长狄最著。赤狄隗姓，即殷及西周之鬼方，甲骨卜辞与金文皆有记载，为西北大国，略当今陕西、甘肃、宁夏及内蒙古鄂尔多斯一带。春秋之初，赤狄东山秦、晋之北而入于晋，并据太行而建群国，其势力大盛，又东向灭掉邢国（都今河北邢台）、卫国（都今河南淇县）。虽值齐桓公霸业盛时，邢、卫二国重建，但仍无力恢复其故土。是后狄人西扰周、晋，并与王子带勾结，将周襄王逐出王都。晋文公出兵

勤王，大败狄师，杀叔带。狄乃东渡黄河，进入河南、山东，侵扰宋、卫、齐、鲁。后狄人发生分裂，力量削弱，晋遂攻灭潞子、甲氏、留吁、铎辰等国，赤狄大衰。白狄原与秦同居雍州，在晋国西，后亦渐徙晋东，更东至鲁西，其中以河北中部的肥、鼓、鲜虞三国最大。肥、鼓后为晋所灭，春秋末鲜虞改称中山，战国时成为与燕、赵、韩、魏同时称王的千乘之国。20世纪70年代在河北平山县发现中山国都遗址及中山王墓。出土文物表明，白狄正在逐步融合于华夏族，并在战国中期与华夏文化趋于一致。春秋中叶活动在今山东、河南、河北间的长狄，又名鄋瞒，以其服属于赤狄而蒙狄称，因其族人体形高大故名长狄，其各部分别灭于晋、齐、宋、鲁、卫。

Di Centa, Manuela　迪森塔（1963-01-31，意大利帕卢扎～　　）　北欧两项滑雪女运动员，是唯一在一届冬季奥林匹克运动会（1994）上获得5块越野滑雪奖牌的运动员，还曾赢得15次世界杯和2次全能冠军（1994和1996）。迪森塔是一个天才，17岁就成为国家队深受重视的选手。1984年萨拉热窝冬奥会后，率直而有主见的迪森塔退出比赛，公开批评意大利滑雪联合会对女运动员的不公，实行所谓的血挽（输血以增强运动员的耐力），以及其他非法的训练方法。在更换教练后，她重回国家队，但在1988年冬奥会上未获奖牌，1992年冬奥会只获4×5公里接力铜牌。后发现患甲状腺失调症，经两年治愈。1994年冬奥会获15公里和30公里金牌，5公里和10公里银牌和4×5公里接力铜牌。

Di Jun　帝俊　中国神话中殷民族奉祀的天帝。甲骨文称为高祖夋。有关神话集中保存在《山海经·大荒经》里。帝俊妻一为日神羲和，生10个太阳；一为月神常羲，生12个月亮；另有一个妻子娥皇，其子一头三身，成为三身国的先祖。尧的时候，10个太阳并出，帝俊曾赐羿弓箭，令其下凡拯济世间艰困；又曾在卫丘营造竹林，竹大可剖以为船。帝俊子孙也多有发明：羲均作"下民百巧"，奚仲、吉光用木头造车，晏龙制作琴、瑟，后稷播种百谷，叔均发明牛耕，另有8子始创歌舞。又一传说为帝俊是人间帝王，一为帝喾高辛氏，另一为帝舜，都是本神的英雄。帝俊子孙建立的国家有司幽、黑齿、中容、白民、苏、三身、季釐、西周等8国。

Di Penates（Roman deities）　参阅 **Penates 珀那忒斯**。

Di-Qiang　氐羌　中国古代民族。指远古时期分布在今陕西、甘肃、青海、四川西部和云南北部的游牧部落。氐羌常连用，有时也分用，有人认为氐和羌是两族，也有人认为是一族。传说中的黄帝和黄帝族后代的夏族都是羌的一支。商汤时代氐羌部附于商。周武王曾与羌、蜀等部落组成联盟推翻商王朝。公元前4世纪秦向四周扩张时，羌人开始向西南和西北迁移，有的南下到大渡河、安宁河流域，有的远徙青藏高原与当地的土著会合。秦在岷江上游湔氐地置湔氐道（今四川松潘西北），在广汉置刚氐道（今四川平武），在甘肃设甸氐道（文县以西）。汉武帝元鼎六年（前111）置武都郡（今甘肃南部）、汶山郡（今四川茂汶县北），有白马氐、冉駹夷等"七羌、九氐"部落。又设护羌校尉，治临羌（今西宁以西），总管羌人事务。《史记·西南夷列传》列举的滇僰、邛都、嶲、昆明和后来的叟、爨等都出于氐羌。魏晋以后，陕、甘、川、青氐羌大部融合于汉族和吐蕃。西晋后十六国（304～439）中氐人建的政权有前秦、后凉、仇池。晋、北宋间，烧当羌、党项羌还建立过后秦、西夏等政权。

Di Stefano, Alfredo　迪斯泰法诺（1926-06-04，阿根廷布宜诺斯艾利斯～　　）　阿根廷足球运动员和经理，被认为是足球史上最好的中锋之一。其声誉主要来自他在皇家马德

美国不列颠百科全书公司供图

里队（1953～1964）的表现。他聪颖、技术全面且有耐力。两度获欧洲足球先生称号（1957和1959）。1944年加入河床队，1947年进球27个，成为阿根廷足联最佳射手。1949年参加哥伦比亚百万富翁队，获3次冠军，两次最佳射手。6次入选阿根廷国家队，帮助赢得南美锦标赛。1953年加盟西班牙皇家马德里队，在11个赛季中连续4季居进球榜首（1956～1959），帮助该队8次获得甲级联赛冠军，1次西班牙杯，5次欧洲锦标赛杯和第一届洲际杯。最后参加西班牙人队两个赛季。1966年退役，一生共参赛521场，进球521个。加入西班牙国籍后，于1957～1961年代表西班牙参赛31场，进球23个。

diabase　辉绿岩　又称粒玄岩（dolerite），为细粒至中粒、深灰至黑色的侵入岩。非常坚硬结实，常做碎石开采，名为暗色岩。虽然并不普及，也是做纪念碑的极好石料，为商业上叫"黑花岗岩"的暗色岩石之一。分布广泛，以岩脉（插入裂缝中之板状岩体）、岩床（当熔融时就插入其他岩层之间的板状岩体）和其他较小的浅成岩体产出。化学成分和矿物成分同火山岩玄武岩极为类似，但稍粗，含有玻璃。随着颗粒增大，可以过渡为辉长岩。辉绿岩中大约1/3～2/3是富钙的斜长石，其余部分主要是辉石。结晶不好的辉石晶体包围着斜长石的长方形晶体，或是以斜长石晶体为模而成型，使岩石具有特征的辉绿结构或含长结构。较大的辉石颗粒可以完全包裹着斜长石，但是当斜长石的数量增加时，辉石就更显得是填隙性的。辉绿岩的某些平板状岩体（厚的岩席或岩床），例如沿纽约城附近的哈德孙河形成峭壁的那种岩体，下部有重矿物（如橄榄石或辉石）富集体，一般认为这是由早期在熔融辉绿岩中形成的晶体沉淀而成。辉绿岩可以表现出不同程度的蚀变现象：斜长石变为糟化石；辉石变为普通角闪石、阳起石或绿泥石；橄榄石变为蛇纹石和磁铁矿。英国人习惯将这种经过蚀变的岩石叫辉绿岩。有些辉绿岩体被一系列裂缝分割成长方形块。后来，沿这些裂缝发生的蚀变作用和风化作用使岩块的棱角崩解和圆化（球形风化），留下间距有规则的球状的新鲜辉绿岩体，外面包裹着一层层蚀变和崩解越来越厉害的物质构成的壳。

Diabelli, Anton　迪亚贝利（1781-09-06，萨尔茨堡大主教管辖区萨尔茨堡附近马特塞～1858-04-07，维也纳）　奥地利音乐出版商兼作曲家。其圆舞曲或称"伦德莱尔"最为知名，贝多芬曾根据此曲写成33首钢琴变奏曲《迪亚贝利变奏曲》（作品第120号）。初拟接受神职，故入隐修院，在海顿之弟米夏埃尔指导下学习。1803年赴维也纳，在当地教授钢琴与吉他。1818年后经营出版机构，出版了舒伯特、车尔尼及贝多芬的作品。1851年首次出版了舒伯特作品的主题目录册。为了尊崇他作为出版者的才能，贝多芬称他为"鬼才迪亚贝利"。他的作品有轻歌剧、教堂音乐，还有大量钢琴、长笛、吉他以及其他乐器的轻音乐。

diabetes insipidus　尿崩症　一种内分泌疾病，特征为极渴、尿量极大、尿比重低。主要病理改变是体内缺乏抗利尿素（又名后叶加压素），或其作用被阻断。这种由下丘脑产生的激素的主要生理功能是在尿的形成过程中，促进肾曲管对水的重吸收。病因甚多，如渗透压感受器功能衰竭、肿瘤、下丘脑或垂体后叶的炎症、脑膜炎、梅毒、各种肉芽肿、颅脑外伤、脑震荡、颅骨骨折等。当肾曲管不能有效地应答抗利尿素的作用时，也可发生尿崩症。因丘脑下部核（经此，抗利尿素被运送到并贮存在神经垂体）的病变所致尿崩症被称为视上性垂体性尿崩症（SHDI）。如抗利尿素的供应量正常，而肾曲管不能有效地应答其作用，不管是由于先天性疾病，还是成于低钾、高血清钙或其他什么原因，这种尿崩症统称为肾源性尿崩症（NDI）。激素替代疗法可有效地缓解SHDI的病情，但对NDI无效。

diabetes mellitus　糖尿病　一种碳水化合物代谢紊乱的疾病，病因为胰岛素的分泌量不足，或是机体组织对胰岛素作用的敏感性降低。胰岛素是由胰岛β细胞分泌的一种多肽类激素，对体内多数组织细胞都有作用，主要效果是促进机体对葡萄糖的利用；故糖尿病患者因体内缺乏胰岛素而使葡萄糖的合成代谢受到抑制，致使血糖浓度升高。当血糖

含量超过一定水平时,就会随尿排出,形成所谓糖尿。因此,糖尿病患者的主要症状是尿频、多尿、多饮、多食、烦渴、皮肤瘙痒、饥饿感、体重下降、疲乏虚弱等。

糖尿病可分二型:胰岛素依赖型(IDDM)和非胰岛素依赖型(NIDDM);前者即所谓幼年型糖尿病,其胰腺不能产生胰岛素,故只有注射胰岛素才能控制病情;后者原称成年型糖尿病,可以通过控制饮食达到治疗目的。NIDDM的发病机制是胰岛β细胞的分泌活动呆滞以及机体组织对胰岛素作用的敏感性降低,实际上,后者对β细胞分泌活动的影响会使NIDDM的发病机制变得十分复杂。之所以把糖尿病的类型名称定为IDDM和NIDDM,是因为它们的发病人群并没有幼年和成年之分,不过,90%以上的患者都属于NIDDM。

糖尿病的历史悠久,人们也认识到它和某些因素之间有着明确的联系,但确切病因至今未明。除妊娠糖尿病外,自愈者极为罕见。据信,IDDM的胰岛β细胞损伤源于一种自身免疫机制,患者的免疫系统产生一种抗自身胰岛β细胞抗体,将其破坏。而NIDDM则和遗传、肥胖有关,尤其是那些腰围/臀围之比大于85/100的上身肥胖者。很多人并没有意识到他们已经得了糖尿病,据信,这一人群的数量在20世纪后期的美国人当中约为600万。本病的早期诊断有赖于典型症状,空腹血糖水平应高于140毫克/100毫升、或白天的血糖含量高于200毫克/100毫升。有时,糖尿病的精确诊断需根据糖耐量实验的指标。

胰岛素在20世纪20年代问世之前,多数病人患病后不久即死亡。糖尿病如不治疗可致酮症(酮体是脂肪的分解代谢产物,所谓酮症即指血液中有大量酮体积聚),继之以酸中毒(酸性代谢产物积聚),并伴恶心、呕吐。糖、脂肪和组织分解代谢产物在体内的聚集、以及因恶心、呕吐、肾功能减退导致的水、电解质平衡紊乱,是一个交互累进的恶性循环过程,并引起糖尿病昏迷。

糖尿病的治疗效果甚佳。患者须按医嘱严格控制饮食,即能有效地限制糖和脂肪的摄入量,又能维持正常体重;应鼓励患者有规律地完成运动计划,以促进葡萄糖向肌糖原转化的合成代谢,降低餐后血糖浓度的升高力度。IDDM患者则须严格地执行医生根据其具体情况所制订的胰岛素治疗计划。以前,医用胰岛素大多从牛、猪、羊的胰腺提取物中提纯,但自20世纪80年代以来,通过基因重组技术制备的人造胰岛素已投入临床实用。糖尿病现代治疗技术的研究还有胰腺移植术和可植入的机械性胰岛素缓释系统。口服降糖药曾广泛地用于NIDDM,但因其涉嫌能引起心血管系统的疾病,故其应用范围现已大为缩小。上述所有治疗技术的目的都是要使血糖维持在正常水平,以降低各种合并症的发病率。据统计,心血管系统合并症是糖尿病最主要的死亡原因。其他的严重合并症还有糖尿病性视网膜病(可致盲)、肾病和难于控制的反复感染。

Diable, Île du (French Guiana) 参阅 **Devil's Island** 魔岛。

Diablo Range 代阿布洛岭 属太平洋海岸山脉,在美国加利福尼亚州中西部。自代阿布洛山向东南延伸至克恩县西北部,长约290千米。走向与太平洋岸平行。形成中央峡谷的部分西部屏障。平均高度900～1 200米。最高点圣贝尼托山(1 597米)。放牧、石油开采和农业为该地区主要经济活动。

diacetylmorphine(drug) **二乙酰吗啡** 参阅 **heroin** 海洛因。

diachronic linguistics 历时语言学 参阅 **historical linguistics** 历史语言学。

diaconate 执事 又称助祭、辅祭。基督教神职之一。参阅 **deacon**。

Diaconus, Paulus (Lombard historian and poet) 参阅 **Paul the Deacon** 保罗。

Diadectes 阔齿龙属 两栖动物的绝灭属。化石见于北美的下二叠统(二叠纪始于2.8亿年前,持续5 500万年)。同时具有爬行动物和原始两栖动物的特征,被归入意义不够明确的蜥螈形目(*Seymouriamorpha*)。大约2

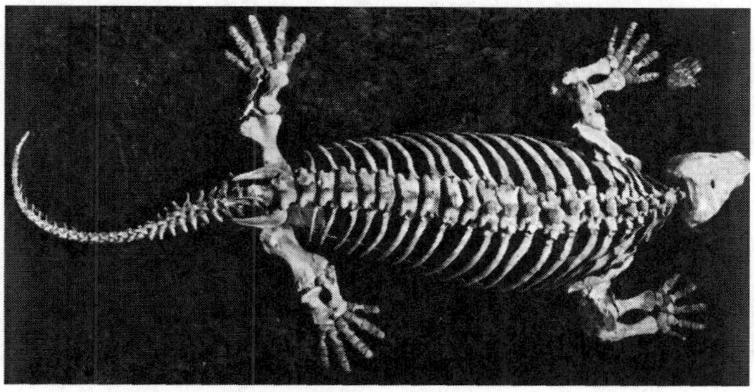

阔齿龙属(*Diadectes*)两栖动物骨骼化石
美国不列颠百科全书公司供图

米长,骨骼笨重,具有粗大的四肢、肢带、脊柱和肋骨。头骨较高,较短。齿钝像短桩。很可能是最早的陆栖食草动物之一。前面的齿比颊齿长,可能用于咬断植物;颊齿用于碾碎植物。参阅 **Seymouria**。

Diadochus OF PHOTICE **狄阿多库斯(佛提塞的)**(活动时期5世纪) 基督教神学家、神秘主义者、伊庇鲁斯境内佛提塞的主教。他坚定捍卫451年卡尔西顿会议所制订的正统基督论。所著关于苦修生活的论文对东西两派教会的灵修颇有影响。据9世纪史学家佛提乌关于卡尔西顿会议的记载,狄阿多库斯在会上驳斥背离正统教义的基督一性论。5世纪末维塔主教维克托在所著《迫害暴行录》(1535)中称赞狄阿多库斯宣传正统教义,并说他被暴徒劫往迦太基,可能死于该地。狄阿多库斯曾受业于5世纪基督教主要神秘主义者庞提库斯,所著《知识百章》反映希腊、埃及禁欲主义的主要发展过程。

diadochy 置换能力 在特定的晶体点阵中,原子或离子置换其他原子或离子的能力。置换能力可以是全部的,也可以是部分的。置换的程度取决于平衡温度、置换离子的可得性、置换离子的半径、电荷以及它相对于被置换离子的电子组态。例如,橄榄石结构中,2价铁离子可以完全置换镁离子。

diaeresis 分音符 又译小休止。指把一个音节分解为二,特别是把双母音,推而广之,把相邻的两个母音(如 cooperation),分解为二。它也指母音上表示单独作为一个音节发音的符号。在古典诗法中,指一个词的词尾同音步的结尾恰好重合。与之相对照的为顿(caesura),指一个词在一个音步之内结束。

diagenesis 成岩作用 沉积物在沉积之后,石化作用(变成坚硬岩石)之前,所发生的各种作用(特别是化学作用)的总和。大多数沉积物都包含矿物的混合物,在所有这些矿物之间并不都处于化学平衡状态,间隙水成分的改变、温度的改变,或是两者同时改变,往往都会导致其中一种或多种矿物发生化学变化。成岩作用被认为是相对低温、低压的变化过程,而变质作用则被认为是岩石在相对高温、高压下产生的变化过程。成岩作用的一个实例就是长石发生化学变化在它原有位置上形成特别新的矿物,即黏土矿物。

Diaghilev, Sergey (Pavlovich) 佳吉列夫 (1872-03-31,俄国诺夫哥罗德～1929-08-19,威尼斯) 俄国的艺术促进者,通过将音乐、绘画和戏剧等艺术形式的概念与舞蹈形式结合,使芭蕾具有新的活力。从1906年起,住在巴黎,1909年创建俄罗斯芭蕾舞团。其后率领该团在欧洲及南、北美洲作巡回演出。曾由I. 斯特拉文斯基作曲,由他编舞,创作出《火鸟》(1910)、《彼得鲁什卡》(1911)和《春之祭》(1913)三部杰作。

他出身贵族,母因难产而死。从母亲处继承了对个人生活和艺术的享受都有热烈追求的性格。他不断声称自己遵循的是纯享乐主义的哲学。从继母处,他又学得一种律己感和领导的本能。继母在音乐界有许多朋友,增加了他对艺术的敏感度。在校时他已能公开演奏舒曼的钢琴协奏曲,童稚时已显露出作曲的天赋。1890年就读于圣彼得堡大学法律系,结识一批对社会科学、音乐和绘画感兴趣的朋友,成为他在一生中接触到第一个知识分子群的领袖。其中画家A.贝努瓦和L.巴克斯特的才华对他后来的创作甚有影响。但他第一次创作的柴可夫斯基的《睡美人》芭蕾舞剧,1890年在玛丽亚剧院演出并

美国不列颠百科全书公司供图

不成功(此剧后来成为佳吉列夫最优秀的作品之一)。1893年他首次出国,到德国、法国与意大利,结识著名法国小说家E.左拉及歌剧作曲家C.古诺和G.威尔地等人。少年时代他已与伟人交游。1896年毕业于法律系,但决心从事音乐事业。作曲家N.里姆斯基-科萨科夫看到他公开演奏的声乐作品并未给公众留下好印象,认为他不宜成为作曲家而明智地加以劝阻。他曾为著名的男低音歌唱家F.夏里亚宾的演出写过一些歌剧。他自信具有极大天赋,堪当罗马的梅塞纳斯那样的艺术庇护人。但他从事歌剧、芭蕾和文学的探索需要巨大的资金,因无个人收入,使事业受阻。此外,在19世纪的俄国,他的事业也因他的同性恋而受到严重挫折。但他运用个人的魅力和大胆的性格去排除困难。1899年他创办《艺术世界》杂志,任主编。1905年在圣彼得堡举办俄国艺术珍品历史人物肖像展览会。1906年离开俄国赴巴黎是他一生的转折点。在巴黎他参与创建后来称为法俄艺术联盟的工作。他组织一次俄国艺术展览,1907年又举行一系列音乐会演奏俄罗斯民族主义作曲家的作品。1908年佳吉列夫在巴黎歌剧院以俄语演出M.穆索尔斯基的歌剧《鲍里斯·戈东诺夫》,由夏里亚宾主演。1899年佳吉列夫在俄罗斯帝国剧院时就认识了舞蹈家M.福金,这位舞蹈家创造性的活动曾受到过美国舞蹈家I.邓肯的巨大影响。佳吉列夫在邓肯舞蹈革新的影响下,在作曲家R.瓦格纳的思想和诗人C.波德莱尔的理论感染下,1909年在巴黎创办了俄罗斯芭蕾舞团,在沙特莱剧院演出,拥有舞蹈家A.巴甫洛娃、V.尼任斯基和福金等。不久,事实证明传统的编舞对佳吉列夫富有新意的各种场面不相宜。受到福金和L.马辛影响的编导们把目标放在哑剧和情节舞剧上,创造出一种全新的形式。而那些改变了旧艺术形式的作曲家们又受到画家与编舞家新奇想像的启迪。这种以本能的鉴赏水平为基础将各种艺术融成一体的理想,是佳吉列夫崇高的创造。例如在佳吉列夫3部杰作中的《彼得鲁什卡》就是斯特拉文斯基在佳吉列夫的一再要求下,把按旧套子构思的钢琴协奏曲改为哑剧化的芭蕾,把杂耍场上木偶剧的幻梦带到现实生活中。这件事证明他对合作者所能产生的非常巨大的心理影响。《春之祭》在巴黎初演时,观众不习惯不协调的音响与刺耳的节奏,全场骚动,演员听不见乐队的乐曲,幸而编导尼任斯基站在台侧椅子上叫喊拍子,并用手势,才得以继续演出。佳吉列夫离开故国后,再也没有回去。他率领舞团到欧洲各地、美国、南美巡回演出,自1909～1929年,演出活动从未中断。后期他向观众介绍了法国、意大利、英国和美国有远见的作曲家和画家的作品。他将作曲家R.斯特劳斯、C.德彪西、M.拉威尔和S.普罗科菲耶夫的作品改编为芭蕾舞。

佳吉列夫是一位很有影响的人物,但个人生活并不幸福。他心情寂寞,经济贫困。他是一位理想主义者,从不承认尽善尽美,但却不断播种探索精神的种子。他长期患糖尿病。1929年在伦敦科文特加登剧院演出取得极大成功,演出结束时病情加剧。他到威尼斯休养,卒于该地。葬于圣米凯莱岛公墓。

diagnosis 诊断 通过认真了解患者的病史、症状、体征及其他各种检查和化验结果认定患者病因的过程。诊断一词还指医生对病因所作的认定。诊断方法包括:①详细了解患者的主诉和各种临床症状;②认真查问患者的病史及其所处环境;③通过物理诊断技术明确患者的各种体征;④完整地收集X射线影像诊断结果、各种扫描结果、心电图、各项化验结果等等。所谓病史,就是为了作出正确诊断,医生认为他必须了解的与本病有关的所有信息。如怎么不好(看医生的主要原因)、发病时间、地点、环境背景、既往史(曾经患过的与本病有关、无关、互异、相似的各种疾病)、个人史(生活习惯、爱好等)、家族史(有无类似患者等)、治疗情况(此前曾经作过哪些治疗、吃过什么药等)。

所谓症状,是指患者本人的异常感觉,如疼痛、发热、体重下降、没有食欲、喘憋、出血、虚弱、疲劳等。症状应是患者主诉的中心内容,是医生的进一步检查和作出正确诊断的主要线索。体征是指医生检查后确认的各种客观表现,如皮疹、肿物(触诊所见)、心脏杂音(听诊结果)、血、尿、便、阴道分泌物、精液等的化验结果异常、影像学诊断结果异常等。把所有上述资料都收集完之后,医生就有一定的把握对患者的疾病作出正确的诊断。以糖尿病为例。53岁男性患者主诉:多吃、多喝、多尿、烦渴、体重下降,约三个月。据此典型的三多一少症状,医生考虑是糖尿病。于是他开始按照这一思路进行各项检查,收集包括从各种物理诊断所见体征、各种生化化验结果(如尿糖、血糖)等。检查结果可能和医生的考虑相符,但医生还必须作出鉴别诊断的说明。所谓鉴别诊断,就是在具有某些相似的症状、体征的疾病当中,认定其中某一种疾病的具有排他性的特征。糖尿病诊断的最终成立有赖于上述全部程序的准确无误的结果。以上所述是诊断过程中最基本的,但不是最重要的内容。在收集病史、物理诊断体征、特殊检查证据和各项生化指标的过程中,最重要的是准确的观察、正确的推理和认真的分析。误诊的事是常有的,究其原因,多不是因为证据有误,而是由于分析失误。为了正确地解释收集到的各种资料,就必须有去伪存真、驾驭全局的能力。诊断是一项最高水平的智力行为。

diagnostic imaging 影像诊断学 又称医学影像学。用电磁放射线原理影示人体内部结构达到准确诊断目的的一个医学分支学科。影像诊断学和**放射学**(**radiology**)的含义大致相同,后者专指用放射线原理达到诊治疾病目的的医学分支学科。X射线是最早用来影示机体内部结构的放射线技术,1895年就已投入实用。X射线能穿透机体组织并使底片曝光。X射线在穿透人体时,可被机体组织吸收,但组织密度不同,吸收率也不同。坚硬的高密度组织,如骨,对X射线吸收的多,故透过的少,底片曝光不足;反之,软组织密度低,对X射线吸收的少,而透过的多,底片曝光充足。结果,X射线照片洗出来以后,骨影浅亮,而软组织器官影像深暗。单用X射线影示器官组织有很大局限性,因为它不能区分密度近似的相邻器官、组织,照片反差小,模糊一片。为改善照片反差,人们用**造影剂**(**contrast medium**)来增加或减少机体对X射线的吸收量。造影剂可以是气体,也可以是液体;可注入自然体腔,注入血管、淋巴管;也可以吞服或灌肠作消化道造影;还可以注入器官包膜下以影示器官轮廓。因此,不同的造影方法可以显示特定的软组织器官的X射线影像。像**血管造影术**(**angiography**)可显示动、静脉;**心血管造影术**(**angiocardiography**)可显示血液通过心脏时的情况;**胆囊造影术**(**cholecystography**)可影示胆囊和胆道;**脊髓造影术**(**myelography**)可影示脊髓;**尿路造影术**(**urography**)可显示泌尿道等等。实际上,人体任何部位的正常结构的生理功能紊乱都可以用X射线分析技术来检查。X射线动态照相术可以记录造影剂充盈或排空时的体内状态。现已开发出几种现代X射线影像技术。X射线**体层摄影**(**tomography**)是通过聚焦X射线在人体内特定平面上的方法来获取人体深部结构影像的方法。后来这一技术又发展成为更为复杂精确的计算机系统控制,世界通称CT,全称计算机控制体轴X射线断层扫描照相技术,又称"CAT scan"。**核医学**(**nuclear medicine**)是另一影像诊断学学科,具体方法是向体内注射放射同位素,然后对这些同位素在体内的分布进行示踪扫描。同位素扫描和X射线照相术都可用于**脑扫描**(**brain scanning**)。一种和同位素扫描技术有关的影像技术是**正电子发射扫描**(**positron emission tomography**)术。另一种现代影像诊断技术称为**核磁共振**(**nuclear magnetic resonance**)成像扫描。此项技术利用超高频放射波为身体特定超薄断层平面成像。超声波是一项利用高频声波检测机体深部脏器病变的技术。随着医学影像学的应用技术的发展,用于临床影像诊断的放射学学科门类还将继续增加。

Diaguita 迪亚吉塔人 南美印第安人,以前居住在阿根廷西北部和智利阿塔卡马省和科金博省。卡尔查基人是阿根廷西北部的迪亚吉塔人的一支，文献记载最详。他们语言系属尚未确定。据记载，迪亚吉塔人勇猛好战，在他们土地上的战略地点，都筑有石堡，就是明证。他们都是向西班牙村镇发动袭击的有战斗力的骑兵。迪亚吉塔人耕种梯田，有时修渠灌溉，也驯养美洲驼，长于织染驼毛制品，善编筐，制造精致瓷器，并掌握了冶炼技艺。迪亚吉塔人的宗教信仰多种多样，其中以用类似萨满教方法医治因魔法所致疾患最为重要。

dialect 方言 语言的变体。由一群人使用并具有词汇、语法或发音方面的特征，从而与另一群体使用的该语言的变体相区别。方言主要有两类：同一地区人所操地理方言，同一社会阶层、同等教育水平或同样职业的人所使用的社会方言。方言变异的发展清楚地显示出语言在不断发展、变化。有时，语言的各种变体变得互相难以理解，这时方言就其本身条件来说便成为语言。拉丁语就是这样，它的不同变体演变成法语、西班牙语、意大利语、葡萄牙语、罗马尼亚语以及这些语言的各种方言。在某些情况下冠之以"语言"或是"方言"是出于政治的或民族的考虑，而不是诸如相互理解程度等语言学考虑。比如在中国，尽管有一种共同的书面语，但方言口语间的差别是非常显著的。一般说来，方言的发展是操同一语言的不同人群之间存在语言障碍的结果。这些障碍可能是地理的、经济的、政治的或社会的。地域方言学曾受到19世纪的历史语言学者和20世纪前半叶结构语言学者的关注。不过，最近的研究重点已经集中在由社会阶层之不同而导致的语言学变异上。方言一词在日常使用中有时会有否定意味。在一般人的心目中，方言意味着对"标准"语的偏离，而标准语则往往被认为是上等语言。从语言学观点看，标准语也是一种方言，只是由于使用它的人们教育水平高、有社会地位或仅仅就是人口的大多数而比其他方言享有较高声望而已。

dialectic 辩证法 起初是一种逻辑论证的形式，现为用于包括思维、自然和历史三个领域中的一种哲学的进化概念。在古希腊思想家那里，辩证法的含义范围很广，从辩论中的一种反驳技巧，到对定义作系统评价的方法，直到研究和划分特殊概念和一般概念之间的关系。从斯多葛派哲学家时代起到中世纪末，辩证法一直同形式逻辑保持相当密切的联系。更晚近一些，康德用术语"先验辩证法"表示揭示假象的努力，这种假象出现在试图在现象和可能的经验范围之外应用知性的范畴和原则时。黑格尔把辩证法看作是：一个概念由于它自己固有的矛盾双方冲突的结果，而向它自己的反面转化的倾向。马克思和恩格斯采纳了黑格尔的定义，并应用于他们对社会和经济过程所作的解释中。

dialectical materialism 辩证唯物主义 一种以马克思和恩格斯学说研究现实的哲学方法。马克思和恩格斯认为，唯物主义意味着可以感觉的物质世界有独立于思想和精神的现实性。他们不否认思想或精神过程的现实性，但认为观念只是物质环境的产物或反应。他们认为在整个哲学发展史中，唯物主义和唯心主义的观点是不可调和地相对抗的。马克思和恩格斯的辩证法概念在很大程度上来自黑格尔。与把事物看成是抽象的、彼此孤立和性质固定不变的"形而上学"思想方式相对立，辩证法认为事物都处在运动和变化中，是互相联系和互相影响的。各种事物都处于连续不断的变化和消亡的过程中，在这个过程中，任何事物都不是永恒的，而是在不断变化并且最终要为新事物所代替。一切事物都包含着互相矛盾的方面，这些矛盾方面的激化或冲突是变化的动力并且最终使它们发生转化或得到解决。不过，黑格尔认为变化和发展是体现于自然界和人类社会中的"世界精神"或"观念"的表现，而马克思和恩格斯则认为它是物质世界的性质本身所固有的。因此，他们认为人们不能像黑格尔那样企图从某些"辩证法原理"演绎出事变的实际进程；相反，原理必须从事变中推论出来。马克思和恩格斯的认识论从一切认识都来自感觉这个唯物主义前提出发。但与主张认识仅仅来自特定的感觉印象的机械主义观点不同，他们强调人的认识是辩证发展的，是从社会实践活动的进程中获得的。人们只能通过他们同事物的实际接触获得对于事物的认识，形成与他们的实践相符合的观念；而且只有社会实践才能检验观念（从而检验真理）是否符合实际。马克思和恩格斯并没有对辩证唯物主义作系统的阐述，他们主要是在论战过程中表明了他们的哲学观点。

dialectology 方言学 研究不同方言的学科。由于相对的地理孤立状态和社会隔离情况，语言变异的出现是极为平常的事。变异可以影响词汇、语法或发音特征，或三方面均受影响。方言学作为一门学科是19世纪随着西欧的地域方言词典和方言语法的发展而开始形成的。许多方言学著作都是汇编不同方言中变体类型的资料和绘制语言内部变化特征分布模式的语言地图集。关于语言变体的地理模式的著作，又称语言地理学。

diallage 异剥石 具有发育良好、排列紧密、平行裂理的普通辉石或透辉石，裂理中常充填磁铁矿和钛铁矿。这些被充填的裂理一般比解理面更明显。异剥石一般呈暗绿色或古铜色。往往呈包裹橄榄石的大晶体出现于基性至超基性岩石，如辉长岩和橄榄岩中。异剥石一词有时用来指受铝和其他三价金属离子的明显置换而发生过蚀变的透辉石变种。

dialogue 对话体作品 广义而言，指记载下来的，特别是作为戏剧或小说要素的两人或多人的对话。作为一种文学形式，指以虚构的会话形式，对哲学或学术的各种观点进行对比而精心编组成的讲解。最早的著名对话体作品是西西里岛的笑剧，由叙拉古的索夫龙于公元前5世纪初以韵律散文写成。虽然这类对话体作品无一留存，却为柏拉图熟悉并深为赞美。然而，他于公元前400年已使之完善的这种哲学对话体作品具有相当的独创性，堪称独立的文学创作。这种作品对于人物性格的刻画和产生辩论的戏剧性场面予以适当的注意，辩证地阐发了柏拉图哲学的主要原则。到2世纪卢奇安时，这种文学形式又具有了新的语气和作用。他的颇有影响的《冥间的对话》语气颇多冷嘲，17、18世纪时英法两国的作家竞相模仿，如法国作家B.德·丰特奈尔（1683）和F.费奈隆（1700～1712）所写的对话，即是一例。文艺复兴时期重新掀起对柏拉图的兴趣，引起人们大量模仿和改编柏拉图对话。在16、17世纪，对话体作品往往有助于陈述宗教、政治和经济方面有争议的见解。G.伯克利（贝克莱）的《希勒斯和斐洛诺斯三篇对话》（1713）或许是英国人模仿柏拉图的最优秀作品。19和20世纪的一些作家对这种古老形式也曾运用过。

Dialogue of the Ancients（Gaelic tale） 参阅 **Interrogation of the Old Men, The**《对古人的询问》。

dialysis 渗析法 一种化学分离方法，利用通过半透膜微孔时扩散速率的不同，分离悬浮的胶态粒子和溶于液体的离子或晶体小分子的方法。英国化学家T.格雷姆于1861年首先使用了这种方法。如果把这种混合物放到羊皮纸、胶棉或者胶膜制成的袋里悬浮在水中，离子和小分子将透过半透膜，而胶粒则仍留在袋内。用渗析法进行分离是个慢过程，快慢决定于粒子大小以及胶粒成分与晶体成分的扩散速率的差别；加热和对带电荷的晶体施加电场（电渗析），都可以使过程加速。参阅 **artificial organ**。

dialysis 透析 又称血液透析或肾透析。对肾功能不良的患者，将其血液自体内引出，用透析器净化后再输回体内的过程。人工肾（血液透析器）是一种可去除血液中某些不需要的物质，或添加某些需要的成分的机器。人工肾通过透析可以控制血液的酸碱平衡、血液中的水和各种可溶物质的含度。但它却不能替代肾脏的另一项已知的功能——分泌影响血压的激素。现代的透析器依靠两种物理化学原理，即透析和超滤作用。

在透析过程中，应用一层多孔的膜隔开患者的血液与特配的透析液，使这两种液体互相交换其成分。液体中很小的粒子可以透过膜上小孔扩散到对侧。当患者的血液接触到这种膜的一侧时，溶于血液中的物质（如尿素和无机盐等）通过该膜进入膜另一侧的无菌溶液中。但由于红细胞、白细胞、血小板和蛋白质太大，不能通过此膜。为了防止或限制人体所需要的能扩散物质（如糖、氨基酸和必需量的盐类）的丢失，可将这些成分加在无菌透析液中，这样这些物质由血液向无菌透析液的扩散可被反方向的运动抵消。对于血液中缺乏的能扩散的物质，可将其混合在无菌溶液中，并由此进入血液，补充其不足。虽然水很容易通过这层膜，但由于在血液中水的浓度比透析液中的低，所以水并不被透析除去。事实上，水往往由透析液进入血液。在这一过程中，超滤作用防止了血液的稀释。超滤作用是一定量的水分连同某些可溶性物质，因血流的压力维持在高于透析液的水平，被迫通过这层膜流向另一侧的透析液。最早用于透析的膜取自动物或由火棉胶制成。现已发现赛璐玢要更加适合。许多透析器使用了管形或片形的赛璐玢。在20世纪60年代末期,纤维素或合成材料制成的空心纤维应用于透析器。成束的中空纤维构成的膜可在较小的体积内提供很大的表面积,这对设计一个紧凑的透析器很有利。

透析最早用于治疗患者是在1945年,对于急性或慢性肾功能衰竭,以及诸如阿司匹林、巴比妥酸盐和溴化物等可扩散物质中毒的患者,透析可起到替代或补充肾功能的作用。将血液从动脉(常用腕部的一动脉)引入透析器中,血液在透析器中既可依靠动脉压,也可在血泵的帮助下沿着膜的一侧表面流动。最后血液流经一个过滤装置以清除血凝块和气泡,再流回患者前臂的静脉。对于需要经常透析的慢性肾功能衰竭患者,可在动静脉之间使用一个外用塑料分流器,以避免治疗过程中反复地切开血管。

diamagnetism 抗磁性 材料磁性的一种。当材料垂直于不均匀磁场放置时,磁场会从材料内部被部分地排斥出来。1778年S.J.布鲁格曼斯最早在铋和锑中观测到这种磁性,M.法拉第从1845年开始研究它,并定名为抗磁性。他和随后的实验家发现某些元素和大多数的化合物都显示这种"负"磁性。的确,所有物质都具有抗磁性:根据楞次定律,外加强磁场使原子中绕轨道运动的电子作某种加速或减速以对抗外磁场的作用。然而,某些材料的抗磁性或者被弱的磁吸引(顺磁性)、或者被很强的磁吸引(铁磁性)所掩盖。抗磁性可以在具有对称电子组态(如离子晶体和稀有气体)而无永磁矩的物质中观测到。抗磁性不受温度变化的影响。抗磁性材料的磁化率值经常为负,典型值约为 -10^{-6}。

Diamantina 迪亚曼蒂纳 巴西米纳斯吉拉斯州中部城市。位于矿藏丰富的埃斯皮尼亚苏山。海拔1 262米。市内有一些殖民时期建筑物和钻石博物馆。纺织厂、钻石切割厂和金饰工业促进了当地经济。人口37 774(2000)。

Diamantina River 迪亚曼蒂纳河 在澳大利亚中东部以牧畜为基础的钱纳尔地区(**Channel Country**)。为间歇河。源出科比斯山,西南流经伯兹维尔,注入南澳大利亚州的戈伊德潟湖。全长800千米。流域面积15.8万平方千米。有西河和梅恩河等主要支流。在伯兹维尔的平均流量为25米^3/秒。洪水期为1 400米^3/秒。

Diamir (Jammu and Kashmir) **迪亚米尔** 参阅 **Nānga Parbat** 南伽山。

diamond 金刚石 一种由纯碳组成的矿物,是已知天然存在的最硬的物质,也是最受欢迎的宝石。金刚石由于极硬,所以具有许多重要的工业用途。金刚石的硬度、辉度和火彩在宝石中是无与伦比的。金刚石的重量以克拉(1克拉 = 200毫克)和潘特(1潘特 = 0.01克拉)计算。除宝石品级的金刚石外,还有若干种工业金刚石,而且1960年以来还大规模地生产了人造金刚石。参阅 **industrial diamond**; **synthetic diamond**。金刚石发现于3种类型的矿床中:①冲积砾石;②冰碛物;③金伯利岩筒。仅在金伯利岩筒中(如南非的金伯利),金刚石才存在于原生岩石中,形成时的深度大概超过120千米。冲积砾石和冰碛砾石中的金刚石,必然都是从金伯利岩体受侵蚀作用或冰川作用分离出来,而后再沉积到江河里或冰积物中的。金刚石的颜色从无色到黑色的都有,而且可以是透明、半透明或不透明的。用作宝石的金刚石大多数是透明无色的,或几乎是透明无色的。无色或淡蓝色的金刚石价值最高,但很罕见;大多数宝石级金刚石都略带黄色。高档金刚石具有特殊体色:红、蓝、绿的最罕见,橙、紫、黄及黄绿色的较常见。大多数工业金刚石呈灰色或棕色,并且是半透明或不透明的,但是质量较好的工业金刚石可逐渐过渡成为低级的宝石。可用强烈的辐射(如原子反应堆或粒子加速器释放的)或热处理来改变金刚石的颜色。极高的折射率使金刚石具有特异的闪光。琢磨得恰当的金刚石能反射出更多的光,因而显得更耀眼。高的色散性使金刚石有火彩,这是由于白光穿过金刚石时被分离成光谱中的各种颜色所致。在莫氏硬度计上,规定金刚石的刻划硬度值为10;硬度仅次于金刚石的矿物为刚玉,其硬度等级定为9。实际上,金刚石远比刚玉硬得多,如果莫氏硬度计是直线型的,那么金刚石的硬度值将约为42。金刚石的硬度在不同方向上变化很大,因而有一些面的雕琢和抛光比另一些面容易些。关于详细物理性质,参阅 **native element**(表)。在金刚石的原子结构中,如X射线所测定,整个晶体中的每个碳原子都与相邻的4个距离相等的碳原子键合在一起。此种紧密结合的、密集的、牢固连接的晶体结构,使金刚石的性质与石墨(天然碳的另一种形式)大不相同。

Diamond, Cape 戴蒙德角 加拿大魁北克省南部魁北克行政区海角,是魁北克市一部分。位于圣夏尔河与圣劳伦斯河汇流处以西。岬角的最高点海拔102米,顶上筑有碉堡。面向圣劳伦斯河为形势险要的绝壁,面对着陆地和圣夏尔河的一面坡度较为平缓。1841、1852和1889年曾先后发生岬顶岩石崩塌,使洛沃镇遭到严重破坏。1608年法国探险家S.德·尚普兰在此发现与金刚石相似的水晶,故以此命名。

Diamond Area 1(South West Africa/Namibia) **一号金刚石区** 参阅 **Sperrgebiet** 施佩尔格比特。

diamond cutting 钻石琢磨 钻石雕琢技艺中的一个独立的和专门的分支,包括5个基本步骤。①标线:首先观察每一个原生金刚石石料,考虑原生金刚石石料的形状、缺陷的部位和数量,决定应如何琢磨加工才能产生最大的价值。最为重要的是确定金刚石晶体的解理方向或易劈方向(由于其原子结构能在平行于八面体晶面的4个方向上劈开)。考虑这些因素后,再决定应如何切割金刚石并标上线以指出这块石料应在哪个方向劈开或锯切。②劈开:大的金刚石石料常常要预先劈成适合于锯开的坯块。当石料很大、很贵重时,劈开是最关键的加工步骤,因为稍有疏忽,就会使石料碎裂。用另外一颗金刚石作为工具,沿着标线刻一细槽。把金刚石料安装在夹具上,将一支钢楔插入槽内,用锤猛敲楔子,金刚石料就沿着它的解理被劈开。③锯开:如果劈开这一步没有必要的话,那么钻石琢磨加工的第二步就是锯开。锯片是由磷青铜做的薄纸状圆盘,在一水平轴上以每分钟约4 000转数旋转。4～8小时能锯下1克拉的金刚石石料,如遇节瘤,花费的时间可能更长。④粗磨:加工圆形宝石料时的下一步骤就是粗磨。将已锯开的金刚石石料放在车床的卡盘上,而将另一个金刚石安装在长柄端部夹具上,当旋转时,金刚石被缓慢地磨成圆锥形。某些高档宝石的加工是把它们装在车床卡盘的偏离中心处进行粗磨。⑤刻面:首先琢成18个翻光面。如果宝石要琢成标准的58个翻光面,就要定出并抛光其余的40个翻光面。每个加工阶段都必须具有很熟练的技巧,特别是在刻翻光面阶段,因为翻光面夹角必须准确,才能得到最大的辉度,同时它们的尺寸必须精确以保持对称。最流行的样式是多面形琢型,即加工成带有58个翻光面的圆形钻石。简单琢型只有18个翻光面。除多面型琢型和简单琢型外,其他任何形式的琢型都是高档琢型;重要的高档琢型包括卵形琢型、祖母绿琢型、细长型琢型、心形琢型、梨形琢型和三角形琢型等。

Diamond Harbour 戴蒙德港 印度东北部西孟加拉邦二十四伯尔格纳县城镇。跨哈吉布尔河(胡格利河支流)。该镇是重要河港,且为溯胡格利河驶往加尔各答的船只设立的海关和港务管理机构所在地。该镇是农产品贸易中心。有碾米厂。设有加尔各答大学分校。人口30 260(1981)。

Diamond Head 戴蒙德火山口 美国夏威夷州瓦胡岛东南部火奴鲁鲁县海角和显著地标。位于怀基基南缘,是一处曾被古代夏威夷人用作葬地的死火山口。1825年英国水手曾误将当地火山晶体当作钻石。西坡的利希为最高点(232米)。火山口直径0.8千米,现为轻武器试验场。东西坡专辟为住宅区。

Diamond Necklace, Affair of the 钻石项链事件 又作 Affair of the Necklace。1785年路易十六宫廷发生的一件丑闻,在法国大革命前夕使法国君主制声名狼藉。这事件原来是一个女骗子拉莫特伯爵夫人搞的阴谋,据说是为王后玛丽·安托瓦内特,实际上为她自己及其同谋攫取一条价值160万利弗的钻石项链。为了利用有名望的枢机主教罗昂,以便从巴黎珠宝商博埃梅和巴桑热处得到这条项链,伯爵夫人设下妙计。枢机主教看过伯爵夫人伪造的信件,并同冒充王后的妓女短暂会晤以后,对王后想暗地买下这条项链深信不疑。枢机主教一心想取得王后的青睐,就贸然同意协助购买这项链，与珠宝商谈判，并以自己的名誉保证分期付款，但第1次付款时他就失约，珠宝商直接诉诸王后。骗局败露，并发现枢机主教以为已在王后手中的那条项链已拆散在伦敦出售。路易十六遂下令逮捕枢机主教，关押于巴士底狱，枢机主教同一些据说是其同谋犯一起在巴黎高等法院受审。罗昂虽经宣告无罪(1786-05-31)，仍被剥夺所有职务，流放到奥弗涅的拉谢斯迪约隐修院。拉莫特伯爵夫人被判处鞭笞、打烙印和终身监禁，后逃往英格兰。王后虽属全然无辜，但这一丑闻却证实了人们认为她德行不谨的说法。主教遭蛮横逮捕，以及对法官施加压力，都加深了人们关于国王软弱和政府专制的印象。这个事件是导致旧政权解体和法国大革命爆发的许多因素之一。

Diamond Sūtra 《金刚经》 梵语作Vajracchedikā-sūtra。大乘佛教经典，大概是18部短篇般若经中最著名的一部，广泛流行于东亚各国。其体裁为佛陀当僧众和众菩萨之面答弟子问。此经汉文译本约于公元400年问世，即广为传颂。《金刚经》阐述现象事物的空幻不实："一切有为法，如梦幻泡影，如露亦如电，应作如是观。"

diamondback moth (*Plutella maculipennis*) **菜蛾** 又称钻石背蛾。鳞翅目菜蛾科昆虫。形似巢蛾，但休止时触角向前。成蛾翅展15毫米。前翅具波纹状白色放射式条纹，条纹前区褐色，后区奶油色。翅折叠时这些斑纹形成一系列黄色钻石状图案。幼虫在植物叶面织一丝质帐幕以藏身。对世界各地的甘蓝及近缘菜蔬为害颇大。

diamondbird 钻石鸟 又作pardalote。又称豹斑鸟。雀形目啄花鸟科的数种鸣禽，舌

斑点钻石鸟(*P. punctatus*)
美国不列颠百科全书公司供图

简单，喙稍厚而无锯缘。钻石鸟属(*Pardalotus*)只分布于澳大利亚，有7或8种，其中大多数种的上部色深，缀有宝石一样亮晶晶的白色羽毛；所有种类均体小而尾呈短截状。钻石鸟觅食树叶和树皮上的昆虫。在树洞中、建筑物的裂缝内营巢，或在沙岸、平地挖隧洞。斑点钻石鸟(斑啄果鸟，*P. punctatus*)的喉和腰呈黄色，挖隧洞为巢。

Diamper, Synod of 迪安颇会议 1599年果阿大主教梅内塞斯为了使印度马拉巴尔海岸(今喀拉拉邦)基督教会与天主教会正式实现联合而召开的会议。这次会议谴责聂斯脱利派教义并宣布马拉巴尔沿岸基督教会不再受叙利亚迦勒底牧首管辖而改由葡萄牙籍天主教主教管辖。

Dian Chi 滇池 又拼Tien Lake。中国西南第一大湖。又称昆明池。在昆明市西南，连同湖西侧的西山是著名游览、疗养胜地。由构造陷落而成。有盘龙江等河流注入。湖面

滇池上的木船
美国不列颠百科全书公司供图

海拔1 886米，面积370平方千米。平均水深5米，最深8米。湖水在西南海口泄出，称螳螂川，为金沙江支流普渡河上源。过去环湖地区常有洪涝水患，早在1262年就在盘龙江上建松华坝，1268年又开凿海口河，加大滇池的出流量，减轻环湖涝灾。1955年以后在湖的上游各个河流上先后修建十余座大中型水库，沿湖修建几十座电力排灌站，解除洪涝灾害，并保证农田灌溉和城市工业、生活用水。湖内产鲤、鲫、金线鱼等。

Diana 狄安娜 古罗马宗教中的女神，司

古典雕塑——持火炬的狄安娜
美国不列颠百科全书公司供图

掌野兽与狩猎。她与希腊女神阿耳忒弥斯相混同。她是化育之神，因此，妇女祈求她保佑怀孕顺产。她本来可能是土著的丛林女神。罗马最重要的狄安娜庙在阿芬丁，建立拉丁联盟的协议书安放在该地，据说建于公元前6世纪国王塞尔维乌斯·图利乌斯在位时期。崇拜此女神的人认为她保佑低阶层成员，特别是奴隶。罗马和阿里西阿以8月13日是她的节日，在罗马艺术作品中，狄安娜状如猎女，佩有弓和箭袋，偕猎犬或鹿。

Diana, PRINCESS OF WALES **戴安娜**(1961-07-01，英格兰诺福克桑德灵厄姆～1997-08-31，法国巴黎) 原名Diana Frances Spencer。威尔士亲王查尔斯之前妻(1981～1996)，威尔士王妃，以及英国王位第2顺位继承人威尔士的威廉亲王(1982生)之母。戴安娜出生于帕克豪斯庄园，那是女王伊丽莎白二世在桑德灵厄姆的产业。她童年时代是女王两个小儿子安德鲁王子和爱德华王子的游戏伙伴。她是奥尔索普子爵E.J.斯潘塞(第7代斯潘塞伯爵的继承人)与其第一位妻子伯克·罗奇(第4代弗莫伊男爵之女)的第3个孩子及最小的女儿。其父于1975年继承伯爵爵位，她遂成为贵族仕女戴安娜·斯潘塞小姐。年轻时在诺福克郡塞特福德的里德尔斯沃思学堂和肯特郡塞文欧克斯的西希思公学就读，后入瑞士蒙特勒厄堡精修学校学习。返英后在皮姆利科为上流社会开办的"青年英格兰"学校中担任幼儿老师。她恢复与王室的往来，1980年时与查尔斯的友谊日益加深。1981年2月24日两人宣布订婚，同年7月29日在圣保罗大教堂结婚，估计全球有数亿人在电视上收看了这场婚礼。长子威尔士亲王威廉·亚瑟·菲利普·路易于1982年6月21日出生，次子哈利·查理·艾伯特·大卫王子于1984年9月15日出生。婚后失和导致两人于1992年分居，但他们仍继续履行王室职责并共同抚育两名小王子。两人于1996年8月28日正式离婚，戴安娜获得大笔财产。离婚后，戴安娜依然是高知名度的公众人物，并继续从事她原已进行的许多慈善活动、支持艺术、关心儿童问题及艾滋病患者等各种事业。

不论在英国或在全世界，她作为王室成员受欢迎的程度无人能及，吸引了大批媒体的注意，成为世界最出名和最常被拍摄的女人之一。虽然她很巧妙地运用这种声望来促进她的慈善工作，但各种媒体经常进行侵扰性的拍摄活动，尤其是被称之为“帕帕拉佐”（鄙称“狗仔队”）的自由摄影师们的紧逼追盯，被认为是导致她死亡的原因之一，她与她的同伴及司机为了躲避这批新闻记者的追逐而在一场车祸中丧生。

diana monkey（*Cercopithecus diana*） **狄安娜长尾猴** 一种树栖长尾猴，因其新月形的白色眉带似狄安娜女神的弓而得名。生活在西非雨林中。脸和全身大部黑色，须、胸和喉

狄安娜长尾猴（*Cercopithecus diana*）
美国不列颠百科全书公司供图

部白色，大腿内侧苍白、浅黄或浅红色。大腿有一白纹，背部有一红色斑块。本种有一亚种 *C. d. roloway*，白须长，眉带更阔。狄安娜长尾猴活跃、强壮、易驯养。幼时甚为可爱，但长大后不那么友善。参阅 **guenon**。

Diancang Shan 点苍山 中国西南地区名山。又称苍山。在云南省大理白族自治州中部，洱海与漾濞江之间。南北长约 50 千米，东西最宽处 10 余千米。峰峦起伏，号称“苍山十九峰”。最高峰马龙峰海拔 4 122 米，兰峰、白云峰等也超过 4 000 米，其余诸峰都在 3 000 米以上。诸峰高出洱海（1 980 米）2 000 米以上，气势雄伟，有古冰川遗迹。年降水量 1 200 ～ 1 500 毫米。白云溪、双鸳溪、阳溪等“苍山十八溪”挟带泥沙东流入洱海，在山麓造成宽3～6千米，长约40千米的冲积洪积扇平原。山麓平原坡度大，土层薄，但耕地可自流灌溉。点苍山由变质岩和花岗岩组成，所产优质建筑石料变质岩以产地“大理”命名，即“大理石”或“大理岩”。点苍山与洱海同为著名的大理风景名胜区中心部分。滇藏公路纵贯东侧。

苍山洱海
中国大百科全书出版社供图

Diane DE FRANCE, DUCHESS（duchesse）DE MONTMORENCY ET ANGOULÊME **迪亚娜（法兰西的）**（1538，法国巴黎～ 1619-01-11，巴黎） 蒙莫朗西-昂古莱姆女公爵，简称昂古莱姆女公爵。法国国王亨利二世的私生女，1547 年被承认嫡出。1553 年嫁给卡斯特罗公爵拉齐奥·法尔内斯，同年其夫阵亡。1559 年改嫁法国陆军统帅蒙莫朗西公爵的长子弗朗索瓦。在查理九世时代，她帮助丈夫成为天主教政治派的领袖。1579 年再次丧夫，但她对亨利三世的影响变得更大，1582 年得到昂古莱姆公爵领地。她竭力使亨利三世与纳瓦拉的亨利和解。纳瓦拉的亨利成为国王（即亨利四世）后，对她抱有好感。她聪明、美丽而有教养，通过她遗留下来的书信，可以看出她是一个十分温厚而又勇敢的女人。

Diane DE POITIERS, DUCHESS（duchesse）DE VALENTINOIS **迪亚娜（普瓦蒂埃的）**（1499-09-03 ～ 1566-04-22，法国阿内） 即瓦伦蒂努瓦女公爵。法国国王亨利二世的情妇。最初在宫中给弗兰西斯一世的母后和王后当侍女。1531 年起，比她小 20 岁的王子亨利（当时为奥尔良公爵）狂热地爱上了她，于是她成为亨利的情妇。亨利在位期间，她始终控制宫廷，使王后卡特琳·德·美第奇处于默默无闻的地位。她美丽、活泼而有教养，是诗人（如皮埃尔·德·龙萨）和许多艺术家的朋友和赞助者。文艺复兴时期的伟大建筑家菲利贝尔·德洛尔姆为她修造阿内城堡。亨利死后，她在此隐居。

Dianthus 石竹属 参阅 **pink**。

Diaoyu Dao 钓鱼岛 中国台湾岛东北180千米的岛屿。位于东海大陆架前缘，面积约 5 平方千米，与附近的黄尾屿、赤尾屿、南小岛、北小岛等组成钓鱼岛列岛。是东海的重要渔场。岛上多林木，有棕榈、山茶、海芙蓉和珍贵药材。中国台湾、福建等省渔民经常在此捕鱼、采药。钓鱼岛附近海底蕴藏有丰富的石油资源。

diapason 音域 此词在中世纪音乐中指包括音阶中所有音级的两个音之间的音程（距离），即 8 度。法语 diapason 指人声的音域或调音的音叉与音高。管风琴上的 diapason 指基本音栓或发出指定音色的一排管子。

diapause 滞育 某些动物自动中断发育的现象，表现为代谢活动的减弱。典型的滞育见于许多昆虫、螨、一些甲壳类和贝类或其他类群。这似为对转为不利的环境条件的一种应答。可发生于任何生命阶段（卵、幼虫、蛹及成体），但在蛹期（如蛾结茧时）最常见。滞育发生于体内生长和蜕皮激素的浓度降低时，而这常与白昼长短、气温高低或食物多寡的改变有关。滞育虽由先天决定，但若在恒定的有利环境条件下喂养动物，也可使它不发生滞育。

Diapensiales 岩梅目 双子叶植物的一目，包括岩梅科（Diapensiaceae）一科，有 7 属，为矮小的常绿灌木和基部木质化的草本，产于欧洲、亚洲、美国东部的高山和北极区。花两

北极岩梅（*Diapensia lapponica*）
美国不列颠百科全书公司供图

性，辐射对称；花萼 5，分离或连合；花瓣 5，基部合生，裂片上部互相重叠；雄蕊 5，着生在花瓣上，与花瓣裂片互生；雌蕊小，心皮 3，子房 3 室，各室内含多少不等的胚珠。有时有 5 个不育雄蕊（或退化雄蕊）对生在花瓣裂片处。本目同杜鹃花目有亲缘关系，据认为两目在山茶目中有一共同的祖先。本目的 7 属是岩扇属（*Shortia*，7 或 8 种）、岩梅属（*Diapensia*，3 种）、岩镜属（*Schizocodon*，2 种）、白岩匙属（*Berneuxia*，2 种）、杉叶杜鹃属（*Diplarche*，2 种）、盖花属（*Pyxidanthera*，1 ～ 2 种）及壶状裂缘莲属（*Galax*，1 种）。原产于美国东南部的壶状裂缘莲（*G. urceolata*）叶大，质硬，心形或圆形，秋天呈青铜色，最美观，所以广泛用于花圈或装饰。钱币花样岩扇（*Shortia soldanelloides*）为小灌木，只有十数厘米高；花下垂摇摆，径约 2.5 厘米；有时栽作庭园观赏植物。岩扇属、岩梅属和盖花属的一些种有时栽于野生植物园及岩石花园。

diaper 菱形花纹装饰 建筑中用雕刻或绘画形式表现的表面装饰，以花、叶等方形或菱形纹样组成图案，并以方网格为基础组成连续的匀列装饰。在哥特式建筑中，常用作墙面的雕刻装饰，例如英国林肯大教堂中 14 世纪的唱诗班席屏饰。英国在维多利亚女王时代试图在砖工装饰中重现这种装饰，用不同颜色的砖取得类似十字刺绣式的多彩效果。建筑师 A. W. N. 普金用这种方法装饰了他自己的住宅，恢复了都铎王朝时期的一种砖工装饰。

diaphragm 膈 哺乳动物体内分隔胸腔和腹腔的由肌肉和膜组成的穹窿形结构。是主

要的呼吸肌肉。膈肌起于胸骨下端、第7～12肋骨和脊柱的腰椎,附着于中央腱上。膈肌收缩增加胸廓的上下径,从而降低胸内压,空气吸入肺部。膈肌松弛时,肺组织和胸廓的自然弹性引起呼气。膈在一些逼出动作中亦起重要作用,这些动作如咳嗽、喷嚏、呕吐、哭泣、排泄粪尿、分娩胎儿等。有许多结构从膈穿过,主要是食管、主动脉和下腔静脉。偶尔可罹患膈疝。膈肌的痉挛性吸气动作会产生特殊的声响,如打呃。

diapir 底辟 来自希腊词"diapeirein",意即"刺穿"。又称挤入构造。被挤入较脆的围岩之中的流动物质所形成的地质构造。这种挤入通常是从母岩层中的物质向上流动。这流动可能由重力产生(重的岩石使下伏的较轻岩石上升),也可能由构造力产生(流动的岩石被侧压力挤入较不活动的岩石中),或二者联合而造成。挤入可能产生穹窿、波浪、蘑菇、泪珠或者岩脉等形状。因盐的流动很快,所以挤入构造经常与盐丘或盐背斜有关系,有时把挤入过程看成是一个盐穹自身的形成模式。

diarchy 参阅 **dyarchy** 双头政治。

Diarmaid MacMurchada 参阅**Dermot MacMurrough** 德莫特。

diarrhea 腹泻 一种大便稀薄的症状。因食物残渣异常迅速地通过大肠所致。发作时可伴以绞痛。病因甚多,如阿米巴性或细菌性痢疾、进食粗糙食物或厚味食物、大量饮酒、砷或二氯化汞中毒、服用降压药等。亦见于精神神经病、甲状腺功能亢进、甲状旁腺激素缺乏及尿毒症等。

Diarthrognathus 双节颌兽属 进步的似哺乳爬行动物的绝灭属。化石见于非洲南部晚三叠世陆相地层(三叠纪始于2.25亿年前,延续3500万年)。与许多其他似哺乳爬行动

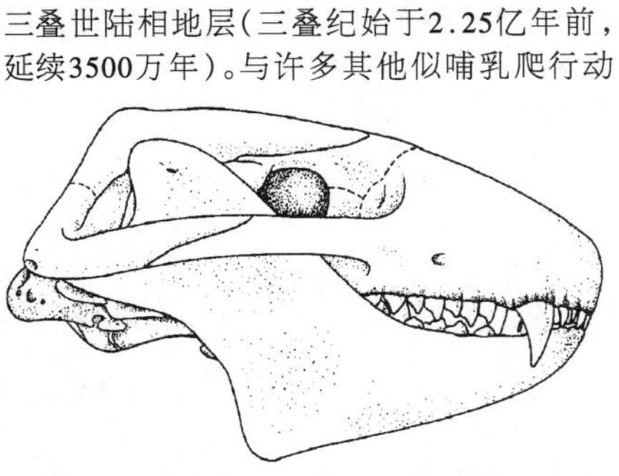

双节颌兽(*Diarthrognathus*)头骨

物是同时的,但从其骨骼解剖和齿式无特化特征看要比其他许多动物更接近真正哺乳类的演化主线。下颌骨与头骨的连接方式兼具爬行动物和哺乳动物的特征。

diary 日记 一种自传性文体,为作者平常对自己的活动和感想的记录。日记主要供作者本人自用,具有率直坦白的性质,不同于供出版的书籍。从"日"(dies)派生出来的"日记"(diarium)这一术语在拉丁文中的存在表明,日记古已有之。日记盛行于开始强调个人重要性的文艺复兴末期。它除能反映撰写者本人的性格外,对记载社会、政治历史有极其重要的作用。18世纪J.斯威夫特撰写了一本感情异常强烈的日记,寄往爱尔兰,书名《给斯特拉的信》(1710～1713年著;1766～1768出版),记载了作者的抱负、奇想、才智和爱好。18世纪晚期最值得注意的英语日记要算是小说家F.伯尼(德阿伯莱夫人)的日记。该日记出版于1842～1846年。到19世纪前半叶,人们对日记的兴趣大增,这一时期许多重要日记,其中包括佩皮的日记首次出版。具有突出文学价值的日记包括W.司各特的日记(1890出版);D.华兹华斯的日记(1855年她死后出版),这些日记说明她对其弟威廉的影响;H.C.罗宾逊(1775～1867)的1869年出版的日记,其中包括许多作者在文学界的熟人的传记材料,如歌德、席勒、华兹华斯、柯尔律治。1887年在俄国艺术家M.巴什克采夫(1860～1884)死后出版的日记,以及1888年开始出版的龚古尔兄弟的日记,均引起很大轰动。在20世纪,《K.曼斯菲尔德日记》(1927)、2卷本的A.纪德的《日记》(1939,1954)和5卷本的《V.吴尔夫夫人日记》(1977～1984)是最引人注目的例子。

Dias, Antônio Gonçalves (Brazilian writer) **迪亚斯** 参阅 **Gonçalves Dias, Antônio** 贡萨尔维斯·迪亚斯。

Dias, Bartolomeu 迪亚斯(约1450～1500-05-29,好望角附近海上) Dias又拼Diaz。葡萄牙航海家和探险家,曾率领第一支欧洲人探险队绕过好望角(1488),开辟了取道大西洋和印度洋到达亚洲的海路。被认为是15世纪探险大西洋的葡萄牙人最伟大的先驱。1474年国王阿丰索五世委托儿子约翰亲王(后来即位为约翰二世)管理葡萄牙对几内亚的贸易及考察非洲西海岸。约翰试图将该地对外国船只封闭,于1481年即位后派遣舰队南航,以确定非洲大陆的南界。海员们带去石柱,以便竖立标志,宣告为葡萄牙领地。其中一位海员名字叫康的抵达刚果,并沿安哥拉海岸航行到南纬13°26′的圣玛丽亚角,在该地竖立国王的石柱标志,料想自己到达了非洲的最南端。康被封为贵族并获得奖赏,又再度出航,这次他在南纬15°40′及22°10′的克罗斯角各竖立一根石柱。皇家要他到达印度洋的希望落空了,也未听到有关康的消息。约翰二世任命迪亚斯指挥一支新的探险队。1486年谣言四起,传说远在东方有位伟大的统治者奥加奈,他就是传奇中的基督教国王"祭司王约翰"。约翰二世乃派遣佩罗·达·科维良(Pêro da Covilhã)和一位阿丰索·帕瓦从陆路去确定印度和阿比西尼亚的位置,命令迪亚斯寻找非洲的南端。迪亚斯船队有3条船,他自己的船是"圣克里斯托旺"号,助手若昂王子的船是"圣潘塔莱昂"号,另一条给养船由迪亚斯的兄弟领导,其兄弟的名字说法不一,有说是佩罗,有说是狄奥戈。船队拥有当时一些优秀领航员,其中有佩罗·德·阿伦凯尔和若昂·德·圣地亚哥,后者早年同康一道出航。一位16世纪历史学家巴罗斯指出迪亚斯出发的日期是1486年8月,并说他在外16个月另17天。但和迪亚斯同时代的杜阿尔特·帕谢库及克里斯托弗·哥伦布两人说迪亚斯归来的日期在1488年12月。现在一般假定他离开的日期是1487年8月。迪亚斯航过康竖立的石柱,于12月4日到达圣巴尔巴拉地方,12月8日到达鲸湾,12月26日到达圣司提芬湾(伊丽莎白湾)。于1488年1月6日以后受风暴阻挡,离开了海岸航线,继续向南航行,数日不见陆地。当他再折转驶向港口时,仍然见不到陆地,只在向北航行时于2月3日重见陆地,这里已是非洲东海岸,这样他绕过了非洲南端海角却未见到它。他称此地为圣布拉斯湾(圣布莱斯湾,那天是圣布莱斯节)或牧牛人湾,因为当地居民为牧牛人。迪亚斯的黑人同伴们不能与这些居民沟通,他们逃跑了,然后转回来袭击葡萄牙人。探险队继续往罗卡湾(今阿尔高湾)前进,船员不愿继续向前,迪亚斯记录了他的全部官员的意见,他们一致赞同返航。他们只答应继续前进几天,到达王子河(以"圣潘塔莱昂"号领航员的名字命名),该地几乎可以确认就是现今的大鱼河。这时已经很清楚,由非洲南端海角的海路可以到达印度,便掉头返航。他于5月份见到了海角。据巴罗斯说他拟定名为风涛角,后来约翰二世改名为好望角。但杜阿尔特·帕谢库则认为好望角之名是迪亚斯自己定的,这有可能,因为帕谢库在普林西比岛加入了迪亚斯的队伍。关于他的返航旅程所知甚少,仅仅知道迪亚斯到过普林西比、雷斯加特河(在今利比里亚)以及设防的米纳商站。迪亚斯竖立的石柱标志之一,立在帕德朗圣格雷戈里乌,于1938年从距离大鱼河口不到30英里的福尔斯岛上收回。另一个标志曾立在圣克里斯托弗湾西端,该地从而更名为迪亚斯角。

迪亚斯从约翰二世获得什么酬报不得而知,虽然据说有过计划让他作一次印度旅行,但在9年时间里没有动静,可能因等待佩罗·达·科维良的消息。曼努埃尔一世批准了伽马1497年著名的航行,迪亚斯参加这次航行,最远到达米纳。当伽马胜利地到达印度西海岸各港口后返回葡萄牙不久,国王又组织更庞大的船队,共有12条船,打算给印度人造成印象,开展大规模贸易。整个船队由卡布拉尔率领,迪亚斯担任一只较小船的船长。船队在去非洲好望角途中,竟远航到西大西洋,看到了巴西的圣埃斯皮里图的陆地。他们认为它是座岛屿,命名为"真十字架之地"。于是,迪亚斯也是发现巴西的参与者。当他们抵达好望角时,迪亚斯在大海中失踪,死在他首次航行所到达的同一水域里。迪亚斯没有肖像传世。他有一个儿子名安东尼奥。孙子保罗·迪亚斯当过安哥拉总督,是南部非洲第一座欧洲人城市,罗安达的圣保罗城(1576)的创建人。

Dias, Dinís 迪亚斯(活动时期15世纪) 葡萄牙航海家和探险家,受航海家亨利亲王派遣,与非洲各国、中东和印度开展贸易的船长之一。1445年,作为一艘轻快帆船的船长,航行经过塞内加尔河口,后来发现非洲最西端的佛得角。因为海岬上有许多大树和香气芬芳的植物,他定名为"绿角"。迪亚斯和他

的船员们试图登陆，被土人击退，乃折返葡萄牙。1446年，亨利亲王组成轻快帆船队，要为葡萄牙占领非洲沿海地带，同时勘探塞内加尔河，因为他们相信该河是尼罗河的西支流。船队中的一艘是由迪亚斯指挥的。

Diaspora 海外犹太人 此词为希腊语，意谓"散布各地"。希伯来语作 Galut，意谓流放。其义有二：一指犹太人在巴比伦囚虏之后散处于非犹太诸民族之间的过程及其状态；二指流亡于巴勒斯坦或今以色列之外的犹太人集合体或犹太人社区。根据一般了解，以色列国土与犹太民族之间有特殊关系，因此，此词除了具体指犹太人的离散之外，还具有宗教教义、哲学、政治和末世论上的含义。对于这种特殊关系的解释，有传统犹太教关于"流亡犹太人最终重聚"的救世主希望，也有一种改革犹太教的观点，即犹太人之离散，本系上帝意志的安排，以便在全世界培养起一神教。

第一次重大的犹太人大流散是公元前586年**巴比伦囚虏**（**Babylonian Exile**）所造成的。巴比伦人征服犹太王国后，将部分犹太人口驱出其本土，使之沦为奴隶。征服巴比伦的波斯居鲁士大帝在公元前538年准许犹太人返回家园，但部分犹太居民自愿留居外地。

在公元前1世纪，北非亚历山大城40%的居民是犹太人，他们是历史上人数最多、最受人注意而且在文化上最富于创造性的海外犹太人社群。在1世纪前后，巴勒斯坦境外的犹太人约有500万，其中4/5在罗马帝国境内，他们仍以巴勒斯坦为宗教和文化中心。即使在公元70年耶路撒冷城被毁之前，海外犹太人也大大多于巴勒斯坦犹太人。此后犹太教重心便由一国移至另一国，如：由巴比伦而波斯、西班牙、法兰西、德意志、波兰、俄罗斯乃至美国。犹太人在海外吸收不同语言、礼仪及文化，有些人还比别人更彻底地"淹没"在非犹太人居民之中。部分人生活于和平环境中，另一部分则成为排犹主义暴力的受害者。在关于海外犹太人的作用以及是否宜于保持单一民族特点这些问题上，犹太人目前仍莫衷一是。在正统派犹太人中间，大多数支持犹太复国主义，但也有人反对以色列国，认为它不敬上帝，与世俗同流合污，无视上帝在预定时间差遣弥赛亚降世的旨意。

按照许多以色列人所持的"否定流亡"的观点，犹太人的生活及文化注定要在海外流亡过程中因民族同化及文化融合而趋于灭绝，只有那些重返以色列的犹太人才有作为犹太人而继续存活的希望。应该注意的是，不论是这一观点，还是其他有利于以色列的看法，都不承认以色列的出现应验了圣经预言所说的救世主时代的到来。

虽然改革派犹太人仍然普遍认为，犹太人飘流在美国和其他各地符合上帝的旨意，但是1937年美国拉比中央会议正式宣布撤销1885年通过的关于犹太人不应争取返回以色列国的《匹茨堡纲领》。这项新决策有力地鼓励了犹太人，使他们支持建立一个犹太人国家。在另一方面，成立于1943年但如今已无生气的美国犹太教理事会却宣布说：犹太人之为犹太人仅属宗教意义，任何支持在巴勒斯坦建立犹太人国家的做法，都是他们对海外驻在国家的不忠行为。

在第二次世界大战期间，大批犹太人被惨杀。其后，赞成立国的人们明显地增加。今天，全世界犹太人约有1 400万，其中约400万人在以色列国，约450万人在美国，约220万人在俄罗斯、乌克兰及其他前苏联各共和国。

diaspore 硬水铝石 铝的氧化物矿物（$HAlO_2$）。呈白色或淡灰色，坚硬，具玻璃光泽。在刚玉砂中与刚玉伴生，并广泛分布于红土、铝土矿及铝质黏土中。大量产于匈牙利、南非、法国、美国阿肯色州和密苏里州。硬水铝石与软水铝石成同质二象（即化学成分相同，但晶体结构不同）。它不含氢氧基（OH），但含有与氧原子呈二次配位的氢阳离子（H^+）。关于详细的物理性质，参阅 **oxide mineral**（表）。

diastereoisomer 非对映异构体 又拼 diastereomer。分子构型不同（即立体异构体）且没有镜像关系（即不是对映结构体）的一对物质。如两种光学活性的酒石酸（左旋或右旋）中的任何一个和该酸无光学活性的内消旋体（内消旋酒石酸）组成的一对。与对映体不同，非对映异构体不必具有非常相近的物理、化学性质，其差异可能像结构同分异构体那样大。如无论哪个光学活性酒石酸的熔点均为187 °C，而内消旋酒石酸的熔点为143 °C。

diastole 舒张期 心脏周期中心肌松弛的阶段，常伴有心室的充血过程。在心脏周期中舒张期之后是心肌的**收缩期**（**systole**）。开始时心房和心室都处于舒张期，继心室的快速充盈之后是一段短暂的心房收缩期。与此同时，动脉血压也降至最低点（即舒张压，人类正常值约为80毫米汞柱）。在心室收缩将血喷射至主动脉和肺动脉之后，再开始另一个心室舒张期。舒张期一词也可指原生动物收缩泡的松弛阶段。参阅 **blood pressure**。

diastrophism 构造变动 又作 tectonism（构造作用）。又称地壳变动。指由各种自然作用所引起的地壳的大规模变形，导致形成大陆和大洋盆地、山系和裂谷，并指由岩石圈板块运动、火山堆积重荷或褶皱作用之类机理所引起的其他各种现象。对构造变动或各种大地构造过程的研究，可以认为是20世纪晚期地质学界和地球物理学界的一项统一的中心运动。大地构造过程主要包括：线性的或扭性的水平运动（如大陆漂移之类），以及岩石圈对地面上的山脉、湖泊、冰川之类自然应力的反应而产生的垂直的沉降和隆起（应变）。地下的条件也能引起地面上广大范围的沉降或隆起而不使岩层变形，称为造陆运动。这类变形当中有：①由沉积岩层的逆掩引起的岩石圈的加厚；②由变质作用或由热力导致的膨胀和收缩作用所引起的岩石圈中岩石密度的改变；③由橄榄石的水合作用以及造山运动所引起的软流圈（支撑岩石圈的地幔上部的一部分）体积的增大。

Diatessaron 《四福音合参》 将《新约》中的四部福音书汇编而写成的单一叙事著作。作者是约公元150年的**塔提安**（**Tatian**）。此书曾是中东叙利亚语地区的标准福音书，约4世纪才为分刊本四福音书所取代。古叙利亚文献中有引用此书者，但目前无此书的古叙利亚文本。1933年在伊拉克巴格达西北杜拉-欧罗普斯发现此书的3世纪希腊文纸莎草抄本残篇。最初的原稿是希腊文或古叙利亚文不得而知。此外尚有阿拉伯文及波斯文抄本以及中世纪译成的欧洲各文字的抄本。

diathermy 透热疗法 一种利用高频电流给深部组织加热的物理疗法。1891年美国工程师和发明家N.忒斯拉首先报道，高频交流电作用于身体组织就会产热，并指出这种作用可用于医疗。1909年德国医师K.F.纳格尔施密特创"透热疗法"一词。现在广泛应用的透热疗法有三种：①短波透热疗法——将患部置于两块电容电极板之间，这样皮下组织温度最高。短波常用于治疗深部肌肉及关节的疾患。②超声透热疗法——使用高频机械振动波，所产生的热效应可促进循环和代谢，使细胞膜的通透性增高，离子易于弥散。治疗中将声头置于患部表面并缓慢移动。超声透热用于对表面加热反应不大的深部肌肉。③微波透热疗法——使用频率极高、波长很短的辐射，所引起的生理反应都与其致热性能有关。根据产热量的不同，透热疗法可用以使组织保持温热（对减轻肌肉酸痛和治疗扭伤特别有效）或给组织造成破坏（作为手术的辅助手段，通过热凝防止大量出血并熔封受伤组织）。在眼外科和神经外科特别有效，又用于治疗背痛、去除疣和痣、促使细菌感染的组织恢复并使炎症局限。参阅 **physical medicine and rehabilitation**。

diatom 硅藻 硅藻门（Bacillariophyta）藻类，一个浮游生物大类群，约1.6万种，单细胞或群体。飘浮于世界的各种水体。其硅化的细胞壁形如盛药丸的小盒子（硅藻细胞），

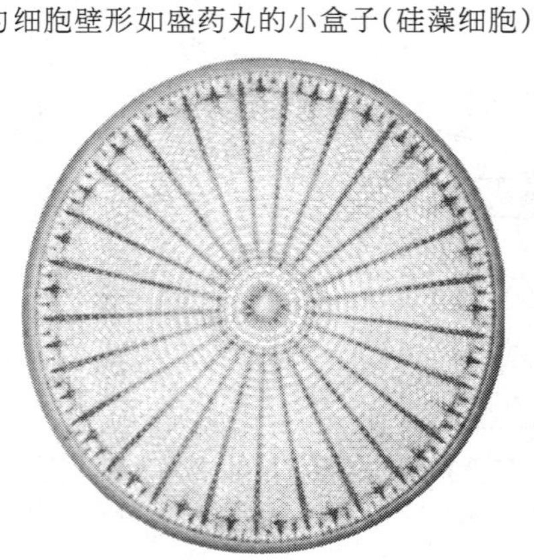

硅藻（高倍放大）
美国不列颠百科全书公司供图

由相互扣合的上壳和下壳组成，上有许多复杂细致的花纹，可用于检验显微镜的分辨力。这个壳体形状对称，花纹美观，故硅藻被称为"海洋宝石"。硅藻通常行裂殖，两个相扣合的半壳分开，每个半壳又分泌出一个较小的底壳，这样，连续形成新的底壳，硅藻个体体

积逐渐减小。几个月后,可减小60%。但又周期性地形成复大孢子,使硅藻的大小复原。根据对称性和形状,硅藻分为两个目:圆形、不运动的中心目(Centrales)有辐射状花纹;长形、能滑动的羽纹目(Pennales)有羽状花纹。储藏养分为油滴,有金棕色的墨角黄素遮盖了叶绿素,也有类胡萝卜素等。硅藻是许多动物直接或间接的食物。硅藻土为硅藻化石组成,用作过滤剂、绝热材料、研磨料、油漆充填剂、清漆原料等。

diatomaceous earth 硅藻土 又作kieselguhr。由硅藻(极其微小的单细胞水生植物)的硅质壳组成的浅色、多孔和易碎的沉积岩。呈土状层产出,有点类似白垩,但比白垩轻,在酸中不起泡。在高倍显微镜下能区分出硅藻的形态。相当硬化的称为硅藻岩。类似的叫做放射虫土和放射虫岩的硅质岩石是由放射虫的格状蛋白石质骨骼组成的。从前主要用作净化糖和糖浆的过滤剂,现在几乎应用于所有的工业过滤工作,包括油类、酒精饮料和非酒精饮料、抗菌素、溶剂和化学制品的加工处理。第二个主要的用途是作为纸、油漆、砖、瓦、瓷砖、陶瓷、油毡、塑料、肥皂、洗涤剂和大量的其他产品的填充剂或增量剂。还用于锅炉、鼓风炉的绝缘和其他保持高温的装置。在525℃以上,硅藻土是一种比石棉或氧化镁更有效的绝热材料,因其更能抗收缩性,在炽热的情况下也不被破坏。其他的用途包括隔声和除草剂与杀真菌剂的赋形剂。最古老的和最为人所熟知的商业用途是作为金属抛光剂和牙膏中的一种十分柔软的磨料。美国已开采的最大矿床在加利福尼亚州圣巴巴拉县的北部,矿层厚度在300米以上,延伸数平方英里,从柔软土状到坚硬、压实可锯成块状的岩石。其他产品来自内华达州、华盛顿州和俄勒冈州。丹麦、法国和俄罗斯有很发达的硅藻土工业,阿尔及利亚也有许多硅藻土矿床。

diatonic 自然音阶 原为古希腊音乐理论中3个基本四音音列之一;通常指由7个"自然"音构成的、没有半音变化的音阶,尤指自然和声出现后,由中世纪及文艺复兴时期教堂调式演化而成的大、小调音阶。由于旧调式系统逐渐不敷应用,16世纪人文主义者格拉雷阿努斯建议增补两个教堂调式,即分别在A音及C音基础上构成的阿奥利亚及爱奥尼亚调式,它们与现代大调及自然小调音阶完全一样。大调音阶由两个完全相同的四音音列组成,每个四音音列中,前两个间隔为全音,最后一个间隔为半音。而在自然小调音阶中,则一个四音音列的半音在中部,另一个的半音在底部。考虑到自然和声中"导音"(音阶第7至第8音间的半音)极为重要,自然小调在实践上便需把第7音作升高半音的变化;严格地讲,结果所形成的"和声"小调已不是自然音阶,它与"旋律"小调不同,后者只从平行大调(即在同一音高开始和结束的大调音阶)借用其较高的四音音列。由于自然音阶和声与大、小调音阶之间的紧密的、实际上是偶然的联系,自然音阶的音级通常建立在相应的音高上。因此,第1音级往往称主音,第2称上主音,第3称中音,第4称下属音,第5称属音,第6称下中音,第7称导音。应该看到,18与19世纪欧洲快速发展的器乐日益强调表情性,因而对半音变化情有独钟,以至到瓦格纳时自然音体系主要用于音乐活动的大众化和半大众化领域。

Diatryma 不飞鸟属 绝灭的不飞巨鸟。其化石见于北美洲和欧洲的早始新世地层(始新世始于5 400万年前,延续1 600万年)。不飞巨鸟长成后高2.25米左右。它的翼小,

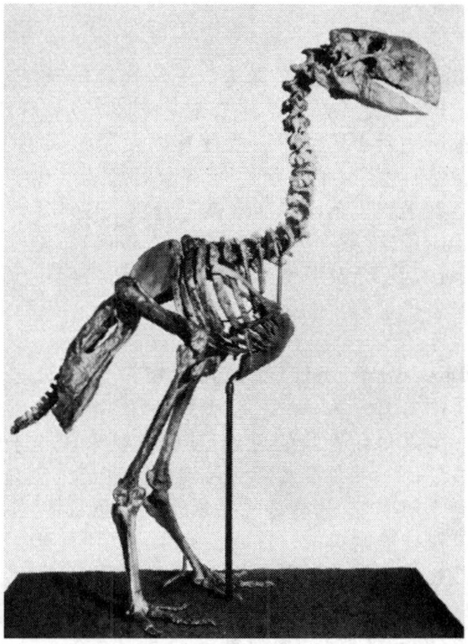

复原的不飞鸟(*Diatryma*)骨骼
美国不列颠百科全书公司供图

对飞翔无多大用处,但后肢粗壮。很可能擅长快跑。它的头大,嘴大,是一种灵敏的食肉动物,很可能以小哺乳动物为食。不飞鸟是一类大而不飞的食肉鸟——不飞鸟目(Diatrymiformes)的代表,栖居在北美洲和欧洲。在南美洲,类似的鸟群以鸩属(*Phororhacos*)为代表,普遍出现于中新世期间,大约高1.5米,它们也有发育差的翼、强壮的后肢、很大的头以及有力的嘴。

Diavolo, Fra 魔鬼大哥(1771-04-07,两西西里王国福尔米亚附近伊特里~1806-11-11,那不勒斯) 意大利土匪头子米凯莱·佩扎的绰号。他屡次在那不勒斯与法国占领军作战,因而在民间传说和大仲马的小说中,他被描写为游击队的领袖。年轻时犯罪后加入山间匪帮。1798年,那不勒斯国王雇佣他对法国人作战,后授予他上校军衔。1806年拿破仑占领那不勒斯时,他组织抵抗运动。法军为了获得他的头颅而悬重赏,终于把他捕获和吊死。

Diaz, Abby Morton 迪亚斯(1821-11-22,美国马萨诸塞普利茅斯~1904-04-01,马萨诸塞贝尔蒙) 婚前名Abigail Morton。美国小说家和儿童文学作家。其作品幽默,广受欢迎,显示出她相信儿童善良的天性。早年就对改革感兴趣,曾参加一个青少年反对奴隶制协会。1845年与来自古巴哈瓦那的M.A.迪亚斯结婚,但几年后二人分居。1861年5月《大西洋月刊》发表了她的短篇小说《粉色和蓝色》,从此开始了作家生涯。她为儿童写的短篇小说发表在众多刊物上。她还开始了系列小说的写作。1870年出版了《威廉·亨利的信》,这是她最成功的小说之一。其两部续集也极受欢迎。之后还写有其他作品。她深切关注传统村庄的衰落和工业城市的兴起给文化和伦理道德带来的影响。这些社会倾向对妇女所造成的影响,促使她带头组织起波士顿妇女教育和产业联盟。1877～1881年任理事,1881～1892年任主席,1892～1902年任副主席。

Diaz, Armando 迪亚兹(1861-12-05,那不勒斯～1928-02-29,罗马) 意大利将军。那不勒斯和都灵军事学院毕业,在意土战争中立下功勋。1914年晋升少将。第一次世界大战爆发后,他任意军作战部长,后又任总参谋长。1918年他击退奥地利的进攻,并发动强有力的反攻。1921年被授予"胜利公爵"称号。1924年晋升元帅。他在首届法西斯内阁(1922～1924)中任国防部长,后因健康不佳而辞职。

Diaz, Bartolomeu (Portuguese explorer) 参阅 **Dias, Bartolomeu 迪亚斯**。

Díaz, Porfirio 迪亚斯(1830-09-15,墨西哥瓦哈卡～1915-07-02,巴黎) 墨西哥军人、总统(1877～1880,1884～1911),他建立了一个强大的集权制国家并控制它达30多年。具

美国国会图书馆供图

有部分印第安血统,出身寒微。曾受教士训练,美墨战争(1846～1848)时参军。参加过改革战争(1857～1860)和反法斗争(1861～1867)。1871年B.胡亚雷斯再度当选总统时,他领导了一次不成功的抗议活动。1876年他参与反对S.L.de特哈达总统的叛乱,失败后逃往美国。6个月后返回墨西哥,在特科亚克战役(1876-11)中击败政府军。1877年5月,迪亚斯当选总统。他在最初4年执政期间,缓慢地巩固权力,建立起强大的政治机器。他的政府虽采取了一些改良措施,但却以镇压叛乱而闻名。他曾决定不再连任,选择M.冈萨雷斯将军为他的继承人,但不久冈萨雷斯对他不满。迪亚斯遂于1884年再度竞选总统并当选。此后26年里,他以军人精神进行有条不紊的治理。他成功地摧毁了地方领导机构,使大多数公职人员直接听命于他;甚至议会也是由他的朋友们组成,新闻受到压制。他还牢牢掌握了法院。迪亚斯在派

系间纵横捭阖,以巩固权力。他让梅斯蒂索人担任政治职务以赢得他们的支持。有特权的克里奥尔阶级持合作态度,政府则不干预他们的大庄园,并让他们在政府中担任荣誉职位。罗马天主教会奉行不卷入的政策,以换取一定程度的自由。但对占人口1/3的印第安人的疾苦却不闻不问。迪亚斯就任时,墨西哥政府负债累累,储备金极少。因此他热心鼓励外国投资。由于给投资者的条件过于优厚,损害了墨西哥产业界和工人的利益。外国人大批涌入墨西哥,修建铁路和桥梁、采矿和建设农田水利工程。然而新增财富大部流往国外或落入少数富人手中。到1910年,墨西哥经济衰落,国家收入锐减,不得不举债。工人经常罢工,农业工人陷入极度贫困状态。迪亚斯1908年2月曾向记者表示要退休,当各派寻找总统候选人时,他又决定不退休。他允许倾向改革的F.马德罗参加竞选,但马德罗的失败是注定的。最后,由于他的政府极度虚弱和腐败,1911年5月25日迪亚斯辞职,流亡国外。

Diaz de La Peña, Narcisse -Virgile 迪亚兹·德·拉·佩纳(1808,法国波尔多～1876-11-18,芒通) 法国油画家和版画家,专门从事风景画创作,是"巴比松画派"成员之一。其作品以浪漫主义的手法描绘枫丹白露森林的景色,并且在其富于幻想的风景画中常常出现神话人物的形象。15岁时开始在塞夫尔瓷器厂作画师。曾师事学院派画家A.卡巴内尔。早期作品受德拉克洛瓦和浪漫主义的强烈影响,并在中世纪艺术和中东艺术的吸引之下,常常表现异国情调的题材。后期作品主要表现巴比松乡间附近枫丹白露森林的景色,如《森林景色》(1867)等,描绘茂密的、色彩丰富的树叶和透过树枝照射进来的阳光,以及树丛中小块天空等景色。对印象派画家产生了很大影响。

Díaz de Solís, Juan 迪亚斯·德索利斯(1470?,西班牙塞维利亚～1516,南美洲拉普拉塔河) 西班牙海军领航官,最早进入南美拉普拉塔河口的探险家之一。1508年曾到美洲巴拿马地峡以南约5 000英里的地区探险。1515年10月8日率3艘船从西班牙出发,1516年2月到达拉普拉塔河口,称该湾为淡水海。为纪念一名死去的船员,把所到的第一个岛命名为马丁·加西亚岛。溯乌拉圭河而上时,在东岸(现代的乌拉圭)上岸,遭该地查鲁亚族印第安人攻击。留在船上的船员目睹他和其他上岸的人(除F.德尔普埃尔托)均被杀死和吃掉。被俘的德尔普埃尔托后向1526年到达此地的S.卡伯特提供了有关该地区的宝贵资料。

Díaz del Castillo, Bernal 迪亚斯(约1495,卡斯蒂利亚坎波城[西班牙]～1584,危地马拉) 西班牙军人和作家,曾参加征服墨西哥。1514年到过古巴,5年后又陪同H.科尔特斯前去墨西哥。因不满一些历史家静坐书斋按照惯例修纂编年史的作法,他撰写了《征服新西班牙的真实历史》(1632)。该书叙述山川地貌及战阵详况,风格自然,文字朴实,具有历史及文艺价值,也可作16世纪西班牙惯用语的参考资料。

Díaz Ordaz, Gustavo 迪亚斯·奥尔达斯(1911-03-12,墨西哥塞尔丹城～1979-07-15,墨西哥城) 墨西哥总统(1964～1970)。早年习法律,曾在家乡普埃布拉州任最高法院院长。1946年当选参议员。1958年任联邦内政部长。1964年7月作为革命制度党候选人当选总统,接替A.L.马特奥斯。他的政府致力于墨西哥的经济发展。1977年任驻西班牙大使。

diazepam 苯甲二氮䓬 又称安定。一种安定药。无色结晶,其溶液或片剂供药用。口服或注射给药。用以治疗焦虑及紧张状态、骨骼肌痉挛,手术前后可用作镇静药。化学结构上属于苯丙二氮䓬类化合物。1963年开始应用,有数个商品名(包括Valium)。副作用包括嗜睡及肌肉共济失调,长期用药可以产生一定程度的躯体依赖性。

diazo compound 重氮化合物 以特征原子团 $R_2C{=}N^+{=}N^-$ 为分子结构组成部分的一类有机化合物的总称,其中R代表氢原子或任何一种有机基团。最常见的重氮化合物是重氮甲烷,为有毒的易爆炸的黄色气体,经常制成乙醚溶液。在实验室中常用于羧酸甲酯化或制取羧酸同系物。

diazonium salt 重氮盐 具有 $R{-}N^+{\equiv}N$ 分子结构的一类有机化合物中的总称,其中R为一种有机化合物去掉一个氢原子而形成的原子团。重氮盐通常是由伯胺与亚硝酸反应(重氮化反应)制得的。其最突出的特性是不稳定。脂肪族重氮盐只能作过渡性中间体存在,它迅速分解成氮分子和碳正离子。某些芳香族重氮盐是稳定的足可使其被分离出来。但易发生反应,失去氮或者形成偶氮化合物。重氮盐,于1858年初次从芳香族胺制得,染料工业迅即确认它在制备偶氮化合物中的应用价值。改变被重氮化的胺(重氮组分)的化学结构,以及改变和重氮组分反应的化合物(偶合组分)的化学结构,可制得在可见光中显不同颜色的染料,通过不同的工艺方法对多种类型的纤维染色。重氮基在铜或铜盐的作用下,可被多种原子或原子团取代,利用这些反应可能制备多种芳香族衍生物。芳香族重氮盐经化学还原,生成肼的衍生物。

Dib, Mohammed 狄布(1920-07-21,阿尔及利亚特莱姆森～2003-05-02,法国巴黎附近拉塞勒-圣克卢) 非洲小说家、诗人、剧作家。以早期发表的关于阿尔及利亚的三部曲《大房子》(1952)、《火灾》(1954)、《织布机》(1957)著称。三部曲写1938～1942年间阿尔及利亚民众自我意识以及对即将到来的独立斗争的觉醒。这场斗争后于1954年开始。当过教师、会计、织毯工人、记者、戏剧评论家。在早年现实主义小说中描写了阿尔及利亚工农的穷苦生活。1959年离开阿尔及利亚流亡,除短期回国外,一直住在法国。晚期作品中,除了《非洲的夏天》(1959)写起义的民族时仍保持早期作品的现实主义手法以外,都使用了象征、神话、讽喻及幻想等手法,以表现法国殖民者对阿尔及利亚人民的镇压、对阿尔及利亚民族特性的真实表现的探索、独立战争及其影响、独立后的新阿尔及利亚以及技术官僚夺取控制权之争、阿尔及利亚移民工人在法国的悲惨遭遇等题材。小说《国王之舞》(1960)、《记得大海的人》(1962)、《在荒凉的岸边奔走》(1964)、《野蛮人中的神》(1970)、《打猎的能手》(1973)、《阿贝尔》(1977)等与早期小说一样,对人类的兄弟情谊表示乐观。他为遭受经济剥削而变得一贫如洗的人们写作。他基本上把自己看作是一个诗人。诗集有:《守护的影子》(1961)和《格式》(1970)。还发表过两部中篇小说集《在咖啡店里》(1956)和《护身符》(1966),编写过电影脚本《春天的未婚夫妇》,剧本《争取持久和平》和《为一个女穷鬼喊万岁》(1980)。

Dībā al-Hisn 迪巴 Dībā又拼Dibbah或Dabā。阿拉伯半岛居民点和港镇。在阿曼岬东岸,临迪巴湾,四面环山。行政上分属两个国家:旧港及其以南地区属阿拉伯联合酋长国;迪巴湾北部地区属阿曼。曾是阿曼内地铜矿出口中心。伊斯兰教兴起时,该地为一繁荣城镇,也是阿拉伯半岛抗拒这种新宗教的最后重要地区之一。公元7世纪被穆斯林夷为平地。19世纪盖沃西姆海盗首领苏丹·伊本·萨克尔将该城授予诸子之一作为领地。其后人在不同时期均自称为独立的酋长。现仅为一小渔村,有中心电力供应与一小医院,与以南的沿海居民点及哈伊马角酋长国通公路和小路。人口1 010(最新统计)。

Dibāng Valley 迪邦谷 印度东部阿鲁纳恰尔邦东北部一地区。位于大喜马拉雅山脉内,其北部及东部边境与西藏接壤。米什米山地平均海拔4 500米,为喜马拉雅山向南延伸部分,构成该地区北部的大部分,山地内散布着一些隘口,如高3 950米的永格雅普以及高4 750米的伽佩等隘口。该地区因迪邦河而得名。迪邦河连同艾辉、伊姆拉、阿德宗、德里等河均南流注入布拉马普特拉河。山地内布满由橡树、枫树、桧树、松树等组成的亚热带常绿林。居住在该地区的人种有米什米人、米朱人、伊杜人(或称丘利卡塔人)、坎普蒂人和辛颇人等,操藏-缅语系的几种方言。在开成梯田的山坡上与河边更为平坦的土地上种植稻谷、玉米、黍类、马铃薯和棉花等。易货集市对本区的经济很重要,米什米人通常以麝香、蜂蜡、生姜和干辣椒等与南方阿萨姆平原上的居民进行交易。黏土、石墨、石灰石和铜矿等矿藏都在开采。家庭手工业有藤制品制作、织布、银器制作、打铁等。道路系统基本上未开辟,大多数路径都是简陋的小道,不过,也有几条全天候的大路。艾尼尼为本地区主要居民点。伊杜米什米族祭司跳的一种叫伊古舞的忧郁舞蹈,与本地区有密切关系。

dibatag (*Ammodorcas clarkei*) **索马里跳羚** 又作Clark's gazelle(克拉克氏羚)。偶蹄目牛

索马里跳羚(*Ammodorcas clarkei*)
美国不列颠百科全书公司供图

科动物,体型细长的北非羚羊。单独或小群生活在多草或多荆棘的灌丛。腿长,颈长,耳圆,蹄小,尾黑色而细长,受惊或奔跑时尾竖起或向前斜。肩高 75 ～ 90 厘米,毛淡紫褐色,腹部和臀部白色,脸部有浅红褐色斑纹。雄体的角弯曲,末端扭向前方。与长颈羚一样,也以树叶为食,有时用后腿站起以取食树叶。

dibbuk 参阅 **dybbuk 附鬼**。

Dibdin, Charles 迪布丁(1745-03-15受洗,英国汉普郡南安普敦～ 1814-07-25,伦敦) 作曲家、作家、演员和剧院经理,因所作海洋歌曲与歌剧而成为18世纪末最受欢迎的英

美国不列颠百科全书公司供图

国作曲家之一。15 岁赴伦敦就职于一音乐出版商行,1762 年在里士满开始舞台生涯,后又在伦敦演出 S.阿诺德的《磨房姑娘》中的拉尔夫一角而知名。他的第一部轻歌剧《牧羊人的巧计》于 1764 年在科文特加登剧院上演。后成为该院作曲家,至 1778 年共创作上演了 8 部歌剧,包括《挂锁》(1768)、《船工》(1774)及《贵格会教徒》(1775)。1782 ～ 1784 年经营皇家马戏团和萨里剧院,1785 年上演民谣歌剧《自由大厅》。约于 1789 年开始演出他著名的独角戏"餐桌娱乐",他是作者、演唱者又是伴奏者。他的大部分海洋歌曲都是为这些娱乐节目而作。共写戏剧近 100 部,歌曲约 1 400 首,常自写歌词。并有少量器乐作品,还作有几部小说。他生性急躁,动辄暴跳如雷,但却是一位天生的旋律作家,特别擅长于写作声乐曲。

Dibdin, Thomas Frognall 迪布丁(1776,印度加尔各答～ 1847-11-18,英国伦敦) 英国目录学者,其活动大大推动了人们对目录学的重视。牛津圣约翰学院大学毕业,1805 年任牧师。著有《希腊和拉丁古典作品稀有和珍贵版本入门》(1802),引起斯宾塞勋爵的注意,因而得到伦敦的一个牧师职位。所著《斯宾塞藏书目录》(1814 ～ 1815)以印刷精美著称。曾旅行各地搜寻图书和手稿。1821 年写成《法德寻书和观光记》,书中有生动的轶事、事实的勘误和精致的版画。所著《爱书癖》(1809)激发了读者对古书和稀有书的兴趣。另著多部书籍,其中包括两卷本的自传。

Dibelius, Martin 迪贝利乌斯(1883-09-14,德国德累斯顿～ 1947-11-11,海德堡) 圣经学者,《新约》形式考证法的倡导人。迪贝利乌斯先后在德国几所大学就学,1910 ～ 1915 年在柏林大学执教,继而任海德堡大学《新约》考证评注学教授终生。他于 1919 年发表主要著作《从口传材料到福音书》,对《新约》的口传资料进行剖析。迪贝利乌斯经过分析《使徒行传》之后指出,福音书作者路加掌握了使徒保罗的书面记录,而且可能曾与保罗一同共事过。

dibenzazepine 二苯氮䓬类药物 一类抗抑郁药。包括丙咪嗪及去郁敏等。20 世纪 60 年代开始应用,分子结构中央均为氮杂䓬环。丙咪嗪是首先用于临床的三环抗抑郁药,其后又出现许多二苯氮䓬类化合物及二苯氮䓬衍生物(如阿密曲替林、去郁敏、去甲替林、普罗替林)。本类药物多口服,有时亦可注射给药。60 年代广泛应用于治疗精神抑郁症。

Dibich-Zabalkansky, Ivan Ivanovich 迪比奇-扎巴尔坎斯基 参阅 **Diebitsch, Johann (Karl Friedrich Anton), Graf 迪比奇**。

Dibner, Bern 狄布涅尔(1897-08-18,俄罗斯帝国乌克兰利先卡～ 1988-01-06,美国康涅狄格威尔顿) 美国工程师和科学史学家。1904 年到美国,1921 年由纽约市布鲁克林高等工业学院(现为高等工业大学)毕业后进入电气联合股份公司工作(1923 ～ 1925),曾参与指导古巴的电气化。1924 年创建伯恩迪工程公司(现为伯恩迪公司),生产他发明的免焊电联接器,1972 年退休。以科学史家而知名。他还创立了两所藏书丰富的图书馆,一所为拥有 1 万册图书的狄布涅尔科学技术史图书馆(1975),现设在国家历史和工艺博物馆内;另一所为藏书 3 万册的伯恩迪图书馆(1935),位于康涅狄格州的诺沃克。1972 年在马萨诸塞沃尔瑟姆的布兰代斯大学成立了狄布涅尔科学技术史学院。

Dibon 底本 古代摩押的首都,即今济班,在约旦中西部的阿尔农河以北。1950 年开始发掘,发现几处城墙、一座方堡和大量建筑物的遗址。有从青铜早期时代(约公元前 3200 ～前 2300)至阿拉伯早期时代(约公元 7 世纪)的陶器。1868年发现的所谓"摩押刻

底本出土的摩押刻石(正面)
芝加哥大学东方学院供图

石"是一个重大的发现,上面刻有约公元前 9 世纪摩押王米沙的铭文,共 34 行,为纪念战胜以色列人而作。

dibromoethane 二溴化乙烯 参阅 **ethylene bromide 溴化乙烯**。

Dibrugarh 迪布鲁格尔 印度东北部阿萨姆邦东北部城镇。傍布拉马普特拉河。重要商业中心、河港与铁路终点。有茶叶加工、碾米、榨油等工业。设有阿萨姆医学院和迪布鲁格尔大学几所分校、法学院等。东面 19 千米处有机场。该镇 1950 年曾遭地震严重破坏。迪汉河在镇北与迪邦河、卢希特河合流后成为布拉马普特拉河。该地区降水量大,河流常泛滥。茶叶在农产品中占重要地位。也开采石油和煤,但规模不大。人口 120 127 (1991)。

dibs(game) 参阅 **jackstones 抛接子游戏**。

Dibutades (Greek sculptor) **狄布泰德斯** 参阅 **Butades of Sicyon 布泰德斯(西希昂的)**。

Dicaearchus 狄凯阿科斯(活动时期约公元前 320) 西西里墨西拿的希腊逍遥学派哲学家。亚里士多德的学生,学识渊博,西塞罗和普鲁塔克等人都曾受其影响。大半生住在斯巴达。不重视系统哲学,而致力于各种专门学问,包括文学史与音乐史、传记、政治学和地理学。著有《希腊的生活》,记述有史以来的希腊文化史。

Dicaeidae 啄花鸟科 雀形目的一个鸣禽科,包括钻石鸟(**diamondbird**)和啄花鸟(**flowerpecker**)。

dicastery 迪卡斯特里法院 指古雅典的一个司法团体。迪卡斯特里法院从克利斯提尼实行民主改革时(约公元前 508 ～前 507)

起就是赫利亚法院的一部分。这时赫利亚法院从一个上诉法院转变成为初审法院。每年有6 000个公民被选为迪卡斯特里法院的法官或法院的陪审员,他们可能是代表自由民的一个侧面。每组约500个这样的审判官员(在私法事务中约200人)就构成全年的法院。在较为重要的案件中,若干这样的法院可以合并起来。判决用多数票决定;赞成与反对数目相等时则作无罪宣判。诉讼当事人通常自己发言,但辩护人也可以为被告人进行辩护。大约在公元前378年以前,证据是用口头提供的。以后则由法院的书记官当庭宣读书面的简要说明。对裁决是不能上诉或更改的。法院的首席官员只管程序问题;审判人员是法律和事实两方面的裁断人,在他们当中也无须经过讨论便投票判决。人们一直为迪卡斯特里制度辩护的理由是,数目众多的迪卡斯特里审判官员可以团结起来,不怕威胁,减少受贿的机会,并使司法审判变成更为民主的过程。

dice 骰子 供赌博和游戏用的小立方体。标准骰子的各面分别标上了从1～6这6个数的小点子,按常规是使两个相对面的点数之和为7,即1和6、2和5、3和4。这6个点数和所用骰子个数的各种组合,决定数学上的概率。骰子从手里或骰子盒里掷出,得以随机下落。停后顶面上的点数为判断性点数。各骰子顶面上点数的组合按比赛规则决定胜、负、再掷或换庄。最初原始人用骰子占卜凶吉,以后才用于赌博。当时骰子的材料、形状和标记是五花八门的。从中国出土文物中已经发现公元前600年的立方体骰子。埃及古墓中发现的是公元前2000年的骰子。印度两千多年前的梵文史诗《摩诃婆罗多》里,就有最早的有关骰子的记载。骰子是人们所知的最古老赌具。用骰子赌博有无数种赌法。在十五子棋戏和数百种棋牌游戏中用两只或多只骰子决定走法。如今骰子几乎都用赛璐珞或塑料制成。骰子有两种:赌局骰子,手工制作,允许误差为0.001 3厘米,大多数在进行克拉普斯赌法的赌局中使用;圆角骰子,机器制作,一般在社交赌博、棋牌游戏中使用。在人类最早的历史记载中就已涉及各种畸形骰子。古埃及和东方以及南北美洲史前古墓中已发现专为作弊用的骰子。畸形骰子是其中的一种。灌铅骰子表面上仍是精确的正方体,但含有铅的一面显然有向下沉的趋势。又如,在某些面上重复刻上其相对一面的点数,可以使骰子频繁地出现某些点数而完全不出现另一些点数。由于不可能同时看到一个立方体3个以上的面,新赌徒未必能发现这种骰子的秘密。

Dicentra 荷包牡丹属 荷包牡丹科的一属。包括荷包牡丹(**bleeding heart**)、兜状荷包牡丹(**Dutchman's-breeches**)和加拿大荷包牡丹(参阅**squirrel corn**)等。

Dicey, Albert Venn 戴西(1835-02-04,英国莱斯特郡拉特沃思附近～1922-04-07,牛津) 英国法学家。他的著作《宪法研究导论》(1885,旧译《英宪精义》)被认为是英国宪法的一部分,而后者是几部成文的和不成文的权威典籍的混合物。在这一论著中他利用了他对美国和大不列颠的立宪政治的知识。戴西在牛津大学讲授法律(1882～1909),并担任伦敦工人学院院长(1899～1912)。1886～1913年,他写了4本反对爱尔兰享有完全自治权的书。1905年他出版了《19世纪英国法律与舆论关系的演讲》一书。

dichlorobenzene 二氯苯 由苯或氯苯在三氯化铁存在下氯化制成的3种有机卤化物异构体的总称。二氯苯均无色,不溶于水,比重大于水。在三氯化铁存在下,苯中的氢原子被氯原子取代首先得到氯苯(C_6H_5Cl);继续与氯反应得到邻二氯苯和对二氯苯($C_6H_4Cl_2$),生成的间二氯苯非常少。邻、对位异构体混合物可用分步冷冻法分离,对位异构体先结晶,而邻位异构体仍为液体,可以排出。间二氯苯可由其他异构体在三氯化铝存在下,经加压加热而制得。在没有三氯化铁或类似催化剂而用强光照射下进行氯化,反应产物为六氯化苯(**benzene hexachloride**)而非氯苯或多氯苯。邻二氯苯(1,2-二氯苯)为流动性液体,用作溶剂、杀虫剂或用于制取其他化学品,特别是染料中间体。间二氯苯(1,3-二氯苯)也是液体。对二氯苯(1,4-二氯苯)为晶体,有强烈的樟脑气味,广泛用作防蛀剂,它是三种异构体中最易分出的,在1864年即已被述及。邻位和间位异构体则直到1875年才被确认。

dichlorodiphenyltrichloroethane 二氯二苯基三氯乙烷 参阅**DDT滴滴涕**。

dichloromethane 二氯甲烷 参阅**methylene chloride亚甲基氯**。

Dichondra 马蹄金属 又作lawn-leaf。旋花科一个低矮匍匐草本植物属。高2.5～8厘米,温暖地区用代禾草。卡罗来纳马蹄金(*D. carolinensis*)原产于北美东南部,叶圆形,宽2厘米,鲜绿色,与长叶柄相连处边缘具锯齿;因与分布在旧大陆的匍匐马蹄金(马蹄金,*D. repens*)相似,所以常被认为是后者的变种,称为*D. repens* variety *carolinensis*。

dichotomy 二分法 源于希腊语dicha及tomos,意为"分开"及"切割"。一种逻辑划分形式的术语。将一个类分为两个子类,其中一个子类具有某种性质或属性,而另一个则不具有。例如人们可分成专业人员和非专业人员;对于已经划分过的可同样作进一步的划分。根据矛盾原则,这种划分既是彻底的又是排他的;不能存在交迭,原始的属的成员或划分后的组的成员均不能遗漏。这种分类方法尽管形式上是精确的,但在精密科学中的价值并不大,一部分原因是两组之一在每一步划分时都只是否定地加以刻划,并且通常是人为的、混杂的类。但是它能清楚地显示从最广泛的属通过种逐步递降到最低的类,后者只能划分成个别的人或物。在天文学中,dichotomy用于只有一半被照明时的月亮或行星,这时星球的照明部分呈半圆形体。

dichroite(mineral) 参阅**cordierite堇青石**。

Dick, George Frederick 狄克(1881-07-21,美国印第安纳韦恩堡～1967-10-10,加利福尼亚帕洛阿尔托) 美国医师、病理学家。与其妻格拉迪斯·狄克一起发现猩红热的病因并发明了预防方法。1923年狄克夫妇分离出引起猩红热的溶血性链球菌,制造出用于免疫的毒素(狄克氏毒素),并发明用毒素-抗毒素注射来预防猩红热的狄克氏法。1924年他们创造了检查猩红热易感性的狄克氏皮肤试验。

dickcissel(*Spiza americana*) **美洲斯皮扎雀** 雀科(或归入鹀科)红衣主教雀亚科(Cardinalinae)鸟类。雄鸟褐色,有条纹,体长16厘米,胸黄色,有一小片围涎状黑色羽毛,形

美洲斯皮扎雀(*Spiza americana*)
美国不列颠百科全书公司供图

似微型的草地鹨。食种子。在美国中部杂草丛生的原野中繁殖,在南美洲北部越冬,有一些在冬天迷路到美国的大西洋沿岸。

Dicke, Robert H(enry) 迪克(1916-05-06,美国密苏里圣路易斯～1997-03-04,新泽西普林斯顿) 美国物理学家。以宇宙学方面的理论工作和广义相对论方面的研究而闻名。他对雷达技术和原子物理学也做出了许多重大贡献。20世纪40年代早期,迪克和其他麻省理工学院(MIT)的研究人员在发展微波雷达方面起了重要作用。他自己发明了许多微波电路器件和雷达系统,包括单脉冲雷达和相干脉冲雷达。1944年他研制成的微波辐射计,已成为大多数现代射电望远镜的组件。在以后10年左右的时间里,迪克专心于微波原子波谱学,对基本辐射过程做了广泛研究。他的工作导致他提出了常被认为是相干辐射发射的第一个量子论(相干辐射由同相的电磁波组成,如同激光束中的一样)。20世纪60年代以前,迪克的兴趣已转向引力。他对引力做了一系列研究,其中最著名的是检验等效原理(即物体的引力质量和惯性质量相等)的实验。等效原理奠定了爱因斯坦引力概念——广义相对论——的基础。匈牙利物理学家R.von厄缶首先为这一目的作了高精度实验,他确定这一原理的准确度为10^{-8}。迪克又将厄缶的准确度提高了1 000倍。他与C.布兰斯研究了引力常量改变的设想,这是P.狄拉克于1937年首先提出的。迪克和布兰斯提出了一种引力理论,根据这一理论,作为宇宙膨胀的结果,引力常量实际上不是

一个常量,而是以每年 2×10^{-11} 的变化率减小。1964年迪克和一些同事们假设,微波背景辐射遍布整个宇宙。微波背景辐射是与宇宙表观爆炸起点相联系的强热辐射的残迹(参阅 **big-bang model**)。他们不知道约16年前G.伽莫夫、R.阿尔弗和R.赫尔曼假定的原始火球的残留辐射的存在。在迪克试图观测前,贝尔电话实验室A.彭齐亚斯和R.威耳孙已发现一种微弱的微波辐射光,与理论预言的相同。迪克于1939年获普林斯顿大学学士学位,1941年获罗切斯特大学博士学位。同年晚些时候,在麻省理工学院辐射实验室任咨询科学家。1946年,迪克到普林斯顿大学工作,1975年任爱因斯坦科学教授。

Dickens, Charles (John Huffam)　狄更斯(1812-02-07,英国汉普郡朴次茅斯～1870-06-09,肯特查塔姆附近盖德山庄)　查尔斯·狄更斯是公认的最伟大的英国小说家,他在世

美国不列颠百科全书公司供图

时受大众欢迎的程度超过了以往的任何作家。他的许多作品能够做到雅俗共赏、贵贱皆宜,技术的进步和他作品的魅力很快使他名扬世界。在漫长的创作生涯中,他的作品受大众欢迎的程度以及个别小说的销售量曾有过起伏,但是他的书没有一本是无足轻重、缺乏特点或不值一谈的;虽然现在他为人称道之处是其作品中那些不太被他的同时代人所重视的方面,但他一直受到人们的喜爱,他目前在评论界的地位高于以往的任何时候。他在英国作家中最富于喜剧色彩,但他又不仅仅是一位娱乐大师。他洞察社会及其弊端时的眼界、同情心和才智丰富了他的小说,不仅使他成为19世纪的一位文学巨匠,而且也使他成为他那个时代中最具影响力的良知的代言人。

早期　狄更斯幼年时便离开了故乡。他最快乐的童年是在查塔姆度过的(1817～1822),他在小说中常提到这个地方。他从1822年起住在伦敦,直到1860年他才永远地搬到查塔姆附近一幢名为盖德山庄的乡间别墅。如果说中产阶级具有一种新发现的、不稳定的社会地位,那么狄更斯的出身就可以说是中产阶级;他的一位祖父当过家仆,另一位是个挪用公款者。他的父亲是海军部军需处的职员,待遇优厚,但是他的过度挥霍和愚蠢行为常常使家庭陷于拮据的惨境(他的某些缺点和激情写进了半自传体小说《大卫·科波菲尔》中的麦考伯身上)。1824年,狄更斯的家境坏到极点,身为长子的查尔斯已经辍学,现在要送他去工厂做工,而他的父亲则因欠债入狱。这些打击对查尔斯影响很深。虽然他厌恶这段沦为工人阶级的短暂经历,但是他从此对他们的生活和贫困有所了解并产生了同情,这充实了他的作品。监狱以及孤苦、遭受压迫、不知所措的儿童形象也反复出现在许多小说里。他的性格和艺术创作中的许多因素都来源于这一时期,包括20世纪的小说家A.威尔逊所说的狄更斯后来作为男人和作家在了解女性方面遇到的困难:这一点可以追溯到他对他母亲的痛恨,他认为她在这段时期里没能体谅到他的痛苦,给他造成了极大的伤害。当他父亲出狱以及家境的改善可以使他重返学校时,他母亲却希望他继续做工。幸运的是,父亲的意见占了上风。

他断断续续接受的教育到15岁时便结束了,没有留下什么印象。他成了一家法律事务所的职员,后来又在法庭任速记员(因此获得了有关法律界的知识并常用于小说之中),最后他成了一名议会新闻记者。这些年的经历使他毕生喜爱新闻事业,蔑视法律工作和议会。他进入成年正值19世纪30年代的改革时期,尤其是在自由党边沁主义者办的《晨报》的工作经历(1834～1836)极大地影响了他的政治观点。这段时期另一件对他产生影响的事情是他追求玛丽亚·比德内尔却因他的家境和前途不佳而遭到拒绝;希望得到她的期盼以及失去她的懊恼坚定了他取得成功的决心。狄更斯当时对玛丽亚的感情以及后来她短暂地再次进入他的生活时所带来的失望,写进了《大卫·科波菲尔》中大卫·科波菲尔对多拉·斯潘罗的恋情以及《小杜丽》中阿瑟·克伦南姆中年时对弗洛拉·芬琴的感受:多年以前十分迷人的弗洛拉现在变得"啰嗦而愚蠢",弗洛拉"这朵他离开时的水仙已经变成了一朵牡丹花"。

文学生涯的开始　狄更斯酷爱戏剧,1832年他几乎成了一名专业演员。1833年,他开始为报刊杂志撰写故事和记叙性散文,这些作品引起了人们的注意,再版时编为《"博兹"特写集》(1836-02)。同月,他应邀为一位著名画家的版画配上喜剧性的连载故事;7周之后,《匹克威克外传》连载的第一篇发表了。几个月之内,《匹克威克外传》风靡一时,狄更斯一举成为当时最受欢迎的作家。1836年,他还写了两个剧本和一本讨论一个时事问题(应该如何让穷人享受安息日)的小册子;他辞去报馆的工作,着手编辑一本名为《本特利氏杂志》的月刊,他在这本杂志中连载了《奥列佛·特维斯特》(1837～1839)。这样,他每个月要写两篇连载。此时,他幸存的9个孩子中的第一个已经出生了;他(1836-04)已与一位受人尊敬的苏格兰记者、文学家霍格思的长女凯瑟琳结婚。

在几年的时间里,他的生活一直这么紧张。他发现写连载小说很适合于他而且有利可图,于是便按《匹克威克外传》分20个月连载的形式又写了《尼古拉斯·尼克尔贝》(1838～1839),后来他又试验写了更短的每周连载小说《老古玩店》(1840～1841)以及《巴纳比·拉奇》(1841)。终于,他精疲力尽,去美国度了5个月的假,他在那里尽情游览,而且作为文学界名人受到了类似皇家成员的尊敬,但是他因抗议美国缺乏对版权的保护而伤害了他们的民族感情。他身为英国制度的激烈抨击者,本来对"我想象中的共和国"希望更大一些,但他却发现那里令人深恶痛绝的粗鄙现象和不择手段的行为远超过让人敬佩的社会秩序。这些感受有的写进了《美国札记》(1842)和《马丁·瞿述伟》(1843～1844)。

早期小说　他在这段多产时期的作品极其丰富,除了剧本之外都很有才气。最初的《匹克威克外传》是一个欢乐的闹剧,包括许多惯用的嘲讽对象和传统的笑话;这本书和其他早期作品一样,显然借鉴了当代戏剧、18世纪的英国小说家以及一些外国经典作品,尤其是《堂吉诃德》。但是,《匹克威克外传》不仅给老套路带来了新生,而且还展现了许多尚处于萌芽状态的特点,这些特点以不同的程度交织贯穿在他后来的小说中:以讽刺或谴责的笔调抨击社会的罪恶和不健全的社会制度;影射时事;对伦敦(始终是他小说中主要的故事发生地)的广博知识;怜悯的感情;善于描绘恐怖的气氛;喜爱民间圣诞节的欢乐;普遍洋溢的仁慈和善的精神;创造无数人物的能力;惟妙惟肖地模仿不同人讲话的口气;引人入胜的叙事本领;虽过分依赖于几种喜剧程式但却十分具有个性和独创的散文文体。《匹克威克外传》是在每次连载发表之前仅有的几周或几天时间里快速即兴创作的,因此这本书有一些空洞乏味的段落,整体上看是一本不令人满意的书,其中一部分原因是狄更斯在创作发表这部作品时作为一个小说家正在迅速地培养他的写作技巧。值得一提的是,在这种情况下写成的第一部小说,不仅使他一举成名并开创了大众文学的一种新传统,而且还作为世界最著名的小说之一流传下来,尽管其中有粗糙之处。

《奥列佛·特维斯特》反映了狄更斯的自信以及在艺术上的雄心,他没有轻车熟路地重复《匹克威克外传》的成功模式。虽然《奥列佛·特维斯特》仍含有许多喜剧成分,但它更主要的内容是对社会罪恶与道德败坏的关注(贫民院和罪犯的世界);故事的高潮是比尔·赛克斯杀死南茜以及费金在新兴门监狱死囚牢房里的最后一夜。后一个情节在乔治·克鲁克香克的版画里专门描绘过。狄更斯笔下的人物和场景所具有的那种富于想象的力量,在很大的程度上确实要归功于原来的插图画家克鲁克香克为《"博兹"特写集》与《奥列佛·特维斯特》画过插图;到19世纪60年代为止写的其他大部分小说一直为"菲兹"(哈布洛特·布朗)所作。他的小说能广泛流传还要归功于它们本身十分易于改编为动人的舞台剧。有时,20家伦敦剧院同时上演根据他的最新小说改编的戏剧,因此,即使那些不看小说的人也熟悉他作品的故事梗概。剧院也经常成为他小说中的题材,例如《尼古拉斯·尼克尔贝》中的克拉莫尔斯剧团。这本小说回到了《匹克威克外传》的形式和气氛中,虽然控诉约克郡野蛮的学校制度(屠杀孩子堂)是继承了《奥列佛·特维斯特》对英国小说

的一个重大创新——以孤苦无告和被压迫儿童的悲惨遭遇激起人们的同情并对社会进行批判。这种做法在《老古玩店》里得到了进一步的发挥,其中小耐儿之死在当时十分震撼人心,虽然几十年之后小耐儿之死变成了"维多利亚时代的伤感"的别称。在《巴纳比·拉奇》中,他尝试了另一种体裁,即历史小说。这本书同后来的这类尝试《双城记》一样,故事都发生在18世纪晚期,该书以磅礴的气势和理解(以及某些自相矛盾的态度)描写了大规模民众暴动的场面。

狄更斯的每部小说里都包含着范围广泛的种种气氛和题材,通常有好几个复杂的情节,涉及几十个人物,要想从中取得艺术上的统一是很困难的,而这些作品又是狄更斯以连载的形式写作发表的,所以就更难以取得统一了。在《马丁·瞿述伟》中,他试图"抵挡当月期刊的诱惑,更坚定地抓住总体目标和构思"(1844年版前言)。然而,这本书中有关美国的情节却是未经事先考虑的(他突然决定要用一些美国饵料来提高令人失望的销售量并报复美国新闻界对他的侮辱和伤害)。注重"总体目标和构思"在随后的一部小说《董贝父子》(1846～1848)中取得了更好的效果,虽然是创作篇幅较短的不连载的圣诞小说经验使他的作品取得了更大的连贯性。

他突然想到并在几周内写成的《圣诞欢歌》(1843)是这些圣诞小说中的第一部(一种新的文学体裁就这样偶然地创造出来了)。这部在他大力投入《马丁·瞿述伟》的创作时一挥而就的小说,是一项不同寻常的成就——是现代文学中一部伟大的圣诞神话。他对生活的态度后来被称为或被斥为"圣诞节哲学",而他自己也把"'欢歌'哲学"说成构思一部作品的基础。他的"哲学"从来就不很复杂,其中的内容不仅仅是希望圣诞节精神能在全年得到发扬,而且他(在家庭生活以及创作中)对圣诞节的喜爱的确很重要,并且使他赢得了大众的欢迎。1870年伦敦一位小贩的女儿吃惊地问道:"狄更斯死啦?圣诞老人是不是也会死呢?"——这对于狄更斯与圣诞节的关系以及他本人及其作品神话般的地位,都是一种赞美。《圣诞欢歌》很快便家喻户晓;萨克雷在一篇评论中称这本书是"一件全国的幸事,是献给每位男女读者的个人的善心"。此后的圣诞小说、散文和故事每年都有(除1847年外),一直到1867年。其中没有一本具有《圣诞欢歌》这样的感染力,尽管有些作品很快便大受欢迎。总的来说,这些作品是对圣诞节的庆祝,别的大作家没有做过这种尝试。

霍恩的《时代的新精神》(1844)论述了狄更斯在早期是如何打动他的同代人的。狄更斯占了该书第一个也是最长的章节,他被称为:

> ……显然是时代的产物……真正散发着他所凝聚的时代的全部精神……他广泛地、不断地在社会上交际。慈善事业的集会他无不到会。他的演说非常奏效……他对时代的影响是深远的——令人愉快、富于教益、健康而且具有感化作用。
>
> 狄更斯先生在私下场合和他的作品一样……他说话和蔼亲切……[他]有自己特有的个人爱好,并且喜爱运用实际技能的竞赛游戏。他还是一个很爱散步的人,特别喜欢跳柯夫雷舞。他在私下场合给人的印象是一位一流的老练知识分子,他"没有愚蠢的言行"。

他的确是一位颇为知名的人士,是个积极投身社会的中心人物,并且是一位态度自信的人。他被誉为他那个时代最佳的餐后演说家,他得到的最高赞誉还有伦敦报界最佳的速记员和舞台上的最佳业余演员。后来,他成为最成功的期刊编辑之一和当时最佳的戏剧朗诵家。他有多才多艺的卓越天赋。为他写讣闻的一位作者写道:"即使不看他的文学才华,他也是一个有才能、有雄心的人,他从事任何一项事业几乎都能成功"(1870-06-10,《泰晤士报》)。他作品的广度和体裁与他在文学以外的才能和兴趣不无关系。

就个人而言,他在早期既专注于家庭,又热衷于社会活动。他热爱家庭和家庭生活,是一个自豪而又称职的家长;他有一次还打算写一本烹调书。对他众多的孩子来说,他是一位尽心尽力、令人愉快的父亲,至少在他们小时候是这样;在他们的青年时期,狄更斯与他们的关系就不那么好了。除了在意大利(1844～1845)以及在瑞士和法国(1846～1847)的时间之外,他一直住在伦敦。随着收入和家庭人口的增多,他从弗尼瓦尔旅店的一套公寓迁往更宽敞的房子。他在家里款待过他的许多朋友,其中大多数是知名的作家、记者、演员和画家,当然也有一些来自法律界以及其他行业,或者来自商界,还有少数来自贵族社会。他年轻时建立起来的友好关系有些一直持续到最后,虽然他的父母以及其他亲戚对他的经济要求使他恼火,但他对一些家人十分喜爱,对其他大多数人也是忠诚的。后来虽然发生了一些文学上的争论,但是他与老一辈及同辈的大多数作家都保持着友好的关系。在他进行写作以及对他的创作必不可少的长时间散步时(尤其是在夜间的街道上),他必须独处,在其他时间里他一般都很喜欢与人交际。他喜欢没有矫揉造作的社交界以及和蔼亲切、通情达理但又不是太理性化或者只涉及文学的交谈。早期去过几次达官贵人家里之后,他一般都回避上层社会;他厌恶被人捧为名人或者受人庇护。

一位美国记者说,狄更斯身上"洋溢着一种饱满旺盛的生命力"。每个人都会被他明亮的目光和他那潇洒甚至花花公子般的外表所打动(他承认"我对漂亮的服饰有一种狂热的喜好")。他的亲密朋友、后来的传记作者福斯特回忆了他写《匹克威克外传》时的情况:

> 他的敏捷、锐利以及实干能力,(他脸上)每个部位的那种渴望、不安静、精力旺盛的样子,看上去那么不像一个文人或写书的作者,却那么像世上的活动家和商人。他脸上的每个部分都放射着光彩和活力。

他对自己的艺术感到自豪,他专心于改进它并用之于高尚的目的(他写道,他的作品将说明"廉价的文学没有落后于时代,而是保持着它的地位并要努力尽到它的职责"),但是他的艺术创作并没有全部占去他的过人精力。他不想只限制在文学里。

一个虽然不成功但却值得注意的例子是他1846年创立和编辑了《每日新闻》(该报很快成为自由党的主要报纸)。他的记者出身、政治信仰以及他要领导舆论的决心,还有他想获得一份稳定的收入而不受制于其文学创造力和小说读者的胃口变化的愿望,使他在19世纪40年代尝试创办了几家期刊。结果很快表明,重新从事日常新闻工作是一个错误——这在他少有此类错误或失败的事业中是一次最大的失误。不久,他便在更小一些的范围内更加成功地展现了他的实干才华:在十多年的时间里,他以极大的远见和同情心,精力充沛地领导着一家为女少年犯开办的感化院,出资人是他富有的朋友A.伯德特-库茨。这种在他作品里显而易见的慈善精神常常具体地体现在他的公开演说、集资活动和个人的慈善行为中。

《董贝父子》在狄更斯的创作发展过程中是一本十分重要的小说,它的构思更加严谨,思想更加成熟,是第一部"由一种对当代社会的普遍不安取代了对个别社会弊端的间断关心"的作品(K.蒂洛森语)。小说成功地用铁路做主要背景,十分贴近时代,虽然它提出来的问题是道德和宗教所面临的老难题,例如故事中儿子保罗的第一句话就问:"爸爸,什么是钱?"小说探索了金钱和权势的腐蚀作用以及"体面的"价值观念的狭隘性,并(和狄更斯的其他作品一样)表现了贫穷、低贱和纯朴的人们身上常有的美德和正直。保罗的夭折是狄更斯创作的又一个有名的悲惨情节;塑造董贝先生是他在认真刻画人物内在性格方面所作的一次比以前更加努力的尝试。《大卫·科波菲尔》被称为离开这些重大社会问题的一次"休假",其中描写童年的章节最为著名,具有"一种令人陶醉的气息,这种气息他以前没有,以后也不会再有"(E.威尔逊语)。主要由于这个原因及其自传性质,这部小说一直深受读者欢迎,而且也是狄更斯自己的"宠儿"。小说吸取了自传中的素材,这部自传狄更斯刚开始写就很快放弃了。小说采取第一人称,这对他来说是一种新的技巧。大卫在许多方面不同于他的作者,尽管狄更斯使用了许多对他产生过重大影响的早期经历——父亲入狱时他在工厂做工的阶段、他受教育和读书的情况、他对玛丽亚·比德内尔的感情以及(处理较粗略的)他从议会记者变为成功小说家的过程。麦考伯是小说塑造的一个所谓"狄更斯人物",这类人物生动感人,超越了他们所处的故事本身;这类人物还有匹克威克和山姆·韦勒、甘普夫人和佩克斯尼夫先生以及斯克鲁奇等。

中期　新闻　狄更斯在新闻方面的理想终于找到一种固定的实现形式,他先后主办了《家常话》(1850～1859)和《一年四季》(1859～1888)。这两份通俗综合周刊包括小说、诗歌和题材广泛的文章,发行量很大并且不断增长,圣诞节期间有时高达30万册。狄更斯撰写了一些连载作品——质量不高的《英国儿童史》(1851～1853)、《艰难时世》(1854)、《双城记》(1859)和《远大前程》(1860～1861)——以及一些散文,其中一些收入了《再版集》(1858)和《不做生意的旅行者》(1861,后有增补)。尤其是在1850～1852

年以及克里米亚战争期间，他写了许多有关政治与社会时事的文章；后来这类文章他写得较少了——有关政治方面的写得更少——他的杂志也不那么带有政治色彩了。为杂志撰写连载作品的其他知名作家包括盖斯凯尔夫人、科林斯、里德和利顿。诗歌都很平庸；狄更斯在这方面缺乏眼光。新闻报导通常都有充足的依据，文体明快（有时触目惊心）。他主办这些周刊展现了他作为编辑和记者的多种才华，也反映了他在鉴赏力以及施展才智方面的某些局限。杂志的内容表明了狄更斯小说的思想：他对杂志要表达的所有观点负责（因为文章是匿名的）并相应选择和修改来稿；因此，对时事的评论等等，无论是不是他写的，大都可以看成是代表他的观点的。与他地位相当的英国作家没有一个把自己处于成熟阶段的20年时间花在连续不断的编辑工作上，两份周刊的成就不仅要归功于他的鼎鼎大名，而且还要归功于他的精明强干和不懈努力。据狄更斯的长子说，即使在他创作时：

> 也没有哪个城市职员能像他那样规规矩矩、有条不紊。没有哪项乏味、单调、常规的工作能得到更加准时准点、更加严格踏实的认真对待。

小说 这段时期的小说有《荒凉山庄》（1852～1853）、《艰难时世》和《小杜丽》（1855～1857），它们比以前的作品更加“灰暗”。这些小说为当代社会描绘了一幅包罗万象、日益阴暗的图画，因此在当时通常难免被人看作是对时事问题的小说化的宣传。它们的意义远远超过了这一点，尽管人们很难说清狄更斯的想象力如何把许多时事方面的内容转化成了一本艺术上连贯、能超越自身历史环境的小说。他常把小说中的人物、地点和制度建立在真实的原型之上，这种做法也提出了同样的问题。他曾经说，他的脑子能对某个情景拍下“一张幻想的照片”，而照片的现实与“幻想”（或想象）则不断地发生相互作用。“他描绘伦敦时就像一个为后人作专访的记者”（W.白哲特语，1858），而后人的确在他的小说中发现了一位敏锐、博学、有关怀心的观察家对“那个前进的时代”中的社会和政治发展所作出的反应。在19世纪50年代写的小说中，他对政治的态度更加失望，感情上的悲剧色彩更加浓厚。他的讽刺也更加尖刻，幽默则有所减少，而且不像过去那么亲切，“快乐的结局”也不再像早期小说那么欢乐。在技巧上，晚期的小说比前期更加连贯，情节和主题的关系更加密切，常常更突出地运用寓意和象征的手法来表现小说的主题（而且用的是严峻的象征，如《荒凉山庄》中的大雾和《小杜丽》中的监狱）。他这时的艺术创作更加接近于诗歌，而不是照片或新闻式的写照。“狄更斯式的”人物塑造仍然是那些类别分明、简单化的古怪人物或喜剧人物，例如《荒凉山庄》中的查德班德和《艰难时世》中的斯巴西特夫人，但是这种人物的大量出现已不再那么频繁（甘普们和麦考伯们属于他创作生涯的前半期）。人物的刻画也更加服从于“总体目标和构思”，而且狄更斯还塑造了更加复杂的人物，他们在读者中激起了更为复杂的反响（例如威廉·杜丽）。即使是那些少年犯主角——以前一般刻画得很单薄的传统形象——现在在性格上常常也更加复杂，而且不那么容易碰到好运气了。随着狄更斯对世俗期望的降低，他更加关心“全部人生的最终奥秘”（这是《小杜丽》中的一句话），他的作品涉及灵魂的内容在这本书里最为明显。至于这么世俗的一位小说家在扩大视野以包容宗教时取得了多大的成功，评论家们意见不一。这个时期的这些小说显然在努力探索人类的前景，它们引起了人们对狄更斯理解社会的才智和深度的怀疑，这些问题至今仍有很多争论。

个人的不幸 狄更斯的精神和他对未来的自信的确曾经消沉过：他的朋友福斯特回忆说，1855年“对他来说是动荡不安、有着许多不如意的一年”，其中有一部分政治上的原因（或者像福斯特所暗示的那样，一种源于个人的“不如意”激化了他在政治上的义愤）。克里米亚战争，加上对政府无能的揭露，分散了对国内“贫穷、饥饿和愚昧现象”的关注。他写道：在《小杜丽》中“我发泄了一点怒气，不然的话，这股怒气会把我气炸的……但我现在没有政治信仰或希望——一丝都没有”。不仅现政府和议会令人憎恶，而且“代议制政府也让我们完全失望了……一切都完了……毫无希望”。但他自己也提不出一套完整的改变办法。这种绝望碰巧产生在他个人生活最为不幸的时候。1855年玛丽亚·比德内尔重新进入他的生活是一出短暂的悲喜剧，它粉碎了一个旧梦重温的梦幻，也暴露了一种危险的感情上的幼稚和饥饿。这时，他宣称自己有着大卫·科波菲尔成年时的一些忧伤：

> 当我情绪低沉时，为什么和可怜的大卫一样，总有一种感觉向我袭来，让我感到我错过了人生的一次幸福，没有交上一个朋友和伴侣？

这段话引自狄更斯1854～1855年与福斯特的通信，在信里他首次承认自己的婚姻不幸福。到1856年，他写道“我发现我的家丑已变得很严重了”。据福斯特说：他在1857～1858年几乎时刻都有一种“不安定的感觉”，“他在家里找不到本应由家庭提供的满足，而这些满足又的确是他性格中的基本需求”。从1858年5月起，凯瑟琳·狄更斯与他分居了。此事引起了刺耳的非议，这一次狄更斯在采取行动时缺乏策略、耐心和考虑。这件事中断了他的一些友谊关系，缩小了他的社交圈子，但让人吃惊的是，他在广大读者中的声望似乎并未因此受到破坏。

凯瑟琳·狄更斯一直沉默不语。而狄更斯的大多数家人及朋友，包括他的正式传记作者福斯特，也都小心谨慎地回避分居这件事。直到1939年，狄更斯的一个孩子（凯蒂）在死后才发表的一篇由朋友记录下来的谈话中披露了真实的内情。这件事有损于狄更斯的名誉，而他那些自我辩解的书信则必须谨慎对待。他在信中说他的婚姻不幸始于1838年，说他妻子在性情上有许多“古怪之处”（包括她有时受“精神错乱”的折磨），他还强调自己同意她说过的（未经证实的）话，即“她觉得自己不适于过做我妻子的生活”，并且认为她从来不关心孩子们，而孩子们也不关心她。在较温和一些的信件里，他承认她的性格“和善温顺”，他只是简单地强调他们的性格完全不合，这种说法更容易让人接受。看来凯瑟琳似乎和蔼可亲，但却很狭隘；她身上的这些缺点与其信其有，不如信其无，尽管有一家很熟悉狄更斯家的人一直把她称为“一个爱抱怨的女人”，并说她对艺术气质缺乏理解和耐心。

狄更斯自我辩解的书信缺乏坦诚，他只字不提埃伦·特南这位比他小27岁的女演员，他对她的感情加快了他与妻子的分居。在此两月前，他在给一位密友的信中更坦白地写道：

> 家庭的不幸福对我的影响是如此的强烈，搞得我一分钟也无法写作、无法休息（难以入睡）。自从《冰冻的海洋》的最后一晚演出之后，我没有得到一刻的安宁或满足。

《冰冻的海洋》是一出由狄更斯和内莉（对埃伦的称呼）1857年8月合演的戏。内莉是个聪明的女孩，出身戏剧世家，报界有人说她有“一个漂亮的脸蛋和匀称的身材”，也有人说她长得“还算漂亮，但不像个演员”。她1860年离开舞台，在狄更斯死后她与一位教士结婚并协助他管理一所学校。这件事直到20世纪30年代才平息下来，有关的事实根据依然很少，但是每一个新发现都证明狄更斯对她的感情很深而且他们的关系一直保持到他去世。看来她似乎成了他的情妇，虽然可能是在19世纪60年代才发展成这样；他们有一个或更多的孩子的说法尚未证实。有人说狄更斯晚期小说中一些恋人的痛苦经历可能是他自己感情的反映，这些说法也同样只是臆测。人们的确很容易把内莉与这些小说中的女主人公们联系起来（她们的性格更加复杂，与以前的这类人物相比，她们不再那么像“无腿的天使”），尤其是她的名字埃伦·劳利斯与狄更斯最后3部小说中女主人公的名字发音相近——埃斯特拉、贝拉和海伦娜·兰德利斯——但是，关于内莉对待狄更斯的态度，当时她对他有什么想法以及晚期的这些爱情故事与他们关系中的各个方面或阶段有多紧的联系，还没有确凿的证据。

早期传出此事的一个人评论说：“这件事没有什么了不起的地方。”看来这句话是公正的。许多中年男子都渴望通过一个漂亮的年轻姑娘充实他们的感情生活，尽管他们不能像狄更斯那样把沉溺于私情归咎于“那种任性的、不安定的情感，而这种情感（我认为）是一个人使生活保持想象力的部分保障”。然而，由于这件事涉及到一个仅仅纯粹以改良主义方式来背叛社会的人，因此它最后公开时引起了惊异、震动和带有刺激的满足。1851年有一位评论家列举了狄更斯大受欢迎的原因，他指出：“最重要的是，他十分尊重家庭的神圣性，热情崇拜家庭之神。”这些情况公开之后，狄更斯成了一个更为复杂的人，对此有人感到不安，有人饶有兴致。多少由于这种原因，作为小说家的狄更斯也开始比人们以前所认识的更加复杂而且不那么传统了。这件事的起因很重要，尽管内莉的影响在传记和评论方面都远未达到无比深远的程度。

朗诵会 从长远的观点看，凯瑟琳·蒂洛森的话更加耐人寻味："毕竟，他与广大读者的终身恋情才是他一生中最有意思的恋情。"这种感情在狄更斯与夫人分开前后以一种新的形式表现为公开的作品朗诵会，值得注意的是，当他力图证明这个计划肯定会成功时，他提到了"我和读者之间存在的那种特殊关系(包括对个人的爱戴，而且与别人的关系不同)"。这句话说明了狄更斯是多么珍视读者对他的热爱，这种热爱不仅是他创造力的源泉以及商业成功的条件，而且还替代着他无法从家里得到的爱。从1853年起他就一直在考虑搞收门票的朗诵会，当时他已开始不时地为帮助慈善事业做朗诵演出。收门票的系列朗诵始于1858年4月，其中的直接原因是为了把精力从婚姻的不幸中转移出来。然而，这些朗诵却展现了狄更斯身上和他的艺术上更为持久的特长：他卓越的表演才华，他对戏剧演出和面对面娱悦观众的热衷，以及他的小说易于表演的显著特征。此外，他搞朗诵能比写作挣到更多的钱，而且也更有把握；去重复一段表演比创作一本书更容易。

他最初的节目全部都是圣诞小说，但是很快就加上了长篇小说中的情节和杂志上的圣诞故事。每次表演一般有两个节目；在公演过的16个节目中，最受欢迎的是"《匹克威克外传》中的审判"和《圣诞欢歌》。演出以喜剧为主，虽然悲惨的情节在节目中也占有重要的地位，而恐怖情节则安排在他设计的最后一段惊心动魄的朗诵《赛克斯与南茜》中，这个节目把听众吓得目瞪口呆，也把他自己累得半死。直到他死前不久，他断断续续在伦敦做了多场演出，并在外省和(1867～1868)在美国进行了巡回朗诵。他一共演出471场。他是个卓越的表演家，而他的艺术作品中的重要特色——易于上口和易于表演的性质——在这些演出中得到了体现。他的洞察力和技巧表现了读者们很少注意到的故事叙述和人物刻画方面的微妙神韵。这些节选或短故事要适合于每次两个小时的表演，必须删去一些影响更大、更深远的内容——即他对社会的批评与分析——而且他也很少表演他的晚期小说。狄更斯从未提到过这些不足。他显然很喜欢这样的表演，直到最后积劳成疾。19世纪60年代，他的创作减少了，这种情况在多大程度上是由于这些朗诵会在使他(以前是通过发表小说)得到收入、得到创作满足以及与读者不断的接触的同时也耗尽了他的精力，还存在着争论。观众对他的崇拜和爱戴使他感到自豪。一些朋友认为这种满足层次太低，这种成功太容易，这是一次走向低级短命艺术的可悲的堕落。无论人们怎样看这件事，它都典型地反映了狄更斯的性格，反映了他与读者的关系、他的商业头脑、他的精力、他对其他才能的炫耀以及他的别出心裁。(据评论家说，至少是从荷马以来)没有哪位重要的作家，也没有哪位地位与他相当的英国作家把那么多的时间花在这种活动上。唯一可以与他相提并论的是他的同时代人马克·吐温，他称狄更斯是先锋。

晚期 ***后期小说*** 他虽然疲惫、有病，但在晚期小说中仍然保持着创造力和开拓精神。《双城记》就是一次尝试，它不像以前那么依赖于人物塑造、对话和幽默。这是一个紧凑动人的故事，但太缺乏狄更斯原有的文采，难以列入他的代表作。狄更斯以及许多读者都认为悉尼·卡顿的自我牺牲极其感人；而马内特大夫现在看来似乎在认真刻画人物方面是一个更引人注目的成就。法国革命的场面很生动，而小说对历史的认识，可以说是肤浅的。《远大前程》与《大卫·科波菲尔》相似，都采用第一人称叙述，并吸取了狄更斯自己的部分性格和经历。这部和前一部一样严谨的小说缺乏《荒凉山庄》、《小杜丽》及《我们共同的朋友》中那种包容全景的气势，但它却是狄更斯最精致的小说，尽管它不是他最费心血的作品。作者细致地挖掘了主人公匹普的心理状态，并且有批判地、同时又满怀同情地描述了他从童年到青年充满了各种严峻的性格考验的发展过程。书中的许多"远大前程"都是不切实际的幻想——这既是对时代价值观的评价，也是对人物的弱点和不幸的评价。《我们共同的朋友》(1864～1865)是一部内容广博的小说，它继续批判金钱和门第观念。这时的伦敦更加阴暗，"上流"社会的堕落腐败、自鸣得意和庸俗浅薄受到了尖锐的抨击。狄更斯小说中的世界引进了许多新的内容，但是他对传统的喜剧性怪诞人物(如博芬、维格和维纳斯)的处理常常显得呆板乏味。没有人知道未完成的《埃德温·德鲁德》(1870)会如何发展。这里，狄更斯再次放弃了全景式的小说创作，转而集中于范围有限的个人行为。小说的中心人物显然应该是约翰·贾斯珀，他身为大教堂风琴师的显贵地位与他常去低级鸦片烟窟形成了鲜明的对照，出于情欲上的强烈嫉妒，他杀害了他的侄儿。这本书本应成为他对自己小说中反复出现的犯罪、邪恶以及心理异常等主题的最细致的描述；作为一位伟大的生命的赞颂者，他也受着死亡的困扰。

至于狄更斯个人发生了多大的变化，在时隔多年以后，于1867～1868年在美国进行巡回朗诵时，与他重逢的朋友们对他作了一些描述。其中一位写道："我有时在想，我一定是在我一生中的不同时刻认识了两个同名的人。"但是，这如同他的小说，虽然有了许多发展，但却仍然具备早期作品延续下来的许多文体和叙述特征，所以，狄更斯在美国仍然刮起了一股"个人的飓风"，尽管他已很衰老，健康已经恶化，而且神经自1865年的一次火车事故以来一直受着旅行的刺激。其他的美国人说，虽然他头发花白，但他的"举止和从前一样敏捷轻快"。一位记者在一次朗诵会后写道，从他的照片上"看不出亲切的表情，但是在我们眼前，他却像一个诚挚、友好的人，充满了乐趣"。然而就在同一天狄更斯写道："我几乎精疲力尽"，他列举了"重压在我身上"的种种痛苦。出于自尊和老演员的传统，他掩饰了自己的痛苦。只要他着意努力，他原来那种昂扬的精神有时就会表现出来。他的美国出版商J.T.菲尔兹说他是"他那个年纪最快活的人"；菲尔兹的夫人则更有眼力地注意到："真不可思议，狄更斯的精神很好，他竟然是个忧伤的人。"

他的声誉并未下降，虽然评论界对他的敌意越来越大。朗费罗在谈到访问美国期间人们对狄更斯的极度热情时说："人们无法相信这全是真的，无法感受到他的名声是如何之大。"但是他最后这些年在许多方面都是一个"忧伤的人"。他从未得到过安宁和放松。许多老朋友现在有的疏远了，有的死了或者由于其他原因不那么好见面了；他现在过着一种社交更少的生活，更多的时间是与水准低于他原来的社交圈的年轻朋友在一起。他的儿子们使他非常担心和失望，一位朋友说："他的名望毫无用处，因为他一无所有。他对他的孩子非常失望。"然而，他的生活并非全都那么凄惨。他喜欢他的乡间别墅盖德山庄，而且他依然能够"用那种似乎伴随着他的蓬勃生气使他所到之处的社交气氛热烈起来"。写这段话的T.A.特罗洛普(狄更斯主编的《一年四季》的撰稿人，小说家A.特罗洛普的兄弟)已不再指望让那些没见过狄更斯的人感受到：

> 他举止的全部风采……他的笑洋溢着欢乐……他有无尽的热情……他是个真挚的人，一个慷慨善良的人……一个特别有男子汉气概的人。

告别朗诵 在疲劳的美国之行过后，他的健康状况一直不佳，由于他热衷于表演紧张的"赛克斯与南茜"，他的身体进一步受到了损害。1869年4月，他突然病倒，巡回告别朗诵随之取消。他开始创作另一部小说，并且在伦敦进行了一轮短期的告别朗诵，演出以一段著名的话结束："现在我将从这耀眼的灯光中永远地消失……"——不出3个月，这段话便重现在他的葬礼卡上。1870年6月9日，他在盖德山庄猝然离世，葬于威斯敏斯特教堂。

评价 ***同时代评论*** R.W.爱默生听狄更斯在波士顿的一次朗诵时"笑得前仰后合"，但是后来在评论狄更斯时，他说：

> 我看他的实际才能恐怕大大超出了他的天赋；他被系在一个可怕的火车头上，永远无法解脱，也无法得到歇息……他把我吓住了！我不得其解。

要了解这么一位多产而且多才多艺的艺术家以及这个人的复杂个性，是不容易的，除了想象力之外，他还具备那么多的才能，并且渴望加以施展，这就使上面两个问题更加难以解释。他的小说是如何与这些才能——实干的、新闻的、口头的、表演的——联系在一起的，依然存在着分歧。而且他小说中的亲切感和无与伦比的喜剧色彩必须与作者的痛苦、失误和自怜以及他对社会罪恶、人类永恒的忧患和弱点的关注联系起来。这些小说涉及的范围广泛，有社会的、道德的、情感的和心理的内容。因此，他不仅十分关注那些非常普通的人，而且也很关注反常状态(即怪癖、堕落、疯狂、幻觉和梦境)。他是最富想象和幻想、最关注时事和写实的一位伟大的小说家。同时他也存在着不足，作为一个极富创造性和诗意的作家，他就是在很成熟的作品中也有一种令人难受的拖沓俗套。

传记作家只是从20世纪中期才掌握足够的材料探讨狄更斯的复杂性格。评价狄更斯的艺术成就是评论家们的一个难题，尽管从一开始这些作品就有足够的易于让人接受的成分、明显的技巧和艺术风格，以保证能受到欢迎。狄更斯的早期小说过去是，而且其中大多数一直都是最受欢迎的作品:《匹克威克外传》、《奥列佛·特维斯特》、《马丁·瞿述伟》、《圣诞欢歌》和《大卫·科波菲尔》。评论家们对他的晚期小说提出了异议,认为它们不应该失去那种更为奔放的喜剧精神,不理解他的作品中那些更具象征意义的艺术形式,而且看到狄更斯对个别问题较为简单的改良主义思想变成了对社会观念和制度更加激进的质问,他们感到不安。狄更斯从未被人忽略或遗忘过,他从未失去人们的喜爱,但是在他死后的70年时间里,他却极少受到人们的重视(G.吉辛、G.K.切斯特顿和萧伯纳显然是例外)。后来改变了观点的F.R.利维斯1948年说出了许多人的观点,当时他断言"思想成熟的人一般不会认为狄更斯的作品需要人们以异乎寻常的、持久的认真态度去对待";狄更斯的确是一个伟大的天才,"但这种天才是一个娱乐大师的天才"。

现代评论 现代的狄更斯评论始于1940～1941年,对此G.奥威尔、E.威尔逊和H.豪斯起了十分不同的推动作用。在20世纪50年代,人们开始对狄更斯的作品进行了大规模的重新评论和重新编辑,现在发现,他最高的艺术成就和最深刻的内容都在他的晚期小说里——《荒凉山庄》、《小杜丽》和《远大前程》——以及(评价不一的)《艰难时世》和《我们共同的朋友》。学者们探讨了狄更斯的创作手法、他与读者的关系,以及他如何能同时成为一个典型的维多利亚时代的人和一个"不属于一个时代而是所有时代的"作家。在传记方面,除了埃伦·特南的故事之外,人们对福斯特那本内容全面丰富的《生命》(1872～1874)没有补充什么内容,一直到E.约翰逊1952年的那本传记。从那以后,没有出现过全新的观点,虽然有几部著作对狄更斯的某些阶段或方面给予了更加全面的关注——包括J.戈尔德(1972)和F.卡普兰(1975)的著述。1970年的百年纪念活动反映了一个重要的共识,即狄更斯在英国文学中的地位仅次于莎士比亚,这在40年或者甚至20年前都是令人难以置信的。

Dickey, Bill　迪基(1907-06-06,美国路易斯安那巴斯特罗普～　　)　美国职业棒球运动员,美国棒球联盟扬基队接手(1928～1943,1946)。1929～1941年平均每个赛季参加100场比赛,他所属的扬基队在8次世界系列赛中7次获胜。迪基在农村长大,小时候玩沙地运动项目,当接手。1925年扬基队同他签约,打了3个赛季的小联赛后1928年迪基进入俱乐部总会。他右手投球,左手击球,平生击球成功率为0.313。他熟悉各类型击球员,能接到投手投来的各种球。在全国棒球联盟的6个赛季中,他的防守成功率为所有接手之冠。1954年迪基被选入棒球名人堂。

Dickey, James (Lafayette)　迪基(1923-02-02,美国佐治亚亚特兰大～1997-01-19,南卡罗来纳哥伦比亚)　美国诗人、小说家及评论家,以融合自然奥秘、宗教及历史主题的诗歌及其小说《拯救》(1970)知名。曾就读于南卡罗来纳州克莱姆森学院,第二次世界大战期间在美国空军任战斗轰炸机驾驶员。战后在范德比尔特大学获文学士(1949)及文学硕士(1950)学位。朝鲜战争期间任美国空军训练官。自称24岁开始写诗。研究生毕业后曾从事广告工作,1960年出版第一本诗集《进入石中》。翌年,获得古根海姆奖学金游历欧洲。曾在美国多所学校任教或任住校作家,包括赖斯大学(1950,1952～1954)、里德学院(1963～1964)、威斯康星大学(1966～1967)和南卡罗来纳大学(1968起)。1966～1968年任美国国会图书馆诗歌顾问。1977年在卡特总统就职典礼上朗诵诗歌《田野的力量》。迪基的其他作品包括诗集《一起淹死》(1962)、《钢盔》(1964)、《男舞蹈者的选择》(1965)、《诗集:1957～1967》(1967)和《黄道带》(1976)。非小说散文作品有《巴别塔至拜占廷:当今诗人与诗歌》(1968)、自传式的《自问》(1970)和《杰里科:南方所见》(1974)较为著名。1972年他的《拯救》由他自己改编成电影剧本搬上银幕,获得很大成功。他的诗歌以对冲突中的世界的抒情描绘——掠夺者与被掠夺者、兵士与兵士、自我与其本身之间的冲突——著称。

Dickey, Sarah Ann　迪基(1833-04-25,美国俄亥俄代顿～1904-01-23,密西西比克林顿)　美国教育家,在南北战争后献身于为非洲裔美国学生创造和增加受教育的机会。16岁以前几乎没有受到教育,但上学以后学习刻苦努力,19岁获教师证书。1869年毕业于马萨诸塞州的霍利奥克山女子书院。1871年移居克林顿附近,开始筹备为非洲裔美国学生开设一所专科学校。她获得了当地黑人的支持,聘请密西西比州的名流参加学校董事会。1875年设立赫蒙山女子书院,办学方针仿照霍利奥克山女子书院,要求学生半工半读。1896年被授予联合弟兄会教会牧师的圣职。

Dickinson　迪金森　美国北达科他州西南部城市,斯塔克县县城(1883)。濒临赫特河。1880年始建,1900年建制。位于北太平洋铁路线上。现为一广袤的牲畜、小麦、乳品产区的贸易中心。有牲畜交易、肉类加工、乳酪和家具生产等行业。另有一家油田和砖厂。设有州立迪金森学院(1918),原为一师范学校。市西有迪金森水坝形成的帕蒂森湖,为密苏里河流域改造计划的一部分。达科他恐龙博物馆展出各类岩石、矿石、化石和海贝。乌克兰文化学院保存该地区乌克兰历史遗产,并于每年7月举办节日庆典。人口16 010(2000)。

Dickinson, Anna Elizabeth　迪金森(1842-10-28,美国宾夕法尼亚费城～1932-10-22,纽约戈申)美国演讲者,宣传废奴主义、女权和其他改革主张,以其特有的善于表达但感情丰富的雄辩风格令人们难以忘怀。出身贫困家庭,主要在费城公谊会子弟学校接受正规教育,很早养成对公共问题发表意见的习惯。14岁时即在W.L.加里森的《解放者》上发表文章。1861年初,她在费城以《妇女的对与错》为题的演说影响极大,后受邀在新英格兰多处演讲。1861年曾短期在费城一家美国铸币厂任职,但因公开指责G.B.麦克莱伦将军在一次战役中惨败有叛国之嫌而被辞退。此后将其精力全部付诸讲坛。1863年大部分时间为共和党工作。1864年1月,在华盛顿国

美国不列颠百科全书公司供图

会大厦对包括林肯总统在内的听众发表演说。她慷慨激昂的陈辞和不同凡响的责骂极为引人注目,加之她又身为青年女性令人耳目一新,因而大受欢迎。美国南北战争后,她在全国作巡回讲演。还出版了一些著作。当作为讲演者的风头渐弱时,即转向其他方面。1888年,受共和党全国委员会之邀重回讲坛,但她出言不逊和好用侮辱性称谓的天性这时已令人感到尴尬,也就被人婉言谢绝。1891年,由于精神状态越来越不稳定,曾短时间入住宾夕法尼亚州丹维尔的州立医院治疗。出院后,她提出诉讼,得到象征性的损害赔偿。余生在纽约平静度过。

Dickinson, Emily (Elizabeth)　狄更生(1830-12-10,美国马萨诸塞阿默斯特～1886-05-15,阿默斯特)　美国抒情诗人。曾被称为"新英格兰神秘主义者",对诗律和诗韵作过试

哈佛学院图书馆供图

验。诗作几乎全部在她死后才发表。她的诗用平凡亲切的词句描写了爱情、死亡和自然。她的安静隐居的家庭生活和她的诗作中深沉和强烈的词句所形成的对比,引起人们猜测她的性格和她与别人之间的个人关系。遗留下来的1 775首诗和大量信件显示出她是一个多情而有才智的女人。她的精美技巧又使她的诗作、信件与生活都成了艺术。祖父是阿默斯特学院的创办人之一。父亲1835～1872年是学校的财务掌管人,1853～1855年曾任国会的律师。对子女比较冷漠,但仍不

失为一个慈父。狄更生曾在阿默斯特学院和芒特霍利奥克女子神学院求学。虽然她的诗在很多地方谈到上帝,但她终生是个怀疑论者。约在1850年开始写诗,显然受了爱默生和E.勃朗特诗作的影响并得到在她父亲的事务所学习法律的青年男子牛顿的指导。她的信件也流露出她是一个活泼、幽默而有些羞怯的女郎。19世纪50年代,她与霍兰夫妇和鲍尔斯通信。霍兰和鲍尔斯是马萨诸塞州《斯普林菲尔德共和党人报》的编辑,这份报纸对文学问题感兴趣,甚至还刊登诗歌。但是鲍尔斯对她的诗并不欣赏。50年代末期她爱上了一个男子。从她的诗中可以看出她的爱情受到了挫折。后来这种爱情升华为对基督的爱。狄更生50年代的诗反映了传统的感情和形式,但约从1860年起,开始在文字与韵律方面有了创新,在很大程度上受圣诗作者瓦茨、钦定本《圣经》和莎士比亚的影响。她常用的诗体是四行诗抑扬格,也常用其他形式,她甚至把最简单的圣诗的节奏予以变更,以表达自己的思想,使之时快、时慢、时迟疑。她的警句简练,没有多余的辞藻,而是生动、准确。她能自由更动句法,并喜欢把常用辞句放在特殊的上下文中,耐人寻味。1862年4月15日,写了4首诗寄给文人希金森,想知道她的诗是否有生命力。希金森虽意识到她诗中的创造力,但劝她不必发表。但狄更生生前终于发表了7首诗。1862年后,狄更生阻止了朋友们要发表她的诗作的一切努力。因此,她生前只发表了7首诗,其中5首刊登在《斯普林菲尔德共和党人报》上。狄更生诗作最多的时期适逢南北战争,约写有800首。战争虽然未成为她的诗的内容,但仍可能促进了她的写作。60年代以后她就再也没有离开自己的家园。战争结束后,她的创作高潮也过去了。但她的有些信件是可以和她的诗媲美的,她在信中描写日常生活,典雅而精辟。1870年后她在家只穿白色服装,很少会客。她的暮年因亲友亡故而充满忧伤。1886年去世后,她的妹妹决定发表她的诗作。1890年希金森和托德编辑出版了《狄更生诗集》。1891～1957年间,出版了主要由托德、比安齐(狄更生的侄女)和宾厄姆所编的其他诗集。1955年T.H.约翰逊又将全部流传下来的诗及其不同版本编辑出版。

Dickinson, John　迪金森(1732-11-08,美国马里托尔伯特县～1808-02-14,特拉华威尔明顿)　美国政治家,常被称做"美国革命的笔杆子"。早年学法律,曾在费城执律师业(1757～1760)。1765年代表宾夕法尼亚参加印花税大会,并起草会议宣言。以发表《宾夕法尼亚一农民致英国殖民地人民书》而闻名。这封信帮助舆论转向反对1767年的《汤森条例》,这个条例要开征新税以供养殖民地的王家官员,并在波士顿设立税务专员署。1774～1776年代表宾夕法尼亚参加大陆会议,他是《阐明必须拿起武器的原由……的宣言》的主要起草人。1776～1777年参加起草《邦联条例》。但他主张与英和解,1776年投票反对《独立宣言》。尽管他被指责为效忠派,但他后来仍参加爱国民兵。1787年代表特拉华州参加联邦制宪会议,签署《美国宪

美国不列颠百科全书公司供图

法》。宾夕法尼亚州卡莱尔的迪金森学院以他的姓氏命名。

Dickinson, Jonathan　迪金森(1688-04-22,美国马萨诸塞哈特菲尔德～1747-10-07,新泽西伊丽莎白敦)　北美洲英属殖民地基督教长老会牧师。1717年加入新成立的中部殖民地长老会。该会内部分为新旧两派,就牧师应在什么程度上接受信经条文问题各执一词,迪金森提出折衷主张,但未被接受。两派对18世纪30年代和40年代的大觉醒运动见解不同,争执进一步加剧。迪金森经过犹豫,表示支持新派。1746年新派创办新泽西学院(今普林斯顿大学),迪金森任首任校长。

dickite　迪开石　黏土矿物,高岭石(**kaolinite**)的一种。

Dickson, Carr (American author)　**迪克森**　参阅 **Carr, John Dickson** 卡尔。

Dickson, John Robinson　迪克森(1819-11-15,北爱尔兰邓甘嫩～1882-11-23,下加拿大金斯顿附近沃尔夫艾兰[今加拿大安大略省])　爱尔兰医生、教育家,为加拿大医学教育组织的建立做出贡献。1837年,迪克森随家迁往上加拿大,中断了在苏格兰格拉斯哥大学的医学学业。1842年,在纽约大学毕业,获医学博士学位。后回到加拿大,在金斯顿开业行医。迪克森召集一批同事,提出一项建立金斯顿女王学院医学系的计划,1855年医学系宣告成立,迪克森任主讲兼外科医生。1864年因和校董们意见分歧而离职。随后的两年中,他又成立了金斯顿皇家内科和外科学会。迪克森还是上加拿大医学教育和注册委员会第一任董事长。1881年退休。

Dickson, Leonard Eugene　迪克森(1874-01-22,美国艾奥瓦独立城～1954-01-17,得克萨斯哈灵根)　美国数学家,对数论和群论做出重要贡献。1899年任得克萨斯大学数学副教授,1900～1939年在芝加哥大学工作。发表了有限域理论方面第一部内容广泛的著作;发展了线性结合代数的韦德伯恩理论和嘉当理论。最引人注意的研究是不变量理论与数论之间的联系。在堆垒数论的研究中,他利用了俄罗斯数学家I.M.维诺格拉多夫的分析结果,证明了理想的华林定理。他的18种出版著作中的最不朽著作是《数论史》(3卷;1919～1923)。

dicotyledon　双子叶植物　木兰纲(Magnoliopsida,双子叶纲[Dicotyledones])植物。显花植物(被子植物)中比单子叶植物更大的一群。已知约17.5万种。大部分常见的庭园植物,多数灌木和乔木,木兰、蔷薇、老鹳草、蜀葵等阔叶植物都是双子叶植物。大多数双子叶植物的种子胚中有一对子叶。其另一特点是花的各部分为4～5基数(有例外)。叶多为网状脉。导管在茎中排列成连续不断的形状。约50%的双子叶植物为木本。形成层产生新的组织,茎干直径每年增大。茎通常分枝。直根。叶面上的气孔分布不规则。除较原始的科外,花粉粒均具三条萌发沟。

dictating machine　口述记录机　记录、存储(常为短时间)然后用打字机或文字处理装置来复制语言信息的设备。口述记录机有机械的,也有磁性的。把声音录在钢丝、涂粉的磁带、塑料盘或塑料带上。在口述完毕后,可以从机内取出来送到录放点去。放音机以声的形式重放口述的信息。早期的口述记录机是机械的,像T.A.爱迪生早先的发明一样,用留声机的方式把人声的声波录在蜡筒上,用同样的装置重放录下的声音以便誊写。以后改为用塑料盘和塑料带,随着磁性钢丝和磁带录声的发展,就改用钢丝卷、磁盘和磁带来录声。微电子学和固体元件的发展,使口述录声和重放设备以及所用磁盘和磁带盒的尺寸都显著缩小。誊写打字员所用的放声设备,通常用脚踏控制器来操纵。

dictator　独裁官　罗马共和国中握有非常权力的临时官吏。执政官提名,元老院保举,由库里亚大会(人民会议)批准,在罗马仅在军事危机(后来是内部危机)时才任命。任期6个月。执政官和其他官吏必须听从独裁官的命令。公元前3世纪独裁官权力一再受到限制。公元前202年以后再无人当选该职。共和国末年苏拉、凯撒曾获得独裁权,但与独裁官有所不同。公元前44年,该职位被正式废除。参阅 **tyrant**。

dictatorship　独裁　个人或小集团拥有绝对权力而无有效的宪法制约的政体形式。独裁一词来自拉丁名称*独裁官*(**dictator**),这一名称在罗马共和国时期是指一个被授予非常权力以便应付国家的危机的临时的行政官。然而,现代的独裁者则是像古代的专制君主,而不像古代的独裁官。古代哲学家对希腊和西西里的专制政治的描述有助于说明现代独裁政治的性质。独裁者通常使用武力或欺骗以获得专横的政治权力,并通过威胁、恐怖和镇压基本的公民权利等手段维持这种权力。他们也可能使用大规模宣传伎俩以获取公众的支持。

随着19世纪和20世纪中一些以世袭制为基础的君主政体的衰落和消失,独裁政体成为全世界各国使用的两种主要的政体形式之一,另一种形式是立宪民主制。独裁者的统治有几种不同的形式。在19世纪的拉丁

美洲，一些不久以前脱离西班牙殖民统治的新国家中的有效的中央政权崩溃以后，各种各样的独裁者上台。这些领导人，或自封的领袖，通常是领导一支私人的军队，而且试图控制一个地区，然后向衰弱的全国政府进军。墨西哥的圣安纳和阿根廷的罗萨斯就是这种领导人的例子（参阅 **personalismo**）。20 世纪后期的拉丁美洲的独裁者与此不同。他们是全国性的领导人而不是地区性的领导人，而且往往是由民族主义的军官们推他们上台执政的，例如阿根廷的庇隆。他们通常与某个特定的社会阶层联系在一起，而且试图或者维持富人和特权人士的利益，或者实行影响深远的左翼的社会改革。

在第二次世界大战以后的非洲和亚洲的一些新国家里，独裁者们迅速在从西方殖民国家继承下来的宪法安排的废墟上确立了自己的地位，这些安排已被证明在缺少一个强有力的中产阶级和面对当地的独裁统治的传统的情况下是行不通的。在有些这样的国家里，当选的总统和总理通过建立一党统治和镇压反对派以攫取个人权力，而在另外一些国家里，军队夺取政权并建立军事独裁。

20 世纪前半期在一些技术上先进的国家里出现的共产党的和法西斯党的独裁，显然不同于拉丁美洲的专制政权或非洲和亚洲的殖民统治结束后的独裁。希特勒统治下的纳粹德国和斯大林统治下的苏联，就是这种现代极权主义独裁的突出的例子。它们共同的最重要的因素就是把国家同一个唯一的群众政党视为一体，而且把政党同它的神奇的领袖视为一体，利用一种官方的意识形态来维持政权并使之合法化，使用恐怖和宣传的手段压制不同意见和镇压反对派，以及利用现代科学和技术来控制经济和个人的行为（参阅 **totalitarianism**）。第二次世界大战以后，苏联型的共产党独裁在中欧和东欧等国家兴起，但它们当中的大多数（以及苏联本身）在 20 世纪最后 10 年中崩溃了。

在内政或外交发生危机时，即使是最遵守宪政的政府也会把非常权力授予首席行政官，而在某些著名的例子中，这就使那些合法当选的领导人有机会推翻民主并在以后实行独裁统治。例如，宣布实行紧急状态下的统治，就是希特勒在德国、墨索里尼在意大利、凯末尔在土耳其、毕苏斯基在波兰和萨拉查在葡萄牙的独裁统治的开始。然而，在另外一些民主国家里，宪政制度度过了很长的危机时期，例如第二次世界大战期间的英国和美国，在这两个国家里，执政官的非常权力随着战时紧急状态的结束而告终止。

dictatorship of the proletariat　无产阶级专政　根据马克思主义思想，在废除资本主义制度和建立共产主义之间的过渡阶段中无产阶级（由仅仅依靠自己的劳动获得收入的产业工人组成的经济和社会阶级）的统治。在这个过渡阶段，无产阶级将镇压资产阶级对社会主义革命的反抗，摧毁作为阶级制度基础的社会生产关系，建立无阶级社会。马克思原设想无产阶级专政为多数人阶级的专政，但在 1917 年 10 月后的俄国，它成为一个政党的专政，该政党声称代表无产阶级。

diction　措辞　词语的选用，特别是考虑用词的正确、明白或深刻动人。一般公认的措辞的四种标准——正式用语、非正式用语、口语或俚语——中的任何一种，在特定的上下文中，可以是正确的，但在别的上下文中或漫不经心地掺杂进去时，可能是不正确的。大多数概念都有许多可供选择的词语，作家可以按照自己的目的去挑选。例如，“小孩”、“小家伙”、“小伙子”、“小青年”和“小鬼”，都有产生不同的语感的价值。文学风格上最广阔的天地是在选词方面。例如，“小屋”、“斗室”和“精舍”这类词组有着大致相同或近似的意义。但“小”可以暗示爱称和指小，“斗”指构造细巧，“精”有精致美好的意思。S.约翰逊相信，伟大的思想总是平凡的，并认为去“数郁金香上的条纹”，那不是诗人的事情。他习惯于用平凡的、概括的和非感情色彩的词语：“着眼于未来者的品质，对于一个动作缓慢而生活岁月增加的人来说，似乎是不可避免的条件。”（《漫游者》，1750）。然而，现代作家大多喜爱别致、具体而有感情色彩的词语，并且利用术语、方言、口语或古语的感情色彩价值，以适合他们的目的。G.梅雷迪斯用古语词“闺女”（damsel）来表现女主人公的未成熟特点；R.弗班克在“Mrs. Henedge lived in a small house with killing stairs just off Chesham Place”（“赫尼奇夫人住在离切舍姆别墅不远的一栋小楼里，那里装有特招引人的楼梯”［《极度虚荣》，1915］）中，使用口语词“killing”（“特招引人”）可以与周围的规范语词形成反差。

dictionary　词典　按顺序列出词语并附有释义的工具书。西方语言的词典中，词语是按字母顺序排列的。词典除了基本的释词功能，还可能提供诸如发音、语法形态及功能、词源、句法特征、不同的拼法、习用缩略语，以及同义词与反义词等方面的信息。词典也可能提供引用句以说明词的用法，这些引用句还可能注上日期，以表明该词最早用于该特定词义的时间。dictionary 一词本身源自拉丁文 dictio，意为“说话的行动”，而 dictionarius 则是“词的集合”之意。可以这样说：词典释词义，而百科全书则释名物，尽管有许多百科全书也冠以 dictionary 一词（如 biographical dictionariy［名人词典］）。

编纂词典的最初动力和现在的原则略有不同。早期的侧重点不在罗列通用词的用法，而在说明词义在几个世纪中和在不同语言中的变化或差异情况。希腊人在公元 1 世纪编纂词典根据丰富的文学历史来解释废字的涵义。拉丁语也曾以词典形式被保存下来，这些词典很有价值，因为中世纪欧洲大部分学术著作都是用拉丁文写的。1502 年 A.卡利庇诺（Calipino）曾编纂这样一本拉丁文词典，影响极大，甚至人们常用 calepin 这个名字来替代 dictionary 一词。

欧洲有许多语言可以紧密地并列书写或印刷，因此从中世纪早期起就出现了许多双语或多语词典。7 和 8 世纪时某些单词使用的实例是英语语言的最早记录，而且在长时期内，双语词典提供了英语单词的最佳释义。在 16 和 17 世纪时期，出现了以各不相同的形式将法语、英语、意大利语、拉丁语、西班牙语和威尔士语结合在一起的辞书。这些作品反映了对欧洲大陆诸文化的兴趣和与诸文化间的交流，也反映了文艺复兴对古典文学的狂热兴趣。结果之一便是许多源自希腊文和拉丁文的单词涌入英语。

要编纂一部英语词典的这场运动，部分原因是受到让更多人具有读写能力这一愿望的激发，以便普通百姓也能读《圣经》；另一部分原因是受过教育的人士觉得英语的拼写没有规律而感到失望。R.考德里从几本先前出版的词书中采用大量单词，编了一本《单词表》（1604），共收入 3 000 个词，人们认为这是第一本纯英语的词典。那个时期其他值得注意的词书有 J.布洛卡编的《英语注解》（1610）和 H.科克拉姆编的《英语词典》（1623），后者是第一本在书名中实际使用“词典”这个词的作品。随后出版的英语词典基本是同一格局，也有一些创新，诸如增加术语和方言（科尔斯所编的词典，1676），强调词的来源，即词源（布朗特之作，1656），删节本词典（克西之作，1708）和标出发音的重读（贝利之作，1727）。一般说来，人们认为英国的词典不如欧洲大陆的词典。

1746～1747 年间，在几位著名的出版商支持下，诗人和文学评论家 S.约翰逊从事一项到当时为止规模最大的英语词典编纂工作，共收录 4.35 万个词条。该书不厌其烦地区别单词的不同词义，并从最佳英语文学作品中审慎地选出了 11.8 万条引语作为例证。约翰逊和他的前辈及后学一样，担心语言的变化会导致语言的衰退，所以他希望词典会抑制这种衰退。在编纂过程中他体会到，“语言是人类的产物，是一种不具备永久性和稳定性的生物的产物”。词典编纂者只能描述现时的和过去的语言，不能规定语言的用法。

承认语言内部有变化和变异的勇气，导致 N.韦伯斯特于 19 世纪初期编纂美国英语词典。J.贾米森按同样的方针编了一本苏格兰语词典，材料选自普通百姓的日常用语。19 世纪的语言学家如 J.格里姆和 F.博普等人的工作取得了更多的进展，他们发现大多数欧洲语言和梵文间有着系统的联系。由此而发现的印欧语系改变了语源学的性质。

到 19 世纪末，旨在对英语作决定性词汇编纂的巨著《牛津英语大词典》（简称 OED）的编纂工作便开始进行。从 1879 年始，到 1928 年最终完成，共编纂 1.5 万页，采用 1 827 306 条引语作为例句。类似的工作在法国、意大利、德国现在也已经完成。这类巨型词书提出的巨大任务是要随着语言的变化及时加以修订。

现代词典的编纂依然是一项艰巨的事业。首先，如何选词才能很好地服务于读者便很困难。在科学领域，新词不断产生，甚至连说出所有现存生物的种属都是因数量太多而难以做到（已知的昆虫就有一百多万种）。人们都把词典编纂者看成语言的保护人，其实不然。语言就其性质而言是一种不断变化着的人类现象，但是社会压力，有时还有政治压力，经常迫使词典出版者按照社会的偏爱来进行选词。例如，人们的发音是有很大差别的，但是，因为如此众多的英语单词的语音是有变化的,所以一些读音指导还是必要的。一般来说,现今的标准词典要提供一致的拼写形式、注音、单词合乎语法的应用形式、词义、例证引语、使用者可接受程度的释义(如方言或粗俗用法)、词源等。

词典的级别有很大差异,通用型词典最常见。像《牛津英语大词典》第二版(1989;简称 OED2)这样的学术性词典则更为详尽,并收有极完备的词源资料及废词。专业词典则包括狭小的知识领域,但是其内容还是按字母顺序排列的。

Dictionary of American English on Historical Principles, A (DAE) **《美国英语词典(按历史原则编订)》** 一部4卷本的词典。它是为了解释美国英语中字词与短语的用法,以别于英本土和其他讲英语国家中的用法而设计的。此外它还要表明美国文化与自然历史是如何反映在它的语言之中。1936 ～ 1944 年间陆续出版。由参与编辑《牛津英语大词典》的 W. A. 克雷吉和美国英语教授 J. R. 赫尔伯特合编。收入了从英国移民最早定居时期起直到 19 世纪末这一时期的美国字词与成语。大部分词条附有标明年代的引文例证。

Dictionary of Americanisms, A **《美国语词典》** 两卷本词典。收入源出美国或在美国最初引入英语的那些字词和成语。由美国学者 M. M. 马修斯编,1951 年出版。这部词典是建立在历史原则的基础上的。它是为了弥补《牛津英语大词典》和《美国英语词典(按历史原则编订)》中的遗漏和不足之处而编制的。《美国英语词典》收入了许多英国语源的字词,而《美国语词典》则与之不同,只收起源于美国的字词和成语。每一词条都列出来源与根据。多数单词注明了读音。

Dictionary of the English Language, A **《英语词典》** 1755年伦敦出版的S. 约翰逊所编的著名词典,它所采取的原则在英语词典学中占居主导地位达一个多世纪。这部词典优于以往词典之处不在于收词之多,而在于释义的精确。它有两个特色:对英语的主要词汇都追源溯流,作出完美的释义;从各种英国文学作品中选用丰富的引例,用以说明每个词的细微不同词义。词典中包含英语史和语法,以及从伦敦当代标准用语中和著名作家的规范用语中选取的大量词汇。这部词典出版后,又在 1756 年编出一部单卷本的简略词典,直到 20 世纪还为人们广泛使用。在《韦伯斯特大词典》问世(1828)之前,这部词典一直被认为是一部标准词典。

Dictionary of the Irish Language **《爱尔兰语词典》** 权威性的爱尔兰语词典,从D字母开始,接续已包含 A ～ C 字头的 K. 迈尔所编的《爱尔兰辞书初编》(1906 ～ 1907)。以古爱尔兰语和中古爱尔兰语资料为依据,从 1913 年开始在都柏林出版。资料收集由爱尔兰皇家学院主持,采取历史的原则并包括最早期的爱尔兰语。其中词语选自书籍、手稿和口头语言;词条介绍词义的发展和语法变化。1938 年又开始断断续续地刊印《爱尔兰语词典补编》。

Dictionnaire alphabétique et analogique de la langue française **《法语字顺类比词典》** 学术性的法语历史词典。每个词条均提供词源、定义、反义词、同义词,并有互见条目。1951 ～ 1964 年在巴黎出版,原为 6 卷本,1970 年再版时增加 1 卷补编。除收入法兰西学院认可的全部词语外,还收入科学技术名词、一般口语用词和法国古典作品中出现的古词。摘自法国历代作家作品的大段引例显示了词语用法的历史变迁,并引用现代例句说明用法。1967 年出版了单卷缩节本,后多次修订再版。

Dictionnaire de la langue française **《法语词典》** 法国词典编纂家马克西米利安-保罗-埃米尔·利特雷所编的一部大型法语词典。1844 年开始编纂,1863 ～ 1873 年出版 4 卷本,1877 年增出 1 卷补编。词典收入选自 16 ～ 19 世纪文学著作中的大量引例,反映出法语的发展脉络。词的释义先从最早的而非最常用的含义开始,极力区分每个词在使用中的各种意思。1956 ～ 1958 年出版了现开本的新版,共 7 卷。原补编中的材料已按字母顺序编入正编。这部词典在历史、词源和语法方面至今仍有重要价值。以后又先后再版于 1978 年(共 4 卷)和 1983 年(4 卷和 1 卷补编)。

Dictys CRETENSIS **狄克提斯(克里特岛的)** 有关特洛伊战争的一部伪编年记事的作者。据说曾伴随克里特领袖伊多墨纽斯从克诺索斯出发去围攻特洛伊,写了偏袒希腊的特洛伊战争报道。据说他的手稿是在 1 世纪中"发现的",并奉罗马皇帝尼禄之命从腓尼基语译成希腊语。4 世纪左右,一个叫吕修斯·塞普提米乌斯的人翻译了据说是狄克提斯亲眼目睹的报道(事实上大概是公元 2 或 3 世纪的作品)。这一幻想作品即《特洛伊战记》以及达列斯·弗里吉乌斯著的一部类似的,但是亲特洛伊的记述是中世纪有关特洛伊传说的主要来源。

Dicuil **迪库尔**(活动时期约825,爱尔兰)爱尔兰僧侣、语法学家和地理学家。其著作对科学史具有重要意义,也是 9 世纪爱尔兰学术的一份遗产。他的许多天文学知识是在推算宗教节日时取得的。所著《论世界的测量》一书完成于 825 年,其中包括 795 年访问冰岛的爱尔兰隐士们最早的叙述。他们曾对那里午夜的太阳惊奇不已。该书还记载了在尼罗河和红海之间有一条淡水运河(767 年堵塞),此说或系得自另一爱尔兰僧侣之亲身经历,信而有征。他引用或参考了 30 位希腊和拉丁作家,还引用与他同时的爱尔兰诗人塞杜利乌斯的作品。《论世界的测量》最佳版本是 1870 年 G. 帕赛出版的。

dicyclopentadienyliron (chemistry) **双环戊二烯铁** 参阅 **ferrocene** 二茂铁。

dicyemid **二胚虫** 海生无脊椎动物体上的寄生虫。二胚虫纲(Dicyemida)多细胞动物。参阅 **mesozoan**。

Dicynodon **二齿兽属** 兽孔目爬行动物的绝灭属。二齿兽一度是占优势的陆上似哺乳类脊椎动物,化石见于非洲南部、欧洲和亚洲南部的上二叠统(也就是大约2. 58亿年前至

二齿兽属(*Dicynodon*)骨骼
美国不列颠百科全书公司供图

2. 45 亿年前的地层)。眼睛后区域的头骨很长,有很发达的隆脊,供强烈发育的颌部肌肉附着。无齿又像鸟嘴的构造很可能有角质层覆盖,颌的其余部位也很可能有角质层。某些标本有一对獠牙状的犬齿,犬齿可能限于雄性动物。其粗大的身体具有强壮的四肢和肢带,很可能是食草动物。

Didachē **《十二使徒遗训》** 又作Teaching of the Twelve Apostles。现存最古老的基督教会法规,可能在 2 世纪成书于埃及或叙利亚。全书共 16 短章,论道德伦理、教会习俗、末世希望以及原始教会训诲和收纳信徒的手续。《十二使徒遗训》并不是单一连贯的著作,而是将各教会行之有效的规定汇编成册。第1 ～ 6章就生命与死亡两条道路进行道德教导。第 7 ～ 15 章论施洗、守戒、祈祷、圣餐、接待和甄别巡回使徒先知之法以及主教、助祭的任命。第 16 章论基督复临的预兆。

didactic **训诲** 与文学或其他艺术有关,意在传播训示和知识。该词常用来指说教的或事实的材料过多,因而排除了优雅的和娱人的细节,因而明显地枯燥无味。不过有些文学作品既有娱乐性又有意识地传播训示和知识,如谚语和格言诗。

Diddley, Bo **迪德利**(1928-12-30,美国密西西比麦科姆～2008-06-02,佛罗里达阿彻)原名 Ellas Bates,后改名 Ellas McDaniel。美国创作歌手和吉他手,是摇滚乐早期最有影响力的歌手之一。基本上在芝加哥长大,由他的领养家庭抚养,麦克丹尼尔是其养父的姓氏。迪德利少有热门唱片,却是对摇滚乐影响最深远的艺人之一,因为他有别人所没有的东西,即他自己的节拍:chink-a-chink-chink, ca-chink-chink。他让这种显然源自非洲的音乐成为摇滚乐中最令人着迷的舞曲之一。后来被一些人所挪用。尽管如此,他仅 5 次登上流行音乐排行榜,只有一次获得前 20 名。他利用颤音、模糊音和噪声产生出一种仅 J. 亨德利克斯曾加以扩展的吉他声。常穿着宽松衬衫,头戴大型黑色宽边高顶帽,无疑影响了滚石乐队等不列颠入侵乐队的服

装。演奏时所使用的奇形怪状吉他也让人对他印象特别深刻。60年代他以同样的自信录制了从冲浪音乐到正统布鲁斯等各种音乐。最后的经典之作是《不能从封面判断一本书》(1962)。他对于美国黑人音乐家待遇偏低总是直言不讳。1987年人选摇滚乐名人堂。

Didelot, Charles(-Louis)　季德洛(1767,瑞典斯德哥尔摩～1837-11-07,俄罗斯帝国乌克兰基辅[今在乌克兰])　瑞典出生的法国舞蹈家、舞蹈编导和教师。开创了浪漫主义

中国大百科全书出版社供图

芭蕾的先声。1790年他和芭蕾女演员M.吉马尔合作在巴黎歌剧院首次演出后,即转为编舞,创作了几部著名的芭蕾舞剧,如《变形记》、《花神和西风神》、《堂吉诃德》和《阿波罗和达佛涅》。他因作过一些重要的创新而受到称赞,其中包括通过钢丝绳装置让舞蹈演员飞越舞台以及服装上的重大改革(据传他最早让女演员穿上肉色紧身衣)。1801～1811年担任圣彼得堡帝国芭蕾舞学校舞蹈教师和编导。在伦敦和巴黎工作之后,1816年重返圣彼得堡度过余生,此期间他大胆采用浪漫主义手法,按照他的教师J.-G.诺维尔的原则,创作了50多部芭蕾舞剧。他采用革命化的教学方法。妻子R.季德洛也是舞蹈家。

Diderot, Denis　狄德罗(1713-10-05,法国朗格勒～1784-07-31,巴黎)　法国文学家、哲学家,由于主编《百科全书》并在哲学、伦理学、戏剧及美学理论、文艺批评、小说、科学思辨及政治学诸领域做出杰出贡献而成为启蒙时期的巨人。狄德罗幼年受业于耶稣会士,1729年至巴黎升学,1732年获巴黎大学文科硕士学位。后曾学习法律,但他更感兴趣的是语言、文学、哲学及高等数学。1734～1744年间的事迹不详,仅知1741年与卢梭结识,两人间的友谊维持了15年之久。1746年发表第一部作品《哲学思想录》,对基督教进行无情的攻击。1745年,受出版商勒·勃雷东委托将英国E.钱伯斯的《百科词典》译成法文。狄德罗和杰出的数学家达朗伯合作并邀集许多文人、科学家参加《百科全书》的编纂工作,改变了出版物的性质,使之成为传播各门知识、反对教会及国家反动势力、宣传革命思想的重要阵地。1749年,发表《给有眼人读的论盲人的书简》,大胆宣扬唯物主义的无神论,强调人的认识依赖于感觉器官,从而遭到3个月的监禁。

《百科全书》的出版从1751至1772年持

美国不列颠百科全书公司供图

续了21年,其间屡遭政府的干涉和禁止。狄德罗始终坚持工作,为该书撰写了无数条目,特别在哲学史、美学及机械学等方面。《百科全书》是一部包括文字17卷、图片11卷的巨著。此书的出版使狄德罗分文不名。为使他摆脱经济上的困境,俄国女皇叶卡捷琳娜赐给他一份终身年金。狄德罗于1773年前往圣彼得堡向她表示谢意,并希望她能成为开明君主,进行政治改革。在逗留了5个月后,幻想破灭而归。1774年以后,狄德罗年老多病,重要著作不多。重要哲学著作有《对自然的解释》(1754)、《达朗伯和狄德罗的谈话》(1769)、《达朗伯之梦》(1769)。重要文学作品有小说《修女》(1760)、《宿命论者雅克和他的主人》(1773)、《拉摩的侄儿》(1761～1774),剧本《私生子》(1757)、《一家之主》(1758),文艺理论著作《关于〈私生子〉的讨论》(1757)、《论戏剧诗》(1758)、《谈演员的矛盾》(1773～1778)、《画论》(1765)等。

Didius Julianus, Marcus　狄第乌斯·尤里安(约135～193-06-01)　罗马富豪,元老院议员,为期仅两个多月的罗马皇帝。出身于梅迪奥拉努姆(今米兰)的名门望族。约167年任驻守摩贡提阿库姆(今美因茨)的罗马军团司令官,之后历任东北部高卢、达尔马提

美国不列颠百科全书公司供图

亚、下莱茵、比蒂尼亚和阿非利加诸行省总督。康茂德统治时期,他被放逐到梅迪奥拉努姆。193年康茂德及继任者佩提纳克斯先后被杀。在元老院内一群米兰同乡的支持下,尤里安和弗拉维·苏尔皮西安竞争皇位,各自许给禁卫军一笔巨额赏金(皇位购买金)。尤里安出价最高,因而被禁卫军护送到元老院强行即位(193-03-28)。不久,多瑙河军团攻人意大利,杀死尤里安,拥立他们的长官塞维鲁为皇帝。

didjeridu　狄洁里都号角　又拼didgeridoo或didjeridoo。一种低沉音的木管乐器,或指澳大利亚西北地区土著人用的直号角。用竹子或中空的树苗制成,长1.5米左右。但在仪式中使用的加装饰的变体可能长一两倍。它有一个蜡制吹口,上面抹一层树脂,一端有时置入一个锡罐,用以扩大共鸣。狄洁里都号角常被用于日落、割礼与葬礼等礼仪。

Dido　狄多　又称厄利萨。希腊传说中迦太基著名的建国者,推罗国王穆托(或柏罗斯)的女儿,绪开俄斯(或阿凯尔巴斯)的妻子。她丈夫被她的兄弟皮格玛利翁杀死之后,她逃往非洲海岸,从当地酋长伊阿耳巴斯手中买到一块土地,在那里建立了迦太基城。城市迅速繁荣起来,伊阿耳巴斯开始向她求婚。为了逃避这桩婚事,她便堆起一个火葬柴堆,她站在上面当众用匕首自尽。维吉尔则把她说成是埃涅阿斯的同时代人,埃涅阿斯的子孙建立罗马。埃涅阿斯在非洲登陆后,狄多爱上了他。维吉尔把她的自杀归因于埃涅阿斯奉朱庇特之命抛弃了她。人们把狄多看成是迦太基城的保护女神维耳戈·凯列斯提斯,即坦尼特。

Didot FAMILY　迪多家族　法国家族,从事印刷、出版事业,在法国印刷史上具有深远的影响。迪多家族的创业者弗朗索瓦(1689～1757)于1713年在巴黎开始经营印刷厂和书店,由于出版20卷本A.普雷沃的选集而闻名。他的长子弗朗索瓦-安布鲁瓦兹(1730～1804)改进活字设计,使粗体字和细体字的区别更为显著,并发明72点制标准排字计量单位。

弗朗索瓦-安布鲁瓦兹有两个儿子:皮埃尔(1761～1853)出版了维吉尔、贺拉斯、拉封丹、拉辛等人的名著;菲尔曼(约1765～1836)设计迪多活字并发明铅版,从而降低书价,大量出版了法国、意大利和英国的书籍。拿破仑任命菲尔曼为法兰西帝国铸字厂厂长,一直任职到去世。弗朗索瓦的幼子弗朗索瓦-皮埃尔(约1731～1793)从事铸字业、出版业和造纸业,他的3个儿子也继承家业:亨利(1765～1852)以他的微型活字闻名,发明快速铸字法,在长条形字模内注入铅液,一次可铸出多达200个活字;莱热(1767～1829)发明了一种造纸机;第三个儿子小迪多继承了亨利的铸字业。菲尔曼的儿子安布鲁瓦兹-菲尔曼(1790～1876)和亚森特-菲尔曼(1794～1880),他们对出版事业最重要的贡献是出版H.埃蒂安纳编辑的《希腊语文库》(9卷本,1855～1859),其他的重要出版物有

200卷,包括《希腊作家丛书》、《拉丁语丛书》和《法语丛书》。

Didrikson, Babe 参阅 **Zaharias, Babe Didrikson** 扎哈里亚斯。

Didyma 狄杜玛 又称狄杜米或布兰奇达伊。古神殿和阿波罗神示所的遗址,位于今土耳其米利都以南。公元前494年左右被波斯人劫掠和焚毁之前,由称为布兰奇兹的一批祭司掌管,他们是因阿波罗所眷爱的一个名叫布兰科斯的青年而得名。亚历山大大帝征服米利都(公元前334)之后,神示所再度受到尊崇。公元前300年左右,米利都人开始修建一座新神殿,想使之成为希腊世界中最大的一座。每年在那里举行的狄杜美亚节在公元前2世纪初期成为全希腊的节日。1905～1930年发掘出全部未竣工的新神殿以及早期神殿和雕像的一些残部。

Didyme Insula (Italy) **迪迪米岛** 参阅 **Salina Island** 萨利纳岛。

Didymelales 双药树目 双子叶植物的一目。仅双药树科(Didymelaceae)一科,双药树属(*Didymeles*)1属,2种。原产于马达加斯加。为乔木;花简单,原始。这两种植物十分独特,无近亲,因此单独成一目。雌雄异株;雄花由2个无花丝的花药和1～2片紧接花药底部的小鳞片组成;雌花由4个鳞片和一个圆柱形心皮组成,柱头大,斜生,胚珠1粒。果实为核果,形大,肉质,似李属植物,侧面有一沟,种子单粒。除花外,其木质部也有许多原始特征——导管细胞壁上有梯状环纹,硬化细胞(纤维细胞)壁上具明显的缘纹孔。

Didymograptus 对笔石属 笔石类(一类与原始脊索动物有关的已绝灭的群体动物)的一属。化石见于早、中奥陶世海相地层(奥陶纪为5.05亿年前至4.78亿年前)。已描述

对笔石(*Didymograptus*)
美国不列颠百科全书公司供图

的地理分布广泛、时代间隔较窄的几个种是对比早、中奥陶世地层和时代的标准化石。该属特征是双分支,经常从一个圆盘状构造下垂生长。包括一些已知最大的笔石。

Didymus CHALCENTERUS **狄迪莫斯**(活动时期约公元前80～前10,亚历山大) 希腊学者、语法学家,是古代和现代古典文献研究工作中承前启后的一位学者。据说写了3 500卷书的这位作者,他的勤奋使他赢得了"卡尔肯特罗斯"("铜筋铁骨")的绰号。他的作品有荷马作品的校订,关于许多希腊作者的评注,词典编纂以及语法和文物研究方面的论文。

Didymus THE BLIND **狄迪莫斯(盲人)**(约313,埃及亚历山大～约398,亚历山大) 基督教东派教会神学家。自幼失明,终身未接受神职,但仍是当时最博学的苦行者。亚历山大主教圣亚大纳西聘请他主持传授基本教义的亚历山大学校,圣哲罗姆尊他为师。553年第二次君士坦丁会议虽未谴责狄迪莫斯本人,但批评他的著作传播奥利金(**Origen**)学说,因此,他的著作大多未能在中世纪欧洲转抄,因而佚失。狄迪莫斯反对阿里乌主义。

die 模具 赋予材料所需形状或面层样式的工具或装置。例如用以拉拔或挤压金属(或塑料)的孔模,加压使钱币或徽章上产生图案的淬火钢模,以及向其中压入金属或塑料的空心模。参阅 **diesinking**。

die-casting 压铸 在压力下将熔融金属注入铸模使金属物体成形。压铸技术早期的重要用途是用O.默根特勒发明的莱诺铸排机(1884)生产成行的组合铅字。直到成批生

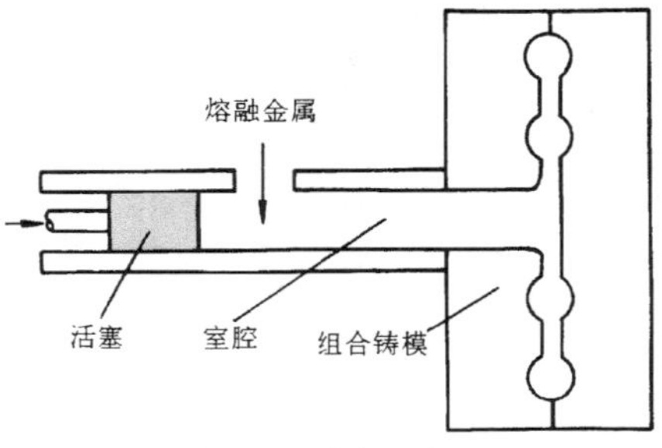

冷室法压铸机示意图

产汽车的装配流水线的出现,才给予压铸技术真正的推动力。压铸能得到高精度铸件,其产品范围从小型缝纫机零件、汽车汽化器到铝合金发动机组铸件。

压铸方法主要有两种,其区别只在于熔融金属通入铸模方式的不同:①冷室法,金属注入室中后,柱塞驱使金属液进入冷的铸模腔并即迅速凝固。②活塞法或鹅颈法,柱塞及其缸体置于熔融金属液中,当柱塞回程时,金属液通过顶端孔口进入缸体;柱塞前进时,就迫使金属液进入铸模型腔,直到填满铸模型芯周围所有的型腔空间;一待金属凝固,即取出型芯,然后打开铸模,取出铸件。在现代压铸技术中,整个过程用电子计时器和电子开关自动控制。

dieback 顶死 常见的植物病症,尤见于木本植物,从顶部开始,小枝、枝、茎干或根相继死亡。树上部枝条的缓慢顶死称为鹿角状顶死,因为无叶片的死枝状似鹿角。顶死和鹿角状顶死由致溃疡病、炭疽病、萎蔫病及茎根腐病的病原真菌和细菌引起。线虫、茎根钻蛀性昆虫、机械损害、根区上方地面铺路、寒

一株顶死的松树
美国不列颠百科全书公司供图

冷或除冰盐所致的冬伤以及水分和主要元素的过量或不足也可引起顶死。

Diebitsch, Johann (Karl Friedrich Anton), Graf (Count) **迪比奇**(1785-05-13,普鲁士西里西亚大莱珀～1831-06-10,波兰普乌图斯克附近克莱切夫) 俄文名伊凡·伊凡诺维奇·迪比奇-扎巴尔坎斯基。军官,伯爵。他指挥的巴尔干战役使俄军在俄土战争中取得决定性胜利。柏林士官学校毕业。1801年参加俄军对拿破仑作战。历任沙皇亚历山大一世的副官长,1824年任俄国总参谋部参谋长。曾参加镇压十二月党人的起义。1828年俄土战争爆发后,他指挥俄军打败土军,促成缔结《埃迪尔内条约》(1829-09-14),迫使土耳其割让多瑙河口和高加索的一些领土给俄国。由于战功,他晋升为元帅。1830年波兰发生反俄起义时,他率俄军在格罗霍夫和奥斯特罗文卡镇压起义者。波兰人投降前死于霍乱。

Diefenbaker, John G(eorge) 迪芬贝克(1895-09-18,加拿大安大略格雷县～1979-08-16,渥太华) 加拿大进步保守党领袖,经过自由党连续22年当政后,1957～1963年任

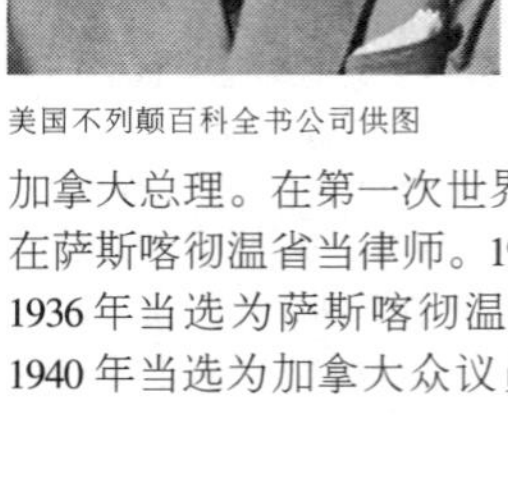

美国不列颠百科全书公司供图

加拿大总理。在第一次世界大战中服兵役,后在萨斯喀彻温省当律师。1929年为皇家律师。1936年当选为萨斯喀彻温省保守党领袖,至1940年当选为加拿大众议员。1956年成为进

步保守党领袖。1957 ～ 1963 年任总理。1963 年因建议在加拿大制造核武器，若干部长辞职，迪芬贝克被迫进行选举，自由党人当选总理。1967 年辞去党领导职务。1969 ～1979 年任萨斯喀彻温大学校长，直至逝世。

Diego Garcia　迪戈加西亚　印度洋中部一珊瑚岛。为查戈斯群岛的最大岛，位于群岛最南端。面积约 27 平方千米。16 世纪初由葡萄牙人发现。历史上大部分时期属毛里求斯。1965 年脱离毛里求斯成为英属印度洋领地之一部。20 世纪 70 年代初以前椰仁干生产为仅有经济活动。此后美国根据英美 1966 年协议，在该岛建立军事通信设施。70 年代末，该岛成为海空军基地，因而激起要求本地区非军事化的印度洋沿岸国家的强烈反对。第一次海湾战争(1990 ～ 1991)、美国袭击阿富汗(2000)和第二次海湾战争(2003)中的多次空袭行动均从迪戈加西亚开始。20 世纪 90 年代岛民要求返回家园。2000 年英国法庭宣判 1971 年禁止岛民在该岛居住的法令不合法。但美英官员仍旧尽力阻止岛民回迁，2003 年一个英国法院驳回了岛民的诉讼。

Diégo-Suarez(Madagascar)　**迭戈苏亚雷斯**　参阅 **Antsiranana 安齐拉纳纳**。

Diegueño　迪埃格诺人　又作 San Diegueño。操尤马语的印第安居民集团。原居住在今美国-墨西哥边界两侧加利福尼亚州及下加利福尼亚州的大片地带。其名源于圣迭戈教团。文化与北邻卢伊塞诺人、东邻尤马民族(参阅 **Yuman**)中诸如莫贾维人等的文化相似。社会组织以家族为基础，每一家族各有其土地。家长领导各种仪式活动。沿海居民的主食是鱼及软体动物；内地人有部分人务农。住房以木柱及草泥屋顶构成。他们编筐制陶，或用纤维织成各种容器。虽然迪埃格诺人的宗教活动形式与卢伊森诺人相似，但两者的世界观却不相同，后者崇尚神秘主义，前者更关心生活中实际可见的事物。迪埃格诺人虽与大多数其他加利福尼亚印第安人一样，把居住区建于教团周围，但他们反对西班牙方济各会的传教势力，甚至攻击圣迭戈教团，因之改信天主教的过程缓慢，信众甚少。20 世纪后期，只有 700 名迪埃格诺人的后裔居住在圣迭戈附近的社区。参阅 **Mission Indians**。

Dielasma　两板贝属　腕足动物已绝灭的属。化石见于密西西比纪到二叠纪(也就是 3.45 亿年前至 2.25 亿年前)海相环境中沉积的地层。相当光滑的两瓣小壳微微凸起，但有肉茎孔的腹瓣比容纳腕的背瓣大得多，生长线通常明显。两板贝属在有些方面类似接合贝属(*Composita*，具有类似的生存年代和栖息地的腕足类)。

两板贝属(*Dielasma*)
美国不列颠百科全书公司供图

dieldrin　狄氏剂　用作杀虫剂的含氯有机化合物(参阅 **aldrin**)。

dielectric　电介质　电绝缘材料或极不良的导体。电介质与金属不同，它没有束缚得很松的或自由的电子，所以在外电场的作用下实际上没有电流流动，但可以产生电极化，即电介质内的正电荷顺电场方向、负电荷逆电场方向作微小的位移。电荷的这种微小分离或极化，使电介质内的电场减弱。电介质的存在对其他电现象产生影响。电介质中电荷的相互作用力较在真空中为小，而在电场作用下电介质单位体积内储存的能量则较大。介质电容器的电容也比真空电容器为大。电介质对各种电现象的影响，在宏观上用**介电常数**(**dielectric constant**)、**电容率**(**permittivity**)、**电极化**(**electric polarization**)等概念描述。

dielectric constant　介电常数　表征电绝缘材料(电介质)性质的常数，等于电容器填入电介质时的电容与同一电容器在真空中的电容的比值。在平行板电容器的极板之间填入电介质可使电容器的电容总是比板间真空时的电容增大。设 C 为填入给定电介质的电容器的电容，C_0 为同一电容器在真空中的电容，用 κ 代表介电常数，则 $\kappa = C/C_0$。介电常数没有量纲，它说明电介质的宏观性质，而不涉及微观电性状。任何物质的静态介电常数总是大于其真空之值(为 1)。在室温(25°C)下空气的介电常数为 1.00059，石蜡为 2.25，水为 78.2，钛酸钡($BaTiO_3$)约 2 000(电场垂直于主晶轴时)。由于空气的介电常数与真空的近似，故空气在实用中并不增加电容器的电容。固体和液体的介电常数，可由采用这种电介质制作的电容与以空气为介质的电容器的电容之间的比值求得。介电常数有时叫做相对电容率。在厘米-克-秒制中，介电常数与**电容率**(**permittivity**)相同。

dielectric heating　电介质加热　又称电容式加热。把绝缘材料置于高频电磁场中使之升温的方法。在工业上用来加热热凝胶、烘干木材和其他纤维质材料，对模制前的塑料进行预热，还可用于快速凝固和烘干泡沫橡胶。把须加热的材料置于两金属电极之间并接上高频电源。对于均质材料，加热遍及材料整体。

Diels, Otto Paul Hermann　狄尔斯(1876-01-23，汉堡～ 1954-03-07，西德基尔)　德国有机化学家。因与 K.阿尔德合作完成开发制备环状有机化合物的方法而共获 1950 年诺贝尔化学奖。他曾在柏林大学 E.费歇尔的指导下攻读化学，1916 年任基尔大学化学教授。1945 年荣誉退休。狄尔斯在 1906 年发现一种高反应活性物质碳的低氧化物(丙二酸酐)，并确定了它的性质和化学组成。还发明了用元素硒从某些有机分子中除掉氢原子的方法；这种方法易于控制。其最重要的工作是双烯合成；用带有两个碳碳双键的有机化合物，实现许多环状有机物的合成，进行这种合成的条件对于了解生成物的分子结构有所启示。这一方法是 1928 年和他的学生阿尔德合作研究的，被称为狄尔斯-阿尔德反应。实践证明，此项研究对合成橡胶和塑料的生产具有极为重要的意义。

Diem, Ngo Dinh　参阅 **Ngo Dinh Diem 吴庭艳**。

Diemen, Anthony van　范迪门(1593，荷兰屈伦博赫～ 1645-04-19，荷属东印度群岛巴达维亚)　荷兰殖民地行政官员，作为荷属东印度殖民地总督(1636 ～ 1645)，他巩固了荷兰在远东的殖民统治。早年在阿姆斯特丹经商，失败后加入荷兰东印度公司，1618 年起在巴达维亚工作，1636 年成为总督。为了加强该公司在摩鹿加群岛的统治，他于 1638 年与特尔纳特苏丹签订条约，使公司得以在 1638 ～1643 年放手进行征服战争，垄断了该地区的香料。同年随着入侵锡兰，范迪门加紧了荷兰对葡属亚洲殖民地的进攻。到 1644 年，荷兰占领了锡兰的肉桂产区，并在印度科罗曼德尔海岸建立了贸易站。与此同时，1641 年范迪门夺得了葡萄牙人在印度与中国之间的贸易路线上的主要据点马六甲(1641；今在马来西亚)。1642 年荷兰人赶走西班牙人，占领了整个台湾。在他的统治下，与东印度亚希王子和蒂多雷王子签订了有利的条约，并与东京(越南)和日本建立了商业关系。在范迪门的总督任期结束时，尼德兰联省共和国已经成为东印度群岛最强大的商业和政治力量。范迪门按照其前任 J.P.科恩的荷兰方式完成了巴达维亚的建设。他还制定了被称作巴达维亚法令的一套法规。他发起了 1642 年和 1644 年 A.塔斯曼和 F.菲斯海尔的探险远征。在远征中，他们发现了塔斯马尼亚(原名范迪门岛)、新西兰、汤加、斐济和澳大利亚北海岸。

Diémer, Louis-Joseph　迪美(1843-02-14，巴黎～ 1919-12-21，巴黎)　法国钢琴家和教师，早期键盘音乐和乐器的最早倡导者之一。1856 ～1861 年在巴黎音乐学院学习，1863 年起经常演奏，获很大成功。曲目包括 C.-M 维多尔、C. 圣-桑和 É. 拉罗专为他写作的作品。1887 年任巴黎音乐学院钢琴教授，1889 年举行一系列拨弦键琴独奏会，受到好评，激励他创立古乐器研究协会，还编订了一本早期法国键盘乐曲集(1928)。在创作上也十分积极，作有钢琴和乐队作品。学生中有 A.科尔托、R.卡扎德絮等人。

Dien Bien Phu, Battle of　奠边府战役　第一次印度支那战争(1946 ～ 1954)中法军和越盟军队争夺对越南老挝边境山区控制权的决定性会战，越盟的胜利有效地结束了长达 8 年之久的战争。法国军队为了切断越盟的供应线和保持进攻敌军的据点，1953 年底占领了奠边府城。后来，越盟以 4 万兵力包围奠边府，并用重炮粉碎法国的防线。尽管法军得到美国的支援，奠边府最终在 1954 年 5 月 7 日被越盟攻下。法军失败后，法国政府谋求结束战争，最后在日内瓦国际会议上达成解决办法。

Dienerian Stage　迪纳尔阶　三叠纪（始于约 2.25 亿年前，延续约 0.35 亿年）的年代地层单元。该地层为海洋环境沉积，位于格里斯巴赫阶之上、司密斯阶之下，连同司帕斯阶，这 4 个阶组成下三叠统。该地层以特殊的头足类动物化石群为特征。虽然往往用区域性的名称，但可对比的地层遍布于世界。

Dienné（Mali）　参阅 **Djenné** 杰内。

Dientzenhofer, Christoph and Kilian Ignaz 丁岑霍费父子（父克里斯托夫1655-07-07，巴伐利亚罗森海姆～ 1722-06-20，布拉格；子基利安·伊格纳茨 1689-09-01，布拉格～

丁岑霍费父子设计的布拉格市圣尼古拉教堂
美国不列颠百科全书公司供图

1751-12-18，布拉格）　布拉格一建筑师大家族的成员，均为波希米亚巴罗克式建筑风格的倡导者。父子共同设计的作品有：布拉格的圣尼古拉教堂（1703 ～ 1711，1732 ～ 1752）和布热夫诺夫隐修院（1708 ～ 1721）。基利安在布拉格还建有圣多马教堂（1725 ～ 1731，原哥特式后改建为巴罗克式）及阿美利加别墅（1712 ～1720，后改为德沃夏克博物馆）等。

Dieppe　迪耶普　法国北部上诺曼底大区滨海塞纳省城镇和海港。位于巴黎西北，临英吉利海峡，地当阿尔克河口。旧城多 18 世纪早期房屋。1435 年建的城堡于 1944 年被破坏，现经修复后为博物馆。城镇于第二次世界大战后大部重建。作为距巴黎最近的海滨胜地，19 世纪即趋于繁荣。附近有夜总会。法国国王意识到该城的战略重要性，曾授予它许多特权。因多新教徒，宗教战争中受害严重，但最黑暗的时期是 17 世纪下半叶。1668 年近万人死于瘟疫。1694 年城镇几乎全部被英、荷炮舰轰毁。现迪耶普港为英吉利海峡最安全港口之一，然因水浅难于通现代航运。其渔港为巴黎市场主要供应者之一。建有设备良好的商业港。主要工业有造船、炼油，以及绳、纺织品、电话通信设备、钟表、化工和汽车等的制造。从 15 世纪以来生产骨和象牙制品。人口 35 659（1982）。

Dies, Martin, Jr.　戴斯（1901-11-05，美国得克萨斯科罗拉多～ 1972-11-14，得克萨斯拉夫金）　美国政治家、众议院非美活动调查委员会发起人和首任主席（1938 ～ 1945）。毕业于得克萨斯大学（1919）和华盛顿国立大学法学院（1920），后在得克萨斯当律师，不久即投身政治活动。1931 年当选联邦众议员。F. 罗斯福当选总统时，他支持罗斯福的新政。但到 1937 年，他转而反对罗斯福和民主党自由派。1938 年，他促使众议院成立非美活动调查委员会（戴斯委员会），专门进行反共活动。他在《美国的特洛伊木马》（1940）一书中声称，在揭露美国共产党的“颠覆活动”方面，他胜过联邦调查局。1945年离开国会，但 1953 ～1959 年又重返众议院。晚年在得克萨斯执律师业。

Dies irae　震怒之日　一首吟咏最后审判的拉丁文赞美诗的开头语。此诗据传出自托马斯（切拉诺的，1256 年卒）的手笔，为葬礼和追思弥撒的内容。这首诗包括 18 组押韵诗节，外加佚名作者所加无韵偶句，最后为“阿们”。此赞美诗为素歌，16 世纪以来宗教音乐作曲家们或采用它的原有形式，或把它当作复调作品的基础。莫扎特和威尔地曾为该赞美诗谱曲。在浪漫主义时代，柏辽兹、圣-桑、威廉斯利用这首诗谱写过许多世俗乐曲。

Diesel, Rudolf（Christian Karl）　狄塞耳（1858-03-18，巴黎～ 1913-09-29，英吉利海峡海上）　德国热机工程师，以他姓氏命名的内燃机的发明者。也是艺术鉴赏家、语言

美国不列颠百科全书公司供图

学家和社会理论家。狄塞耳的父母是德国侨民，他在巴黎长大，直至普法战争爆发后他的家庭于 1870 年被驱逐到伦敦。先在伦敦，后又到他父亲出生的城镇奥格斯堡求学。在那儿及以后在慕尼黑高等技术学校，他在工程方面学习成绩优异。在慕尼黑，他是制冷工程师 C. von 林德的门徒，1880 年加入林德的巴黎公司。狄塞耳用许多时间致力于发展内燃机，使其效率接近卡诺循环的理论效率。他曾一度用氨做膨胀机的实验。约在 1890 年到柏林林德公司后，有了**柴油机**（**diesel engine**）的想法。他于 1892 年取得德国发明专利权，次年发表了《合理热机的理论及结构》的论文，描述了他的发动机。在奥格斯堡机械厂和克虏伯公司的支持下，他制作了一系列日益成功的模型，以 1897 年展示的 25 马力、四冲程、单缸立式压缩柴油机达到了顶点。柴油机的高效率以及较简单的设计图样，使它立即在商业上获得成功，发明者获得了专利权使用费的大量财富。据推测，狄塞耳是从开赴伦敦的“德累斯顿”号邮轮的甲板上落海溺死的。

diesel engine　柴油机　内燃机的一种，其中空气被压缩至足够高温，将喷射至气缸内的燃料点燃，燃气在气缸中燃烧并膨胀推动活塞作功。柴油机将储存在燃料中的化学能转换成机械能，可用作货车、拖拉机、机车和船舶的动力。有限的几种汽车，如同小型发电机一样，也是由柴油机驱动的。

柴油机与其他内燃机（如汽油发动机）的区别在于：后者是将空气和气态燃料的易燃混合物引入气缸并适度压缩后用电火花点火，而前者不使用点火装置，所以常称为压缩点火发动机。1824 年法国物理学家 S. 卡诺首次提到压缩点火的可能性。法国博·德·罗夏于 1862 年构思出现代汽车发动机据以运转的原理，然而未曾将其应用于实用的发动机。直到 1876 年德国工程师 N. 奥托才制成第一台发动机，其中气缸内的气体（燃料-空气混合物）在燃烧前被压缩。这就是德国工程师 R. 狄塞耳开始进行导致发明柴油机的实验时着手改进的发动机。

所涉及的问题经数年研究后，狄塞耳于 1892 年和 1893 年申请并被授予了几项专利。这些专利中描述的过程提出了一个循环，与现有发动机的理论（或理想）循环仅在燃料-空气混合气体的燃烧速度上有所不同。他提出，在活塞动力冲程的第一区段，点燃燃料的速度应慢到不会使压强增加。作为减慢燃烧以避免火花点火发动机的几乎瞬时爆炸的方法，他提出将空气引入气缸并将其快速压缩至其温度高于适当燃料的点火温度后，在活塞下降过程中将该燃料逐渐喷入燃烧室。这一燃料点火方法需要将空气至少压缩至3 450 千帕（500 磅/英寸^2），产生约 540 ℃（1 000 ℉）的温度。

狄塞耳推测，任何燃料均适合于用上述方法开动的发动机。他试图制造能燃烧煤粉（最廉价的想象燃料）的发动机。然而，不久就放弃了上述方案，而代之以于 1897 年完成的燃油发动机的方案。

已证明柴油机的燃料经济性优于现有的任何动力设备。然而，这种发动机没有被很快采用。狄塞耳在 1913 年去世以前坚决主张，采用他的专利许可制造的所有发动机，应按他在 1893 年专利所描述的在几乎是恒定压强的燃烧下来运转。这一限制意即此发动机必须以极低速度运转，因此，可能的设计改进被推迟了。早期的柴油机与其功率输出相比是那样大而重，以致除了作为固定动力设备外未曾有过其他应用。

柴油机的第一个船用设备完成于1910年;第一次世界大战期间柴油机成为潜水艇的主要动力设备。1922年,德国制造了小而轻到可用于汽车的第一台柴油机,并获得了多方面应用。较高速的柴油机不遵循狄塞耳首创的低燃烧循环。在压缩冲程快终了时向气缸喷入燃料并快速燃烧,当活塞接近其死点位置时压强急剧增加。只有压缩点火和狄塞耳原始发动机的燃料喷射仍保留在现代高速型柴油机中。

20世纪40年代中叶以来,柴油机已成为全世界主要的工业动力源,机组达5 000马力,主要由于它能烧低等级的燃料且每小时每马力的损耗较低。柴油机由于其燃料喷射系统和燃烧过程的性质,能燃烧未完全精炼的燃料。低燃料损耗主要由所采用的高压缩比引起的。部分荷载较满载能节约更多的燃料,因为它无需节流入口空气,以保持易燃的燃料-空气混合物(只需约2/3的燃料)。然而,柴油机确有一些不足之处。例如,它们的初始费用较高和单位马力重量较大,散发高含量的空气污染物(例如氧化氮和烟灰)和气味,以及具有较大的运转噪声和振动等。

diesinking 模具型腔加工 在钢块上切削型腔的方法。带有型腔的模具可用于模压塑料或热锻、冷锻、压铸和压印金属等。模块安装在工作台上,用带立铣刀的立式铣床将其加工成模具。在简易机床上,可用手操作横向、水平和垂直进给来控制刀具的运动。可以用金属或塑料样板作导向器。可以用**缩放仪(pantograph)**使铣刀仿形。模具型腔加工主要用自动机床来进行。通过仿形触头与预先制作的软金属、石膏或木样板的接触,来控制铣刀与模块的相对运动。把靠模或样板装在模块旁边的床身上,用液压或电气控制装置将仿形触头跟随样板的运动传递给铣刀。再用手刮刀、锉、小砂轮和抛光布把凹模表面精加工到所需尺寸和表面质量。

Diespiter(Roman god) 参阅**Jupiter朱庇特**。

Diet 帝国议会 德语作Reichstag。德意志帝国或神圣罗马帝国的立法机构(12世纪~1806)。在加洛林王朝,每当帝王出巡时,有时召开由贵族和高级教士参加的会议,对国家大事作出决定。1100年以后确定由皇帝召集,在帝国直辖市或主教驻跸城市开会。参加议会的人员最早为王侯,包括有王侯地位的主教,尔后则包括伯爵和男爵。1250年后,帝国直辖市和主教驻跸城市的代表成为议会议员,而诸选侯则开始另行集会。1356年查理四世"金玺诏书"正式批准选侯会议,并规定选侯为7名(参阅**elector**)。1489年帝国议会分为3院:①选举院,由7名世俗和教会诸侯组成,主持人为帝国首相美因茨大主教;②诸侯院(教会33人,世俗61人),由萨尔茨堡大主教或奥地利大公主持;③城市院,由议会所在城市的代表主持。3院分别作出的决议形成一个协商一致的文本,作为"帝国决议"送交皇帝,皇帝可以全部或部分地批准,但不得改动。直到17世纪帝国议会拥有有效的立法权。在《威斯特伐利亚和约》(1648)以后,帝国议会被诸侯议会代替。1663年雷根斯堡的帝国议会无限期地延长为永久性会议,此后称作雷根斯堡帝国议会或永久帝国议会。1806年神圣罗马帝国在拿破仑进攻下崩溃,无立法权的议会不复存在。1871年德意志帝国的立法机构重新采用"帝国议会"的名称,在魏玛共和国和第三帝国时代一直沿用。

Diet 日本国会 又称帝国国会(1889~1947)。日本的立法机构。根据1889年《明治宪法》,帝国国会建立在权力相等的两院基础上。上院,即贵族院,几乎全部由任命产生。最初成员不到300人,后来增加到约400人,起着制约下院的作用。第二次世界大战前的众议院最初有议员300人,全部由选举产生,后来逐渐增至466人。其权力在许多方面大都为否决性的。没有国会批准,任何议案均不能成为法律。在紧急情况下,政府有权颁布帝国法令,但要使这些法令持续有效,必须由下届国会通过。

根据1947年宪法,帝国国会更名为日本国会,在结构和权力上都有巨大改变。众议院和参议院仍然保留。后者取代了原有的贵族院,有252个议席。100名参议员从全国选出,其余152名作为县的代表选出。每个选民可在这两类代表中各选一位候选人,因此发给他两张选票。参议院议员任期6年,每3年改选一半议员。当参议院和行政机构发生冲突时,不能解散参议院。然而权力的均衡取决于下院,政府的政策必须在下院获得普遍同意。当两院就选择首相出现僵局时,下院的投票结果将被优先考虑。预算须首先提交下院;如果两院不能达成一致,则30天后下院的意见获胜。此项规定并适用于条约。对于其他立法,如果参议员们否决某项议案或拒绝在60天内对它采取行动,则众议院可以到会人数的2/3多数重新通过该项法案,使之成为法律。众议院有467名议员,从118个选区选出。每个选区可选3~5名众议员,但选民只能投一票,得票最多的候选人即当选。众议员任期4年,但政府随时可以解散下院,在这种情况下,必须在40天内举行选举。日本国会很少提出重要立法,这类立法通常由内阁提出。两院分别设有20多个常设委员会,分管外交、财政和教育等事宜。政府提案首先送交有关委员会审议,会上常发生激烈辩论。这些委员会的成员人数由国会大致按照各党在各院中的比例决定。20世纪下半叶,日本政治以国会为中心进行运转。21岁以上的成年人均有资格投票。国会重大丑闻时有发生,贪污腐败的根本原因并未消除。即使有宪法支持,国会也难以在众多日本人眼中成为一个备受尊重的机构。但民主程序已慢慢地在日本成为一种传统并得到选民认可。

diethyl ether 二乙醚 参阅**ethyl ether乙醚**。

diethylcarbamazine 枸橼酸乙胺嗪 化学合成的驱虫药。对消灭亚热带和热带多数区域的地方性寄生性丝虫类有效,这类寄生虫能感染人体血管和淋巴管从而引起**丝虫病(filariasis)**。枸橼酸乙胺嗪能有效治疗由*Wuchereria bancrofti*和*Brugia malayi*(两者会感染淋巴系统引起象皮病)以及*Loa loa*(能感染皮下组织)引起的丝虫病。该药是口服药。

diethylstilbestrol(DES) **己烯雌酚** 一种不具有类固醇构造的合成雌激素,可药用,早期曾被用于促进牲畜成长。DES和天然雌激素不同的是它经口服用后仍然有效,而且在体内崩解的速度较慢。DES亦可以阴道塞剂或注射剂的形式投用。DES的医疗用途包括:取代雌激素(如妇女停经时),减轻经痛,刺激女性第二性征的发育(如卵巢功能丧失者),缓和女性晚期乳腺癌和男性前列腺癌的症状等。DES在20世纪40年代以后的20几年间,曾被广泛使用于怀孕妇女以防止其流产;1971年,研究者用统计证明,怀孕时曾服用DES的母亲所生女儿,罹患宫颈阴道癌的比例极高(本病发病率正常情况下极低)。如今,DES和其他雌激素已被许多国家列为怀孕妇女禁用药。70年代以前,常将少量DES添加于肉牛和鸡饲料中或于动物耳皮下植入DES药丸,以刺激增膘。其后,由于人们担心肉内含少量激素可能会对人体有害,DES遂于70年代早期被禁用为生长刺激药。

dieting 节食 为改善身体状况,特别是为减肥而控制食物的摄取。节食计划依据减少脂肪、糖与蛋白质中任何一种主要能量来源订定。每天少摄取500~1 000卡能量后,节食者会因体内水分的早期丧失而体重迅速减轻,尤其是限制糖类摄取量时。但于初期脱水效果后,脂肪的消除速率仅能与热量的不足成比例。

主要节食方式如下:

①控制饮食。体重控制俱乐部(如减肥者国际公司)和保健温泉疗养地常执行。包括营养教育、小组强化、经特别设计能提供足量营养的饮食,以及须长期实行的可维持体重的生活制度。虽然长期的成功率不易确定,但通常各种规定食物的生活制度均精心设计,节食者即使体重减轻不多,亦能获得适当的营养。

②所谓"审慎饮食"。为有患冠状动脉疾病危险的人士设计,用以控制血脂与胆固醇。此类节食法强调含低饱和与高不饱和脂肪,并限制糖分;少吃红肉(牛羊肉)而多食家禽与寡油鱼。

③"配方饮食"。如即刻减肥计划和剑桥节食计划。为流质。能提供最低量必需的流质营养素(尤其是蛋白质)。许多此类计划均使用液态或粉状食物,每天服食1~4次不等;有几个配方作了改动,每天进食2次液体食物及1次传统式食物。此类处方的好处是按惯例且无须下决心;缺点在于节食者无从选择,不知节食规则。再则此种节食法中较严格者(每天摄入热量不足300卡)可能为害健康,这类控制较严的方案应在医生监督下进行。

④低糖、高脂肪和高蛋白质饮食。20世纪70年代初起流行,以多食肉类、家禽、鱼与干酪,将糖分和淀粉的摄取降至最低,而于体

内造成酮症和脱水现象,故初期体重减轻可能极明显。所含热卡数虽未计算,但由于大部分人体无法迅速适应饮食结构的急遽改变,所以通常热卡摄取量均已降低。体重减轻虽快,唯一旦恢复正常饮食则又会迅速回升。一般而言,这种富含蛋白质的饮食可能造成下述危险:排出大量尿酸和其他含氮终产物,以及食物中饱和脂肪含量过高。

⑤高糖、高纤维质饮食。提倡摄食蔬菜、水果、核果及未精制的谷物。饮食纤维(含于植物细胞壁、人类无法消化的糖类)能占据空间,使节食者感觉已吃饱,从而摄取较平常为低的热量。最好的高糖节食法含适量蛋白质,脂肪少,再加上从运动和营养角度考虑,做到体重缓慢减轻。但有一些计划,热量过低或蛋白质、脂肪过低,从营养角度而论颇为欠缺。

⑥禁食。包括减少餐数,或数日、数周不食(除水和维他命及矿物质外)。对仅须减轻数千克体重者可能适用;但对肥胖者或欲实行长期体重控制者则无效。且可能有致病之虞。

⑦苯异丙胺、苯丙胺(PPA)、淀粉阻断药、苯佐卡因、利尿药与甲状腺激素等节食丸药。用以抑制食欲或减少胃部空间。这些制剂有些已证明(例如苯异丙胺)具危险性,其他则无效。苯丙胺市售成药(每片25毫克)等虽经大力宣传,实无甚效果。目前对安全有效的食欲抑制药,能安全促进代谢速率又不引起脂肪外组织(如蛋白质和骨质等)骤降的激素制剂,正在研究中。

Dietmar (historian) 参阅 **Thietmar** 蒂特马尔。

dietotherapy 食疗 根据不同的病征,选择具有不同作用的食物,或以食物为主适当配伍其他药物,经烹调加工制成各种饮食以治疗疾病的医疗方法。食疗是中国传统医学的重要组成部分,已有数千年的历史,中医有药食同源、寓医于食的说法,许多食物本身就是中药。食疗的原则是辨证施食,即寒者热之,热者寒之,虚者补之,实者泻之。食疗还可用于急性病的辅助治疗。对于某些慢性病,食疗也是比较理想的方法。食疗膳食通常采取蒸、炖、煮或煲汤等方法烹调制作,另外还要注意饮食禁忌,一般指温燥,生冷,油腻,荤腥之物以及烟酒等。

Dietrich, Josef 迪特里希(1892-05-28,德国哈旺根～1966-04-21,西德路德维希堡) 别名Sepp。德国党卫军军官,希特勒的保镖头目。原为屠户学徒,1911年参加德国陆军,第一次世界大战期间升为军士。很早即与希特勒相识,1923年加入纳粹党的准军事组织冲锋队,同年希特勒的“啤酒馆暴动”失败后曾从事各种工作。1928年重新加入纳粹党,成为党卫军的一员,不久又成为希特勒的保镖头目。在希特勒乘汽车巡视德国时,由他担任司机。1930年入选纳粹党国会议员,1931年在党卫军中已官至中将。1932年他组建的党卫军特种部队后来发展成为希特勒的私人军队。他因在1934年6月这支部队的清洗中立功,升任上将。1934年部队扩建为党卫军第一装甲军团。1944年6月该军团被调往西线,参加抵御盟军进攻诺曼底的殊死战斗。他升任大将,受命指挥整编后大大减员的第五装甲军团,担任德军自法国北部撤退的后卫。1944年10月,受命指挥第六装甲军团,作为德军在楔入战役(又称阿登战役)中穿越阿登高原的先头部队。战争结束阶段,他率领这支部队盘踞在匈牙利和奥地利。1945年5月德军向美军投降时,他被控对党卫军在向阿登高原进攻中屠杀马尔梅迪的美军战俘负有部分责任。1946年,被判25年监禁,但服刑10年后被释放。1957年他在德国法庭因参与1934年希特勒清洗党卫军被判有罪,又服刑20个月。

Dietrich, Marlene 黛德丽(1901-12-27,德国柏林～1992-05-06,法国巴黎) 原名玛丽·玛格达莱妮·冯·洛施。电影女演员,她饱经沧桑、娇媚倦怠的神情,使她成为最富有魅力

美国不列颠百科全书公司供图

的影星之一。她是德国的一位警官之女,最初学习小提琴,后从富于创新精神的戏剧导演M.赖恩哈特学习表演,随后加入了他的剧团。起初在德国影片中充当临时演员,7年之后,在J.von斯登堡导演的影片《蓝天使》(1930)中饰演性感而厌世的夜总会演员洛拉-洛拉,确立了她的影星地位。该片根据海因里希·曼的小说《垃圾教授》改编,在国际上轰动一时。该片首映后,斯登堡把她带到美国,两人合作拍摄了《摩洛哥》(1930)、《名誉不佳的夫人》(1931)、《金发维纳斯》(1932)、《上海快车》(1932)、《红色女皇》(1934)和《魔鬼是个女人》(1935)等。影片《欲望》(1936)和《德斯特里重跨骏马》(1939)显示了她的喜剧天才。1943～1946年,黛德丽为盟军演出500多场。第二次世界大战后,她继续拍摄了几部成功的影片,如《海外恋情》(1948)、《蒙特卡洛的故事》(1956)、《控方证人》(1957)、《邪恶的接触》(1958)和《纽伦堡审判》(1961)等。她还在夜总会演出,颇受欢迎。在息影一段时间之后,于1978年重又拍摄了影片《漂亮舞男》。1986年上映了回顾她的一生和从影生涯的纪录片《玛琳》。自传《谢天谢地,我是个柏林人》于1987年出版。

Dietrich, Paul-Henri 迪特里希 参阅 **Holbach, Paul-Henri Dietrich, baron d'** 霍尔巴赫。

Dietrich von Bern 狄特里希·封·贝尔恩 日耳曼传说中的英雄人物,源出意大利东哥特国王狄奥多里克大王(493～526在位)。收集在《英雄集》中的一些德国南部歌谣述说了他的功绩。在13世纪冰岛散文《狄德莱克萨迦》中,这一传说的叙述更为详细。该传说也和中古高地德语史诗《尼贝龙根之歌》有关。在盎格鲁撒克逊的记事里提到狄特里希的地方不多,而且含糊不清。狄特里希被厄尔马纳里克赶出自己的维罗纳王国后,在阿提拉的宫廷里居住多年,直至后来率一支匈奴军队卷土重来,在拉韦纳一战,击败厄尔马纳里克。阿提拉的两个儿子在战斗中阵亡,狄特里希回到阿提拉的宫中,为他们的死请罪。后来,他终于杀死厄尔马纳里克,报了仇。他曾长期呆在阿提拉处一事,指的是狄奥多里克曾在拜占廷宫廷中度过青年时期。与暴君厄尔马纳里克相反,狄特里希是一位典型的睿智公正的统治者。

Dietz, Howard 迪茨(1896-09-09,美国纽约州纽约市～1983-07-30,纽约市) 美国电影公司高级职员和流行歌词作家。1917年毕业于哥伦比亚大学,之后进入菲利普·古德曼广告社,为高德温电影公司设计商标。他从哥伦比亚大学的吉祥物狮子得到启发,为高德温公司设计了“吼狮”商标,从此该商标出现在每部影片的开头;在高德温电影公司于1924年与其他两家公司合并成立米高梅影片公司后,仍继续使用这一商标。迪茨本人于1919年加入高德温电影公司,不久任广告宣传部主任,米高梅影片公司成立后,仍担任此职至1957年退休。迪茨1923年起在业余时间撰写歌词,先后写了500多首,但直至1929年他与作曲家施瓦茨合作以歌舞剧《小戏》成名后,他的才华才得到承认。两人后来继续合作写出许多受欢迎的百老汇音乐剧和歌舞剧。迪茨并于1950年将J.施特劳斯的轻歌剧《蝙蝠》译成英文,备受赞扬。

Dietz, Robert S. 迪茨(1914-09-14,美国新泽西韦斯特菲尔德～1995-05-19,亚利桑那坦佩) 美国地球物理学家和海洋学家,1961年提出海底扩张理论。迪茨早年在伊利诺伊大学受教育,1937年获理学士学位,1939年获理学硕士学位,1941年获博士学位。在第二次世界大战期间,他取得美国空军飞行员中校军衔后,成为美国海军中的文职科学家。他以这一资格管理了R.E.伯德(Byrd)海军上将领导的最后一次南极考察(1946～1947)。1958～1965年,他作为海洋学家,在美国海岸和大地测量局工作,1970～1977年,又在大西洋海洋及气象实验室工作。1977年,他成为坦佩的亚利桑那州立大学地质学教授。1952年他发现了太平洋的第一条断裂带,认为它与地壳的变形有关,并设想新的地壳物质在大洋中脊处形成,并以每年几厘米的速度向外扩张。随后的工作证实了他的推测。他帮助瑞士工程师J.皮卡德进一步发展“的里雅斯德”号探海艇,1960年该探测艇潜入太平洋约11千米。他还从事月面学、陨石学等领域的研究工作,特别是他提出岩石中某些冲击效应是陨石撞击的结果。

Dieudonné, Jean (- Alexandre - Eugène)　迪厄多内（1906-07-01，法国里尔～1992-11-29，巴黎）　法国数学家和教育家，以在抽象代数、泛函分析、拓扑学方面的著作以及他的李群理论而闻名。曾在巴黎求学，获得高等师范学校学士学位（1927）和博士学位（1931）。30年代中期，他是**布尔巴基**（**Bourbaki, Nicolas**）学派的创建成员。在南锡大学、雷恩大学和巴西圣保罗大学执教后，于1952年去美国并在密歇根大学和西北大学任教。1959年返法，在巴黎的高级科学研究院任教（1959～1964）。1964年成为尼斯大学数学教授，次年被提名为理学院院长，1970年成为名誉教授。1968年选进法国科学院。著有《典型群几何学》（1955）、《近代分析学基础》（1960）、《线性代数与几何原理》（1964）和《分析学原理》（9卷，1968～1982）。

Dieulafoy, Marcel-Auguste　迪厄拉富瓦（1844-08-03，法国图卢兹～1920-02-25，巴黎）　法国考古学家、土木工程师。1885年在伊朗苏萨发掘古代波斯王大流士一世和阿尔塔薛西斯二世的宫殿，出土了大批文物，后为罗浮宫博物馆收藏。著有《波斯古代艺术》（5卷，1884～1889）和《苏萨卫城》（1890～1892）等。其妻让娜·马格雷·迪厄拉富瓦（1851～1916）曾随同考察，著有《苏萨考古发掘日记》（1888）。1912年让娜还在摩洛哥哈桑发现12世纪著名的清真寺遗址。

Dievs　迪夫斯　拉脱维亚语名Debestēvs，立陶宛语名Dievas，古普鲁士语名Deivas。波罗的海地区宗教所崇奉的天神。他和命运女神莱马共同决定人的命运和世间秩序。据基督教传入以前的波罗的海地区居民的说法，迪夫斯原是铁器时代波罗的海地区的国王，住在天上农庄。他着银袍，佩带饰物和剑，有时骑马或驾车来到人间，照抚农人，保佑庄稼和家屋。他向太阳女神少勒求婚，婚后生有二子，称为天上孪生子，一说即晨星与昏星。古代的波罗的海地区居民用迪夫斯一词泛指一切神，现代多指基督教的上帝。

Diez, Friedrich Christian　迪茨（1794-03-15，黑森-达姆施塔特吉森［德国］～1876-05-29，波恩）　德国语言学者。他最先对罗曼语进行了重要的分析，从而创立了比较语言学的一个重要分支。迪茨在学生时代就对意大利诗歌产生浓厚兴趣，但1818年对德国伟大诗人歌德的拜访使其注意力转向研究普罗旺斯文学。1822年起任波恩大学名誉讲师，出版两部早期主要著作，一本论行吟诗歌（1826）；另一本论行吟诗人生平和作品（1829）。1830年任波恩大学现代文学教授之后，迪茨致力于罗曼语的全面研究，完成两部巨著，即三卷本《罗曼族语语法》（1836～1844）和两卷本《罗曼族语词源词典》（1853），其成就可与J.格里木（格林）在日耳曼语方面的巨大成就相媲美。

Difaqane（African refugees）　参阅 **Mfecane** 姆菲卡尼。

difference equation　差分方程　包含离散变量函数相继值之间差分的数学等式。离散变量是指这样的变量，它们是人们规定的或感兴趣的一些相差为常数（通常是1）的数值。例如，离散变量 x 可以取值 $x_0 = a, x_1 = a + 1, x_2 = a + 2, \cdots, x_n = a + n$。函数 y 取相应的值 $y_0, y_1, y_2, \cdots, y_n$，由这些值可以求出诸差分：

$$\Delta y_0 = y_1 - y_0$$
$$\Delta y_1 = y_2 - y_1$$
$$\cdots$$
$$\Delta y_n = y_{n+1} - y_n$$

包含各 Δy_i 相互之间的或 Δy_i 与 x_i 之间关系的方程就是差分方程。通常，这种方程有如下形式：

$$y_i - a_i y_{i-1} = b_i$$

这些方程以及那些包含二阶差分的方程都已经有系统的解法。二阶差分定义为：

$$\begin{aligned}\Delta^2 y_i &= \Delta(\Delta y_i) = \Delta y_{i+1} - \Delta y_i \\ &= (y_{i+2} - y_{i+1}) - (y_{i+1} - y_i) \\ &= y_{i+2} - 2y_{i+1} + y_i\end{aligned}$$

differential　微分　数学中，基于函数**导数**（**derivative**）的一种表达式，用以逼近函数的某些值。函数在点 x_0 的导数，记为 $f'(x_0)$，定义为当 Δx 趋向于0时，差商 $\Delta y/\Delta x$ 的极限，其中 $\Delta y = f(x_0 + \Delta x) - f(x_0)$。由于导数用极限定义，$\Delta x$ 愈接近于0，差商就愈接近导数，因此，当 Δx 很小时，$\Delta y \approx f'(x_0)\Delta x$。例如，为了计算出 $\sqrt{17}$，取函数 $f(x) = \sqrt{x}$，它的导数是 $\frac{1}{2}x^{-1/2}$，设 x_0 是16，则 $f'(x_0)$ 是1/8，而 Δx 为1，由 $f(16)$ 等于4可推出 $f(17)$，即 $\sqrt{17}$ 约等于4.125，其真值取三位小数是4.123，可见近似公式 $\Delta y \approx f'(x_0)\Delta x$ 很有用。由于有了计算导数的方法，公式右边的表达式常较 Δy 容易计算，通常称之为函数 $f(x)$ 在 x_0 点的微分，记作 $\mathrm{d}y = f'(x_0)\Delta x$。函数的微分具有两个特征：①它是函数变化量 Δy 的主要部分，它与 Δy 之差，当 $\Delta x \to 0$ 时，是一个比 Δx 为高阶的无穷小。②它是独立变化量 Δx 的线性齐次式（仅含一次项）。简言之，它是 Δy 的线性主部。

differential analyzer　微分分析仪　解微分方程的计算机器，它的主要部分完成数学上的积分运算（参阅 **integrator**）。20世纪30年代初期美国的V.布什等人首次发明了**积分仪**（**integraph**），后来称为微分分析仪。它的积分器包括可以替换的轴、齿轮、轮子和盘，需要许多手动操作。**模拟计算机**（**analog computer**）的运算是电动的而且更快（虽然并不总是很精确），此外，其部件只占较少的空间就能完成同样多的运算。其固有的精确性差的缺点在某些情形可用数字计数装置矫正，于是就产生了一类称为数字微分分析仪的仪器。

differential equation　微分方程　表示连续变量变化率之间关系的含有一个或多个导数的数学表达式。微分方程常见于科学、工程及其他定量研究领域。

一个微分方程的解，通常是一个表示某一变量同另一个或多个变量间的函数关系的代数式。此一代数式通常含有原微分方程式所无的常数项。微分方程分为几大类，它们还可以各细分为小类。最重要的两类是常微分方程与偏微分方程。当微分方程包含的函数只与一个变量有关时（此函数的导数为常导数），此方程称为常微分方程。另一方面，当方程包含的函数涉及多个自变量时（此函数之导数为偏导数），此方程称为偏微分方程。下列都是常微分方程的例子：

$$\frac{\mathrm{d}y}{\mathrm{d}t} = -ky,$$

$$m\frac{\mathrm{d}^2y}{\mathrm{d}t^2} = -k^2y,$$

$$\left[1 + \left(\frac{\mathrm{d}y}{\mathrm{d}x}\right)^2\right]\frac{\mathrm{d}^3y}{\mathrm{d}x^3} - 3\frac{\mathrm{d}y}{\mathrm{d}x}\left(\frac{\mathrm{d}^2y}{\mathrm{d}x^2}\right)^2 = 0$$

式中 y 表示函数，x 与 t 都是自变量，k 与 m 为常数。如果微分方程含有 n 阶导数并且没有阶数比它更高的导数，则此微分方程是一 n 阶方程。下列方程式：

$$\frac{\partial u}{\partial t} = k^2\left[\frac{\partial^2 u}{\partial x^2} + \frac{\partial^2 u}{\partial y^2} + \frac{\partial^2 u}{\partial z^2}\right]$$

是一个二阶偏微分方程。常微分方程与偏微分方程的理论显著不同，因此对这两类方程应分别对待。有时研究的对象不是一个微分方程，而是联立微分方程组。动力学各定律的描述，常常表现为这类方程组。在许多情况下，将一个 n 阶微分方程用一组 n 个一阶微分方程来取代更为有利。常微分方程（例如其函数与自变量各为 y 与 x）实际上为 y 作为 x 的函数所具有的主要特性的隐含概括。若能求得 y 与 x 之间的明确关系式，则这些特性可能比较易于分析。这种可由微分方程推导出的关系式，或者至少是 x 和 y 的方程（不包含导数），称为微分方程的解。用代数与微积分求得此方程之解的过程，称为"解此方程"或"积分此方程"。但值得注意的是，可求得积分的微分方程为数很少。有许多种微分方程（尤其是偏微分方程）我们只知有解，但都没有明确的可行方法求得这些解。

differential equation, partial　参阅 **partial differential equation** 偏微分方程。

differential gear　差动齿轮　机动车辆机械学中的一种齿轮装置。在车辆转弯或通过崎岖路面时，它能将发动机产生的动力传至一对主动轮上，并将作用力均分于两主动轮，同时容许主动轮所经的路线长度有所不同。直线进行时，二轮转速相同；转弯时，外轮所经路线较长，在无阻碍情形下转速较内轮为快。传统的汽车差动装置为法国人O.贝库尔于1827年发明。首先用于蒸汽机车。19世纪末内燃机问世后，此种差动装置才广为使用。图示为贝库尔差动装置的组件。由传动系统传来的动力经由主动轴小齿轮送至斜环齿轮（二者都装在后轮轴外罩的轴承里），类似无盖盒子的齿轮箱与环齿轮栓接在一起，箱内装有轴承；支承着一或二对正好相对的差动斜齿轮。每一轮轴接一差动侧齿轮，侧齿轮与差动小齿轮相啮合。直线行进时，车轮与侧齿轮转速相同，差动侧齿轮与小齿轮之间没有相对运动，它们与齿轮箱和环齿轮作为一个整体一起转动。车左转时，右轮较左轮转速快，侧齿轮与小齿轮以一定的比例相对转动，环齿轮的转速为左右车轮转速的平均值。贝库尔差动齿轮传至两车轮的扭矩相

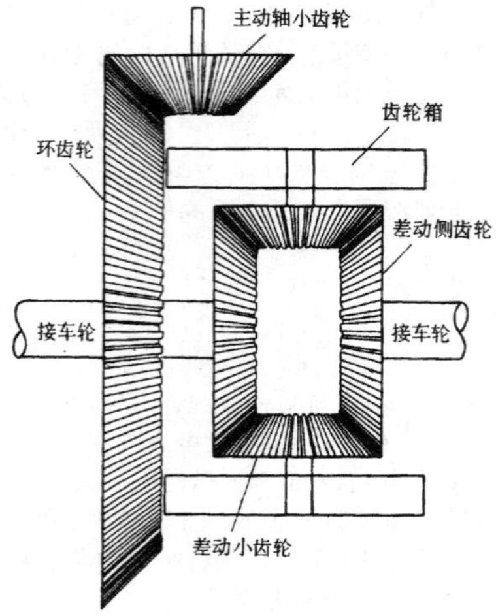

汽车差动装置示意图

同。如一车轮在冰上或泥中打滑时，则另一车轮的扭矩减小。可采用限滑差动齿轮克服此缺点。也可用离合器将一根轴连接于环齿轮上。当一车轮打滑时，离合器可阻止其旋转而使另一车轮有较大的扭矩。

differential geometry 微分几何 把微积分用于几何学的一个数学领域。此类型的几何学称为“局部的”，因为它主要讨论一点附近限定区域内的性质。这种几何学是在18世纪由欧洲数学家L.欧拉和G.蒙日开创，在19世纪得到了详尽的研究。与它有关的数学家有C.F.高斯、F.-O.博内、J.-F.弗雷涅和E.贝尔特拉米。把曲面的有限部分或曲面(及曲线)当作一个整体考虑的几何学称为积分几何或整体几何。该几何学在20世纪已由W.勃拉希克等人进一步发展，例如有关于曲面(特别是卵形面)上的闭测地线的定理。微分几何方法的简单例子是确定平面曲线 C 上 P 点处的切线 t；若曲线由方程 $y=f(x)$ 给定，则切线同 x 轴正向的夹角 α 由 $\mathrm{tg}\alpha=dy/dx=y'=f'(x)$ 在 P 点的值给出(图1)。切线在 P 点的垂线是法线 n。通常在 C 上选定一个方向为正向，从而可以规定沿 t 和 n 的方向的单位向量 $\boldsymbol{t}$ 和 $\boldsymbol{n}$。当定义

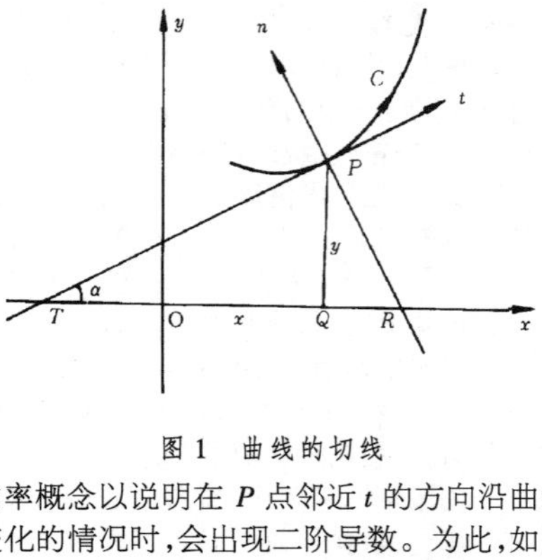

图1 曲线的切线

曲率概念以说明在 P 点邻近 t 的方向沿曲线变化的情况时，会出现二阶导数。为此，如图2，在 C 上取 P 的一个邻近点 P'；设在 P 和 P' 的法线 n 和 n' 交于 M'，则当 P' 趋向于 P 时，M' 的极限位置 M 就是曲线在 P 点的曲率中心，法线上的线段 MP 就是曲率半径 R，其倒数 $R^{-1}=|k|$ 就是在 P 点的曲率的绝对值，曲率 k 的符号与 C 的正向和 $\boldsymbol{n}$ 的方向的

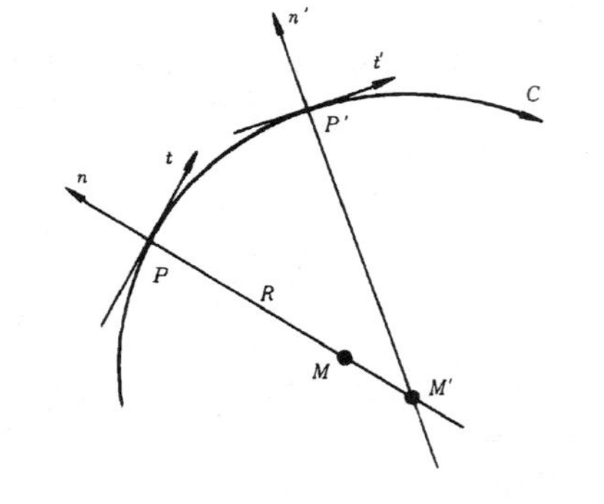

图2 曲率半径与曲率中心

选取有关。可以证明 $k=y''/(1+y'^2)^{3/2}$。

对于圆，k 是常数；直线，$k=0$。当 P 沿曲线变动时，M 的轨迹是一曲线 E，E 在 M 点的切线就是 MP。E 称为 C 的渐屈线；而 C 则称为 E 的渐伸线(图3)。如曲线 C 由参数

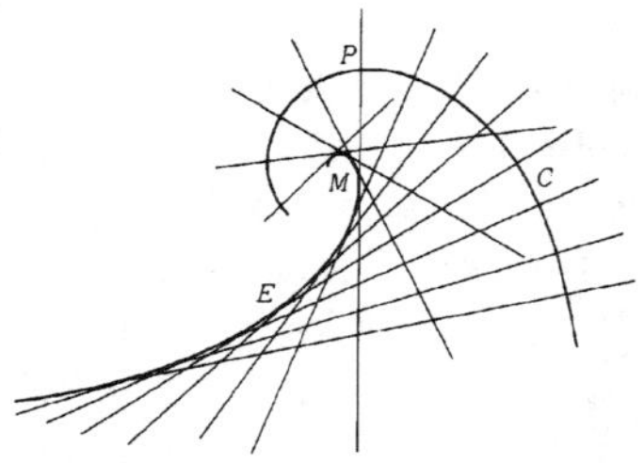

图3 渐伸线(C)与渐屈线(E)

方程 $x=x(t)$，$y=y(t)$ 给定，则从 C 上一个定点量起的沿曲线的弧长 s 由下式给定：

$$ds=\sqrt{dx^2+dy^2},\ s=\int\sqrt{dx^2+dy^2},$$

通常取弧长 s 作为参数；这时 $x=x(s)$，$y=y(s)$，且

$$\boldsymbol{t}'=d\boldsymbol{t}/ds=k\boldsymbol{n};\ \boldsymbol{n}'=d\boldsymbol{n}/ds=-k\boldsymbol{t}$$

还可以研究曲线族，例如经过两个定点的所有的圆，或有相同焦点的所有的椭圆；对后者存在一族与之有相同焦点的双曲线，这两族曲线相交成直角(即它们互为正交轨线)，称为共焦二次曲线(图4)。

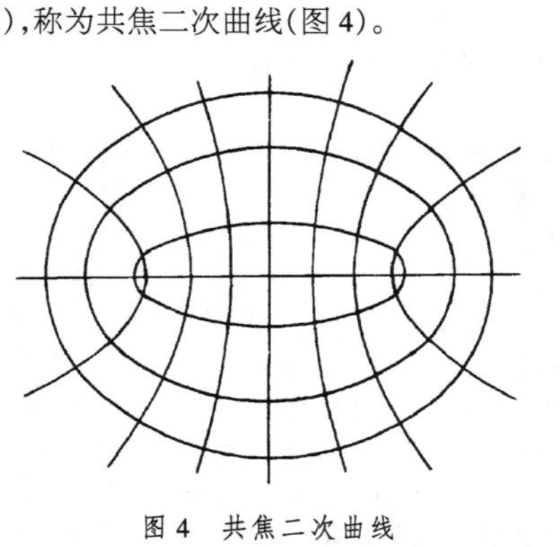

图4 共焦二次曲线

在空间中，要研究的是曲线和曲面。空间曲线 C 在它的一点 P 处也有一条切线 t，这时在 P 点有垂直于 t 的一个法平面。如经过 t 和 C 上点 P 的每一个邻近点 P' 作一平面，则当 P' 趋向于 P 时，这个平面的极限位置就是 P 点处的密切平面，即在 P 点处最靠近 C 的平面。这个平面交法平面于主法线 n；在 P 点垂直于 t 和 n 的直线是次法线 b，它同切线所决定的平面称为曲线在 P 点的从切平面(图5)。

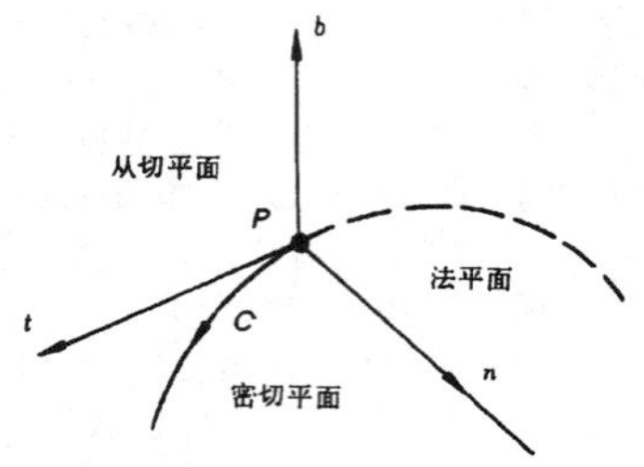

图5 曲线的法平面、密切平面与从切平面

沿这些直线可以引进单位向量 $\boldsymbol{t}$、$\boldsymbol{n}$ 和 $\boldsymbol{b}$，并对于由公式 $ds=\sqrt{dx^2+dy^2+dz^2}$ 所引进的弧长 s，有关系式：$\boldsymbol{t}'=d\boldsymbol{t}/ds=k\boldsymbol{n}$，$\boldsymbol{n}'=-k\boldsymbol{t}+\tau\boldsymbol{b}$，$\boldsymbol{b}'=-\tau\boldsymbol{n}$，这些公式叫弗雷涅公式，它通过 s 的函数 k 和 τ 确定曲线的特性。这里 k 称为曲率，τ 称为挠率，其符号取决于我们定义正指向 $\boldsymbol{t}\rightarrow\boldsymbol{n}\rightarrow\boldsymbol{b}$ 的方式。当 $\tau=0$ 时，曲线是平面曲线。当 k 和 τ 都是常数时，曲线是圆柱螺线(图6)。

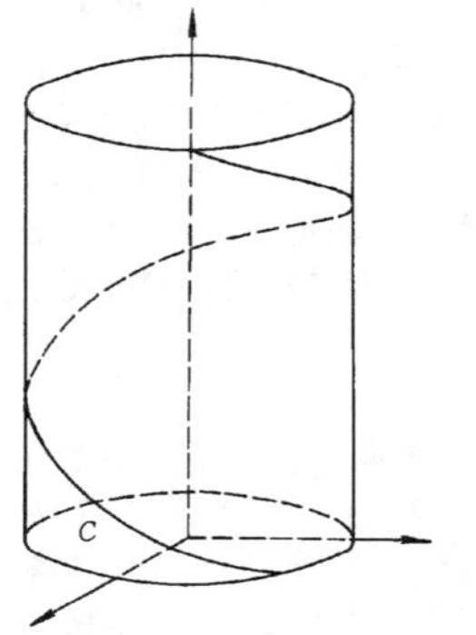

图6 圆柱螺线

空间中的曲面 S 在一点 P 处有一切平面 T 和与之垂直的一条法线 N，在 N 上可以取一单位向量 $\boldsymbol{N}$。曲面上所有经过 P 点的曲线在 P 点的切线都在 T 上。一种特殊的曲面是可展曲面，它由一条空间曲线的切线组成，曲面在这种切线各点处有同一个切平面(图7)。

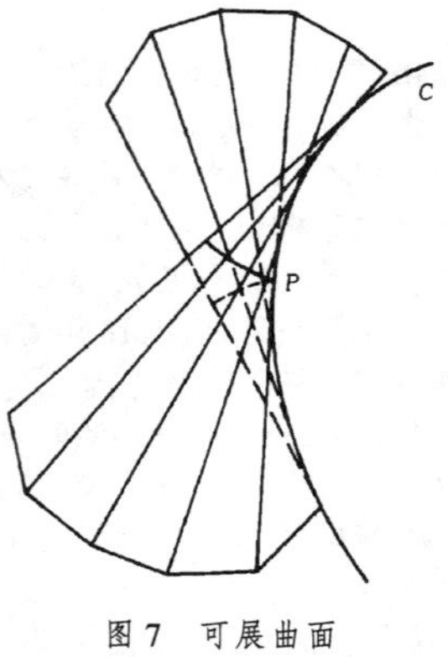

图7 可展曲面

可展曲面是直纹面的特殊情形，后者是由一条动直线生成的。这种曲面沿它上面的直线的切平面一般是逐点而异的。

若经过曲面 S 在点 P 处的法线 N 作一平面，则它与曲面交于一条平面曲线，其曲率记作 κ，κ 的符号与 N 的选取有关。当该平面绕 N 转动时，κ 的值随之变化，并有一个

极大值 κ_1 和一个极小值 κ_2(对于球面,$\kappa_1=\kappa_2$,对于可展曲面,$\kappa_2=0$)。分别对应于 κ_1 和 κ_2 的两个方向彼此垂直,并构成所谓曲率方向;它们也就是曲面上的曲率线的切线方向,这些曲率线构成一个正交网。图 8 中所示的是椭球面上的曲率线。

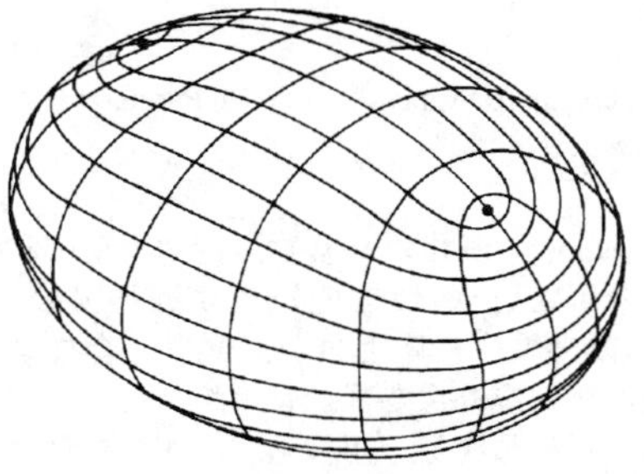

图 8 椭球面上的曲率线

极值曲率 κ_1 和 κ_2 有两个重要的组合,即均曲率 $M=\frac{1}{2}(\kappa_1+\kappa_2)$和总曲率(或高斯曲率)$K=\kappa_1\kappa_2$。$M$ 处处为零的曲面称为极小曲面;之所以这样称呼,是因为在所有张在给定的空间闭曲线上的曲面中,以这种曲面的面积为最小(它可以用张在一条扭曲的铁丝上的肥皂水薄膜来实现,这就是所谓普拉托实验)。例如,由悬链线 $x=\cosh(z/a)$(a 为常数)绕 z 轴旋转而成的悬链面(图9)是

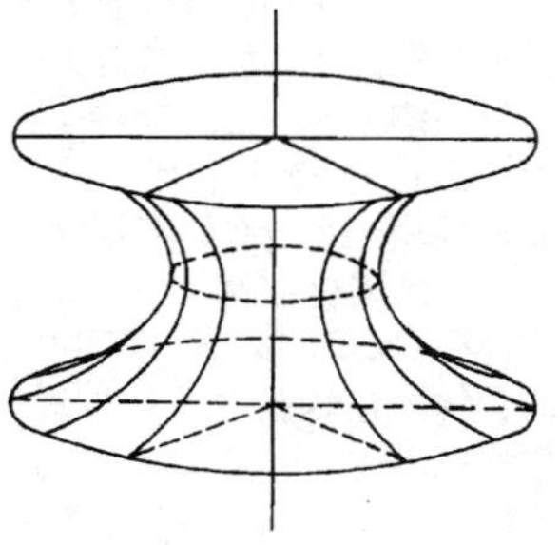

图 9 悬链面

一个极小的曲面。对于平面和所有可展曲面,总曲率 K 为 0。K 是常数(正或负)的曲面叫做常曲率曲面,最简单的例子是伪球面(图10),它是曳物线绕其渐近线所得的曲

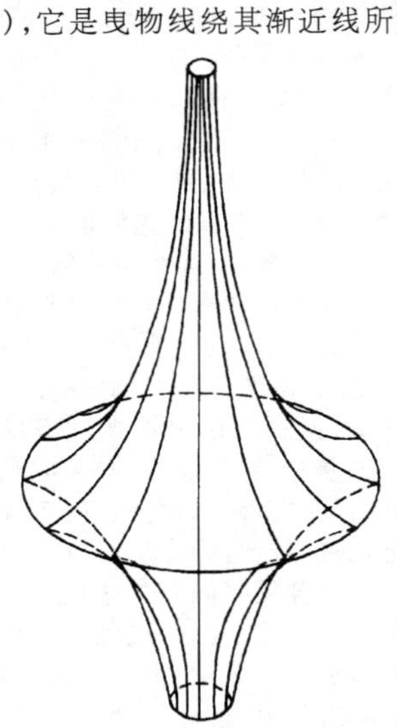

图 10 伪球面

面;而曳物线是这样的一条曲线,如果在直角 xy 坐标系中,把一个小物体 Q 放在 y 轴上,用直线把它和正 x 轴上的一点 P 连接起来,则当 P 在 x 轴上离开原点移动时,Q 就画出一条曳物线。曳物线是悬链线的一条渐伸线。

曲面上的另一种曲线是渐近曲线,其特征是它的密切平面同曲面 S 的切平面重合。它们构成一个曲线网,曲率线平分其夹角。仅当曲面是极小曲面时这个网才是正交的。曲面上的曲线,若其主法线与曲面的法线 N 重合,从而其密切平面经过 N,就称为测地线。经过曲面 S 上一点 P 沿每一个方向都可引唯一的测地线。在 S 的一个限定区域内,这种曲线是两点之间长度最短的曲线(例如半球面上两点之间的大圆弧)。

differential psychology 差别心理学 研究个体和集团行为差异的心理学分支学科。C.达尔文对各种动物生存能力的研究,F.高尔顿对个体的视、听能力的研究和各种近代的实验研究均已证明:任何个体的和集团的差异均为数量的而非质量的差异。任何心理特征都有一个从一种极端类型向另一极端类型过渡的、连续不断的系列阶梯;每一个体分别在每一系列阶梯上占据一席位置。因此,无法对人群进行界线分明的分类,如绝对的聪明或绝对的愚笨、完全顺应不良或完全正常、纯内向或纯外向等。大部分心理特征的分布,呈正态分布曲线:品质居中者人数最多,品质越趋极端,人数越少。行为特征的个体差异不仅见于人类,也见于所有动物。从单细胞动物到类人猿,在学习、动机和情绪性等方面表现了极大的个体差异。如果把完全不同种属的动物加以比较,就会发现:个体差异之大,足以使它们各自的心理特征分布曲线发生重叠。

differential thermal analysis(DTA) **差热分析** 分析化学术语,通过观测样品受热时所发生的热效应来对物质的化学组成进行鉴定和定量分析的一种技术。其原理是当物质受热时便会发生反应或相变,并伴随吸收或放出热量。在差热分析中待测试样的温度是相对于一参比物质的温度而测定的,差示温差电偶由材料相同的两对温差电偶组成,按相反方向串联,将其热端分别插入待测试样和参比物内并使试样和参比物处于相同受热位置,这样在整个加热过程中所产生的任何温差都能在记录纸上自动记下一系列吸热或放热峰。放热或吸热的量及发生该变化时的温度,不同的元素或化合物具有不同的特征值。因此,把用差热分析测定的未知物的曲线和已知元素或化合物的曲线相比较,就能鉴别被测物质。此外,存在于混合样品中物质的量与峰面积有关。把特征峰面积与同样分析条件下一系列标准样品峰的面积对比,可确定该物质的含量。此法广泛用于矿物和无机混合物的鉴定。

differentiation 微分法 数学中,求函数的导数或变化率的过程。与微分学理论的抽象性质不同,微分法的实际技巧可以通过代数过程实现,只需要用到三个基本的导数、四个运算规则以及分解函数的知识。三个基本导数是:①代数函数的,$Dx^n=nx^{n-1}$(n 是任意实数);②三角函数的,$D\sin x=\cos x$;③指数函数的,$De^x=e^x$。对由这些函数组合而成的函数,微分法建立了下列的基本规则(其中函数 $f(x)$与 $g(x)$的导数设为已知):

$$D(af+bg)=aDf+bDg \quad (和);$$

$$D(fg)=fDg+gDf \quad (积);$$

$$D(f/g)=(gDf-fDg)/g^2 \quad (商)。$$

另一个基本规则称为锁链规则,是求复合函数导数的方法。设 $f(x)$与 $g(x)$是两个函数,则复合函数 $f(g(x))$可以这样计算:对每个 x,首先求 $g(x)$的值,然后在 $g(x)$处求 f 的值;例如 $f(x)=\sin x$,$g(x)=x^2$,则 $f(g(x))=\sin x^2$,而 $g(f(x))=(\sin x)^2$。按锁链规则,复合函数的导数可以通过乘积求得:

$$D(f(g(x)))=Df(g(x))\cdot Dg(x)$$

右边第一个导数

$$Df(g(x))$$

是指,首先像通常那样求导数

$$Df(x)$$

而把出现的 x 均代之以函数 $g(x)$。例如求 $\sin(x^2)$导数,根据规则,有

$$D\sin(x^2)\cdot D(x^2)=(\cos x^2)\cdot 2x$$

为了进一步解释这些规则,可以证明

$$D(\mathrm{tg}x)=(\sec x)^2$$

和

$$D(\ln x)=1/x$$

differentiator 微分器 为完成数学上微分运算的一种仪器或一组部件,即提供一种与(一个或多个变量的)输入函数的导数或偏导数成比例的输出函数。许多普通的机械微

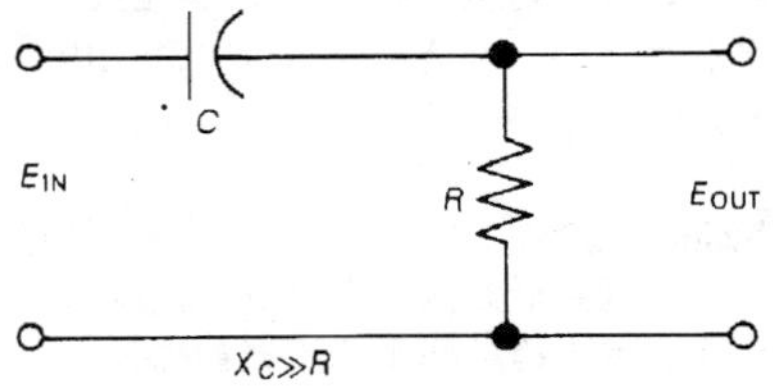

微分电路

分器(求位移关于时间的导数)包括速度计和发生器。在这种仪器中,导数常常是通过承力弹簧元件的偏移来测量的。还有电子微分器,或微分电路。图表示一种基于电模拟的微分电路。对于一个随时间而变化的输入,若图中的容抗 X_C 与电阻 R 相比是非常大的,则电流,从而 R 两端的输出电压 E_{OUT}将使输入电压 E_{IN}的相位几乎改变 90°,因此 E_{OUT} 是 E_{IN} 关于时间的导数 $E_{OUT}=dE_{IN}/dt$。

diffraction 衍射 波绕过障碍物向四周的扩展。声和电磁辐射(光、X 射线、γ 射线)能产生衍射,具有类波特性的极小的运动粒子(例如原子、中子和电子)也有衍射现象。衍射的一个结果是不产生轮廓分明的影。这个现象是干涉的结果;当辐射波长对障碍物的线度为可比的情况下,衍射现象最为明显。当扬声器发出各种波长或频率的声音时,扬声器本身便成为一个障碍物而在它的背后产生影,因而只有那些波长较长的低音可衍射到背面。当一束光照射到某物体的边缘时,光不再继续沿直线前进,而要在边缘处略有弯曲,致使物影的边缘变得模糊;弯曲程度与

波长成比例。当快速粒子流碰击晶体的原子时，粒子的路径要弯曲，形成有规律的图样，可用照相底片记录下这种图样。

diffraction grating　衍射光栅　表面刻有密集的、等间隔的平行线，用以把光分解成光谱的光学仪器的元件。根据光栅材料的透明与否，可分为刻在玻璃上的透射光栅和刻在附着于玻璃衬底的金属薄膜上的反射光栅两类。反射光栅又分为平面光栅和凹面光栅，后者是在球面上划线，这些线是在假想平面上的等间隔平行线的投影。凹面光栅所以优于平面光栅，在于它不用透镜或附加的面镜仍能产生明晰的谱线。这优点使它在红外和紫外区段很有用，否则这些辐射在经过透镜时会被吸收掉。光栅上的线由极精密的划线机制出，该机利用尖头镶有金刚钻的工具将数千条非常细、浅的线压制在高度抛光的表面上。更新的技术是用激光干涉计量术划线。由于衍射原理，衍射光栅能把含有不同波长的光束扩散成由有关谱线组成的光谱，任何特定方向内，只有给定波长的那些波才得以保留，而其余的波则因相互之间的干涉而被消除。光栅对光谱线有特别高的分辨率。光学仪器的分辨率(R)表示它把光谱中密集的谱线分隔开的能力，它等于波长 λ 除以可测出的两波长间的最小差值($\Delta\lambda$)：即 $R=\lambda/\Delta\lambda$。所以，对于 10 厘米宽的光栅，在每厘米宽度上划 10 000 条线，则其第一级衍射的分辨率为 100 000。对于在紫外区段发射的 $\lambda=300$ 纳米(3×10^{-7} 米)的波长，理论上可能测出的波长差应为 $\Delta\lambda=3\times10^{-12}$ 米(约为原子直径的 1/100)。

diffusion　扩散　物质由于分子的无规运动从高浓度区到低浓度区的净流动过程，如花的香味在室内静空气中的迅速散播。流体中的热传导就是热能从高温到低温的输运(即扩散)过程。原子核反应堆的运转涉及穿过介质的中子的扩散，中子通过介质时要经受多次散射，但很少吸收。扩散物质的流率与浓度梯度成正比。设 j 为单位时间内通过单位参考面积的物质量，x 坐标与该参考面垂直，c 为物质的浓度，而 D 为比例常数，则 $j=-D(\mathrm{d}c/\mathrm{d}x)$；$\mathrm{d}c/\mathrm{d}x$ 为沿 x 方向的浓度变化率，负号表示物质是从高浓度区流向低浓度区；D 称为扩散率，它决定扩散的速率。

diffusion chamber　扩散室　云室的一种简单类型，用于辐射探测。参阅 **cloud chamber**。

Digambara　天衣派　耆那教两大派之一。此派苦行僧人不蓄财产，不穿衣服。另一派即白衣派只穿朴素的白色腰布或僧衣。据说孔雀王朝旃陀罗笈多王在位时期，发生严重饥馑，一部分耆那教僧人从恒河流域或乌贾因南迁至卡纳塔克，首领婆陀罗巴霍仿效耆那教末代救世主大雄的榜样，坚持裸身戒条。留在北方的僧众首领斯突罗跋陀罗允许僧众着白服。两派在哲学教义上没有重大区别，两派的信徒一直互通婚嫁。由于两派南北相隔，因而在仪礼、神话和文献方面产生差异。最严重的问题在于拥有财产(例如穿衣服)的僧人能否获得精神解脱。两派在这一问题上争执不下，终于在公元 80 年(白衣派则谓在公元 83 年)互相分裂。

Digby　迪格比　加拿大新斯科舍省西部城镇，迪格比县县城。位于迪格比内克半岛的地峡上。著名避暑胜地和渔港。有庞大的扇贝捕捞队。工业有伐木、木器制造和鱼类加工业。盛产鲱(有迪格比鸡之称)和扇贝。有汽车轮渡沟通北西北 72 千米的圣约翰城。1783 年英国海军上将 R.迪格比运送一批联合帝国保皇分子至此，故名。1890 年设镇。人口2 111(2001)。

Digby, George　迪格比　参阅 **Bristol, George Digby, 2nd earl of** *布里斯托尔伯爵(第二)*。

Digby, John　迪格比　参阅 **Bristol, John Digby, 1st earl of** *布里斯托尔伯爵(第一)*。

Digby, Sir Kenelm　迪格比(1603-07-11，英格兰白金汉郡盖赫斯特～1665-06-11，伦敦)英国查理一世时代的廷臣、哲学家、外交家和科学家。其父 E.迪格比爵士因参与火药阴谋案于 1606 年被处死。由其母抚养长大，自幼信奉天主教。1620 年未取得学位即离开牛津大学。1623 年在马德里任刚抵达该地的查理王子的管家。同年回英格兰，詹姆斯一世封他为爵士，并任命他为查理王子的随身侍从。为干出一番大事邀宠，他于 1627 年 12 月率私掠船前去袭击停泊在斯堪德隆(现土耳其伊斯肯德伦)的法国船只。1628 年 2 月凯旋。但英国政府害怕此举招致对英国商人的报复，不得不对他的行为予以否认。他也隐退到格雷沙姆学院从事了两年化学实验。1635 年后，他成为信奉天主教的王后亨丽埃塔·玛丽亚的侍从，并支持查理一世 1639～1640 年对苏格兰长老派的远征。1641 年前往法国，在决斗中杀死一个侮辱查理一世的法国贵族。回国后被下院监禁(1642～1643)。获释后去巴黎，出版了主要哲学著作《论肉体的本质》和《论人类灵魂的本质》(1644)。回国后任王后的秘书。曾两次出使罗马教皇英诺森十世处，寻求对保王派的支持，均告失败。1649 年，议会对他产生怀疑，禁止他回国。1654 年获准回国，他争取 O.克伦威尔完全容忍天主教。1660 年王政复辟后他仍任亨丽埃塔·玛丽亚的秘书。1663 年皇家学会获得特许状后，他成为理事会成员。1664 年因受一个失宠的贵族之累被逐出宫廷。晚年从事文学创作和科学研究。

Digenis Akritas　迪格尼斯·阿克里塔斯　拜占廷史诗英雄，在民谣(阿克里塔斯叙事谣曲)和记述他的家世、少年时的冒险、成年经历和死亡的一部史诗里受到称誉。这首史诗以约公元 788 年死去的一个历史人物为原型。它是希腊、拜占廷和东方特点的混合作品，作于公元 10 世纪，由于巡回民歌演唱家的演唱而得以流行。从 12～17 世纪这一史诗有几个不同的本子，其中最古老的一种在语言方面是通俗和文学语言的混合物。他是一位理想的中世纪希腊英雄，守卫幼发拉底河边境的无畏战士，父亲是萨拉森人的埃米尔贵族，因受一位拜占廷将军之女的劝说而皈依基督教。他 3 岁时练就一身武艺，一生勇敢捍卫拜占廷帝国边境，防止外来侵略者的蹂躏。

Digest(in Roman law)　参阅 **Pandects**《*法学汇编*》。

digestion　消化　将食物进行物理粉碎和化学分解的过程，使之能被机体细胞吸收、利用，以供维持机体生命功能之需。脊椎动物的消化系统的主要器官有口腔、胃、小肠和大肠。肝脏和胰腺分泌多种消化酶，是食物化学降解过程的主要酶系。在消化过程中，各种消化酶起着至关重要的作用，正是这些消化酶把食物中的各种大分子有机化合物(如碳水化合物、脂肪、蛋白质等)分解为可被机体吸收的、结构较为简单的小分子。单细胞动物是通过胞饮系统进行消化的。所形成的饮泡实际就是细胞膜凹陷而成的一个囊泡，将食物包裹其中，饮泡封闭后就形成一个胞浆内的食物泡。然后，细胞溶酶体(一种含各种酶的细胞器)与此食物泡融合，并将其中食物消化。单细胞动物再以膜融合、开放的方式将消化废物排出体外。最低等的多细胞动物海绵已有专司消化功能的管网系统。通过管壁上的纤毛细胞的纤毛运动将含有食物的水拨入管网系统，管壁上的另一种吞噬细胞将食物摄取并消化。所有的多细胞动物都有特殊功能分化的消化细胞。水螅只有两层细胞：外层上皮司保护和感觉、内层专司消化。被捕获的食物先在体腔内被初步消化，而后经胞饮作用被消化上皮彻底消化。这种消化方式称为囊性消化，意思是消化囊仅有一个兼作口腔和肛门的开口。

人类的消化过程始于口腔，食物在此被咀嚼，并和唾液混合成糜状，唾液中的淀粉酶开始水解部分碳水化合物。被吞咽下的食物糜团经咽、食道，进入胃；在此，食物和胃内的各种消化液彻底混合。促胃液素是由胃分泌的一种激素，它能刺激各种胃液的分泌。这些胃液中含有水、无机盐、盐酸和多种酶，其中以胃蛋白酶最为重要，胃蛋白酶能将蛋白质分解为小分子的多肽。这种半液体状态的食物团学称“食糜”。食糜经胃幽门进入小肠——最主要的消化器官。从肝脏、胰腺和小肠黏膜本身分泌的多种消化酶均被排入小肠，并在此执行其消化功能，如消化碳水化合物的淀粉酶、麦芽糖酶、乳糖酶、蔗糖酶等；消化蛋白质的胰蛋白酶、糜蛋白酶、羧基肽酶、氨基肽酶、二肽酶等；水解脂肪的各种脂酶。由肝脏分泌的胆汁也经由胆囊排入小肠，其中所含各种胆盐可将脂肪乳糜化，有助于各种脂酶的消化作用。消化过程的结果是：碳水化合物被分解为单糖，蛋白质被分解为氨基酸，脂肪变成脂肪酸和甘油。这些小分子营养物质被小肠黏膜上无数个微绒毛吸收，进入血液循环，以供各种生命活动之需。未被消化的物质，如纤维素等进入大肠。大肠的功能是吸收水分，并将固态的消化废物排出体外。消化系统疾病有各种炎症、消化性溃疡、肿瘤等。

digestive nerve plexus 消化神经丛 控制食管、胃、肠运动的复杂的神经组织层。神经系统对消化功能的调节过程尚未详知。已知有两个重要的神经中心(肠肌丛和黏膜下丛)与消化调节有关。肠肌丛亦称奥尔巴赫氏神经丛,位于食管下段、胃和肠的环行肌及纵行肌层间,从迷走神经接受信息,并将信息传给肌细胞,使之收缩,形成蠕动波,从而维持整个肠壁肌肉的张力,促进肠液的分泌;并使括约肌舒张,使食物得以通过消化系统。黏膜下丛亦称麦斯纳氏丛,其功能不详。胃的黏膜下丛似有抑制作用,与肠肌丛相拮抗,以更精细地调节肌肉收缩;一般认为,肠的黏膜下丛与肠肌丛相协同,以产生蠕动波及增加消化液的分泌。

Digger 掘土派成员 又译掘地派成员。1649～1650年在英格兰风靡一时的主张平分土地的共产者,领导人为G.温斯坦利(**Winstanley, Gerrard**)和W.埃弗拉德。1649年4月,有20来名穷人聚集到萨里郡圣乔治山开垦公地。这些掘土派成员认为英国内战就是反对国王和大地主的斗争;查理一世既被处决,土地就应该归穷人耕种(17世纪40年代末食品价格创最高纪录)。1649年,掘土派的人数增加一倍以上。他们的活动吓坏了共和国政府,也引起争夺公地占有权的当地地主的仇视。他们也受到非法行动和暴力袭击的骚扰,到1650年3月底,他们的垦区被解散了。掘土派成员表示自己不会使用武力,他们也自称是真正平均派,但平均派的头目却指责他们的共产主张。

digger bee 挖地蜂 参阅 **mining bee** *地花蜂*。

digging wheel 参阅 **trenching machine** *挖沟机*。

Diggs, Annie LePorte 迪格斯(1848-02-22,加拿大安大略省伦敦～1916-09-07,美国密歇根底特律) 婚前名Annie Leporte。加拿大出生的美国改革家和政治家,19世纪末平民党运动的组织者和活动家。1855年随家人移居新泽西。1873年学校毕业后去堪萨斯,同年9月与A. S. 迪格斯结婚。70年代末,开始对禁酒运动感兴趣。1881年参与各类激进和主张自由思想的人组建非政治性的堪萨斯自由联盟。几个月后,她接替L.莫特当选自由宗教协会副主席。1882年,夫妇俩在家中出版《堪萨斯自由报》,但为时不长。整个80年代,她都为争取妇女选举权奔波,也在农民和工人当中积极鼓动合作。有段时间她还为《劳伦斯日报》写"农场主联合会"新闻专栏,后来成为《联合会拥护者》报的副主编。她在堪萨斯农场主联合会向政治团体(先为人民党,后为平民党)转变中起了重要作用,成为这个党最有力的演讲人和组织者之一。在1894和1896年堪萨斯的人民党作用竞选中她是一位主要人物。1897年5月,当选为堪萨斯妇女自由铸币联盟主席,而作为银币自由铸造运动接管平民党的一部分,她参与实现了平民党和民主党在1898年选举中的联合。1902年去英国旅行,在国外的两年中,给报社寄回不少有关欧洲改革运动的文章和信件。1905年当选为堪萨斯女记者协会主席。1906年,她突然移居纽约市,此后即不再参与政治事物。曾出版两部著作:《杰里·辛普森的故事》(1908)和《基岩》(1912)。1912年定居底特律,直至去世。

digit 指(趾) 解剖学术语,指陆生脊椎动物的四肢的末端部分(手指或足趾),其中骨骼由称为指(趾)骨的许多小骨组成。指(趾)尖通常由角质结构(如爪、指甲或蹄)保护,用以防御或抓握。当手掌足掌朝下时,拇指(趾)靠里面,指(趾)的顺序从1到5,由拇指(趾)起算。进化过程中许多种类的指或趾的数目减少。典型的两栖类和鸟类每足只有4趾,两栖类缺拇趾,鸟类缺第五趾。爬行类一般有5趾。鸟翼失去很多指骨,剩下的通常延长以利飞行。哺乳动物指(趾)数变化极大。灵长类动物和浣熊等有5个指(趾),拇指(趾)有两节指骨(趾骨),其他各指(趾)全为3节指骨(趾骨)。马只剩第三趾,尖端由蹄覆盖。牛和其他偶蹄类动物尚存第三和第四趾。海生哺乳动物鳍状肢内指(趾)骨数可能成倍增加。蝙蝠的第2到第5指骨,以及其他臂骨均延长以支持膜翅;拇指短、游离于翅膜外,并有爪。灵长类有5指(趾),在相当于其他动物爪和蹄的部位大多数有发达的指甲和趾甲。这些指有很大的独立活动能力,甚灵活。人足因两脚行走方式而很特化——趾变短,不灵活,也不能抓握。

digit malformation 指(趾)畸形 指(趾)的发育异常。可发生于正常的个体,亦可为先天畸形综合征的一个部分。多指(趾)畸形表现为手、足外侧出现多余的较小的指(趾),可行手术切除。本症亦可见于多种遗传综合征,如艾利斯-范·克雷法尔德二氏综合征及D_1-三体。并指(趾)常见于多种遗传性疾病,指(趾)融合或以蹼相连,可行手术治疗。短指(趾)畸形的原因为某些指(趾)骨、掌骨(蹠骨)发育不全或短缺。蜘蛛指(趾)为马尔方氏综合征的典型体征之一。虾螯状畸形表现为中指(趾)向下,余四指(趾)分别合并为二,足部较手部多见。

digital computer 数字计算机 通过处理离散形式的信息求解问题的一类设备。它所处理的数、文字和符号都可直接表示为二进制码的两个数字0和1。数字计算机按存储器中的一组指令对这些数字或它们的组合进行计数、比较和处理,从而完成控制工业过程、调节机器运作、分析和组织大量业务数据,以及在科学研究中模拟动力学系统的行为(例如全球天气模式和复杂的化学反应)等任务。

功能元件 典型的数字计算机有4个基本功能元件:①输入输出装置,②主存储器,③控制器,④运算器。通用的输入装置有键盘和光扫描器,输出装置有打印机、阴极射线管和液晶显示监视器。这类系统既能记载信息,又能检索信息。计算机通过输入装置接收的信息存在主存储器中,如果不是立即要用的,则存到辅助存储器中。控制器从存储器中以适当的顺序选择和调用指令,并将正确的命令传送给运算器。控制器还使运算器的运算速度与输入输出装置的各种不同操作速度同步,以保证数据在整个计算机系统中畅通无阻。运算器以极高的速度(常为纳秒级,即每秒10亿次运算)对输入数据作算术的和逻辑的运算。主存储器、控制器和运算器共同构成大多数数字计算机系统的中央处理器,而输入输出装置和辅助存储器则构成计算机的外部设备。

数字计算机的发展 法国的B.帕斯卡和德国的G.W.莱布尼兹在17世纪就发明了机械式数字计算机。但一般认为构想出真正第一台数字计算机的是英国发明家C.巴贝奇。19世纪30年代巴贝奇设计出他称为"分析机"的机械装置,能把基本算术运算与在计算基础上的决策结合起来。巴贝奇的设计中包含了大多数现代数字计算机的基本元件。例如,这种设计要求顺序控制,即包括分支、回路和带自动打印输出的算术运算器和存储器的程序控制。但巴贝奇的设计没有完成,并被人遗忘,直到他的著作在一个多世纪后被重新发现。

在数字计算机演进的历史中具有重要意义是英国数学家和逻辑学家G.布尔的工作。布尔在19世纪头10年中期写的各种论文中指出,在代数符号和用于表示逻辑形式和演绎推理的逻辑符号之间存在着相似之处。他关于0和1的运算公式成为现在称为*布尔代数*(**Boolean algebra**)的基础。而计算机的开关理论和程序就是建立在布尔代数的基础上的。

1939～1942年美国数学家和物理学家J.V.阿塔那索夫制造了第一台电子数字计算机。1941年德国工程师K.楚泽实际上独立地完成第一台运算程序控制计算机(Z3)。1944年H.艾肯和美国国际商用机器公司的一群工程师制成了"哈佛-马克I",这是一台主要由电子继电器(开关装置)控制的数据处理运算的计算机。从"哈佛-马克I"制成后,数字计算机得到迅速发展。计算机设备,特别是逻辑电路的一系列进步,常被划分为几个代别,每一代的计算机分享共同的技术。

1946年宾夕法尼亚大学的J.P.埃克脱和J.W.莫奇利制造了第一台通用的数字电子计算机ENIAC(electronic numerical integrator and computer)。这台计算机的计算特点与阿塔那索夫型的相同,但以真空管代替继电器作为灵敏的逻辑元件,从而导致计算速度巨大的增加。20世纪40年代中期引进了存储程序计算机的概念,而且关于在电动可变存储器件中存储指令码和数据的思想在离散变量自动电子计算机EDVAC(electronic discrete variable automatic computer)中得到实现。

第二代计算机开始于20世纪50年代后期,当时在商业上已出现采用晶体管的数字计算机。虽然1948年就已发明此类半导体器件,但它还是经过10多年的发展才能有效地替代真空管。晶体管体积小,可靠性高,能耗低,比电子管有很大的优越性。在计算机电路中使用晶体管就能制造出比第一代计算机更高效、更小、更快的数字计算机。

60年代后期和70年代计算机硬件的发展突飞猛进。第一个突破点是集成电路(在一个小硅片上包含数百个晶体管、二极管、电阻器)的制作。这种微电路使得生产运算速度高、容量大、可靠性高、成本低的大型计算机成为可能。另一类型的第三代计算机是小型计算机,它是微电子技术发展的产物。这种小型计算机明显地比标准计算机小,但它的作用足可以控制一个科学实验室的全部仪器。

大规模集成(LSI)电路的发展使得硬件制造商能把成千上万个晶体管和其他有关元件密集在一块婴儿指甲大小的硅片上。这种微电路产生两种设备,对计算机技术具有革命意义。第一种设备是微处理器,它是包含了中央处理器全部算术、逻辑和控制电路的集成电路。它的生产导致微型计算机的发展,这种微型计算机不大于手提式电视机,但仍具有所有重要的计算能力。另一种从大规模集成电路形成的设备是半导体存储器。这种密集的存储设备只由几个芯片组成,非常适合用于小型计算机和微型计算机。另外,由于它的快速存取速度和大的存储容量,它在日益增多、特别是用于高速运算的主机上也找到了应用。

80年代初已研制出超大规模集成(VLSI)电路。这一新的设计和制造技术极大地增加了微处理器、存储器和支持芯片(即作为微处理器与输入输出装置接口的芯片)的电路密度。VLSI可以在一个不到2平方厘米的硅片上包含300万个以上的晶体管。80年代和90年代使用LSI和VLSI技术的数字计算机常称为第四代计算机。80年代生产的许多微型计算机都是把处理器、存储器和支持芯片的集成电路装在一个芯片上。这些设备中最高级的虽然只有口袋那么大,但却能控制工业机床和高性能的喷气式飞机。参阅 **supercomputer**。

Digital Equipment Corporation (DEC)　数字设备公司　美国计算机制造公司,生产一种新的低成本小型计算机,专供于实验室和研究机构使用。1957年成立,1990年巅峰期在世界各地雇佣了12万多人,年收入超过140亿美元。1998年被康柏计算机公司收购。公司由麻省理工学院电子工程师K.奥尔森和H.安德生创办。他们计划生产一类高性能低成本计算机,能够从各式各样的科学仪器接收并分析数据。公司的第一批程控数据处理器(PDP-1)在1960年11月上市。结果卖出50台,其中几乎一半是卖给国际电话电报公司当作信息交换系统。PDP-1以麻省理工学院“旋风计划”(1944)和“林肯计划”(1950年)所开发的技术为基础,拥有当时最先进的存储系统之一,也为商业市场带来许多革新。PDP型计算机使公司的成长持续了将近20年。PDP-8是第一批获得重大商业成功的小型机。在1965年,它提供了大型主机计算机(国际商用机器公司等公司所制造的功能强但价格昂贵的机器)的第一种可行替代品。该系列小型机全部拥有先进的技术,能够吸引各种不同的技术市场。此外,公司与惠普等其他小型机竞争者进行价格战,做法是通过各种不同的革新计划来降低制造成本。从1960年到1970年,一个拥有117名雇员、年收入130万美元的地方性计算机公司,发展成为拥有5,800名员工,销售额达1.35亿美元的全球性公司。然而,到了70年代中期,公司在小型机市场上的主导地位受到IBM等公司的挑战。1978年推出VAX虚拟地址扩展计算机,成为有史以来最成功的小型机。到1990年,VAX的销售额已把数字设备公司推到计算机销售排名的第二位(仅次于IBM)。然而,公司在整个80年代的销售佳绩并未持续到下一个十年。1991～1992年受到美国经济普遍衰退的严重打击,市场被惠普和Sun公司抢占。1990～1995年公司根本就没赢利。董事会因此撤换了最高执行官奥尔森,让从1985年就进入公司的R.帕默来接任。同时,该公司继续开发各种不同的新产品。1994年它的阿尔发微处理器开始运销时,可能是全世界最快的芯片。它为万维网开发的搜寻引擎Alta Vista成为因特网上来访人数最多的网站之一,该公司的服务部门在业界也是最受敬重和最赚钱的部门之一。尽管有这些优势,在小型机和工作站这两大业务方面,公司力抗竞争对手的努力还是不够。同样,它的个人计算机业务也一败涂地。到1997年,该公司成为收购目标,1998年被康柏公司以总价96亿美元的现金及股票购并。当时,它拥有53 500名员工,比1990年全盛期少了一半。

digital sound recording　数字录音　将声频信号变换成相当于二元数字(即0和1)模式的一串脉冲信号,并记录在磁带或光盘表面,以储存声音的方法。数字系统将声音的波形或数值变成每秒几千次的脉冲信号,并赋予其在任一给定时刻的振幅以二元数字形式表示的数值。典型的数字录音系统装有模拟-数字转换器,把双通道连续声频信号变换成数字信息,然后录入高速磁带或光盘。该系统用数字-模拟转换器从记录介质上读出编码信息,并将它变回声频信号,可用于常规立体声系统的放大器和扬声器。声频信号变成简单的脉冲式样后,实际上不受模拟通信信道和录音介质剩余噪声与失真的影响,因此数字录音机放出的声音,其保真度比普通录音机高得多。另外,许多数字录音系统都设计成能探测并消除干扰信号。20世纪80年代问世的数字录音小型光盘,可用激光光束扫描盘面储存的数字编码信息来进行播放。80年代末期问世的使用盒式磁带的数字声频磁带(DAT)录音机,可用于声音的重放和记录。利用微处理器,DAT录音机将声频信号变换成磁带上的数字数据,并将该数据变换回模拟声频信号,可用于常规立体声系统的放大器和扬声器。90年代初期推出的数字小型盒式磁带(DCC)录音机同DAT录音机类似,但是它除了能播放数字盒式磁带外,还可以播放同样形状较为老式的模拟盒式磁带。参阅 **sound recording**。

digitalis　洋地黄　从紫花洋地黄(*Digitalis purpurea*)的枯叶中提取的物质,是许多类似物质的混合物。临床用做药物以加强心肌收缩力和降低心搏频率。洋地黄的重要作用是恢复心脏的功能,使心输出量增加。其有效成分是一类称为强心甙的甾类化合物。由于提纯后的组分(特别是地高辛和洋地黄毒甙)更为稳定、可靠,所以洋地黄叶这种天然混合物已极少使用。洋地黄类药物对充血性心力衰竭的治疗起重要作用,治疗时应同时减少钠的摄入量、限制体力活动和服用利尿药。但洋地黄类对于机械障碍性心脏病(如缩窄性心包炎)或先天性心脏病等无效。本类药物的致死量仅为有效剂量的3倍,因此用药时需格外谨慎。

diglossia　双语　在一个言语集团内,同一种语言的两种形式并存的现象。通常其中一种形式为文学语言或有影响的方言,另一种形式则为大多数人所讲的普通方言。全世界许多言语集团都存在这种情况。例如,在希腊,那里受古希腊语严重影响的纯正希腊语是一种有影响的方言,而通俗希腊语则是一种大众的口头语言;埃及也同时存在两种阿拉伯方言。社会语言学家有时也用双语一词表示双语现象,即同一言语集团的成员说两种或两种以上的语言。例如,在纽约市,拉美社区的许多人有时说西班牙语,有时说英语,视其社会情景和当时需要而异。

Digne-les-Bains　迪涅莱班　法国东南部普罗旺斯山-蓝岸大区上普罗旺斯阿尔卑斯省城镇、省会。在戛纳西北134千米公路处,地当风景优美的拿破仑道(1815年拿破仑从厄尔巴岛返回时沿此路过阿尔卑斯山),为一旅游中心。城镇位于布莱奥讷河东岸。至晚从公元6世纪起即为主教教区。当地以种植薰衣草和水果(供制蜜饯、果酱)闻名国内。人口17 425(1990)。

Digul River　迪古尔河　印度尼西亚河流。发源于新几内亚岛伊里安查亚中东部斯泰伦山脉南麓。全长525千米。迪古尔河先往南、后往西流,穿过大片雨季沼泽的低洼地区,注入阿拉弗拉海。可通航至塔纳默拉。

Dihigo, Martin　迪戈(1906-05-25,古巴锡德拉[马坦萨斯]～1971-05-20,西恩富戈斯)别名El Inmortal(不朽之人)和El Maestro(教

美国不列颠百科全书公司供图

师)。职业棒球运动员,古巴的民族英雄。除在古巴打球外,还在多米尼加、墨西哥、委内瑞拉以及美国的黑人联合会打球。由于当时美国职业棒球的肤色限制(至1947年),他在美国鲜为人知,然而他被公认为是棒球史上最好的选手之一。在1922～1947年的棒球生涯中,击球率为.304,投球记录256胜136负。身高1.93米,体重86千克,仪态文雅;在外场和跑垒速度极快,并且是杰出的击球手。他技能全面,能打内场和外场的任何位置,但最突出的是投手。1947年结束运动员生涯后在古巴和墨西哥管理球队。晚年曾任古巴体育部长。1977年入选美国棒球名人堂,古巴和墨西哥的名人堂也列有他的名字。

Dijon 第戎 法国中东部城市,勃艮第大区首府和科多尔省省会。在巴黎东南326千米公路处,当乌什和叙宗两河汇流处,位于科多尔山脚下。四周是富庶的葡萄种植业平原。市内多杰出古建筑,有些成于15世纪。一向为地区道路交通中心。1015年被勃艮第公爵罗伯特一世选作新建公爵领地首府。公爵的庇护吸引了音乐家、艺术家和建筑师。后作为省会,到1477年被路易11世吞并。18世纪最为繁荣,是法国一学术中心。但在法国大革命后渐趋衰落,直至1851年通铁路后才为该市带来新的财富和人口的增长。现为主要交通中心和贸易旅游城市。有大量工业,包括铸造、汽车、机械、电器制造等。食品名产有芥末、醋、姜饼、巧克力、酒类等。第戎大学建于1722年。旧城中心的勃艮第公爵宫建筑现辟为市政厅和美术陈列馆。其他古建筑有两位勃艮第公爵的墓地、隐修院和教堂。人口151 636(1990)。

dik-dik 犬羚 又译迪克-迪克羚。偶蹄目牛科犬羚属(*Madoqua*)动物,形小,分布于非洲。其英文名系受惊时发出的叫声的拟声词。肩高30～40厘米,体重3～5千克。吻

犬羚(*Madoqua*)
美国不列颠百科全书公司供图

部长,毛柔软,背毛灰色或浅褐色,腹部白色。头顶的毛成竖立的毛冠,可部分遮蔽短而有环纹的角(仅见于雄体)。共4种,常栖息于非洲南部和东部干燥多灌丛的地区。主要以金合欢属和其他灌木为食。

dika nut 狄卡果仁 狄卡树(狄卡面包树、加蓬巧克力树,*Irvingia barteri*)的果仁。该种原产西非。其果仁主要用做食品和油。核果大而可食,果肉厚而多纤维。核仁从果核中取出后可像咖啡豆一样烘烤、捣碎后先倒入模子,然后加到煮沸的肉或蔬菜中。也可将核仁掺入到巧克力中并磨成粉。从种子中提取的脂肪可制肥皂和蜡烛。用狄卡果仁做的一种开胃食品习惯上与大蕉同食。

dike 岩墙 又称岩脉。在地质学中,指一种板状或席状的火成岩体,其方位相对于被侵入的岩石的层理或是垂直的,或是倾斜很陡的。类似的岩体,但方位相对于围岩层理是平行的,则称为岩床。岩墙组由若干条平行的岩墙组成;当岩墙的数目很多时,就叫岩墙群。岩墙的宽度虽然变化很大,可以从几分之一英寸到几十英尺,但平均宽度在1～20英尺之间。岩墙的长度一般取决于在地表上能够追索到的距离;有些岩墙长达数百千米。岩墙的岩石组分变化范围很大。岩墙常具斑状结构,也就是在较细粒的基质中有较大的晶体,表明结晶作用有两个时期。

Dikelocephalus 铲头虫 三叶虫(绝灭的节肢动物)的属。是欧洲和北美的晚寒武世(5.23亿年前至5.05亿年前)有用的标准化石。其鉴别特征是宽头、大而发育完善的尾及尾端的一对短刺。眼大呈新月形。

Dikran II THE GREAT 参阅 **Tigranes II the Great 提格兰二世(大帝)**。

dīkṣā 帝刹 古代印度吠陀教在祭典以前所举行的祝圣礼。在后世乃至现代印度教中,指平信徒参加某教派时导师为他举行的入法礼。在吠陀时期的苏摩祭中,献祭的平信徒先行沐浴,然后在专门建造的茅屋里对火默守一整天(或长达一年)。在苏摩祭终结时,举行返本的仪式,献祭人再一次沐浴,把法服、祭器和榨过酒的苏摩蔓统统弃入水中。根据现代印度教仪礼,举行祝圣礼和入法礼以前,除拜神以外,一般都先斋戒沐浴更衣;入法礼还包括在身上或前额加上特别标记,取新名,接受祈祷规范。

Dikwa 迪夸 尼日利亚博尔诺州城镇和世袭酋长国名。靠近注入乍得湖的耶德塞拉姆河。与迈杜古里、巴马、恩加拉和库卡瓦通公路。创建年代不详,至19世纪50年代成为卡努里人博尔努王国(参阅 **Kanem-Bornu**)的重镇。1893年该王国被拉比赫·祖拜尔征服,迪夸成为新博尔努王国的都城和苏丹驻地。1900年为法国占领。第一次世界大战期间被英国人占领。1922年迪夸酋长国成为国联托管地英属喀麦隆的一部分。1942年首府迁至巴马。英殖民时期迪夸酋长国属尼日利亚博尔努省管辖。1946年属联合国北喀麦隆托管地。1959年拒绝与尼日利亚合并。1961年卡努里和舒瓦人进行公民投票,决定加入北尼日利亚的萨尔道纳省。次年加入博尔努省。1967～1976属东北州。现居民主要从事农业,如棉花、花生、黍类、高粱、玉米、靛青、牧(牛)业等。乍得湖和耶德塞拉姆河沿岸有捕鱼业。棉织、土法染布及鞣革为当地主要手工业。舒瓦人至今仍以牛为驮运工具。迪夸镇有保健站和医疗站。人口:城镇10 860(最新统计)。

Dilas, Milovan 参阅 **Djilas, Milovan 吉拉斯**。

dilator muscle 开大肌 使身体某一部分开大的肌肉。如人类的瞳孔开大肌,其肌纤维在瞳孔周围呈放射状排列,在光线暗淡时肌肉收缩,使瞳孔开大。又如鼻孔开大肌。参阅 **sphincter muscle**。

dilemma 二难推理 在三段论的或传统的逻辑中,具有两个假言形式的大前提和一个析取("或……或……")小前提的若干种推理形式中的任何一种。例如:如果提高价格,销售就会下降;如果降低质量,销售就会下降。或者提高价格或者降低质量,所以,销售就会下降。在逻辑学中,⊃表示"如果……那么";∨表示"或……或……"。因此,一个二难推理可以用符号表示成如下形式的论证:$A \supset C$,$B \supset C$,$A \vee B$,所以C。一个二难推理并非必然会有一个不受欢迎的结论;但是从它在修辞学中的应用来看,这词已意指着一种情况,即两个可供选择的行动方式中的每一个都会引向某个令人不满的结论。举一个熟悉的例子,当一个人被问道:"你已经停止殴打妻子了吗?"这便向他提出一个修辞上的二难推理。但是在这种比较复杂的二难推理中,提出了两个而不是一个不受欢迎的结果,因此,结论本身成了一个析取:或者你一直在打妻子,或者你现在还在打她。

dilemma tale 两难故事 又称判断故事。典型的非洲短篇故事形式,其结局颇费揣度或在道义上模棱两可,从而引起听众对如何正确解决故事中提出的问题进行思考或评论。

典型的问题涉及究竟效忠于谁的内心冲突,在困难的处境中,抉择一个公正的处理,并在多方似乎同样有罪的情形下,断定应归咎于谁。例如,一个少年在紧急关头必须在残酷而不公正的生父与把他扶养成人的善良的养父之间作出选择,究应忠实于谁。另一故事是一个男人为养活三个妻子,在猎牛时死亡。第一个妻子在梦中知道了这件事,第二个妻子把其他两个领到他死的地方,第三个使他复活。这三个哪一个最值得他赞扬呢?第三个故事是把乌龟作为主角。乌龟希望其他动物认为它与河马和象具有同样的权威和力量。乌龟的夸大之言被河马和象听到了,它们轻蔑地指责它不过是一个微不足道的东西。因此,龟向河马和象挑战,并且使用诡计,使它们两个互相殴斗,从而使它们勉强承认它们三者之间势均力敌。听众必须判断它们三个到底势均力敌到何种程度。最后一例是三兄弟的故事。他们都娶同一个女子。他们一同旅行到一个陌生的国度。某夜女子被一强盗谋杀。老大同女子睡在一起,因此涉嫌被判处死刑。他要求能在死前探望他的父亲。到了限期他未回来,老二要求代他去

死。正要行刑时，老三挺身而出，“承认”他是凶手。就在这时老大骑马赶来就刑。试问听众，三兄弟中哪一个最高尚呢？从以上4例来看，这些故事寓教于乐，有助于在听众间建立社会准则。

Dili 帝力 又作Dilly或Dilli。东帝汶首都。位于帝汶岛北海岸，临翁拜海峡，是东帝汶的主要港口和商业中心。除了第二次世界大战日本占领期间外，帝汶岛在1975年之前均为葡萄牙人统治。人口大部分为帝汶人和阿通人，还有少数葡萄牙人、欧亚混血人和阿拉伯穆斯林。1975年从葡萄牙人手中独立，1976年印度尼西亚武装力量占领该地，并定帝力为东帝汶省省会。此后在印尼武装力量和主张独立的东帝汶势力间展开了游击战争，造成数千民众丧生。1999年该地区在联合国的监管下获得独立，定帝力为其行政中心。2002年东帝汶获得完全主权，帝力成为该国首都。生产肥皂、香水、陶器和纺织品，也加工咖啡。出口物为棉花、咖啡、稻米、小麦、檀香木、羊毛、椰干和加工过的皮革。手工业包括编草绳，编织篮筐，雕刻象牙与檀香木。有公路与西部的毛巴拉和阿塔普普以及东部的马纳图托和图图阿拉等地连接。建有一个机场。人口65 000(1999)。

diligence 法国公共马车 用于长途旅行的大型四轮车厢式法国驿站马车。这种车也曾用于英国，18～19世纪在这两个国家很流行。有的车厢分为2～3个隔间，可容乘客

法国公共马车模型
美国不列颠百科全书公司供图

16人。法国公共马车的车夫坐在前轮正上方的座位上，座位和车厢一样高，但和车厢不相连；有的车夫坐在车厢上方的座位上；有的则骑在前排左边的马上。

Dilke, Sir Charles Wentworth, 2nd Baronet 迪尔克从男爵（第二）(1843-09-04，英国伦敦～1911-01-26，伦敦) 英国政治家，议会中的激进派，W.E.格莱斯顿内阁成员，但因在一桩离婚诉讼中被传讯而断送了正当鼎盛时期的政治生涯。剑桥大学毕业后曾周游世界。1868年选入议会。他采取极左立场，发表一系列猛烈抨击君主制度的演说。1882年在第二届格莱斯顿自由党政府中任地方政府事务大臣。他和J.张伯伦一起在内阁中极力鼓吹激进观点，以致多次向格莱斯顿提出辞呈。1885年6月政府期满时他很有可能成为下届首相。但1885年的一件离婚诉讼使他被传讯。一位苏格兰自由党人律师的妻子、22岁的V.克劳福德对丈夫说，她从1882年起就一直是迪尔克的情妇。他极力否认此事，1886年2月此案审理中也没有提出不利于他的证据。但以《蓓尔美尔报》为首的报界掀起浪潮，使他未能达到预期的胜利。他为了洗清自己的名声，获准由女王的讼监重审此案，同年7月第2次开庭，这次情况却对他极为不利。他虽然断然拒绝克劳福德夫人的说法，但被迫承认曾是她母亲的情夫。6年后回到下院，作为军事专家和进步的劳动立法的鼓吹者发挥积极作用，直至去世。他大部分精力用于收集能洗刷自己的证据，证明女方的指控大部分系捏造。

dill(*Anethum graveolens*) **莳萝** 或称土茴香。伞形科一年生或二年生草本植物，似茴香，成熟的干果和顶枝亦称莳萝，用于食品调味（尤其在东欧及斯堪的纳维亚）。原产地

莳萝(*Anethum graveolens*)
美国不列颠百科全书公司供图

中海地区和欧洲东南部，现广泛栽培于欧洲、印度和北美。植物全株芳香，嫩茎和不成熟花序常用作汤、色拉、酱汁、鱼、三明治夹心，尤其是腌菜的调料。气味强烈而稍刺鼻，略似茴蒿。整个干果或其芳香油有驱风之效，用治胃肠胀气所致的疝痛。果卵圆形，长约3.5毫米，背部有3条纵棱和2条翅状侧脊，浅褐色，含精油约3%，其主要成分为香芹酮。

Dill, Sir John Greer 迪尔(1881-12-25，爱尔兰阿马郡勒根～1944-11-04，美国华盛顿) 英国陆军元帅，第二次世界大战初期任英国参谋长，1941～1944年任英国驻美国联合参谋使团团长。他在南非战争(1899～1902)和第一次世界大战中服役后稳步上升，1934年任陆军部作战和情报处长。1937年受封为爵士。他被公认为英国首屈一指的战略家。第二次世界大战爆发后任驻法英军军长。1940年5月任帝国总参谋长。他是不顾国内的急需而在8月间以150辆坦克增援埃及和1941年3月英军介入在希腊的战争的主要决策者。他对盟国的最大贡献是在驻华盛顿时期(1941～1944)时协调西方两个主要盟国的军事方针。他和美国总参谋长马歇尔的友谊大大促进了英美的团结一致。

Dilleniales 五桠果目 又称迪伦木目。双子叶植物的一目。含五桠果科(Dilleniaceae，即迪伦木科)和牡丹科2科，11属，多为热带、亚热带的乔木、灌木或木质藤本。特征是：花多两性；辐射对称；萼片3至多数（通常为5），子房花瓣多5片，均覆瓦状排列；雄蕊多数，雌蕊数枚，子房内含有多数胚珠；花柱细长，花柱伸展，使花具有特征性的外形。种子上附有肉质的假种皮。本目在植物学上有重要意义，可作为较原始的木兰目与几个较进化的目如山茶目和堇菜目之间的连接类群。五桠果目有少数几个乔木种可材用（如印度五桠果[*Dillenia indica*]、小花五桠果[*D. parviflora*]和五蕊五桠果[*D. pentagyna*]），并可生产单宁。扣子花属(*Hibbertia*)有几种可供观赏，特别是攀缘扣子花(*H. scandens*)为木质藤本，花黄色，气味难闻，仅种植在加利福尼亚南部等温暖地区或栽于温室。印度五桠果原产于东南亚至澳大利亚和斐济，在原产地为乔木，种植以取其带柠檬味的果实以制果冻或咖喱食品；在温带植于温室内以观赏其白色芳香的花。五桠果科中大的属为扣子花属(100种)、五桠果属(60种)、锡叶藤属(*Tetracera*, 40种)、双罗果属(*Doliocarpus*, 40种)和*Davilla*属(38种)。牡丹科仅含牡丹属(*Paeonia*)1属30种，美观，多年生，叶小，草本或灌木，产于欧洲及亚洲温带，有1～2种原产于美国西部。

Dilleniidae 五桠果亚纲 双子叶显花植物的一个亚纲。木本或草本。五桠果亚纲植物的花通常含多数花瓣、雄蕊或退化雄蕊。构成雌蕊群的心皮联合形成复子房，子房通常位于花被之上。五桠果亚纲含13目，大多数种类分布于堇菜目、山柑目、杜鹃花目、茶目、锦葵目、报春花目及柿目，其余6个目为猪笼草目、玉蕊目、杨柳目、扒打目、岩梅目及五桠果目，该6个目的种类数不到本亚纲种类总数的1/4。

Dillenius, Johann Jakob 蒂伦尼乌斯(1687，黑森-达姆施塔特公国达姆施塔特[德意志]～1747-04-02，英格兰牛津郡牛津) 植物学家，曾写过几部描述植物的著作。曾在吉森上大学。1718年发表《吉森附近自然起源的植物名录》一书，记述了在吉森附近发现的980种高等植物、200种苔藓和有关类型的植物以及160种真菌。1721年8月赴英，1728年成为牛津大学的第一位植物学教授。在牛津写成他最著名的著作《埃尔特姆植物园》(2卷，附417张插图)，该书于1732年问世，描述了埃尔特姆的谢拉德植物园中的植物。1741年发表《苔藓志》，描述了600余种“藓类”植物，包括真正藓类、地钱、石松植物、藻类、地衣及其他低等植物。1735年瑞典博物学家林奈拜访了他并把自己的《植物学批判》一书题献给他，以后又以他的名字命名了五桠果属(*Dillenia*)。

Dilli (East Timor) 参阅**Dili 帝力**。

Dillinger, John (Herbert) 迪林杰(1902-06-28或1903-06-22，美国印第安纳州印第安纳波利斯～1934-07-22，芝加哥) 全美国银行抢劫犯中最为名噪一时的匪徒，其抢劫、越狱活动，曾在1933年6月至1934年7月间成为轰动全国的头条新闻。迪林杰的幼年在莫尔斯维尔附近一个农场上度过。1923年参加海军，在“犹他”号战舰服役，数月后即开小差。

1924年9月,他在一次拦路抢劫莫尔斯维尔一名杂货商人时被警方捕获,监禁在印第安纳州监狱。在狱中,他拜一些专门抢劫银行的惯犯为师,1933年5月22日获假释后,便将所学付诸实践以图谋利,与三四名同伙在4个月内抢劫了印第安纳和俄亥俄两州的5家银行,首次赢得恶名。他以大胆、灵活和穿着入时的枪手著称。这年9月他再度被捕,囚于俄亥俄州监狱,后被从前的5名监狱难友救出。这5人早先也被监禁在印第安纳州监狱,当时曾得到迪林杰的资助和合谋筹划才得以越狱。迪林杰与其伙伴们再度抢劫印第安纳和威斯康星两州数家银行后,便向南逃往佛罗里达,然后到达亚利桑那州图森市,为当地警方发现并予以逮捕。迪林杰被解送到印第安纳州,关在克朗波因特监狱。1934年3月3日,他上演了一出耸人听闻的越狱拿手好戏,用剃须刀片把一块木头刻成一把假手枪,再以鞋油涂黑,利用这个玩意儿胁迫十几名警卫退避一旁,使他夺路而走,越狱得逞。此后他又另结新伙抢劫银行,在明尼苏达州和威斯康星州联邦调查局的诱捕及枪战中两度幸免。最后联邦调查局、印第安纳州警察和他认识的妓院鸨母A.塞奇共同设下圈套,由这个家喻户晓的"红衣女士"将他诱往芝加哥影剧院,他刚一露面,即遭枪击丧命。另说,当时在影剧院外一男子被击毙,并非迪林杰,而迪林杰一伙正是利用这一场景,哄骗了联邦调查局,使自己得以逍遥法外。

Dillon(eastern South Island, New Zealand) **迪隆河** 参阅 **Waiau River** 怀奥河。

Dillon 狄龙 美国蒙大拿州西南部城市,比弗黑德县县城。濒比弗黑德河。始建于1880年,1885年设建制。原为铁路终点站,后发展为羊毛装运站。1893年创建的蒙大拿州第一所师范学校(即后来的西蒙大拿学院)促进了城市的发展。该市位于比弗黑德国家森林区。现在经济主要依靠当地的农牧、采矿和旅游业。市西北有滑雪区,市南有克拉克峡谷水库州立娱乐区。人口3 752(2000)。

Dillon, John 狄龙(1851-09-04,爱尔兰都柏林郡布莱克罗克～1927-08-04,伦敦) 爱尔兰民族主义党领袖,为通过议会手段实现自治而进行斗争。在19世纪80年代,他是19世纪最伟大的爱尔兰民族主义者C.S.巴涅尔的最重要的盟友。爱尔兰爱国志士J.B.狄龙(1816～1866)之子。1880～1883年和

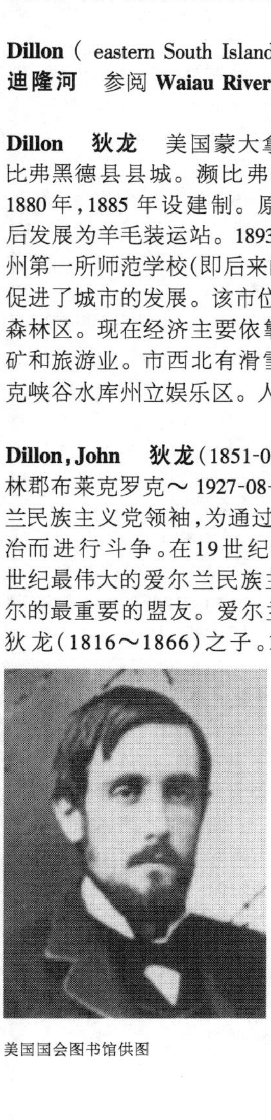

美国国会图书馆供图

1885～1918年任英国下院议员。由于在爱尔兰土地同盟中积极工作,1881年5月至1882年5月两次下狱,一度与巴涅尔同监。1888年因援助起草反对英国不在地主在爱尔兰农业地区征收高额地租的"行动计划"的W.奥布赖恩又被监禁6个月。1890年,巴涅尔在奥谢上尉离婚案中成为被告。他最初支持巴涅尔,但后来决定应义不容辞地成为该党领袖。该党后来出现分裂,反巴涅尔的多数派成立爱尔兰民族主义联盟,他于1896年起担任该联盟主席。但1900年他同意加入由巴涅尔派J.雷德蒙领导的重新统一的党。在A.J.贝尔福担任首相期间(1902～1905),狄龙终于相信英国保守党政府打算给予爱尔兰的是改良,不是独立,从而是"以恩惠扼杀爱尔兰自治运动"。1905年,他劝告爱尔兰人投票支持自由党的议员候选人;同年自由党人执政后,支持自由党的改革方案。第一次世界大战期间,他激烈反对把英国的征兵办法引用到爱尔兰。他认为这一措施将会加强极端民族主义的新芬党的鼓动,而且他根本不同意帝国的利益与爱尔兰的利益是一致的。1916年都柏林复活节起义后,狄龙对随之而来的严厉措施提出抗议,并在下院发表热情洋溢的演说,为爱尔兰的反叛者辩护。1918年3月雷德蒙死后他担任民族主义党的领袖,但此时该党已威信扫地,因此新芬党在1918年12月的选举中轻而易举地取得胜利。他竞选失败后,退出政界。

Dilly(East Timor) 参阅 **Dili** 帝力。

Dilmun 迪尔穆恩 公元前约2000年一个古王国的苏美尔语名称。可能相当于今波斯湾中的巴林岛。据公元前3千纪的苏美尔文献记载,迪尔穆恩为一商业中心,转运苏美尔和印度河谷之间来往的货物。巴林岛上的古代庙宇遗迹巴巴尔和数千处墓地证明了该岛的突出地位。巴林岛北岸有公元前2800年城市的遗址,以及公元前2300～前1800年的主要建筑物和城墙;还发现有其他人工制品。阿拉伯半岛北岸和波斯湾其他岛屿上也发现有与迪尔穆恩有关的考古地。

Dilthey, Wilhelm 狄尔泰(1833-11-19,拿骚威斯巴登附近比布里希～1911-10-01,奥匈帝国南蒂罗尔博岑附近蔡斯安施莱恩) 德国哲学家。主要贡献是发展了研究人文科学的独特方法论,反对人文科学受自然科学的普遍影响,建立一种在人类自身的历史中,即按照历史过程的偶然性和可变性来理解人的人生哲学。从文化观点确立了研究历史的综合方法,对文学研究有过重要影响。主要著作有《人类科学导言》(1883)。主张将人文科学建立成阐明性科学。将个体经验、以创造性表达方式来表现这种经验,以及对这一经验的反思三者之间的相互作用作为这一思想的原则基础。他认为人并非孤立地存在,而是与所处环境紧密联系。强调不可能通过内省了解人的本质,而只能通过对全部历史知识的认识。由于历史本身不会终结,人们对历史的认识也不会终结。"原型的人分解于全部历史进程之中"。故其哲学著作与其对历史之研究紧密结合。狄尔泰未能做出结论性的阐述。他怀疑由推理建立起来的体系,宁肯让一些问题悬而不决。但这并不能掩盖其人生哲学中的方法论之重要性。

DiMaggio, Joe 迪马乔(1914-11-25,美国加利福尼亚马丁内斯～1999-03-08,佛罗里达好莱坞) 美国职业棒球运动员,出色的击球手和棒球史上最著名的外场手之一,可称为40

美国不列颠百科全书公司供图

年代最佳全能棒球运动员。在旧金山参加小联赛后,成为纽约扬基队队员。1936～1951年比赛期间,帮助该队赢得10次美国棒球联盟冠军和9次世界联赛冠军。1939和1940年为美国棒球联盟最佳击球手。击球成功率达0.381和0.352,他在球坛生涯中平均击球成功率为0.325。1939、1941和1947年获最有价值运动员奖。1955年人选棒球名人堂。

Dimashq(Syria) 参阅 **Damascus** 大马士革。

Dimashqī, ad-(Muslim scholar) **迪马什契** 参阅 **Ibn Abī ʿAṣrūn** 伊本·阿比·阿斯鲁恩。

Dimbleby, Richard (Frederick) 丁布尔比(1913-05-25,英格兰萨里里士满～1965-12-22,伦敦) 英国早期无线电新闻广播员,最著名的广播记者,英国广播公司(BBC)最早的一个战地记者。他的声音和容貌通过广播和早期电视为众多英国人所熟悉。其父弗雷德里克 J.G.丁布尔比是编辑和政界人物。高中毕业后他进入他的家族所有的里士满-特威克纳姆时报报社工作。后又在其他报社工作。1936年参加英国广播公司时事报告部。他富于自信、长于辞令,很快就担任了日后被称为新闻播音员的那种工作。他实际上是广播记者业的创始人之一,在新工作中摸索前进,奠定了后来广播和电视新闻报道的传统。英国广播公司派他赴西班牙报道内战,使他成为该公司第一个驻外记者。第二次世界大战爆发后他以战地记者身分走遍欧洲、非洲和中东前线,并随皇家空军飞越德国,从空中报道战况。大战结束时,他已成为全国闻名、深受信任的人物。他负责安排国家大事和重大政治事件的电视报道,是英国广播公司每周政治动态栏目一周概观的中心人物,曾报道从伊丽莎白二世加冕(1953)到丘吉尔葬礼(1965)等重大典礼和仪式。他在报道第二次世界大战的同时还写过几本书;在从事电视工作时仍经常为广播节目、报纸撰

稿,并积极参与经营他家的报纸。丁布尔比的两个儿子戴维和乔纳森也是出色的电视记者。

Dimbokro 丁博克罗 科特迪瓦中南部丁博克罗省首府,濒邦达马河的支流恩济河。是当地鲍勒人贸易中心(薯蓣、香蕉、棕榈油和棕榈仁)。从1910年铁路通阿比让后,成为咖啡、薯蓣、可拉果、木棉和可可等农产品集散地。20世纪70年代建有纺织厂。人口38 183(1988)。

Dîmbovița 登博维察 罗马尼亚南部一县,面积3 738平方千米。居民区分布在特兰西瓦尼亚山脉(南喀尔巴阡山脉)和外喀尔巴阡山脉山间谷地和低地。有雅洛米察河、登博维察河和阿尔杰什河流贯。县城特尔戈维什泰(**Tîrgoviște**)位于布克沙尼、胡卢贝什蒂和米斯莱亚产油区中心;曾为封建时代的瓦拉几亚公国首都,有几处著名博物馆和17世纪教堂。特尔戈维什泰、莫雷尼和菲耶尼有机械制造、金属制品业,还生产建筑材料;普奇瓦萨和布勒内什蒂有纺织业;格耶什蒂有木材加工业;默尔吉内安卡镇和绍滕加镇附近有褐煤矿。莫罗埃尼和菲耶尼附近的雅洛米察河上有水电站。低地种植谷物和饲养牲畜;山区有葡萄园和果园。有铁路和公路通县城。人口约548 877(1982)。

dime novel 廉价小说 约1860～1915年在美国流行的一种故事情节离奇的廉价平装冒险小说。常以某个西部地区为其故事发生地。最著名的廉价小说作家之一是E. Z. C. 贾德森。他用笔名写的这些故事,有些是基于他的亲身冒险经历。廉价小说最终被末流低级杂志所替代。

dimenhydrinate 晕海宁 合成的氨基乙醇类抗组胺药。用作止吐,主要用于治疗晕动病,亦可对症治疗眩晕(如梅尼埃尔氏病)。1949年始用于临床,口服其片剂或糖浆。作用持续约4小时。最常见的副作用为嗜眠。

dimension 维 几何学用语,沿某一特定方向(例如,沿直径、主轴或边缘)测的量。点没有维,直线有一维的长,平面有二维的长和宽,而立体有三维的长、宽和厚度。由于直线的长度、平面的面积、立体的体积分别由线性、平方、立方代数表达式来代表,"维"这个词就被带到代数中。因此,平方、立方、双平方代数表达式(例如X^2、X^3、X^4)或方程式分别被说成是二维、三维、四维(维亦称次或阶)的。相似地,dimension一词用于力学中,指时间、长度、质量的单位或各种导出单位(量纲),也出现于物理学其他许多分支学科,特别是电和磁的理论。

dimensional analysis 量纲分析 物理科学和工程学中常用的一种方法,用以把加速度、黏度、能量等一些物理量的量纲化归为它们的基本量纲:长度(L)、质量(M)和时间(T)的组合。这种方法给系统(或系统的模型)的相互关系及系统性质的研究带来方便,并能避免不相容的单位所引起的麻烦。例如,加速度在量纲分析中表示为LT^{-2},即距离(L)除以时间(T)的二次方。这里的长度单位究竟是英制还是米制是无关紧要的。量纲分析常常是对实际问题建立数学模型的依据。若模型化的结果能应用于原系统,则模型必须在量纲上与原系统一致。参阅 **mathematical model**。

dimercaprol 二巯基丙醇 又作British Anti-Lewisite(BAL,英国抗路易斯毒气药剂)。为对抗致命的路易斯毒气而研制成的药物。第二次世界大战末期,发现本品为多种金属(锑、砷、镉、铬、金和铅)中毒的解毒药(这些金属可与细胞内的巯基相结合)。在摄食有毒的金属后两小时内应用本品效果较好。本品不溶于水,其花生油溶液可肌肉注射。

dimethoate 乐果 一种杀虫剂的商品名。一种内吸杀虫剂,通过抑制参与神经冲动传递的胆碱酯酶而起作用。是一种有机磷,像所有有机磷一样,属于神经毒气类,也是对所有脊椎动物,包括对人的最有毒的杀虫剂之一。作为内吸剂,乐果被植物的根部吸入,转运到植物的地上部分,在此它对任何以植物汁液为食的刺吸昆虫(例如蚜虫、叶跳虫、蓟马)产生毒害。对毛虫和其他咀嚼进食的害虫没有杀伤作用,因为它们摄食的组织中所含汁液不足。

dimethyl sulfoxide 二甲基亚砜 有机化合物亚砜类中最简单的一个。参阅 **sulfoxide**。

dimethylaminoethylbenzanilide 二甲基氨基乙基苯基苯胺 参阅 **phenbenzamine 苯苄胺**。

dimethyltryptamine(hallucinogenic drug) 参阅 **DMT 二甲基色胺**。

Dimetrodon 异齿龙属 原始食肉爬行动物绝灭的属。化石见于北美二叠纪(2.86亿年前至2.70亿年前)地层。身长3.5米多,具有一个大背帆,由包含许多血管的皮膜连接

复原的异齿龙属(*Dimetrodon*)骨骼
美国不列颠百科全书公司供图

延长的背神经棘而成。背帆很可能起类似温度调节装置的作用。头骨高而窄,眼的前面部位长。许多齿分化成各种类型,以适应攫取食料,刺穿与分割食料。身体细长,尾长,四肢拙笨,但不像其他原始爬行动物那样笨拙。可能比同时代的动物行动更有效,这对于食肉动物显然是有利的。最终产生哺乳动物的似哺乳类爬行动物中的兽孔类,很可能源于异齿龙属或类似的祖先。

diminished responsibility 减轻责任 指免除患精神病或精神不健全的被告人对其犯罪行为应负的部分罪责的法律原则。这个原则在被告人的精神病或精神不健全没有达到能够完全免除刑事责任的程度的案件中,可以作为减轻罪责的辩护理由。例如处理谋杀案件,通常要了解被告人的精神状态。如果法官或陪审团认定被告人不能事先考虑但能了解其行为的错误性或者能够使其行为符合法律的要求时,法庭可能对其判处较轻的刑罚。一般地说,如果被告人能证实他的精神状态不正常,就可按非预谋杀人罪而不是按谋杀罪处理。但只有为数不多的司法制度下采取减轻责任这一原则。多数国家只承认:如果精神病或精神不正常达到极为严重的程度,可以神志不清作为辩护理由。参阅 **insanity**。

diminishing returns, law of 报酬递减律 又称收益递减规律。经济规律,表明在其他生产投入固定不变的情况下,增加一项投入时终会达到某一点;超过此点,则追加投入所得的收益,亦即产出的增加部分,必渐趋减少。早期经济学家忽视了技术进步会改进生产手段的可能性,运用报酬递减律预言:由于世界人口增长,人均产量就会下降,最后到达这样一点,其苦难的程度会限制人口进一步增长。在停滞不前的经济中,生产技术长期不变,这种影响现已显而易见。另一方面,在长足进步的经济中,技术发展所取得的成绩足以抵消人口增长这一因素而有余。

Dimitrijević, Dragutin 迪米特里耶维奇(1876-08-17,塞尔维亚贝尔格莱德～1917-06-27,希腊塞萨洛尼基) 塞尔维亚军官、密谋者,秘密恐怖组织黑手社头目。早年进总参谋部当参谋。1901年暗中组织军官谋刺国王A.奥布雷诺维奇,1903年6月计划实施。他在军事学院任战术教官时,对学员们影响很大。1913年任总参谋部情报处长。1916年晋升上校。他曾创立民族主义的秘密团体"团结或死亡",俗称"黑手社",企图用暴力手段建立大塞尔维亚国。人们认为他是1914年6月28日在萨拉热窝刺杀奥地利斐迪南大公的主谋。1917年5月,他与另外6名军官被判死刑,后被处决。1953年在贝尔格莱德进行的复查当中,他的旧案得以完全平反。

Dimitrios 迪米特里奥斯(1914,奥斯曼帝国君士坦丁堡[今土耳其伊斯坦布尔]～1991-10-02,伊斯坦布尔) 又拼Demetrios,原名迪米特里奥斯·帕帕佐普洛斯。东正教的第269代普世牧首。迪米特里奥斯在伊斯坦布尔加拉塔区法兰西中学求学,后入马尔马拉海中的海伊贝利岛上的圣三一神学院。1942年被授以司祭职,在希腊北部任堂区管理人员数年,后任德黑兰市人数不多的希腊社区的特派司祭。1964年立为主教,1972年2月15日任爱琴海中两个土耳其岛屿伊姆罗兹岛和博兹贾阿达的都主教,两岛过去属于希腊,居民

为希腊人。1972年7月16日,东正教会议选举迪米特里奥斯都主教为君士坦丁堡牧首(即普世牧首),继阿特那哥拉斯之位。

Dimitrov, Georgi Mikhailovich 季米特洛夫(1882-06-18,保加利亚科瓦切夫齐～1949-07-02,苏联俄罗斯莫斯科附近) 保加利亚共产党领导人,第二次世界大战后任

中国大百科全书出版社供图

保加利亚总理,因1933年德国国会纵火案庭审中反对纳粹指控的辩护词而赢得世界声誉。原为印刷工人、工会领袖。1915年领导保加利亚议会的社会民主党议员投票反对国家战争贷款。1919年成立保加利亚共产党时,他起主要作用。1918年一度入狱,后赴苏联。1921年当选共产国际执行委员。1923年在保加利亚领导共产党起义,遭到政府的残酷镇压。因被宣判死刑而被迫流亡国外。1929年起为共产国际中欧地区负责人。1933年2月27日德国国会失火,希特勒以此为口实,立即宣布共产党为非法,并诬陷季米特洛夫等共产党领导人是纵火的策谋者。他在法庭上义正词严,批驳了纳粹的指控,赢得无罪释放。嗣后定居莫斯科,任共产国际执行委员会总书记。1945年回国,任祖国阵线政府总理。他对于政治事务采用独裁控制的办法,巩固了共产党的权力,于1946年建立保加利亚人民共和国。

Dimitrovgrad 季米特洛夫格勒 保加利亚中南部城镇。位于马里查河流域肥沃的低地上,为贝尔格莱德—索菲亚—伊斯坦布尔铁路线上联轨站。为1947年保加利亚青年联合当地3个村而成立的新镇,以保加利亚共产主义领袖季米特洛夫的名字命名。工业有化学品、水泥和石棉制造业及食品罐头业。当地农场暖房蔬菜的产量很高。周围产褐煤,可供3座马里查热电站发电。人口约47 100(2001)。

Dimitrovgrad 季米特洛夫格勒 1972年之前称梅列克斯。俄罗斯西部辛比尔斯克州城市。位于梅列克斯河与大切列姆尚河汇合处。1714年始建,1919年设镇。现为农产品加工中心,有锯木和金属加工工业和原子能研究中心。设有师范学院。人口130 871(2002)。

Dimitrovo(Bulgaria) **季米特洛沃** 参阅 **Pernik** 佩尔尼克。

dimity 麻纱 重量轻的薄棉布,用两根以上的经纱织成,具有凸条纹。原先用蚕丝或羊毛织造,18世纪以来改用棉纱。棉制麻纱有两种,一种较厚,用作床罩、帷幔等;另一种很薄,有条状或方格织纹。现在的麻纱主要指后者。

Dimona 迪莫纳 以色列南部内盖夫地区城镇。在贝尔谢巴至塞多姆的干线公路上。以《圣经》提及的底摩拿城命名。1955年创建,1969年设镇。现为死海工地职工及奥龙磷酸盐矿工人住宅区。有纺织、瓷器工业。附近的核研究中心有26兆瓦的核反应堆。通过来自贝尔谢巴的铁路与全国铁路网连接。人口33 700(2002)。

Dimorphodon 二形翼龙属 飞翔爬行动物的绝灭属。化石见于欧洲的早侏罗世(2.08亿年前至1.87亿年前)地层。是已知最原始的翼龙(飞翔爬行动物)之一。长约1米,头很大,头骨有几个大孔。颌内可见两种齿型:前面几个大尖齿;后面许多较小的齿。肢很发达,是否习惯于两足行走尚不清楚。两翼由薄的皮膜组成,该皮膜由前肢强烈伸长的第四指伸展到后肢。在地面,可合拢其双翼,很像现代的蝙蝠。前肢的其余三指很发达,很可能用于支撑身体或攫取食物、抓刨地面。眼睛大。二形翼龙肯定不是现代鸟那样有效的飞行者,没有鸟强有力的飞翔肌肉所附着的大的龙骨突起,它的正常飞行是滑翔而不是鼓翼。

Dimyat(Egypt) **杜姆亚特** 参阅 **Damietta** 达米埃塔。

Dīn-i Ilāhī 丁-伊拉赫教派 波斯语,意为"神圣的宗教"。莫卧儿皇帝阿克巴于16世纪末所创的折衷主义宗教运动。范围狭窄,信徒从未超过19人。该教派实质上是伦理体系,禁戒纵欲荒淫和谤人自大,提倡虔敬谨慎和节制爱人。它揉合了苏非派、天主教和耆那教的一些习俗和思想。该派没有经典,也不设教长制度,实际上无非是对阿克巴个人的崇拜。参加者都是阿克巴根据对他的忠心遴选的。阿克巴自称为穆罕默德身后千年的伊斯兰改革家,因而有人认为他想当先知。当时有人认为该派是伊斯兰教的革新派,也有人认为是异端。

Dinah 底拿 《圣经·旧约》人物,以色列人的祖先雅各与利亚所生的女儿。底拿在示剑城附近被希未人哈抹的儿子示剑诱奸,哈抹向雅各提议两族通婚和交易。底拿的哥哥西缅和利未佯作同意,要求示剑和示剑城所有男子都受割礼。割礼手术后,趁示剑人体力未复,西缅和利未人便攻进城里,杀死所有男子,救出底拿,并大肆掳掠。

Dinājpur 迪纳杰布尔 孟加拉国西北部城镇,位于普纳巴巴河东岸。旧城和前迪纳杰布尔的大君住地在今城东北部。有黄麻厂、碾米厂、黄麻种籽场和一个火电站。设有几个附属拉杰沙希大学的学院。迪纳杰布尔的周围地区是平坦的冲积平原,河流纵横,是重要的稻米、小麦、黄麻和甘蔗产区。帕拉时代(9世纪)的遗迹随处可见。人口157 303(2001)。

Dinan 迪南 法国西北部布列塔尼大区阿摩尔滨海省城镇。位于朗斯河口湾上游西岸高地上。保存有许多中世纪木结构房屋以及精美的18世纪花岗石建筑、哥特式桥梁、15

迪南古城墙和15个城塔之一

美国不列颠百科全书公司供图

世纪钟楼、11世纪城墙和14～15世纪城堡。现为一个集镇和小型工业城市(电子设备和食品加工)。人口10 967(1999)。

Dinan, SAINT 参阅 **Ninian, Saint** 尼尼安,圣。

dinanderie 迪南黄铜器皿 中世纪后期在比利时迪南及其周围地区制作的黄铜器皿。直到11或12世纪在默兹河附近地区的低地国家建立起重要的工业以前,黄铜似乎在欧

约1480年的迪南黄铜盘

美国不列颠百科全书公司供图

洲尚未被广泛使用。到了15世纪,其生产中心迪南成为繁荣的城镇时,迪南才成为出色的黄铜器皿的同义语。当时的铜器包括日用品诸如水罐、火炉用具、烛台、盘子和盆以及香炉、作弥撒前洗手用的水盆、洗礼盆和讲经

台架等宗教用品。最早的黄铜器皿其外观和情调都是哥特式的，一般小而深，用金色黄铜制成。16 世纪及以后留存下来的制品则较扁平、较大、颜色较深。雕刻装饰具有粗犷的特点，形成以宗教和寓言为主题和以因袭时尚的装饰款式为主题的两大类。在器皿的边缘和中心图案周围，用冲压形成的重复简单纹样图案镶边作为附加装饰。许多制品以盛开的玫瑰花作为中心凸起的浮雕图案。有些则刻有哥特式字母或仿哥特-伊斯兰教式手写体的铭文。这类制品常见于教堂用作接受施舍之盆。

Dinant　迪南　比利时南部那慕尔省自治市。位于那慕尔以南，临默兹河。罗马时期有人居住。历史上曾以金属工艺制品闻名。现为铁路枢纽和旅游中心。除出产传统的黄

默兹河畔的迪南市
美国不列颠百科全书公司供图

铜制品外，还生产毛线和纺织品。名胜古迹有11 世纪建于悬崖顶端的古城堡（高 90 米）、建于 13 世纪的蒙特福特塔和圣母教堂、130 英尺高的哨岩、默兹河两岸的史前洞穴和钟乳石山洞。不远处的阿斯蒂耶尔有一座 11 世纪教堂，为罗马风格，有一哥特式唱诗班席。附近设有菲尔福茨国家公园。人口约 12 208（1990）。

Dinarchus　狄纳尔科斯（约公元前360～前 292 后）　雅典的职业演说词作家。公元前 324 年，马其顿帝国的财务大臣哈帕洛斯逃往雅典，带去亚历山大大帝在远征亚细亚时掠夺的大批财宝。据说狄摩西尼和其他政界知名人士曾被指控盗用这笔钱的一部分。狄纳尔科斯写作了控诉他们的演说词，以此闻名于世。现存 3 篇公认出自他手笔的作品，即《驳狄摩西尼》、《驳阿里斯托吉顿》和《驳菲洛克利斯》，都与此案有关。狄奥尼西奥斯曾列出 87 篇相传为狄纳尔科斯所作的演说词的题目，认为其中有 60 篇是真的。从现存的几篇演说词可以看出，狄纳尔科斯缺乏创造性，用辱骂代替说理，还剽窃其他演说家的词句。这一情况证实了狄奥尼西奥斯对他不高的评价。

Dinaric Alps　迪纳拉山脉　东阿尔卑斯山脉的东南段，与达尔马提亚的亚得里亚海岸平行，从的里亚斯特和斯洛文尼亚向南延伸至阿尔巴尼亚。周围河流环绕，北有索查河与萨瓦河，南有德里纳河，东有科卢巴拉河、伊巴尔河和锡特尼察河，西为亚得里亚海。最高点在杜米托尔山的博博托夫库克峰，海拔 2 522 米。海岸成锯齿状，形成许多天然良港；然而此石灰岩山脉却阻隔着内地农业区，交通不便。山间盆地虽与外界隔绝，可是土地肥沃，人口众多。

Dīnawarī, ad-　迪奈维里（约815～约895或 902）　全名 Abū Ḥanīfah Aḥmad ibn Dāʾūd al-Dīnawarī。波斯天文学家、植物学家及历史学家。对希腊文化及阿拉伯人文学科的兴趣可与伊拉克学者贾希兹相媲美。他曾在伊拉克巴士拉和库费研究语言学，在那里接受了系统的研究方法，这点反映在现存的他的《植物手册》一书片段中。该书是早期穆斯林最著名的植物学著作之一，以优美的散文形式书写，具有百科词典的特点，包括口头和书面的关于阿拉伯植物的传说，以及许多波斯的材料，长期以来被视为权威著作。该书还记载了他天文观察的片断。他关于数学和古兰经的著作均未保存下来。他唯一幸存的完整著作是《长篇叙事》，这是一部以波斯人的观点而不是阿拉伯人的观点写的波斯史。

Dinbych（Wales）　参阅 **Denbigh** 登比。

Dinder National Park　丁德尔国家公园　苏丹东部公园，在丁德尔河和拉海德河冲积平原上。海拔 700 ～ 800 米。1935 年建立，占地 7 123 平方千米。北部为灌丛草原，南部为森林，沿河两岸有棕榈林，此外还有沼泽地。野生动物有长颈鹿、大羚羊、狷羚、瞪羚、小羚羊、野牛、狮子和鸵鸟；还有少数黑犀牛、豹、猎豹、象、鬣狗和豺等。有公路与喀土穆相通。公园管理处设在喀土穆。

Dinder River　丁德尔河　青尼罗河支流。源出塔纳湖以西埃塞俄比亚高原，西北经栋盖，流入苏丹平原。河道蜿蜒曲折，在苏丹森纳尔以北汇入青尼罗河。河长 480 千米，洪水季节（6 ～ 9 月），下游河道有 1/3 可通航。中游在苏丹境内流经丁德尔国家公园。

Dindigul　丁迪古尔　印度东南部泰米尔纳德邦城市。位于伯尔尼丘陵与锡鲁马赖丘陵之间。为公路交通中心。俯瞰全城的裸丘上有维查耶那加尔时代（1336 ～ 1565）的堡垒，在 17 至 19 世纪历次战争中均曾使用。丁迪古尔现有大型棉纺织厂以及丝织、珠宝制造以及雪茄制造等手工业。设有马杜赖大学的两个文科学院。人口约 182 293（1991）。

Dindsheanchas　《地方志》　又拼 Dinnsheanchas。关于爱尔兰地名（如河流、古冢、暗礁和古爱尔兰首领的要塞）的词源与历史的研究，以散文和韵文写成，以不同的形式保存在 12 世纪和后来的寺院手稿中。内容大多为基督教流行以前的神话，特别是有关神和仙女的故事。最著名的是《地方志》，描述了 200 多个地方。据说为 6 世纪迪尔梅德国王时期的一位诗人所写。

d'Indy, (Paul-Marie-Théodore-) Vincent　参阅 **Indy, (Paul-Marie-Théodore-) Vincent d'** 丹第。

Dine, Jim　丹因（1935-06-16，美国俄亥俄辛辛那提～　）　詹姆斯·丹因的别名。美国画家、雕刻家和诗人。曾在波士顿艺术博物馆美术学校和俄亥俄大学学习。其创作方法除在画布作画外，还挂有其他实物。如《在我脑袋上走的鞋》（1960），画一张脸，另用一双皮鞋挂在前额。《姓名（1935 ～ 1963）》作于 1968 ～ 1969 年，在画布用炭条写上 1935 ～ 1963 年他所认识的人的姓名。其第一部著作是为阿波里耐《被暗杀了的诗人》的译本所作的插图（1968）。与李·弗里德兰德合写过《来自一所住宅的工作》（1960），与罗恩·帕吉特合写过《吉姆先生与夫人和罗恩历险记》（1970），自作插图。其《作品全集》于 1970 年问世。

Dinefwr　迪内弗尔　威尔士南部达费德郡的一个区。1974 年设立。面积 971 平方千米。该区地势自中部的蒂韦谷至南面的布莱克山，海拔从 30 米上升至 600 余米。兰达弗里在罗马时代是战略要冲。兰韦尔教堂（1915 年修复）建在一座罗马堡垒的防御围墙之内。13 世纪建造的迪内弗尔城堡的遗迹，位于兰代洛的西部。该区是一农业区，饲养奶牛是主要农事活动。兰达弗里与兰代洛都是农业集市城镇，兰代洛是区首府。该区有限的工业集中在无烟煤矿业中心阿曼福德，周围是景色秀丽的乡村。许多游客前来观光，因为该区东半部的大部分地处布雷肯比肯斯国家公园内。郡立农学院设在兰代洛。公路和铁路自兰达弗里经兰代洛及阿曼福德向南延伸。人口约 37 200（1986）。

Dines, William Henry　丹斯（1855-08-05，英国伦敦～ 1927-12-24，牛津郡本森）　英国气象学先驱，发明了各种测量大气性质的仪器。他以优异的成绩毕业于剑桥基督圣体学院。他对研究风速有兴趣，发明了一种压力管式风向风速计，这是第一个能同时测量风速和风向的仪器。他首先用风筝和气球测量高空气象，设计的气象仪重仅约 60 克，提供高空甚至平流层的气压、气温、湿度等大量气象资料，成为英国多年来的标准探空仪器。他对所获得的资料进行分析后，揭示出高空大气特性与气旋和反气旋运动有着明显的联系。他丰富了关于地球和太阳辐射的知识。他的科学论文集和整套文献目录于 1931 年由皇家气象学会出版。1901 ～ 1902 年任该学会会长，1905 年被选为英国皇家学会会员。

Dinesen, Isak　迪内森（1885-04-17，丹麦龙斯泰兹～ 1962-09-07，龙斯泰兹）　即 K.布利克森。布利克森-芬纳克男爵夫人卡伦·克里斯滕森·迪内森的笔名。丹麦女作家。她描写细腻的小说，以历史为背景并充满超自然主义情调，包含了性爱和梦境的主题。曾就学于哥本哈根美术学院，1914 年与表兄布利克森-芬纳克男爵结婚并同往非洲。她在肯尼亚经营咖啡种植园，猎捕野兽。1931 年返回丹麦。她在肯尼亚的生活记述在非小说体作品《走出非洲》（1937）里。她能用英文和丹麦文两种文字写作，而且一部作品的两种文本往往同时问世。迪内森的代表作是那些文

采斐然、遵从浪漫主义传统的故事，包括《哥特式故事七篇》(1934)、《冬天的故事》(1942)和《最后的故事》(1957)。《狂欢节：各种娱乐与身后出版的故事》(1977)包括以前未收集或未出版的作品。

ding 鼎 又拼ting。中国古代炊器和礼器。在仰韶文化(公元前5000～前3000)中已出现陶鼎，一般为圆腹环底，3足2耳。商周时，鼎为青铜铸造的重要礼器。当时祭祀天

河南安阳殷墟出土的商代司母戊鼎
中国大百科全书出版社供图

神、祖先需用牲肉，鼎为炊爨和盛放牲肉的用具，成为祭祀的重要礼器。先秦文献中有夏铸九鼎的记载，说明当时以鼎为国家政权的象征。周礼规定贵族用鼎须遵照礼制，按等级使用不同数量的鼎，如天子9鼎、诸侯7鼎、大夫5鼎、士3鼎。违反定制则斥为僭礼。战国和汉代随葬明器中有陶鼎，汉代还有漆鼎。

Ding Guangxun 丁光训(1915-09-20，中国上海～) 中国基督教(新教)主要领导人，神学家。1937年和1942年先后毕业于上海圣约翰大学文学院和神学院。1938年后任上海基督教青年会学生部干事，上海救主堂和国际礼拜堂牧师。1946年后任加拿大基督教学生运动干事。1947～1948年在美国纽约哥伦比亚大学师范学院、美国纽约协和神学院学习，获文学硕士、神学博士学位。1948～1951年在瑞士日内瓦任世界基督教学生同盟干事。1951年回国，历任上海广学会总干事、中国圣公会浙江教区主教、金陵协和神学院院长、南京大学副校长兼宗教研究所所长、中国基督教三自爱国运动委员会主席、中国基督教协会首届会长、全国人民代表大会常务委员会委员和全国政治协商会议副主席。曾被欧美6所大学和神学院以及韩国延世大学授予荣誉博士学位。丁光训主张中国基督教必须走“三自”(自治、自养、自传)爱国的道路。他号召建设独立自主、具有中国特色的合一中国教会。

Ding kiln 定窑 中国宋代(960～1279)瓷窑。位于今河北曲阳县涧磁村及东、西燕山村，因曲阳在宋代属于定州，故名。定窑瓷品

河北定县北宋塔墓出土的定窑净瓶
中国大百科全书出版社供图

以刻花、划花、印花白瓷闻名于世，也产黑釉、绿釉、绛釉，以及绘花、剔划花等瓷器。当时南北各地多有仿制，有“土定”、“粉定”、“南定”等名称。装饰图案简练、生动，华丽而不繁琐，风格典雅。定窑采用“覆烧”法(即口部向下装入匣钵烧成)，不仅防止变形，还增大装量，降低成本，曾被广泛采用。南方“影青”(青白瓷)模仿这种烧法。定瓷口部无釉，易刺伤口唇，称为“芒口”，后多在口边镶铜或银口以便使用。

Ding Ling 丁玲(1904-10-12，中国湖南安福[今临澧]～1986-03-04，北京) 又拼Ting Ling。中国现代作家。原名蒋伟，字冰之。丁玲是常用笔名。出身于没落豪门世家。少年

中国大百科全书出版社供图

时代接受五四新思想。1922年入上海平民女校读书，后转入上海大学。1924年到北京后认识胡也频，不久结婚。1927年开始发表作品，1928年出版第一部小说集《在黑暗中》。她的成名作《莎菲女士的日记》表现了20年代末半封建半殖民地的青年女性的苦闷，发出了叛逆的呼声。1930年在上海参加左联，1931年胡也频被国民党残杀后，她主编左联机关杂志《北斗》月刊，1932年参加中国共产党。这时期写的中篇小说《韦护》(1930)、《一九三〇年春上海》和长篇小说《母亲》(1933)都改变先前的情调，尤以1931年的小说《水》描写农村灾难、农民的痛苦和抗争，为左翼文学增添了崭新的内容。这一时期还发表了许多反映工农生活的短篇小说。1933年在上海被国民党特务秘密绑架，囚禁南京。1936年在共产党帮助下逃出南京，到达延安。抗战初期主持西北战地服务团，在前线工作；以后负责全国文艺界抗敌协会延安分会工作，主编延安《解放日报》文艺副刊。这时期写过反映边区军民生活的散文和小说。1946年在华北农村参加土地改革，1948年写成反映土改斗争的长篇小说《太阳照在桑干河上》，曾获得1951年斯大林文学奖金，并被译成英、俄、日等10余种文字出版。中华人民共和国建立后任中国作家协会副主席、《文艺报》主编，写了很多散文和评论。1957年被错划为右派，离开文艺界。1979年恢复名誉。被选为中国人民政治协商会议全国委员会委员，中国作家协会副主席。复出后出版了《在严寒的日子里》(1979)、《我的生平与创作》(1982)、《访美散记》(1984)等新作。

Ding Wenjiang 丁文江(1887-04-13，江苏泰兴～1936-01-05，湖南长沙) 中国地质学家。字在君，笔名宗淹。曾东渡日本留学，后赴英国入剑桥大学肄业后，又进入苏格兰格拉斯

中国大百科全书出版社供图

哥大学，获动物学及地质学双学士。1914年于川、滇一带徒步调查矿藏为时1年，曾作路线地质图，采集化石颇丰，翌年并发表有关研究报告。1916年地质调查所成立，为首任所长，策划周详，使之成为中国科学史上一个重要部门。1919年出版《地质汇报》、《地质专报》。1930年起任北京大学地质学教授3年；1934年任中央研究院总干事。1936年1月，因一氧化碳中毒病逝。著有《徐霞客年谱》、《扬子江下流之地质》、《中国官办矿业史略》、《外资矿权史资料》等；另与人合编的《中华民国新地图》及其缩编本《中国分省新图》(通称《申报地图》)，是中国第一本采用分层设色法表示地形的中国地图集，被称为中国现代地图的先驱。

Ding Ying 丁颖(1888-11-25，广东茂名[今高州]～1964-10-14，北京) 中国农学家，中国水稻研究的奠基人。出身农民家庭。1924年毕业于日本东京帝国大学农学部，同年到广东大学农业科学院(后改为中山大学农学院)任教授。1926年在广州东郊犀牛尾、雷州半岛及海南岛等地找到了野生稻，用野生稻同农家品种杂交，育成了“中山1号”，成

功地将野生稻抵抗恶劣环境的种质,转移到栽培品种上。1936年通过栽培稻同野生稻杂交,获得了世界上第一株水稻干粒穗类型。1940年任中山大学农学院院长,兼任农林部西南改良作物品种繁殖场场长。1949年任华

中国大百科全书出版社供图

南农学院院长,1955年被聘为中国科学院生物学学部委员,1957～1964年任中国农业科学院院长。他通过对中国稻种的起源及其演变的研究,弄清了中国栽培稻种几千年来的起源和演变过程,为中国水稻育种、改进栽培技术打下了基础。他从生态学的观点出发,把中国划分为6个稻作带。他搜集、保存了中国农家水稻品种7 000多个,提出了“水稻品种系统分类法”、“水稻区制选种法”和“水稻品种多型性理论”。晚年主持了“水稻分蘖现象、幼穗发育和谷粒充实过程的研究”和“中国水稻品种光温生态研究”等工作。他是德意志民主共和国农业科学院通讯院士、全苏列宁农业科学院通讯院士和捷克斯洛伐克农业科学院荣誉院士。著作有《中国栽培稻种的起源及其演变》(1957)、《中国稻作区域的划分》(1957)、《水稻生育过程与栽培技术措施》(1959)和《达尔文主义与中国生物学的发展》(1959)。主编过《中国水稻栽培学》(1961)。

Dingane　丁冈(?～1843)　南非纳塔尔的祖鲁人国王(1828～1840),1828年谋害异母兄恰卡之后篡位。1837年11月丁冈许诺布尔人领袖P.雷蒂夫以纳塔尔大部土地换回被偷走的牛群。次年2月祖鲁人屠杀了雷蒂夫及约600名布尔移民。A.比勒陀利乌斯在1838年12月16日进行报复(血河战役),3 000名祖鲁战士阵亡。1840年1月被胞弟姆潘德推翻,逃往斯威士兰。1843年被刺死。

Dingcun man　丁村人　中国华北地区旧石器时代中期的古人类化石。1954年在山西襄汾丁村发现。先后出土3枚人类牙齿化石、一块小孩顶骨化石、大量打制石器和哺乳动物化石。地质时代为晚更新世早期。3枚牙齿化石属于同一个体,和北京猿人相近,但较为进化,其特征近似现代蒙古人种。石器主要原料是角页岩,也有燧石、玄武岩、石英岩等。用锤击法和碰砧法打制石片。类型有砍斫器、刮削器、小形尖状器、厚三棱尖状器和石球等。以厚三棱尖状器最为特殊,称“丁村尖状器”,是丁村文化中有代表性的石器。从

丁村人遗址
中国大百科全书出版社供图

地层对比和动物化石推断,当时丁村气候温暖湿润。丁村人居于汾河两岸,以采集、狩猎为生。

Dingelstedt , Franz Ferdinand, Freiherr von　丁格尔施泰特伯爵(1814-06-30,黑森-卡塞尔哈尔斯多夫[德国]～1881-05-15,奥地利维也纳)　德国诗人、剧作家和舞台监督,以尖刻的政治讽刺作品知名。参加过自由主义的青年德国运动,曾任教师。写过针对德国诸亲王而发的政治讽刺诗《一个世界更夫的歌谣》(1841),其中的一首《新阿尔戈英雄》导致他被革职。1841～1843年,在巴黎和伦敦任记者,经历了一次政治上的转变而走上国家官员的道路,任慕尼黑和魏玛的宫廷剧院经理,最后任维也纳歌剧院和霍夫堡剧院院长,并被巴伐利亚国王封为贵族。他负责德国古典作品和莎士比亚作品的演出。他是德国莎士比亚协会的创始人,译过很多莎士比亚剧本,也写过小说,以及一部自传性短剧《慕尼黑画页》(1879)。

Dinghushan Nature Reserve　鼎湖山自然保护区　中国南亚热带常绿季雨林自然保护区。在广东省肇庆市东北部,西江北岸。建于1956年,1980年1月列入联合国国际生物圈保护区网络。面积约1 133余公顷。鼎湖山海拔1 000米左右。气候常年温润,罕见霜雪,年平均气温21 °C左右,年降水量约2 000毫米。土壤肥沃,森林茂密,树种繁多,共有植物2 400余种,群落层次多,结构复杂。山中庆云寺和白云寺附近270公顷自然林据记载已有400年以上历史,为植物绝对保护区。植物垂直分布大致以海拔300米一线为界,其下为热带季雨林,以上为南亚热带常绿阔叶林。

主要树种有列为国家一级保护的珍贵树种格木,有以中国植物学家钟观光命名的观光木。格木、观光木喜光,高耸林冠之上,挺拔秀丽。还有体形庞大的榕树,气根下垂,绞杀邻近树木;有号称“活化石”的孑遗植物苏铁、桫椤,区域性稀有树种鼎湖钩樟、鼎湖冬青,木质坚硬的野荔枝、长青竹柏。林中藤本植物攀缘交织,遮天蔽日,还有许多药用、淀粉、油脂、纤维、糅料等植物资源。呈现典型的亚热带林相,并为各种动物栖息创造有利条件。保护区内现有鸟类170余种,兽类40余种,爬行动物30余种,列为国家保护的珍稀动物有华南虎(已绝迹)、穿山甲、苏门羚、小灵猫等,为中国南方生态保持较完好地区之一。

Dingiswayo　丁吉斯瓦约(?～1817)　1807年起的班图人北(纳塔尔)恩古尼分支姆泰特瓦部落酋长,后成为祖鲁兰(今南非共和国纳塔尔省东北部)约30个部族的最高首长。他选出的继任人恰卡执行了他的政策,即征服附近的恩古尼人,把他们吸收到中央集权的国家来。他首先与在莫桑比克的葡萄牙人通商。1817年被反叛的恩德万德韦部落酋长兹维德暗杀。

Dingle　丁格尔　爱尔兰西南岸凯里郡的半岛和海湾。半岛起自特拉利以南的米什山,海拔在600米以上,终端是布拉斯基特群岛。西部为丘陵和低地,在丁格尔、文特里和斯梅里克3个海湾周围主要是低地。

dingo(*Canis dingo*)　**澳大利亚野狗**　又作warrigal。犬科野生动物,为澳大利亚少数无袋动物之一。有些权威人士认为它是家犬的一个亚种,故学名为*C.familiaris dingo*。似乎是在更新世期间后(可能是5 000年前至8 000年前)土著人从亚洲迁移到澳大利亚时引进的。结构和习性与家犬相似。澳大利亚野狗身体结实,毛短而柔,尾多毛,耳尖,竖立。长约1.2米(包括30厘米的尾长),肩高约60厘米。毛色浅黄或微红褐色,腹部、脚和尾尖为白色。单独或结小群捕食。澳大利亚野狗从前猎食袋鼠,现在主要以兔类为食,有时亦食家畜,与袋狼和袋獾的绝灭有关。白种人定

澳大利亚野狗(*Canis dingo*)
美国不列颠百科全书公司供图

居澳大利亚后,因其危害绵羊群和家禽,故将大多数地区的澳大利亚野狗消灭。野生者胆大,多疑,但也能驯养,自幼驯养者成为依恋主人的玩赏动物。土著人常捕捉并驯养之。澳大利亚野狗一般仅发短促的吠声或吼叫,但驯养者也能模仿狗吠。妊娠期约63天,一窝4～5仔。

Dinguiraye　丁吉拉伊　几内亚中北部城镇,位于富塔贾隆高原东端。1850～1893年穆斯林宗教领袖在此地建图库洛尔帝国。丁吉拉伊有公路通往锡吉里和达博拉,是大米、粟、花生和牲畜贸易中心。丁吉拉伊的居民为图库洛尔、富拉尼和迪亚隆卡人。尼日尔河支流上游可以淘金。人口约32 065(1983)。

Dingzhou　定州　中国河北省县级市。位于省境中部,地处太行山山前洪积冲积平原。

地势平坦，由西北向东南缓倾，海拔35～85米。主要河流有唐河、沙河、孟良河，由西向东北、东南贯穿全境。属暖温带大陆性季风气候，春旱多风，夏、秋炎热多雨，冬寒少雪。

定州开元寺塔
中国大百科全书出版社供图

年平均气温12.4°C，年降水量523毫米。土壤主要是褐土和潮土。春秋时为鲜虞国，战国时为中山国。秦属恒山郡，西汉置卢奴县。十六国后燕曾定都于此。北魏天兴三年(400)置定州。后曾改名博陵郡、高阳郡、中山府等。唐宋时织造绸绫、刻丝和宋定窑瓷，均为珍贵的手工艺品。明洪武初年(1368)复名定州。1913年改定县。1986年撤销定县，改设定州市。除城区外，还辖7镇、42乡。面积1 274平方千米。

定州农业发达，农作物以小麦、棉花、花生为主，是河北粮棉重要产地之一。工业以食品、轻纺为主体，并有机械、造纸、建材、医药、工艺美术等工业部门。特产有健身球、定州糖、定州醋、定州眼药、鸭梨等。京广铁路贯穿市境西北部。城乡公路交织成网。城内有建于北宋的开元寺塔，十分雄伟壮观。人口1 140 000(2005)。

Dinh Bo Linh　丁部领（?，越南北部和路～979，越南北部）　越南第二个封建王朝的缔造者。原是割据越南北部和中部的12个使君之一。他击溃其他11个使君，968年建大瞿越国，自称皇帝。他消除了社会和政治的混乱状态，任用佛道两教僧侣充当官吏，并按照中国的模式组织国家机构。他谋求同中国保持友好关系，利用宋朝初立势弱，同意臣属中国并向中国皇帝纳贡，以换取对大瞿越国及君权的承认。丁部领勇敢善战，长于治国和外交，但因专横独断和沉湎酒色，在家庭和宫廷内部树敌很多。979年与太子一同被刺，大瞿越国随即灭亡。

Dinichthys　恐鱼属　又作Dunkleosteus。节颈鱼类的一属。统治着古代海洋的原始披甲鱼形动物的绝灭属。生存在晚泥盆世(3.74亿年前至3.6亿年前)。化石见于欧洲、亚洲

复原的恐鱼属(*Dinichthys terrelli*)头骨
美国不列颠百科全书公司供图

北部、北美的上泥盆统。长可达9米左右，其中3米多由挂在颈区的头甲组成。上颌能够离开下颌而抬起，显然是当时海洋食肉动物中的霸王。

Dinis　迪尼斯（1261-10-09～1325-01-07）　葡萄牙第6代国王(1279～1325)，曾改进经济，限制贵族及教会特权，使国力加强。阿方索三世之子。受法国和卡斯蒂利亚文化熏陶，颇有诗才。1290年在里斯本创办葡萄牙的第一所大学。他通过巧妙的谈判，与卡斯蒂利亚划定最后边界。他在国内极力树立王权，干预地方政府事务，削减贵族势力，打击教士气焰。在1289及1290年与教廷签订协议，结束了政教之争。他特别关心土地问题，鼓励植树造林，开发农业资源。他也关心造船以及扩大和保护商业。其妻伊丽莎白后来由罗马教皇封为葡萄牙圣徒。

Dinis, Júlio　迪尼斯（1839-11-14，葡萄牙波尔图～1871-09-12，波尔图）　葡萄牙诗人、剧作家、小说家。现代葡萄牙中产阶级社会的第一位著名小说家。若阿金·吉列尔梅·戈梅斯·科埃略的笔名。他的小说风格朴实，语言明快，为广大读者所易于接受，至今还常有人阅读。曾在《波尔图日报》发表过几篇描写乡村生活的短篇小说。后因患肺病辞去波尔图医学院副教授之职，为疗养而退居沿海城镇奥瓦尔，写成他最著名的小说《院长先生的学生》(1867)。该作品取材于他自己一家人生活，反映英国文化对葡萄牙文化的影响。由于该书立即获得成功，他又发表了小说《一个英国家庭》(1868)，描写波尔图的英国侨民。

Dinka　丁卡人　又作Jieng(竞人)。居住在苏丹南部尼罗河盆地中部沼泽地周围的热带草原地带，操苏丹东部语，属尼罗-撒哈拉语系沙理-尼罗语支，与努埃尔语关系极近。21世纪初人口约400万，分为若干独立部落，人口各在1 000～30 000人之间。这些部落再以地区、语言及文化为基础结合成不同的集团，其中最为人们所熟悉者是阿加尔人、阿里阿布人、博尔人、莱克人和马鲁阿尔人。丁卡人基本上是季节性游牧民族，旱季(12～4月)驱赶牛群至河边牧场，雨季再返回热带草原森林中的永久居住区，此时他们所种植的粮食作物(主要是黍稷)也正是生长旺季。丁卡人因所占地区十分广阔，方言分歧极大，部落内分成高度自主的小型政治单位。某些父系氏族按传统提出祭司-酋长(叉鱼神手)人选，其权位根据复杂的神话加以确认。丁卡人笃信宗教，认为主神恩希阿尔及许多祖灵对其日常生活具有重大而亲切的影响。养牛是人们日常生活的中心。20世纪后20年传统的生活方式受到严重威胁，在喀土穆的政府试图在南方非穆斯林区实行伊斯兰法律，并由此引发内战。同处苏丹南部的丁卡人和努埃尔人之间发生冲突更加恶化了局势。1999年这两个南方民族签署了停火协议。但苏丹发生了更大规模的内战。

Dinkelsbühl　丁克尔斯比尔　德国南部巴伐利亚州城市。濒临沃尔尼茨河，在安斯巴赫西南约30千米处。928年首见记载。10世纪设防，1273年成为自由城市。14～15世纪臻于繁荣。三十年战争中成功地抵御了8次围攻(现每年7月举行纪念活动)。名胜古迹有10世纪的城墙连同一个城壕，12世纪的塔群仍矗立在城市四周，使该城维持中世纪的面貌。另外还有晚期哥特式圣乔治大教堂(1448～1499)，这是德国最佳的单殿堂教堂之一；条顿骑士团的古城堡(1761～1764年重建)等。生产家具、姜饼、服装、皮革、啤酒和纺织品等。人口约11 534(1999)。

Dinkins, David　丁金斯（1927-07-10，美国新泽西特伦顿～　）　全名David Norman Dinkins。美国政治人物。1945年中学毕业后，加入美国海军陆战队。后进入霍华德大学学习数学，1950年获学士学位。1953年进入布鲁克林法学院。与纽约州议员之女J.伯罗斯结婚后步入政界，与民主党关系密切。1965年选入州议会。1989年当选纽约市长，是美国首位非洲裔纽约市长(1990～1994)。他就任之际，正值纽约市种族骚乱不断，种族关系紧张，并且犯罪率居高不下。

Dinocrates　狄诺克拉底（活动时期公元前4世纪）　又作Deinocrates。亚历山大大帝时期的希腊著名建筑师。他曾拟将圣山雕凿成一座巨大的大帝坐像，以迎合其勃勃雄心。此计划未实现，但他设计了亚历山大新城(约公元前330)。该新城按整齐的平面布局修建，与许多早期旧城市狭小曲折的街道大不相同。

dinoflagellate　腰鞭毛虫　单细胞具有两根异型鞭毛兼有动植物特征的水生生物。种类甚多。多为海产。植物学家将其列入甲藻门甲藻纲，而动物学家则将其划归原生动物门腰鞭毛目。其大小为5～2 000微米。营养方式类似植物、动物，或二者兼有；许多种类为寄生或共生。除较冷的海洋外，见于所有海洋，是浮游植物的重要组成部分，是食物链的重要环节。是海中发光生物的一部分。细胞中间有一条环形环绕的小槽，内中有一根鞭毛，另有一纵沟从横沟带向后延伸到第二根鞭毛的附着点。有甲腰鞭毛虫覆盖着粗大的纤维质板片，其上具有细长而多刺的突起；有些种类无甲，有一层薄的表膜。腰鞭毛虫有淡黄色或淡棕色的质体，贮存物质为淀粉或油类等。虽然已证实有一个属有有性过

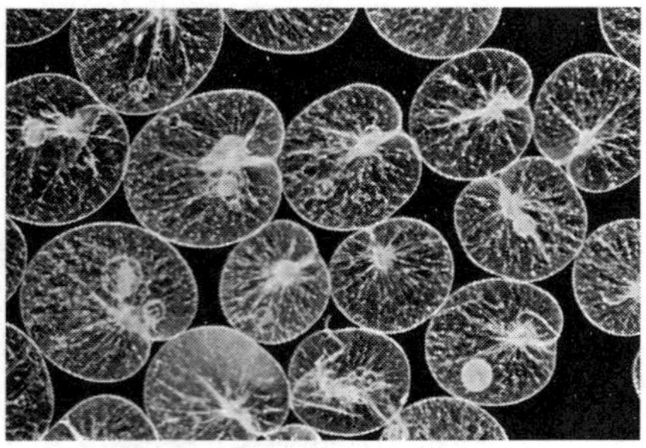

腰鞭毛虫(*Noctiluca scintillans*)
美国不列颠百科全书公司供图

程,但大部分以二分裂或复分裂繁殖。在有利的情况下,每立升水中的腰鞭毛虫种群可达6 000万个。因为生长如此迅速,结果形成**赤潮**(**red tide**),可使海水变色,毒死鱼类和其他海生动物。参阅 **Ceratium**;**Gymnodinium**。

Dinohyus 恐颌猪属 巨大猪形哺乳动物的绝灭属。化石见于北美中新世早期地层

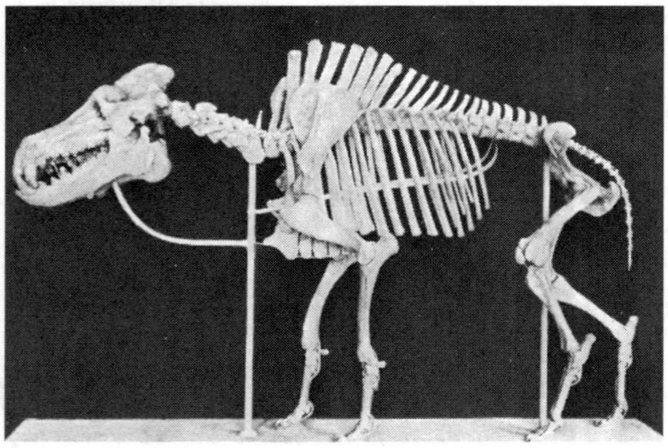

恐颌猪(*Dinohyus hollandi*)骨骼化石
美国不列颠百科全书公司供图

(中新世在2 370万年前至530万年前)。巨猪类(原始猪形动物世系的早期旁支)哺乳动物的最后、最大的类型。该属动物像野牛一样大,站立时至少肩高2米。仅头骨大约1米长,头骨有许多骨质凸缘和瘤,脑壳极小。牙齿很特殊:门齿钝,犬齿粗强,应当是有效的武器。颈部短而粗。背脊骨前面的刺很长,在两肩形成一个显著的峰。该属动物很可能是吃树根的动物。

Dinornis 恐鸟属 鸟纲的一属,已绝灭。其成员称**恐鸟**(**moa**)。

dinosaur 恐龙 中生代(2.45亿年前至6 500万年前)大部分时期在陆上占优势的一大类爬行动物,于中生代之末绝灭。恐龙一词源出希腊文,意为"恐怖的蜥蜴",因其中有些动物身躯庞大而得名。恐龙类分为两个不同而又相关的目——蜥臀目(Saurischia)和鸟臀目(Ornithischia),两者的区别主要在于腰带的构造不同。恐龙属爬行纲首龙次纲(Archosauromorpha)。该次纲还包括早期的鳄类、已绝灭的会飞的爬行类及现代鸟类的祖先。相当种类的恐龙为肉食性,但许多恐龙已放弃这种原始爬虫类的生活方式而以植物为食。早期的恐龙可能源自两足行走的祖龙,在恐龙的整个历史发展过程中许多种类一直保持两足行走。但两个目的许多食草类发展为四足行走的行动方式。

据信,蜥臀目恐龙由体型较小、两足行走的称为槽齿龙的首龙类演化而来。所有早期蜥臀类均表现相似的两足行走方式,就如该目大多数以后的种类一样。已知蜥臀类演化成3个亚目,两个主要类型为兽脚龙类及蜥脚龙类。腔尾龙类属兽脚龙,体重较轻,四肢细长,奔走迅速,肉食性,可能以较小的爬行动物为食,体长0.7～2.4米,足似鸟。兽脚类的肉食龙以肉为食,身材往往巨大。其中最著名的类型为霸王龙属(*Tyrannosaurus*),前肢小,头骨大,具多数尖锐的牙齿,善于咬啮和撕扯。身高可达5米,身长可达15米。能攻击同时代的其他恐龙,包括巨大的蜥脚植食性恐龙。虽然原蜥脚类,如板龙属(*Plateosaurus*)通常体型小于肉食龙,且以植物为食,但所有恐龙中最庞大的蜥脚类即由其演化而来。这些庞大的四足行走的植食性恐龙包括:梁龙属(*Diplodocus*),体长可达26米;腕龙属(*Brachiosaurus*)更为庞大,体重可达80吨。蜥脚类身躯硕大;四肢有力,用以支撑沉重的身躯;尾长;颈长;头小。

鸟臀类恐龙与蜥臀类一样,自槽齿类演化而来。鸟臀类的身躯不如有些蜥臀类那样巨大,但以其甲胄及其他适应性结构著名。分为4个主要类群。鸟足类包括鸭嘴龙,其吻端延长似鸭嘴,具数百枚牙齿,用以磨碎坚硬的植物性物质。鸭嘴龙两足行走,但鸟臀目其余3个亚目的种类多为四足行走。剑龙身体高度弯曲成弓形,沿背部有一排巨大的垂直甲板。甲龙类全身大部分被覆骨片,有保护作用。角龙类如三角龙属(*Triceratops*),具宽阔的颈盾,用以保护头及颈部,有些类型的头上具一至多枚长角。

多数恐龙具长尾,但长尾总是向后伸出并离开地面以保持平衡,而非像以前设想的那样拖在地面。很久以来,人们一直认为恐龙如同其他爬行动物一样是冷血动物,但新近对恐龙的姿势、捕食率及某些解剖特征作了深入研究,许多古生物学家因而得出结论,至少某些恐龙是温血动物。对这点一直争论不休,但已经清楚,与传统的看法相反,恐龙不是行动缓慢的动物,许多恐龙都是行动迅速的动物,代谢率相对较高。

在白垩纪末期以前,多数类型的恐龙一直很繁盛。在以后的100万年间,恐龙完全从地质记录中消失了。再以后的岩层中没有任何恐龙的痕迹。恐龙突然消亡的原因尚不清楚。恐龙大批绝灭的一个被广泛接受的说法是白垩纪末地球上出现造山运动的地质周期,恐龙繁盛的低地减少,世界气候也发生变化,恐龙赖以为生的植物也发生进化性改变。有一个较新的理论,假设恐龙绝灭的原因是一场天文学灾变:一颗天体与地球碰撞,产生大量尘埃,使地球处于一片黑暗之中,黑暗持续3年之久。因阳光不能照射大地,光合作用实际上难以进行,食物链的中断使恐龙及许多其他生物体在世界范围内死亡。虽然这种天体与地球碰撞是恐龙最终绝灭的基本原因的说法得到一部分地质学证据的支持,但某些恐龙似乎在这场假设的碰撞之后又生存了100万年之久,这使人们对灾变说产生疑惑。可能气候改变和天体碰撞都对恐龙的绝灭起了作用。

Dinosaur National Monument 国家恐龙化石保护区 在美国科罗拉多州西北和犹他州东北部。1915年划定,以保护当地含有恐龙遗骸的丰富化石层。1978年面积扩大至约844平方千米,以保护美丽的格林河和扬帕河峡谷。区内野生动物有鹿、河狸、大角羊、羚羊、鹰、隼、猫头鹰。谷中有史前印第安人生活遗迹。境内有化石场、参观中心、博物馆、天然小道和宿营地。

国家恐龙化石保护区
美国内政部国家公园管理局供图

Dinosaur Provincial Park 省立恐龙公园 加拿大艾伯塔省东南部崎岖地区的公园。面积约75平方千米,以大范围的化石岩层闻名。有晚白垩世恐龙化石约35种,以及鱼、爬行动物和两栖动物的化石残骸。原为1955年成立的斯蒂夫维尔恐龙公园,1979年被联合国教科文组织列为世界遗产。晚白垩世时,当地是一个多沼泽的河口三角洲,有着茂密的亚热带森林。随着泥沙的淤积,构成含有恐龙残骸的沉积岩。后被冰川冲刷,露出化石层。现在是一些濒危河滨动物的栖息

地。19世纪80年代当地发现恐龙骨骸，30年后大规模挖掘，找到晚白垩世各种恐龙的化石。1985年在西北100千米处的德拉姆黑勒成立皇家蒂勒尔化石博物馆，从事化石的研究与修复，展出霸王龙的部分骨骼，并藏有1 500多件恐龙、鳄鱼、两栖动物、翼手龙和鸟类的骨骼。

Dinslaken 丁斯拉肯 德国西部北莱茵-威斯特法伦州城市。在鲁尔区，杜塞尔多夫北约35千米处。1163年首见记载。1273年建制。长期为地区行政中心。第二次世界大战中遭严重破坏，现重建为现代化住宅城市。工业多样化，有采煤和木材加工业，生产轧钢设备、钢管、电力设备、铁钉、电线、服装、鞋等。人口约67 036(1993)。

Dinwiddie, Robert 丁威迪(1693，苏格兰格拉斯哥附近杰米斯顿～1770-07-27，英格兰布里斯托尔克利夫顿) 英国殖民地行政官员，任弗吉尼亚副总督时促成法英北美殖民地争夺战争的爆发。原为商人，1727年进入英国政府工作，任百慕大关税征收员。1739年任北美南部税收总监。1741年成为弗吉尼亚总督委员会成员，后任副总督(实际上是代理总督)。不久在征收土地征税问题上与殖民地议会发生争吵，但英国政府的裁决有利于殖民地议会。1753年他支持俄亥俄公司的土地权要求，委派华盛顿去宾夕法尼亚西部劝告法国人离开俄亥俄，结果引起次年的一场小冲突，标志着法英北美殖民地争夺战争的开始。1753年布雷多克将军在宾夕法尼亚的迪尤肯堡惨败，弗吉尼亚边境受敌。丁威迪招募军队，由华盛顿指挥，保卫边境，并致信各殖民地官员争取殖民地之间的合作。1757年请求回国，次年返英退休。

Dio(India) **第奥** 参阅 **Diu** 第乌。

Dio Chrysostomus (Greek rhetorician and philosopher) 参阅 **Dion Chrysostom** 狄翁(雄辩家)。

Dio Cassius 卡修斯(约150，比希利亚尼西亚[今土耳其伊兹尼克]～235) 即C.D.科齐亚努斯。古罗马行政官和历史学家。父为达尔马提亚和西利西亚总督。父死后，他前往罗马(180)，任元老院议员。后历任非洲地方总督和执政官。他用希腊文写的《罗马史》共80卷(从埃涅阿斯在意大利登陆起到塞维鲁·亚历山大[222～235]统治结束止)。用语十分精确，文字朴实无华，资料丰富，是有关共和国末年和帝国早期历史的权威著作。

diocese 教区 基督教某些派别中主教所管辖的区域。教务基层单位是堂区。东正教则称主教管区为堂区，牧首管区为教区。在天主教会内，只有教皇有权划分、合并或建立教区。教区分为若干堂区，每个堂区有各自的教堂。教区有时又分为包括几个堂区的若干农村分教区。在16、19和20世纪，英国圣公会曾根据法令把原有教区细分为新的教区。各教区下分堂区，堂区以下有农村分教区和会吏总监察区。

dioch (bird) 参阅 **quelea** 奎利亚雀。

Diocles 狄奥克莱斯(生于希腊埃维亚卡里斯特斯，活动时期公元前4世纪) 希腊哲学家、医学家。传统上认为他的名声和能力仅次于希波克拉底。他久居雅典，首先用阿提卡希腊文来写医学论文而不按惯例用爱奥尼亚希腊文，其著作只保存下一些片断。通常认为他是教条主义学派的主要代表，写过动物解剖学、饮食学、生理学、胚胎学及医用植物学等方面的著作。其动物解剖学著作以其解剖工作为根据，是这方面第一本系统的教科书。虽然人们一度认为他与柏拉图(公元前428～前348或347)同时，但以后证实他是亚里士多德(公元前384～前322)的同时代人。他本人的活动时期约在公元前375～前300年之际。在学术方面他综合各家之长，既有希波克拉底医学的影响，又有西西里学派的影响，而他的术语和方法学显然有亚里士多德的影响。有证据表明他掌握着一套希波克拉底文集，可能是他自己收集的。他的工作已超出单纯的搜集和整理。他重组了医学，这在理论上是重要的，但在实践医学方面则仅仅是开始。

Diocletian 戴克里先(245，达尔马提亚萨洛纳？[今克罗地亚索林]～约316，萨洛纳) 罗马皇帝(284～305在位)。他在第3世纪近乎无政府状态中重建有效率的帝国政府，改组了帝国财政、行政和军事机器，为东方的拜占廷帝国奠定了基础，暂时遏止了西方

美国不列颠百科全书公司供图

帝国的衰落。他还以最后一位大力迫害基督徒的君王著名。家世不详。其父可能是解放的奴隶。在登基之前，他主要生活在高卢或莫西亚的军营中，可能还给罗马皇帝卡里努斯当过侍卫。284年，在对波斯作战期间，卡里努斯的兄弟、共治皇帝努梅里安死在御舆中，人们指控凶手为努梅里安的岳父、禁卫军长官阿培尔。这时，部下拥护戴克里先为皇帝。当戴克里先紫袍加身，第一次在公众面前出现的时候，他声称自己与凶案无关，并指控阿培尔为罪犯，亲手将其处死。戴克里先消灭阿培尔是为了清除一个有竞争可能的对手。在他初即帝位时，他的实权仅限于他的军队所控制的地区——小亚细亚，可能还有叙利亚。罗马帝国的其余部分全都服从卡里努斯。不久，卡里努斯向戴克里先发动进攻，在马古斯河(今摩拉瓦河)和多瑙河的汇合处，即距今贝尔格莱德不远的地方，双方进行一场大战。如果不是卡里努斯被士兵刺杀，戴克里先难免要吃败仗。285年仲夏，戴克里先成为帝国的主宰。286年初，戴克里先驻跸尼科梅迪亚。他决心使军队脱离政治，重新建立国内秩序。戴克里先虽然出身行伍，但并非一介武夫。他刚刚取得权力，就选择一位同朝皇帝同坐江山，因为罗马帝国过于辽阔，独自一人是无法治理的。几乎每个星期，戴克里先不是在阿非利加，就是在从不列颠直至波斯湾的地区，沿着莱茵河、多瑙河、黑海和幼发拉底河的边界线上，为镇压叛乱和防止侵略而奔忙。他需要一位挚友承担军事防务的责任。286年，他选中了伊利里亚农民的儿子马克西米安。从此，马克西米安统治西方，驻跸意大利北部的米兰，以阻止日耳曼人的侵犯；戴克里先驻跸安纳托利亚西部的尼科梅迪亚，紧靠波斯边界，以保持对东方的戒备状态。293年戴克里先为自己和马克西米安封上“奥古斯都”尊号，并增设两位同朝皇帝加莱里乌斯和君士坦提乌斯一世克洛鲁斯，都授予“凯撒”称号，前者辅佐戴克里先，后者辅佐马克西米安。戴克里先统治色雷斯、亚细亚和埃及；加莱里乌斯治理伊利里亚、多瑙河诸行省和亚该亚；马克西米安统治意大利、西西里和阿非利加；君士坦提乌斯治理高卢、西班牙和不列颠。四帝并存的局面消除了国内的长期混乱。戴克里先在平定毛里塔尼亚和多瑙河地区的动乱之后，厄基利兹宣布埃及独立，296年戴克里先重新征服了这个国家。297年，戴克里先与入侵叙利亚的波斯国王纳尔西兹作战。由于埃及事务缠身，他将这次战役交给加莱里乌斯去进行。两军长期处于胶着状态，但加莱里乌斯终于赢得胜利。戴克里先极力推行内政改革，由皇帝指派执政官，元老院不再参与制定法律，帝国参事各有特定的职权，禁卫军长官的权力受到制约。他使行政工作专业化，一切决定不依靠长官的个人意志，而更多地依靠法律条文。戴克里先对军队也进行了改组，使军队实力增加了1/4。在发展经济方面，他极力振兴农业和大兴土木。他征收两种新税，即土地税和人头税，每5年对土地和人口进行一次调查。在税收改革之外又进行货币改革，恢复纯金和纯银铸币的流通，投放一种新的铜币，以小额货币的流通刺激日常的商品交换。301年他颁布了著名的“最高价格”敕令，确定各种商品的最高价格，以防止物价上涨。戴克里先由于年老多病，于305年5月1日退位。

Diocletian, Palace of 戴克里先宫 古罗马皇帝戴克里先退位后(305退位，316卒)所居宫殿，位于斯帕拉托(今克罗地亚的斯普利特)，建于295～305年，占地4公顷，是一座宏大壮丽的皇城式宫殿、海滨堡垒，也是一座豪华的巨型乡间别墅。由南到北的宫墙长215米，墙厚2.1米，南濒亚得里亚海，高22米，北高18米。共有16座塔楼和4座大门。长方形的平面有如古罗马的兵营，有两条11米宽的拱廊大道在中央呈十字相交。王族的

宫室在南半部，沿南墙面海有全长 160 米宽 7.3 米的拱廊（可能为散步或陈列艺术品用）可瞭望海景和达尔马提亚海岸。宫室部分院落中有朱庇特神庙与戴克里先陵墓（7 世纪后改为大教堂）。北半部供接见宾客和官员用。阿瓦尔人入侵时宫殿遭到严重破坏。639 年阿瓦尔人撤退后，戴克里先出生地萨洛纳城的难民移居宫殿废墟内，建造家园，将原有的宫墙、柱子和装饰用于新的建筑（这部分现为斯普利特的“旧城”）。

Diocletian window　戴克里先式窗　顶部呈弧形、以青铜作框架的玻璃窗，因 3 世纪时用于古罗马皇帝戴克里先在斯帕拉托（今克罗地亚的斯普利特）的宫殿以及罗马的戴克里先大浴场（现圣马利亚教堂）而得名。这种窗在 16 世纪由 A.帕拉弟奥和 18 世纪晚期由 R.亚当重加采用。

Diodati, Giovanni　狄奥达蒂（1576-06-06，意大利卢卡～ 1649-11-03，日内瓦）　基督教加尔文宗牧师。因将《圣经》译成意大利文而闻名。他出生于一个新教徒难民家庭，1608 年在日内瓦做牧师，翌年任神学教授。他是新教领袖，能言善辩，大胆无畏，坚信加尔文宗教义。其意大利文《圣经》译本初版于 1603 年。他也是一种法文本《圣经》的译者，还著有《圣经》注释和论辩文章。

diode　二极管　一种电子管，在抽成真空的密封玻璃容器或金属容器中安置两个电极（一个阴极、一个阳极）构成。在无线电和电视接收机等电子线路中二极管用于整流和检

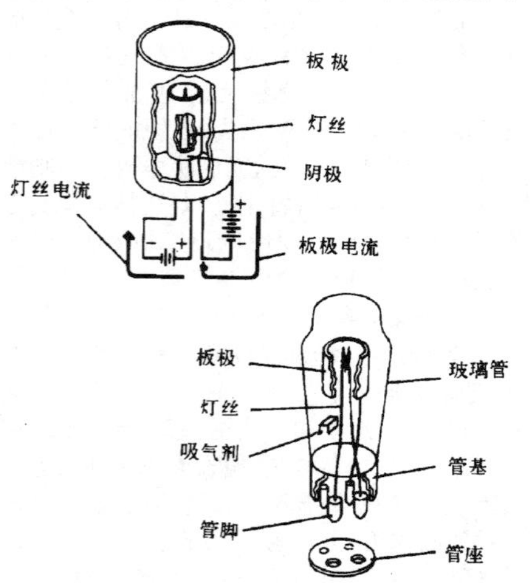

二极管

波。当阳极（板极）上加以正电压时，从受热的阴极发射的电子流向板极并通过外部负载返回阴极。如果在板极加上负电压，电子就无法从阴极逸出，也就没有板极电流流过。因而二极管只允许电子从阴极流向板极，而不允许从板极流向阴极。如果在板极加上交变电压，那就只在板极为正时有电流通过。这就是交流电压被整流或变成直流电。图中左上所示旁热式电子管中，电子发射极是一个金属圆筒（通常为镍），外面涂有一层钡和氧化锶的混合物作为电子发射体，阴极由置于套筒内但与套筒绝缘的加热灯丝加热。直热式阴极（右下）的热灯丝本身就是电子源，可以称为丝极。固体整流器已大量取代真空型整流器，它们也常称为二极管。

Diodorus Cronus　狄奥多罗斯（生于安纳托利亚卡里亚雅苏斯，活动时期公元前4世纪）　美加拉学派哲学家。以其在逻辑学方面之创新而知名。他的姓克洛诺斯（意义不详）既用于他，也用于其师哲学家昔兰尼的阿波罗尼奥斯。通过阿波罗尼奥斯，又同米利都的欧布利德斯（公元前 4 世纪希腊思想家）有联系；3 人在形式逻辑方面形成有影响的美加拉学派的一个分支。3 世纪的历史学家第欧根尼·拉尔修报道说，在托勒密·索特尔的宫廷里，狄奥多罗斯因不能解决斯提尔波提出的逻辑问题，羞愧致死（约公元前 307）。其著作已不存于世。

Diodorus Siculus　狄奥多罗斯（西西里的）（活动时期公元前1世纪，西西里阿吉里乌姆）　希腊历史学家，一部名为《历史丛书》的通史的作者。狄奥多罗斯生于凯撒和奥古斯都的时代，据他自己陈述，公元前 60 ～前 57 年他曾在埃及游历并在罗马生活过几年。他所提到的最晚的事件发生于公元前 21 年。他的历史作品有 40 卷，分 3 部分。第 1 部分论述非希腊与希腊部族的神话历史，到特洛伊被毁为止；第 2 部分迄于亚历山大之死；第 3 部分则写至凯撒开始高卢战争。《丛书》在没有其他接续历史资料存留下来的地方，其价值是无可估量的，因为它在某种程度上以其引用的资料提供了早期作家的作品。就其存留下的那些书卷而言，他的希腊历史的最重要的依据肯定是来自埃福罗斯（公元前 480 ～前 340 期间的）和卡尔狄亚的希罗尼姆斯（公元前 323 ～前 302 期间的）的作品。

Diodotus I　狄奥多托斯一世（活动时期公元前 3 世纪中叶）　塞琉西王朝大夏行省总督，与儿子一起建立希腊大夏王国。原先臣服塞琉西国王安条克一世和安条克二世，约

公元前 3 世纪钱币上的狄奥多托斯一世像
美国不列颠百科全书公司供图

公元 250 年时叛乱，自立为王。在位期间情况鲜为人知。死后，谥为“救星”。

Diodotus II　狄奥多托斯二世（活动时期公元前 3 世纪末）　大夏国王。狄奥多托斯一世之子和继承人。虽然至今仍未确定其父是否真正摆脱了塞琉西王朝的控制，但他毫无疑问是一位独立的君主，曾以其名发行铸币。他与安息人结盟，以对抗塞琉古二世。由此表明大夏王国之独立，与其父对塞琉西王国友好政策不同。后来（可能是在公元前 235 年），他被篡位者推翻。

Diogenes　第欧根尼（帕弗拉戈那锡诺普～约公元前 320，可能在希腊科林斯）　犬儒学派（希腊一哲学派别，强调禁欲主义的自我满足，放弃舒适环境）的原型人物。有人认为他创造了犬儒学派生活方式，但他本人则归功于安提西尼（他可能受过安提西尼许多作品的影响）。他宣传犬儒派哲学，与其说是靠完整的思想体系，勿宁说靠个人的榜样。其门徒以道德的监察人自居。他成为许多不足凭信的故事的主角。一个故事谈到他被卖为奴隶时的态度。他自称他的本行是管理人，于是被指定任其主人之子的教师。传说他曾在白天打着点亮的灯笼寻找诚实的人。他几乎可以肯定被迫和其父一起从锡诺普流亡。到达雅典时，可能已经过着苦行主义生活。亚里士多德提到他时，认为他是雅典人所熟悉的。此时他开始了极端反常的生活。以“毁损货币”作为自身之任务，其意或在“使伪币无法流通”。力求暴露大多数传统的标准和信条的虚伪性，号召人们回归简朴自然的生活。他认为简朴的生活意味着不仅无视奢侈的享受，而且无视有组织的、因而是“常规的”社会之法律和风习。家庭被认为是一种不自然的制度，而代之以一种自然状态。在这种状态中，男女杂交，生下的孩子由人们共同抚养。他自己生活贫困，睡在公共场所里，乞讨食物。但并不坚持所有的人都如此。而只是想说明，即使环境贫困，人们仍然可以过幸福和独立的生活。他提出的生活纲领从自足开始，即一个人本身就有能力具备为获得幸福所需要的一切。第二个原则是“不顾体面”，这就是说，必须无视那些传统观点，即不能在任何情况下都做出本身无害的行动。还加上一个“坦率”，就是说要有一种坚持到底的热情，揭露罪恶和狂妄自大，并且激发人们进行改革。最后，通过系统的训练或实行苦行主义（或称禁欲主义），人们可以取得高尚的道德。在归其名下但现已失传的各种著作中，有对话、戏剧和一部《共和国》，该书描绘无政府主义者的乌托邦，人们在其中过着“自然的”生活。

Diogenes Laërtius　第欧根尼·拉尔修（活动时期 3 世纪）　希腊作家，因其希腊哲学史而闻名。此书是哲学方面现存的最重要的第二手资料。其传统书名之一《著名哲学家的生平、学说和格言》说明它内容广泛。它是一部汇编作品，故可分解为原来的摘要。这些摘要涉及内容很广，从无关紧要的闲谈到有价值的传记和文献资料、对各种学说恰当地总结以及重要文献（如遗嘱或哲学著作）的转载应有尽有。虽然他引用了千百种资料，但大多数都是从第二手得来的。他依据的真正来源（其中必然有其他汇编作品）只在少数几种情况下才能确立。此书有引论 1 卷，其他 9 卷的第 2 ～ 8 卷是关于希腊哲学的，其中又分成两部分，第 2 ～ 7 卷是关于约尼安哲学的，第 8 卷是关于意大利哲学，第 9 ～ 10 卷则是每一部分的“补遗”或学派以及作为附录的“零落的”哲学家。现存 12 世纪的手抄本。

Diogenes OF APOLLONIA **第欧根尼（阿波罗尼亚的）**（活动时期公元前5世纪） 希腊哲学家。因其宇宙论和他力图把古代思想同当时的新发现综合起来而知名。大部时间住在雅典。其见解在当时成为对他生命的一种威胁，并曾受到戏剧家阿里斯托芬的嘲笑（在《云》一剧中）。他用爱奥尼亚的希腊方言写成的作品的许多片断中，有一部《论自然》，是其重要著作。《反对诡辩家》和《人的本质》等论文可能是这一著作的一部分。亚里士多德在《动物志》中曾引用了第欧根尼有关静脉的一大段文字。由于他想通过在解剖学和生理学方面周密细致的观察以支持这一形而上学的立场，人们称之为早期经验主义者之一。

Diogenes, Lamp of（monument） **狄奥根尼斯之灯** 参阅 **choragic monument** *得奖纪念碑亭*。

Diognetus, Letter to **《致狄奥格内图斯书信》** 早期基督教护教著作，约写于公元2或3世纪，常列为使徒后期教父著作之一。收信人和作者均不详，过去曾错认为出自查斯丁（殉教士）之手。前十章论犹太教与其他宗教，对比基督教徒和非基督教徒的生活，综述上帝所启示的基督教义。最后两章是一篇讲道词，显然是另一佚名作者所著。

Diomede Islands **代奥米德群岛** 俄语称格沃兹杰瓦群岛。白令海峡中的两个小岛，彼此相距约4千米，在与国际日期变更线一致的美俄国界线两侧。西边的大代奥米德岛，面积10平方千米，为俄罗斯楚科奇自治区的一部分，无常住居民，有一重要气象站。东边的小代奥米德岛为阿拉斯加的一部分，居住着擅长航海的楚科奇人。访问该群岛的第一个欧洲人是丹麦航海家白令，他于1728年8月16日（代奥米德节）到达这里。小代奥米德岛人口178(1990)。

Diomedes **狄俄墨得斯** 希腊传说中特洛伊战争80艘希腊战船的统帅和最受尊敬的领袖之一。他的功勋包括打伤阿佛洛狄忒、杀死瑞索斯和他的色雷斯人、夺取保护特洛伊城的帕拉斯·雅典娜女神神像，即特洛伊的帕拉狄昂。战后，他回家发现妻子对他不忠（阿佛洛狄忒对他的惩罚），并且他对阿尔戈斯王位的要求也受到了争议。为了逃命，他去了意大利，在阿普利亚建立了阿尔吉里帕（后来的阿尔皮），最后同特洛伊人讲和。他在阿尔戈斯和梅塔蓬图姆被崇拜为英雄。根据罗马的说法，他的同伴被阿佛洛狄忒变成了鸟，他们住在阿普利亚外面海上的狄俄墨得斯群岛上，除了对希腊人之外，敌视所有的人。

Dion **狄翁**（约公元前408～前354） 西西里岛叙拉古僭主大狄奥尼西奥斯的姻兄弟。公元前357～前354年间间断地成为叙拉古的主人。公元前367年软弱又无经验的小狄奥尼西奥斯即位后，他独揽大权，并劝说他的朋友柏拉图把这位新僭主训练得能实际应用柏拉图的哲学原则。实验失败后狄翁被逐，但公元前357年他在札金索斯岛纠集1 500名雇佣军，乘船回西西里，受到群众欢迎。但当政不久，又被放逐，后又被召回。公元前354年被暗杀。普卢塔克把他列入《名人传》。

Dion CHRYSOSTOM **狄翁（雄辩家）**（约40，比希尼亚普鲁萨～约112） 拉丁语作 Dio Chrysostomus。古希腊修辞学家、哲学家，由于他的作品和演说，在罗马和全帝国享有盛名。82年由于政治原因被两次从比希尼亚和意大利流放，在黑海附近各地流浪14年，过着贫困的生活。图密善皇帝死后，他才结束放逐生活，开始演说家和哲学家的新生涯。现存一部收有80篇"讲演稿"及其他残片的文集，有些是对话或讽喻道德的文章，有两篇是假托的，4篇是对图拉真的演说。在《奥林匹克竞技》中雕刻家菲迪亚斯解释了他在著名的宙斯塑像中所遵循的原理。在《论埃斯库罗斯、索福克勒斯和欧里庇得斯》中，狄翁比较了每个悲剧作者对菲罗克忒忒斯的故事的处理。其最为著名的著作是《尤比亚人》，记述了埃维亚岛的生活状况，是社会和经济史的重要资料。作为一名接受了罗马人统治的爱国希腊人，狄翁代表了在罗马帝国统治下希腊人的自信的恢复，标志着2世纪新的诡辩运动的开端。

Dion, Céline **狄翁**（1968-03-30，加拿大魁北克省夏尔马格纳～ ） 加拿大歌唱家，国际巨星，20世纪90年代名列流行音乐排行榜榜首。精于演唱流行歌谣，曾录制很多法语和英语专辑，荣获多项大奖。5岁时与家人一起登台演唱，12岁时引起乐队指挥R.安热利尔的关注，事业从此腾飞。1982年荣获东京雅玛哈世界歌曲艺术节一等奖，1983年获得魁北克省菲利克斯最佳女歌手奖和新人奖。1983年获法国金奖。1988年参加欧洲音乐大赛，靠一曲《不要离我而去》赢得冠军。两年后第一首英文歌《我的心在哪里跳动》在16个国家发行。翌年为动画片《美国尾巴》演唱片尾曲《菲耶韦西去》。1993年和P.布赖森合唱迪斯尼动画故事片《美女和野兽》的片头曲，获格莱美奖和奥斯卡金像奖。然而她最伟大的成就也许是1997年为影片《泰坦尼克号》演唱主题曲《我心永恒》。1998年获得加拿大最高荣誉——加拿大勋爵士。

Dione **狄俄涅** 希腊神话中主神宙斯的妻子并在一个边远的地区同受崇拜。自从女神赫拉被正式定为宙斯的伴侣和妻子以来，人们猜测狄俄涅可能是比赫拉更古老的人物。人们对狄俄涅有不同的描绘。在荷马的《伊利亚特》里，她和宙斯生阿佛洛狄忒女神；但在赫西奥德的《神谱》里，她又成了俄刻阿诺斯的女儿。还有一些作家把她说成是狄俄尼索斯的母亲。

Dione **土卫四** 土星8颗大而外形匀称的卫星之一。它的直径为1 120千米，在平均距离为377 400千米的近圆轨道上绕土星顺行。像土星系的许多天体一样，土卫四也处于共振轨道上：它66小时左右的公转周期正好是另一颗土星卫星——土卫二——轨道周期的2倍。这一现象可能是由于土卫二的潮汐热能造成的。由于潮汐摩擦，土卫四的自转与它的公转同步，因而总以同一面对着土星。土卫四表面亮度差别颇大，面朝轨道运行方向的前半面通常比后半面亮。但平均起来说，土卫四的反照率是很高的。人们据此猜测它的表面是由大量的冰构成的。卫星密度低（是水的1.4倍）这一点与它由约60%的冰和40%的岩石构成的观点相一致。在这颗卫星上显然曾发生过大量冰溶化和地壳表面再造活动，因而同其他土星卫星相比，表面上环形山较少。大多数环形山都在朝轨道运动的亮面上。较暗的后半面则被许多形成网状结构的亮纹所割裂。其中有些是呈线状的槽沟和山脊。那些亮纹则被解释为可能是由于挥发性物质从土卫四内部沿线状裂缝冒出并重新凝结而成的。尽管在土卫四背面网状结构中央附近也有大碰撞的迹象，但对土卫四表面为什么有这种明显的不对称性迄今仍不清楚。

Dionne QUINTUPLETS **迪翁五胞胎** 1934年5月28日出生于加拿大安大略省卡伦德附近迪翁家的5个同胞早产女孩，名叫埃米莉、伊冯娜、塞西尔、玛丽、安内特。父母有子女14人，9人为单胞胎。她们自幼就成为国际知名人物，曾为二十世纪福斯影片公司拍过3部故事片，为各种各样的产品（从鱼肝油到打字机、汽车）作过广告，并吸引大批游客到安大略省北部。她们所以引起人们注意，是因为在医学和遗传学的记录中五胞胎能够成活下来这还是第一次。其他五胞胎无一人能生存数天以上。多伦多大学对迪翁五胞胎进行了各方面的科学研究，发现此五胞胎由1枚受精卵经多次分裂成6个胚胎，其中存活5个。这五胞胎中有3个人结了婚：安内特生3子；玛丽生2女；塞西尔生4子1女（有2子是孪生，其中1个只活15个月）。埃米莉于1954年在魁北克死去，玛丽于1970年在蒙特利尔死去。

Dionysia（Greco-Roman religion） **狄俄尼索斯节** 参阅 **Bacchanalia** *酒神节*。

Dionysian **狄俄尼索斯精神** 又译酒神精神。具有酒神狄俄尼索斯性格特征（特指给感官以快感、狂乱或纵欲的特征）的，或对狄俄尼索斯顶礼膜拜的。哲学家F.尼采在《悲剧的诞生》一书中使用"阿波罗精神"和"狄俄尼索斯精神"两个词来分析和解释希腊悲剧的特性。

Dionysian period **迪奥尼修斯周期** 又称大复活节周期或维多利乌斯周期。是历法中一个时距为532年的周期，其中包括完整的新月周期（出现在同一日期的两次新月之间的时距为19年）和完整的主日字母周期（即与星期和月中的日数对应的周期，每28年循环一次）。19和28的乘积是532年。经过这一周期，某一特定的月相在同一星期日期和同一个月份日期又重复出现。由于阿基坦的维多利乌斯是计算这个周期的第一人（约465年），所以称为维多利乌斯周期；它又称迪奥尼修斯周期，因为E.迪奥尼修斯（又译小狄奥尼西）在6世纪修订了维多利乌斯的数字；又因为它被用来确定复活节的日期，故又称大复活节周期。

Dionysius Bar-Salibi **迪奥尼西·巴尔-萨利比** 参阅 **Bar-Salibi, Jacob** 巴尔-萨利比。

Dionysius Exiguus **狄奥尼西（小）**（活动于6世纪初） 英语作 Denis the Little。著名的6世纪教会法学家。他制订新的复活节日期查定表广为采用，从而被认为是基督教历法的发明人。6世纪史学家卡西奥多鲁斯称狄奥尼西为修士，但相传他是隐修院长。他在罗马学术界颇有声望，525年应教皇圣约翰一世的要求编订年表。他根据维克托利乌斯（阿基坦的）所编的532年周期表，对亚历山大牧首狄奥菲鲁斯所编的95年周期表加以修正，提出新的年表，此表现仍在使用。他把基督的生年按照罗马计算法误定在罗马帝国建元753年12月25日。他既是神学家，同时又是有造诣的数学家和天文学家，并且通晓《圣经》和教会法。

Dionysius of Alexandria, Saint **狄奥尼修斯（亚历山大的），圣**（约200，亚历山大～265，亚历山大） 又称圣狄奥尼修斯（大）。撒伯里乌主义（**Sabellianism**）的主要反对者。247年或248年任基督教亚历山大主教。250～251年罗马皇帝德西乌斯迫害基督教徒，他逃往利比亚旷野，257～260年瓦莱里安大迫害时期再次流亡。他约在260年回到亚历山大，当时有人主张在迫害期间叛教分子一律永远出教，狄奥尼修斯则认为，只要他们悔过就应允许他们重新入教。关于如何对待由异端分子施洗礼而入教者的问题，引起长期争辩。他并不坚持重新向他们施洗，但是认为，如果这些人愿重新受洗，那是他们的权利。他认为《启示录》不是传福音的圣约翰所著，并驳斥千禧年论者。狄奥尼修斯抨击撒伯里乌派，而这一派则指责狄奥尼修斯宣传三神论和其他异端教义。教皇圣狄奥尼西既反对三位一体论中不区别三位，同时又反对截然分为三个位格。狄奥尼修斯接受教皇的裁断，驳斥撒伯里乌斯派的指责，但坚持三位一体是由不可分离的三个位格组成。狄奥尼修斯还曾撰写论自然的专文，驳斥希腊哲学家伊壁鸠鲁的原子论。

Dionysius of Halicarnassus **狄奥尼西奥斯（哈利卡纳苏斯的）**（创作时期约公元前20，生于小亚细亚卡里亚哈利卡纳苏斯） 希腊历史学家、修辞学教师。他的《罗马史》，从罗马之初写到第一次布匿战争，是站在亲罗马的立场上经过仔细研究写成的，与李维所写罗马史同为早期罗马史最有价值的原始资料。他于公元前30年移居罗马。他的史著旨在向希腊人替罗马人辩护，公元前7年公布于世。该书原为20卷，现仅存公元前10卷。他的文学理论和修辞学理论是在下列几部现存论文中提出的：《论摹仿》（包括对个别作者的评价）；《论古代演说家》和《论词的安排》，后者是现存的古人对词序与谐音原理的唯一研究著作。

Dionysius, Saint (patron saint of France) 参阅 **Denis, Saint** 丹尼斯，圣。

Dionysius, Saint **狄奥尼西，圣**（?，希腊?～268-12-26，罗马） 教皇（259-07-22～268-12-26）。登位后面临改组教会的迫切任务。前代教皇在罗马皇帝瓦莱里安迫害基督教期间殉教，在他登位前宗座空缺已近一年。260年，由于有人指责亚历山大主教狄奥尼修斯宣传三神论，他召开罗马会议，要求该主教到会进行解释。这次争论为《尼西亚信经》（325）奠定了神学基础。

Dionysius Telmaharensis **狄奥尼修斯（特尔马尔的）**（?～845-08-22） 叙利亚雅各派教会牧首。原在叙利亚隐修，818年受神职，在职期间虽有一派人主张把他撤换，但他在叙利亚人中间的领导地位一直未动摇。他同穆斯林统治者关系融洽，因此叙利亚基督教徒幸免迫害与掠夺。他死后基督教徒重遭迫害。狄奥尼修斯所著通史叙事自582年拜占廷皇帝莫里修斯登位至842年皇帝狄奥斐卢斯死亡止。该书取材芜杂，仅存残稿，但仍不失为中世纪以前叙利亚教会活动的珍贵原始记录。

Dionysius the Areopagite **丢尼修（大法官）**（活动时期1世纪） 《圣经》所载人物，在雅典由圣保罗施洗入教（《使徒行传》17:34）。他身后之所以闻名，主要是由于同后世同名的其他基督教徒混淆不清。2世纪人们认为他是第一任雅典主教，9世纪人们认为他就是法兰西的圣丹尼斯。500年前后，大概在叙利亚，有一位略有基督一性论倾向的基督教新柏拉图主义者冒他的名著述。参阅 **Pseudo-Dionysius the Areopagite**。

Dionysius the Areopagite, Pseudo- 参阅 **Pseudo-Dionysius the Areopagite** 伪丢尼修。

Dionysius the Carthusian **狄奥尼西（加尔都西会士）**（1402或1403，神圣罗马帝国下洛林赖克尔［今在比利时］～1471-03-12，下洛林鲁尔蒙德［今在荷兰］） 又称莱文或赖克尔。基督教神学家、神秘主义者，源起于14世纪的莱茵河灵修派的创始人之一。他认为，人可以通过神秘主义冥想，也就是在灵魂中摒弃一切，只容上帝，便可获得圣灵所赐的智慧。他在教理神学、苦行神学及奥秘神学方面著述甚多。曾写信给各国君主，建议发动十字军东征土耳其。另有关于教会改革的著作和《圣经》注疏，在16世纪流传甚广。

Dionysius the Elder **狄奥尼西奥斯（大）**（约公元前430～前367） 叙拉古僭主（公元前405～前367），曾征服西西里和意大利南部，使叙拉古成为希腊本土以西最强大的城邦。虽然他使西西里免遭迦太基的征服，但其野蛮的军事专制主义损害了希腊化的事业。初为低级官员。公元前409年迦太基人侵西西里时，他奋勇抵抗，屡建奇功。公元前405年自称僭主，以极残酷的手段巩固和扩充自己的权力。他修建围墙，构筑碉堡，赶走纳克索斯、卡塔纳（卡塔尼亚）和莱昂蒂尼等城市的希腊居民，把其中许多人贬为奴隶，把他们的家宅交给西西里和意大利的雇佣军。此后，他准备率领大军，征讨当时正盘踞在西西里岛西部和南部的迦太基。在第一次迦太基战争（公元前397～前396）中，他取得显著胜利，把敌人赶到西西里的西北角。第二次迦太基战争于公元前392年结束，订立了对他有利的条约。公元前390年以后，他远征莱吉姆和意大利南部的其他希腊城市，并劫掠了图里、克罗顿和洛克里等地区。莱吉姆失陷（公元前386）后，他成为希腊人所占领的意大利各城市的头号权贵人物。他向伊利里亚可能还向意大利东北部移民，雅典作家艾伊索克拉底称他为希腊化的先驱。但是，他在希腊极不得人心。当他派代表团参加奥林匹亚赛会时，群众抢劫了选手的帐篷。在第三次迦太基战争（公元前383～约前375）中，他损失惨重，不得不割地赔款（1 000塔兰敦）。尽管如此，在他死前他又同迦太基人发生了一次冲突。

Dionysius the Great, Saint **狄奥尼修斯（大），圣** 参阅 **Dionysius of Alexandria** 狄奥尼修斯（亚历山大的）。

Dionysius the Younger **狄奥尼西奥斯（小）** 公元前367～前357年和公元前346～前344年西西里岛叙拉古统治者。狄奥尼西奥斯（大）的儿子和继承人，但是他缺乏维护先前的军事专制的魄力。公元前367年即位后便同迦太基讲和，条件和其父在第三次迦太基战争（公元前383～约前375）失败后确定的不利条件相同。他先前的一位大臣狄翁和柏拉图都想把他培养成为哲学家国王。但在公元前366年，这两位顾问都被他辞退。公元前357年，狄翁把他赶出国外。公元前346年，在狄翁被暗杀之后大约8年，他才恢复对叙拉古的统治。两年后，希腊将军提莫莱昂自科林斯抵此，他被迫投降，退隐科林斯。

Dionysius Longinus **狄奥尼西奥斯·朗吉努斯** 参阅 **Longinus** 朗吉努斯。

Dionysus **狄俄尼索斯** 又称巴克斯或（在罗马）利柏耳。在希腊罗马宗教中，他是丰产与植物的自然神，特别是以酒与狂欢之神著称。虽然他是由色雷斯和弗里吉亚引入，但有关他的生死的神奇传说以及他同阿里阿德涅（最初是克里特的女神）的婚姻，都说明对他的这种崇拜要上溯到希腊时期以前米诺斯的自然宗教。据最流行的传说，他是宙斯和塞墨勒（第比斯国王卡德摩斯的女儿）的儿子。宙斯的妻子赫拉出于嫉妒劝说塞墨勒请求宙斯现出本相，以证明她爱人的神圣性。宙斯表示同意，但他的威力过大，塞墨勒这个凡人无法承受，结果被雷霆击死。但宙斯把儿子缝在自己的大腿里使他免于死难，直到他长大成人，所以狄俄尼索斯出生过两

狄俄尼索斯浮雕像
美国不列颠百科全书公司供图

次。随后狄俄尼索斯被赫耳墨斯神送走交给尼萨(一个完全是想象的地方)的巴康特(Baccants,或称 Maenads,Thyiads)来抚养。由于狄俄尼索斯显然代表自然中树液、汁液或鲜血的要素,所以在广大的地区都为他设置耗费巨大的节日活动。这种狄俄尼索斯节(**酒神节 Bacchanalia**)迅速地在后迈锡尼世界里妇女当中赢得了信奉者。但是男人对之则采取敌对态度。传说第比斯的国王彭透斯正当试图窥视巴康特的活动时,便被撕成碎片;而另一方面,雅典人由于不尊重对这个神的崇拜而被罚以性无能。但妇女还是离开家到山里去,她们披着小羊皮,戴着常春藤冠,按照仪节高呼"哦伊"。她们分成节日的队伍并且挥动着上面缠以葡萄叶、杖头饰以常春藤的茴香杖,借着火炬之光,按照笛子和小铜鼓的节奏跳舞。人们认为巴康特具有神奇的力量,有迷住蛇和抚育动物的能力,而且还有一种不可思议的力量,使得他们在沉湎于仪节的饮宴之前便能把活的牺牲撕成碎片。巴康特呼唤神时用神的布罗米欧斯(雷击者)、陶洛凯洛斯(公牛角的)或陶洛普洛索波斯(公牛面的)的头衔,因为她们相信他就是用作牺牲的动物的化身。对他的崇拜长期盛行于小亚细亚,特别是弗里吉亚和吕底亚,而且这种崇拜同对许多亚细亚的神的崇拜有密切的联系。虽然在意大利南部,人们相信他曾下到冥界救回他的母亲塞墨勒,并同珀耳塞福涅有过交往,但他同冥界之间任何原始的联系都是可疑的。他确有预言的才能,而在德尔斐,祭司们几乎把他和阿波罗同等对待。

他在色雷斯有一处神示所,后来又成了福基斯的安菲克莱亚地方一处能治病的神殿的保护神。在狄俄尼索斯的追随者当中有丰产的精灵,诸如半人半兽的森林神,并且在他的祭仪中男性生殖器占有重要位置。他的个人标志是一个常春藤的花环、酒神杖和双柄的大酒杯。在早期艺术中,他被表现为一个有胡须的男子,但后来被描绘成带有女性味道的青年。尽管公元前 186 年元老院命令在全意大利严禁私自举行酒神狂欢活动,但画酒瓮的人仍然喜欢把酒神的狂欢当做题材。

Dionysus, Theatre of 狄俄尼索斯剧场 最早形式的希腊剧场。坐落于雅典卫城南侧,所有现存的古希腊戏剧均在此首演。该剧场后来有所发展,创建了台前供合唱队用的半圆形场地和直径为 60 英尺的圆形泥土舞台,中设祭坛,乐队在邻近膜拜大自然与繁殖之神狄俄尼索斯神庙的地方,协助进行戏剧演出,它与迎神队和献祭队一起,组成了一年一度的狄俄尼索斯神春季节庆演出。公元前 5 世纪,剧场用作竞赛场所,索福克勒斯、欧里庇得斯、埃斯库罗斯和阿里斯托芬的剧本(这些都是从狄俄尼索斯传统发展而来的)在此首演。4 世纪后,剧场冷落,后停止使用,并开始损毁。1765 年人们重新发现了这个剧场,19 世纪末在考古学家和希腊式建筑权威德普菲尔德的指导下按其原貌进行了大规模修复。

Dioon 双子苏铁属 苏铁科的一属。是苏铁科中最原始的美洲属。4 种或多于 4 种,可供观赏。巨大双子苏铁(多小刺双子苏铁,*D. spinulosum*)生长缓慢,可高达15米,叶具刺,是受喜爱的室内植物。食用双子苏铁(*D. edule*)的种子含类似竹芋粉的可食淀粉。

食用双子苏铁(*D. edule*)
美国不列颠百科全书公司供图

Diop, Birago 狄奥普(1906-12-11,法属西非达喀尔[今在塞内加尔]~ 1989-11-25,达喀尔) 非洲诗人,沃洛夫族民间故事及传说的收集者。曾在塞内加尔的达喀尔和圣路易受教育。后在图卢兹大学攻读兽医学至 1933 年。在此期间,他作为政府兽医周游苏丹、科特迪瓦、上沃尔特(今布基纳法索)和毛里塔尼亚。1961 ~ 1965 年任新独立的塞内加尔驻突尼斯大使。他以写作短小精悍的抒情诗而闻名。狄奥普和同胞 L. 桑戈尔一起,在 20 世纪 30 年代发起了**黑人特性运动**(**Negritude**),旨在复兴非洲文化价值。狄奥普在 1925 ~ 1960 年间创作的诗集《诱惑与微光》中对非洲社会生活的奥秘进行了探索。狄奥普曾以《阿马杜·库姆巴故事集》(1947)、《阿马杜·库姆巴新故事集》(1958)以及《拉万斯故事》(1963)获 1964 年黑非洲文学大奖。前两部故事集都曾在 60 年代再版。这些书中的故事原是他从家族歌舞艺人(把本族的口头传说传下去的说书人)处听来的。狄奥普把说书人的谈话和感情表达入微的技巧使他的书大受欢迎。1967 年出版的学校课本曾收入故事集的节选。1978 年又出版了《阿瓦故事集》。

Diop, David 狄奥普(1927-07-09,法国波尔多~ 1960,塞内加尔达喀尔) 50 年代法属西非卓有才华的青年诗人。由于在一次飞机失事中不幸丧生而结束了前程远大的一生。现存的唯一诗集《槌击集》(1956)中的作品,都是抨击欧洲文化准则的愤怒的抗议诗。诗中历数了他的人民在奴隶贸易时期以及殖民统治下遭受的苦难,号召革命,以争取非洲光辉的未来。他反对那些认为殖民地的经历给非洲带来某些益处的看法,坚信必须先有政治自由才能有文化和经济的复兴。由此可见他是黑人特性运动中最激进的一位作家。他是在许多非洲国家争取独立斗争的高潮时期投身于写作的。马提尼克诗人 A. 塞泽尔对他的诗歌影响最大。他的诗作最初发表在《非洲存在》杂志和 L. 桑戈尔编的《黑人和马尔加什法语新诗选》中。

Diophantine equation 丢番图方程 仅包含加法、乘法或取方幂的,系数为整数且具有非零整数解的方程。为纪念 3 世纪希腊数学家**丢番图**(**亚历山大的**)(**Diophantus of Alexandria**)而命名。这些方程直到 7 世纪才被印度人系统地求解。

Diophantus of Alexandria 丢番图(亚历山大的)(约246~330) 希腊数学家,以研究代数著名。对他的生平几乎一无所知,他的生年是从 11 世纪的 M. 普塞洛斯的信中推断出来的;另外有一道算术题的解答,说明丢番图死于 84 岁。《算术》是其成名作,据他自己说共有 13 篇,但残存的希腊文手抄稿不超过 6 篇,显然是在早期丢失的,因为没有资料可以说明阿拉伯人在翻译和评注该书时,曾经使用过多于现有内容的文本。该书所论问题种类繁多,包括有直至四个未知量的一次确定方程、二次确定方程以及一个或多个未知量的一次不定方程。他通过对其中一个未知量赋以任意值的方法把不定方程转换成确定方程。他仅满足于有理数解,并不要求整数解。该书的大部分问题导致二次不定方程,它们的一般形式是寻找 x 的某个适当的值,使得以 x 为变量的一个或两个(不多于两个)线性函数或二次函数取值为有理平方数。有少数几个问题导致三次或四次不定方程。还有一个问题是易解的六次不定方程。该问题是选择两个、三个或四个数,使包含它们的一次式、二次式、有时三次式等于平方数、立方数,半平方数或半立方数,等等。该书还包含了寻求有理直角三角形的问题,例如求一直角三角形其斜边减去每个直角边都得到一个立方数(其解为 40,96,104)。丢番图是第一个把符号引进希腊代数的人。他用一个符号(称作算符)代表未知量,用它来表示一组不确定的数。他使用的另一个符号是减法符号。

《算术》中的数论命题也是很有价值的。例如,没有形如 $8n+7$(其中 n 是非负整数)的数能够表示成三个平方数的和;还有,如果 $2n+1$ 等于两个平方数的和,则"n 必不为奇数",而且:"它加 1 后的两倍,(当能被它的最大平方因数整除时),必不能被形如 $4n-1$ 的素数整除。"丢番图忽略了括号中的条件,它大概是 17 世纪的法国数学家 P.de 费马指出的。

由于发现了古巴比伦王国已经使用的高度发展的代数方法,丢番图的工作不再被认为是晚期衰落的希腊数学的代表。T.L.希思的《丢番图(亚历山大的):希腊代数史研究》(1885,1910 年再版)是一部可信的传记。

diopside　透辉石　辉石类中常见的硅酸盐矿物,产于变质的硅质石灰岩和白云岩中,产于矽卡岩(富含铁的接触变质岩)中,也少量产于球粒陨石中。鲜绿色的纯净透辉石常作为宝石进行雕刻。透辉石是钙和镁的硅酸盐($CaMgSi_2O_6$)。与钙铁辉石形成完全的化学置换系列;在钙铁辉石中,低价铁完全置换了透辉石分子结构中的镁。钙铁辉石常产于矽卡岩中和受热变质的富铁沉积岩中以及某些火成岩中。富钠的变种出现在许多碱性岩石中。此系列中过渡成员称为次透辉石和亚铁次辉石;它们具有透辉石和钙铁辉石之间的过渡性质。参阅 **augite**;**pyroxene**(表)。

diopter　屈光度　光学中,透镜或透镜系统放大率的单位。由于透镜的放大率与焦距的倒数成比例(参阅 **lens**),透镜的放大率,用屈光度计,等于 1 米除以焦距(以米计)。放大率的代数符号表示透镜使平行光线的入射锥趋于会聚或发散。因此,焦距 1 米的发散透镜的放大率为 -1 屈光度,焦距 0.5 米的会聚透镜的放大率为 2 屈光度。两个或两个以上薄透镜接触组合的放大率等于各透镜放大率之和。比如,一个 -10 屈光度的透镜与一个 30 屈光度的透镜组合,形成一个 20 屈光度的会聚透镜(焦距为 5 厘米)。

Dior, Christian　迪奥(1905-01-21,法国格朗维尔～1957-10-24,意大利蒙特卡蒂尼)又译迪奥尔。法国时装设计师,其创作曾主宰第二次世界大战后 10 年的世界时装。出身于富有家庭,曾受过做外交工作的训练,因 20 世纪 30 年代的财政危机所迫,开始为法国《费加罗杂志》周刊绘制时装插图。1938 年,成为巴黎首屈一指的高级女装设计师 R.皮盖的助手,4 年后加入了设计师 L.勒隆(1889～1958)的公司。1947 年,在法国纺织品制造商 M.布萨克的支持下,推出了革命的"新装",引起国际上对裙长降低的争议。此后 10 年其设计都异常成功。50 年代松身短上衣样式或 H 线条是他设计所特有的外型。迪奥为使巴黎时装行销全世界作出了巨大努力,并重新建立巴黎时装设计师对美国时装设计师的传统优势。

diorama　透景画　立体式陈列,一般置于小室中并通过镜孔观看。通常为一平面或弯形景布,上置画景或照片。其前摆放平面或立体实物以加强空间感,还可加放彩色透明织网或塑料垂幕。配以舞台边沿或侧面装置则更能显著提高透视效果。准确运用透视规律对于透视的成功至关重要。照明巧妙也能增强效果。透景画的发展通常归功于 L.-J.-M.达盖尔,他是法国布景画家、物理学家和达盖尔照相机的发明者。达盖尔的技术保存在现代透景画中;透景画仍在广泛使用,尤其是在博物馆,能以任何比例处理任何主题。

diorite　闪长岩　中粒至粗粒的一种侵入岩,一般由约 2/3 的斜长石和 1/3 的暗色矿物(如普通角闪石或黑云母)组成。含富钠长石(奥长石或中长石)还是含富钙长石(拉长石或培长石),是闪长岩和辉长岩之间的主要区别。与闪长岩相当的喷出岩(火山岩)是安山岩。闪长岩具有与花岗岩同样的构造特性,但也许由于闪长岩的颜色较深和供应有限,所以很少做装饰材料和建筑石料使用。闪长岩是一种深灰色石料,在商业上当作"黑花岗岩"销售。有些闪长岩是真正的火成岩,是从熔融的物质(岩浆)结晶成的。另一些闪长岩则代表岩浆与所包含的外来岩石碎块发生反应的产物。许多闪长岩是由某些较古老的岩石(如辉长岩)在固态下失去某些组成原子又得到另一些组成原子时,通过化学变化转变成的。闪长岩常呈小型岩体产出,如岩床(熔融时插入其他岩层之间的板状岩体)、岩脉(挤入裂缝中的板状岩体)、岩株(向上侵入的岩体)等,或者成为与辉长岩伴生的以及与花岗闪长岩和花岗岩的岩基(巨型岩体)伴生的更不规则的岩体。

Dioscoreaceae　薯蓣科　百合目的一科,6 属,500 多种,广布全球热带和暖温带地区。草本或木质藤本,或灌木;根粗壮,有时为木质,或具块茎状地下茎。叶通常心形,网状脉,叶缘常浅裂。多数种花簇生于叶腋,花小,绿色或白色。果为具翅蒴果或浆果。薯蓣属(*Dioscorea*)植物是避孕药的主要原料;中国薯蓣(薯蓣、山药,*D. batatas*)、黄独(*D. bulbifera*)和三裂叶薯蓣(*D. trifida*)等栽培食用其块状根。该科少数种栽培供观赏。欧薯(*Tamus communis*)为多年生缠绕草本,原产欧亚大陆;花黄色;浆果红色,有毒;块根淡黑色,有毒。

Dioscorides, Pedanius　迪奥斯科里斯(约 40,西利西亚阿纳扎布斯～约 90)　希腊医生、药理学家。他的《药物论》一书为现代植物术语学提供了最经典的原始材料,在 16 个世纪以内一直是药理学的主要教材。他曾作为外科医生随同罗马皇帝尼禄的军队到处征战,得以研究植物和矿物的特征、分布及医药效能。《药物论》中详尽描述了近 600 种植物,包括大麻、秋水仙、毒芹和胡椒、薄荷等;又论述了近千种简单药物。该书第 2 册描述了牛奶、蜂蜜等有医疗和营养价值的动物产品;第 5 册简要介绍了化学药物,如水银(包括从朱砂中制备水银的方法)、砒霜(书中称为雌黄)、醋酸铅、氢氧化钙以及氧化铜等。他明确地提出,从鸦片和毒参茄根中提炼出的安眠药可用作为外科麻醉药。该书用希腊文写成,以后至少以 7 种文字再版过,直至 15 世纪末一直用作药理学的基本教材,并曾用希腊文(1906～1914)及英文(1934)出版过权威版本。它描述的许多药物一直沿用至今。

Dioscorus　狄奥斯科鲁斯(?,亚历山大[埃及]～454-09-04,加拉提亚冈格拉[今土耳其昌克勒])　基督教亚历山大牧首、东派教会首脑,因支持非正统的基督一性论而在 451 年卡尔西顿会议上被免职和绝罚。他支持在 448 年君士坦丁堡会议受谴责的君士坦丁修士优迪克。次年他主持以弗所"强盗"会议,倚仗东罗马皇帝狄奥多西二世的支持,恢复优迪克的职务,判处谴责优迪克派的教皇利奥一世以绝罚,撤换反对基督一性论的君士坦丁堡牧首圣弗拉维安。450 年狄奥多西二世死后,卡尔西顿会议谴责所有基督一性论的教义,狄奥斯科鲁斯被免职流放。现代信仰基督一性论的科普特教会、叙利亚教会和亚美尼亚教会仍尊他为圣徒。

Dioscorus　狄奥斯科鲁斯(?,亚历山大[埃及]～530-10-14,罗马)　教皇或敌对教皇(530 年在位 23 天)。原为亚历山大教会助祭,与基督一性论派互不相容,出走到罗马。519 年奉教皇何尔米斯达斯派遣,率代表团在君士坦丁堡与拜占廷皇帝查士丁尼一世谈判,根据教皇的决定结束阿卡西乌斯分裂,使东、西两派教会重归统一。教皇菲利克斯四世(三世)为防止哥特派与拜占廷派在继位问题上发生争执,指定哥特人卜尼法斯(二世)为其继承人。530 年菲利克斯四世死,罗马神职界多数派不承认卜尼法斯,推选狄奥斯科鲁斯为教皇;两人同时正式登位。但狄奥斯科鲁斯不久即死,分裂状态结束。同年卜尼法斯在罗马召开宗教会议,将狄奥斯科鲁斯革出教门。535 年教皇阿加佩图斯一世郑重宣布撤销这一处分。

Dioscuri　狄俄斯库里　源自希腊语 Dioskouroi(宙斯之子),又称卡斯托耳与波鲁克斯。古希腊罗马神话中的孪生神灵。他们援救遇难船员,受人间祭献牺牲而赐予顺风。他们的母亲是勒达,父亲或许是众神之王宙斯,也许是勒达的丈夫廷达瑞俄斯。根据某些说法,卡斯托耳是廷达瑞俄斯之子,所以是一个凡人,而波鲁克斯是宙斯的儿子。这对双生子是不可分的并以他们的竞技能力而知名。但兄弟发生争执,终至流血。虽然事情的详细情况相互间有出入,但权威资料一致认为卡斯托耳具有人间必死之本性,因而被杀丧生。波鲁克斯不愿单独享受永生,于是宙斯允许两人轮流住在天上和阴间。后来宙斯又把他们置于天空,成为双子星座。在罗马,传统认为公元前 484 年引入了对他们的崇祀。奥路斯·波斯图米乌斯在列吉路斯湖之战发誓之后,就在广场上修建了他们的神殿。传说在这次战斗中,狄俄斯库里是站在罗马人方面作战的,并把胜利的消息带到罗马。在艺术作品中他们是青年兄弟,多骑马戴盔,手执长枪。他们的形象还出现在早期罗马钱币上。

Diouf, Abdou　迪乌夫(1935-09-07,塞内加尔卢加～　　)　塞内加尔政治人物。曾就读于达喀尔大学,1958年入巴黎大学学习法律。1960年回国后先后担任行政区长官(1961～1962)、政府秘书长(1964～1965)、计划和工业部长(1968～1970)等职。社会党人。自1970年2月28日起任总理达11年之久。1981年L.S.桑戈尔总统退休后,任总统。他强调与其他非洲国家合作。80年代初与冈比亚建立松散邦联塞内冈比亚(1982～1989)。1983年参与创立非洲统一组织,1985～1986年,1992～1993年两度担任非洲统一组织主席。此外,还是西非国家经济共同体、伊斯兰会议和发展中15国集团的主席。1988年在选举中轻易获胜,但因欺诈指控招致暴力抗议。国家宣布进入紧急状态塞内加尔民主党领导人A.瓦德被短期监禁。但动乱仍然不断,国家面临经济困难,与毛里塔尼亚边界紧张,且有卡萨芒斯分离主义者挑起战乱。他在2000年3月选举中被瓦德击败,社会党长达40年的统治就此结束。

Diougou River(western Africa)　**久古河**　参阅 **Cavalla River** 卡瓦拉河。

Dioula(people)　参阅 **Dyula** 迪尤拉人。

Diourbel　久尔贝勒　塞内加尔西部城镇。为花生产区的市场。生产花生油、饮料和香水。有一所美丽的清真寺。人口约76 400(1985)。

dioxin　二噁英　一类化合物的简称,是生产除草剂、灭菌剂与其他药剂的非所要的副产物。在通俗术语中,二噁英已成为一种特定的二噁英——2,3,7,8-四氯二苯并-对-二噁英(2,3,7,8-TCDD)——的同义词。在化学结构上,二噁英(工业上称二苯并-对-二噁英)含有为一对氧原子所连接的两个苯环,不与氧连接的两环上的8个碳原子都能与氢原子或其他元素原子连接,根据惯例,这些位置用数字1至4与6至9表之。较毒的二噁英在这些位置上拥有氯原子,其中最熟知的是2、3、7、8位置上有氯原子。2,3,7,8-TCDD这个异构物的化学性质很稳定,它不溶于水与多数有机物但溶于油,由于兼有上述性质使这种二噁英在土壤中不被雨水稀释,若被身体吸收则易进入脂肪组织。二噁英无什么用途,它是合成2,4,5-三氯苯酚和其他有用化合物的非所要的副产品。化学产品2,4,5-三氯苯酚是制备除草剂西福克斯(Silvex)和2,4,5-T(2,4,5-三氯苯氧基乙酸)的原料,后者是**药剂橙(Agent Orange)**的主要活性组分。药剂橙是美军用于越战战场和美国国内用来消灭无用植物的落叶剂。2,4,5-三氯苯酚还用于生产六氯苯,一种曾被用于除臭剂和肥皂中的灭菌剂。20世纪80年代初认定美国密苏里州的时代海滩及别处的住宅区,由于不适当地处理含有2,3,7,8-TCDD的化学废物而被污染,从而导致对此物的可能的毒性效应进行认真普遍的研究。毒物学专家自实验动物的研究中错误地断定TCDD是人造物质中最毒的一种,土壤含量超过十亿分之一就可危害人类的健康。已知TCDD能引起氯痤疮(一种严重的皮肤疹),而且接触该化合物也会引起肌肉机能不良、各种肉体炎症、虚弱、畸形儿、遗传变异及神经系统紊乱等,TCDD也与各种癌症有关。然而,随后的研究认为多数的这些推断不太确实,因为这些推断是根据很高剂量的TCDD对豚鼠和其他特别敏感动物的作用结果作出的。对人而言,仅发现氯痤疮一种疾病与TCDD有关,人与TCDD接触之后很快就会染上此病。对工人多年接触TCDD的流行病学研究表明高剂量接触所引起的TCDD的致癌作用是微弱的,而低剂量接触则无任何作用。实际上,一般地接触TCDD比与石棉、氡或香烟雾气的类似接触所引起的致癌危险性要小。尚未有确凿的任何证据可表明TCDD与其他人体失调和缺陷(包括遗传变异)有联系。TCDD究竟有何毒性显然要从它与人体内的某些细胞里的特殊类型的蛋白质受体相互结合的能力来推断。最终生成的TCDD-受体络合物能进入细胞核并与其脱氧核糖核酸(DNA)结合,从而扰乱了产生蛋白质的细胞机构。高剂量的TCDD对动物产生的一系列广泛的和令人困惑的中毒效应显然都是中介受体同TCDD反应的结果。动物的免疫系统最常被TCDD侵袭而明显地减弱或损害。

Dīpaṅkara(Buddhist reformer)　**燃灯**　参阅 **Atīśa** 阿底峡(殊胜)。

Dīpavaṃsa　《岛史》　现存最早的斯里兰卡历史记载,4世纪编成。一般认为是《大史》的主要资料来源之一。书中偏重讲述佛教历史,起止年代与《大史》相同。此书文笔粗糙,杂乱无章,可能是僧伽罗人用巴利文写作的最初尝试。

diphenhydramine　苯海拉明　合成的抗组织胺药。用于对抗变态反应时的组胺反应。1945年始用于临床,并以专利商标名如苯那君(Benadryl)等出售。其盐酸盐供口服或肌肉、静脉注射。用于治疗枯草热、急性皮肤过敏反应(如荨麻疹)和接触性皮炎(如与毒漆藤接触引起者),常见的副作用为嗜睡。盐酸苯海拉明是乙醇胺的衍生物,为白色结晶,易溶于水,可制成胶囊剂和注射剂使用。

diphenyl(chemistry)　参阅 **biphenyl** 联苯。

diphtheria　白喉　白喉棒杆菌引起的急性传染病。特征为通常见于上呼吸道的假膜性损害及由于细菌毒素扩散而引起的全身症状。本病发生于热带和温带地区,发病季节多在秋后至来春,最常侵袭10岁以下儿童。主要通过患者或带菌者排出的飞沫直接传播。侵入门户多为扁桃体、鼻和咽部,白喉杆菌通常在这些部位停留繁殖,并产生外毒素,外毒素经血管和淋巴管散播全身,多数症状由此引起。原发病变的特征为一厚层坚韧的灰色膜,与下面组织紧密粘连,由细菌、死亡的黏膜细胞和纤维素等构成,膜周围为狭窄的炎症带。远隔部位的病变由循环的毒素造成,主要累及心肌和周围神经组织,引致炎症及脂肪组织退化;较重病例造成心力衰竭及瘫痪,可致死亡。一般症状有发热、咽痛和疲乏之感。白喉可按原发病变的解剖位置分为数型:①鼻白喉。鼻孔内出现典型假膜,毒素在此处几乎不被吸收,因此无生命危险,并发症罕见。②咽白喉或扁桃体白喉。最常见,感染多局限于扁桃体区域,若适当使用白喉抗毒素则多可恢复。③鼻咽部白喉。最为严重,感染从扁桃体蔓延至鼻及喉部,有时鼻、咽、喉全为假膜覆盖,局部淋巴结及颈部组织肿胀,出现明显毒血症。④喉白喉。常因感染从鼻咽部向下蔓延所致,亦有原发者。气道阻塞,若不行插管或气管切开则可能窒息死亡。因气管或喉部吸收毒素很少,若气道阻塞消除,患者常可恢复。⑤呼吸道外白喉。感染发生在呼吸道外的其他身体部位,尤其是原有创口或溃疡的皮肤。应首先采取的、最重要的治疗步骤为及时注射白喉抗毒素。许多国家常规采用白喉类毒素预防接种,以产生自动免疫。婴儿期头几个月内即予初种白喉类毒素,一、二年后各加强一次,五、六岁时再各加强一次。

diphthong　二合元音　语音学术语。一种滑动元音,其发音动作由一个发音部位向另一个部位持续过渡。在这一点上,二合元音与所谓纯元音——即不变化的或处于稳定状态的元音——是互相对比而言的。虽然二合元音都是单个的语音,但用音标记录时通常使用一对符号,以表示声道中开始发音和发音终结的状态。大多数英语方言里很多元音都是二合元音,例如,out(出,在外)和ice(冰)中的元音分别用[au]和[ai]来描述。

Diplodocus　梁龙　巨大的蜥脚恐龙类的绝灭属。化石见于北美的晚侏罗世(1.59亿年前至1.44亿年前)地层。也许是最常用来展览的恐龙。为雷龙属(*Apatosaurus*,通常又写作*Brontosaurus*)的近亲,是曾经在地球上生活过的最长的陆上动物。已知最长达26.7米。异常小的头骨细长而相当轻,头骨位于很长的颈上,脑子极小。它相当轻的身体由巨大的肢带和柱状的腿很好地支撑着。这些恐龙的大多数体重估计10吨多。这个属的一些成员可能重达80吨之多。尾很长,可能极其灵活,是一种防御武器,能猛力痛打食肉动物。在水中,尾也可能对推动躯体有用。在脊柱的基部有大量神经组织,帮助协调后腿和尾的动作。因其很长,从极小的脑子到后腿,神经刺激的传递极为缓慢,为补偿时间滞慢而发育的脊髓瘤,往往被错误地称为第二个脑子。一些理论认为,该动物可能大部分时间呆在水中,只有头伸出水面。很可能在干旱区能自由地走来走去,四肢很强壮,脚宽,很像现代象的四肢和脚。齿的特征(铅笔形的、钝脊状的并位于颌的前边缘)表明,很可能它以柔软的植物为食料。

Diplograptus　双笔石　笔石类的一个属。笔石是已绝灭的海生小群体动物,被认为与原始脊索动物有关,限于古海洋环境。双笔石的各个种是奥陶纪(5.05亿年前至4.38亿年前)有用的标准化石,因此可以对比相距很远的地层单位。特征是,从帽状的浮囊悬挂着羽状的笔石生物群体。就笔石而言,该属是较大型的,一个群体内有几种个体。

diplomacy 外交 国际交往的公认方法或处理国际关系的技巧,主要通过谈判。过去,外交指主权国家之间的官方关系,但在20世纪,外交已扩大为包括首脑会议和其他国际会议,以及诸如联合国、红十字会和红新月会、北大西洋公约组织等实体的活动。人们常把外交与对外政策相混淆。其实外交是实现对外政策的目标、战略和广泛策略的主要手段,而这些目标、战略、策略的决定,又往往出于政治上的需要。对外政策通常是公开阐明的,而外交一般系秘密进行,其结果则往往公之于众。

虽然有迹象表明史前社会即有外交,现代外交却起源于古代希腊。希腊外交最先使用传令官作为交战国之间不可伤害的信使。后来,因能言善辩而膺选的使节被派去执行外交任务。由此形成了一个与一般使者不同、有常驻使命或商务专长的特殊的阶层,即外城邦代表或领事人员。

罗马和中世纪欧洲对外交的贡献主要在法律方面:将民法应用于条约,并出现萌芽状态的正式的国际法。在中世纪后期,起带动作用的是教廷外交,世俗的统治者们以教廷使节和教廷大使为模式配备其外交人员。12世纪起,这些外交人员称为大使。意大利,特别是威尼斯开展外交最为广泛,促进了其他欧洲国家外交的发展。

及至16世纪,常驻大使馆在全欧洲已很普遍。在各国首都驻有若干位大使,各自代表其君主的尊严,由此产生了外交使团的优先地位问题。现在的不少外交礼仪就是从这个时期形成的各项仪式沿袭下来的。在17世纪,外交的重点从代表君主转为代表国家利益。为协调并指导这项工作,黎塞留枢机主教于1626年在法国设立了现代第一个外交部。19世纪时,权力从帝王宫廷转移到内阁后这一趋势随之加快。与此同时,欧洲外交的模式开始被其他国家采用。到19世纪末,西方外交制度在全世界已十分普遍。

19和20世纪,通信和运输的发展改变了外交的实施方式。各国大使们与在首都的政治领袖频繁交往,政治家们在外交谈判中发挥越来越积极的作用。国家元首们过去出席重大的外交会议(诸如1814～1815年的维也纳会议),而在20世纪后期,举行最高级会议及其他国际会议使政治家们进一步介入外交过程。外交活动场所也增多了。国际联盟及其后继组织——联合国,为最瞩目的国际讲坛。但诸如欧洲共同体、石油输出国组织和非洲统一组织等机构也接受来自有关国家的使节。

外交越公开,风险也越大。尽管有*治外法权*(**extraterritoriality**)及其他外交豁免权的保护,外交人员已成为恐怖主义者和对政府不满的组织的攻击目标,在20世纪后期绑架和暗杀事件屡见不鲜。联合国关于外交往来和豁免会议于1961年通过的《维也纳外交关系公约》,确认了各类型的外交人员以及他们行使职务时应得的商定的礼遇。它规定3个等级的外交使团长:大使或教廷大使,使节、公使或教廷公使,代办。前两级是向国家元首派遣的,第3级是向外交部长派遣的。这些代表连同他们的工作人员和领事团组成一个国家的*外交部门*(**foreign service**)。他们的主要职能包括在接受国中代表派遣国,保护派遣国的利益,代表派遣国进行交涉,收集有关接受国的情况和事态的信息,促进两国间的友好关系。外交任务已扩大到包括经济、文化、裁军及其他谈判。这些谈判通常由这方面的专家或在其支持下进行。外交人员本身在培训上已更为专门化,虽然有些国家,尤其是小国,在配备外交使团时仍愿使用通才。

diplomatic immunity 外交豁免权 参阅 **extraterritoriality** *治外法权*。

diplomatic service 参阅**foreign service***外交部门*。

diplomatics 古文书学 研究文献的学科,包括重要的法律、行政文件和各种案卷。古文书学的主要任务是鉴别文献的真伪,特别是一直应用于对4世纪西方文献的研究方面。中世纪时期许多文献在战时丢失,先前未成文的习惯法需要重新书写成文,从而导致赝件泛滥,古文书学也就应时而生。不过,直到17世纪才开始试图依据严格的科学方法来鉴别赝件。1681年本笃会教士J. 马比荣出版《文书辨伪论六卷》提出鉴定文献的基本原则。R.P.塔辛与C.F.图斯坦在《文书辨伪新论》(1750～1765)中对此又有所发展。1821年在巴黎建立了文献学院以培养档案管理人员。在德国和奥地利,学者们进一步发展了文书辨伪之学,其方法是区别 actum 与 datum,即对口头诉讼和正式法律行文加以区分,同时发展了鉴定公证人或书记员个人笔迹的技术。

现在,文书按不同方式分类,其中包括政府文书和私人文书,旁证文书和判决或裁决文书。文书可以是原件(依发布者或捐献者的意图而草拟并作为执行文书规定内容的证据)或是副本(原件封缄加盖印章前后所制作,加盖印章前者又称草稿)。经公证人证实的副本与原件法律效力相等。

为鉴定一份文书的真伪,文书辨伪学者或古文书学者要研究文件书写所用的墨汁、材料,研究其中所用语言及缩略语,研究文件的书法风格、形式和内容、日期以及封缄印章所用材料的成分。在历史过程中,文献书写于各不相同的材料上。石头、金属、蜡板、纸莎草纸、羊皮纸上都书写过古代文献。虽然在12～13世纪已经有时可用纸书写,此后纸又成为经常书写用品,但在中世纪羊皮纸和纸莎草纸仍是普遍使用的材料。一切文献都用墨汁写成,但墨汁颜色却因地而异。

罗马帝国时期,文献用语言主要是拉丁语。公元6世纪后期,希腊语在东方取代了拉丁语,持续应用于拜占廷帝国文献中,直到1453年。除少数例外,拉丁语在15世纪以前,一直是西方文献主要语言。15世纪时通俗拉丁语也开始被接受。此外,文献中缩略语的特征也有助于正确认证其日期和出处。书写风格可为文献真实性提供有效证明。某些风格在某时期成为风尚,而另一时期却废而不用。因此,古文字学即辨别古代字体不同风格的知识是古文书学家的基本功。

文献的形式与内容,特别是与帝国和教廷的文办机关使用的范本相比较,大有助于鉴别其真伪。公证员多抄录文牍并适当加上个人断语以处理普通文件。正规的官方文书一般分为3个部分:导言、主体和结语。各部分均含有某些标准主题,如祈祷神明等。与程式标准不一致的文书,其合法性就可疑。文献日期也是鉴别合法性的线索。这可以是法令制订的日期,也可能是发布已实施法令的日期。日期因使用的历法而异。因此,文件所载日期的形式对确定文献来源及其真伪非常有用。最后,文书的真实性还可通过分析其封缄印记专属范围而判定。例如,拜占廷皇帝用金封,其治下的教士和官员则用铅封和银封。

整个罗马帝国和拜占廷帝国时期,大多数正式公文都由各文书机构草拟,以致历经中世纪到17世纪一直沿袭未变。当时,政府各部门分权施治,中央的文书机构已经没有必要。中央文书机构颁布的文件有法律、诏书、命令、外交信函、行政文书、特许状、特权以及其他证明等。古文书研究大部分集中于中世纪或更早期的西方文献上,因为对晚近文献的鉴定,只需稍许专门训练即可。

diplopia 参阅 **double vision** *复视*。

Diplovertebron 双椎螈 两栖类的绝灭属。化石见于欧洲和北美的晚石炭世(3.2亿年前至2.86亿年前)地层。代表石炭蜥(原始的两栖类,很可能包括较进步的爬行动物的祖先)的晚期残存类型。该属及其他石炭蜥的特征是独特的脊柱、头骨式样及具五趾的脚。

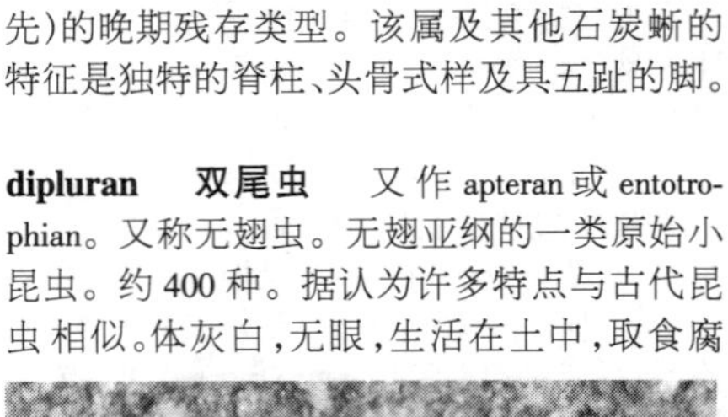

双椎螈(*Diplovertebron*)骨骼的背视图

dipluran 双尾虫 又作 apteran或 entotrophian。又称无翅虫。无翅亚纲的一类原始小昆虫。约400种。据认为许多特点与古代昆虫相似。体灰白,无眼,生活在土中,取食腐

铗尾虫科(Japygidae)双尾虫
美国不列颠百科全书公司供图

败植物和植物组织;可为害生长中的植物。双尾目分3科。双尾虫科(Campodeidae)的种类腹部有两个细长的尾须,能感受震动;铗尾虫科(Japygidae)的种类的尾须变成捕食用的硬铗;原铗尾虫科(Projapygidae)的种类亦有尾铗。

Dipnoi 肺鱼亚纲 鱼类的一个亚纲,最早出现在早泥盆世,现仅以6种为代表,分布在非洲、南美洲和澳大利亚。经济价值小。体较大。澳大利亚肺鱼(*Neoceratodus forsteri*)体重达10千克,长1.25米;非洲肺鱼(*Protopterus aethiopicus*)长达2米;南美肺鱼(*Lepidosiren paradoxa*)长1.25米。

非洲肺鱼类在冬季的后半季,即相当于雨季开始时期在河底做一浅坑形的巢产卵,幼鱼长有长的扇状外鳃。南美肺鱼挖掘垂直的洞道为巢;雄鱼的腹鳍在繁殖季节长出充满毛细血管的突起,可把氧释放到仔鱼周围的水中。澳大利亚肺鱼在水生植物上产带黏性的卵,幼鱼无外鳃,用内鳃呼吸。肺鱼捕食多种水生动物,包括其同类。细长鳗状的非洲肺鱼类和比它更细长的南美肺鱼都有十分灵活的鞭状胸鳍和腹鳍,其末端有灵敏的触觉,用以探触周围环境。肺鱼类几乎不能用眼感知物体的形态和运动。偶鳍的触觉,侧线对压力和水流的感觉,良好的嗅觉和味觉等共同弥补了视觉的不足。澳大利亚肺鱼体较粗短,有覆瓦状大鳞,偶鳍宽大。非洲肺鱼类和南美肺鱼有一对肺囊。澳大利亚肺鱼的左肺囊萎缩。肺囊在结构上和功能上都与两栖类的原始的肺相似。呼吸时肺鱼游向水面,口大开,在刚出水面处吸取空气。肺鱼类有特殊的内鼻孔联接鼻腔和口腔。澳大利亚肺鱼呼吸时口闭合,通过鼻孔呼吸。在水位正常,氧气充足时,主要行鳃呼吸,在旱季改为呼吸空气。非洲肺鱼类在旱季钻入湖底或河底,包在一个逐渐变硬的壳中进行"旱眠";南美肺鱼也在缺水时钻入泥中,但不形成保护性的壳;澳大利亚肺鱼不埋入泥中。

最古老的肺鱼出现于早泥盆世,在三叠纪前达到高峰,以后逐渐衰落。双鳍鱼属(*Dipterus*)是最古老的肺鱼之一,澳大利亚肺鱼由它演化而来。化石的颌根鱼属(*Gnathorhiza*)与现代的美洲肺鱼和非洲肺鱼相接近。肺鱼亚纲的脑颅不分成可活动的两部分,上颌的牙退化,在较晚期的肺鱼类群中已消失。一些牙愈合成齿板,仅肺鱼目(Sirenoidei)一目。肺鱼目分为两个亚目:单肺亚目(Monopneuma),具单个有功能的肺,胸鳍和腹鳍退化,但不成触须状,鳞大,现存澳大利亚肺鱼一种。双肺亚目(Dipneuma),具两个有功能的肺,体鳗状,鳞小,胸鳍和腹鳍变成细触须状,现存者为南美肺鱼属一种、非洲肺鱼属4种。

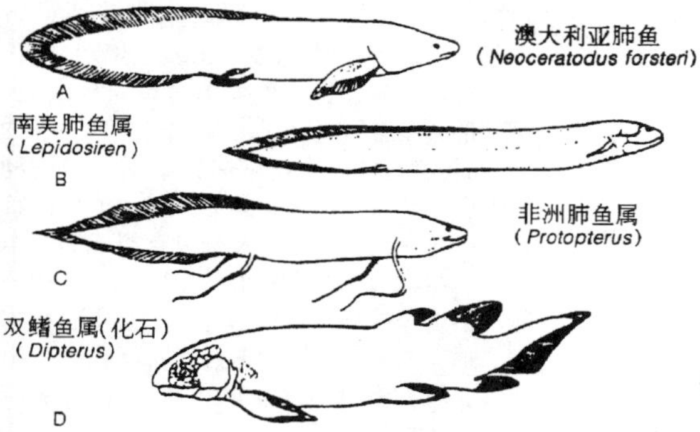

现代的和化石的肺鱼类

Dipo Negoro, Pangeran(Prince) **第博尼哥罗(亲王)**(约1785,爪哇日惹[印度尼西亚]~1855-01-08,西里伯斯望加锡) 印度尼西亚民族英雄。他在第博尼哥罗战争中(1825~1830),曾经重创荷兰军队。原为日惹苏丹阿芒库·布沃诺三世的长子,但未能继承王位。19世纪20年代与荷兰官员发生冲突。1825年成为日惹地区反荷兰的贵族领袖。他对荷兰人进行了3年游击战,颇为成功。至1828年下半年,荷兰军队终于把印尼人的反帝斗争镇压下去。1830年第博尼哥罗同意与荷兰代表举行和平谈判,但在谈判中竟将他逮捕。他在流放中死去。

dipody 二音步 在古典韵律学中,指被视作一个单位的一对音步。扬抑格、抑扬格和抑抑扬格的诗节都用二音步来定界。一个单音步诗行由一个二音步(两个音步)构成,一个二音步诗行由四个音步构成,一个三音步诗行由六个音步构成,一个四音步诗行由八个音步构成。

dipolar hypothesis 偶极假说 一种理论,它认为地球磁场是由磁偶极产生并能由磁偶极最好地表示,该磁体有相反符号的两极,正极与负极。对地球磁场第一个进行定量研究的人是W.吉伯。他观察到,地磁场像是一个均匀的磁化球体,就和磁偶极的磁场一样。早期有关地磁场起源的一些学说,假设地球内部有某种天然磁石或巨大的铁磁棒,因而产生了磁偶极场。测定和估计了压力和温度后得出一个结论:所有已知磁性物质在地表下10~40千米处都将超过居里点(磁性将消失的某一温度)。该结论否定了天然磁铁说和磁棒说。目前流行的学说假设在地核内有一个自激发电机,因而产生磁偶极场。对地球磁场的详尽研究表明,偶极场是主要的,虽然它们由于非偶极场的叠加而形成不规则性,但非偶极场(据认为是地球的外核层引起的)要比偶极场弱。

dipole, electric 参阅**electric dipole电偶极子**。

dipole, magnetic 参阅 **magnetic dipole 磁偶极子**。

Dipolog 第波罗 菲律宾棉兰老岛西部城市。该市为渔港和岛际间运输港。有一商业机场。经由三宝颜半岛上稀疏的公路可通棉兰老岛的主要地区。1969年设市。人口约78 168(1989)。

dipper 河乌 又作water ouzel(水鸫)。雀形目河乌科(Cinclidae)鸣禽,5种。能在湍急溪流水下步行猎食昆虫,并频繁地从水中浮起。体丰满,尾短截形。体长约18厘米,

欧亚河乌(*Cinclus cinclus*)
美国不列颠百科全书公司供图

嘴和腿似鸫。用苔藓构成圆顶巢,通常筑于瀑布后面的罅隙中。常见种有:欧亚河乌(白腹河乌,*Cinclus cinclus*),黑褐色,胸白色,分布于北非、欧洲直至中国东北;北美河乌(墨西哥河乌,*C. mexicanus*)暗灰色,见于阿拉斯加到巴拿马,东到落基山脉的山麓丘陵。还有两种见于南美和亚洲山区;亚洲有一种褐河乌(*C. pallasii*),见于喜马拉雅至中国各地、朝鲜和日本。

dipping duck 参阅 **dabbling duck 钻水鸭**。

Diprotodontidae 古草食有袋科 已绝灭的有袋兽类的一科,生存于澳大利亚渐新世到更新世(3 000万年前至约1万年前)。它包括古草食有袋属(*Diprotodon*),这是已知的最大有袋动物。躯体似毛鼻袋熊,身长达3.5米左右,几乎像大犀牛那样粗壮,四肢和骨骼粗大,以支撑躯体。发育完善的门齿与啮齿动物的门齿相似。还包括更新世的古袋

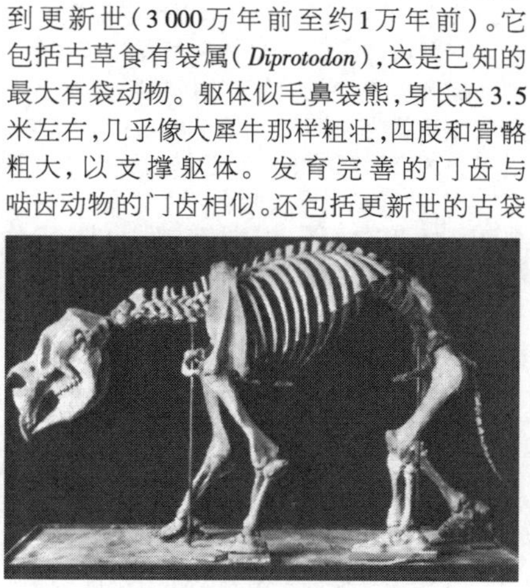

古草食有袋属(*Diprotodon*)动物骨骼
美国不列颠百科全书公司供图

鼠属(*Palorchestes*),体大似袋鼠。这一科的所有兽类都是食草动物,它们与袋鼠和毛鼻袋熊可能是远亲。

Dipsacales 川续断目 又称起绒草目。双子叶植物纲中一个较小的目，4 科，约 40 属 1 100种。忍冬科有 18 属 500 种，主要分布于北温带，常见于中国，又见于南美热带和大洋洲。五福花科仅 1 属 1 种，分布于整个北温带。败酱草科 10 属约 400 种，广泛分布于北温带及南美。川续断科约 12 属 300 种，主要分布于地中海地区和近东，并延至北欧、东亚和南非。本目多为草本或灌木，罕为小乔木和藤本。叶丛生或对生，稀互生，托叶常

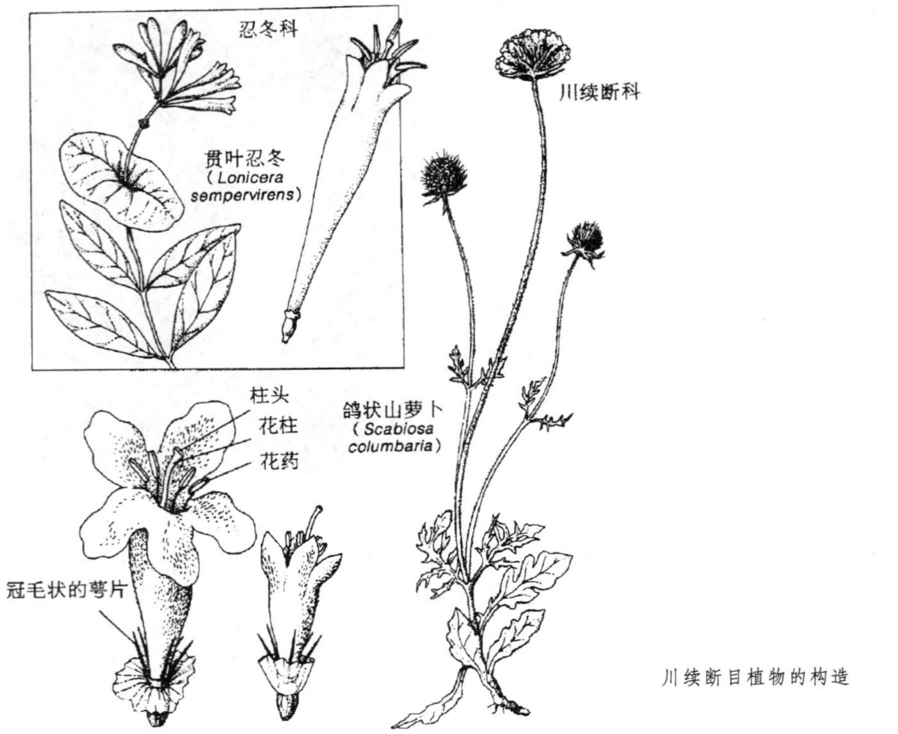

川续断目植物的构造

缺。花整齐或不整齐，两性或单性，稀有不孕性花。花萼缺或发育差。花冠合瓣，3～5浅裂。雄蕊 1～15 枚，常为 3～5，与花冠裂片互生，花丝着生于花冠管上。心皮合生，子房下位，2～5 室，每室 1 至多枚倒生胚珠。果实多样。胚直立，胚乳有或缺。本目世界性分布，生境多样，有的生长于北极，有的生长于沙漠，有的生长于热带，但以北半球温带为多。忍冬属（*Lonicera*）少数种类具攀缘习性，有时成为绞杀植物。缬草属（*Valeriana*）部分种类具垫状生长习性。种子散布方式多样，忍冬科为肉质浆果、核果或干果，适于通过鸟类散布；败酱草科果实带有羽毛状构造或翅，宜于风播；川续断科的果实带刺或刚毛，可黏附在动物体表传播。本目花粉多为三孔沟，外壁具刺状构造，但接骨木属（*Sambucus*）和荚蒾属（*Viburnum*）的花粉外壁为网状纹饰。穴道木属（*Abelia*）有两种花粉类型，一类为典型的忍冬科花粉，即花粉略扁平，外壁的刺由成束的棒状结构所支持；另一类花粉为三角形，不具纹饰。五福花属（*Adoxa*）的花粉类似接骨木属的花粉。川续断科的花粉也分两类，一类的萌发孔具孔环和环盖，外壁具小刺；另一类无孔环和环盖，外壁无刺。染色体的基数为 7、8、9 和 10。多倍性在败酱草科和川续断科某些属的物种形成中起主要作用。本目可供观赏、药用和制香料。忍冬科的荚蒾属和忍冬属多为观赏植物。穿叶莛子藨（*Triosteum perfoliatum*）的根可作泻药。金银花的叶和花可提取利尿药。缬草用于治疗神经症和某些心脏病。甘松香（*Nardostachys jatamansi*）的根和幼茎含油，可作香料。西洋接骨木的花果可作果子冻又可酿酒，川续断属的起绒草的成熟花序用于织物起绒。本目荚蒾属的叶痕发现于美国及欧洲的白垩纪地层，到第三纪已广泛分布。接骨木属花粉发现于始新世。本目多数成员的花粉均可见于第三纪地层。系统演化方面以忍冬科最原始，忍冬族的几个属向败酱草科演化。川续断科虽然特化，但由囊包花属（*Triplostegia*）把该科与败酱草科联系起来。五福花科为特化的草本类群，源于忍冬科。

dipsas 致渴蛇 一种蛇，据说被它咬上一口就会感觉极端的渴。根据传说，宙斯非常感激向他揭露偷火之神的告密者，给了他们长生不老之药。他们将药放在驴背上，任其独自离去。驴很渴，走到这条蛇守护的泉水边上停了下来。一开始蛇不让驴饮此泉水，后来蛇同意驴饮泉水，但条件是要驴将其背上的东西送给它。蛇吃了药便蜕去了蛇皮，而驴也解了渴。

dipteran 双翅目昆虫 昆虫纲最大的目之一——双翅目（Diptera）——的种类，8.5 万余种。世界性分布，见于多种生境，大小为 1 毫米到约 8 厘米。口器刺吸式或舐吸式。只具两翅：前翅膜质，后翅特化为平衡棒；有的种类无翅。中胸发达，内有操纵前翅的肌肉。许多种类有经济意义。家蝇（*Musca domestica*）可传播多种病毒性、细菌性传染病。某些种类（如蚊、蚋、白蛉、虻）的雌体吸血。舌蝇、厩螯蝇则雌雄均吸血。有的种类聚集在高等动物的眼、鼻、口四周，亦能从伤口吸血和脓，且在不同个体间传播致病微生物。吸血种类和腐食性种类是重要的疾病媒介，图莱里菌病、睡眠病、疟疾及非洲锥虫病等人畜疾病由双翅目昆虫传播。有的蝇类幼虫为栽培作物的害虫（如地中海实蝇、瘿蚊和潜蝇的幼虫）。有的有重要生态意义。有的蛆有助于自然界中腐败有机物的分解，捕食性种类以及某些害虫的寄生蝇会控制害虫的数量，有的给植物授粉或消灭对人有害的杂草。幼虫的排泄物成为霉菌、真菌及其他植物的营养，许多幼虫、蛹及成虫又是高等动物的食物，如孑孓为鱼所食，蛆为鸟所食，成虫为鸟、小型哺乳动物、蛙类的食物。大量人类不熟悉的种在食物链中占重要地位。

双翅目昆虫生活史包括卵、幼虫、蛹、成虫四个时期。丽蝇和家蝇产卵在食物或腐败有机物上。果蝇产在腐烂水果中或发酵物质上。卵产在适于幼虫生长的场所，经数小时或数天孵化为幼虫。幼虫见于各种生境，如水中、植物质中，甚至在原油池内。许多幼虫取食柔软的有机质。双翅目幼虫的一个共同特点是不具备真正的有关节的胸足。有的幼虫具伪肢，支持其肉质的腹部。幼虫演化的趋势是结构简化，即越高等的种类越为简单。长角亚目的幼虫有触角、须，以及像许多成虫那样复杂的口器。约半数种类的幼虫为蛆状，没有低等种类那样的头壳，身体前端尖而有一个或一对口钩，后端钝而有一对后气孔。发育过程中减少蜕皮次数也是演化的趋势。长角亚目中蚋科有 6～7 龄幼虫，而其他大多数科为 4 龄。短角亚目有 5～8 龄，而最高等的环裂类只有 3 龄，有一或两种不蜕皮。蛹内可以清楚地看到成虫的外部特征。蛹包在泥、丝、或泥和丝混合组成的茧中或围蛹中（如水虻科和环裂类）。蚊、蚋和一些水生蠓类的蛹能活泼游泳。在土中或树木中的蛹有棘和刺，借以移到表面羽化。初出的成虫吸入空气扩展身体和翅，迫使血液流经身体各处。

双翅目分为以下 3 目：1. 长角亚目（Nematocera）。触角由柄节、梗节、鞭节构成，有多数同样的节；下颚须多于 3 节，常悬垂；翅的后臀室开放；幼虫多有明显的头。(1)大蚊科（Tipulidae）。(2)蕈蚊科（Mycetophilidae）。(3)尖眼蕈蚊科（Sciaridae）。(4)毛蚊科（Bibionidae）。(5)芒蚋科（Scatopsidae）。(6)瘿蚊科（Cecidomyiidae）。(7)毛蠓科（Psychodidae）。(8)白蛉科（Phlebotomidae）。(9)蠓科（Ceratopogonidae）。(10)摇蚊科（Chironomidae）。(11)蚋科（Simuliidae）。(12)蚊科（Culicidae）。

2. 短角-直裂亚目（Brachycera-Orthorrhapha），简称短角亚目（Brachycera）。触角的鞭节常愈合成复合的第三节，余各节小，形成粗短的小柱状或多毛的角芒；翅的后臀室狭窄，近完全封闭；触须节数多在 3 节以下。幼虫有明显的头部。羽化时成虫自蛹体的直形裂缝钻出。(1)水虻科（Stratiomyidae）。(2)鹬虻科（Rhagionidae）。(3) Pantophthalmidae 科。(4)虻科（Tabanidae）。(5)食虫虻科（Asilidae）。(6)蜂虻科（Bombyliidae）。(7)窗虻科（Scenopinidae）。(8)剑虻科（Therevidae）。(9)网翅虻科（Nemestrinidae）。(10)小头虻科（Acroceridae）。(11)舞虻科（Empididae）。(12)长脚虻科（Dolichopodidae）。

3. 短角-环裂亚目（Brachycera-Cyclor-

rhapha)，简称环裂亚目（Cyclorrhapha）。有围蛹；成虫羽化时蛹壳顶部环形裂开成一盖状；多数（有缝组）具额胞（头部一膜质囊，于触角前方马蹄形的额胞缝中，羽化时用以冲开围蛹或扩展身体，后萎缩）。无缝组的鉴别主要依靠翅脉。（1）无缝组（Aschiza），无额胞缝。①尖翅蝇科（Lonchopteridae）。②蚤蝇科（Phoridae）。③头蝇科（Pipunculidae）。④扁足蝇科（Platypezidae）。⑤食蚜蝇科（Syrphidae）。⑥眼蝇科（Conopidae）。（2）有缝组（Schizophora），有额胞缝。①无翅瓣派（Acalyptrata），翅瓣小或隐失，体小而软，分科的根据是幼虫的食性。分缟蝇科（Lauxaniidae）、新锡兰蝇科（Helomyzidae）、圆头蝇科（Dryomyzidae）、Chyromyiidae科、甲蝇科（Celyphidae）、妖蝇科（Mormotomyiidae）、扁蝇科（Coelopidae），以上各科在植物性堆肥或粪便中产卵；鼓翅蝇科（Sepsidae）、酪蝇科（Piophilidae）、瘦足蝇科（Micropezidae）、小粪蝇科（Sphaeroceridae）、沼蝇科（Sciomyzidae）、叶蝇科（Milichiidae）、鸟蝇科（Carnidae）、巢蝇科（Neottiophilidae）、尸蝇科（Thyreophoridae）、斑腹蝇科（Chamaemyiidae）、蜂蝇科（Braulidae），以上各科在动物性废物、粪便、腐尸中产卵；水蝇科（Ephydridae）、突眼蝇科（Diopsidae）、黄潜蝇科（Chloropidae）、禾蝇科（Opomyzidae）、三点禾蝇科（Geomyzidae）、茎蝇科（Psilidae）、潜蝇科（Agromyzidae），以上各科的幼虫食植物；实蝇科（Trypetidae）、果蝇科（Drosophilidae），以上二科幼虫食果实。②有翅瓣派（Calyptrata），在翅基与胸之间连以大型的翅瓣。分粪蝇科（Scatophagidae）、蝇科（Muscidae）、丽蝇科（Calliphoridae）、疽蝇科（Cuterebridae）、狂蝇科（Oestridae）、胃蝇科（Gasterophilidae）、麻蝇科（Sarcophagidae）及寄生蝇科（Tachinidae）等。③蛹蝇派（Pupipara），卵胎生，成虫雌雄均吸血。分虱蝇科（Hippoboscidae）、蛛蝇科（Nycteribiidae）及蝠蝇科（Streblidae）等。

Dipterocarpaceae　龙脑香科　山茶目的一科。原产南亚及非洲。22属。多为高大材用乔木，也产芳香树脂。叶革质，常绿。花成穗着生，芳香，有5枚扭曲的革质花瓣。古芸香属（羯布罗香属，*Dipterocarpus*）和娑罗双属（*Shorea*）的许多种（如粗壮娑罗双［*S. robusta*］）都是兼产有用树脂的用材树。具腺古芸香（*D. glandulosa*）产古芸香胶，可供药用。芳香龙脑香树（*Dryobalanops aromatica*）产龙脑（冰片），在东亚地区供药用、制清漆或作防腐的涂膏。其他产木材的还有青梅属（*Vatica*）、坡垒属（*Hopea*）及两个非洲属（*Marquesa* 和 *Monotes*）。

Dipterus　双翼鱼　非常原始的肺鱼类（已知最早的鱼类之一）的一个属。化石见于欧洲和北美的泥盆纪（3.45亿年前至3.95亿年前）地层。非常类似产生最初两栖类的总鳍鱼类（又称叶鳍鱼类）。保留许多古老的特征，包括二个背鳍、类似叶鳍鱼的尾。可能已具备有功能的肺，并表明生活于淡水环境。头骨虽仍原始，由小骨镶嵌而成，但已开始具有异常的骨骼式样，该式样见于较进步的肺鱼中。同样地，证明肺鱼的早期阶段趋向骨骼的极度去骨化，很可能是现代澳大利亚肺鱼属（*Neoceratodus*）的直接祖先。

dipyre　针柱石　方柱石（scapolite）矿物的变种。

Dīr　迪尔　巴基斯坦西北边境省马拉根德专区的城镇和县。位于班杰戈拉河支流迪尔河北岸，有公路与南面110千米的马拉根德区相通。家庭小工业有成衣与制鞋。还有一个木材加工厂。迪尔县原为阿昆克尔皇族统治的一个土邦，面积5 281平方千米，属班杰戈拉河流域。班杰戈拉河谷丰产水果。山坡森林出产的木材为主要收入来源。主要民族为尤素福扎伊普什图族。人口：市3 540（1972）；县约769 000（最新统计）。

Dirac, P(aul) A(drien) M(aurice)　狄拉克（1902-08-08，英国格洛斯特郡布里斯托尔～1984-10-20，美国佛罗里达塔拉哈西）　英国理论物理学家，量子力学的创始人之一，诺贝尔奖获得者。他很早就用数学方

美国不列颠百科全书公司供图

法表述现代理论物理学，对20世纪物理学的发展起突出作用。理论上曾预言正电子的存在。曾在布里斯托尔大学学工程，他相信以数学上的近似法可以表达自然的基本规律。他认为实际的现象太复杂，物理学家应满足于只研究对实际知识的近似。他在取得电工学位后，由于获得补助金，便进入剑桥大学开始理论物理学的研究。1926年他还是学生的时候，便创造了量子力学的一种形式，这是他对物理学作出的第一项主要贡献，他的量子力学概括性强而逻辑简单。他把爱因斯坦的狭义相对论思想用于量子力学。认为电子可以用能满足四个联立微分方程的四个波函数来描述，按照这些方程，电子必须绕轴自旋，必须有负能态。后来他提出这种缺少一个电子的态相当于一个寿命短的带正电粒子的存在。这种粒子后来由美国物理学家C.D.安德森在云室照片中发现，即质量与电子相同而电荷相反的正电子。他在《量子力学原理》一书中，首创量子力学的变换理论，为某些变量的统计分布提供计算方法。他在研究工作中，不用任何图形模式，而是以数学来描述。他除了在原子尺度上改进了对物质的数学描述外，还创立了辐射的量子论。他是费密-狄拉克统计法的共同创立者。1933年和奥地利物理学家E.薛定谔共获诺贝尔物理学奖。1939年获得英国皇家学会奖章。他在取得剑桥大学博士学位后就在该校任教，1932年被任命为曾经由牛顿担任过的卢卡斯数学讲座教授。

Dire Dawa　德雷达瓦　埃塞俄比亚中东部城镇。位于东非大裂谷东沿。现为几条公路的交叉点。设有机场。1904年建成通往吉布提港的铁路后，成为哈勒尔贸易主要出口点。

德雷达瓦镇旧城的清真寺
美国不列颠百科全书公司供图

达查图季节河将该镇分为二部分。新城为法国人所建，有科普特基督教堂和一座皇家宫殿。旧城有清真寺和大型穆斯林公墓。周围土地干旱，粮食要从南方输入。有纺织、水泥、咖啡和肉罐头等工厂。有咖啡和皮革贸易市场。居民大部为奥罗莫人或索马里人。附近岩洞内有史前壁画。人口约107 287（1987）。

Dire Straits　恐怖海峡乐队　英国摇滚乐队，其稍带布鲁斯韵味的流畅吉他摇滚盛行于20世纪70和80年代。最初的成员是M.克诺普夫勒、D.克诺普夫勒、J.伊尔斯利和P.威瑟斯；后来加入的有H.林德斯和A.克拉克。成立于1977年，创始人M.克诺普夫勒曾是新闻记者和大学教师，在酒吧摇滚乐活动中成为音乐家。1978年乐队首发专辑中的热门歌曲《苏丹的翅膀》为他们在大西洋两岸奠定了基础。他们最好的两张专辑是《公报》（1979）和《拍电影》（1980），1982年的专辑《金之爱》获得了商业上的成功。1985年的专辑《战友》，发行量超过100万，乐队也随之成为超级明星，其中有几首热门单曲，包括居排行榜首的《金钱无能》，是音乐电视时代的尖锐讽刺摇滚作品。1988年乐队解体，1991年重组，并发行专辑《在每一条街道上》。

dire wolf（species *Canis dirus*）　**惧狼**　更新世（160万年前至1万年前）狼的绝灭种。可能是在加利福尼亚南部拉布雷亚沥青坑中

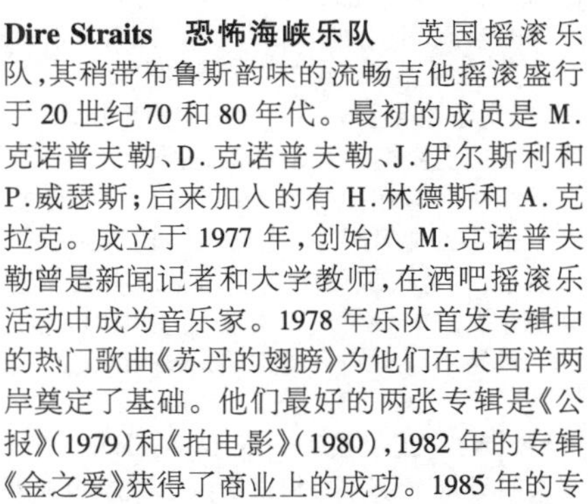

C.R.奈特所绘惧狼（*Canis dirus*）复原图
美国不列颠百科全书公司供图

发现的最常见的哺乳动物。与现代狼不同之处在于:个体较大,有较粗壮的头骨、较小的脑子、较灵巧的四肢,可能比现代狼的智力差。分布广泛,骨骼残余见于佛罗里达州、密西西比河流域、墨西哥谷地。

Direct Action 直接行动 法国的秘密恐怖组织,出现于1979年,据信由早期的一些极端组织合并而成。有时人们将其与较早期的恐怖组织,如意大利的“红色旅”及德国的“红色军团”相提并论。“直接行动”崇奉一种被认为是共产主义、无政府主义或毛主义的意识形态,对第三世界的要求寄与高度同情。其创始人据信有J.-M.鲁扬、N.梅尼贡、R.施莱歇和A.奥利弗等人。1986～1987年被捕的20名“直接行动”成员中即有此4人在内。这个集团的18名成员在1988年被判犯有刑事阴谋罪。自1982年被法国政府正式查禁以来,“直接行动”曾以炸弹或武器袭击各种“资本主义”目标,诸如雇主联合会办事处和工厂以及各项公共目标,如警察派出所、治安法庭、军事场所等。除进行80余次恐怖爆炸外,该集团还刺杀知名人士,如雷诺汽车公司总裁G.贝斯(1986)、法国国防部官员R.奥德朗(1985),并曾发动多次对犹太人的袭击,包括一次以机枪和手榴弹袭击一家犹太人餐馆。

direct current 直流电 缩写为DC。方向不变的电流,由电池、燃料电池、整流器和装有整流子的发电机产生。19世纪80年代晚期,直流电在商业电源方面被交流电所取代,因为要把它变换为远距离输送所需的高压电很不经济。但在20世纪60年代以来,新技术克服了这种障碍,直流电已能输送到很远的距离;只是在最后配电时通常还需要把它变换为交流电。在某些用途上(如电镀)直流电仍然是不可少的。参阅 **electric current**。

direct dye 直接染料 又作substantive dye。一类对纤维有亲和力和直接染色能力的水溶性染料的总称,如联苯胺衍生物。通常便宜,使用简便,颜色鲜艳。耐水洗性不好,但可通过后处理加以改进。大部分市售袋装家用染料是直接染料。参阅 **mordant dye**。

direct-mail marketing 参阅 **mail-order business 邮购业**。

directing 导演 协调及控制戏剧、歌剧、电影、电视剧或广播剧中一切演出要素的艺术。这种控制的职责通常委托给一个被称作导演的人。

直到19世纪中期导演才成为演剧中的一种主要力量;在此之前一位有经验的演员指导剧团内的其他成员的情形并不少见。但是随着现代写实主义戏剧的兴起,就需要有一个人比剧组的普通成员从更广泛的角度来协调一场演出的所有要素。

英国的维斯特里斯夫人和德国的乔治二世(萨克斯-迈宁根公爵)导演了他们未曾参与表演的戏剧,放弃虚假夸张的戏装,要求真实可信的布景和台词。1890年迈宁根到俄国巡回演出,引起斯坦尼斯拉夫斯基的注意。斯坦尼斯拉夫斯基对导演和表演技巧的改革在他去世(1938)后很久依然发挥影响。他的名字与A.契诃夫的心理戏剧和演员训练技巧密切相关,这种训练体系演技后来以斯坦尼斯拉夫斯基表演方法著称于世。

可供导演使用的戏剧要素有剧本和演员的表演,以及布景、服装、灯光、视觉和音响效果、配乐,在一出音乐剧里还有舞蹈。导演可以运用所有这些要素形成整体演出,以便给观众留下剧作家笔下富有想象力的表演。

由于演员通常是最重要的和最富于变化的戏剧要素,导演必须对表演和人性有所理解。在大多数情况下,导演并不详细告诉演员他期望他们要做的每个细节,也并不控制他们的实际表演,而是要在他们自己的创作中启发他们的想象力,赋予他们信心;要抱有这样的信念:演员开始时对其角色的了解比导演少,而结束时他们的了解要比导演多。分派角色挑选适合角色的演员——常常由导演一人负责,因为只要有一个角色分派不当就会毁掉整个演出。

在排练中导演的技巧更为重要,既要像经理,又要像工匠。演员必须被融入布景之中,他们的形体动作应受到“限定”或安排。导演应该对一个“舞台画面”进行构思,这种画面应使台词得到理想的加强。他还应该监督舞台设计师和技工的制作,有时还要关注舞蹈师和乐队指挥的工作。指导这些常常会相互竞争的各不相同的要素,需要宽广和统一的视野,把演出的各个部分置于戏剧整体之下。

现代电影导演像戏剧导演那样监督这些同样的要素,还要监督如电影摄影、剪辑和录音这样的技术要素。最早的电影导演不了解这些技术要素所允许的艺术控制,他们仅简单地拍摄一些短歌舞剧或杂技节目以及一些简短的实际生活场景,从开始到结束也不移动摄影机。然而,电影导演很快就学习使用摄影机的位置摆放和移动,将观者的注意力集中于某个特定区域或人物,他们发现可以运用剪辑来制造叙事或戏剧效果。后来电影技术的发展,诸如引进音响和色彩,鼓舞电影导演技巧的进一步革新。

有时被用来形容电影导演风格的两种技巧是蒙太奇和现场调度。蒙太奇导演主要是用巧妙的剪接手法将各个单独镜头相互连接。D.W.格里菲斯是有效运用蒙太奇手法的最早的导演之一,如他导演的影片《一个国家的诞生》(1915)。20世纪20年代苏联电影制作者进一步发展了蒙太奇理论,特别是S.爱森斯坦和V.普多夫金。现场调度导演注意力集中于一个镜头之内各要素之间的关系以及剪辑阶段之前的过程,诸如摄影机移动、画面构图、灯光照明及布景设计。以运用现场调度手法闻名的导演有O.韦尔斯、M.奥菲尔斯和J.雷诺阿等。最传统的好莱坞故事片以快节奏和“看不见的”剪辑风格为特征,蒙太奇和现场调度的技巧同时并用,但通常是蒙太奇手法占主要地位。

导演现场播出的电视节目与在舞台上导演的情境相类似。表演是连续的,不可能停下来纠正错误,导演只能在节目广播的过程中在控制室里进行剪辑,要在瞬间里决定摄影镜头的剪接取舍。

广播节目导演的职责与电视导演相类似,现场直播和预先录制的导演手法有所不同。不过,广播剧导演通常需要有非常灵敏的听力,以保证演员的音调变化和嗓音节奏能产生富有表现力的台词,从而能在听众的心目中清晰地想象出整出戏及其全部音乐和声响效果。

direction determinants 指南仪器 中国古代四大发明(与纸、印刷术、火药)之一。有磁指南和机械指南两种。磁指南仪器发明于公元前3世纪,称“司南”,是将天然磁石磨成勺状放在方位盘上,利用磁石指极性指示方向。11世纪初发明利用地球磁场使铁片磁化法,磁化后将铁片放入木鱼中,用水浮起使其指示方向,称“指南鱼”。同时还发明用磁铁与铁针摩擦使铁针磁化法,制成世界最早的指南针。后磁铁针与方位盘联成一体,成为磁针式指南仪器,用于航海。机械指南仪器为指南车,约在3世纪时发明。指南车是双轮独辕车,车上立木人。车转动后利用齿轮传动作用使木人手恒指南方。

direction field 方向场 用图形表示一阶微分方程的解而无需把方程解出来的一种方法。微分方程 $y' = f(x, y)$ 相应于在平面的每一个点给出一个方向 y',使得通过这点的

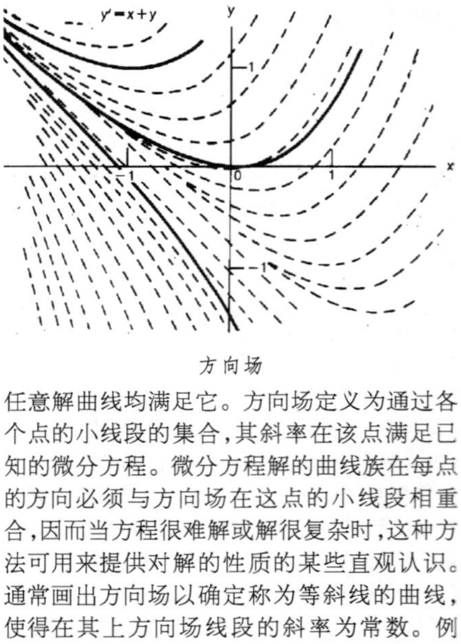

方向场

任意解曲线均满足它。方向场定义为通过各个点的小线段的集合,其斜率在该点满足已知的微分方程。微分方程解的曲线族在每点的方向必须与方向场在这点的小线段相重合,因而当方程很难解或解很复杂时,这种方法可用来提供对解的性质的某些直观认识。通常画出方向场以确定称为等斜线的曲线,使得在其上方向场线段的斜率为常数。例如,对微分方程 $y' = x + y$,令斜率等于常数 k 便得到 $k = x + y$ 即 $y = -x + k$,也就是说,等斜线是斜率等于 -1 的直线,因而这些线有助于构造方向场(见图)。这时微分方程的解族为 $y = ae^x - x - 1$,其中 a 是任意常数,这可以用微分方程的方法解得。

direction finder 探向器 测定信号源方向的无线电接收机和天线系统。探向器可以是为军事或研究目的而设置的测定舰船或飞机方位的地面站,也可以是一种舰载或机载的导航装置,后者也叫无线电罗经。最早期的实验家即已熟知做成螺线形或环形的天线具有方向性。当环形天线沿水平方向转动时,它因截获无线电波而产生的能量输出会经过

一个尖锐的极小值位置,该位置即对应于无线电发射机的方向。舰船开始有无线电装备后不久,就在航线上的一些战略要地以及港口附近设置了若干岸边探向站。在收到船上用无线电提出的请求之后,就由两个以上的岸边探向站利用它们的环形天线测定船上的信号来自何方,再把这一信息发回船上。但这样的设施在同一时间仅限于为一条船提供服务。在天气恶劣而需求猛增时,这是一个严重的缺点。如果反过来把发射机安置在岸上,探向器设置在船上,系统即可无饱和之虞,而领航员也可从中得到两点好处:一是可以利用这一装置连续地或频频获取任一岸上信标的方位;二是可以获知任一能够收到的信号的方位,例如广播电台或其他船只所发出的信号的方位。探向系统的这一变化大体上同航空的开始发展一致,而机载探向器立即成为空中导航的宝贵辅助设备。在不便于转动环形天线时,可使用交叉环天线探向器,天线由两个互成直角的环组成,环的端子则通过电缆与测向器的两个交叉的固定线圈相连;普通环形天线的转动则由测向器中的可转线圈来模拟。其他类型的探向天线还有爱德考克天线和分隔式环形天线,这些天线可设置于海岸作为高频和甚高频波段的导航辅助设备,在这些频段,它们比单环天线更为有效、更为精确。在主要为飞机和小船而生产的便携式探向器中,加有铁磁心的环形天线用得十分广泛。

Directoire style 督政府时期风格 法国督政府时期(1795 ～ 1799)流行的服装、家具和装饰风格。男式服装兼有古代与当代的成分,最富特征的是裤子与长靴、马甲、长开的上衣和大礼帽。女人穿齐胸的长袖 V 形领上衣,头戴及耳的折绉包发帽。家具和装饰则以线条清晰的单纯长方形为主;装饰主要取材于从庞贝出土的古罗马文物。家具则为路易十六晚期式样。

督政府时期风格的浴室与闺房模型
美国不列颠百科全书公司供图

Directory 督政府 根据法国共和3年宪法而建立的法国革命政体,前后持续 4 年(1795-11 ～ 1799-11)。督政府有一个两院制的立法机构:一是立法院(即下议院),又称五百人院,由 30 岁或 30 岁以上的议员 500 人组成,有建议立法权;一是元老院,由 40 或 40 岁以上的议员 250 人组成,有权接受或否决立法议案。元老院从五百人院提出的名单中遴选 5 个督政官。督政官必须在 40 岁以上,以前担任过议员或部长。督政官任命政府部长、大使、将领、税吏和其他官员。督政府大概是法国前所未有的最腐败的政权。其政策首先在于保护与增加拥有政治经济大权者的利益,其次在于防止波旁王朝复辟或任何其他政权的建立,以免危及统治者。这个时期还以时兴奇装异服、宴会糜费、道德败坏而著称。

Diriamba 迪里安巴 尼加拉瓜西南部城市。地处迪里安巴高地,海拔 576 米。主要工商业中心。附近地区以生产咖啡闻名,伐木业亦重要。郊区有石灰岩采石场和盐场。市内有几家加工厂。在泛美公路上。太平洋铁路一条支线的终点站。1978 ～ 1979 年,桑地诺游击队和政府军在该市发生激战,财产受到严重破坏。人口约 19 728(1985)。

Dirichlet, Peter Gustav Lejeune 狄利克雷(1805-02-13,法兰西帝国迪伦[今在德国]～1859-05-05,汉诺威格丁根) 德国数学家,对数论、分析学和力学做出了宝贵贡献。先后在布雷斯劳大学(1827)、柏林大学(1828 ～ 1855)任教。1855 年接替 C.F.高斯在格丁根大学执教。他在数学的许多领域中都做出了不少至今仍和他的名字相联系的出色贡献。在数论中证明了,若 a、b 互素,则在每一个算术级数 $a+b, 2a+b, 3a+b, \cdots, na+b$ 中有无穷多个素数存在。发展了代数数论中关于单位的一般理论。他的《数论讲义》(1863)及其补编中,有许多关于理想理论的重要材料。1837 年,提出现今常用的函数 $y=f(x)$ 的概念,即如对于每一个 x,都存在与之相对应的唯一的 y,则 y 是 x 的一个函数。在力学方面,他研究系统平衡和位势理论,从而产生了关于具有给定边界值的调和函数存在性的狄利克雷问题。他的 2 卷《论文集》,分别于 1889 和 1897 年出版。

Dirichlet problem 狄利克雷问题 数学中,这问题是要建立与求解在研究热流、电流与流体流动时产生的某一类偏微分方程。最初的这个问题是:在一圆盘上,如何由边缘上测得的温度来确定盘内的平衡温度分布。这时盘内每点的温度满足一个偏微分方程,即拉普拉斯方程,它相应于这样的物理条件,即盘内的总热能应最小。如果在圆盘内有这样的点,会生热(热源)或失热(散热器),而温度在每点仍保持常值(稳定流),方程就化为泊松方程。除了圆盘之外,狄利克雷问题在单连通(即不包含洞的)区域也可解,只要温度沿着边界是渐变的。与狄利克雷问题有关的是诺伊曼问题与罗宾问题。在诺伊曼问题中,热通过边界补充或散去,使得仍保持稳定的温度分布。在罗宾问题中,取代热穿过边界流动,只许在边界有辐射散热,其速度正比于该点处的温度降落,而结果使温度分布保持稳定。除了热流问题以外,还有许多其他现象也化为类似的数学问题(例如电荷分布与定常流体运动)。这些问题都是更一般的一类二阶偏微分方程即椭圆型方程的边值问题的特例。

Dirichlet's theorem 狄利克雷定理 数论中的一个定理,它指出有无限多个素数被包含在所有形如$(a \times n)+b$ 的数组成的集合里,其中常数 a、b 是自然数或它们的负数,并且它们除了 1 和它们自身外没有公因子;变量 n 是任意自然数。德国数学家 C.F.高斯提出这个猜想,1826 年被数学家 P.G.L.狄利克雷第一个证明。

dirigible 参阅 airship 飞艇。

Dirʿīyah, Battle of ad- 迪里耶战役(1818) 埃及穆罕默德·阿里帕夏的军队战胜阿拉伯半岛内志省瓦哈比教派穆斯林的大规模战役。瓦哈比王朝被摧垮,沙特家族实际上被打垮。18 世纪末瓦哈比教派穆斯林袭击穿越阿拉伯半岛的朝觐团,这引起奥斯曼土耳其政府的关注。当土军企图进犯半岛东部的哈萨时,瓦哈比教派先发制人,占领在土属伊拉克境内的圣城卡尔巴拉(1801)和麦加(1802)。苏丹把镇压异教徒的任务交给埃及总督穆罕默德·阿里帕夏。1815 年瓦哈比教派首领阿卜杜拉一世求和,埃及军队撤出内志省。翌年,埃及总督之子易卜拉欣帕夏通过灵活的外交和慷慨的赠礼,得到半岛上多数阿拉伯部落的支持,率兵进入阿拉伯半岛中部地区。1818 年 4 月兵临瓦哈比教派首府迪里耶。经过 6 个月血战,阿卜杜拉一世投降(1818-09-09),被押送到君士坦丁堡斩首。迪里耶被夷为平地。

Dirk Hartog Island 德克哈托格岛 澳大利亚岛屿。在西澳大利亚州埃德尔地半岛以北的印度洋水域,面积 620 平方千米,是西澳大利亚州最大岛。该岛西岸是高耸的悬崖,向东岸沙丘倾斜。其西角为全国最西端。

Dirks, Rudolph 迪克斯(1877-02-26,德国海德～1968-04-20,纽约市) 美国连环画家。7 岁时随家迁居芝加哥,17 岁起在《纽约日报》社作画,于 1897 年创作《酗酒少年》;1912 年进《纽约世界报》,改题为《汉斯和弗里兹》。第一次世界大战时又改为《船长与少年》。晚年大部时间用于画海景和风景油画,连环画的工作由其子约翰继续。

Dirksen, Everett Mckinley　德克森（1896-01-04,美国伊利诺伊北京～1969-09-07,华盛顿[哥伦比亚特区]）　美国政治家,肯尼迪和约翰逊总统任内的参议院共和党领袖。曾就读于明尼苏达大学。第一次世界大战中在军队服役。1926年被选为当地财政委员会委员,开始担任公职。1930年竞选议员失败,1932年再次竞选获胜。作为保守共和党人,除社会保障外,他反对新政的绝大多数措施和外交政策,支持孤立主义,但后来转向温和灵活,支持两党一致的美国参加第二次世界大战的外交政策。1948年因目疾辞去众议员席位,回北京执律师业。1950年竞选参议员获胜,继续支持某些保守的政策(包括支持麦卡锡的反共清洗)。1959年被选为参议院少数党领袖,但60年代在若干开明的重要法案的通过过程中,他起了决定性的作用。这些立法包括:《禁止核试验条约》、1964年的《民权法案》和1965年的《选举权法案》。

dirty sandstone　参阅　**graywacke** *杂砂岩*。

Dis Pater　狄斯帕特　古罗马宗教中的冥王。相当于希腊宗教的**哈得斯(Hades)**或普路托。罗马人又称此神为奥库斯,是朱庇特之弟。狄斯帕特之妻普洛塞耳皮那司掌草木,每年她在冥府居住时,是死亡女神,返回阳世,则为化育女神。

Disa　狄萨兰属　兰科的一属。200种。生长于非洲东南部、马达加斯加及附近岛屿的沼泽地和草原。花多为白色至紫色,花径0.5～10厘米。上萼片直立,呈帽盔状,常有1距。红狄萨兰(单花狄萨兰,*Disa uniflora*)常见于南非,花粉红或鲜红色。

disaccharide　二糖　又作 double sugar。亦称双糖。由两分子单糖连结而成的物质。绿色植物光合作用所形成的蔗糖由一分子葡萄糖和一分子果糖组成;哺乳动物乳汁中的乳糖由葡萄糖和半乳糖组成;食物中的淀粉在消化过程中的降解产物——麦芽糖由两分子葡萄糖组成。许多昆虫循环液中的海藻糖也是一种重要的二糖,亦由两分子葡萄糖组成,但其连结方式与麦芽糖不同。

disarmament　裁军　在国际关系中,包含4种不同概念:①对战败国所进行的惩罚性销毁武装或裁减武装,亦即解除武装(1919年《凡尔赛和约》对德国及其盟国进行裁军的规定即是这一裁军概念的一个例子);②适用于特定地区的双边裁减军备的协议(这一意义上的对海军进行裁军由美英《拉什-巴戈特协定》所阐明,这一协定自1817年以来使五大湖保持解除武装状态);③由某些乌托邦思想家所倡导、也间或为某些政府所提议的彻底销毁一切军备;④由国联(过去)或联合国(现在)这类国际组织通过全面国际协议,削减并限制各国武装。这最后一种概念是这一术语目前最常用的概念。随着具有大规模毁灭能力的核武器的迅速发展,裁军成为一个更为紧迫和复杂的问题。自1945年第一颗原子弹爆炸以来,原先的关于军备竞赛在经济上不合算并将不可避免地导致战争的争论,为今后大量使用核武器将威胁人类文明继续存在的论点所取代。第二次世界大战战后时期,曾有几种不同级别的会议,讨论限制和控制军备的问题。所作出的努力包括从联合国的持续会谈,到核大国之间70年代的限制战略武器会谈和80年代的削减战略武器会谈。参阅 **arms control**。

disbarment　取消律师资格　指未能按照规定的准则执行律师业务的律师被撤销执照或特权的程序。如果认为应当给予较轻的惩罚时,则可以用暂时中止执行其业务的办法。取消律师资格的理由各国不同,但一般地说,一个律师被认定犯有重罪或他对委托人委托给他的钱财无法做出交代时就构成了被取消资格的主要理由。取消律师资格的程序各国也不相同。在有些国家里,当律师协会接到控告后要举行意见听取会。如果协会的委员会认为已有的证据足够取消律师资格,或给以其他惩罚,它将向适当的法院提出这样的建议。然后由法院审理该证据和建议,并作出判决。有些国家——例如以色列——律师组织本身就完全有处理所有这些问题的权力。在英国,四个律师学院(高级律师的主管机构)和法律学会(初级律师的主管机构)都有权把他们各自的组织中的律师除名。

Disbrowe, John(English soldier)　参阅 **Desborough, John** *德斯巴勒*。

disc jockey　声像盘音乐节目主持人　disc 又拼 disk。在无线电广播、电视、声像盘伴奏舞厅或其他舞厅中播放音乐节目的主持人。第二次世界大战后,声像盘音乐节目成为美国许多广播电台节约开支的根本手段。广播的方式一般是由节目主持人介绍并播放声像盘,每隔一段时间还插入一些即兴讲话。这种节目的设想起源于20世纪30年代,但它的发展受到美国联邦通讯委员会的阻碍。该委员会颁布的法规要求广播电台在声像盘播放过程中必须一再声明这是录音音乐。这种重复的插话引起了听众的反感和厌恶。此外,许多音乐家和艺术家在他们的声像盘上印上"不得用于无线电广播"的标志,这也使声像盘音乐节目主持人受到掣肘。但是,当M.布洛克在纽约的WNEW电台上广播他的"信奉室内球场"这首歌曲时,这种节目的潜在影响力终于征服了听众。1940年,美国联邦通讯委员会放宽了限制,同年,美国法院作出裁决,声像盘上写上"不得用于无线电广播"的标志是不受法律承认的。自那时起,声像盘音乐节目越来越普遍。到了50年代,由于声像盘音乐节目主持人在听众中牢固地树立了自己的威信,任何一张声像盘的成功与否要看它是否得到声像盘音乐节目主持人的选择。为了赢得这些人的支持,声像盘公司开始给他们送去大量的金钱、股票或礼物(通称红包)。1959年的一次联邦调查在全国范围内揭露了这种范围极广的商业收买行为。结果,红包现象曾一度有所收敛。但是80年代中期新的揭发表明,这种行为在许多地区仍继续存在。除了少数舞蹈演出之外,声像盘音乐节目主持人的形式在电视上始终不如在广播中那样流行。

discharge printing　拔染印花　又作 extract printing。在纺织工业中,用破坏颜色的试剂,在染色织物上获得一定图案的方法。把氯或亚硫酸氢盐印上后,即能在较深染色织物上漂出白色或浅色花纹。在着色拔染印花中,在漂白剂中混入一种不受漂白剂影响的染料,就能够在染色背景上得到不是白色而是有色的图案。

Disciples of Christ　基督会　源起于19世纪美国边疆地区宗教奋兴运动的一个基督教(新教)派别。它的三大支是基督之教会、基督徒教会和无宗派基督教会团契,它们都力图恢复所谓教会的"古制"而反对"人为的信经"。从西部地区大奋兴运动(1801)中涌现出不同的宗教运动,它们主张恢复原始基督教,借以克服派别壁垒,其中两股力量发生在阿巴拉契亚山脉以西的边远地带,与坎贝尔父子和B.W.斯通有关,它们于1832年合并而成为基督会,随着疆土的扩充,新会派也迅速兴盛。尽管举行了这次合并,基督会的基本纲领并没有实现。所谓根据《新约》的信仰和习俗统一一切基督教徒,依然是空谈。新教依旧处于分裂,而且这个纲领也促使基督会本身分裂,因为如何确切地解释它也引起了争执(必须指出,这些争论因为一系列历史、地理和文化因素而更加激化)。基督之教会这一派认为,这个纲领的意思是信仰、机构、礼拜仪式各个方面都应当符合《新约》中的规定或先例。因此,当1849年前后成立对外传教会并开始出版小册子时,当一些教堂开始使用管风琴为会众唱诗伴奏时,有些人就斥之为标新立异,不合经文。由于这些问题所引起的争论,在美国南北战争期间和其后发生了分裂。经过保守派的请求,这次分裂获得了官方承认,并列入1906年美国人口普查文件(参阅 **Christ, Church of**)。而基督徒教会走的是十分不同的一条路,它逐渐放弃了原始的纲领,提出另一个纲领,主张在现有的、一般承认的基督教共同信仰之基础上寻求合一。这一派是基督会三支中最著名的一支,其中原因之一是因为它有明确的会派结构,包括总办事处和两年一次的代表大会。它参加美国全国基督教协进会和世界基督教协进会,在社会问题和神学问题上一般拥护这两个机构的立场。基督徒教会的许多地方教会作了一些关于礼仪的试验,而此派的标准礼拜仪式基本上保留着祈祷、唱诗、讲道以及每逢主日举行圣餐等要素。地方教会享有高度的自主权,但承认地区性和全国性机构也同样是教会的"表现形式"。近年来,基督会也在追求基督教的合一。1985年与联合基督教会在合一运动的旗帜下结成伙伴关系。自称继承基督会传统的一些地方教会,一方面与基督徒教会没有组织关系,另一方又反对在礼拜时使用乐器。它们大多仍坚持"恢复"纲领。它们在第一次世界大战期间和其后逐渐脱离基督徒教会,争执的问题包括与其他派别联合对外传教、《圣经》评注以及日益流行的自由化神学理论。早在20世纪20年代初,它们就提出了关于对外传教事业新方针,创办《圣经》学院以培养坚持"恢复"传统的教牧人才,并在1927年召开别树一帜的年会即北美洲基督教会议。20世纪60年代末,基督徒教会进行体制革新,仍与这个比较开明的机构保持某些合作关系的保守派地方教会纷纷退出,于是分裂正式完成。这一支,作为一个集团,仍然不承认自己是一个会派,只是一个"运动",其表征主要在于刊物、年会、《圣经》学院和神学院。基督会传统的唯一组织形式,目前仍然是基督会世界大会。它开创于1930年,每5年开会一次,进行礼拜活动和联谊。

Discipline, Manual of(Essene document) 参阅 **Manual of Discipline**《会规手册》。

disco 迪斯科 重节拍的流行音乐风格,为20世纪70年代舞曲的主要形式。其名取自迪斯科舞厅(discotheque),这是一种以舞蹈为主的夜总会,最早出现于60年代。最初被广播电台忽略,在以DJ(音乐节目主持人)为主的地下夜总会中获得初露头角的机会。这些夜总会的主顾大多是黑人、同性恋者和拉丁美洲舞者。DJ是迪斯科的一个主要创造力量,第一首迪斯科热门单曲是G.盖纳的《永不能道别》(1974),这是最早特地为夜总会播放而混录的唱片之一。迪斯科的音乐来源和表演者大多是非洲裔美国人,而这种体裁受欢迎的程度超越了种族界线。随着迪斯科在美国演化为自成一体的音乐,其影响力涵盖了车城唱片公司的弱拍歌曲、放克的不稳切分音,以及拉丁美洲初期萨尔萨舞曲(salsa)的甜蜜旋律和温雅的节奏律动,甚至最迷人的复式节奏。其歌词通常促进了派对文化发展。随着舞场狂热发展为迎合更高层次消费者的倾向,放克较原始的感官性被较优美的费城之音所取代,其中受压制的能量转化成欧洲迪斯科。欧洲迪斯科根植于欧洲流行乐,两者大致同义,但却沿着不尽相同的路线演进。70年代中期,迪斯科走出夜总会上了电台。从1976年起,美国排行榜前40名中迪斯科歌曲大增。商业成功的关键是佛罗里达州迈阿密和洛杉矶等地的一些精明的独立唱片公司。1977年比吉斯担纲的《周末电影狂热》原声带使迪斯科完全成为主流,同时启发了雪儿、滚石乐队、R.斯图尔特等摇滚艺人。随着这种类型的过度商业化,强烈的批评紧跟而来。结果,80年代迪斯科又回归到夜总会,但电台仍可听到玛当娜等艺人的歌声,可见其还在发展。在夜总会里,迪斯科突变为豪斯(house)和泰克诺,到90年代中期甚至开始重新崛起。

Disco Island(Greenland) **迪斯科岛** 参阅 **Qeqertarsuaq** 凯凯塔苏瓦克。

Discoglossidae 盘舌蟾科 无尾目的一科。含4属原始的蟾蜍类动物。仅分布于旧大陆。代表种见于欧洲、非洲北部、中国、朝鲜和菲律宾。化石曾在欧洲侏罗纪的沉积物中发现,为已知年代最早的蛙类化石之一。本科包括火腹蟾蜍(**fire-bellied toad**,腹部有鲜明的色泽)和产婆蟾(**midwife toad**,以由雄体照料卵的奇特生殖行为而闻名)。

Discordia(in Roman mythology) **狄斯科耳狄亚** 参阅 **Eris** 厄里斯。

discount rate 贴现率 又称再贴现率或银行利率。指中央银行贷给商业银行或其他金融中介单位用作储备基金款项的收费利率。贴现率是一国经济中信贷状况的重要指标。由于提高或降低贴现率会影响到银行的借款成本,从而会改变其放款利率,因此调整贴现率就成为控制经济衰退或通货膨胀的一种工具。贴现率也可用于对付国际收支逆差的手段——亦即用以调节国际间的资本流动。

discount store 折扣商店 按低于传统市场零售价格出售产品的零售商店。有些折扣商店像百货公司一样,也经营多种商品;有些专营珠宝、唱片、收音机或电器。有的食品商店也按折扣商店原则经营。也有专对工会、合作社或政府工作人员之类团体开放的内部折扣商店。早在20世纪30年代美国已有折扣商店,但仅在第二次世界大战后才发展成熟。折扣商店已发展到欧洲、拉丁美洲和澳大利亚。至20世纪末折扣商店运营商沃尔玛已发展为世界最大的零售商。

Discoverer "发现者"号卫星 美国空军发射的不载人的实验卫星系列。虽然"发现者"号有某些明显的应用意义,如试验轨道机动和再入大气层技术,但仍把它看做军用侦察卫星的前驱。1959年2月28日发射的"发现者"1号上装有照相机和能把拍摄好的胶片送回地球的弹射舱。它和后来的侦察卫星一样,发射到低轨道上,轨道通过两极附近的上空,故能在每24小时内对整个地球表面拍摄一次照片。"发现者"系列的其他卫星都位在类似的固定轨道上。这一计划在早期实施中,弹射舱虽经反复试验,但有效载荷只有一次回收成功。那次是从"发现者"14号(1960-08-18)弹射出来的,由C-119运输机在空中回收。"发现者"38号是最后一次正式宣布的发射。1962年2月27日后的发射活动均属保密。

discovery 先悉权 在法律上,指有关诉讼各方在审判前交换材料的程序。行使先悉权可以通过正式询问的方式,其中包括一方向另一方提出书面问题,目的是想从这些问题的答复中获得重要的事实材料;也可以通过作证来进行,即让经过宣誓后的证人在双方律师在场的情况下回答问题。这些程序的书面记录也叫做证言,并且可以在其后审判案件时援用。其他形式的先悉权包括:要求提供材料和审查的命令(通过这个命令可以要求对方提供重要的文件或其他证据)和要求由医生检查(指对一方的精神或身体状况有争论的案件)。

Discovery Bay 迪斯卡弗里湾 澳大利亚南部海湾。临印度洋。东起布里奇沃特角,西至诺森伯兰角,宽80千米。东岸人烟稀少,西岸的麦克唐奈港附近人口稠密。

discriminant 判别式 数学中,从一个代数方程的系数计算出的某个数,它给出关于解的信息。在二次方程 $ax^2+bx+c=0$ 的情形,判别式是 b^2-4ac;对于三次方程 $x^3+ax^2+bx+c=0$,判别式是 $a^2b^2+18abc-4b^3-4a^3c-27c^3$。由此,一个实系数的二次或三次方程,如果它的判别式是正的,则它仅有实根;如果判别式是零,则仅有实根并且至少有一对重根;如果判别式是负的,则有两个虚根。对于一般的二元二次方程 $ax^2+bxy+cy^2+dx+ey+f=0$ 也有判别式,可以判明这方程是表示一个椭圆还是双曲线或抛物线。微分方程的判别式是代数方程,它揭示了关于原微分方程的解族的信息。

discrimination 辨别 心理学术语。指个体对刺激差别的知觉与反应的能力。尽管动物经过训练,也能具有辨别及泛化(**generalization**)的能力,但一般认为辨别是一种比泛化或知觉相似性能力更为高级的学习形式。辨别过程可用来描述实验动物的感觉灵敏度。如果在给狗喂食的同时予以红灯刺激,并穿插给予绿灯刺激而不同时喂食。这样,狗只会对红灯产生唾液分泌反应,而对绿灯则否。由此可以推论:狗能在两种颜色间作出辨别。如果改变绿灯的亮度,狗就会对一定亮度的绿灯产生唾液分泌反应。但如果不管用红、绿灯对狗进行多少次辨别训练,都不能使它产生辨别反应,则可以得出结论:该狗患有色盲。

discus fish 盘丽鱼 硬骨鱼纲鲈形目丽鱼科盘丽鱼属(*Symphysodon*)鱼类的统称。特点是身体侧扁且呈盘状。仅有2种,即盘状盘丽鱼(*S. discus*)和等带盘丽鱼(*S. aequifasciata*)。均产于南美亚马孙河支流。具奇特的护仔形式:成鱼向体表分泌一种黏液状物质,可为仔鱼提供营养。据记载,雌雄亲鱼轮流"哺喂"仔鱼。盘丽鱼很难在水族箱内养活,因对维持生命的水质要求严格,但其蓝、绿色彩惹人喜爱,养鱼爱好者仍坚持努力进行盘丽鱼人工养育。

discus throw 掷铁饼 田径比赛项目。现代掷铁饼比赛要求运动员在直径2.5米的圆圈内投掷,使铁饼落在从投掷圈圆心划出的40°角的扇形区域内。古希腊就有掷铁饼运动,屡见于荷马的诗作。古代奥林匹克竞技会以掷铁饼为五项全能运动之一。1896年奥林匹克运动会在雅典恢复,即以掷铁饼为现代田径比赛项目之一。现代铁饼为扁圆形,直径约219毫米,中心厚44毫米,用木或类似材料制成,边缘为光滑的金属,用铜片嵌平,重量不得低于2公斤。1928年奥林匹克运动会增设女子田径比赛,掷铁饼亦列入其中。女子比赛用铁饼比男子所用者稍轻,重1公斤。关于世界锦标赛和世界杯赛的优胜者,参阅 **Sporting Record**: Athletics(Track-and-

Field)。关于奥运会冠军参阅**Olympic Games**。

disease 疾病 生物体正常状态的损害，可阻碍或影响其维持生命所必需的功能。

疾病可以是一种或多种体外因子，如传染性生物体（细菌，病毒，真菌，寄生虫等）或有毒的无生命物质（毒素和离子化辐射等），侵入有机体的结果；也可以是有机体内源性改变，如解剖结构的错误（先天性或获得性的）或生理功能障碍的结果。另一些疾病是内源性及外源性因素共同作用的结果。若生物体未能适应其所在环境的改变，体内就会出现损害功能的改变。膳食的改变或微生物等病原体的侵入均能引起生理功能的障碍及正常生长发育的混乱。

几乎所有生物体都有足以抵御大部分侵害其健康的常见疾病的防御机制。人类和其他脊椎动物有特异性的免疫功能。这些生物体为外来致病因子侵入后，不仅产生可以解毒或杀灭或驱除致病因子的机制，还将这些防御功能保持下去。如果同样的病原体再次侵入，有机体能将其更快地消灭（常常在它能导致疾病之前即将其消灭）。因为有机体能产生免疫功能，所以人体患过许多病毒性疾病（如麻疹、流行性腮腺炎和水痘等）后，极少再次感染同一疾病。

医生和兽医用杀死的病原体（如在伤寒菌苗中）或致病能力减弱的病原体（如在麻疹疫苗中）给人或动物接种，从而以人工的方法刺激免疫，这样既不引起疾病又使有机体产生防御性的免疫反应。有时有机体针对入侵病原体的免疫反应反而成为疾病的一部分。肺结核病对肺功能损害的部分原因是病原体，通常为结核分支杆菌（*Mycobacterium tuberculosis*）侵入肺部破坏了肺组织；部分原因是感染部位周围有纤维组织形成，作为一种有机体防御性反应。

免疫应答本身的障碍可以引起自身免疫性疾病（如风湿性关节炎），此时免疫应答并非由侵入体内的外来因子引起，而是由身体自身的组织引起，体内某些免疫机制试图抵御并排斥这些自身组织。

并非所有侵入其他生物体的生物体都会致病。有一些生物体与寄主形成共栖关系或互惠共生关系，对寄主的重要器官系统并不带来损害；对某个物种致病的生物体对其他物种则可能无害。

大部分可从一个有机体传播到另一有机体的传染性疾病由微生物或体型更大的寄生虫引起。预防这些传染病的方法为消灭致病的生物体（如杀死供水中的致病菌或寄生虫），或在病原体从一个有机体传播到另一有机体的途径中设置障碍（如将发病的个体隔离起来）。

发自有机体内部的内源性疾病并非由人侵的外来因子引起，而是由有机体的生物化学缺陷（常常是遗传性的）引起，可使有机体不能处理经常遇到的天然物质。

预防疾病的措施包括：消灭环境中的病原体；将易感个体转移到能应付的环境中；增进有机体的健康或用人工方法使之具有免疫能力，从而加强有机体的防御能力。

一旦染病，治疗方法包括：使用药物除去致病因子，或恢复已出现紊乱的生理或生物化学平衡；将有机体转移到其他环境；或除去患病的部位等。

disease, occupational 参阅 **occupational disease** 职业病。

dishcloth gourd 丝瓜 又作 vegetable sponge, sponge gourd, luffa 或 loofah。葫芦科丝瓜属（*Luffa*）一年生攀缘藤本植物，原产于旧大陆热带。栽培于温带地区的有粤丝瓜（棱角丝

丝瓜（*L. cylindrica*）
美国不列颠百科全书公司供图

瓜、八棱丝瓜，*L. acutangula*）及埃及丝瓜（*L. aegyptiaca*）2 种。果形似黄瓜，长约 30 厘米，嫩绿时可食，老后草黄色，果内有紧密交织的网状维管束，当果肉萎缩后，除去果皮、种子，则形似海绵，可用于沐浴、洗涤碗筷及工业过滤。

disilicate（mineralogy） **二硅酸盐** 参阅 **phyllosilicate** 层状硅酸盐。

disinfectant 消毒药 用于杀死无生命物体中微生物的物质，如杂酚油、乙醇等。消毒药与防腐药作用相似，但防腐药主要用于活组织。理想的消毒药能迅速杀灭微生物，而对外科器械无腐蚀性，也不会破坏被消毒的物体或使之脱色。

disjunction 析取 在逻辑学中，一个命题中项之间表示"或"概念的关系或联结；一种择一（有时称为"选言"）陈述。为清楚起见，不相容析取（或者 x，或者 y，但不是同时是两者）用符号 $x \neq y$ 表示；相容析取（或者 x，或者 y，或同时是两者）用符号 $x \vee y$ 表示，两者要区分清楚。参阅 **implication**。

disk bat 吸盘翼蝠 又作 disk-wing bat。吸盘翼蝠科（三色蝠科，Thyropteridae）吸盘翼蝠属（*Thyroptera*）动物，共 2 种，栖于中美和南美北部。体小型，浅红褐色，长约 3.4～5.2 厘米，尾长约 2.4～3.3 厘米，体重约 4 克。由于拇指（趾）基部和腕、踝部具有圆形的肉垫而著名。肉垫的作用似吸盘，能黏附于光滑如玻璃一般的表面。仅一个吸盘就能支撑身体全部重量。斯皮克斯氏吸盘翼蝠（三色吸盘翼蝠，*T. tricolor*）集成小群，栖息在卷曲的植物叶里，是唯一的以头朝上姿态栖息的蝙蝠。

disk jockey 参阅 **disc jockey** 声像盘音乐节目主持人。

Disko Island（Greenland） **迪斯科岛** 参阅 **Qeqertarsuaq** 凯凯塔苏瓦克。

dislocation 脱位 在生理学和医学中，构成关节的骨的移位并随之发生组织损伤。外力的强度大于保持关节稳固的韧带、肌肉和关节囊的抵抗力时便能使关节脱位。关节面不外露时称为单纯脱位；其外覆的皮肤破裂或骨端穿出皮肤而使关节面外露时称为哆开脱位。先天性脱位是由于关节发育不全，在出生时就发生的脱位。再发性脱位或称习惯性脱位，可见于愈合不良的陈旧性损伤或"双关节"（这种正常变异多见于手指和足趾，原因为韧带松弛）。病理性脱位见于马尔方氏综合征等疾病。脱位的症状：包括患部疼痛并有压痛，活动时有摩擦音；患部不能活动等。常见的体征为关节畸形、周围组织肿胀、外覆的皮肤变色。X 射线检查能确定损伤的程度。治疗单纯脱位的方法是用手法使骨端返回到其正常的位置（复位），有时需用牵引复位，然后保持关节固定不动到完全愈合。再发性脱位和先天性脱位常需用关节改建的手术治疗。

Dismal Swamp 迪斯默尔沼泽 又称大迪斯默尔沼泽。美国弗吉尼亚州东南和北卡罗来纳州东北部沿海平原上的沼泽地区，在诺福克和伊丽莎白城之间。有茂密的树林和散布的隆起小丘（海拔 3～6 米），西缘的帕姆利科地层海拔 7.5 米以上形成天然边界。1763 年乔治·华盛顿作为勘测工程公司成员曾到此勘测。当时沼地长约 65 千米，面积约 5 200 平方千米。18 世纪末排干淤地 1.6 万公顷。现南北长约 60 千米，面积约 1 950 平方千米。虽经大量砍伐和火灾，仍多树木。境内多珍贵鸟类和毒蛇，为渔猎好去处；多鹿、熊、浣熊和负鼠。有迪斯默尔沼泽运河（建于 1790～1828 年）自北而南穿经。泽地中央的德拉蒙德淡水湖（直径约 4.8 千米，经沟渠通运河）曾使爱尔兰诗人 T. 穆尔写下诗篇《迪斯默尔沼泽的湖泊》。

Disney, Walt 迪斯尼（1901-12-05，美国伊利诺伊芝加哥～1966-12-15，加利福尼亚洛杉矶） 旧译狄斯耐。原名沃尔特·伊莱亚斯·迪斯尼。美国电影制片人、动画电影的先驱，他创造的动物角色米老鼠和唐老鸭，流行于全世界，长期享有盛名。幼年时就显出绘制蜡笔画和水彩画的才能，青年时在堪萨斯城的艺术学校专攻漫画。1919 年他结识与其一生事业休戚相关的青年美术家伊沃克斯，他们用一架旧电影摄影机摄制可放映 1～2 分钟的动画片。后来又制出能上映 7 分钟的童话故事片《艾丽丝在动画世界》，并在洛杉矶合作继续制作"艾丽丝"动画系列片。1927 年他们又创造了欢快、活跃和淘气的"米老鼠"。1928年他们给动画片配上声音和音乐，拍摄

美国不列颠百科全书公司供图

了《威里号轮船》，引起轰动。“米老鼠”风靡全国使他又构思出其他动物角色，如唐老鸭等。1933年他创作的《三只小猪》正值大萧条时期，片中描写勤劳的小猪由于盖了一所砖石的房屋，免于被饿狼吞噬。片中那首动人的歌曲：“谁怕那只大恶狼？不是我们！不是我们！”对美国来说，当时意味着对经济危机挑战。1935年创作古典童话长动画片《白雪公主和七个矮人》，受到国内外广大观众的欢迎。与此同时他拍摄了一部非同寻常的令人惊叹的《幻想曲》（1940），其中用动画角色和彩色图案表现古典音乐的片段。其后，他又为儿童制作古典童话长动画片，如《木偶奇遇记》（1940）、《小飞象》（1941）、《灰姑娘》（1950）和《艾丽丝漫游奇境》（1951）等。第二次世界大战期间，迪斯尼制片厂为军队和政府拍摄影片，在这期间迪斯尼成功地把动画和真人表演结合起来，拍摄了《骑士降龙记》（1941）、《南方之歌》（1946）等影片。50年代初，他设计在洛杉矶附近构筑迪斯尼乐园，1955年完成，成为国际旅游胜地。在他去世时，第二个更大的游乐综合体——迪斯尼世界正在佛罗里达奥兰多修造，1971年正式开放。

Disney Company 迪斯尼公司 全称沃尔特·迪斯尼公司，前称（1929～1986）沃尔特·迪斯尼产品公司。美国20世纪最著名的提供儿童与成年人娱乐的公司。总部在加利福尼亚伯班克。1929年动画片绘制者W. 迪斯尼与其商人弟兄罗伊将二人之制片厂（曾生产过栩栩如生的动画影片）改组成为公司，名为沃尔特·迪斯尼产品公司。迪斯尼描写米老鼠、明妮老鼠、唐老鸭和普路托的动画片，20世纪30年代在美国受到广泛的欢迎。它们的成功鼓舞该公司1937年出产第一部达到正片长度的动画片《白雪公主和七个矮人》。继《白雪公主和七个矮人》之后又有几部达到正片长度的动画片；现在它们——如其中的《幻想曲》（1940）和《灰姑娘》（1950）等都被视作动画片中的艺术杰作。当20世纪40年代末期绘制动画片的劳动成本不断升高，生产大型的动画片太昂贵时，迪斯尼公司便开始制作自然纪录片和真人实景的电影，它还为电视生产短的动画片和真人实景的节目片。1955年该公司在加利福尼亚阿纳海姆开设迪斯尼乐园，它是世界上最著名的游乐园之一。乐园中各个不同的地段都有特定的主题。第二个更大的游乐综合体——迪斯尼世界，于1971年在佛罗里达奥兰多附近开放。除了埃普科特中心和魔力王国主题乐园之外，迪斯尼世界还设有旅馆、疗养院、运动及其他设施。1966年迪斯尼公司主要革新人沃尔特去世，公司也随之衰落。然而在20世纪80年代，公司在新的管理人员领导下又获得生机，随后其电影和动画片生产部门都位于美国最成功的部门之列。1983年一家不相干的日本公司在东京附近开办东京迪斯尼乐园，由迪斯尼公司收取专利权使用费。1992年迪斯尼公司自家在巴黎以东32千米的马恩拉瓦勒建成欧洲迪斯尼乐园。1996年迪斯尼公司购入拥有ABC电视网的都市/ABC公司。现在迪斯尼公司还经营迪斯尼频道——一种付费的电视节目。参阅 **Disney, Walt**。

disorderly conduct 妨害治安 在法律上，指用语言或其他行为故意扰乱公共治安和秩序。这是一个包括通常应施以轻微刑罚的各种犯罪的一般名词。妨害治安的行为可能采取直接扰乱治安的形式，例如故意扰乱一次公众集会或惊醒沉睡中的社区群众。不那么直接的形式包括在公共场所斗殴，尽管这不适用于在受到攻击时自卫的人。大多数司法制度惩罚公开酗酒的行为。有些制度规定有关于流浪罪的法令，惩罚那些无业游民和没有明显的谋生手段的人，这些人可能包括妓女、乞丐、赌徒或酒鬼。

dispensation 豁免 教会法用语。指教会当局容许某人不严格遵守某项法律。豁免可在行动之前也可在行动之后宣布，同样具有效力。东派教会认为，教会以拯救灵魂为目的，倘使宽比严更能达此目的，便可从宽。西派教会对豁免的规定较为严密，天主教会更为详细。起初豁免仅以是否符合全教会的公益为标准，只有教皇、教会会议或主教等方有权宣布豁免。后来，宣布豁免仅考虑是否有利于个人而不管是否有利于教会。宗教改革运动的起因之一就是许多人认为这种豁免行之过滥。根据现行天主教制度，立法机构有权宣布撤销其所立之法，其上级机构亦有此权，下级机构宣布豁免的权力应受上级机构约束，最高权力归于教皇。英国圣公会承认教会当局有宣布豁免之权，于1534年规定坎特伯雷大主教有权宣布豁免，但在重大问题上须服从国王的决定，而且“不得违背或抵触《圣经》及上帝所立之律法”。

dispersion 传布 生物体在一定区域或世界范围内扩大其分布的现象。与传布研究最密不可分的两门学科是系统学和进化论。系统学研究生物体间的关系，包括将生物分类为有序的组群，向生物学各分支学科提供必不可少的详尽信息。进化论是以系统学和传布（或分布）研究相结合为基础而发展形成的，进化生物学的先驱C. 达尔文和A.R. 华莱士都证明了这点；对自然选择过程的理解又转过来阐明了在地球历史上生物分布发生变化的原因。某一具体生物在一定区域内的传布可采取下面三种类型之一：随机传布、聚集传布（生物体成群分布）、均匀传布（各个体的空间分布大致均匀）。传布类型常决定于种群内关系的性质。社群性动物（如黑猩猩）往往集合成组，而领域性动物（如鸟类）往往均匀传布。要对这些类型作出准确的解释必须密切注意研究所用的尺度。如果一群猴占据了3株相隔甚远的树，其空间分布显然为聚集型；但在每株树上，其分布却可呈均匀型。分布受每日不同时刻及年月的影响。最常见的分布变化见于迁徙性动物，这些动物可能于夏季数量很大，而入冬即实际上消失不见。决定生物体传布的力或为定向的（由风、水等或其他环境运动引起）或为随机的（如随季节变化者，此时不能指出在传布中的生物体最终停留何处）。传布又受物种间相互关系及物种与营养物关系的影响。以相同营养物为生的物种之间的竞争常导致一个物种的消灭，正如植物的分布范围常决定某物种领域的界限一样。多数分布类型很不规律，但生活范围相对限于一定生境的生物，其分布类型较简单，如潮间软体动物沿岩质海岸几呈线状分布。少数物种，尤其是人及依赖人为生的动物呈世界性分布。

不论动、植物，传布均通常发生于繁殖时。当分布过密迫使个体移出其生长之处去寻找配偶或食物时，新的种群偶尔就因此产生。昆虫常表现出这方面明显的非凡能力。东非的蝗虫有两种类型，一种亮绿色，动作缓慢而独居；另一个类型色深，活跃，群居，集成大群，食途中遇到的所有植物。绿色型的幼体若在大而密集的群体中长大，则成熟后变为深色型，这种现象称为类型多态现象。当数量增大而食物不足时，蝗虫便发生发育及行为的改变最后造成最大规模的可能有的传布现象。偶尔，自然选择会限制物种的传布。如高山顶上及隔绝的岛屿上，不能飞的鸟类及昆虫占了优势。生物体亦可以被动方式扩散（如借风、水、其他生物），这种方式的效果一点不比主动传布差。飞机在离岸3 100千米处太平洋上空曾收集到蜘蛛、螨和昆虫。植物种子、孢子常借风、水散播，这些种子、孢子的形态往往适应这种传布方式，如马利筋的种子。种子又常借动物散播，或因不能消化而从鸟兽的粪便中排出，或具钩、刺、黏性物质而附于动物身上。寄生物借寄主或其他生物传布。寄生于兔的黏液瘤病毒由蚊携带，蚊在吸其他兔的血前可飞出64千米的距离。山脉和海洋对许多生物的传布是有效的屏障，就如大片沙漠或其他严酷气候一样。但有些生物体能越过这些屏障，如鸟能飞越英吉利海峡，但熊则不能。此时，活动能力大的动物所通过的路称为滤过途径。在整个地质年代里，气候发生了多次剧变，影响了许多生物的分布乃至生存。此外，似乎大陆也发生过大规模的位移（参阅 **continental drift**），将许多物种分隔开来，使它们沿各自的途径发展。但至少过去1万年来，影响生物传布的最大因素是人。

dispersion 色散 在波动中，随着许多以不同速率传播的单个波而产生的一种现象，这些波的速率取决于它们的波长。例如海浪的传播速率与波长的平方根成正比，从涟波的每秒数米到海啸的每小时数百千米。在透明介质中光波的速率与介质的折射率成反比。任一透明介质，例如玻璃棱镜，会使入射的平行光束按玻璃对于各个组分波长（各色光）的折射率展开成扇形。这种现象称角色散更为恰当。

displacement 位移 力学中，质点或物体在特定方向上移动的距离。它是矢量，具有量值与方向。图中 A 为点的初始位置，B 为终了位置，由A到B的矢量就是位移。点所运

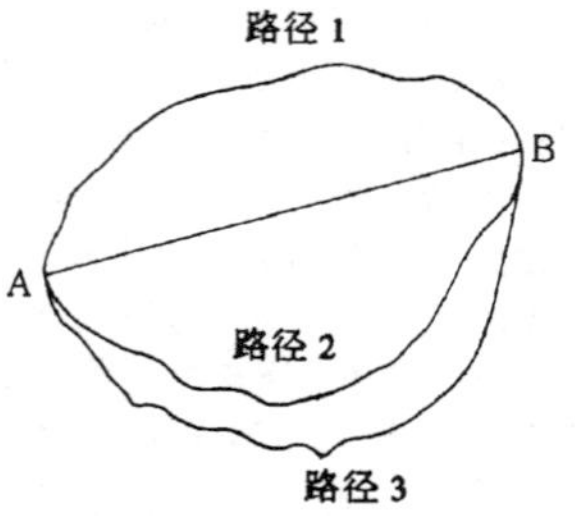

位移

行的距离与经过的路径有关，只有在路径为直线时才与位移的量值相等。力学中经常需将质点运行的距离与质点的位移相区别。

displacement, electric 参阅 **electric displacement** 电位移。

displacement activity 替代活动 动物受到刺激时采取了另一种并不相宜的动作的行为。当动物陷于两种互相对立的驱力，例如恐惧和进攻之间而处于矛盾状态时，就会产生替代活动。替代活动常包括种种安慰性动作，如梳理皮毛、搔痒、饮水、摄食。例如，在求偶过程中一个动物害怕它的配偶，可能既不逃走，也不进行求偶，反而站立不动，一边取食和梳理自身的皮毛。

displacement current 位移电流 电磁学中为解释由变化电场产生的磁场而假定的一种类似普通电流的现象。普通电流称为传导电流，不论是稳恒电流或变化电流，都在电流附近产生伴随的磁场。19 世纪英国物理学家 J.G.麦克斯韦预见到，即使不存在传导电流，磁场也必须与变化的电场相联系，这理论随即为实验所证实。因为磁场总是与电流相联系，则预期的磁场也认为是由另一种电流产生的。麦克斯韦把它取名位移电流，它与电场的变化率成比例，这在他的理论公式中是自然地得出的。因为电荷并不是从电容器的一个极板经过绝缘体流到另一个极板的，所以并无传导电流；而是用有位移电流存在来说明磁效应的连续性。事实上，交流电路中一个电容器被充电和放电时计算出来的极板之间的位移电流的大小，等于流入和流出电容器的导线中传导电流的大小。位移电流在电磁辐射（例如光波和无线电波）通过真空的传播中起着重要的作用。一个传播中的变化磁场在任何地方都是与周期性地变化电场相联系的，而这变化电场可想象为位移电流。因此，依据麦克斯韦关于位移电流的见解，就可以理解电磁波在同导体中的电流完全分开的空间里传播。

displacement law 位移律 最早于1913年提出的一条定律，说明放射性衰变产生的子代原子在元素周期表上的位置离开母原子位置而移动的规律。α 衰变移低两位，负 β 衰变移高一位。参阅 **radioactive series**。

display behaviour 炫耀行为 一只动物用以对其他动物（通常是本种的成员）提出特定信息的仪式化行为。实际上，所有高等动物都在一定程度上应用炫耀行为。最有名的炫耀行为是视觉的，因此一些生物学家用炫耀一词专指视信号（即姿态），但许多炫耀行为都掺杂有声音、气味甚至触觉的成分。炫耀行为是通过特定行为模式的仪式化而得来。某些求偶炫耀行为由给食行为进化而来，雄山齿鹑发出进食召唤声，并向其求偶对象奉上一口精选的食物。在许多鸟中，给食行为已完全仪式化，在没有任何实际食物交换的情况下进行；例如，公鸡有时一边鸣叫一边在空无一物的地面上作啄食动作，只是为了吸引一只母鸡。好战（进攻性）炫耀行为通常发生在领域边界附近。当一只陌生的吼猴接近其他成员的领域时，该领域的雄猴便大声喧闹，警告入侵者离开。许多鸣禽高高地栖在显眼的枝干上鸣啭，这种炫耀行为既是听觉的也是视觉的。好战炫耀行为对于居住动物来说是一种适应，使它不必费力追逐入侵者，从而可以节省能量。而且在炫耀发生的地方，因为很少需要身体接触，所以很少发生身体损伤。对于一个群体，大祸临头可以引起保护性炫耀行为，例如有捕食动物逼近时发出的告警信号。另一类型的炫耀行为用以欺骗捕食者或将其诱离易受伤害的幼年动物，例如许多鸟类故意作出的伤翅姿态：亲鸟好像受伤似的沿着地面拍动翅膀，目的是诱使捕食者从巢区离开。参阅 **alarm signal**；**courtship**；**territorial behaviour**。

disposable income 可支配的收入 个人收入中，受款者有全权处理的部分。很难给“收入”规定出确切而通用的定义。收入包括工资和薪金、来自金融资产的利息和股息以及企业的租金和纯利润。不动产或金融资产方面的资本收益，在多数情况下，至少就这些收益能增加支付能力说来，也应看做是收入。甚至如若资产并未实际售出，而未发生支付力增加时，这类资本收益也可计入于收入之中。此外，非现金形式的收入，即实物所得，也可列于收入之中。可支配收入还必须进一步调整，扣除直接税形式的义务付款、社会保险计划的强制性付款以及其他类似的付款；调整时必须加上来自个人、机构或政府的简单转让性付款，如社会保障福利金、抚恤金和赡养费。按惯例，间接税如增值税和其他营业税、工薪税、雇主对社会保险的分摊款等，均不应从可支配收入计算中扣除。在比较不同时间、不同国家或者一国的不同地点的可支配收入的流量时，上述收入的测定值，应按生活费用的变动情况予以调整。即使在调整后，可支配收入也不应与生活标准或经济福利——某人已达到的实际消费水准——相混淆。

Disraeli, Benjamin, EARL OF BEACONSFIELD **迪斯累里**（1804-12-21，英国伦敦～1881-04-19，伦敦） 即比肯斯菲尔德伯爵。英国政治家和小说家，首相（1868，1874～1880），为保

美国不列颠百科全书公司供图

守党制定了一种托利民主和帝国主义的双重政策。他是意大利犹太人后裔。幼年时因其父与犹太教会发生争吵而受基督教洗礼。此举对他日后的政治生涯有重大影响（1858 年以前，犹太教徒被排斥于议会之外）。曾在私立学校受教育，17 岁进入律师事务所当练习生。1824 年参与南美矿业公司股票投机，一年后负债累累，到中年以后才偿清。他说服出版商 J.默里创办日报《代表》，也彻底失败。因无力支付承诺的资本，与默里反目。他用假名出版了小说《维维安·格雷》（1826～1827），挖苦默里。假名被揭穿后，受到广泛批评。此后精神崩溃，4 年间一事无成。1830 年开始在地中海国家和中东旅行，历时 16 个月。此行不仅使他获得描写东方的素材，供以后写小说之用，而且影响了他对英国与印度、埃及和土耳其的外交关系所持的看法。返英后活跃于伦敦社交界和文学界。他的小说《康泰利尼·弗来明》（1832）具有自传性质，反映了他的政治思想。

1831 年，他决心进入政界。作为独立的激进派，曾 3 次竞选议员，均失败。1835 年作为保守党候选人参加竞选，仍未当选。他行为放荡，债台高筑，并与 F.赛克斯爵士的妻子亨丽埃塔关系暧昧，因此名声不佳。1837 年终于当选为保守党议员。他在下院的第 1 次演说遭到失败，但不久就成为引人注目的演说家。1839 年同富有的温德姆·刘易斯夫人结婚，奠定了他的社会地位。

1841 年保守党在选举中获胜，R.皮尔爵士出任首相，但迪斯累里未获得官职。他对皮尔及其标榜的那种保守主义持日趋强烈的批评态度。1845 年，爱尔兰发生饥荒。皮尔取消了对进口粮食征收保护性关税的《谷物法》。他利用群众的不满，发表了一系列雄辩的演说，加强了反对皮尔的力量。皮尔于 1846 年被迫辞职。迪斯累里成为下院反对党的领袖。1847 年他再次当选为议员。1848 年买下了海威科姆附近的休恩登庄园宅第，社会地位和政治势力均已巩固，不过经济状况依然捉襟见肘。1852 年辉格党政府垮台，保守党领袖德比伯爵组成短命的少数党政府，迪斯累里任财政大臣。他的预算案实际上导致政府垮台。此后保守党又处于在野地位。

1858年德比再次组成少数党政府，迪斯累里仍任财政大臣。他提出一项温和的改革法案，旨在不让辉格党一手把持议会改革，但遭到否决。保守党又一次成为在野党达6年之久。1865年，辉格-自由党领袖罗素勋爵也提出一项温和的改革法案，保守党和背离他的一派人联合推翻了他的政府。德比第3次组成少数党政府，迪斯累里又一次出任财政大臣。保守党的新改革法案虽是由维多利亚女王和德比勋爵倡议，但在下院提出并为之奋斗的是迪斯累里。通过的法案因含有自由党的修正案，使选区增加一倍，并且比大多数保守党人所预期的要民主。1868年德比退出政坛，迪斯累里继任首相。但因大选在即，这只是一个看守政府。自由党在当年选举中获胜，迪斯累里则开创议会召开前辞职的先例。此后12年，英国政界发生巨大变化。两个政策明确的政党出现，两党领导人迪斯累里和W.E.格莱斯顿成为死敌，使两党走向两个极端。1872年起，迪斯累里牢牢掌握了保守党，在一些问题上与自由党的政策截然不同。他捍卫君主制、上院和教会，以抵制自由党激进政策的威胁。他提出巩固大英帝国的政策，特别重视印度；鼓吹社会改革；主张实行强硬的外交政策，特别是对俄国。

1873年格莱斯顿政府垮台，但自由党仍控制着议会，迪斯累里拒绝出组少数党政府。格莱斯顿不得已重新执政，不出1年自行解散议会。1874年保守党在大选中获巨大胜利。迪斯累里组成他的第2届政府。他虽掌权过迟，年事已高，但组成强有力的内阁，且得到政治上保守的女王的友好支持。在社会改革方面，他终于使托利民主不再仅是口号。《工匠和工人住房改善法》使清除贫民区的计划得以实行；1875年制定《公共卫生法》；1874和1878年实施了一系列《工厂法》以防止对劳工的剥削；两项《工会法》明确了工会的合法地位。他的殖民帝国政策更加引人注目。第一个巨大成就是取得了苏伊士运河的股份。当挥霍奢靡的埃及总督伊斯梅尔帕夏急于出售苏伊士运河公司股份时，迪斯累里不等议会批准就用罗思柴尔德家族提供的资金买下。这被认为是提高帝国威望的一大胜利。1876年初迪斯累里建议授予维多利亚女王印度女皇的称号，遭到许多人反对。他有意暂时搁置此议，但在女王坚持下通过。他因身体衰弱，无力胜任下院繁重工作，便接受贵族称号(比肯斯菲尔德伯爵)，从而成为上院领袖。在外交政策方面，1878年以前他致力于解决克里米亚战争后潜伏的俄土矛盾。1877年俄国向土耳其宣战，次年初兵临君士坦丁堡城下。英国担心通往印度商路的安全。他正确地判断只要显示一下力量就足以使精疲力竭的俄国就范。俄国强加给土耳其的十足泛斯拉夫主义的《圣斯特凡诺条约》须提交1878年在柏林召开的欧洲会议批准。他出席会议并得到所需要的一切让步，胜利返回伦敦，宣称他带来了“体面的和平”。

在他政治生涯的巅峰，女王封他为公爵，他谢绝接受，而接受了嘉德骑士勋位。此后，英国在阿富汗遭惨败，军队在南非遭屠杀，农业歉收，工业衰退。1880年大选中保守党惨败。迪斯累里仍担任党的领袖，完成了反映他早年经历的怀旧政治小说《恩迪米昂》(3卷，1880)。逝世后，维多利亚女王曾亲临她宠信的首相的墓前献了花圈。

dissociation　离解　化学术语。一个化合物分裂为若干较简单的组分的过程，这些组分通常在另一条件下又能再行化合。在电离(又称离子离解)过程中，由于加入溶剂或以热的形式加入能量，使得物质的分子或晶体分裂为离子(一种带电荷的微粒)。大多数能离解的物质是由于与溶剂化合而生成离子的。离子离解的概念可用来解释电解质溶液的导电性和其他许多性质。

dissonance(music)　**不协和音**　参阅**consonance and dissonance** 协和音与不协和音。

distance-measuring equipment(DME)　**测距设备**　在空中领航时，将电子脉冲从飞机到达地面站、应答脉冲又回到飞机所经历的时间转换为距离的设备。机载设备将信息显示给飞行员。如果同时用无线电航向信标测定方位，测距设备就可向飞行员提供飞机的准确位置。

distemper　瘟热　参阅**canine distemper** 犬瘟热；**feline distemper** 猫瘟热。

disthene(mineral)　参阅**kyanite** 蓝晶石。

distillation　蒸馏　把一种物质先转变成蒸气，再冷凝成液体的过程。最简单的例子是：从水壶中蒸发出来的水蒸气，在一个冷的表面上再凝结为蒸馏水滴。蒸馏法用于从不挥发固体中分离出液体，如从发酵物质中分离出醇酒类，或用于具有不同沸点的几种液体的分离，如从原油中分离汽油、煤油和润滑油。其他工业应用还有甲醛、苯酚等化学产品的生产和海水淡化等。最早期的实验工作者就利用过蒸馏的方法。亚里士多德(公元前384～前322)曾提到过将海水蒸发可得到纯水。普林尼(老)(公元23～79)曾描述过一种原始的冷凝法：将松香加热，蒸出的油用放在蒸馏器上部的羊毛收集。在工业和实验室研究中所使用的蒸馏方法，大都是这种简易蒸馏法的各种改进。蒸馏法的基本操作需要用一个蒸馏器或曲颈瓶加热液体，还要用一个冷凝器冷凝蒸气和一个接受器收集馏出液。当一种混合物质被加热时，最先蒸出的是最易挥发或沸点最低的成分，其他成分后蒸发或根本不能蒸发。这类简单蒸馏器对含有不易挥发物质的液体进行提纯是完全符合要求的，而且对于沸点差别很大的液体的分离也是适宜的。实验室中所用的蒸馏器，一般用玻璃制造，用软木塞、橡皮塞或磨口玻璃接头连接。工业用的较为大型的蒸馏设备是金属或陶瓷制品。所谓分馏法或精馏法，获得了某些方面的应用和发展，如石油的精炼，因为沸点很近的液体用简单蒸馏法不能获得有效分离。在分馏操作中，蒸馏出来的蒸气在一保温的垂直柱体中反复冷凝和蒸发。在这方面特别重要的是蒸馏头、分馏柱和能让某些冷凝蒸气返回蒸馏器的冷凝器。要保证使上升的蒸气和下降的液体间有尽可能密切的接触，使得只有最容易挥发的物质以蒸气的形式通往接受器，而挥发性较差的物质成为液体返回到蒸发器中。这种依靠蒸气和液体逆向流动接触使较易挥发组分提纯的过程称为精馏或浓缩。多效蒸馏，常称为多级快速蒸馏，是简单蒸馏的又一种改进。此法主要用于大规模脱盐工厂，不用加热就把液体化为蒸气。只是简单地使液体从一个高压容器流向低压容器，减压引进液体迅速气化，产生的蒸气然后再冷凝成馏出液。减压过程的一种方法是利用真空泵产生高度真空。此法称为真空蒸馏法，常用来处理那些通常在很高的温度下才沸腾或在常压下沸腾时发生分解的物质。水蒸气蒸馏法是另一种可在低于正常沸点温度下完成蒸馏的方法，当被蒸馏的物质与水不相混溶而且与水无化学反应时，可用此法蒸馏，如蒸馏脂肪酸、豆油等。一般过程是把水蒸气通入蒸馏器中，使液体加热并蒸发。

distilled liquor　蒸馏酒　一类酒精饮料(如白兰地、威士忌酒、朗姆酒或烧酒)。由葡萄酒、其他发酵的果汁及植物液或先经发酵的含淀粉物质(如各种谷粒)蒸馏获得。蒸馏酒的酒精含量高于啤酒或葡萄酒。蒸馏酒所用的原料一般是天然糖或容易转化为糖的淀粉质。葡萄是生产蒸馏酒白兰地的主要原料，用桃、苹果和许多其他水果则因地区供应情况而异。最常用以生产朗姆酒的是甘蔗和甜菜。玉米是应用最广的谷物，也使用黑麦、稻米和大麦。由谷物制得的蒸馏酒通常称为威士忌酒。蒸馏过程利用水的沸点(100 °C)与酒精的沸点(78.5 °C)之差，发酵液体沸腾时产生的酒精蒸气被捕集并再冷凝而生成一种酒精浓度高得多的液体。所生成的馏出液通常要陈酿若干年后才进行包装和销售。

Distinguished Service Order　金十字英勇勋章　英国一种军功勋章，颁赠给战时立功或表现优异的军官。1886年由维多利亚女王设立，获得者可在名字后面加上“D.S.O.”。与英军有关的外籍军官也可受勋而为“荣誉成员”。勋章为一白色和金色的十字，中心部位为红色，雕有桂叶花环环绕的王冠。

distortion　失真　在声学及电子学中，改变基本波形或各种频率成分间关系的任何信号变化；通常是信号的衰减。直接放大或衰减而不变更波形者，通常不认为是失真。信号各频率成分的不均匀放大或衰减，称为振幅失真；信号各相位关系不等同的再现，称为相位失真；互调失真是系统中某一频率成分非线性地调制另一种频率成分的结果，例如高声频调制低声频。在声频系统中，最显著的失真类型为振幅、频率和互调失真。在视频系统中，对于任何明显的失真均可看出再现影像的衰退。噪声渗入信号，不论有意或疏忽所致，往往也归入失真。

distress　扣押财物　在法律上，指使人得以扣押或扣留不法行为人的动产作为损害赔偿、履行义务、清偿债务的抵押物的法律程序。以往常常不经法定程序实行扣押。但现在要求比较严格，通常需要经过某种形式的法庭裁判才能实行扣押。古代社会普遍将扣押财产作为对犯罪、违约、欠债以及其他违法犯罪或损害行为索偿的手段。如今，几乎在所有的法律制度中都沿用这种手段。准许扣押财物的主要原因各国不同，一般包括：①欠租；②牲畜或其他动产的非法侵入及损害；③拖欠税收或罚金；④接受货物或者劳务而未予偿付。起初扣押财物的权利只是一种消极的权利，即将财物扣留至对方清偿或者赔偿时为止。现在有不少地方对于牲畜造成的损害或非法侵入仍然保留了扣留的权利；而在其他场合，出售货物以抵偿到期应付款项的权利则由法令授予。有几类物品，如正在使用的物品、易腐坏的物品、佃户的衣服和寝具等通常免受扣押。有些国家，例如美国，却不赞成自行扣押财产的方式或留置财物，因为它有可能造成不公平现象和差别待遇而有利于某一部分债权人。即使在保留这种补偿手段的地方，一般都改为授权公职人员执行，并采用别的方式对这种权利加以限制。

distress signal　遇难信号　海上船舶求救的方法，信号由习惯及国际约定的航路规则确定。最主要的有：①目视信号，如火焰、红色闪光、橙色发烟信号或在展开的四方旗下悬挂一球。②音响信号，如每隔固定时间放炮、发射火箭，或用雾信号器发出连续长声。③无线电信号，如莫尔斯电码 SOS、国际电码信号 NC 或用无线电话发出 Mayday（法文 *m'aider* 的谐音，意为求救）。遇难船也可用无线电向其他船发警报，无线电报为 12 声 4 秒长的划，无线电话则为两种交替发出 30～60 秒长的声音。

distribution　周延　又作 distribution of terms。演绎推理中命题的项对它所表示的整个类的应用。设有包含 A 项的命题甲，如果命题甲暗示出与它不同的所有其他命题，其不同之处仅仅在于这些命题包含的任何其他项之外延均为 A 项的外延之一部分；或者说，当且仅当用于一个事件的项包括了它所指的类的全体组成部分时，则这个项（A 项）就是周延的。在“没有 S 是 P”的命题形式中，主项和谓项都是周延的；在“某些 S 是 P”的命题形式中，S 与 P 都是不周延的；在“每一 S 都是 P”的命题形式中，S 是周延的，P 是不周延的；在“某些 S 不是 P”的命题形式中，S 是不周延的，P 是周延的。简言之，全称命题的主项和否定命题的谓项是周延的。周延的重要性在于它表明了推论中的这样一个原则：只有在前提中周延的项，在结论中才是周延的。

distribution function　分布函数　一种数学表达式，用于表示一个系统取某个或某组特定值的概率。例如，一个气体分子在 x、y 和 z 方向上的速度分别为u、v和w的概率 $\mathrm{d}P$，由分布函数与无穷小体积 $\mathrm{d}u\mathrm{d}v\mathrm{d}w$ 的乘积来表示，即 $\mathrm{d}P = f(u,v,w)\mathrm{d}u\mathrm{d}v\mathrm{d}w$。这里 $f(u,v,w)$是描述分子速度的分布函数，而 $\mathrm{d}P$ 是速度的 x 分量在 u 与 $u+\mathrm{d}u$ 之间、y 分量在 v 与 $v+\mathrm{d}v$ 之间及 z 分量在 w 与 $w+\mathrm{d}w$ 之间的概率（参阅 **Maxwell-Boltzmann distribution law**）。对一个系统的完整的描述还会涉及其他变量，如位置和方向。对任一这样的变量或对所有这些变量都可以给出分布函数。

distribution theory　分配理论　经济学中论及国民收入在社会成员中如何分配的问题。它包括 3 方面：①个人分配问题。国民收入是如何在人们中间分配的？多少人赚不到 2 000 美元？多少人赚 2 000～4 000 美元？多少人赚 4 000～6 000 美元？这些有无规律性？等等。②功能性分配问题。什么决定生产要素的价格？什么决定工资率？什么决定利息率？什么决定利润和地租？③分配份额问题。国民收入是如何按比例在生产要素中进行分配的？什么决定国民收入中的劳动份额、资本份额和土地份额？

一般个人分配的情况是：占人口 10% 的最高收入者得到国民收入的 25%～35%；占人口 20% 的最低收入者约得国民收入的 5%。关于这种不平等，有种种不同的解释：某些权威认为，这是由于人类的天然不平等（智慧和能力的差别）所造成的；有的认为是由于社会制度（包括教育）的影响；有的强调经济因素（如萧条）；有的说是由于政治观念（如权势）、剥削或社会结构。对有无可能大大改善那些处于收入分配底层的人们的命运问题，长期以来，经济学家们抱悲观态度，普遍认为肥沃土地的稀缺和人口增长快于生活资料生产的发展限制了公平的分配。D.李嘉图在《政治经济学及赋税原理》（1817）中认为，在国民收入中地主得到的部分逐渐增加，而资本家得到的则越来越少；分配上的这种变动将导致经济停滞。马克思预言，工人受到越来越深重的剥削，境况日渐悲惨，将导致资本主义的衰亡。新古典派分配理论的基本思想是：收入是在生产商品和劳务之中挣得的，生产要素的价值代表它在总产品生产中的贡献。这种思想虽早在 19 世纪开始时就被承认，但由于各种投入物的贡献不易区分开而没有得到发展。J.B.克拉克用边际生产率论解决了这一困难。他指出，在最佳条件下，工资率等于劳动的边际生产率，利息率等于资本的边际生产率。

生产要素收益。市场对生产要素的需求方面在很大程度上都是由边际生产率论加以解释的，而供应方面则不同，应对土地、劳工和资本另行解说。土地的供应是极无弹性的，地租的增加并不一定引起可供使用的土地的增加。地租是地主支付其他生产要素费用以后所得到的一种剩余额。在分析劳动所得时，有必要考虑劳动力市场的缺陷和工会的作用。市场的缺陷影响工资结构，很难说不同工种的劳动收入的差别是完全由边际生产率所决定的（从长期看工资结构为供求所左右）。关于工会的作用是一个引起很大争论的问题。一种天真的观点认为工会可不顾市场力量而能争到工资的提高，这是不正确的。许多经济学家认为：从整个实际工资水平来看，工会根本不能影响工资；工会可能提高货币工资水平，但这将导致物价上涨，结果实际工资并没有相应地增加；此外，工资高了还可能鼓励业主用资本去代替劳动力。可以说，在决定劳动收入份额大小上基本经济力量远比工会的政策作用大。影响资本收益的因素很多，而决定利息的基本的、主要的因素则是资本的边际生产率，资本持续的积累会压低利息率。新古典派的分配理论没有解释过利润这种类型的收入，这是因为新古典派的理论基本上是以静态分析为特征并侧重于完全竞争的研究。在非静态的和非完全竞争的现实世界中，利润可以用 5 种起因来解释：①市场不稳定。企业的一个重要特性就是不可能预见其一切未来发展前景，因而有一定风险。在自由企业经济中，处理有风险的事物的意愿必须获得酬报，因而它就成为一种生产因素。②引进新技术，比竞争对手生产效能高，因而获得额外酬金。③来自垄断和卡特尔之类的市场力量。④由于某种产品的需求突然变化而发了横财。⑤由于通货膨胀引起总需求的普遍增长，这时成本特别是工资落后于物价的上涨，因而获得利润。

影响收入分配变动的动态因素，除技术进步而外，就是商业波动、通货膨胀和紧缩及价格的猛涨。新古典派的理论没有论述这些因素的短期影响。它未曾论述的还有另一种类型的分配，这就是关于主要受社会结构和制度影响的个人收入。例如利润的分配就有各种方式，可分摊给股东、工人、管理人员或政府，也可保留在公司内部。这主要看分红政策、税收政策及对工人的利润分享计划如何而定。在今日资本主义社会里，大企业的经理人员实际上是大权在握，与资本家平起平坐，处于一种能决定自己收入的地位。

distributive law　分配律　关于数的运算的一个规律，写成公式是：

$$a(b+c+d) = ab+ac+ad$$

就是说单项因子 a 被分配到或分别应用到多项因子$(b+c+d)$的每一项上便产生乘积 $ab+ac+ad$。因此，几个数首先相加然后用某个数乘其和，与首先用这个数分别乘每个数然后把这些积相加是相同的。参阅 **associative law**；**commutative law**。

District of Columbia　哥伦比亚特区　美国东部联邦特区。在波托马克河畔。范围同华盛顿市。参阅 **Washington D.C.**。

disturbing the peace　扰乱治安　指三种不同类型的法定罪行中的任何一种。从它的广义上看，这个术语与犯罪本身同义，意味着一种可起诉的犯罪。但从另一种比较普通的意义上看，它仅仅包括那些主要是由于对社会的治安和安定产生了破坏性的后果而应加以惩罚的罪行。其中有闹事、非法集会、骚乱、强行侵入和占有他人土地、扰乱公共集会、开设赌场和妓院、蓄意破坏他人财产等。它的第三种最狭隘的含义是限于这样一些故意的行为，这些行为不属于任何其他具体罪行的定义范围，但是不合理地扰乱公众的安宁，或者有引起混乱的强烈倾向。在普通法中和在很多制定法的规定中，这种扰乱或破坏治安以轻罪论处。

Ditch, Battle of the 壕沟之战 伊斯兰教史名词。指627年穆斯林战胜麦加人之战，此次战争迫使麦加人最终承认麦地那伊斯兰社团的政治和宗教实力。当年3月麦加人争取到一部分贝都因部族的支持，便以1万人之众再次进攻穆斯林所在地麦地那。穆罕默德根据新入教的波斯人赛尔曼的建议，采用阿拉伯人所不熟悉的战术，掘壕围困麦加的骑兵，随后贝都因部族联盟瓦解，麦加军不耐久困，军心涣散。穆罕默德趁机通过谈判迫使对方接受628年的侯达比亚协议，使穆斯林获得重大胜利。

ditcher 参阅 **trenching machine** 挖沟机。

Dithmar(historian) 参阅**Thietmar**蒂特马尔。

Dithmarschen 迪特马申 在日德兰半岛西海岸，介于艾德河与易北河之间的地区。现属德国石勒苏益格-荷尔斯泰因州。迄1866年一直是丹麦国王统治下的半独立领地。9世纪首见史籍，为当时易北河以北的3个萨克森地区之一。1144年掌权的伯爵在人民起义中被杀，萨克森公爵与不来梅大主教发生争执后，迪特马申归属后者。1473年神圣罗马帝国皇帝腓特烈三世将迪特马申这一地区赐给丹麦国王克里斯蒂安一世。1867年迪特马申地区与石勒苏益格和荷尔斯泰因同时归属普鲁士。

dithyramb 酒神赞歌 在公元前7世纪的希腊，人们在筵席上为崇祀酒神狄俄尼索斯所唱的即兴歌，此时领唱人"由于受到酒力的冲击而神志恍惚"(阿尔基洛科斯)。同这种歌相对照的则是比较庄重的太阳神赞歌，即为崇祀阿波罗神所唱的歌。公元前600年左右，这种诗体开始负盛誉，诗人阿里昂写这类作品，给它们加上标题，并正式在科林斯的狄俄尼索斯大赛会上表演，由50名成年男子和男孩组成的合唱队环绕狄俄尼索斯祭坛翩然起舞，整个过程有芦笛伴奏，领导者是发表开场白的人。公元前6世纪末，这种赞歌正式被承认为一种文学体裁。这种体裁最著名的作者是赫尔米昂涅人拉索斯(生于约公元前548年)，据说他是品达罗斯的师长之一。伟大的酒神赞歌时代一般来说也是伟大的希腊抒情合唱诗盛行的时代。西摩尼得斯、品达罗斯和巴克基利得斯都写过这种诗。关于前两位诗人的这类诗作，我们一无所知；但是巴克基利得斯的两首却完整无缺，另外还有几个作家的相当数量的残片保存下来。巴克基利得斯的颂诗18首与众不同之处在于它有合唱队和独唱演员的对唱。这种想加强诗歌叙事的戏剧效果的尝试，可以说明为什么古典的酒神赞歌让位于更加生动的悲剧手法。从公元前450年起，写酒神赞歌的诗人们在语言上和音乐方面使用了日益惊人的手法，致使酒神赞歌一词的形容词形式对古代文学评论家来说有了"浮夸的"和"过分的"含义。

dittany 白鲜类 几种植物的俗名，如欧洲白鲜(参阅 **gas plant**)、马里兰白鲜(牛至样岩薄荷，*Cunila origanoides*)、克里特白鲜(白鲜状牛至，*Origanum dictamnus*)等(后两种属唇形目唇形科)。马里兰白鲜生长于干燥林地和北美高草原，高达30厘米；叶有薄荷味；花

马里兰白鲜(*Cunila origanoides*)
富兰克林照片代理公司供图

白色至玫瑰紫色，管状，密集着生；曾用以治疗发热和蛇伤。马里兰白鲜与同属其他14种原产于南、北美洲。克里特白鲜与墨角兰有亲缘关系，茎软弱，白色，具绵状毛；叶厚；花淡粉红色，密生；原产于希腊，可食。

Ditters von Dittersdorf, Carl 迪特斯·冯·迪特斯多夫(1739-11-02，奥地利维也纳～1799-10-24，波希米亚诺伊霍夫罗特尔霍塔堡[今捷克共和国新德沃里]) 原名Carl Ditters(1773年以前)。小提琴家，器乐和轻歌剧作曲家，创立了歌唱剧(18世纪一种德语喜歌剧)的形式。孩提时代他就是一位技艺高超的小提琴家，12岁开始在萨克森-希尔德堡豪森王子的管弦乐队中演奏，后来参加维也纳歌剧院管弦乐队。与作曲家C. 格鲁克成为朋友，1761年随他去意大利博洛尼亚，以其小提琴演奏而声誉鹊起。1765年担任大瓦化恩主教府乐队总监，并为它写了他的第一部歌剧《音乐之爱》。他的第一部清唱剧《伊萨科》亦作于此时。1770年时迪特斯在普鲁士西里西亚的约翰尼斯堡为布雷斯劳亲王兼主教沙夫戈奇伯爵效劳，创作喜歌剧11部，包括《美国旅行者》(1770)，以及一部清唱剧《忏悔的戴维》(1770)。1773年封为贵族，改姓迪特斯·冯·迪特斯多夫。约1779年与海顿结为挚友，1783年起在维也纳和莫扎特一起演奏弦乐四重奏。此后发表清唱剧《吉奥贝》(1786)和歌剧多部，其中《医生与药剂师》(1786)、《吝啬人哈伊罗尼姆斯》(1789)和《红色小帽》(1790)获得很大成功。尤其是《医生与药剂师》成为德国歌唱剧的经典范例之一。他还作有大量器乐。1795年，主教去世后，迪特斯被解雇，仅得一小笔退职金；贫病交加，接受波希米亚的施蒂尔弗里德男爵之聘在罗特尔霍塔城堡任职。临终前口述的自传，对研究18世纪音乐很有价值。迪特斯是维也纳古典乐派最早的作曲家之一。所作交响曲常常是情趣盎然。他的小提琴协奏曲颇有研究价值，为竖琴、长笛、拨弦键琴、低音提琴和其他乐器所作协奏曲现仍有人演奏和录音。作为歌剧作曲家，主要以其轻松活泼而有时带有伤感情绪的歌唱剧为后人怀念。

Diu 第乌 旧称Dio(第奥)。印度西部的达曼-第乌中央直辖区之一城镇。该城镇位于阿拉伯海坎贝湾的一个岛屿上，该岛在古吉拉特邦东南部的卡提阿瓦半岛最南端的外面。第乌岛长约11千米，宽约3千米。该岛以其辉煌壮观的塞马特里兹大教堂以及质朴宜人的田园美景而闻名。1535年，第乌被葡萄牙人侵占，成为葡属殖民地，直到1961年。当时第乌爆发了激烈的战斗，之后印度才得以恢复对该岛的控制。第乌原是果阿-达曼-第乌中央直辖区的一部分，直到1987年果阿成为印度一个单独的邦为止。主要作物有珍珠小米与椰子，产业有渔业、棕榈汁采集业及制盐业。岛上有机场。人口：镇约20 643(1991)。

Diula(people) 参阅 **Dyula** 迪尤拉人。

diuretic 利尿药 增加尿量的药物。用于促进排泄体内过多的水分、盐、毒物和积蓄的氨等代谢废物。临床上，用于治疗各种原因的水肿。利尿药的种类很多，但大多都是通过减少各级肾曲管对盐和水分的重吸收而实现增加尿量的目的。应用最广泛的利尿药苯并噻二嗪类(如氯噻嗪，即克尿塞)就是以这种机制实现利尿作用的。20世纪50年代后期，苯并噻二嗪合成成功并投入临床实用，且以其服用方便而取代其他药物，成为主要的临床利尿药。克尿塞还用于治疗高血压。氯化亚汞(甘汞)等汞利尿剂的作用机制同克尿塞相似，但使用起来不太方便。还有的利尿药本身是一些不能被肾小管重吸收的物质，如甘露醇、高渗蔗糖和尿素等。这些物质不能被重吸收，在排出体外时，还要带走大量水分。还有一些利尿药是通过阻断肾曲管对碳酸氢钠的重吸收从而增加尿量的，如乙酰唑胺。这些利尿药大多不能和甘汞配伍使用。

diurnal motion 周日运动 天穹每天由东到西的视运动，而在这种视运动中，天体便好像在东升西落。这一现象是地球自西向东自转的反映。天球周日视运动的轴与地球的自转轴相合。地球赤道面与天球的交线就是天赤道。天体周日视运动的轨迹是平行于天赤道的圆圈，称为周日平行圈。

Diushambe (Tajikistan) 参阅 **Dushanbe** 杜尚别。

Divākarapaṇḍita 迪瓦卡罗庞迪塔(1040，柬埔寨～约1120) 印度教徒，属于婆罗门种姓。原名迪瓦卡罗。初在宗教界和行政部门任职，后为4代柬埔寨国王服务，是其中3代国王最为宠信的谋臣。为人惯于投机，不但在历次改朝换代时得以保身，而且能巴结每一个新王。迪瓦卡罗庞迪塔在柬埔寨历史上扮演了独一无二的角色，在他的劝说下，苏耶跋摩二世开始营造吴哥窟，这是世界上最大的宗教建筑物之一，也是古高棉(柬埔寨)文

明的最伟大的成就之一。吴哥窟内有一个石碑是纪念这位有势力的婆罗门的。

Dīvālī(Hindu festival) 参阅 **Dīwālī 排灯节**。

divan 迪万 又拼diwan或dewan。阿拉伯语作 dīwān。原指"登记簿"或"航海日志"。最初称为"迪万"的是哈里发欧迈尔一世时期(634～644)的恩俸名单。在册的阿拉伯武士有权分得一份战利品,并可由被征服的农民和地主交付的地租和财产税中得到世袭的恩俸。后指财政机构,而在穆阿维耶哈里发国家则指政府的一个局,例如邮政局。伊朗人到19世纪为止通常用"迪万"一词指中央政府,而莫卧儿帝国则从阿克巴时期(1556～1605)起指财政部长。在奥斯曼帝国,"迪万"成了帝国大法庭,而在1515年召开的国务会议也叫"迪万"。由于政府要员的接待室沿墙设有坐垫,因此"迪万"又延伸有"沙发"一义。在现代土耳其,"迪万"为农村地区的一个行政单位。英国东印度公司控制印度时期,也称其税务部门为"迪万"。

diver(bird) 参阅 **loon 潜鸟**。

divergence(meteorology) **辐散** 参阅 **convergence and divergence 辐合与辐散**。

diverticulum 憩室 人体主要器官壁上形成的任何小凹陷或囊。最常出现在食管、小肠和大肠,特别在大肠。随着年龄的增长,结肠壁肌肉不可避免地变松弛,所以中老年人特别易患此病。结肠憩室可充满了粪便,并突出结肠壁外,这种情况称为肠憩室病。肠憩室病没有症状,但充满粪便的憩室可以发炎,这种情况更为严重,称之谓憩室炎。其症状有左下腹痛或痉挛、寒战,有时发热。此时需要作出明确诊断,钡灌肠后X射线检查可以确定憩室的存在。轻型憩室炎的治疗措施包括:卧床休息、抗生素治疗、灌肠和进用无刺激性的饮食。严重病例可造成结肠憩室穿孔、破裂、溃疡或出血。肠破裂的病人须行结肠造瘘术。

divertimento 嬉游曲 18世纪的一种轻松活泼和娱乐性的音乐体裁,通常由几个乐章组成,供弦乐器、管乐器或管弦乐器演奏,其中有奏鸣曲、变奏曲、舞曲和回旋曲。海顿的大量嬉游曲中有一首六重奏,供复式弦乐三重奏用,两组乐器同时在不同房间演奏。莫扎特的嬉游曲通常类似他的卡萨欣和小夜曲,但《弦乐嬉游曲》K563不在此例,它可与古往今来最杰出的室内乐曲媲美。嬉游曲是弦乐四重奏的前身之一。其风格在贝多芬《七重奏》(作品第20号)与舒伯特《八重奏》(作品第166号)(二者均为管乐与弦乐用)中有一定程度的保留。

dividend 股息 公司在股东中按其拥有股票的比例和股票的类别而确定分配的每股业务收益。股息通常以现金支付,但有时也采取增发股票形式来分配。通常优先股东有权按固定股息率优先取得股息;而普通股东则从发放优先股息后的剩余部分中领取一部分股息。公司公布了股息,就表明列册的股东在某一特定日期将会收到股息。如股票在列册日期与股息支付日期之间进行买卖,则买者不得享有近期公布的股息;该股票被称为除息或"不带股息"出售的股票,如股票除息出售时,则其价格通常应减去其股息总额。

divider 分线规 由两个铰接在一起可调节的尖头直脚组成的仪器,用于测量、转量和标划距离。在制图时,主要用于将比例尺上的尺寸精确地转量到图上;在金工车间,主要

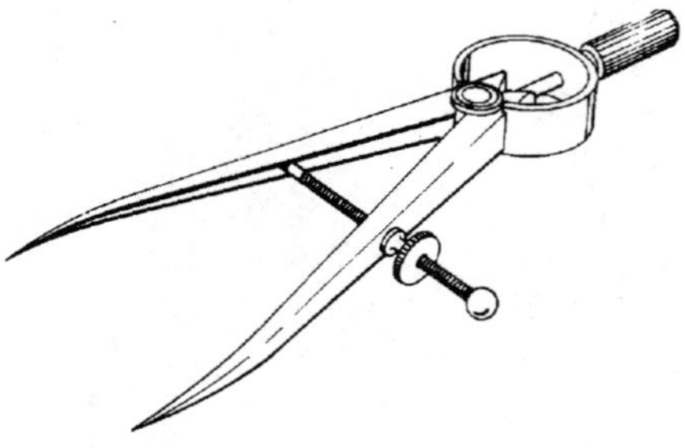

分线规

用于按照从量尺上量取的尺寸,在已加工的面上划线。圆规基本上就是把分线规的一个尖脚换成铅笔或其他画线装置,通常用于画圆或圆弧。

divination 占卜 通过自然的、心理的和其他技法以预告未来的做法。占卜可见于各种文明——古代的和现代的、原始的和发达的——和各地区,在西方其主要形式是**占星术**(**astrology**)。迄今为止,谁也拿不出科学证据以证明占卜确实能预告未来。占卜术可分为感应占卜、解释占卜和直观占卜几类。感应占卜和解释占卜是根据外部事实进行推理。解释占卜中的引人注意要素是人为事件。例如,卜者把选定的一组物件随意抛撒出去,根据它们落地形成的格局预言未来,这是一种古典的实例。这种方法为许多文化形态所采用。例如,抓阄在古典时代十分普遍,其现代形态即是掷骰子。中国根据《易经》进行的占卜术就是通过抽签和运算完成的。在脏卜、肩胛骨卜和足迹卜中,卜者观察物件或一组物件的形象或状况,加以解释,预言未来。观兆卜和征兆卜则是对禽鸟的行为和啼声、有预兆性兽类的出现等等现象进行解释。占星术依靠观察天体,是一种很古老的占卜术。卜者用以解释的其他现象有梦、天气和纸牌格局(例如塔罗特牌)。直观占卜靠感官或运动器官的不自觉活动或精神感受进行。萨满利用昏睡状态(自发的、自我诱发的或药物诱发的)与高级的非人力量接触,洞察未来。球晶占卜术预告未来是利用感官不自觉运动;灵应牌是民间利用运动器官不自主运动预知未来的方法。

Divine, Father 神圣之父(1877?美国佐治亚萨凡纳附近哈钦森岛～1965-09-10,费城)乔治·贝克的别名。美国宗教领袖,1919年创立和平传教运动。1900年前后,开始在佐治亚州农村传教,后移居巴尔的摩,1915年再迁纽约,不久取名Major J. Devine(后改Divine)。1919年在纽约长岛上赛维尔地方创立"天堂",即教团总部。该教团信徒主要是黑人,在20世纪30、40年代迅速增加,尊他为上帝。神圣之父禁止信徒吸烟、饮酒或使用化妆品。该教团于贝克死后衰落。

Divine Comedy, The 《神曲》 但丁(**Dante**)于1310～1314年间写成的长篇叙事诗,被普遍认为是世界伟大文学作品。全诗分为三个主要部分——《地狱》、《炼狱》、《天国》,依次叙述但丁从黑暗和谬误走向上天显示的神圣之光,最后得见天堂荣光中的上帝形象。但丁在代表人类智慧的化身维吉尔引导下,穿过黑暗的森林,降到地狱深处。他们在地狱的极底,世界的正中心,经过卢奇菲罗身旁,来到炼狱岛山的沙滩。在炼狱的顶巅,忏悔的罪人正在涤除他们的罪恶。在此,维吉尔把但丁引导到人类智慧所能及的天堂门口后离去。但丁与天恩所赐的神圣秘密知识的化身**贝雅特里齐**(**Beatrice**)相见。她引导但丁连续穿过好几层天,不断上升直至天国。他在那里获准瞥了一眼,见到了上帝的荣光。

Divine Faith(Mughal sect) **神圣的宗教** 参阅 **Dīn-i Ilāhī 丁-伊拉赫教派**。

divine office 日课 又作canonical hours或liturgy of the hours或liturgical hours。基督教若干派别用语,指赞美、崇拜上帝的公众礼拜,内容包括咏唱诗篇和赞美诗,祈祷、诵读早期教父著作及其他著作。天主教会的日课有7次。申正经时间最长,原在夜间,现在白天适当时间举行。赞美经和晚课是教会的庄重的早祷与晚祷。辰时经、午时经和申初经分别在上午、中午和下午举行。夜课经在夜间举行,原是隐修院中的活动。原行之于隐修院的还有晨经,在拂晓举行,但自1964年起已废除。东正教会礼仪以日落时分的晚课,为一日之始。晚餐后念夜课经。子夜课是东正教会所独有而西方教会所无,一般排在申正经之前,另在第一、三、六和九各时辰举行小日课。基督教圣公会的早祷包括中世纪教会的申正经、赞美经和晨经的内容,而其晚祷则包括晚课与夜课经的内容。信义会有申正经和晚课的礼拜仪式,但主要是在星期日举行。参阅 **breviary**。

divine right of kings 君权神授 维护君主专制主义的学说,宣称国王的权力来自上帝,因此不对任何诸如国会等世俗权力负有说明自己行动的责任。神权学说起源于中世纪欧洲的一种观念,认为上帝在把宗教的权力授予教会的同时,把世俗的权力授予政治统治者。但到16、17世纪,君主们则主张他们有权管理教会和国家两方面的事务。英国国王詹姆斯一世(1603～1625在位)是君权神授学说的最重要的阐述者,但1688年革命后,这一学说在英国政坛实际上已经消失。17世纪后期和18世纪,君主们诸如法国的路易十四等继续利用君权神授的学说谋取利益,虽然很多君主已不再真正信奉宗教。美国革命、法国革命和拿破仑时代已将这一学说残存的一点可信性剥夺殆尽。君权神授的法国

主要理论家之一、主教波舒哀(1627～1704)宣称,君主的人身和权威是神圣不可侵犯的;君主的权力如同父权一般;这种权力来自上帝,是绝对的;君主只受理性即习俗和先例的约束。英国保皇党人、乡绅菲尔默在他的《族长》(1648)中同样认为,国家是一个家庭,国王是家长。接着他在解释《圣经》时宣称亚当是第一个国王,查理一世则作为亚当的长子继承人统治英国。哲学家洛克在反专制主义的《政府论上篇》(1689)中,驳斥了这类论点。君权神授的学说对教会和国家均可构成威胁。对国家而言这意味着国家权威长期不变,而且可由教会操纵。对教会而言则意味着国王由上帝直接领导并可以指挥主教。

Divine Word Missionary 圣言会 天主教外方传信组织。由司铎和修士组成,1875年由杨森创立于荷兰斯蒂尔。该会会士执教于各级学校或在原始民族中工作以传教。20世纪末该会在欧洲14国以及南北美洲、非洲、澳大利亚、中国台湾省、印度、印度尼西亚、新几内亚、菲律宾和日本等地活动。该会主要工作是培训当地神职人员。

diving 跳水 水上运动项目之一。一般为头朝下跃入水中,同时作出各种体操姿势和技巧动作。技巧性较强的跳水运动在19世纪起源于欧洲,成为体操运动的分支。19世纪末列为比赛项目。1904年列为奥运会游泳项目之一。20世纪前半叶发展迅速。花样跳水于2000年成为奥运会比赛项目。跳水运动员自跳台或有弹性的跳板上跳下,跳台高出水面5米或10米,跳板高出水面1米或3米。奥运会跳水规定跳台高出水面10米,跳板高出水面3米。跳水技巧及其动作难度均记入国际业余游泳联合会所制定的表格。运动员必须完成某些规定动作和自选动作。每次跳水要经3～10名裁判员评分,重点看起跳、空中姿势、对预定动作的完成情况和入水。每项动作得分总和乘以难度系数即为正式成绩,总分最高者为胜。在跳板比赛中,男子跳17次,女子14次。跳台项目要求男子跳16次,女子跳14次。竞赛性跳水动作分成5组,只是对固定跳台跳水动作中增加倒立跳水。第一跳包括向前跳,人面对水,从跳板或跳台边缘起跳,入水前向前转体半周或更多周。第二跳包括向后跳,运动员站在台边,背对水起跳,向后转体。第三跳是向反方向跳,运动员面向前站位,但是朝着跳板反身旋转。第四跳是向内跳,运动员站在台边,向后起跳,然后再面对跳板向前转体。第五跳是转体跳水。运动员在做出4种姿势之一时,以身体为轴转体入水,即向前滚翻1½圈转体3周。5个自选动作包括从每一组动作中选出一个动作。大部规定动作均可以3种不同姿势完成,即直体、屈体和抱膝。直体姿势身体伸直,髋部或膝部不得弯曲;屈体姿势髋部要弯曲,膝部伸直;抱膝姿势髋部和膝部均要弯曲,身体紧抱成团。最复杂的跳水动作可以任何姿势完成,但姿势结合必须优美。

diving, underwater 参阅 **underwater diving 潜泳**。

diving beetle 潜水甲 参阅 **predaceous diving beetle 龙虱**。

diving bell 潜水钟 一种单人潜水装置,它由一个底部开口的容器构成,通常装有压缩空气的气泵。用于将潜水员送入海底或低深度水域。不管潜水钟下沉多深,大体上钟内至少有充满新鲜空气的生存空间。气压由气泵和水压自动调节,多余的气体从容器边上逸出。当潜水钟下沉时,钟内的水平面上升。当潜水钟上升时,由于水压下降,使钟内水平面下降,所以钟内的压强可保持与钟外相同。现代潜水钟可满足一次4个潜水员同时工作并能潜入超过300米的深度。

diving duck 潜水鸭 潜入深水水底取食的鸭类,与用喙在浅水中觅食的**钻水鸭**(**dabbling duck**)不同。潜水鸭可根据亲缘关系和对海水环境的喜栖程度分别俗称为港湾鸭或海鸭。港湾鸭属于雁形目**鸭科**(**Anatidae**)潜鸭族(Aythini),包括帆布背潜鸭、红头潜鸭、拾贝潜鸭和有关种(见**潜鸭**[**pochard**]);更常见于港湾或有潮潟湖而不是大海。海鸭指秋沙鸭族(Mergini)和绒鸭族(Somateriini)近20种鸟类。经常生活于海上,有些种类也常到内陆水域和海滨。秋沙鸭族包括:巨头鹊鸭(*Bucephala*[或 *Glaucionetta*]*albeola*),与金眼鸭(*B.*[或 *G.*]*clangula*)近缘;**秋沙鸭**(**merganser**);冬长尾鸭(*Clangula hyemalis*)和海番鸭(海番鸭属[*Melanitta*]或 *Oidemia* 属的种类)。绒鸭族包括**绒鸭**(**eider**)。

diving petrel 潜鹈鹱 鹱形目潜鹈鹱科5种亚南极区小型海鸟。体色黑白相间。其最近亲缘种虽是海燕、剪水鹱和信天翁,但潜鹈鹱不同于这些长翅型的种类,而与北半球的体型小的海雀相似,这是趋同进化的一个典型例证。与海雀一样,潜鹈鹱翅短,身体笨重,拍动翅膀在水中潜泳。体型最小和分布最广泛的是普通潜鹈鹱(*Pelecanoides urinatrix*),体长约16厘米;最大的种类是秘鲁潜鹈鹱(*P. garnotii*),体长约25厘米,分布于南纬约6°～37°的南美西海岸。

diving suit 潜水服 水下用的水密服。它

身着潜水服的美国海军潜水员正在下水
美国海军部供图

有一根管子通向水面,为潜水员供应空气。19世纪初发明的潜水服包括一件水密的外衣,加重的靴子,一顶有透明窗的金属头盔,以及进气和排气装置。现已研制出不需减压的关节式潜水服。在一些应用场合,潜水服已被自持水下呼吸器所代替。

Divini, Eustachio 迪维尼(1610-10-04,教皇国安科纳附近圣塞维里诺德莱马尔凯[今在意大利]～1685,罗马) 意大利科学家,首批发展科学光学仪器制造技术的人物之一。在伽利略的门生B.卡斯泰利处受过一些科学训练以后,于1646年在罗马开业制造时钟和透镜。他制作了许多复式显微镜和长焦距望远镜,后者由一组木制镜筒和四个透镜组成,焦距达15米以上。他使用自己发明的仪器进行观察后,于1649年公布了一张铜雕月球图。他还进行了一些天体观察,包括土星环和木星的黑点和卫星。在佛罗伦萨、罗马、帕多瓦和其他地方的博物馆里还保存着许多他制作的显微镜和望远镜。

divining rod 探杆 魔叉探物术所用的道具之一。参阅 **dowsing**。

Divino, El(poet) **迪维诺** 参阅 **Herrera, Fernando de 埃雷拉**。

Divinópolis 迪维诺波利斯 巴西米纳斯吉拉斯州中南部城市。地处海拔672米的高地,临帕拉河。1911年为自治区所在地。1915年建市。周围地区种植木薯、玉米、稻米、咖啡、豆类和甘蔗。饲养牲畜。为该州最重要的工业中心之一。有冶金、纺织、制革和乳品工厂。有公路和铁路通州首府贝洛奥里藏特。人口187 700(2003)。

division 师 师是现代军事组织中按比例配有独立作战所需各种战斗兵种和勤务分队的最小编队。一个师通常有1.2万～2万人,由一名少将指挥。在海军里,这个词指舰艇分队,通常由4艘军舰组成,构成一个分舰队或特遣舰队的一部分。这个词也指轮船公司为便于管理而成立的分部。航空兵师是航空兵的一级建制,由两个或两个以上的联队编成,用以执行轰炸、战斗、截击、侦察,或空运等作战任务。一支军队的作战实力,大体上可以根据它所能投入对敌作战的师的数量和质量来衡量。若干个师,外加支援部队和勤务部队组成军团和野战军可以进行战役作战任务。为了适应战争的特殊需要,师已经发展成步兵师和装甲兵师两大类。步兵师在俄罗斯陆军中叫步枪师,是为了在各种地形和天气条件下作战而组织和装备起来的,是陆军作战部队的主要部分。步兵师主要由装备轻武器的步兵组成,但也包括用于支援的炮兵、装甲兵和工兵部队,并有它自己的通讯、补给、维修和后送等勤务部队。把步兵师改装轻型装备并经过专门训练,就可以执行特种任务,如空降(伞兵)师和山地(高山)作战师。有些国家的陆军还组建摩托化师(美国叫机械化师),也就是给步兵师装备足以运输全师兵员的卡车

和轻型装甲车。装甲师或机械化师也包括各种战斗兵种和勤务分队，只不过它的坦克部队要比步兵师的强得多。

division of labour 参阅 **labour, division of** 劳动分工。

Divisionism 分光法 又译分色法、点彩法。绘画技法，新印象主义（**Neo-Impressionism**）的基本技法。

Divo 迪沃 科特迪瓦中南部城镇。是周围地区迪达人种植的出口香蕉、菠萝、咖啡、可可、木材和橡胶的收集中心。迪沃设有咖啡及可可研究所。有基督教堂。人口 35 610（1975）。

divorce 离婚 终止合法婚姻的行为，这通常使双方有再婚的自由。在古代宗教权威仍居统治地位的地区，离婚很困难，且很少见。特别在天主教和印度教中，宗教传统认为婚姻是不能离异的（有关犹太人的离婚习惯，参阅 **get**）。不过，在某些社会中，风俗可使离婚变为一件简单的事。在一些普埃布洛印第安部落中间，妇女只要把她丈夫的鹿皮鞋放在门前台阶上，即能构成离婚。在工业化的世界，个人决定和彼此同意的原则使离婚变得日益可以接受。在前近代社会，婚姻的稳定率是难以估计的。因为对结婚和离婚的定义歧异太大，常常无法证明一桩婚配是否真正结成。但有一点则可说是放之四海而皆准的，即凡是法律上不准离婚的地方，结婚就必然是行之以大礼的公开举动。与此相反的说法，强调繁缛的婚礼常与高离婚率并存，则不正确。许多人类学家认为母系社会比父系社会更容易允许离婚。在父系社会中，新娘的生殖权利和两性生活的权利经常因收受聘礼而象征性地转给丈夫。参阅 **family**。

Divriği 迪夫里伊 土耳其中部城镇。靠近幼发拉底河支流恰尔蒂苏于河，位于果园和花园所环抱的肥沃山谷尽头的一座小山下，山上有 13 世纪城堡遗址，居高临下。该城堡曾为拜占廷要塞，1071 年被土耳其人占领，受达尼什曼德的土库曼人统治，13 世纪后半叶为蒙古人攻陷。1516 年并入奥斯曼帝国版图。该地 12、13 世纪建筑可以说是穆斯林土耳其艺术的最早范例。其中有 1229 年左右的建筑群。现代迪夫里伊是土耳其最大的铁矿开采中心。锡瓦斯—埃尔祖鲁姆铁路经此，并有公路与锡瓦斯市相接。人口 17 664（1990）。

Dīwālī 排灯节 又拼 Dīvālī。印度重大的宗教节日之一，节期 5 天，从印度历的频湿缚庾阇月黑分 13 日至迦剌底迦月白分 2 日（相当于阳历 10 月下旬）。商人最重视此节。此节供奉财富女神吉祥天女（室利），在孟加拉则供奉女神时母（迦利）。第 4 天是排灯节主要的一天，即毗克罗摩历的元旦。排灯节也是耆那教的重要节日，该教信徒多为商人。据说阿姆利则全市的居民都点灯庆祝这一节日。

dīwān 参阅 **divan** 迪万。

dīwānī script 迪瓦尼字体 奥斯曼土耳其人统治初期（16～17 世纪初）形成的一种阿拉伯书法草体。该字体是胡萨姆·鲁米始创的，在苏莱曼一世（1520～1566）统治时期最为流行。迪瓦尼字体既有文字作用，又有装

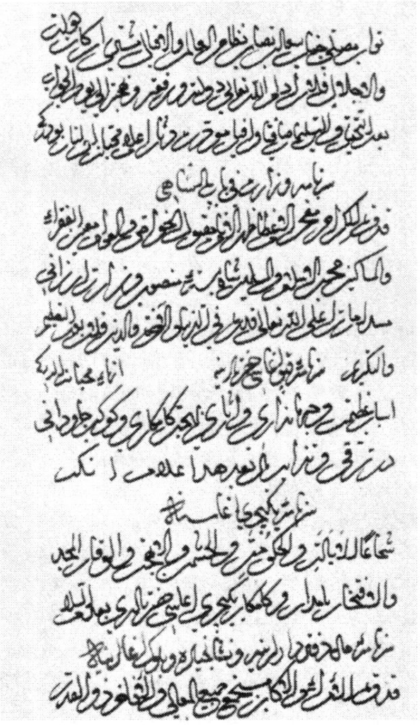

写于 1598～1599 年的迪瓦尼字体阿拉伯文
牛津博德利图书馆供图

饰作用，以字母线条的复杂和单词内字母排列的紧密而著名。

Dīwānīyah, ad- 迪瓦尼耶 伊拉克中南部卡迪西亚省省会。在首都巴格达以南约 160 千米处，距幼发拉底河约 32 千米。当地因地处滨河地带，灌溉便利。经济以农业为主，种植棕榈树，葡萄和其他果树。人口 196 519（1987）。

Dix, Dorothea Lynde 迪克斯（1802-04-04，美国马萨诸塞曼恩区汉普登～1887-07-17，新泽西特伦顿） 美国社会改革家、人道主义者。致力于精神病患者的福利，在美国和国

华盛顿伊丽莎白医院供图

外推动了普遍的改革。1821 年在波士顿开办了一所女子学校，并任教至 1835 年，繁忙的教学工作常因健康原因而中断。1841 年她应邀在马萨诸塞州东剑桥监狱的主日学校教课，在那里看到精神病患者和男女罪犯关在一起，深感痛心。在以后的 18 个月中，她参观了马萨诸塞州禁闭精神病患者的公共机构。1843 年她给州立法机构写了报告，揭露所见到的令人震惊的情景。上述情况获得改善之后，她将注意力转到邻近各州，而后又转向西部和南部各州，终于促使不止15个州和加拿大专为精神病患者建立了医院，使全国精神病患者的待遇得到改善。她不仅唤起美国，也唤起欧洲各国对精神病问题的关心。

Dix, John Adams 迪克斯（1798-07-24，美国新罕布什尔博斯考恩～1879-04-21，纽约市） 美国政治领袖和陆军军官，担任美国财政部长（1861）期间曾向新奥尔良一位财政部官员下达著名的命令："企图降下美国国旗者就地枪决。"14 岁入美国陆军，参加过 1812 年战争和南北战争。1828～1830 年当律师。后历任纽约州民兵团团长、州部长、公立学校总监、州议员、美国参议员、美国财政部长和美国驻法公使。1872 年当选纽约州长。

Dix, Otto 迪克斯（1891-12-02，德国图林根下梅豪斯～1969-07-25，巴登-符腾堡辛根） 德国画家和雕刻家。其作品把同情心和表现派的绝望情绪结合在一起，发出 20 世纪艺术中对社会的一种最强烈的呐喊。曾和新客观派（**Neue Sachlichkeit**）的画家们一起展出过作品。在德累斯顿学过画。最后成为有独特风格的尖刻的真实派画家，此派画家把当代社会现实看作恶梦。在杜塞尔多夫教学的同

迪克斯绘《艺术家的父母》（1921）
美国不列颠百科全书公司供图

时（约 1922～1925），画了一些重要作品，如《妓院老板和姑娘们》和《资本主义的两个牺牲品》（一个是妖形怪状的妓女，一个是面目全非的退役士兵）。1924 年作了 50 幅铜版画，题名《战争》，描写了战争的恐怖。1927 年他在德累斯顿学院被提名为教授，1931 年被选入普鲁士科学院。后纳粹政权撤销了这些任命，并禁止他展出作品。迪克斯后期转向宗教神秘主义，作品有《扫罗和大卫》（1945）、《耶稣被钉死在十字架上》（1946）等。

Dixie 迪克西 美国南部各州的俗称，尤其指参加南部邦联的几个州。据说 1860 年以前新奥尔良市民银行发行的 10 元纸币背面印有迪克西（dix，法语"10"）字样，故名，原指路易斯安那，后指南部各州。"迪克西"又是

一首南方流行歌曲的名称。1861 年 2 月 18 日,南部邦联的总统 J.戴维斯举行就职典礼时,就以此歌曲为"国歌",其后南军作战时也以此歌曲为进行曲。

Dixiecrat 迪克西民主党人 又称州权民主党人。1948 年美国总统选举期间民主党的一个右翼分裂集团。他们反对民主党的民权纲领,声称后者侵犯了各州的权力。

Dixieland 迪克西兰 爵士乐的一种,被认为与新奥尔良爵士乐的先驱人物有着特别关系,但许多流行音乐评论家却相信这一术语更能代表其后一批包括 J.麦克帕兰、B.弗里曼和 F.特舍马赫在内的白人芝加哥乐师的音乐。新奥尔良的白人乐师们于 20 世纪 20 年代初期与"独特迪克西兰爵士乐队"中的 N.拉罗卡合作,又与"新奥尔良节奏之王乐队"中的 P.马雷斯合作演出,表演了一种类似新奥尔良黑人乐师的风格,它至少对 20 及 30 年代的爵士乐有同样的影响。虽然这两种风格之间没有明显的区别,但是新奥尔良白人乐队似乎更多借助于雷格泰姆和欧洲音乐,而不是像新奥尔良黑人乐队那样吸取 19 世纪黑人种族音乐的风格。还应指出,短号手 F.凯帕德和低音提琴手 B.约翰逊等新奥尔良乐师们早在 1912 年就在洛杉矶演出,因而"爵士乐的发展自新奥尔良溯源而上直抵芝加哥,一帆风顺"这一简单化的神话可能不足为凭。参阅 **Chicago style; New Orleans style**。

Dixon 迪克森 美国伊利诺伊州中北部城市,利县县城(1839)。临罗克河。1830 年 J.迪克森在此设置渡口和旅店。1832 年 H.阿特金斯将军在此筑堡对印第安人酋长黑鹰作

迪克森市的青年林肯铜像
美国不列颠百科全书公司供图

战。1857 年设市。罗克河北岸有青年林肯铜像。现为附近农业区的商业中心。有水泥和汽车部件等工业。迪克森发展中心为弱智者和盲人设有医院。市西有索克瓦利初级学院(1966)。市北有州立白皮松森林公园。人口 15 941(2000)。

Dixon, George 迪克森(约1755～约1800) 英国航海家。其北美洲西海岸的探险,有助于英国和该地(今不列颠哥伦比亚)建立盈利的皮毛贸易。在与 J.库克船长寻找通往东方的西北航线第 3 次航行(1776～1779)回来时,成为船长。1785 年乘"夏洛特皇后"号到北美西部发展皮货贸易。在此他发现了许多地方,包括夏洛特皇后群岛、夏洛特皇后湾的一部分、马尔格雷夫港、诺福克湾和迪克森海峡以及亚历山大群岛。他在中国出售了一船皮货,运回一船茶叶到英国(1788)。1789 年出版了《环球航行,主要是到美洲西北部海岸的航行》,该书主要包括迪克森的商务代理人威廉·贝雷斯福德所写的记事信函。还有人怀疑是否这位迪克森与曾在汉普郡戈斯波特教授过航海学、并著有《航海家的助手》(1791)的同名同姓的迪克森就是同一个人。

Dixon, George 狄克逊(1870-07-29,加拿大新斯科舍哈利法克斯～1909-01-06,美国纽约) 美国拳击运动员,为第一个获得拳击世界冠军的黑人。他被认为是最轻量级和次轻量级史上最优秀的拳击手之一。1890 年 6 月 27 日于伦敦比赛中经过 18 个回合将英国的华莱士击倒在地,赢得最轻量级世界冠军。1891 年 7 月 28 日在旧金山经过 5 个回合击倒澳大利亚的威利斯而赢得次轻量级世界冠军。1897 年 10 月 4 日,在旧金山负于史密斯。1898 年 11 月 11 日在纽约市经过 10 个回合战胜沙利文而重新夺得冠军。1900 年 1 月 9 日在纽约市败于麦戈文。在职业拳击 20 年生涯中(1886～1906)共参加 158 场比赛。1956 年入选拳击名人堂。

Dixon, Henry Horatio 狄克逊(1869-05-19,都柏林～1953-12-20,都柏林) 爱尔兰植物学家。研究了植物的蒸腾作用,与 J.乔利共同提出了植物体内液体上升的张力理论。狄克逊曾在都柏林的三一学院和波恩大学学习。1904 年在三一学院任植物学教授,1906 年任植物园园长。早期曾研究染色体和植物的减数分裂。狄克逊和乔利弄清了硫酸柱和水柱的流逸作用和抗张强度后,又从事蒸腾作用的实验。1894 年发表《论汁液上升》一文,提出木本植物导管中的汁液或水分上升是由于张力和内聚力共同作用的结果,又进一步阐明水的运输是通过导管而不是通过活细胞进行的。狄克逊于 1914 年出版《植物体液的蒸腾和运输》一书,介绍了对于内聚力的各种理论和实验。还写了教科书《实用植物生物学》(1922)。

Dixon, Jeremiah 迪克森(?～1777,英国达勒姆郡达勒姆) 英国土地测量员。早年情况不详。1763 年受 W.佩恩和巴尔的摩勋爵双方的继承人的委托,与 C.梅森前去测定北美马里兰与宾夕法尼亚之间的边界线(后称梅森-迪克森线),解决了两地历时已久的边界纠纷。梅森-迪克森线一直被认为是美国南北方的分界线。1768 年二人返回英国。

Dixon, Roland B(urrage) 狄克逊(1875-11-06,美国马萨诸塞伍斯特～1934-12-19,马萨诸塞剑桥) 美国文化人类学家。曾在哈佛大学皮博迪博物馆筹建一所世界上藏书最全面、最实用的人类学图书馆,使哈佛大学发展成为培养人类学家的主要中心。狄克逊把一生全部献给哈佛,1897 年任助教,1915 年升任教授。最初的实地考察研究是在加利福尼亚州印第安人中间进行的,写出一些有关人种志、民间传说和语言学方面的著述,其中部分是与人种学家 A.L.克罗伯合著的;名著为《北方的迈杜人》(1905)。狄克逊还去过西伯利亚、蒙古、喜马拉雅山和大洋洲,作实地考察研究。在实地调查之余,狄克逊对人类学事实的整理和阐释工作尤为重视,强调文化与自然环境之间的相互关系。他以文化史家而非文化理论者的眼光,注意到民族迁徙在文化变迁中的重大作用。其巨著是《人类种族史》(1923),该书试图对各种族进行分类,揭示其差异之处,尤其侧重于说明波利尼西亚人与美洲印第安人之不同点;另一重要著作《文化的建立》(1928),对于文化的传播过程作了细致的探讨。

Dixon, Thomas 狄克逊(1864-01-11,美国北卡罗来纳谢尔比～1946-04-03,北卡罗来纳罗利) 美国小说家、剧作家、议员。他极力鼓吹白人至上主义,所著长篇小说《族人》(1905)以同情的笔调描绘三 K 党的故事。毕业于北卡罗来纳州格林斯伯勒法学院,1886 年成为律师。曾任过一年北卡罗来纳州议会议员,后辞职而成为浸礼会牧师,在该州及波士顿和纽约市传道(1889～1899)。第一部小说《豹斑》(1902)与《族人》、《叛徒》(1907)构成描写重建时期美国南方情况的三部曲。另外还写有一些长篇小说和剧本。1939 年完成《刀光剑影》,描写美国黑人和白人的关系。非小说类著作有与曾任哈定总统竞选经纪人的 H.M.多尔蒂合写的《哈定悲剧的内幕》(1932)。晚年在罗利居住,1938～1943 年任职于美国东部北卡罗来纳地区法院。虽身为民主党人,但反对 F.D.罗斯福总统的新政。他支持许多右翼事业。

Dixon Entrance 迪克森海峡 北太平洋东部连接开阔大洋和赫卡特海峡(加拿大)的通道。东西走向,长、宽各 80 千米。北面为亚历山大群岛(美),南面为夏洛特皇后群岛(加)。为通往鲁珀特王子港(加)的要道。英国航海家 G.迪克森于 1787 年乘"夏洛特皇后"号驶过此海峡,1788 年以其姓氏命名。

diyah 人命赔偿 又译血金。伊斯兰教用语,指杀人者根据传统应支付的赔偿。在伊斯兰教兴起以前,阿拉伯习俗规定害人一命应赔偿 10 头母骆驼。在伊斯兰教发源地区,这种赔偿数额增至 100 头母骆驼,这一规定曾经穆罕默德批准。关于程度不同的伤害也有详细的赔偿规定。如失去一只眼或一只脚,赔偿金为 50 头母骆驼。在凶手和被害人双方或一方是未成年人、奴隶、非穆斯林和妇女的情况下,则适用不同的赔偿规定。人命赔偿也可以金银支付,城市居民的受害一方一般不愿意接受以骆驼支付的赔偿,而牧民则根据惯例以骆驼支付赔偿。

Diyālā River　迪亚拉河　底格里斯河主要支流。源出伊朗西部的扎格罗斯山脉。西流至巴格达以后,汇入底格里斯河。全长443千米。上游流经伊朗和伊拉克广阔山区,多峡谷峭壁,有32千米为两国边界。河上建有几座水坝,以控制洪水泛滥,提供水力发电和灌溉。下游谷地出产小麦、燕麦、棉花、稻米和烟草。沿河建有与之平行的基尔库克—巴格达铁路。巴古拜为河边重要城市。

Diyarbakır　迪亚巴克尔　史称阿米达。土耳其东南部的城市。位于底格里斯河右岸。为一古城,始建于3世纪罗马统治以前,罗马

迪亚巴克尔市旧城的玄武岩城墙
美国不列颠百科全书公司供图

皇帝君士坦丁二世曾予扩建和加固,并围以新的城墙(349)。该城先后受波斯、拜占廷、阿拉伯、土耳其和蒙古等王朝统治。1516年为奥斯曼苏丹占领,成为奥斯曼重要的大省省会。因其地处波斯边境,为战略重镇,被用作对付波斯人的军事基地。旧城周围围有黑色玄武岩的三层城墙,为中东中世纪军事艺术的杰出典范。在阿拉伯和土耳其时期曾被大加扩展和修缮。城墙长约5千米,有许多城楼。有堡垒一座,可能建于公元前4世纪。该市久以金银丝细工饰品闻名。工业有棉毛纺织品及铜器制品。1966年成立迪亚巴克尔大学,初为安卡拉大学分校,1973年独立。该市有空中航线和铁路同安卡拉连接,并有公路通往土耳其各大城市及阿勒颇(叙利亚)和摩苏尔(伊拉克)。周围地区属上美索不达米亚底格里斯河流经的大片洼地。以北面的托罗斯山脉与东安纳托利亚分隔;以南面的马尔丁丘陵与美索不达米亚平原分隔;西面是卡拉贾山。农产品有谷物、棉花、烟草和水果,瓜类尤为著名。矿藏有铜、少量煤和石油。居民大部是库尔德人。人口381 144(1990)。

Dizfūl(Iran)　参阅 **Dezfūl** 迪兹富勒。

Dja River　贾河　又称恩戈科河。在非洲中西部,构成喀麦隆-刚果(布)边界的一段。发源于喀麦隆阿邦姆邦东南,大致为东南流向,经莫隆杜至刚果的韦索,注入桑加河(刚果河支流),全长约720千米。上游有野生动物禁猎区。莫隆杜下游小船可全年航行。

Djaferin Islands　参阅 **Chafarinas Islands** 查法里纳斯群岛。

Djailolo(Indonesia)　**贾伊洛洛**　参阅 **Halmahera** 哈马黑拉。

Djajapura(Indonesia)　参阅 **Jayapura** 查亚普拉。

Djakarta(Indonesia)　参阅 **Jakarta** 雅加达。

Djambi(Indonesia)　参阅 **Jambi** 占碑。

Djawa(Indonesia)　参阅 **Java** 爪哇。

Djeba(Egypt)　参阅 **Idfū** 伊德富。

Djebar, Assia　杰巴尔(1936-08-04,阿尔及利亚舍尔沙勒～　)　原名法蒂玛-祖赫拉·伊马拉扬。阿尔及利亚当代最有天才、最多产的女作家。1957年发表第一部小说《渴望》,开始了小说家的生涯,次年发表《不耐烦的人们》。这两部小说都写阿尔及利亚殖民地时期的资产阶级环境。后来的两本小说《新世界的儿女》(1962)及其续篇《天真的云雀》(1967),记录了阿尔及利亚女性集体意识的发展历程,并描绘了阿尔及利亚妇女对独立战争的贡献。她与瓦立德·加尔农合写的剧本《火红的黎明》发表于1969年,诗集《为争取幸福的阿尔及利亚的诗》也发表于同年。在战争年代里,大部时间住在国外。后在阿尔及尔大学讲授历史,当过法语系主任,为国家电视台当过制片人。她的影片《舍努阿妇女的酒宴》(1978)通过写一个长期流亡西方的阿尔及利亚女工程师回国的故事,继续分析阿尔及利亚妇女。中篇小说集《公寓中的阿尔及尔妇女》(1980),是对女性世界的又一次探讨。

Djedefre　杰德夫拉　埃及第四王朝(约公元前2575～约前2465)的第3代国王。系胡夫第2个王后所生。胡夫死后,他与原王储卡瓦卜的遗孀希太费蕾斯第二结婚,并成为法老。有证据表明,其他觊觎王位的王子们曾想推翻他。他在吉萨北部阿布鲁韦斯开始修建一座金字塔,大小和吉萨的曼库拉金字塔相似,但从未完工。现已发现外层的花岗石块和带有花岗石柱的祠庙的残余部分。他在位8年之后去世,死因不详。反对派拥立海夫拉继承王位,海夫拉遂被公认为胡夫的合法继承人。可能就在那时,杰德夫拉的金字塔就被劫掠一空,变成了采石场。

Djeffara(Africa)　参阅 **Jifārah, al-** 杰法拉。

Djelfa　杰勒法　阿尔及利亚中北部城镇。地处奥拉德奈勒山区。海拔1 138米。1852年建为法国军事哨所。为半游牧阿拉伯奥拉德奈勒联盟区的牲畜(山羊、绵羊和驴)集市中心。这一地区以公元前7000～前5000年的新石器时代的石刻而闻名。人口84 207(1987)。

Djember(Indonesia)　参阅 **Jember** 任抹。

Djenné　杰内　又拼Jenne或Dienné。马里南部的古代非洲商业城市和穆斯林的学术中心,13世纪建立,位于马里南部尼日尔河和巴尼河的洪泛区,在廷巴克图西南354千米。它是中西部苏丹的商人同几内亚热带森林的商人之间的货物集散地。杰内既有水路与廷巴克图直接相通,又为通往比图、洛贝和布雷的各条商路的起点。它还是盐的重要贸易中心。到17世纪中叶,杰内以穆斯林的学术中心闻名。在1861年左右,杰内被图库洛尔国王哈吉·欧麦尔征服,1893年又被法国占领。此后位于尼日尔河和巴尼河汇合处的莫普提取代了杰内的商业地位。杰内现为农产品贸

杰内市的大清真寺
美国不列颠百科全书公司供图

易中心。有一些穆斯林建筑,包括一座大清真寺,于1988年被列为世界遗产。人口19 200(1998)。

Djerba(island, Tunisia)　参阅 **Jarbah** 杰尔巴岛。

Djerid, Chott(Tunisia)　参阅 **Jarīd, Shaṭṭ al-** 杰里德盐湖。

Djhuty(Egyptian god)　**吉胡提**　参阅 **Thoth** 透特。

Djibouti　吉布提　全称吉布提共和国。1977年以前为法属阿法尔和伊萨领地。非洲东部小国，位于非洲之角东北海岸。东临曼德海峡(介于红海和亚丁湾之间)，北接厄

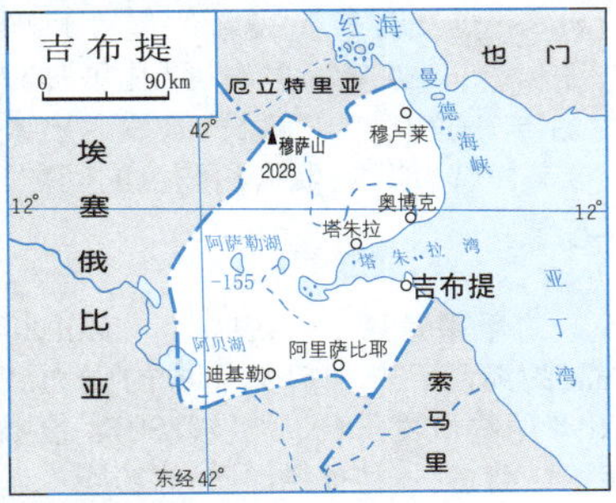

美国不列颠百科全书公司供图

立特里亚，西和南邻埃塞俄比亚，东南与索马里交界。面积23 200平方千米，首都吉布提市。人口约457 000(2003)。

土地　吉布提分为3个主要地区：沿海平原，向内陆抬升至海拔以上约200米，海岸线被塔朱拉湾深割成锯齿形；中、南部的火山高地，海拔300～1 500米，周边有陷落的平原和湖泊，其中有些是非洲地表的海拔最低处；北部的山岳地带，其中穆萨山海拔达2 028米。土地裸露、干燥且荒芜，以悬崖深谷、炽热沙地、多刺灌丛为特征。有几条沙底小河流过山岳地带；地下河霍布利河为重要水源。气候极其炎热。吉布提市1月日平均最高气温为29 °C，7月为41 °C。从夏末至3月底，海风从印度洋带来雨水，沿海平均年降雨量不到125毫米，内陆则约510毫米。吉布提大部地区为荒漠，植被以低矮多刺灌丛和禾草为主。山地有些永久林地。低洼平原长有椰枣树、蓖麻、罗望子树和大戟属植物，野生动物有猞猁、胡狼、羚羊、瞪羚和鸵鸟。境内可耕地不足1%，仅约9%可供放牧。

人民　境内讲含米特-闪米特语的两大种族群为阿法尔(达纳基勒)人和伊萨氏族的索马里人。总人口中有一半以上是伊萨人及其同源的索马里氏族，阿法尔人约占2/5，余为也门阿拉伯人和欧洲人(法国人居多)。索马里人和阿法尔人均为传统游牧民族，但索马里人现多定居城市，两者均为穆斯林逊尼派教徒。阿法尔人集中在北部和西部，索马里人则在南部。官方语言为法语和阿拉伯语。20世纪后期，总人口中近1/2不满15岁。吉布提市居民约占总人口的2/3。

1975年以来，埃塞俄比亚和索马里有许多逃避旱灾和战乱的难民来到吉布提；多定居在吉布提、迪基勒和阿里萨比耶各市内和郊区的难民营里，给该国环境和经济带来沉重负担。

经济　吉布提属发展中市场经济，几乎完全以贸易和服务业为基础。吉布提市是埃塞俄比亚货物吞吐的主要转运站。人均国民生产总值大大高于邻近的其他非洲国家，这无疑是由于吉布提有众多的欧洲侨民所致。

境内几乎全是荒漠，粮食大部分依赖进口。农业占国内生产总值不足3%。灌丛牧场的牲畜饲养是最重要的农业活动；商品作物极为有限，只有椰枣和一些其他水果及蔬菜。由于挖掘深层水井，周期性干旱的影响得以减轻。沿海有小型渔业。

工业有限，包括小型矿泉水装瓶、乳品加工和印刷业。几乎所有的消费品皆需依赖进口。

过境贸易和服务业占国内生产总值的80%以上。除扩建中的港口以及吉布提—亚的斯亚贝巴铁路以外，还有一现代化机场，可供大型喷气式飞机起降；若干内陆非洲国家便空运货物来此，再行输出。吉布提银行业地位日益重要，这主要是因为吉布提法郎相对稳定、容易兑换、没有外汇管制以及吉布提的国际电信服务在撒哈拉沙漠以南地区属首屈一指之列所致。

该地区经吉布提过境的主要出口商品有咖啡、盐、兽皮、干豆和谷类。进口商品包括食品、纺织品、矿物燃料、机械和运输设备，主要供国内消费。贸易逆差部分靠过境税和港务费来补偿，但吉布提依赖外援仍然严重；而因战略位置重要，这种外援极易得到。主要贸易伙伴有法国、也门、沙特阿拉伯、埃塞俄比亚和日本。

政体与社会状况　吉布提为一共和国，由国民议会选出的总统治理，总理主持内阁。法律体系兼以传统惯例、伊斯兰教义和法国民法为基础。根据1992年颁布的新宪法实行多党选举，但争取进步人民联盟在国家政治生活中占支配地位。

医疗服务由医院、诊所、综合诊所和医疗站提供。平均预期寿命仅为49岁。劳动力中有很多失业者，工资普遍偏低。教育实行免费但非义务制，包括初等、中等和中等技术教育。《吉布提民族报》为官方发行的周报。

历史　约公元前3世纪，阿布莱人从阿拉伯迁来，一般定居北部，部分定居南部。阿法尔人，即达纳基勒人，是这些移民的后裔。后来索马里的伊萨人把阿法尔人赶出南部，并定居在沿海地区。公元825年传教士将伊斯兰教传入该地区。阿拉伯人一直控制着该地区的贸易，直到16世纪葡萄牙人来此竞争。1862年法国获得奥博克；1888年建立法属索马里。1892年吉布提成为这个法国领地的正式首府。1897年一项与埃塞俄比亚签订的条约使领地面积稍有缩小。1903年，建立一条连接吉布提与埃塞俄比亚内地的铁路，通德雷达瓦；1917年通亚的斯亚贝巴。1924～1934年间，由于修公路和设行政机构，内陆地区做到完全开放。第二次世界大战后，吉布提港的贸易让位于埃塞俄比亚的阿萨布港(今属厄立特里亚)。1946年法属索马里兰取得海外领地地位(1967年更名为法属阿法尔和伊萨领地)，1958年索马里兰投票决定成为法兰西第五共和国所属法兰西共同体海外领地。1977年该领地独立，成为吉布提共和国。而新国家政府不得不应付阿法尔人和伊萨人之间关系紧张的局面以及来自埃塞俄比亚和索马里战区的难民问题。1998～2000年埃塞俄比亚和厄立特里亚的战争推进了吉布提与埃塞俄比亚的关系。现在埃塞俄比亚的大多数货物需经由吉布提运输。

Djibouti　吉布提　又拼Jibuti。吉布提共和国港口和首都，位于亚丁湾的塔朱拉湾南岸。政府官在孟尼利克广场。有著名骆驼市场。供水靠霍姆布利河地下水。吉布提港口约建于1888年，称法属索马里。1892年成为首府后，有铁路通往埃塞俄比亚的亚的斯亚贝巴。吉布提港已实现现代化，疏浚后水

吉布提市的兰波广场和大清真寺
美国不列颠百科全书公司供图

深达12～20米。1949年宣布为自由港，后成为全国经济中心，是埃塞俄比亚与红海之间贸易的转运港、加油地和供应站。苏伊士运河关闭期间(1967～1975)，吉布提贸易额有所下降。20世纪末埃塞俄比亚内战时期，吉布提—亚的斯亚贝巴铁路部分路段遭到游击队破坏，使吉布提的经济情况进一步恶化。20世纪70年代埃塞俄比亚-索马里冲突使大批难民涌入吉布提，经济更加困难。主要民族是阿法尔人(达纳基勒人)、伊萨索马里人、阿拉伯人、欧洲人(主要是法国人)和亚洲人。人口383 000(1995)。

Djidjelli(Algeria)　**吉杰利**　参阅**Jijel吉杰勒**。

Djilas, Milovan　吉拉斯(1911-06-12，黑山科拉欣附近波德比什切～1995-04-20，塞尔维亚贝尔格莱德)　Djilas又拼Dilas。多产的政治作家，前南斯拉夫共产党官员，因对共产主义感到幻灭而为人所记忆。他的许多著作已从塞尔维亚-克罗地亚文译成英文。1933年在贝尔格莱德大学获法学学位。同年因从事反对南斯拉夫的帝制活动被捕，判刑3年。1937年与南共总书记，后成为该党领袖的铁托相识。1938年任南共中央委员，1940年当选为政治局委员。第二次世界大战时期，他在抗击德军的游击战中起过重要作用。1945年战争结束后成为铁托政府的主要部长之一。1948年积极参加南共摆脱苏联，争取独立的斗争。1953年1月成为该国4位副总统之一，12月当选为联邦国民议会议长。因激烈批评共产党和号召加强政权的自由化，在一个月内被撤销一切政治职务。1954年4月自动退党。同时被判处18个月徒刑，缓期执行。1956年因在美国刊物上发表支持1956年匈牙利事件的文章而入狱。1957年所著《新阶级》一书根据私带出境的手稿在西方出版。该书宣称在东欧掌权的典型的共产党人与被他们所取代的地主资本家几乎没有什么区别。后来他在《不完美的社会》(1969)一书中放弃了这一理论。《新阶级》出版后又被逮捕，1961年获释。翌年因在西方发表批评苏联领导人的《同斯大林谈话》(1962)再度陷入囹圄。1966年12月获大赦后，定居贝尔格莱德。他的著作中最有名的是4部政治自传：《没有正义的土地》(1958)、《一个革命者的回

忆录》(1973)、《战时》(1977)和《浮与沉》(1985),这几部书记述了他到20世纪60年代中期的生活。其他著作有:《麻风病患者及其他故事》(1964),传记《铁托:内部消息》(1980)以及文集《论监狱和信念》(1986)。

Djokjakarta (Indonesia) 参阅 **Yogyakarta** 日惹。

Djoser 左塞(活动时期公元前27世纪) 又拼 Zoser。埃及第三王朝(约公元前 2650 ~约前 2575)第 2 代国王,建造了埃及最早、最重要的石头建筑物。他的统治(约 19 年)以重大的技术创新为标志。他以把埃及带入第一次伟大的文化繁荣昌盛而闻名。他继其兄为王。

在他的大臣、天才的建筑师伊姆霍特普帮助下,他在王都孟斐斯(今开罗西南)郊外的萨卡拉修建了一座陵墓。陵墓全部用石块砌成,这是走出传统砖石结构的一大革新。然而,最大成果是使陵墓外形由平顶长方形结构完全改变成6级金字塔形结构。周围环以许多白色石砌庙宇供王室礼仪之用。这些建筑物的建筑风格精细地再现了当时埃及有实用价值的建筑物所使用的木材、芦苇以及砖块的形式。显然,这是在砌石建筑中广泛采用这种风格的初次尝试。庙群环以有多座大门的城墙,许多学者认为这是仿效孟斐斯城墙的。为了应付第二王朝的内乱,左塞是第一个独自居住在孟斐斯的国王,并使之成为古王国埃及的政治和文化中心。

Długosz, Jan 德武戈什(1415,波兰布热伊尼察~ 1480-05-19,克拉科夫) 拉丁文作 Johannes Longinus。波兰外交官、历史学家,所写《波兰史》卷帙浩繁,为此类史书中的第一部。他以此书激发波兰人的自豪感。他对本国历史作了极具倾向性的描述,从而有助于改变有教养的欧洲人对波兰的态度。1428 ~ 1431 年在克拉科夫大学求学。曾为克拉科夫主教 Z.奥莱希尼茨基服务,后任档案馆长。所著《克拉科夫主教管区牧师薪俸簿记》是经济史的原始资料。1455 年开始撰写《波兰史》(12卷),1480 年完成,该书具有浓厚的爱国主义色彩。

DME(navigation) 参阅 **distance-measuring equipment** 测距设备。

Dmitry, FALSE 伪季米特里 又作 Pseudo-Demetrius。混乱时期(1598 ~ 1613)三个自称是伊凡雷帝之子季米特里·伊凡诺维奇,以争夺莫斯科王位的人。实际上真季米特里已在 1591 年神秘地死去。在留里克王朝的最后一代沙皇费多尔(1584 ~ 1598 在位)死后,由鲍里斯·戈东诺夫继承大统。这时出现第一个伪季米特里,他与戈东诺夫争权。许多历史学家认为此人是贵族格里戈里·波格丹诺维奇·奥特列皮耶夫,他经常出入宫廷,1601 ~1602 年住在莫斯科时自称季米特里公爵。后去立陶宛,在立陶宛和波兰一些贵族以及耶稣会士的支持下,纠集一支哥萨克和冒险分子的队伍,1604 年秋进犯俄国。1605 年 4 月沙皇鲍里斯突然死亡,支持他的莫斯科波雅尔谋害了鲍里斯襁褓中的继承人,他在 6 月进入莫斯科,成为沙皇,以波兰贵族女子玛林娜·姆尼谢克为皇后。翌年 5 月波雅尔瓦西里·舒伊斯基发动政变,将他杀死,自任沙皇。但民间谣传,他在政变中并没有死。1607 年8 月果然又有一个季米特里在斯塔罗杜布出现,自称是不久前被废黜的那个沙皇。尽管他在外形上与第一个季米特里毫无相似之处,但是有大批哥萨克人、波兰人、立陶宛人和反对舒伊斯基的人们聚集在他的周围。他向莫斯科进军,1608 年春在土施诺村成立总部,包括整个宫廷和行政机构,并派其所部劫掠北俄罗斯。玛林娜·姆尼谢克还正式承认他是她的丈夫。1610 年舒伊斯基在瑞典军队的支援下把他赶出俄国北方,迫使他逃往卡卢加。不过他继续争夺莫斯科的王位,直到1610 年 12 月被亲信打死为止。1611 年 3 月28 日,第三个伪季米特里出现在伊万哥罗德。他得到哥萨克人的效忠。他劫掠莫斯科郊区及普斯科夫居民,从而获得“普斯科夫窃贼”的绰号。1612 年 5 月被人出卖,后在莫斯科处死。

Dmitry(Ⅱ) Donskoy 季米特里(Ⅱ)·顿斯科伊(1350-10-12,莫斯科[俄罗斯]~1389-05-19,莫斯科) 莫斯科公爵(1359 ~ 1389)和弗拉基米尔大公(1362 ~ 1389)。曾在库利科沃战役中打败金帐汗国。温和的伊凡二世(1353 ~ 1359 在位)之子。9 岁即莫斯科公爵位。3 年后,请其宗主金帐汗将弗拉基米尔大公称号从苏兹达尔的季米特里手中转赐给他。他极力扩大莫斯科大公国的领土,以增强自己的地位。当蒙古人困于内争时,他停止纳贡并鼓励俄罗斯公爵们起而抗御蒙古人的劫掠。1378 年在沃扎河畔打败一支蒙古军队。1380 年 9 月在顿河上游的库利科沃战列战役中,他消灭了蒙古大将玛迈的队伍,故得名顿斯科伊。1382 年蒙古首领脱脱迷失洗劫莫斯科,又恢复了蒙古对俄罗斯各公国的统治。

Dmowski, Roman 德莫夫斯基(1864-08-09,俄罗斯帝国波兰华沙附近卡米翁内克~1939-01-02,波兰德罗日多沃) 波兰政治家,波兰民族解放运动领袖,为达到这一目

美国不列颠百科全书公司供图

的而坚决支持同俄国合作。他在华沙求学时即投入波兰解放运动。1895 年在利沃夫参加创办《波兰评论》。1897 年起为民族民主党领袖。他反对发动革命谋求波兰的独立,而主张波兰在沙俄帝国内实行自治。在俄国的杜马中,他是倡导波兰与俄国合作的主要发言人。1917 年 8 月他在瑞士洛桑成立民族委员会,协约国承认该会为波兰的正式代表机构。第一次世界大战后,他代表新的波兰政府出席巴黎和会,1919 年 6 月签署《凡尔赛和约》。1923 年一度任外交部长,此后退出政界。主要著作有《德国、俄国和波兰的问题》(1908)。

DMT 二甲基色胺 DMT 为 dimethyltryptamine 的缩写。一种自然生成的强力致幻剂,化学结构似麦角酰二乙胺(LSD)。能阻断脑组织血清素(一种神经递质)的功能。口服失效,注射、鼻吸或口吸则有致幻之效。致幻作用约于注射后 5 分钟开始,可持续一小时左右。在精神分裂患者的体液内曾发现自然生成的 DMT,也可以化学法合成。DMT 存留于柯合巴(一种致幻鼻烟)中,是由 *Piptadenia peregrina* 的种子制取,在西班牙人早期探险时期,南美特立尼达岛和奥里诺科平原的印第安人吸用过此鼻烟。

Dmytryk, Edward 德米特里克(1908-09-04,加拿大不列颠哥伦比亚大福克斯~ 1999-07-01,美国加利福尼亚恩西诺) 美国电影导演,“好莱坞十人”之一。“好莱坞十人”是一群电影界人士,因怀疑他们与共产党勾结而被列入黑名单。他的著名影片包括《交叉火网》(1947)、《凯恩号兵变》(1954)、《百战王狮》(1958)和黑色电影经典作《孽缘》(1945)。德米特里克出生于乌克兰移民家庭,14 岁时离家,当过通信员、办公室勤杂人员,后当上了名演员电影公司的电影放映员。上了一年大学。30 年代,成为派拉蒙电影公司的影片编辑,并参加制片的其他工作。其第一部影片《鹰》是他于 1935 年独立摄制的。1939 年成为美国公民。1939 ~ 1940 年,为派拉蒙拍摄了几部低成本影片,但以《孽缘》一片开始成名。他的影片《交叉火网》获得 5 项奥斯卡奖提名。但恰于此时他受到众议院非美活动调查委员会的传讯,被指控为了美国共产党的利益勾结他人阴谋接管电影导演公会。因对指控拒绝回答,被认为蔑视国会,并列入黑名单。1948 年,赴英国工作,在英国拍了两部影片后,被命令返回美国重新办理护照。他以蔑视国会罪被判刑六个月,他遂决定与非美活动调查委员会合作。此后,他拍摄了《狙击手》(1952)、《凯恩号兵变》、《百战王狮》和许多次要影片。他在得克萨斯大学和南加利福尼亚大学(洛杉矶)执教。其自传《这是生活的地狱,但活得并不错》于 1978 年出版。

DNA 脱氧核糖核酸 DNA 为 deoxyribonucleic acid 的缩写。一种结构复杂的高分子有机化合物,见于所有的原核细胞、真核细胞和多种病毒中。DNA 分子编码遗传信息,决定着遗传性状的传递。DNA 是 1869 年发现的,但直到 1943 年人们才对它的遗传功能有所认识。1953 年 J.沃森和 F.克里克发现:DNA分子是一种具有双链、双螺旋结构的高分子聚合物;每条链都是由一系列核苷酸(核苷与磷酸缩合形成的磷酸酯之统称)单体连接而

成;而核苷则是由一种戊糖和一种含氮碱基构成。DNA分子的参建戊糖是脱氧核糖;参建碱基有四种:腺嘌呤(A)、鸟嘌呤(G)、胞嘧啶(C)、胸腺嘧啶(T)。链中核苷酸之间借前一个核苷酸分子中的磷酸和下一个核苷酸的戊糖之间形成的共价键(磷酸二酯键)相连接。因此,从总的结构来看,DNA单链的中心骨架是一连续的磷酸-戊糖结构,而每个核苷酸分子中的含氮碱基则凸出"骨架"之外。两条核苷酸链则通过含氮碱基之间的氢键相连;不过,碱基之间不能随机配对,A只能配T,C只能配G,这种现象称为"碱基互补"。DNA的分子结构高度稳定,故可以作为模板,完成子代DNA分子的复制,还能指导RNA(核糖核酸)的分子合成(转录)。所谓基因,实际上就是DNA分子的某个片段,某基因可编码某种特定的蛋白质。

DNA分子复制时,首先要解链,分为两条单链。两条单链均可作为模板,按照碱基互补的规律,各自合成一条互补的子代单链,并通过氢键将这一新一旧两条单链结合成一个新的DNA分子。故一个DNA分子可复制成两个子代DNA分子。因为子代DNA分子中有一条链是亲代模板,另一条链才是新合成的,故称之为"半保留复制",此机制是各种遗传性状得以稳定传递的基础。

DNA是以染色体(蛋白质-DNA复合体)的形式存在于细胞中。真核细胞的染色体位于细胞核中,但游离DNA亦可见于线粒体和叶绿体。原核细胞没有明确的细胞核,故其DNA以单个类圆形染色体的形式存在于细胞浆中。有些原核细胞(如细菌)和少数真核细胞中有一种名为"质粒"的染色体外DNA结构,这是一种能独立自我复制的遗传物质。质粒现被广泛地用于基因重组技术以进行基因表达的研究。病毒的遗传物质可以是DNA,也可以是RNA。反转录病毒的遗传物质就是单链RNA,并产有相应的反转录酶。在反转录酶的作用下,单链RNA可以作为模板指导合成双链DNA分子。

Dnieper River 第聂伯河 欧洲河流,仅次于伏尔加河、多瑙河及乌拉尔河而成为第四长河(长2 200千米)。第聂伯河源自俄罗斯西部莫斯科以西斯摩棱斯克州的瓦尔代高地的南坡。它向南、向西流经白俄罗斯及乌克兰,然后注入黑海的第聂伯湾。第聂伯河大致可分为3段:基辅以上为多沼泽的上第聂伯河(长1 300千米),占第聂伯河流域年流量的4/5;中第聂伯河(长550千米)为森林草原带;下第聂伯河(长320千米)为半干旱的黑海低地。第聂伯河的流域面积505 000平方千米,主要支流有杰斯纳、索日、别列津纳、沃尔斯克拉、捷捷列夫及普里皮亚季等河。第聂伯河流域属大陆性气候。年降水量由北向南递减,北方为760～810毫米,而南方则为约460毫米。第聂伯河流域有300多个水电厂向顿巴斯及克里沃罗格工业区供水,并灌溉乌克兰南部及克里米亚干旱区。有几座大型水坝利用并控制第聂伯河的流水。主要的大型水电站有克烈缅丘格、卡霍夫卡、第聂伯列宁及第聂伯等水电站。第聂伯河的年平均流量为54立方千米,但年年有相当大的差异。第聂伯河水含矿物质很少,每年泄入黑海的泥沙平均为860万吨。河中鱼类达60种以上,包括狗鱼、鲤鱼、斜齿鳊、金鱼、白鱼、鲇鱼、河鲈和鲱鱼。水坝和水库的建设加深了河道,在每年10个月的河水不冻期间,约有1 677千米的河道可以通航。主要的货物有煤、矿石、建筑材料及其他大宗货物。第聂伯河的主要港口有多罗戈布日、斯摩棱斯克、奥尔沙、基辅及赫尔松。

Dniester River 德聂斯特河 罗马尼亚语称尼斯特鲁河。位于乌克兰西南部及摩尔多瓦境内的一条河流。源出喀尔巴阡山脉北坡,向南向西流至敖德萨附近,注入黑海。全长1 352千米。德聂斯特河既是乌克兰的第二长河,也是摩尔多瓦的主要河流。德聂斯特河及其支流流域呈狭长形,面积达72 000平方千米,但宽度从未有一处超过100～110千米。流域北面以沃伦-波多尔斯克台地为界,河的上游南面是喀尔巴阡山脉。再往南则为丘陵平原和摩尔多瓦高原。流域最南端为黑海低地。德聂斯特河口湾的形成是由于流域下游受海水侵袭,出现一块浅的盆地,有一片狭长的土地将它与海分开。德聂斯特河的支流很多,但河长在95千米以上者只有15条。支流中有:斯特雷河、斯维查河、洛姆尼察河、贝斯特里察河、佐洛塔亚河、利帕河、斯特雷帕河、谢列特河、斯莫特里奇河、乌希察河、木拉法河、列乌特河、贝克河和博特纳河。流域气候潮湿,夏季炎热。喀尔巴阡山地区年降水量1 000～1 250毫米,黑海附近年降水量仅510毫米。流域的大部分土地均已种植。德聂斯特河经常泛滥,给居民区带来很大损害。由于流域上游地带的雪融化及降雨,中游水位在一年中随季节不同而有所变化(在7.5～10.5米之间)。河水平均流量为300立方米/秒,涨水期可达7 100立方米/秒以上。通常于12月底或1月初开始结冰,冰期约两月。不过,有的年份没有封冰期。尽管德聂斯特河流域人口甚密,沿河本身并无大的城镇。利维夫、捷尔诺波尔、斯坦尼斯拉夫、基希讷乌及其他城市均位于主要流域之上的若干支流。从罗兹瓦多夫到德聂斯特河河口,约1 200千米可通航。从索罗基到杜博萨雷和从杜博萨雷到入海处有定期客货轮往来。由于水浅并多沙洲,下游航行困难。此河广泛用于浮运木材。这些木材在喀尔巴阡各支流的河口集中起来,扎成木排,顺流而下。渔业仅限于海岸附近比较有重要价值。流域的下游及杜博萨雷水库有鱼养殖场,其品种有鲟、白鱼、狗鱼、河鲈及鲤鱼。

Dniprodzerzhinsk 第聂伯罗捷尔任斯克 1936年前称卡缅斯科耶。乌克兰南部第聂伯罗彼得罗夫斯克州城市。临第聂伯河。1750年前后建为哥萨克居民点,1889年后随冶金工业的兴起而发展起来。现有大型现代化钢铁工厂,生产优质钢材。还有机车修配、水泥、焦化和硝酸盐肥料厂。1964年落成第聂伯河水坝和水电站。大工厂多在市中心区。南和西南有新兴工业和住宅区。设有冶金学院和数所技术学校。人口287 000(1993)。

Dnipropetrovsk 第聂伯罗彼得罗夫斯克 乌克兰南部一州。1932年建立。跨第聂伯河两岸。面积3.19万平方千米。地形为起伏平原。沃土上草原植被因开垦而消失殆尽,仅第聂伯和萨马拉冲积平原有丛林。大陆性气候,夏季炎热,冬季寒冷。矿藏丰富,包括铁矿、锰矿(估计藏量居世界第一)、钛矿、天然气和煤矿,为本州第聂伯罗彼得罗夫斯克市(州首府)、克里沃罗格、第聂伯罗捷尔任斯克和尼科波尔四大城市的大规模重工业(钢铁、机械制造)提供了基础。农产品有冬小麦、玉米、春大麦、向日葵、饲料作物和瓜等。人口3 918 600(1991)。

Dnipropetrovsk 第聂伯罗彼得罗夫斯克 1926年前称叶卡捷琳诺斯拉夫。乌克兰中南部、第聂伯罗彼得罗夫斯克州首府。临第聂伯河与萨马拉河交汇处。1783年建立。19世纪80年代随铁路的修建而开始工业化。俄国十月革命(1917)后发展成为乌克兰最大工业城市之一,形成大规模钢铁工业,生产铸件、板材、箔材、钢轨、管材和线材。机械制造业生产电力机车、农业机械、采矿和冶金设备等重型机器。也生产轻型机械和无线电装备。其他工业产品有轮胎、塑料、油漆、靴鞋、服装和食品等。设有一所大学和各种专业技术学院。文化设施有剧院、音乐厅。新郊区向北岸扩展。70年代郊区伊格列恩和第聂伯河沿岸并入。人口1 189 300(1991)。

DNVP 参阅 **German National People's Party 德国国家人民党。**

Dobell, Sydney Thompson 多贝尔(1824-04-05,英格兰肯特克兰布鲁克～1874-08-22,格洛斯特郡内尔斯沃恩) 笔名西德尼·延迪斯。英国痉挛派诗人。他的诗的特点是无固定格式、意象杂乱、感情夸张。为纪念1848年革命而写的长诗《罗马人》(1850)博得好评。另一部长诗《巴尔德》未获得好评。1876年出版文集《对于艺术、哲学和宗教的看法》,表述了该派的审美观点。此外还写过一些抒情诗,并与A.史密斯合写有一部关于克里米亚战争的十四行组诗。

Döbereiner, Johann Wolfgang 德贝赖纳(1780-12-13,萨勒河畔霍夫[德国]～1849-03-24,耶拿) 德国化学家,他对某些元素间相似性的观察促进了元素周期系的发现。他出身于马车夫家庭,几乎没有受正规学校教育的机会,但是,他跟一位药剂师当学徒,广泛读书,听科学讲演。最后终于进入耶拿大学学习,1810年成为该校的助理教授,后来成为理科督学。他与J.W.冯·歌德终身为友。在19世纪20年代,他关于氢接触铂粉发生燃烧的实验,使瑞典化学家J.J.贝采利乌斯发展了催化作用的概念。到20年代末,德贝赖纳发现了液体溴的性质介乎氯气和固体碘之间。他联想到钙、锶、钡和硫、硒、碲两组元素在性质上的逐步变化也是类似的。他指出,上述三元素组中,最小和最大原子量的平均值与中间元素的原子量相近。但是,他未能用足够数量的三元素组来证明他的假说,因此,他的发现当时仅被认为是趣闻。德贝赖纳还发现了有机化合物糠醛,以及发明了钙和镁的分离方法。

Doberman pinscher 多伯曼氏短尾狗 19世纪最初10年末德国阿波尔达地方待领狗驯养场守夜人路易斯·多伯曼培育成的役用狗品种。线条优美,敏捷,有力。体高

多伯曼氏短尾狗
美国不列颠百科全书公司供图

61～71厘米,体重27～34千克。被毛短,黑、棕或蓝灰色,喉、胸、尾根和脚带棕褐色斑点。用作警犬、军犬、看门犬及盲人领路犬。

Döblin, Alfred 德布林(1878-08-10,德国斯德丁～1957-06-28,西德布赖斯高地区弗赖堡附近埃门丁格) 德国小说家和短论作家,德国表现主义运动最有才华的叙事体作家。曾先后在柏林大学和弗赖堡大学攻读医学,后以行医为业,在柏林亚历山大广场工人区内从事精神病治疗工作。因其犹太人出身和社会主义观点而被迫于1933年纳粹上台后流亡到法国,并于1940年逃往美国。1941年改奉天主教。1945年战争结束时回到德国,但于1951年定居巴黎。

虽然他的技巧和风格经常变化,但是他经常关心的两件事不变,即致力于暴露正在走向毁灭的文明的空虚性,以及类似宗教所宣扬那样迫切希望为受苦受难的人类提供一种拯救的办法。《王伦三跃》(1915)是他第一部成功的、以中国为背景的长篇小说,描写一场叛乱,但最终为国家的专制暴力所粉碎。《华伦斯坦》(1920)是一部历史小说;《山、海与巨人》(1924)则是一部无情的、反乌托邦空想的讽刺小说。他最著名和最具有表现主义色彩的长篇小说《柏林,亚历山大广场》(1929)讲述一个柏林无产者弗兰茨·比贝科普夫的故事。此人在出狱后力图重新在社会中立足,却历尽坎坷,其中有许多残暴和污秽的遭遇,最后才过上正常的生活。小说中,内心独白同话语蒙太奇和拼贴技巧结合起来,创造出一种节奏,把人在一个正在解体的世界中力图自救的挣扎有力地戏剧化地表现了出来。

德布林后来的作品继续集中描写为敌对的社会势力所摧垮的个人,其中有《巴比伦漫游记》(1934),此书有时被认为是德国超现实主义的晚期杰作;《不予赦免》(1935);还有两部不成功的历史小说,均为三部曲。他还写过政治和文学短论;《波兰游记》(1925)有趣地记述了他在波兰的游历;在《命运之旅》(1949)中,描述他在1940年逃离法国的经历以及在战后德国的观察所得。

Dobrich 多布里奇 又拼Dobrič。又称托尔布欣(1949～1991)。保加利亚东北部一城镇,位于瓦尔纳市与罗马尼亚康斯坦察市之间的公路和铁路线上。长期以来为商埠。从15世纪到1878年受土耳其统治,在此期间此市镇称做巴扎尔德日克。解放以后称多布里奇。1913～1940年期间,当它是罗马尼亚的一部分时,称做巴扎尔吉克。1949～1991年,市镇重新以苏联元帅托尔布欣之名命名。这位元帅曾于1944年从德国人手中夺回此市镇。该市的工业大部分与农业有关,包括青贮饲料、磨面、烤面包及榨植物油。其他工业还包括纺织、家具及农机零件等。人口约115 786(1991)。

Dobrolyubov, Nikolay Aleksandrovich 杜勃罗留波夫(1836-02-05,俄罗斯下诺夫哥罗德～1861-11-29,圣彼得堡) 俄国激进的功利主义批评家。他驳斥了传统的和浪漫主义的文学。出身神父家庭,曾在教会学校和师范学校受教育。1856年开始向有影响的自由主义期刊《现代人》投稿。从1857年到去世,一直是该杂志的主要批评家。他可能是继别林斯基之后在激进的知识分子中最有影响的批评家;他最关切的是对生活的批评而不是对文学的批评。最著名的论文是《什么是奥勃洛莫夫性格?》(1859～1860)。该文论述了冈察洛夫小说中的主人公奥勃洛莫夫所代表的现象,遂使奥勃洛莫夫一词变成俄国生活和文学中"多余的人"的别称。

Dobrovský, Josef 多布罗夫斯基(1753-08-17,匈牙利佳尔玛特～1829-01-06,奥地利帝国摩拉维亚布尔诺[今在捷克共和国]) 捷克语学者、考古学家、斯拉夫语比较语言学主要奠基人。曾受天主教教育,准备充任教士,1773年耶稣会解散后,献身于学术,研究古斯拉夫手稿孜孜不倦。他到处旅行,1792年的俄罗斯和瑞典之行,旨在搜寻三十年战争期间被转移走的著作,最值得注意。为校订《圣经》而研究古教会斯拉夫语,后来研究斯拉夫语族诸语言,进而遍及斯拉夫文学、语言、历史和考古所有领域。他最重要的3本著作中的第1本是《波希米亚语言文学史》(1792),其中包括对许多种因新教内容而长期遭禁的早期著作的研究。《波希米亚语之体系》(1809)为捷克语语法著作,对捷克语进行系统整理并对文学语言之用法定出规则,这些都是前此150年间人们所忽视的。另有古教会斯拉夫语语法(1822),曾奠定比较斯拉夫语研究的基础。

Dobruja 多布罗加 东欧历史地区,在多瑙河下游(西)和黑海(东)之间。政治上分属保加利亚(南)和罗马尼亚(北)。希腊人、罗马人和拜占廷人都曾在该地区殖民,后屡遭哥特人、阿兰人和匈奴人蹂躏。该地区也是18～19世纪俄土战争的战场之一。

Dobrynin, Anatoly Fyodorovich 多勃雷宁(1919-11-16,俄罗斯苏维埃联邦社会主义共和国红戈尔卡～2010-04-06,莫斯科) 苏联外交家,驻美大使(1962～1986)兼驻华盛顿(哥伦比亚特区)外交使团团长(1979～1986)。工人之子。1942年毕业于莫斯科塞尔戈·奥尔忠尼启则航空学院,任飞机制造厂工程师。1944～1946年在苏联外交部高等外交学校学习,1945年加入共产党。之后在莫斯科外交部工作。1952年派往华盛顿(哥伦比亚特区),1952～1954年任参赞,1954～1955年任二等公使衔参赞。1955～1957年调回莫斯科,曾数次出国参加国际会议。1957～1960年,在纽约市联合国秘书处任职。1962年3月出任苏联驻美大使,由于能讲流利的英语和法语,加上性情愉快开朗、机智敏锐,成为华盛顿社交界引人注目的人物。1966年成为苏共中央委员会候补委员,1971年成为中央委员。1986年应召回莫斯科,任苏共中央书记处书记,1988年底退休。

Dobšiná 多布希纳 斯洛伐克东斯洛伐克州的矿区乡。位于斯洛伐克奥雷山区,滨斯拉纳河,在科希策西北。原为1326年德意志矿工移民组建的居民村,现一直保存伐木和采掘铁矿的传统。西北数英里有多布希纳冰穴。人口约4 285(1982)。

Dobson, Austin 多布森(1840-01-18,英格兰德文郡普利茅斯～1921-09-02,伦敦) 英国诗人,批评家和传记作者。诗集有《短诗》(1873)、《不朽的谚语》(1877)和《抒情诗集》(1885)等,其诗句以圆熟、隽永、含蓄见称,对法国诗的某些格式运用自如,如三节联韵诗、八行两韵诗和回旋诗等。1885年后,主要写传记和评论文章,《18世纪小品》(1892～1896)和《博爱的骑士》(1899、1901)是他的散文代表作。

Dobson, Frank 多布森(1888-11-18,英国伦敦～1963-07-22,伦敦) 英国雕刻家,对英国现代艺术的发展与提高具有一定影响。曾在伦敦市立艺术学校学习并与花岗石雕刻匠一起工作。早期作品受立体主义影响。随后由早期的抽象形式转向人体雕刻,其手法受A.马约尔的古典理想风格影响。喜用象征或寓意题材,并通过裸体女像来表现。所用材料甚为广泛。晚年所作,形式再次趋于抽象。

Dobson, William 多布森(1610,英格兰伦敦～1646-10-28,伦敦) 英国肖像画家。是英国培养出来的最杰出的画家之一。早年临摹提香和凡·戴克的作品,兼作写生。后继凡·戴克为查理一世工作,一生为查理一世及其朝臣、王室子嗣作画。

dobsonfly 鱼蛉 广翅目鱼蛉科(Corydalidae)昆虫,分布南北美洲、亚洲、大洋洲和非洲,有四个网脉翅。具角鱼蛉(*Corydalus cornutus*)为大型昆虫,翅展约13厘米。雄虫上颚较雌虫上颚大,可超过2.5厘米,此为昆虫性二形现象的特征。雌虫在河边产微白色的卵块,卵数约达3 000粒。幼虫孵出后爬到水中,二三年成熟。成长中的幼虫淡黑色,有时长达8厘米,生活在急流的石下。有发达的

具角鱼蛉（*Corydalus cornutus*）
美国不列颠百科全书公司供图

咀嚼口器，取食其他水生昆虫和小型无脊椎动物。也会咬人，致剧痛。成熟幼虫从其淡水栖息地迁到水边湿土、苔藓或腐败植物中作室化蛹，再羽化为成虫。幼虫有时作为鱼饵。广翅目的幼虫也是重要的环境指示物，因为这些幼虫不能耐受水的污染。

Dobuni 多布尼人 古代不列颠部落，聚居在塞文河和阿文河的汇合处。当时由比利其人贵族统治，曾与罗马皇帝克劳狄乌斯（公元41～54在位）媾和。后来以科里尼厄姆（赛伦塞斯特）为首府。该地很快就成为不列颠第二大城市。多布尼人经济以牛肉和羊毛为主。该地区的大量别墅遗址可证明当时的繁荣。

Doby, Larry 多比（1923-12-13，美国南卡罗来纳卡姆登～2003-06-18，新泽西蒙特克莱）原名 Lawrence Eugene Doby。美国棒球运动员。擅长棒球、篮球和橄榄球，获体育奖学金得以进入纽约长岛大学。入伍海军前，1942～1943年在黑人全国联合会的纽瓦克鹰队打球。1946年退役，回到鹰队。1947赛季后B.维克让他进入克利夫兰印第安人队。多比8岁丧父，视维克如第二个父亲。如队友拒绝和多比握手，维克就把队友开除。多比常被拒绝进入种族隔离的旅馆和饭店，受到过多次死亡威胁，还得忍受其他运动员和球迷的敌视。1948年成为印第安人队的中场明星，击球率0.301，他的本垒打使该队赢得世界职业棒球锦标赛。1950年击球率0.326，上垒率全联合会最高；两次打出32个本垒打，126次击球使上垒队员得分。13年间有7次入选全明星队。1962年退役，到日本中日龙队打了一个赛季。后到各队当教练，1978年任白袜队经理。1998年入选棒球名人堂。

doby mouth（animal disease） 参阅 **sore mouth** 羊口疮病。

Dobzhansky, Theodosius 多布赞斯基（1900-01-25，俄罗斯帝国乌克兰涅米罗夫［今在乌克兰］～1975-12-18，美国加利福尼亚戴维斯）原名 Feodosy Grigorevich Dobrzhansky。乌克兰出生的美国遗传学家，进化论者，其工作对20世纪的遗传学和进化论的思想和研究影响极大。

其父为数学教师。他于1917～1921年在基辅大学学习，后留校任教。1924年移居列宁格勒（今圣彼得堡）。

1927年得洛克菲勒基金会之助赴美国纽约市哥伦比亚大学与遗传学家T.H.摩尔根一同工作。他陪同摩尔根到帕萨迪纳的加利福尼亚理工学院，在此得到一个教职，决定留在美国，1937年入美国籍。1940年回哥伦比亚大学任动物学教授直至1962年，然后到洛克菲勒学院（后为洛克菲勒大学）工作。1971年正式退休后，迁居戴维斯的加利福尼亚大学。

美国不列颠百科全书公司供图

1920～1935年间数学家和实验主义者开始将达尔文进化论与孟德尔遗传学结合起来，建立一个新理论。多布赞斯基差不多在此时期开始自己的研究生涯，也几乎在新理论刚刚开始孕育时就加入这方面的工作。其著作《遗传学与物种起源》（1937）是这方面第一部有分量的综合性著作，该书将进化遗传学建立成一个独立的学科。直至20世纪30年代，公认的观点就是：自然选择保留下来的差不多是最能适应环境的变异；在一个生物体的寿限期间变异的出现可能是罕见、缓慢、不明显的，这与在历史时期内观察到的物种持续不变相一致。

多布赞斯基最大的贡献就是改变了这样的观点。他观察伪暗腹果蝇（*Drosophila pseudoobscura*）的野生种群，发现遗传变异广泛存在。此外，1940年左右，越来越多的证据表明，在一个已知的地方种群内某些基因的出现频率会随季节的变化而规律地变化。例如，春季在种群内的所有个体中有40%会出现某个基因，但到夏末，该基因的出现率达到60%，而同一个位置上的其他基因，其出现频率就下降；越冬后的果蝇个体内该基因的出现频率又恢复到40%。不同气候条件之下的不同类型间生殖适合度是有差异的，因为果蝇每一世代的持续时间是一个月，与此相比，上述变化的速度是很快的，并可大大增加不同类型间的生殖适合度。此外，许多这类变化的过程可在实验室种群内观察到，这些种群可以饲养在小笼中，经常给予新鲜的食物，种群就能维持多年。其他实验也证明：事实上，具有混合遗传成分的果蝇个体（杂合子），在生存能力和生育能力方面均优于纯合子。

已经知道，此类杂合子的优越性可以保证两套基因在种群中均可得到保存。多布赞斯基指出：起先新出现的基因是极罕见的，个体也极不可能从双亲接受这种基因。因此，开始时唯一能“领先”并在种群中分布得更广泛的基因就是所谓“混合得好”的基因，这些基因与随机地来自种群的基因结合后能产生优越的基因型。

如果环境条件改变，多布赞斯基提出的这种类型的基因系统也会与之相应地迅速改变。每一代都会出现数不清的基因型，其中有许多适应于改变了的条件，并留下更多的后代；于是，在新的一代中这样的基因就会更常见。反之，按照旧的说法，种群内的遗传成分相当一致，大部分基因变异体难得出现，结果适应于新条件的变异体需要更多的时间才能形成并成为常见的类型。同时，该物种的地方种群就可能面临数量极度减少甚至绝灭的危险。

多布赞斯基其他重要的工作是研究物种形成：物种不仅仅随时间的推移而改变其特性，而且分裂成两个乃至多个物种。他不仅研究过人类遗传学和古人类学，其著作中还描述过“人类的世系”。1962年发表《人类的进化》一书，对人类学家和其他关注人类进化的学者产生很大的影响，就如他的《遗传与物种起源》一书对主要关注非人动物进化的学者产生极大的影响一样。最后，他对人类进化将来可能采取什么方向很感兴趣，加之他爱好自然哲学，这些促使他对人类的天性以及生活和死亡的目的等进行思考。思考的结果反映在其著作《人类自由的生物学基础》（1956）、《终极事务的生物学》（1967）等书中。1970年的《进化过程的遗传学》一书反映了33年来在进化过程研究方面取得的科学进展，这些成就大部分是他本人或在他影响下取得的。

虽然他是一位擅长实验室工作的生物学家和作家，他也一直坚持现场研究。他以收集大量标本而自豪，这些标本采自阿拉斯加到火地岛，采自除南极以外的每个大陆。他是善于启发的教师和讲演家，多年来一直接待来自其他国家的科学家，他们来到他的实验室学习一段时间以掌握他的研究方法。

自1918年以来，他发表了400多篇研究论文，为现代进化论提供了许多重要的确凿证据。他的杰出之处更表现于他极善于将文献中大量实验的和理论的资料加以综合，形成一种概括性的全面的认识。

Doccia porcelain 多西亚瓷器 由马奇斯·卡洛·吉诺里在1735年创建于佛罗伦萨附近的瓷厂所生产的瓷器。直至1896年，这一企业都沿用多西亚这一名称，1896年后改名为理查德-吉诺里。在实验阶段，吉诺里进口了若干中国的瓷器样品。到1740年，多西亚瓷厂垄断着托斯卡纳的瓷器制造；1746年开始公开销售。该厂产品属于灰色硬质瓷，用当地黏土制成，釉层亮度较差。但后来采用的却是较细的白黏土。早期制品是用镂空模板进行装饰的，这是一种罕见的技术。采用这一技术使得彩绘颜色范围大大展宽了。就一般而论，多西亚瓷器延续了迈森瓷器的晚期巴罗克风格，但比它晚了约30年。这种多西亚瓷器以3种装饰性主题与其他瓷器相区别：①起源于中国的斗鸡纹，是由两只相斗的公鸡组成；②郁金香纹，中心为一朵风格化的红郁金香，周围饰以花卉；③各种神话题材的多色装饰或白色人像浮雕装饰，常被错误地称为卡波迪蒙特瓷器。多西亚塑像（有一些是很大的）有迈森式小塑像和东方式塑像，农民和乡村组像，以及巴罗克雕塑风格的单个或成组的人物塑像等。事实上，在19世纪意大利只有多西亚瓷厂是昌盛的,该瓷厂扩大了生产范围,开始制造工业用瓷。在近代,由于传统纹样的再度采用而使现代制品增色不少。早期的多西亚瓷器罕有带标记者,因而往往被归为其他厂家的产品。

Doce River 多西河 在巴西东部。由卡尔穆河与皮兰加河汇合而成。东北流至瓦拉达里斯州长市,折向东南流过科拉蒂纳,向东穿过沿海平原,在雷任西亚附近注入大西洋。全长约580千米。下游的沼泽地和潟湖需要建巨大的排水工程。上游在商业上有重要性,因为与河流平行建有铁路,米纳斯吉拉斯州的丰富矿产经此外运。

Docetism 幻影说 基督教异端、最早的旁支教义之一,谓基督在世时并无真实或自然形体,仅有表象或幻影形体。这种教义的初期形式在《新约》中的约翰书信(《约翰一书》4:1～3;《约翰二书》7)中曾间接提到,但只是在成为2世纪诺斯替教的重要教理时才表现为完整体系。

dock 船坞 检查修理船只用的水池类构筑物。有完全无水的供建造和修理船只用的*干船坞*(**dry dock**);也有通水域的湿船坞,供船只在正常航行过程中停泊和转运客货。后者现在已由专门为泊船、装卸货物设计的结构,诸如顺岸码头、水上码头、突堤码头和浮码头等所替代。船坞一词迄今仍是这类工程构筑物的广义名词。顺岸码头只是沿岸的挡土墙,顶部为一平台,用于保护海岸,也用作堆货和容纳旅客的场所。通常墙后要填土,使平台高出年平均最高水位。墙前有时要疏浚,以保证必要的深度。现在筑墙的建筑材料已经用现浇或预制的混凝土块代替石料。也有用木材或混凝土作码头构架,另用混凝土板桩或钢板桩作挡土墙的。如果海岸地形或水深不适于构筑岸边码头,可以建造水上码头,这种码头用栈架支承水上的矩形平台,平台与海岸平行,并用栈桥与海岸相连。码头通常只在靠海一侧泊船,因为另外三侧的水深和泊船条件不易满足许多船只的要求。顺岸码头占用宝贵的水岸,所以泊船费用高。一种较经济的办法是建造与海岸相垂直的伸向海中的突堤码头。这种码头有两个主要组成部分:平台和支承系统。平台通常用钢筋混凝土建造,支承系统由主梁、次梁和承重桩基组成排架或桁架体系,可用木材、钢、混凝土为材料或几种材料结合使用。有些突堤码头作成箱形的封闭结构,产生的浮力可极大地减轻基础的载荷。箱内空间可用作仓库。浮码头建得很少,它可以随水面升降,用栈桥与岸连接,栈桥的一端铰结固定在岸上,另一端在浮码头上随之升降。

Dock, Christopher 多克(1698?,德国～1771,宾夕法尼亚蒙哥马利县斯基帕克[美国]) 殖民地宾夕法尼亚门诺宗教师。被给予门诺派教徒的宗教自由所吸引从德国前往宾夕法尼亚,约于1718年在斯基珀克创办一所学校,除1728～1738年曾在农场工作外,均在该校执教,并在索尔福德的第二所学校度过晚年。所著《学校管理》一书在1770年问世,影响颇大,同年再版,直到1861年还曾再版。他提倡师生间应礼貌相待和教学相长,认为纪律是从爱发展而来的,并鼓励教师要质朴、直率和通情达理而不应苛求和专横。

Docodon 柱齿兽 原始哺乳类的绝灭属。化石牙齿见于欧洲的晚侏罗世(1.63亿年前至1.44亿年前)地层。齿尖式样及臼齿上见到的其他构造是复杂而独特的。不详其是否与任何现代动物有关,据认为可能接近单孔目的动物,如现代鸭嘴兽及针鼹。

Doctors' Commons 民法博士协会 指从前英国的教会法和民法的开业律师的一种自治的教育机构。它设于伦敦,与讲授英国普通法而不是讲授民法的四个律师学院相类似。民法博士协会的会员是那些获得牛津大学民法博士学位或获得剑桥大学法学博士学位的人,后来经大教长,即坎特伯雷大主教管辖下的上诉法院的主管法官批准为辩护律师(与普通律师获批准参加律师协会类似)。主管机构的成员称为理事,由现任理事从辩护律师中选出。该协会的会员在教会法庭和海事法庭上担任辩护律师;他们也参加涉及国际法问题的仲裁。1565年,这个协会在圣保罗教堂附近的帕特诺斯特街租了一个地址作为它的总部,一直到1858年。同年,这个协会根据1857年的遗嘱检验法院法和婚姻诉讼案件法的条文被解散。这些法律是1873年的司法组织法的前身,1873年的司法组织法在司法系统中建立了单一的高级审判法院,该法院继承了民法法院以及普通法法院和衡平法法院的管辖权,并由单一的律师协会在高级审判法院法庭上执行律师任务。参阅 **Inns of Court**。

Doctors' Plot 医生阴谋案(1953) 并无实据的苏联著名医学专家谋害党和政府领导人的阴谋。1953年1月13日《真理报》和《消息报》宣布:有9名曾为苏联主要领导人治过病的医生(其中至少有6名是犹太人)被捕。他们被指控在美英谍报机关的收买下,曾毒死1948年去世的中央委员会书记日丹诺夫、1945年去世的苏军总政治部主任谢尔巴科夫,并企图杀害另外几名苏军元帅。据苏联报纸报道,这些医生全都承认他们的罪行。审判和传闻随后将进行的清洗由于斯大林的逝世(1953-03-05)而受到阻挠。同年4月《真理报》又宣布:这一案件经过重新调查,证明对他们的指控不能成立,他们的供词是在刑讯下逼出来的。7名医生(有2名在调查期间死亡)全都无罪释放。1954年一名国家安全部官员和几名警官因参与制造此案被处决。赫鲁晓夫在苏共第20次党代表大会(1956-02)上的秘密报告中断言,此案件是斯大林亲自命令捏造和诱逼招供的,"医生阴谋案"是一次新的大清洗开始的信号。他揭露,在斯大林打算清洗的受害者名单中还包括几名政治局委员。

Doctors Without Borders 无国界医师组织 法语作Médecins Sans Frontières。全世界最大的国际性民间医疗救援组织,由一群法国医师于1971年创立。该组织对军事冲突、传染病、自然与人为灾害的受害者提供援助,协助对象亦包括那些由于处地偏远或族群(种族)因素而缺乏医疗照护的人;他们的行迹遍及前线医院、难民营、灾难现场、城镇、乡村。医疗队提供基础的健康照护、施行手术、为儿童接种疫苗、重建医院、进行紧急营养及卫生计划、训练当地医疗人员。其运作独立于各国政府之外,依靠的是志愿的医疗专业人员(每年超过2 000人)与私人捐款。该组织于1999年获得诺贝尔和平奖。

documentary film 纪录电影 以教育或娱乐为目的的、描述和阐释事实材料的影片。几乎每个国家都有这种或那种形式的纪录片,它对电影的现实主义发展起了重要的作用。

英国纪录电影《漂网渔船》(1929)剧照
美国不列颠百科全书公司供图

在美国研究大众传播媒介的苏格兰教育学家J.格里尔森于20世纪20年代中期根据法语 documentaire 一词创造了纪录电影这一术语。然而,纪录风格的影片自电影制作一开始就很流行。在俄国,20世纪初布尔什维克掌握政权的事件曾被拍成影片并用于宣传。1922年美国导演R.弗莱厄蒂拍摄了《北方的纳努克》,这是一部基于个人实地观察的爱斯基摩人生活的纪录,这部影片成了许多纪录影片的楷模。与此大致同时,英国导演H.B.伍尔夫以一套编辑而成的影片再现了第一次世界大战中的某些战役,成了一种以真实新闻片材料阐释历史的纪录片的典型。德国的文化片,如长片《健美之途》(1925),受到国际上的欢迎。以格里尔森为首的英国纪录电影运动在30年代对世界电影产生了影响,这些影片有格里尔森描写捕鲱鱼的《漂网渔船》(1929)和描写伦敦-格拉斯哥夜邮车的《夜邮》(1936)。美国对这一电影样式也做出了有意义的贡献。早期的范例有P.洛伦茨导演的两部影片:背景为美国尘暴区域的《开垦平原的犁》(1936)和关于控制洪水的《大河》(1937)。第二次世界大战推动了纪录影片的制作。战时德国的纳粹政府利用收归国有的电影工业生产宣传性纪录片。美国导演F.卡普拉为美军通讯兵提供了系列片《我们为什么而战》(1942～1945);英国发行了《伦敦坚持得住》(1940)、《今夜的目标》(1941)、《应得的胜利》(1943)等;加拿大全国电影委员会制作了宣传国家利益的教育片。50年代初,英国的自由电影运动再次把注意力集中在纪录电影上,这个运动的发起者是一批关心个人及其日常遭遇的青年电影工作者。纪录电影还在电视节目中大受欢迎,特别是在60年代末和70年代初。

Documentary Theatre　文献剧　参阅**Fact, Theatre of** 纪实剧。

Doda Betta　多达贝达山　印度泰米尔纳德邦最高山峰,位于乌塔卡蒙德附近,海拔2 637米。该山被草覆盖,夏季常有登山者。汽车可行至山顶。是西高止山第二高峰。

dodder　菟丝子　菟丝子科(Cuscutaceae)唯一的属菟丝子属(*Cuscuta*)的植物,为无叶的缠绕性寄生植物。150多种。广泛分布于世界温带及热带地区。许多种已随其寄主引进新的地区。菟丝子不含叶绿素,以吸器吸收营养。吸器为根状器官,深入寄主组织中,可使寄主致死。茎细长,绳索状,可为黄色、橙色、粉红色或褐色。花小,花冠合瓣,钟形,黄色或白色;花聚生成结节状的花簇。叶退化

赫罗诺维厄乌菟丝子(*Cuscuta gronovii*)
美国不列颠百科全书公司供图

成小鳞片状。菟丝子科许多特征甚似番薯,有些权威将其并入旋花科。菟丝子的种子萌发后,向下生根,将植株固定于土中,然后生出细长的茎,茎螺旋式地生长,直至遇到寄主植物。于是菟丝子的茎缠绕寄主植物的茎生长,并发出吸器深入寄主茎内,从寄主的茎和木质部吸收水分,从其韧皮部吸收营养素。当菟丝子的茎与寄主的茎接触后,其根即腐烂。菟丝子的茎生长时,发出新的吸器,从而更紧密地依附在寄主身上。在一条寄主茎枝上缠几圈后,菟丝子又缠到另一茎枝上,并继续缠绕、分枝,最后由许多纤细的茎缠成一团,好似细密的蜘蛛网包绕着寄主的茎。菟丝子可严重为害车轴草、苜蓿、亚麻、啤酒花及豆类,主要的控制方法为用手将其拔除及避免无意地将其传播。

Dodds, Alfred-Amédée　多兹(1842-02-06,塞内加尔圣路易～1922-07-18,法国巴黎)　法国军人,在19世纪末法国向西非殖民扩张的战争中起主要作用。圣西尔军校毕业后参加海军陆战队。普法战争时任连长,曾参加色当战役和卢瓦尔战役。战后在西非度过20年。1892～1893年指挥法军对达荷美国王贝汉津的土著军队作战。他在阿波美的胜利(1892)对于最后使法国属地上塞内加尔和上尼日尔连接起来十分重要。1899年任海军陆战队步兵总监,不久出任第20殖民军团司令。1904年返回巴黎,在高级作战指挥部任职,直至1914年。

Dodecanese　佐泽卡尼索斯　现代希腊语作Dhodhekánisos。希腊爱琴海的岛群,属佐泽卡尼索斯州,近土耳其西南海岸。首府罗得市。岛名意为"12座岛屿"。主要岛屿有卡尔帕索斯岛、帕特莫斯岛、卡索斯岛、阿斯蒂帕莱阿岛、利普西岛、莱罗斯岛、卡利姆诺斯岛、尼西罗斯岛、蒂洛斯岛、锡米岛、哈尔基岛、罗得岛和科斯岛及远离中心的卡斯泰洛里宗岛等,总面积2 670平方千米。参阅**Astipálaia; Cos; Kálimnos; Kárpathos; Kastellórizon; Léros; Pátmos; Rhodes**。该岛群旅游业增长,经济赤字下降。除罗得、科斯两岛之外,其余诸岛都深受滥伐森林及地表水匮乏之害。各岛农作物(水果、烟草、橄榄和小麦)的产量差别悬殊,少的仅够供应本岛居民,多的则可大量出口。有捕鱼、造船以及采海绵等非农业工作尚待进一步开发。几个大岛上旅游业有较大发展,并取得显著的经济效益。佐泽卡尼索斯群岛是古希腊的一部分,其中罗得岛和科斯岛都具有悠久的历史。第二次世界大战后,该群岛曾被英国占领。1946年巴黎外长会议决定将该群岛归还希腊。1947年正式归属希腊。人口190 071(2001)。

Dodeigne, Eugène　杜狄格尼(1923-07-27,比利时列日附近的鲁夫勒～　　)　比利时出生的法国雕刻家,以室外纪念性石雕知名。曾受其父训练,后在图尔宽美术学校和巴黎美术学院学习。以早期瘦骨嶙峋木雕人像毅然转向了腐蚀的曲线和完全的抽象雕法。1949年定居法国北部的邦杜斯,用当地的苏瓦尼蓝石灰石雕刻。作品通常规模很大,较小的苏瓦尼石雕表面磨得很光滑,而室外纪念性作品的表面则予以重压,施以纹饰,以显示出古代装饰的风化痕迹。

Doderer, Heimito von　多德勒尔(1896-09-06,奥地利维也纳附近魏德林高～1966-12-23,维也纳)　奥地利小说家。第二次世界大战后,因创作了描写第一次世界大战后的维也纳的小说《恶魔》(1956)而在德语世界一举成名。他从1931年起就致力于这部小说的写作。小说表现1926～1927年间维也纳的社会及其情绪,层次繁多,情节和人物错综复杂。第一次世界大战期间,他在奥地利皇家龙骑兵服役,被俄军俘虏,在西伯利亚当伐木工人度过数年,1920年被遣送回国。1925年在维也纳大学获历史学博士学位。复杂惊险的心理小说《人人所犯的谋杀罪》(1938)和其他几部小说没有引起多少注意。30年代,曾一度加入当时在奥地利还处于非法地位的国社党,这段经历在回忆录《越轨的人们》(1964)里有所描写。第二次世界大战期间,曾参加德国空军任上尉。他的小说《斯特鲁德霍夫梯道》(1951),描写了1910～1911,1923～1925年间维也纳的生活场景,小说获得成功并奠定了他的声誉。《斯卢尼的瀑布》(1963)是计划中的四部曲中的第一部长篇小说。四部曲包括1880～1960年间维也纳的生活,总名叫《第七号长篇小说》。第二部《界林》没有完成,在他死后于1967年发表。《长篇小说的基础和功能》(1959)讲他所认为的小说。他的风格和思想因循守旧,形式比较拘谨,影响不大。

Dodge, Bernard Ogilvie　道奇(1872-04-18,美国威斯康星莫斯顿～1960-08-09,纽约州纽约)　美国植物学家和研究真菌遗传的先驱。1892年中学毕业后,在乡村学校教书,后来担任中学校长。28岁时入密尔沃基师范学校,一年后就达到毕业水平。1908年入威斯康星大学,1909年获学士学位。他对低等植物特别是真菌感兴趣。他在大学里受美国著名的植物学家R.A.哈珀(不久成为哥伦比亚大学植物学教授)的影响很大,因此迁居纽约市并入哥伦比亚大学(1909),3年后获博士学位。任哥伦比亚大学低薪讲师,8年后,接受了美国农业部植物病理学家职位,在那里继续他的研究工作。1928年受聘为纽约植物园的病理学家,直到退休(1947)。退休后仍在那里从事研究直到逝世。他曾为完成正规教育而耽误了很长时间,所以当他的第一篇真菌学论文发表时,已年逾40。他最后一部著作于85岁时发表。55岁时开始研究脉孢菌属(*Neurospora*)的遗传学。1920年在子囊菌纲中发现异宗配合现象(先在粪盘菌属[*Ascobolus*]中,后在脉孢菌属中发现)。他早期的论文论证了子囊菌在遗传学研究上潜力极大,后来确证子囊菌的遗传符合遗传学基本定律。他设计了一些用以研究脉孢菌及其他微生物的优良实验技术。他发现了许多重要的新现象促进了生化遗传学的发展。71岁时与H.W.里基特共同发表了有极大影响的《观赏植物的疾病和害虫》一书。

Dodge, Grace Hoadley　道奇(1856-05-21,美国纽约州纽约～1914-12-27,纽约)　美国女慈善家,曾参与创办有关美国劳动妇女福利的机构。她的曾祖父是纽约富商兼和平事业活动家D.L.道奇,祖父是费尔普斯-道奇公司(经营铁路轨道)的经理兼慈善家W.E.道奇,她本人约捐款150万美元,并多年担任其慈善团体的领导工作。1880年参与成立家政协会(后改名工业教育协会),提倡公立学校设置体力劳动、家务劳动课和工艺美术课。1887年出资建立纽约教师培训学院,后于1892年改为师范学院,并入哥伦比亚大学。1884年她赞助成立劳动妇女俱乐部,后发展成为青年劳动妇女联合会,到1890年前后,已拥有分会75处,她自任联合会会长,迄于1905年。是年她在两个对立的基督教女青年会间进行协调,合并之后组成美国全国基督教女青年会,她任董事会主席9年,死于任上。道奇还在1907年创立纽约旅行者救济协会以保护迁居或入境的妇女,1912年她主持筹备全国旅行者救济协会;她对国际旅行者救济运动的开展也颇有贡献。

Dodge, Grenville Mellen 道奇(1831-04-12,美国马萨诸塞丹弗斯～1916-01-03,艾奥瓦康瑟尔布拉夫斯) 美国土木工程师,19世纪负责美国西部和西南部的大部分铁路建筑。曾在达勒姆学院和诺威奇大学学习,于1851年取得土木工程师和军事工程师的职称。在美国内战期间很快擢升为志愿军准将军衔。他在桥梁和铁路建筑方面做了有价值的贡献。例如他仅用3天时间就建成一座高4米、长216米、跨越查特胡奇河的桥梁。1866～1870年,任建造联合太平洋铁路的总工程师,1873年参加J.古尔德在西南地区发展铁路的工作,在其后的10年中他在美国参加建筑了约14 480千米的铁路。

Dodge, Horace E.; and Dodge, John F. 道奇兄弟(霍勒斯1868-05-17,美国密歇根奈尔斯～1920-12-10;约翰1864-10-25,美国密歇根奈尔斯～1920-01-14,纽约州纽约) 全名分别为霍勒斯·埃尔金·道奇和约翰·弗朗西斯·道奇。美国汽车制造商,因在美国发明首批全钢汽车而著名。道奇兄弟生产的第一批车辆是自行车。1901年他们在底特律开设机械工场制造火炉零件,后来又制造汽车配件。1910年道奇兄弟公司在密歇根州哈姆特拉姆克建立起一座大型汽车配件厂。在这里,道奇兄弟为福特汽车公司和奥尔兹汽车厂制造发动机和其他汽车配件。1913年他们开始生产自己的汽车,1914年11月14日制造出第一辆道奇汽车。霍勒斯负责进行了许多制造上的技术革新,其中有一种烤炉,它能够将瓷漆焙干到钢质车身上去。到1920年,道奇公司已成为汽车工业中最大的公司之一;这一年兄弟二人皆不幸逝世。道奇公司1928年被克莱斯勒汽车公司收购,现仍为克莱斯勒公司的一个分部。

Dodge, John V. 道奇(1909-09-25,美国伊利诺伊芝加哥～1991-04-23,伊利诺伊格伦维尤) 美国编辑和《不列颠百科全书》出版者。西北大学毕业(1930)后去法国波尔多大学学习(1930～1931)。第二次世界大战期间在美国陆军情报部服役。1938年参加不列颠百科全书公司,后来担任该公司执行编辑(1950～1964),1972年退休时是主管国际编辑事务的副总裁。曾任20卷《通用百科全书》(巴黎)的编辑顾问,还曾参与计划和编纂日文、葡萄牙文和西班牙文的多卷本百科全书。

Dodge, Josephine Marshall Jewell 道奇(1855-02-11,美国康涅狄格哈特福德～1928-03-06,法国戛纳) 美国日间托儿所运动的先驱。19世纪80年代,为有职业母亲的儿童设置日间托儿所的极少,即或有之,一般地也只是为了缓解母亲喂养婴儿的急需而设。1888年,她在纽约市建立朱厄尔日间托儿所,希望以此向世人表示,日间托儿所应具备更为广泛的目标,那就是要把中产阶级的价值标准灌输给工人家庭出身的儿童。1893年,在芝加哥世界哥伦布博览会上展出了一个托儿所模型,1895年在纽约市建立日间托儿所协会,1898年建立并领导了全国日间托儿所联合会。约20年间,联合会的分支机构已达700所。她反对妇女参政,于1911年组织全国反对妇女参政协会并主编时事通讯《妇女的抗议》。

Dodge, Mary Abigail 道奇(1833-03-31,美国马萨诸塞哈密尔顿～1896-08-17,哈密尔顿) 笔名Gail Hamilton。美国散文作家和编辑。其作品既有朴实无华的风趣,又热情支持妇女对男子的独立性。1850年毕业于马萨诸塞州伊普斯威奇女子书院。1858年移居华盛顿哥伦比亚特区,任G.贝利子女的家庭教师。贝利是反对奴隶制的刊物《国家纪元》的编辑,早些时候曾收到并发表了她的几首诗和几篇散文作品。这些作品以其智慧和风趣开始吸引相当多读者的注意。1860～1868年间,她照顾患病的母亲。期间出版了两本散文集:《乡村生活和乡村思考》(1862)和《新气象》(1865)。还出版了一本《妇女所受到的不公正的待遇:一种对抗刺激剂》(1868),在书中她强烈捍卫了妇女争取受教育和工作的平等权利。1871年起,主要住在华盛顿哥伦比亚特区,但也广泛游历美国和欧洲各地。著有《妇女的作用和无用》(1872)、《我们共同的学校体系》(1880)以及《X射线》(1896)。

Dodge, Mary Mapes 道奇(1831-01-26,美国纽约州纽约～1905-08-21,纽约州安特罗拉帕克) 美国儿童读物作家,《圣尼古拉》杂志的第一任编辑。父亲是一位发明家和科学家。她在一群富于创造精神的人们当中长大。20岁时与律师W.道奇结婚,生二子。7年后丈夫猝亡,为维持生计,开始撰写儿童故事。第一个集子《欧文顿故事》(1864)描写美洲殖民地的家庭生活。作品的成功使出版商要求她再写一本。翌年,受人喜爱的杰作《汉斯·布林克》(又名《银冰鞋》)问世。故事讲述一个贫穷的荷兰小男孩靠自己不懈的努力,终于为患病的父亲求得救助。作者在世时,此书再版达100多次。1873年,时值经济萧条,受聘成为新创办的儿童杂志《圣尼古拉》的编辑。由于道奇在文学和道德方面严格要求,杂志获得成功,并吸引了一批当时著名作家,如马克·吐温、B.哈特、L.P.黑尔、L.M.奥尔科特、R.T.斯蒂文森和R.吉卜林。

Dodge, William E. 道奇(1805-09-04,美国康涅狄格哈特福德～1883-02-09,纽约州纽约) 美国商人,费尔普斯-道奇公司的合办人。该公司在一个多世纪间是美国最大的矿业公司之一。道奇是早期新英格兰移民的后代,开始时从事绸布业。1833年与岳父A.费尔普斯组成五金行费尔普斯-道奇公司。不久,公司在国内外生意兴隆,成为美国最大的五金进口商。道奇投资范围很广,计有:宾夕法尼亚、密歇根及其他地方的林地;明尼苏达的铜矿;新泽西的铁矿;康涅狄格、新泽西及其他数州的工厂。他有许多铁路股权,其中有几条铁路是为其五金公司服务的。1882年该公司购得皇后铜矿公司在亚利桑那的矿山,这标志该公司已跻身美国矿业公司的前列,虽然金属提炼直到道奇去世后才成为该公司的主要业务。他精力充沛,但基本上是保守派,以参加民事活动并代表宗教和禁欲社团尽力而著名。1866～1867年他出任过一届美国国会议员。他直言不讳,主张对战后重建采取温和政策。

Dodge City 道奇城 美国堪萨斯州西南部城市,福特县县城。临阿肯色河。1864年市东始建道奇要塞。1872年始有人定居。后成为圣菲古道上的边境小镇、货运站和牲畜贸易中心。1875年建市。1884年牲畜市场最兴旺时,得克萨斯州运往此地的牲畜高达800万头。现有铁路工厂、牲畜饲养场、农具厂,为小麦、高粱、牲畜产区的供应中心。划分中部和山区时间的子午线从附近穿过。建有道奇城社区学院(1935)和圣玛丽平原学院(1952)。人口25 568(2003)。

Dodgson, Charles Lutwidge(novelist) **道奇森** 参阅 **Carroll, Lewis 卡罗尔**。

Dodington, George Bubb, Baron Melcombe of Melcombe-Regis **多丁顿**(1691～1762-07-28,英格兰米德尔塞克斯哈默史密斯) 英国政客,终生钻营官职。W.贺加斯曾以他为主题创作了讽刺雕版画《让委员们就座》(1758)。他的日记(1784出版)至今仍是研究当时英国政治的最有用的资料。1761年晋封为梅尔库姆男爵前,一直是一个下院选区的议员。1715～1717年任驻西班牙特命公使,以后历任政府的挂名职务。1744年任海军司库,但时而支持乔治二世,时而支持威尔士亲王。他最值得称赞的行动是1757年2月22日发表演说,反对以在战争中玩忽职守的莫须有罪名处死海军上将J.宾。

dodo(*Raphus cucullatus*) **渡渡鸟** 鸽形目(有时划为孤鸽目)孤鸽科已绝灭的鸟类。原产毛里求斯。不能飞行。该科包含3个种,其他两种是留尼汪岛的留尼汪孤鸽(*R. solitarius*)和罗德里格斯岛的罗德里格斯孤鸽(*Pezophaps solitaria*)。这些鸟于1507年左右为葡萄牙海员发现,后为人类及其引进的动物所消灭。渡渡鸟于1681年绝灭,留尼汪孤鸽于1746年绝灭,罗德里格斯孤鸽于1790年灭绝。渡渡鸟体大于吐绶鸡,重达23千克。

渡渡鸟(*Raphus cucullatus*)模型
美国不列颠百科全书公司供图

体羽蓝灰色，头大。嘴长23厘米，淡黑色，具淡红色鞘形成钩尖。翅小而不能飞。脚强壮，黄色，脚后端高处有一束弯曲的羽毛。留尼汪孤鸽可能是渡渡鸟的白化变种。罗德里格斯孤鸽淡褐色，体较高较细，头较小，嘴短而无厚钩尖，翼上有隆突。现于牛津大学保存一个渡渡鸟的头和脚，不列颠博物馆只保存一只脚，哥本哈根保存有一个头。欧、美和毛里求斯若干博物馆保存有多少是完整的骨骼。孤鸽的许多骨骼亦被保存下来。

Dodoens, Rembert　多东斯（1516或1517-06-29，西属尼德兰梅赫伦［今在比利时］～1585-03-10，荷兰莱顿）　原名 Rembert van Joenckema。佛兰芒医生和植物学家。他的《植物六志》是16世纪晚期重要的植物学著作之一。1535年在卢万大学获医学学位，初曾研究宇宙学和生理学，后致力于植物学。1552年发表《果实志》。1554年发表内容广泛的《草药志》，该书的写成得益于多位"德国植物学之父"，尤其是L.富克斯；该书按植物的特性及亲缘关系、而不按字母顺序编排；1557年译成法文，1578年由H.莱特译成英文，在英格兰成为典范性书籍。1583年发表《草药六志》介绍了新的科，把植物分成26组，并包含许多独创的或引用的实例。该书是J.杰勒德的名著《草药志》的基础。多东斯曾任神圣罗马皇帝马克西米连二世及其继承人鲁道夫二世的御医。1582年到莱顿大学医学系任教。

Dodoma　多多马　1974年后定为坦桑尼亚首都。距印度洋480千米，海拔1 135米。该市位于人烟稀少的农业区，为花生、蓖麻子、葵花子、橡胶、玉米、稻米、小麦、咖啡、茶叶、烟草、高粱的集散中心。工业产品有：木材和家具、饮料、加工食品、稻米、面粉、肥皂和油。与阿鲁沙、达累斯萨拉姆和坦噶有公路、铁路和航空线相通。20世纪80年代初开始将政府机构由达累斯萨拉姆分期迁入，定于2005年迁毕。基本上是农业人口。主要居民为戈戈、萨纳韦、兰吉和布龙吉人。人口324 347（2002）。

Dodona　多多纳　希腊主神宙斯的古神殿，位于希腊的伊庇鲁斯。在那里举行的祭仪有许多异常显著特点。最早提到它的是荷马的《伊利亚特》，它的祭司叫谢洛伊（或赫洛伊）。他说这些祭司"不洗脚，睡于地"。这种说法表明他们是大地女神或他们日夜与之不断有接触的某种冥界力量的崇拜者或仆人。荷马又在《奥德赛》里第一次提到它的神谕。有一棵树（或几棵树）被认为能通过树叶的沙沙声和其他声音传达神谕。希罗多德提到传达神谕的女祭司无疑是受到神的某种启发。多多纳的另一个特点是"青铜器"，这是一面大锣，每有微风吹动，上面小人手中的鞭子就敲动铜锣作响。这种不断的响声竟造成希腊的一个谚语"多多纳的铜锣"，指不断唠叨，但没有说出任何内容的人。

Dodsley, Robert　多兹利（1703，英格兰诺丁汉郡曼斯菲尔德～1764-09-23，达勒姆郡达勒姆）　英国作家、伦敦书商、出版商、剧作家、编辑。由于与S.约翰逊、A.蒲柏、T.格雷和O.哥尔德斯密斯等人的作品出版有关，所以在18世纪中叶的英格兰文艺界中颇有影响。曾做过织袜工学徒、家仆。此间出版了诗作《奴役》（1729）。其他早期作品，有讽刺闹剧《玩具店》（1735）。由于得到朋友、包括蒲柏的资助，于1735年成为出版商。出版了约翰逊的诗《伦敦》（1738），并建议和资助约翰逊编辑《英文词典》。曾创办多种文艺期刊，包括由政治哲学家E.伯克主编的《年鉴》（1758）。他本人则编过两部重要集子：《古代戏剧选》（1744）和《数人诗集》（1748）。1758年，他的悲剧《克利奥恩》在伦敦科文特加登剧院连续上演很久（剧本出版的当天就售出2 000册）。翌年退休，将所经营的事业传与兄弟詹姆斯。

Doe, Samuel K(anyon)　多伊（1950或1951-05-06，利比里亚图佐～1990-09-09或10，蒙罗维亚）　利比里亚军人，1980～1990年为国家元首。多伊为克兰（Krahn，亦作Wee）族人，18岁入伍，1979年晋升为上士。他与其他本地利比里亚人一样，憎恨那些1822年建立利比里亚殖民地的被解放的美国黑奴后裔享有的特权与势力。1980年4月，多伊领导一群克兰族士兵对利比里亚行政大楼发动攻击，杀死了总统托尔伯特。后13名与托尔伯特有关联的重要人员在草率的审判后被处死。政变后，多伊僭取将军的职阶，设置了包括他本人与14名低级军官的人民赎救会来统治国家。多伊将宪法暂时中止，直至1984年才由人民复决核准新宪法。1985年举行总统选举，他当选总统，但一些观察家指责这是欺骗。他在国内外遭到反对，其政权时常被形容为残暴而腐败。恶化的经济状况成了他任期中的沉重负担，他本人也不断遭受谋刺与阴谋的威胁，但都被他残酷镇压下去。这些行动加上他对克兰族的偏袒，触发了1989年末发生于利比里亚东部的叛乱。1990年7月，叛军攻进首都蒙罗维亚，但多伊拒绝交出权力。内战继续，多伊被俘后被暗杀。

Does, Johan van der　杜斯（1545-12-05，西班牙哈布斯堡领地诺德韦克［今在荷兰］～1604-10-08，海牙）　又名雅努斯·杜萨。荷兰政治家、诗人和历史学家。1573～1574年西班牙军围攻莱顿期间，领导市民进行抗战有功。1575年为纪念该城解围，成立莱顿大学，由他任校长。他写过许多诗歌和历史论著。最重要的史学著作是《荷兰伯爵346年大事年记》。诗歌有《新诗集》（1575）。

Doesburg, Theo van　杜斯堡（1883-08-30，荷兰乌得勒支～1931-03-07，瑞士达沃斯）　C.E.M.库珀的笔名。荷兰画家、装饰家、诗人和艺术理论家，风格派运动的领导人。他原拟从事戏剧，后约于1900年转向绘画，成为后印象派和野兽派画家。直到1916年才开始以大自然为题材，创作几何图形抽象绘画。1917年创立风格派团体时曾发挥主要作用，并出版前卫派艺术评论《风格》创刊号（该刊一直出版至1931年）。他提倡的风格派几何图形画风对现代派建筑师科比西埃、W.格罗皮厄斯和L.密斯·范·德·罗厄很有影响。1921～1923年期间，在魏玛包豪斯建筑学校执教时，画风颇受P.蒙德里安新造型主义美学影响。1923年用J.K.邦塞的化名，作为达达派画家在荷兰举办展览，并出版另一部艺术评论刊物《梅夏诺》。1926年写了《风格派》宣言，阐述了其元素主义画派理论，一种基于在几何图形抽象绘画中运用倾斜平面以增加构图动态效果的美学思想。

dog（*Canis familiaris*）　**狗**　食肉目犬科动物。有强腭、利齿、健腿，嗅觉和听觉敏锐，适于主动捕猎生活。狗是高度社会化的动物，有集群合作的本能。狗的健康和正常心理发展决定于它与群中其他成员间的关系。狗难以换群换主，难以在野外独立生活。狗是最早的家养动物，至少在1万年以前就已成为人类的伙伴。狗的近期祖先很可能是狼。野生的狗最初像狼一样成群游荡寻食，有些个体发现人的居地附近有丢弃的皮、骨或肉，因食物易得，它们冒险地停在人的驻地寻找食物。温顺驯服的狗得以留下，其他的狗被赶走或打死，经过若干年的互利合作和选择，形成了家狗。随后进一步育出各个品系。家狗与其野生亲族的区别是尾翘起和上卷。驯化的狗很快散布世界各地，各品系间的杂交使人难以确定现存品系的祖先，许多古老品系已经消失。人类有意识选择对狗的基因变化起了一定作用。狗进入与人交往这一新的生物环境后，就在人的影响下迅速进化。狗的发育可分为几个阶段：刚出生的小狗到第14天才睁眼，睁眼以前这个阶段是初生期；然后到第21天小狗耳朵张开，这个阶段是过渡期；3周龄到12周龄是转化期；从这以后到性成熟是少年期。小狗于过渡期长出乳齿，约在5月龄更换恒齿。小狗的神经系统于6～8周龄已相当完善，但它的行为和生理尚未充分发育；此时适于驯养和建立感情。营养充足时，小狗的每周正常体重增长率是50%～60%。4个月后增长速度降低，6个月龄达到成体体高，2岁发育完全，5岁为壮年，有些个体活到10多岁。不同品系的雌狗首次发情期不同，多于1岁之前发情。发情间隔是6个月，多无季节性。5岁后繁殖力下降，8岁后停止发情。妊娠期约为9周。各品系胎子数不同，平均为4～6只。雄狗性成熟和壮年期都晚于雌狗。狗的灵巧性和柔韧性、平衡能力和攀缘力等不及猫，但速度和耐力则较猫强。狗勇敢、坚毅、有忍耐力、忠诚而殷勤。狗聪明机警，可用于追踪。大脑嗅觉中心发达，特别善于以血、汗、尿、粪和性器官的气味区分动物个体。狗的听力上限为35 000赫，远高于猫和人。狗是色盲，视力不强。狗的疾病主要有犬温热、传染性犬肝炎和狂犬病。狂犬病可通过唾液进入咬伤处的伤口，感染人或其他兽类。狗的体内寄生虫有：蛔虫、钩虫、犬恶丝虫、鞭虫和细粒棘头绦虫。狗的体外寄生虫主要有虱、跳蚤、蜱。狗群占据一定的领域，不许其外群个体进入，它们在这个中心领域之外排泄粪尿建立"气味点"，"气味点"标出其活动范围。狗群内有优先序列，强者先食。狗能用不同的摆尾方式、声音和耳朵及面部活动表达较丰富的感情——亲热、友好、高兴、兴奋、悲伤、痛苦、愤怒和恐惧等等。不同的品系和不同的个体接受复杂训练的难易程度很不同，狗能掌握主人许多细微动作或声音的命令。训练狗，主要应掌握赏罚方式。奖赏要用于作某事刚成功之后，可用给食、表扬和抚摸等办法。罚只用于禁止做某事。人们为了不同的用途而选育出各种狗。根据用途，狗可分为猎犬、看守犬、警犬、牧羊犬、玩赏犬、表演犬、赛犬、向导犬、拉橇犬和科学实验犬。猎犬又可分为猎兽型和猎鸟型、搜索型、定位型、捡拾型、哄赶型和攻击型、嗅觉型和视觉型。警犬又可分为巡逻型和侦察型。玩赏犬种类最杂，其品种随着人们的爱好而不断变化。除医学和生理学外，狗也广泛用于心理学及许多学科的实验。近来狗逐渐用于找矿、边关检查等方面。狗可根据体型、体高、毛长、毛色、吻部和面部形状等特征分成各品系。欧美时常举行狗的表演、展出和比赛。各国都有养狗者的组织——养狗俱乐部，比如在英国和美国都有著名的肯内尔俱乐部，对狗进行登记、分类和评定，组织各种活动，发行出版物。在这些国家养狗已形成一种产业。

dog days　伏天　天气异常酷热潮湿的时期。在温带北部地区常常出现于7、8月和9月初。古希腊人、罗马人和埃及人认为天狼星（Sirius，英文称 dog star）每年在这段时期内与太阳同时起落给太阳增添了热量，从而造成酷热天气。人们在伏天容易倦怠，所以天狼星被认为对人类活动有害。

dog lichen（*Peltigera canina*）**犬地卷**　一种叶状地衣。在荒野、砂丘、墙壁或杂草丛生的地面上常形成直径5～10厘米的斑块。原植体暗褐色，呈圆形裂片状，潮湿时柔软，而

犬地卷（*Peltigera canina*）
美国不列颠百科全书公司供图

干燥时则又薄又脆。因其生殖体形似犬牙，在中世纪的欧洲曾用来治疗狂犬病。地卷粉可与黑胡椒及热牛奶混合饮用。

dog racing　赛狗　又称赛猎狗。是一种让猎狗在四周筑有围墙的跑道上追逐电动假兔的游戏。赛狗是20世纪从古老的**追踪**（coursing）演变而来的。在追踪运动中，猎狗是借助视力而不是味觉追逐猎物的。1919年O.P.史密斯在加利福尼亚州的埃默利维尔表演了赛狗，同年在那里开设了第一条跑道。1926年这项运动传入英格兰，在那里成为比在美国更加流行的活动。后来，赛狗传播到爱尔兰、比利时和墨西哥等国。在英格兰，正常情况下每次赛会有8场比赛。管理机构是全国赛狗俱乐部（成立于1928年）。它为平道比赛和障碍比赛设立了210米～1 100米不等的赛程。通常一场比赛不超过6条狗。比赛在草地上并且大多在夜间灯光下进行。在

赛场中的赛猎狗
美国不列颠百科全书公司供图

美国，赛狗最早出现在加利福尼亚，但是到20世纪20年代中期这项运动就传到东部的佛罗里达州。到了90年代，赛狗在许多州已成为流行的消遣活动。美国的赛狗活动在州委员会监督之下进行。每场比赛有8条狗参加。每次赛会，可安排10～11场比赛。美国的赛狗跑道用沙子和壤土铺成，一般长400米（1/4英里）。多数赛程为5/16或3/8英里。

dog show　赛狗会　按品种鉴定标准评定纯种狗身体结构完美程度的比赛。美国赛狗会按照美国养狗俱乐部制定的规则进行，大不列颠赛狗会则按照英格兰养狗俱乐部制定的规则进行。英国的第一次赛狗会1859年在纽卡斯尔举行，1863年在切尔西举办一次更为热闹的赛狗会。英国最著名的赛狗会是自1886年起每年举办一次的克拉夫特赛狗会。美国第一次正式的赛狗会1877年举办，由威斯敏斯特养狗俱乐部主办。美国最重要的两个赛狗会是威斯敏斯特养狗俱乐部在纽约市主办的赛狗会和国际养狗俱乐部在芝加哥主办的赛狗会，均每年举办一次。

Dog Star　犬星　参阅 **Sirius** 天狼星。

dog tooth　参阅 **canine tooth** 犬牙。

doge　首领　又译执政官。威尼斯共和国的最高官吏，存在达1 000年以上（8～18世纪），是威尼斯国家主权的象征。热那亚用此称号较晚。在威尼斯，首领职位始于该城在名义上属于拜占廷帝国的时代，8世纪中叶始固定下来。按照传统说法，第一位首领为P.L.阿纳费斯托，当选于697年。8～12世纪，首领享有广泛的权力。12世纪起，贵族对首领权力严加限制。首领由威尼斯各统治家族选出，为终身职。至15世纪，这一职位已具有受法律制约的王侯职位的性质。最后一任首领L.马宁，在拿破仑1797年征服意大利北部后被废黜。因个人能力卓越而产生相当政治影响的最著名的首领，有领导威尼斯发起入侵拜占廷帝国的E.丹多洛（1192～1205）和领导威尼斯第一次征服意大利大陆的F.福斯卡里（1423～1457）。首领这个称号也被用于热那亚的主要文职官吏，设于1339年。1384～1515年间，暂短的外国统治时期除外，首领的职位为热那亚民众代表所控制。1528年该职位被恢复，但限于由贵族担任，任期2年。法国控制这个半岛后，该职位即被废止。

Dōgen　道元（1200-01-19，日本京都～1253-09-22，京都）　又称承阳大师、希玄道元。镰仓时代（1192～1333）高僧。13岁出家，在天台宗中心比睿山研究佛经。1223～1227年间留学中国，在如净禅师指导下悟道。回国广传曹洞宗禅学。晚年住名古屋西北的永平寺。他的第一部著作《普劝坐禅仪》简要介绍坐禅方法。95卷《正法眼藏》是他的主要著作。

Doges' Palace　首领府　意大利语作Palazzo Ducale。威尼斯共和国首领（执政官）的官邸。初建于814年，976年被群众焚毁，重建后又被焚毁。现存建筑为威尼斯哥特式风格，于14世纪初开始兴建，1424年完成，并扩建了面向圣马可广场和面向台阶的两个相同立面。主要入口的大门由乔凡尼和B.博恩设计，1438年开始兴建。经过几次火灾，部分宫殿再次重建，I.皮萨内洛所作壁画及贝利尼家族和提香所作油画均被焚毁。后乃约请丁托列托和P.韦罗内塞等画家画了许多重要油画。

dogfish　狗鲨　角鲨科、猫鲨科、皱唇鲨科几种小型鲨鱼的统称。角鲨科的种类在两背鳍前各有一强棘，故又称棘狗鲨。最有名的是白斑角鲨（*Squalus acanthias*），盛产于北大西洋及北太平洋沿岸；南半球栖居着一个与其近缘的类型（如果不是同一种的话）。角鲨体灰色，具白色斑点，体长约60～120厘米，常密集成群掠食鱼类和各种无脊椎动物。会吞食饵料及破坏鱼网，给人类带来麻烦；但又可供食用，并生产鱼肝油，将其磨碎可作肥料。背鳍棘与小毒腺相连，刺人可致伤疼。

光滑狗鲨（*Mustelus canis*）
美国不列颠百科全书公司供图

猫鲨科的种类俗称斑狗鲨。大斑狗鲨（大斑猫鲨，*Scyliorhinus stellarius*）长达150厘米，小斑狗鲨（小斑猫鲨，*S. cuniculus*）只有约90厘米长，两种都具褐斑，是常捕获供市售的食用种类。皱唇鲨科最为人所熟悉的是光滑狗鲨（玲珑星鲨，*Mustelus canis*），广泛用于解剖教学和实验室，也是美国大西洋沿岸最常见的鲨类之一。体细长，可达150厘米，淡灰色；牙如其他同科种类一样细小且成行；尾下叶

不发达；底栖，以鱼类及甲壳动物为食。在北美，弓鳍鱼(**bowfin**)又俗称 dogfish(狗鱼)。

Dogger Bank 多格滩 北海孤立的大沙洲。距英国东北岸60英里(100千米)。高出四周海底70英尺。由最后一次冰期的巨大冰碛组成。在海平面以下120英尺(35米)的高度上长160英里，宽60英里，其西端最高点为海平面以下50英尺。著名渔场，盛产鲽鱼、鳕鱼、黑线鳕、比目鱼和鲱鱼。沙洲北部是英国、荷兰、德国、丹麦和挪威的北海海域疆界线交汇处。除挪威外，以上各国均对此沙洲拥有权利。

doggerel 打油诗 一种低等、浅薄的诗体，结构松散，无诗律可循，但由于其韵脚简单易记和韵律流畅而给人以深刻印象。大多数文学和社会里都有这种打油诗，作为喜剧和讽刺作品的一种有用的表现方式。从古至今，儿童游戏歌和大多数童谣都具有这种诗体的特点。早在14世纪，乔叟在他的作品中就使用了这个词。处于从乔叟的中世纪语言向英国文艺复兴开始过渡期间的J.斯克尔顿(约1460～1529)写的诗久已被认为像是打油诗。此后，从S.勃特勒和斯威夫特到美国诗人O.纳什，大多数英语诙谐诗都采用打油诗形式。德国的打油诗在文艺复兴时期十分流行，后世诗人，如歌德和席勒，也曾用它来取得诙谐的效果。在今日的五行打油诗、胡闹诗、流行歌曲和商业招徕诗中，仍可经常听到打油诗的简单韵律。

Doggett, Thomas 多格特(约1670，爱尔兰都柏林～1721-09或10，英格兰伦敦) 英格兰演员，伦敦特鲁里街剧院著名的三大演员兼经理之一。擅长扮演粗俗的喜剧角色。康格里夫非常钦佩他的表演，专为他写了《老单身汉》剧中的方多威夫和《以爱还爱》剧中的本这两个角色。多格特写过一部喜剧《乡间节日》(1696)，在林肯律师学院菲尔兹剧院上演成功。1771年此剧由西伯再次演出。

Doggett's Coat and Badge 多格特上衣和徽章赛 世界上最古老的一种划船比赛。每年在英格兰沿泰晤士河举行，自伦敦大桥至切尔西，全程7.4千米。1715年英格兰喜剧演员T.多格特为纪念1714年乔治一世即位而发起，由他提供现金和饰有自由徽章的橘黄色号服作为奖励，后号服改为红色，奖金取消。

Dogon 多贡人 马里中部高原地区一个种族集团。人们对于多贡语许多方言的正确分类尚有疑问，多贡语曾被列入曼德语族、伏塔语族或其他语族。多贡人约有60万，大部居住在班迪亚加腊区的多山丘陵、山地及高原，主要营农业，少数工匠从事金工及皮革业，构成不同的社会阶级。多贡人没有统一管理的政治体制，而是聚居于村落，实行父系大家庭制，家长是共同祖先的年长的男性后裔。婚姻为一夫多妻制，但据说目前此种风习已属少见。多贡人在每一个较大的聚居区有一名宗教领袖，称为“合贡”，而全国则有一名最高合贡。合贡所著衣衫及其举止均象征着多贡人的创世神话，而多贡人则把他们的社会组织及文化大都同创世神话联系起来。多贡人玄学的思想体系要比其他绝大多数非洲民族来得更为抽象，这方面包括给自然物命名，为善及恶加以拟人的说法，给多贡人性格的精神本质作出定义等。多贡人的宗教生活每60年有一次高潮，届时要举行仪式，称作“锡圭”。仪式要在天狼星出现于两座山峰之间时举行。仪式举行之前，青年男子都要度过3个月的与世隔绝的生活，在此期间用一种秘密语言交谈。普遍参加的仪式是根据下述信念举行的，即：大约3 000多年以前，曾有若干两栖生物自天狼星来到多贡人这里，小作逗留。多贡人中的穆斯林约不足半数，基督徒则更少，大多数信奉传统宗教。

Dogra DYNASTY **多格拉王朝** 属于拉杰普特部族，迄今仍在印度查谟和克什米尔邦占有统治地位。查谟很早就是一个小土邦，1780年以后沦为锡克人的附庸。查谟人古拉布·辛格由于在锡克军队中立下汗马功劳，1820年封为查谟王公。这就是多格拉王朝的开端。他向北扩张，兼并了拉达克和伯尔蒂斯坦。在第一次锡克战争(1845～1846)中，古拉布·辛格保持中立并进行斡旋，英国人为奖赏他就以75万英镑的代价把克什米尔(1819年为锡克人兼并)出售给他。自此发生所谓克什米尔问题。克什米尔居民中除少数婆罗门外就是穆斯林，它是一个印度教徒统治穆斯林多数的邦。1947年古拉布·辛格的孙子哈里·辛格面对来自巴基斯坦的普什图人入侵，同意与印度结盟。

Dogrib 多格里布人 又称特林查丁内人。操阿塔巴斯坎语的印第安部落集团，居住在加拿大西北部大熊湖与大奴湖之间的林地或贫瘠地带。传统上多格里布人以渔猎为生，主要是用陷阱或标枪猎捕贫瘠地带的驯鹿。他们居住在兽皮覆盖的圆锥形帐篷里，严冬则构筑木柴覆盖的住室。社会组织包括有许多独立的、松散结合起来的群组，各有土地。妇女的社会地位要高于其他北部部落的妇女(参阅 **Chipewyan**)。但老病者多被抛弃而死亡。多格里布人的主要敌人是克里人、奇佩维安人及黄刀印第安人；18世纪末到19世纪初，他们在数度袭击中将黄刀印第安人屠戮殆尽。多格里布人一直是比较孤立的，到20世纪中期交通通讯条件有所改善，他们与加拿大其他地区才能有更多的接触。到20世纪后期多格里布人大约仅剩1 200人。

dogsled racing 狗橇比赛 狗拉雪橇在雪路上进行越野比赛的运动。源出于爱斯基摩人的运输方法。在一些北方地区狗拉雪橇仍用于运输和工作。现代轻型比赛雪橇重约30磅。狗经专门育种和特殊训练，有爱斯基摩狗、西伯利亚的哈斯基狗、萨莫耶德狗和马拉穆特狗等。5、7或9条狗为一套，一条领头，其余成对排列。驭手可使用短鞭，一般多用喊声指挥。在空旷地区任划一段线路举行比赛，在人烟较多之处则选用僻径，赛程12～30英里。5或7条狗的一套橇，乘载驭手1人，时速可达20英里。比赛时每橇相隔两三分钟出发，计时分胜负。通常所有的狗须按出发时的顺序到达终点。受伤的狗应放在橇上带走。1932年列为冬季奥运会比赛项目，加拿大选手E.戈达德获胜。该项运动盛行于挪威、加拿大和美国。世界锦标赛每年在美国新罕布什尔州拉科尼亚举行。

在美国科罗拉多州雷德斯通举办的狗橇比赛
美国不列颠百科全书公司供图

dogū 土偶 抽象的日本黏土塑像，通常是怀孕女性，制作于日本绳纹时代(公元前5000年或前4000年～约前250年)。这种土偶都是其他史前文化时期制作的正面端庄表现出能育性塑像的再现。他们的实际作用虽不得而知，但考古所得说明，它是婴儿出生的启示，也是生育的象征。在假想的葬礼中也能找到。这表明它起到某种仪礼的作用。土偶在低温中烧成，表面松脆，许多涂有红色颜料。

日本绳纹时代中期的土偶
美国不列颠百科全书公司供图

Doğubayazıt 多乌巴亚泽特 土耳其东部城镇。海拔1 800米，位于距土耳其和伊朗边界约16千米处。靠近特拉布宗至伊朗西北

多乌巴亚泽特的伊萨克帕萨宫
土耳其驻美国大使馆新闻中心供图

部的古代商路，一度为商业重镇。后因沿途商业萧条，渐失重要性。19世纪的俄土战争和第一次世界大战时，该城曾被俄军占领，备受破坏。该城的悬岩上有公元前1千纪的楔形文字碑铭。现为欧洲—伊朗公路干线的转运站，是该地区畜产品的贸易中心。人口约35 488(1990)。

dogwood 梾木 山茱萸科梾木属(*Cornus*)植物，灌木、乔木或草本。原产于欧洲、东亚和北美。**御膳橘**(**bunchberry**，即加拿大梾木[*C. canadensis*])为多年生匍匐草本。多花梾木(*C. florida*)原产于北美，花小，花瓣状苞片美观，故广泛栽培观赏。欧亚山茱萸(*C. mas*)原产于欧洲，也栽培供观赏，果可鲜食、制蜜饯或酿酒——梾木酒(vin de corneulle)。西美梾木(太平洋梾木、山梾木、纳托尔氏梾木，*C. nuttallii*)，与多花梾木区别不大。该属少数灌木种有斑叶，枝条有红、紫、黄等色，栽培供观赏及作为狩猎动物的食料。

多花梾木(*C. florida*)的花(上)与叶和果实(下)
美国不列颠百科全书公司供图

Doha 多哈 阿拉伯语拉丁字母转写作Ad-Dawḥah。卡塔尔首都。位于波斯湾的卡塔尔半岛东岸。该市人口约占全国人口的3/5。地处东西宽5千米的浅海湾，一直是当地重

多哈市的码头
美国不列颠百科全书公司供图

要港口。因湾中水浅，且有近岸珊瑚礁，只能通航小船。20世纪70年代建成深水港。长期来是波斯湾海盗活动的中心。原为小村庄，1867年毁于巴林、卡塔尔之间的战争。次年英国政府任命同意遵守1853年永久停止海战条约的多哈酋长为卡塔尔首位统治者，海上劫掠活动大为减少。19世纪后期，作为大部阿拉伯半岛宗主国的奥斯曼帝国间或在多哈驻有军队。1916年成为英国的保护国后，镇上设有英国政治机构。1971年末，新独立的卡塔尔定都多哈。20世纪初有采珠船约350艘。第二次世界大战后，卡塔尔丰富的石油储藏得到开发，经济发生彻底变化，成为人均收入很高的国家。该市已完全现代化，清除了贫民区，建起了现代化商业区和住宅区。深水港能停泊远洋轮。卡塔尔国家捕鱼公司使用现代机械化船舶捕鱼，公司总部设多哈。港内还建有现代化冻虾厂和包装厂。旅游景点有新钟楼广场、集市场和建立在新填筑滨海陆地上的政府大厦(1969)。城东南有国际机场。人口约264 009(1997)。

Doherty, Laurie; and Doherty, Reggie 多尔蒂兄弟(劳里1875-10-08，英格兰伦敦～1919-08-21；雷吉1872-10-14，英格兰伦敦～1910-12-29) 英国网球运动员兄弟。1897～1906年在网球比赛中居压倒优势。两人合作双打，几乎常胜不败。1897～1905年8次获温布尔登双打冠军。劳里于1897～1905年共获13次温布尔登男子冠军，1902～1906年为英国单打冠军。雷吉1897～1900年一直保持温布尔登男子单打冠军。多尔蒂兄弟在1902、1903年夺得美国双打冠军。劳里在1903年成为摘取美国单打桂冠的第一个外国人。1902～1906年英国获戴维斯杯，多尔蒂兄弟起了关键作用。

Doherty, Peter C. 多尔蒂(1940-10-15，澳大利亚～) 澳大利亚免疫学家和病理学家，他与瑞士的**青克纳格尔**(**Zinkernagel, Rolf M.**)因发现身体的免疫系统如何区别正常细胞与受病毒感染的细胞而共获1996年诺贝尔生理学或医学奖(参阅**immunity**)。多尔蒂在昆士兰大学获兽医学学士(1962)和硕士(1966)学位，但转向病理学而在苏格兰爱丁堡大学获博士学位(1970)。在堪培拉的约翰·柯廷医学研究学院进行研究期间(1972～1975)，多尔蒂开始与青克纳格尔合作，研究所谓T淋巴细胞的白细胞在感染一种能引发脑膜炎的病毒的老鼠体内所扮演的角色。他们从理论上说明：在感染此类病毒的老鼠体内引起脑细胞致命破坏的是免疫反应本身的力量。为了测试这个理论，他们把受病毒感染的鼠细胞与取自其他染病老鼠的T淋巴细胞相混。T淋巴细胞确实摧毁了受病毒感染的细胞，但只有在受感染细胞与淋巴细胞来自基因上同类的老鼠时才发生；T淋巴细胞会略过那些取自另一类老鼠的受感染细胞。进一步的研究显示：在摧毁受感染细胞之前，T细胞必须在细胞上认出两个分立的信号。一种信号是列于细胞表面的入侵病毒碎片；另一种是细胞内主要组织适应体(MHC)抗原的自我认同标签，可认定细胞属于自体。这个同时辨认自身分子和外来分子的概念形成了全新理解免疫系统在细胞层次使用的总体机制的基础。在宾夕法尼亚州费城威斯塔学院任教(1975～1982)后，多尔蒂领导堪培拉约翰·柯廷学院的病理系(1982～1988)，1988年成为田纳西州孟菲斯圣祖德儿童研究医院的免疫科主任。

Dohnányi, Ernst von 多赫纳尼(1877-07-27，匈牙利波若尼～1960-02-09，美国纽约州纽约) 匈牙利作曲家、钢琴家和指挥家，以为钢琴与管弦乐队所写的《儿歌变奏曲》著

美国不列颠百科全书公司供图

称。曾在布达佩斯皇家音乐学院学习。其第一交响乐于1897年在该院首次演出。他广泛巡回演奏钢琴，获得当代优秀演奏家声誉。1908～1915年执教于柏林音乐学院；曾任布达佩斯爱乐乐团指挥。1919年任布达佩斯音乐学院副院长。1931年任匈牙利广播电台台长。1948年因受政治迫害离开匈牙利，作品在国内禁演10余年之久。后去阿根廷执教，1949年起，在美国佛罗里达州立大学任驻校

作曲家。作品主要受勃拉姆斯影响，属于后期浪漫主义，风格保守，1910年以后在同时代匈牙利作曲家中仅居次要地位。作品包括小提琴曲《匈牙利农村》，3首交响乐，1部芭蕾舞剧，升F小调组曲，3部歌剧和室内乐等。其中以第2弦乐四重奏、2首钢琴和弦乐五重奏最著名。

Doi Takako 土井多贺子（1928-11-30，日本神户～ ）日本政治家、教育家，1986～1991年为日本社会党（JSP）党首。在日本，她是第一位任政党领袖的妇女。土井是医生的女儿。曾入京都同志社大学求学，毕业后留校教授宪法。1969年选入议会。日本实行多党制，日本社会党为第二大党，在1986年的大选中，该党遭到惨败后，遂请土井出来领导。自担任领袖的第一天起，她就试图在国防和核动力等意见分歧的问题上带领全党更多地进入主流，例如，该党缓和一贯的态度，在一定限度内支持日本自卫队的活动。土井在争取妇女选民方面取得很大成功，在日本的政治中，妇女选民已成为一个新的权力基础。虽然最初很少过问女权问题，但是她在当政的自由民主党以其朋比为奸的金钱政治和性丑闻激怒妇女的时候，曾经帮助疏导妇女们的不满。依照她的"夫人战略"，在1989年的夏季选举中，有许多女候选人得到了官职，而且自民党在30年中第一次失去参议院的多数席位，败于土井领导的社会党。但是，该党在后来的选举中受挫，导致她于1991年6月引退。1993年当选众议院议长。1996年起任社民党领袖。

Doisy, Edward Adelbert 多伊西（1893-11-13，美国伊利诺伊休姆～1986-10-23，密苏里圣路易斯）美国生物化学家。1939年发现抗出血维生素K，与H.达姆共获1943年诺贝尔生理学或医学奖。多伊西与其同事又分离了维生素K_2、雌酮（1929年第一个制成晶体的雌激素）、雌三醇（1930）、雌二醇（1935）。他于伊利诺伊大学获学士和硕士学位，在哈佛大学获博士学位（1920），后于密苏里州圣路易斯的华盛顿大学医学院（1919～1923）和圣路易斯大学（1923～1965，1965～1986荣誉教授）任教，与胚胎学家E.艾伦合作多年研究成多种测试技术，促进了性激素的研究。因为他在维生素、抗生素、激素、血液缓冲系统等方面均作出了贡献，1955年该学院的生物化学系以他的姓氏命名。他在科学期刊上发表过多篇论文，并著有《性激素》（1936）、《性及内分泌》（1939，与E.艾伦和C.H.丹福思合著）。

Dokuchayev, Vasily Vasilyevich 多库恰耶夫（1846-03-01，俄罗斯米柳科沃～1903-11-08，俄罗斯圣彼得堡）俄罗斯地貌学家和早期土壤科学家。1872年任圣彼得堡大学地质馆馆长；1879年参加地质系教学工作，并在大学里第一次开设了第四纪地质学课程。1892～1895年改组并主持了新亚历山大农林学院，增设了土壤科学系和植物生理学系。组织了俄国大部分地区的土壤调查，并提出了黑土（chernozem）一词，用来描述富含碳酸盐和腐殖质的黑色土壤，这种土壤出现在俄国的温带地区。他把土壤看作是气候、基岩和生物体之间相互作用的结果。1898年提出了俄国土壤的分类，表明相同的基岩生成了不同的土壤，是由气候决定的。对基岩、气候和生物体之间相互作用的强调，是生物群落理论的前奏。

Dōkyō 道镜（？～772，日本旧下野国）日本佛僧。761年得到前女天皇孝谦（749～758在位）的宠信，开始对政治发生影响。764年清除淳仁天皇的宠臣惠美押胜。他随即发动政变，废黜淳仁，拥孝谦再次登基，为称德女皇（764～770）。他任太政大臣禅师，766年又成为法王。他由于谋求继承皇位而引起许多重臣的不满，特别是触怒了极有权势的藤原一家。770年称德女皇死后，藤原氏把他逐出京城。由于这一事件，约千年之久不允许女人继承天皇皇位。

dolce stil nuovo 温柔的新体 13～14世纪一群诗人的风格。他们大多数是佛罗伦萨人。他们的方言十四行诗、短歌以及谣曲，赞美一种对爱情和妇女的精神上的和理想化的观点，其风格诚挚、细腻并富于音乐感。博洛尼亚诗人G.圭尼泽利被认为是新体派的先驱。该派最光辉的诗人是G.卡瓦尔坎蒂和但丁本人。几种不同的影响为温柔的新体规定了发展道路：普罗旺斯行吟诗人的诗歌，圣弗朗西斯及其追随者的质朴和神秘主义，13世纪的西西里诗派诗人，以及托马斯主义、柏拉图主义和亚里士多德主义的哲学原则。圭尼泽利的贡献在于他本人诗歌的温柔风格，以及他对妇女和爱情的崇高观点，代表作是他的短歌《爱情藏他在温柔的心里》。但丁和卡瓦尔坎蒂的天才使这个运动达到全盛。但丁在《筵席》中指出，他是有意识地选择温柔的带有音乐感的语言来写爱情诗的；他在《新生》中所穿插的献给贝雅特里齐的优美的抒情诗，充分证明了他的成就。他对爱情的观念是十分崇高的：贝雅特里齐就是在生前，也被描写为天使般的容貌；她死后，但丁让她在《神曲》中担任他游天堂时的带路人的角色。但丁对贝雅特里齐的爱情所洋溢的神圣性质，与他的"第一个朋友"卡瓦尔坎蒂在感情复杂、且常常是痛苦的爱情诗中所表现的并不一致。然而卡瓦尔坎蒂是一个描写爱情的复杂性的诗人，他为温柔的新体提供了一些最出色的范例，如以"大家的眼睛都看着走来的她，她是谁"开始的一首十四行诗。卡瓦尔坎蒂也写了一首著名的难懂的短歌，分析爱情的性质，题目是《向我祈求的夫人》。它指出：一个男子逢到一个妇女，如果符合他心目中的理想形象，爱情就存在，如果这种形象的符合变成差异，爱情就不再存在。新体派的影响扩展到他们自己所处的时代之外，影响了彼特拉克、梅迪契（他是有意识地模仿的）、米开朗琪罗、本博、塔索、罗塞蒂及庞德等。

Dolci, Carlo 多尔奇（1616-05-25，佛罗伦萨［意大利］～1686-01-17，佛罗伦萨）别名卡尔利诺。意大利画家，巴罗克佛罗伦萨画派最后的代表人之一。其宗教画以极度温柔和虔诚为特征。有一时期，佛罗伦萨派画家纷纷迁往巴罗克艺术中心罗马，多尔奇一直留居托斯卡纳，继续沿着佛罗伦萨画派比较朴实静穆的传统风格发展其艺术。他虽无才华和创造力，但作品在当时却非常受欢迎。

多尔奇自画像
美国不列颠百科全书公司供图

doldrums 赤道无风带 赤道附近内热带辐合区中洋流和风都很微弱的地区，是一条在赤道附近围绕地球的空气辐合上升的带。东北信风和东南信风在此会合，引起空气缓慢上升，并形成赤道无风带。出现在印度洋和西太平洋的赤道区，以及非洲和中美洲的西海岸外的赤道稍偏北处。帆船航行很怕碰上赤道无风带，船到了那里就会停止不动。

Dole 多勒 法国东部弗朗什孔泰大区侏罗省城镇。位于第戎东南，临杜河和莱茵-罗讷运河。罗马时代称多拉。中世纪为勃艮第公爵住地。1332～1674年为费朗什-孔泰省省会。1493～1678年属哈布斯堡王朝。1678年归属法国。L.巴斯德的出生地（巴斯德路43号）被辟为纪念馆。巴斯德医院设在一座17世纪建筑内。其他古建筑有16世纪哥特式圣母院教堂等。生产金属制品和卫生陶瓷器；并经营粮食、葡萄酒和干酪。人口27 860（1990）。

多勒镇莱茵-罗讷运河滨的圣母院教堂
美国不列颠百科全书公司供图

Dole, Bob 多尔（1923-07-22，美国堪萨斯拉塞尔～ ）美国参议员、共和党国会领袖，以其才智、敏锐及在食物券计划、民权立法和由政府资助的为残疾人提供帮助的计划等问题上所持的立场异常开明而著称。所受教育因第二次世界大战而中断。大战时任陆军少尉，被炮弹炸成重伤，右臂和右手残废。他重返课堂并以优异成绩毕业于堪萨斯州托皮卡的沃什本市立大学，获法学学位。1951～1953年为堪萨斯州议会共和党议员，此后4次担任拉塞尔县检察官。1961～1969年任美国众议院共和党议员，反对肯尼迪和约翰逊总统的政策。1968年被选入美国参议院，1984年成为参议院多数党领袖，从1987年起为参议院少数党领袖。他争取成为政府行政部门领导人的努力——1976年作为福特总统的竞选伙伴及1980、1988年作为共和党总统候选人——未获成功。他的第二位妻子伊丽莎白1975年与他结婚，也曾在美国政府中任过许多要职。

Dole, Sanford Ballard　多尔（1844-04-23，火奴鲁鲁～1926-06-09，火奴鲁鲁）　夏威夷共和国总统（1894～1900），夏威夷被美国兼并后的夏威夷准州首任州长（1900～1903）。早年在美国马萨诸塞州威廉斯学院学习2年，然后回夏威夷，在火奴鲁鲁当律师。两次当选为夏威夷议会议员，领导改革运动，导致1887年通过宪法。1887年任夏威夷最高法院法官。1893年废黜夏威夷女王，任临时政府总统。1894年夏威夷共和国成立，他任总统。1900年美国吞并夏威夷，建立准州，任他为州长。1903年辞职，任夏威夷地方法院法官直至1915年退休。

dolerite（petrology）　**粒玄岩**　参阅 **diabase** ***辉绿岩***。

Dolet, Étienne　多雷（1509-08-03，法国奥尔良～1546-08-03，巴黎）　人文学家、学者和印刷业者。所著《拉丁文诠解》对拉丁文研究有重大贡献。往往有人称他为"文艺复兴事业

美国不列颠百科全书公司供图

的第一位烈士"。他曾就学于巴黎大学、帕多瓦大学和威尼斯大学，然后定居于图卢兹。性喜争论，醉心于文艺复兴学术，反对教权主义，因而卷入公私争论，被逐出大学，迁往里昂。曾3次被控为无神论者，1542和1544年先后因出版宣传宗教改革家加尔文的教义的著作和柏拉图否认灵魂不灭的对话录而遭监禁。1546年再次入狱。最后被巴黎大学神学教师团认定有罪，受酷刑后被火刑处死。多雷究竟是新教还是反基督教的理性主义自由思想家，难以定论。虽然加尔文和天主教会都谴责他，但他出版许多宗教书籍，并多次提倡阅读本国文本《圣经》。他之所以遭难，与其说是由于他的主张，不如说是由于他树敌过多。

Dolgan　多尔甘人　操突厥语的民族。据1979年人口普查，总数5 100人，是远在俄罗斯北中部北极圈的太梅尔自治州的基本居民。多尔甘人大概在18世纪由西南部迁来这里，驱赶恩加纳萨尼人的祖先向北移入太梅尔半岛。多尔甘人的核心成员是少数埃文克或通古斯氏族，后来便采用了操突厥语的雅库特人的一种方言。20世纪晚期多尔甘人主要是驯鹿牧民。在苏维埃制度下虽已集体化，但游牧生活方式改变缓慢。除传统的狩猎外，经营菜圃也成为重要的经济活动。俄罗斯革命以前，多尔甘人组成氏族，氏族由长老或小王公进行统治。

Dolgano-Nenets autonomous okrug（Russia）　**多尔干-涅涅茨自治区**　参阅 **Taymyr** ***泰梅尔***。

Dolgoprudny　多尔戈普鲁德内　俄罗斯西部莫斯科州城市。在莫斯科市北面。在苏联第一个五年计划期间是制造飞艇的中心。现有机械工业。设有莫斯科技术物理研究所、中央气象台和普里亚尼什尼科夫农业化学实验室。人口约68 500（1995）。

Dolgoruky FAMILY　**多尔戈鲁基家族**　又拼Dolgorukov。为一俄国公爵世族，据信源出基辅的弗拉基米尔二世之子，即尤里·多尔戈鲁基（1090～1157）。这个家族人材辈出，有著名的政治家，有军事将领，也有作家。尤里·阿列克谢耶维奇（1682卒）是一位大贵族和军事指挥官，在1654～1657年的俄波战争中屡屡获胜。1676年被任命为小沙皇费多尔·阿列克谢耶维奇的监护人；1682年莫斯科起义时被打死。雅科夫·费奥多罗维奇（1639～1720）是彼得大帝的亲密战友，在陆军服役，被瑞典人俘虏10年。1711年回国后任参政员和监察大臣。格里戈里·费奥多罗维奇（1656～1723），1701～1721年任驻波兰大使，参加订立《俄波同盟条约》（1701）和《纳尔瓦盟约》（1704）。瓦西里·弗拉基米罗维奇（参阅 **Dolgoruky, Vasily Vladimirovich, Knyaz**）是一位高级军官，最高枢密院成员。他的远房堂弟外交官瓦西里·卢基奇（参阅 **Dolgoruky, Vasily Lukich, Knyaz**）也是最高枢密院的成员。尤里·弗拉基米罗维奇（1740～1830）是一位传记作家，参加过七年战争（1756～1763）和两次俄土战争（1768～1774和1787～1791）。伊万·米哈伊洛维奇（1764～1823）曾任奔萨副总督（1791～1797）和弗拉基米尔总督（1802～1812），著有抒情诗、喜剧和回忆录一类的作品。

Dolgoruky, Vasily Lukich, Knyaz（Prince）　**多尔戈鲁基**（约1670～1739-11-19，俄罗斯诺夫哥罗德）　俄国外交家、政治家，公爵。在沙皇彼得二世在位（1727～1730）期间为其本人和家族取得政治权力。早年给驻巴黎的叔父雅科夫·费奥多罗维奇当助理。1700年随另一位叔父格里戈里·费奥多罗维奇出使波兰。1706年取代叔父任俄驻波兰大使。后来相继任俄国驻丹麦（1707～1720）、法国（1721～1722）和瑞典（1725～1727）大使。不久出任最高枢密院大臣，并把侄女许配沙皇彼得二世。但彼得二世未及完婚突然去世（1730），多尔戈鲁基由于参加争夺皇位的阴谋活动，伪造沙皇的遗诏，1730年被流放到西伯利亚，后被送入索洛韦茨基隐修院。1739年以伪造诏书罪被斩首。

Dolgoruky, Vasily Vladimirovich, Knyaz（Prince）　**多尔戈鲁基**（1667-01，俄罗斯～1746-02-22，圣彼得堡）　俄国军官、公爵。他在反对彼得大帝（1682～1725在位）和女皇安娜（1730～1740在位）的政治阴谋中起过主要作用。尤里·多尔戈鲁基亲王（1090～1157）的后裔。曾参加北方战争（1700～1721）。1707～1708年镇压由哥萨克首领布拉文领导的起义，从而赢得沙皇彼得一世的信任。但他显然反对彼得的维新和改革。由于与一群波雅尔（大贵族）阴谋以彼得的思想比较保守的儿子阿列克谢取代彼得，他被褫夺军阶和称号，并被流放（1718）。1724年赦还后，重新获得彼得的继位者的恩宠。1728年成为陆军元帅，进入最高枢密院（政府决策机关）。1730年，当彼得二世死去的时候，他支持彼得一世的侄女安娜·伊凡诺夫娜继承帝位。他还参加拟定旨在限制俄国的君主权力和由最高枢密院掌握实权的一系列"条件"。安娜在成为女皇之前被迫接受了这些"条件"，但在到达莫斯科以后不久即毁约并撤销了最高枢密院。多尔戈鲁基再次被革除军阶和称号，并发配充军，起初流放到西北部的伊万哥罗德，1739年被流放到索洛韦茨基隐修院。1741年，女皇叶利扎维塔登位，恢复他的军阶和称号，任命他为军事学院院长。

Dolin, Sir Anton　多林（1904-07-27，英国苏塞克斯斯林福德～1983-11-25，巴黎）　英国芭蕾舞蹈家、编导和剧团团长。曾和他经常合作的舞伴A.玛尔科娃建立了玛尔科娃-

多林主演《蓝胡子》（1942）的剧照
美国不列颠百科全书公司供图

多林舞蹈团和伦敦节日芭蕾舞团。多林曾师从著名俄国教师S.阿斯塔费耶娃和B.尼任斯卡。1921年在S.佳吉列夫的俄罗斯芭蕾舞团开始他的芭蕾生涯,任独舞演员,曾主演尼任斯卡的《蓝色列车》(1924),并在G.巴兰钦的《浪子回头》(1929)中创造了一个重要角色(两个奴仆之一)。他被认为是当时最好的舞伴之一,曾在许多古典芭蕾中扮演过主角,以在N.德·瓦卢娃的《约伯》(1931)中扮演撒旦,在M.福金的《蓝胡子》(1941)中扮演主角而闻名。多林在许多舞团的组建中都起过积极作用,帮助建立了卡玛戈学会(1930～1933),这个团体的演出对英国芭蕾产生巨大影响。在维克－韦尔斯芭蕾舞团(今皇家芭蕾舞团)的最初几次演出中,他都担任主角。1940年加入新建的芭蕾舞剧院(现为美国芭蕾舞剧院),担任舞蹈演员和编导,直到1946年。他也是玛尔科娃－多林舞蹈团的团长和主要的男舞蹈演员(1935～1938;1945～1948)。1949年和玛尔科娃建立了另一个舞团,1950年命名为伦敦节日芭蕾舞团,他担任这个团的首席舞蹈演员和艺术指导,直到1961年。然后,又曾组织芭蕾明星舞蹈团并与该团一起作巡回演出;担任过罗马歌剧院芭蕾舞团的编导和团长;还当过加拿大大芭蕾舞团艺术顾问。1981年被封为爵士。多林重新排演了《天鹅湖》、《吉赛尔》和《睡美人》的最后一幕,在这一幕中他单独表演了公主奥罗拉(1941)。其芭蕾创作有《随想曲》(1940)、《浪漫时代》(1942)和《四人变奏舞》(1957),后者是一个很受欢迎的全部由男演员演出的娱乐节目。多林还以重新改编J.佩罗的古典娱乐舞蹈《四人舞》而特别出名。他创作了许多论述舞蹈的书,其中包括《处处有芭蕾》(1938)、《双人舞:作舞伴的艺术》(1950)、《阿丽西亚·玛尔科娃》(1953)、《自传》(1960)和《睡着的芭蕾女演员:奥尔加·斯皮西芙采娃的故事》(1966)。1980年在电影《尼任斯基》中扮演教师切凯蒂。

doline(landform) 参阅 **sinkhole 落水洞**。

Dolisie(Congo) **多利西** 参阅 **Loubomo 卢博莫**。

Dolittle, Doctor 多利特尔医生 英国出生的美国作家**洛夫廷**(**Lofting, Hugh**)所著10本儿童系列故事中的主人公。

Dolj 多尔日 罗马尼亚西南部一县。面积7 413平方千米,南邻保加利亚。日乌河和泰斯卢伊河向南流经境内低地和起伏的丘陵,注入该县南部界河多瑙河。县城**克拉约瓦**(**Craiova**)有机械、冶金及化学工业。纺织、皮革制品、木材加工及建材业分布在克拉约瓦及特尔古日乌、菲利亚希和伊沙尔尼察几个较小市镇。皮得罗沙尼为煤矿区,克拉约瓦附近日乌河上有水电站。卡拉法特、贝凯特和科拉比亚为多瑙河沿岸小港。日乌河流域曾发现科费尼文化遗迹(公元前1900～前1700)、勒卡里古罗马营地、菲利亚希和克拉约瓦之间古罗马通道。克拉约瓦设有大学,通公路和铁路。人口约761 100(1992)。

doll 玩偶 模仿人或动物的形状做成的一种儿童玩具。玩偶可能是人类最早的玩具。在史前时期的坟墓中从未发现过玩偶,可能因为它们是由木头、毛皮或布一类易朽材料

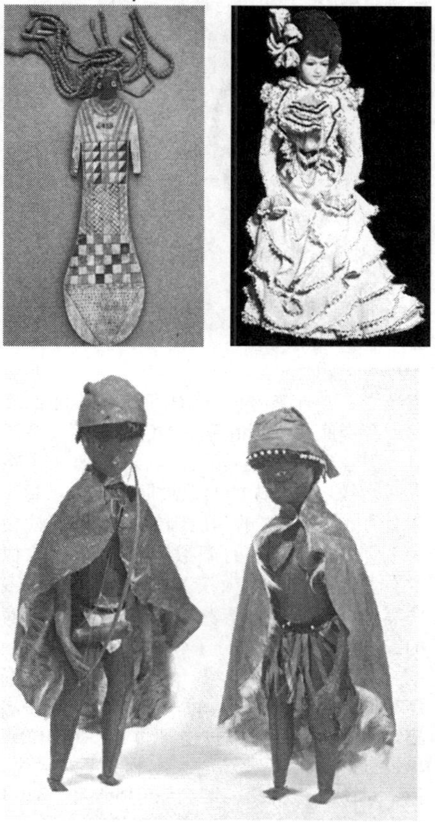

(左上)公元前2000年的埃及彩绘木玩偶;(右上)19世纪晚期的法国模特蜡玩偶;(下)可能是南非蓬多人的皮玩偶
美国不列颠百科全书公司供图

做成的。但在巴比伦找到一个用雪花石膏做的、手臂能动的玩偶的碎片。在埃及的墓穴里找到一些公元前3000～前2000年间的、在扁平的木头上雕琢的玩偶,漆有几何图案,头发由一串串黏土或木制珠子做成。有些古代玩偶可能有宗教意义。在古希腊和罗马,达到结婚年龄的少女向狄安娜和维纳斯奉献她们遗弃的玩偶。在埃及、希腊、罗马以及早期基督教地下儿童的墓穴中葬有玩偶。早在1413年德国的纽伦堡就有玩偶制造匠;从16～18世纪,这个地方已成为玩偶和玩具的主要制造地。巴黎是早期另一个大批生产玩偶的地方,主要制作时新的玩偶。玩偶头部由木料、赤陶、雪花石膏和蜡制成,英国的A.蒙塔纳里和她的儿子理查德(约1850～1887)使蜡制技术更臻完善,理查德做出第一个婴儿玩偶。约在1820年,用上釉的瓷器(德累斯顿)和不上釉的本色陶器做玩偶的头,颇为流行。1862年朱莫一家做的法国陶器玩偶,颈部可旋转,身体是木制的,外面包有小山羊皮,或小山羊皮内塞有锯木屑;这种玩偶制作法一直流行到20世纪由塑料制品取代时为止。带有插口的关节、可转动的眼睛、能发出声音和能走路的玩偶,以及用硬纸做的玩偶书和天然橡胶制的玩偶是19世纪出现的。1860～1890年这一时期是穿戴考究的巴黎陶器制造的时新玩偶和小型"女帽商模特儿"的黄金时代。最早的美洲玩偶可能是在阿兹特克人墓地找到的,在特奥蒂瓦坎的金字塔附近找到的玩偶就是个例子。殖民地时期的玩偶大部分按照欧洲模式。在日本,玩偶多半不是玩具而是节日的人物。每年3月举行的少女节期间,展出代表天皇、皇后和宫廷人物的玩偶;7～17岁的少女互相参观各自收藏的玩偶,也请吃茶点;茶点首先献给代表天皇、皇后的玩偶,然后献给来宾,这种仪式已有900多年的历史。日本男孩子从出生后第一个5月起到15岁左右,也有一年一度的玩偶节日;展出的有武士玩偶、武器、旗帜和传说中的人物,以鼓励武士道精神。有些现代玩偶甚至打扮成运动员。在印度,印度教徒和穆斯林都向年幼的新娘赠送穿戴考究的玩偶。在叙利亚,达到结婚年龄的少女都把玩偶挂在窗户上。在南非奥兰治自由邦的姆芬古人中,每个成年女子都有人送她一个玩偶,留给她的第一个孩子。当孩子出生后,她又收到第二个玩偶,留待她的第二个孩子。

dollar 元 原系流通于许多欧洲国家的银币,现为美国、加拿大、澳大利亚、新西兰和其他国家的本位货币单位。过去流通于美洲的西班牙和英国殖民地的西班牙比索,或值8里亚尔币的比索,被说英语的民族称之为元。由于大众对这种铸币很熟悉,1792年美国将其正式货币单位定为元。加拿大于1858年,澳大利亚于1966年,新西兰于1967年相继采用元为货币单位,并规定为十进位制。

Dollar, William(Henry) 多拉尔(1907-04-20,美国密苏里圣路易斯～1986-02-28,宾夕法尼亚弗劳尔镇) 美国芭蕾舞蹈家、编导和芭蕾教师。与美国许多芭蕾舞团交往

多拉尔与M.海登演出《决斗》的剧照
美国不列颠百科全书公司供图

了30余年。曾向芭蕾舞编导G.巴兰钦和M.福金学习,亦师从原俄国首席男演员M.莫尔德金和P.弗拉基米罗夫学舞。在美国芭蕾舞团(1936～1937)、巡回芭蕾舞团(1936～1938)和美国巡回芭蕾舞团(1941)担任过主

要舞蹈演员，这些舞团都是1948年建立的纽约市芭蕾舞团的前身。在这些芭蕾舞团工作时，曾在下列舞剧中扮演角色：巴兰钦改编的《仙女之吻》(1937)、《牌会》(1937，后称为《牌戏》)和《超然存在》(1935)。《超然存在》是巴兰钦特地为他编的。他的第一部舞剧《古典芭蕾》(1936)是和巴兰钦一起创作的，1944年他用《康士坦蒂亚》这个剧名为国际芭蕾舞团重排了这部作品。此外还为包括《决斗》(1950)在内的其他许多舞剧编过舞。《决斗》原名《格斗》，1949年为R.珀蒂的巴黎芭蕾舞团创作、上演。后来的作品有《树叶与风》(1954)和《门德尔松协奏曲》(1958)。他曾在巴西、日本和蒙特卡洛的芭蕾舞团工作，并在伊朗创办过一个国立芭蕾舞团。

Dollar Diplomacy　金元外交　美国W.H.塔夫脱总统(1909～1913)及其国务卿P.C.诺克斯制订的外交政策。目的是确保在一个美国需保护和扩大其商业和金融利益的地区的金融稳定。这项政策从T.罗斯福对多米尼加共和国所进行的和平干涉行动脱胎而来。在那里，美国曾以提供贷款为条件，换取挑选多米尼加海关(该国收入的主要来源)署长的权利。塔夫脱政府在尼加拉瓜执行了这样的政策。它支持推翻J.S.塞拉亚并以A.迪亚斯取而代之，设立海关税务官，并保证向尼加拉瓜政府提供贷款。这些改革引起该国人民不满，美国又加以军事干涉。塔夫脱和诺克斯也曾试图在中国推行金元外交；但没有成功。1913年，W.威尔逊总统公开否定金元外交。但在其他方面，他也像几位前任总统一样，不遗余力地维护美国在中美洲和加勒比海的至上地位。

Dollfus, Audouin(-Charles)　多尔菲斯(1924-11-12，巴黎～2010-10-01，凡尔赛)　法国天文学家。是继B.李奥之后成为法国研究太阳系的主要权威，曾数度乘气球进行高空观测(包括法国首次对平流层的观测)。他根据光的偏振特性推断火星的表面物质由粉末状的褐铁矿(Fe_2O_3，一种铁的氧化物)构成，他还绘制了一幅有他本人认为是固定地形特征的金星表面图。1966年12月15日，他发现土星的第10颗卫星——土卫十。

Dollfuss, Engelbert　陶尔斐斯(1892-10-04，奥地利特克星～1934-07-25，维也纳)　奥地利政治家，1932～1934年任奥地利总理，推翻奥地利共和国，在保守的天主教和意大利法西斯主义原则的基础上建立独裁政权。在维也纳和柏林学习法律和经济后，任下奥地利农民联合会秘书。1927年任下奥地利农业署长。他是保守的和主张扩张教士政治势力的基督教社会党党员。1930年任联邦铁路总裁，1931年起任农业部长。1932年5月出任总理，领导以基督教社会党为首的保守的联合政府。面临着由全世界的萧条所引起的严重经济危机，他决定不参加同德国的关税同盟。在社会民主党人和民族主义者的严厉批评下，他日益加强独裁统治。墨索里尼成了他的主要外国盟友。1933年8月，意大利在里奇奥内保证奥地利的独立，但作为交换条件，奥地利必须取缔所有的政党，并且按照法西斯的模式修改它的宪法。他于1933年3月开始抨击国会，终于导致于同年9月永久废除立法机构，组成以祖国阵线为基础的总体国家，希望以该阵线取代奥地利的一

合众国际社供图

切政党。在外交方面，他推行一条实际上使奥地利变成意大利的卫星国的路线。他希望以此阻止奥地利并入纳粹德国，按照法西斯独裁路线与他在国内的政敌展开斗争。1934年2月，他的忠实爪牙血腥镇压奥地利社会民主党。1934年5月颁布新宪法，他的政权完全成为一个独裁政权。同年6月，德国唆使奥地利的纳粹分子发动内战，在对总理府的袭击中，他被纳粹分子刺死。

Döllinger, Johann Joseph Ignaz von　多林格尔(1799-02-28，班贝格班贝格～1890-01-10，慕尼黑)　德国历史学家、天主教神学家，拒不承认第一次梵蒂冈会议(1869～1870)制订的教皇永无谬误教义。1822年受神职，1826年任慕尼黑大学教授，讲授教会法和教会史。1835年任巴伐利亚王室科学院院士，1873年为该院院长。1847年因抗议巴伐利亚国王路德维希一世撤换他的四位同事而丧失教授职位，但所受新职之地位仅次于慕尼黑大主教。1849年重任教会史教授。他反对鼓吹教皇一贯正确的越山派，使他成为德意志反教皇派的领袖。1869年发表一系列著作，后来加以增补，编成一集，题为《教皇与宗教会议》(1869)。这本书不久即列入梵蒂冈禁书目录。第一次梵蒂冈会议颁发关于教皇永无谬误的教义，多林格尔表示反对，遂于1871年被处绝罚。同年当选为慕尼黑大学校长。当年他与同遭绝罚的同事组织了一个批判第二次梵蒂冈会议决议的大会。会上成立包括多林格尔本人在内的委员会，负责拟订教义原则和另立老公会的纲领。他起先反对这个纲领，后来转而完全拥护它。

Dollmann, Friedrich　多尔曼(1882-02-02，德国维尔茨堡～1944-06-28，法国勒芒)　第二次世界大战时德国陆军指挥官。1899年参加德国陆军。第一次世界大战时，升任炮兵营长。1932年晋升准将，1935年任军长，1936年晋升中将。1939年受命指挥第七军团，于1940年5至6月率部入侵法国。1940年7月晋升上将。以后四年即在其设于勒芒的司令部指挥其在法国北部的第七军团，承担防守诺曼底的任务，抵御盟军可能由英国发动的进攻。但多尔曼所率六个步兵师大多是一些装备不良的二流部队，且战线过长，难以阻挡1944年6月6日盟军的登陆攻势。当美军在科唐坦半岛长驱直入于6月22日占领瑟堡港时，希特勒威胁多尔曼和其他将军，如未能阻止盟军攻势即按军法从事。多尔曼对此大感震惊，6月28日死于其野战司令部，死因不明。

Dollmann, Georg (Carl Heinrich) von　多尔曼(1830-10-21，巴伐利亚安斯巴赫～1895-03-31，慕尼黑)　德国建筑师。遵照巴伐利亚患有精神病的国王路易二世的倡议，设计了3座庞大而古怪的建筑。其一为林德霍夫(1869～1878)，其新巴罗克或新洛可可建筑风格，与山地环境十分不调和。其二为纽什凡斯泰恩城堡(1869～1886)，模拟R.瓦格纳歌剧《汤豪泽》里的中世纪条顿风格，又吸收并夸张了C.扬克为瓦特堡所作的设计。另一为海伦希姆泽(1878～1885)，设计得像是凡尔赛宫的复制品，但未完成。

Dollond, George　多朗德(1774-01-25，伦敦～1852-05-13，伦敦)　英国光学家，发明多种用于天文、大地测量和导航的精密仪器。他一生大部时间在制造数学仪器的家族公司中工作，1819年他叔叔P.多朗德退休后，负责整个公司的工作。他1821年宣布制成的水晶测微计，英国天文学家R.道斯曾用来测量两颗邻近的双星。后来他又改进了各种天文和导航仪器。由于发明了同时测量气温、大气压、风向、风速、蒸发和电现象并记录在纸带上的大气记录仪，他获得1851年大博览会的会议奖章。

Dollond, John　多朗德(1706-06-10，英格兰伦敦～1761-11-30，伦敦)　英国光学和天文仪器制造者，研制了一种消色差折射望远镜和一种实用测日仪，后者是用来测量太阳的直径和天体间角度的望远镜。早年曾随家庭学习丝织行业，后成为一名光学和天文学方面的巧匠，1752年加入其长子P.多朗德的光学仪器制造商行。1754年提出了他的测日仪。1747年，针对牛顿关于透镜中的色差无法校正的论点，曾发生过一场争论。后来实验证明这种论点不对。以后，多朗德就发明了一种用于望远镜上由火石玻璃和冕牌玻璃制成的消色差透镜，这项发明使他得到了皇家学会的科普利奖章。英国C.M.霍耳在此之前的发现，后来也得到了承认。

Dollond, Peter　多朗德(1730，英国伦敦～1820-07-02，伦敦肯宁顿)　英国光学仪器制造者。他虽缺少理论方面的基础知识，但却发明了迄今仍在广泛使用的三合消色差透镜，对天文折射望远镜作了重大的改进，并改进了当时的导航仪器。1765年他把两块冕牌玻璃凸透镜和一块火石玻璃双凹透镜合在一起，制成了一种三合消色差透镜，这种透镜使影像没有额外色彩，并且使原有设备的球面像差大为减少。

Dollo's law　多洛氏法则　约1890年法国出生的比利时古生物学家L.多洛所描述的生物学原理。该法则认为进化是不可逆的，即生物在进化过程中退化了的机体构造或功

能不再重现。该假说首先由历史学家E.基内提出。

Dolly Varden trout（*Salvelinus malma*） **多利·瓦登鳟** 又作malma。又称牛鳟、花羔红点鲑。北美西北部及亚洲东北部的鲑科红点鲑。背上有黄点，体侧有淡红色点，下部各鳍有白色边。因其食鲑类的卵和幼鱼，在阿拉

多利·瓦登鳟（*Salvelinus malma*）
美国不列颠百科全书公司供图

斯加被视为害鱼而遭清除。多利·瓦登鳟常洄游入海，长大后回到江河中产卵。体重平均约0.5～1.8千克，亦可能更大，是良好的食用鱼及游钓鱼。名字源自C.狄更斯小说中的人物。

dolma 都玛 中东和希腊食谱中以各种不同蔬菜作填馅的食品。以在葡萄幼藤中填入具有柠檬味的米饭、洋葱和羔羊肉馅的混合物最为有名。一般作为开胃食品凉吃，但希腊的一种羔羊肉都玛却加蛋黄和柠檬汁调成的酱汁作为正菜热吃。其他蔬菜如青色小节瓜、青椒、卷心菜和洋葱也可这样制作。

dolmen 石室冢墓 史前遗物。以数块巨石植于地上，边向外倾，上承石板以为顶，用作墓室，为新石器时代欧洲典型结构。此词虽源于凯尔特诸语言，但很可能并非布列塔

威尔士彭特勒-埃文的石室冢墓
美国不列颠百科全书公司供图

尼语的词汇。石室墓葬虽以掩埋形式流行东方，远到日本，但主要为欧洲、不列颠诸岛及北非之产物。

Dolmetsch,（Eugène）Arnold 多尔梅奇（1858-02-24，法国勒芒～1940-02-28，英国萨里黑斯尔米尔） 法国出生的英国音乐家，毕生从事古代音乐的演奏和配器的考证工作。他由于修复和复制早期乐器的工艺水平和坚持查阅原始资料，再加上他与生俱来的悟性，他对J.S.巴赫一代以及更早的音乐的表达问题具备卓越的见解。早年从祖父、父亲学制钢琴和管风琴。在布鲁塞尔音乐学院和伦敦皇家音乐学院学习后，教授小提琴。发现英国博物馆所藏早期英国作曲家的维奥尔琴音乐手稿后，开始研究如何按原有风格演奏。1890年，第一次举行维奥尔琴独奏会。1905～1909年在波士顿契切灵工厂指导拨弦键琴、诗琴与维奥尔琴的制作。1911～1914年在巴黎加伏工厂。第一次世界大战后，制成第一批优秀的现代式竖笛。萧伯纳曾为他的演奏著文赞赏。曾出版过古代音乐乐谱数种。所著《如何演奏17和18世纪的音乐》(1915和1944)一书，为研究古代音乐提供了基础知识。1914年定居英国，1916年建立古代音乐研究中心。1928年多尔梅奇基金会成立，传播他的思想。

Dolnośląskie 下西里西亚 波兰西南部省份。1999年波兰49个省合并为16个，下西里西亚省因此建立。北邻鲁布斯卡省和大波兰省，东接奥波莱省，南邻捷克共和国，西接德国。省会城市为弗罗茨瓦夫。有多样化的地貌，北部为低地，中部为丘陵，南部为山区。第二次世界大战以后，有大量波兰人从波兰中部地区涌入该地区，同时也有很多从法国、比利时和欧洲其他国家遣返的移民涌入。该省人口密度大，但最近随着重工业的衰落，人口有一定减少。将近3/4的人口生活在城市，中心城市包括弗罗茨瓦夫市、耶莱尼亚古拉、瓦乌布日赫、莱格尼察。气候和土地状况都有利于农业发展。主要作物包括小麦、油菜籽、甜菜、土豆、蔬菜。养殖业以禽类为主，但重要性不大。为波兰工业化程度最高的省份之一。主要工业包括采铜、采煤、有色金属冶炼、纺织业、车辆制造、电子产品制造、机械制造、化工、玻璃制造、伐木、造纸。当地交通网络发达，有数条繁忙的铁路线、一个河港和一个国际机场。该省也是著名旅游胜地。弗罗茨瓦夫是主要的文化中心，每年举行瓦特拉音乐节和奥得河爵士音乐节。著名博物馆包括铜博物馆和造纸业博物馆。面积19 948平方千米。人口2 907 212(2002)。

Dolomieu, Dieudonné 多洛米厄（1750-06-23，法国图尔都平附近多洛米厄～1801-11-26，索恩-卢瓦尔省纽夫堡） 又作Déodat de Gratet de Dolomieu。法国地质学家和矿物学家，矿物白云岩(dolomite)就是以他的姓氏命名的。他未成年时就是马耳他队列的成员，19岁那年，他因为在决斗中杀害同行骑士而被判死刑，但又得到赦免。他继续其早年已开始的自然科学研究，当他放弃了卡宾枪手的授衔之后，访问了西班牙、西西里、比利牛斯及意大利南部的卡拉布里亚区。在研究了阿尔卑斯山(1789～1790)之后，对白云岩作了描述(1791)。1798年，参加了拿破仑的埃及远征军，回国途中被俘，关押在墨西拿。关押期间，在《圣经》的页边上写下了他的主要论文:《矿物学原理和矿物的种类》(1801)。

dolomite 白云岩 石灰岩的一类，其碳酸盐组分以钙镁碳酸盐[$CaMg(CO_3)_2$]白云石矿物为主。白云岩一般由石灰岩变化而来，石灰岩中的方解石(碳酸钙，$CaCO_3$)完全被钙镁碳酸盐等体积取代。这个过程叫白云岩化，它可以在石灰岩沉积后不久通过海水交换而发生，或在岩化后通过含镁溶液的交换而发生。大多数情况下，白云岩化期间结构变粗，原生构造(和结构)消失。但是，在少数

产于美国印第安纳州科里登的白云岩
美国不列颠百科全书公司供图

情况下，石灰岩母岩的构造和结构特征保存下来，形成细晶白云岩。这种岩石被认为是原生白云岩，并且典型地是与蒸发岩共生。白云岩矿物存在于大理岩、滑石片岩以及其他富含镁的变质岩中，结构研究表明，至少这种白云岩中有些是由在高温下稳定的高镁方解石在冷却时形成的。它存在于热液矿脉中，碳酸盐岩的孔穴内，偶尔作为胶结物存在于各类沉积岩中。在碳酸盐岩中，它作为造岩矿物是最常见的。在白云岩化的石灰岩中，它是次生交代产物，而且个别白云岩晶体切穿先有的化石轮廓及其他结构特征。珊瑚礁化石常以此种方式被交代。白云岩化具很强的选择性，这导致石灰岩和白云岩呈互层状产出。现代的白云岩形成于潮上坪，如在巴哈马，或形成于超高盐度的潟湖中，与方解石、文石、镁方解石、石膏和硬石膏的沉淀共生。高温的白云岩产于脉体中，与铅、锌矿石或铜矿石以及萤石和重晶石共生。

Dolomites 多洛米蒂山 意大利北部阿尔卑斯山脉东段的山群。有许多高峰，其中18座山峰海拔逾1万英尺(3 050米)。最高点为马尔莫拉达峰(10 964英尺)，该峰南坡有2 000英尺的悬崖。18世纪法国地质学家D.多洛米厄对该地区及其地质进行过首次科学考察。山体由浅色白云质石灰岩构成。受侵蚀作用影响，山脊形状怪异，山谷深邃，多陡峭岩崖。境内有41个冰川。仅有小片林区，散布着草牧场。有公路经过许多著名山口。旅游和登山活动主要中心为科尔蒂纳丹佩佐。其他旅游地有奥龙佐、圣马蒂诺-迪卡斯特罗扎和奥蒂塞伊等。较大城镇博尔扎诺和贝卢诺位于西侧和东南侧。

Dolon Nor(China) 参阅**Duolun多伦**。

Dolores, Grito de（Mexican battle cry） 参阅 **Grito de Dolores 多洛雷斯口号**

Dolores River 多洛雷斯河 美国科罗拉多州西南部河流。源出拉普拉塔山，西南流穿深谷，过多洛雷斯西北折出帕拉多克斯山谷，纳主要支流圣米格尔河，经盖特韦进入犹他州，在莫阿布附近汇入科罗拉多河，长约400千米。春季和初夏因融雪河水水位高，仲夏则成细流。干支流有灌溉之利，建有麦克菲大坝。

dolphin（*Coryphaena hippuras*） **鲯鳅** 又作mahimahi或dorado。鲯鳅科(Coryphaenidae)大

洋鱼类,受欢迎的食用鱼和游钓鱼。身体呈鲜明的蓝色和金色相间,以死后体色迅速改变而著名。分布于世界热带和温带水域。头大,吻端钝,体呈纺锤形,向尾端渐细。尾细长,分叉。雄体远较雌体为大,可长达 1.5 米,重达 30 千克。游泳迅速。肉食性。独栖或成群。以无脊椎动物和其他鱼类为食。棘鲯鳅(*C. equiselis*)体型较小。此二种为鲯鳅科仅有的两个现存种。

dolphin 海豚 海豚科(Delphinidae)、喙豚科(Platanistidae)和长吻海豚科(Stenidae)水生哺乳动物的统称。身材小而呈流线型的鲸类,通常有轮廓分明的喙形吻部,英语中常称作 porpoises。但 porpoises 一名常用以称鼠海豚科(Phocoenidae)无喙形吻的鲸类——钝吻海豚(参阅 **porpoise**)。海豚以形态优美、聪明、好嬉戏、对人友好而著名。最熟知的种是普通海豚(*Delphinus delphis*)和宽吻海豚(瓶鼻海豚,*Tursiops truncatus*),这两种都属于海豚科,广泛分布于热带和温带海域。亚里士多德、伊索、希罗多德和老、小普林尼以及其他早期作家著作中提到的作为儿童坐骑或营救落水者的海豚,可能就是这两个种。海豚科有 14 属,约 32 种,分布于全球海域。多为灰色、灰黑色或背面褐色腹面浅褐色,体长约 1～4 米。里索氏海豚(灰海豚,*Grampus griseus*)栖息在世界热带和温带海洋,浅灰色,无喙形吻,上颚无齿。领航鲸(巨头鲸)和逆戟鲸也属于本科,但因身躯巨大,常不认为是海豚。

多数海豚科种类主要以鱼类为食,好群栖,常几只到几百只成群。许多种常追随航船,常伴船游泳或在船边跳跃,有时在船首掀起的浪尖上前进。宽吻海豚的嘴裂形状似乎总在微笑;宽吻海豚常在大型海洋水族馆中表演节目。因有明显的智力和通过一系列的声音和超声波脉冲与同类联络的能力,已成为科学研究的对象。适应条件的能力强于胆小的普通海豚。喙豚科有 4 属,4 种(江豚);体小;主要栖于淡水水域,生活在

瓶鼻海豚(*Tursiops truncatus*)
美国不列颠百科全书公司供图

南美洲和亚洲;眼小,吻细长,视力弱。长吻海豚科有 3 属,8 种;吻细长;栖息在热带河流和海洋中,有时列入海豚科;人们对之所知甚少。

Ḍom 多姆 又作 Ḍomra 或 Ḍomb。印度北部及喜马拉雅山地区的种姓。分布广泛并且成分庞杂,包括清洁工、乐师、流浪汉、商人,偶尔还有织布工。有些学者认为多姆种姓来源于土著印度部落,分为 7 个族内婚亚种姓。多姆种姓完全不归婆罗门控制,有自己的神和复杂的鬼神信仰。据信最初来自印度的吉普赛人即为该种姓的旁系。他们称自己为罗姆(Rom),而罗姆即多姆的变音,叙利亚吉普赛人也称自己为道姆(Doum),由此可以看出他们之间的联系。

Domagk, Gerhard 多马克(1895-10-30,德国布兰登贝格拉戈～1964-04-24,联邦德国柯尼希斯费尔德附近布格贝格) 德国细菌学家、病理学家。因发现第一种磺胺药百浪多息的抗菌作用(1932年宣布)而获1939年诺

美国不列颠百科全书公司供图

贝尔生理学或医学奖,并由于受纳粹德国政策之阻,直至 1947 年方接受金质奖章及奖状。曾任伍珀塔尔-埃尔伯费尔德的法本化学工业公司(拜耳公司)实验病理学和细菌学实验室主任。在该处系统地研究新染料及新药物时,发现一种染料百浪多息红对感染小鼠的链球菌有抗菌作用(后该药进行了临床试验)。还从事结核病和癌症的研究。

domain 完全土地所有权 在英美的法律中,指对土地有绝对和完全的所有权以及由此拥有的土地本身。完全土地所有权是土地上的最充分和最高的财产权利。domain 作为一个法律概念来自罗马法的 dominium,而其意义既包括所有权又包括占有权和对财产的使用。英国普通法沿用了这一术语,但是去掉了由罗马法规定的某些细微区别,其含义也不如罗马法的 dominium 那样广泛。完全土地所有权这个概念还有几种专门用法。美国仍然保留有这种所有权的土地,包括尚未归私人所有的农地和矿地,以及由联邦政府的建筑物和设施占用的土地。这些土地是完全归公共所有的土地,意指美国对它享有绝对的所有权。根据英国的普通法,"征用或土地征用"指的是国王或国家征用私人土地作为公用的绝对权力。参阅 **eminent domain**。

Dombes 栋布 法国东南部历史上的著名地区,现属安省。1032 年起,栋布隶属的阿尔勒王国归神圣罗马帝国皇帝康拉德二世统治,但当地贵族掌握该区的实际权力。1378 年后,栋布在名义上归法国国王管辖,但实际上为一独立的封邑,由波旁家族统治。1523 年法国的弗兰西斯一世夺占栋布。1561 年重归波旁-蒙庞西埃家族。1762 年又回到法国王室手中。

Dombrowska, Maria 参阅 **Dąbrowska, Maria 东布罗夫斯卡**。

Dombrowski, Jan Henryk 参阅 **Dąbrowski, Jan Henryk 东布罗夫斯基**。

dome 穹顶 房屋构造中由拱发展而成的半球形结构,常用作天花板或屋顶。起初是一种实心的土丘,只用在很小的建筑上,例如古代中东、印度和地中海地区的圆棚屋和坟墓。古罗马人创造了大型的砖石半球形穹顶,它沿着周边产生推力,需要厚重的支承墙体,最早的宏伟例子如罗马的万神庙。拜占廷的建筑师发明了在支墩上建造穹顶的技术,四面可以采光和通行。从方形基座到半球形穹顶间的过渡是采用 4 个穹隅,即呈倒三角形球面的砌体。穹隅的顶点支在 4 个支墩上,将上方的荷载传递下去;两条边连成跨

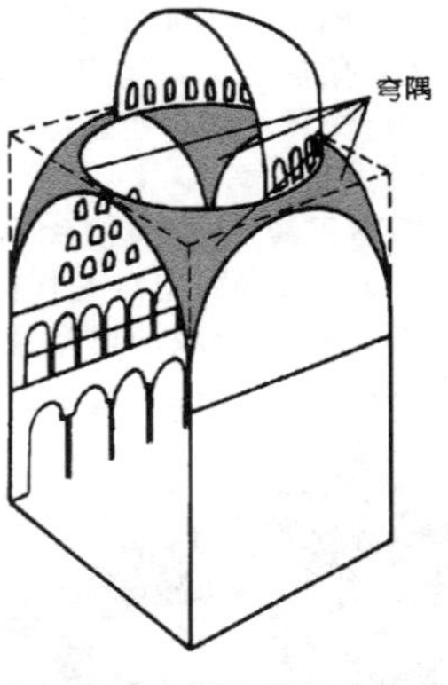

圣索非亚教堂穹顶的穹隅结构示意图

越方形四面空间的拱,4 个三角形上部的底边则连成一个完整的环形作为穹顶的基座。还可以在基座上加一段圆柱形墙体,称为鼓形座,以增加穹顶高度。在建筑上,穹顶曾一度被轻巧和垂直耸立的哥特式建筑风格所取代,但到文艺复兴和巴罗克时期,它又在欧洲重新盛行。修建拱顶比修建穹顶容易,世人之所以要在矩形基座上想方设法修建穹顶,主要是因为穹顶具有其象征意义。钢铁时代来临之初,人们出于继承传统的愿望而继续用钢铁修建穹顶。现代钢筋混凝土双曲拱体可在纵横两个方向弯曲而形成穹顶,拱顶与穹顶之间已不复存在原先的那种差别,两者只是弯曲度有所不同而已。**网格球形穹顶**(**geodesic dome**)由若干三角形或多边形的面组成,其应力分布在结构本身内。

dome 穹窿 在地质学上,指由岩层非断裂的上拱形成的任一大型或椭圆形的构造。它是那种没有轮廓清楚之延长的背斜,以及在四面八方都从最高点向外倾的背斜的典型。这种穹窿的典型实例可见于美国西部南达科他州的布莱克山。在岩层或多或少均一地向

周围低地倾没的地区,侵蚀作用可能产生一系列同心状山脊,其陡坡朝内,向着中心。在一些地区,相对不透水的页岩层覆于透水的砂岩层之上的穹窿是石油天然气的构造圈闭。石油天然气向上运移,就被捕获在这种背斜建造之最顶部页岩之下。

dome, volcanic 参阅 **volcanic dome** 火山穹丘。

Dome of the Rock 岩顶穹顶寺 又称岩石寺、欧麦尔清真寺。位于耶路撒冷,是现存最古老的伊斯兰教圣迹。其所在的岩石为伊斯兰教和犹太教奉为神圣。相传伊斯兰教创始人先知穆罕默德由此处登霄。按照犹太教的

耶路撒冷市的岩顶穹顶寺
美国不列颠百科全书公司供图

传说,希伯来人的祖先亚伯拉罕(易卜拉欣)就在这里准备将其子当作牺牲献给神。岩顶穹顶寺和艾克萨清真寺都在圣殿山上,即所罗门所建圣殿的旧址。岩顶穹顶寺是哈里发阿卜杜勒·马利克·伊本·迈尔万于 685 ～ 691 年所建,在美学和建筑学上都有重大意义,内有许多马赛克镶嵌、彩陶和大理石装饰,其中很多是后来若干世纪中增建的。岩顶穹顶寺基本上是八角形的,与其说伊斯兰式的,不如说是典型的罗马式、拜占廷式的建筑。该寺穹顶直径约 18 米,矗立于由 16 个柱子和窗间壁组成的鼓形座之上。鼓形座周围为八边形拱廊,有 24 个窗间壁和柱子。外墙也为八边形,每边宽约 18 米,高 11 米。穹顶与外墙都有许多窗户。

Dōmei 同盟会议 全称日本劳动同盟。1987 年解散以前是日本第二大工会联合会,1964 年由 3 个政治上较温和的工会联合会合并而成。同盟会议反对更大的日本总评议会,后者大部分成员是公共事业的雇员,而同盟会议的成员大部分为私人雇主服务。同盟会议是社会民主党的支持者,国际自由工会联合会的成员。由于它下属的许多工会组织和其他私人企业工会共同组建了新的工会联合会(Rengo),同盟会议遂于 1987 年解散。工会联合会致力于组织有关劳工的研究小组和论坛,并成为日本有组织劳工的中心。

Domenichino 多梅尼基诺(1581-10,教皇国博洛尼亚[意大利]～1641-04-06,那不勒斯)原名 D.扎姆皮耶里。罗马和博洛尼亚早期巴罗克折衷主义画家。曾在 L.卡拉齐的美术学院学画。1602 年到罗马。1617 ～ 1618 年间为枢机主教博盖塞绘制著名油画《狄安娜狩猎》,画面生动逼真,与其他枯燥无味的古典格调的壁画不同,表明他是位对色彩敏

多梅尼基诺绘《圣热罗姆的临终圣餐》(1614)
美国不列颠百科全书公司供图

感的画家。1624 ～ 1628 年间为瓦列的圣安德烈教堂穹窿和后殿作壁画。在罗马最后的作品,即为圣卡洛教堂四角圆穹所作的 4 幅壁画(1628 ～ 1630)和为圣彼得教堂所作的《圣萨巴斯蒂安殉难》,采取了较为开放的风格。

Domenichino, Il(composer) **多梅尼基诺** 参阅 **Sarti, Giuseppe** 萨尔蒂。

Domenico VENEZIANO 多米尼科(创作时期 1438 ～ 1461-05-15,佛罗伦萨[意大利])意大利早期文艺复兴画家,15 世纪佛罗伦萨画派的奠基人之一。现存作品中有两件署有

多米尼科的圣路加教堂祭坛画
美国不列颠百科全书公司供图

其名,其一为已经严重损坏的壁画,内容是宝座上的圣母与圣子,画中两个圣徒头部已经损坏(伦敦国立美术馆);另一为马格诺利的圣路加教堂祭坛画(约 1445),祭坛高架上的 5 幅画现已拆散,其中主要部分现藏于佛罗伦萨乌菲齐美术馆,其余部分分别藏于柏林、剑桥和华盛顿。《圣母领报》(英国剑桥菲茨威廉博物馆)是他试验画室外光最成功的作品。圆形画《博士来拜》(国立柏林普鲁士文化财富博物馆)把明快的色彩与细腻的现实主义结合在一起,背景是逼真的辽阔原野。

Domesday Book 《末日审判书》 又称《土地调查清册》。征服者威廉一世对英格兰所进行的土地调查的原始记录或摘要。当时,人们把整个调查称为"英格兰的描绘",但到 12 世纪中叶通常都使用《末日审判书》这一俗称,以示人们在这次调查记录面前无可求告。这次调查内容详细,时间迅速,可能是中世纪在行政管理方面最卓越的成就。调查是在 1086 年进行的。主管人员分成 7 ～ 8 个组,每组负责几个郡,详细记载皇家地产和那些通过直接为皇家服役而使用土地的大佃户的情况。国王秘书根据这些材料编成摘要,即《末日审判书》。《末日审判书》中包括除北方地区以外英格兰所有各郡的材料,分为内容不同的两卷。第 1 卷为大末日审判书,是除埃塞克斯、诺福克和萨福克 3 郡以外所有各郡调查材料的摘要。第 2 卷为小末日审判书,是主管人员呈送到温切斯特的关于埃塞克斯等 3 郡的详细报告全文。由于某种原因,这部分资料未经过摘要,因此未归入第 1 卷。第 1 卷在每郡的条目下开列土地所有者的名单(从国王到普通佃户都有)详细注明封地、庄园、土地面积、农耕人数、磨坊、鱼塘以及其他设备,最后以英镑计算价值。英格兰的大多数村和镇是在《末日审判书》中首见记载的。对研究盎格鲁-诺曼时期英格兰的历史学家来说,《末日审判书》的调查材料具有不可估量的价值。《末日审判书》藏于伦敦公共档案馆,并公开展出。

domestic cat(*Felis catus*) **家猫** 又作 *house cat*。已驯化的食肉目猫科动物。仍保留大型野生猫科动物的特征:眼对光线非常敏感;耳三角形,可迅速转动以判别声音来源,并可感受频率为 25 000 赫兹的声波。牙和爪一如其他猫科动物,已特化适于捕食。爪坚强、锐利,并可伸缩。犬牙尖利,可刺伤、咬住猎物;磨牙边缘锐利如剪;切牙及前磨牙则几无功能;闭口时上下颌的切牙及前磨牙不相互接触。家猫的毛色及大小与其他大型猫科动物迥别。雄者体长可达 71 厘米,雌者通常只有 51 厘米长。里巷猫(无血统来历的家猫)可重达 13 千克,一般家猫仅重 2.5 ～ 4.5 千克。大部分家猫(包括暹罗猫及阿比西尼亚猫)毛短;波斯猫毛厚而长,杂种猫的毛长则各异。英国的雷克斯猫为卷毛猫。家猫毛色多为黑、黄、灰、白、虎斑色(在颜色较浅的毛上有黑色带纹或旋涡状纹)或上述颜色的混合。龟壳花纹(白、黑、黄色相间)通常仅见于雌猫,具此种花纹的雄猫为数不多,均不育。暹罗猫的毛色为白地带深色斑点(多在脸、耳、足及尾部)。蓝眼多见于毛色淡的品种,如暹罗猫;但蓝眼白猫的耳多聋。关于猫的驯化,有据可考的最早记载可追溯到公元前 1500 年的古埃及,但在此 1 000 年前猫在该地即被宣布为圣物。可能埃及人发现猫可保护谷仓免受鼠害,才真正开始养猫。埃及人崇拜猫头女神巴斯特,曾发现数千具猫木乃伊。后家猫逐渐扩展至其他文明地区,至公元前 500 年,在希腊、中国已颇常见;到公元前 100 年也见于印度。英国最早的饲养记录见于

936年，当时威尔士地区通过家猫保护法。不迟于18世纪中期家猫见于美国。自古以来家猫常与若干迷信与巫术连在一起，被视作为女巫服务的精灵，黑猫更被认为不祥之兆。家猫为理想的家庭玩赏动物，易于驯养。身材不大，行动敏捷，容易适应屋内小范围活动。每年可生3胎，可发情5次，此时雌猫厉声叫喊以吸引雄猫。妊娠期约63天，每胎平均约产4仔。小猫刚出生时眼未张，耳聋，生活需亲体帮助。可行简单的手术使家猫绝育。

domestic pigeon（*Columba livia*） **家鸽** 鸽形目鸽科鸟类，可能是第一种为人类驯化的鸟类。至迟在公元前4500年（美索不达米亚）的小雕像、镶嵌工艺品和钱币中已描绘有

家鸽（*Columba livia*）
美国不列颠百科全书公司供图

鸽的形象。自埃及时代，鸽已是重要的食物。鸽用作信使亦有悠久历史。今天鸽是重要的实验动物，特别用于内分泌和遗传研究。现代家鸽的返祖现象表明它们有一个共同的祖先，即岩鸽。从各地城市的街鸽身上可清楚地看出这个倾向。许多街鸽为白色、淡红色，或有斑点花纹（如竞翔鸽），大多数身体稍纤细，喙宽，与其蓝灰色祖先类型相同。街鸽整年营巢在建筑物上和桥下，因随地排粪和传染疾病而令人讨厌。这些鸽体健，寿命可达35年。家鸽的3个主要种类是竞翔鸽（信鸽）、观赏鸽（主要用于展览）及实用鸽（25～30天龄，重达350～700克的幼雏可供食用）。如果实用鸽按展览标准培育，便具双重目的。养鸽是一种世界性的爱好，也是一种行业。各国养鸽者的偏好十分明显，如英国培养出高水平的外形和姿态的鸽子（形鸽），德国培育出斑纹不同寻常的鸽（色鸽），比利时培育赛鸽，而美国培育双重目的的鸽。经许多世纪的努力已育成血统复杂的品种。参阅**fowl**。

domestic service **家庭服务** 私人家庭的雇佣劳动，如：打扫房屋、烹调、照看儿童、栽种花卉和服侍主人。在旅馆和供膳寄宿及公共机关和工商企业中的类似工作，也属于家庭服务。古代希腊、罗马和其他早期文明国家，家庭服务几乎完全由奴隶承担。中世纪的欧洲，农奴是这一必要劳动力的主要来源。家庭劳动在以后的年代中一直与奴仆状态密切相连，如殖民时期的美洲及美国内战前的南方诸州，就盛行契约童仆和黑奴制度。19世纪70年代，在美国和大多数欧洲国家，家仆已成为雇佣劳动者。家庭服务作为一种职业在维多利亚时代的英格兰臻于极盛。王室及名门雇佣大批童仆，男女兼有。其时童仆之中等级分明，为晋升提供了很多机会。一个男子能由马夫而为仆役再升为仆役长乃至管家。同样地，一名女仆可由帮厨升为厨师，或由卧室侍女升为女管家。一般说来，男女管家也都有自己的私人仆从。层次较低的家庭，即使富有，往往只雇有仆人6名或6名以上，包括主妇的贴身女仆、奶妈和司膳人员。19世纪末，大多数欧洲国家的家务雇佣劳动人数激增，美国的情况与此相似，而且持续到20世纪初。这主要是因为中上层阶级的家庭增多，它们需要家庭服务，也有能力支付费用。大量无技术的移民找不到其他工作，也是造成这种情况的原因。1921年后，家庭服务行业在美国不断衰退，多数西欧国家的情况也大体相同。造成这种倾向的有以下因素：社会各阶层差别的缩小；家务工作地位的低下；第二次世界大战后，妇女在工商业就业机会的增加；节省家务劳动的技术和诸如洗衣房、儿童日托中心、疗养所等比较便宜的户外服务机构的激增等。虽然家庭仆役并不包括在最低工资立法的范围之内，但根据社会保险和工人补偿计划，大多数家庭工人的最低法定工资和保险总额增加了，这大大提高了家庭服务的工资费用。

domestic shorthair **短毛家猫** 又作british shorthair。又称不列颠短毛猫。一种家猫，常被称为普通猫或里巷猫。优良的展出动物应为纯系，血统可考，按习惯的外观标准精心育成。按展出标准，短毛家猫应体格强健，腿粗

短毛家猫
美国不列颠百科全书公司供图

壮，头圆，眼圆，耳尖亦圆。毛短，颜色同**长毛猫**（**longhair**，又称波斯猫）。某些颜色（如蓝奶酪色）少见，而虎斑色（银、棕、蓝及红色）较多见。本品种在英国称为不列颠短毛猫，以区别于阿比西尼亚猫、暹罗猫等外国种短毛猫。虽然里巷猫（或普通猫）可形似血统可考的短毛猫，但实非纯系，而是杂种，体形、毛色有时与纯系短毛猫明显不同。

domestic system **家庭包工制** 又称包出制。为一种生产制度，曾盛行于17世纪的西欧。根据这种制度，商人兼雇主将原料“包出”给农村的手工工人；手工工人一般在家里工作，有时也在作坊里工作，也可以将原料转包给别人去加工。制成品交还雇主后，按产品件数或工作时间付给报酬。家庭包工制不同于家庭生产的手工业制，承包工人自己不买进原料，也不出卖产品。这种制度破坏了城市行会的限制性行规，而首次在工业中广泛雇用女工和童工。在商人兼雇主方面所得的利益是手工工人的工资较低，又由于行业内劳动分工更细而提高了工作效率。在产业革命的过程中，这种制度已普遍被雇用工人入厂工作的制度所代替。但在某些行业中，直到20世纪还保存有这种制度，其中显著的例子是瑞士的钟表业、德国的玩具业以及印度和中国的许多行业。

domestic tragedy **家庭悲剧** 一种以普通中产阶级或下层阶级人物为悲剧主人公的戏剧，与古典悲剧或新古典悲剧恰成对比。在古典或新古典悲剧里，主人公位列帝王或贵族，他们的毁灭不仅是个人之事，也是国家大事。现知最早的家庭悲剧剧本是伊丽莎白晚期3部佚名剧作：《费弗沙姆的阿登》（约1591），讲述阿登先生被他妻子及其情夫谋杀以及凶犯后来被处决的故事；《对美人的警告》（1599），描写一位商人被其妻谋杀；《约克郡悲剧》（约1606），写一位父亲毁灭了自己的家庭。19世纪后期，中产阶级悲剧在易卜生的剧作中得到了成熟的表现。其他剧作家所写的早期家庭悲剧中的主人公有时是恶棍，有时是些可怜虫；但易卜生的《布兰德》（1866）、《罗斯默庄》（1886）、《建筑师》（1892）和《当我们死而复苏时》（1899）中的中产阶级主人公均被赋予古典悲剧主人公的某种崇高气概。德国剧作家G.毕希纳创作的《沃伊采克》（1836）一剧，描写一个可怜的士兵和从前的农奴，地位十分低下，只好受雇于医生充作医学实验品。这部作品直到目前仍具有一种震撼人心的悲剧感染力，而且证明了另一位19世纪德国悲剧作家F.黑贝尔的一句名言：“人毕竟只需面对命运而勇往直前。”下层阶级的悲剧直到19世纪末20世纪初才上升到显著地位，诸如G.霍普特曼的《织工》（1892）和《罗泽·贝恩特》（1903）等剧。其他优秀作品有奥尼尔的《直到夜晚的漫长一天》（1941）和米勒的《推销员之死》（1949）。

domestic violence **家庭暴力** 社会与法律概念，广义系指发生于同一家庭成员之间任何虐待行为，尽管此词常用以特指妇女被其男性配偶实施人身侵犯。实施家庭暴力的人，有着各种社会经济、文化和教育背景。贫困的压力是引起暴力的原因之一，这在处于底层阶级的人之间似乎显得更常见，不过多数穷人并不具有暴力倾向。在受虐待的环境中长大的男人可能更容易成为施虐者，而女人则更容易成为受害者。在有些情况下，男人遭到女人殴打，然而男人的身体很少遭到严重伤害。对于家庭暴力中受害的女性，常常并无可行的解决办法。对有些受害者而言，无尽无休的暴力会使其自尊心降低，感到无助、压抑和产生过大的禁锢感，甚至自认为应当受到虐待。大多数受害者则有着更多的物质障碍。许多人经济上依附于她们的施虐者，而由于众多的受害者是母亲，她们尤其害怕如果离开施虐的丈夫，就无法抚养自己的子女。许多人不敢报警，因为警察提供不了可靠的保障来对付男人的报复。最糟糕的问题之一是，典型的施虐者往往就是因为女人想要离开而成为最暴戾和最想报复的施虐

者。19世纪初，大多数法律制度都默认打妻子是丈夫的权利。19世纪女权主义者提倡男女平等在公众舆论中产生了巨大变化，到该世纪末，大多数法庭都不认为丈夫有任何权利"责罚"妻子。但妇女实际上很少有可能求得帮助，大多数警察对保护妇女都鲜有作为。1967年的国际警察局长联合会训练手册还规定，发生家庭暴力事件时，逮捕只是"最后手段"。20世纪70年代再度兴起的妇女运动将家庭暴力问题公诸于世。女权主义者鼓励被殴打的妇女不再保持沉默，拒绝承认对她们受迫害的责怪。妇女组织迫使警察要和对待任何其他人身攻击一样对待家庭暴力，为被殴打妇女设立庇护所，使受害者和她们的子女能有一个安身之地，得到帮助、咨询服务和法律建议。这一切都提高了公众对问题的了解和对受害者的同情，这一同情反映在法庭上，表现为越来越愿意对施虐者判罪，和准许杀死施虐者的妇女适当地以出于自卫为由为本人辩护，同时也导致全国性支持团体的建立，如全国反家庭暴力联合会。1994年，美国国会通过了反对向妇女施暴法案，1995年B.克林顿总统在司法部内成立了反暴力伤害妇女局，用以协调联邦、州和地方机构在家庭暴力问题上的工作并提供帮助。

domestication　驯化　人们按照自己的愿望，把野生动、植物品种转化为家养的或人工栽培品种的遗传重组过程。严格来讲，驯化指的是人类开始驯服野生动、植物的那个阶段。驯化后的动、植物品种和它们的野生祖先之间最基本的区别是：前者系人类为满足其自身的特殊需求，用人工的方法创造的；它们只能在人工环境中生存。驯化在人类的生存发展和物质生产中起到了不可估量的重要作用，农牧业的发生和发展的过程就是各种野生动、植物不断得到驯化的过程。今天，那些已经被驯化为农业活动的各类动、植物，同它们的野生祖先比起来，早已面目全非。人类对野生动、植物的驯化起源于中石器时代的欧亚大陆。那些从事狩猎、采食的部落试图驯养狗、山羊，可能还有绵羊的历史最早可以追溯到公元前9000年；但直到新石器时代，原始农业才成为一种社会活动，驯化才开始有系统地得到发展。虽然大部分至今仍为人们服务的驯化品种是新石器时代的产物，但也有一些重要的驯化实例出现很晚。像兔子的驯化就是中世纪的事；人工培育甜菜并把它用作制糖原料，则是19世纪的事；直到20世纪人们才把薄荷培育成经济作物。另外，选育高级皮毛动物的工作也是20世纪才开展的。

像块茎类无性繁殖植物的人工栽培可能先于种子植物，如粮食作物、豆类和其他蔬菜。有些野生植物的驯化方向是取其茎中强力纤维用于织鱼网等。像大麻，这是印度最早驯化成功的多功能植物之一，不仅可以取其茎中纤维，而且可以取其籽中之油，花叶中之毒品。定向毒品驯化的实例之一是人工栽培烟草。美洲印第安人为了制备麻醉饮品而首先选育烟草，至于作抽烟用，则是后来的事。实例之二是驯化鸦片罂粟，其目的很单纯——就是要生产毒品。人们还选育了多种饮料植物，包括茶、咖啡、可乐等。至于动、植物驯化的美学功能则是在人类的生活及文化达到一个相当高的水平后才开始出现的，包括观赏植物的栽培和宠物豢养。

最初，人们并没有马上认识到驯化动物的特殊经济效益，驯化的目的就是为了吃肉、取皮，对狗、羊、牛、马无一例外。但人们后来发现它们还有别的用途。狗能帮助猎人打猎，能为主人看家护院；羊还能不断产奶、产毛；牛可能是最早的工具动物，为农业的发展作出了重要贡献。在驯化早期，牛奶产量极少，仅够喂养牛犊，很久以后，人们才学会奶牛的定向驯化。人们很快发现，在古代战场上，马的巨大作用谁也不能取代。公元前第2千纪，占据中东的人就是用马拉二轮战车打仗的。后来，马又被用于运输。公元前第1千纪出现了二轮的马拉平板车，后数世纪出现了马衔、马鞍之类马具。驴和骆驼一开始就是为了重物运输而加以驯化，因为它们的肉味难咽，不便食用。鸡的驯化初衷可能是玩乐，斗鸡选种当然是越大越好。但后来，鸡就被蒙上了一层宗教色彩。在拜火教，公鸡象征着惩恶扬善，象征着光明。在古希腊，鸡还是供奉神灵的祭品。早期驯化鸡的鸡蛋年产量不超过5～10个。后来人们培育出专门用于产蛋的蛋鸡和专用来吃肉的肉鸡。在人们驯化猫的目的中，宠物色彩较浓，当然，猫能抓老鼠肯定也是重要原因之一。在古埃及，猫是一种神物，不容侵犯。从一开始就出于实用目的而驯化的动物有：兔、蜜蜂、桑蚕等。6～10世纪的法国僧人开始驯养家兔，他们说新生的小兔是一种鱼，每逢宗教祭日不准吃肉，他们就吃小兔。为了取蜜，人们开始养蜜蜂，这是新石器时代末期的事。蜂蜜是古代人类营养的重要来源，并直到约200年前，始终作为唯一的甜味剂。蜜蜂还可以为人们提供蜂蜡和药用蜂毒。在古代战争中，蜜蜂还是一种武器，把蜂箱投向敌群，再趁乱把敌人打跑。为了抽丝，中国人早在公元前3000年就已经开始养蚕，公元前1000年的历史文献中对丝蚕的养殖技术已有详细记载。

牧民和游牧民族聚养了大批家畜，他们以此维生。因此，这些畜群不仅决定了他们的社会和经济结构，而且在很大程度上决定了他们的生活方式。这种驯养动物的方式在人类发展史上出现颇晚，因为没有剩余，当然也就谈不上聚养。世界最早的游牧雏形是在公元前1000年以后才出现在欧亚大陆。这是人类开始驯化动物以后很久的事。美洲大陆上的驯化进程稍晚于欧亚大陆，而且二者关系不大。因为直到更新世时代，美洲大陆上才出现最早的人类活动，较之于欧亚大陆要晚得多。

传统上，人们主要根据结构和功能方面的相似性来判断驯化品种及其野生祖先之间的关系，但细胞遗传学的检查，尤其是染色体和染色体组之间的比较研究，正在进一步补充有关驯化品种的野生起源方面的知识。人们对各种动物做了大量的形态学和生物化学方面的研究。从人类开始驯化各生物品种至今，一万多年过去了，人类为了自身利益而选育的各个动、植物品种都经历了深刻的变化。驯化的结果，使同一种属动（植）物的不同后代之间所表现出的种内差异，常常超过在自然条件下发生的种间差异。动物驯化的最重要的后果是：动物的季节生物学特性发生了根本的变化，其中包括季节性生殖功能和季节性换毛功能。这二项生物学特性在野生动物表现极为明显，而在驯化动物则几乎没有表现，它们一年四季都可以生育，而且从不脱毛。驯化植物品种的变化比起动物来也毫无逊色，其结构和一般形态与其野生祖先相比，早已面目全非。人们从众多自然生物种属的野生基因型中选取对人有用的隐性基因表现型个体，并加以驯养。这样，就造就了最初的所谓"驯化依赖性"变化，并导至野生种属在向驯化目的型性状的方向上迈出了第一步。实际上，大自然把各种各样的基因类型和性状，以隐性突变基因的形式，隐藏在每一种野生动、植物的自然群体之中。人们正是利用了这种收罗具有类似性状的突变基因群体（突变基因池）的方法进行驯化养殖。上述方法即所谓人工选择。在人类为自身利益而建立现代动、植物体系的过程中，人工选择的作用真正是创造性的作用。人工选择完全不同于自然选择，后者造就了种种稳定的生物体系，从而保证某个野生基因表现型的自然发展。也就是说，一个野生生物品种体内包含众多遗传性状，用以保证其后代对一种野生环境有一种先天的适应性，它们借此确保其种属的繁衍。人工选择正是打破了这些稳定的生物体系，从而造就了在自然环境下无法生存的、新的基因组合，同时也表明用这种方法能够造就更多的新品种。

Domett, Alfred　多米特（1811-05-20，英国萨里郡坎伯韦尔～1887-11-02，伦敦）　新西兰作家、诗人、政治家，1862～1863年任总理。他在著作中将毛利人理想化，但却支持对毛利人土地进行惩罚性控制。早年在剑桥大学毕业，后取得律师资格。1842年去新西兰，从事新闻工作和公共事务。1843年主编《纳尔逊考察家》报。从政后曾任立法议会成员（1846），新曼斯特省殖民地部长（1848），全国政府的民政部长。1855年由纳尔逊省选为众议员，1856年任王室领地专员。1860年再度当选议员。1862年毛利人土地管理发生危机时组阁。1863年爆发毛利战争，同年多米特下台。后曾任土地部长（1863）和土地登记总署署长（1865）。1871年退休返回英国，发表几部作品，其中包括史诗《拉诺尔夫和阿莫西亚》（1872）。

domeykite　砷铜矿　一种铜的砷化物矿物（Cu_3As），它往往与另一种铜的砷化物微晶砷铜矿交生。虽然这两种矿物都不含硫，但它们都被归为硫化物矿物。它们产于智利、美国密歇根州的基威诺县以及其他产地。砷铜矿成等轴晶系结晶。详细物理性质，参阅**sulfide mineral**（表）。

domicile　住所　在法律上，指一个人的住处，用以确定司法管辖和确定政府规定的负担和利益所在。一个人在法律上存在的某种地位，并不因他在某个时候恰好处于某种状态而发生变化，而是时刻受到与他密切相关的人法的支配。在适用普通法的英美等国，某人的人法就是他的住所地的法律；而在民法法系国家（如欧洲和拉丁美洲国家），则往往是他所属国籍的法律。一个人的住所地对他有司法管辖权——即其住所所在地的法院可以审判以他为被告的案件，即使是他被传唤时恰巧不在该管辖区也是如此。至于政府规定的负担和利益，只有一个人的住所地才能对他的全部不动产征收遗产税。正是某人的住所地法决定了他有关动产的遗嘱的效力，或者决定在他没有留下遗嘱的情况下死亡后的动产如何分配。住所地法对决定某人出生的合法性和婚姻的有效性也可起一定作用。每个人应当有一个长久的住所，这是西方法律中的一个基本原则。只有取得了另一住所之后，原来的住所才丧失其法律意义。一个人不能为了同一目的而同时有两个以上的住所。凡宣称住所已经变更的人都负有举证责任。通常认为住所有三种：原住所、选定住所和法律上有效的住所。一个人一出生就取得一个原住所，通常总是其父亲的住所。倘若父亲已死亡或子女为非婚生，则以其母亲的住所为原住所。多数人有一个选定住所。选定住所的确定，通常是他自愿实际居住在并声称为住所的地方；强迫居住，例如监禁，不足成为确定选定住所的根据。如果一个人声称某地是他的住所地，但现在仍然未住在那里，他就必须提供他打算迁往该地的证明。无法律能力取得住所的人，由法律确定其住所，像未成年子女以其父亲的住所为住所就是很好的例子。已婚妇女在与其丈夫共同生活期间，以其丈夫的住所为住所。由于成文法中很少使用住所一词，而往往用居所（有些成文法用 abode）来代替，造成了若干混乱。居所从居住的意思来说，通常与住所的意思相同。但有时候，它也可以有其他的意思。例如一个人虽然身在某国，却没有在该国定居的意思。有时候，居所比住所的含义要广，也就是说，以某地为住所，并在特定时期内住在那里。成文法中使用的居所，总是意味着与一国的关系比仅仅居住在那里要密切得多。与住所一样，居所一旦取得之后，并不因暂时不在该国而丧失。与住所不同的是，一个人同时可以有两个以上的居所。

dominance　显性　遗传学术语，在控制同一遗传性状的一对等位基因中，其中一个对表型发挥较为明显的影响。一株具有等位基因 T 和 t 的豌豆（T = 高，t = 矮），其高度如果等于具有 TT 基因的植株，则 T 等位基因（高性状）为完全显性；如果高度较 TT 植株矮，较 tt 植株高，则 T 等位基因为部分或不完全显性。即 T 对表型的影响较 t 明显，但并未完全将 t 掩盖，而 t 则为隐性。生态学上，显性一词用于描述一种动物或植物因其数量最多、体型最大而对所处群落中其他种所产生的影响。在动物行为研究中，在社会性生活的群体中占统治地位的个体常被描述为显性。参阅 **recessiveness**。

dominance hierarchy　优势等级　动物社群结构的一种型式；在社群中可存在一种直线的或近于直线的等级制度，每一动物都对等级比它低的个体显示威权，而对于等级比它高的个体表示顺从。在社群性哺乳类（如狒狒和狼）和鸟类（特别是鸡）中优势等级现象最为人所熟知（对于鸡常使用啄食顺序一词）。在大多数情况下，优势等级日复一日地保持相当稳定。直接冲突很少发生，一个动物与更高等级个体相遇时总是退让。暂时的改变可以见到，例如一只雌狒狒得与高等级的雄兽交配，在这结成配偶的期间也便取得较高等级。由于受伤、疾病或衰老而变弱的个体通常等级下降。参阅 **submissive behaviour**。

dominant　五度音　又称属音。自然音阶（有 5 个全音和 2 个半音）的第 5 音，如 C 调中的 G 音。在 17～19 世纪西方音乐的调性中，五度音特别重要，因为它与主音（如 C 调中的 C 音）关系最密切。以五度音为基音的和弦有进行到主和弦的强烈倾向，在属音基础上构成的调与主调的关系也最密切。属音与主音的关系在奏鸣曲之类的曲式中得到充分发挥。

Domingo DE GUZMÁN, SANTO　**多明戈·德·古斯曼，圣**　参阅 **Dominic, Saint** 多明我，圣。

Domingo, Plácido　多明戈（1941-01-21，西班牙马德里～　　）　西班牙出生的歌剧男高音演唱家。声音浑厚，身材魁梧，风度翩翩，具有高超戏剧表现力，是20世纪后半叶最

中国大百科全书出版社供图

著名的男高音歌唱家之一。其父母均为“萨苏埃拉”（一种西班牙轻歌剧）的演员。他在墨西哥长大，并在墨西哥国立音乐学院学习钢琴。1961 年多明戈在墨西哥城开始歌剧演唱生涯。1962～1965 年成为特拉维夫的希伯来国立歌剧院的固定演员。1965 年在纽约市歌剧院、1968 年在纽约市大都会歌剧院、1969 年在米兰拉斯卡拉歌剧院首演。作为一位多才多艺的演唱家，多明戈录制了大量唱片，拍摄了多部歌剧电影，并大胆涉足流行音乐领域。自传《开头的 40 年》于 1983 年问世。

Domínguez Bastida, Gustavo Adolfo（Spanish writer）　**多明格斯·巴斯蒂达**　参阅 **Bécquer, Gustavo Adolfo** 贝克尔。

Dominguín　多明金（1926-12-09，西班牙马德里～1996-12-12，马德里）　原名 Luis Miguel González Lucas．西班牙斗牛士。自幼是斗牛奇才，10 岁就在斗牛场上斗小牛。青年时成为正式斗牛士，享有盛誉。优秀斗牛士马诺来特 30 岁宣布退役，时年 21 岁的多明金要和他比试高下。1947 年 8 月 28 日在利纳雷斯比赛，马诺来特杀死了牛但也被牛挑死。他和姐夫 A. 奥多涅斯的竞争是 E. 海明威给《生活》杂志系列报道的主题，后来集成《危险的夏天》一书出版（1960）。其斗牛生涯成功持续到 40 多岁。虽然斗牛技术高超，但被认为冷酷而呆板。

Dominic, SAINT　**多明我，圣**（约1170，卡斯蒂利亚卡莱鲁埃加～1221-08-06，罗马涅博洛尼亚）　全名圣多明戈·德·古斯曼。西班牙天主教布道托钵修会多明我会创始人。1196 年参加奥斯马隐修院。1203 年随奥斯马主教迪戈出使外国，在旅行中注意到法国南部阿尔比派异端所构成的威胁。1206 年教皇使节和传道士抵制阿尔比派失败后，同迪戈和多明我商议对策。多明我指出，为了争取人们摆脱这种异端，教士本身必须过严格的苦修生活，赤足走路，甘于贫寒，多明我会从此诞生。1206 年多明我在普鲁伊成立一所女隐修院，收容一度受阿尔比派迷惑的妇女。1208 年教皇使节被图卢兹伯爵派人谋害，引起战争，1213 年拥护教皇的军队取得胜利，多明我等人进占图卢兹，发展多明我会。1216 年，多明我会各领导人在图卢兹开会，决定采用圣奥古斯丁所制订的隐修戒规，并确立其他制度。1217 年多明我把分别位于巴黎大学和博洛尼亚大学附近的房产献出创办神学院。他领导有方，办事认真，待人和蔼。

Dominic OF THE MOTHER OF GOD　**多米尼克（上帝之母的）**　参阅 **Barberi, Domenico** 巴贝里。

Dominica　多米尼克　全称多米尼克联邦。旧译多米尼加。加勒比海小安的列斯群岛中的共和国，位于法属瓜德罗普岛（北）和法属马提尼克岛（南）之间，东濒大西洋。首都罗索。面积 750 平方千米，长约 47 千米，宽 26 千米。人口约71 700（2002）。

土地　多米尼克是一个火山岛，境内多山，主要山脉呈南北走向，山高林茂，最高峰为迪亚布洛廷山（1 447 米）。山脉中段被一平原隔断，拉尤河向西流经该平原。境内还有许多其他河川，但大多不通航。多米尼克终年为温暖的热带气候，气温在 26～32 °C 之间。岛上雨量极其充沛，山区平均降雨量为 6 350 毫米，沿海地区 1 780 毫米。

岛上火山可能为死火山，不过南部的沸腾湖和多处温泉证明有些火山仍在活动。火山基给该岛带来肥沃的土壤，茂密的热带植物在一些地方已发展成雨林。

岛上鸟类资源非常丰富，约有 135 种生长于此，包括鹦鹉、蓝头蜂雀和一种鸫属的鸟，它在求偶时作出快速颤抖的动作。此外，还有鬣蜥蜴、负鼠、刺鼠、大蟒蛇和许多种类的蝙蝠。

人民　居民多为非洲人后裔或欧非混血人种的后裔（穆拉托人），另有少数人是欧洲人和叙利亚人后裔，并有幸存的加勒比人社区，为哥伦布时代以前的加勒比海群岛上的居民。多米尼克最早的欧洲定居者多为法国人，有一种法语方言在当地最为通行，但英语

亦被广泛使用,为官方语言。居民主要信奉天主教,但也有早已建立的新教教派。最大城市是罗索。尽管移居国外的人数有增无减,但由于死亡率下降,20世纪70年代多米尼克人口增长迅速。1979年的戴维飓风促使大批人口移居国外,但80年代又开始回迁。多米尼克的人口相对来说比较年轻,有2/5的人口不满15岁。大部分岛民居住在乡村,从事农业。

经济 多米尼克是加勒比海各国中最贫穷的国家之一。20世纪70年代经济的衰落主要表现在生产下降和私人投资的减少,1979和1980年两次毁灭性的飓风使经济更加恶化。到80年代中期,部分由于美国、英国、加拿大和联合国等外来援助,经济已有明显复苏。虽然国民生产总值的增长远远快于人口的增长,但人均国民生产总值仍相对较低。

从在国民生产总值中的比例及所占用的劳动力人口来看,农业始终是最重要的经济部门。香蕉是该国主要农产品,也是主要输出品。当地还出产葡萄柚、酸橙、橘子和蔬菜。椰子是重要作物,带动了生产椰干、椰子油和油脂、肥皂和清洁剂等行业。其他以农产品为基础的行业还有果汁和果酒生产。手工业也很重要,当地有一行业利用进口烟草生产香烟。岛上唯一矿产资源是浮石,已进行商业性开采。有家畜饲养和小规模的渔业。1979年的戴维飓风毁坏了岛上许多渔船,恢复工作进展缓慢。

为促进工业发展,1974年成立工业发展公司。出口产品除香蕉外还有椰子油和果汁。进口产品主要有食品、金属和制成品。进口商品主要来自美国,出口商品主要销往英国。

多米尼克典型的热带环境和温和的气候使这个岛国的旅游业具有很大的潜力,但旅游业一直发展缓慢。1975年建立了一个独具特色的热带山林国家公园,旅游业得到加强。

1976年在罗索附近建成一深水港口,现有几家船运公司设在那里。朴次茅斯是主要的香蕉运输港。主要机场梅尔维尔距罗索58千米,二级机场坎菲尔德位于罗索以北5千米,于1982年开放。全国约有3/5的公路铺有路面。

政体与社会状况 多米尼克的治理系依据1978年11月3日独立日起生效的宪法。该宪法规定多米尼克为一共和国,议会为主要政府机构,由总统和议院组成。议院有21名民选代表、1名当然成员和9名通常被称为参议员的成员(他们可能是民选的,也可能是任命的)。总统有行政权,由议院选举产生,任期5年,任职不得超过两届。总理则由总统任命,负责主持内阁。多米尼克是英联邦、联合国、美洲国家组织和加勒比共同体的成员。

多米尼克存在着许多因贫困和不发达造成的严重问题,政府正努力改善社会状况。通过国际援助和社区努力正在推行旨在清除贫民区和提供足够住房的计划。政府通过诊疗所、医院和保健中心提供医疗服务。肠道疾病、糖尿病、贫血和性传染病是岛上最普遍的健康问题。

5～15岁的儿童和少年可免费接受初等教育,并在可能条件下实行义务教育。大部分学校是公立学校,但也有一些是教会所办。多米尼克有数所中学。岛上有一所师范学院和西印度群岛大学的一所分校。

有几份当地出版的报纸。广播电台归政府所有。经由电视中继站可接收到从巴巴多斯传来的电视节目。

历史 已知最早的西印度群岛居民是两个美洲印第安人部落,即从南美迁移来的阿拉瓦克人和加勒比人;嗣后加勒比人将阿拉瓦克人逐出。哥伦布到达时,该岛由野蛮、好战的加勒比人占据,他们正与邻近岛上的居民处于战争状态。岛名取自拉丁文 dies dominica,意为“主日”或“星期日”,是哥伦布1493年发现该岛的日子。因为沿海遍布悬崖峭壁,山脉无路攀援,所以该岛是欧洲人最晚开发的一个岛屿。然而,该岛的战略地位却使它后来成为加勒比印第安人、英国人和法国人3方冲突的中心。英法一直在争夺对该岛的控制权,直至1783年最终由英国人获得。以后殖民者与岛上土著居民间的相互敌视使得加勒比人因战争、疾病和放逐等原因几乎灭绝。

多米尼加位于加勒比海东缘,南为向风群岛,西为背风群岛,这一位置造成地理划分上的困难。最初多米尼克属背风群岛,为英属加勒比海巴巴多斯政府管辖的一部分。1671年多米尼克与另外几个岛屿一起脱离巴巴多斯,并于1771年成立单独的政府。1833年与其他7个岛屿一起同属背风群岛管辖,是背风群岛联邦(成立于1871年)中的成员,但1940年又被划归向风群岛。1956年和其他3岛共同构成向风群岛领地,该领地于1958年与背风群岛领地一起组成西印度群岛联邦。1967年多米尼克在西印度群岛联邦中成为一个自治邦,内政完全自主,外联和国防则由英国负责。1978年独立,成为多米尼克联邦。

1979年8月遭戴维飓风袭击,全岛受到毁灭性破坏。将近75%的人口无家可归,首都成为一片废墟,学校损失惨重。农作物一般减产60%,出口作物和木材几乎全毁,所有必要的服务被迫中止。正当全力恢复时,1980年又一次遭受飓风侵袭,使得灾上加灾。动荡的政局由于1981年两次未遂政变变得更趋复杂,使多米尼克的局势雪上加霜。尽管如此,80年代的恢复工作已取得令人瞩目的进展。

Dominica Channel 多米尼加海峡 西印度群岛内小安的列斯群岛中的海峡,沟通加勒比海和大西洋,位于南面的多米尼加岛和北面的瓜德罗普岛之间。约40千米宽。

Dominican 多明我会 又称布道兄弟会,俗称黑衣兄弟会,天主教4大托钵修会之一。1215年由圣多明我创立。他于1206年在普鲁伊成立女隐修院。多明我根据奥古斯丁的规章为他的门生制订规则,开办第一处修士团于图卢兹。1216年获教皇洪诺留三世批准。多明我会从一开始就实行退省默念与积极工作相结合的方针,修士过集体生活。多明我会在法国南部地区驳斥阿尔比派,在西班牙等地反对摩尔人和犹太人。多明我会修士向北欧和东欧、东地中海地区和印度等地传教。异端裁判所成立后,教廷委托多明我会负责执行。在西班牙、葡萄牙以及法国探险家进行“扩张欧洲”的过程中,多明我会修士积极带头随行传教。在现代,他们利用广播、电视、电影和戏剧等形式,扩大传教范围。多明我会修女在19和20世纪纷纷成立组织,从事教育、护理和其他慈善工作。

Dominican Republic 多米尼加共和国 西印度群岛国家,由伊斯帕尼奥拉岛东部2/3的地区和附近一些小岛组成。位于美国佛罗里达州东南约1 080千米处,北临大西洋,南濒加勒比海。它是西印度群岛中仅次于古巴的第2大国。多米尼加共和国西与海地(占该岛西部1/3地区)接壤,东隔莫纳海峡与波多黎各相望。首都圣多明各。面积48 443平方千米。人口约8 733 000(2002)。

土地 该国境内多山,呈西北-东南走向。最显著的特征是中科迪勒拉山脉(中部高地,平均海拔1 800米),主峰杜阿尔特峰海拔3 175米,为西印度群岛最高点。中北部的锡瓦奥谷地(长225千米,宽23千米)土地肥沃,是该国最富庶的地区,出产稻米、玉米、豆类、烟草和咖啡。西部为大片沙漠,较干旱。主要河流有北部的北亚克河、南部的南亚克河和东部的尤纳河,均可用于灌溉和水力发电。恩里基约盐湖(长37千米,宽18千米)是西印度群岛的最低点(低于海平面44米)。

属温和的热带气候,年均气温25 °C,中部山区腹地21 °C,沿海平原28 °C。年降雨量约1 346毫米,但因地而异,东北地区超过2 540毫米,西部则只有760毫米。热带暴风雨和飓风为主要自然灾害。较潮湿的东北和东部地区生长着茂密的常绿松树林和硬木林(包括桃花心木),在较干旱的西部地区,草原植被和低矮的灌木丛则较为普遍。东部草原的大部分地区用于种植甘蔗和放牧牛群。高山上有成群的野猪,恩里基约湖附近则有火烈鸟和鳄鱼出没。

多米尼加的矿产资源有铝土矿、石膏、铁矿、镍、银、黄金和铂。西南部的岩盐储量是世界储量最大地区之一。此外,已知的矿藏还有石油以及硫磺、煤、钼、钴、锡和锌等。

人民 居民绝大多数为欧非混血人种的后裔(穆拉托人),还有少数欧洲人(包括德国犹太人)。康斯坦萨河谷有少数日本人从事蔬菜种植,华人则主要从事旅馆业和餐馆业。19世纪期间,许多地中海国家的移民与当地人通婚。西班牙语为官方语言,其他各种欧洲语言也在使用。居民大多数信仰天主教。

自1960年以来,尽管出生率和死亡率都有较大幅度下降,但政府仍认为太高。2/5的人口不满15岁。从1968年开始,政府一直在推行计划生育政策以降低人口增长率。向外移民受到鼓励,大多数移往纽约市。1965年以来,外来移民特别是海地劳工受到限制。70年代大规模的从乡村至城市的迁徙运动之后,1980年已有半数以上人口居住在城市,这主要是由于政府大力发展圣多明各所致。

经济　多米尼加共和国的经济是公有制和私有制共存的混合型经济，在很大程度上依赖于蔗糖的生产和出口。该国有半数以上劳动力处于失业或半失业状态。国民生产总值增长缓慢，而人口增长却较快。人均国民生产总值属加勒比地区最低之列。

农业在国内生产总值中的比例不足1/6，却占用了劳动力总量的一半以上。生存农业居主导地位，生产大部分国内所需的基本食品。水稻和玉米为主要作物。糖占多米尼加共和国总出口量的1/4。还种植了大量供出口的烟草、咖啡及可可。

采矿业以生产金、银和镍铁为主，约占出口总量的2/5。石油需要进口。制造业占国内生产总值的1/6，雇用全部劳动力的1/8左右。轻工业居主导地位，主要生产精制糖、糖浆、香烟、纺织品、家具和化肥。全国4/5的电力靠进口燃料生产，其余则来自水力发电。政府正在大力推进旅游业的发展，该行业已成为继蔗糖之后最主要的外汇收入来源。

由于石油价格较高，国内利率与国际利率差别较大，贸易收支始终为逆差。进口商品包括燃料、食品、资本货物和消费品，主要来自美国和委内瑞拉。出口商品主要销往美国。

年，是新世界最早的大学之一。

特鲁希略时期以来，该国报刊较少受到新闻检查。报纸的质量很高。电台和电视台由政府经营，覆盖面很广。

文化生活　多米尼加文化以民间艺术和传统为基础。音乐，特别是舞蹈音乐，在各社会阶层和所有地区都很重要。那些具有明显非洲风格的音乐是典型的形式。文学俱乐部很普遍，本地画家已开始获得国际上的承认。

历史　关于哥伦布时期以前的伊斯帕尼奥拉历史记载不多。1492年当哥伦布到达该岛时，岛上居民为来自南美洲的加勒比人，他们对爱好和平的阿拉瓦克人（泰诺人）进行掠劫。哥伦布曾在北（大西洋）岸建起一殖民地，但被当地印第安人摧毁。他在第2次航行的过程中，在北岸又建立一殖民地，但不久便把它放弃，在加勒比海岸边建起圣多明各。

伊斯帕尼奥拉的西班牙殖民地原本一直繁荣，但到了1550年更加富庶的墨西哥和秘鲁使其沦落为一个被人遗忘、一贫如洗的边区村落，在以后的300年中，这种状况一直没有变化。1697年该岛西部1/3的土地正式割让给法国，在这块殖民地靠黑奴种植甘蔗发展很快，后来成为一个独立国家海地。1795年整个伊斯帕尼奥拉岛归法国所

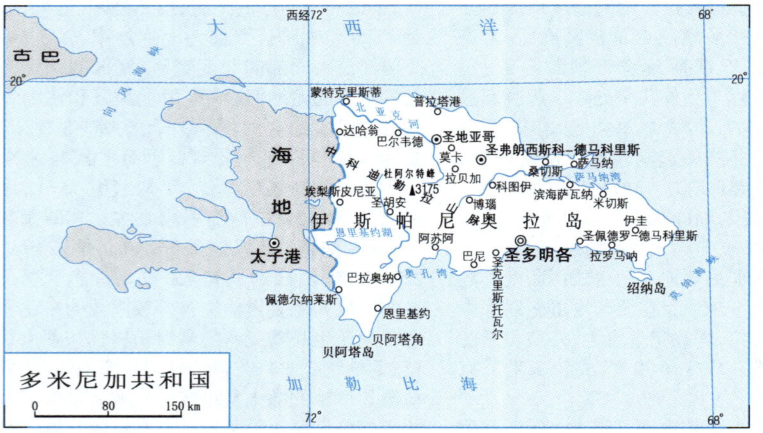

美国不列颠百科全书公司供图

政体与社会状况　多米尼加共和国是代议制民主政体，1966年颁布的宪法将行政权赋予总统，总统由直接选举产生，任期4年，是武装部队的总司令，拥有广泛的权力。内阁成员由总统任命并协助总统行使权力。立法权归两院制的国民议会，国民议会由参议院和众议院组成，议员由直接选举产生，任期4年。参议院有30名议员，各代表一个省和国家区，众议院有120名议员，按人口比例选出。主要政党为多米尼加革命党和改革党。最高法院是独立司法系统的最高机构。

1947年开始实施的志愿社会保障制度为病人、产妇、工伤者、老年人、残疾人和鳏寡者提供各种经济援助。该国健康状况很差，尤其是在农村。医疗设施不足，主要集中在城市地区。恶劣的卫生状况导致传染病和寄生虫病的高发率。平均预期寿命男性约为65岁，女性约为69岁。婴儿死亡率很高。

小学教育免费，在可行的地区实行7～14岁的义务教育。只有一小部分学生接受小学以上的教育。有几所大学可提供高等教育，包括圣多明各自治大学，该校建于1538

有。1809年该岛东部2/3的土地重归西班牙。该殖民地于1821年宣布独立，成立多米尼加共和国。但在几周之内，共和国便被海地军队占据，直到1844年。从那以后，除有过短暂时期的民主政府外，这个国家接连为几个独裁者所统治。在革命时期，美国曾两次进行干预（1916～1924和1965～1966）。1930年拉斐尔・特鲁希略上台执政并建立了长达30年的独裁统治，直到1961年被暗杀。1966年，J.巴拉格尔当选总统并任职到1978年，他的保守派政府一直与美国保持着密切的关系。1978年，该国有史以来首次将权力和平转交给反对党候选人A.G.费尔南德斯。80年代初期，多米尼加共和国的罢工和示威运动如火如荼，遭到保安部队的暴力镇压。1982年举行总统和国会大选，执政的多米尼加革命党中温和的左派分子S.J.布兰科当选为总统，标志着左翼势力上台。但是，布兰科的严厉措施非常不得人心。尽管巴拉格尔健康状况不佳，但他仍在1986、1990和1994年三次连任总统。2000年H.梅西亚当选总统。

Dominion　多米宁　加拿大新斯科舍省东北部布雷顿角城镇。紧邻格莱斯贝西北，在悉尼东北数英里的布雷顿角岛东北岸。该城镇原名多米宁一号，19世纪90年代在一座属于多米宁煤矿公司的煤矿（今废弃）周围发展而成。1904年该地区人口约为1 500。1906年城镇更名为多米宁。1926年关闭其第1座矿，第2座矿是1955年关闭的。附近的格莱斯贝有一矿工纪念博物馆。1906年设建制。人口2 452（1996）。

dominion　自治领　指1939年以前英联邦国家加拿大、澳大利亚、新西兰、南非联邦、爱尔兰和纽芬兰的地位。1926年帝国会议的一项声明将大不列颠及其自治领描述为"英帝国内部的自治共同体，地位平等，它们的内政和外交事务的各个方面都互不从属，因共同效忠英王而联合为一体，它们在英联邦内是自由联合的成员"。自治领地位的主要特征被认为是拥有完全的立法权力，如《威斯敏斯特条例》（1931）所规定；在行政领域，自治领的部长有权与英王直接联系。在此之前，有关自治领事务的建议只能由联合王国大臣提出。在国际上，这意味着承认自治领（纽芬兰除外）为单独的国家，有权在国际联盟和其他国际组织中有自己的代表，自行任命大使和自行缔结条约。同时，自治领国家与联合王国或自治领国家之间的关系不是对外关系。1947年后，自治领一词不再使用，而使用"英联邦成员国"一词。1949年英联邦总理会议发表宣言，对1926年的定义作了修改。据此，准备实行共和政体的印度希望继续成为英联邦正式成员国，承认英王为独立的成员国自由结合的象征和英联邦的首脑。巴基斯坦、加纳、塞浦路斯、尼日利亚、乌干达、赞比亚、坦桑尼亚、肯尼亚、新加坡、马拉维和其他国家在不再承认女王为它们的君主后也选择了同样的道路。马来亚联合邦（马来西亚）1957年成为君主立宪国。后来莱索托、斯威士兰和汤加亦成为英联邦内独立的君主国。1949年纽芬兰加入加拿大联邦，爱尔兰共和国退出英联邦；南非联邦（共和国）也于1961年退出。

Dominion Arboretum and Botanic Garden, Central Experimental Farm　中央实验农场自治领树木园和植物园　加拿大农业部植物研究所的一部分。位于渥太华。1889年建立，其树木园是加拿大历史最悠久者。共占地40公顷，约有10 000种植物。特别收集海棠花、丁香、百合和绿篱植物，既用于实验和研究，也用于对公众展出。自治领树木园有3个温室，最大的2 760平方米，供研究使用。还有一个标本室，收藏有695 000号植物标本作参考用。

Dominion Day　加拿大自治领成立纪念日
参阅 Canada Day 加拿大国庆节。

domino theory　骨牌理论　又称骨牌效应。第二次世界大战后美国外交政策的理论，认为一个非共产主义国家"倒"向共产主义会使邻近的非共产主义政府迅速倒台。首次由杜

鲁门总统提出，为其在40年代向希腊和土耳其提供军事援助辩护。50年代艾森豪威尔总统将该理论应用于东南亚，尤其是南越，于是该理论风行一时。60年代肯尼迪和约翰逊执政时美国加深在越南战争中的军事卷入，该理论便是被用来作为辩护的主要论据之一。

domino whist　惠斯特骨牌　骨牌的一种，供4人玩。似惠斯特桥牌，吊牌争对家。点最高者先出。每人执牌7张。牌不分墩，无王牌，也无点子。一方打出最后一张牌或两家都打不出牌时为终局。然后数点数，手中点数最高者负，多几点就负多少分，输分先满100者负。

dominoes　多米诺骨牌　一种博戏。骨牌呈小方块状，木质或用其他材料制成，正面有数量不等的点。每张骨牌的正面有一直线或凸纹，分成两个方区，并排标出号码，有一些方区则空着(用"0"表示)。一副牌有28张，分别标出6—6(双6)，6—5，6—4，6—3，6—2，6—1，6—0，5—5，5—4，5—3，5—2，5—1，5—0，4—4，4—3，4—2，4—1，4—0，3—3，3—2，3—1，3—0，2—2，2—1，2—0，1—1，1—0，0—0。有些骨牌从9—9或12—12起下排。尾数相同的牌为一套，每套牌有一对牌，其余的牌分属两套。中国骨牌的渊源可追溯至公元12世纪。西方的多米诺骨牌可能与中国骨牌无关。18世纪中叶，意大利、法国无玩骨牌记录。18世纪末显然是由法国囚犯将骨

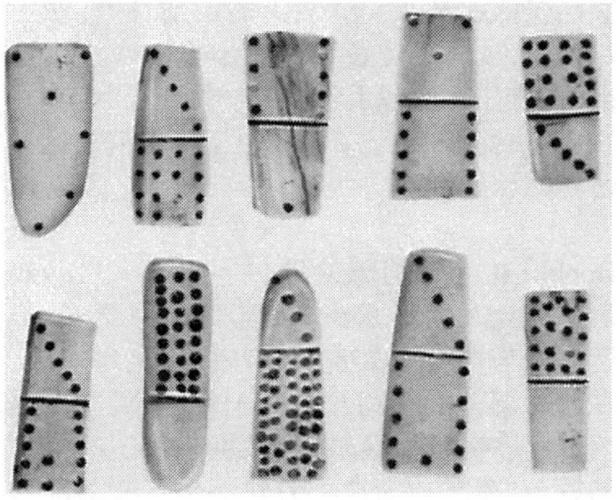

爱斯基摩人的象牙多米诺骨牌
美国史密森学会供图

牌传入英国。北美爱斯基摩人也玩一种类似的骨牌，牌数多达148枚。现代各种多米诺骨牌游戏原理大致相同，即把尾数相同或相对者相配。基本形式为2人或4人对局。开局时将骨牌翻成面朝下而洗牌。然后各家抽牌，抽出牌点最高者领局，开局后各家轮流抽牌，一般每家7张，余下的牌为"剩牌"。领局者先出，一般均出最高点牌(因为最后点数最少者为胜)。有时规定一家出对牌后还可再出一张点数相同的牌，例如，出双6则还可再出一个尾数为6的牌。下一家需打出尾数相配的牌，并置于其旁。对牌则横置。如无牌可打则叫"过"，由另一家接打。一家将手中牌全部打完，则呼"多米诺"，胜一盘。

dominus　主　古罗马称号，意为"主子"或"所有人"，尤其指奴隶主。自戴克里先(284～305在位)始，成为皇帝的正式称号。因而，他与其后继者往往被称作专制君主，以与更早时期奥古斯都及其后继者的元首制相对。在拉丁教会中，"主"一词被认为相当于希伯来语中的Adonai("主")和希腊语中的Kyrios("主")，指基督教的上帝。在中世纪拉丁文中，"主"一词指一个地区的"领主"或一个采邑的"封君"。

Domitian　图密善(公元51-10-24～96-09-18，罗马)　罗马皇帝(公元81～96)，以恐怖统治而出名。韦斯巴芗的次子。在公元69年争夺帝位的内战中，图密善本来平安无事。

美国不列颠百科全书公司供图

但到同年12月，他随叔父弗拉维乌斯·萨宾努斯去朱庇特神庙避难，这个神庙也遭到维特利乌斯一派的猛烈进攻，图密善与叔父逃得无影无踪。两天后，韦斯巴芗一派攻进罗马，图密善被立为凯撒，次年任行政长官。韦斯巴芗在世时，图密善6次任执政官，并被公认是其无嗣兄长的继承人。韦斯巴芗去世后，图密善希望得到保民官的权力。然而，长兄没有满足他的要求。从此，图密善对长兄产生明显的敌意。公元81年9月长兄去世，图密善即位。罗马贵族对他的统治极为不满。性情暴戾、好大喜功是他不受欢迎的主要原因。他的军事和外交政策没有始终如一地取得成功。即位伊始，他在不列颠和日耳曼都有进展，曾经建造一条从莱茵河绵延至多瑙河的防线。但是为了在多瑙河地区进行一系列战争，中断了统一苏格兰的工作。他不但没有彻底解决多瑙河问题，而且损失了两个军团和其他许多部队。他继续其父不断兼任执政官的政策(公元82～88年间每年都担任执政官)。公元85年成为终身监察官，控制元老院的一切活动。公元84年处决其叔萨宾努斯本是一孤立事件，但显露出公元87年更为重大危机的端倪。公元89年上日耳曼总督安东尼乌斯·萨图尼努斯叛变，不久就被军队镇压下去。图密善利用这个机会进行一场大清洗，用所谓"叛逆法"随意惩治元老院议员。公元93～96年被认为是罗马前所未有的恐怖时期。图密善在财政方面十分困难。他在实行残暴统治的同时，强取豪夺，用没收政敌的钱财大兴土木，在罗马建成一座新广场，在帕拉蒂诺营造一座新皇宫，在阿尔巴山兴修一座大别墅。与此同时，不断增长的军费开支也耗费了无数民脂民膏。公元96年9月18日由两名禁卫军长官、几个宫廷御侍和皇后图密提亚·伦吉娜领导的宫廷政变结束了图密善的生命。对于他的死，元老院甚为欣慰，而军队则深感痛惜。次年，军队即坚持惩处对皇帝之死负有责任的人。

Domna，Julia(Roman empress)　**多姆纳**　参阅 **Julia Domna** *尤莉娅·多姆纳*。

Domnus(pope)　参阅 **Donus** *多努斯*。

domovoy　家神　在斯拉夫神话中，指来源于祖先崇拜的家庭的守护神，有许多不同名称。每家都有家神，炉灶附近、门槛下、壁炉内均可安身，而且永远不走出家门。家神守护全家及其财产，但特别喜欢正直和勤勉的人。如果家神对所守护的家庭的行为感到不悦，就会作弄家畜，发出奇怪的敲门声，使房子里有令人讨厌的噪音。但是，这些动作的后者可能只是家神用以自娱的。不管如何，人们很容易得到家神的谅解。家神努力使各种传统礼仪得到遵守，且能预见未来。人们认为家神的呻吟和哭泣主凶，唱和跳则是吉兆。任何家庭迁移新居时，都必须正式邀请家神一同前往。

Ḍomra(Indian caste)　参阅 **Ḍom** *多姆*。

Domrémy-la-Pucelle　栋雷米拉皮塞勒　法国东北部洛林地区孚日省村庄。濒默兹河，在巴勒迪克山东南61千米。村内有几处中世纪建筑，包括圣女贞德出生地(现为一博物馆)，附近教堂有为其洗礼的圣水盆。人口190(1990)。

domus　宅邸　在古罗马城和庞贝城等地发现的规模简朴或豪华的私人住宅。不同于**贫民住房(insula)**和合住的简易住房，宅邸是一个家庭的寓所，分正厅和柱廊庭院两大部

公元1世纪的庞贝城维提宅邸
美国不列颠百科全书公司供图

分。正厅常为正方形或矩形，周围分若干供谈话和休息的小间，是家庭中共同活动的地方，有门廊通向街道。在正厅和柱廊庭院之间有一个开敞的起居室，可用帷幕分隔，其一边为过道，可与柱廊庭院相通。正厅的概念源自埃特鲁斯坎人的住宅，而柱廊庭院则源自公元前2世纪左右的希腊住宅。柱廊庭院以庞贝城中维提宅邸的这种建筑最为典型，有接待厅、卧室、耳房和餐室，各房的朝向不同，可按季节调节。庞贝城的潘萨宅邸有一个餐室，内有3张长椅，每椅容3人，古罗马人宴会时以9人为度；住宅中还有若干二层小室围绕着正厅和柱廊庭院。罗马的帕拉蒂

尼山丘以宫殿式府邸著称，其中有奥古斯塔纳宅邸、约公元前55年的奥古斯蒂宅邸（利维阿别墅）和泰伸利亚那宅邸（毁于公元80年）。尼禄的豪华宫殿奥利亚宅邸（公元64～68）也建于帕拉蒂尼山丘。

Domus Aurea 参阅 **Golden House of Nero** 尼禄金殿。

Dôn 多恩 凯尔特神话人物，是互相争威的两大神族之一的族长。一说多恩的子孙即光明势力，他们永远与利尔的子孙即黑暗势力争斗。另说这种争斗是本地诸神与入侵民族的诸神之间的冲突。虽然多恩和其他威尔士神都有对应的爱尔兰神（如爱尔兰女神达努），但与他们有关的传说不尽相同，同时威尔士神话只部分流传至今。多恩的后代包括格威戴恩和阿兰罗得。前者精通魔法、诗歌和音乐，是不断与诸神发生冲突的武士；后者是天空女神和丰饶的象征，为格威戴恩生有一胎2子：海神迪伦和被学者们认为与爱尔兰神卢格对应的勒·劳·吉菲斯（妙手勒）。

Don, River 唐河 英格兰河流。源出奔宁山脉460米高处，流经南约克郡的煤田，在设菲尔德城转向东北，流经唐克斯特，在古尔汇入乌斯河。长约110千米。

Don, River 唐河 苏格兰中北部河流。源出格兰扁山脉，与南方的迪河平行东流，在阿伯丁注入北海。全长132千米。上游有多条山间小溪汇入，下游流经低地农牧区，阿伯丁上游的主要沿河城镇为因弗鲁里。

Don Juan 唐璜 一个虚构的人物，浪荡子的象征。来源于流行的传说。在西班牙戏剧家蒂尔索·德·莫利纳的悲剧《塞维利亚的嘲弄者》（1630）中他首次以文学人物出现。通过蒂尔索的悲剧，唐璜成了一个世界性人物，堪与堂吉诃德、哈姆雷特、浮士德媲美。随后，他变成戏剧、小说、诗歌中的反派角色。17世纪，意大利流浪艺人获悉唐璜的故事，并以哑剧形式带到法国。到19世纪，出现了许多唐璜传奇的外国版本。他的传奇因莫扎特的歌剧《唐·乔万尼》（1787）而确保持久流传。在西班牙文之外的作品中，著名者有莫里哀的《石宴》（1665）、P.梅里美的短篇小说《炼狱的灵魂》以及大仲马的戏剧《马拉纳的唐璜》（1836）。早期的英国作品——例如T.沙德韦尔的《浪子》（1676）——被认为是平淡无奇的，但是后来这个人物以新的生动形象出现在拜伦的长篇讽刺诗《唐璜》（1819～1824）和萧伯纳的戏剧《人与超人》（1903）里。后来的西班牙作品中保留了唐璜的可爱本质而不采用某些外国作品中蓄意挖苦的部分。J.索里利亚-莫拉尔的《勾引女人的唐璜》（1844）最为流行，大量采用了法国资料，现在仍然是西班牙万灵节前夕的传统剧目。

J.H.兰贝格为莫扎特的《唐·乔万尼》第一幕所绘插图
美国不列颠百科全书公司供图

Don Pacifico Affair 唐·帕西菲科事件 （1850） 英国与希腊的一次争端，事件中英国的行为引起法、俄两国的不满和国内的争论。唐·帕西菲科系葡萄牙犹太人，1784年生于直布罗陀，属英国籍，曾任葡萄牙驻摩洛哥领事、驻希腊总领事，后在雅典经商。1847年，他的住宅在反犹骚乱中被焚，警察坐视不救。帕西菲科要求希腊政府赔偿，并得到英国外交大臣帕默斯顿勋爵的支持。1850年1月，帕默斯顿派出一个海军中队封锁希腊沿海，胁迫希腊接受帕西菲科的要求。此举引起共同享有保护希腊权力的法、俄的抗议。但希腊同意付给他4 000英镑。由于部分文件的遗失，处理此事的一个委员会只付给他150英镑。他迁往伦敦，死于1854年。这次事件对英国国内政界发生极大影响，帕默斯顿的政策在上院受到指责，但在下院却得到支持。在表决前的演说中，帕默斯顿将英国与罗马帝国相提并论，说："罗马人只要一说出'我是罗马公民'，在世界的任何地方，他的权利都能得到保障。英国臣民也是一样，他在任何的土地上都可以深信：如果他受到不公正的对待，英国就会用警觉的眼光和强大的力量来保护他。"

Don Quixote 《堂吉诃德》 全名为《奇情异想的绅士堂吉诃德·德·拉·曼却》。西班牙作家塞万提斯所著小说，分两部出版（第1部1605年；第2部1615年），是西方文学中最受人喜爱的古典名著之一。该书原本被构思成一部滑稽讽刺作品，旨在反对当时文学作品中盛行的骑士小说，其内容如实地描写一位老骑士，由于读了骑士小说而头脑糊涂，骑上老马罗西南特，带着崇尚实际的侍从桑丘·潘沙，出门寻找冒险。这部小说出版后很快被译成许多种文字，至今仍受到读者欢迎。

Don River 顿河 俄罗斯境内历史上有名的河流。源出新莫斯科斯克市（在俄罗斯高地中部，莫斯科以南）附近的一座小型水库沙特。大致向南流，注入亚速海的塔甘罗格湾。全长1 870千米。主要支流有右岸的克拉西瓦亚梅恰河、索斯纳河、奇尔河和顿涅茨河，左岸的沃罗涅日河、霍皮奥尔河及马内奇河。在上游，顿河沿着俄罗斯高地中部的东边流经一个狭窄的溪谷。在中游，河谷展宽到大约6千米，然后顿河水流入齐姆良水库。此水库控制顿河的下游。齐姆良水库长303千米，宽39千米，使顿河水位升高26米，调整了每年的水流量，使顿河下游成为一个主要的运输干线。顿河流域属温带大陆性气候。1月平均气温为-11～-8℃，7月平均气温为19～22℃。年降水量北部为584毫米，南部则减至356～381毫米。顿河的水源主要来自雪。顿河每年将680万吨分解的矿物质注入亚速海。流域面积42.2万平方千米，大部分为良田及林区。广大的水道网在下游地区提供了灌溉之利。顿河的货运物资有木材、谷物、建筑材料及其他大宗货物。顿河三角洲颇具有价值的渔业资源，所产品种有狗鱼、河鲈、鲤鱼、鲟鱼。自亚速海沿顿河上溯1 590千米，在春季可通航。要保持顿河上游通航，必须进行河道的清理和疏浚工作。最大港口有顿河畔卡拉奇、齐姆良斯克和顿河畔罗斯托夫。

Donalbane（king of Scotland） 参阅 **Donald Bane** 唐纳德·贝恩。

Donald I 唐纳德一世（?～862） 英国古代阿尔巴王国（即皮克特人与苏格兰人联合王国）国王（858～862）。肯尼思一世麦卡尔平的兄弟和继位人。他制定了古代法律与权利大全（亦称《艾德法》或《艾德赫法》），其中显然包括选举首长继承人的习俗，即在国王在世时，从其最年长和最杰出族人中选出继位人，往往宁选旁系（兄弟或堂兄弟），而不选直系（儿子）。其兄弟康斯坦丁一世就按这一习俗继承王位。

Donald II 唐纳德二世（?～900） 889年后苏格兰人的国王。康斯坦丁一世之子，伊奥察德与吉里克（878～889在位）的继承人。在位时期正值丹麦人重新入侵，他们主要是为占领苏格兰和盎格鲁-撒克逊诸王国接壤的领土，其次是劫掠。另外他也不断为降服从事掠夺的高地部落而斗争。据传他在迎击丹麦人的入侵时在邓诺特被杀；另说在袭击高地部落的战役中病死。其堂兄弟康斯坦丁二世继位。

Donald Bane 唐纳德·贝恩（约1033～1097以后） 又拼Donalbane。苏格兰国王（1093-11～1094-05，1094-11～1097-10在位）。邓肯一世之子。1093年其兄马尔科姆三世死后，王位的争夺十分激烈。他攻克爱丁堡城堡以后，在凯尔特族苏格兰人的支持下，以及按照**选举继承制**（**tanistry**）的惯例，至少当了6个月名义上的国王。马尔科姆之子邓肯二世在英格兰人、诺曼人和一些撒克逊人的帮助下把他赶走。邓肯二世的统治时期也同样短暂，因为唐纳德·贝恩杀死了他的侄子后又统治了3年。后来，**埃德加**（**埃特尔英的**）（**Edgar the Aetheling**）在诺曼族英格兰国王的帮助下，率兵进入苏格兰，废黜了唐纳德·贝恩，把他的侄子、马尔科姆三世之子埃德加扶植为苏格兰人的唯一国王。

Donaldson, Walter 唐纳森(1893-02-15,美国纽约布鲁克林～1947-07-15,加利福尼亚圣莫尼卡) 美国抒情诗人、乐曲改编者、钢琴家及舞台与电影流行歌曲的多产作曲家。第一次世界大战时,曾在纽约厄普顿营地慰问演出19个月,后参加作曲家I.伯林创办的出版公司。1928年自行创办"唐纳森、道格拉斯及冈布尔"音乐出版公司。在百老汇第一个成功之作是《辛伯达》一剧中的《我的妈妈》(1918),此后继续为百老汇时事讽刺剧写作25年之久,以1925～1928年最为多产,盈利也最多。最流行的作品有《我的伙伴》、《我的蓝天》、《是的,先生,那是我的孩子》、《要么爱我,要么离开我》、《早晨的卡罗利纳》、《你使我疯狂》以及为《狂欢》写的音乐(1928)。他和当时许多最著名的词作者如G.卡恩、S.M.刘易斯、J.扬、E.莱斯利、H.亚当森以及J.默塞尔等人合作。1934年初次为电影写作歌曲、配乐及改编乐曲,曾为《歌舞大王齐格飞》(1936)、《无赖拿走一切》(1936)、《跟在瘦子后面》(1936)、《萨拉托加》(1937)以及其他影片配乐。他的作品以轻松或感伤为特色,歌词中经常使用方言,如1943年写的歌曲《啥在嗡嗡叫,老兄?》。

donatário 领主 在葡属殖民地,特别是巴西,被授予都督辖区管辖权的人。都督辖区既是领土区划,又是国王授予的领地。葡萄牙人曾在马德拉群岛和亚速尔群岛推行这一制度取得成功。1533年国王约翰三世决定利用它来巩固葡萄牙在巴西的权力。领主被授予领地,并豁免某些赋税,但他必须负责安置殖民者,关心他们的福利,保护他们不受攻击,并负责发展农业和商业。都督辖区的土地,除授给领主个人者外,均须分给殖民者。领主必须承担都督辖区本身的一切开支。每一都督辖区可沿巴西海岸75～180英里或更宽一些,向内地延伸到《托德西利亚斯条约》(1494)所规定的葡西殖民地分界线(西经48°与49°之间)。在理论上领主拥有类似君主的权力,但实际上受到种种困难的限制。他们很难实际控制他们的领地,得不到足够的劳力,无法保护其领地不受法国人侵略,也无法管理蛮横的殖民者,他们多数是自葡萄牙逃出的罪犯或持不同政见者。迄1549年为止,在巴西建立的12个都督辖区中,仅有两个获得利益,即授给佩雷拉的伯南布哥和授给阿丰索的圣维森特。为了保住巴西殖民地,国王约翰三世于1549年派索萨为都督,由诺布雷加率领一批耶稣会士随同前往。通过他们和继任都督梅恩·德萨(1557～1572)的努力,制订并施行了切实可行的政策,并大力使印第安人定居下来。迄1580年,巴西已成为一个有经济实力但不富有的殖民地。首都为巴伊亚。共有8个都督辖区。后来,将领主改为军事长官或省督。到1754年,都督辖区全部撤销。

Donatello 多那太罗(约1386,佛罗伦萨～1466-12-13,佛罗伦萨) 大理石与青铜雕刻大师,意大利文艺复兴时期最伟大的艺术家之一。其作品体现出意大利人文主义者所设想的新人的形象,对于15世纪和以后的雕刻、绘画具有深远影响。要求艺术自由,对古代雕刻有深入广泛的研究。幼年学铜雕。约1404～1407年间是当时著名雕刻家吉贝尔蒂创作室的成员。早期作品《大卫》大理石雕像属哥特式艺术,还有半哥特式作品如《圣约翰坐像》。其《圣马可》和《圣乔治》雕像(1415完成)首次充分发挥了他的才能,形象富有动态和个性。1416年开始创作教堂钟楼壁龛的先知像,这些作品在外形上与圣经中的先知很少相似之处。在浮雕《圣乔治屠龙》(1416～1417)中首创平雕法,在浅地上显示出惊人的深度,好像用錾子在作画,而色调明暗是通过浮雕表面微妙的起伏以控制光线反射而成。在雕像的框架建筑结构上,多那太罗吸收了古代艺术的手法。在与米开罗佐合作期中所作铜雕《希洛德之宴》(1423～1427),是在建筑性背景上作出的浮雕,展示出合乎透视学的线条。在雕像《圣母领报》中创造了3个裸体的小天使,从而导致他创作了大卫铜雕,这是文艺复兴时期中第一个大型裸体立像,其和谐静穆是其雕刻中最富于古典主义之作。1443年去帕多瓦,于1447～1450年间创作《加塔梅拉塔骑马像》,其影响深远,是后来骑马雕像的始祖。此后又有很多作品,包括装饰繁华的石制建筑构架,7座铜雕像,21件青铜浮雕和一件大型大理石浮雕《耶稣安葬》。1450～1455年完成木雕《圣约翰像》和《玛格达琳像》,均以深刻表现人物心理为特色。《玛格达琳像》豪放的表现力曾震惊了佛罗伦萨。其他著名作品还有青铜浮雕《莎乐美》等。

多那太罗的《加塔梅拉塔骑马像》(1447～1453)
美国不列颠百科全书公司供图

Donati Corso 多纳蒂(?～1308-10-06,佛罗伦萨[意大利]) 佛罗伦萨的贵族和军人,曾组成和领导通称黑党的政治派别,1301～1308年成为佛罗伦萨的统治者。出身于一个著名的归尔甫派(教皇派)家庭,在佛罗伦萨的政府中拥有很大权势,特别是1289年在坎帕尔迪诺战胜阿雷佐的城镇自由民之后。他在贵族支持之下成立黑党,对抗想要把贵族赶出官衙的白党。1300年,佛罗伦萨的统治机构执政团为了保持该城平安无事,将他和白党首领切尔基一并放逐。他逃往罗马,处于教皇卜尼法斯八世的保护之下。他得到瓦卢瓦的查理(1270～1325)的支援,于1301年凯旋佛罗伦萨,控制该城直至1308年。他两度放逐白党(1304,1308),然而他的敌人并没有一垮到底。当他策划再一次成为佛罗伦萨的僭主时,引起了民众起义,他在企图逃跑时死去。

Donati, Giovanni Battista 多纳蒂(1826-12-16,意大利比萨～1873-09-20,佛罗伦萨) 意大利天文学家。他于1864年8月5日最先观测彗星(1864Ⅱ)光谱。观测结果表明,彗尾不仅反射太阳光,而且本身也包含发光的气体。在1854～1864年间,他共发现6颗彗星,其中发现于1858年6月2日的那一颗是以他的姓氏命名的。这些发现使他1864年被任命为天文学教授和佛罗伦萨天文台台长。他对早期恒星光谱分类也有贡献。他在逝世前还监造位于佛罗伦萨附近阿尔切特里的新天文台。

Donatia 多纳特氏草属 桔梗目多纳特氏草科唯一的属。仅2种垫状植物,原产塔斯马尼亚、新西兰和南美洲的亚南极地区。该属植物形小。叶狭窄,厚,革质,螺旋状密集排列。花单生于短茎顶端,萼片5～7枚,花瓣5～10枚。果陀螺形,含少数肉质种子。

Donatio Constantini 参阅 **Constantine, Donation of**《君士坦丁惠赐书》。

Donation of Pepin 参阅 **Pepin, Donation of** 丕平赠礼。

Donatist 多纳图派 北非基督教的一派。该派于312年就选举凯基利安为迦太基主教问题与公教会决裂。该派领袖为迦太基主教多纳图,故名。该派继承早期基督教内兴起于小亚细亚的孟他努派和诺瓦替安派以及兴起于埃及的麦利蒂安派的传统。他们反对国家干涉教会,他们根据末世论的远景提出社会革命纲领。多纳图派接连受罗马、汪达尔和拜占廷在北非统治者的迫害,几乎从未间断,但是他们的教会却一直存在下来,直到中世纪初期基督教在北非绝迹时为止。多纳图派的出现的根本原因既在教义,也在社会问题。自从3世纪以来,北非信徒以教会为上帝特选之人的集体。既然如此,神职人员的行动是否具有法律效力,决定于他身上是否有圣灵,神职人员如不蒙神恩,其所行圣事一律无效。同时,多纳图派认为财富即是罪恶,信徒应当摒弃玛门,也应当摒弃罗马社会。

Donatus, Aelius 多纳图斯(活动时期4世纪中叶) 古罗马著名语法学家、修辞学教师。他有一个学生后成为圣哲罗姆。他写过大小两本语法教科书:《语法进阶》及《语法初阶》。后者是为青年学生而写,采取问答形式,讲授八大词类基本课。整个中世纪都在使用这本语法书。大语法分3部分,讲语法基础知识、八大词类,以及语言的谬误和妙用。他还撰写过关于泰伦提乌斯和维吉尔的评注。在评注泰伦提乌斯时,他用了最佳史料和作过仔细研究,很有价值。关于对维吉尔的评论,现仅存前言、献辞、维吉尔生平、《牧歌》序言和引文等。

Donauwörth 多瑙沃特 德国南部巴伐利亚州的城市与港口。在奥格斯堡西北偏北方向约40千米多瑙河与沃尔尼茨河的汇合处。在多瑙沃特发现从6世纪即有人居住的遗迹。后该城在一座称为曼戈斯坦的9世纪所建的碉堡周围发展起来。13世纪中期,成为上巴伐利亚公国的首府,1301年设为帝国自由市,时人多称为施瓦本沃特。该城在1555年支持宗教改革,而反宗教改革的支持者欲使该城居民恢复信奉罗马天主教,遂于1607年发生骚乱。此事件成为三十年战争的导火线。多瑙沃特于1608年为巴伐利亚所兼并,于1714年恢复其帝国自由市的地位。第二次世界大战期间,多瑙沃特遭到轰炸,损失严重;但1309年所建的中世纪市政厅、几座15世纪的教堂以及中世纪堡垒的两座大门得以幸存。当地主要工业有钢铁工业和机动车制造业。该地山景秀丽,又有美丽的中世纪建筑物,旅游业日趋发达。人口约18 000(最新统计)。

Donbass(Ukraine and Russia) **顿巴斯** 参阅 **Donets Basin** *顿涅茨煤田*。

Doncaster 唐克斯特 英格兰南约克郡会郡的城镇和都会自治市。面积582平方千米。市中心的唐克斯特古城濒临唐河,原为罗马行营。中世纪时发展成为富庶农区的集镇。1194年获准设建制。19世纪为铁路枢纽。20世纪为矿区服务中心。该市每年9月举办圣莱杰赛马会。人口:城镇71 595(1991);都会自治市286 865(2001)。

Doncaster, James Scott, Earl of 唐卡斯特伯爵 参阅 **Monmouth, James Scott, Duke of** *蒙茅斯公爵*。

Donders, Frans Cornelis 东德斯(1818-05-27,荷兰蒂尔堡～1889-03-24,乌得勒支) 荷兰眼科专家,19世纪荷兰最杰出的医师。对于眼的生理和病理作了研究,使以科学方法矫正屈光不正成为可能。1847年研究飞蝇幻视,从此对眼科发生兴趣。后提出东德斯氏定律(眼睛不自觉地围绕视线而转动)。1852～1889年在乌得勒支大学任生理学教授,改进了对视力缺陷的诊断、手术治疗和配镜矫正。1858年发现远视的原因是眼球前后轴变短,使晶状体折射的光线在视网膜后成像。1862年发现散光的原因是角膜和晶状体表面不平,使光线不能集中,这一发现开拓了科学的临床屈光学的领域。他的研究成果总结于《调节和屈光的异常》(1864)一书中,该书为这个领域的第一本权威著作。

Doneck(Ukraine) 参阅 **Donetsk** *顿涅茨克*。

Donegal 多尼戈尔 爱尔兰最北部一郡。爱尔兰语意为"外国人要塞"。陆地面积4 830平方千米。海岸崎岖曲折。主要河流有芬河和厄恩河。主要山脉是布卢斯塔克山(最高峰为拉瓦夫-莫尔峰,海拔676米)和德里瓦山(最高峰为埃里格尔峰,海拔752米)。有大量明显的冰川作用痕迹。气候温和,夏季较暖,冬季湿度较大。居民大多集中在沿海和河谷地区。主要城镇有多尼戈尔、班克拉纳、巴利香农和莱特肯尼。除都市区外,郡由郡议会和郡长管理。福伊尔河和芬河流域土地均已精耕细作。农作物以燕麦和马铃薯为主。西南海岸的基利贝格斯是重要渔港和鱼类加工中心。芬河、福伊尔河、厄恩河和圭巴拉河均可捕捞鲑鱼。郡内风景秀丽,有许多海滨浴场和高尔夫球场,旅游业十分发达。西部居民仍操爱尔兰语,善手织羊毛外衣。康沃伊产多尼戈尔粗花呢。近来多尼戈尔郡的工业有所发展,增加了地毯、渔网、化学纤维以及服装等制造业。无铁路。人口128 117(1991)。

Donegal 多尼戈尔 爱尔兰语作Dún Na nGall。爱尔兰多尼戈尔郡的海港和商业城镇。位于埃斯克河河岸,多尼戈尔海湾的岬角,以历史悠久、风景秀丽闻名。城镇南面有建于1474年的方济各会多尼戈尔大修道院遗址。多尼戈尔城堡是奥唐奈家族的据点,17世纪初改建。该城的手织花呢很著名。人口2 193(1991)。

Donelaitis, Kristijonas 多涅拉伊蒂斯(1714-01-01,东普鲁士贡宾嫩[今俄罗斯古谢夫]～1780-02-18,托尔明克门[今奇斯蒂耶普鲁迪]) 又拼Duonelaitis。基督教信义会牧师和立陶宛最伟大的诗人之一,也是第1位受到国外赞赏的诗人。曾在柯尼斯堡大学攻读神学和古典语言。1743年任乡村牧师,直至逝世。主要作品《一年四季》(1818)长达2 997行,用立陶宛诗歌中从未用过的六音步诗行写成,并使用农奴的方言土语,逼真地描绘了18世纪普鲁士立陶宛的农奴和农村生活。其他文学作品包括6篇寓言和1首故事诗《普里奇库斯,一个立陶宛婚礼的故事》(1865)。

Donelson, Fort 唐奈尔森堡 美国南北战争期间,联邦军在1862年2月16日夺得南部邦联军队的这一要塞,迫使南部联军从肯塔基州的哥伦布起全线撤至博灵格林。唐奈尔森堡是南部联军在田纳西州多佛建立的一个有堑壕防御设施的堡垒,用以保护康伯兰河下游地域及通向纳什威尔的水路。1862年2月12日,联邦军在格兰特将军的指挥下采用陆、海军联合作战的战术向该城挺进,攻占田纳西河的亨利堡。南部联军是役最终战败,虽逃出3 000人,但布克纳将军所部1.5万人被迫无条件投降。亨利堡和唐奈尔森堡的陷落,为联邦军由水路长驱直入田纳西州打开了道路,迫使南军撤出南方诸要塞。

Donen, Stanley 多南(1924-04-13,美国南卡罗来纳哥伦比亚～) 美国电影导演和舞蹈编导,他所编排的富于创造性的舞蹈场面给40～50年代的歌舞片注入了新鲜的活力。在纽约参加《乔伊伙计》(1940)的群舞时结识了G.凯利。后作为助理舞蹈导演,协助凯利设计了《封面女郎》(1944)和《起锚》(1945)等影片的舞蹈场面。1949年与凯利合作导演了《纽约的一天》,被誉为歌舞喜剧演化过程中的重要里程碑。他们还合作导演了《雨中曲》(1952),这部早期有声片的经典作品把对B.贝克莱的戏谑性模仿和喜剧性讽刺结合在一起。他还独自导演了多部成功的歌舞片。

Donets Basin 顿涅茨煤田 乌克兰语拉丁字母转写作Donetskyy Baseyn,俄语拉丁字母转写作Donetsky Basseyn。又称顿巴斯(Donbas或Donbass)。欧洲东南部巨大工矿区,以有大量煤藏著称。煤田位于乌克兰东南部的卢甘斯克州和顿涅茨克州及邻近的俄罗斯西南部的罗斯托夫州。主要开采区为顿涅茨河以南23 300平方千米地带,但煤矿床向西延伸至更大的顿涅茨盆地内的第聂伯河,20世纪60年代开始在这个西部延伸地带,尤其在第聂伯罗彼得罗夫斯克州东部小规模采掘。1721年在顿涅茨盆地首次发现煤,但19世纪初方开始采掘,1869年第1条铁路通往这一地区后才大规模采掘。19世纪后20年发展迅速,至1913年顿涅茨盆地煤产量占俄罗斯总产量的87%。尽管由于发展新煤田,其相对地位受到削弱,以及在第一次世界大战、十月革命(1917)后的俄国内战和第二次世界大战中产量减少,但绝对产量持续上升,直到20世纪70年代产量才下降,年产量从1975年的2.215亿吨下降到1985年的1.987亿吨。因缺乏设备及罢工,产量继续下降,1992年仅1.394亿吨。全区有100多处矿村。现顿涅茨煤田储量仍很大,优质煤比例很高。已探明总储量达503亿吨,另有潜在储量635亿吨,可能储量762亿吨,已探明储量中1/4为无烟煤,主要集中在矿区东端。煤蕴藏在约300个煤层中。矿床的困难是煤层很薄,平均不足1米,只有40个煤层厚度有开采的经济价值。多数较厚的煤层和靠近表面的煤层已经采掘完,现在向深层开采。平均开采深度为350～400米。多次试图在煤矿区建立冶金工业没有成功,随后威尔士人休斯1872年在该地建立一个钢铁厂。19世纪80年代顿涅茨盆地发展成为该国主要钢铁产区,至1913年,生铁产量占全俄产量的74%。第二次世界大战中工厂和城镇破坏严重,战后重建成更大的和更为现代化的企业。现在这一地区仍为乌克兰最大单个钢铁生产基地和世界主要冶金-重工业联合企业之一。西部的克里沃罗格和克里米亚的刻赤有铁矿;第聂伯河畔的尼科波尔和马尔加涅茨有锰矿。盆地中的主要钢铁城镇,再加上卢甘斯克、克拉马托尔斯克及其他中心形成一套巨大的重型工业。在焦炭副产品和顿涅茨盆地中阿尔乔莫夫斯克附近采掘的岩盐的基础上,化学工业有很大发展,主要的化工城镇是阿尔乔莫夫斯克和斯拉维扬斯克。顿涅茨盆地有汞矿,水泥制作也很重要。现在已建立了各种各样的轻工业和消费品工业,使经济多样化和满足众多城市人口的需求。

Donets River 顿涅茨河 顿河的支流。在俄罗斯西南部和乌克兰东部。长1 050千米。流域面积10万平方千米。源出中俄罗斯高地。结冰期从12月初至翌年3月底。流经顿涅茨煤田工业区的北部,提供大量工业用水,河水严重污染。有一条运河把河水引到顿涅茨克市。因顿涅茨河水量不足,于20世纪70年代建了一条运河将第聂伯河水引入顿涅茨河。建有6座导流坝使向上游航行可达罗斯托夫州的顿涅茨克。

Donetsk 顿涅茨克 1938～1961年称斯大林诺(Stalino)。乌克兰东南部一州。行政中心为顿涅茨克市。面积2.65万平方千米。1938年设立。范围北起顿涅茨岭,跨起伏的亚速丘陵和沿海平原达亚速海。因为缺少地表水和顿涅茨河严重被污染,工业用水和民用水极缺。该州地处肥沃大草原,大部分地区已经开垦。境内有顿涅茨煤田西区和有关工业区,因此,城市人口所占比例高达90%(住在约50个城镇中)。经济以煤炭、钢铁、重型机械和化工业为主;但农业也重要,产冬小麦、玉米、向日葵。城镇四周商品菜园发达。人口5 064 400(1998)。

Donetsk 顿涅茨克 又拼Doneck。1924年前称尤佐夫卡(Yuzovka),1924～1961年称斯大林诺。乌克兰东南部顿涅茨克州城市、首府。临卡利米乌斯河源头。1872年开办铁工厂生产铁轨。至1914年已有4所冶金厂、10座煤井,人口约5万。现有大量俄罗斯人。第二次世界大战后经现代化建设,工业规模扩大。现有40多座煤井和钢铁联合企业,为乌克兰最大冶金中心之一。也生产化工品、采矿设备等。轻工业和食品业占重要经济地位。生产服装、棉布、鞋类、家具和冰箱。设有一所大学和一些专业技术学院以及乌克兰科学院分院等30多所科研机构。文化设施有剧院和音乐厅等。人口1 065 400(1998)。

Dong 侗族 又拼Tong。中国少数民族。主要分布在贵州、湖南、广西、湖北等地。人口2 960 293(2000)。语言属汉藏语系壮侗语族侗水语支,分南、北部方言。通用汉文。1958年设计了拉丁字母的文字。族源可追溯到秦汉时的"骆越"。魏晋后骆越各部原称为"僚"。唐宋时在湘、桂、黔接壤的少数民族地区设羁縻制称为"峒",居民称"峒民"、"侗人"。后沿袭成为民族名称。侗族地区在清雍正初年改土归流时农业生产已有较高水平。种水稻、小麦、甘蔗、麻类等作物。手工业以石雕、侗锦、侗帕著称。1850年姜映芳组织天地会反抗封建压迫,领导贵州侗、苗各族人民坚持斗争十余年之久。中国共产党成立后,红军在侗族地区的活动激发侗族人民投入革命斗争。广西龙胜地区有侗族组成的游击队配合解放桂林。侗族村寨傍山依水。住房多倚斜坡筑"吊脚楼"。村寨聚会娱乐场所鼓楼有多角雕花瓦檐重叠而上,高可达13层。广西三江有风格独特的风雨桥程阳桥,长165米,宽10米,中建宝塔形楼亭5座。木构建筑,全以榫眼衔接,历数百年不朽。族俗男尊女卑。妇女禁触铜鼓,婚后能分得少量陪嫁的"姑娘田"。未婚男女社交称为"行歌坐夜"。行一夫一妻制,曾流行姑舅表婚,有"不落夫家"的习俗,女子生育后才从夫居。

侗族
中国大百科全书出版社供图

侗戏有100多年历史,唱腔、曲调丰富。剧目多取材于民间故事。民歌称为"侗族大歌",有齐唱和多声部合唱等形式。"多耶"是祭寨神时的民间舞蹈,在鼓楼坪围成圆圈,牵手搭肩按节奏边走边唱。人死后行土葬。节日有侗年、"三月三"、"四月八"、吃新节等。信仰多神。1956年成立了黔东南苗族侗族自治州,先后在湖南、广西、贵州建立了6个自治县。

Dong Biwu 董必武(1886-03-05,中国湖北黄安[今红安县]～1975-04-02,北京) 又拼Tung Pi-wu。中国共产党第十届中央政治局常务委员,第四届全国人民代表大会常务委员会副委员长。出身于清贫的塾师家庭。1911年投身辛亥革命,任武昌军政府理财部

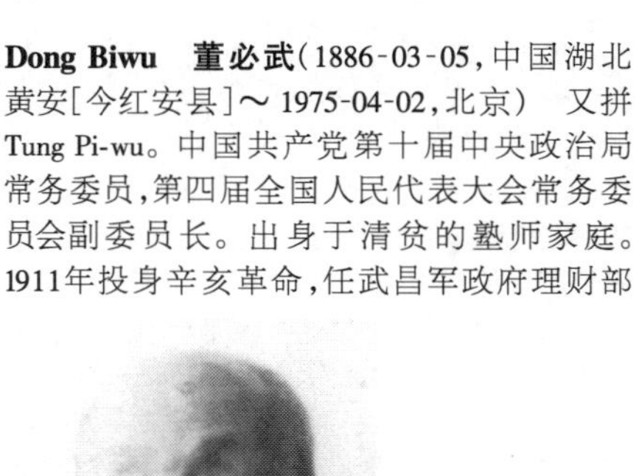

中国大百科全书出版社供图

秘书官,并参加孙中山领导的同盟会,被选为湖北支部评议部委员。1914年东渡日本,在东京私立日本大学攻读法律,同年加入中华革命党。翌年,奉孙中山之命回国,策动军队讨伐袁世凯称帝,被捕入狱。袁死后出狱继续从事革命活动。1917年再赴日本学习法律,获得法学专科毕业资格。回国后曾以律师身份掩护革命工作。

在俄国十月革命和中国五四运动的影响下,他开始接受并宣传马克思主义。1920年成为武汉地区共产主义组织的创建人之一。1921年出席创建中国共产党的第一次全国代表大会。之后,任中共汉口地委书记、中共湖北省委委员。1924年国共合作,领导创建国民党湖北省党部。1926年出席国民党第二次全国代表大会,被选为候补中央执行委员,负责指导湖北党务。北伐战争中以湖北特种委员会主席的身份,策动驻汉口、汉阳等地军阀起义,并发动农工商支持北伐军占领武汉三镇,后出任湖北政府常务委员兼农工厅厅长。大革命失败后,于1928年赴苏联学习。1932年回国后进入江西省东南部和福建省西部的中央革命根据地,历任马克思共产主义学校副校长,中华苏维埃中央政府执行委员会委员、最高法院院长、工农检查委员会委员、中共中央党务委员会书记等职。1934年10月参加二万五千里长征。1935年到达陕北,任中共中央党校校长,兼任抗日军政大学第四大队政治委员,中华苏维埃中央政府西北办事处代主席。

抗日战争爆发后,他以中共中央代表的身份到国统区,协助周恩来负责统一战线和南方党的领导工作,先后任中共中央长江局委员、南方局常务委员,是中国共产党参加国民参政会的参政员之一。1941年皖南事变后,与邓颖超等拒绝出席参政会以示抗议。1945年代表中国解放区出席在美国旧金山举行的联合国制宪会议。抗日战争胜利后,任中共重庆局书记,是同国民党谈判的中共代表团负责人之一,曾出席蒋介石召开的政治协商会议。1947年春蒋介石发动全面内战后,率领留驻南京、上海的中共工作人员撤返延安。不久转赴华北解放区,先后担任中共中央工作委员会常务委员和华北财经办公室主任、中央财经部部长、华北人民政府主席等职。

1949年参加中国人民政治协商会议和组建中央人民政府的筹备工作,并主持起草《中华人民共和国政府组织法》。中华人民共和国建立初期,先后任中央人民政府委员,政务院副总理兼政务院政法委员会主任,最高人民法院院长,中共中央监察委员会书记等职。他还当选为中国新法学会和中国政治法律学会会长。他提出"依法办事是进一步加强法制建设的中心环节","公安、检察、法院和一切国家机关都必须依法办事",以及"有法可依,有法必依"等著名论断和主张。1959年后,他历任中华人民共和国副主席、代主席,全国人民代表大会常务委员会副委员长,中国政治协商会议第二届全国委员会副主席等职。从1938年中共六届六中全会起,为历届中央委员。从1945年中共七届一中全会起,为历届中共中央政治局委员。1973年在中共第十届一中全会上,当选为中央政治局常务委员,但他没有参加文化大革命的任何活动。他的主要著作收入《董必武选集》。

Dong Jiang 东江 中国珠江的支流。在广东省东部。发源于江西省寻乌县大竹岭。上源称寻乌水,西南流入广东省,经龙川县,至惠州市折向西,过东莞市流入珠江,在狮子洋出虎门入海。干流全长约523千米,流域面

东江
中国大百科全书出版社供图

积2.8万平方千米，总落差约440米。主要支流有安远水、浰江、新丰江、秋香江、西枝江和增江等。龙川县以下可通航。下游有引水工程供应香港、深圳用水。

Dong Hai 东海 又拼Tung Hai，英语作East China Sea。中国陆架最宽的边缘海。西接上海、浙江、福建，北与黄海相连，东北以济州岛经五岛列岛至长崎半岛南端连线为界，东面与太平洋之间隔以日本的九州岛、琉球群岛和中国的台湾岛，南面通过台湾海峡与南海相通，为一较开阔的大陆边缘浅海。东北-西南长约1 296千米，东西宽约740千米，面积约77万平方千米，平均水深370米。在五岛列岛到台湾岛一线的西北基本上属大陆架，此线东南则为大陆坡和海槽，冲绳海槽的最大深度达2 719米，为东海最深处。东海的海湾有杭州湾、象山湾、三门湾和乐清湾等。流入东海的河流有长江、钱塘江、闽江、瓯江和浊水溪等。中国沿海岛屿约有60%分布在该区，主要有台湾岛、舟山群岛、澎湖列岛、钓鱼岛等。东海东部边缘上的琉球群岛一带岛屿更多。东海大陆架海底平坦，水质优良，又有多种水团交汇，为各种鱼类提供良好的繁殖、索饵和越冬条件，是中国的优良渔场，盛产大黄鱼、小黄鱼、带鱼、墨鱼等。舟山群岛附近的渔场被称为中国海洋鱼类的宝库。

Dong language 侗语 中国侗族语言。属汉藏语系壮侗语族侗水语支。主要分布中国贵州、湖南、广西3个省（区）的20多个县。使用人口约118万。分南北两个方言。侗语（榕江）语音特点：有32个声母，其中包括双唇、舌尖中、舌面前、舌根部位的清和清送气塞音8个和1个喉门塞音；舌尖前清、清送气塞擦音各1个；唇齿、舌尖前、舌面前、喉门擦音各1个；双唇、舌尖前、舌面前、舌根鼻音各1个；边音1个；双唇和舌面半元音各1个；有舌根部位的圆唇化辅音3个，双唇和舌尖中部位的腭化辅音7个。有56个韵母，其中包括6个单元音韵母，8个复元音韵母和42个带辅音韵尾的韵母。有15个声调，9个舒声调为高平（1）（括号内的数字为调类，以下同）、高升（1′）、低平（2）、降升$_{323}$（3）、低升（3′）、低降（4）、高降（5）、升降$_{453}$（5′）、中平（6）；6个促声调为高平（7）、高升（7′）、次低降（8）、中升（9）、低升（9′）、低降（10）。虚词和词序表示句子成分的语法关系；量词可作修饰词组的中心词，也可单独作句子主语或宾语，重叠后有表示“每”的意思；表示同类事物的单音名词以*AA*式或*AABB*式重叠表示强调；单音节形容词重叠表示程度加深；反义形容词以*AABB*或*ABAB*式重叠表示性状的繁复；句子主语在谓语前；宾语和补语在动词后；修饰语除数量词外一般在中心词后。1958年设计了拉丁字母形式的文字方案。

Dong Nai River 同奈河 又作Donnai River。越南南部河流。发源于中部高原，向西和西南流约480千米，在边和西南汇入西贡河。上游重要支流宁河源出大叻东北的林园高原，有3段急流和瀑布，其最下一段已经治理，用于水利发电。

Dong Qichang 董其昌（1555～1636） 又拼Tung Ch'i-ch'ang。中国明代画家、书法家、书画理论家。字玄宰，号思白、香光居士，华亭（今上海松江）人。官礼部尚书，谥文敏。一生致力于书画艺术，用力极勤。家富收藏，精书画鉴赏。书法初师颜真卿，继师虞世南、李

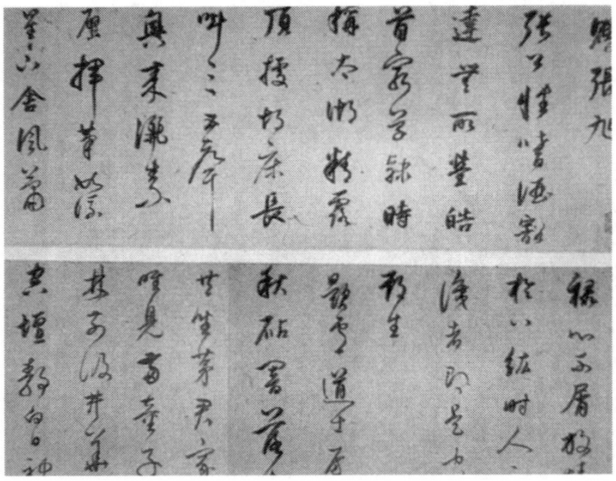

董其昌的《书唐人诗》
中国大百科全书出版社供图

邕、徐浩，然后上追魏、晋，学钟繇与王羲之。行、草学怀素与米芾，对杨凝式的《韭花帖》理解特深。能摄取古人之所长，形成自己疏宕秀逸的面貌，“行、楷之妙，跨绝一代”。一扫明代刻意摹拟阁帖之陈规，使人心眼为之一开。他对明末清初150余年书坛影响很大。在清中期以后，刘墉、何绍基也很受到他的影响。在绘画方面，他上师王维、董、巨、米，中师高、赵、黄、吴、倪、王，近亦有取沈周等人。其去世前三年赠周抱斋之山水长卷，浑沦莽苍，尤可见暮年功力。董其昌的艺术思想体现在他的“南北宗论”中。他将中国自唐至元的山水画家分成南北两派，称“南北宗”。将水墨渲淡画法的文人画家比做南宗，将以青绿勾填画法的职业画家视为北宗，他自诩为南宗正派。这种观点对明末清初以来绘画产生了极大影响。著作有《容台集》，《容台别集》与后人从《别集》中选辑的《画禅室随笔》、《画旨》、《画眼》等传世。其书画作品题年月者不多，且代笔与赝品不少；论书画理论之作亦多未详年代，均为鉴定和研究工作带来了困难。

Dong Son culture 东山文化 印度支那重要的史前文化，因在越南北方的东山村发现其许多遗迹而得名。东山遗址表明：青铜文化是在公元前300年左右从北方传入印度支那的。东山文化不仅是青铜文化，当时东山人已有铁器和中国文化的器物。但青铜制品，特别是用于祭祀仪式的铜鼓具有高度的工艺水平。东山人也以宗教性的大型石料纪念建筑物著称。东山人显然是在东南亚各地从事旅行贸易的航海民族。他们也种稻，被誉为红河三角洲种稻大区的开创者。受中国的进一步影响及后来印度的影响，东山文化成为该地区普遍文明的基础。据发现，迟至16世纪，当地还保留有该文化的残余。

Dong Yuan 董源 又拼Tung Yüan。中国五代南唐画家。一作董元，字叔达，钟陵（今江西南昌进贤西北）人。南唐李中主（934～960）时任北苑副使，人称董北苑。不仅擅画山水，也能画龙、虎、牛、仕女。其山水画又有水墨、青绿两体。水墨山水成就更为突出，对

董源绘《夏景山口待渡图》（局部）
中国大百科全书出版社供图

后世影响最大。其所作，构图丰富，墨法精妙，成功地表现出江南风景在不同气候、不同季节中的变化。米芾说："董源平淡天真多，唐无此品，在毕宏上。近世神品格高，无与比也。峰峦出没，云雾显晦，不装巧趣，皆得天真。岚色郁苍，枝干劲挺，咸有生意。溪桥渔浦，洲渚掩映，一片江南也。"从现存之《潇湘图》、《夏山图》、《夏景山口待渡图》以及《龙宿郊民图》等均可体会到他的这种画境的真实感和惊人的艺术感染力。至于他所画的《落照图》(今佚)，"近视无功，远观村落，杳然深远，悉是晚景远峰之顶，宛有返照之色，此妙处也"。这种着重光线表现，"其用笔甚草草与近视不类物象，远视景物粲然"的山水画，既发展了顾恺之，又颇类似西洋山水画的表现方法，在中国画史上极为罕见。其弟子巨然亦长于此道，画史并称"董巨"。

Dong Zhongshu　董仲舒(公元前179～前104)　又拼 Tung Chung-shu。中国西汉哲学家、今文经学家。广川(今河北枣强东)人。景帝时任博士，讲授《公羊春秋》。汉武帝元光元年(公元前134)，董在《举贤良对策》中

中国大百科全书出版社供图

建议"罢黜百家，独尊儒术"，为武帝采纳。开此后二千余年独尊儒学局面。董为武帝赏识后曾任江都相和胶西王相。后又因言灾异下狱，不久释放。晚年专心著述。他的哲学思想以天人感应说为中心。认为"天"是最高的神，万物是"天"的安排。皇帝是"天"在人间的代表。"天"对天子用符瑞或灾异以示赏罚。帝王应保持阴阳调和，可改变制度但不能改变包含天意的政治道德原则。提出"三纲五常"，以维护封建统治秩序。"三纲"即君为臣纲、父为子纲、夫为妻纲。"五常"即仁、义、礼、智、信。认为人的本性情欲是上天赋予，人有为善的材质，但必须通过圣人教化才能成为有道德的人。历史观方面，继承阴阳家"五德终始"说，提出"三统"更迭的历史循环论。他观察到当时社会贫富悬殊的现象，"富有田连阡陌，贫者亡(无)立锥之地"。为此提出限田、去奴婢、薄赋敛、省徭役等进步措施。所著《春秋繁露》是反映其政治哲学观点的重要著作，共17卷82篇。注本有清凌曙《春秋繁露注》、苏舆的《春秋繁露义证》等。

Dong Zhuo　董卓(?～192)　又拼 Tung Chuo。中国东汉(25～220)末年权臣。字仲颖。陇西临洮(今甘肃岷县)人。原为凉州豪强。灵帝时任并州牧。公元189年率兵入洛阳，废少帝，立陈留王为献帝。不久进位相国，专断朝政。曹操与袁绍等起兵声讨时，挟献帝西迁长安，自为太师，并且残暴专横，纵火焚掠，致洛阳周围数百里无人烟。192年献帝在未央殿大会群臣，董卓入朝时为其义子吕布所杀。

Dongan, Thomas, 2nd Earl of Limerick　唐甘(1634，爱尔兰基尔代尔郡卡斯尔敦～1715-12-14，英国伦敦)　查理二世和詹姆斯二世时期的英国纽约殖民地总督。天主教徒和保皇党家族成员，英国内战(1642～1651)后被放逐出国，在法国军队的爱尔兰军团中服役。1677年应召回国，1678～1680年任丹吉尔副总督。在纽约总督任内(1682～1688)，曾召开该殖民地的第1次代表大会，颁布《自由宪章》，规定在宗教上宽容，并实行与易洛魁联盟联合反法的政策。1691年返回英格兰，1698年继承其兄为利默里克伯爵。

Dongba character　东巴文　中国纳西族过去使用的一种图画象形文字。以从事纳西族传统宗教活动者的名字"东巴"而得名。关于文字创制的年代，现存石刻纳西族《木氏历代宗谱》中有十六世祖牟保阿琮(活动时期约12世纪下半叶至13世纪上半叶之间)"且制本方文字"的记载。有的学者认为，纳西族可能在11世纪时已使用东巴文。外国有学者认为东巴文产生的时代更早。现在传世的东巴文经书完全是手写本，没有标明准确年代。美国国会图书馆所藏清康熙七年(1668)的经书是标明准确年代最早的一个写本。对东巴文的字形结构，大体有三种意见：①把字形变化分为自身变化和附加变化两类。在自身变化中又分倾斜、倒置、断折、开裂、削减、延伸、扭转7种方法。在附加变化中，又分点、线、色、放大4种方法。②把字的结构分为依赖象形、显著特征、变易本形、标识事态、附益他文、比类合意、一字数义、一义数字、形声相益、依声托事10类。其中一字数义、一义数字和依声托事不属字形结构范围。③把东巴文分为代表不同发展阶段的图画文字和象形文字两种。前者的特征是尚未形成固定的行款；经文中有只表意不表音的字；利用几个形象合成字组，其内部各成分之间有互相依赖的关系；不是把所读经文中使用的语词全部写出，而只写出一部分。由图画文字到一个字表示一个音节的象形文字，是一个重大的发展。绝大多数东巴文经书是用图画文字书写的，所以第三种看法更有益于对东巴文经典的进一步研究和对古代文字发展史的探讨。20世纪末已翻译整理出版有100卷东巴文经书。

Dongbajiao　东巴教　中国纳西族信奉的一种原始宗教。因其巫师称"东巴"而得名。据《东巴经·什罗祖师传略》记载，丁巴什罗为征服魔鬼造福人类，曾携带99部经书和360名门徒来到今云南中甸县三坝白地村的"灵洞"传播东巴教，因此被奉为祖师。但各地称呼略异，丽江称东巴什罗，中甸县白地称东巴萨勒。白地为东巴教圣地。信仰多神，崇拜日月星辰和山水风火等自然物，相信万物均有神灵。"东巴"原为父子传承，晚近出现师徒传授形式；内有等级之分，大东巴通晓经文和各种祭祀仪式，且能书善卜。没有寺庙和统一组织。《东巴经》用图画或象形文字写在构树皮制作的厚土棉纸上，内容多属宗教神话及历史传说。现已整理出经文1134种，分属30类，主要为《创世记》和《占卜经》。经文只能由东巴解说。有祭天、祭龙王、祭山神、驱鬼、求寿等祭祀仪式。唐代以后受到西藏本教和藏传佛教的影响。该教支派称为达巴教，仅流行于云南宁蒗县永宁地区，与东巴教奉同一祖师，其巫师称"达巴"，无成文经典，经文靠巫师达巴记忆背诵。

Dongchuan　东川　中国云南省昆明市辖区，著名的铜矿石产地。位于昆明市东北部，市区新村建在金沙江支流小江东岸。处于云南高原北缘，经小江等河流切割，山脉、河谷

东川市容

中国大百科全书出版社供图

南北纵列，相间分布，高差悬殊。全市最高点碶王山主峰雪岭，海拔4 344.1米，最低点金沙江与小江交汇处，海拔695米。气候垂直变化显著，有"一山四季"之说。小江流域是中国泥石流典型分布地区之一。西汉属犍为郡。三国蜀汉改属朱提郡。隋代属恭州。唐置唐兴县，南诏政权时改称那札那夷。宋代大理国时置东川郡。蒙古宪宗时置乌蛮阏畔万户府。元至元中改东川军民府，至元二十八年(1291)改东川路。明洪武十四年(1381)改东川土府，清康熙三十七年(1698)置东川府。雍正五年(1727)置会泽县。1913年废府留县，改名东川县，1929年复名会泽县。1954年以会泽县的汤丹、落雪等地置东川矿区，由省直辖。1958年撤销东川矿区，建东川市。1998年撤销东川市，设昆明市东川区。面积1 674平方千米。矿区北起金沙江，南到雪岭，西抵普渡河，东迄小江。南北长40千米，东西宽32千米，面积1 952平方千米。矿层厚5～40米，属斑铜矿、黄铜矿、辉铜矿，并伴生有金、银、钛、锗、钴等稀有和贵重金属。铜矿开采历史悠久。东汉时就有采炼，元代有"铜都"之称。明嘉靖四年(1525)后是中国粗铜的主要产区。最盛时年产10 000多吨。20世纪初产量逐渐下降。至1949年产量仅50吨左右。1952年建立东川矿务局。1958年开拓因民、汤丹、烂泥坪、落雪4个露天采矿场，相继建选矿厂。目前已有大小厂矿40多座，产值占全市工业总产值4/5。还有水泥、机械、

化肥、制革、造纸、食品等工业。郊区产稻谷、玉米、薯类。市境有贵昆铁路支线与昆明相连；公路有羊街至因民，新村至功山、会泽、汤丹等线路。人口300 000(2005)。

Dongen, Kees van 唐吉(1877-01-26，荷兰代尔夫谢芬～1968-05-28，摩纳哥蒙特卡洛) 荷兰出生的法国画家，马蒂斯之后野兽派领导人之一，以擅长描绘优雅的妇女肖像而著

唐吉绘《歌手》
中国大百科全书出版社供图

称。生于海员家庭，年轻时即显示出艺术才能。曾在鹿特丹皇家美术学院学习，20岁到巴黎。在蒙马特尔区做房屋油漆工，为幽默小报作插图，并做咖啡馆艺术家。1905年参加了使野兽派得名的著名秋季展览会并结识马蒂斯。1907年与毕加索的经纪人D.H.卡恩韦勒签约后获得更大的名声。1908年应邀参加了当时以德累斯顿为中心的德国表现主义团体"桥社"。第一次世界大战结束时，其质朴而色彩明快的绘画风格风靡一时，纤瘦、点着口红的典型的贵族妇女形象(如《戴项链的女人》，1905)是他处理形象的样式。他为A.弗朗斯所作的肖像画特别著名。他还以潇洒而简约的手法画了大量色彩丰富的海景和巴黎街景。

Dongguan 东莞 中国广东省辖地级市。位于省境中南部，东江下游，珠江三角洲东北部。辖4个街道、28镇。面积2 465平方千米。原为宝安县地。唐至德二年(757)改宝安县为东莞，因地处广州之东且盛产莞草得名。五代南汉乾亨元年(917)废，入增城县。北宋开宝六年(973)复置东莞县。1985年撤县改县级市，1988年升为省辖市。广东省著名侨乡。广东省经济"四小虎"之一。农业主产稻、甘蔗，次为花生、木薯。盛产荔枝、香蕉、橙、柑橘及蔬菜，为广东省粮食、果品、蔬菜生产及出口基地之一。乡镇工业发展迅猛，主要工业有纺织、食品、服装、印刷、建材、电子、电器、皮革、塑料、化学、医药、电力、造船、工艺美术等。传统手工业以烟花炮竹和草织品最著名，行销东南亚和欧美等地。体育事业发达，有"游泳之乡"和"举重之乡"的美誉。鸦片战争时是广东的主战场，留有林则徐销烟池和虎门炮台旧址，是中国重点文物保护单位。名胜古迹有广东四大名园之一的可园，明清金鳌洲塔及虎门镇林头村新石器时代古遗址。水陆交通便利，广州—九龙铁路、广州—深圳公路纵贯市境。公路四通八达。太平港为进出口岸，客货轮直通香港。石龙港为进出口货物装卸点。内河航运可达广州、惠州等地。人口1 620 000(2005)。

Donghu 东胡 中国古代民族。泛称居于匈奴(胡)之东的各族。春秋战国(公元前475～前221)时分布于燕国以北，盛时势力达燕国东北及赵国的东边。屡扰燕赵边地，迫燕以大将为人质。后为燕将秦开击败，遂迁至今辽河上游的西喇木伦河和老哈河流域，从事游牧、狩猎。后来接近汉区的东胡人农业和手工业也有所发展。公元前16世纪东胡即与商王朝有贡纳关系。周成王时曾至洛阳贡献黄罴。秦末东胡强盛，曾向匈奴索取名马、阏氏(单于之妻)、土地。公元前2世纪末为匈奴冒顿单于击败，部落联盟解体，散居乌桓山的一支称乌桓，散居鲜卑山的一支称鲜卑。

Donglin clique 东林党 又拼Tung-lin。中国明朝(1368～1644)晚期江南学者、官员组成的政治派别。万历(1573～1619)后期政治腐败，厂卫监视部院政事，宦官勾结权臣形成阉党，擅威福，除异己，把持朝政。1594年被革职还乡的顾宪成与高攀龙、钱一本等在无锡东林书院讲学，评论朝政，褒贬人物，讽议阉党擅政，反对矿监、税监掠夺。要求开通言路、整顿政治。得到朝野人士的响应支持，时人称其为"东林党"。熹宗(1620～1627)时宦官魏忠贤专政，东林党人杨涟、左光斗等弹劾魏忠贤者皆被捕入狱，被杀害。魏并使人编《三朝要典》，加罪东林党；又编《东林点将录》、《同志录》，凡曾应和东林党和与阉党相左者皆指为东林党人，横加杀戮禁锢。1627年思宗即位后逮治魏忠贤，定阉党为逆案，东林党人重得起用。但阉党潜在势力与东林党的争斗一直延续到南明时期。

Dongola (The Sudan) 参阅 **Dunqulah** 栋古拉。

Dongsheng 东胜 中国内蒙古自治区鄂尔多斯市辖区。位于自治区西南部，鄂尔多斯市的东北部，北距包头市120千米。地处鄂尔多斯高原的东北部，地势东高西低，呈缓丘地貌，平均海拔1 429米。属中温带半干旱草原气候，风沙多，水源缺乏。汉置西河郡，唐为胜州，明修筑东胜城，始有东胜之名。清光绪三十三年(1907)设东胜厅。1912年改为县。1949年还是一座占地0.25平方千米、在册人口不到400人的小镇。1983年设市时，已成为当时伊克昭盟的政治、经济、文化中心。2001年撤销伊克昭盟和东胜市，设立鄂尔多斯市东胜区。现辖6个街道、6个镇、1个乡，面积2 137平方千米。城区外有草场12万公顷，是牧业生产基地，以放牧山羊为主。耕地有2.2万公顷，主要作物有马铃薯、谷子、糜子、黍子、荞麦、玉米、小麦等。地下煤炭资源丰富，境内含煤面积约占90%，已探明储量约900亿吨，"东胜煤田"因此得名。工业以纺织和煤炭开发为主体，建有机械、建材、皮毛、食品、电力、化工等企业。所产羊绒衫、无毛绒、地毯等在国内外享有盛誉。包头经东胜到陕西神木的包神铁路于1991年通车后，东胜成为蒙宁、蒙陕间的交通枢纽。全市居住着蒙古、汉、回、壮等13个民族。人口230 000(2005)。

Dongting Hu 洞庭湖 又作Tung-t'ing Lake。中国第二大淡水湖。在湖南省北部、长江南岸。北有松滋、太平、藕池、调弦(1958年堵口)四口引江水来汇，南和西面有湘江、

洞庭湖风光
中国大百科全书出版社供图

资水、沅江、澧水注入。湖水经城陵矶排入长江。通常年份四口与四水入湖洪峰彼此错开，因而有"容纳四水"、"吞吐长江"的调节作

东莞市容
中国大百科全书出版社供图

用，减轻了长江中游的洪水压力。若出现“江湖并涨”就易泛滥成灾。由于四水和四口携带大量泥沙，每年约有1.28亿吨泥沙淤积湖底，又因湖滨土质肥沃，人们不断围垦，近百年来湖盆已显著收缩。洞庭湖原为中国第一大淡水湖，现已退居第二。1825年时湖水面积约6 000平方千米，现在湖水面积仅为2 740平方千米。昔日号称“八百里洞庭”，今已分割为许多大小湖泊。水位变幅达13.6米，有“霜落洞庭干”之称。1952年兴建荆江分洪工程和蓄洪垦殖区，使部分洪水泄入分洪区，并整修了湖区堤垸水道，减轻了洪水对洞庭湖区的威胁。洞庭湖湖滨平原地势平坦，土地肥美，气候温和，雨水充沛，盛产稻米、棉花，湖内水产丰富，是中国重要的商品粮基地和重点淡水鱼产区。洞庭湖区有通航河道147条，其中常年通航河道75条，航运便利。

Dongxiang 东乡族 中国少数民族。主要聚居在甘肃、宁夏及新疆地区。人口513 805(2000)。语言属阿尔泰语系蒙古语族，多兼通汉语文。曾使用以阿拉伯字母拼写的东乡

东乡族姑娘
中国大百科全书出版社供图

语。13世纪初由聚居在东乡的色目人和蒙古人等民族融合而成。男子长袍束带，腰佩小刀、筷子、烟盒和钱袋，喜吸鼻烟。妇女多戴只露面部、垂及腰际的“盖头”，按年龄和未婚、已婚分绿、白、黑三色。以农业为主，兼事畜牧业。住房一般是一家一院的土木结构平房。同一宗族或家支的男女不能婚配。信仰伊斯兰教，教派、门宦较多。节日有尔德节、古尔邦节和圣纪节。1950年成立了东乡族自治县；1978年以后，在散居的一些地区建立了民族乡。

Dongxiang language 东乡语 中国东乡族语言。属阿尔泰语系蒙古语族。主要分布在中国甘肃省临夏回族自治州东乡族自治县。使用人口约24万。内部没有方言差别，只有镇南坝、汪家集和四甲集三个土语。东乡语(镇南坝)语音特点是元音没有长短的对立；复元音较多；元音和谐已趋于消失；小舌塞音G、q同舌根塞音g、k对立；可出现在音节末尾的辅音只有一个n；词的第一音节里的元音i、u在送气的塞音、塞擦音或清擦音后一般都清化。东乡语有28个单辅音：双唇、舌尖中、舌根、小舌塞音均分清、清送气两套；舌尖前、卷舌、舌面前塞擦音也分清、清送气两套；鼻音仅有双唇和舌尖中2个，有唇齿、舌尖前、卷舌、舌面前、舌根、喉门6个发音部位的擦音8个，其中卷舌和舌根擦音分清、浊；有双唇和舌面半元音各1个。有7个单元音和11个复元音。东乡语有重音，一般在末一音节。词类有名词、代词、数词、形容词、动词、副词、后置词、连词、语气助词、叹词10类，除副词外，实词有各种语法范畴和与之相应的丰富的形态变化。如名词有数(单数、复数)、格(主格、领-宾格、与-位格，从格、造格、联合格、方面格、方向格)、反身领属、人称领属等语法范畴；动词有态(主动态、共动-互助态、使动态)、式(陈述式、祈使式)、体(进行体、完成体、未完成体、经常体)等语法范畴；动词以外的实词(包括形动词)作谓语时，必须借助动词。句子主语在谓语前，补语在动词前，修饰语在中心词前。词汇上汉语借词比例大，借词方式也较多。

Dongying 东营 中国山东省辖地级市，新兴的石油工业城市。中国第二大油田胜利油田所在地。位于省境北部黄河三角洲，北部和东部濒临渤海。辖东营、河口2区和垦利、利津、广饶3县。面积7 923平方千米，其中市区面积3 294平方千米。地势平坦，地质构造属华北地台型，市区处在东营凹陷隆起带上，对油气的生成、运移、聚集起着巨大作用。1962年打成的“营二井”，获日产555吨高产油流。1964年建立胜利油田，1982年析垦利等县置东营市。油田的开发带动了石油机械、石油化工、原盐、机制纸、食品饮料、纺织、建材等工业的发展。由于黄河携带大量泥沙，造成大片“新大陆”，使这里土地资源丰富，有着巨大的开发利用潜力。天然草场有近2 000平方千米，为重要的畜牧业基地，所产“渤海马”、“渤海黑牛”、“三粉驴”享有盛誉。重要海产品有鲮鱼、鲈鱼、带鱼、黄花鱼、比目鱼、鳗鱼、毛虾等。有地质科学研究院、钻探工艺研究院、设计规划研究院等科研机构和中国石油大学胜利学院、胜利油田师专等院校。人口：全市1 780 000(2005)；市区790 000(2004)。

Dönitz, Karl 德尼茨(1891-09-16，德国格吕瑙拜-柏林～1980-12-22，西德奥米勒) 又译邓尼茨。德国海军军官，第二次世界大战中德国潜艇舰队的创建者。在第一次世界大战期间，他曾任潜艇军官。希特勒上台之后，不顾《凡尔赛和约》绝对禁止德国建造潜艇，德尼茨秘密监督建立一支新的潜艇舰队，并于1936年被任命为舰队司令。1943年1月，任德国海军总司令。由于忠诚和干练，他很快赢得希特勒的信任。1945年4月希特勒任命他为北方部队和民防司令，后来在政治遗嘱中，又指定德尼茨为帝国总统、国防部长和武装部队最高统帅。1945年5月2日德尼茨接管政权，但在任仅有几天而已。1946年纽伦堡国际军事法庭判处他10年监禁。1956年获释，领政府养老金退休。他的回忆录于1958年问世。

Donizetti, (Domenico) Gaetano (Maria) 唐尼采蒂(1797-11-29，阿尔卑斯山南共和国贝加莫～1848-04-08，奥地利帝国伦巴第贝加莫) 意大利歌剧作曲家，所作大量意大利语和法语歌剧代表歌剧发展中罗西尼到威尔地之间的过渡时期。主要作品有《拉美莫尔的卢西亚》(1835)、《军中女郎》(1840)和《宠姬》(1840)等。在严肃歌剧中他大大发展了这一体裁的戏剧分量和感情内容，而他的喜歌剧则妙趣横生，热烈欢快，各具特色。

早年生活 音乐学习最初师从圣马利亚大教堂音乐总监和杰出歌剧作曲家迈尔。作为唱诗班歌童并不出类拔萃，但迈尔在他身上看到正在形成的音乐才华，设法让他进入

中国大百科全书出版社供图

博洛尼亚音乐学校，接受全面的赋格与对位训练。父亲希望他成为教会作曲家，他确实也写了大量圣乐，但他的天赋是在戏剧方面。第一部成功的歌剧是《博戈尼亚的恩里科》，1818年在威尼斯圣卢卡剧院首演，其后12年中创作歌剧不下31部。1830年《安娜·波莲娜》在米兰演出，从此他的声名远扬国外，传遍欧洲各国首都，最后跨越大西洋。两年后由当时最佳戏剧诗人罗马尼撰写台本的喜歌剧《爱情的灵丹》再获成功。《吕克莱斯·波尔吉》(1833，台本亦为罗马尼所作)巩固了他在米兰拉斯卡拉歌剧院和其他地方的声誉。接着，像前辈歌剧作曲家罗西尼和贝利尼一样，他也转移到巴黎，但所作《马里诺·法利埃罗》一剧因与贝利尼在几星期前上演的《清教徒》相形见绌而未能一鸣惊人。于是他返回那不勒斯上演他的悲剧杰作《拉美莫尔的卢西亚》(1835)。

在巴黎的成功 唐尼采蒂继续在那不勒斯工作，1838年地方审查官反对演出他的《波利乌托》，理由是该剧讲述一位基督教殉教者的事迹，而宗教题材不宜上舞台。他又一次去巴黎，这时由于贝利尼的早逝和罗西尼的退休，他的道路已经扫清。他重新演出了他的几部最佳歌剧，但《吕克莱斯·波尔吉》却因雨果反对而未能上演，该剧台本是根据雨果戏剧所作。《波利乌托》于1840年改写为法语本《殉教者》上演。此前两个月喜歌剧《军中女郎》演出，在以后许多年中通过当时几位一流女高音歌唱家的演唱而红极一时。1840年下半年巴黎歌剧院上演他的第一部法语正歌剧《宠姬》。1842年，题献给玛丽亚·安娜皇后的浪漫主义幽默正歌剧《夏莫尼的琳达》公演。在这以前，由于首相梅特涅的引见，唐尼采蒂已受到皇帝斐迪南一世的注意，并在他面前指挥了罗西尼的《圣母悼歌》。这

时他受命担任皇帝的官方作曲家，规定一年中必须有6个月呆在维也纳，其余时间可随意在其他地方工作。返回巴黎后他在意大利剧院演出欢快而诙谐的喜歌剧《唐帕斯夸莱》。

健康衰落及评价 此时唐尼采蒂已被病魔缠身。1843年在连续头痛和偶尔智力失误的情况下在巴黎歌剧院上演他的最后一部重要歌剧《唐塞巴斯蒂昂》。此歌剧虽未得报界好评，在群众中却又一次获得成功。后因精神失常，他被送入巴黎附近的一家私人精神病院。1848年4月8日与世长辞。唐尼采蒂总是获得群众的欢迎而未能邀宠于评论家们。生前得到巨大成功，直到19世纪末盛名不衰。但在1914年前后他的歌剧已从保留剧目中消失，而被威尔地和瓦格纳的更为内容充实的杰作所取代。20世纪50年代他的作品重又引起人们的兴趣，《拉美莫尔的卢西亚》、《爱情的灵丹》和《唐帕斯夸莱》等剧又被重新发掘。

donkey 驴 又作burro。马科动物，非洲野驴（*Equus asinus*）后裔（参阅 **ass**）。公元前4000年起就作为驮畜。平均肩高101.6厘米，但不同品种间差异很大。西西里驴高仅约61厘米，马霍卡岛的大驴高约157.5厘米，而美国驴的肩高有达167.6厘米者。体色由白至灰或黑，通常由鬃至尾有一条深色的条纹，肩部有一十字形斑。鬃毛短而直立，尾仅在端部有长毛，似牛尾而不似马尾，耳长，耳根和尖端为深色。驴的速度比马慢，但脚步稳健，并能载重行走于不平坦的地面。**骡**（**mule**）是公驴和母马杂交的后代。野驴分布于世界许多地区，是逃跑的或被人遗弃的家驴的后代。有人认为，美国西部的野驴的大种群在这非常干旱贫瘠的生境中与沙漠加拿大盘羊竞争有限的资源，使之趋于绝灭。

donkey orchid 驴兰 兰科双尾兰属（*Diuris*）植物。约38种，陆生。一种产于爪哇，其余均原产于澳大利亚。叶禾草状，花被内轮两枚侧生花瓣形似驴耳；两枚侧生萼片淡绿色，长而下垂。普通驴兰（长叶双尾兰，*D. longifolia*）具有3～5朵花，长约4厘米；猫脸兰（丝状叶双尾兰，*D. filifolia*）和母山羊兰（平滑叶双尾兰，*D. laevis*）也很有名。

Donkin, Bryan 唐金（1768-03-22，英国诺森伯兰桑德里～1855-02-27，伦敦） 英国发明家。推广福德利尼尔造纸机的商业应用，发明了印刷用胶料辊。当他作学徒时便改进法国N.-L.罗贝尔于1798年设计的造纸机。约1803年，他在赫特福德郡的弗罗格莫尔米尔完成了第1台实用的福德利尼尔造纸机，几年内制造的数量超过191台。法国发明家N.-F.阿佩尔设计了在严密加盖的瓶中保存食物的方法。1812年唐金建立一座工厂，采用这种方法为皇家海军生产罐装蔬菜汤和保存肉类。一年后他和一个印刷工人研制出原始的转轮印刷机和胶料辊。由于旧的平版印刷机往复移动不能快速地印出大量报纸，于是他们便在转轴的四侧设置4个各装有一页活字的字盘。新机器的一个主要特点是使用由胶和糖蜜（胶料）制成的油墨辊。虽然这种机器最终失败，可是胶料辊却得到广泛应用。1815年以后，唐金在伦敦任土木工程师，曾由艺术学会授予两枚金质奖章，并且是土木工程师学会的创建人（1818）。

Donleavy, J.P. 唐利维（1926-04-23，美国纽约布鲁克林～　　） 美国出生的作家。所写充满生气的喜剧性小说《精力充沛的人》（1955）塑造了一个言语粗鲁、滑稽可笑的非正统派主人公。他以善于塑造人物闻名，笔下的人物在举世浑浊的情况下表现出英雄气概，尽管世界有种种缺点，却仍然深深地热爱生活。第二次世界大战期间，他在美国海军服役，曾在都柏林三一学院研究微生物学，1967年成为爱尔兰公民。他的《一个怪人》（1963）、《塞缪尔最凄惨的夏天》（1966）以及晚年的作品继续发展了《精力充沛的人》的散文风格，以头韵和声调铿锵为特色。他的作品用第一人称传达思想，用第三人称表现行动，从而使书中人物兼有观察者和被观察者的双重身份。晚年作品包括《吃洋葱的人》（1971）、《纽约童话》（1973）、《达西·丹塞先生的命运三女神》（1977）、《舒尔茨》（1979）和《利拉》（1983）。

Dönme 东马派 17世纪后期成立于萨洛尼卡（今希腊塞萨洛尼基）的犹太教派别。该派在20世纪后期约有信徒1.5万人，主要分布在土耳其的伊斯坦布尔、埃迪尔内、伊兹密尔等地。犹太人沙贝塔伊·泽维于1648年自称弥赛亚，很快获得巴勒斯坦、欧洲以及北非犹太人资助，信徒众多。1666年初，沙贝塔伊被奥斯曼土耳其人逮捕，为保命而于同年年底改信伊斯兰教。东马派相信，他这样作是为了实现有关弥赛亚的预言，于是也纷纷改信伊斯兰教，但秘密举行犹太教仪式。20世纪初积极参加青年土耳其党和1908年的革命。1921～1922年发生希土战争，其后东马派总部自塞萨洛尼基迁到伊斯坦布尔，逐步受异族同化。该派与犹太人隔绝，有人曾争取他们重返犹太教，但遭他们拒绝。

Donnai River（Vietnam） 参阅**Dong Nai River 同奈河**。

Donnan, Frederick George 唐南（1870-09-05，锡兰科伦坡［今斯里兰卡］～1956-12-16，英国肯特坎特伯雷） 英国化学家，他的研究成果推动了胶体化学的发展。曾求学于北爱尔兰贝尔法斯特的女王学院以及莱比锡、柏林和伦敦的大学。1904～1913年执教于利物浦大学，从1913年起他为伦敦大学学院的化学教授直到1937年退休。1911年他研究两种电解溶液被能透过溶剂和某些离子（不是全部）的半透膜隔开时达到平衡的状态。如果没有这层膜，溶剂和各种溶解的离子都可以自由地从一种溶液扩散到另一种溶液，直到两溶液的组成变为一致。可是半透膜阻碍了至少一种离子的越迁，为保持电中性，又限制了带相反电荷的对离子的扩散。尽管如此，某些离子的移动引起溶液组成的变化，其结果是离子分布的不平衡，在膜两侧的溶液产生了可测量的电势差。这种平衡以及存在的电势都以唐南的名字命名。

Donnay, Maurice(-Charles) 多奈（1859-10-12，法国巴黎～1945-03-31，巴黎） 法国剧作家。其剧作以爱情与通奸、社会问题和世俗风情为题材。出身于富裕家庭，原被培养为土木工程师。以为黑猫文学卡巴莱（夜总会）写作戏剧独白开始其戏剧生涯。成名作《恋人》（1895）是他最优秀的剧作之一，也是他"爱情三联剧"的第1部，另外两部是《情海怨女》（1897）和《终得自由》（1898），描写女人由于撒谎而使爱情归于失败。其第2组剧包括《重返耶路撒冷》（1903）和《探子》（1913），描写当时的社会问题。包括《追捕》（1919）和《擒拿归案》（1924）的另一组剧作则是风俗喜剧，描写第一次世界大战后的法国。另有几部自传，其中包括《我的日记，1919～1930》（1953）。还有《戏剧集》8卷（1908～1927）传世。

美国不列颠百科全书公司供图

Donne, John 多恩（1572-01-24至06-19之间，英格兰伦敦～1631-03-31，伦敦） 英国主要的玄学派诗人，散文作家，伦敦圣保罗大教堂教长（1621～1631）。常被认为是最伟大的英语爱情诗诗人，同时还以他的宗教诗和论文，以及讲道闻名，被列为17世纪的最佳之作。对17和20世纪的作家影响巨大。他擅长把激情与机智的辩论融为一体，戏剧性地描述人的复杂心情。他使用的比喻大胆而不落俗套，能使普通词汇产生丰富的诗意，而又不歪曲英语习语的本质。作为一个重要的教会人士和讲道者，他对英国国教观点的形成做出过贡献。多恩出生于伦敦富裕的天主教家庭。1584～1587年在牛津大学学习，随后很可能继续在剑桥大学学习。但因为是罗马天主教徒，不可能宣誓效忠新教的伊丽莎白女王，未获两校学位。1591～1594年在伦敦学法律。1596年参加远征西班牙和在亚速尔群岛搜捕西班牙运宝船队的冒险活动后，于1597年返伦敦成为掌玺大臣托马斯·埃格顿爵士的秘书，并可能在这时皈依了英国国教。同时，写了许多诗歌，大多模仿古罗马诗人，其中有给男友的诗体信、5首正规的讽刺诗、一章讽刺史诗《灵魂的轮回》（1601）、一卷爱情哀歌以及一些警句。尽管多恩借用古典体裁,但他的戏谑和大胆想象使他的诗十分新颖独特,偏离16世纪英国诗歌的传统,特别不同于锡德尼和斯宾塞的诗。到1601年为止,他还写了许多不同情调的爱情诗,这是他最负盛名的诗。同年12月,和J.莫尔的女儿安妮秘密结婚,不仅遭到女方家长反对,也触犯了法律,曾被一度监禁,受上流社会排斥多年,但他对安妮的爱情至死不渝。1610年写《假殉教者》一文,为维护国教和王权申辩,被詹姆斯一世所赏识。此后他在宗教界的地位逐渐提高,1615年正式出任教职。不久晋升为王室牧师。剑桥大学奉国王意旨,授予他神学博士学位。1621年11月任圣保罗大教堂教长。多恩在改信新教前后,内心都有一些矛盾和怀疑,对于自己的灵魂能否得救,始终缺乏充分信心。1607～1613年所写的宗教诗反映了这种内心斗争,属于英语宗教诗中的最佳者。担任教职后,把主要精力用于讲道和撰写《紧急时刻祈祷文》。他的讲道稿最有力地表现了他对散文的精通,共156篇,由他儿子整理分3卷出版(1640、1649、1661),其中有些激昂雄辩,气势磅礴。他的最初2部诗集分别在他死后的1633年和1635年出版。《诗集》当时脍炙人口,在他死后的90年中再版了8次。但在18世纪,他的诗不再为人们所欣赏,他被认为是一大怪才。唯有蒲柏的评价引人注目的不同,他赞赏多恩的理性鉴别力并在他自己的诗中模仿多恩的一些诗句。从19世纪初起,有洞察力的读者开始认识到他的诗才。到了20世纪,不仅他的诗,甚至他的讲道稿都引起了人们极大的注意。实际上,多恩诗歌中表现的才智、他对传统诗歌意象的藐视以及他引人注目的现实主义风格使他成为20世纪上半叶英语诗人和评论家所崇拜的偶像。

Donnelly, Ignatius　唐纳利(1831-11-03,美国宾夕法尼亚费城～1901-01-01,明尼苏达明尼阿波利斯)　美国小说家、演说家和社会改革家。在费城长大,成为律师。1856年移居明尼苏达,与同乡尼宁格合作建立一个新兴的文化和工业中心,起名"尼宁格城"。在此他主编用英德两种文字出版的杂志,吸引人们前来居住。这个方案最初很成功,后因1857年的金融恐慌而放弃,结果小城只剩他一个人居住。他进入政界,1863～1869年任明尼苏达副州长和美国国会议员。19世纪70年代,脱离共和党,积极参加代表小农和工人利益的一些小党派活动。返回尼宁格城后,曾主编自由派周刊《反垄断者》,抨击银行家和金融家,认为他们是社会公敌。他的第1部并且最受欢迎的作品是《大西洋岛》(1882),认为传说中的已经陆沉的大西洋岛是文明的起源。1883年出版另一本推理著作《火与砾石的时代》,述说某种砾石和冰碛沉积是由地球与一颗大彗星几乎相撞造成的。在《大密码》(1888)和《剧本中和墓碑上的密码》(1899)中,他根据自己破译在莎士比亚作品中发现的密码,企图证明莎士比亚的剧本是培根所作。他还以此手法,认为马洛的剧本和蒙田的随笔都是培根的作品。他的空想小说《凯撒的纵队》(1891)已经预示收音机、电视和毒气的发展,预言美国在1988年由残暴不仁的金融寡头统治,栖息着赤贫的工人阶级。这提高了他在平民党中的声誉。该党代表美国西部不满的农民的利益,是由他于1892年帮助创建的。去世时是平民党的分裂派别中间路线平民党的副总统候选人。

Donner, Georg Raphael　多纳(1693-05-24,奥地利埃斯林根～1741-02-15,维也纳)　雕刻家,其作品标志着由巴罗克风格向新古典主义风格的过渡。青年时期在雕刻家古里安尼的鼓励下从事雕刻,最初在古里安尼工作室工作,后入维也纳美术学院。在维也纳完成其杰作新市场上的《天道喷泉》(1738～1739)。其他作品有维也纳市政厅庭院的柏修斯和安得洛墨达喷泉及维也纳观景楼的《查理六世》雕像。其雕刻形式优美,轮廓清晰,与其同时代人和前辈的夸张的巴罗克风格形成对照,并影响其追随者采取了更为古典的概念。

多纳在维也纳新市场喷泉处的铜塑人像
美国不列颠百科全书公司供图

Donner Pass　唐纳山口　美国加利福尼亚州北部内华达山脉的山口。海拔2 100米。在里诺西南55千米。地处塔霍国家森林境内。1846～1847年冬,一批移民经此时遇雪受阻,食物耗尽,一些人靠吃其死亡同伴的尸体得以存活。现为旧金山与里诺间公路和铁路最重要通道。附近有州立唐纳纪念公园。

Dono, Paolo di(Florentine painter)　**多诺**　参阅 **Uccello, Paolo 乌切洛**。

Donoso, José　多诺索(1924-10-05,智利圣地亚哥～1996-12-07,圣地亚哥)　智利小说家,拉丁美洲新小说派发展中的重要人物。曾在圣地亚哥教育学院学习3年,后在普林斯顿大学完成学业,1951年获学士学位。50年代在智利天主教大学和智利大学任教。1955年发表短篇小说集《消夏和其他故事》。第1部长篇小说《加冕》(1957)使他蜚声国内外。书中通过一个贵族之家的道德败坏,暗示这种无形的沉沦遍布社会每个角落。短篇小说集《查尔斯顿》于1960年问世。《这个星期天》(1966)和《没有界限的地方》(1966),描绘了在悲惨痛苦环境中挣扎图生的人物。他的代表作《污秽的夜鸟》(1970),使他成为世界闻名的小说家。这部作品表现了一个幻觉的、往往是怪异的世界,以深邃的心理洞察力把握了各种人物的恐惧、挫折、幻梦和着迷。《文学爆炸亲历记》(1972)是阐释拉丁美洲新小说非凡成就的散文集。在《三个资产阶级的故事》(1973)中,多诺索用怪诞的成分表现了他以前写过的主题和情节。《别墅》(1978)采用超现实主义风格,分析了拉丁美洲殖民地时期过后社会秩序的崩溃。

Donoughmore Commission　多诺莫尔考察团　英国政府1927年派往锡兰考察宪法的一个委员会,他们所提出的修改建议被锡兰的政治领袖们勉强接受,成为锡兰1931年新宪法的基础。最主要的改革有3点:一是所有成年人都有选举权,但为了排除许多移居锡兰的印度工人,规定了居留时间的限制,这一条受到中产阶级政治领袖的反对;二是废除村社选区,剥夺少数民族的选举权,这受到少数民族的反对,泰米尔人就抵制了按新宪法进行的第一次选举;三是设立由地区代表组成的国务会议,它有财政权和征税权,但许多重要职务(如公用事业、国防、外交和司法)则由锡兰总督任命的3个英国官员担任。此外,总督还对国务会议决议有很大的否决权。这个新宪法实施到1946年,经常遭到锡兰人民的谴责。

Donovan, William J(oseph)　多诺万(1883-01-01,美国纽约布法罗～1959-02-08,华盛顿[哥伦比亚特区])　美国律师、军人、外交官,第二次世界大战期间任美国战略情报局局长(1942～1945)。1907年开始在布法罗任律师。1916年在纽约州国民警卫队墨西哥边境服役;第一次世界大战期间随第165步兵团(原著名的纽约州第69团)在法国作战,晋升为上校并获国会荣誉勋章。1922年任纽约州西区检察官,1924～1929年,在司法部任助理司法部长官。30年代重操律师旧业,但与政界保持联系。1940～1941年期间,罗斯福总统要求多诺万起草创建中央情报局的计划。1941年7月11日任情报协调官,1942年6月13日出任新成立的战略情报局局长。该军事机构的任务是收集外国情报,进行反宣传和机密活动。其活动范围涵盖除拉丁美洲和太平洋战区以外的全球各地,在欧洲的活动最为频繁。1943年,多诺万晋升为准将,虽然他最先主张建立和平时期的中央情报机构,但却拒绝在1947年成立的中央情报局担任任何职务。1953～1954年任美国驻泰国大使。

Donus　多努斯(?,罗马～678-04-11,罗马)　又拼Domnus。教皇(676～678在位)。原拉韦纳大主教莫鲁斯力图使拉韦纳在教务上独立,因而形成分裂局面。继莫鲁斯之位任大主教的雷帕拉图斯表示服从教皇,多努斯赞许,分裂局面结束。据说多努斯曾解散叙利亚聂斯脱利派隐修院。

Dooārs（India） 参阅 **Duārs 杜阿尔斯**。

doodle 无意识画 无意识地胡涂乱画。这种无意识画通常是画者在专心于某一活动时，例如专注于会议或听课时，在书、稿边缘处或吸墨水纸滚台上随手涂画的。这种现象早已有之，除在达·芬奇的笔记簿和陀思妥耶夫斯基的手稿页边可见外，在中世纪的手稿中亦有发现。20世纪人们日益专注于揭露无意识活动现象的奥秘，因而对于无意识画产生相当浓厚的兴趣。

Dooley, Thomas Anthony 杜雷（1927-01-17，美国密苏里圣路易斯～1961-01-18，纽约市） 致力于向不发达国家，主要是东南亚人民提供医疗援助的"丛林医生"。圣路易斯大学医学院毕业，1953年获医学博士学位。1954年在美国海军中当军医。法国结束对越南统治后，曾积极组织医疗服务帮助越南人从北方撤到南方。1956年离开现役，回美国讲学。后来在老挝北部的南塔建立一所小规模的医院。1958年参加创立国际医药公司，向8个主要是在东南亚的不发达国家派遣医疗队和提供医院设备。杜雷到老挝从事医疗工作。1959年去美国摘除恶性肿瘤，回老挝后痼疾重发去世。

Doolin, Bill 杜林（1863～1896，美国俄克拉何马） 美国西部匪徒，1892～1895年领导一群匪徒在俄克拉何马和东得克萨斯肆行抢劫。为**多尔顿兄弟（Dalton brothers）**匪帮的成员。在堪萨斯州科菲维尔抢劫银行时，他只身一人逃出血腥的伏击。以后他自己组织匪帮，抢劫驿站马车、银行和火车。执法人员把他的党羽逐一逮捕。1895年杜林逃脱追捕，隐居于俄克拉何马州的一个小农场。翌年，他被警长H.汤普森发现击毙。

Doolittle, Hilda 杜利特尔（1886-09-10，美国宾夕法尼亚伯利恒～1961-09-27，瑞士苏黎世） 美国女诗人，最初为意象主义者。她同时还是翻译家、小说家兼剧作家和自封的"异教神秘主义者"。别名H.D.。父亲是宾夕法尼亚大学天文学家。她在具有严格的摩拉维亚传统的母家教养下长大。1911年前往欧洲，除数次短暂回国外，生前一直在国外居住。1905～1906年与E.庞德相遇，曾一度订婚。1913年嫁给R.奥尔丁顿，共同生活至1938年。她的朋友包括D.H.劳伦斯、M.穆尔、T.S.艾略特、A.洛威尔、西特韦尔兄妹和布莱赫。第1部诗集是《海花园》（1916），随后又著有《婚姻之神》（1921）、《赫利奥多拉和其他诗篇》（1924）、《红玫瑰送给布朗泽》（1929）、《三部曲》（1944～1946）。《H.D.诗集》（1925～1940）、《H.D.诗选》（1957）和《诗集，1912～1944》（1983）使她获得20世纪重要诗人的地位。她还因译著、诗剧和散文作品而受到赞扬。自传性作品包括《让我去生活》（1960）、《赞弗洛伊德》（1974）和《痛苦的完结》（1979）等。庞德等多位20世纪的诗人在艺术创作方面受其影响。

Doolittle, James H(arold) 杜立德（1896-12-14，美国加利福尼亚阿拉梅达～1993-09-27，加利福尼亚卵石滩） 美国飞行员和将军，日本袭击珍珠港之后4个月曾率领由16架B-25型轰炸机组成的轰炸机组空袭东京。在加利福尼亚和阿拉斯加长大，后入洛杉矶初级大学和加利福尼亚大学矿业学院。第一次世界大战中应征入伍，成为优秀的飞行员和飞行教官。战后留在陆军航空队，1920年获中尉军衔，并被派往麻省理工学院进修。1925年获高级工程博士学位。1930年前一直在陆军航空队服役，进行飞行表演，参加试验飞行和飞行速度比赛。后进入壳牌石油公司，负责航空部门，同时仍担任政府和军队的顾问，并继续参加飞行速度比赛，1932年创世界飞行速度记录。第二次世界大战爆发后回到陆军航空队。1942年4月18日率领16架B-25型轰炸机，从"大黄蜂"号航空母舰起飞，轰炸东京、横滨和日本其他城市。尽管这次袭击对战争没有重大战略意义，但极大地鼓舞了美国士气。当时他是准将，由于这次袭击而获得美国国会的荣誉勋章。此后继续在欧洲、北非和太平洋战场指挥空战。1944年晋升中将。战后返回壳牌石油公司，同时担任许多公有和私有部门的顾问。1959年退休，继续在航空航天工业领域发挥作用。

Doon de Mayence 童·德·梅央斯 古法文称为武功歌的中世纪史诗中的英雄男爵，与其他故事共同构成查理大帝传奇的精髓。童的故事以歌曲形式述说，是以他为名的一套故事集《童·德·梅央斯武功歌》中的一部分。这套故事述说查理大帝手下的男爵反叛的事迹，同时还述说了一些英雄故事，这些英雄也是反对查理大帝的。歌曲先以浪漫的笔调让童述说自己的童年，后半部则描绘他在萨克森的战斗，所述可能具有历史根据。

door 门 由木材、石料、金属、玻璃、纸、皮革或各种材料组合制成的可以转动、折叠、滑动或卷缩以便开关房屋出入口的屏障。最早在美索不达米亚和古代世界使用的门仅由皮革或织物制成。用坚固耐久材料制成的门是与纪念性建筑同时出现的，开向重要房间的门用石料或青铜制成。上下用转轴支承的石门常用在陵墓中。庞贝城存有镶板的大理石门，可能源自奥古斯都时代。伊斯坦布尔博物馆中藏有从土耳其兰加萨的古墓中发掘的古希腊门（约200）。在建筑中使用纪念性青铜门是一种持续到20世纪的传统。古希腊神庙的入口常使用青铜铸的格栅。古罗马人使用青铜双扇门，常在门槛和过梁上设承窝，以支承转轴，最早的大型实例为罗马万神庙中7.3米高的双扇铜门。罗马人的镶板设计和安装技术留传至拜占廷和罗马式建筑中。铸造铜门的技术留传至东罗马帝国，最著名的例子是君士坦丁堡（今伊斯坦布尔）的圣索菲亚大教堂的双扇铜门（约838）。11世纪中，铸铜技术自君士坦丁堡传入意大利南部。铜门在查理大帝为亚琛大教堂安装拜占廷式铜门（约铸于804）后传入北欧。北欧最早的整扇铸造的铜门用在希尔德斯海姆大教堂上（约1015），门上有若干块浮雕的镶板，开创了在铜门上作历史事迹雕塑的传统，成为罗马式时期及其后铜门的特征。12世纪意大利南部又恢复了空心浮雕镶板的铸造，著名的铸造人有特拉尼的巴里撒纳斯，后来由比萨的博南诺等艺人传入北方。14世纪在托斯卡纳的主要例子是佛罗伦萨大教堂洗礼堂的镶板浮雕铜门，南面的哥特式铜门（1330～1336）由A.皮萨诺设计，北门（1403～1424）和被称为"天堂之门"的东门（1425～1452）由L.吉贝尔蒂设计。罗马圣彼得大教堂带浮雕镶板的铜门由A.菲拉富特制作。18世纪以前欧洲西北部不常使用铜门。1863年美国国会大厦安装了美国最早的纪念性铜门。

木门无疑是古代最普通的门。考古发现和文献记载证明木门最早在埃及和美索不达米亚流行。根据庞贝城的壁画和现存的残片来看，当时的木门和现代镶板门很相似，由边梃和横档做成框架承装心板，有时安上锁和铰链。这种罗马式的门为伊斯兰教国家所采用。中国和日本的木门常分上下两段，下段用实心板，上段用木棂糊纸。西方中世纪的典型木门是用竖直的木板拼成，背后用横档和斜撑，用长的铁铰链加固，并加饰钉。在居住建筑中，双扇的内门始于15世纪的意大利，后来传入欧洲其他地方和美洲殖民地。镶板门的做法不断简化，至20世纪，表面平整的空心木门成为最普通的形式。现代门有几种特殊的类型：百页门和纱门主要用在美国。分成上下两截、上截开启、下截关闭的门源自佛兰德斯-荷兰式。只有约门洞一半高的半门，装在门洞中央，特别流行于19世纪美洲西部。玻璃门始于17世纪，最初作为落地的玻璃窗而出现。法国门即双扇玻璃门分别在17世纪末和18世纪被引进英国和美国建筑中。约在同时，法国发展了镜子门。19、20世纪的其他新类型门包括转门、折叠门、推拉门、上翻门和卷帘门等。

Door Peninsula 多尔半岛 在美国威斯康星州东部，格林湾与密歇根湖之间。长约130千米，底宽40千米，向北逐渐缩为岬角，中部有水道横贯东西。行政上分属多尔县、基沃尼县、布朗县和马尼托沃克县。居民点有埃格港、埃利松湾、杰克逊波特、贝利斯港、伊弗雷姆、菲什克里克、锡斯特湾、斯特金湾和在半岛尖端外华盛顿岛上的华盛顿。半岛为常年休假地。主要行业为樱桃栽培和旅游。半岛和华盛顿岛之间的海峡常出现险情，有"死亡门"之称，故名。

Doorman, Karel (Willem Frederik Marie) 多尔曼（1889-04-23，荷兰乌得勒支～1942-02-27，爪哇海） 荷兰海军少将。1910年起任海军军官。最初在荷属东印度群岛服役。第一次世界大战期间和战后，帮助发展荷兰的海军航空部队。1937年重返荷属东印度群岛，任海军航空部队司令。1940年成为整个荷兰东印度群岛舰队的司令。1942年2月25日奉命指挥美、英、荷、澳联合舰队防守爪哇海，抵御日本舰队入侵。他的舰队只有13艘战舰，与入侵爪哇的日本舰只相比众寡悬殊，但他仍然英勇奋战，击沉许多日本舰船。最后，他随旗舰"德鲁特"号一起沉入海底。他的号令:"所有舰只跟我进攻",在第二次世界大战后期成为战斗口号。

Doornik(Belgium) 参阅 **Tournai 图尔奈**。

Doors, the 大门乐队 美国乐队,20 世纪 60 年代末和 70 年代初曾推出一系列热门歌曲,体现了摇滚乐坛神话人物 J.莫里森的创造性。乐队成员为主唱 D.莫里森、键盘手 R.曼扎雷克、吉他手 R.克里格和鼓手 J.登斯莫尔。他们在古典和布鲁斯风格的背景音乐中演奏大胆的即兴爵士乐。60 年代末,莫里森的磁性男中音和诗一般的歌词使这个四人乐队从美国西海岸的嬉皮士乌托邦摇滚中脱颖而出。莫里森从 A.赫胥黎的著作《感受之门》得到启发,将乐队取名为"大门"。1967 年引起轰动的《点燃我的火》是一首赞美诗,而其他一些歌曲使大门乐队博得最有潜力、最有争议、最具有戏剧性的名声,尤其是那首有着露骨性爱词句的 11 分钟单曲《结局》。他们的一系列热门歌曲被一些批评家们认为是少年颓废派而加以摈弃;对此莫里森深感烦恼,因为他渴望被看作是一位严肃艺术家。1968 年,当乐队发行第三张专辑《等待太阳》时,莫里森创作的《蜥蜴王》改变了自我形象。在音乐会上表演时愈加放浪形骸。1969 年,在迈阿密的舞台上因公开露体而被捕。尽管后来指控被撤销,但这次事件再加上酗酒,使他的身体变坏。莫里森以诗歌自求宽慰,乐队也不再频繁演出。1970 年推出专辑《莫里森旅店》,恢复了乐队的声誉。四重奏专辑《洛杉机女人》(1971)发行后,莫里森引退到巴黎,希望转而从事文学,但 1971 年死于心力衰竭。缺少了莫里森,乐队发行的两张专辑水平不高,随即解体。1978 年重组,录制了专辑《一个美国祈祷者》,歌词是莫里森生前创作的诗歌。莫里森死后被几代歌迷奉为歌王,他不仅是青少年的偶像,也对许多歌手产生深远的影响。大门乐队的专辑一直保持着数百万的销量,1991 年影片《大门乐队》也极受欢迎。1993 年入选摇滚乐名人堂。

doorstop 制门器 使门关上不致摆荡的一种器具,通常具有装饰性,并保持一定重量。是继可以将门自动关闭的铰链之后,约于 1775 年开始使用的。多采用拿破仑等著名人物形象,动物形状也很流行。通常用金属材料,一般铸成空心平背式样。

dopamine 多巴胺 又作 hydroxytyramine。又称羟酪胺。在酪氨酸代谢过程中,由二羟苯丙氨酸(多巴)生成的一种含氮的有机中间代谢产物。是激素肾上腺素和去甲肾上腺素的前体。也能作为神经递质(主要抑制神经冲动的传递),传递纹状体、基底神经节及黑质的神经冲动。缺乏多巴胺可导致**帕金森氏病**(**Parkinson's disease**)。

dopant 掺质 为了改变电导率,特意向半导体掺入的杂质。常用的半导体是元素硅与锗,它们的晶体点阵都由每个原子与它最邻近的 4 个原子共享 1 个电子而构成。如果这种点阵中有少部分原子为有 5 个可成键电子的磷、砷等原子所取代,则每个杂质原子的多余电子就用于导电。这种半导体就叫掺磷或掺砷半导体。其中磷或砷的原子就称为施主原子,它属于 n 型半导体(n 表示负,因为荷电的是电子,带负电)。用镓一类掺杂原子时,它们只有 3 个可用电子,因而在成键排列时增加了 1 个带正电的空穴。由这种带正电的空位在晶体点阵中的徙动可以获得导电性。这类掺杂受主原子的半导体叫 p 型半导体。

doppelgänger 幽灵 德国民间传说中活人的幽灵或幻影,与鬼怪有所区别。有关存在一种灵魂替身或曰幽灵的概念,古已有之,流传甚广,它是人、鸟或兽的绝对相似但往往

D.G.罗塞蒂绘画中的幽灵形象
美国不列颠百科全书公司供图

看不见的一种幻象。见到某人的幽灵,就意味着该人性命已危在旦夕。幽灵是恐怖文学作品经常描绘的主题,如陀思妥耶夫斯基的《双重人格》(1846),就描写一个名叫戈里雅金的小职员,受失恋和穷困折磨而疯狂,看到了自己的幽灵。幽灵终于将此人毁掉。更早而著名的故事见于德国作家霍夫曼的《魔鬼万灵药》(1815 ~ 1816)。

Doppler, Christian 多普勒(1803-11-29,奥地利萨尔茨堡~ 1853-03-17,威尼斯) 奥地利物理学家,发现光源和声源相对观测者的运动会对所观测的光波及声波频率产生影响。这种现象叫做多普勒效应。曾在维也纳工业学院就读,1850 年任维也纳大学物理学研究所所长和实验物理学教授。最初的著作是数学方面的,但在 1842 年发表了《论双星的色光》,其中初次说明了多普勒效应。他提出因为运动着的声源,其音调对于静止的观测者是变动的,所以星光的颜色也应随星对地球的速度而变化。

Doppler effect 多普勒效应 由于观察者和波源的相对运动而使波在到达观察者时的频率同波离开波源时的频率发生一个表观差别。这一现象被用于天文测量、穆斯堡尔效应研究以及雷达和现代导航。1842 年奥地利物理学家 C.多普勒第一个描述了这一效应。以声为例,当听者向吹响着的喇叭走近时,他听到的音调变高;在听者远离喇叭而去时,听到的音调变低。同理,从地球上观察一颗恒星发来的光,如果地球和恒星相互退行,则观测到光线向光谱的红端移动(频率变低);如果地球与恒星相互靠近,则观测到光线向光谱的紫端移动(频率变高)。多普勒效应用于研究恒星的运动和搜寻双星,并且是现代宇宙理论不可分割的一部分。

Dor 多尔 又拼 Dora。以色列西北部现代定居点和古港。在海法以南的地中海岸。当地历史可上溯至青铜器时代晚期。公元前 11 世纪埃及文献中首见记载。后为所罗门王国一行政区。所罗门死后归以色列王国。公元前 8 世纪被亚述人攻陷,后归波斯帝国。公元前 64 年被庞培攻取,设为自治市。十字军时代重建港口。1291 年被埃及的马木路克王朝征服后遭到摧毁。当地经 20 世纪 20 和 50 年代两度挖掘,发现古港、圆形剧场、拜占廷式教堂及十字军堡垒等遗址。多尔海岸以其优良沙滩和温泉被发展为旅游场所。人口 177(最新统计)。

dorado (*Salminus maxillosus*) **金脂鲤** 脂鲤科的一种体强有力的游钓鱼,分布于南美河流中。形似鲑。体金黄色,鳍红色,体上有纵列圆斑,体长约1米,重达18千克以上。

金脂鲤 (*Salminus maxillosus*)
美国不列颠百科全书公司供图

英语中 dorado 一词有时也用于麻哈脂鲤属(*Salminus*)其他近缘种;也是鲯鳅和鲯鳅科大洋鱼类的别名。

Dorat, Jean 多拉(1508,法国利摩日附近勒多拉~ 1588-11-01,巴黎) 又拼 Daurat,拉丁语作 Auratus。法国人文主义者、杰出的古希腊语学者、七星诗社诗人。出身贵族家庭。在利摩日学院学习后,任弗朗西斯一世的侍从们的导师。他指导过 J.-A.德·巴伊夫,后来就接替巴伊夫的父亲担任了科克雷学院院长。这里的学生除巴伊夫之外,还有龙萨、R.贝洛和蒂亚尔。龙萨又介绍 J.迪贝莱参加这一小组。这 5 位年轻诗人,在多拉的指导下,组织了一个改革法国语言和文学的团体。后来由于戏剧家 É.若代尔的加入而增加到了 7 人,这样,他们便把自己的团体仿照亚历山大希腊七诗人的榜样而命名为"七星诗社"。多拉当选为社长证明他个人的影响,但作为法语诗人,他的地位是这 7 人中最不重要的。据说,多拉用希腊语和拉丁语写了大约 15 000 首诗。1556 年被任命为皇家学院的希腊语教授,1567 年退休。1586 年发表希腊语和拉丁语诗集。

Dorati, Antal 多拉蒂(1906-04-09,布达佩斯~ 1988-11-13,瑞士伯尔尼附近格森西) 匈牙利出生的美国指挥家,因宣传推广 20 世纪音乐(特别是巴尔托克的音乐)而著称。出

身音乐世家,14 岁在布达佩斯入李斯特学院,师从巴尔托克、科达伊和 L.韦纳。曾在维也纳大学攻读哲学,毕业后在布达佩斯皇家歌剧院任私人教师,1924 年在该院首次指挥演出。1928 年成为德累斯顿歌剧院助理指挥,1929 年任明斯特歌剧院音乐总监。1933 ~1941 年指挥蒙特卡洛俄罗斯芭蕾舞团,并率团广泛巡回演出。1937 年在美国首演,指挥华盛顿国家交响乐团后,组建和重建管弦乐队的能力大有长进。1941 ~ 1945 年任新成立的美国芭蕾舞剧院音乐总监。先后指挥达拉斯交响乐队(1945 ~ 1949)、明尼阿波利斯交响乐队(1949 ~ 1960)、英国广播公司交响乐队(1963 ~ 1966)、斯德哥尔摩爱乐乐团(1966 ~ 1970)、华盛顿国家交响乐团(1970 ~ 1977)、皇家爱乐乐团(1975 ~ 1978)和底特律交响乐团(1977 ~ 1981)。1947 年入美国籍,录制大量唱片,包括海顿的全部交响曲(与匈牙利爱乐乐团合作)。一生中致力于宣传现代音乐并委约作曲家创作新作品,从而开拓了他的乐队演出曲目。自传《70 年札记》于 1979 年出版。

Dorchester 多切斯特 英格兰多西特行政、历史郡西多西特区的一个城镇(堂区)。临弗罗姆河。是多西特郡首府。在罗马-不列颠时期已有相当规模,现保存有该时期的许多遗迹。10 世纪建有造币厂。1086 年成为皇家自治市。12 世纪建城堡。1331 年前建立方济各会隐修院。1610 年获设建制的特许状。现为一广袤农区服务的集镇。有农业机械、印刷和制革等行业。作家 T.哈代出生在该镇附近,他的小说《卡斯特桥市长》即以此地为背景。人口15 037(1991)。

Dorchester (of Dorchester), Guy Carleton, lst Baron 多尔切斯特男爵(第一)(1724-09-03,爱尔兰蒂龙郡斯特拉班~ 1808-11-10,英国伯克郡斯图宾斯) 即 G.卡尔顿。英国军人政治家。美国独立战争前和战争中为魁北克总督,曾调和英、法间关系并挫败大陆军进犯的企图。1742 年在英国陆军中掌旗,1757 年升为中校。两年后参加远征魁北克,任兵站总监,在亚伯拉罕平原战役中负伤。1768 ~1778年任魁北克省督,对法裔加拿大地主和教士采取宽让政策,为英国议会 1774 年颁行的《魁北克法案》所肯定,该法案后来成为法裔加拿大人的政治和宗教权利的基础。挫败大陆军入侵后,因与殖民地事务大臣意见不合而引退。1782 年任英国驻北美军队总司令。1786 ~ 1796 年任英属北美总督。1796 年退休回到英国。1779 年受封爵士,1786 年受封男爵。

Dordogne 多尔多涅 法国西南部阿基坦大区省份。主要由古佩里戈尔地区组成。面积 9 060 平方千米。地形基本为小科斯石灰岩高原。流经全境的有伊勒和多尔多涅等 7 条河流。景色优美的河谷地区种植小麦、玉米、马铃薯、烟草和水果。树木以栗子和橡树为主。核桃产量占全国总产量 1/3,用来榨油。河谷气候温湿,东部较严酷。东南部韦泽尔河谷是已知最早人类生息地之一。莱塞济-德泰亚克和拉斯科等地的洞穴中保存有世界上最出色的史前绘画。省内城堡多达 1 000个,超过其他各省;许多建于 13、14 世纪。中世纪城镇如佩里格(**Périgueux**,省会)、萨拉和布朗托姆都在法国最优美城镇之列。该地区为旅游和烹饪中心;城镇有少量轻工业(木材、纸、鞋等)。省下设佩里格、贝尔热拉克、农特龙和萨拉 4 个专区,属波尔多教育区。人口 377 356(1982)。

Dordogne River 多尔多涅河 法国西南部河流。发源于中央高原,向西流至波尔多北面的昂贝斯沙嘴与加龙河汇合形成吉伦特河口湾。全长 472 千米,流域面积约24 000平方千米。源头河多尔和多农河源出桑西山1 700 余米高处,两流汇合后向下急流,过多姆山省两处矿泉胜地,出阿韦泽峡谷后在波尔水电坝上方形成 18 千米长人工湖。多尔多涅河进入吉伦特省后向西北流入加龙河。下游最后 180 千米河段多航船。

Dordrecht 多德雷赫特 荷兰西南部南荷兰省直辖市。位于梅尔韦德、诺尔德、马斯和多德特瑟基尔 4 条河流的分岔口。1008 年建立,1203 年以前为霍兰伯爵居留地。1220 年设市。1271 年设防。1421 年遭水灾,但仍为荷兰中世纪最繁荣的港口之一。1572 年被"海上乞丐"(反对西班牙统治的荷兰起义者)攻克,成为首届联省议会所在地。1618 ~ 1619 年世界新教会议所在地。古建筑物有 14 世纪的圣母教堂(有一巨塔、精雕的牧师座位及一著名的布道讲坛)。17 世纪的 3 位画家 A.克伊普、F.博尔和 N.马斯均在本城诞生。市内博物馆收藏荷兰古代大师的珍品及当地中世纪文物。17 世纪荷兰伟大的政治家 J.de 维特亦生于本城。现为繁忙的木材交易港。有造船、冶金、化学等多种工业。有一座大型电厂及水上运动中心。人口:约 107 612;多德雷赫特-兹韦恩德雷赫特都会区 198 600(1983)。

Doré, (Paul-) Gustave 多雷(1832-01-06,法国斯特拉斯堡~ 1883-01-23,巴黎) 法国版画家,为 19 世纪后期最多产、最成功的插图画家之一。1847 年去巴黎,1848 ~ 1851 年每周为《笑》等刊物绘制石版画。后从事木刻插图,雇用木刻工人 40 多名,出版过 90 多种插图书。最精致的版本有《拉伯雷作品集》(1854)、巴尔扎克的《短篇诙谐故事集》(1855)、《圣经》(1866)和但丁的《地狱篇》(1861)。他还画过多幅宗教或历史人物画。

多雷绘《地狱篇》中的插图,1861 年
美国不列颠百科全书公司供图

Dorgan, Thomas Aloysius 多甘(1877-4-29,美国加利福尼亚旧金山~ 1929-05-02,纽约格雷特内克) 笔名泰德。美国记者、拳击评论权威、漫画家。早年在《旧金山日报》艺术部工作,绘制漫画和连环画。1902 年受 W.R.赫斯特雇用,为《纽约日报》画政治漫画。后来志趣渐转向体育运动,尤喜拳击。其作品亦即拳击速写和评论通过报业辛迪加在全国各地报纸广泛发表,其笔名泰德亦远近闻名。多甘还创造了"大礼帽哈里"和"鲁米法官"等连环漫画人物。他还为美国英语造了一些俚语。

Dorgon 多尔衮(1612-11-17~1650-12-31) 中国清初摄政王。爱新觉罗氏。清太祖努尔哈赤第 14 子。1635 年远征蒙古察哈尔部,因功封和硕睿亲王。1638 ~ 1639 年率领八旗左翼进攻明朝,连克河北、山东 40 余州县。1643 年拥立皇太极幼子福临即位,与和硕郑亲王济尔哈朗共同辅政。后自称摄政王,排挤济尔哈朗独揽大权,成为清朝的实际统治者。1644 年李自成率农民军攻破北京,推翻了明王朝。多尔衮乘机统兵入关,大败李自成军。1644 年 6 月进入北京,10 月迎福临在北京即位,正式宣布清朝对全国实行统治。随即宣布为明崇祯帝发丧,录用明朝官员,恢复科举制度,废除明末苛捐,稳定了社会秩序,为进而统一全国奠定了基础。后派军远征李自成根据地陕西。1645 年夏占领江南、江西、湖北等地。1646 年冬进军四川镇压张献忠部。1648 年幽闭政敌豪格。冬进封皇父摄政王。1650 年 12 月 31 日在喀喇城(今河北滦平东)行猎时去世。追尊为"诚敬义皇帝"。顺治帝对其擅权素怀不满,不久即以谋逆罪削其封号。1778年乾隆帝为多尔衮昭雪,恢复其封号。

Doria FAMILY **多里亚家族** 12世纪起,一直在热那亚的政治、军事和经济生活中起主导作用的家族。1134年安萨尔多为热那亚自治城邦执政官,其子西莫内1175～1188年6次任执政官。西莫内之子安德烈亚与撒丁岛统治家族托里斯联姻,至此多里亚家族成为吉伯林派(亲皇帝的政治派别)的长期领袖。安德烈亚的孙子奥贝托(1295卒)执政期间是中世纪热那亚的黄金时代,他还是反对比萨战争中的英雄。14世纪,家族的一些成员任保民官。16世纪出现这一家族最伟大的人物安德烈亚。安德烈亚的侄孙乔凡尼曾任热那亚海军司令,1571年在勒班陀战役中打败土耳其人。16～17世纪,多里亚家族成为热那亚的首富。在"贵族共和国"(1528～1797)时期,该家族共产生6名执政官、许多大使和高级教士。

Doria, Andrea 多里亚(1466-11-30,米兰公爵领地奥内利亚[意大利]～1560-11-25,热那亚) 热那亚政治家、雇佣军首领、舰队司令,当时最杰出的海军将领。出身贵族世家。幼年即成为孤儿,沦为雇佣军人。先受雇

美国不列颠百科全书公司供图

于教皇英诺森八世(1484～1492),当时热那亚深受对立家族纷争之苦。因其极为能干,后为那不勒斯王国国王斐迪南一世及其子阿方索二世以及意大利其他王公所用。1503～1506年协助其叔父多梅尼科镇压了科西嘉反对热那亚统治的叛乱。为了试试他在海上的运气,多里亚装备了8艘军舰在地中海巡游,与奥斯曼土耳其人和柏柏里海盗作战,不但名声大振,也增加了财富。1519年在皮亚诺萨大胜土耳其人。神圣罗马帝国皇帝查理五世的军队占领热那亚(1522),废黜了那里的亲法宗派,多里亚转而受雇于在意大利与查理五世作战的法王弗兰西斯一世。作为法国地中海舰队司令,多里亚于1524年迫使罗马皇帝的军队解除对马赛的围困。1525年法军在帕维亚大败,弗兰西斯为帝国军队所俘,多里亚乃受雇于教皇克雷芒七世。弗兰西斯获释后(1527),多里亚又加入法军,在法军帮助下从帝国军队手中夺回热那亚,但为时不久多里亚即对法国的热那亚政策以及弗兰西斯对他的意图均感大失所望,因而又转为查理五世服务。1528年9月,多里亚和他的军队将法军逐出热那亚,受到全城居民的热烈欢迎。查理五世赐给他大量财宝与荣誉,任命他为帝国舰队总司令,并封他为梅尔菲亲王。作为新的热那亚统治者,多里亚清除了为害该城的宗派,成立了由热那亚各大贵族组成的新的寡头政府(他为热那亚修改的宪法一直延续到1797年)。自1528年起直到去世,多里亚在热那亚共和国的政权机构中有着支配一切的影响。作为帝国舰队司令,他指挥了几次对土耳其人的海上远征,攻下了科罗尼和帕特雷,并协助拿下突尼斯(1535)。查理五世发现多里亚在他对弗兰西斯的战争中是一个可贵的同盟者,因而利用他的力量扩大了对整个意大利半岛的统治。尽管在弗兰西斯与查理1544年言和时,多里亚已经78岁,但他还是没有退休。他在热那亚的亲法家族中树敌众多,菲耶斯基家族于1547年密谋反对多里亚家族,谋杀了多里亚的侄子詹内蒂诺(参阅 **Fieschi, Gian Luigi**)。但阴谋者并未得逞,多里亚对他们大举报复。后来又有几次反对他和他的家族的阴谋,但均告失败。年纪并未使多里亚的精力稍减,在84岁的高龄时,他仍出海攻打柏柏里海盗。法国与西班牙之间爆发新战争时,他与法军作战。当时已为法军所占的科西嘉是由热那亚的圣乔治银行管理。他于1555年退休去热那亚,将舰队指挥权交与他的侄孙乔凡尼。多里亚是最后一个伟大的雇佣兵队长,具有许多这一行业的缺点:贪婪、狂妄、有报复心、不择手段、残忍和独裁。然而他也是个无畏的和不屈不挠的指挥官,有出色的战略和战术才能。他完全忠于他的家乡热那亚,是他从外国势力手中夺得了该城市的自由,并将其重组为一个有效和稳定的寡头政权。

Dorian 多里安人 古希腊一主要民族。他们的方言与众不同,内部可细分为希莱人、潘菲利人和迪曼人"部落"。这3个部落在起源上显然不同于在爱奥尼亚希腊人中所发现的4个部落。在传统上多里安人被认为是伯罗奔尼撒的征服者(公元前1100～前1000)。

在希腊传说中,多里安人是以希腊中部的一个小地区多里斯而得名的。据说赫拉克勒斯的儿子们被迈锡尼的欧律斯透斯逐出他们在伯罗奔尼撒的家乡,来到多里斯国王埃吉米乌斯处避难。几代之后,赫拉克勒德弟兄忒墨诺斯、阿里斯托泽穆斯和克雷斯丰泰斯率领"多里安人"发动一次成功的入侵,返回了伯罗奔尼撒,从而恢复了他们的祖业。

实际上,多里安人的起源不明;他们大概是来自希腊北部和西北部的马其顿及伊庇鲁斯。他们从这些地方向南迁徙至希腊中部,并于青铜器时代末期(约公元前1100年)开始继续移居,推进到爱琴海区域的南部。入侵的多里安人文化水平较低,他们唯一的重要技术革新是锐利的铁剑。多里安人荡涤尽希腊南部衰落中的迈锡尼和米诺斯文明,将这一地区投入黑暗时代,使得希腊城邦几乎在3个世纪后才在该地区出现。

迁徙中的多里安人主要定居在伯罗奔尼撒东部和南部,同时在拉科尼亚(首府为斯巴达)、麦西尼亚、阿尔戈利斯和科林斯地峡区建立起强大的人口集中地区。他们还定居在米洛斯、锡拉、罗得、科斯等爱琴海南部岛屿及克里特岛。实际上,多里安人向东最远达到过安纳托利亚(现在的土耳其西南部)海岸的哈利卡纳苏斯城和尼多斯城。公元前8世纪开始的新移民潮,把多里安拓居者带到了科西拉(现在的科孚)岛、西西里岛的锡拉库萨、杰拉和阿克拉加斯(现在的阿格里真托),以及意大利的塔拉斯(现在的塔兰托),北非的昔兰尼,以及克里米亚的零散地区和黑海沿岸。多里安人最初建的最重要城市有斯巴达、科林斯和阿尔戈斯。

多里安语为古希腊语的主要方言之一,其他另有爱奥尼亚-雅典语、埃奥利亚语、阿卡地亚-塞浦路斯等方言群。不过雅典的爱奥尼亚-雅典语从公元前5世纪起即已主宰希腊文化,所以纯粹的多里安方言的著作存留甚少。多里安民族对于后来希腊艺术的发展有重大的影响。确实,公元前5世纪希腊艺术和建筑的最高成就便来自多里安民族艺术(它谨严、有力、雄伟)和爱奥尼亚民族艺术(它优美、高雅、绚丽)的结合。建筑中雄浑而简朴的多里安柱式从一开始便在爱琴海南部多里安人居住的城市中赢得了声誉。希腊悲剧中的合唱诗也是多里安人的发明。

在政治上,多里安人的人口集中地区采取了两种不同的发展路线。在科林斯、罗得岛、阿尔戈斯及其他以商业为主的各城邦,多里安人侵者虽然开始时自己紧握政治权力,但最终却与本地区被征服的土著民族结合起来。与此相反,在斯巴达和克里特岛,多里安人则抓住权力不放,使自己成为一个军事统治阶级。这些军事化的多里安贵族统治者为了保持对广大农奴的统治,故意"冻结"了古老陈旧的社会形态,而在此过程中也牺牲了他们大部分的文化和艺术发展前景。

Dorian mode 多里亚调式 在音乐中,八种中世纪教会调式中的第一种。参阅 **church mode**。

Doric order 多立斯柱式 又译多立克柱式、陶立克柱式。古典建筑柱式之一,其柱身和柱头的形式较为简朴。参阅 **order**。

Dorion, Sir Antoine Aimé 多里昂(1818-01-17,下加拿大圣安妮-德-拉-佩拉德[今加拿大魁北克省]～1891-05-31,蒙特利尔) 加拿大政治家和法官,1858年8月与G.布朗、1863～1864年与J.S.麦克唐纳同任加拿大

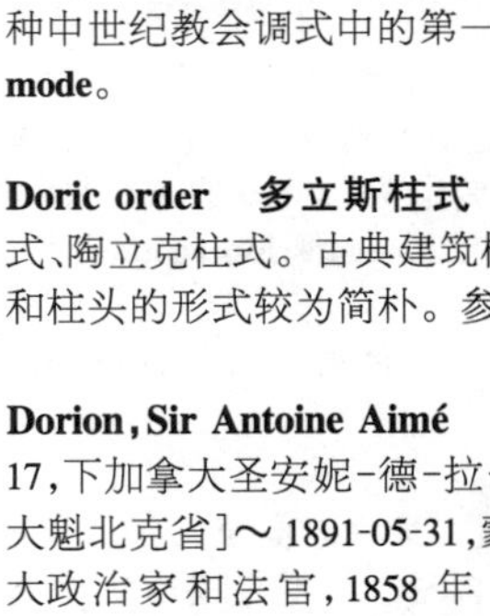

加拿大公共档案馆供图

联合省总理。1842年取得律师资格,1863年成为王室法律顾问。1854年进入政界,为加拿大联合省议会议员。他是加拿大东区红党(青年自由党)领袖,致力于改革,以率直批评

保守党闻名。1858 年 8 月与加拿大西区的 G.布朗组成二元政府,但在 3 天后垮台。19 世纪 60 年代,多里昂强烈抨击成立加拿大 4 省联盟,但 1867 年成立自治领时他表示接受。1873～1874 年在 A.麦肯齐的自由党政府中任加拿大自治领司法部长。由于在法律界负有盛名,1874 年任魁北克法院院长。1877 年受封爵士。

Doris 多里斯 传说此地是征服伯罗奔尼撒的多里安人的祖国,是位于希腊中部的一个小地区,在伊塔山(即今伊蒂山)与帕尔纳索斯山之间。有一条最宽处不超过 6 千米的河谷,其中只有 4 座小镇。因为多里斯是由特拉奇斯的赫拉克利亚通往阿姆菲萨的咽喉之地,所以颇为重要。当地在历史上与邻近大小相同的小国之间小规模战事频仍。公元前 457 年斯巴达人承认多里斯为一主要城邦,同时派遣军队帮助多里斯与福基斯人作战,426 年又派兵帮助多里斯与伊塔人作战。多里斯一地除去在公元前 196 年参加村镇联盟一事见于史籍之外,已无其他历史记载。

Dorking 多尔金 英格兰萨里行政、历史郡莫尔谷区的城镇,在伦敦西南面。该镇位于莫尔河的河谷,在北部丘陵的石垩山的峭壁与利斯山森林密布的高地之间。多尔金以其秀丽的乡村风景著称。北部丘陵中的霍尔姆森林公地和博克斯山两自然保护区归国立历史文物与自然名胜保护托拉斯管辖。城镇附近有几座结构精美的宅第,著名的如利斯山宅院和波莱斯登拉塞。另一座宅邸名迪普迪恩,和 19 世纪的政治家 B.迪斯累里有关系。该地因去伦敦交通方便,故为一座住宅区城镇。人口 15 658(1991)。

dormancy 休眠 生物体代谢活动减少的一种状态,许多生物于周围环境恶劣或这样的恶劣环境可能要出现(如冬季来临)时便进入休眠状态。参阅 **diapause;hibernation**。

dormancy(botany) **休眠** 参阅 **afterripening** *后熟*。

dormer 屋顶窗 又称老虎窗、天窗。从坡屋顶上伸出的竖直窗,常用作卧室采光,可以与墙在同一平面,也可以从屋顶中部伸出。窗上的顶可以为单坡、双坡、四坡或平顶。在条顿民族国家,带有几行简单屋顶窗的陡坡屋顶成为其建筑的特征。哥特式晚期及文艺复兴初期,从墙界线向上伸出的石砌屋顶窗较为复杂,并有丰富装饰。英格兰和苏格兰的都铎式建筑以及法国路易十二至路易十四时期的别墅中也以类似的复杂屋顶窗作为特征,窗上常用双坡顶。17～18 世纪中继续使用屋顶窗,在 19～20 世纪的古典复兴式建筑中更为普遍。

dormouse 睡鼠 啮齿目睡鼠科7个属约 20 种小动物的统称。有 6 属分布在整个欧亚大陆和非洲北部;另一非洲睡鼠属(*Graphiurus*)分布在非洲撒哈拉以南地区。睡鼠外形大致与松鼠相似,眼大,毛柔软,耳圆,有一条长满毛的、有时是蓬松的尾。与松鼠一样,树栖,善攀爬,坐着吃食。与松鼠不同的是夜出活动。睡鼠生活在树上、灌木丛中和岩壁上,居于用植物材料筑成的巢中。以果实、鸟卵、昆虫和小动物为食。有时危害果园,将每个果实食去一小部分。以嗜睡闻名,睡眠时间极长。可食睡鼠(*Glis glis*)和普通睡鼠(榛睡鼠,*Muscardinus avellanarius*),在秋天体内储存大量脂肪,冬天大部分时间睡眠,偶尔醒来吃些储备的食物。这两种睡鼠可从 9 月或 10 月一直休眠到次年 4 月。睡鼠一年生育一次,有时两次。妊娠期约 3～4 周,一窝产 2～9 仔。可食睡鼠是这类动物中最大者,灰色,最大体长约 20 厘米,尾长 15 厘米;亦称肥睡鼠,古罗马人在特殊的围场(可食睡鼠围场)内饲养之以供食用。普通睡鼠体小,不计尾长为5～10厘米;黄褐色,喉部和足趾为白

可食睡鼠(*Glis glis*)
美国不列颠百科全书公司供图

色。另外的种有:园睡鼠(*Eliomys quercinus*),灰色或棕色,面部两侧各有一条黑纹;树睡鼠(*Dryomys nitedula*),形小,浅红褐色,毛尾;日本睡鼠(*Glirulus japonicus*),似花鼠,有一条黑色条纹从头贯穿到尾;非洲睡鼠(*Graphiurus*)属的种类栖于森林,灰色或浅褐色。刺睡鼠(*Platacanthomys lasiurus*)分布于印度南部多岩石地区;与睡鼠相似,浅红褐色,体长 13～21 厘米(不计长尾);背部有与毛混杂的倒伏的棘刺;栖于树洞,以植物为食。其现存亲缘最近的种是中国倭睡鼠(盲鼠,*Typhlomys cinereus*)体小,灰色,似小鼠,对之所知甚少。关于这两种啮齿动物的亲缘关系还在争论,有些人把它们列入仓鼠科,另一些人把它们单独列为一科——刺山鼠科。沙漠睡鼠为一种月鼠(**Selevin's mouse**),可能与真睡鼠近缘。

Dornberger, Walter Robert 多恩贝格尔(1895-09-06,德国吉森～1980-06-27,联邦德国巴登-符腾堡) 工程师。在第二次世界大战期间曾指导制造德国的 V-2 火箭。1914 年应征在德军服役,翌年任军官。被法国俘虏后于 1919 年获释,继续在凡尔赛和约允许保留的德国小型军队中工作。1925 年进夏洛滕堡技术学校,专攻弹道学,并于 1930 年获硕士学位。他受命研制火箭武器。1932 年夏,他在柏林南郊的一个研究站任主任,和 W. von 布劳恩一起开始改进火箭发动机。1937 年 5 月迁往佩讷明德制造 A 系列的火箭,其中 A-4 即后来著名的 V-2 火箭,是战后各型航天飞行器的前驱。第二次世界大战中晋升为中将,战后作为战犯在英国度过 2 年。1947 年移居美国,任美国空军导弹顾问。1950 年任贝尔飞机公司顾问,曾参加空军以及国家航空和航天局所属的"迪纳-苏尔"工程,该工程后来并入航天飞机计划。1954 年撰写回忆录《V-2》。1965 年退休。

Dornbirn 多恩比恩 奥地利西部福拉尔贝格州城市。濒多恩比恩河,在布雷根茨南面。895 年首见记载。12 世纪末为蒙特福特伯爵领地。1380 年归属奥地利。1901 年设镇。古迹有新古典式堂区教堂(1493)等。建有地区自然博物馆。为奥地利棉纺织业中心,还有酿酒业,电机和发动机制造业,铁、木和塑料加工业等。每年举行国际贸易博览会。人口约 38 641(1987)。

Dorner, Isaak August 多尔内(1809-06-20,符腾堡诺伊豪森[德国]～1884-07-08,德国威斯巴登) 德国基督教(新教)神学家,用信义宗传统教义解释康德和康德以后各哲学家的思想。他有许多著作,其中已译成英文的以《基督之位格教义发展史》为最著名,该书共 5 卷(1861～1863)。

Dornier, Claudius 道尼尔(1884-05-14,巴伐利亚肯普滕[德国]～1969-12-05,瑞士楚格) 德国设计与制造飞机的先驱。1907 年毕业于慕尼黑工学院,3 年后在腓特烈港的齐柏林飞艇工厂工作。1911 年他设计出第一架全金属飞机,齐柏林同意他在腓特烈港建立一家独立的分公司道尼尔飞机制造厂。他设计了木质和金属结构的战斗机,并被德国用于第一次世界大战中。在 20 世纪 20 年代,他制造了广泛使用的水上飞机。1929 年制造当时世界上最大的 DoX 型飞机,该机翼展 48 米,机身长 40 米,装有 12 台发动机,能载 169 名乘客,1931 年从德国飞抵纽约;但由于造价昂贵而停产。第二次世界大战期间,"道尼尔" 17 型双发动机轰炸机是德国空军的后备机型。战后,由于盟国禁止德国制造飞机,道尼尔在西班牙设立工厂。在 1955 年盟国解除禁令后不久,他在慕尼黑附近开设工厂,制造"道尼尔"27 型轻型通用运输机、"道尼尔"31 型短距起降飞机和"道尼尔"32 型折叠式直升飞机。

Dorotheus 多罗西斯(活动时期6世纪前半叶) 法学家,是在查士丁尼一世皇帝指示下编纂罗马法的主要编者之一。他协助编订了《学说汇编》(533 年出版)和《查士丁尼法典》的第 2 版(534 年出版)。他与特里波尼安(《学说汇编》主编)和狄奥菲里斯一起编写《法学总论》(533,又译《法学阶梯》)作为《学说汇编》的导论。他的《索引》(542)的一些片断是关于《学说汇编》的评论,尚保存在 9 世纪称为《巴西尔》的法典之中。多罗西斯在叙利亚的贝里杜斯(今黎巴嫩的贝鲁特)罗马法

学院讲授法学。该学院可能是当时东罗马帝国最好的法律学院。

Dorpat(Estonia) **多尔帕特** 参阅**Tartu塔尔图**。

Dörpfeld, Friedrich Wilhelm 德普菲尔德(1824-03-08,[德国]普鲁士莱茵韦默尔斯基兴～1893-10-27,德国龙斯多夫[今德国乌珀塔尔]) 德国教育家。将J.F.赫尔巴特的思想应用于小学教育并强调传统学校科目对社会的影响。他在莫斯师范学院学习后,成为巴门一所学校的教员,并任校长30年。他虽然是赫尔巴特学派教育家,但却远比赫尔巴特更强调教育的社会方面。认为社会学作为一门科目不必授课太多,否则要影响历史、地理和其他科目的教学。认为学校应当是自治社团,要摆脱教会和国家对学校内部事务的控制。1880年退休,晚年从事著述。最重要的作品是《思想和记忆之间的联系》(1886)。

Dörpfeld, Wilhelm 德普费尔德(1853-12-26,莱茵普鲁士巴门[今德国乌珀塔尔]～1940-04-25,希腊莱夫卡斯) 德国考古学家,希腊古建筑研究权威。曾偕同考古学家E.库尔提乌斯发掘古代奥林匹亚。1882～1890年期间,参加谢里曼在特洛伊的发掘工作,共同勘定I-IX层的建筑情况。1884年同去梯林斯,发掘出第一座保存较好的公元前2千纪的迈锡尼王宫。1893～1894年自行组织特洛伊的发掘,集中考察遗址边缘,发现青铜器时代中、晚期遗迹。德普费尔德认为普里阿摩斯所筑特洛伊城的毁灭与第VI层相关,对该层的建筑布局详为论列,并在《特洛伊与伊里亚姆》(2卷,1902)一书中对遗址各层予以编年;但后来学者们的研究表明,普里阿摩斯的特洛伊城在VIIa层。德普费尔德于1887～1911年间任雅典德国考古学会秘书。他在《古伊萨卡》(2卷,1927)一书中提出,现在的莱夫卡斯就是《奥德赛》里所说的伊萨卡。另著有《古雅典及其市场》(2卷,1937～1939)。

Dorr, Julia Caroline Ripley 多尔(1825-02-13,美国南卡罗来纳查尔斯顿～1913-01-18,佛蒙特拉特兰) 婚前名Julie Caroline Ripley。美国小说家和诗人。她在小说中塑造了通过教育和坚持不懈的努力使自身脱离贫困的青年妇女形象。1847年与S. M. 多尔结婚。1854年以笔名出版了第一部长篇小说《法明代尔》。后又先后出版了《兰米厄》(1856)、《西比尔·亨廷顿》(1869)和《赎罪》(1873)等小说,风格各异。此外,还出版了《新郎与新娘》(1873)、3本游记和至少10卷诗集。

Dorr, Thomas Wilson 多尔(1805-11-05,美国罗得岛普罗维登斯～1854-12-27,普罗维登斯) 美国罗得岛律师和宪法改革者,曾领导1842年的多尔造反活动。1834年起参加州立法会议,1841年组织人民党。人民党召开代表大会,制定新宪法,举行选举,1842年5月3日拥立多尔为罗得岛总督。由于罗得岛旧政府不予承认,因而一度出现两个政府,并发生小规模的武装冲突。1844年多尔被指控叛逆罪,判处无期徒刑,但一年后即获释。

Dorset 多西特 英格兰西南部的行政、地理和历史郡。濒临英吉利海峡。其西和东分别为德文郡和汉普郡,北为索默塞特和威尔特郡。行政、地理和历史郡所辖范围略有不同。行政郡包括6个区:克赖斯特彻奇、东多西特、北多西特、珀贝克、西多西特和韦茅斯－波特兰。地理郡范围除上述各区外,还包括波恩茅斯和波特兰两个单一政区。多西特历史郡不包括波恩茅斯、克赖斯特彻奇和东多西特部分地区,这些地区属汉普历史郡。郡内有白垩高原、丘陵和有草的丘陵间盆地,有弗罗姆河、皮德尔河、埃文和斯陶尔河流经。境内多新石器、青铜器和铁器时代遗迹。历史上曾为西撒克逊王国的一部分。小说家T.哈代曾在其作品中描写过此地区而使其不朽。现大片地区用作农地,出产乳制品、大麦、猪和家禽,还有园艺。林业为重要经济项目。所产波特兰石和珀贝克大理岩为闻名的建筑石料。还出产一种球状黏土对陶器工业至为重要。沿海地区有少量石油和天然气。旅游业在经济中日益重要;伯恩茅斯自1879年以来就是度假胜地。韦茅斯-波特兰也吸引大量游客。普尔和伯恩茅斯两地有制陶、制砖、机械、电子、制药和化工等行业。面积:地理郡2 655平方千米;行政郡2 544平方千米。人口:地理郡691 200;行政郡387 300(1998)。

Dorset, Edmund Beaufort, 1st Earl of 多塞特伯爵(第一) 参阅**Somerset, Edmund Beaufort, 1st duke of 萨默塞特公爵(第一)**。

Dorset, Henry Beaufort, 2nd Earl of 多塞特伯爵(第二) 参阅**Somerset, Henry Beaufort, 2nd duke of 萨默塞特公爵(第二)**。

Dorset, Henry Grey, 3rd Marquess of 多塞特侯爵(第三) 参阅**Suffolk, Henry Grey, Duke of 萨福克公爵**。

Dorset culture 多塞特文化 约公元前800～公元1300年之间的史前文化,产生在格陵兰和加拿大的东部北极地区并南至纽芬兰一带。得名于巴芬岛多塞特角的遗址发掘。其起源众说纷纭,主要有3方面:①来源于阿拉斯加或北极地区西部;②来源于更南边的古代或林地印第安文化或曾受其强烈影响;③基本上为爱斯基摩文化,来源于加拿大东部北极地区本土的前多塞特文化,几乎未受印第安文化影响。人骨化石似乎说明多塞特文化为爱斯基摩类型。主要依靠捕食海豹、海象、陆生兽类、鸟类和鱼类为生。他们不知狗曳雪橇而只使用小型手拉雪橇。一种爱斯基摩工具即所谓"弓钻",这里亦未发现。他们住在海岸地区,一般有半地下式房屋和大聚会所。夏天可能使用皮帐篷。有迹象说明他们是小群流动的季节性游牧民族。多塞特出土的鱼叉叉头和叉柄以及石刀、石灯和各种打制石器,都独具特色。装饰品多为骨、象牙或木制,偶有雕刻。小型的象牙或骨制人像及兽像,有的做工朴实自然,有的风格板滞或古怪丑陋,可能是一种护身符或狩猎用魔具。多塞特文化消失的年代不明,但从阿拉斯加的图勒移民(参阅**Thule culture**)到达之后,有迹象表明这两个居民集团曾有接触,因之多塞特文化的消失必在这一时期;此外,气候变化也可能促使多塞特文化的衰落。

Dorsey, George A. 多尔西(1868-02-06,美国俄亥俄希伯伦～1931-03-29,纽约州纽约) 美国早期研究北美印第安人,特别是研究曼丹人部落的人种志学者。对大平原印第安人的调查研究曾包括关于该地区原始人群的报道。以其晚期著作《人的自我表现:文明》(1931)和通俗人类学教课书《为什么我们有人的本性》(1925)闻名。1894年获得哈佛大学人类学博士学位,为美国获此学位的第一人。他在哈佛任教至1896年,此后便参加芝加哥菲尔德自然历史博物馆工作。1919年巴黎和会期间多尔西曾任威尔逊总统的西班牙问题顾问。

Dorsey, James Owen 多尔西(1848-10-31,美国马里兰巴尔的摩～1895-02-04,华盛顿[哥伦比亚特区]) 美国人种学家,主要以对印第安苏人的语言研究和人种志研究而著名。1871年被任命为美国圣公会的执事,赴达科他准州蓬卡部落传教。因为精通古典语言学,很快就学会了蓬卡语,后因病返回巴尔的摩。1879年美国美洲人种局建立,多尔西是早期成员之一,曾往内布拉斯加研究奥马哈部落。多尔西工作勤奋,一直从事使用苏族诸语言的奥萨格、坎萨、达科他等部落的研究工作。他还研究了奥勒冈地区的阿塔巴斯卡、台克尔马、库珊、亚肯南诸语族。著有《奥马哈族社会学》(1884)、《奥萨格人传统》(1888)和《苏族社会学》(1897)。他曾把S.R.里格斯所撰《达科他语-英语词典》及《达科他语语法、读本及民族志》两书编辑出版(1893),迄今仍为这一研究领域的经典之作。

Dorsey, Jimmy; and Dorsey, Tommy 多尔西兄弟(吉米1904-02-29,美国宾夕法尼亚谢南多厄～1957-06-12,纽约州纽约;汤米1905-11-19宾夕法尼亚谢南多厄～1956-11-26,康涅狄格格林尼治) 二人均为美国大型流行舞蹈管弦乐队领队(或在不同乐队,或在同一乐队)。父亲是音乐教员,他们的早期教育深受其益,成为白人爵士乐界显要人物。吉米先崭露头角,是一位比较活跃的爵士乐手,演奏两种乐器单簧管和中音萨克斯管,始终是一位富于创造力的技巧大师。至1927年成为独奏明星。汤米开始时也是兼吹长号和小号,不久后放弃小号。至1930年成为一位自由职业音乐家,以长号演奏中的甜美音色而著称。1933年他们一起组织了一个管弦乐队。其后两人又各自组织管弦乐队并获巨大成功。他们不知不觉偏离了开始所演奏的爵士乐。1953年又合而为一。有些评论家认为他们所演奏的是一种高级流行音乐而不是真正的爵士乐。

Dorsey, Thomas Andrew 多尔西(1899-07-01,美国佐治亚里卡镇～1993-01-23,伊利诺伊芝加哥) 美国歌曲作者、歌唱家和钢琴家。所作许多福音赞美诗的快速布鲁斯改编曲,为他赢得"福音音乐之父"的称号。出身于福音传教士家庭。幼年受布鲁斯钢琴演奏家的影响,1910～1928年作为作曲家、歌曲改编者、钢琴家和声乐家从事世俗"无聊噱头"音乐工作。1916年移居芝加哥,就读于作曲与歌曲改编学院。1929年后专门从事宗教配曲,有意识地把布鲁斯旋律与节奏运用于宗教音乐。所作数十首乐观主义并充满柔情的歌曲成为福音经典之作,最著名的是《至爱的主,请握住我的手》(1932)。30年代初大量录音,并出版他自己的活页词曲。1933年在芝加哥创办全国福音唱诗班和合唱团,并担任该团主席一职达40年。1934年停止录音,但广泛巡回演出,直至40年代。其后虽仍继续写作,但集中精力于教学与行政事务。

Dorsten 多尔斯滕 德国西北部北莱茵-威斯特伐利亚州城市。濒临韦瑟尔-达特尔恩运河和利珀河。罗马时代为一村庄。1251年设建制。14世纪设城防。1899年通铁路后,市工业发展起来。1911年首次开采煤矿。作为鲁尔工业区最北面的城市,在第二次世界大战中受严重破坏。现存古建筑有方济各会隐修院(1488)、旧市政厅(1597,现为地方博物馆)和男童学校(1642)等。1975年纳入沃尔芬等附近城镇,范围扩大近2/3。经济一度依靠煤矿,后煤矿关闭。现仍是重要的购物和住宅中心。人口约80 397(2003)。

Dort, Synod of 多尔德会议 基督教荷兰归正会1618～1619年在荷兰多尔德(全名多德雷赫特)举行的会议。会议目的在于解决阿明尼乌主义(**Arminianism**)所引起的争论。1610年阿明尼乌派荷兰人士向议会提出抗议书,抗议书共5条,说明他们的神学观点;因此荷兰阿明尼乌派又称抗议派。他们不承认严格的加尔文得救预定论。反对抗议派的是戈马尔派,即荷兰神学家戈马尔的追随者。多尔德会议由戈马尔派荷兰代表以及德意志、瑞士和英格兰的归正会代表参加。会议要求抗议派说明自己的信仰。抗议派因不承认会议所制订的规则,而被驱逐。于是会议研究抗议派的神学主张,宣布其违背《圣经》,并肯定了《多尔德教义》,其要点是:上帝预定某人得救并不以该人是否信教为条件;基督并非为一切人而死;人类完全堕落;上帝的救恩不可抗拒;人一旦蒙受救恩即永不会丧失。多尔德会议的这几条教义,加上《比利时信纲》和《海德堡教理问答》,目前仍然是荷兰归正会和北美洲基督教归正会的基本神学原则。

Dortmund 多特蒙德 德国西北部北莱茵-威斯特伐利亚州城市。在多特蒙德-埃姆斯运河顶端,有大片港口设施。885年首见记载。1220年成为自由城市。后加入汉萨同盟。14世纪极为繁荣。三十年战争后衰落。19世纪煤矿和铁矿的开发以及运河的完工(1899)又刺激了城市的迅猛发展,现为鲁尔

多特蒙德市的中心广场
美国不列颠百科全书公司供图

区主要交通和工业中心。第二次世界大战中破坏严重。战后修复了4座中世纪教堂,市里保留了4座有城壕的城堡和撒克逊及加洛林要塞遗址。新建著名建筑有犹太教堂(1956)和威斯特伐利亚厅(1952,欧洲最大厅堂之一)等。设有许多教育和研究机构。美术和文化博物馆藏有"多特蒙德宝物",即装有400余枚金币的宝箱。多特蒙德大学成立于1966年。主要生产钢、煤和啤酒。有大型水果蔬菜批发市场。其桥梁建筑公司在全世界都有业务。人口约589 661(2003)。

Dortmund-Ems Canal 多特蒙德-埃姆斯运河 连接鲁尔工业区与北海(在埃姆登附近)的德国重要商业水道。它南起多特蒙德,延伸至与莱茵-赫尔内运河交接处(该处设有浮坞和船闸),再向北跨过利珀侧面运河,使德国境内的莱茵河和北海间的水道连接起来。然后穿过开凿的埃姆斯河河床流向东北和北方。南来的主要进口物资有铁矿石、谷类和糖,北去的物资有煤、焦炭、石料和砾石。运河于1899年通航,全长约269千米。

Dörtyol 德尔特约尔 土耳其南部城镇。在伊斯肯德伦湾的顶端。为西亚产油区的地中海岸油轮码头。有一条直径1米、长约1 000千米的输油管道,将原油从伊拉克的基尔库克油田输往该海港。1977年春开放时,每天输送原油20万桶,1978年初由于土耳其和伊拉克对于运油费用意见分歧,油管被关闭。后虽重开,但输送量仍远低于设计能力。另有约500千米长的输油管道连接该港与土耳其东南部的巴特曼油田。德尔特约尔内地有森林、棉田和柑橘园。人口48 030(1990)。

Dorval 多瓦勒 加拿大魁北克省南部蒙特利尔行政区城市。临圣路易斯湖,为蒙特利尔市西南郊居民区。南面离湖岸不远处有多瓦勒岛避暑胜地。有米拉贝勒国际机场。1670年法国教士在此建一碉堡及传教点。1903年建镇;1956年设市。人口17 249(1991)。

dory 海鲂 又作John Dory。海鲂目海鲂科几种海产鱼类的统称。广布于全世界中等深度的水域。口大,体高,侧扁。较著名的一种海鲂(*Zeus faber*)为大西洋及地中海产的食用鱼,栖息从沿岸到水深约200米深处;最大体长达90厘米;体淡灰色,体侧有一明显的具

海鲂(*Zeus faber*)
美国不列颠百科全书公司供图

黄色环的黑斑;腹鳍长,背鳍鳍棘具丝状延长部分。沿腹部及背鳍、臀鳍基部各具成行的棘。有一个类似种日本海鲂(*Z. japonicus*),产于太平洋。

dory 平底小渔船 一种两头尖、高外飘舷的小船。这种船最长的有7米,通常有一V型窄艉和狭长的平底。它是一种适于航海的船,可以用桨划行、用发动机推进或用帆航行,为新英格兰渔民广泛使用。另一种轻型平底小渔船船身较短,两舷较低,方形艉。其他均与上述平底小渔船类似。

Dos Hermanas 两姐妹镇 西班牙南部安达卢西亚自治区塞维利亚省城镇。位于塞维利亚市东南,瓜代拉河与瓜达尔基维尔河之间。1248年卡斯蒂利亚国王费迪南德三世创建,因他的副官有两姐妹,故名。主要农产品为橄榄。有制麻业及石灰岩开采业。人口92 500(1998)。

Dos Passos, John 多斯·帕索斯(1896-01-14,美国伊利诺伊芝加哥～1970-09-28,马里兰巴尔的摩) 美国作家,第一次世界大战后美国"迷惘的一代"的主要小说家之一。他作为社会历史学家和美国生活质量的激进的批评家的声望主要源于他的三部曲《美国》。一个富裕的葡萄牙裔律师之子,1916年毕业于哈佛大学,作为救护车驾驶员自愿参加第一次世

美国国家档案馆供图

界大战。早期作品主要描写他在战争中的种种遭遇。《三个士兵》(1921)即为其中一部坚决反战的小说。战后当新闻记者,足迹遍及西班牙和其他一些国家,开扩了他的历史视野、增强了他的社会洞察力并坚定了他的激进观点。他早期的主观主义逐渐为客观现实主义所代替。小说《曼哈顿中转站》(1925)表现一个捷运系统乘客对大都市的看法,穿梭描述了十几个人物的生活。1927年无政府主义者萨柯和万泽蒂被处死刑时,他受到极大震动。他曾加入争取使他们特赦的斗争。这场危机最终在他的头脑里形成两个美国:一个是有钱有势的美国,一个是无钱无势的美国。他的《美国》三部曲就是这两个美国的写照。它包括《北纬四十二度》(1930)、《一九一九年》(1932)和《赚大钱》(1936)。他采取“新闻短片”手法,使笔下人物富有真实感。在小说中,他还插入一些名人(如汽车大王福特、发明家爱迪生、威尔逊总统、财阀摩根等)的传记。他还进一步表现了“另一个国家”的成员,如社会主义者德布兹、经济学家凡勃伦、劳工运动组织者希尔和第一次世界大战的无名战士。他采用“摄影机镜头”的新手法,使文字简洁而富有诗意。他的《哥伦比亚特区》三部曲包括《一个青年的经历》(1939)、《第一号》(1943)和《伟大的计划》(1949),反映出他对劳工运动、激进政治和新政自由主义的失望。这些著作显示出他创作精力的衰退和思想逐渐趋向保守,这在他后来的作品中表现得更明显。在他74岁逝世时,其作品已几乎无人问津。

Dos Pilas 双柱城 马雅古都,位于今危地马拉中西部,临近萨利纳斯河,距该国与墨西哥边界8千米处。双柱城曾是马雅王国之中心,王国鼎盛时期,幅员约达3 885平方千米。1991年考古人员在发掘遗址时,出土一座国王陵墓,墓主迄今只能暂以“二世”或“二号人物”称之,在位期间大致为698～725年间。学者们认为,此人同其两个继位者曾是马雅文明衰亡过程的重要角色。双柱城及其附近几处遗址也出土大量形如堡垒周围的防护堤坝及壕沟之类的设施,似乎与祭祀及农作活动无关,而且同早先发现的祭祀结构相比,其建筑所需密集劳动,要大大超过前者。根据这些证物,有些学者断定,激烈而残酷的战争也许曾是导致马雅文化在公元900年前后消亡的重要原因。不论战争是因生态环境毁灭而引起的,还是战争造成了生态环境的毁灭,总之,马雅文明的消亡是颇为突然的。

dos Santos, José 多斯桑托斯(1942-08-28,安哥拉罗安达～　　) 全名José Eduardo dos Santos。安哥拉政治家。激进的民族主义者,1961年加入安哥拉人民解放运动(安人运),被选派赴莫斯科学习石油工程。1970年返回安哥拉,是安人运在石油省份卡宾达的活跃斗士,经常代表安哥拉安人运出席国际论坛,并入选政治局执行委员会。1976年安哥拉独立后,包括安盟在内的各派争夺控制权,安哥拉人民解放运动最终宣布单独组成政府,实行一党制。1975年担任安哥拉首任总理。三年后宪法改革取消了总理职位,他被任命为计划部长。1979年总统A.内图逝世后,他上台执政,努力改善与西方特别是美国的关系。90年代初,放弃马列主义,命令古巴军队从该国撤出。1991年与安盟签署和平协议,同意举行多党选举。在1992年投票选举中击败J.萨文比后战火重燃。内战一直持续到2002年。因原定1997年的选举被无限期推迟,多斯桑托斯继续担任总统。

Dōshō 道昭(629,日本河内～700,日本) 日本僧人,在引进佛教方面起过重要作用。他在奈良元兴寺为僧,约于653年西渡中国,拜唯识宗创始人玄奘为师,研习8年。道昭回日本后,弘传唯识教义。据说他是日本法相宗创始人。死后遗体遵遗嘱火化,为日本火葬的第一人。

Dōshun (Japanese scholar) **道春** 参阅**Hayashi Razan 林罗山**。

dosimeter 剂量计 测量在一定时间内电离辐射照射量的仪器。供使用或靠近辐射源工作的个人佩带的剂量计有3种型式,胶片剂量计是将照相用或牙科用X射线底片包在不透光的纸中,并置于塑料盒内,定期检查底片,其曝光程度即可指示佩带者所受累积辐射量。第2种是热发光式剂量计,主要是以非金属结晶固体去捕捉其受电离辐射时所释出的电子,此种剂量计可以安装使用,经过标定后还可以用读数显示辐射量。第3种是离子室剂量计,可重复使用;它属于自读式,可即刻测知照射量。

Dosítheos 多西狄奥斯 (1641-05-31,希腊阿拉霍瓦～1707-02-08,君士坦丁堡) 东正教耶路撒冷牧首,希腊教会中的重要政治家和神学家。他极力主张以东正教为正统,反对抬高天主教。1652年被任命为助祭,1661年任耶路撒冷大助祭。1666年任凯撒里亚巴勒斯坦(今以色列赫尔巴特凯撒里)大主教。1669年任耶路撒冷牧首。通过通信和走访,参与巴尔干、格鲁吉亚和乌克兰等地东正教会的事务。为防止新教教义影响希腊正教,于1672年召开耶路撒冷会议,这次会议被认为是近代东正教最重要的会议。俄国沙皇彼得大帝一世对教会进行改革,撤换了莫斯科牧首座,使俄罗斯正教会隶属于政府,于是多西狄奥斯与彼得一世关系紧张。

Dosso 多索 尼日尔西南部城镇,位于首都尼亚美东南约130千米处,为从事定居农业的泽尔马族人的传统大本营。有公路西通尼亚美,东北可达塔瓦。还有一座飞机场。四周区域的经济以自给性多种作物种植和固定性牲畜饲养为主。人口27 092(1988)。

Dosso Dossi 多索·多西(约1479到1490之间,曼图亚伯爵领地曼图亚[意大利]?～1542,费拉拉公爵领地费拉拉[意大利]) 原名作Giovanni Lutero。意大利晚期文艺复兴画

多索·多西绘《女巫喀耳刻》(约1530)

美国不列颠百科全书公司供图

家,16世纪费拉拉画派的领袖。其风格以浪漫化的风景处理为基础,但又加入了提香的富丽堂皇以及个人的独特想象,其风格的最后形成受到拉斐尔后期风格的影响。费拉拉大诗人阿里奥斯托在《奥尔兰多·富里奥索》中称赞他是当时的九大画家之一。其最著名的作品《女巫喀耳刻》(约1530)则可能是为阿里奥斯托的诗作的插图。

Dōst Moḥammad Khān 多斯特·穆罕默德汗(1793,阿富汗～1863-06-09,赫拉特) 阿富汗统治者(1826～1863)、巴拉克宰王朝创建者。他在阿富汗民族处于英国和俄国政治斗争的焦点时维护了国家的独立。巴拉克宰族首领帕扬达汗之子。1816年该族起兵反抗阿富汗统治者马哈茂德沙,经8年内战取得胜利。多斯特·穆罕默德汗最有势力,1826年登上王位。由于英俄两国在阿富汗相互角逐,他努力使自己的国家在两强之间保持平衡。1839年英国企图用武力扶植傀儡沙阿·苏查上台,从而引起第一次英阿战争(1839～1842)。1840年,多斯特全家被俘后,他向英国人投降。但是苏查的地位和英军在喀布尔的地位迅速恶化,苏查在暴乱中被杀。1843年英军撤走,多斯特·穆罕默德汗恢复王位。他与英国和解,1855和1857年签订友好条约。1863年6月,他女婿率部占领赫拉特,多斯特·穆罕默德汗几天后在当地去世。

Dostoyevsky, Fyodor (Mikhaylovich) 陀思妥耶夫斯基(1821-11-11,莫斯科～1881-02-09,俄罗斯圣彼得堡) 陀思妥耶夫斯基在他的《罪与罚》、《白痴》、《群魔》和《卡拉马佐夫兄弟》等作品中,都把艺术作为传达生活智慧和心灵激情的媒介,这些作品使他赢得世界最伟大小说家之一的声誉。

早年和文学生涯的起步 费多尔·米哈

美国不列颠百科全书公司供图

伊洛维奇·陀思妥耶夫斯基的父亲曾是一名军医,性格冷酷,在家中刚愎严峻,令人生畏。若干年后,陀思妥耶夫斯基在回忆起这个无保障的中等阶级家庭时,曾把自己称为"知识分子无产者"。引发他的文学志趣的家庭背景,和可以与他匹敌的出身于有文化的贵族阶级的屠格涅夫和托尔斯泰相比,是完全不同的。在莫斯科受完早期教育后,陀思妥耶夫斯基16岁时入圣彼得堡军事工程学校读书。在操练和学习筑城学之余,他还挤出时间阅读俄国文学和其他欧洲文学作品,特别是合乎他口味的那些带有暴力和犯罪情节、富于传奇色彩的小说。他在这个性格形成时期的情况鲜为人知,但他看来曾和军校同学晚间外出游玩吃喝,交际应酬,听音乐,上剧院,以及结交女友。他还曾渴望荣誉,向往自我牺牲的壮举和理想主义的友谊。

毕业后不久,陀思妥耶夫斯基跨出了勇敢的一步,他辞去职务而把全部时间用于写作。当时他几乎没有任何经济收入,他的母亲已经去世,被农奴杀死的父亲只留下很少的钱。不过,这时他已经完成了一部中篇小说《穷人》(1846)的手稿。他怀着忐忑不安的心情,让一位青年朋友把手稿交给一位有名望的文学批评家别林斯基。这位批评家接见了他并赞扬他在揭示小说主人公内在气质方面的艺术天赋。许多年以后,陀思妥耶夫斯基还能记起他当时欣喜若狂的心情。别林斯基当时说:"真理已经展现在您的面前,并宣告您是一位有天赋的艺术家;请珍惜您的这份天赋吧!只要始终不渝地忠实于真理,您就会成为一位伟大的作家!"

《穷人》算不上是一部上乘之作,它带有初学者创作技巧上的缺点,但别林斯基的赞誉具有先见之明。他称它是俄国第1部社会小说,因为它讲述了一个穷困潦倒的上了年纪的小职员,用浸透着伤感的父亲般的慈爱掩藏他对一个孤女的爱恋,又要争取得到社会的尊重,而在绝望中挣扎的故事。它显示了作者对穷人在爱情上悲剧性命运的非凡洞察力;说明穷人是当代社会的残酷环境的牺牲品。陀思妥耶夫斯基对作品主题的驾驭赢得了读者的热烈反应,因为他开拓了一个新的领域,即着眼于强烈的心理描写,从内心深处考察主人公的冲突。他在给哥哥米哈伊尔的一封信中这样说明他的创作方法:"我通过分析而不是通过综合进行写作,就是说,我透入内心深处,从分析每个原子中寻找出整体。"他确实开创了俄国现实主义小说的一个独树一帜的流派。

与此相对而言,在因他最初的成就而把他视为名流的文学圈子和社交界的沙龙里,这位年轻作家却没有树立起引人瞩目的个人形象。这个长着一双灰色的小眼睛和一付不时神经性抽搐的嘴唇、一头黄发、满面病容的矮小男子,在这种社交场合总显得手足无措,局促不安。于是他躲避到写作中去,并且很快又写出了另一部中篇小说《双重人格》(1846)。这种对"个性分裂"的文学描写(戈利亚德金,一个小公务员,饱受日益加重的被迫害狂病症的折磨,他恍惚感到遇上一个与他长相一模一样的人,那人却领着一帮人阴谋陷害他),使读者感到厌烦,也使他未能得到别林斯基的好评。然而,"双重人格",即自我分裂的男子或女子,在他日后那些著名的长篇小说的人物中,始终扮演着重要角色,尽管其临床病理的色彩较为减少。

他在1846～1849年间发表的一系列中短篇故事、小说等,并未引起多大注意。他曾雄心勃勃地计划写一部大部头的长篇小说《涅陀契卡·涅兹凡诺娃》(1849),他本来是有可能通过这部作品重新赢得他的读者的。这部小说讲述一个年轻姑娘爱上她刚愎的继父的故事,这些构思和形象曾反复地再现于他后来的作品中;但小说只发表了3个较长的章节他就因犯有所谓颠覆罪而被捕,他的写作因此中断,他文学创作的第一时期也告结束。这些早期作品既反映了圣彼得堡生活对文学的影响,也反映了他本人对这种生活的观感。不过,心理和精神上的自我反省,也注入到他对其人物的思想感情的深入分析之中。这第一个时期尽管短暂,却表明了他未来创作发展的主要方向。

流放西伯利亚 陀思妥耶夫斯基被沙皇尼古拉一世高压统治期间争取政治和社会改革的运动所吸引,参加了在理想主义者彼特拉舍夫斯基家每星期举行一次的讨论,对法国空想社会主义者的思想进行辩论。还有证据表明他参加一个范围更小的核心小组的秘密集会,计划印刷非法的激进小册子。政府惧怕西欧革命在俄国的传播,于1849年4月下令逮捕了彼特拉舍夫斯基小组的成员。经过长时期的调查,他们之中的21个人,包括陀思妥耶夫斯基在内,被判死刑。对于在沙皇宣布减刑赦令之前等候被处决的可怕经历的回忆,经常出现在他后来的作品中。他被改判为到西伯利亚的鄂木斯克监狱服4年苦役,然后再服4年兵役。

陀思妥耶夫斯基把他所受的刑罚看作是必要的赎罪,他认为自己犯了严重的罪行。他开始把许多和他一起在镣铐、恶臭和苦役中生活的简单囚犯看作是"非凡的人";但心灵的极度痛苦不时地摧残着他,据他说他第1次犯癫痫病就是在这个时期,这种病一直折磨了他许多年。在监狱里,唯一准许阅读的书是《新约全书》。这本书他多次反复阅读,使他减轻了牢狱生活的痛苦,并且教给他对基督的新的信仰,相信只有基督能拯救有罪的人,给卑微的心灵以新的生机。他的监狱生活体验对他以后作为一个作家和思想家的发展十分重要。青年时期的激进思想让位于对既有秩序的尊崇又普救众生的信念;基督的以受难拯救人类的教训和俄国正教教会的精神具有了更深的含义;监狱生活为他进一步研究被欺凌与被侮辱者提供了丰富的素材。

1854年获释后,他感到在西伯利亚城市塞米巴拉金斯克服兵役在某种意义上比蹲监狱更令人厌烦。他工作尽职,最后还当上了一名低级军官,结交了几个朋友,他一再请求他哥哥给他邮寄书刊以弥补他在读书方面的巨大空白。这一时期唯一的大事是他在1857年同有一个儿子的害肺病的寡妇结了婚,后来的结果表明这是一桩不幸福的结合。经济负担的加重,使他在被迫沉默数年以后更迫切地希望重新握笔写作和恢复他在文坛的地位。他先写了一篇喜剧式的小说,它和他在狱中关于小说的各种构想没有什么联系。这篇《舅舅的梦》(1859)只是一篇娱乐消遣性的故事,是仿照早先的俄国小说家果戈理的笔法写的讽刺作品,它讥讽了一个省城(其原型多半是塞米巴拉金斯克)的假慈悲的上流社会。在这篇故事之后,接着很快又写出了一篇更有分量的中篇小说《斯捷潘奇科沃村及其居民》(1859),其主要人物奥皮斯金是又一个双重性格的人,这个人物形象使这篇作品避免陷于平庸。这两部作品都没有引起评论家们的注意。它们发表后不久,陀思妥耶夫斯基就获准回到他所喜爱的圣彼得堡,在他身带镣铐离开它整整10年之后重新获得自由。

重登文坛 首都的激进派热切地把他作为一个过去的政治犯加以赞颂,但他断然拒绝了他们和他们的思想,尤其是他们对宗教的嘲笑。他赞成新沙皇亚历山大二世提倡的社会改革。他1860年出版了第1部作品集,次年和哥哥共同创办了《当代》杂志。该杂志宣布自己的立场是从思想上调解两个最主要的知识分子派别——西欧派和斯拉夫主义者。两派那时都表示迫切希望联合民众,拯救俄国。他在报刊文章和小说中所表达的这种得人心的态度使杂志大获成功。他原有的和新的志同道合的朋友,如诗人迈科夫和文学评论家格里戈里耶夫和斯特拉霍夫当时都团结在他和《当代》杂志周围,他们对他后来的政治、社会和艺术观点有相当大的影响。《死屋手记》(1861～1862)的问世使陀思妥耶夫斯基早先在文学界的声望得以恢复,并且使刊载这部作品的《当代》杂志开始享有盛誉。屠格涅夫非常赞赏这部作品,托尔斯泰也把它誉为陀思妥耶夫斯基最佳之作。虽然作品写的是一名因谋害妻子而被判处监禁苦役的人的回忆,它实际上是陀思妥耶夫斯基监狱生活的生动记录。他竭力客观真实地描绘监狱生活,对那些独特的罪犯进行透彻的心理探索,通过动人的情节以象征手法表现了这些被遗弃者失去自由的痛苦。在大约同一时期,他在《当代》杂志连载了他的长篇小说《被欺凌与被侮辱的》,它讲述了一个女人如何无视家庭和习俗的反对而实现把自己的爱奉献给一个男人的权利。作品触怒了评论家,但赢得了广大读者的喜爱。至少有几个人物形象,如女主人公娜塔莎(他的第1个充分描写了其感情矛盾的女性代表人物)、小涅莉(一个反映作者对儿童心理有深刻了解的人物以及纵情享乐的恶棍瓦尔可夫斯基),是作者后来几部主要长篇小说中的更加感人的人物的雏型。

到1862年夏季,《当代》杂志的收入使陀思妥耶夫斯基得以实现他的夙愿,他第1次出国旅行。这次旅行促使他写作了发表在杂志上的著名特写《冬天记的夏天印象》(1863),他在其中宣称,他所看到的欧洲文明的种种弊病增强了他对俄国的崇高使命的信念,条件是俄国要能避免西方的那些流弊。然而,就在这一年,政府认为《当代》登载的斯特拉霍夫的一篇文章没有爱国心,因而把该杂志查封。陀思妥耶夫斯基在这个危机时期,借钱再度出国,表面上是去治疗癫痫,但实际上是想到德国威斯巴登的赌桌上去试试他的运气,同时去和与他关系密切的一位年轻的杂志撰稿人波利娜·苏斯洛娃幽会。他在这两方面都运气不佳,但他从这个怪女人的爱恨交织的感情持续获得的种种体验,被写入了他的一些小说,成为小说里"恶魔般的女人"的素材。

陀思妥耶夫斯基回俄国后得到了一小笔遗产,这使他能够和他的哥哥一起创办一份新的杂志《时代》,杂志第1期刊登了他的出色的《地下室手记》(1864)的开头部分。尽管这部作品部分地是为了讥讽那些认为人能够受合理利己主义支配的激进社会主义者,但它的无名主人公也是他本人的一个深刻剖析者,一个彻底异化的个体,对他来说,没有什么真理是绝对的,一切善都是相对的。他的两重性是由意志和理智之间的基本冲突造成的。这部作品标志着作家在塑造人物的方法上的改变,即突出主人公的自我反省,把重点集中于发生错位的人在现实的可以接受的世界上的精神生活。《地下室手记》实质上是他后来一系列巨著的哲学引言,因为那些小说里涉及道德、宗教、政治和社会观念的所有主题思想,几乎都已出现于这部作品之中。

巨著问世时期 在1864年到1865年期间,陀思妥耶夫斯基灾难压顶,他的妻子和哥哥相继去世,负债累累的杂志也陷于崩溃。由于害怕被关进债户监狱,他携带了一个尚在犹豫中的出版商为一本小说支付的预付款逃往国外。他又一次把希望寄托在赌博上,他已经成了一个狂热的赌徒。也许是打算结婚(在圣彼得堡,他已经几次在爱情方面遭到挫折),他再度安排了与波利娜·苏斯洛娃的会面。他在威斯巴登被她所抛弃,又在轮盘赌场把钱输得精光,落泊到了典当衣服的地步。他向朋友们借债以便偿付旅馆费用和返回俄国。有一封信是写给一位期刊的编辑,向他预支另一本他题名为《罪与罚》的小说的稿酬。钱最后终于寄来,他于1865年10月回到了俄国。

《罪与罚》(1866)的构思大概可以追溯到陀思妥耶夫斯基身陷囹圄的那个时期。在酝酿这部小说写作的笔记的许多篇页上,反映了作家对小说的艺术细节始终萦绕于怀(他为后来的一些小说也作过这样的笔记,这些笔记很好地说明了他的创作方法)。这部著作在某种程度上是一部社会小说;以金钱作为中心问题。它涉及激进派青年的唯物主义思想,这部作品的穷困的主人公拉斯科尔尼科夫,就是这些青年中的一员。拉斯科尔尼科夫是一个对社会具有叛逆思想的虚无主义者,他在善与恶之间进行搏斗,理智取代了活生生的生命过程,他的为了人道主义目的不惜采取罪恶手段的有害理论导致他去杀人。在狱中,他放弃了驱使他违反道德准则的思想上的高傲,认识到幸福不能靠合乎理性的生存方法获取,而必须通过受难去赢得。书中的次要人物如马美拉多夫,他的妻子、曾身陷卖淫窟的索尼娅,以及斯维德里加洛夫,也都描绘得栩栩如生。这部作品为人们所熟悉的谋杀疑案小说的悬念开辟了新的天地,给它注入了引人入胜的哲学、宗教和社会因素。小说出版后立即获得成功。评论家和读者都被作品中的创新所吸引,被它绘声绘色的叙述所打动,洋溢于作品中的激情之光照亮罪犯和道德堕落者最隐秘的内心世界。

陀思妥耶夫斯基在完成《罪与罚》之前,想起他早先与一个不讲道德的出版商订立的合同,他会因不能在一个月内履行这个合同而被罚巨额的违约金。于是他雇用了一名年轻的速记员安娜·斯尼特金娜及时以口授方式创作了一部短篇小说《赌徒》(1866)。这是一部包含若干动人场景的小型佳作,取材于他的嗜赌经历以及他和波利娜·苏斯洛娃又爱又恨的感情纠葛。次年他和这位速记员结婚。为了躲避债主和不断向他乞求资助的亲属们,他们在国外呆了4年。他们经常身无分文,辗转飘泊于异国他乡。他年轻的妻子承受了这一切,默默忍受着他的癫痫病的不时发作、他接连不断的赌博以及他们的头生女儿的不幸夭折。她为他和他的天才忠诚献身,矢志不渝。这第2次婚姻是一次真正爱情的婚姻,是他一生中最大的幸运。

就是在这样艰难的处境中,产生了陀思妥耶夫斯基的第2部杰作《白痴》(1868～1869)。它是从俄国报刊上关于一桩刑事案件的报道写起的。他把对此类事件的描写称之为"幻想式的现实主义",但在小说中使用它们时,他把着重点从外部世界转移到人物的内心世界。虽然所涉及的是普通俄国人的问题,但他力求发现"人中之人",因而他把这些问题提升,使它们具有普遍意义。他在笔记中写道:"他们称我为心理学家。这是不对的。我只是一个更高意义上的现实主义者;也就是说,我描绘的是人类灵魂的深处。"他在给他的外甥女的信中说,《白痴》的主题思想"是描绘一个正面的美好的人(在道德意义上的)……世上只有一个正面的美好的人,那就是基督。"但人类的种种弱点损坏了他的主人公梅什金的纯洁高尚的本性,使他不得不同叶潘钦和伊沃尔金两家人、同罗戈任之流牵扯在一起,不得不卷入争夺他的爱情的两个非比寻常的情敌阿格拉娅和娜斯塔西娅的纠纷。通过各种盛大壮观的场面,上述各种不同的沉迷于声色、贪欲和罪行的人物,对梅什金的道德情操进行着考验。虽然他的坚定信念和光辉人品吸引着他们,但他的劝善、怜悯和兄弟般的友爱之情却统统归于失败。他的经历正是基督在法利赛人中间的遭遇的象征。最后,被他的善行所感动的罪人们都陷于不幸,他本人也成为任人取笑的白痴。

当第2本小说只字还未写出,却已经把预付稿酬花光的时候,陀思妥耶夫斯基又从另一个出版商那里得到付给一部短篇故事的酬金,这篇故事后来演变为一部短篇小说。这就是《永久的丈夫》(1870)。小说是对一个被妻子背叛的丈夫设法报复勾引他妻子的人的精细入微的心理描写。这部作品在作家的创作技巧上没有表现出什么明显的进步。与此同时,他在集中构思一个庞大的计划,准备写作一系列、可能共有5部的前后连续的长篇小说,其总标题为《大罪人传》。有关这一计划的笔记被保存下来。它的主人公将犯下反对上帝和人类的弥天大罪,但在其一生心灵旅程结束时,它赎救了自己,得到了超度。这部作品始终没有动笔,但陀思妥耶夫斯基从它的笔记提纲中为他最后的3部小说借用了一些构思、场景和人物,其中的第1部就是1869年动笔而于1872年完成的《群魔》。

《群魔》的主要情节取材于报上有关一件轰动一时的谋杀案的报道。当时莫斯科的一名大学生被他的革命同志们所暗杀,因为这些人怀疑他想要出卖他们。小说采用了《大罪人传》提纲中的某些情节和形象,特别是小说的中心人物斯塔夫罗金的一些情况。在这部情节曲折和富有戏剧性的作品中,革命的密谋者们被讽刺地描写成蠢货和恶棍。他们策划中的牺牲者、改邪归正的沙托夫,反映了陀思妥耶夫斯基在思想上对革命的敌对态度,表明他对沙皇俄国的未来抱有一种民族主义的信仰,同时认为这种信仰只有作为国家对东正教会的基督的信仰的一部分才有意义。谜一般莫测高深的斯塔夫罗金支配着整个小说。他富于魅力的个性影响着引人发笑的老自由主义者斯捷潘·韦尔霍文斯基和他的革命的儿子彼得,也影响着变节的激进主义者沙托夫和基里洛夫;他对主要女性人物莉莎维塔、达丽娅和玛丽娅具有摆脱不了的吸引力。不过,随着他对上帝失去信仰,他性格中固有的善良开始衰退了。他对一个幼女的强奸行为象征他已完全屈从于邪恶。尽管陀思妥耶夫斯基的本意在于说教,这部作品凭着他的艺术力量,并没有成为一部有目的地过分夸张的小说。在运用他最喜爱的把轰动因素和思想观念因素结合起来的手法方面,他过去还很少表现出如此高超的艺术技巧。

在《群魔》远未写完之前,陀思妥耶夫斯基就病倒了,急需钱花。他坚持说他已无法在国外写完这部小说。准备为他出书的忧心忡忡的出版商只好寄钱给他,使他得以返回圣彼得堡。小说最后获得成功,他的作品公众争相阅读，盛况空前。陀思妥耶夫斯基再度经常应邀参加各种社交聚会。1873年，一些知名的友人帮他找到了在一家保守的周刊《公民》作编辑工作。一年以后，他辞去了这个职务，因为他感到这份工作太受限制，而且出版人太反动。这时，他能干的妻子承担起出版他的作品的事，他们由此得到一笔可观收入。

1876年，陀思妥耶夫斯基恢复了他曾为《公民》周刊撰写的专栏《作家日记》的写作，并改为每月以单行本形式出版。该刊连续出版一年有余，并在1880年和1881年出版了两期增补。《日记》内容多半是他对重大时事的观感、文学回忆录和文学评论、杂文随笔和短篇小说。其中最优秀的两篇作品是《温顺的女性》(1876)和《一个荒唐人的梦》(1877)。同时，他也利用这个月刊作为媒介，以传播他对广泛的社会、政治和宗教问题的各种引人注目的观点。新闻和文学在他思想中是紧密相连的，因为他认为艺术和现实生活之间的相互联系必须建立在对日常生活的观察上。《日记》吸引了众多的读者，它对研究陀思妥耶夫斯基的生平、哲学和小说，尤其是他最后的两部长篇小说，具有重要意义。

在《日记》中，他描述了《少年》(1875)的主题。这是一个私生子阿尔卡基·多尔戈鲁基的自白。小说记述他在圣彼得堡为设法博得他生身父亲韦尔西洛夫的爱而经历的种种遭遇。韦尔西洛夫是又一个具有双重人格的人和陀思妥耶夫斯基所特别热衷的信念的代言人，这种信念包括，举例来说，俄国人是举世无双的，是胸怀天下的，而相反，欧洲知识分子却站在毁灭的边缘，因为他们鼓吹革命的唯物主义而不信基督。通过着重描写韦尔西洛夫复杂的矛盾心理，陀思妥耶夫斯基第1次表明了他对这一主题的特殊兴趣。他把在他幻想中的男人和女人的思想、感情和行动中反映出来的双重人格的心理因素，看作是他自己和别人天性中的双重人格的自我反省。陀思妥耶夫斯基认识到这部作品的主要情节被若干次要情节所淹没，他曾有点失望地对他的妻子说："《少年》里包含了4部小说。"这部小说通常被看作不如他的其他小说。

当陀思妥耶夫斯基开始写作《卡拉马佐夫兄弟》(1879～1880)的时候，他已成为享誉全国的作家。有地位的人物都来和他交往；他被邀请在著名编辑和作家尼·阿·涅克拉索夫的葬礼上致词；科学院遴选他为文学通讯院士；他在1880年举行的诗人普希金的纪念会上的演说中，曾以关于俄国的世界使命的振聋发聩的预言，使那些高贵的听众激动不已。不过他宁愿和妻子及两个孩子费多尔和柳博芙安静地住在圣彼得堡附近的一个疗养小镇旧鲁萨。在那里他同但任他的抄写员的忠诚的妻子一起严格地奉行散步加写作的养生之道。她用速记的方法记录了他口授的《卡拉马佐夫兄弟》，这是他用了大部分创作生涯苦心经营的一部力作。这部小说记述了一个弑父的故事，陀思妥耶夫斯基通过深刻的心理和心灵暗示，把爱恨交加的内心冲突引向悲惨的弑父之举。整个小说贯穿了对信仰和上帝的执着追求——这就是这部作品的中心思想。阿辽沙，这位信奉基督教理想的最年幼的兄弟，热爱生命超过热爱生命的意义；德米特里热爱生命，但不知生命的意义何在；关心生命的意义胜过生命本身的伊凡是其塑造者的最富有吸引力的人物和思想上的典型。伊凡的矛盾心理集中表现在人与上帝之间的无所不在的斗争中。他以反抗的行动开始，以对上帝的世界进行抽象的造反告终。伊凡关心的正是激发陀思妥耶夫斯基自己追寻探索的那些"可诅咒的问题"——罪恶与受难以及它们与上帝的存在的关系问题。伊凡对上帝的世界的否定被戏剧化，它集中表现在著名的《宗教大法官》中。答案可以在小说接下去的一部中找到，其中长老佐西马在布道时说，普遍和谐的奥秘不能由理智获取，而只能由心灵、由感觉、由信念获得。

陀思妥耶夫斯基打算在以阿辽沙为主人公的小说续集中用行动证明佐西马的训诫，但他在完成《卡拉马佐夫兄弟》几个月以后，在圣彼得堡去世。

今天，陀思妥耶夫斯基是拥有最广泛的读者的19世纪小说作家之一，这也许是由于他在小说中以戏剧化的强烈效果表现了曾使两次世界大战之间及战后时期几代人感到困惑的那些道德、宗教和政治问题。德国哲学家和诗人尼采承认他曾受惠于陀思妥耶夫斯基。一位纳粹上台前的德国评论家宣称，在马丁·路德之后，陀思妥耶夫斯基是对德国精神影响最大的人。20世纪小说家马尔罗断言，在法国，陀思妥耶夫斯基曾对他这一代人的思想发展产生深刻影响。20世纪法国哲学家萨特称赞陀思妥耶夫斯基对理性专横的谴责曾有助于鼓舞他的存在主义信念。尽管传说列宁曾就陀思妥耶夫斯基的小说说过"我可没有功夫去看这种拙劣的作品"，但陀思妥耶夫斯基在苏联仍拥有广大读者，一些著名的苏联小说家也曾受到他的作品的影响。如果说检验一个伟大作家的标准在于他能否用他的想象力去影响他的读者，改变他们的感受，那么陀思妥耶夫斯基的那些用非传统手法塑造出来的主人公确实影响了20世纪美国小说中许多人物的塑造，这些人物似乎都是备受折磨的怀疑症患者的写照。

dōtaku 铜铎 细长的铃状青铜制品。借此证明日本中部存在过短暂的青铜器文化时期：从弥生时代(约公元前250～约公元250)中期，至古坟时代(约250～约500)。在铜铎上，有时用几何图形和线条艺术风格在线形浮雕上描绘出家庭生活和狩猎的情景，也有采用格子或花边状花纹作为装饰。铜铎的高度为10～127厘米。某些铜铎可能曾被当作打击乐器，但多半用作统治农业社区的氏族首领的非职能性象征。

Dothan 多森 美国亚拉巴马州东南部休斯顿县和戴尔县城市，休斯顿县县城(1903)。1858年始有人居住。1885年设市。现主要为农贸中心。花生种植现为该区主要经济支柱，每年10月或11月在多森举办全国花生节。以保健为主的服务业是经济重要组成部分。家禽养殖及磁带、轮胎和飞机零件的生产占重要经济地位。设有州立G.C.华莱士社区学院。人口：市57 737；都会统计区137 916(2000)。

Dotremont, Christian 多托蒙(1922-12-12，比利时特尔菲伦～1979-08-20，伯伊津恩) 比利时诗人，活跃的文化界名人，实验性美术小组"眼镜蛇"画派的创始人之一。曾受30年代比利时超现实主义的影响。第二次世界大战期间他在法国，与他人共同创建"写作技巧"小组，合编该小组刊物。战后返回比利时。随着"眼镜蛇"画派的建立(现在人们主要把它看成一种视觉艺术现象)，他开始追求一种纯粹的、超凡的诗体。于是便有了"语符"的发明。他刻意寻求创立一种新的"视觉原理"，一种"诗意风景画"。1951年患上肺结核病(最后死于此病)。他的病首次发作于丹麦。康复期间，他写完了自传体小说《石头与枕头》(1955)。在随后的作品中他继续其系统地破坏语言稳定性的实验，写有《语符Ⅰ》(1964)、《语符Ⅱ》(1965)、《日志》(1974)和《语迹》(1980；去世后出版)等书。

dotterel 小嘴鸻 鸻形目鸻科的几种鸟类，尤指欧亚小嘴鸻(*Eudromias morinellus*)而言。欧亚小嘴鸻上体褐色具斑点，有一条白色宽眼纹。一条窄的白带把灰色的胸部和黄褐色的腹部分开。体长约20厘米。营巢于冻原和横跨欧亚大陆东至阿拉斯加西部、南至英国和巴尔干的山地，迁徙到北非和中东。营巢主要由雄鸟负担。鸻属(*Charadrius*)的几个种在澳大利亚称为小嘴鸻，新西兰的栗胸鸻(*C. obscurus* 或 *Pluviorhynchus obscurus*)也是如此。有两种小嘴鸻：茶喉小嘴鸻(*Oreopholus ruficollis*)和棕胸小嘴鸻(*Zonibyx modestus*)，见于南美洲南部。澳洲小嘴鸻(*Peltohyas australis*)是燕鸻科的一种走鸻，有时称为澳大利亚(或内地)小嘴鸻。

欧亚小嘴鸻(*Eudromias morinellus*)
美国不列颠百科全书公司供图

Dottore 博士 意大利即兴喜剧中的定型角色，一位夸夸其谈、卖弄学识的漫画式人物。博士的职业没有明确规定，有时是位法律学者，在任何场合都可随时提供咨询，那笨拙的法庭辩词是喜剧性对话的基础；有时又是一位内科医生，带着包治百病的大注射器和荒谬绝伦的医药汇编；也可能是一位雄辩家或语法学家。博士的造型特征为有时戴一半假面，有时用假面颊、假鼻子，穿黑短外套，戴博士头饰和白色宽硬的轮状皱领。当他作为一个医生出现时，戴一顶翻转的大帽子，被称为隆巴迪医师，仿照16世纪两个著名演员演这个角色的样子。博士的戏剧动作是一面滔滔不绝地讲话，一面漫无目的地徘徊。他

17世纪佚名油画《饰博士的比安科莱利》
美国不列颠百科全书公司供图

那冗长的学术演讲、学究气的双关语以及可笑的错误用词，均用一种将方言和拉丁语相混合的专门术语来表达。

dou 豆 又拼tou。中国古代食器。新石器时代已出现陶豆，状多为浅盘高足，有的带有细柄。战国后演变为陶灯。铜豆始见于商代后期，春秋中期出现较多。战国时盛行另一

周代中晚期的青铜豆
中国大百科全书出版社供图

种有盖铜豆，也有仿铜的明器。豆偶见于西汉前期，不久消失。

Dou, Gerrit 道（1613-04-07，荷兰莱顿～1675-02-09，莱顿） 荷兰巴罗克画家，莱顿画派主要美术家，以家庭风俗画和肖像画闻名。1628～1631年师从伦勃朗学画，沿用大师题材，使用厚涂法，精心构图，并且戏剧般地处理光线与阴影。1631年伦勃朗离莱顿后，道继续在木板上作小幅画，并把作品装在特制的装饰架中。其伦勃朗式的肖像画渐为附加细节的家庭风俗题材所取代。色彩趋于阴冷

道自画像
美国不列颠百科全书公司供图

而技法越发精炼。静物为其创作主要题材，如厨房常被蔬菜、家禽和用具所塞满。1650年后，作多幅烛光照耀的夜景画。

Dou E Yuan 《窦娥冤》 英文作 Injustice Suffered by Tou-o。中国元代杂剧作家关汉卿（**Guan Hanqing**）的代表作之一。全名《感天动地窦娥冤》。剧情为：窦娥3岁丧母，7岁因抵债到蔡婆家做童养媳；17岁成婚，丈夫当年去世。蔡婆索债险被勒死，张驴儿父子将她救活，并借此占住蔡家，强逼蔡家婆媳改嫁他们父子。蔡婆被迫依从，窦娥抵死不从。张驴儿欲毒死蔡婆，却害死了自己的父亲，转而诬告窦娥为凶手。窦娥被判斩刑，临刑发下三桩誓愿（果然蒙冤，头落处，血飞素练；六月天降大雪；楚州大旱三年）竟一一应验。三年后，其父窦天章任肃政廉访使，窦娥鬼魂申诉，冤案平反。剧中情节与汉刘向《说苑》及《汉书·于定国传》中“东海孝妇”故事近似，可能有所借鉴。窦娥善良坚强的艺术形象，以及呼天抢地的控诉和不平之鸣具有震撼人心的力量。王国维《宋元戏曲史》认为：“剧中虽有恶人交构其间，而其蹈汤赴火者，仍出于其主人翁之意志，即列之于世界大悲剧中，令天愧色也。”明叶宪祖、袁于令将该剧改编为传奇《金锁记》。京剧、蒲剧等剧种均有改编演出。

Dou Jiande 窦建德（573～621） 又拼Tou Chien-teh。中国隋（581～618）末农民起义领袖。贝州漳南（今河北故城东）人。原为里

河北曲阳窦王殿
中国大百科全书出版社供图

长，611年人伍为二百人长。因助农民军孙安祖起义，家属为隋朝杀害，率部投奔高士达，举兵反隋。高士达死后，建德继为领袖，有众十余万。617年在乐寿（今河北献县）称长乐王。建元丁丑，署置百官，分治郡县。随即声援瓦岗军，歼灭隋将薛世雄进剿的三万余人，声势大振。据有江北大部地区。618年建国大夏，称夏王，定都乐寿，改元五凤。次年迁都洺州（今河北永年东南）。619年擒杀隋叛军首领宇文化及。劝课农桑，境内无盗，商旅安谧，颇有治绩。621年唐派李世民围攻洛阳王世充，建德率兵救援。因轻敌败于虎牢关（今河南荥阳西北汜水镇），被俘至长安杀害。

Douai 杜埃 法国北部北加来海峡大区诺尔省城镇。北距里尔24英里（39千米），东北距比利时边界13英里，在斯卡尔普河畔平原上。虽然在第一和第二次世界大战中受到严重破坏，但全镇几乎全部重建，仍保留有许多18世纪的房屋。作为本国北部采煤中心，有重要化工厂和机械厂。生产采煤和铁路设备。当地1562年所建的大学，1887年迁往里尔，但因多教育机构，仍有大学城风貌。保存有1380年所建的哥特式钟楼、经修复的13世纪圣母院教堂中殿和16～18世纪建隐修院（现辟为博物馆，藏有16世纪绘画）。杜埃曾先后被佛兰德伯爵、勃艮第公爵以及奥地利和西班牙统治过。1667年被路易十四攻占，次年归属法国。近年发展起印刷厂和汽车厂。人口44 195（1990）。

Douai, Merlin de 杜埃 参阅**Merlin, Philippe-Antoine, Comte** 梅兰伯爵。

Douai-Reims Bible 《杜埃-兰斯圣经》 又称《兰斯-杜埃圣经》。《通俗拉丁文本圣经》的英译本，由流亡杜埃（今法国境内）的英国天主教学者翻译，并由当地的英格兰学院刊行。《新约》部分于1582年出版于兰斯（英格兰学院于1578年迁入的临时地址）。《旧约》部分于其后不久译成，但到1609～1610年方在杜埃出版。从事翻译的是一些前牛津大学的学者，目的在于使操英语的天主教徒有法定的天主教《圣经》以代替当时流行的几种新教译本。此本附有驳斥新教异端的注释。

Douala（people） 参阅**Duala** 杜亚拉人。

Douala 杜阿拉 喀麦隆主要港口，濒临武里河河口湾（大西洋）。与喀麦隆各大城镇通公路或铁路，建有国际机场。1901～1916年

杜阿拉的武里河大桥
中国大百科全书出版社供图

为德属喀麦隆保护地首都。1940～1946年为喀麦隆首都。第二次世界大战后发展迅速,现为人口最多的城市。作为非洲中部主要工业中心之一,有酿造、纺织等工厂,生产建筑材料、纸张、自行车、玻璃等。至80年代中期,近海的天然气尚未开发,有深水港。本国外贸货物大部分在此装运。市内有雅温得大学经济分校及各种农工商业学校和研究所。设有博物馆和手工艺中心,鼓励生产和保持喀麦隆艺术。人口810 490(1987)。

Douarnenez　杜瓦讷内　法国西部布列塔尼大区菲尼斯泰尔省城镇。在坎佩尔西北,临杜瓦讷内湾(大西洋)普尔达维河口湾口。根据布列塔尼民间传说,伊斯城就在海湾底下。河口湾中特里斯丹岛,得名于中世纪传说故事中的人物特里斯丹。保存有16、17世纪教堂。作为渔港,有渔产加工、织网和造船业。人口16 701(1990)。

double-aspect theory(philosophy)　**两面论**　参阅 **identity theory 同一论**。

double bass　低音提琴　又作contrabass或bass。弦乐器。提琴族中最低音的成员,发声比大提琴低8度。有两种基本设计,一种状似维奥尔琴,另一种状似小提琴。尺寸变化

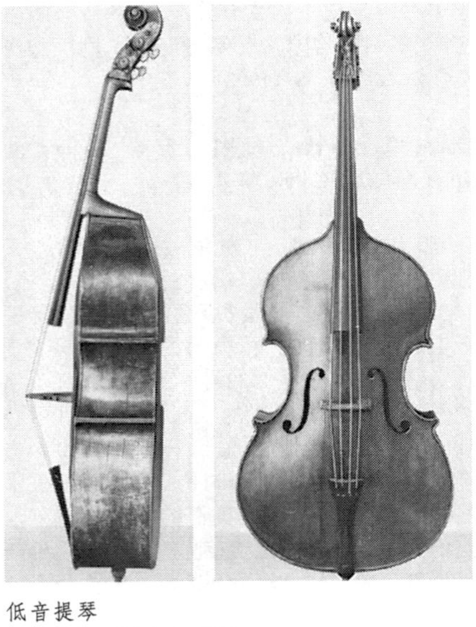

低音提琴
美国不列颠百科全书公司供图

很大,最大的连头带尾一般不高于1.8米。成人琴的琴身(不算琴颈)可高达1.4米,3/4型的琴约为1.2米,而小型室内低音提琴则仅仅略大于大提琴。低音提琴通常有4根粗弦,其定音为 E_1—A_1—D—G,有时加第5根弦:爵士乐队用的低音提琴加在高音区,使高音较易演奏;交响乐队用的低音提琴加在E弦以下,其定弦为C。有许多低音提琴不是加上第5根弦,而是把E弦伸张到琴颈端的琴头上,以使音域较低,可达E♭、D、D♭、C等音。低音提琴用的弓有两种类型:一种是法国型的,短而窄,像小提琴的弓,握弓时掌心向下;另一种是德国型的,弓较宽,像维奥尔琴的弓,握弓时掌心向上。低音提琴也用拨奏——在交响乐队中偶尔用之,而在爵士乐和舞蹈乐队中则经常使用。低音提琴在18世纪得到广泛运用。贝多芬和后来的作曲家使低音提琴在交响乐队中获得更为重要的地位。贝多芬的朋友德拉戈内蒂和指挥家库塞维茨基均作有低音提琴协奏曲。在爵士乐重奏中,低音提琴形成节奏部分,并且也用作旋律乐器。

double coconut(palm)　**复椰子**　参阅 **coco de mer 海椰子**。

double dactyls　双扬抑抑格　亦称higgledy-piggledy。一种轻松的诗体,有八诗行,分成两诗节,每行有两个扬抑抑格。第一行必须有一个韵律重复,经常是杂乱无章或毫无意义;第二行必须是一个名字;每一诗节最后几行的行末弱音节要略去,而且还应押韵;第二诗节中有一行必须是由一个单词组成。

double jeopardy　一事不再理　又译一事不重复追究。法律上指为防止国家多次起诉而采取的保护措施。一般地说,一个人不能因同一行为而两次被判定犯有同一罪行。如果一个人抢劫了一家银行,他不能因为同一罪行而被两次判定犯有抢劫罪,也不能因同一行为而被判犯两种不同的罪,除非这两种罪名属于所禁止行为的根本不同类的罪行。因此,任何人不得因同一杀人行为而被判谋杀罪和非预谋杀人罪;但是,却可以被判犯有谋杀罪和抢劫罪,只要他在抢劫的同时还进行谋杀。一事不再理的辩护理由还足以阻止任何业经宣告无罪释放的人因同一罪行而受国家的第二次审判。国家也不得在审判已开始后为了重新审理而随意中止原审理。但是,一国或一州所宣告的无罪释放,并不总是妨碍他国或他州进行审判。

double refraction　双折射　又作birefringence。一种光学性能:一条非偏振光线射入各向异性介质时,被分裂成各沿不同方向传播的两条光线。一条光线(称为非常光线)被偏转(或折射)一个角度而传过介质;另一条光线(称为寻常光线)通过介质后无变化。把玻璃和方解石两种材料进行对比,即可观察到双折射。在纸上画一铅笔记号,并用玻璃覆盖时,将只看到一个影像。但若用方解石覆盖,且将晶体沿特定方向摆放时,则可看到两个记号。图示即为通过方解石晶体的双折射现象。可以看到,一条入射光线从 C 点射

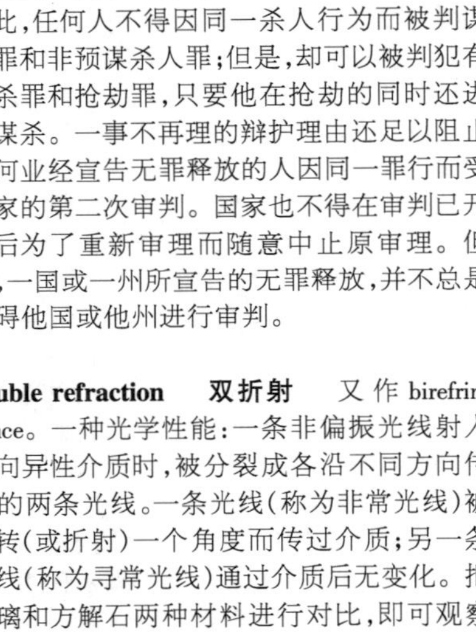

通过方解石晶体的双折射示意图

入晶面后,被分裂为寻常光线 CO 和非常光线 CE。但入射光沿光轴方向射入晶体时,光线就不会分裂。双折射中的寻常光线和非常光线均为平面偏振光,其振动平面互成直角。另外,观测发现,寻常光线的折射率沿所有方向都是一样的。非常光线的折射率则依其所取的方向而变,原因是它兼有平行于和垂直于光轴的分量。由于光波在介质中的速度等于光在真空中的速度除以相应该波长的折射率,故而非常光线的传播可以快于或慢于寻常光线。透明晶体中,除属于立方晶系者常为光学各向同性之外,余者均呈现双折射现象;方解石之外,冰、云母、石英、食糖和电气石都是熟知的例证。另一些物质在特定环境下也能变为双折射物质:例如含有长链分子的溶液在流动时呈现双折射,称为流动双折射;由长链聚合物分子构成的塑料受压或受拉时也会产生双折射,称为光测弹性。某些各向同性材料(如玻璃)甚至在置于磁场或电场中乃至受应力作用时也能产生双折射。

double star　参阅 **binary star 双星**。

double sugar(biochemistry)　参阅 **disaccharide 二糖**。

double vision　复视　又作diplopia。一种症状,表现为将一个物体看成两个影像。最常见的原因为眼肌麻痹。正常的双眼单视是大脑把来自两眼的稍有不同的影像融合的结果。两眼视网膜上的各点有互相对应的关系。如一只眼的眼外肌麻痹时,物体投影在两眼视网膜的非对应点上,即成复视。复视的方位决定于麻痹的肌肉。近处的物体被看成交叉影像,即左眼所见的影像位于右眼所见影像右侧。较远的物体也形成两个影像,但互相的位置关系正常。因为麻痹眼的焦聚作用亦有障碍,因此所看到的影像常较模糊。在一只眼前放置滤色玻片也可以辨清两眼的影像。复视为肉毒中毒的早期症状之一,亦见于其他感染性疾病、头部创伤、神经麻痹或肌肉疾患。重症肌无力为最常见的致复视的眼肌疾患,复视为其最早期症状,以后其他肌肉亦受侵犯。复视又见于良性眼肌无力,该病似重症肌无力,但不扩展到其他肌肉。

Doubleday, Abner　道布尔戴(1819-06-26,美国纽约鲍尔斯顿斯帕～1893-01-26,新泽西门德姆)　美国陆军军官,据某些权威人士说,他是棒球的发明者。曾在纽约州奥本和库珀斯敦上学,1838年被派往美国军事学院上学。1842年毕业于美国军事学院,在对墨西哥的战争中任炮兵军官。他指挥的炮兵是最早参加南北战争的北部军队之一。1867年获上校军衔,1873年退役。经斯波尔丁委员会考证,1839年夏道布尔戴曾在纽约州库珀斯敦制定棒球基本规则,时为该地军事预备学校教员,因此该地被定为全国棒球名人堂和博物馆的地址。斯波尔丁委员会又查明,棒球并非起源于美国而同英国的比较古老的圆场棒球有明显的联系。

Doubleday, Frank Nelson　道布尔戴(1862-01-08,美国纽约布鲁克林～1934-01-30,佛罗里达科科纳格罗夫)　美国出版商和道布尔戴出版公司创办人。15岁辍学进斯克里布纳出版社学艺。1886年《斯克里布纳杂志》创办时,他担任经理。1897年起先后与不同合伙人合伙创办出版公司。1910年在纽约州花园城建立农村生活出版社,同时还办有30多

美国不列颠百科全书公司供图

家连锁书店。1946年原来与人合伙的公司改称道布尔戴公司。在该公司出版作品的作者之一R.吉卜林根据道布尔戴姓名的首写字母F.N.D.送他诨号"Effendi",即突厥语里的"阿凡提",亦即"老爷"之意,并由此叫响。在该公司出版作品的其他作者有J.康拉德、欧·亨利、B.塔金顿、E.费伯、S.拉格洛夫等。1910年他以笔名C.T.怀特菲尔德出版《一个普通美国人在英国》一书。

doublet 道布莱特上衣 15～17世纪的一种主要男式上衣。穿在衬衫外面,有腰身、加衬垫的紧身上衣。其原型称吉庞,是战士穿在盔甲内的束腰上衣。起初平民穿的道布莱特有下摆。1540年前均无衣领。衣袖开始是平直窄小的,后改成宽大、有肩垫、袖口开叉。以后又有活袖子的,前襟用纽扣、钩子或带等扣住。腰身的高低和宽窄与衣料一样随着国别而不同。16世纪70年代从荷兰传入英格兰一种罕见的式样,名为豆荚或鹅腹式道布莱特,是在腰部加衬垫使腰带上侧团团鼓起。该式样在木偶剧主角庞奇的传统服装中保存至今。在伊丽莎白时代的英国,男子通常上身穿一件道布莱特,下身穿一条紧身裤。

约1580年绘画中身穿道布莱特上衣的男子与男童

美国不列颠百科全书公司供图

Doubs 杜省 法国东部弗朗什孔泰大区省份。与瑞士交界。面积5 228平方千米。由蒙贝利亚尔(**Montbéliard**)的阿尔萨斯公国和历史上弗朗什孔泰省的一部分组成。下设三个专区:贝桑松、蒙贝利亚尔和蓬塔利耶。该省在贝桑松教育区内,省会贝桑松(**Besan-çon**)。主要河流有杜河。气候寒冷而多雨,冬季严寒。较高地区降雪期6～8个月,分布有优良草场。平原种植各种谷物以及蔬菜、水果和葡萄。合作社工厂生产大量格吕耶尔干酪。大部分地区为乡村。城镇多在杜河河谷地或附近,有手表、五金、汽车、纺织、食品等主要行业。北部以蒙贝利亚尔的汽车制造业影响最大。山区杜河上游谷地的蓬塔利耶为传统行业中心,出产酒、干酪、针织品和木材等。该省旅游业发达。人口505 557(2003)。

Doubs River 杜河 法国东部河流。发源地海拔937米,在杜省境内侏罗山区的穆特附近。上游部分河段为急流,过蓬塔利耶前形成圣普安湖,然后在布勒内湖处成为一瀑布(杜瀑布),后穿32千米长峡谷,流入瑞士领土并急转回向西经圣伊波利特折北,至蒙贝利亚尔南侧接纳莱茵-罗讷运河,再向西南流经杜省省会贝桑松,最后在多勒以下汇入索恩河。全长430千米。

doubt, methodic (Cartesian philosophy) 参阅 **methodic doubt** 方法的怀疑。

douc 白臀叶猴 越南中部、南部,老挝南部以及柬埔寨东北部的热带森林里三种毛色艳丽的叶猴的统称。是色彩上引人注目的灵长类之一。头部棕褐色,身体的蓝灰色来自于每根毛上黑白相间的条纹。尾巴和面颊上长长的胡须是白色的,如同臀部的斑点和颈的前部那样,有着红色的项链形状的镶边。在它们鲜艳的橘黄色的脸上长着倾斜的杏仁状眼睛。可以长到半米多长,不包括略长于躯干的尾巴。雄性重11千克,雌性重8.5千克。红腿白臀叶猴分布在北纬14°～20°之间,它们膝关节以下的腿是栗色的,而前臂为白色。黑腿白臀叶猴分布在北纬14°以南,具有黑色的腿、灰色的臂,以及黑色的脸。在越南的南部高地,这两个种类的分布范围有所重叠,但可以确定很少有种间杂交。在20世纪90年代,第三个种类,灰腿白臀叶猴,在越南北纬14°附近的一小部分孤立的森林中被发现。对野生的白臀叶猴只有一些大体上的研究。它们的群体数目在4～50只之间,或者更多,可达12个雄性和24个雌性。通常食用嫩叶,也采食果实、花朵以及种子。由于越南和老挝大规模砍伐森林,所有的种类,特别是灰腿白臀叶猴,面临着灭绝危险。白臀叶猴和其他的叶猴都属于灵长目的猴科。

Doudart de Lagrée, Ernest-Marc-Louis (de Gonzague) 特拉格来(1823-03-31,法国圣樊尚德梅屈泽～1868-03-12,中国云南东川) 法国探险家和外交家,是他使法国在柬埔寨获得霸权。1845年参加法国海军。1863年从越南西贡前往乌东要求诺罗敦(**Norodom**)接受法国保护,他成为法国驻柬埔寨第一任代表。特拉格来声称来年即将废黜诺罗敦,使诺罗敦于1863年不得不允许签订保护条约。特拉格来于1864年成为法国海军中的一个指挥官,任法国驻金边使节。1866年率勘察队溯湄公河进入老挝和中国,卒于云南省北部。

Dougga (Tunisia) **杜加** 参阅 **Thugga** 土加。

dough 面团 面粉加水及其他成分,如发酵剂、起酥油、糖、盐、蛋及各种香料揉和成的混合物,用以制作焙烤食品。浆糊状的混合物,则称为面糊。面团质地厚,有可塑性,可揉捏、卷拢、成形,并有弹性,焙烤时能大幅度膨胀,弹性大小因所含弹性蛋白质,即面筋的量而异。面团用于制面包与焙烤食品。与制面包的面团比较,咖啡饼和丹麦糕点等所使用的甜面团成分更加丰富,含有较多的起酥油、奶、糖、各种香料及干、鲜果料。扁平面包及大多数西式馅饼的外层用未经发酵的面团制作。千层饼和拿破仑糕则用膨化面糊,糕层之间用蛋奶冻与搅打起泡的稀奶油作夹心。丹麦糕是面团与起酥油交替相间,擀薄后烤成的松软糕点。在高原地区需减少发酵剂,增加水分,以避免因气压低液体沸点降低引起面团膨胀过快。

Dougherty, Walter Hampden (American actor) **多尔蒂** 参阅 **Hampden, Walter** 汉普登。

Doughty, Charles Montagu 道蒂(1843-08-19,英格兰萨福克莱斯顿塞伯顿府第～1926-01-20,肯特锡辛赫斯特) 英国旅行家,被认为是在阿拉伯游历的西方旅行家中最伟大的一位。在就读于伦敦大学和剑桥大学之后,游历了欧洲、埃及、基督教圣地、叙利亚以及阿拉伯半岛西北部。1876年到大马士革,然后继续向南,随同朝圣者去麦加,最远到达因萨利赫。在那里研究了古代纳巴泰文化留下的遗迹和碑文。后一段旅程包括泰马、哈伊勒、欧奈宰、塔伊夫和吉达,并进行了他最重要的地理、地质和人类学考察。著有《阿拉伯沙漠旅行》(1888出版)一书,被认为是游记中的杰作。作品还有《曙光在英国》(6卷,1906)、《云雾》(1912)、《精灵》(1920)等。

Douglas 道格拉斯 1869年后成为不列颠群岛中的马恩岛首府和自治市。位于岛东岸,在利物浦西北130千米处。18世纪,因走私贸易而发展迅速。1850年成为海滨胜地。现以旅游、轻型精密器械制造、酿酒和矿泉水加工为主。港口位于道河和格拉斯河河口,西南方有民用机场。历史古迹有建于"圣玛丽岩石"上的避难塔(1832)、莫纳城堡(1804)和马恩岛陈列馆。岛上每年6月举办"旅游杯"摩托车赛和国际自行车赛,9月举行马恩岛大奖赛。马恩岛电气化铁路通往拉姆西和斯内山顶(620米)。马恩岛蒸汽机车铁路通埃林港。人口19 944(1981)。

Douglas 道格拉斯 美国阿拉斯加首府朱诺(**Juneau**)的一个郊区。

Douglas 道格拉斯 美国亚利桑那州东南部科奇斯县城市。地处萨尔弗斯普林斯谷。

为墨西哥边界入境港。约1901年建为炼铜中心。水利建设带来畜牧和农业,使经济多样化。现为墨西哥索诺拉州东部一带商品进口站。城西有科奇斯学院(1964)。人口14 312(2000)。

Douglas 道格拉斯 美国佐治亚州中南部城市,科菲县县城(1858)。始建于1858年,1895年设镇,1899年设市。该城是大片农业区的贸易中心,也是州内最主要烟草市场之一。其他经济部门有林业、牲畜和家禽饲养以及活动住房、服装制造、发动机及部件生产等。南佐治亚学院(1906)是佐治亚州最早的州立初级学院。人口10 639(2000)。

Douglas 道格拉斯 美国怀俄明州中东部城市,康弗斯县县城(1887)。临北普拉特河,西距卡斯珀84千米。1886年随着铁路的修通而兴建。现为附近谷物、家畜、家禽和石油

道格拉斯市附近的艾尔斯天生桥
美国不列颠百科全书公司供图

产区的贸易中心,每年举办怀俄明州交易会。河南有梅迪辛鲍国家森林,河北有桑德贝森国家草原。附近有横跨拉普雷勒河的艾尔斯天生桥(10米)。人口5 288(2000)。

Douglas, EARLS OF 道格拉斯伯爵 苏格兰封爵贵族,属道格拉斯家族各支系。按年代顺序分列于后,并各以●为标记。

● Douglas, William Douglas, 1st earl of 道格拉斯伯爵(第一)(约1327～1384-05,苏格兰拉纳克希尔道格拉斯) 苏格兰贵族,14世纪王朝战争和英格兰战争中的杰出人物。苏格兰摄政阿奇博尔德·道格拉斯爵士之子。在法国受教育,1348年回苏格兰。1353年在埃特里克森林杀死他的教父利德斯代尔爵士威廉,从而获得利德斯代尔的部分领地。1357年与第9代马尔伯爵托马斯的妹妹和女继承人玛格丽特结婚,1374年得到马尔伯爵的爵位和领地。1358年封道格拉斯伯爵,1363～1364年他和戴维二世国王一起建议与英格兰订立条约,以一个英格兰王子代替罗伯特·斯图亚特(后为罗伯特二世)为苏格兰王位继承人。戴维是为了豁免他的赎金,他则是为了收回他的家族在英格兰的庄园。1371年罗伯特二世即位,他与之和解,被任命为苏格兰边区长官。

● Douglas, James Douglas, 2nd earl of 道格拉斯伯爵(第二)(约1358～1388-08,苏格兰罗克斯堡郡奥特本) 在14世纪末与英格兰作战的苏格兰首领。道格拉斯伯爵(第一)威廉·道格拉斯之子。1371或1373年与罗伯特二世国王之女伊莎贝尔结婚。1388年入侵英格兰,包围纽卡斯尔3天,只身夺得H.珀西爵士的旗帜。珀西企图复仇,但在奥特本战役(1388-08)中兵败为苏格兰人俘获。道格拉斯在是役中阵亡。

● Douglas, Archibald Douglas, 4th earl of 道格拉斯伯爵(第四)(约1369～1424-08-17,法国韦尔讷伊) 15世纪初苏格兰和法国与英格兰作战中苏格兰军队指挥官。第3位伯爵冷酷的阿奇博尔德之子。与苏格兰国王罗伯特三世的女儿玛格丽特结婚。1400年在普雷斯顿附近打败H.珀西爵士和马奇伯爵,占领了马奇的领地。当入侵英格兰时,他在霍米尔登山战役(1402-09)中为珀西所俘。他与俘虏他的人一起在什鲁斯伯里战役(1403)中与亨利四世作战,又被这位英格兰国王俘虏。1405年以后几度获准回到苏格兰,就释放1406年乘船前往法国时被英格兰人扣留的苏格兰国王詹姆斯一世的问题,在苏格兰人和英格兰人之间来往折冲。1413年他最后获释。他率1万名苏格兰人协助法王查理七世对英格兰人作战,成为法国陆军中将,获得图赖讷公爵领地。后在韦尔讷伊战役中与贝德福德公爵约翰作战时阵亡,遗体葬于图尔大教堂。

● Douglas, William Douglas, 8th earl of 道格拉斯伯爵(第八)(约1425～1452-02-22,苏格兰斯特灵区斯特灵) 苏格兰国王詹姆斯二世在位时期的著名贵族。他是黑道格拉斯家族的成员,这个家族由于被指控谋反而失去领地。但是,他通过与"加洛韦的美人"玛格丽特结婚,重新得到加洛韦和威格敦。他起初很受詹姆斯的宠信,从而获得博思韦尔的领地。然而,当他在1450年前去罗马朝圣时,詹姆斯二世却将他的领地没收。但两人表面上似保持友好关系。1452年詹姆斯二世邀请他到斯特灵城堡会晤。詹姆斯二世要求他解除与第4代克劳福德伯爵"老虎"A.林赛结成的联盟。由于表示拒绝,被国王亲手杀死。

● Douglas, James Douglas, 9th earl of 道格拉斯伯爵(第九)(1426～1488-07-14,苏格兰法夫林多尔斯隐修院) 苏格兰贵族道格拉斯伯爵家族第一支系的最后成员。他最初企图为被害的兄长(第8位伯爵)报仇,但由于盟友的背弃,不得不向詹姆斯二世屈服(1452-08)。为了保持家族领地的完整,他与寡嫂"加洛韦的美人"玛格丽特结婚。1454年公开谴责国王谋杀他的哥哥,率4万人反对国王。但这时,该家族的另一支系(红道格拉斯家族)兴起,支持国王,他又一次遭到盟友的背弃,逃往英格兰。他的爵位被剥夺,他的妻子与他离了婚。道格拉斯的爵位被授予安格斯伯爵。后来,他长期与英格兰的约克派勾结,并得到英格兰国王爱德华四世的宠信。1461年爱德华四世派他与罗斯伯爵约翰订约,反对允许英格兰的亨利六世前去避难的苏格兰国王。1484年他在袭击南苏格兰时被俘,送入法夫的林多尔斯隐修院,4年后死去。

Douglas, Aaron 道格拉斯(1899-05-26,美国堪萨斯州托皮卡～1979-02-12,田纳西纳什维尔) 非洲裔美国画家、书画雕刻艺术家。在20世纪20年代的哈勒姆文艺复兴运动中发挥主要作用。1925年移居纽约市。在此加入了在哈勒姆区发展蓬勃的艺术现场,后来演变成为知名的哈勒姆文艺复兴。在他的杂志插图与壁画中,他以取自非洲艺术格式化的几何图形合成立体派的形式。最著名的作品或许要算是一组四幅壁画,整组作品被命名为《黑人生活的诸方面》,是为纽约公立图书馆第135街分馆而作。其插画以色调的逐渐变化与装饰派艺术风格剪影而广为人知。1939～1966年在费斯克大学任教。

Douglas, Archibald 道格拉斯 参阅Douglas, Archibald Douglas, 4th earl of 道格拉斯伯爵(第四);Angus, Archibald Douglas, 6th earl of 安格斯伯爵(第六);Angus, Archibald Douglas, 8th earl of, Earl of Morton 安格斯伯爵(第八)。

Douglas, Clifford (Hugh) 道格拉斯(1879-01-20,英格兰柴郡斯托克波特～1952-09-29,苏格兰邓迪) 英国经济学家,社会信贷理论的创始人。开始时从事工程和企业管理,因社会不能充分利用现代工艺而促使他对经济理论关注。这些理论在A.R.奥雷奇主编的《新世纪》(1919)杂志上及道格拉斯第一部专著《经济民主》(1920)中都有所阐述。道格拉斯的基本思想是:为了使生产解脱价格体制的羁绊,医治国家经济中购买力不足的顽症,必定要给消费者增发货币和给生产商发给补贴。在20世纪20年代初期,他的思想受到相当多的公众注意。在加拿大艾伯塔省他的追随者较多。1935年该省还成立了社会信用党。这个党在1971年前一直左右着该省政治,但道格拉斯的原理早在20世纪30年代后期就已被放弃。

Douglas, David 道格拉斯(1798,苏格兰珀斯郡斯昆～1834-07-12,桑威奇群岛[夏威夷]) 苏格兰植物学家,北美旅行家和植物采集家。道格拉斯氏杉(*Pseudotsuga menziesii* 或 *P. douglasii*)和道格拉斯氏樱草属(*Douglasia*)都以他的姓氏命名。他曾在格拉斯哥植物园为园丁,后为皇家园艺学会去美国采集植物。1823年首次去俄勒冈地区,其后又进行了几次科学旅行,尤其是到北美西部边远地区。1825年去不列颠哥伦比亚,然后深入内陆旅行,于1827年到达哈得孙湾。沿途发现了许多新的动、植物种,其中包括道格拉斯氏杉。1830～1834年,考察了加利福尼亚以及弗雷泽河流域。他为英国引进了50种新乔木、灌木以及约100种草本植物。

Douglas, Donald (Wills) 道格拉斯(1892-04-06,美国纽约州布鲁克林～1981-02-01,加利福尼亚棕榈泉) 美国飞机设计师,道格拉斯飞机公司的创办人。1914～1915年他协

助J.C.亨萨克在麻省理工学院建成第一座风洞。曾任G.L.马丁公司总工程师。1920年创办道格拉斯飞机公司。他早期的政府合同包括订购一批道格拉斯环球巡游者式双翼机。4架飞机中的2架曾于1924年4月6日至9月28日首次环球飞行。在制造DC－1型民用运输机的原型机(1933年7月飞行)和DC－2型生产样机后,1935年生产了功率更大、性能更好的DC－3型(军用代号C－47[达科他])运输机。其他成功的商用飞机有4发动机的DC－4型(军用型在空军称C－54,在海军称R 5D－1)、DC－6和DC－7型。第二次世界大战期间,他曾制造A－20、A－26轻型轰炸机和SBD俯冲轰炸机。战后生产的飞机包括DC－8、DC－9和DC－10喷气式运输机,以及A－4强击轰炸机。1957年他辞去道格拉斯飞机公司董事长的职务。1967年该公司成为麦克唐纳-道格拉斯公司的分公司。

Douglas, Gawin　道格拉斯(1475?～1522-09,伦敦)　苏格兰诗人,维吉尔史诗《埃涅阿斯纪》的第一个英译者。作为主教和一个显赫家族的成员,他在苏格兰史上一个纷乱时期起过重要作用。现存4部归于道格拉斯名下的作品反映了他的严肃道德和精通繁难的诗律。它们是:长诗《良心》和两个道德寓言《荣耀之宫》(1501)和《国王哈特》,以及《埃涅阿斯纪》。《荣耀之宫》是一个梦的寓言,主题为“真正的荣誉在哪里”,赞扬了严谨修辞的优点。《国王哈特》有力而形象地描写了哈特年轻时如何沉醉于花天酒地的生活,后不可避免地受到良心、岁月和死亡的袭击。他的最后一部文学著作是不列颠第一部直接译自原文的《埃涅阿斯纪》全译本。佛洛顿战役(1513)之后,道格拉斯弃文从政。国王遗孀玛格丽特·都铎下嫁道格拉斯之侄,使道格拉斯几乎位臻王侯,就任邓克尔德主教和女王的首席顾问,参与一系列阴谋,最后终于垮台。1521年,被政敌所迫逃往英格兰。流亡伦敦时,因染鼠疫身亡。

Douglas, George　道格拉斯(1869-01-26,苏格兰艾尔郡奥希尔特里～1902-08-28,伦敦)　苏格兰小说家。G.道格拉斯·布朗的笔名。对20世纪初的现实主义文学运动起过一定作用。在格拉斯哥大学和牛津大学上学时,他是一名出类拔萃的学生,曾多次获奖。1895年毕业后,他前往伦敦,为报刊撰稿,后成为审稿人。他的小说《有绿色百叶窗的房子》(1901)是最先抛弃传奇和冒险的文学作品之一,因对当时苏格兰生活所作的现实主义研究,受到广泛注意。另一本小说《爱与剑》(1899)较为逊色。他在生涯鼎盛之时猝然辞世。

Douglas, Helen Mary Gahagan　道格拉斯(1900-11-25,美国新泽西布恩顿～1980-06-28,纽约)　婚前名Helen Mary Gahagan。美国女演员和公职人员。就读于纽约巴纳德学院两年,后进入戏剧界。1922年在百老汇首次登台并在其后几年间出演多部戏剧。1928年离开剧院,转而研究歌剧演唱,在欧洲舞台多次成功演出。1930年返回纽约重登舞台。1931年与M.道格拉斯结婚。30年代鉴于大萧条时期的社会混乱,脱离共和党而成为民主党推行新政的积极分子。1939年和1940年分别任公共事业振兴署全国顾问委员会顾问和全国青少年局加州委员会委员。其后几年间担任若干州一级职务。1944年当选众议院议员至1951年1月。坚定支持H.S.杜鲁门总统的公平施政政策,1946年任联合国大会会议代表。1950年竞选参议院议员,败给R.尼克松。后从事演讲和写作。1963年出版《怀念埃莉诺·罗斯福》一书。

Douglas, James　道格拉斯　参阅**Douglas, James Douglas, 2nd earl of 道格拉斯伯爵(第二);Douglas, James Douglas, 9th earl of 道格拉斯伯爵(第九);Morton, James Douglas, 4th earl of 莫顿伯爵(第四)**。

Douglas, James　道格拉斯(1837-11-04,魁北克～1918-06-25,纽约市)　加拿大出生的美国采矿工程师、工业家和慈善事业家,对美国西南部的工业发展和福利做了重大贡献。他进爱丁堡大学学习过两年,学习医学和神

费尔普斯-道奇公司供图

学,之后回加拿大,1858年毕业于安大略省金斯顿女王大学,后曾任该校校长。他和T.S.亨特(1826～1892)一起发明由铜矿炼铜的亨特-道格拉斯法。1875年,他成为宾夕法尼亚州菲尼克斯维尔的化学铜公司负责人,在该处安装了第一台精炼铜用的工业电解铜装置,6年后,经销金属的纽约费尔普斯-道奇公司雇佣他去调查亚利桑那州的铜矿,结果发现了比斯比和莫伦西的铜矿。这两个矿是道格拉斯任总经理的皇后联合采铜公司的起点。后来该公司又取得其他矿山并建造了埃尔帕索和西南部的铁路。他鼓励开采镭矿,并向纽约市纪念总医院赠镭3克以上,以资助该院日后的癌症研究。1899～1901年他任美国采矿工程师学会主席。从1916年起,任费尔普斯-道奇公司董事长,直到逝世。

Douglas, Sir James　道格拉斯爵士(约1286～1330-08-25,西班牙)　苏格兰的道格拉斯家族的首领,R.de布鲁斯(苏格兰国王罗伯特一世)的拥护者。W.道格拉斯爵士(被英格兰人俘获,1298年死于伦敦塔)之子。在巴黎受教育。回国时发现英格兰人R.de克利福德占据了他的领地。他投奔布鲁斯,1306年3月参加布鲁斯在斯昆举行的加冕典礼。在梅斯文战役(1306-06)中失败后,随布鲁斯一起到处漂泊。次年,他回苏格兰南方,3次攻打在道格拉斯的自己的城堡,终于把它摧毁。他对英格兰人的袭击多次获得成功,因而赢得“黑道格拉斯”这个令人生畏的称号。1313年他将士兵装扮成黑牛,攻占了罗克斯堡城堡,从而夺取了蒂维厄特河谷。在班诺克本战役(1314-06)中他指挥左翼。1319年入侵约克郡,击败集结在斯韦尔河畔迈顿的英格兰部队。1327年8月对设在韦尔河谷的英格兰军营进行一次大胆的夜袭,几乎生俘爱德华三世。布鲁斯死(1329)前,要求道格拉斯把他的心脏带往圣地,以履行他未完成的十字军誓言。1330年道格拉斯带着装在银匣中的经过防腐处理的心脏出师,但在西班牙与摩尔人作战时阵亡。

Douglas, Sir James　道格拉斯(1803-08-15,英属圭亚那德梅拉拉～1877-08-02,加拿大不列颠哥伦比亚维多利亚)　加拿大政治家,以“不列颠哥伦比亚之父”闻名。1821年加入哈得孙湾公司,后负责落基山脉以西的业务活动。1849年将公司总部从俄勒冈迁至温哥华岛。1851～1864年任温哥华岛总督。1858年在弗雷泽河流域发现黄金以后,他把所辖区域扩展到大陆上。在英国政府的认可下,他开创不列颠哥伦比亚殖民地,1858年道格拉斯任该殖民地总督。1863年受封爵士。

Douglas, Keith Castellain　道格拉斯(1920-01-20,英格兰肯特罗亚尔坦布里奇韦尔斯～1944-06-09,法国诺曼底)　英国诗人。因在表现战争带来的苦难和破坏时的讥讽、雄辩和细致描写而知名。曾就读于牛津大学,第二次世界大战爆发后辍学。1941年在北非任坦克兵指挥员。他的一些优秀诗篇(如《从阿拉曼到泽姆-泽姆》,1946)即写于北非。1944年回国,参加盟军登陆作战,第三天在诺曼底阵亡。遗著《诗集》(1951)提高了他战争诗人的声誉。休斯所编《道格拉斯诗选》于1964年出版,确立了他作为具有普遍意义的诗人的地位。

Douglas, Margaret　道格拉斯　参阅**Lennox, Margaret Douglas, countess of 伦诺克斯伯爵夫人**。

Douglas, (George) Norman　道格拉斯(1868-12-08,奥地利图林根～1952-02-09,意大利卡普里)　散文作家和小说家。苏格兰乡绅家庭出身。曾在德国上学,对语言和自然科学有很深的造诣。1893年入英国外交部,但只从事过3年外交工作(在俄罗斯),随后周游印度、意大利和北非。处女作为《海妖的土地》(1911)。他的第一部受欢迎的成功之作讽刺小说《南风》(1917)是以卡普里岛为背景写成。其他著作有《老卡拉卜里亚》(1915)和自传《回顾》(1933)。

Douglas, Stephen A(rnold)　道格拉斯(1813-04-23,美国佛蒙特布兰登～1861-06-03,芝加哥)　美国政治家,民主党领袖和演说家。在美国南北战争(1861～1865)前各准州奴隶制问题上,他主张人民主权论。1858年,他与共和党候选人A.林肯进行了一系列

雄辩后再次在伊利诺伊当选参议员，但两年后在总统竞选中败于林肯。20岁时从新英格兰迁居伊利诺伊的杰克逊维尔，很快就成为当地民主党领导人。1843年当选众议员。他能言善辩但身材矮小，故被称为"小巨人"。毕生狂热地鼓吹美国扩张政策，支持兼并得克萨斯(1845)、墨西哥战争(1846～1848)，在俄勒冈的边界纠纷中对英国持强硬立场。他支持转让政府地产以促进泛大陆铁路的建设，支持对定居者实行自由宅地政策。1846年当选参议员并连任至死。在南北双方就奴隶制向西扩展问题的激烈辩论中，他作为准州委员会主席提出人民主权论，即允许准州的人民自行决定是否实行奴隶制度，以转移国会的责任。他自己不是奴隶主，但他的妻子是。他施加影响使国会通过《1850年妥协案》(试图在国会内维持自由州和蓄奴州间的平衡)。在人民主权论指导下组建犹他准州和新墨西哥准州是道格拉斯主张的胜利。1854年他提出的《堪萨斯-内布拉斯加法案》获得国会通过，是人民主权论的最光辉的胜利。但他遭到反奴隶制力量的严厉谴责。1857年最高法院在**德雷德·斯科特裁决(Dred Scott Decision)**中间接地打掉了人民主权论。该裁决认为，无论是国会或准州立法议会都不能废除准州的奴隶制。1860年北方的民主党人提名他为总统候选人，但南方的民主党人却支持J.C.布雷肯里奇。当他被林肯击败后，他要求南方接受选举的结果。南北战争爆发后，他谴责脱离联邦运动是一种犯罪行为。坚决主张不惜一切代价保持美国领土完整。林肯请他到边疆州和西北部鼓励联邦主义精神。

Douglas, Thomas　道格拉斯　参阅**Selkirk, Thomas Douglas, 5th earl of 塞尔扣克伯爵(第五)**。

Douglas, William　道格拉斯　参阅**Angus, William Douglas, 10th earl of 安格斯伯爵(第十); Douglas, William Douglas, 1st earl of 道格拉斯伯爵(第一); Douglas, William Douglas, 8th earl of 道格拉斯伯爵(第八)**。

Douglas, William O(rville)　道格拉斯(1898-10-16，美国明尼苏达缅因～1980-01-19，华盛顿[哥伦比亚特区])　美国行政官员、法律教育家和最高法院法官，以保卫个人自由闻名，在最高法院任职36年半，是美国历史上最长的任期。出身贫寒。1925年在哥伦比亚大学毕业后不久，加入华尔街的一家法律事务所。后来在哥伦比亚大学和耶鲁大学任教。1934年进入商业部研究破产问题。1937年任证券交易委员会主席，成为罗斯福总统的朋友和顾问。1939年任最高法院法官。尽管他处理了大量复杂的金融案件，但他最闻名的还在于捍卫公民自由。他在人权法案中是保障自由的绝对主义者。他驳回政府对言论自由的限制，捍卫不受约束的新闻自由。全然反对审查制度的态度使他经常成为保守的政治势力和宗教的原教旨主义者抨击的对象。他写过许多历史、政治和外交方面的著作，主要有《人和山》(1950)和《杂乱无章的人权法案》(1965)。

Douglas DC-3 (U.S. aircraft)　道格拉斯DC-3　参阅**DC-3 DC-3飞机**。

Douglas fir　道格拉斯氏杉　即黄杉。松科黄杉属(*Pseudotsuga*)植物。原产北美西部和东亚，约6种，为针叶常绿材用乔木。其针叶扁长，螺旋排列，直接从分枝上长出，黄绿或蓝绿色，上表面具沟，基部有一短梗。冬芽棕色，有光泽，具尖。球果长圆形，悬垂，苞片具3尖；球果一季成熟，落地时鳞片仍不脱落。北美称为道格拉斯氏杉的是花旗松(孟席斯氏黄杉，*P. menziesii*，或称道格拉斯氏黄杉[*P. douglasii*])，有几个变型，其一具反折苞片，或认为是独立种。花旗松高可达75米，直径2.4米，是北美最好的材用树之一，也常作为观赏树和圣诞树，太平洋沿岸用于人工造林。大约25年开始结籽，每隔5～7年种子产量为一次高

花旗松(*P. menziesii*)的球果
美国不列颠百科全书公司供图

峰。大果道格拉斯氏杉(大果黄杉，*P. macrocarpa*)植株较小，仅用以防止水土流失，球果长10～15厘米。

Douglas-Home, Sir Alec　道格拉斯-霍姆(1903-07-02，英格兰伦敦～1995-10-09，苏格兰贝里克郡科尔德斯特里姆赫塞尔)　即霍姆伯爵(第十四)。英国外交大臣(1960～1963)首相(1963-10-19～1964-10-16)。他的政府垮台后任反对党保守党在下院的外交事务发言人。1970～1974年再次出任外交大臣。原为下院议员(1931～1945，1950～1951)。1937～1939年任N.张伯伦首相的议会秘书。1945年在丘吉尔的"看守内阁"中当外交次官。1951～1955年任苏格兰事务大臣。1955～1960年任联邦关系大臣。1960～1963年任外交大臣。1963年10月放弃终身贵族地位并接替H.麦克米伦任首相，当时正值保守党处于危机之际。他对经济是外行，未能改善英国收支平衡日益恶化的局面。他促使下院通过反对限定物价的立法，遭到许多保守党人的反对。任外相和首相时因坚决反共受到美国的称赞。1964年大选中保守党失利，E.希思替代他任党的领袖。1974年12月受封为终身贵族。有自传《大势所趋》(1976)。

Douglas scale　道格拉斯氏海况和长浪分级表　两个独立的从0～9的数字系列，分别或合并用来从定性上确定大洋面受当地风激起的新(海)浪所干扰的程度以及受从遥远风源传来的衰减浪(即长浪或涌浪)所干扰的程度(见表)。海况和长浪分级表是1921年由英国海军上校H.P.道格拉斯发明的，并于1929年经哥本哈根国际气象学会议通过。

道格拉斯氏海况和长浪分级表(合并)

海况	长浪									
	无长浪	低		中			重			混乱长浪
		短或平均	长	短	平均	长	短	平均	长	
	0	1	2	3	4	5	6	7	8	9
0 宁静	00	01	02	03	04	05	06	07	08	09
1 平坦	10	11	12	13	14	15	16	17	18	19
2 轻扰	20	21	22	23	24	25	26	27	28	29
3 中扰	30	31	32	33	34	35	36	37	38	39
4 粗扰	40	41	42	43	44	45	46	47	48	49
5 极粗扰	50	51	52	53	54	55	56	57	58	59
6 高度干扰	60	61	62	63	64	65	66	67	68	69
7 极高度干扰	70	71	72	73	74	75	76	77	78	79
8 暴躁	80	81	82	83	84	85	86	87	88	89
9 混乱	90	91	92	93	94	95	96	97	98	99

Douglass, Andrew Ellicott　道格拉斯(1867-07-05，美国佛蒙特温莎～1962-03-20，亚利桑那图森)　美国天文学家和考古学家，创立了树木年代学。在亚利桑那州弗拉格斯塔夫的洛厄尔天文台工作时(1894～1901)，开始收集树木标本，认为树木年轮的宽度变化可显示太阳黑子的活动同陆地上的气候和植被之间的联系，并将这项研究定名为树木年代学。在亚利桑那大学教授天文学(1906起)和树木年代学(1936起)，并领导该大学设在图森的斯图尔德天文台(1918～1938)。在天文学方面的成就包括拍摄第一张黄道光照片。还是一位研究火星的权威。

Douglass, Frederick　道格拉斯(1818-02-07?，美国马里兰塔卡霍～1895-02-20，华盛顿[哥伦比亚特区])　原名F.A.W.贝利。逃亡奴隶，以杰出的口才与文采跻身于废奴运动的

美国不列颠百科全书公司供图

前列；他是在美国政府中获得高位的第一个黑人公民，成为19世纪最著名的人权领袖之一。幼年随祖母在马里兰州的种植园中生

活。8 岁时，主人送他到巴尔的摩，在 H. 奥尔德家当仆人。奥尔德的妻子无视马里兰的法律，教这个孩子读书，但奥尔德声称，学问会使他和奴隶身份不相适应。于是，他不得不在街上由学生们帮助，偷偷地继续学习。16 岁时，主人去世，他立即被遣返原来的种植园，在田间干活。后来，他被租借出去，在巴尔的摩当捻船缝工人。1833 年，他企图与其他 3 名工人逃走，但在出走前被发现。5 年后，他逃往纽约城，然后又去马萨诸塞的新贝德福德劳动 3 年。改名为道格拉斯，以躲避搜捕。1841 年，在马萨诸塞的楠塔基特的反奴隶制大会上，道格拉斯应邀讲述他在奴隶制下的感受和遭遇。这些即席发表的言论深深打动人心，结果他成为马萨诸塞州反奴隶制协会的代理人。从那时起，尽管受到责难、嘲笑、侮辱和激烈的个人攻击，道格拉斯始终不动摇他对废奴主义事业的忠诚。有些人怀疑这样一个能言善辩的发言人竟然作过奴隶。为了对付这些怀疑者，道格拉斯在 1845 年感到不得不写他的自传。自传于 1882 年修订完毕，题名《弗雷德里克·道格拉斯的生平与时代》，成为美国文学中的经典著作，也是从一个奴隶的角度写成的有关奴隶制的原始材料。由于他在叙述中已经揭露他以前主人的姓名和住址，为了避免重新被逮捕，道格拉斯离开美国，前往英国和爱尔兰。在国外，道格拉斯为废奴运动赢得许多新朋友，并加强了欧美两大洲之间关于人道主义改革的联系。道格拉斯归国时带回款项赎买了自己的自由，并开始创办他自己的反奴隶制报纸《北极星报》(后改名为《弗雷德里克·道格拉斯报》)，于1847 ～1860 年在纽约州的罗切斯特出版。废奴主义领袖 W.L. 加里森认为没有必要单独办一份适合黑人的报纸，两人由于这个问题以及道格拉斯支持以政治行动补充道义劝告的做法而终于决裂。1851 年后，道格拉斯参与废奴运动中 J.G. 伯尼领导的派别。然而他不鼓吹暴力，特别劝阻对弗吉尼亚的哈珀斯费里进行的袭击(1859-10)。南北战争时期(1861 ～ 1865)，他成为 A. 林肯总统的顾问，鼓吹武装以前的奴隶为北方作战。并主张使战争与奴隶制直接对抗。在重建时期(1865 ～1877)，他为使被解放了的奴隶获得充分公民权而坚决地战斗，并有力地支持妇女权利运动。此后，曾任圣多明各委员会助理秘书、哥伦比亚特区警察局长(1877 ～ 1881)、法官(1881 ～ 1886)及美国驻海地公使兼总领事(1889 ～ 1891)。

Douhet, Giulio　杜黑(1869-05-30，意大利卡塞塔～ 1930-02-15，罗马)　意大利将军、战略空中力量之父。最初为炮兵军官，1912 ～ 1915 年任意大利第一支航空部队即航空营营长。由于杜黑的努力，意大利参加第一次世界大战时，装 3 台发动机的卡普罗尼轰炸机已能投入使用。他很快认识到空中力量的发展潜力，力陈其说。他因强烈批评意大利统帅部的战争指导原则，而遭军法审判入狱并退役。但 1917 年意军在卡波雷托一役战败，证明杜黑的批评是正确的，因而平反，并出任航空部部长。杜黑最著名的著作为《制空权》(1921)，该书的某些内容虽因技术发展迅猛而显得过时，但其中战略轰炸足以瓦解以至消灭敌之战争能力这一重要作战理论影响到意大利和美国未来的军事计划。他还主张创建独立空军，削减陆军和海军以及对武装力量实行统一指挥。尽管人们对这些思想持有异议，但在第二次世界大战前，这些思想至少为各大国部分接受。

Doukas FAMILY (Byzantine family)　参阅 **Ducas family 杜卡斯家族**。

doulcemele(musical instrument)　参阅 **dulcemelos 迪尔塞梅洛琴**。

Douliu　斗六　又拼 Touliu。中国台湾省西岸中部云林县辖市及县治所在地。面积 93.7 平方千米。清光绪年间初设县时，县治在今南投县竹山镇(旧称林圯埔)的云林坪，县名由此而来；旋移治于斗六(原名斗六门)，仍沿袭旧名"云林城"。位于高雄市东北约 137 千米，地当台湾西部海岸平原中段。17 世纪初始渐发展，现为产于北部虎尾溪和南部云林溪两流域肥沃平原的稻谷、甘薯、花生及水果等农产品交易中心。有制糖和纺织等工业。交通便利，以市区为中心的公路网通达县内各地，西部纵贯铁路经由该市，亦可经交流道进入中山高速公路。旧时斗六与斗南同为兵家战场，致使寺庙古迹多毁于烽火。现存湖山岩、福德宫等古刹，及清末斗六吴秀才(克明)古宅。人口99 680(1999)。

Doulton ware　道尔顿陶瓷　由约翰·道尔顿会同约翰·瓦茨于 1815 年在伦敦的兰贝斯建立的工厂生产的英格兰陶瓷。该厂称为道尔顿-瓦茨陶瓷厂，约于 1858 年改为道尔顿有限公司，至 1956 年关闭。道尔顿工厂在约 1871 年以前主要以实用的炻器和陶器著名，自那以后兰贝斯艺术学校的学生们开始对道尔顿盐釉棕色炻器进行装饰。学生们的工作不仅重新唤起了对装饰用炻器的兴趣，而且也是英格兰艺术陶瓷最早的引人注目的范例。这种做法一直持续到 20 世纪，并导致其他的英国陶瓷厂也开展了类似的项目。约于 1877 ～ 1878 年兰贝斯的道尔顿买下了斯塔福德郡伯斯勒姆的平德-伯恩公司陶器厂。但该厂厂名一直保留，到 1882 年之后才改为道尔顿有限公司。这个道尔顿企业开始以它的细瓷闻名于世，在美国和加拿大尤为成功。1901 年，经英王爱德华七世批准，该公司的产品以皇家道尔顿的名义销售(皇家标记出现于 1902)。从 1955 年 10 月以后，该公司的法定名称为道尔顿细瓷有限公司。1968 年委任该公司为女王伊丽莎白二世的供应厂商。

doum nut　姜饼棕榈果　又作 dhoum nut。姜饼棕榈(底比斯姜饼棕榈，*Hyphaene thebaica*)的坚果。5 000年前的埃及古墓中曾有发现。姜饼棕榈原产上埃及、苏丹、肯尼亚和坦桑尼亚。植株高 15.2 米，树干细，枝条光滑，每个枝条的顶端生有一簇小而硬的绿色扇形叶。果实红橙色，其味常与姜饼相比。种子的外皮可制蜜饯和糖浆。坚果的坚硬白色的部分称为植物象牙，极光泽，能作为象牙的代用品，尤其用于制纽扣。坚果磨碎用敷创口。叶可搓绳、编席、制低级纸张。

Doumer, Paul　杜梅(1857-03-22，法国欧里亚克～ 1932-05-06，巴黎)　法兰西第三共和国第13任总统，任期未满即遭暗杀。1889年作为约讷省激进党人选入众议院。以善于理

美国不列颠百科全书公司供图

财著名。1895 年在 L. 布尔茹瓦内阁中担任财政部长。他在全国推行征收所得税。1896 年任印度支那总督。他被法国人视为最活跃最有效率的印度支那总督之一。他的卓越成就在于强化了总督的权力，并把殖民地经济置于可靠的基础上。1902 年重返众议院。1912 年代表科西嘉进入参议院。1927 ～ 1931 年任参议院议长和预算委员会主席。1921 年 1 月至 1922 年 1 月和 1925 年 12 月至 1926 年 3 月任财政部长。1931 年 5 月 13 日当选总统，妥善地处理了由于 A. 马奇诺和 A. 白里安逝世而引起的内阁危机。次年被俄国无政府主义者 P. 戈尔古洛夫刺杀。

Doumergue, Gaston　杜梅格(1863-08-01，法国艾格维沃～ 1937-06-18，艾格维沃)　法兰西第三共和国第 12 位总统，任内几乎经常出现政治不稳定局面。1885 ～ 1893 年在印度支那和北非任文官。1893 年以激进社会党人身分当选众议员。1902 年 6 月第一次任部长职务。1910 年选入参议院。1913 年 12 月 13 日组阁，不到 7 个月即倒台。但他仍担任各种部长职务，直至 1917 年 3 月。后返回参议院任议长，至 1924 年 6 月 13 日当选为共和国总统为止。任内经常发生内阁危机，先后换过 15 个内阁。1934 年 2 月，在他卸任总统职务 3 年后，又组织新政府。但他建立一个有广泛基础的各党派联盟的计划和宪法修改方案均告失败。同年 11 月 8 日辞职，完全退出政界。

Doura-Europus (ancient Syria)　参阅 **Dura-Europus 杜拉-欧罗波斯**。

dourine　马类锥虫病　马的性病。病原为马媾疫锥虫(*Trypanosoma equiperdum*)。可引起瘫痪。此病为不治之症。先进国家进行了血清试验，发现阳性反应的马即作宰杀处理，因此本病已近绝迹。亦由锥虫属(*Trypanosoma*)原虫引起的锥虫病分为两个类型：**查加斯氏病**(**Chagas' disease**)及**睡眠病**(**sleeping sickness**)。

Douris　多里斯(活动期公元前5世纪初)　又拼 Duris。古希腊陶瓶画家，以精湛的绘图

技巧和清晰爽朗的线条闻名。其作品有红黑两种花式,题材多种多样。为 200 多个陶瓶绘制了装饰图画,大部分是红花式。现藏巴黎罗浮宫的陶杯上所绘《伊奥斯哀悼其子梅农》据传为其作品。其他还有《赛利纳斯醉酒》杯、《埃阿斯和尤利西斯》杯、《学校内景》杯等。

Douro River　杜罗河　西班牙语作 Río Duero。拉丁语作 Durius(杜里乌斯河)。伊比利亚半岛第三长河。流域面积 79 096 平方千米。源出西班牙乌尔维翁山脉,穿努曼提亚高原后折向西流 895 千米过西班牙和北部葡萄牙,在福什-杜杜罗注入大西洋。在西班牙境内杜罗河畔阿兰达,其河床狭窄,流经旧卡斯蒂利亚广阔平原河面展宽。过萨莫拉后,又趋狭窄。在西葡边界上 50 千米流程中有约 380 米落差,多峡谷急流。葡萄牙境内佩苏达雷瓜到波尔图之间可用驳船运葡萄酒;佩多里杜与波尔图之间则运煤。河口淤塞,在其北部人工挖掘一河港。主要支流埃斯拉河、皮苏埃加河和阿尔兰松河均在西班牙境内。20 世纪 30 年代以后,杜罗河被广泛开发用于发电和灌溉。

douroucouli (monkey)　参阅 **durukuli 夜猴**。

Dousa, Janus　杜萨　参阅 **Does, Johan van der 杜斯**。

Douvillier, Suzanne Théodore Vaillande　杜维利耶(1778-09-28?,法国多勒～1826-08-30,美国路易斯安那新奥尔良)　婚前名 Suzanne Théodore Vaillande,又称 Madame Placide。法裔美国舞蹈家,哑剧演员。美国第一位女编舞。私生子,可能在巴黎歌剧院的芭蕾舞学校学习过。1790 年到法属西印度群岛圣多明各,结识多才多艺的普拉西德,1791 年二人共同来到美国发展(人称普拉西德夫人,事实上他们并非夫妇),1792 年在纽约市约翰大街剧院演出加场芭蕾舞《捕鸟人》,被认为是纽约上演的第一个芭蕾舞剧。他们二人在纽约上演了多部芭蕾舞剧,包括《伐木工人》、《老校长》、《少年老成》和《哲学家》以及其他一些哑剧。后辗转费城、波士顿,到过罗德岛纽波特和南卡罗来纳州查理斯顿。先后上演芭蕾舞剧《神灵探索者》、《法国逃兵》和《加拉特随想曲》,1796 年演出她自己编导的《应声虫和水仙花》。1796 年普拉西德为了赢得她的芳心,与一年前加入歌舞团的歌唱舞蹈演员 L. 杜维利耶决斗。然而她最后还是嫁给了杜维利耶。一直活跃在芭蕾舞台和哑剧舞台直到 1818 年。同时她也是第一个舞台布景的设计者和装饰者。

dove　鸽　鸽形目鸽科的多种鸟类的俗称。英语中 pigeon 和 dove 两词常可换用,不过 dove 一词通常指本科中体型较小而尾长的种类。但也有例外:家鸽是比较典型的 pigeon,却常被称为 rock dove,并且其形象象征和平,被称为和平鸽(dove of peace)。因此俗名并不表明生物学关系。参阅 **domestic pigeon; pigeon**。

Dove, Arthur G.　德夫(1880-08-02,美国纽约卡南代瓜～1946-11-23,纽约亨廷顿)　全名 Arthur Garfield Dove。美国画家。最早的非写实派画家之一。最初为杂志画插图,后转向抽象美术。1910 年在纽约与 J. 马林和 G. 奥基夫一起在 A. 施蒂格利茨的 291 画廊共同举行画展。其作品用有机软团块作材料,色彩柔和而无固定的形态。如《雾号》中的那些形状使人通过视觉似能听到低沉的嗡嗡声。曾创作了不少很好的拼贴画,如《去捕鱼》,由多种材料拼贴而成。大多数批评家认为他的最佳作品产生在 40 年代。

dove tree (*Davidia involucrata*)　**珙桐**　又称 handkerchief tree(手帕树)、中国鸽子树、珙桐科(Davidaceae)小乔木,原产于中国西南部,已广泛引种各地。树形似金字塔。叶大,亮绿

珙桐(*Davidia involucrata*)
美国不列颠百科全书公司供图

色。头状花序顶生,直径约 2 厘米,托以两枚美丽的乳白色大苞片,一枚长达 16 厘米,另一枚长 8 厘米。盛开时尤为美观。

dovekie (*Alle alle*)　**短翅小海雀**　又作 little auk。产于北大西洋的一种小型黑白相间的海鸟,属于鸻形目海雀科。体长约 20 厘米。嘴短,腿和翅短,足具蹼。善潜水,以鱼、软体

短翅小海雀(*Alle alle*)
美国不列颠百科全书公司供图

动物和甲壳动物为食。繁殖于北冰洋岛屿和岩岸,从格陵兰到俄罗斯新地岛。集大群营巢,在山边岩石缝中或泥地的穴中产卵一枚。

Dover　多佛尔　英格兰肯特行政、历史郡东部一区。濒临多佛尔海峡,面积 312 平方千米。是英格兰距法国最近的地点。从伦敦到比利时和法国的几条重要航线经过该区。主要城镇为桑威奇、迪尔和多佛尔。沿海多白色白垩质峭壁。人口 108 700(1998)。

Dover　多佛尔　英格兰肯特行政、历史郡多佛尔区的港口城镇。位于著名的白垩质高地峡谷口。是距欧洲大陆最近的英国港口。罗马时期是去欧洲大陆交通线上的要地。公元 4 世纪建要塞。古城堡(海拔 114 米)高踞城镇之上,晴天时从上可望到法国海岸。11 世纪时成为**五港同盟**(**Cinque Ports**)成员之一。第二次世界大战时,不断遭到来自法国的炮击和空中轰炸。战后破坏了的滨海区得到修复和发展。现为英国最大客运港(港口面积 240 多公顷),是主要的渡峡港口。有轻工业。人口34 179(1991)。

Dover　多佛　美国特拉华州首府(1777),肯特县县城。在该州中东部,临圣琼斯河。建于 1717 年,1829 年设镇,1929 年设市。为农贸中心,亦有少数轻工业。市内格林广场四周多殖民时期建筑,包括旧州议会厅。其他著名建筑有雷科兹厅、"革命时代作家"J. 迪金森故居和特拉华州立博物馆。设有特拉华州立学院(1891)和卫斯理学院(1873)。第二次世界大战期间建的多佛空军基地,现为重要的军事物资空运终点站。人口 32 135 (2000)。

Dover　多佛　美国新罕布什尔州东南部城市,斯特拉福德县县城(1769)。在科希科河瀑布(落差 10 米)处。1623 年始有渔民、商人来此居住。1855 年设市。18～19 世纪随制造业的发展,市中心逐渐北移。现有电动发动机、印刷、纺织品、鞋靴、塑料和电子设备等工业。伍德曼研究所设有自然科学和殖民时期文物展览馆。人口 26 884(2000)。

Dover, Strait of　多佛尔海峡　法语作 Pas de Calais(加来海峡),拉丁语作 Gallicum Fretum(加利库姆海峡)。英-法间的狭窄水道。连接英吉利海峡(西南)和北海(东北)。宽 30～40 千米,深 35～55 米。直到相对较近的地质年代(约公元前 5000 年),多佛尔海峡仍为一裸露河谷,英格兰同欧洲大陆仍相连接。在盛行西风带,海流一般沿海峡自西南向东北流,但持续的东北风能使海流倒转。靠近英国一侧的白崖(软性白垩构成)因侵蚀作用正逐渐缩小。虽然长期以来即为世界上最繁忙的海上航道之一,但自 1977 年才开始实行严格的航道和航行信息制度。主要港口有英国的多佛尔和福克斯通以及法国的加来和布洛涅。定期班轮大部为气垫船。1856 年首次提出的海底铁路隧道设想,今又提上日程。历史上多次著名海战曾在海峡内进行。

Dover, Treaty of　《多佛尔条约》(1670)　英格兰查理二世与法国签订的条约。主要内容是:查理二世支持法国的欧洲政策,作为交换,法国向查理二世提供资金,使其摆脱在财政上依靠议会的局面。该条约实际上有两个:一个是关于英格兰改宗罗马天主教的密约(只有查理的两个顾问知道),另一个是关于英、法两国陆海军联合征服尼德兰联合省(这是路易十四的要求)的正约。密约签订于 6 月 1 日,查理的妹妹、奥尔良公爵夫人 H. 安妮曾参与谈判,规定法国付给查理二世 20

万英镑，必要时支援他6 000法军，以支持他宣布自己为天主教徒。以后每年还要付30万英镑，使他能够参加对荷兰的战争。条约还规定：英格兰支持法国对西班牙王位继承的任何要求。为了掩人耳目，正约于12月31日通过正常外交途径签订，删去了有关宗教的一切内容。关于改宗天主教的条款始终没有实现，因为路易十四只关心战争，而查理二世也只不过想通过宗教来巩固自己的君主政权而已。

Dovre Mountains 多夫勒山 挪威语作Dovrefjell。挪威中南部的山脉。东西绵延约100英里(160千米)，南北约40英里。山脉中心在克里斯蒂安松市东南约70英里处。多夫勒山主要由多层的变质岩(片麻岩和片岩)组成，占南特伦德拉格、海德马克、默勒-鲁姆斯达尔及奥普兰等郡的部分面积。多夫勒山西抵罗姆谷峡湾，南邻居德布兰河谷，东南为龙达讷山，东面为厄斯特谷，北面为特罗尔黑门山脉。最高山峰为斯纳山(2 286米)。连接奥斯陆和特隆赫姆的铁路干线和公路，自南向北横跨多夫勒山。有一些山峰是冬季运动的中心。

Dovzhenko, Aleksandr (Petrovich) 多夫仁科(1894-09-11，俄国乌克兰索斯尼茨～1956-11-26，莫斯科) 电影导演，20世纪30年代曾为苏联电影赢得了国际赞誉。他的影片侧重感情的深沉和巧妙的象征性，而不大注重故事的结构，内容大多反映俄国内战时期(1918～1920)和集体化时期(20世纪20年代末至30年代初)。他出身于乌克兰农民家庭，师范学院毕业后在一家乌克兰报纸任政治漫画家，曾师从德国印象派画家E.赫克尔。1926年进入电影界，执导的第一部影片是短片《爱情的果实》(1926)。他的第一部重要影片《兹文尼郭拉》(1928)是描写乌克兰人民从起源于北欧直至爆发革命的一部抒情史诗。《兵工厂》(1929)表现一个面对革命力量的寓言式英雄；曾被抨击为"反革命影片"的《土地》(1930)以富于感情的视觉象征手法表现乌克兰农民对土地的近乎神秘的眷恋。多夫仁科其他著名影片有描写乌克兰革命军事领袖的《肖尔斯》(1939)，他因这部影片第一次获得了斯大林奖金(1941)，另一次荣获该奖是1949年的《米丘林》。他还写了一部自传性小说《迷人的捷斯纳河》以及许多短篇小说。

Dow, Charles Henry 道(1851-11-06，美国康涅狄格斯特灵～1902-12-04，纽约布鲁克林) 美国金融记者，一家金融新闻服务社——道-琼斯公司和《华尔街日报》的创办人之一。他的贡献包括1884年首次编制美国股票价格平均指数，后来这种指数发展成为著名的道-琼斯平均指数。道20多岁时从事新闻工作，1880年迁居纽约市成为一家金融新闻社的记者。1882年道与E.D.琼斯(1856～1920)组建道-琼斯公司；公司派通信员向华尔街金融机构投递简报。每天最后一次投递的简报包括有新闻专页，该新闻专页就是1889年7月8日创刊的《华尔街日报》的

道-琼斯公司供图

前身。道为该日报的首任编辑(1889～1902)，饮誉为金融专家。他为该日报所撰写的文章形成了市场分析中道氏理论的基础。

Dow, Herbert H. 道(1866-02-26，加拿大安大略贝勒维尔～1930-10-15，美国明尼苏达罗切斯特) 美国化学工业的先驱。1888年在克利夫兰的凯斯应用科学学校攻读理学士学位时，致力于从盐水获取最大效益的研究，发现在俄亥俄州坎顿和密歇根州米德兰等地的盐水中含有丰富的溴。他发明了从盐水中提取溴的电解法并获得了专利权，1890年创办了米德兰化学公司。道氏法非凡之处在于它不产生盐副产物，并且操作所用燃料相当少。此法还体现了在美国化学工业中成功地利用了直流发电机。1895年在俄亥俄州纳瓦拉建立道氏工艺公司，电解盐水以取得氯气(生产苛性钠和次氯酸钠)，不久将公司迁到米德兰，并于1897年建立道氏化学公司，吸收了米德兰化学公司和道氏工艺公司。他将道氏化学公司的氯气产品应用于杀虫剂和电解氯化镁形成的灰泥及金属镁。还采用自动化方法从海水中制取硫酸镁(泻盐)。在西半球他最先生产合成靛蓝(1916)，也是碘(也是他从盐水中提取的)的第一个美国生产者。他最终获得约65项专利权，他的公司已成为世界上主要化工制造商之一。

Dow, Neal 道(1804-03-20，美国缅因波特兰～1897-10-02，波特兰) 美国政治家及禁酒提倡者。他于1851年提出的缅因法预示了美国全国性禁酒运动的兴起。他的父母都是教友会信徒，他本人是波特兰济贫工作的监督员，都目睹当时贫民的疾苦以及风行一时的酗酒现象，这使他对滥用酒精饮料的看法受到很大影响。于1838年组织了缅因州禁酒协会。他任波特兰市长时(1851～1858)起草了州禁酒法，1851年6月2日获得州议会通过，取代了1846年一项约束力较弱的法令。1857年访英，向各地禁酒组织发表演说。美国内战结束后退役，再次投入禁酒活动。1880年作为禁酒党候选人参加美国总统竞选。撰有自传《尼尔·道回忆录》，追怀其80余载的生活历程，死后于1898年出版。

Dow Chemical Company 道氏化学公司 美国的大化学公司，生产工业用和家庭用化学品。总部在密歇根州米德兰。1890年，米德兰的H.道创立了米德兰化学公司。5年后开办道氏工艺公司，它利用米德兰化学公司的废料成立漂白厂。1897年，两家公司合并，生产逐渐发展，成为现在的道氏化学公司。道氏产品经常引起公众的注目。第一次世界大战期间曾生产过一种化学武器芥子气，引起争议。越南战争期间，道氏凝固汽油弹又引起人们的注意，批评者指出它不仅杀害士兵，也同时杀害平民。道氏还与其他公司一起参加制造含有毒物二氧芑的、用于清除越南丛林的除草剂二噁英。人们认为二噁英可使参战士兵造成癌症，又可使其子女造成先天缺损，因此带来一系列战后诉讼。该公司在国内外开办化学厂并销售产品。除消费化学品外，还生产各种工业化学品、金属材料、塑料和包装材料、生物制品。

Dow Jones average 道-琼斯平均指数 由道-琼斯公司所计算的股票价格平均数。它们是反映美国股票和债券价格总趋势的最常用的指标之一。道-琼斯公司是金融新闻出版商，1896年开始每日计算工业股票价格平均数，使用12种上市股票，将其价格总数除以12。以后使用的上市股票种数有所增加，编制指数的方法也有所改进。因此，这种平均数就不再是算术平均数，而成为可表示市场价格总趋势的平均数。最常被人引用的是，根据30种选定的工业股票而编制的工业股票平均指数。道-琼斯公司发表的平均指数还有：以20种运输业股票为基础的平均指数、以15种公用事业股票为基础的平均指数、以所有65种股票为基础的综合平均指数和几种债券的平均指数。

Dowa Highlands 多瓦高地 又称奇特姆布韦-姆韦拉高地。位于马拉维中部。面积约930平方千米。由绵延起伏的丘陵组成，有多瓦峰(海拔1 698米)和恩奇西峰。高地3面为陡坡，东部形成大裂谷谷壁，北面和南面分别是布阿河谷和利隆圭河谷。西部为一系列丘陵，直伸展至中部平原。山中溪流成放射状分布，汇入利隆圭河、布阿河和尼亚萨湖。东部河流有时发生洪水。土壤为红壤，生长森林。

Dowden, Edward 多顿(1843-05-03，爱尔兰科克郡科克～1913-04-04，都柏林) 爱尔兰评论家、传记作者、诗人，以关于莎士比亚的论著而闻名。多顿就学于科克的女王学院和都柏林的三一学院，1867年任三一学院英国文学教授，并先后在牛津(1890～1893)和剑桥(1893～1896)任教。他的《莎士比亚：关于他的思想和艺术的评论研究》(1875)是第一部全面和系统地研究莎士比亚的艺术发展过程的英语著作。除其他许多关于莎士比亚的著作外，还写过《雪莱传》(1886)。他是W.惠特曼的最早欣赏者之一，后成为其好友。

Dowding, Hugh Caswall Tremenheere Dowding, 1st Baron 道丁男爵(第一)(1882-04-24，苏格兰邓弗里斯郡莫弗特～1970-02-15，英格兰肯特坦布里奇韦尔斯) 英国空军元帅，1940年不列颠战役期间战斗机司令部司令。第一次世界大战时为皇家陆军航空队中

队长。后在新建的皇家空军中任职，曾在英国和亚洲担任指挥、参谋和教练。1936年主持新建立的战斗机司令部。他大力推进雷达以及喷火式战斗机和飓风式战斗机的发展，对1940年在英伦上空击败德国空军作出重大贡献。虽然当时英国的飞机数量少于德国，但是他所采取的战略战术却足以保持空中优势和粉碎德国的意图。1942年退休，次年受封为男爵。

Dowie, John Alexander　道维（1847-05-25，爱丁堡～1907-03-09，美国伊利诺伊宰恩）美国布道家和信仰疗法专家。1870年在澳大利亚境内阿尔马任公理会牧师，宣传禁烟禁酒。他通过个人的医疗体验对灵性疗法产生兴趣，后来成立国际神圣疗法协会。1901年率领将近5 000信徒在密歇根湖畔距芝加哥约40英里处建宰恩城。同年自号复兴者以利亚，后来又自称教会第一使徒。他对这个教团实行神权统治，禁设诊所、舞厅、剧场、药房，不许吸烟饮酒。该城创办各种工业，经济繁荣。有人指责他在财政上失职，还有人说他实行多妻制，遂于1906年被撤职，由沃利瓦继其任。沃利瓦原是他的挚友，一度由他任命为教团的临时主持人。

dowitcher　半蹼鹬　鹬科半蹼鹬属（*Limnodromus*）3种滨鸟。体形粗壮，嘴长似鹬。繁殖时下体淡红色，腰和后背白色。在泥滩和沙洲上结群；成密集队形飞行，降落后稍停片

短喙半蹼鹬（*Limnodromus griseus*）
美国不列颠百科全书公司供图

刻才散开觅食。营巢于西伯利亚东北部到哈德孙湾的沼泽地，于美国南部到南美洲北部的海滨越冬。长喙半蹼鹬（*L. scolopaceus*）体长（包括喙）约30厘米，其繁殖范围较短喙半蹼鹬（灰半蹼鹬，*L. griseus*）更趋西北方向。短喙半蹼鹬与长喙半蹼鹬除喙外，体型大小相同。亚洲有一个种：亚洲半蹼鹬（*L. semipalmatus*）。

Dowlaiswaram　道勒斯沃勒姆　印度东南部安得拉邦东北部东哥达瓦里县城镇。位于哥达瓦里河三角洲顶端。为当地主要农业城镇。一座3.2千米长的水坝在此处横断河流，为灌溉40万公顷农田的人工渠供水。人口35 357（1991）。

Dowland, John　道兰德（1562或1563，爱尔兰都柏林郡或伦敦威斯敏斯特～1626-01-21，伦敦）　英国作曲家、诗琴演奏大师、技艺高超的歌唱家，当时最著名的音乐家之一。牛津大学（1588）及剑桥大学（1597）音乐学士。1594年因他皈依罗马天主教而未获准担任宫廷诗琴演奏师，失意而离英赴欧洲大陆旅行，1597年返回英国。1598年被任命为丹麦克里斯蒂安四世诗琴演奏家，但1606年因行为有失检点而被解雇。1612年被詹姆斯一世任命为“诗琴音乐家”，虽然尊重传统，但由于处在音乐史上的转折时期，他吸收了在欧洲大陆所见所闻的很多新思想。所写88首诗琴歌曲（1597～1612）尤其反映出这些影响。早期歌曲都用交替的4个声部。虽然旋律动听，它们都是分节歌配曲，常为舞曲形式，几乎完全不用半音。后来，在《让我在黑暗中生活吧！》（1610）及《静静的夜晚》等通谱歌曲中则引用了意大利朗诵风格、半音和不协和和弦；不再用交替的四声部形式。他为诗琴创作了约90首独奏曲，其中很多是舞曲，并常在反复部分增加大量华彩段。《眼泪，或七首热情帕凡舞曲中体现的七滴泪》（1604）是当时最著名的一部作品。他的几部半音幻想曲，以《凄凉幻想曲》和《告别》最为优秀。

Down　唐郡　北爱尔兰东部1973年前旧郡。北临贝尔法斯特湾，东濒爱尔兰海，南傍卡灵福德湾，西与阿马旧郡交界，西北与安特里姆旧郡交界。唐郡面积2 466平方千米，境内有三个高地地区。南面有由始新世（3 800万年前）花岗岩构成的莫恩山脉，主峰多纳德山，海拔2 796英尺（852米）；中部有加里东造山运动时期形成的花岗岩质的巴利纳欣奇山脉，其克鲁布峰高1 755英尺。唐郡西面向纽里盆地及巴恩河倾斜，东面向阿兹半岛倾斜，环抱大潮汐海湾斯特兰福德湾。由冰河堆积物形成的卵形小山（即鼓丘）地带从原唐郡中央部分向西伸延。地质基本上属志留纪，有许多板岩和砂岩。气候温和，各地年降雨量不等，莫恩山区为65英寸（1 650毫米），东部和北部则不足35英寸。虽然北部的南面坡地上土壤非常肥沃，但大部分有浅层的石质黏砂土。贝尔法斯特之南的巨人环（Giant's Ring）中发现有史前居民遗迹，该处有由堤垒包围的一组列成环状的石柱；纽卡斯尔附近发现有一保存良好的地下室。圣巴特里克在爱尔兰的布道是公元432年在索尔开始的；从6世纪起，在班戈有一所著名的修道院学校。唐帕特里克附近的斯特鲁尔仍保存有圣巴特里克的水井和浴室，唐帕特里克大教堂院内有一块巨石标出圣巴特里克著名的坟墓。德罗莫尔是唐郡古代的基督教首府。12世纪后期，盎格鲁-诺曼的J. de库西入侵唐郡，现仍有许多小丘，是他当日所建堡垒的地基遗址。唐郡东部边缘有许多城堡，如邓德拉姆的诺曼城堡和阿德格拉斯的约旦城堡。中世纪后期，英国人在此的势力虽有所削弱，但在邓德拉姆与唐帕特里克之间的勒卡尔半岛上仍甚有影响。都铎王朝后期，唐郡部分地区由英格兰和苏格兰的冒险家开拓殖民；詹姆斯一世在位期间的阿尔斯特开垦计划虽未将该郡包括在内，但17世纪中仍有大批苏格兰移民来此。1973年北爱尔兰行政区域改组，该郡划为班布里奇、唐、阿兹和北唐等区以及卡斯尔雷、利斯本、克雷加文和纽里与莫恩等区的一部分。

Down　唐　爱尔兰语作An Dún。英国北爱尔兰东部沿海一区。原在唐郡内，1973年设区。面积646平方千米。西部和南部多山；穹隆状的莫恩山海拔850米。大部覆盖着冰碛鼓丘群。为富庶的农业区，出产燕麦、大麦、小麦和干草料。畜牧业亦重要。唐帕特里克是全区的集市中心和行政机关所在地，有纺织业；再往西的巴利纳欣奇有农机和金属加工等行业；唐帕特里克（新教）大教堂建在圣巴特里克的葬地上面。南部的纽卡斯尔和东部的基利莱均为著名的海滨游览地。南部莫恩山麓的托利莫尔公园有森林约500公顷，建于1955年，为北爱尔兰最早的森林公园。人口约55 400（1985）。

Down syndrome　唐氏综合征　又称21-三体。先天愚型。旧称蒙古型痴呆。一种先天性疾病，病因是在第21对染色体上多一条额外的染色体，总数为47条染色体（正常为46）。此病生后即可确诊，症状和体征特点如下：面阔而平，颈短，双眼斜向上，可伴有眼裂内角的内眦赘皮，双耳位低，小鼻，厚唇，巨舌外伸，颏下斜平，肌张力低下，精神发育迟缓，心、肾畸形，异常皮纹（手指、手掌、足底）。唐氏综合征的精神发育迟缓多属中度，轻度、重度者均少见。约40%病人合并先天性心脏畸形。21三体是本病的基本染色体型，但约有4%的病人出现易位：即这条额外染色体从第21对染色体上断裂，并与其他染色体对接，原因不详。本病在全部活产新生儿中所占比例约为1/800。产妇年龄与发病率有关：35岁以下产妇的子女中，本病发病率为千分之一；而在40岁以上组，这一比例为2.5%。本病可于产前确诊，方法是取羊水细胞做染色体检查定型。在现代医学水平下，除合并严重、而且无法进行手术矫治的心脏畸形者外，大部分唐氏综合征患者都能活至成年。但因易于提早出现老年性退行性变化，故其寿命较正常人为短。因有不同程度的精神发育迟缓，有些终生不能独立生活，而大部分患者成年后都能学会简单家务，在受到保护的工作和生活环境中从事劳作。

Downey　唐尼　美国加利福尼亚州南部洛杉矶县城市。位于洛杉矶县东南部，西距太平洋16千米。1784年是洛期涅托斯牧场的一部分，后牧场分成几个农场，生产谷物、玉米、大豆、芥菜和水果。1874年修通铁路。20世纪20年代兴起手工业，发展石油工业。在美国航天工程上起着重要作用，是制造“土星”5号运载火箭和阿波罗登月仓的基地；并制造了5架航天飞机（包括失事的“挑战者”号）。这些设施90年代关闭，目前以零售业、服务业以及制造业为主。还有最早的麦当劳快餐店以及可口可乐的瓶装厂，一座艺术博物馆和一所社区大学。1956年设市。人口107 323（2000）。

Downey, June Etta　唐尼（1875-07-13，美国怀俄明拉勒米～1932-10-11，新泽西特伦顿）美国心理学家和教育家。主要研究美学心理

学及相关的哲学问题。1895年毕业于怀俄明大学,1898年在芝加哥大学获哲学和心理学硕士学位。1901年,在康奈尔大学研究心理学,1905年成为正教授。1904年出版诗集《天堤》。1908年获芝加哥大学博士学位。回到怀俄明大学后任系主任。1915年正式改任哲学和心理学教授。她不断发展在美学心理学方面的兴趣,深入研究美术诸领域及相关的心理过程。后在各专业刊物上发表了60多篇研究文章,并著有《笔迹学和笔迹心理学》(1919)、《情节与性格》(1922;与E. E.斯洛森合写)、《意志-性格及其测试》(1923)和《创造性想象力:对文学心理学的研究》(1929)等。

downhill skiing 滑降滑雪 在修整的滑降跑道上进行速度滑雪的冬季运动。跑道用一对对旗杆排成至少8米间宽的旗门。全程滑行时间最短者为胜。男子国际锦标赛滑行线路全长2.4～5公里,其中应有1 000米的起终点间的标高差及垂直坡道和适合于运动员的技巧和耐力的陡峭障碍地形。女子国际锦标赛线路全长1.6～2.5公里。滑降平均取胜速度每小时64～80公里。由于滑降项目源自崎岖不平的欧洲阿尔卑斯山脉,也许是所有高山运动中要求具有最大勇气的项目。世界冠军参阅 **Sporting Record**: Skiing。奥运会冠军参阅 **Olympic Games**。

Downing, Andrew Jackson 唐宁(1815-10-30,美国纽约州纽堡～1852-07-28,纽约州扬克斯附近) 园艺家、园林美化专家、建筑师,美国第一位伟大园林设计家。唐宁出身于园艺之家,父亲是苗圃工人。16岁从学校毕业后,他便在父亲的苗圃工作,逐渐喜爱园林美化和建筑,并开始有关植物学与园林美化的写作,后又认真自学上述学科。他的第一部著作《论北美园林园艺理论与实践》(1841)使他成为国内该学科的权威,并多次再版(最近一版于1921年印刷)。在《村舍》(1842)一书中,他将园林景色和建筑设计原理应用于更为朴素的庭院以适应房主的需要。他的《美洲果类与果树》(1845)一书为他和他的兄弟查尔斯合写,是当时同类书籍中最为完整的论述,它使唐宁成为一新期刊《园艺家》的编辑,并担任此职直至逝世。唐宁的《乡村房屋建筑学,包括村舍、农舍和别墅设计》(1850)长期以来一直广为人们采用。1850年在欧洲旅行期间,唐宁与英国建筑师C.沃克斯合伙,二人回到美国后在纽约的哈得孙河谷和长岛规划了多片种植园,包括房屋与土地。作为公认的美国当时首屈一指的园林设计家,唐宁1851年受命为国会大厦、白宫和华盛顿(哥伦比亚特区)的史密森学会进行地面规划设计。但唐宁的设计方案不得不靠后人实现,因为他不幸于纽约港附近一次汽艇事故中丧生。

Downing, Sir George 唐宁(1623,爱尔兰都伯林～1684-07,英格兰剑桥) 英格兰外交家和理财家,促使引起与荷兰的两次战争,在公共财政方面实行重大改革。现伦敦的首相官邸所在地唐宁街即以他的姓命名。清教徒律师之子。马萨诸塞州剑桥哈佛学院第一批毕业生。英国内战期间在国会军中服役。在克伦威尔护国政府时期任议员,但1660年支持斯图亚特王朝复辟。1661年查理二世任命他为驻荷兰公使,荷兰当时是英国在商业上的敌手。1665～1667年第二次英荷战争的发生,部分是由于他在外交方面不妥协的缘故。1665年作为众议院议员,他对一项补助金法案(根据这项法案议会授予国王资金供特殊需要之用)的附文负有责任,附文规定此项资金可单独用于战争——这一事例标志着为议会拨款所阐明的特殊目的而单独使用资金这一做法的开始。1667年唐宁被任命为新成立的财政委员会大臣,使他得以采用新的会计程序,这在英国财政上留下了一个永久性的标志。1671年唐宁带着挑起另一次战争的指示被派往荷兰。他的行为激怒了荷兰公众,以致不得不逃命,查理因他擅离职守而将他短期拘禁。获释后继续担任财政要职,直至去世。

Downpatrick 唐帕特里克 北爱尔兰原唐郡现唐区首府和城镇。在克伊勒河口附近。为当地集市中心,设有行政机构。城北3千米处有西多会因什隐修院(1180)遗迹。人口10 320(2001)。

Downs 唐斯 英格兰南部的青草覆盖的圆顶山丘,由典型的白垩构成。这词来源于古英语 dūn(山)。唐斯的主要分布区为伯克郡、威尔特郡和汉普郡北部,其支脉向东延伸至西萨塞克斯、萨里和肯特。在林肯郡和约克郡,同样类型的白垩山丘称作丘陵地带。由于白垩的透气性,唐斯顶部夏季干燥,即使没有外部干扰,树木生长也较缓慢。羊群放牧妨碍了林木更新。唐斯过去树木繁茂,现在却只剩下山毛榉、水松、杜松、黄杨木等的零散林地。唐斯以众多史前人类遗迹著称,包括用泥刻成的马;山顶及陡崖脚下的古道附近的许多巨石构造的遗址,如威尔特郡的埃夫伯里村和巨石阵;无数墓冢、古坟;防御工事;还有一些环形的营地,如多塞特郡的梅登堡。在唐斯未经耕作的光秃的圆顶上,松软的泥土上长着羊茅和特殊的植物,如一些稀有的兰花。还有成群的蜗牛和昆虫。由于用机器犁地,当地除最陡坡地外均可耕作,过去放牧羊群的草地还种上作物或成为治理过的休闲地。

downslope wind 下坡风 参阅 **katabatic wind** 下吹风。

downy mildew 霜霉病 圆梗霜霉属(*Basidiophora*)、盘梗霜霉属(*Bremia*)、霜霉属(*Peronospora*)、疫霉属(*Phytophthora*)、单轴霜霉属(*Plasmopara*)、假霜霉属(*Pseudoperonospora*)及指梗霜霉属(*Sclerospora*)真菌引致的植物病害,多发生于凉爽潮湿的地区。在潮湿的季节,叶下表面可见白色、灰色、浅蓝色或紫色霜状霉斑,叶上表面相对于霉斑的部位呈浅绿色、黄色或褐色斑。受侵叶萎蔫凋枯而早期死亡。茎、花及果有时受侵。幼苗萎蔫倒伏。庭园植物、灌木果树、蔬菜以及某些乔木、灌木、大田作物和杂草对之易感。采用一年生花卉和蔬菜轮作,避免水分过多和过分密植,避免向叶上喷水,保持土壤排水通畅,便可避免此病。还应种植抗病品种,播种无病种子,收获后去除病部,清除作物残弃部分,消灭野草,保持土壤肥力平衡,潮湿季节施用杀真菌剂。施用铜剂、代森锰,代森锌等对许多霜霉病病原体有效,但应考虑农药会残留在蔬菜上。

dowry 嫁妆 结婚时妻子或妻子的家庭给予她丈夫的财产。嫁妆在欧洲、印度、非洲和世界其他地区已有悠久历史。嫁妆可保护妻子不受丈夫虐待。这样用途的嫁妆实际上是给丈夫的一种有条件的礼物,如果丈夫与妻子离婚或对她犯下某些严重过错,必须把嫁妆归还妻子或她的家庭。此类嫁妆通常是土地或其他形式的不动产,使丈夫不能剥夺,虽然在婚姻期间他也可以使用嫁妆并从中得益。嫁妆还能帮助一个新丈夫承担伴随结婚而来的责任。这种功能在一个经常由非常年轻的人们结成婚姻的社会中尤为重要;因为嫁妆使新丈夫能够建立家庭,否则他便没有这样做的经济资源。在某些社会中,嫁妆的另一种功能是万一丈夫去世后能为妻子提供赡养的手段。这后一种情况,嫁妆是在继承权或丈夫的不动产遗产中的强制份额的代替物。在许多前近代社会中,嫁妆成了新娘的家庭对新郎的亲属所纳**聘礼**(**bride wealth**)的一种酬报姿态。这些交换不是纯经济的,它们还能起到批准婚姻和巩固两个家庭友谊的作用。在欧洲,嫁妆不仅经常用以提高妇女婚嫦时的优越条件,而且用以建立大家族的权力和财富,甚至用以决定国家的疆界和政策。但是,在工业社会中,实际上在19世纪和20世纪的欧洲,嫁妆的用途已趋向于消失。

dowsing 魔叉探物 指用榛木、花楸木或柳木枝杈、分叉的金属棒或悬摆探测水、矿藏、财宝、文物甚至尸体等隐藏物体。此种习俗可能始于中世纪。以魔叉探物者在搜寻物件时紧握探杆两叉,似乎有力自隐藏物传出,使他的肌肉不自觉地收缩、弯曲或激烈摇撼探杆。有的术士自称能用魔叉在地图上探索即可知物件所在。

Dowson, Ernest (Christopher) 道森(1867-08-02,英格兰肯特利～1900-02-23,伦敦刘易舍姆) 19世纪90年代英国颓废派最有才华的诗人之一。1886年入牛津大学,1888年因父亲生意衰落而辍学,到父亲在伦敦的船坞工作。他积极参加颓废派诗人集团"吟诗俱乐部",其成员包括叶芝、西蒙斯和比尔兹利。1891年认识赋予他的大多数诗以灵感的女人阿德莱德——他父亲在伦敦附近的索霍开的一家餐馆的女侍者。同年发表他最有名的诗《西纳拉,我以自己的方式忠实于你》。他们认识时,阿德莱德12岁。她拒绝了他的求婚,但在此后的6年中他以自己的方式继续钟情于她,以酒、女人和"更疯狂的音乐和更浓烈的酒"来忘却他的单恋。1894年,父亲去世后母亲自杀,道森也发现染上肺病的症状。1897年,阿德莱德与一男侍结婚。此后道森大部分时间在法国居住，靠翻译的微薄收入为生。他的一个朋友希尔德发现他因酗酒而贫病交加、身无分文而将他带回伦敦。后来与穆尔合著两部长篇小说：《假面具的喜剧》（1893）和《亚德里安·罗马》（1899）。他还出版有短篇小说集《困境》（1895），但他以《诗集》（1896）和《装饰》（1899）出名。他的抒情诗音调优美，词句迷人。叶芝承认，他本人在技巧上的许多发展归功于道森。在布鲁克的早期作品中也可以见到道森的影响。

doxology　荣耀颂　赞美上帝的颂辞。基督教崇拜仪式通用三种荣耀颂：①《大荣耀颂》，又称《荣归主颂》；②《小荣耀颂》，又称《荣耀颂》；③诗体荣耀颂，一般是在《小荣耀颂》的基础上改写成的各种韵文。

Doyle, Sir Arthur Conan　柯南道尔（1859-05-22，爱丁堡～1930-07-07，英国萨塞克斯克罗伯勒）　英国作家，以塑造侦探歇洛克·福尔摩斯——英国小说中刻画最生动的人物之

美国不列颠百科全书公司供图

一——而闻名。福尔摩斯的朋友、善良的、但相对来说比较迟钝的华生医生，和这位侦探的主要敌人罪魁祸首莫里亚蒂教授也获得了超出故事的非凡的生命力。福尔摩斯探案集出版后，在纽约、伦敦纷纷出现"福尔摩斯协会"之类的组织，形成一种崇拜福尔摩斯的宗教性狂热，在欧洲大陆也有类似的组织。柯南道尔从爱丁堡大学毕业后至1891年一直行医，福尔摩斯这个人物在《血字的研究》（1887）中首次出现，部分是以爱丁堡大学一位善于推理的教师为原型。1891年，描写福尔摩斯的短篇小说开始在《海滨杂志》连载，后汇编成几集。作者后来对福尔摩斯感到厌烦，于是在1893年让其死去，但迫于公众的强烈要求，后又巧妙地使其起死回生。柯南道尔因在南非布隆方丹一所野战医院的工作以及在南非（布尔）战争中的其他活动被授予爵士称号。晚年由于儿子在第一次世界大战中负伤不治而死，献身唯灵论运动。

Doyle, Richard　多伊尔（1824-09，伦敦～1883-12-11，伦敦）　英国讽刺画家、油画家、插图画家。与父亲约翰（1797～1868）一起将温和的讽刺画风格引进英国艺术，与J.吉尔雷和T.罗兰森的辛辣风格形成对比。1843年起经常向《笨拙》周刊投寄装帧画、戏剧速写和政治讽刺画；他为该刊设计的封面沿用了百余年。由于该刊发表反天主教声明，于1850年辞职，专注于水彩画和书籍插图（萨克雷的《新来者》，1854～1855；狄更斯的圣诞故事）。他最为有名的漫画选集有《英人习俗》（1849）和《社会鸟瞰》（1864）。

D'Oyly Carte, Richard　参阅 **Carte, Richard D'Oyly** 卡特。

dozer　参阅 **bulldozer** 推土机。

Dózsa Rebellion　多饶起义（1514）　不成功的匈牙利农民起义，由贵族多饶（1470～1514）领导，结果导致农民的社会与经济地位降低。国王弗拉迪斯拉斯二世在位期间（1490～1516），王权衰落，富豪得势，他们以势压人，剥夺农民的自由。1514年4月16日，枢机主教鲍科茨号召远征土耳其，约10万名心怀不满的农民从军。1514年5月23日，征讨活动停止，但是多饶领导的一支军队拒不解散。他们声称要打倒贵族，结束对下层农民的压迫。起义后，曾焚烧领主的庄园和城堡，并杀死许多贵族。起义军攻克阿拉德、利帕、维拉戈斯等地的要塞，威胁布达，又围攻泰梅什堡。但在泰梅什堡被特兰西瓦尼亚总督（后为匈牙利国王）佐波尧打败。多饶和主要副手们被俘。多饶被处死。到10月，起义军全被消灭。国会宣布全体农民终身服苦役，永远不准离开土地；增加农民为地主服劳役的天数，加重他们的赋税，命他们赔偿这次起义造成的损失。

Dozy, Reinhart Pieter (Anne)　多济（1820-02-21，荷兰莱顿～1883-04-29，莱顿）　荷兰的阿拉伯学家。曾任莱顿大学历史学教授33年，所著《711～1110年西班牙伊斯兰教史》（1861）一书，对于有关摩尔人在西班牙统治的许多晦涩难解的疑点作了新的解释，是这个专题的标准著作。

DQ Herculis (astronomy)　**武仙座DQ**　参阅 **Nova Herculis** 武仙座新星。

Drâa, Oued　德拉河　在摩洛哥南部。为间歇河。源出摩洛哥中部大阿特拉斯山脉中的达代斯河和伊米尼河。东南流至塔古尼特，再折向西南形成阿尔及利亚-摩洛哥界河。在德拉角附近注入大西洋。全长1 100千米。为全国最长河。除源头和上游外，其余河段经常干涸。

Drabble, Margaret　德拉布尔（1939-06-05，英国约克郡设菲尔德～　　）　英国女小说家。法官之女。剑桥大学毕业后开始写作。所著长篇小说有《夏天的鸟笼》（1963）、《加里克年》（1964）、《磨石》（1965）、《针眼》（1972）、《黄金王国》（1973）、《冰河时代》（1977）、《中间立场》（1980）。德拉布尔的小说多以描写一个少女由恋爱、结婚和作母亲而逐步走向成熟的过程为主题。

Drač (Albania)　**德拉奇**　参阅 **Durrës** 都拉斯。

Dracaena　龙血树属　龙舌兰科一个观叶植物属。约50～80种。主要原产于旧大陆热带地区。多数种茎短，叶狭，剑形；部分种茎长，乔木状，具叶冠。花小，红、黄或绿色。浆果，种子1～3粒。桑德氏龙血树（*D. sanderiana*）叶缘白色；香龙血树（*D. fragrans*）叶

一种龙血树属（*Dracaena*）植物
美国不列颠百科全书公司供图

带白色条纹或叶缘黄色，二者常种于室内。加那利群岛的观赏树种龙血树（*D. draco*）茎高18米，直径6米，含红色树胶，称为龙血，曾供药用；果橙色。

drachma　德拉克马　古希腊银币和现代希腊货币单位。早期不同地方的德拉克马重量各不相同。公元前5世纪后，雅典商业发达，雅典德拉克马就成为最重要通货。1德拉克马等于6奥波勒斯；100德拉克马等于1马因；60马因等于1塔兰特。随着亚历山大大帝征伐，雅典德拉克马成为全希腊世界的货币单位。1828年希腊脱离土耳其而独立时，曾改用菲尼克斯作为货币单位，1833年又改用德拉克马，1德拉克马等于100雷普顿。2002年为欧元取代，原货币停止使用。

Drachmann, Holger Henrik Herholdt　德拉克曼（1846-10-09，哥本哈根～1908-01-14，丹麦霍恩拜克）　丹麦作家。他的抒情诗使他成为19世纪后期丹麦的杰出诗人之一。他是医生之子，1871年的伦敦之行触发了他对社会问题的兴趣，回国后即参加以布兰代斯为中心人物的新激进运动。他的《诗集》（1872）表述了他的社会理论。他以《轻悄的乐曲》（1875）、《海滨之歌》和《威尼斯》（1877）以及《蔓草与玫瑰》（1879）确立了他在当时新诗运动中最伟大的诗人的地位。散文作品《来自域外》（1877）和童话诗《公主和半个王国》（1878）所流露的爱国主义和浪漫主义倾向使他和布兰代斯一派发生冲突。1880年前后，他采取了反自然主义的保守观点，但到19世纪80年代末，又回到了个人主义的和反资产阶级的立场。德拉克曼的作品体裁多样，但最重要的还是他的抒情诗。他摒弃模仿古典诗体的作法，追求比较自由的音节和活泼的韵律，反映出生活语言的抑扬顿挫。除爱情诗外，他最喜爱的题材是海洋和海上生活。后期诗集中，以《旧神与新神》（1881）、《诗歌集》（1889）及《神圣的火焰》（1899）为最佳。他的长篇小说往往带有自传性，人物多为艺术家或作家，如最重要的《誓约》（2卷，1890）中，就将自己的个性分解为资产阶级的和放荡不羁的两个方面。他的剧本以幻想剧《从前有个时候》（1885）最受欢迎，主要由于P.朗厄-米勒为它配了音乐。

Drachten 德拉赫滕 荷兰西北部弗里斯兰省萨姆林海尔兰德直辖市主要城镇。临韦德埃水道(注入西北更大的玛格丽特公主运河)。四周为低地,附近有森林和泥煤沼地。早期为一开采泥煤和制乳品的村庄。现成为工业中心,生产电器、运输设备、机械、化工品和家具。镇东北发现天然气。镇内有18世纪教堂和一博物馆。通公路。附近有机场。人口53 010(2001)。

Draco 德拉古(活动时期约公元前7世纪) 雅典立法者,所制订的法典(约公元前621)极为残酷,规定在雅典罪无论轻重,一律判处死刑。因此,人们后来便用“德拉古式”一词来形容严刑酷律。亚里士多德说公元前683年以后在雅典设置了6位地位较低的阿尔康或长官以便把法律记录下来。如果这个说法正确的话,德拉古的法典并不是最早的成文雅典法律,但可能是第一部综合的法典或由于某些特殊危机而促成的一次修正。当时人们对这一法典可能不满意,因此公元前594年任长官的梭伦取消了德拉古的法典并代之以新的法律,仅保留了德拉古有关谋杀的条款。公元前409或408年的一项公告下令把有关谋杀的法律(部分尚存)勒铭公之于众。

Draco 飞蜥属 蜥蜴亚目鬣蜥科属。前肢和后肢间有覆以鳞片的皮膜,能在树间滑翔,故得名。有15种以上,产于东南亚和东印度群岛森林。体通常绿色,有深色横条纹,其翼状皮膜颜色鲜明(如橘黄色带黑色斑点)。几根肋骨从身体向外延长用以支撑皮膜。休息时,肋骨及皮膜收拢折叠于体侧。

Dracontius, Blossius Aemilius 德拉康蒂乌斯(活动时期5世纪) 5世纪末汪达尔人统治北非时期当地文学复兴运动中的基督教拉丁语诗人。他曾在迦太基学习传统修辞学,后来任律师。他的家族起初得宠于汪达尔人,但终于因写诗歌颂罗马皇帝、不歌颂汪达尔国王衮塔蒙德(484～496)而遭监禁抄家。最重要的诗作《上帝颂》共3卷,2 327行。德拉康蒂乌斯对《圣经》和非基督教拉丁文学都有很深的造诣。

Dracunculus medinensis 麦地那龙线虫 参阅 **guinea worm** 几内亚龙线虫。

draft(armed forces) 参阅 **conscription** 征兵。

draft(finance) 参阅 **exchange, bill of** 汇票。

draft animal 役用动物 用以驮、拉重载的家畜。考古发掘证明在有文字记录以前人类已使用役畜很久。动物约在9 000～1 1000年以前已被驯化,驯鹿雪橇于公元前5千纪已在北欧应用。随着犁和车轮的发明,公元前3千纪以前在美索不达米亚已普遍使用大动物挽牵。动物拉车在公元前2500年传到印度;公元前2000年传到欧洲,公元前1600年传到埃及;公元前1300年传到中国;公元前500年传到英国。

牛类 牛是用来干活的第一种动物,而且一向是世界上最重要的农畜。但在西方几个世纪以来牛先是被马匹所代替,随后马匹又被拖拉机所代替。关于牛的最早的记载见于公元前7千纪,但直到大约3 000年后才出现牛拉犁的图画。直到公元前1000年为止牛是唯一的运输重载的役畜。最初橇、车或犁由一对牛牵拉。但北欧土质黏重,那里常需4～8头牛。诺曼人入侵(1066)后,马匹在英国供农田役用,并逐渐取代了役牛。以后牛马都被带到新大陆,在美国用牛做重役至少持续到19世纪末。西欧开始用马后,亚洲和北非仍使用牛。而牛在非洲撒哈拉以南的使用,还是欧洲人于殖民时代才引入的。非洲撒哈拉以南地区使用牛力最多的为荷兰殖民者。1652年他们育成杰出的役用牛品种——非洲瘤牛,对开发南非发挥了重要作用。役用牛的选择主要是根据其体型结构。在质轻的土壤上干快速工作要选择身体瘦长而腿高的类型;干慢而重的劳动要使用体重而粗矮的家畜较好。虽然母牛、公牛和犍牛都供役用,但以犍牛效果最好。实验表明,在中欧和印度,乳牛从事正常劳动对产奶量无大影响。在南亚和埃及,亚洲水牛是一种重要的役畜,有两个主要类型:深灰色的沼泽型水牛,主要用于东南亚产米区,供役用;黑色的河流型水牛,分布于印度、巴基斯坦、埃及等处,主要供乳用,其次是肉用及役用。水牛特别适应在潮湿气候和水田里干活,亦能牵挽重荷。牦牛生活在中国西藏高原及其临近省份以及喜马拉雅山南麓等地。是当地主要的驮畜。也用于骑乘、牵挽和产奶。犏牛是牦牛和牛的杂交种,用途类似,但更善于拉犁。

马类 野马原产于亚洲的北部和欧洲,中亚野驴产于亚洲的西南部和中部,而野驴则产于非洲北部。均在各自的原产区被驯化,并首先用于载重或牵挽。驴是最古老的驮畜,在埃及可能早在公元前3500年便被使用。后从尼罗河流域逐渐向西绕着地中海传播,向南远达肯尼亚,向东直到中国。驴主要用于驮载,但也用于骑乘和牵挽(如拉犁)。驴在近代被引入非洲南部作役畜。驴食量小,成为穷人理想的家畜。骡是母马与公驴的杂种,无生殖力。但它结合了马的体型和强力,与驴的抗病力。在崎岖地带和多山区,特别在地中海地区和南美洲,普遍饲为驮挽两用畜。马可能在接近公元前3千纪开始时,在乌克兰或中亚细亚被驯化,可能是先供骑乘然后才用于套车。马被引进中东,然后由喜克索斯人带入埃及(公元前1580年首先见于图画),后来马和马车就传遍整个古代世界,由地中海地区直到中国。在英格兰,马首先用来拉耙,而用马拉犁是直到12世纪末才开始的。在西北欧育成比利时马、佩尔什马、克莱德斯戴尔马等挽马品种。在西欧、北美,马拉犁的时代直到20世纪因大型内燃机出现而告结束。在西方世界,马又重扮原先的角色,成为一种竞技家畜,供骑乘和比赛。在东欧及中欧的小片农地,马仍是重要的农畜。斑马未经系统驯化,但有个别体被驯养学会拉车以供娱乐。中亚野驴于公元前3千纪于美索不达米亚曾用作挽畜,但公元前2千纪开始为更驯顺的马所取代。

其他役用动物 在北极常用狗(如北美的哈斯基狗及西伯利亚的萨莫耶德狗和莱伊卡狗)拉雪橇,在美洲原先是使用12～15只狗作扇形排列,每只狗都直接系挂着雪橇。现在较普遍的做法是用约8只狗排成双列,能挽重675千克或更多些。直到第二次世界大战结束以前,在比利时、荷兰、法国部分地区、德国和瑞士,农民常用1或2只狗(大驯犬型)拉着小车,载着他们的产品到镇上去卖。

在北欧,远在用马拉车之前,就用驯鹿拉雪橇。在拉普兰用单个驯鹿套雪橇,能拉重75千克,甚至100～150千克。在西伯利亚,驯鹿也用作驮畜和供骑乘。一头好公驯鹿能挽65千克一天走80千米。

骆驼是沙漠里最优秀的驮畜,在非洲北部、亚洲西南部(东至拉贾斯坦)的半沙漠地区,单峰驼是牧民的唯一畜力(可荷重225～295千克,每小时行3～4.5千米,日行32千米)。在附近的农业区,亦用作驮重及拉磨、拉犁。在中亚、中国北部和蒙古则用双峰驼作驮畜,在中国平均载重115～135千克,每小时行3千米,日行40千米。在印度河谷文化遗物中可以见到驯象的图画(公元前2500),象一向用于骑乘和作为驮畜。今天在印度、斯里兰卡和缅甸,主要用于搬运木材,亦用于运输重。成年象能负重180～360千克。托勒密埃及及迦太基时代曾将非洲象用于战争,公元前218年,汉尼拔入侵罗马时,非洲象亦起了作用。今天北非已无象,撒哈拉以南的非洲象尚未驯化。

羊驼是哥伦布发现美洲前该地仅有的大型家畜。骆马栖息地局限于南美安第斯高原,由于印加时代没有车辆,骆马专用作驮畜。目前分布在秘鲁南部和玻利维亚,仍作驮畜,正常载重25～30千克,日行不超过25～30千米。

绵羊和山羊的一些大型品种,在海拔3 500～5 500米的中国西藏地区和印度与中国西藏地区之间的山路上,用于驮载。这些驮畜能载重4.5～18千克,日行15千米。从前,山羊在西欧曾用作挽畜。

役用动物的用途 古埃及用牛将播下的种子踩入土中,东方用黄牛、水牛在脱粒场上践踏以脱粒,东亚用水牛踩踏水田。最初的农具是用人力操作的锄。之后便是牛拉犁耕耘。至马用为役畜后,耙、磨、播种、收割、刈草等农活均使用畜力。此外,畜力还用于拉磨、提水等。牧畜在运输上首先是用作驮畜。之后出现无轮的橇,狗、驯鹿或马拉的雪橇至今仍在使用,在某些地区地面不平或泥泞,仍用牛或水牛拉橇。畜力也曾用于在运河两岸拉纤。在葡萄牙沿海,仍用牛将渔船拖上岸。轮车发明后,畜力就更为重要。18世纪出现碎石路面,马车成为运送邮件和旅客的主要工具,至19世纪变得更为普遍。不过在今日的西方,畜力运输已被内燃机和蒸汽机动力所替代。挽具也在不断改进。原先牛的挽具是简单的木制牛轭,与车或犁的顶杆相连,拉力施加于突出的牛肩隆起处。马肩不突出,不能用轭,所以马和驴使用胸带,但胸带易压迫气管,影响呼吸,限制了马能拉载的重量。公元前1世纪,中国发明硬衬垫颈圈,并于10

世纪传到欧洲，才解决了这个问题。现代的挽具基础是颈圈，通常加一个鞍座以支撑车辕，并承受一些重量。一个正常驮鞍包括一个保护背部的衬垫、一个支撑驮包的木架和一个安在牲畜背上的装货驮架。骆驼广泛使用驮包，每侧一个。牛和骆驼用一根鼻绳牵引，马用马嚼子和缰绳。鼻绳穿过鼻中隔，用一个木制的栓或塞以防拉脱。在中国，水牛要穿鼻环，并用绳系住鼻环。缰绳连在马嚼子上，马嚼子用笼头固定，这些马具于公元前1500年已出现。又用眼罩使马只能直视前方。在铺石子的大道上，马匹需要保护蹄脚，以防磨损和滑倒。蹄铁的使用，在罗马开始于公元前2或前1世纪；在北欧开始于8世纪。在意大利和葡萄牙，有牛专用的双蹄掌。长期看来，畜力工效不如拖拉机高，但牲畜除提供动力外，还提供乳和粪肥，它们以本地农产品为食，还可不断繁殖，因此只有当一个地区的生活水平很高，并进行大规模的农业经营的时候，用拖拉机来代替畜力才合算。在爪哇用旧汽车轮胎为水牛制作掌底。役畜在西方世界实际上已消失；但在其他地区，数量仅缓慢下降，并将长期保持它们过去5 000年以来在农业上所占有的地位。

Draft Riot of 1863　1863年征兵暴动　美国南北战争期间，纽约城工人因对征兵制度不满而举行的4天暴动。原来劳动人民基本上拥护北方作战，但是他们对制订政策无发

1863年纽约市列克星敦大道的征兵暴动
美国国会图书馆供图

言权，薪饷又低（一年不到500美元），且传富有子弟交纳300美元即可免役，群情愤激，时有逃亡。1863年7月11日，纽约城点名入伍一开始，大批白人（多为外国尤其是爱尔兰出生的工人）涌上街头，攻打征兵总部，烧毁房屋。在纽约城，白人对于解放后南方来的黑人进入劳工市场，特别是许多雇主雇用黑人破坏罢工，又有嫉恨，于是暴动者时常砸毁无辜的黑人家庭和商店。持续4天的暴动最后被军警镇压平息。

drafting　制图　又作draughting。又称工程制图。用图示表现某种结构、机器和它们的组成部分，用以将工程的工艺设计意图传递给生产这种产品的工匠或工人。最早看到的有关工程制图的正式论文是1801年由G.蒙日撰写的《画法几何》（*La Géométrie descriptive*）。在这篇论文中，蒙日研究了投影理论，即将一个物体分别向3个互相垂直的坐标面（如由长方体的正面、顶面和侧面所形成）投影，然后旋转水平面（顶面）和侧面的投影进入同一个平面，如垂直面（正面）。他的理论为所有正交（相互垂直）投影制图打下了基础；在这种投影图中，能从任何方位观察物体。大多数工程图是用器具绘制的，因而又称机械制图。制图器具有铅笔、丁字尺、三角板、圆规、量角器和制图板。在正投影图中，物体的视图按物体相邻面的顺序画在图上。观察物体时选择一个位于无限远的视点，使从眼到物体的所有视线都平行地射到物体上。主要有俯视（或底视）、前视（或后视）和右视（或左视），也可从其他方向辅助观察。最常见的视图布局是俯视图纵向放在前视图的上方，侧视图横向放置并与前视图对齐。正投影图可包含传统的制图符号，以描述物体的准确特征，如螺纹或机器零部件。在物体的内部做一个切平面，可表现一个物体的剖视图。剖视图能反映物体内部的尺寸和公差。物体的正投影接近人眼所看到的物体形象。在不等角投影中，视线倾斜到物体的主面和主轴上，物体在主轴方向上的所有尺寸都按照透视规则缩短。在斜投影中，物体投射到图面上的视图与视线成一定角度（90°除外），通常图面平行于物体的一个主面，而这个主面表现物体的真实尺寸和形状。透视投影是机械制图中最实用的，视线不是平行投射而是缩聚成一个视点将物体投射到图面上。

在建筑制图和结构制图中，每个平面图和建筑正视图都使用单张分图，结构的各独立部分在装配图中表示出。大多数建筑制图和结构制图采用第三角投影。除投影图外，还有表明一组事件、统计资料和记录相互关系的示意图和图表等，常见的有线路图、极坐标图、柱状统计图表、圆形图、方框图和诺模图。原工程制图被完好地保存起来，其复制图供进一步使用。复制的方法有蓝图法，它是在一个深蓝底上产生一个白线图；重氮法，它是在白底上得到一个黑线、蓝线或红线图；缩微胶片法，它是将原图缩微在胶片上，原图尺寸可缩小到原来的1/8～1/40。

drafting (fibre preparation)　参阅 **drawing 拉伸**。

drag-gshed (in Buddhism)　参阅 **dharmapāla 明王**。

drag racing　减重短程高速汽车赛　汽车比赛的一种，流行于美国。竞赛者两车一组，并排从一地出发，赛程1/4英里，跑道平直，先到达终点者胜。要记录跑完全程时间和终点时速。比赛采用淘汰制，最后决出冠军。各种机动运输工具（包括汽艇）都可用于这种比赛，通常用汽车。这种比赛于20世纪20年代起源于加利福尼亚州南部沙漠地带。50年代初美国成立了两个主要组织：全国轻型汽车协会（NHRA）和美国轻型汽车协会（AHRA）。多数高水平的减重短程高速汽车赛是职业性的。比赛按减重程度、燃料种类和其他规格将车分成若干级。关于减重短程高速汽车赛在汽车比赛史上的地位，参阅 **automobile racing**。

Drăgăşani, Battle of　德勒格沙尼战役（1821-06-19）　奥斯曼土耳其人打败希腊革命组织“菲力克·希特里亚”的部队，从而结束了希腊独立战争的第一次起义的军事冲突。“菲力克·希特里亚”为了推翻奥斯曼对巴尔干各国的统治并建立独立的希腊国家，派遣A.伊普西朗蒂率领神圣大队进入多瑙河公国，在那里发动一次起义。但在布加勒斯特以西145千米的德勒格沙尼为土耳其军所败，这虽标志伊普西朗蒂领导地位的结束，但对希腊独立运动影响不大，不久又爆发了摩里亚的另一次起义。

Drago, Luis María　德拉哥（1859-05-06，布宜诺斯艾利斯～1921-06-09，布宜诺斯艾利斯）　阿根廷政治家和德拉哥主义创立者，这个主义反对通过军事干涉对任何南美共和国强行索取债款。德拉哥出身于阿根廷的一个名门望族，最早担任报纸编辑，后担任阿根廷外交部长（1902）。当时英国、德国和意大利正在谋求用武力索取委内瑞拉的公债，他写信给阿根廷驻华盛顿公使提出这个主义。德拉哥代表阿根廷出席了1907年的海牙和平会议，并在两年以后参加了裁决著名的英国和美国之间的北大西洋海岸捕鱼权争端案件的仲裁法庭。他在去世前不久曾被国际联盟邀请起草国际常设法院的章程。

dragoman　台尔果曼　阿拉伯语作tarjumān，土耳其语作tercüman。使用阿拉伯语、土耳其语和波斯语国家的官方译员。此词原指欧洲人同中东人之间的任何中介者，不管是旅馆招徕顾客者或者导游人，皆称台尔果曼。后来在外交部和使馆中出现官方的台尔果曼，他们一度负责进行重要的政治谈判。自奥斯曼帝国衰亡后，台尔果曼便不再负责政治谈判。可是，20世纪下半叶在阿拉伯地区的许多大使馆仍雇用一种担任通译-导游工作的人，称作“卡瓦斯”（土耳其语 kavas；阿拉伯语 qawwās），主要出于礼仪的目的。奥斯曼政府开始雇用台尔果曼则出于对非穆斯林语言的宗教顾忌。奥斯曼政府与各国的政治联系迫使苏丹的大臣们使用通译。奥斯曼政府第一位首席台尔果曼是P.尼考希亚。A.马夫罗科扎托斯继P.尼考希亚之后，代表奥斯曼帝国参加卡尔洛夫奇条约（1699）的谈判，在帝国政策发展进程中成为杰出人物。同样，外国使者雇用自己的台尔果曼，作为其使团与奥斯曼政府间可信赖的中介者。1877年英国首先实施一套办法，以选拔和培养英国出生的台尔果曼。欧洲列强随之效法。首席台尔果曼的职能基本是政治上的。属下各台尔果曼则处理次要事务，通常包括涉及外国公民权益的一切事务。外国选雇的台尔果曼，常被提拔到最

主要外交职位上。设在奥斯曼帝国各省的许多重要领事馆也都有台尔果曼协助工作，其职责稍逊于领事人员。欧洲的银行、铁路公司和金融机构也雇用台尔果曼，以利于与奥斯曼帝国的商务联系。

dragon 龙 传说中的一种怪兽。通常被想象成一只巨大的蜥蜴，长着蝙蝠的翅膀、身披鳞片、能喷火；也有人把它想象成一条蛇，有带刺的尾巴。古人虽相信这类动物的存在，但显然对史前巨大的龙状爬虫一无所知。在希腊语中这个词原指任何一种大蛇（参阅 **sea serpent**），而神话中的龙，不管后来被说成什么样子，实质上还是一种蛇。在中东世界，蛇是巨大的和致人死命的，因此蛇或龙是恶的象征。例如埃及的阿佩皮神就是冥界的一条大蛇。希腊人和罗马人虽然接受了中东关于蛇的看法，把它看成是邪恶的力量，但有时也把居住在大地深处目光锐利的龙看成是仁慈的力量。不过，总的说来，龙的恶名更大，在欧洲它的这种恶名也十分长久。基督教混淆了古代的行善的和作恶的蛇神而一概加以指责。在基督教艺术中，龙逐渐成为罪恶和异教的象征，因而在绘画中匍匐于圣徒与殉教者足下。自古龙的形状有各种各样的变化。迦勒底的龙有4只脚、身上有鳞、长着翅膀，而《圣经·启示录》中那条龙“古蛇”，则和希腊的许德拉一样，有许多个头。由于它们既有保卫的能力和使人感到恐怖的能力，又有装饰性的图像，所以很早就被用来作为战争的标志。在《伊利亚特》中，阿伽门农王的盾牌上便装饰着一条蓝色的三头蛇，后来北欧的战士也在他们的盾牌上画龙，并在他们的船头刻上龙头。在诺曼人征服以前的英格兰，龙是皇家的主要战争徽记。在20世纪，龙的形象正式被画入威尔士亲王的纹章。在远东，龙一直保持着威望，被认为是行善的生物。在中国，**龙（long）**自古以来就是皇室的标志。中华民国成立（1912）之前，中国国旗上一直装饰着龙。龙随中国文化传入日本，而日本的龙可以随意变大变小，甚至可以隐形。在道教中，它们是被神化了的自然力量。

Dragon Boat Festival 端午节 中国传统节日。又称端阳节、粽子节、重五、重午节、女儿节、天中节、地腊等。节期在农历五月初五。起源于古老的时令信仰，是夏季最大的节日。是日，人们吃粽子、悬挂草药避瘟、赛龙舟。此节的根本意义是在夏至时分阴阳二气的运动变化中驱瘟防病，护佑人生；人们在这天或悬艾、挂菖蒲，佩彩丝避瘟，或戴香包，沐浴兰汤，喝雄黄酒，点朱砂防病。端午节地位的上升与爱国诗人屈原的传说有密切联系。传说屈原在五月五日投江而死，人们为了纪念他，形成了赛龙舟的习俗，因此端午节又被称为龙舟节、诗人节。五月龙舟大赛现已成为国际性体育竞技项目。日本、韩国等东亚国家也过端午节。

dragon rug 龙毯 库巴地毯中为数最多的一种，以其图案和配色鲜艳夺目为地毯行家所钟爱。基本图案是以大而不规则的锯齿边构成的葱形格子。早期产品窄长，有单大边。在格子中，奇花异草互相衬托；在锯齿边和锯齿边之间的空间有各种动物，如畸形的中国龙，喷火的狮子，有时为幼鹿、野驴、野山羊和仙鹤。锯齿边本身可能有变形雉和鸭子，还有中国的棋盘或云结。最早的地毯为

17世纪晚期的龙毯
美国不列颠百科全书公司供图

小点重复图案，但不久出现了重复的对角图案和分支图案。开始，格局是指向一个方向的，但许多后期产品有指向两端的。在后期的产品中，除龙外，所有的兽类都已消失或仅作为模糊不清的小块色彩而保存下来。除最近的龙毯外，几乎所有的龙毯都是羊毛的。

dragon worm 龙线虫 参阅 **guinea worm 几内亚龙线虫**。

dragonet 鰤 鲈形目鰤科40种海鱼的统称，见于温带、热带地区，多分布于印度洋-太平洋，少数种生活于其他地区。如斑鳍鰤（*Callionymus agassizi*）亦见于大西洋海域，曾从大于450米深处捕到。鰤体小，长不及20厘米，但鳍、唇及眼均大而长，外形凶恶，故英文名原意为小龙鱼。无鳞，雄鱼在交配季节色彩鲜艳。多数种类为底栖性，见于浅水区域时常将其身埋在沙内。卵与其他鱼类不同，漂浮在海洋中直到孵化。

dragonfish 海蛾鱼 又作sea moth。海蛾鱼目海蛾鱼科约5种海产小型鱼的统称。产于印度洋-太平洋暖水区中。体长形，约16厘米长，包于骨质环的盔甲中，头体盔甲完全愈合，尾部甲环不愈合，因而可弯曲。胸鳍大，水平位呈翼状；腹鳍由指状鳍条组成。口小，无牙，口位于骨质的长吻下方。其自然历史及其与其他类群的亲缘关系尚不清楚。最著名的一个种是飞海蛾鱼（*Pegasusvolitans*），

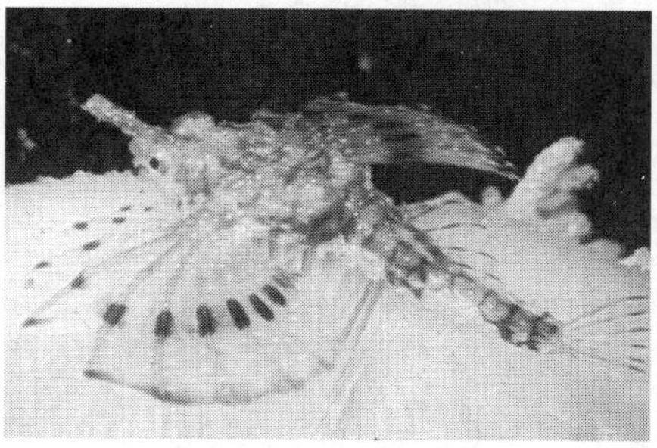

海蛾鱼（*Pegasus papilio*）
美国不列颠百科全书公司供图

眼蓝色，体褐色或深红。

dragonfly 蜻蜓 又作darner，darning needle，devil's arrow或devil's darning needle。蜻蜓目差翅亚目昆虫。翅大，膜质，多翅脉。翅展可达16厘米。静止时翅平展，与体纵轴成直

蜻蜓（*Libellula forensis*）
美国不列颠百科全书公司供图

角（同目束翅亚目的豆娘则与体纵轴垂直）。复眼大，占据头的大部。是飞行最快和最善捕食的昆虫之一，能在30分钟内捕食相当于自身体重的食物。按迷信说法，蜻蜓能将熟睡儿童的眼、耳和口缝起来，故英文中俗称“魔鬼缝针”。蜻蜓和豆娘雄性交接器在腹部的前方而非末端，这是昆虫中少见的。交配时雌雄串联飞行，有时一直保持到雌虫产卵后。幼体水生，称稚虫，以直肠鳃排水推动身体前进。

dragonhead 龙头花 唇形科青兰属（龙头

龙头花（*Dracocephalum virginianum*）
美国不列颠百科全书公司供图

花属，*Dracocephalum*）和美洲铃子草属（*Physostegia*）植物的统称。青兰属约45种，除一种原产北美外，均原产于欧亚大陆温带。该属花二唇状，基部及上唇浅裂，形似龙头。北美洲的美洲青兰（小花青兰、小花龙头花，*D. parviflorum*）茎高60厘米，穗状花序顶生，花蓝色。美洲铃子草属的种类俗称假龙头花属或顺从花，有15种原产于北美。最著名的为弗吉尼亚假龙头花（弗吉尼亚美洲铃子草，*P. virginiana*），穗状花细长而大，粉红色，钟状。

dragon's blood　龙血树脂　由白藤属几种棕榈树的果实得到的红色树脂，用于清漆和油漆的着色。它有收敛作用，一度在欧洲作药用。现在用作小提琴的清漆，在光刻制版中防止版面下部在蚀刻过程中被蚀伤。大部分商品龙血树脂产自马来西亚和印度尼西亚的一种白藤棕榈树藤血竭。龙血树脂的其他来源有索马里东部索科特拉岛的龙血树、加那利群岛龙血树及墨西哥龙血树。墨西哥当地人用龙血树脂作为收敛药物治疗伤口。

dragon's-mouth（*Arethusa bulbosa*）　**龙口泽兰**　又作bog pink或wild pink。兰科泽兰属（*Arethusa*）植物。仅见于北美酸沼地区。泽兰属共两种，另一种仅产于日本沼泽地带。

龙口泽兰（*Arethusa bulbosa*）
美国不列颠百科全书公司供图

龙口泽兰花粉红色，萼片三枚，直立；唇瓣一枚，带紫色斑点，向下弯曲，上表面组织肥厚，被黄色而顶端紫色的毛；唇瓣之上有一兜帽状结构。茎高约30厘米。开花季节后生长一枚尖锐的长叶。

Dragon's Mouths　德拉贡海峡　西班牙语作Bocas del Dragón（龙口海峡）。加勒比海东南部海峡。在特立尼达岛西北端和委内瑞拉的帕里亚半岛东端之间。宽约20千米。界于特立尼达和南美洲大陆之间。南为开阔的帕里亚湾。海峡内多齿状岩石小岛，水流汹涌，航行困难。

dragoon　龙骑兵　在16世纪后期的欧洲，进攻时骑马作战、防御时下马成为普通步兵的一种骑兵。因其所使用的一种名为龙骑枪的短滑膛枪而得名。龙骑兵的编制为连而非骑兵中队，军官与士官的军衔与步兵相同。自18世纪普鲁士的腓特烈大帝进行的早期战争起，龙骑兵一词就是指普通骑兵。18世纪和19世纪初英军的轻骑兵大部分称为轻装龙骑兵。到20世纪，龙骑兵的名称和功能随着骑兵的消失而消失了。

drainage　排水　人工地将水从土地移出的农业技术。用于开垦湿地和预防水土流失，也与干旱地区的农业灌溉同时进行。排水措施古已有之，但人们一直认为排水不及灌溉重要，这种认识直到现代才有所改变。最早的排水沟很可能是将洪水导入江河的沟渠。用不透水的材料作为沟渠衬面极大地改善了排水效率。20世纪排水技术最重要的进展是应用土地分级技术以保证排水的流量均匀。土地平整后可留适当坡度和沟渠，以使过多的水分在进入土壤前便流走，从而预防水土流失、营养物质漏失、表面死水潭形成，并使及早春耕成为可能。若计划周全，则平整土地又为表面灌溉作好准备，一举两得。若过多水分已进入土壤，则要将其移去既费钱又是一项专业性工作，这项工作与灌溉无直接关系，但有时对灌溉地亦必不可少。现代排水系统可分两类：地面及地下排水系统。典型的地面系统包括斗沟、支沟、干沟、排水口，用以排除土壤表面的水，主要用于吸水缓慢的土壤。斗沟形状因地形而异，平行排水沟用于土地表面状况一致的地块，因地制宜型排水沟用于积水不均匀的地块。地下排水系统包括多数小排水管、次主排水管、主排水管及排水口。小排水管相当于表面系统的斗沟，用以收集土壤中的水分并将其引入较大的排水管。决定排水系统效率的因素有土壤类型、土地形状、降雨量和降雨型式、要种的庄稼类型等。含砂多的土壤适用地下排水系统，而多黏土的土壤适用地面排水系统。

drainage basin　流域　又称汇水区（catchment area）或集水区（watershed）。指其中全部降水都流入单独一条河流或一套水系的地区。例如，全部由密西西比河排水的地区，构成密西西比河流域，而其中由俄亥俄河排水的那一部分，则是俄亥俄河流域。流域之间的界线为流域分水岭，分水岭两侧各自的全部降水量分别流入不同流域。流域是可以对其中与一般水文情况有关的各种自然作用加以研究的有限地表范围。对气候的各种变量、水和泥沙的排放量、蓄水量以及蒸发蒸腾量等都可以进行测定。从测定结果中可以得出剥蚀的速度以及水分和能量的平衡，这些在研究和了解自然景观的形成方面都是有用的。

Drake, Edwin Laurentine　德雷克（1819-03-29，美国纽约格林维尔～1880-11-08，宾夕法尼亚伯利恒）　美国第一口油井的钻工。原为康涅狄格州纽黑文的列车员，买过少量宾夕法尼亚石油公司的股票，该公司在宾夕法尼亚州泰特斯维尔收集地面渗出的石油供医用。他因事到该地，研究了钻盐井的技术。当地地主G.H.比斯尔注意到青年B.西利曼关于石油潜在价值的报告，就鼓励德雷克，劝导公司出租土地供钻探用。1858年，德雷克开始钻探，1859年8月28日，他在21米深处钻出石油。随着德雷克钻探技术的推广，泰特斯维尔和宾夕法尼亚州西北各居民点成为繁荣的城镇。但是他没有取得钻井方法的专利，后来又在石油投机上赔了钱。过了10年贫困生活后，州议会才给予他养老金。

Drake, Frances Ann Denny　德雷克（1797-11-06，美国纽约斯克内克塔迪～1875-09-01，肯塔基路易斯维尔）　婚前名Frances Ann Denny。美国戏剧界C.库什曼之前最杰出的女演员。1815年参加S.德雷克组织的剧团到肯塔基州的偏远地区巡演，显露出超常的表演才能。首演是在纽约切里瓦利演出喜剧《午夜时分》。1819年前后开始独闯新路，到各地演出，后于1820年4月在纽约演出《男人与妻子》。1822年或1823年与A.德雷克结婚。到1824年已成纽约明星，以饰演悲剧式女主人公闻名。其后主要在美国西部演出，人称"悲剧王后"、"西部之星"。英国评论家F.特罗洛普对她赞誉有加。演出生涯一直持续到19世纪40年代末，退休后居住在路易斯维尔附近的一个农场。

Drake, Sir Francis　德雷克（1540或1543，英格兰德文郡～1596-01-28，巴拿马贝约港外海上）　英国海军将领，作过环球航行（1577～1580），在打败西班牙无敌舰队的战役（1588）中起过重要作用，伊丽莎白时代著名航海家。13岁就到海船上充当徒工，在北海沿岸航行，掌握了在风涛险恶的大海中驾驶小船航行的技术。23岁离开北海到亲戚霍金斯家的船队工作，有权势的霍金斯家族从事对"新世界"的贸易，这个"新世界"是教皇亚历山大六世划归西班牙王国的。于是，他首次看到大西洋的波涛以及将会给他带来名望和财富的土地。在去西印度群岛的航行中，屡次遭受西班牙人的凌辱，如货物被没收，船员被袭击，其中多人被杀等等，德雷克回到英国决心报复。1572年他奉女王伊丽莎白之命，率船队出海，有权劫掠西班牙的船只和土地。德雷克率领两艘小船起航去美洲，一艘"帕夏"号70吨，一艘"天鹅"号25吨。他的目的就是要占领巴拿马的农布雷-德迪奥斯城。虽然在攻城时自己身受创伤，但掳获大量财富（成了他日后财富的基础）。不止于此，他还穿过巴拿马地峡站在山冈上第一次望见太平洋。这个太平洋截至当时为止，除西班牙外，排斥所有各国的船只。他在此恳求上帝，让他能驾驶一艘英国船，在这个水域航行。这次远征奠定了他的名声与财富，他回到英国时既成了富翁又成了出名人物。1577年他奉命绕南美麦哲伦海峡探索西海岸。目的是和西班牙势力范围以南的地区居民缔结通商条约；可能的话，去探索传说中远在南太平洋中的不知名的大陆。这次远征得到女王的亲自支持，这对德雷克来说无比重要。他获得官方许可，在给西班牙人造成最大危害的同时可以给他自己和女王攫取收益。这时他第一次觐见女王，并从女王口中听到她讲"假若给西班牙国王造成一些伤害，以报复他对朕的伤害，朕将十分高兴"。当年12月，他带领5条小船，总数不到200人出境，

美国不列颠百科全书公司供图

1578年春季到达巴西海岸，他的旗舰“鹈鹕”号（德雷克后来将她易名“金鹿”号）只有100吨左右。当时似乎很难对世界上最有权势的君主及其帝国的领域进行冒险。8月21日驶入麦哲伦海峡，费时16天穿过海峡进入太平洋，德雷克第二次看到太平洋，这次是从一艘英国船的甲板上望见的。在暴风巨涛中，德雷克所乘的船和他队伍里的其他船只分开了，它们失去了同德雷克会合的机会，最后返回英国，他们推测“金鹿”号已沉没。因此只有德雷克的旗舰进入太平洋，沿南美海岸航行。这好像卷起一股旋风，因为西班牙人完全没有防备，他们从来不知道在他们的水域里出现一艘敌船。德雷克俘获了瓦尔帕莱索的供应品，袭击过往的西班牙商船，捕捉2艘装载大量财物的船。“金鹿”号载着金条银锭、西班牙的铸币、宝石、珍珠，压到吃水线以下，离开南美水域，继续其环绕世界的航行。在向西航行之前，先向北航行寻求返归大西洋的“西北航道”。他到达北纬48°，严寒的气候挫败了他，他沿岸南驶，在今天的圣弗朗西斯科（旧金山）的北边抛锚停泊。他给周围地方命名为“新阿尔比恩”，以伊丽莎白女王的名义占领该地。在他寻找绕过美洲北部航道的过程中，他是第一名见到今天的加拿大西部海岸的欧洲人。1579年7月，他向西航行横渡太平洋，68天之后看到一列岛屿（可能是远方的帕劳群岛），从那里驶向菲律宾，装水之后，往摩鹿加群岛航行。在这里受到当地苏丹良好的接待，似乎缔结了一份条约，给予英国人香料贸易权。再经停爪哇，然后穿过印度洋，绕好望角回到大西洋，此时“金鹿”号原有的100名船员仅剩56名。1580年9月26日德雷克的船驶进普利茅斯港，载着宝藏和香料，德雷克的财富也永久确定下来。他成为扬起自己的风帆完成环绕世界航行的第一名船长（葡萄牙人麦哲伦在他行将完成环球航行之前，途中被杀），也是航渡太平洋、印度洋与南大西洋的第一名英国人。当“金鹿”号停泊在泰晤士河口德特福德时，伊丽莎白女王亲自登船慰问，赐予爵士头衔，1581年出任普利茅斯市长。1585年，英西又爆发战争，女王命他率领25艘船组成的船队破坏西班牙海外领地。他到处攻击西班牙殖民城市。他在西印度群岛的节节胜利使西班牙经济和士气蒙受极大损失。西班牙银行破产了，威尼斯银行（西班牙国王腓力二世是主要债权人）接近垮台，而奥格斯堡的日尔曼大银行拒绝再给西班牙君主提供任何信贷。伊丽莎白的重要大臣、向来不赞同德雷克的为人及其工作方式的伯利勋爵，也被迫承认“德雷克爵士是一位令西班牙国王畏惧的人物”。1586年得知西班牙国王腓力二世正在建造无敌舰队准备入侵英国，他获得女王的全权委任去“向西班牙人兴师问罪”。第二年率领由30余艘船组成的一支舰队冲入西班牙加的斯港，在36小时内，摧毁了成千吨的造船装备和器材，使无敌舰队的建成至少推迟一年。1588年7月西班牙舰队来侵，驶入英吉利海峡，霍华德勋爵任司令，他任英国舰队副司令。由于他率领舰队冲击并提议使用火船，把无敌舰队打得落花流水，成为名噪一时的英雄人物。他的名字铭刻在许多纪念品上，他成为诗歌及文章中的不朽人物。1596年最后一次出征西印度群岛，攻击西班牙领地，因部下大部死于热病而失败，他自己也染热病身亡，海葬于巴拿马海域。

Drake, Joseph Rodman　德雷克（1795-08-07，纽约市～1820-09-21，纽约市）　美国浪漫派诗人。英年早逝前写有几首著名的抒情诗，对开创美国民族文学作出了贡献。早年丧父，母亲改嫁。他留在纽约由亲戚扶养，1816年毕业于医学院。学生时代与诗人哈勒克结识，1819年合写时事讽刺诗《不祥之音》在纽约《晚邮报》上发表。诗人死后，他的女儿在1835年刊印了他的19首诗，作为诗集题名的《犯罪的小仙女》被认为是他最好的诗篇。这个诗集还包括两首歌颂自然的优秀诗篇：《尼亚加拉》和《布隆克斯》。它们与他的其他诗被收入由F.L.普利德韦尔所编的《德雷克的生平和作品》（1935）。

Drake Passage　德雷克海峡　南美洲火地岛南面1 000千米宽的深水航道，连接大西洋和太平洋。南侧为南设得兰群岛。海峡两侧气候变化很大，火地岛为副极地气候，冷爽湿润，另一侧则是南极的冰天雪地。在1914年巴拿马运河通航以前，德雷克海峡对19和20世纪初叶的贸易起过重要作用。虽然德雷克海峡以16世纪著名的英国航海家和探险家命名，但事实上是W.斯考滕领导的佛兰芒探险队在1616年第一次穿过德雷克海峡的。德雷克并未乘船穿过该海峡，只是通过麦哲伦海峡到达火地岛北部。德雷克海峡平均水深约3 400米（11 000英尺），南北边界较深的地区的平均水深达15 600英尺。海峡上空盛行西风、北半部风力尤强。常见的风速为12～23英里/时，有时超过45英里/时。北部年平均气温为5 °C，南部为－3 °C。7月气温最低，为－20 °C。太平洋形成的气旋在南端穿过海峡。每年有6/10的时间海峡为云雾笼罩。自南极洲向北延伸的海面冰冻面积逐年和逐季有所不同。夏末（2月）海峡内没有冰冻，9月冰冻面积最大。峡内海水从太平洋流入大西洋，只有南部少量海水来自斯科舍海。称作南极环流（南极绕极流）的水流是世界上流量最大的，流量达1.5亿$米^3$/秒。表面水温从北部的将近6 °C到南部的－1 °C。在南纬60°附近温度发生显著变化。这一过渡区称南极辐合带或极锋，为亚南极表层水和更冷、更新鲜的南极表层水的分界。在约1 600～10 000英尺之间的深度有比较温和和盐度较大的环极深层流。南极环流在经过海峡时稍稍加速，是辐合带附近地区最强的水流。环流穿过海峡后，急转向北。海底摄影显示，这里有很多海生动物，最多是海胆和海星，也有海绵。浮游生物也相当丰富。南部盛产磷虾，以磷虾为食的蓝鲸也很多。最常见的鱼是南极鳕鱼。

Drakensberg　德拉肯斯山脉　非洲南部山脉。高达3 475米。从南非的德兰士瓦省东北部延伸到开普省东南部，绵延1 125千米，形成斯威士兰、纳塔尔、特兰斯凯共和国（未

德拉肯斯山脉著名的大教堂峰村山段
美国不列颠百科全书公司供图

被国际承认）与德兰士瓦、奥兰治自由邦、莱索托之间的分界。东坡（海拔10 000～11 000英尺以上）和南坡（8 000～10 000英尺）陡峻，北坡和西坡逐渐下降至莱索托山区。莱索托境内山脉多深谷和瀑布。德拉肯斯山冬季白雪皑皑，对登山运动者极富魅力。但有几座山峰因登攀困难，至今仍无人到达。有几处山区休养所和野营场地。

dram　打兰　常衡制中的重量单位。一打兰等于1/16盎司（1.772克或27.344格令）；在药衡制中，一打兰等于1/8盎司（3.888克或60格令）。“打兰”一词有时也指“流体打兰”而为容量单位，等于1/8流体盎司。在英格兰，“打兰”一词常用以指一小杯甜香酒或酒精，因此，“打兰商店”即指可购买一杯酒的酒馆。“打兰”一词源自希腊字“drachm”的发音，该字代表一种古代硬币和人手所能握住的重量。用作计量单位的打兰已主要被米制计量单位所取代。

Dráma　兹拉马　希腊北部马其顿区一个州和城镇的名称。位于兹拉马平原北缘，安伊蒂斯河主要支流之北，是农业中心，产烟叶、棉花、稻米等。几股泉水从附近山脚流向城镇。18世纪替代菲利皮（东南）而成为平原区主要城镇。1922年土耳其人迁离后，接收许多来自土耳其的希腊难民，当地人口增加近2倍。镇内设军区总部、烟草研究所。都主教亦在此。有铁路通塞萨洛尼基，公路通卡瓦拉港。人口：镇约39 914；州约96 978（1991）。

dramatic irony 戏剧性讽示 又译戏剧反语或戏剧性伏笔。文学中的情节处理手法，指观众或读者对剧中事件或人物的了解超过剧中角色对那些的了解，因此剧中人物的台词和动作对观众或读者来说，有着与对剧中角色来说不同的含义。这种手法在悲剧作品中经常使用。譬如在俄狄浦斯传奇故事中，观众远在俄狄浦斯认识到自己的错误之前就知道俄狄浦斯的行为会是悲剧性的错误。后来掌握这种戏剧性讽示手法的作家中有W.莎士比亚、伏尔泰、J.斯威夫特、H.菲尔丁、T.哈代和H.詹姆斯等人。在O.亨利的短篇小说《麦琪的礼物》中也可见到这种手法。

dramatic literature 戏剧文学 可供阅读的戏剧文本，有别于通过表演进行观看和聆听的戏剧。戏剧文本与表演(写作即为此目的)之间的关系并不简单，亦无规律。对于公元前5世纪希腊的剧作家们，现在人们能见到的只是少量选本，都是由后人抄录和保存下来的。没有办法准确知道这些供最初演出用的脚本是如何准备好的。与后来的许多时期一样，问题是写下来供演员说出或唱出的语言与戏剧作品中的许多其他要素(即演出中将要包括的动作、布景、服装以及偶尔会使用的音乐等等)之间的关系究竟如何。其中有一些可以从写作的特殊风格中推断出来，而大多数则必须从其他种类的遗存史料中加以研究。

在英国文艺复兴时期的戏剧中，起初不同寻常地出版了剧本作品，仿佛它们就是文学作品。而这个时期对戏剧写作的重视最终产生了许多文本形式的戏剧。还有必要从其他种类的信息中来推测整个戏剧作品的其他要素，即关于剧场、观众和表演等。在以后的时期里，特别是从19世纪以来，人们已经习惯于一出戏的书面文本(尤其是独立出版的)，不仅包括布景和舞台动作的细节，并且还有人物的面貌表现和预期伴随而来的心情状态或抑扬顿挫的台词。晚期有些戏剧文本的印刷形式在某种程度上与长篇小说或短篇小说相似。

毫无疑问，这些戏剧的印刷文本不论何种形式，都可以作为文学作品阅读。其中有许多现在已被列入世界优秀文学作品之中，如《奥瑞斯忒亚》、《李尔王》、《彼尔·英特》等等。可是在这时人们就容易忘记它们一直是代表某些声音和动作的一种特殊写作形式。可以有理由认为一个人仅从印刷的书面剧本里也可以了解一出戏的基本含义。但也有这样的情况，单纯默读剧本可能领会不到戏中某些要点。例如在读希腊剧本尤其是读它的译本时，可能没有意识到某段“台词”实际上是由一个演员或两部分合唱团唱出来的。印刷剧本里有可能将被称作莎士比亚“独白”的台词假定为“内心独白”形式，而事实上在那个时期戏剧的传统习惯里，它们是被直接或间接向观众大声朗诵出来的。

绝大部分剧本是为口头的或形体表演而写作的一种形式；在那时当富有想象力的写作被界定在“文学”、特别是印出来的文学范畴内时，它的某些要素就常常被误解。戏剧文学与口头文学两者具有相同的要素，当默读印刷品的状况被看作是寻常的甚或被普遍接受时更是如此。“文学”——在这种状况下的作品的名称——被转而用于其他起初以口头传播为目的的写作形式。现在人们更加广泛地承认需要去了解那些口头表演的状况。同时，承认在适当强调其戏剧特性后，伟大戏剧作品的文本依然被人们当作戏剧文学来阅读。

dramatic monologue 戏剧独白 以一个角色发言的形式写出的诗。这种独白把发言者对自己历史的叙述和对自己性格的心理分析压缩到一个生动的场景之内。虽然人们把这种独白主要同R.布朗宁联系起来，但事实上，它的历史要早得多。许多古老的英语诗都是戏剧独白，如《游客》和《水手》。这种独白在民间谣曲中也很常见。布朗宁对这种独白的贡献在于他精细入微的性格刻画和错综复杂的戏剧情节，读者从独白者偶然的提示或题外话逐步认识到复杂剧情的概貌。论述的主题通常远远不像独白者无意中谈到他自己时那样有趣。例如，在布朗宁的《我的前一位公爵夫人》中，一位意大利贵族在炫耀他的故妻的一幅画像时，却泄露出他曾虐待她。

dramaturgy 编剧艺术 编写剧本或编排舞台演出的艺术或技巧。从这个意义上说，英语的dramaturgy和法语的dramaturgie都是借自德语Dramaturgie一词。德国剧作家和评论家G.莱辛在一系列有影响的短论(后收编在《汉堡剧评》一书中)中曾使用该词。

drame bourgeois 市民剧 一种戏剧类型，18世纪末期曾在法国短期流行。它以法国随笔作家和百科全书派狄德罗(1713～1784)的理论为基础，为中产阶级写作，并以中产阶级为题材。它介于悲剧与喜剧之间，目的是严肃地描写中产阶级的问题，尤其是描写社会陋习，但通常包括一个传统的幸福结尾。狄德罗写了两部市民剧以阐述他的理论：《私生子》(出版于1757年)和《一家之主》(出版于1758年)。其剧本及其继承者塞代纳和梅尔西埃的作品，都被评论家视为感伤和道貌岸然，充满夸张的对话和浮华的说教。然而，市民剧导致台词和姿势动作更趋向自然风格，更加刻意追求服装和布景的准确历史性。狄德罗及其继承者也促进了19世纪浪漫派戏剧和最早的问题剧作家的出现，诸如奥日埃和小仲马。

Drammen 德拉门 挪威东南部布斯克吕郡城市、首府。在奥斯陆西南，位于德拉姆河与德拉姆峡湾汇合处。13世纪时是两个分开的村落。1715年各自设镇。1811年与唐恩合并成现今城市。是一海港和铁路终点。产品有木制品、塑料、研磨料、纺织、皮革制品和啤酒等。附近有花岗岩采石场。人口：城市约51 497(1987)。

Dramselva 德拉姆河 挪威东南部布斯克吕郡河流。发源于哈灵山南坡，东北流至古尔镇，折向东南流，汇入克勒德伦湖，然后向南流经309千米，在德拉门注入德拉姆峡湾。河流为一系列水利设施充分控制，附近有几座造纸和木材厂。

Drancy 德朗西 法国巴黎大区塞纳-圣但尼省巴黎东北部工业郊区。距巴黎市5千米。第二次世界大战中德国占领期间，当地东南部建筑曾被用作集中营。1941～1944年约有12万名法国和非法国犹太人经此前往波兰死亡营，大多数被杀害。法国艺术家、诗人M.雅科布1944年死于德朗西集中营。人口60 122(1982)。

Drang nach Osten 东进 德国奴役其东面斯拉夫国家的政策。原指12～13世纪德意志移居者的东迁，但在20世纪被希特勒重新用来描述其为德国人获得“生存空间”的计划。中世纪的东进是德意志大扩张的一部分，特别指易北河与奥得河之间的地区，农民在这里可以得到比西面较好的定居条件，许多贵族也需要领地。德意志大诸侯在这地区获得大片土地。在20世纪德国纳粹分子又拾起“东进”的口号，以美化他们对捷克、波兰和俄国的领土野心。

Draper, Charles Stark 德雷珀(1901-10-02，美国密苏里温莎～1987-07-25，马萨诸塞剑桥) 美国航空工程师，以设计船舶、飞机导航系统和火箭制导系统闻名。1935年在麻省理工学院任教，3年后升正教授兼仪表实验室主任，即着手研制海军高射炮瞄准具，在第二次世界大战中，美国海军舰只大多安装了这种瞄准具。高射炮瞄准具的设计成功鼓舞了他开始研究陀螺控制的轰炸瞄准具，后又研制远程火箭惯性制导系统。1951年任理工学院航空系主任。他设计称为“空间惯性参考仪”的飞机惯性导航系统，在1953年试验成功。这种系统能使飞机飞往数千英里外的目的地，而不必靠任何机外的无线电设备或天体位置等进行导航。1954年研制一种改进的微型化惯性导航系统，已安装在许多美国导弹上，其中包括“北极星”导弹。他的实验室还给“阿波罗”登月飞船研制了制导系统。

Draper, Henry 德雷伯(1837-03-07，美国弗吉尼亚爱德华王子县～1882-11-20，纽约市) 美国的内科医生和业余天文学家，1872年拍下第一颗恒星(织女星)的光谱。1880年又首次拍下一星云(猎户座星云)的照片。其父J.W.德雷伯则于1840年拍下第一张月球照片。H.德雷伯在1859年为纽约市贝尔维尤医院的医务人员，1866年成为纽约市立大学医学院院长。1877年被选为全国科学院院士

利克天文台档案馆供图

和美国哲学会会员。1881年被选为美国艺术和科学学会会员。为奖励他1874年拍下了金星凌日照片,国会特授予他一枚金质奖章。在他逝世后,他的妻子在哈佛天文台设立了H.德雷伯基金会,为编制大部头的恒星光谱星表《亨利·德雷伯星表》筹措资金。

Draper, Ruth 德蕾珀(1884-12-02,纽约市～1956-12-30,纽约市) 美国独演演员和单人剧女作家。其技艺受到全美国和欧洲公众的称赞。她以写短剧描绘她认识的或观察到的人物,然后在聚会上表演他们而开始其生涯。1916年在多幕剧中演出,这是她仅有的一次。1917年在纽约初次登台演出单人剧。1920年在伦敦首次演出自己写的短剧,确立了她单人剧大师的地位。从那时起,她常应艺术界著名人士和政治领袖之邀进行表演,直到1956年12月26日在纽约剧场最后一次演出为止,她在世界各地的演出均获成功。她的艺术是一种巧妙的暗示艺术。空荡的舞台上几乎没有道具,她只用一件衣服就变换了角色,完全凭面部表情、手势和嗓音的微妙变化表现众人三五成群或交头接耳的假想场面。由N.沃伦编辑的《鲁思·德蕾珀1920至1956年书信集——一位杰出女演员的自画像》一书于1979年出版。

drapery 衣褶法 素描、油画和雕刻中衣服褶襞的描绘法。描绘衣褶的技法不仅可以清楚地辨认一个画家所处的时期和风格,并且可以辨认各个画家的作品。古代画家运用

S.波提切利绘《春》(1477～1478)中采用的文艺复兴早期风格衣褶法
美国不列颠百科全书公司供图

严谨而细密的笔触与流畅柔滑的线条之间的变化,以显露出衣着内的体态。古希腊时代所着重的是体积感而不是线条。文艺复兴时期的画家绘出画中人轻盈纤薄、显露体态的衣着。19世纪的法国,由于拿破仑三世时期对服饰的奢侈,当时的画家十分注意衣褶的表现。

draught(in banking) 参阅 **exchange, bill of** 汇票。

draughting 参阅 **drafting** 制图。

draughts(board game) 参阅 **checkers** 国际跳棋。

Drava River 德拉瓦河 多瑙河右岸主要支流。在中欧南部。源出意大利卡尔尼克山脉,向东流经奥地利,在此形成阿尔卑斯山脉最长的纵向河谷。该河从此折向东南流经斯洛文尼亚。在克罗地亚莱格勒附近接纳穆拉河,构成克罗地亚-匈牙利边界之一段。富水力,在奥地利、斯洛文尼亚和克罗地亚建有水电站。上游仅可通航小木船,而克罗地亚的下米霍利亚茨以下可航行较大船只。德拉瓦谷地为东部匈奴人和斯拉夫人入侵阿尔卑斯诸国家的必经之路。流域主要城镇有奥地利的克拉根福和格拉茨;斯洛文尼亚的马里博尔和普图伊;克罗地亚的瓦拉日丁和奥西耶克。

Drāviḍa style(Indian architecture) **达罗毗荼风格** 参阅 **South Indian temple architecture** 南印度寺庙建筑。

Dravidian languages 达罗毗荼诸语言 由23种语言构成的一个语系,通行于南亚地区。主要语言是泰卢固语、泰米尔语、坎纳达语、马拉雅拉姆语、贡德语、库鲁克语、图卢语。

操达罗毗荼诸语言的人们,主要居住在印度共和国,少数人生活在斯里兰卡、东南亚、非洲、巴基斯坦的部分地区。泰卢固语、泰米尔语、坎纳达语及马拉雅拉姆语这4种主要语言都有单独的文字和文学发展的历史,其时间可溯自公元前的某些年代。这4种语言也形成安得拉邦、泰米尔纳德邦、卡纳塔克邦及喀拉拉邦各邦内的基本语言。泰米尔语使用范围最广,文学作品最为丰富,在印度只有梵语能与之媲美。在语音及语法方面,泰米尔语同其最早母语即原始达罗毗荼语有很多对应之点。达罗毗荼诸语言一直是一个孤立的语系,与印欧诸语言及其他语系之间无任何可证明的相互关系。1816年,达罗毗荼诸语言第一次被认为是一个独立语系。

泰米尔语的最早文献大致可追溯到公元前3至前2世纪,有许多方言,并分为婆罗门用语形式与非婆罗门用语形式,还有文言与口语之分。马拉雅拉姆语有单独的文字和丰富的现代文学作品。在尼尔吉里斯高原及其毗邻地区,有些小部落操科塔语、托达语、巴达加语及伊卢拉语。在古尔格县,通用科达古语。通行于卡纳塔克邦的坎纳达语,拥有不同的社会方言和许多地区方言。在卡纳塔克邦的南部,人们使有图卢语。泰卢固语有文学语言与口语之分,同样也有不同的地区方言及社会方言。科拉米语是安得拉邦的另一种语言;孔达语、加达巴语、库伊语都通行于奥里萨邦;贡德语和帕尔吉语通行于中央邦。再往北去,还有库鲁克语的使用者,而在比哈尔邦则可找到操莫尔托语的人群。布拉灰语只在巴基斯坦的某些县内使用。

尽管达罗毗荼语在现代主要通行于印度南部,但大多数学者确认,操达罗毗荼语者过去一定分布于广大地区。达罗毗荼语的诸特征俱见于《黎俱吠陀》,它是印度-雅利安语的已知最早文学作品。学者们还认为,前印度-雅利安语和前达罗毗荼语的双语并用过程,可以解释达罗毗荼语对于印度-雅利安语所产生的种种影响。印度北部通用的雅利安诸语言,早在公元前的一段时期里就完全取代了达罗毗荼诸语言。

有关使用达罗毗荼诸语言的先民们是如何进入印度的史实,人们几乎一无所知。有些学者假设,达罗毗荼语诸部落在某一个时期曾与阿尔泰-乌拉尔语诸部落有所接触,这个说法可以证明这两个语系之间的许多相似之点。公元前2000～前1500年之间,达罗毗荼语部落移入印度东南部;大约公元前1500年之际,就已有3种不同的方言群同时并存了,即:原始北达罗毗荼语、原始中达罗毗荼语及原始南达罗毗荼语。

有关达罗毗荼语的比较研究还很不够,因此,对于达罗毗荼原始母语的构拟,也只能是试验性的。原始达罗毗荼语有5个元音,各有长音和短音。辅音系统的典型特征是有6个发阻塞音(闭塞音)的部位。词首辅音丛并不存在。全部原始达罗毗荼语的词根都是单音节;该语仅使用后缀。

到公元前5世纪,上述3种原始达罗毗荼语亚族分别发生进一步的分化。达罗毗荼诸语言曾见于梵语写成的历史著作以及希腊、罗马时期的典籍之中。公元前3世纪的伟大佛教徒阿育王就曾谈到有关潘地亚王朝、朱罗王朝以及喀拉拉这些名字。西方语言中的"稻米"和"姜"这两个名词,很可能就是源于古泰米尔语arici及i ñcivēr的文化借词。阿育王在位时期,泰米尔语同坎纳达语发展成不同的形式;而第三种主要的达罗毗荼语言文化单元即泰卢固语亦相继出现。约公元前250年之际,阿育王时期的南婆罗米字母由耆那教僧侣稍加修改用于泰米尔语的洞穴铭刻,后沿用达数世纪之久。使用坎纳达语的铭刻,最早出现于公元450年;泰卢固语铭刻最早见于公元633年;马拉雅拉姆语铭刻最早产生于9世纪末。泰米尔语、马拉雅拉姆语、坎纳达语、泰卢固语作为行政语言及文学创作语言,一直沿用至今。这4种语言在发展过程中都出现了"双语特征",亦即产生了文言与口语之分;都迅速适应于经济、社会及政治上的变化;也都用于科学及人文学科的基础课程方面。有关非文学语言的达罗毗荼诸语言,在它们于18世纪末被"发现"之前,人们对其发展历史毫无所知。达罗毗荼诸语言的特点,是其语言结构上及语音系统上的平衡状态,而变化速度不快也是其特点之一。

如果把现代达罗毗荼语同原始达罗毗荼语进行比较,则可发现这些不同的现代语言在辅音系统和元音系统上都曾发生过许多变化。在语法方面,现行的程序是加后缀,而这些后缀还可以互相添加在一起。主要词类有名词、形容词、动词及无词形变化的词。达罗毗荼语的特征之一是"代词化的"或"人称的"名词及形容词;例如:古泰米尔语 iḷai"青年",iḷai-y-am"年轻的-我们",iḷai-y-ar"年轻的-他们"。动名词和分词在句子里十分重要。不

同语言在吸收外来语的程度上，也有所不同。达罗毗荼诸语言的最重要的借词来源是梵语、巴利语、普拉克里特语；现代的借词则多来自乌尔都语、葡萄牙语和英语。

Dravidian local race　达罗毗荼地域人种 印度地理人种的一个亚群。大致相当于遗传学上的一个繁育隔离种群，主要由印度南部讲达罗毗荼语的居民所组成。达罗毗荼人的主要体质特征是：身材中等，皮肤色素沉着程度中等乃至浓重。体格粗壮，头型倾向于长头型（头部的前后径较大），比印度北部的印度（雅利安）地域人种脸型更平，鼻子更宽。参阅 **local race；Indic geographic race；Indic local race**。

dravite　镁电气石 一种棕色、富镁的电气石变种。参阅 **tourmaline**。

dravya　实体 印度耆那教哲学的一个基本概念。耆那教徒认为有五种永恒的存在范畴，它们总起来构成存在的“实体”。这五种范畴是“法”、“非法”、“空”、“补特迦罗”和“命”。按照耆那教的特殊解释，“法”是运动的媒介，“非法”是静止的媒介，这二者造成事物的运动或静止。“空”是万物借以存在的空间，而这种空间又分成两种：一是世界空间，一是非世界空间，后者比前者要无限地大，然而空洞无物。这三个范畴是独特的和不活跃的。“补特迦罗”（物质）和“命”（灵魂）则是活跃的、无限的，但它们的数目又是稳定的。人们只能感觉到“补特迦罗”，而只有“命”才有灵魂。耆那教是把物质和精神彻底分开的最古老的印度哲学学派。后来人们又给实体加上了第六个范畴“时”（时间），时间是永恒的但不是普遍的，因为在世界最外面的一些层次不存在时间。

drawbridge　吊桥 又称仰开桥。*活动桥*（**movable bridge**）中最主要的一种，起源于中世纪欧洲。

drawing　素描 一种正式的艺术创作，以单色线条来表现直观世界中的事物，亦可以表达思想、概念、态度、感情、幻想、象征甚至抽象形式。它不像绘画那样重视总体和彩色，而是着重结构和形式。素描是画家工作的最初成果，也可以作为复制或摹写的基础，但以它的性质而言，它是独立的。虽然各种艺术不一定都要先绘出素描稿，但素描却是一切观赏艺术的基础。在作画时往往预先勾出轮廓作为草稿，然后用色彩渲染，当艺术作品完成时，素描稿常被掩没或销毁。因此，素描只是一种技术准备。到14世纪末，素描不再仅是附属品，而成为一种独立的艺术。它有着广泛的表现范畴，能表现体积、空间、深度、质感和动作。文艺复兴以后，素描已不仅只有实用功能，而且成为代表人类创作能力的艺术品。素描的技法和种类有，线和线条技法：素描的要素是线，而线在实质上是不存在的，它只代表物体、颜色和平面的边界，用以作为物体的幻觉表现；直到近代，线才被认为是形式的自发要素，而且独立于被描绘的物体之外。素描是用线条组成物体形象并画在平面上，由线条形式引起联想。如两条线相交构成角形，可以被认为是某平面的边界；另加第三条线可以构成立体感。弧形线可象征拱顶，会聚线可表现深度。人们可以从线条的变化中得到可以领会的形象。通过线条的手段，由轮廓的勾勒发展到精致的素描。素描中可以用线条区分立体与平面，而色彩明暗是为了加强和分清整体与部分的关系。运用线条的开始、消失和中断可以画出边界，形成平面，也可使色彩至边界而止。线条的粗细能表明物体的变化，甚至光和影也可用线条的笔触变化表现出来。平面技法：素描的线条技法还需要平面技法的辅助。平面技法在使用炭粉笔时，可用擦笔法表现明暗关系。而更重要的是使用毛笔画法，因为毛笔能发挥笔触的宽度和强度，增加空间感和立体感。素描也可用多色画笔作为基本材料以加强素描效果和素描的艺术性。素描工具：素描的工具种类很多，如石笔、炭笔、铁笔、粉笔、毛笔、铅笔和钢笔等；也有用钻子和金钢石作画的。工具的不同关系着素描的性质和构图。工具能影响画家的情绪和技巧。选用工具取决于画家所想要达到的艺术效果。一般认为：干笔适宜作清晰的线条，水笔宜于表现平面；精美的笔触可用毛笔挥洒，而广阔的田野则可用铅笔或粉笔去勾勒。炭笔是两者可兼用的。素描题材：素描原是为绘画、雕刻等艺术服务的，后因其流畅、充实和美观发展为独立的艺术。其题材可以取自任何事物。但一般以肖像和风景为主，而西方素描常是人物和静物，19世纪又出现以日常生活为题材的素描。其他还有想象和抽象素描、艺术性建筑素描等。20世纪素描似乎是反映不安、动荡和科学进步的。其中一些以表现线条豪放为特色。还有像莱热一类画家把生活纳入几何图形中去（立体派）。在20世纪各流派中也有X射线式的技法，即同时看到外部和内部。表现主义画家是表现一个场面的感情而不是描绘事物的现实外表，超现实主义者着重表现潜意识心理。中国早在公元前2世纪就已出现了素描，到汉朝末年，以线描为其特色的壁画已很多，北魏和唐朝以后，中国素描画即相当普遍地出现在绢、纸和册页上。除以上所举各种形式的素描之外，还有实用性和技术性素描。实用素描要清晰地记载一件客观事物，从总体上说，它不重审美，而突出技术设计。实用素描包括为科学目的而作的插图与说明。很多艺术家作过科学说明的素描。同样，某些文学作品中的素描插图，一般是为某段文字描写而作的图画说明，但因它表现了画家特有笔法风格，至今还享有崇高的艺术声誉。与此相关的还有漫画，这是用于社会批评而创作的一种假定性图画，并由此而发展成连环画，进而演变成现代动画片。

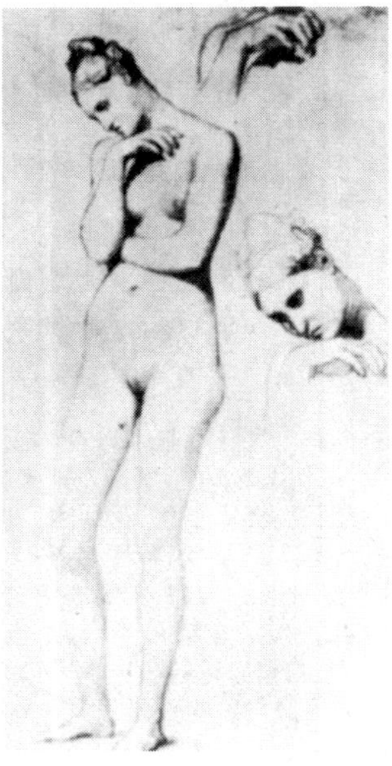

安格尔绘《素描人体》
中国大百科全书出版社供图

drawing　拉伸 又作drafting。在纺纱生产中，通过一系列罗拉将称为条子（**sliver**）的疏松的纤维条拉细，使其中的纤维伸直并平行排列的工序。每对罗拉的转速比前一对快。在人造纤维生产中，拉伸是指将塑性纤维束牵引伸长，使之变细并提高取向度。

drawing, engineering　工程制图 参阅 **drafting** 制图。

drawing and quartering　肢解 古代英国对叛国罪制定的一种刑罚。1870年以前，对罪犯施行此项惩罚的全过程如下：将定罪的犯人拖至行刑处，用绳子勒套颈部吊起但不使其死；在罪犯仍活着时剖腹掏肠或取出内脏，将内脏在其眼前焚烧。然后将罪犯头砍下，躯体分为4块。1283年威尔士王戴维第一个遭此刑罚。1305年对苏格兰爱国者威廉·华莱士爵士、1803年对阴谋刺杀乔治三世的E.M.德斯帕德及其6名从犯也施以此刑。1867年最后一次对两名爱尔兰芬尼亚分子判此刑，但未执行。

drawn thread work　抽纱制品 意大利语作 punto tirato。通常在麻布上抽纱，并在抽过纱的网格上用针编绣成图案的工艺品。自17世纪以来出现在刺绣图案样本上，现在仍然是刺绣和编织花边的常用技术。

dray　平板马车 由一组挽畜牵引的重型静轴运货马车。它有两轮和四轮两种车型，通常在城市及其四周用来运输如大型机器之类的重物。它的特点是车轮比其他马车小，车底平坦，通常没有围边。

Drayton, Michael　德雷顿（1563，英格兰沃里克哈茨希尔～1631，伦敦） 英国诗人。最先以贺拉斯风格写英语颂歌。第一篇发表的作品《教堂的谐声》（1591），以古朴风格为《圣经》片段释意。以后的作品较接近当时流行的风格，包括田园诗、十四行诗、言情诗和英雄史诗。1591～1603年最有独创性的诗作是《英格兰的英雄信札》（1597），一辑英格兰历史上知名的情人之间的情书。伊丽莎白一世逝世以后，与其他大多数诗人一样作诗欢呼詹姆斯一世即位，因未受到委任或奖赏，失望情绪影响了他此后数年的创作。到第一

美国不列颠百科全书公司供图

部《诗集》(1605)问世时,才重新振作起来。在《抒情诗与田园诗》(1606)中,他模仿贺拉斯作颂歌,引进新的格式。在《阿让库尔民谣》中他表现出洗练的叙事才能。最重要的《诗集》(1619)选收许多自己认为需要保留的旧作及新写的诗和十四行诗。同时又发表最有抱负的作品《福地》(1612 ～ 1622)的第一部,试图记载伊丽莎白时代对英格兰的发现:乡村美景、坍塌寺院的浪漫魅力及英格兰的历史、传说和现今生活。第二部发表于1622年。晚年写了一些他最为赏心悦目的诗篇。特别值得一提的是《尼姆菲迪娅》(1627)和《缪斯女神的乐园》(1630)。

Dreadnought 无畏舰 1906年下水的英国战列舰,该舰确立了汽轮机动力、全部大口径火炮的军舰模式,这种战舰统治世界海军达35年之久。无畏舰排水量1.8万吨(全载时超过2万吨),长160米,乘员约800名。它有4个推进器,动力装置为蒸汽汽轮机,而不是传统的蒸汽活塞式发动机,最大速度为21节,这在当时是前所未有的。由于海军兵器学的新发展,无畏舰不准备近战,故它没有装备副炮。相反,该舰在5个双管炮塔上安装的是10门12英寸火炮,此外还有24门3英寸口径的速射炮,5挺马克西姆机枪和4个鱼雷发射管,用于击退驱逐舰和鱼雷艇。无畏舰的出现立即使此前所有的战舰过时,但是到第一次世界大战,它自身也过时了,速度更快、装备更大口径火炮的“超级无畏舰”更胜其一筹。战争中无畏舰进行的唯一一次著名战斗是于1915年3月在苏格兰的彭特兰湾撞沉一艘德国潜艇。1919年该舰退出现役,翌年作废舰出售,1923年拆毁。

无畏舰
美国不列颠百科全书公司供图

dream 梦 睡眠时发生的幻觉体验。梦虽然常是一种生动的幻视体验,但也有一些以幻听体验为主的梦。梦的内容从非常一般到离奇怪异;从极现实主义题材到超现实的内容,五花八门,什么都有。人们常赋予梦以重要的涵义,但对其来源和意义的理解,却在随着时代的进步而发生着惊人的变化。在古代,人们普遍认为梦是一种神示,用以宣示前程、救人水火。4 000年前的古埃及人把释梦编目分类,很多中东和亚洲的古籍,包括圣经,都记载了大量的警世、并已应验了的梦。古希腊人不仅认同梦的预示功能,而且还赋予它更多的学术色彩。亚里士多德强调感性知觉和情绪在梦的形成中的作用。直到19世纪,这种梦的神示论的地位才开始动摇。A.莫里作了一项严密的研究后指出:梦是睡觉时,机体对感性知觉的一种误解(如夜间出现的嘈杂声音会使人梦到雷雨)。现代理论则强调梦是觉醒状态的延伸。20世纪中期,关于梦的研究主要集中在两个问题上:梦的生理过程和梦的内容。科学家现已发现做梦时的一套生理活动组合:快速眼运动(REM)、有觉醒状态特点的脑电图波形和生理功能活跃——即REM睡眠(或称D-状态)。如在此时唤醒受试者,绝大多数人都能说出梦中生动的视觉形象;而在非REM睡眠时唤醒受试者,则很少有人正在做梦,或很难作出回忆。研究表明:REM睡眠和可以回忆的梦之间有密切关系,但惊恐、恶梦、尿床、梦游等极端睡觉行为和做梦一般没有多大关系。REM睡眠的发生约为每90分钟1次,持续时间最初为10分钟,以后逐渐延长。10 ～ 65岁的人REM睡眠时间约占整个睡眠时间的1/4左右。如果令受试者吃安眠药或在REM睡眠出现时唤醒他,以减少REM睡眠时间,则受试者自由睡眠中的REM时间所占比例就会增加,梦也会更多。至于做梦的内容,那就是“人人都能做,不能一块儿做”了,而且“他说什么,就是什么”。据说,做美梦的并不多,数量只及坏梦的一半;而且,梦中所涉及的人和事都为梦者所熟悉。梦中出现的陌生感觉据信都是由于梦境(包括时间和背景)中断的缘故。做梦确实能给人带来艺术灵感,解决技术难题,排解情绪障碍。德国化学家A.凯库勒开始研究苯的分子结构时,怎么也理不出个头绪来。夜来一梦,梦见一条蛇用嘴咬住了自己的尾巴。醒来后问题便告解决,“苯环!对!苯环!”科学家的解释是:梦中一种潜意识的认识合成促成了意识顿悟。S.弗洛伊德的《释梦》(1900)一书是最著名的关于梦的研究专著。按照弗洛伊德的说法,梦的内容有两类:显示内容和潜在内容。后者所反映的愿望都是些见不得阳光、被压入潜意识的冲动,如性欲。所谓“梦的造作”是一种心理机制,其功能是褒扬显示内容、压制潜在内容(即潜意识愿望的表达)。人在睡觉时,压入力量减弱,潜在内容得以表达。但为了防止这些潜在内容直截了当地进入梦者的意识,“梦的造作”就通过调动各种感觉刺激、觉醒状态时的经历和深藏的记忆,并以此来把那些潜在内容乔装打扮一番,把它们变成可以接受的梦境意象。心理分析治疗中的一个重要技术就是通过释梦来分析患者的潜意识活动。

dream allegory 梦喻 又称梦幻。以梦为框架叙述的讽喻故事,使荒诞不经的怪事,有时是人格化了的稀奇古怪事物和中世纪讽喻作品中象征性的物体都更易于被读者所接受,特别盛行于中世纪。著名例子有《玫瑰传奇》(13世纪)的第一部分;乔叟写的《公爵夫人的书》(1369 ～ 1370);《珍珠》(14世纪末);归在兰格伦名下的《农夫皮尔斯》(约1362 ～约1387);邓巴的《蓟与玫瑰》、《金色的盾牌》(16世纪初);班扬的《天路历程》(1678)。

Dream of the Rood, The 《十字架之梦》 古英语抒情诗。为最早的咏梦诗和最优秀的英语宗教诗之一。一度曾认为是凯德蒙或基内武甫所作。这位不知名的诗人梦见一株美丽的树,即基督受难的十字架。十字架把自己的故事告诉他:它如何被迫做了置救世主于死地的工具,并描绘它如何忍受钉伤和矛击的痛苦,以及如何同基督一起为实践上帝的意志备受侮辱。经过血染和恐惧之后,它现已成为人类赎罪的辉煌象征。人们原来只知道这首诗的片断,它以约8世纪时的如尼文的铭文刻在拉斯韦尔十字碑上。该碑现今竖立在苏格兰邓弗里斯-盖洛韦行政区邓弗里斯地区的拉斯韦尔教区教堂内。1822年在意大利北部发现10世纪的《韦尔切利集》,这部完整的作品才为人所知。

Dream Stream Essays 《梦溪笔谈》 参阅 **Shen Kuo** 沈括。

dream vision (allegorical tale) **梦幻** 参阅 **dream allegory** 梦喻。

Dreaming, the 梦想期 又称梦幻时代或世界发端。澳大利亚土著语拼作alcheringa、altjira或wongar。澳大利亚土著神话中有开端但看不到终结的时期,在这一时期自然环境由神秘的存在物塑造并赋予人性。这些存在物大多取人或动物(“图腾的”)的外形,有些则改变了他们的形体。他们建立起地方社会秩序和它的“法律”。有些存在物,特别是众多的繁衍之母,其中也有男性生育者,负责创造人类生命——即第一批人。梦想期的神秘存在物是不朽的。虽然在神话中,有些被杀或从人界消失,有些变形为地貌特征(如露出地面的岩层,或一个水坑),或变成宗教仪式上使用的器具,他们最主要的质却并没有消失。梦想期作为信仰和行动的并存体系,包括图腾制度。他们一起体现为一种紧密的关系:人被认为是自然的一部分,与神秘的存在物或各种动物有共同之处,分享共有的生命力。图腾起着代理的作用,将人置于梦想之中,并赋予他一种不可毁灭的特性,能不间断地从时间的开始到现在,并延续至将来。

Drebbel, Cornelis (Jacobszoon) 德雷贝尔 (1572,荷兰阿尔克马尔～ 1633-11-07,伦敦)

荷兰发明家,建造了第一艘能航行的潜水船。1604年由荷兰移居英国,得到英王詹姆斯一世的支持。他发明了由气压和温度的变化来开动的精巧的“永动钟”,这项发明极大地提高了他的声誉。1620年建成潜水船,它用桨推进,并用油皮罩密封,以防水渗入。这艘木船在泰晤士河约4米深处从威斯敏斯特航行到格林尼治。航行中由两根管子供应空气,管口用浮体浮在水面上。他还发现用锡化合物为媒染剂制胭脂虫红和用硫的氧化制硫酸的方法。他的发明中还包括显微镜、改进的温度计和自动调节炉。

Dred Scott decision　德雷德·斯科特裁决(1857-03-06)　美国最高法院使奴隶制在所有准州合法化的裁决。这是美国历史上第二次由最高法院裁决一项国会法令为违宪,是保持奴隶制的南方的一次明显的胜利。德雷德·斯科特是一个奴隶。1834年主人将他从密苏里州(蓄奴州)带到伊利诺伊州(自由州),后又带到威斯康星准州(自由准州),最后又回到密苏里州。1846年在反对奴隶制的律师们的帮助下,斯科特向密苏里州法院起诉,要求获得自由,理由是在自由州和自由准州的居留已使他成为一个自由人。密苏里州最高法院撤消了一个下级法院已经宣布斯科特自由的初审裁决。此案后来提交美国最高法院处理。最高法院在1857年3月6日裁决,认为黑奴不具有同美国公民一样的要求权利的资格,包括向联邦法院提出控诉的权利在内。首席大法官坦尼和多数大法官还宣称:国会无权在准州禁止奴隶制;奴隶是财产,奴隶主的财产权利受宪法第5条修正案的保护。至于斯科特在一个自由州(伊利诺伊州)的临时居留的问题,多数大法官认为斯科特当时仍受密苏里州法律的管辖。对德雷德·斯科特的裁决似乎是对为了阻止奴隶制向西部各准州扩展而于不久以前建立的共和党的致命打击。布坎南总统、南方和最高法院的多数大法官指望这个裁决标志着反奴隶制骚动的结束。然而相反,它激起北方反奴隶制人士的情绪,加强了共和党的力量,终于在1861年爆发为公开的内战。

dredge　挖泥船　水下挖土用的大型浮动设备。有4种主要功能:①疏浚河道和港湾以加大水深;②填高低洼地区,人工造地,改进排水和卫生条件;③建造堤坝及其他控制河流和海岸的工程;④开采水下矿藏和海底生物资源。可分为机械式和水力式两种类型,船上有生活设施,挖掘物主要为泥沙。单斗式挖泥船(图1)实际上是一个装在平底船上

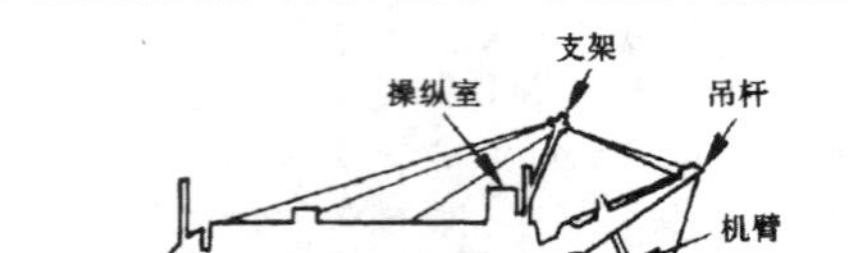

图1　单斗式挖泥船

的挖土机,其特征在于铲斗及其机臂、有较大活动角度可支承并导引机臂的吊杆以及使铲斗作挖掘动作的机械装置。抓斗式挖泥船(图2)用挠性钢索控制抓斗的下降、闭合和

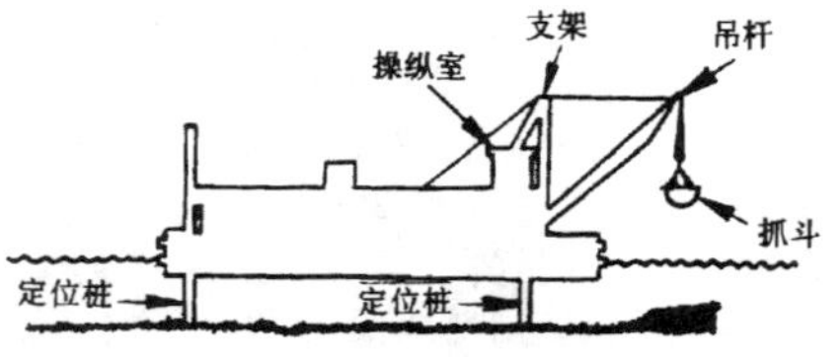

图2　抓斗式挖泥船

提升。操作时先将抓斗降落到水底,靠斗身重量和闭斗机构抓土。这种挖泥船的挖土深度没有一定限制。多斗式挖泥船(图3)则用

图3　多斗式挖泥船

绕斗架转动的一串挖斗进行挖土作业。挖土时斗架倾斜沉入水中,空斗沿斗架下侧运动到水底挖起泥土,然后再沿斗架的上侧上升到顶端卸土。拉斗(又称拉铲)挖泥船用悬在吊臂上的铲斗来挖泥,吊臂本身可以作俯仰和左右转动,铲斗由固定在斗前方的钢索朝机身方向拉动,另一根钢索固定在斗后,控制铲斗保持适当角度,随拉随刮起泥沙。水力挖泥船利用离心泵。泵壳中的叶轮靠离心作用吸出泥浆混合物,经泥驳船或由泥浆管排送到岸上。挖泥船常用定位桩固定,保持它在水中的位置。

Drees, Willem　德雷斯(1886-07-05,荷兰阿姆斯特丹～1988-05-14,海牙)　荷兰政治家,社会党领袖,首相(1948～1958)。阿姆斯特丹商业学校毕业,1907年任荷兰议会速记员。参加工党,1913年选入海牙市议会,1933年选入荷兰议会第二院,1939年起任第二院中工党议会党团主席。第二次世界大战期间德国人占领荷兰后,他因企图组织抵抗而被囚禁。1941年获释,重新加入抵抗运动,并领导“祖国委员会”。1945年荷兰解放后,他曾任社会事务大臣(1945～1948)。1946年组织工党。1948年8月任首相,由工党和天主教人民党组成联合政府。1958年12月因天主教人民党退出联合政府而辞职,退出政界。在他任首相时期,荷兰终于放弃了传统的中立政策,加入北大西洋公约组织、西欧联盟、欧洲经济共同体和其他国际组织。1948年12月,印度尼西亚与荷兰开战。1949年,他的政府承认印度尼西亚联邦(后为印度尼西亚共和国)为与荷兰结成联盟的伙伴。1954年,在他任职期间,印尼终止了这个联盟。

Dreikaiserbund　三帝同盟　英语作Three Emperors' League。19世纪后半期,由德国、奥匈帝国及俄国组成的同盟,同盟由德国首相俾斯麦策划而成。其目的在于使德国两个互相对立的邻国通过一项关于巴尔干地区各自势力范围的协议而中立并孤立与德国为敌的法国。第一次三帝同盟自1873～1875年有效。第二次三帝同盟正式而秘密地订于1881年6月18日,为期3年。1884年续订,1887年废除。两次同盟的告终,均因奥匈帝国与俄国在巴尔干的利益继续剧烈冲突所造成。第二次盟约规定,不经事先协议,巴尔干的领土不得变更,而奥地利可以随意兼并波斯尼亚和黑塞哥维那;如一方与缔约国外一个强国发生战争,其余两方应保持善意中立。俾斯麦只能根据1887年《俄德再保险条约》(Reinsurance Treaty)暂时与俄保持关系;他去职后,此约未再续订,法俄结成同盟。

Dreikurs, Rudolf　德赖库尔斯(1897-02-08,奥地利维也纳～1972-05-25,美国伊利诺伊芝加哥)　美国精神病学者和教育家。曾将奥地利心理学家A.阿德勒的个人心理学体系发展成为实用的方法,以了解儿童错误行为的目的,并激励儿童合作行为,而不予奖惩。他在维也纳大学学习(1923年获医学博士学位)后,同阿德勒合作,发展了若干诊所,用以进行儿童指导,并治疗酗酒者和精神病患者,同时从事心理卫生和福利工作。1937年移居美国,教授精神病学,并在芝加哥和以色列特拉维夫建立艾尔弗雷德·阿德勒个体心理学学院。

Dreiser, Theodore　德莱塞(1871-08-27,美国印第安纳特雷霍特～1945-12-28,加利福尼亚好莱坞)　小说家,美国杰出的自然主义实践者,一场全国文学运动的主要人物。该运

美国不列颠百科全书公司供图

动主张坚定地表现现实生活的题材,而不再遵守维多利亚时期的礼仪习俗观念。除了别的主题以外,他的小说揭露了迅速工业化过程中的美国所出现的新的社会问题。

生平　全家幸存的10个孩子中他排行第九。家境终年贫困,家庭不得不在印第安纳小村镇和芝加哥间频繁地搬迁,以谋求较低的生活费用。父亲是德国移民、工厂工人,但大部分时间失业,信奉严格和狭隘的罗马天主教信条。母亲温和的、同情的观点则来自她是捷克孟诺派教徒这一背景。后来德莱塞常常怨恨地把宗教同他父亲的无能及由此产生的家庭物质上的贫困联系在一起,但是他谈到、写到他母亲时总是怀着坚定不移的爱。德莱塞青年时代对贫困的艰苦经历以及他早期对财富和成功的渴望常常成为他小说中突出的主题,而他兄弟姐妹们成年后早期生活中的不幸遭遇则为他提供了刻画人物的补充材料。

德莱塞在教区学校和公立学校受过不正规的教育,后来又在印第安纳大学就读一年(1889～1890)。1892年在芝加哥开始了新闻记者的生涯,并一路工作去东海岸谋生。1894年,在为匹兹堡一家报纸写作期间,他阅

读了科学家赫胥黎和廷德耳的著作,并接受了哲学家斯宾塞的推测,根据这些读物及自身的经历,德莱塞开始相信人类在本能和无法控制的社会力量的支配下是无能为力的,他断定人类社会是强者和弱者之间的一场不平等的竞争。1894年他到达纽约市,为几家报纸工作,并为杂志撰稿。1898年他和怀特结婚,但是他那见异思迁的爱(以及由此产生的对妻子的不忠)注定他们的关系要破裂。1912年这对夫妇永远地分手了。

1899年,由于一位报社同仁的建议,德莱塞开始写第一部小说《嘉莉妹妹》。道布尔戴和佩奇公司于1900年出版该书,这在很大程度上要感谢该公司的审稿人、小说家诺里斯。但该公司对此书心存疑虑:书中的一位年轻情妇的"越轨"行为没有受到惩处。因此,出版商没有为此书大做广告,结果此书销售量不到500册。德莱塞极为失望,再加上家庭问题和婚姻问题,他处于自杀性的抑郁状态中。1901年,他兄弟保罗,一位著名的流行歌曲作家,援救了他,把他安排在一家疗养院进行治疗。德莱塞恢复了精神。在这以后的9年中,作为几家妇女杂志的主编,他收入颇丰。但在1910年他被迫辞职,因为一场编辑部的纠葛涉及到他与一位助手的女儿的恋情。由于受到早些时候《嘉莉妹妹》在英国的反应以及此书在美国再版的鼓舞,德莱塞又转向小说创作。他第二部小说《珍妮姑娘》(1911)描写一个妇女屈从有钱有势的男子的淫威以养活贫困家庭的故事,很受欢迎。这给了他进一步的鼓励。根据美国运输大王耶基斯的生平设计的三部曲的头两部,《金融家》(1912)和《巨人》(1914)相继出版。他将去欧洲旅行的经历收入《40岁的旅行者》(1913)。在他下一部主要的小说《天才》(1915)中,他将自己的生平以及许多次风流韵事改变成一部枝节蔓生的半自传体的编年史,遭到了纽约市抑制邪恶协会的批评。接着便是10年持续的文学活动,在此期间,他出版了短篇小说集《自由和其他故事》(1918);小品文集《十二个人》(1919)、哲理散文集《嗨,鼓声咚咚响》(1920);对纽约市的狂热的描述《伟大城市的色彩》(1923);戏剧作品《自然和超自然之剧》(1916)和《陶工之手》(1918);以及自传性作品《乡巴佬的假日》(1916)和《关于我自己的书》(1922)。

1925年起,德莱塞在这最后10年间写的第一部小说,就是以一桩著名的谋杀案为基础而写成的《美国的悲剧》。此书为他赢得了前所未有的、以后也不再有的好评和丰厚的收入。该书对美国法律制度所持的高度批判的观点使他成为被选定的社会改革者的冠军。他被卷入各种各样的社会运动,因而减慢了文学创作。1927年访问苏联后,他写了对这个共产主义社会持怀疑的评论集《德莱塞访苏印象记》(1928)。20世纪20年代后期他仅有的其他几本有影响的作品是以前写就的短篇小说集和特写集《锁链》(1927)和《妇女群像》(1929),还有一本并不成功的诗集《语调,抑扬顿挫的和慷慨激昂的》(1926)。

20世纪30年代经济大萧条结束了德莱塞的文学兴旺时期,他投身于社会运动。他开始重新考虑他对共产主义的反对态度,并写了反对资本主义的作品《悲剧的美国》(1931)。在这10年中他在文学上唯一重要的收获是写他童年和少年时期的自传《开端》(1931),这属于大作家所能做到的最坦率的自我表露。在30年代中期和后期,他日益增长的社会意识和他对科学的兴趣汇集到一点,产生了一种模糊的、带有神秘主义性质的哲学。

1938年德莱塞从纽约移居洛杉矶,同去的是1920年起就成为他情妇的海伦。在洛杉矶他着手销售将他早期作品改成电影的拍摄权。1942年,他开始(虽说已为时过晚)重写他于1912年开始写的小说《堡垒》,于1944年写成,并于同年和海伦结婚(前妻怀特于1942年去世)。他的最后行动之一是参加美国共产党。在他去世前几周,海伦帮助他完成了《斯多葛》的大部分书稿,这是耶基斯三部曲的长期拖下来的第三部。《堡垒》和《斯多葛》都是在他去世后出版的(分别出版于1946年和1947年)。德莱塞的哲学思索论文集《生命摘记》于1974年问世。

著作 德莱塞的第一部小说《嘉莉妹妹》(1900)虽然一开始销路不好,却是美国文学中至关重要的作品。对于以后决心以现实主义手法处理各种题材的美国作家而言,该书是指路明灯。《嘉莉妹妹》讲述一个天真美貌的小城镇姑娘,她来到大城市,心中充满了模糊的抱负。她被男人们玩弄,反过来她也玩弄男人,最后成了很红的百老汇女演员。而赫特斯伍德,这个与她当初一起潜逃的有妇之夫,却穷困潦倒,沦为乞丐,最后自杀身亡。《嘉莉妹妹》是美国自然主义运动第一篇代表作,它勇敢真实地表现了城市生活的变幻莫测和女主角的坦率,她的违反传统的性道德的越规行为没有受到惩处。该书的长处在于对人性的令人沮丧的但又显示同情心的观察和那些令人难忘的人物,以及引人注目的叙述手法。赫特斯伍德感情的崩溃是获得了很多赞扬的心理分析的胜利。

德莱塞的第二本小说《珍妮姑娘》(1911)的成就不如《嘉莉妹妹》,因为它的女主角相对来说缺乏可信性。在德莱塞对可爱的母亲回忆的基础上刻画的珍妮,以一个无人性弱点的圣人面目出现,这样,大多数现代读者在感情上很难同她产生共鸣。该书的长处在于对社会上的势利小人以及有偏见的"宗教狂热者"所作的性格描写入木三分,同时对穷人则怀着深深的同情心。

《金融家》(1912)和《巨人》(1914)是一个三部曲的头两本,写的是19世纪后期美国金融家和公共交通运输业大亨耶基斯的生涯,他在这部小说中的名字是考珀伍德。随着考珀伍德先后在费城和芝加哥成功地策划了商业上的突然、有效的出击,小说的焦点时而对准他做生意时如何不讲道德,时而又对准他的婚姻关系以及别的性爱关系。《金融家》和《巨人》是商业小说的重要典范,而且很可能代表了在第一流小说中对高深的金融问题所作的细致的、引证了大量记实材料的研究工作。像德莱塞笔下的所有主要人物一样,考珀伍德还是没有充分展开,尽管已达到了他的大部分显而易见的愿望。这部三部曲的第三部《斯多葛》(1947)则大为逊色,因德莱塞对他的小说主人公已减少了兴趣。

《天才》(1915)从艺术角度看是德莱塞最不成功的小说之一,但是对了解他的心理状态来说却是不可缺少的。该书记录了自传的主角作为艺术家的生涯,以及为了达到最终满足而对完美无缺的妇女的不可预测的追求。

德莱塞最长的小说《美国的悲剧》(1925),以复杂和同情的心情叙述了一位年轻的非正统派主角克莱德的生与死。小说从克莱德的被摧残了的家庭背景开始,描述了他走向成功之路,最后以他因谋杀罪被捕、受审和被处死刑告终。小说被一位有影响的评论家誉为"美国最伟大的小说",小说叙述有力,掩盖了他在语法和风格方面的问题。德莱塞对克莱德有罪程度的曲折的思索并没有减弱他对实利主义以及美国的成功之梦的措词尖刻的指控。

德莱塞写的倒数第二本小说《堡垒》(1946),讲的是一个信奉贵格会教义的父亲为防止子女受现代美国生活中的实利主义影响而进行的徒劳的斗争。比起德莱塞以前写的小说来,此书在理念上更为前后一致,本书还有可以夸耀的地方便是他写的几首最优美的散文诗。

评论 德莱塞名望甚高,除了因为他是现代文学中坦率地讲真话的先驱所以具有历史性的重要地位之外,几乎完全是由于他在小说创作方面取得的成就。他的思维散乱,风格滞重,不适于写短小的文学作品。他的非文学类作品,尤其是他的小品文,由于理念上的不一致,缺乏客观性以及讥刺口吻。但是这些在他的小说中很不明显,而他对人类奋斗的同情和感情共鸣使他的最佳作品生动感人、令人难以忘怀。长篇小说是德莱塞用来广泛探索20世纪美国生活潜能的最佳形式,20世纪美国生活的素材极多,精神上却存在疑问。德莱塞笔下的人物,不顾社会上狭隘和压抑的道德习俗,努力追求个人才能的充分发挥。他们常在物欲上如愿以偿,性欲上得到满足,却不懂得要追求更为持久的精神上的满足。尽管德莱塞被认为在作品的文体上有缺陷,但是他的小说成功地积聚了许多现实主义的细节,还成功地以足够的力度完整地刻画了美国人追逐名利的悲剧方面。小说《嘉莉妹妹》和《美国的悲剧》无疑是不朽的文学巨著,它们展示了对本世纪初美国人的经历的深刻理解:无止境的欲望和普遍的幻灭感。

Drenewydd (Wales) 参阅 **Newtown 纽敦**。

Drenthe 德伦特 荷兰东北部省份。北及西北接格罗宁根省和弗里斯兰省,南毗上艾瑟尔省,东邻德国。境内河流和小运河纵横,面积2 654平方千米。省会阿森。当地发掘的50余块巨石墓碑说明史前时期已有人居住。1046～1522年为乌得勒支主教管区一部分,1536年落入神圣罗马帝国皇帝查理五世之手,后为哈布斯堡王朝的领地。在反西班牙统治的战争中起一定作用。至1796年取得省级地位。土地多为沙质,多沼泽,溪谷为冲积层覆盖。有些低地区经营果、菜园。

19世纪贫民与罪犯来此开垦荒原，从事农业。主要农作物为黑麦和马铃薯。乳制品业和畜牧业也很重要。造林1905年后由政府负责，颇具规模。从中世纪始即采泥炭做燃料，17世纪以来全面改造泥炭沼泽为农田。梅珀尔、霍赫芬、阿森和埃门有多种工业。第二次世界大战以来在斯洪内贝克附近发展石油工业。德伦特乡村工艺传统悠久，有纺纱、织布、制绳。农产品加工业包括马铃薯粉和草纸板制造。人口约436 586（1988）。

Drepanius, Latinius Pacatus　德雷帕尼乌斯　参阅 **Pacatus Drepanius, Latinius 帕卡图斯·德雷帕尼乌斯**。

Drepung Monastery　哲蚌寺　中国藏传佛教格鲁派（黄教）最大的寺院。位于西藏拉萨西北半山坡上。建筑宏伟，毗连山麓，宛如一座山城，占地面积约25万平方米。明永乐十四年（1416）黄教创始人宗喀巴的弟子绛央却杰兴建。主要建筑有札仓（经学院）4座，康村（依僧人来源地区划分的僧团）29座。还有五世达赖喇嘛设立的西藏地方政府机构——甘丹颇章（王宫，后移至布达拉宫），故成为历世达赖喇嘛的母寺。清代全寺僧人定额7 700名，多时达上万名。与甘丹寺、色拉寺合称拉萨的三大寺。寺内佛像、壁画、文物、佛经及工艺美术品精美丰富，为国家重点文物保护单位。

Dresden　德累斯顿　萨克森的城市和传统首府（1919～1952），1990年至今为德国东中部萨克森州首府（1952～1990年为东德德累斯顿专区首府）。位于易北河盆地，迈森和皮尔纳之间，莱比锡东南。初为易北河北岸德雷兹达内斯拉夫村庄，意思是“平原上的山林居民”。易北河南岸一渡口处的德国殖民城镇为迈森的狄特里希侯爵所建，1216年首见记载。斯拉夫居民点虽较古老却名曰“新城”，而后来的德国城镇称为“老城”。

1270年，德累斯顿为亨利（辉煌者）侯爵领地的首府。亨利死后，归波希米亚国王和勃兰登堡侯爵。约于1319年又回归迈森的侯爵，1403年获准为特别市。1489年萨克森被瓜分，德累斯顿先后为韦廷统治者阿尔贝廷家族、后来的萨克森选侯和国王的驻地及首府。1539年接受宗教改革。1491年遭到大火的严重破坏，重建后设防。选侯奥古斯特一世和奥古斯特二世采用17世纪末和18世纪的巴罗克和洛可可风格使该城现代化，重建“新城”（1685年焚毁），并于老城西北部建腓特烈城。1745年，普鲁士、萨克森和奥地利缔结德累斯顿条约，结束了第二次西里西亚战争，确认西里西亚归属普鲁士。“七年战争”（1756～1763）使德累斯顿的2/3被毁，后来又拆除了防御工事。1813年拿破仑一世以此城为军事行动的中心，于8月26日和27日取得他最后一次大战的胜利。

第二次世界大战期间，1945年2月13日至14日，英美空军出动800架飞机对德累斯顿进行大规模轰炸，城市几乎全部被毁。空袭持续到4月17日。结果，欧洲最美丽城市之一的德累斯顿大部消失，死难人数在35 000～135 000之间，但军事上几乎一无所获。德累斯顿破坏极为严重，有人建议最好夷平重建。后来达成一个折衷方案，于城堡周围复原城郭和巴罗克式诸建筑，在外围地区创建新城。

当地许多建筑为安东尼王（1755～1863）完工或建造，易北河北岸安东城即以他的名字命名。第二次世界大战前，德累斯顿有“易北河上的佛罗伦萨”之称，是世界最美丽的城市之一，以建筑及艺术珍品闻名。弗劳恩教堂（1726～1743；又名圣母教堂）被毁，但其遗迹已辟为纪念地。霍夫教堂（1738～1755；宫廷教堂）和克罗伊茨教堂（1491年建，1764～1792年和1900年重修；圣十字教堂）已经修复。2004年易北河河谷地区因有许多公园和文化纪念碑而被联合国教科文组织列为世界遗产，其中著名的建筑包括钢铁大桥、缆索道和缆索铁路。以前的王宫（1530～1535）破坏严重，1889～1901年按德国文艺复兴式样修复。德累斯顿无与伦比的艺术珍品大部分被运到城外妥为保管。1945年，许多珍品被俄国人抢走，有些珍品于1955年归还。在许多展览馆和画廊中，著名的茨温格尔宫（1711～1732）业经修复，其众多收藏（包括锡镴器皿和瓷器）和博物珍品（动物、矿物、精密的科学仪器）已重新展出。塞姆佩尔美术馆（1846）于1960年重新开放。该馆收藏有堪称无价之宝的绘画，其中以拉斐尔的《西斯廷圣母》为最珍贵。日本宫（过去有手稿和地图收藏室）经过重修，现展出钱币和瓷器。

德累斯顿是歌剧传统深厚的音乐城。C.M. von 韦伯和R.瓦格纳都曾在此指挥乐团演奏，理查·施特劳斯等人的歌剧也在此首演。歌剧院（1878）在战争中被毁，已经重建。德累斯顿国家剧院和德累斯顿交响乐团（1870）均建于此，并设有音乐、医科、造型艺术、交通、师范等专科学院和著名的艺术学院。作为科学教育和研究，特别是原子能研究的主要中心，设有科技大学（其图书馆藏书100多万卷）、核物理中央研究所和德国卫生展览馆（其透明合成树脂解剖模型世界驰名）。有几处历史上有名的公园，尤其是格罗塞园（1676），内有植物园、动物园和一处露天剧场（1956）。

19世纪，德累斯顿与柏林和莱比锡之间的铁路通车，促使工业发展，易北河南岸的郊区兴起。第二次世界大战后制造业发展迅速。该城几乎没有重工业，但能生产精密仪器和光学仪器、无线电和电器、变电器、水力发电机、X光和摄影器材以及各种机械。商品花园经营规模大，花卉灌木行销国外。创始于德累斯顿的德累斯顿瓷器业，1710年移至西北24千米处的迈森。铁路四通八达。建有飞机场。易北河与内陆水系相连，水路可通汉堡和捷克共和国。人口483 632（2003）。

Dresden, Battle of　德累斯顿战役（1813-08-26～27）　拿破仑在德意志进行的最后一次重要战役。战场在萨克森首府德累斯顿郊外。拿破仑军12万人，奥地利、普鲁士和俄国联军17万人。联军企图夺取法军基地德累斯顿。8月23日拿破仑获悉德累斯顿的2万守军面临联军进攻的危险，决定增援，警卫军3天强行军145千米，另两个军团4天强行军190千米。8月26日联军开始攻城，守军逐渐从郊外撤退。拿破仑的军队于8月26日黄昏时分到达阵地，27日拂晓发动攻势。由于大雨滂沱，泥泞满地，拿破仑的炮兵发挥了巨大的作用。联军被迫撤退，损失3.8万人，而法军仅损失1万人。当时拿破仑患病，指示其部下将领追击联军，但他们于8月30日和9月6日遭到惨败，因而德累斯顿胜利成为泡影。

Dresden Codex　德累斯顿刻本　拉丁语作Codex Dresdensis。前哥伦布时期马雅象形文字几种刻本之一，是历经西班牙传教士焚书之劫而仅存于世的珍贵文物。德累斯顿刻本载有天文数据，如交蚀表、金星公转周期，计算异常精确，马雅人精于天文历算的声誉，大体上就源于这些数字。这个刻本由萨克森州德累斯顿市萨克森州立图书馆购得，而由金斯堡子爵爱德华·金撰文发表于《墨西哥古文物志》（1830～1848）一书中。金曾把此抄本误认为阿兹台克人的古文书。德累斯顿刻本的第一部经过科学方法考订的版本是由弗尔斯特曼于1880年在莱比锡刊行的。参阅 **Madrid Codex; Paris Codex**。

Dresdner Bank AG　德累斯顿银行　德国主要的商业银行。总行设在美因河畔法兰克福。在世界70多个国家开展业务。1872年在德累斯顿创立，故名。1884年总行迁至柏林。1952年分为3家银行，即莱茵-美因银行、汉堡信贷银行和莱茵-鲁尔银行；1957年重新合并成为现在的德累斯顿银行。除商业银行业务及金融业务外，以经营进出口贸易信贷为主。该行及其联行也在金融市场、外汇及发行有价证券方面提供服务。1974年该行与欧洲、南美洲数家银行联合，在伦敦组织了欧洲-拉美银行，为拉美发展项目提供信贷。该行也是欧洲联合银行公司的成员，该公司向全世界客户提供信贷服务。2000年4月德累斯顿银行与其竞争对手德意志银行取消合并计划。2001年被德国慕尼黑的保险和金融服务集团安联股份公司并购。

dress　服装　又作costume。人体的遮蔽物，或衣服和配件。服装种类甚多。因性别、文化、地域和时代而异。

服装一词不只是指习见的衣物如衬衫、裙子、裤子、夹克和外套，也包括鞋袜、帽子、睡衣、运动服、紧身胸衣和手套等。发式和在某种场合配戴某种须、髭及假发，也与服装流行史息息相关。化妆品、珠宝和其他形式装饰的使用也是如此。

服装的作用和款式　服装最基本的作用是保暖和保护身体，使人显得美丽和增加性感，并提供穿着者的情况（即年龄、性别、社会地位、职业）。但是，服装不仅有这些简单和实用的作用，还可用于多种目的。的确，在整个服装历史中，人们穿着的许多服装式样并不是满足上述任何一种作用的。而且，人们对于什么样的服装或式样最能起到这种作用的看法并非是一致的，也不是一成不变的。

例如，即使世界其他地区的妇女几百年来一直穿长裤，但是在欧洲和北美，直到20世纪，长裤被视为不适合妇女的和没有吸引力的穿着。

对于直至近代西方服装款式的时代变化作出解释的一种最为盛行的理论是：款式的作用是反映社会和经济地位。譬如，在阶级之间变迁有限的相对稳定的社会中，如直至现代的亚洲许多地区，或中世纪前的欧洲，服装式样一般没有重大的或迅速的变化。相反，当较低的阶级有能力仿效上层阶级时，后者迅速改变款式，以显示他们的权势和很高的社会地位。20世纪时，交通和制造技术有了改进，新的服装式样可以更快地从上层社会传到一般老百姓中去，因而服装式样之多胜过任何其他时期。

一种看法是：服装款式是财富和威望的反映。可以用这种看法来解释在服装历史中许多式样流行的原因。例如，很难得到的服装和维持费用不菲的服装往往是最新潮的款式。同样道理，当织物或衣料的价格十分昂贵时，需用大量这种衣料的服装式样就特别流行，例如16世纪时，特别流行的式样是外衣留有开叉，可露出第二层用昂贵织物做的内衣。

同样，一些不实用的服装款式往往被视为是美丽的，这些款式表明穿着者不需要劳动，而且他（或她）穿这种服装，很难劳动，一个例证是一些服装式样反复在欧洲风行，这些式样使妇女身穿紧身胸衣，和许多层衬裙和裙子，使她们负担很大重量，因而行动或活动受限。一位妇女身穿这种服装不仅可以表明她不做家务活，而且表明她的丈夫或父亲有能力雇用仆人替她干家务活。

地位或相应的权力也在更大的、全国范围对服装款式产生影响；一个政治强国不仅影响弱国或附属国的国家政策，而且也影响它们的服装款式。例如，日本和朝鲜的许多传统服装式样反映出中国的影响。在16世纪的欧洲，同样原则也在起作用，当时西班牙一度是最强大和最富有的国家。因而在西班牙盛行的飞边和男子紧身裤的下体盖片也在欧洲大陆各地流行，但是16世纪末，西班牙的势力开始衰落，其他的服装式样又开始盛行。同样地，在19世纪，英国已确立了全世界最主要的工业和经济强国的地位，英国就在决定男人的服装款式方面取得了领先地位。英国在19世纪50年代作为非正式服装的三件套日常西装在其他正在工业化的国家也开始流行。它逐渐成为英国公认的城市衣着，随后在世界其他地区，男子把这种服装当作一种工作时穿着的统一服装。几乎全世界受过教育的城市上层人士都穿西服，这就明确表明，西方在全世界20世纪的文化和技术中起支配作用。然而，在印度次大陆、东亚、中东和西非等地区，非西式服装在多数人口中仍很盛行。

从第二次世界大战后出生的一代美国人对服装款式产生的左右作用中可以看到居支配地位的社会集团在一个特定社会中的影响，这一代美国人通常被称为“生育高峰时期出生的人”。直到50年代，儿童们所穿的衣服式样基本上与他们的父母相同。然而战后人数众多的青少年，和他们拥有的空前购买力，特别为青年人确立了新的服装式样。在60年代末和70年代初，由于生育高峰时期出生的人已到成年，青春色彩贯穿于款式主流之中。各个层次的款式中都出现长发、没有发型的发式、短裙、鲜艳的色彩、蓝色牛仔裤和其他童式外表。80年代和90年代简单而实用的职业外表逐渐取代了这些式样，这反映出居支配地位的生育高峰时期出生的人逐渐变老。

制衣技术 数世纪以来，制衣技术进展极缓慢。直到中古时代才使用铁的缝衣针。18世纪以前，整个制衣过程仍以手工完成。18世纪发明了脚踩及水力纺织机，可以由纺织厂生产布匹，此项突破刺激了缝纫机的发明。巴黎的蒂莫尼耶于1830年获首架实用缝纫机的专利。很快又出现改良的机种，其中包括纽约皮斯顿的辛格于1851年改良问世的缝纫机。

下一个工业中的重要机械成就是在1860年发展出锯刀裁衣机，能一次切割多层布料。20世纪制造过程方面的进展包括1967年发明的电脑分类机，能自动照原件直接分类和切割；由电脑控制的雷射光束可烧掉布料或使之汽化而不是切割它；高速率的缝纫机每分钟能缝8 000针。

服装和有关工业使用的原料依照结构分类：绞股结构、缠结结构、分子聚合体结构和细胞结构。绞股结构是使纱线变成纺织、编织和编结的织物。缠结结构使纤维变成毡、纸和衬垫片；分子聚合体结构生产塑料膜、金属箔和橡胶薄片。细胞结构是皮料、皮毛、皮革和合成泡沫塑料的构成原块。

纺织品由纺织、编织或编结程序制成。纺织时，两股或多股纱线成直角对织；编织时，两股或多股纱线成对角对织；编结时，纱线编为环圈。纱线由自然纤维如棉、亚麻或毛，或由合成纤维如人造丝、尼龙纺成。多数皮料是来自绵羊、山羊、羔羊、小牛、猪、马和牛的皮，少数来自蜥蜴、蛇、鳄鱼、麋鹿、水牛、鸵鸟、袋鼠、岩羚羊、海象、象及海豹的皮。

现代制衣过程分为3种基本步骤：切割、缝纫及压平。此外，尚有5种程序用于装配、装饰和组合。这些步骤是焙硬或烤干、黏合、并合、造型和钉合。钉合包括打钉和嵌人孔眼。

dressage 花式骑术 对乘用马进行循序渐进的系统训练，使其能准确地完成技巧动作，从简单的步法，到最复杂的高难度技术。1912年以来，花式骑术正式列为奥运会比赛项目。花式骑术最重要的是正姿势，正姿势是压缩并抬高马的步法使马的重心向后，马体前部的分量减轻从而在有限的空间内产生特殊的灵敏度。训练一般分为初、高级两个阶段。初级阶段调教小马顺从、协调和镇定；高级阶段为特技训练，使马的自然动作达到纯熟。维也纳西班牙式骑术学校的高级阶段训练最为著名。

dresser 碗柜 用以陈列精致餐具，如银、白镴或陶器餐具的小橱。英国自都铎王朝始广泛使用碗柜，当时只不过是靠墙放置的小桌，偶尔装有一排抽屉。正面立在3个或5个用横木和角柱相连接的桌腿上。桌面的前面和抽屉的正面饰以相配的装饰线条。约1690年开始装设一块低的背板，上面常常装

1775～1800年美国初期的碗柜
美国不列颠百科全书公司供图

有狭窄的搁板或抽屉。随后又在主体抽屉下面装一块装饰性护板。后来又加上无背板的搁架，以陈列英国**代尔夫特陶器**（**delftware**）。在19世纪以前，这种形式的碗柜一直是每个中产阶级家庭厨房内的基本家具。在法国，自16世纪初期起开始使用碗柜。装饰性雕刻较英国的华丽，采用建筑上的式样，如哥特式卷叶凸雕（弯曲的叶形装饰）和嵌板、凸嵌线带交织图案（折叠、交叉或错综复杂交织的窄线或扁带构成的图案）、飞檐和柱顶盘。与英国碗柜不同，一般装有两扇门，下面有一块放置罐、壶的木板。德国的碗柜与法国的相似，下半部用门关闭，上半部是一个凹进去的小橱，上有大的檐口。在现代，dresser一词或指存放碗碟和炊具的小橱，或在美国指屉柜或镜台。

Dresser, Christopher 德雷塞（1834-07-04，苏格兰格拉斯哥～1904-11-24，法国米卢斯）英国设计家，最早的专业工业设计家之一。曾在伦敦萨默塞特豪斯设计学校学习两年。1862年出版著作《装饰设计艺术》后，即开始从事设计。1876年以英政府代表身分访问日本，以后即吸收了日本的基本图式和设计原理，为己所用。德雷塞对于原料的性能，特别是对金属和玻璃有着透彻了解，他的科学观点对其作品有深刻影响。其著作还有《从国际展览会看装饰艺术的进展》（1862）和《日本的建筑、艺术及艺术制品》（1882）。

dressing table 梳妆台 又作toilet table。一种梳妆用台式家具。17世纪时指装有2～3个存放梳妆用具的抽屉的小桌，而18世纪的家具木工表现出巨大的创造才能，他们把梳妆用具巧妙地放置在漂亮的家具里，使用起来十分方便。希勒在《家具木工的伦敦价格手册》（1788）一书中，画有梳妆台的图样，“有折叠的台面……顶端和底部均系伪装，背部有一个水槽，可将盆里的水倒掉”。内部还装有“一面活动的镜子”。有的梳妆台与写字台合在一起，成为组合家具，法国人擅长制造这

18世纪的法国二合一式梳妆写字台
美国不列颠百科全书公司供图

种家具。19世纪,梳妆台成为卧室配套家具中的组成部分。

Dressler, Marie　特雷斯勒(1869-11-09,加拿大安大略科堡～1934-07-28,美国加利福尼亚圣巴巴拉)　原名利拉·玛丽·柯伯。出生于加拿大的美国女演员。以扮演具有坚强的自立精神和幽默感的老年妇人而成为20世纪30年代初好莱坞最受欢迎的银幕人物之一。14岁开始在一巡回轻歌舞剧团里演戏,后成为闻名美、英两国的喜剧演员。她拍的第一部影片是《蒂利情史》(1914)。她在影片《安娜·克里斯蒂》(1930)中扮演住在码头附近的一个老于世故的酒鬼,非常成功。后来又在不少影片中演同类角色,如《政治》(1931)、《繁荣》(1932)、《八时晚餐》(1933)和《安妮号拖轮》(1933)等。因与W.比利合演的《明和比尔》(1931)而获奥斯卡最佳女演员奖。

Dreux　德勒　法国中北部中央大区厄尔-卢瓦尔省城镇。位于沙特尔西北,临布莱斯河。早年为高卢部族占据。罗马人称之为德罗凯。1562年吉斯公爵弗朗索瓦在此击败胡格诺派,标志宗教战争的开始。现存古建筑有镇公所(1512～1537)、哥特式圣皮埃尔教堂(13～17世纪)和圣路易教堂(19世纪)。生产化工品以及铁路和农用设备。人口35 230(1990)。

Drew, Charles Richard　德鲁(1904-06-03,美国华盛顿[哥伦比亚特区]～1950-04-01,北卡罗来纳伯灵顿附近)　美国黑人内、外科医师,在将人血保存以供输血之用方面是公认的权威。曾在阿默斯特学院(1926年毕业)、蒙特利尔的麦吉尔大学(1933)和哥伦比亚大学(1940)学习。20世纪30年代末获哥伦比亚大学博士学位后,研究血浆的特性及储存,他很快研究出在"血库"内加工并储存大量血浆的有效方法。第二次世界大战初期,他作为这领域的权威在美国和英国组织并领导血浆规划,同时又促使当局停止将黑人的血液排除在血浆供应网络之外的做法。1942年,在军方规定黑人的血液可以接受但必须与白人的血液分开储存之后,德鲁宣布辞去官方职务,并在华盛顿市弗里德曼医院和霍华德大学担任外科医师和内科教授(1942～1950)。1950年在汽车事故中负重伤。

Drew, Daniel　德鲁(1797-07-29,美国纽约卡梅尔～1879-09-18,纽约)　美国19世纪"强盗资本家"时代的铁路金融资本家。以贩卖牛马起家,1834年起在纽约一带经营内河航运。由于资本日益增多,1844年在华尔街开设德鲁-鲁宾逊公司;该公司成为美国铁路股票主要经纪商之一。德鲁与伊利铁路之间的瓜葛始于1853年。1866～1868年"伊利之战"中,德鲁联合J.古尔德和J.菲斯克反对C.范德比尔特企图购买伊利铁路的控制股权,遭到失败。1873年经济恐慌中,他损失很大,1876年3月宣告破产。

Drew, Georgiana Emma　德鲁　参阅**Barrymore, Georgiana** 巴里穆尔。

Drew, Jane　德鲁　参阅**Fry, E. Maxwell; and Drew, Jane** 弗赖与德鲁。

Drew, John, Jr.　德鲁(小)(1853-11-13,美国宾夕法尼亚费城～1927-07-09,加利福尼亚旧金山)　美国演员,老德鲁和莱恩的长子。在表演莎士比亚喜剧、社会剧和轻喜剧方面最受欢迎。1873年,在他母亲当剧院经理时初次上台演出。1875年他在纽约首次登台,在戴利的喜剧中扮演角色,并与戴利结下不解之缘。1879年11月,他在戴利的剧本《天方夜谭:哈伦·阿尔·拉斯奇德和他的岳母》中扮演亚历山大·斯普林柯,第一次大获成功。1892年,他离开戴利,加入弗罗曼的剧团。随后,一连20年在弗罗曼亲自导演下,演了很多部戏剧,如《财势婚姻》、《理查德·卡维尔》、《无事生非》、《遗嘱》、《圆圈》、《造谣学校》和《韦尔斯的特里劳尼》。当1915年弗罗曼在"卢西塔尼亚"号灾难中丧生后,他的事业开始衰退。但他的同行对他非常敬佩,选他为演员俱乐部终身主席,这一荣誉以前只授予过俱乐部的创立人E.布思和J.杰斐逊。他的回忆录《舞台岁月》出版于1922年。

Drew, John, Sr.　德鲁(老)(1827-09-03,爱尔兰都柏林～1862-05-21,美国宾夕法尼亚费城)　剧院经理,爱尔兰浪漫派喜剧在美国的主要演员。他扮演的最成功的角色之一,是洛弗的剧本《佩珀一家的白宫》中的佩珀。在短期的海员经历之后转向戏剧,1842～1846年间,初次在纽约登台。大概在1853年,开始同演少年角色的演员惠特利一道经营费城牌楼街剧院。1850年,同女演员莱恩结婚。1861年莱恩当了剧院经理。德鲁曾到处旅行。1855年去英格兰和爱尔兰,1857年去加利福尼亚和澳大利亚。1858年再去澳大利亚和英格兰。1862年回家,几个月后去世。

Drew, Louisa Lane　德鲁(1820-01-10,英国伦敦～1897-08-31,美国纽约拉奇蒙特)　美国著名女演员。费城约翰·德鲁夫人牌楼街剧院经理。这家剧院是美国戏剧史上最辉煌的剧院之一。按照19世纪剧院的习惯,她经常扮演莎士比亚笔下人物如罗密欧、安东尼等男角。英国一对演员夫妇之女,8岁开始登台,几乎一举成名。1850年同爱尔兰喜剧演员和经理老德鲁结婚。11年后,接手剧院担任经理直到1892年,并在11个戏剧季节中巡回演出。她继续不断在舞台上出现,直至去世。她演过很多角色,都受到称赞,最令人难忘的是马拉普洛普太太。

Drexel, Anthony Joseph　德雷克塞尔(1826-09-13,美国宾夕法尼亚费城～1893-06-30,波希米亚卡尔斯巴德[今捷克共和国卡罗维发利])　美国银行家,慈善家。他和弟兄们继承其父在费城的银行——德雷克塞尔公司,将其改为投资银行。1871年他们在纽约创办德雷克塞尔-摩根公司,在巴黎创办德雷克塞尔-哈吉斯公司。他本人善于经营公债、筹办铁路、开发矿山、买卖城市房地产。曾捐款在费城建立德雷克塞尔理工学院,还兴办许多教堂、医院和慈善团体。

Drexel, Katharine, Blessed　德雷克塞尔(1858-11-26,美国宾夕法尼亚费城～1955-03-03,宾夕法尼亚康威尔高地)　美国人,天主教印第安人及有色人种圣事姊妹会(现为天主教圣事姊妹会)的创始人。该会是一群献身于为印第安人和黑人谋福利的传教修女的团体。其父是美国金融家和慈善家,她继承了大批遗产。达科他准州的宗座代牧呼吁关心印第安人的基督教教育事业,她立即响应,资助南达科他、明尼苏达、新墨西哥、怀俄明等州的教会学校。1887年1月她在罗马时,教皇利奥十三世私下召见了她,要求她成为一名传教士。1889年加入匹兹堡市慈爱会做见习修女。1891年她在德雷克塞尔家宅创建了圣事姊妹会。翌年她们同德雷克塞尔迁入宾州康威尔高地的圣伊丽莎白女修道院,此时她是那里的第一位总院长,人称德雷克塞尔姆姆。1913年她的团体获得教皇庇护十世的认可。德雷克塞尔姆姆1894年在新墨西哥州圣菲为普韦布洛印第安人创建凯瑟琳寄宿学校。自此,开始了一项庞大的建设计划。1899年她又在弗吉尼亚州的罗克城为黑人女童开设一所学校。她在亚利桑那和田纳西(1903)开设了更多的学校。1915年在路易斯安那州的新奥尔良为黑人女生创办了泽维尔大学。至1927年她已为她的修士团分别在俄亥俄的哥伦布以及芝加哥、波士顿和纽约市建立了女修道院。1941年在她创建圣事姊妹会50周年之际,受到教皇庇护十二世高度的嘉许。她与美国政府印第安人事务局配合进行慈善事业和传教事业,建立印第安儿童信德保护会(或简称保护会)。到她去世时,她已为这两种事业花费了遗产的1 200余万美元。1988年为她施行了宣福礼。

Dreyer, Carl Theodor　德莱厄尔(1889-02-03,哥本哈根～1968-03-20,哥本哈根)　一位蜚声国际的电影导演,他的一些最著名的影片都是以丹麦的"静态"风格拍摄对宗教体验的认真探索,这种风格强调拖长的、审视的特写,而不重视快速的动作。在1913年作为一个字幕作者进入电影界前,他由一位钢琴家、教堂执事、记者和剧评家,最终成为一位著名的电影编剧和剪辑师。他执导的第一部影片是《大总统》(1920),接着拍摄《撒旦的日记》(1921)等;并在德国拍摄《米卡叶尔》(1924)。

他最著名的无声片《圣女贞德的受难》(1928)是根据贞德被控施行巫术而受审和处决的正式案卷在法国拍摄的,由 M. 福尔康纳蒂扮演这个具有神秘灵感的女主人公。他用延长的特写在观众与人物之间建立起一种亲密的关系,从而使历史剧面目一新。这部影片得到世界评论界的广泛承认,并被看作最佳默片之一。他所独有的导演风格是以运用逼真的布景和大量的特写镜头为基础的。他的影片节拍缓慢,情调阴郁严峻,描写巫术和超自然的现象,以及在最普通的情境中善与恶之间的剧烈斗争。他也拍出一些杰出的有声片,如在法国拍的《女吸血鬼》(1932)以 S. 莱法纽的一个关于吸血鬼的故事为蓝本;《愤怒的日子》(1943)是关于 17 世纪发生在丹麦的一宗驱巫的宗教迫害事件的戏剧,得到国际的承认,并对丹麦电影的复兴作出巨大贡献;《两个人》(1945)和《诺言》(1955,在威尼斯电影节上获得大奖),富于戏剧性地描写在一个勤劳而脚踏实地的农民家庭中,小儿子因神经错乱,自称是耶稣基督而备受折磨的扑朔迷离的故事,表现了社会的善与精神的善之间的复杂关系;最后一部影片《日特鲁德》(1964)是对一个把爱情看得重于一切的女人的复杂性格的分析。

Dreyer, Johan Ludvig Emil 德雷尔(1852-02-13,哥本哈根～1926-09-14,牛津) 丹麦天文学家。他编纂了《星云星团新总表》,出版于 1888 年,星表的补编则出版于 1895 和 1908 年。1953 年这部星表连同补编一起再版,至今仍是一部标准的参考星表。1874 年,被任命为爱尔兰奥法利郡帕森斯敦的罗斯伯爵天文台助理;1878 年调任都柏林的邓辛克天文台;1882 年成为爱尔兰阿马天文台台长;1916 年退休。1916 年德雷尔被授予皇家天文学会金质奖章,1923～1924 年任该学会会长。德雷尔还撰写了许多其他的天文著作。为杰出的同国人第谷写过一部传记,收集并汇编了第谷的全部著作和通信共 15 卷,于 1913～1929 年间出版。

Dreyfus, Alfred 德雷福斯(1859-10-19,法国米卢斯～1935-07-12,巴黎) 法国军官,著名的德雷福斯事件的当事人。犹太富商之子。曾在巴黎综合工科学校读书。1882年进

美国不列颠百科全书公司供图

入军界。1889 年升至上尉。1894 年调国防部工作,被指控向德国使馆武官出卖军事秘密。同年 12 月 22 日被判处在法属圭亚那附近著名的魔岛终身监禁。尽管此案证据不足,程序混乱,被告否认有罪,但公众和舆论界在反犹派别的蛊惑下支持判决。《自由言论报》并以此作为法籍犹太人对国家不忠的象征。然而怀疑在增长。G. 皮卡中校发现 C.F. 埃斯特哈齐从事间谍活动的明显证据,以及德雷福斯被诬陷的材料。但皮卡被撤了职。1898 年 1 月军事法庭宣布埃斯特哈齐无罪,而皮卡竟被逮捕。这导致一批有势力的政治家和包括小说家左拉(**Zola, Émile**)在内的学术界人士掀起一场要求释放他的群众运动。斗争极为激烈,并同反犹太主义、反教权主义和反共和主义等活动联系在一起。1898～1899 年德雷福斯案有了新的发展。H.J. 亨利少校在承认捏造文件后自杀(1898-08),埃斯特哈齐畏罪逃往比利时和伦敦。亨利的承认使德雷福斯的上诉成为不可拒绝。1899 年由军事法庭复审,再次确定他有罪,但共和国总统对他实行赦免。德雷福斯接受宽恕决定,却保留将尽全力证明自己无罪的权利。1904 年又获重审。两年后最高法院为其昭雪,推翻以前全部罪名。议会也作出决定,授予他荣誉军团勋章。他重新服役,并晋升少校。他退居后备役。第一次世界大战期间被征召,任中校,指挥一个弹药纵队。

Dreyfuss, Henry 德赖弗斯(1904-03-02,纽约市～1972-10-05,美国加利福尼亚南帕萨迪纳) 美国工业设计家,为现代工业产品设计的先驱。17 岁即为百老汇一家电影院设计舞台装置。1927 年受某公司委托从能吸引顾客的角度对该公司的商品图案提出改进方案。1929 年创办他的第一个工业设计室,同时积极为百老汇影院设计舞台装置。1930 年为贝尔电话实验室作设计。其他主要设计包括为洛克希德飞机公司超巨型星座式客机设计的机舱和为"独立号"远洋航轮设计船舱内部。德赖弗斯的工业设计强调用户利益的重要性。著有《对人的测量》(1960 初版,1967 修订再版)、《为人民设计》(1955 初版,1967 再版)等书。

Dreyfuss, Richard 德赖弗斯(1947-10-29,美国纽约布鲁克林～) 原名 Richard Stephan Dreyfus。美国电影演员,以饰演普通人而闻名。在纽约度过童年,后举家南迁加州,开始演戏。后在圣费尔南多河谷州立学院学习戏剧一年。60 年代末至 70 年代初在舞台和电视上演出。1973 年在《大盗龙虎榜》一片中饰演歹徒"娃娃脸纳尔逊"博得好评。以在《美国风情画》(1973)中饰演普通人物细腻入微而崭露头角。后来的一些影片《学徒》(1974)、《大白鲨》(1975)、《第三类接触》(1977)以及获得奥斯卡奖的《再见女郎》(1977)使他成为 70 年代的巅峰巨星,29 岁便荣获奥斯卡最佳男演员奖。70 年代末和 80 年代初,走入低谷,但在《乞丐皇帝》(1986)一片中奋力复出,并成功出演著名影片《紧急盯梢令》(1987)和《我要求审判》(1987),而这一时期的最佳影片则是《锡人》(1987)。90 年代其声望依旧,以《春风化雨》(1995)一片再度获奥斯卡奖提名。世纪之交时,其部分名作被搬上电视,在电视剧《黑帮风云》(1999)《奇幻核子战》(2000)中仍备受瞩目。

Dreyschock, Alexander 德雷夏克(1818-10-15,波希米亚扎克～1869-04-01,威尼斯) 波希米亚钢琴家和作曲家。演奏技巧高超,可与李斯特媲美。8 岁即登台公演,1833 年去布拉格随托马谢克学习。1838 年开始在欧洲广泛巡回演出,1862 年任圣彼得堡音乐学院教授。但由于不适应那里的气候,1868 年迁居意大利。翌年春去世。其辉煌的八度、双三度及双六度的技巧和左手的独奏特别闻名,据说英国作曲家和演奏大师克拉默曾惊呼"此人无左手!他有两只右手!"主要演自己的作品,但曲目中也包括许多古典乐曲。

Dreyse, Nikolaus von 德雷泽(1787-11-20,图林根瑟默达[今在德国]～1867-12-09,瑟默达) 德国火器发明家和制造商。德雷泽为一锁匠之子,1809～1814 年间在瑞士人 J.-S. 保利开设的巴黎枪炮厂工作。保利曾设计过数种实验性的后膛装弹军用步枪。德雷泽回瑟默达后创建了一家公司,制造子弹雷管。他在该公司设计了"撞针击发枪",这种步枪是靠一针状销刺入纸制弹药筒中心处的子弹雷管,借以击发起爆材料(通常为雷汞)而射出子弹。1827 年设计了前膛装填枪,随后又于 1836 年设计了有手动扳机的后膛枪,后者于 1841 年开始为普鲁士军队所采购。在 1864 年德国与丹麦因石勒苏益格-荷尔斯泰因问题而进行的战争中,德雷泽武器以发射速度高而压倒了敌方的军队,皇帝因此而赐予德雷泽贵族头衔。直至 19 世纪 70～80 年代毛瑟枪崛起之前,德雷泽步枪都是标准的普鲁士步兵武器。德雷泽创建并由其子弗兰茨(1822～1894)继续经营的工厂,于 1901 年成为杜塞尔多夫的大莱茵金属制品与机械制造股份公司(现为莱茵金属制品有限公司),是德国军队主要的武器供应者。

Dreyse rifle 德雷泽步枪 又名针刺发火枪(needle gun),以发明者尼库劳斯·冯·德雷泽的姓氏命名。利用一长尖击针撞击发射装药,使位于弹丸底部的点火药(通常为雷汞)击发。1827～1829 年间发明,1848 年正式装备俄军,1871 年由毛瑟枪取代。参阅 **rifle**。

Driesch, Hans Adolf Eduard 德里施(1867-10-28,普鲁士莱茵省巴特克罗伊茨纳赫～1941-04-16,莱比锡) 德国实验胚胎学家、哲学家,活力论(认为生命现象不能用物理和化学现象解释的理论)的最后一位伟大的代言人。出身于富有的汉堡金商家庭。父亲将他送到一所杰出的注重古典文化的高级中学受教育,该校为马丁·路德的一位友人所创办。因其母在家中饲养了一些与众不同的动物,德里施幼时即对动物学感到兴趣。他遵循当时德国流行的习惯,在几所大学(汉堡、弗赖堡、耶拿)受教育,学习了动物学以及物理学、化学(这些学科在当时并非动物学家所必修)。他在耶拿大学师从 E.H.海克尔攻读博士学位,海克尔的兴趣在种系发生(进化论的分支),他的研究方向却不同。1887 年他的博士论文讨论影响群体水螅体发育的因素。

以后 10 年间他广泛旅行;在此期间又用海生动物的卵做实验(常在那不勒斯的国际

动物站进行)。1891年他将正在分裂为二的海胆卵分开,发现其中每一个细胞均能发育为一个完整的幼体。1888年威廉·鲁曾用蛙卵做过类似的实验,但得出完全不同的结果:这头两个细胞只各形成半个胚胎。鲁于是得出结论:生物体的各个部分在二细胞期即已决定。德里施的结论却是:细胞的命运并非在二细胞期决定,而是决定于其在完整生物体中的位置。同年他发表一篇纯理论性的专著,1892年他认为用活力论解释生物学资料是最合理的。他的实验结果大大促进实验胚胎学这门当时崭新的学科的建立。

他在胚胎学方面还做出其他许多并不那么著名但同样重要的贡献。他将两个胚胎融合从而制造出一个巨大的幼体。他将分裂中的卵压缩,使核的分布出现异常,从而证明所有细胞核都是相等的;此实验是现代遗传学的先导。他认识到细胞核与细胞质相互作用,细胞核通过酵素(或称酶)对细胞质施加影响。1896年他将海胆幼体猛烈摇动使形成骨骼的细胞移位,观察到移位的细胞会回到原来的位置上。此实验首次证明胚胎诱导的存在:胚胎两个部分之间的相互影响会导致分化,若无此种相互作用分化便不可能发生,1894年他在一篇专著中已从理论上推断过这种现象。

到1895年他成为活力论的坚定信徒。他觉得自己无法用机械论的术语来解释其细胞分离的实验,不能设想一部机器能分裂为两部完全相同的机器,于是只好接受活力论。他用亚里士多德的"圆极"一词来表示能调节生物体发育的活力因子。虽然这种因子不能用物理科学解释,他相信该因子的作用与酶有关,他认为酶在发育中非常重要。

1899年他与M.赖弗沙伊特结婚,生育库尔特和英格堡二子,他们均成为音乐家。他在海德堡定居,继续进行胚胎学实验直至1909年;同年他终于取得任教自然哲学的资格,当时取得此种资格方能跻身等级森严的德国大学教师队伍。作为自然科学教师,他自1912年开始连续任海德堡大学哲学教授,1919年转到科隆大学,1921年到莱比锡大学。作为哲学家,他深受I.康德的影响,形而上学和逻辑学是他的专长。或许由于他在活力论方面的学识,他对心灵学也产生兴趣。

德里施的工作立即刺激了实验胚胎学的发展。他在胚胎诱导、酶活动和细胞核与细胞质相互作用方面的实验和理论研究在当时广泛传播(虽然今天被人们遗忘),促使人们继续研究直至今天,但今天的研究已不那么受活力论的影响。1935年他为纳粹所迫提前退休,但仍继续写作直至逝世。

Drieu La Rochelle, Pierre 德里欧·拉罗舍尔(1893-01-03,巴黎～1945-03-16,巴黎) 法国小说家和政论家。他的生平和创作反映了第一次世界大战后一代人的彷徨心理。他才华横溢,但性格软弱。出身中产阶级家庭,求学于政治学校,意欲进外交界供职,但是由于第一次世界大战打乱了他的计划。他参加了战争并且受了伤。和同时代的其他人一样,他感到幻灭,开始了毕生对人生的道德和哲学观点的探索。他起初卷入超现实主义运动,这个时期的代表作有小说《受女人庇护的男人》(1925)和《鬼火》(1931)等。德里欧·拉罗舍的后期作品有战争回忆录《夏勒鲁瓦的喜剧》(1934)、《爱幻想的资产阶级》(1937)等,他的最佳小说是《吉尔》(1939)。第二次世界大战中,他曾与维希政府合作,法国解放后不久自杀。

Drifters, the 漂流者乐队 美国节奏布鲁斯声乐队,20世纪50和60年代曾推出一系列位居排行榜首的歌曲。漂流者乐队实际上有两个,经纪人G.特雷德韦尔遣散了原有的人员。原先乐队的成员有C.麦克法特、B.平克尼、A.思拉舍,G.斯拉舍、"小戴维"鲍恩和J.穆尔;后来乐队的主要成员是B.E.金、C.托马斯、E.霍布斯、R.刘易斯和J.穆尔。乐队原于1953年由大西洋唱片公司的A.埃尔泰金联系当红歌手麦克法特,邀集乐手成立。麦克法特1955年离开乐队,开始独唱事业。不过当时乐队已处于巅峰时期,其单曲《金钱宝贝》(1953)位居节奏布鲁斯排行榜首,并且有《白色圣诞》(1954)等其他许多热门歌曲。1959年,特雷德韦尔以金领导的"五王冠"取代原来的三个主唱。继续为大西洋唱片公司录音,其中《青春岁月》打进流行音乐排行榜前十名,而另一首《最后的舞请与我一起》(1960)荣获冠军。金后来也离开乐队,成为著名的独唱演员,但乐队还是有一些热门歌曲,尽管该乐队在60年代中期声望滑落,但新成员的福音歌曲一直流行到90年代。1988年入选摇滚乐名人堂。

drill (*Mandrillus leucophaeus*) **黑脸山魈** 猴科体大而尾短的动物,以前分布于尼日利亚到喀麦隆一带。由于猎捕和砍伐森林,已濒临绝灭。现分布限于喀麦隆边远森林地

黑脸山魈(*Mandrillus leucophaeus*)
美国不列颠百科全书公司供图

带。和其亲缘动物山魈(**mandrill**)一样,有时列入狒狒属(*Papio*)。和山魈相似,是身体健壮的四足猴,臀部色彩鲜明,但体型较山魈小(雄性体长约82厘米),脸黑色。下唇绯红色。脸周的毛和耳后的束毛浅黄白色;其余毛色均为橄榄褐。昼行性,杂食,主要地栖,喜群居。受骚扰时极凶猛。

drill 军事训练 通过操练和演习规定的动作,训练士兵在平时和战时执行任务。实际上,操练能使士兵习惯战斗队形并熟悉武器。心理上,操练会产生协作精神、纪律性和自我克制;它会促使人们在混乱的情况下自动执行任务,对指挥官的指挥和监督作出本能的反应。现代军事训练主要有两种:密集队形训练和散开队形训练。密集队形训练是演练分列式、阅兵式和检阅仪式中的动作和队形;战斗训练是演练小分队在疏开队形时的作战动作。由于需要调动和集结大量人员进行战斗,初步的操练方法在古埃及时已经出现。现代意义的操练则是希腊人创始的;斯巴达人极其注意严格操练;马其顿的腓力二世和亚历山大大帝三世进一步改进了方阵及其操练方法。罗马帝国统治地中海世界近一千年,主要归功于它对军团的精心训练。罗马帝国衰亡后,作战样式蜕变为无组织的混战和单兵格斗,各国普遍忽视军事训练,只是训练有素的拜占廷职业军队以及成吉思汗及其后代纪律严明的骑兵依然如故。17世纪初,瑞典国王古斯塔夫二世加速了欧洲战争技能的恢复过程。为适应武器的发展,他简化了训练方法,欧洲国家纷纷效仿。17世纪末,法国在发展现代常备军方面居于领先地位,主要因为路易十四的步兵总监J.马蒂内所创造的训练制度。腓特烈大帝二世的普鲁士军队通过不停的训练在战术上达到完美程度。美国革命战争时期,日耳曼军官冯·施托伊本男爵将普鲁士训练方法改编为适合美国人特点和新大陆作战条件的操练制度。由于武器射程和精度提高,完全按照阅兵场上的操练进行战斗的状况在19世纪就不存在了,这一过程始于美国南北战争。当时士兵必须练习展开、掩蔽和挖掘战壕。机关枪和速射炮发明后加速这一变化过程。但是密集队形的训练被保留下来,因为这种训练不仅对于举行仪式和调动大队步兵有用,它还为协同和纪律提供心理基础,没有这个基础就无法进行战斗训练。

drill 钻头 在实体材料上钻圆孔或扩孔用的圆柱形切削刀具。通常由钻床使它旋转,钻进固定工件;但在另外一些类型机床上,固定不转的钻头可以钻入旋转工件,或是钻头和工件以彼此相反的方向旋转。为了形成两个切削刃以及注入冷却液和排出切屑,钻头上有两条纵向直槽或螺旋槽。钻头的尖

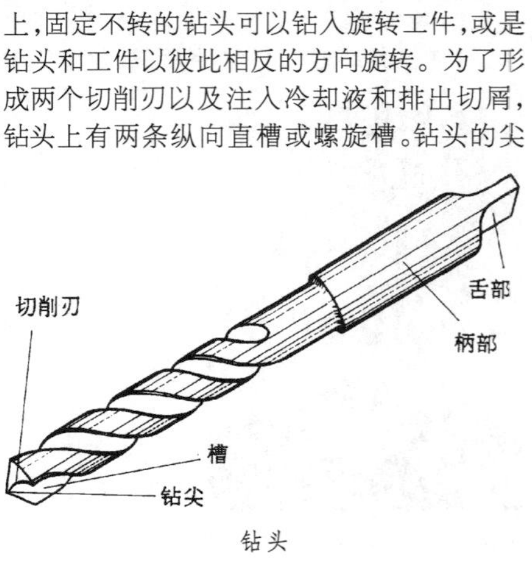

钻头

部通常是圆锥形,槽端部带有切削刃。钻头尖端锥面形成的角度决定产生切屑的大小。螺旋槽的扭转程度也影响钻头的切削和排屑性能。对于一般的麻花钻,螺旋角约为32°。

对于标准钻头，两钻刃之间的夹角或顶角为118°；对于钻坚韧金属，推荐用135°。排屑槽旁边的钻头外缘部分称为刃带。为减少摩擦和避免刃带被钻孔四周磨损，刃带要大部分切掉，只留下一条很窄称为钻锋圆边的刀脊。这样，排屑槽侧缘的刃就成了切削刃。带排屑槽的钻头工作部分为淬火的高碳钢或高速工具钢。其他钻头有用镶嵌硬质合金刀片的，也有用硬质合金整体制成的。麻花钻的柄部有直的或锥状的。组合式麻花钻的柄部是低碳钢材，与工作部分焊接成一体。直柄钻头必须用夹头夹紧，而锥柄钻头则必须插入钻床的主轴锥孔中。对扩大铸孔、冲孔和钻孔来说，用扩孔钻最适合。扩孔钻有3或4条排屑槽，因其切削刃没有延伸到钻头的中心尖部，故不能用来对实体材料钻孔。切削工作是由各排屑槽端部的切削刃来完成的。参阅 **auger**。

drill press　钻床　又作 drilling machine。在硬物质上钻孔的装置。钻头装设于旋转的主轴上，用以进入工件。工件则通常由固定于工作台上的钳子夹住。钻头可用一三爪卡盘夹紧，或其锥柄正可插入主轴的锥孔中。另有各种装备可改变主轴速度及使钻头自动进入工件中。通用机械厂中非经常使用的钻床通常只有一个主轴。在工件上连续或同时钻许多孔则可使用多主轴的钻床。当要求加工出大量的相同机器组件时，可使用特殊用途钻床，在相对于工件的不同位置处装设多根主轴。钻床主要用途为钻孔，也可以加上镗刀以进行扩孔，或加上整孔钻以修整孔壁。若辅以特殊攻丝装置及丝锥，则钻床可在孔中车出螺纹。参阅 **boring machine**。

drilling machinery　钻机　在勘探、开采石油、天然气、地下水等资源及科学考察时，在地层中钻孔的装置。在隧道开凿、采矿和其他挖掘工作中也要用钻机在岩石上钻孔以便装填炸药进行爆破。现代钻机有冲击式和回转式两种，前者通过断续的撞击凿碎岩石或土壤，后者通过切削或研磨的作用钻进。当岩石的硬度需要有两种作用时，可使用回转-冲击联合钻机。最简单的回转钻机是土钻，用手操作，类似木工用的木钻。土钻主要用在较松软的土壤上钻孔。它装有一个螺旋钻头或有纵槽的钻头，钻头通过一个套筒连接在轴上，随着钻孔的加深可接长钻杆。回转钻机可用任何角度钻进，适用于地下采矿。在多数回转钻机中，用钢制管状钻杆提供冷却水或其他液体的循环。回转式钻机有3种类型的钻头：①切削型钻头，多用于软岩，有2～4个钻刃，用硬质合金制成。②齿轮钻头，靠楔形齿击碎岩石钻孔，适用于较硬的岩石上。③金刚石钻头，是在筒式钻头侧面镶嵌金刚石，以回转研磨方式钻孔。这种钻头可钻取岩芯，提供地层横断面的岩样，多用于勘探。冲击钻进比回转钻进慢，但仍有多种用途，如钻浅孔。另一种简单的冲击钻是由一段或几段锻铁管组成的，用重锤锤击钻进或用小型打桩机钻较大的孔。第一个套管钻进后，将第二个较小的套管沉入第一个套管内，再用泵将水压入内管，以便松弛土壤，提上岩屑。钻深孔时，回转钻进法已代替冲击钻进法。现代岩石钻机是将很多钻头装在一个大钻架上，同时钻若干孔；20世纪60年代，法国和意大利之间的勃朗峰隧道首次采用了与隧道断面同样直径的组钻，钻进与爆破在一次作业中完成。在采矿和隧道作业中还广泛使用轻型气钻。

drilling mud　钻井液　俗称钻井泥浆。黏土(通常是膨润土)和水的混合物。在钻探石油、天然气、水层时，用来将岩屑带到地面并润滑和冷却钻头。将特殊的化学品加入泥浆，可在钻进中均衡水层和地层的组分的变化，并增加泥浆柱重量。钻井泥浆凭借流体静压，有助于防止井内不稳定地层坍陷以及可能遇到的含水层的水浸。

Drina River　德里纳河　欧洲东南端巴尔干中部河流，由塔拉河和皮瓦河汇合而成。大致向北流，注入萨瓦河，全长346千米。上游贯穿峡谷，而下游河道较宽。全河位于波斯尼亚和黑塞哥维那境内，但部分却为其与塞尔维亚的界河。在巴伊纳巴什塔和兹沃尔尼克有大型人造湖为水电站提供动力。流域面积19 570平方千米，水电资源相当丰富。上游与支流以淡水渔业著称。沿河主要城市有维舍格勒和兹沃尔尼克。

drinking horn　角杯　典仪用酒器，常以牡牛或野牛角或象牙制成，并安装在金属杯座上。最早的角杯见于7世纪初。16世纪被更适用的器皿取代，但此后仍有个别制品。

drinking song　饮酒歌　饮酒时歌唱的、用欢宴主题创作的一种歌曲。这种形式成为19世纪某些歌剧和小歌剧中的必备因素，演唱时，除独唱外尚有合唱队参加，重复独唱部分或演唱其迭句。在威尔地的歌剧中，饮酒歌有《茶花女》(1853)中欢乐的《让我们痛饮》，也有《奥瑟罗》(1887)中伊阿古的不祥的祝酒。由于受到小约翰·施特劳斯和欧洲其他轻歌剧与小歌剧作曲家的影响，饮酒歌成为美国音乐剧中的主要内容。

Drinkwater, John　德林克沃特(1882-06-01，英格兰埃塞克斯莱顿斯通～1937-03-25，伦敦)　英国诗人、戏剧家和评论家，以20世纪10～20年代的乔治时代的典型文人闻名。他成功地发起在英格兰建立轮演剧团并写有受人欢迎的历史剧。1907年任旅行剧团经理和导演，后来该团发展成为伯明翰轮演剧团。曾出版过几部诗集、一些研究论文(《威廉·莫里斯》，1912；《斯温伯恩》，1913；等)和几部历史剧，其中《林肯》(1918)在伦敦和美国上演时大获成功。自传作品有《继承》(2卷，1931)和《发现》(1932)。

dripstone (architecture)　滴水石　参阅 **hoodmold** 拱檐线脚。

drive　驱力　心理学概念。一种要求立即满足的紧迫的基本需要。一般起源于某些生理上的紧张、缺陷或不平衡(如饥渴)，能促使机体进行活动。一些研究者将“需要”与“驱力”视为同义词；另一些则认为两者不同，需要是一种被剥夺状态，驱力是需要的心理学表现(如紧张和坐立不安或有目的的活动)。驱力又分两种：①先天的，与基本生理需要(食物、空气、水)有关。②习得的(如惧怕或药瘾)。业经确定的驱力或需要还有成就欲、活动需要、爱慕欲、交往欲、好奇心、清除欲、探究欲、操作欲、母性需要、逃避痛苦、性欲和睡眠欲。20世纪40年代，美国心理学家C.赫尔提出一种学习的“驱力减少理论”。简单地说，这种理论认为，只有驱力产生的张力迫使机体产生获得奖励的活动，以减少驱力和满足相应的生理需要，才会发生学习过程。但后来研究发现，即使没有任何驱力变化时，也会产生学习过程。但后来的研究表明，学习在没有任何驱力时也可以发生。参阅 **motivation**。

driver ant　矛蚁　膜翅目蚁科矛蚁亚科(Dorylinae)的非洲昆虫，特点为游猎生活与产卵期的定居生活交替循环。游猎期，蚁群每天移到一个新点。行进道上遇东西(包括蛇、鸟、兽，甚至人)就吃。上颚强有力，能撕裂捕获物。寻食时还爬到树上或灌木中。非洲的矛蚁似新大陆的军蚁(*Eciton* 属)。参阅 **ant**。

driving and coaching　驾驭　在车上或其他器具上控制并指挥挽畜的技术或体育运动项目。常用的牲畜是马，但骡、驴、牛、鹿和狗古今也在许多地方使用。许多赛马会上有驾驭项目。18世纪末道路修筑得好些，发明了在车辆上使用弹簧，遂使驾车舒服。19世纪初造车技术达到完美程度，驾车作为一种消遣流行起来。甚至在第一次世界大战之前，驿站马车就出入于伦敦。19世纪时在英格兰建立了若干俱乐部。驾车俱乐部创建于1870年。1875年驾车俱乐部在美国成立。通常由1、2或4匹马拉车。在俄国和匈牙利，3匹马并驾齐驱。

driving wagon　参阅 **bike wagon** 轻轮马车。

drizzle　毛毛雨　随气流飘浮的大量细小水滴。其直径一般大约在0.2～0.5毫米之间。水滴小的常为云滴或雾滴，大的则称为雨滴。毛毛雨常伴有雾，但又与雾不同，因为它下落到地面。毛毛雨一般从层云中降落。

Drobeta-Turnu Severin　德罗贝塔-塞维林堡　罗马尼亚西南部城市，梅赫丁茨县县城。在多瑙河铁门峡附近，为重要内陆港口。2世纪希腊地理学家托勒密(亚历山德里亚的)称原有居民区为德罗贝塔。塞维林堡(意为“塞维鲁之堡”)一名来自为庆祝2～3世纪塞维鲁皇帝的胜利所修建的堡垒。图拉真大桥残余的桥墩在多瑙河水位低落时尚可见到；铁门博物馆有该大桥之模型。其他建筑遗迹有：为保卫大桥所建之碉堡、浴场和角力场以及一座13世纪教堂和要塞。20世纪70年代两地合并。第二次世界大战后，该市镇迅速发展。战前一小造船厂扩大并与数铁路车间合并形成船舶工程与铁路货车机械厂；

一些肉类和食品加工厂及锯木厂皆已建成。该市镇还是游览铁门和卡扎内峡谷的旅游中心。人口 117 882(1997)。

Droeshout, Martin　德罗肖特(约1601-04,伦敦～约 1650)　英国版画家,以刻制 1623 年版莎士比亚剧本扉页莎翁像而著名。B. 琼森曾盛赞此画逼真。莎士比亚去世时,德罗肖特年仅 15 岁,故此画可能并非写生。其更为成功的作品包括其他一些肖像画、书籍装帧、寓言神话和讽喻题材的版画。

Drogheda　德罗赫达　爱尔兰语作Droichead Átha。爱尔兰劳斯郡南部边界市郊区和海港。临博因河,距河口 6.5 千米。古代斯堪的纳维亚人(8～11 世纪)和诺曼人(12 世纪)的要塞和商站。古代城堡遗址有圣劳伦斯城门和西城门。其他遗迹有多明我会男隐修院(1224)的塔楼,一座奥古斯丁女隐修院的拱门(1206)。在圣彼得教堂的神龛里,放置 1681 年在伦敦殉难的阿尔马大主教圣奥利弗·普伦基特的涂了防腐香油的头颅。工业有亚麻和棉纺织厂、汽车车身制造厂、面粉厂、锯木厂、酿酒厂和大型水泥厂,还有制造石棉、管子、油脂、肥皂、医疗器械和农业机器等工厂。为博因河渔业(捕捞鲑鱼)中心。农产品和煤从海上出口。人口约23 845(1991)。

Drogo DE HAUTEVILLE　德罗戈(欧特维尔的)(?,诺曼底欧特维尔-拉吉沙[法国]～1051-08-10,萨莱诺蒙特伊拉尼奥[今在意大利])　阿普利亚伯爵(1046～1051)。其兄铁臂威廉死后,他率领诺曼人征服意大利南部,继其兄为阿普利亚伯爵。约 1035 年与兄威廉和弟汉弗莱抵意大利,初为拜占廷人在西西里岛与穆斯林作战,后又与意大利阿普利亚的伦巴第人结盟反对拜占廷人。1042 年,伦巴第君主萨莱诺的盖马尔五世封威廉为阿普利亚伯爵,并将阿普利亚的土地分给诺曼人,将那不勒斯以东近 130 千米的韦诺萨赠与德罗戈。威廉于 1046 年逝世后,德罗戈继为阿普利亚伯爵,并与盖马尔的女儿结婚。4 年后,德罗戈的封号获得神圣罗马帝国皇帝亨利三世的批准。1051 年,当德罗戈进入他在蒙特伊拉里奥城堡教堂参加圣劳伦斯日的弥撒大典时,被反诺曼人的阴谋者刺杀。

Drohobych　德罗戈贝奇　俄语作 Drogobych。乌克兰西部利沃夫州城市。1959 年前为州首府。11、12 世纪以产盐闻名。现为采矿(石油、天然气、钾、镁)中心,有炼油、机器制造和各类轻工业。设有师范学院。人口 80 400(1998)。

Droichead Átha(Ireland)　参阅**Drogheda**德罗赫达。

Droichead na Bandan(Ireland)　**班登河畔德罗赫德**　参阅 **Bandon** 班登。

Droichead na Banna(Northern Ireland)　**巴恩河畔德罗赫德**　参阅 **Banbridge** 班布里奇。

Droim Mór(Northern Ireland)　参阅 **Dromore** 德罗莫尔。

droit du seigneur　参阅 **seigneur, droit du** 初夜权。

Droitwich　德罗伊特威奇　英格兰伍斯特行政、历史郡韦查冯区的城镇(堂区)。旧城临萨尔瓦普河,新城地势较高。长期以盐泉产盐著名。1830 年成为疗养地,用盐泉治疗风湿病。除圣安德鲁盐泉浴场和诊所外,还设有医院和疗养院。轻工业产品有暖气设备、金属和塑料制品以及食品加工等。人口 20 966(1991)。

droll　说笑剧　英国由现有戏剧改编而成的或由演员创作的短而滑稽的一段戏或闹剧。查理一世与议会的战争及共和政体时期(1642～1660)清教徒关闭伦敦的剧场后,舞台剧被禁演,演员们就创作一些短小的娱乐节目,绕开禁令,在旅馆及定期集市的临时舞台上演出这种说笑剧。考克斯是说笑剧的著名表演者,其保留节目有根据《仲夏夜之梦》改编的《纺织工波托姆的美梦》和改编自《亨利四世》第一部的《吹牛骑士,或被人打劫的强盗》。其他说笑剧题材还有法尔斯塔夫、哈姆雷特中掘墓者的场景,有时还有圣经故事的改编本。1662 年柯克曼出版了一本 26 个说笑剧的汇编集,题为《机智;或玩笑之上的玩笑》。

dromaeosaur　驰龙　兽脚亚目驰龙科(Dromaeosauridae)的恐龙,白垩纪(1.44 亿年前至 6 640 万年前)繁盛于亚洲和北美。其躯体结构独特,故这些种类被单列为一个次目——恐爪龙次目(Deinonychosauria)。驰龙体型中等、躯体结构轻巧、灵活、奔跑迅速、肉食性,是其生活时代效率最高的掠食者种类之一。双足行走,每足的第二趾均具特化的杀伤力极强的爪;恐爪龙属(*Deinonychus*)种类每足第二趾上特化的爪长 13 厘米。驰龙头大;牙齿数多、尖锐、有力;前肢长,掌具 3 个长爪,用以攫抓;尾极长,有成束的棒状骨,由尾椎生出,使尾巴变得僵硬。驰龙可能以小型或中型草食动物为食,其捕猎方式可能是追上猎物,用前爪抓住它,一足站立,用另一足的利爪猛踢猎物,此时用直挺挺地伸出的尾保持平衡。其脑相对较大,因此驰龙能完成这些复杂的动作,此种程度的共济功能在爬行动物中是不多见的。恐爪龙次目中,体型最大的是恐爪龙属的种类,其体长平均 3 米,体高约 1.8 米,体重可达 70 千克。驰龙属(*Dromaeosaurus*)、迅掠龙属(*Velociraptor*)以及鸟掠龙属(*Saurornitholestes*)3 个属则形体较小,体长可达 1.8 米。

Drôme　德龙　又译德洛姆。法国东南部罗讷阿尔卑斯大区省份。由前**多菲内(Dauphiné)**和**普罗旺斯(Provence)**两省部分地区组成。面积 6 525 平方千米。罗讷河构成 111 余千米长省界。省会**瓦朗斯(Valence)**。流贯该省河流有德龙河、伊泽尔河等罗讷河支流。省东部多山林。西部为能很好挡风的河谷。法国主要公路南方高速公路沿罗讷河东岸穿经该省。瓦朗斯和蒙泰利马尔盆地种植谷物和水果。一些小城镇有真丝和合成纤维纺织业。出产优质葡萄酒。蒙泰利马尔以产果仁糖闻名。罗讷河谷的皮埃尔拉特建有法国最重要核电站。风景如画的城镇乡村为该省特色之一。尼永有 14 世纪埃格河桥。省下设 3 个专区:瓦朗斯、迪镇、尼永;在格勒诺布尔教育区内。人口 437 817(1999)。

Dromore　德罗莫尔　爱尔兰语作 Droim Mór。北爱尔兰原唐郡班布里奇区(1973 年建立)城镇。临拉根河,在贝尔法斯特西南。有漂白、染布和刺绣业。人口 4 959(2001)。

drone　持续低音　在音乐中指持续的、通常音高较低的音,为在较高音区中演奏的一个或多个旋律提供响亮的基础。又指乐器上产生这类持续音响的弦或管,例如手摇弦琴上的持续低音弦或风笛上的 3 根持续低音管。持续低音可以是连续的,亦可是间歇的,通常以音程(大多为五度)取代单音。持续低音乐器在古代甚为流行,古代浅浮雕作品上常有这类乐器,便是明证。持续低音广泛运用于民间声乐与器乐(特别是在欧洲)。巴尔干半岛的歌手常在唱出的旋律下保持一个低音。许多不同乐器装有持续低音管以加强乐器的特色音响。20 世纪的民间提琴手往往用弓拉空弦奏出持续低音,以衬托在邻弦上奏出的旋律。在印度的艺术音乐中,塔姆布拉琴上奏出的持续低音发出拉加(独奏者表演的旋律型)的两个主要音,为拉加构成一个框架。**持续音(pedal point)**是 17～19 世纪欧洲和声中的一种持续低音。法国音乐早在 12 世纪至 13 世纪初的圣母院管风琴中即已显示出布尔东低音的独特风味。在路易十四及紧随其后的继承人的时代,法国那些脱离劳动及不事耕作的贵族吹起用丝绒和象牙制作的"类似农村型"缪赛特风笛,便飘飘然以为自己已在接近大自然。F. 库伯兰(1668～1733)和 J.-P. 拉莫(1683～1764)等作曲家都为拨弦键琴创作持续低音乐曲。至于管风琴,比记谱低一个八度的布尔东低音音栓很快就成为脚键盘的成规用法,因此"布尔东低音"这一术语有时亦用以指 18～19 世纪功能和声中的持续音,它似乎特别适合于驾驭复调的能量,特别是 J.S.巴赫赋格曲中所产生的那种。

drongo　卷尾　雀形目卷尾科(Dicruridae)的旧大陆具叉尾的森林鸟类,20 种。常攻击那些可能伤害它们的卵和幼雏而比自己大得多的鸟类(如鹰和乌鸦),这使那些在其近旁营巢而对其无害的鸟(如鸽、黄鹂)得到保护。多数体长 18～63.5 厘米,黑色,有光泽,有时在头或下体有白色(雌雄相同);大多数种的眼火红色。有些有羽冠或头羽,尾通常长而分叉,尾角外卷。东南亚大盘尾(*Dicrurus paradiseus*)的尾有 30 厘米长的"金属丝",即外羽,其大部分长度不分支,但在其末端有相当长的羽片。卷尾类分布自非洲到中亚、澳大利亚和西太平洋岛屿,栖居于森林、开阔地和

非洲卷尾(*Dicrurus adsimilis*)
美国不列颠百科全书公司供图

园林中。像鹟和伯劳一样,取食大型昆虫和白蚁。叫声洪亮,刺耳和圆润的声音混杂发出;有些种类善于模仿。巢呈轻而薄的篮形,对于孵卵的亲鸟似乎显得太小。黑卷尾(*D. macrocercus*)是南亚最常见的种类之一,因能将乌鸦吓走,又称王鸦。非洲卷尾(叉尾卷尾,*D. adsimilis*)或许就是黑卷尾,是整个撒哈拉以南地区的常见种。

drop cut 梨形琢型 把宝石刻成梨形以适合于垂饰的方法,如耳环和其他珠宝。梨形多面琢型是对金刚石的圆多面形琢型作梨形琢磨加工。椭圆形宝石属于细长梨形宝石,具有三角形翻光面或矩形翻光面的条带,通常带有尖顶,不具有腰棱。

drop-leaf table 翻板桌 附有活动桌面的桌子,活动桌面用可折转的支腿、撑臂或托架支撑。17世纪初期的一种式样是活腿桌,随后又有两种英国式样:彭布罗克桌和它的狭长式样——沙发桌。沙发桌约于18世纪90年代开始制造,放置在长沙发前,桌的两端各有一块翻板,用可折转的托架支撑。17世纪末美国流行一种蝴蝶桌,因充分打开时形似蝴蝶而得名。最简单的翻板桌是一种装在墙上用托架支撑的小型托架桌。

Droseraceae 茅膏菜科 显花植物猪笼草目的一科。该科植物多年生,稀一年生,通常称茅膏菜科(sundew family)。叶通常基生,呈莲座状,叶片两面均覆以腺毛(毛端有腺体,分泌黏液)和能捕捉昆虫的敏感的触毛。已知约100种,广泛分布世界。

Drost, Aernout 德罗斯特(1810-03-15,阿姆斯特丹~1834-11-05,阿姆斯特丹) 荷兰作家。其历史小说是19世纪荷兰浪漫主义运动的开山作品。第一部长篇小说《赫明加德》(1832)描写4世纪时荷兰一个日耳曼妇女皈依基督教的故事,充分反映出作者的浪漫主义理想和宗教观点。24岁去世,遗作编为《小品文与故事集》(1835~1836)出版,其中最重要的一篇小说是《卡特韦克的瘟疫》。曾创办《缪斯》杂志(1832),对后来的荷兰文艺复兴起了重要的推动作用。

Droste-Hülshoff, Annette, Freiin von 德罗斯特-许尔斯霍夫(1797-01-10,威斯特法利亚明斯特附近施洛斯许尔斯霍夫~1848-05-24,巴登梅尔斯堡) 德国杰出女诗人之一,散文小说作家,其小说被看作19世纪现实主义短篇小说之先驱。出身于天主教贵族家庭。一生多半过着与世隔绝的生活。她的文学入门知识得益于年轻的小说家许京(1814~1883);尽管年龄差别甚大,但她深深地暗恋着许京。她的第一本《诗集》(1838)有深刻的宗教性质。1829~1839年,写了一组宗教诗《宗教的一年》(1851),其中的一些诗是19世纪最严肃的宗教诗,反映了她的精神生活内在的纷乱和怀疑。她主要以吟咏故乡威斯特法伦风景而闻名。她又是一个极为敏感和敏锐的观察者,对非凡的诗情美作了详尽而又带有启发性的描述,以此来表现她家乡的环境,尤其是它那阴郁的荒原和沼泽地。她唯一的散文作品中篇小说《犹太人山毛榉》(1842)对谋杀了一个犹太人的威斯特法伦村民作了一番心理研究。主人公的命运被描述为决定于社会环境,这在德国文学中是个创举。这一谋杀罪在村民生活的背景下方可理解。

Drottningholm Theatre 德罗特宁霍尔摩剧院 18世纪瑞典斯德哥尔摩附近德罗特宁霍尔摩行宫的宫廷剧院。作为一个戏剧博物馆,保存有其原始布景和舞台机械。由建筑师阿德尔克朗茨设计,建于18世纪60年代。几家法国和瑞典表演团曾在此演出,特别在剧作家、国王古斯塔夫三世开明统治时期(1771~1792)得以繁荣。国王死后被用作储藏室。这个忽略,使它有幸保存下来。1921年得到清理和修复。保存的物件中有C.比比恩纳和德普雷设计的巴罗克式舞台布景,以及尚能使用的舞台机械,诸如根据1638年萨巴蒂尼剧院手册设计的模拟波浪的装置。该剧院现为夏季演出歌剧之用。

Drouais, Jean-Germain 德鲁埃(1763-11-25,法国巴黎~1788-02-13,教皇国罗马[意大利]) 法国历史画家,新古典主义早期领袖之一。最初随父学画,后相继师从布勒内和大卫。曾陪同大卫到罗马,受到古代美术和拉斐尔的影响。德鲁埃完成《马里乌斯在明图诺》时,歌德正在罗马,曾撰文记录了对于这幅作品的深刻印象。

Drouet, Jean-Baptiste 德鲁埃(1763,法国圣默努尔德~1824-04-11,马孔) 法国革命家,因参与逮捕路易十六而名垂后世。他在香槟的圣默努尔德镇成长和生活,他的父亲是那里的邮政局长。当路易十六携带家属逃往国境线时,1791年6月21日傍晚,马车在他家的门口停留。他认出车上的旅客是谁,就设法在这些旅客到达瓦雷讷时将他们逮捕。他辞谢了为此赏给他的酬金。1792年9月他当选为国民公会代表。他投票赞成处死国王并不准上诉,并提议杀死所有侨居法国的英国人。当奥地利军队围攻莫伯日时(1793)被俘,迄1795年底一直关押在奥地利的施皮尔堡。此后,他成为五百人院的成员,并被指定为秘书。因参加巴贝夫的密谋(1796)入狱,但是他逃往瑞士,然后又流亡特内里费。他在那里参加抵抗H.纳尔逊入侵该岛的尝试(1797)。后来,他访问印度。第一帝国任命他为圣默努尔德副镇长。第二次复辟后,他不得不离开法国(1816)。后秘密回国,化名梅热,在马孔定居。

Drouet, Jean-Baptiste, COMTE D'ERLON **德鲁埃**(1765-07-29,法国兰斯~1844-01-25,巴黎) 法国军人、阿尔及利亚第一任总督,路易-菲力普的陆军元帅。1782年志愿从军,1803年升至少将师长。1809年由拿破仑封为埃尔隆伯爵。他在巴伐利亚和西班牙服役,1813年晋升陆军中将。在第一次复辟时期,任命他为第16陆军师司令,但他密谋反对旧政权。1815年“百日”时期,他拥护拿破仑,成为法国贵族院议员,并任军团司令,但在滑铁卢战役那一天(6月16日),他未能与拿破仑会师。第二次复辟时,德鲁埃逃往巴伐利亚,化名史密特男爵,在慕尼黑近郊开办一家啤酒厂。1816年法国宣判他死刑,但在1825年撤销了这一判决。他于1830年返回法国,恢复官职,1834年7月被任命为阿尔及利亚总督。由于对阿尔及利亚的无知,他先受其参谋长C.A.特雷泽尔摆布,后又处于阿卜杜卡迪尔的狡猾使者的影响之下。当特雷泽尔被阿卜杜卡迪尔击败后,他拒绝承担责任。1835年7月被召回国。1843年4月成为法国陆军元帅。

drought 干旱 又拼drouth。长期缺雨或雨水不足引起水分严重失衡,因而造成缺水,作物枯萎,河流的流量减少以及地下水和土壤水分枯竭。当蒸发和蒸腾(土壤中的水分通过植物进入大气)长时期超过降水量时,即发生干旱。在世界上的所有地区,干旱都是农业最严重的自然灾害。为了控制干旱,在进行人工降雨方面做了一些努力,但这些试验成功有限。干旱有4种主要类型。①永久性干旱,这是最干燥的气候;由于长年干燥,植被极少,如无常年灌溉,农业无法发展。②季节性干旱,出现于每年有明显雨季和干季的气候区;欲使农业顺利发展,须适时种植,使作物生长在雨季。③非预期性干旱,这与反常的缺雨有关;这种干旱在任何地方都可能发生,但多半是在湿润和半湿润气候区出现,这种非预期性干旱一般比较短暂和没有规律,常只影响较小的地区。④无形的(觉察不出的)干旱,造成这种现象的主要原因是:当夏季高温引起高蒸发率和高蒸腾率时,即使常常下阵雨,也不能提供足够的降水,以补偿总的水分的损失;结果造成不明显缺水,使农作物歉收。

Drouyn de Lhuys, Edmond 德律安·德·吕(1805-11-19,法国巴黎~1881-03-01,巴黎) 法国政治家、拿破仑三世的外交大臣。学生时代才华出众,很早就进入外交界。1833~1836年任驻海牙临时代办,工作成绩优异。随后赴马德里任大使馆一等秘书,在那里他成为法国外交不可缺少的工作人员。1842年当选为国民议会议员,1846和1849年连任。

路易-拿破仑任总统时，任命他为外交部长(1848)，1849年为驻伦敦大使。作为大使，他防止了就唐·帕西菲科事件与英国发生决裂。1851年再度任外交部长，1852年辞职任参议员，同年晚些时候，拿破仑三世复又任命他为外交大臣。他虽在维也纳会议(1854～1855)上起过一定作用，但任内却遭到挫折。拿破仑三世不接受他的与奥地利结成联盟的建议。他于1855年辞职。1862年第4次担任外交部长，因在对待普鲁士的态度问题上与拿破仑三世意见不合，德律安·德·吕于1866年辞职。1870年普法战争爆发后，他前往泽西。回国后过着平民生活。

drowning　淹溺　浸没于液体(通常是水)中因而引致窒息的一种病理生理状态。水堵塞于溺水者的口、鼻，使供氧中断。初溺水者尚能挣扎，后动作渐慢乃至停止，神志亦丧失，并沉没水底。此时心脏尚能微弱地搏动一段短时间，但不久即死亡。为了预防淹溺，在人们从事某种职业(如航海业)或运动(如水上运动)而有淹溺危险的地方已设计出种种水上安全计划。参阅 **lifesaving**。

Droysen, Johann Gustav　德罗伊森(1808-07-06，波美拉尼亚地区特雷普托[德意志]～1884-06-19，柏林)　普鲁士历史学家、政治人物。他关于普鲁士注定要领导德意志的信念影响了他在有生之年看到的德意志统一。具有讽刺意味的是，他对普鲁士的爱国热情未能使他在1848年的革命事件后免于失宠，因为他的其他见解大都是开明的、独特的。1835～1840年在柏林任古典语言学教授。1848年革命后成为法兰克福议会议员，并任立宪委员会秘书。1849年普鲁士国王威廉四世拒绝当德国皇帝，他大失所望，退出政界。1850年与卡尔·桑威尔合编石勒苏益格-荷尔斯泰因与丹麦1806年后关系史。晚年编写《普鲁士政治史》(14卷，1855～1886)，但死前未能完成。

Droz, Numa　德罗兹(1844-01-27，瑞士拉绍德封～1899-12-15，伯尔尼)　瑞士著名政治人物，两度出任联邦总统。在担任纳沙泰尔州公共教育和宗教事务部部长时，因起草《教会法》(1873)而引起当地教会分裂。1872年选入联邦议会，3年后进入联邦委员会，随后两次担任联邦总统(1881，1887)。1886年任联邦工商部长，批准新的工厂和专利法。1887～1892年领导联邦政治部。在瑞士驱逐德国间谍A.沃尔格穆特事件中，他坚决抵制俾斯麦扬言要侵犯瑞士主权与中立的威胁。1893年任国际铁路局局长。

Drozdov, Vasily Mikhaylovich(Russian Orthodox patriarch)　**德罗兹多夫**　参阅 **Philaret 菲拉雷特**。

Drucker, Peter F(erdinand)　德鲁克(1909-11-19，奥地利维也纳～2005-11-11，美国加利福尼亚克莱尔蒙特)　美国企业管理顾问、教育家和著作家。为管理学学科带头人，提出了目标管理的概念。出生于奥地利。获法兰克福大学法学博士学位后，在德国任新闻记者；希特勒掌权后，他于1933年逃往英国工作。1937年迁居美国，充任数家英国驻美银行的顾问和数家英国报纸的国外通讯员。加入美国籍后，在1950～1972年任纽约大学教授，对发展企业管理教育起到主导作用。他的观点保守的著作，给现代商业公司提供了许多理论和实用的基础。著作和论文可分成4类：①早期作品如《经济人的目的》(1939)和《新社会》(1950)，多研究工业社会的本质。②其他早期著作如《公司的概念》(1946)和《管理实践》(1954)，涉及现代企业管理的一般概念。③较晚期的著作如《美国未来的二十年》(1957)和《技术、管理与社会》(1970)，对诸如技术变革之类的发展给未来的冲击提出预测。④最后一类著作是论述实际的企业管理等问题。

Drug(India)　**德鲁格**　参阅 **Durg 杜尔格**。

drug　药物　影响生命功能的各种化学物质。用于疾病的治疗、诊断和预防。常用药物包括各种抗生素、兴奋剂、安定药、镇静剂、安眠药、抗抑郁药、止痛药、麻醉毒品、麻醉剂、各种激素、泻药、心肌兴奋剂、抗凝血药、利尿药、抗组织胺药等。由减活或灭活细菌、病毒制成的各种疫苗也是一类药物。实践证明，疫苗的接种对各种病毒性疾病的预防有特效。各种抗生素可以有效地控制细菌感染、炎症；但目前还没有有效地杀灭病毒的药物，因为很难找到一种只杀灭病毒核酸而对正常细胞无碍的药物。近年来，抗癌药研制和开发的进展十分迅速。但因为抗癌药的研究思路大都是阻断细胞生长周期中的某些环节，故所有能杀灭癌细胞的药物都会在不同程度上对正常组织细胞产生不良影响。减少这种副作用的有效方法是在多种抗癌药物的配伍组合中找到一种有最佳治疗效果、最少副作用的治疗方案。服药方法分为经消化道和非消化道两类。前者如口服、直肠给药等；后者包括肌肉和静脉注射、吸入和皮下给药等。有些药物还能通过阻断生化反应中的某个调控环节来影响机体功能。这类药物实际上是在摹拟某些内源物质的生理功能。这类药的效果如何，要看它和细胞膜受体结合得紧密与否，也就是要解决好这类药物的分子构型问题。药物-受体复合物能够启动或抑制细胞内的某种生化反应过程，以达到治疗目的。结合受体后能使细胞生化反应活跃的是为促效剂；反之则为拮抗剂。不管是促效剂还是拮抗剂，前提是必须能和细胞受体结合。世界最早的药典是古巴比伦时代(公元前1700)的一个石刻铭文。现代药理学始于19世纪，从此，药物化学真正地成了一门科学，而不再是植物学的一个草药分支。

drug abuse　药物滥用　为了非医疗的目的而过度或有瘾地使用精神作用药的现象。精神作用药物可影响用药者的精神状态，用以改变其心境、情感和知觉。此类药包括鸦片和其衍生物(如海洛因)、致幻药、巴比土酸盐、可卡因、苯丙胺、安定剂、印度大麻和酒精等。药物滥用历史久远。人类自古以来即精于寻找和使用影响心境的药物，正如酒在西方具有公认的社会地位，许多其他精神作用药在不同的社会中也为人们所接受。

药物滥用带来的主要问题在于它会产生依赖性。用药者不顾药物对健康、工作和社会的不良影响而沉溺于其中。依赖性的程度和作用随药物种类而异，可为生理性依赖或心理性依赖，或两者并存。生理性依赖通常出现于停药或用药量锐减时，称为脱瘾或戒断综合征。产生生理性依赖的药物包括鸦片和其衍生物，以及中枢神经抑制药如巴比土酸盐和酒精。心理性依赖是用药者为了自我感觉良好而依赖药物，它因药和使用人不同而差异甚大，严重者摆脱不了药物，所有兴趣和活动全集中于如何取得和使用药物上。药物滥用的另一有关现象是耐受性，即药物会因重复使用而减低其效力，为产生所需效果使用剂量一再提高。耐受性在滥用鸦片类者最明显，但不一定出现于用其他药物者。"成瘾"一词常被视为"依赖性"的同义词，但它应被用来专指生理性依赖。除依赖性的危险外，药物滥用还有其他危险。有些是滥用各种药物的共同危险，如使用未消毒的针头或注射器而引起感染；另一些危险与具体的药物效应有关，如应用大量兴奋药而导致偏执狂。此外当然还有许多极坏的社会影响。海洛因的滥用和成瘾是众所周知的，它和其他鸦片类药物因具有止痛和安眠的药效而被统称为麻醉剂。易被滥用的其他鸦片类药物有鸦片、吗啡、哌替丁、可待因、二苯哌已酮和美散痛。在帮助吸毒者逐渐戒除海洛因时美散痛常用作成瘾性较小的替代药。中枢神经抑制药和兴奋药的滥用亦为时已久。抑制药包括所有的镇静药和安眠药，如巴比土酸盐和苯并二氮杂草类，这些药通常口服，但亦可注射。兴奋药主要有苯丙胺及其衍生物和可卡因(一种存在于古柯叶内的天然物质)。苯丙胺可口服或注射。可卡因则可鼻吸或注射。其他常被滥用的药物还有取自印度大麻(*Cannabis saitva*)的致幻药(印度大麻，植物称大麻，未加工的生药称哈希什)，以及仙人球毒碱和二乙基麦角酸酰胺(LSD)等致幻药。

以上各种药皆可在黑市购得，非法使用。但药物滥用非仅此一途。例如，虽然酒很容易使人沉溺其中，但在世界大部分地区却可以合法地买到。对处方药物产生依赖，也不罕见，尤其是对安定药和安眠药。过去，对医生处方的巴比土酸盐产生依赖性曾是主要问题，今天更令人担心的是广泛使用苯并二氮杂草类安定剂，如安定和利眠宁。尽管人们越来越意识到这些药物可能被滥用，但每年还是开出几百万张处方。滥用亦可发生于一般不认为是药物的物质，如日渐猖獗的吸食强力胶问题。强力胶是一种工业用溶剂，吸入其挥发性气体可产生短暂欣快感，故广受十几岁的青少年甚至儿童的喜爱，但可能造成呼吸抑制和死亡，因此是极为危险的。

drug allergy　药物变态反应　对治疗药物的超敏反应，偶见于对某种药物已产生抗体者再次接触该药物时。四环素类、洋地黄等很少引起变态反应，而应用青霉素则常引起变态反应。症状依药物种类及过敏者的敏感性而异，包括荨麻疹、血清病，偶见过敏性休克。现有数种药物对之有疗效；已形成药物变态反应者应终生禁用可引起过敏的药物及其衍生物。

drug poisoning 药物中毒 参阅 **medicinal poisoning** 医药物中毒。

Druid 德鲁伊特 古代凯尔特人中一批有学识的人。他们来往于橡树林，担任祭司、教师和法官。关于他们的最早史料产生于公元前3世纪。据罗马皇帝凯撒记载，在高卢境内，德鲁伊特和贵族最受尊重，德鲁伊特司掌公私祭礼并教育青年。他们审理公私争执，因罪量刑。凡拒不服从裁决者，即不准参加祭礼，此即绝罚。众德鲁伊特受一名首脑领导；首脑死后由另一名德鲁伊特继任。如果同时有几名德鲁伊特功德相等，则由众德鲁伊特推选首领，但偶尔也有德鲁伊特使用暴力以获得首脑地位的情形。德鲁伊特所宣传的主要教义是灵魂不死，人死则灵魂转投。如有人病危或在战争中生命处于危险之下，德鲁伊特即为他献人祭。其法是把活人装入人形柳条笼焚烧，一般用罪犯作人祭，但必要时也用无辜者。高卢地区的德鲁伊特于罗马皇帝提比略（公元14～37在位）统治期间被罗马政府取缔，不列颠地区的德鲁伊特则继续存在一段时期。基督教传入爱尔兰以后，该地德鲁伊特就不再从事宗教活动而以作诗、记叙史实和断案为业。

drum 石首鱼 又作croaker。鲈形目石首鱼科约160种鱼的统称。一般为底栖，肉食性，大部分分布暖海或热带沿海，少数生活于温带或淡水水域。多数种能借连在鳔上的强大肌肉的活动而发出声音，鳔起共鸣室的作用，使声音扩大，故英文名意为鼓鱼。具二背鳍，一般为银白色。嫩肉鱼、海鳟及鳔胶鱼（狗鲺属[犬牙石首鱼属]，*Cynoscion*）的口大，下颌突出，犬牙发达。但大多数石首鱼下颌不突出而且牙小，有些种颏部具须。体型大小不一，最大的是加利福尼亚湾的麦克唐纳氏犬牙石首鱼（*C. macdonaldi*），可重达100千克，其他种类则小得多。虽然croaker或drum之名可用于整个石首鱼科以及某些种，但本科一些种却俗称corbina（乌石首鱼）、whiting（白鱼）、weakfish（嫩肉鱼）及channel bass（海峡巴斯鱼）等。本科许多种为食用鱼或游钓鱼。其中知名种类有：西大西洋的大型淡红色的红石首鱼（海峡巴斯鱼、眼斑似石首鱼，*Sciaenops ocellatus*）；美洲河湖产的银色的喉鸣淡水石首鱼（*Aplodinotus grunniens*）；大西洋产以无鳔闻名的王鱼（白鱼、岩栖无鳔石首鱼，*Menticirrhus saxatilis*）；及西大西洋的灰或铜红色的黑石首鱼（海石首鱼、多须石首鱼，*Pogonias cromis*）。

drum 鼓 由绷紧的膜振动而发音的乐器（属于膜鸣乐器）。从大体上说，鼓是一种以木、金属或陶土制的筒或碗状物（鼓框），鼓的一端或两端蒙上膜（鼓面），通常用槌或手敲击。由摩擦发音的鼓不属此类。筒状鼓有多种形状（高脚杯形、沙漏形、桶形等）。如鼓的高度比直径短，则属扁鼓。如鼓太扁以致鼓框不能做共鸣器时（例如铃鼓），则称框鼓。新石器时代以来出土文物证实：鼓的地理分布很广。摩拉维亚出土的一面鼓属公元前6000年。最早的鼓是一段中空的树干，一端蒙上两栖动物或鱼的皮，用手敲击。后用兽皮或牛皮作鼓面，棍做鼓槌。双面鼓和各式陶制鼓都出现较晚，鼓面用各种方法来绷蒙，有的方法沿用至今。鼓有明显的音乐以外的功能，如传送消息以及特别是宗教方面的用途。人们认为鼓具有魔力，因而常常尊奉为圣。在一些民族中制造鼓时要举行仪式。现代印度的达玛鲁鼓是一个沙漏形的拍打鼓。中国古代作战时用巨型大鼓。框鼓在古代的近东（主要由妇女使用）、希腊、罗马等地流行，在中世纪通过伊斯兰文化传入欧洲，其外形多种多样（圆形、八角形、方形等），一面或两面蒙膜，并可能装有铃铛或响弦。中亚、北极地区和北美的巫医宗教仪式中也用框鼓，但可能出于另一种起源。内装滚圆小球的双面框鼓（在印度和西藏）称拨浪鼓。扁形锅鼓最初见于600年左右的波斯绘画中，较大的锅鼓虽在10世纪时已与小型鼓同时有所介绍，但直到12世纪才单独见于绘画中。它最初用陶土和绷紧的绳索制作，后来改用金属（有时用木料）。随伊斯兰文化而传到欧洲、非洲、亚洲。关于中世纪欧洲的鼓及其击奏法，人们知之甚少；唯一的依据是绘画与书面参考资料；中世纪的鼓现已荡然无存。至13世纪时3种类型的鼓似已定型：小定音鼓（称作nakers）；小型筒状鼓（称作tab），常装有响弦；以及铃鼓。它们显然只用于打拍子，除铃鼓外，其他两种均用棍击。约从14世纪开始所制作的鼓才能发出响亮而传送到远方的声音。大型锅鼓专为皇室与贵族所用。它们作为一种乐器用于管弦乐队中是在17世纪中叶。大鼓（最初是模仿土耳其禁卫军乐队的长鼓）则在18世纪起源于军队的小鼓（或称响弦小鼓），19世纪进入管弦乐队。各种鼓在20世纪的管弦乐队、军乐队、舞蹈乐队、爵士乐队、摇滚舞乐队中都占重要地位。有时，非膜振乐器也称鼓，如钢鼓、铜鼓、梆子（用树木挖空制成）等。

drum 桶 包装工作中常用金属或纤维板制成的圆筒状容器。约自1903年以来，已经制成容量大至416升（100加仑）的钢桶。最普通的钢桶用1.2毫米厚的钢板制成，容积为55加仑，随其中所装物料一起归买主所有。较重的钢桶用较昂贵的金属（铝、蒙乃尔合金、不锈钢或镍）制成，一般仍归卖主所有。内部有防护涂层（大多数是合成树脂）的钢桶，可用来装载大多数液体或固体物质，并代替了大部分的木琵琶桶。纤维板桶从20世纪初期以来就一直在生产，两端为钢板或纸板，容量大至75加仑，重量轻而价廉。这种桶一般都有树脂涂层或放入塑料袋作内衬，用于装固体材料。

drum 圆鼓石 圆柱体石块。建筑中可用若干块圆鼓石重叠拼成柱子。原词又指支承穹顶（**dome**）、小圆顶（**cupola**）、穹顶小亭（**lantern**）的由圆形或多边形墙构成的鼓形座。

drum table 鼓形圆桌 又称纸牌桌或收租桌。由中间的一根支撑物支撑的重型圆桌，于18世纪末问世。桌面很厚，通常覆盖有压印花纹的皮制台布，并装有存放书籍的格子或抽屉，有的则装饰成这种式样。支撑物有时采取柱子的形式，架设在四条精致的、一头渐渐变细的腿上，每条腿各有一只爪形的脚。有些圆桌的支柱架设在四边凹进的台座上，台座下面装有爪形的脚。

Drumheller 德拉姆黑勒 加拿大艾伯塔省南部城市。位于雷德迪尔河畔，在卡尔加里东北138千米。1910年加拿大煤炭工业先驱S.德拉姆黑勒建立为谷物转运地。四周有大片煤田、油气田和麦田。从市内恐龙化石博物馆出发，沿45千米长“恐龙之路”可到达古海床、“恐龙葬地”和石化林。1913年建村；1916年建镇；1930年建市。人口6 277（1991）。

drumlin 鼓丘 被认为是由于冰川冰席穿过岩石碎屑或冰碛物而作流线形运动所形

英国约克郡的鼓丘

美国不列颠百科全书公司供图

成的椭圆形或长圆形小丘。这个名字来源于盖尔族语词“druim”(意思是“圆丘”或“岗陵”),于1833年首次出现。鼓丘一般发现于广阔的低地区域,其长轴大约平行于冰川流动的路径。虽然它们有多种多样的形状,但迎冰面总是高而陡,背冰面则平缓,并且向着冰运动的方向逐渐缓缓地尖灭。鼓丘的大小变化幅度很广,长度1～2千米,高度15～30米,宽度400～600米。大多数鼓丘由黏土质冰碛物组成;但是,一些鼓丘有位于表面冰碛物之下的深层岩石(岩石鼓丘),另一些鼓丘则几乎是坚硬的基岩(羊背石)。在炎热干旱地区,鼓丘通常长着草。在降雨量较高的地区,土壤可以支持住茂盛的森林和牧场;在潮湿气候下,鼓丘甚至可以耕作。鼓丘常常是数以千计地成群被发现。它们常常呈带状排列,阻断水系,以至在它们之间可以形成小的湖泊和沼泽。大的鼓丘分布于威斯康星州中部、纽约州中部、加拿大西北部、新斯科舍西南部和爱尔兰北部。

Drummond, Henry 德拉蒙德(1786-12-05,英格兰汉普郡奥尔斯福德附近格兰奇～1860-02-20,萨里郡奥尔伯里) 英国银行家、著作家和议员。他参与建立使徒公教会。1817年在日内瓦结识苏格兰神学家霍尔丹,发表言论并提供金钱支援福音派教士,反对当时日内瓦的索齐尼派理性主义倾向。1826年他同几名教士和平信徒在奥尔伯里他的住宅中举行会议,讨论《圣经》先知书,这种会议以后逐年举行,共举行五次,使徒公教会就是从这种会议发展而成。1834年德拉蒙德受按立,成为该会苏格兰天使(主教),在奥尔伯里建立教堂作为该会中心。

Drummond (of Hawthornden), William 德拉蒙德(1585-12-13,爱丁堡附近的霍索恩登～1649-12-04,霍索恩登) 苏格兰第一位用英语写作的著名诗人。最先在英诗中使用意大利抒情诗韵律。曾就学于爱丁堡大学,后在法国度过几年,据称在巴黎布尔日学法律。父亲死后,他定居霍索恩登的庄园并放弃法律而从事文学。他生性沉默寡言,但有许多文人朋友,其中包括诗人德雷顿、W.亚历山大和剧作家B.琼森等。后者认为,他的诗虽好,但“学究味太浓,不合时尚”。诗作有《诗集》(1614,1616)和《锡永之花》(1623);他为庆祝詹姆斯一世巡视苏格兰,还写了《欢宴之余》(1617)一诗。散文作品有《1423至1542年苏格兰史》(1655)和《一小片柏树林》(1623;1619年初版时题为《午夜恍惚》)等。

Drummond, William Henry 德拉蒙德(1854-04-13,爱尔兰利特里姆郡莫希尔～1907-04-06,加拿大安大略省科博尔特) 富于幽默的加拿大方言诗作家。他的诗勾勒了一幅法裔加拿大人那种惹人喜爱,但令人感伤的图画。约1864年移民到加拿大,15岁时辍学以帮助维持家庭生活,但30岁时获魁北克毕晓普学院医学学位。在农村行医4年后,移居蒙特利尔,举行了他的诗歌朗诵会,获得很大成

加拿大公共档案馆供图

功。他的诗篇交织着幽默和悲怆,用摹拟的方言写成,带有支持英帝国的观点,但由于对他所描写的法裔人明显的善意和真诚的喜爱而得以弥补。他的第一部诗集是《农民》(1897),随后又出版了其他一些诗集。所有这些诗都收入后来出版的《德拉蒙德诗抄》(1912)。

Drummond de Andrade, Carlos 德鲁蒙德·德·安德拉德(1902-10-31,巴西伊塔比拉～1987-08-17,里约热内卢) 巴西诗人、文学评论家。被认为是现代巴西最有成就的诗人之一,对20世纪中叶的巴西诗歌产生了很大影响。他在诗歌形式方面进行的实验,以及他用嘲讽手法处理的现实题材,反映出他对现代人,特别是巴西城市居民,在争取自由和维护尊严的斗争中所处的困境表示关切。1925年获得药物学学位后,转向诗歌创作,参加了巴西现代主义流派的新集团。他们在自由诗中引进日常口语和非习惯句法。1925年,他参与创办文学杂志《评论》。他的第一本诗集《一些诗》(1930),显示出他与现代主义运动的密切关系和他自己强烈的诗歌特性。他为从农村流入摧残人的城市的移民所受的挫折,为陷于百无聊赖的刻板生活中的城市中产阶级居民而呼吁。他写的“纪事”表现出他对儿童和城市贫民所具有的特殊关怀。曾任巴西国立历史艺术遗产管理局的历史处主任,出版过大约15本诗集,6本纪事集。

Drummondville 德拉蒙德维尔 加拿大魁北克省南部城市。三河行政区德拉蒙德行政区属县县城,在圣弗朗索瓦河畔,蒙特利尔东北100千米处。1815年为F.G.赫里奥特所建,以戈登·德拉蒙德爵士姓氏命名。为交通枢纽和工商业中心。除纺织业外,生产木材、重型机械、纸张、铅笔、服装、灯泡以及橡胶制品。圣约瑟夫镇和西德拉蒙德维尔镇和南德拉蒙德维尔镇分别于1955、1966和1981年并入该市。1874年建村;1888年建镇;1936年建市。人口35 462(1991)。

Drummossie, Battle of 德洛莫锡战役(1746) 参阅 **Culloden, Battle of 卡洛登战役**。

drumstick tree(*Moringa pterygosperma*) **鼓槌树** 又作horseradish tree。又称翼籽辣木、辣根树。辣木科落叶小乔木。原产亚洲热带,在非洲及美洲热带归化。树高约9米,树皮灰色,有木栓层;叶多分裂,似蕨叶;花白色,有香气,簇生;蒴果匕首状,似鼓槌,长可达45厘米。花、果、叶乃至嫩枝均可煮食,根磨碎可做调料,味似辣根。种子含油,用于钟表业,又因香味持久,也为香料制造商所重视。

Druon Antigonus 德鲁翁·安蒂冈努斯 传说中的安特卫普巨人。他砍掉那些拒绝向他进贡的海员的右手,他自己的右手则被另一传说中的巨人——凯撒的族人萨尔维乌·布拉博砍去。安特卫普城市纹章上的两

F.W.费尔霍尔特1859年绘插图画中的德鲁翁·安蒂冈努斯

美国不列颠百科全书公司供图

只断手与此传说有关;该城名称亦源于此。建于1887年的布拉博喷泉,位于市政厅门前,上有布拉博塑像,呈挥舞德鲁翁的断手之状。

drupe 核果 一种果实,其外果皮薄;中果皮厚,常为肉质(但有时坚硬,如杏;或为纤维状,如椰子);内果皮称为果核,坚硬如石。核内通常有一粒种子,偶有两三粒,但其中只有一粒充分发育。核果见于樱桃、桃、芒果、橄榄、胡桃、山茱萸等。悬钩子、黑莓的聚合果由多数小核果聚合而成。

Drury Lane Theatre 特鲁里街剧院 伦敦一所至今仍在使用的最古老的英国剧院。由剧作家T.基利格鲁为其演员组成的剧团所建,是英王查理二世特许的皇家剧院,于1663年5月7日揭幕。彼时正处于王政复辟时期戏剧的鼎盛时代,至1672年遭火灾之前一直很繁荣。1674年在特鲁里街的现址上重建,由C.雷恩任建筑师。这座新的皇家剧院以上演J.德莱顿的剧本和W.康格里夫的作品为特点。20世纪最初10年,这里是H.欧文、E.特里和J.福布斯-罗伯逊取得表演成功的场所。指挥家T.比彻姆的大歌剧演出季节也在这里举行。第二次世界大战期间,这里是英国全国慰劳协会总部所

E.戴斯绘《伦敦特鲁里街剧院》(1795)
美国不列颠百科全书公司供图

在地。1963年5月7日,举行了成立300周年庆祝活动。

Druse(Islāmic sect) 参阅 **Druze 德鲁兹教派**。

Druse revolt 参阅 **Druze revolt 德鲁兹人暴乱**(1925)。

Drusilla, Livia 德鲁西拉 参阅 **Livia Drusilla 利维娅·德鲁西拉**。

Drusus, Marcus Livius 德鲁苏斯(?～公元前109) 罗马政治家。公元前122年与G.格拉古同任保民官,他在格拉古推行其经济和政治改革计划时,提出了若干对民众更有吸引力的改革法案,但其意显然并不是真的想把它们付诸实施,而是暗中破坏格拉古改革。在建立殖民地的问题上,他提出立即在意大利和西西里建立12个殖民地供罗马公民定居,而且不考虑财产资格。他还提议,凡是在格拉古的土地改革法案通过后分配出去的土地一律免收租金。公元前112年德鲁苏斯出任执政官。后任马其顿总督,对斯科迪斯奇人作战获胜。109年当选监察官,任内去世。

Drusus, Marcus Livius 德鲁苏斯(小)(?～公元前91) 公元前122年护民官德鲁苏斯之子。公元前91年任保民官。他站在平民立场上,对罗马共和国政府作了最后一次非暴力改革的尝试。他提出若干关于殖民地和土地问题的改革法案,然后又实施司法改革法案,规定由骑士阶层控制的法院改为由骑士和元老院议员共同组成,并规定任何法官如犯有受贿罪者均须提出控诉。德鲁苏斯希望通过上述妥协方案,使骑士和元老院议员这两个阶层彼此和解。然而,两方面对德鲁苏斯的提案都感到不满,而当他提出授予意大利各同盟部族以罗马公民权时,来自各方的反对更趋激烈。最后,元老院以种种程序问题为借口宣布他的立法无效,这位改革家也在动乱中被杀害,凶手一直未能发现。

Drusus Caesar 德鲁苏斯·凯撒(约公元前13～公元23) 罗马皇帝提比略的独生子。公元19年成为皇位继承人。传言他性格暴烈,行为放荡,但他在政治事务上显露出才干。公元14年平定潘诺尼亚发生的兵变。公元15年成为执政官。公元17～20年任伊利里库姆总督,策划推翻日耳曼族的马科曼尼人国王马罗博杜斯。公元21年再次担任执政官,公元22年获得相当于保民官的行政

美国不列颠百科全书公司供图

特权。他先于提比略去世,据说是被其妻利维拉和提比略的顾问塞扬努斯合谋毒死。

Drusus Germanicus, Nero Claudius 德鲁苏斯·日尔曼尼库斯(公元前38～前9) 即尼禄·克劳狄乌斯·德鲁苏斯。罗马皇帝提比略之弟,公元前12～前9年任驻守莱茵河与易北河之间日尔曼人地区的罗马军队统帅。公元前11年成为行政长官,公元前9年任执政官。曾与提比略一道出征两个阿尔卑斯山部落(雷提亚人及温迪列人)。公元前13年被任命为高卢三省总督。公元前12～前9年率远征军进入日耳曼,战胜当地统治者,在维特拉(利珀河和莱茵河汇流处)和摩贡提阿

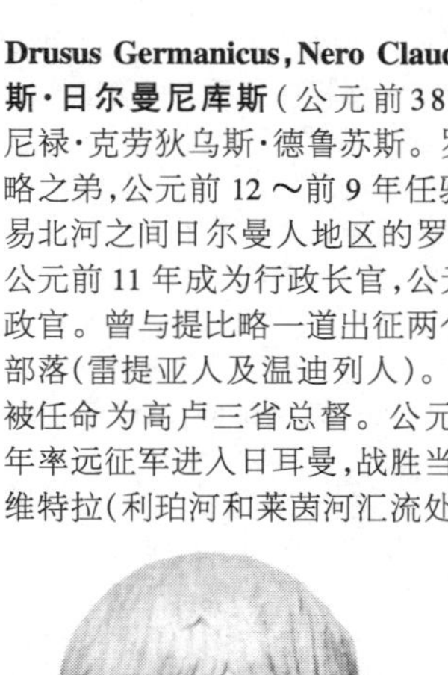

美国不列颠百科全书公司供图

库姆(今美因茨)建立起一系列基地。此后又征服弗里西人、乔西人、卡蒂人和切鲁西人,开凿一条沟通莱茵河与北海的运河——“德鲁苏斯河”。公元前9年抵达易北河,不慎坠马受伤,不久去世,死后获“日耳曼尼库斯”绰号。其子克劳狄后来成为皇帝。

Druz, Jebel ed- 参阅 **Durūz, Mount ad-德鲁兹山**。

Druze 德鲁兹教派 又拼Druse。一个较小的中东宗教派别。教义体系上的折衷主义,成员之间的凝结力和忠诚(有时是政治意义上的),是该教派的特点。这些特点使得他们在近千年的动荡历史中能够保持他们紧密结合的同一性和他们特殊的信仰。他们自称是“穆瓦哈德”(即一神论者)。德鲁兹教派不容许信仰的改变,不论是脱离该教派还是皈依该教派均不容许,而且不准与外部通婚。在这样情况下,他们的信仰和宗教团体在经过近10个世纪后还能幸存下来是很值得注意的,因为他们的宗教体系不但对外部世界保密,而且在某种程度上对自己教派成员也保密。只有那些被称为“乌戛勒”(即知秘者)的贤人才能参与所有的宗教仪式,才能获知德鲁兹教派的隐秘教义。在受迫害的情况下,当德鲁兹教徒的生命受到威胁时,他可以对外否认自己的信仰。根据无名氏编写的关于德鲁兹教派宗教信仰的教义问答《塔利姆》(意为“教诲”),这种让步(或称“塔基亚”)是准许的。在接受他们现在的宗教信仰之前,这些人的自我意识和相异达到何种程度,这一点不得而知。德鲁兹教派宗教信仰是从伊斯玛仪派的教义发展而来的。然而,在严谨的一神论学说名义下,犹太人、基督徒、诺斯替教、新柏拉图主义和伊朗人的成分融合在一起。1017年,在哈姆扎的领导下,在开罗开始了对新宗教信条的宣传。这一宗教团体的名称,正是从哈姆扎的门徒穆罕默德·达拉齐的姓名衍生而来的。这一折衷主义的信仰体系组成了关于埃及法蒂玛王朝第6代哈里发哈基姆(996～1021在位)(奉安拉之命的统治者)的救世神学的神性的学说。德鲁兹教派认为哈基姆并未死,只是隐遁了,而且将来某一天他会胜利归来并开创一个黄金时代。有某种暗示,即尽管在各个地区有许多人都接受这一学说,但只有德鲁兹教派存留下来。这一点无疑是清楚的,即在那个时代,中东地区有相当多的团体接受相似的观念,参加相似的事业。这些团体中的大多数属于持异端学说的什叶派穆斯林的各种宗派和运动。尽管德鲁兹教派秘密掩藏他们的宗教信仰,局外人据以了解德鲁兹教派历史和信仰的原始资料并不是想像的那样匮乏。当然,有些资料不是来源于德鲁兹教派,尽管这些资料不一定都是准确的。对德鲁兹教派宗教信仰、习俗的评论和评价以及对穆斯林和基督徒们记述的历史事件,由于它们所具有的论战性质,应以谨慎的态度来对待。与哈基姆统治时期前半期同时代的犹太人的原始资料描述了他好的一面。在当地历史上,德鲁兹教派在下列不同时期中扮演了重要角色:在阿拉伯人抵抗十字军时;在奥斯曼帝国征服(1516

年)后的那个世纪里,作为强大的封臣而一度兴盛,直到他们的首领和早期的欧化者马恩家族的法赫鲁丁被驱逐,避难于托斯卡纳和那不勒斯;在19世纪,是在杰出的希哈布家族的领导下和帝国主义者的卷入而形成的,该家族内也有逊尼派穆斯林和基督教的一些支派;在20世纪,则处在阿拉伯人和黎巴嫩人发展过程的多次兴衰中。

Druze revolt　德鲁兹人暴乱(1925)　Druze 又拼 Druse。叙利亚全境和黎巴嫩部分地区德鲁兹派各部族反对法国委任统治当局的暴乱。经过德鲁兹派推选而出任贾布尔-德鲁兹省总督的法国人卡比莱于1923年推行现代化行政和社会改革,激起普遍反对。高级专员萨莱尔将军采取高压手段对付德鲁兹人的埋怨,并于1925年7月拘捕一些德鲁兹领袖,结果引起大规模暴乱。德鲁兹人在艾尔-阿特拉什苏丹的领导下,于8月间击败法军;9月,叙利亚人民党民族主义者参加行动并号召叙利亚人起事。法国军队在1926年全年同叛乱分子作战,到1927年中,局势已大体上平稳下来。法国从此更加严厉地统治贾布尔-德鲁兹省,总督等高级官员不再由选举产生而改为任命,大多由法国人充任。

druzhina　卫队　古罗斯王侯的侍从,协助王侯治理公国,并组成地方武装部队。这些侍从的队伍由上等武士(大贵族)和下等武士组成。其中大贵族为王公最亲近的顾问。下等武士为一般士兵,保卫王公。卫队所有成员在经济上依附他们的王侯。但每个武士都有来去的自由和为另一王公服务的权利。到12世纪中叶,卫队两部分人的地位开始发生变化。大贵族获得世袭土地和随从,开始形成新的地主贵族阶级。下等武士则成为王侯的贴身随从,通称廷臣。在蒙古人统治俄国时期(1240年以后),卫队一词停止使用。参阅 **Boyar**。

Druzhkivka　德鲁日科夫卡　乌克兰东部顿涅茨克州城市。在克里沃托列茨和卡吉翁尼托列茨两河汇合处。1917年革命前为小冶金工业中心。现有重要的机械制造和金属加工工业以及机械和采矿学院。为耐火黏土重要产地。人口约74 400(1991)。

dry dock　干船坞　*船坞*(**dock**)的一种,是在水体沿岸挖进的矩形港池,朝水的一面有可以开合的墙板或闸门,用于船只的大修和检修。船入坞时先打开闸门进水,船入坞后将船固定,关上闸门,把水抽去,使船逐渐支在垫块上。现代干船坞规模巨大,多用钢筋混凝土建造。浮式干船坞是一种槽形箱格结构,可将船抬离水体检查修理。进船时先将坞部分下沉,使船入坞,然后放出箱格内的压舱水,使坞浮起,再将坞内船身四周的水放空,使船支在垫块上,一般在避风港湾内操作。浮式干船坞多用钢材制造。

dry farming　旱作　又作 dryland farming。又称旱地耕作。在土壤含水量有限(年降雨量低于50厘米)的地区不灌溉而进行耕作。旱作决定于有效地保存土壤水分、选择适宜的作物并采用最适于这种水分状况的栽培方法。收获后不久最好立即整地,以便使土地不受杂草影响,但是在某些纬度带,收获后要把茬留在地里以集存雪水。作物生长期保持水分的方法主要是除草和防止水分流失。理想的地表层无杂草,而且要有足够的土块或枯死的植物,以阻止水分流失和避免土地受冲刷。适于旱作的作物要有耐旱或避旱能力。耐旱作物中的高粱能减低蒸腾作用,能在缺水期间几乎停止生长,环境一旦变得适合,即恢复生长。避旱作物能在一年中干旱不太严重的时期完成其主要生长过程。植株较矮而成熟期较短的作物适于旱作。

dry forest　干旱林　参阅 **monsoon forest** *季风林*。

dry gas　贫气　又称干气。在储油层中经常呈气态、采出地面后产生少量可冷凝的烃类(主要由碳和氢组成的化合物)的天然气。因此,这种气体含有极少量(每1 000立方英尺气体的冷凝液少于0.1加仑)重于乙烷的烃类,例如丙烷或丁烷。参阅 **wet gas**。

Dry Ice　干冰　固态二氧化碳的商品名称。致密的雪花状物质。-78.5 °C时升华(不经融化直接变为蒸气)。用作冷冻剂,特别适用于在易腐败肉类或冰淇淋等食品的运输中作冷冻剂。干冰生产中利用压缩的在-57 °C或更低温度下液化的二氧化碳突然膨胀到大气压时发生的自发冷却现象:液态二氧化碳冷冻成细分散固体,并将其压成重约20千克的干冰块。

dry offset　干胶印　又称凸版胶印或间接凸印。结合活版印刷和胶印特点的胶印工艺。将一种特制的平版直接置于胶印机的橡皮布上,于是橡皮布将图像胶印在纸上。这种工艺称为干胶印是因为它不像平版印刷那样需要润版。由美国制版印刷局发明,用以印刷印数巨大的印花税票和债券。参阅 **offset printing**。

dry painting　干画　参阅 **sand painting** *沙画*。

dry plate　干板　在摄影术中,涂有溴化银明胶乳剂的摄影用玻璃底板。可以预先贮备以供拍摄之用,拍摄后可以带回暗室,待空闲时再冲洗。它的这些特点,远优于湿柯珂琔照相法。后者必须在拍摄前临时制备,拍摄后立即显影。由工厂生产的干板,是R.L.马多克斯于1871年发明的。到20世纪初期,胶片取代了干板。

dry rot　干腐病　植物真菌病害症状,其特征为茎、干、根、根茎、球茎、鳞茎或果实呈坚实海绵状至皮革状或呈硬质的腐烂。参阅 **bulb rot; crown gall; fruit spot; heart rot; rot**。

Dry Tortugas　德赖托图格斯群岛　美国佛罗里达州南端墨西哥湾中最西面的群岛,由基韦斯特向西延伸的一长串8个珊瑚岛和沙洲组成。1513年为庞塞·德·莱昂发现。因当地多乌龟,故名(西班牙语托图格斯意为乌龟)。其中加登和洛格赫德两岛建有灯塔。1935年加登岛(多鸟类和海生动物)和岛上的杰弗逊堡(1846～1876)被辟为国家保护区。

dry wash　参阅 **arroyo** *干谷*。

Dryden, Hugh L(atimer)　德赖登(1898-07-02,美国马里兰波科莫克城～1965-12-02,华盛顿[哥伦比亚特区])　美国物理学家,任国家航空和航天局副局长7年。1920年在约翰斯·霍普金斯大学受教育,被任命为国家标准

美国国家航空与航天局供图

局空气动力学组组长。在高速空气动力学方面进行过开拓性研究,并最早对音速条件下机翼表面附近气流情况开展研究。1934年任力学及声学部主任。第二次世界大战期间,他在国防研究委员会领导"华盛顿计划",研制蝙蝠式雷达寻的导弹,这是美国最早的导弹,在第二次世界大战中海军曾用来袭击日本。由于他在这项计划中的贡献,1948年荣获总统颁发的奖状。1947年从国家标准局辞职,任全国航空咨询委员会航空研究室主任,2年后升任该会主席。在他的领导下该会以其先进的航空研究和发展工作得到公认。1958年任国家航空和航天局副局长,1962年领导美-苏联合航天计划的谈判。他对交换气象卫星数据和合作进行通信卫星试验起到了一定的作用。

Dryden, John　德莱顿(1631-08-19,英格兰北安普敦郡奥尔多温库～1700-05-01,伦敦)英国诗人、剧作家和文学评论家。17世纪后期英国最伟大的诗人,写过30部悲、喜剧和歌剧,对诗歌、戏剧作过富有才智的评论,对英国文学做出宝贵而持久的贡献。在文学上的成就为当时之冠,文学史家将其所处时期称为"德莱顿时代"。大约1644年,入伦敦著名的威斯敏斯特学校,1650年入剑桥大学三一学院,1654年获文学学士学位。1659年,为纪念克伦威尔的文集写的一组"英雄诗"被认为是成熟之作。1663年,尚不足32岁,即被选为当时刚成立的英国皇家学会会员。1668年,被封为桂冠诗人,两年后又被任为皇家史官。

德莱顿才思敏捷,所处王政复辟时期又多政治争斗,使其作品带有明显政治倾向。1660年5月,斯图亚特王朝复辟,1661年4月,查理二世加冕,他均为之写诗称颂。内战中停闭的剧院、剧团重建恢复后,德莱顿于

1663年2月以处女作剧本《疯狂的豪侠》加入剧团。1664年1月与其岳父霍华德合作《印度皇后》,1665年春,其独自创作的《印度皇帝》上演,大获成功。1667年写成悲喜剧《秘密的爱》,再次获得巨大成功。同年将莫里哀的喜剧《冒失鬼》改编为剧本《马丁·马尔-奥尔爵士》上演。1669年创作《专横的爱》,次年12月发表《西班牙对格拉纳达的征服》的第一部(第二部约在1个月后发表),三剧都极为成功。在后一剧中,爱情和荣誉的主题达到了高潮。一生写了许多剧本,其中最佳的也许是英雄诗剧《奥伦-蔡比》,于1675年11月上演。1668年,德莱顿以4位作家闲谈形式,发表具有流畅口语风格的《论戏剧诗》。他对诗歌与戏剧所作的评论内容丰富,见解精辟,被S.约翰逊博士誉为"英国文艺评论之父"。1680年以后,德莱顿写诗讽喻时事,成为英国有史以来最伟大的讽喻诗人。1681年11月,发表取材于《圣经·旧约》大卫王故事的《押沙龙与阿奇托菲尔》来支持国王,却招致辉格党的怨恨。1682年3月,发表300余行长诗《奖章》,以散文《致辉格党人》为序,强烈抨击政敌,明显地表现了他的保守主义,以及害怕暴民执政。1688年,英王詹姆斯二世逊位,德莱顿的境况渐转不佳。最大的打击是桂冠诗人资格亦被剥夺。他重新转向舞台。悲剧《堂塞巴斯蒂安》(1689)失败,但《安菲特律翁》(1690)因由普塞尔作曲而获成功。与普塞尔合作的歌剧《亚瑟王》(1691)亦很成功。他的悲剧《克莱奥梅尼》被认为包含危险的内容而长期被禁演。1694年上演的悲喜剧《胜利之爱》失败后,德莱顿停止剧本写作。迫于生计,17世纪80和90年代他为出版商J.汤森翻译了尤维纳利斯和佩尔西乌斯的作品。1697年他翻译的维吉尔作品出版,这是德莱顿的主要译作。这时他已是英国文学界中德高望重的人物。他最后的作品为1700年出版的《古今寓言集》,内容为用诗体改写的奥维德、乔叟、薄伽丘等人的作品,前面有他的一篇评论作为序言。1700年5月1日卒,葬于威斯敏斯特教堂诗人墓地中乔叟和考利两大诗人墓穴之间。

嗣后100年间,德莱顿声誉依然很高,即使在浪漫主义时期,所受攻击亦较A.蒲柏为少。20世纪,人们又对德莱顿诗歌、剧作和评论重新发生兴趣,并进行大量学术研究。在20世纪后期,他的声望几乎达到他逝世以来的顶点。

Dryden, John Fairfield　德莱顿(1839-08-07,美国缅因坦普尔米尔斯~1911-11-24)　美国参议员、商人,美国第一家承办工业人寿保险的公司——美国谨慎人寿保险公司——的创始人。1861～1865年在耶鲁学院学习,同时研究工业或"工人"保险,这种保险是由伦敦谨慎保险公司和私人慈善团体发起的。1873年他和若干支持者在新泽西州纽瓦克创立寡妇和孤儿友谊会,1875年由谨慎友谊会接替,1877年易名为美国谨慎人寿保险公司。1875～1881年任公司秘书,1881年任总裁直至去世。1902～1907年由新泽西州选为美国参议员。他的儿子F.F.德莱顿于1912年继任公司总裁。

Drygalski, Erich Dagobert von　德里加尔斯基(1865-02-09,普鲁士柯尼斯堡[今俄罗斯加里宁格勒]～1949-01-10,德国慕尼黑)　德国地理学家和冰川学家。曾率领作为国际考察计划一部分的一支探险队去南极洲(1901～1903)。在德国政府资助下,乘"高斯"号航行时,他的探险队在大约东经90°、现今称为威廉二世海岸处登上南极洲。因陷入冰块包围之中,而被迫在一座无冰雪覆盖的火山峰以东约80千米处过冬。该火山由他命名为高斯山,是一个重要发现。这次探险结果都记载在20卷科学报告《德国南极洲探险记,1901～1903》(1905～1931年陆续出版)中。他对这次探险一般的记载于1904年出版,书名为《关于冰天雪地南大陆》。1906～1934年任慕尼黑大学地理学教授。1910年往挪威北部现今的斯瓦尔巴北极岛探险,研究冰川对大陆特征的影响。与F.马查斯契克(Machatschek)合编出版一本综合性冰川学教科书《冰川学》(1942)。

drying oil　干性油　不饱和脂油,指亚麻籽油等天然脂油或化学合成脂油。这种油的薄膜在空气中可变成坚韧的弹性膜。干性油用作油漆、清漆和印刷油墨的载体。公元2世纪希腊医生加伦曾记载坚果油如大麻籽油和亚麻籽油用作干性油。公元6世纪另一位希腊医生埃提乌斯曾提到某些坚果油可作为保护性涂料。此后,干性油这种用途的技术迅速发展。开始使用化学干性油却晚得多。15世纪初,佛兰德斯画师休伯特和J.凡·爱克在他们的油画中首先使用了干性油作为载体。干性油生成的薄膜老化时可失去其一些弹性。

dryland farming　旱地耕作　参阅 **dry farming** 旱作。

Dryopithecus　森林古猿　类人猿动物绝灭的属。代表广义的小猿类,其中包括现代猿类和人类二者的祖先。虽然根据欧洲、非洲、亚洲等广大地区发现的化石碎片命名的森林古猿是多种多样的,但看来所代表的仅仅是一个属。化石见于中新统和上新统(2 370万年前至160万年前),显然发源于非洲。已知有几种不同的类型,包括相当于大、中、小型大猩猩的动物。许多方面同预料一样,构造相当一般化,缺少区别现代猿类和现代人的大多数特化标志。犬齿比人的大,但不像现代猿类那样很发育。四肢并不过分长(过分长的四肢是猿类为了从一棵树吊荡到另一棵树的一种适应性变化)。头骨缺乏常见于现代猿类的矢状嵴和粗大眉脊。很可能由狭义的森林古猿产生了现代大猩猩和黑猩猩。在中新世某个时期,森林古猿类产生了一种变型,终于导致最早期像人的类型,最后导致人类。接近该类原种分支的代表是腊玛古猿属,以较进步的齿式为鉴别特征。森林古猿类很可能居住在森林区。

drypoint　干刻法　一种铜版画技法,系将需印制的图案用尖锐的刻刀直接在铜版上雕刻。刻后铜版上线条的脊棱变得毛糙,印出条纹具有柔和而模糊之感。干刻法大都与其他版画技法结合应用,可以用于接近完成的

J.M.惠斯勒绘《疲惫》(1863)
美国不列颠百科全书公司供图

蚀刻版,以加深其阴暗色彩;或用以在铜版上刻出草图以便进行线条雕刻。干刻法在15世纪末已开始应用,16世纪初德国画家A.丢勒已精通此法。干刻法最大的匠师为伦勃朗。现代大多数铜版画家都使用此法。参阅 **engraving; etching**。

drywall construction　干砌墙结构　又称干墙板结构、清水墙结构。一种不用砂浆而采用干作业的内墙施工方法,所用的材料有石膏板、胶合板、纤维板、纸浆板和石棉水泥板等。这些板材可用钉子、螺丝钉及黏结剂直接固定在房屋骨架或龙骨上,所用工具有专用的锤子和接缝刮刀,后者用来敷涂和刮平墙板接缝中的黏结剂。墙面粉刷后,钉头和板材接缝都被隐没。这种结构可缩短工期,还可得到不同的饰面效果。墙板可预制成有饰面的和无饰面的,墙板的背面衬料和骨架的构架则决定其隔热、隔音、防火和隔蒸汽的能力,墙板的耐火能力一般可达1～4小时不等。目前在居住建筑中广泛采用这种结构。

Dschang　姜村　喀麦隆西北部城镇。在雅温得西北的森林高原上,海拔1 379米。为疗养与游览胜地。但地势崎岖,多雨,交通不便。并为农牧产品贸易中心。附近有金鸡纳树种植园、绿茶加工实验站和水电站,还有铝土矿和制砖厂。设有医院、农学院和飞机场。人口37 600(2001)。

DSM　DSM公司　荷兰国有化工公司。原名荷兰国家矿业公司,1975年取现名。现在荷兰政府为其大股东。总部在海尔伦。第二次世界大战后,荷兰化学工业是发展最快的行业之一,20世纪40年代末至70年代初产量增长了10倍。近年来该公司困难重重,主要是世界范围内的经济衰退造成的,因此不得不大大削减化工生产投资。荷兰工资水平高,增添环保措施、能源费用飞涨,也都给公司带来财政上的困难。除生产化学品外,它

还从事化肥、塑料、建筑材料、石油及其产品、家庭用具的生产及北海石油勘探。

D.S.O. 金十字英勇勋章获得者 英国军功勋章金十字英勇勋章的获得者。参阅**Distinguished Service Order**。

DTA（chemistry technique） 参阅**differential thermal analysis** *差热分析*。

Du Bois, Franz 杜布瓦 参阅**Sylvius, Franciscus** *西尔维乌斯*。

Du Bois, W(illiam) E(dward) B(urghardt) 杜波伊斯（1868-02-23，美国马萨诸塞大巴灵顿～1963-08-27，加纳阿克拉） 美国社会学家，20世纪前半期美国最重要的黑人抗议运动领袖。1909年曾参与组织全国有色人种促进协会，1910～1934年主编该会期刊《危机》。晚年转而信仰共产主义。

美国不列颠百科全书公司供图

早年经历 1888年毕业于菲斯克大学，那是设于田纳西州纳什维尔的一座黑人学校。1895年获得哈佛大学哲学博士学位，所撰博士学位论文《非洲对美奴隶贸易之查禁，1638～1870》于1896年出版。虽然杜波伊斯专攻历史学，但对社会科学广泛涉猎；当时社会学者们正对种族关系进行理论阐述，他就深入黑人环境领导实地调查工作。十余年间他专门对美国黑人作社会学调查研究，完成专论16篇，于1897～1914年间发表；其间他在亚特兰大大学执教，还在1899年出版了《费城黑人社会研究》一书，成为第一部美国黑人社区个案研究著作。

杜波伊斯虽然最初相信社会科学可以提供有关解决种族问题的知识，但逐渐认识到，在一种种族主义流毒严重的土地上，充斥着私刑、劳役偿债、自由权遭剥夺，吉姆·克罗隔离法以及种族暴乱等等现象，社会变革只能通过宣传鼓动及抗议示威来实现。他的看法，与当时最有影响的黑人领袖B.T.华盛顿大相径庭。华盛顿倡导一种调解理论，鼓励黑人暂时接受种族歧视，另方面要努力劳动发财致富来提高自己，从而赢得白人的尊重。杜波伊斯在1903年发表了名著《黑人的灵魂》，对华盛顿的战略予以抨击，指明他的理论与其说是使黑人免受压迫，毋宁说是使那种压迫无限延长。这一抨击在许多黑人知识分子中造成对华盛顿的反对，使黑人社区的领袖们形成两翼，一方面是支持华盛顿的“保守派”，另一方面是杜波伊斯的“激进派”。

两年之后即1905年，杜波伊斯发起组织尼加拉瓜运动，主要以抨击华盛顿的政纲为目的。这个小小组织每年集会一次，到1909年即已因内部争吵及华盛顿的反对而严重削弱。不过，尼加拉瓜运动作为一种意识形态上的先驱和一种直接激发力量，促使一个种族间的组织即全国有色人种促进协会得以在1909年成立，在这一点上，确实具有其重要意义。杜波伊斯在创办全国有色人种促进协会时曾起到显著作用，并在协会成立之后任研究部主任兼会刊《危机》的主编。1910～1934年，他作为黑人抗议运动的宣传鼓动家，利用其岗位，在中产阶级黑人及进步白人中间，施加了无与伦比的巨大影响。

黑人民族主义及社会主义 杜波伊斯的黑人民族主义以几种形式出现，其中最具影响力的是他首倡的泛非主义，主张所有非洲后裔都有共同利益并应同心协力为争取自由而斗争。杜波伊斯是1900年在伦敦召开的第一次泛非会议的主持人，也是1919～1927年间4次泛非大会的设计师。其次，他鼓吹文化民族主义。作为《危机》的主编，他提倡发展黑人文学和艺术，并且极力劝导他的读者群要看到“黑人之美”。再次，杜波伊斯的黑人民族主义体现在他的一种信念之中，即认为黑人应该发展一种独特的生产与消费合作社式的“群体经济”，以此为武器，向经济上的种族歧视及黑人的贫困开战。这一理论在20世纪30年代经济大萧条时期特别重要，在全国有色人种促进协会内部引发了一场意识形态斗争。

1934年，杜波伊斯辞掉《危机》主编及协会职务，放弃了他作为一名种族领袖的影响作用，指控协会专门重视黑人资产阶级的利益而忽略广大群众的问题。杜波伊斯对合作社的兴趣是他的具有马克思主义倾向的民族主义之组成部分。在20世纪初，他曾提倡黑人资本主义，主张黑人支持黑人经营的商业，但到1905年前后他就已经被社会主义学说所吸引而改变看法。虽然他只是在1912年短时间参加过社会党，但他此后始终同情马克思主义思想。

杜波伊斯离开全国有色人种促进协会后即返回亚特兰大大学重新执教，继续学术研究，又历10年之久。1940年，他创办《种族》杂志，作为亚特兰大大学的“种族与文化评论”的阵地。1945年，他担任了计划中的黑人百科全书的总编辑，刊出了该全书的“预备卷”。在此期间，他还出版了另两部重要著作。一是《美国重建时期的黑人：论1860～1880年间黑人在重建民主制度中的作用》（1935）。此书为一本重要的马克思主义的有关美国南北战争后黑人在重建时期所做贡献的论著，更重要的是，此书首次对涉及美国史上那一关键时期中的黑人事迹作出了综合的阐述。1940年，他的另一作品《黎明前的黑暗》问世，副标题为《一个种族概念的自述》。在这部天才著作中，杜波伊斯叙述了他个人在非洲人及美国黑人为自由而进行的斗争中所起的作用，把自己的事业看作一项意识形态的个案研究，以说明黑人——白人之间种族冲突的复杂性。

杜波伊斯在亚特兰大大学10年之间，硕果累累，然后又于1944～1948年间重返全国有色人种促进协会的研究岗位。但在此短短数年中又因第二度激烈争论而离去，此后他在政治上坚定地向左派立场转变。他由于被认为亲苏而于1951年受到起诉，罪名是一名不在册的外国特务。虽然一名联邦法官宣告他无罪，杜波伊斯已对美国彻底绝望。1961年他参加了共产党，移居加纳，一年多以后，宣布放弃其美国公民身份。《杜波伊斯自传》于1968年问世。

Du Bois-Reymond, Emil Heinrich 杜布瓦-雷蒙（1818-11-07，普鲁士柏林［德国］～1896-12-26，德国柏林） 德国生理学家，现代电生理学的奠基人。以对神经及肌纤维电活动的研究著名。1836～1896年在柏林大学J.P.弥勒领导下工作，1858年继弥勒任生理学教授。研究了能发电的鱼，后研究神经及肌纤维的导电现象。1843年发现，神经膜的表面为电正性，受刺激处电位即降低，这“电位降低之点”——脉冲——沿着神经作为“相对负性的波”而传播。随即又指出，这种“负变”现象亦见于横纹肌，并为肌肉收缩的基本原因。虽然以后的研究证明，神经及肌肉的刺激过程远较他的模式复杂，但他的总结性著作《动物电的研究》（2卷，1848～1884）开创了科学的电生理学。他曾与H.亥姆霍兹、C.路德维希及E.布吕克等进行过合作研究，这对德国的生理学及总的生物学观点都有重要意义。他们在柏林大学制定了生物物理学研究计划，旨在将生理学还原为应用物理学及化学，这影响了S.弗洛伊德的心理学理论，亦在从生理学中清除活力论起了重要作用。

Du Bos, Charles 杜博（1882-10-27，巴黎～1939-08-05，拉塞勒-圣克卢） 法国英、法文学评论家。他论述莎士比亚、雪莱和拜伦的著作引起法国公众对英国文学的注意。母亲是英国人。他自幼受英国文学熏陶。1900～1901年在牛津大学学习，亦在德国学习。在他的著作中有对歌德和法国作家福楼拜、梅里美、莫里亚克等的研究，也有同他的朋友纪德的通信。这些书信1929年出版时名为《与纪德的对话》。他的主要兴趣在于一部作品的“灵魂”及其对读者的“灵魂”所产生的影响。随着年龄的增长，这方面的问题则越发宗教化了。他的《私人日记》（6卷，1946～1955）部分用英语写成，是叙述自己宗教思想的演化过程，从而使他于1927年成为天主教教徒。

Du Buat, Pierre-Louis-Georges 迪比亚（1734-04-23，法国托蒂桑贝～1809-10-17，旧孔代） 法国水利工程师。他在巴黎求学，1761～1791年任军事工程师。他在著作中搜集了大量试验数据，并从中得出计算管道和明渠流量的基本代数方程式。虽然这个方程式只在他的试验数据范围内才有效，但它却是当时预测供水系统以及类似工程性能的最好方法。他强调水利工程设计必须达到实用效果的观点，对18、19世纪实验水力学的发展有重大影响。

Du Camp, Maxime 杜坎甫(1822-02-08，巴黎～1894-02-09，德国巴登-巴登) 法国作家、摄影家。以擅于描绘19世纪法国生活知名。是法国小说家福楼拜的密友。他性喜外出和冒险，是摄影术的先驱，其作品几乎包括了各种文艺体裁。曾与福楼拜两度广游各国(1844～1845，1849～1851)；在其中一次旅行后出版的《埃及、努比亚、巴勒斯坦和叙利亚》(1852)，是有照片插图的第一批书籍之一。在1848年革命中受伤，并因其反革命活动受勋。他的《两个西西里远征记》(1861)追叙了他作为意大利革命领袖加里波第麾下一名志愿兵的经历。1851年创立《巴黎评论》，并发表福楼拜的名著《包法利夫人》。由于发表这

美国不列颠百科全书公司供图

部小说引起的争执结束了他们之间的友谊。他写有6卷的《巴黎，其机制、其职能及其生活》(1869～1875)是对该城市所作的广泛论述。他也写诗，从事文艺评论，创作小说，撰有关于他的朋友、大作家T.戈蒂埃的论文和两卷《文学回忆录》(1882～1883)，内包括原先未发表的论福楼拜的文章和他与癫痫疾病斗争情况的论述。

du Cange, Charles du Fresne, seigneur 参阅 **Cange, Charles du Fresne, seigneur du** 迪康热。

Du Casse, Pierre-Emmanuel-Albert, Baron 迪卡斯男爵(1813-11-16，法国布尔日～1893-03-15，巴黎) 法国军事史学家、第一个编辑拿破仑通信集的人。1849年受杰罗姆·波拿巴亲王的委托，撰写一个部队的历史。后又编辑拿破仑的文件。由于迪卡斯工作态度不甚严谨，《1812年俄国战役历史回忆录》(1852)并不完全可信，但却说明了拿破仑及其近侍们的概况。此外，他还写作和主编其他许多历史和军事著作，包括《战争日志，1870～1871年》(1875)、《拿破仑的国王弟兄》(1883)和《1853～1856年的克里米亚和塞瓦斯托波尔》(1892)等。

Du Fu 杜甫(712，中国河南巩县～770，湖南) 又拼Tu Fu。中国唐代诗人。字子美，自号少陵野老。世称杜少陵。祖籍襄阳(今属湖北)。诗人杜审言之孙。7岁学诗，20岁后漫游各地，与诗人李白、高适等结识。746年到长安，以无由仕进，留滞10年，生活贫困。安史之乱，叛军陷长安，只身逃难，为叛军擒获，后送往长安。旋又逃出长安，奔赴肃宗临时驻地凤翔，肃宗任为左拾遗。长安收

美国不列颠百科全书公司供图

复后随从还京，次年因受肃宗新贵与玄宗旧臣斗争的影响，被贬华州司户参军。759年，经秦川、同谷入蜀，在成都建浣花草堂。节度使严武表奏为节度参谋检校工部员外郎。世又称杜工部。严武病死，又移家居夔州(今四川奉节)近3年。768年出峡，经江陵到湖南，病死于湘江舟中。杜甫生当唐代由盛转衰时期，安史之乱后国破家亡，流离转徙。关怀国家安危和黎民疾苦之情，都倾注于诗。又能揭露朝廷秕政，真实反映官僚军阀的荒淫和庸懦。故后人称为“诗史”。与李白并称“李杜”，被公认为唐代以至中国历史上最伟大的诗人之一。他善于从前人的创作中镕铸众长，在沉郁苍凉之中兼有雄浑瑰丽之致。语言凝炼，讲究格律，注意音节的响亮顿挫。乐府诗因事立题，反映现实，为这一体诗歌注入新的生命。古体、律体兼工，标志了中国诗歌的高峰。杜诗现存1 400多首，名篇极多，其中《兵车行》、《自京赴奉先咏怀五百字》、《北征》、《三吏》、《三别》、《茅屋为秋风所破歌》等为古体诗代表作，《春望》、《秋兴》、《咏怀古迹》、《登高》等为律诗代表作。杜甫对后世有极深远的影响，许多诗人把杜诗奉为最高典范，并尊称他为“诗圣”。有《杜少陵集》。注本中以清人仇兆鳌《杜诗详注》较为详尽。浦起龙《读杜心解》解释比较通达。

Du Fuwei 杜伏威(596～624) 又拼Tu Fuwei。中国隋代(581～618)末年农民起义军江淮军领袖。齐州章丘(今属山东)人。16岁参加辅公祏起义。两年后率军转战淮南，先后兼并苗海潮、赵破阵等部起义军，进逼江都(今江苏扬州市)。617年击败隋名将陈棱，乘胜破高邮、据历阳(今安徽和县)，自称总管。次年称臣于隋越王侗。619年投降唐朝，任淮南安抚使、和州总管。翌年又封吴王，移居丹阳，自称大行台。621年与秦王李世民合兵攻王世充，尽有淮南、江东之地。622年唐高祖命入朝留住长安，唐以伏威为太子太保，仍兼行台尚书令。次年辅公祏在丹阳举兵反唐，战败被杀，624年杜伏威亦暴卒。

du Maurier, Dame Daphne 杜莫里埃(1907-05-13，英格兰伦敦～1989-04-19，康沃尔帕) 英国小说家和剧作家。演员兼经理杜莫里埃爵士之女，以长篇小说《蝴蝶梦》(1938)闻名。处女作《可爱的精神》(1931)出版后，她发表了一系列成功之作，通常是以她所居住的荒凉的康沃尔海岸为背景的爱情故事。还写过一部历史小说、几个剧本和一本导游书《正在消失的康沃尔》。《蝴蝶梦》于1940年被拍成电影。她于1969年被封为高级英帝国女勋爵士。1977年发表自传《初期的困难》。后来出版的著作还有《约会及其他故事》(1980)和文学回忆录《蝴蝶梦笔记及其他回忆》(1981)。

du Maurier, George 杜莫里埃(1834-03-06，法国巴黎～1896-10-06，英国伦敦) 英国漫画家，他在《笨拙》杂志上发表的插画尖锐地批评了维多利亚时代发生的事件。另外还写过3部小说：《彼得·伊伯森》(1891)、《软毡帽》(1894)和《火星人》(1897)，都获得了成功。他画技巧妙，善于传神，1860年移居伦敦后开始成名。其漫画以新兴资产阶级和王尔德唯美派为主要讽刺对象。但他所作的一些书籍插图和给《周刊》、《闲暇之时》杂志画的素描有时被认为是他最好的作品。由他的孙女达佛涅·杜莫里埃所编的《青年杜莫里埃书信选：1860～1867》于1951年出版。

du Maurier, Sir Gerald 杜莫里埃(1873-03-26，英国伦敦～1934-04-11，伦敦) 英国演员和剧院经理。倡导追求暗示而非直抒内心情感的细腻逼真的表演风格。艺术家和小说家G.杜莫里埃之子。其表演艺术享有极大名望，但由于他以自己的个性来表演现代剧中人物，使很多人对他评价过低。曾在哈罗受教育，1894年首次登台。他所演过的剧目中，有J.巴里的《可敬的克赖顿》、《彼德·潘》和《亲爱的布鲁特斯》。1910年和1925年曾先后任温德姆剧院和圣詹姆斯剧院经理。1922年被授予爵位。他还演过电影并担任制片人。

Du Mont, Allen B. 杜蒙(1901-01-29，美国纽约州布鲁克林～1965-11-15，纽约州纽约) 美国工程师，完成了第一只商用阴极射线管，它不仅是极其重要的科学技术器件，也是现代电视接收机的主要部件。1924年杜蒙进入新泽西州布卢姆菲尔德的威斯汀豪斯灯泡公司，任研制实验室工程师。他研制出高速生产的与测试的设备，使威斯汀豪斯公司的真空管日产量提高到5万只。1928年杜蒙成为新泽西州帕塞伊克的德福雷斯特无线电公司的总工程师，并对C.F.詹金斯的专利和设备发生兴趣。詹金斯在20年代初期就建立了实验电视站。仿照詹金斯的专利，杜蒙于1930年进行同时播送图像和声音的试验，并得出机电系统不能适应实际电视需要的结论，必须用全电子的系统。杜蒙在1931年建立了一家公司，以后称杜蒙实验室。他改善了阴极射线管，研制成现代示波器，它被广泛用于实验室来测试和研究波形。1937年杜蒙开始制造第一批商业电视接收机，机中采用

了他改进的阴极射线管。他的公司也建立了实验性电视传送设备，把第一批战后的电视接收机供应市场。杜蒙曾在全国电视系统委员会工作，该机构制订黑白及彩色电视广播的标准。他还在联邦通讯委员会工作，管理电视频道频率分配。

Du Mu　杜牧（803～852）　又拼Tu Mu。中国唐代诗人。字牧之。京兆万年（今陕西西安）人。828年中进士。后历任黄、池、睦、湖等州刺史，中书舍人。诗和李商隐齐名，并称

中国大百科全书出版社供图

"小李杜"，以别于"李杜"（李白、杜甫）。古诗受杜甫、韩愈影响，富于社会政治内容。长篇《感怀诗》、《郡斋独酌》等笔力雄健，章法整严，感慨深沉。近体多抒情写景，格调清新，情致婉约。《泊秦淮》、《山行》、《江南春绝句》诸小诗，历来传诵人口。《赤壁》、《题商山四皓庙》、《过华清宫》等咏史绝句则叙议相间，警拔精悍。散文在晚唐自成一家，峻切明畅。还以散文笔法、句式为赋，如《阿房宫赋》融叙事、抒情、议论为一炉，突破六朝以来辞赋日益骈偶化的趋势。有《樊川文集》。清人冯浩有《樊川诗集注》。

du Pont FAMILY　杜邦家族　美籍法裔家族。以经营炸药和纺织品起家，进而扩展到其他各种制造业。皮埃尔-萨米埃尔·杜邦（参阅**du Pont, Pierre-Samuel**）出生于巴黎，为重农学派主要著作家之一。其子把杜邦家族分成两支：①长子维克托-马里·杜邦（1767～

皮埃尔-萨米埃尔·杜邦
美国海军部供图

1827），1787年任法国驻美公使随员，1789～1791年任拉斐特的副官，1791～1792、1795～1796年先后任法国驻美公使馆二等秘书和一等秘书。1800年到美国定居，入美国籍。他曾经营进口贸易、开发土地，代其弟办毛纺厂，皆无成效。后任费城美国银行董事。子萨米埃尔·弗朗西斯·杜邦（1803～1865）为美国海军军官，曾参加墨西哥战争和美国南北战争。②次子厄留梯尔·伊雷内·杜邦（1771～1834），1800年到美国以前曾在法国皇家火药厂工作。见美国火药质次价高，他就进一步研究，于1802年在特拉华州威尔明顿附近开办火药厂，大发其财。这是杜邦公司（1833年起改用此名）兴旺的开端。厄留梯尔有2子：阿尔弗雷德·维克托·杜邦（1798～1856）继承父业，1834～1850年按传统方式主管公司。亨利·杜邦（1812～1889）有更加旺盛的事业心。他虽于1833年自西点军校毕业，却于1834年加入家庭企业；1850～1889年主持全公司，特别在南北战争结束后，推进并发展了公司业务。他购置许多火药厂（远至加利福尼亚州），并控制许多有关企业。其子亨利·阿尔杰农·杜邦（1838～1926），也是西点军校毕业的军官，曾参加过南北战争。1878年开始经营家业，1902年退休。1902年，3个堂兄弟托马斯·科尔曼·杜邦（1863～1930）、阿尔弗雷德·伊雷内·杜邦（1864～1935）和皮埃尔·萨米埃尔·杜邦（1870～1954）成为公司的主管，保证了杜邦家族继续控制着企业的经营管理。

du Pont, Pierre-Samuel　杜邦（1739-12-14，法国巴黎～1817-08-06，美国特拉华州威尔明顿附近伊柳塞里安米尔斯）　法国经济学家。他撰写过大量文章鼓吹重农学派的经济信条并在其长期政治生涯中忠实遵守这些信条。他早期关于自由贸易的著作《论粮食的进出口》（1764）颇受A.-R.-H.杜尔哥的赏识，由此二人建立了友谊。当杜尔哥1774年任财政大臣时，杜邦便充任商业总监（1774～1776）。他主要负责草拟过1783年《凡尔赛条约》的条文，并对1786年签订的法英自由贸易条约施加过重大影响。他拥护君主立宪制，为1789年召开的三级会议的成员，代表第三等级。他是网球场宣誓发起人之一，在法国大革命的初期起过重要的作用。他反对激进共和党人的政策，1792年8月为路易十六进行过辩护。在恐怖期间和督政府统治期间，皆先后被捕并被释放。1800年1月他携子厄留梯尔和维克托来到美国。他为杰斐逊草拟过国民教育计划，并为促进法美贸易建立过一些公司。这些企业并不成功，不过厄留梯尔在美国所创建的火药制造公司，最终成为世界上最大的化工制造公司之一。1802年他为促使将路易斯安那卖给美国而回到法国，任巴黎商会副会长，最终成为拿破仑经济和外交政策的批评者。1814年他帮助塔利朗复辟波旁王朝，成为临时政府的秘书长，并被路易十八任命为国务大臣。在"百日"王朝期间，他离开法国到美国长住。

du Pont, Pierre Samuel　杜邦（1870-01-15，美国特拉华州威尔明顿～1954-04-05，威尔明顿）　美国制造商，第一次世界大战期间最大的军火制造商。他与曾祖父同名。其曾祖父系法国移民，其堂祖父（曾祖父之次子）厄留梯尔1802年在美国开始发迹。1890年杜邦自麻省理工学院毕业之后，加入杜邦火药公司。被任命为新泽西州卡内点工厂助理主管，协助生产无烟猎用火药。1902年，杜邦家族通过合并近100家商号，创建了杜邦公司。杜邦任公司财务主任，1915～1919年任总经理，1919～1940年任董事长。他使公司由第一次世界大战前每年生产弹药1 200万磅增产到每天100万磅以上的高峰。公司在田纳西州的纳什维尔建立工厂生产无烟火药。它是世界上生产这类火药最大的工厂；破土典礼仅67天之后，工厂的部分单位就已投产。第一次世界大战结束前，杜邦公司向美国政府及协约国出售了近15亿磅的炸药。战后杜邦购买了通用汽车公司的大量股票，从而当上该公司总经理（1920～1923）与董事长（1923～1929）。除担任许多银行和公司董事外，他捐赠巨款资助特拉华州教育活动。1940年退休后仍热心慈善事业。

Du Sable, Jean-Baptist-Point　杜萨布尔（1750?，圣多曼格圣马克[今海地]～1818-08-28，美国密苏里圣查尔斯）　美国最早的黑人商人，后来成为芝加哥市居民点的开创者。父亲是法国人，在移居海地之后与黑人女子结婚。杜萨布尔于18世纪70年代前往北美五大湖区，在芝加哥河口定居。1779年，他被英国人逮捕并押于麦基诺堡。约1780～1783或1784年，他为英国人管理商站（在今密歇根）。后返回芝加哥。到1790年，他的居民点已经成为毛皮和谷物的贸易市场。1800年迁居密苏里，继续经营农庄和贸易直至去世。他在密歇根湖畔生活达20年，从而赢得"芝加哥之父"的称号。

Du Toit, Jakob Daniel　杜托伊特（1877-02-21，南非开普殖民地帕尔～1953-07-01，德兰士瓦比勒陀利亚）　笔名托蒂乌斯。阿非利堪斯语诗人、牧师、圣经学者。1899年从神学院毕业。南非战争爆发后参加布尔人部队，任随军牧师。1900年前往阿姆斯特丹自由大学深造，1903年获神学博士学位。1911年起，在德兰士瓦波切夫斯特鲁姆大学任神学教授，1949年退休，被选为名誉校长。承担了把《圣经》译成阿非利堪斯语的大部分工作，全书1932年完成。他的诗篇充满爱国热情，具有很高的艺术水平。

Du Toit, Stephanus Jacobus　杜托伊特（1847，开普殖民地帕尔～1911-05-29，南非联邦开普省）　南非牧师和政治领袖。作为阿非利堪人联盟（荷属南非的一个激烈反英的政党）的创建人，激发布尔人（荷兰人）反对英国在南非的统治。他还致力于使阿非利堪斯语（一种荷兰方言）成为南非的官方语言。1875年建立真正南非人协会。他开始用阿非利堪斯文出版书籍，并将《圣经》译成此种文字。1879年创建阿非利堪人联盟，到1884年，这个联盟已经成为开普殖民地最重要的布尔人

政党。1882年他徙居布尔人的德兰士瓦共和国,任教育督办。

du Vigneaud, Vincent 迪维尼奥(1901-05-18,美国伊利诺伊芝加哥～1978-12-11,纽约州怀特普莱恩斯) 美国生物化学家,因分离和合成两种垂体激素加压素(可作用于血管

康奈尔大学供图

肌肉而引起血压升高)和催产素(可引起子宫收缩和乳汁分泌的主要药物)而获1955年诺贝尔化学奖。曾在厄巴纳的伊利诺伊大学学习,后取得纽约州罗切斯特大学博士学位(1927);后在巴尔的摩的约翰斯·霍普金斯大学、柏林的凯撒·威廉研究所和爱丁堡大学进行研究。他曾任美国华盛顿(哥伦比亚特区)的华盛顿大学医学院生物化学系主任(1932～1938),并任纽约市康奈尔大学医学院生物化学系主任和教授(1938～1967),以及纽约州伊萨卡的康奈尔大学化学教授(1967～1975)。在迪维尼奥的领导下,康奈尔大学实验室获得不少重大成就,如青霉素合成、含硫维生素即生物素的分离和结构测定,以及许多其他含硫有机化合物的检验等。

Du Wenxiu 杜文秀(1828～1873) 又拼Tu Wen-hsiu。中国清末云南回民起义领袖。字云焕。云南永昌(今保山)金鸡村人。当时永昌团练残杀回民,文秀赴北京都察院控诉。

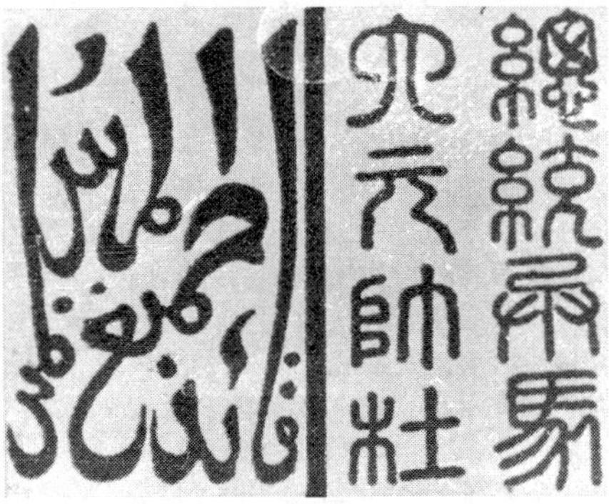

杜文秀印"总统兵马大元帅杜"
中国大百科全书出版社供图

1856年云南回民发动反清后,文秀于蒙化率众起义,攻克大理。联合汉、彝、白等民族建立政权,被推为总统兵马大元帅。实行民族团结、减轻赋税、发展生产等措施。全盛时据有滇西53州县。1867年调兵20余万攻昆明,被清军击溃。1873年清军围攻大理,文秀见大势已去,服毒后出城与清军议和,被杀。

Du You 杜佑(735～812) 又拼Tu Yu。中国唐代(618～907)宰相、历史学家。字君卿。京兆万年(今陕西西安)人。历仕六代(玄宗至宪宗),出将入相。曾主持财政工作,封岐国公。以35年时间(766～801)完成中国第一部记述典章制度的百科全书《通典》200卷。书分为食货、选举、职官、礼、乐、兵刑、州郡、边防8大门,每门又分若干子目。对于唐代的记载尤详。长期任度支、盐铁等财经工作,故以食货为全书之首,能反映社会经济对上层建筑的主导作用。

Dual Alliance 法俄同盟 又作Franco-Russian Alliance。法俄政治、军事盟约,从1891年的友好交往发展至1894年缔结一项秘密条约,并成为第一次世界大战前欧洲基本联盟之一。德国认为,意识形态的差别和缺乏共同的利益,将把共和的法国和沙皇的俄国拆开,遂于1890年终止其与俄国签订的《俄德再保险条约》(**Reinsurance Treaty**)。发生战争时,法国在对德作战中,需要支援;俄国对奥匈帝国之争,亦需援助。两国遂渐渐益发接近,推翻了由俾斯麦建立的保护德国免受可能的"两条战线"威胁的同盟体系。1891年8月,两国达成初步协议,如任何一方遇到外来侵略,则双方进行磋商。协议又以1892年8月的一项军事条约而加以巩固。在德国、奥匈帝国、意大利三国同盟(**Triple Alliance**)有效期间,法俄同盟将一直生效,其条款则是秘密的。条款规定:如德国或意大利在德国支持下侵法,俄国将提供70万～80万人对德作战;如德国或奥匈帝国在德国支持下侵俄,法国将出兵130万对德作战。条款还规定了特别军事计划和机构的设置等内容。法俄同盟于1899和1912年两次续订,并得到进一步加强。

Dual Monarchy 二元制王朝 参阅**Austria-Hungary 奥匈帝国**。

dual organization 二元组织 一种分成两个称为半偶族、以互相补充为特征的社会结构。按照严格的定义,半偶族是外部通婚,单系传宗,而从某种意义上讲,两个半偶族是对立的。有时"半偶族"一词用得不太严格,只指一个社会的两部分之一,而不论其继嗣规则或婚姻制度。因此二元组织产生了两种基本形式:一种是与婚姻制度相关但不一定决定其婚姻制度的半偶族,即所谓血亲关系半偶族,另一种为礼节上的组织。这两种形式一般是联合在一起的,但有时仅一种形式出现,或二者作为独立的制度同时并存。南美的卡内拉人有4种二元组织的模式,其中之一规定婚姻方式,其他3种是独立的、礼仪性的组合形式。所有这4种形式把部落完全分作两半,成员身分的确定则根据其舅父给他起的名字,根据其同代人的辈分或根据其对卡内拉社会诸群体之 一的所属关系。尽管半偶族常与胞族及氏族混用,但实际它与后两种组合形式截然不同。胞族包括两个或更多的亲缘氏族,而一个社会之中存在的胞族必须超过两个。氏族成员强调传宗来自一名共同的祖先,半偶族成员则虽然彼此视为亲戚,但并不重视是否来自同一祖源。氏族常以土地共有单位和合作的经济管理模式而发挥其功能;半偶族很少是这样。更常见的是,半偶族根据神话和民间传说中的不同内容,各自列入其所得的部分。例如:瓦努阿图彭特科斯特岛北部的塔加罗和苏普维两个半偶族,即以其各自文化上的英雄人物命名,并分别具备自己的特征。在全世界范围内,母系半偶族远比父系半偶族普遍,并且他们一般是与较小的亲属群体,例如家系和氏族相联系。在所有情况下,不管各半偶族是否外部通婚,是否单系传宗,或者是否按季节、地理位置、命名或其他准则进行其所属关系的划分,都有助于将社会分为两个对立的部分,以沟通相互间的义务与权利,进行竞争与合作。

Duala 杜亚拉人 又拼Douala。喀麦隆南部森林地区操班图语的民族。居住在武里河的港湾地区。公元1800年前后,杜亚拉人控制了喀麦隆对欧洲人的贸易,他们的聚居区模式就是在这种影响之下发展起来的。他们的酋长制度,也部分以交易财富为基础建立起来。19世纪的大部分时间里,这里存在两个政治——商业王国,即拜尔王国和阿夸王国。19世纪80年代,两王国都衰落下去。现在武里河湾有利于渔业和农业经济,当地渔业发达,主要农作物有油棕、木薯、芋头、大蕉、玉米。杜亚拉人按父系传代,并以秘密团体作为管理社会的工具。到20世纪70年代,多数人名义上已是基督教徒。他们原来的宗教信仰是崇奉一位高级神明或造物主,但无其他神祇,也无神龛或祭司。其他信仰则是祖灵、巫术及魔器。很多杜亚拉人现已在城市就业。在20世纪晚期,世袭酋长仍占据上层,但他们的影响正在衰落。

dualism 二元论 本条专论宗教上的二元论,它相信有两种至高的相反对的力量或神祇主宰着世界。二元论有各种类型。首先是绝对二元论和相对二元论。前者认为两个本原都是永恒的,如拜火教;后者认为一个本原来自另外一个本原,如中世纪基督教异端鲍格米勒派。其次是辩证法的二元论和末世纪论的二元论。前者认为两种本原不断地、反复地斗争;后者认为以一方被他方战胜告终。二元论是古代宗教很重要的现象。在古代埃及有破坏之神赛特和丰收之神俄赛里斯的对立。在巴比伦有深渊阿卜苏和大海提阿马特的斗争。在古代希腊赫西奥德的神谱和前苏格拉底哲学家那里都有各个方式的二元论。俄尔甫教把肉体看作是灵魂的坟墓。"一切来自一,又回到一"是典型的辩证法二元论。毕达哥拉斯吸收俄尔甫观点。在柏拉图的著作中,可以看到俄尔甫和毕达哥拉斯的观点。柏拉图的形而上学、宇宙学、关于人和灵魂的学说中都浸透着二元论精神。在晚期希腊的诺斯替教,二元论以更加戏剧性的形式表现出来。其中的蛇派将蛇看作知识象征,逻各斯被说成是蛇。它将精神形式刻印在浑沌质料之上。古代伊朗的拜火教也是二元论,它的经典《伽泰》里有两个相互对立的神灵,善端的神斯彭塔·曼纽,恶端的神安格拉·曼纽或阿里曼,两者是"一对孪生兄弟"。

在印度和中国的宗教中也有各种形式的二元论。在印度教的颂歌《黎俱吠陀》里，把“天上不朽的”原人和现世界相对立。在道教的经典《道德经》中把阴和阳看作两个既对立又相辅相成的原则。

在西方宗教中出现二元论，主要是由于受了诺斯替教的影响。犹太教是严格的一神论，但在诺斯替教的影响下，特别是喀巴拉派也有二元论倾向。例如，公元前 1 世纪《以诺》第一卷中就说有些天使因和人的女儿通婚而堕落，这些天使教给人类以诱惑、暴行以及使用铁器和写字等文化要素的邪恶技艺。在库姆发现的《死海古卷》里也提到上帝给人以“光明天使”和“黑暗天使”的故事。基督教二元论是诺斯替观念的发展。幻影论把物质和灵魂对立，认为物质的本质即是罪恶，而灵魂是一种前在的实体。公元 2 世纪中期诺斯替的基督徒马西昂实际上是个两神论者；在他看来，《旧约》中的上帝是次于最高神的造物者，他创造了人和世界，与至高无上的神全无共同之点。至上的神和这个世界并不相干，他显现其自身于耶稣。诺斯替二元论不但在古代一直存在，它也在中世纪影响了东方和西方的宗教，一直到近代。圣洁和凡俗的对立是宗教二元论的一个重要主题。几乎在每一种宗教中都有这种区分。但在二元的宗教中则特别明显，它将时间和历史时间对立起来。前者是未受触动的、圣洁的原始创造；后者是消逝的、凡俗的，既不充实也无意义。善与恶是适用于一切宗教的对立。二元论用和世界最初本原相异的另一个本原的实际存在来解释罪恶的产生；或者认定一个相反的、有限的内在主宰；或者认定最初本原是不充分的。创造与破坏的对立、生与死的对立是二元论的另一主题。以拜火教为例，阿里曼的主要侍僧是埃湿马(愤怒)、德鲁基·纳苏(腐败)、杰(淫荡)和阿包萨(不育)等。在印度教中则有创造和生命的毗湿奴与毁灭和死亡的湿婆的对立。不论是辩证法二元论，还是末世纪论二元论都有宇宙论的作用，即解释宇宙结构的作用。例如拜火教把恒星视为福星，把行星视为祸星。宗教二元论的人学作用表现在那些把人当作双重的、或含有不可通约的对立因素的两重性的观点里。特别重要的是男人和女人的对立。在那些有着次于最高神的造物者的神话里，往往把这种造物者和女人相联系。诺斯替(蛇派)主张，那种赋予宇宙以生气的实体是男性的、能动的；而物质世界的性质是女性的、被动的。

dualism 二元论 在哲学中，指以两类最基本的原则(有时是相互抵触的，有时是相互补充的)分析认识过程(认识论方面的二元论)，或者解释实体或其主要方面(形而上学的二元论)。认识论方面的二元论包括：存在和思维、主体和客体、感觉和事物等。形而上学的二元论包括：上帝和世界、物质和精神、身体和心灵、善和恶等。二元论和一元论及多元论都有所不同。一元论只承认一种原则，多元论则援用两种以上的基本原则。

dualism, mind-body (philosophy) 参阅**mind-body dualism** *身心二元论*。

duality 对偶性 在数学中，一个正确叙述只要将其中两个词互换即可得到另一个正确叙述的原理。这种对偶性是格论这一代数分支的性质之一。格论是研究不同数学系统所共有的结构和序概念的。一个数学结构如能按指定的方式有序化就称为格(参阅 **order**)。射影几何、集合论、符号逻辑等系统是含有潜在的格结构的例子，因此也含有对偶原理。射影几何包含格结构，这可由按照包含关系将点、线、面排序而看出。在平面射影几何中，“点”与“线”两词可互换，而得到对偶叙述，例如：由“两点决定一直线”得到“两线决定一点”。在欧几里得几何中，后者有时不正确，而在射影几何中则经常正确，因为平面射影几何的公理不允许平行线存在。但有时在适当的修饰之下，才能使相应的对偶叙述变得明确。例如：“两线相交于一点”的对偶叙述为“两点相交于一线”，后者中的“点”指包含此点之所有直线之集合。立体射影几何内，点与平面之间有相应的对偶性，直线的对偶为其本身。在集合论中，当“并”换成“交”或“交”换成“并”后“包含于”与“包含”的关系可互换；此时原来的结构保持不变，故称为自对偶。在符号逻辑中也有类似的自对偶性，当逻辑连接词“与”和“或”互换后，“蕴涵”和“被蕴涵”可以互换。对偶性为代数结构的普遍性质。对这种结构而言，两种运算(或两种概念)可互换，结果为：在一种阐述中成立的，则在另一种对偶的阐述中也同样成立。参阅 **abstract algebra**。

Duan Qirui 段祺瑞(1865-03-06，中国安徽合肥～1936-11-02，上海) 又拼 Tuan Ch'i-jui。中国皖系军阀首领。原名启瑞，字芝泉。1885年考入天津北洋武备学堂炮兵科。1889

中国大百科全书出版社供图

年武备学堂毕业后赴德国克虏伯炮厂留学。中日甲午战争后在小站协助袁世凯练兵。1903～1911 年历任北洋陆军第四镇统制、第六镇统制及江北提督等职。辛亥革命后任袁世凯政府陆军总长。1916 年袁死后任国务总理。国会否决加入协约国参战时辞职。后策动张勋入京，迫使总统黎元洪解散国会。张勋扶植清帝复辟时，段指挥北洋军粉碎复辟，自任国务总理兼陆军总长。1917 年 8 月 14 日对德宣战。第一次世界大战期间接受日本财政军事援助，编练参战军，收买议员组成安福系国会，极力扩充皖系实力。大战后又同意将德国在中国山东的权益让与日本，激起 1919 年“五四”运动。曹锟、吴佩孚等直系军阀趁机结盟反段，1920 年直皖之战后逼段下台。1924 年秋奉系军阀张作霖和冯玉祥联合击败曹、吴，占领北京，推段担任临时执政。1926 年 3 月屠杀北京爱国群众，造成“三一八”惨案。4 月又被冯玉祥驱逐下台，寓居天津租界，自号正道居士。1931 年，“九一八”事变后日本侵略势力深入华北，蒋介石于 1933 年 2 月迎段南下，移居上海。1936 年在上海病逝。

Duane-Hunt law 杜安-亨脱定律 加于X射线管的电压 V 和由靶发射的 X 射线的最大频率 ν 之间的关系式，即 $\nu = Ve/h$，其中 e 为电子的电荷，h 为普朗克常量。此定律有时称为光电倒效应方程。

Duang (king of Cambodia) 参阅 **Duong** *东*。

Duārs 杜阿尔斯 又拼 Dooārs 或 Dwārs。印度东北部喜马拉雅山山麓地区。面积 8 800 平方千米。被桑科希河分为东、西两部。1864～1865 年不丹战争后由不丹割给英国。东杜阿尔斯位于阿萨姆邦西部，为一河流纵横之平原，人口稀疏。西杜阿尔斯位于西孟加拉邦北部，属*达赖*(**Tarai**)地区，为连接喜马拉雅山与平原的低地，重要产茶区。“杜阿尔斯”意为“门户”，指该地区为通往喜马拉雅山几条通道的必经之地。

Duarte, Fausto (Castilho) 杜阿尔特(1903，佛得角群岛圣地亚哥岛普拉亚～1953，葡萄牙) 政府官员和作家。早年用葡萄牙语写作，使他成为最早的非洲小说家之一。曾受过官方的同化教育，后被送到葡属几内亚(现几内亚比绍)当政府官员。第一部小说《阿乌阿：一部黑人的小说》(1934)，以几内亚的富拉尼人的生活为背景。另外 3 部小说是《没有灵魂的黑人》(1935)、《流亡者的飘泊》(1939)和《革命》(1945)。他还写了一部短篇小说集《移居意味着征服》(1945)。他的作品之所以重要，主要是因为他对非洲本土文化的兴趣。

Duarte, Juan Pablo 杜阿尔特(1813，伊斯帕尼奥拉圣多明各[今在多米尼加共和国]～1876，委内瑞拉加拉加斯) 多米尼加独立之父。斗争胜利后失去权力，余生在流亡中度过。1828～1833 年在欧洲求学。回国后与其他爱国者组织秘密团体三位一体社，积极从事独立运动。1843 年试图驱逐海地人，失败后出逃。次年，他的追随者推翻了海地人的统治。他于 1844 年 2 月回国。多米尼加共和国宣布独立后，他被地方军事首领佩德罗·桑塔纳击败，逃至加拉加斯定居。在反西班牙的复国战争(1864)期间回国一次。此后曾任职于外交使团 1 年。

Dubayy 迪拜 又拼 Dubai。阿拉伯联合酋长国中人口、面积均占第二位(3 900 平方千米)的成员国。略呈长方形，沿波斯湾长约 72 千米。首都迪拜城为联邦最大城镇，位于该国东北一小海湾畔。居民90%以上住在首都和附近地区。根据现有资料,已知1799年起迪拜就有人居住。1820年迪拜的酋长(当时还未成年)签订了英国提出的全面和平条约。但1833年前,该地属于阿布扎比。1853年与英国签订永久停止海战条约。并通过1892年的独占协定将其外交关系置于英国控制之下。1971年英国撤离波斯湾时,迪拜是阿拉伯联合酋长国的创始成员国。迪拜酋长与多数邻国酋长不同,长期鼓励发展贸易和商业。迪拜城20世纪初即为重要港口,很多外国商人(主要是印度人)在此定居,30年代前以出口珍珠闻名,近来成为西方货物的主要进口港。阿拉伯联合酋长国的多数银行和保险公司都在此设有总办事机构。1966年海湾卢比贬值后,迪拜与卡塔尔联合建立新的货币单位——卡塔尔/迪拜里亚尔。迪拜可以自由买卖黄金。这里向印度走私金条的活动非常猖獗。1966年迪拜城以东约120千米的波斯湾中发现了法特赫近海油田,20世纪70年代在该地海底建成3座20层楼高的海底油库,每座可容石油50万桶。20世纪70年代末,迪拜城附近建成铝熔炼厂和天然气分馏厂。现该城已全部现代化,有现代化旅馆、电信局、医院和国际机场。1972年新建深水港拉希德港,1979年建成超级油轮干船坞。有公路通哈伊马角城和阿布扎比城。人口:酋长国约858 000(1999)。

dubbing 配音 在影片制作中给已拍成的影片另外配制对话或其他音响的技术,包括用另一种语言配制对话,或为无声电影镜头配加声音,或在原声带的声音之外另配音响效果或音乐。配音最常见的用途是翻译外语影片。用另一种语言配音时,对话的翻译必须与片中演员的口型动作严密吻合。由于配音的声带很少能达到原来外语声带的艺术质量,所以有的观众更喜欢看翻译字幕。在本国语的影片中使用配音方法常是由于技术上的原因。导演通常用配音来纠正同期录音拍摄中出现的缺陷。配音方法使导演不论拍摄现场环境如何均能获得高质量的对话。配音还用于给原声带增加音响效果。在歌舞片中还可用配音方法将拍摄时演员的歌唱换成更为悦耳的声音。有些国家整个影片的声带完全靠配音的方法制作,因为这比同期录音拍摄既节省开支,又减少麻烦。

Dubbo 达博 澳大利亚新南威尔士州中东部城市。临麦夸里河。建于1841年。1966年设市。现为附近小麦、牲畜、木材、水果、蔬菜产区的贸易中心。有屠宰、面粉、锯木、砖瓦、管件等工厂。铁路和公路的重要交叉点。附近有西部平原动物园和惠灵顿国家公园。人口约30 102(1996)。

Dubček, Alexander 杜布切克(1921-11-27,捷克斯洛伐克乌赫罗韦茨[今在斯洛伐克]~1992-11-07,捷克斯洛伐克布拉格[今在捷克共和国]) 捷克斯洛伐克共产党第一书记(1968-01-05～1969-04-17),他的自由主义改革导致苏联于1968年8月占领捷克斯洛伐克。杜布切克早年在苏联中亚细亚的吉尔吉斯接受教育,其父斯特凡·杜布切克在那里定居,他是捷克斯洛伐克共产党党员。1938年全家回到捷克斯洛伐克。第二次世界大战期间,杜布切克参加地下活动,反抗纳粹占领。1958年任布拉迪斯拉发地区委员会第一书记、斯洛伐克共产党中央委员会和捷克斯洛伐克共产党中央委员会委员。1962年任中央委员会主席团委员。

1967年10月,在中央委员会布拉格会议上,杜布切克获得了党和经济改革者及斯洛伐克民族主义者的支持,反对诺沃提尼的领导。诺沃提尼被迫于1968年1月5日辞去第一书记职务,由杜布切克替代。在1968年的头几个月里,捷克斯洛伐克新闻界有了较大的言论自由,斯大林时代政治清洗的受害者也恢复了名誉。4月9日公布了"捷克斯洛伐克走向社会主义道路"的改革纲领。局势发展的趋向使苏联惶恐不安。7月29日至8月2日,两国最高领导人在斯洛伐克城市切尔纳进行协商,他们的讨论以杜布切克作出较次要的妥协而结束。由于对捷克斯洛伐克局势的发展仍不满意,并对自由化的含义感到担心,苏联及其华沙条约盟国于8月20～21日晚侵入该国。杜布切克和另外5名主席团委员被拘捕,并被押送至莫斯科,俄国人在那里强迫他们作出重大让步。回到布拉格后,杜布切克向他的同胞发表了一篇动人的演说,要求他们合作。

杜布切克的地位极不稳固。渐渐地,他的较为进步的助手们一个个地被免职,1969年4月,他从党的第一书记被降为联邦议会主席。1970年1月他被任命为驻土耳其大使。在被开除出党后,任设在布拉迪斯拉发的林业局视察员。

在该国共产党放弃对权力的垄断并同意参加联合政府后,杜布切克于1989年12月重又在捷克斯洛伐克国家事务中占据突出的地位。在共产党与反对派阵线公民论坛达成协议后,杜布切克于12月28日当选为联邦议会主席。1992年任斯洛伐克社会民主党领袖,最后死于交通事故。

Dube, John Langalibalele 迪尤布(1871-02-22,纳塔尔伊南达传教团驻地附近[今在南非]～1946-02-11,南非纳塔尔乌姆赫兰加) 南非牧师、教育家、新闻工作者和作家。他的《沙卡王的近侍》(1930)是祖鲁人用母语出版的第一部小说。曾就读于美国俄亥俄州奥伯林学院,并获得牧师职位,后返回纳塔尔,想为非洲同胞建立一所类似于亚拉巴马的塔斯基吉学院的学校。20世纪初创办奥兰格学院,几年后又在附近建立一所女子学校。因创办该学院和第一家祖鲁文报纸《纳塔尔太阳报》而闻名遐迩。1912年当选为南非本地人国民大会(后改称为非洲人国民大会)第一任主席,此后大部分时间从事政治活动,同时还抽出时间撰写几部著作:一部先知以赛亚·欣布的传记,以及一部关于沙卡的历史小说(沙卡是19世纪一位卓有建树的部落首领,曾建立过祖鲁人的政权)。1936年在南非大学获博士学位。从1937年起任比勒陀利亚本地人代表会议的纳塔尔代表,直至逝世。

Dubinsky, David 杜宾斯基(1892-02-22,俄罗斯帝国布列斯特-立陶夫斯克[今白俄罗斯布列斯特]～1982-09-17,美国纽约州纽约) 美国劳工领袖。他是俄国统治下波兰面包师的儿子。1908年因从事工会活动被流放到西伯利亚,1911年逃跑,移居美国。在纽约当服装裁剪工时,重新从事工会活动。1921年任国际妇女服装工人联合会第10分会主席。10年后任该联合会财务干事,1932～1966年被选为主席。在工会事务及政治方面持独立态度,效忠于劳联,也支持30年代产联的诞生。1955年劳联与产联合并中,他起了重要作用。1977年其自传《戴维·杜宾斯基:劳动的生活》出版。

Dublin 都柏林 爱尔兰伦斯特省的郡。面积922平方千米。都柏林郡是爱尔兰面积最小的郡之一,而包括都柏林市在内又是人口最多的郡之一。中部和北部地势低洼,南部边界是山地。北部海岸从巴尔布里根到霍斯是沙岸,至霍斯海岬地形隆起。主要河流是利菲河,源于都柏林市西南几千米的威克洛山,流经该市注入都柏林湾。古建筑遗迹有史前时代的山寨、墓穴、圆塔,还有12世纪建造的马拉海德城堡。主要作物有小麦、大麦和马铃薯。近年养牛业有较大发展。巴尔布里根生产棉针织品,西部地区生产巧克力和水泥制品。都柏林市是几条重要铁路干线的枢纽。人口约1 922 000(1996)。

Dublin 都柏林 爱尔兰共和国的首要城市,为该国的政治、商业和文化首都。市内殖民地时代的陈迹与现实生活的表现杂然共存,不相谐调。

自然地理和人文地理

景观 位置 都柏林位于景色宜人的海湾后部,利菲河穿城而过,东流经丘陵环抱的平原入爱尔兰海。海滨沼泽形成"黑水塘"。从自然地理上讲,都柏林是不大的城市。自都柏林堡到四面最远边界仅有6千米许。市区逐年向农村伸展,但是南面则矗立都柏林山和威克洛山,形成天然界线。

气候 都柏林地处爱尔兰海西岸,气候温和。平均最低气温在1～2月为6℃,最高气温在7～8月,为15℃,日照平均每天4小时。年平均降水量760～1 000毫米,山区较多。冬季降水量最高,每年平均约有10天降雪。

布局 都柏林市多低矮而尖顶的建筑物,建于17世纪以前者甚少。天主教堂都建于19及20世纪。工会总部"自由大厦"为最高楼房之一,有17层,大多数楼房不过10层。

都柏林的建筑体现北欧、诺曼和乔治时代传统,都柏林堡的建筑风格融三者于一体,在13世纪头20年,诺曼人毁掉了当初维京人的据点要塞,建成诺曼式城堡。英王乔治时代的人们建成现有的红砖城堡,却保留了老建筑物上的两座高塔。此城堡在1922年以前是英国驻爱尔兰当局的驻地,现用于各种典礼。

在城堡附近,原有维京人都柏林之王所建的主教座堂基督堂(约1030),该堂经过约

140年为更加宏伟的诺曼式教堂所取代。到了19世纪,这座雄伟建筑已经摇摇欲坠,险象丛生,乃于70年代花巨资重修。距此堂不远的圣帕特里克教堂矗立在老城墙外侧,本来也是一座维京人的教堂,可能是在更为古老的凯尔特人建筑物基址上所建。诺曼人于1191年将它重建,其后各个世纪都曾扩建和局部重建。基督堂现为圣公会都柏林及格伦达洛主教区的主教座堂;圣帕特里克教堂也属圣公会,是国家大教堂。两堂自宗教改革运动以来都属于新教爱尔兰圣公会(安立甘宗)。

在圣帕特里克教堂与利菲河畔吉尼斯啤酒厂之间是所谓特别行政区,过去处在城垣之外,专归大主教管辖。自从第二次世界大战以来,这一地区有许多地段都已清理出来,专供建造廉价住宅使用。

早期在都柏林投机求财的人们,固然追逐利润,但也颇为注意整齐和环境美。市内街道宽敞,花园广场面积甚大。

爆发时福尔宫毁于炮火及地雷。后来两者都已由政府重建。

奥康内尔大街初名德罗赫达大街,曾改名萨克维尔大街,是都柏林的闹市区,商店、影院、小吃店比比皆是。在1916年和1922年,这条街两次在战争中被夷平,仅存的建筑物是邮政总局,1916年的暴乱指挥中心就在该处。在暴乱中这座楼房也大受破坏,1929年修复,唯前脸仍是1815年的旧物,古典主义风格未变。与邮政局隔街相望的曾有纳尔逊纪念柱,1808年由公众集资建立,许多年代都柏林人都视之为重要文物,1966年某日深夜被神秘地炸毁。

奥康内尔大街尽头是摩斯所建圆楼医院,又称产科医院,今天仍是产院。摩斯为了使医院的经费有保障,还建有一处游乐园、一批小礼堂和一个音乐厅。小礼堂一部分现为有历史传统的盖特剧团所使用。医院后身是帕内尔广场(旧名拉特兰广场),建于1750年。该地的许多乔治时代房屋今日依然原封未动。其中查尔蒙特伯爵于1762～1765年所建的一座现为市立现代艺术馆。天主教的临时主教座堂(都柏林无天主教主教座堂)在奥康内尔大街以东的马尔伯勒大街,建于1816年。市政当局敌视天主教,不许将该堂建在主要街道。

都柏林市内的利菲河,右侧为福尔宫圆顶
美国不列颠百科全书公司供图

在市南半区三一学院与圣斯蒂芬绿地之间,都柏林重要市民之一道森于1705年建成很有气派的宅第;10年后售于都柏林市,作为该市市长官邸,今日依然。1919年爱尔兰共和国第一届议会即在该处开会。

市内最大而历史最悠久的广场是圣斯蒂芬绿地,据1224年文献记载它原为公共放牧地。1663年在其四周建屋,但目前其周围的宏大楼房主要建于18世纪。

从圣斯蒂芬绿地西侧到河边,再沿北岸到帕内尔广场为该市的南北中轴格拉夫顿大街,一向是该市时髦商店荟萃之地。大街一直延伸到学院绿地,绿地一侧是三一学院,另一侧是1729年所建议会大楼,其后即成为爱尔兰银行总行所在。都柏林大学(三一学院)是爱尔兰历史最悠久的大学,开办于1592年。

利菲河畔都柏林最优美的古建筑物林立,南有海关大楼的新古典主义建筑杰作(1781～1791),北有福尔宫(1786～1802),两者都为甘顿所设计。海关大楼在独立战争期间于1921年毁于火,共和派人士因希望毁掉英国行政档案而举火焚之。1922年6月内战

18世纪的市政专员们环新市区建北环路和南环路。戏剧家萧伯纳的出生地在南环路附近的辛格大街。在这两条环形马路以北是大运河,以南是罗亚尔运河。两运河都在港口汇入利菲河,都与香农河相通,今日仅大运河可通航,而且不常使用。

都柏林的凤凰公园是世界上大型城市公园之一,位于利菲河北岸,占地80平方千米。它原为皇家鹿苑,1747年向公众开放,所属动物园于1831年开放,素以育狮闻名。

人民 **人口动向** 都柏林及其周围地区的人口在20世纪后半叶每年约增长1%,1961～1981年增长率最高。人口移动的趋势起初是自农区迁往城区。但是,在20世纪的最后25年间,城市中心区人口开始减少,而都柏林市西南和正北两个方面的新郊区人口则有所增加。

宗教 爱尔兰的主要宗教的教务机构都设在都柏林。该市固然基本上是天主教城市,但仍是全国宗教最复杂的地区。自1922年以来,非天主教人口即不断减少,目前仍在继续减少,但是,爱尔兰共和国全境内的新教安立甘宗信徒的大多数、长老宗神职人员的半数,目前仍在都柏林市。市内还有少数循道宗信徒和犹太教徒。

人口:郡级市480 996(1996)。

经济 **工业** 都柏林的主要传统工业——啤酒业、蒸馏造酒业、粮食加工业和纺织业——自20世纪70年代以来衰竭,遂使市内呈现萧条景象。80年代的衰退也引起了建筑业的滑坡。但是,都柏林周围的四郊建成了几个工业区,由于领受政府赠款,一些新企业,主要是电子、化工和机器企业,已在其中兴办。

金融和商业 爱尔兰的主要金融及商业机构的总部都设在都柏林。自从1973年该国加入欧洲经济共同体以来,经济活动显著加快了步伐。该国4大票据交换银行的总行都在该市。其他银行,主要是欧洲经济共同体各国的银行,也纷纷开业,如雨后春笋。作为英国证券交易体系的组成部分,爱尔兰证券交易所也设在都柏林。

运输 1986年,爱尔兰议会成立都柏林公共汽车公司,作为爱尔兰运输公司的附属机构,借以整顿首都的运输事业。爱尔兰运输公司的另一个附属机构爱尔兰铁路公司办理郊区交通事业和市际交通事业,通往爱尔兰各地,包括北爱尔兰。城北科林斯敦有国际机场。

行政与社会状况 **全国政府和地方政府** 都柏林是爱尔兰共和国的行政首都,政府各部及其顾问委员会、附属机关都设在该市。市中心的伦斯特大厦是爱尔兰议会两院(众议院和参议院)开会之处。司法机构集中在福尔宫。都柏林地区共有11个选区,其中选民占全国选民总数1/3,根据比例代表制,选出48名众议员。

在地方行政方面,都柏林有3个民选权力机关:都柏林郡行政委员会、都柏林市政委员会(专管市区)和邓莱里行政委员会(负责邓莱里港,该地是市南的另外一个自治市)。市和郡的管理人员行使行政权,但民选机关委员们仍保有其某些职权。

保健 都柏林的保健及医疗事业由东部保健署管理,该署是全国8个地区保健署中规模最大者。保健服务免费,但受惠者须接受经济情况调查。

教育 都柏林各大学中历史最悠久者为三一学院(1592),它是都柏林大学中仅有的学院。几百年来该学院一直被人们看作新教优越派的据点,多年来,天主教徒固然可以入学,但不得领受学位。1793年通过天主教徒救济法案,此项限制解除,但是,在1873年以前,天主教徒仍没有资格享受该学院的全部福利待遇。爱尔兰国立大学所属都柏林大学学院是爱尔兰规模最大的学校,在校学生超过1万。1989年,设在都柏林的全国高等教育研究所又创立都柏林市大学,为最新的一所大学。市内还设有其他高等教育机构,包

括工学院、师范学院和各科专门学院。

文化生活 1884年盖尔人体育协会成立，以复兴盖尔人体育运动为宗旨，于是展开了文化复兴运动，都柏林在这个运动中发挥了主导作用。1893年盖尔联合会成立，使文化复兴运动进一步扩大范围，该联合会目前仍然在为复兴爱尔兰语言和民间文艺而奋斗。

戏剧和音乐 20世纪初，著名的阿比剧院成立，它特别与诗人叶芝以及剧作家辛格和格列高利夫人有关；它的成立，使得都柏林的文化复兴运动获得了新的力量。阿比剧院除了上演他们的作品之外，还首次上演了奥凯西的主要剧作。老阿比剧院于50年代初毁于火，靠政府援助，新剧院于1966年建成，其中除主要部分阿比戏院外还包括较小的实验性的孔雀剧院。1928年，麦克利亚莫瓦和爱德华兹开办大门剧团公司，今天仍然十分兴旺。

都柏林有两大商业性剧场，其中盖叶蒂剧院每年举办歌剧演出节，另一家为奥林匹亚剧院。经过几十年不断的努力，屡次失败，国家音乐厅终于在1980年成立，首都有了一个大型音乐活动场所。全国性的爱尔兰广播电视台也设在都柏林，该台拥有爱尔兰的主要交响乐团。

出版 首都报刊百花争艳。都柏林有3家全国性报纸、两家晚报和4家星期日报纸。有一批文学性和时事性杂志，部头虽小而影响力大，现有爱尔兰文，也有英文。

体育 都柏林有3个赛马场，其中之一位于凤凰公园内。哈罗德十字街有灵缇赛场（跑狗场）。罗伊尔运河北岸克罗克公园举办盖尔人传统体育运动爱尔兰曲棍球和盖利克足球。英式橄榄球和足球的国际比赛在兰斯当路举行，都柏林大学学院的贝尔菲尔德综合体育场也经常举行重要比赛。

历史

建城和早期扩展 自史前时代起都柏林湾一带就有人居住。托勒密的《地理学指南》（约公元140）载有都柏林，151年后，有史料载，“都柏林之民”击败来自伦斯特省的军队。种种线索显示，2 000年前都柏林就有人定居，但是，有史可据的最初定居者却并非凯尔特人，而是斯堪的纳维亚人。

维京人，即古代斯堪的纳维亚人，于9世纪（约831）到达，在河南岸的山岭上建造房屋，其地即400年后都柏林堡建起之处。爱尔兰人多次攻击入侵的维京人，皆被击退，直到1014年，维京人才在海湾北岸的克朗塔夫战役中被击败。但是他们又重新占领了这个城镇，维京人的都柏林存留下来而且不断扩展，而斯堪的纳维亚人诸王则降为爱尔兰各君主属下的诸侯。

1167年，斯堪的纳维亚人支持自封为爱尔兰诸王之王的罗德里克（康诺特的）驱逐伦斯特之王德莫特。1170年，德莫特随来自威尔士的英格兰－诺曼军返回故土，收复都柏林。英格兰国王亨利二世唯恐他的英格兰－诺曼人诸侯割爱尔兰为己有，匆匆率军赶来，确立他自己的主权。此举对于都柏林的历史具有关键意义，因为它使该地成为政务中心，尽管是在英格兰控制之下。

在17世纪中叶以前，都柏林一直是墙垣围绕、面积狭小的中世纪城镇，受其控制的无非是“篱区”（即沿爱尔兰东海岸的英格兰人屯垦区狭长地带）。在1660年以前的500年间，城内先后发生3次起事，都被弥平，还有一次苏格兰人入侵以及黑死病的大流行。

在宗教改革运动期间，都柏林曾归属新教。在英格兰内战期间，都柏林城内的保皇派奋力守城，他们曾试图与武装的爱尔兰天主教联盟通力合作，但终于1649年向克伦威尔的英格兰国会军投诚，拱手交出城市。在克伦威尔时代结束时，都柏林仅有9 000居民。塔楼耸立、八门四开的城垣沦为一片废墟，两座大教堂断瓦颓垣，城堡更是满目荒凉，正如克伦威尔本人所说：“是基督教世界内最不堪者。”

18世纪的新教优越派 1685年法兰西颁布南特敕令，削减新教胡格诺派人士的特权，以织布为业的数千胡格诺派人士于17世纪末来到新教城市都柏林定居，于是都柏林的大复兴时期开始。佛兰芒的织工接踵而来，不久织布业兴旺发达。没有多久，都柏林布匹即与英格兰布匹争夺市场，英国议会乃不得不对都柏林布匹出口加以限制。

在18世纪，由于经济繁荣，都柏林市涌现了大批乔治时代风格的建筑物。市区扩展到中世纪的老城垣之外，利菲河上新建了一些桥梁，城北和城东出现了很有气派的新郊区。今日都柏林的主体即兴起于此时。

在文化方面，18世纪在都柏林历史上也是最繁荣的世纪之一。斯威夫特在1713～1745年间任圣帕特里克大教堂教长。1742年，韩德尔在新音乐厅亲自指挥他的《弥赛亚》的首次演唱。当时都柏林的英格兰人士称为新教优越派，从该派诸公的角度上看，都柏林是一个生气盎然而顺应时尚的城市，无限风雅。然而，对于占多数的天主教人士来说，情况却并非如此美妙。在18世纪初，由新教优越派控制的爱尔兰议会通过刑法，其中规定对爱尔兰天主教徒实行残暴的歧视措施。这些法律不许天主教徒参政，限制他们置产，阻止他们从事专业，而且对天主教会的教育事业设置障碍。市内大多数人因此而极度贫困。

现代城市的形成 1801年的英格兰爱尔兰《合并条例》废除了爱尔兰议会，使得都柏林的地位陡然下降。新教优越派中的要人不再在都柏林担任政府职务，纷纷返回英格兰。都柏林日益萧条，150年间竟无起色。贫穷的农户拥入无人居住的乔治时代风格房屋，把这些曾经十分优雅的建筑糟蹋成贫民窟。市民凡负债超过10先令者即可监禁，都柏林牢狱中债务人不计其数，拥挤不堪，直到1864年有关这方面的立法才有所修改。

刑法放宽之后，出现了信奉天主教的中产阶级，他们的子弟进入大学，从事专业。由于爱尔兰天主教律师奥康内尔政治手腕灵活，1829年通过解放法令，废除刑法，遂使英国议会中重新有了天主教议员。都柏林市政府经过改组，1841年奥康内尔任市长，是自17世纪以来任此职者第一位天主教人士。200年来第一次兴建天主教堂和学校，1854年，爱尔兰公教大学（今都柏林大学学院）在圣斯蒂芬绿地开始授课，由纽曼任校长。

爱尔兰于1834年有了铁路，从都柏林至金斯敦港（即今邓莱里港），全长7英里。因此，郊区开始沿海岸向南延伸。其后70年间，市四周郊区继续扩充，势头日猛。

都柏林表面上尚称繁荣，内部却在溃烂。城中有欧洲最不堪入目的一些贫民窟。婴幼儿死亡率特别高，结核病是主要死因；卫生保健事业实际上并不存在。1910年进行调查发现，居然有20 000个家庭每家共居一室。有人在22家酒馆里进行了两周的调查，发现顾客中竟然有46 000名女子和28 000名儿童。

进入20世纪，政治形势更趋紧张。1914年，爱尔兰自治党从联合王国为爱尔兰争取到自治权，但是不出几个月，第一次世界大战爆发，此项协议即束之高阁。在战前的几年间，在1867年暴乱失败后即销声匿迹的爱尔兰共和兄弟会（芬尼亚人），秘密恢复组织。开战后，他们计划再次举行反英起事。在由劳动者自愿参加的小规模爱尔兰公民军和爱尔兰义勇军的支援下，1916年复活节后的星期一举行了起事。运动的首脑们宣布成立爱尔兰共和国。叛乱人员占据了都柏林市中心的公共建筑物，坚守了一周。工商业陷于停顿，市内390 000人口有1/4仰赖公家救济。叛乱失败，叛乱人员被押游街。后来在都柏林实行戒严，10天内将叛乱领导人处决，涉嫌参与暴乱者大批被捕入狱。这些事激起了暴乱，但并未引起爱尔兰舆论界风波。1919年爱尔兰共和军在全国进行游击战，两年不断，恐怖活动与反恐怖活动，此伏彼起。都柏林是爱尔兰国内受影响最重的地区之一，两年间有很长时间处于戒严管制之下。1921年缔结条约，成立爱尔兰自由邦，但是爱尔兰共和军中有一支反对这部条约，占领了福尔宫大楼。叛乱人员终于被炮火赶出楼房，其后在赞成与反对这部条约的派别之间进行了11个月的内战，多人丧生。都柏林再一次饱受战祸。1923年内战结束，而街上枪炮声不绝。政治暗杀和武装袭击一直持续到30年代，战事依然是都柏林日常生活的一大特色。

爱尔兰独立之后 1922～1932年，爱尔兰自由邦的最初几届政府忙于组建新的政府机关和修复1916～1923年间动乱给经济造成的损害，无暇他顾。住宅建设并没有特别受到重视，直到1932年德·瓦勒拉的爱尔兰战士党政府上台，才实行整套的住宅建设计划，市内一些最破烂的贫民窟被清除，居民迁移到郊区新房。保健事业、老龄补助、育幼补助等方面都有所提高，穷人的处境好转。

第二次世界大战爆发，住房建设停顿，原因是建筑材料缺乏，而建筑材料很多是进口货。由于爱尔兰保持中立，都柏林幸免战争最严重的影响，只是偶尔遭到轰炸。粮食基本上充足，但是汽油缺乏，因而私人运输不复存在，公共运输也大受限制。

战后物资缺乏有所缓和，都柏林重新开始向四面农村扩展，形成了更多的郊区。1969年，新卫星城巴利蒙建起了高层公寓楼。不幸的是，随着新楼房的建起，犯罪、破坏等社会问题层出不穷，巴利蒙未得幸免。

于是有人提出批评,谓高层楼房不适于家庭住户。

1945年以来的社会及经济变化必然对都柏林的历史特色形成压力,于是兴起了强大的保护古迹的运动。1988年都柏林庆祝建城1 000周年,人们纷纷思索,认真讨论该市的过去和未来,特别是城市生活的品位。

Dublin, University of 都柏林大学 又称三一学院(Trinity College)。由英格兰和爱尔兰女王伊丽莎白一世于1591年创建,都柏林市捐赠。是爱尔兰最古老的大学。该校长期

都柏林大学(三一学院)
爱尔兰旅游图片公司供图

限收英国圣公会教徒,1873年取消一切宗教上的要求。图书馆藏有许多保存完好的手稿,包括有名的《凯尔斯书》。

Dublin Bay prawn 都柏林湾匙指虾 参阅 **scampi 挪威海螯虾**。

Dubna 杜布纳 俄罗斯西部莫斯科州城市。坐落在莫斯科运河(1937年建)与伏尔加河交汇处。1956年建市。1960年对岸的伊万科沃镇并入该市。是按计划建设的科学城之一,设有核能联合研究所,许多国家的科学工作者在此从事科学研究。该城有许多公共绿地。人口约67 500(1995)。

Dubnow, Simon M. 杜布诺夫 (1860-09-10,俄罗斯姆斯季斯拉夫尔[今在白俄罗斯]~1941-12,苏联拉脱维亚里加) 俄国犹太人史学家。重视研究社会的发展,从而改进犹太人特别是东欧犹太人的历史研究,而使之达到现代西方史学的水平。他基本上靠自学成材。一生靠教书和写作为生。1882年开始为俄国犹太人期刊《兴起》撰稿,多年来以连载方式发表学术和文学著作。他仇恨布尔什维主义,遂于1922年自俄国移居柏林,1933年逃离希特勒统治下的德国而避居拉脱维亚境内里加。在里加犹太人被驱赶到集中营和灭绝营时,他被纳粹分子杀害。杜布诺夫率先根据苦心搜集的原始资料系统而公正地研究哈西德教派,著有《哈西德主义史》(1931)。所著《世界犹太民族史》(10卷,1925~1930)一书,内容丰富,考据精确,立论公正,着眼于社会经济问题,综述犹太人历史,充分表现他的史学造诣之深,被译成多种文字。他在文化问题上坚持民族主义,反对犹太人受异族同化,但是认为政治上的犹太复国主义是不现实的理想。其他著作有《古今俄、波犹太人史》(3卷,1916~1920)和自传《生活之书》(3卷,1930,1934,1940)。

Dubois, Eugène 迪布瓦(1858-01-28,尼德兰艾斯登~1940-12-16,德贝法雷尔) 荷兰解剖学家和地质学家。他发现了"爪哇人"的遗存,爪哇人是已知的第一件直立人化石标本。1886年在阿姆斯特丹大学任解剖学讲师,从事脊椎动物喉部的比较解剖学研究,但对人类进化问题越来越发生兴趣。1887年以随军外科医师身分去东印度群岛,在苏门答腊岛开始发掘工作,寻找早期人类遗存。迪布瓦嗣后在爪哇岛特里尼尔继续发掘工作,1891年发现一片颌骨碎片,后来又发现一块颅盖骨和股骨。颅盖骨表明此种人科成员的脑部小,眉嵴粗大,前额扁平而后倾,还具有其他猿类特点。迪布瓦将其命名为"直立猿人",以表明这是当时学术界所认为的由已具备现代人直立姿式的类人猿祖先进化为现代人的一种过渡类型。他公布发掘结果(1894)后回到欧洲(1895),在阿姆斯特丹大学任地质学教授。由于人们对他的发现有争议,他1923年才出示其资料以供学者们作进一步检查。

Dubois, Guillaume 迪布瓦(1656-09-06,法国布里夫-拉盖亚尔德~1723-08-10,凡尔赛) 又译杜布瓦。法国枢机主教,奥尔良公爵菲利浦摄政时代的首席大臣,英法同盟的缔造者。同盟促使欧洲在1715~1723年得以维持和平。早年学习,准备充当教士,后给贵族子弟当家庭教师,奥尔良公爵曾是他的学生。奥尔良任路易十五的摄政后,任命他为枢密顾问和外交特使。他极力维护奥尔良家族的统治利益。当奥尔良要求继承多病的路易十五的王位时,路易十四的孙子、西班牙国王腓力五世表示反对。为了反对腓力五世,1716年迪布瓦与法国的宿敌英国结成同盟,英国保证支持奥尔良家族的王权。1717~1718年他与荷兰和奥地利也达成类似的协议,结果形成四国同盟。1718年9月,他被任命为外交大臣。西班牙在意大利夺取撒丁和西西里后,迪布瓦伙同英国进攻西班牙。1720年6月,腓力五世被迫放弃对法国王位的要求。4个月后法国发生严重的财政危机,危及迪布瓦的地位。为了挽救自己,他采取亲西班牙的政策,1721年3月签订法西条约。1721年7月他被任命为枢机主教。1722年8月任首席大臣。

Dubois, Jean-Antoine 迪布瓦(1765,法兰西圣勒梅兹~1848-02-17,巴黎) 又译杜布瓦。法国天主教教育家、隐修院院长和司铎。1792年受神职,奉外方传信会派遣赴印度。在印度南部许多地区传教,但无成效,确信无法使印度教徒改奉天主教,1823年返回巴黎,任外方传信会主任,1836~1839年任会长。1826年他将印度教经籍《五坦陀罗》(又译《五卷书》)译为法文。

Dubois, Pierre 迪布瓦(约1250,可能在法国诺曼底库唐斯~约1320) 又译杜布瓦。法国腓力四世时代的律师,政治小册子作者。他的最重要论文《论收复圣地》(1306)表面上概述十字军取得胜利的条件,但实际上却讨论了广泛的政治问题,以及当时知识界的倾向。他在巴黎大学学习,后在库唐斯成为名律师。1300年出版一本小册子,发表他对改革君主制度的见解。后来又出版另一本小册子,论述腓力四世和教皇卜尼法斯八世之间的斗争。1302和1308年,他曾作为库唐斯地方的代表出席三级会议。他是沙文主义者和反教权主义者,深受亚里士多德思想的影响。他认为只有扩大王权,彻底改革法国的教育、法律和行政,法国才能获得国内和平;只有建立一种类似国际联盟的、由法国国王领导的组织,欧洲才能有和平。

Dubois, (François-Clément-) Théodore 迪布瓦(1837-08-24,法国罗奈~1924-06-11,巴黎) 又译杜布瓦。法国作曲家、管风琴家和教师。以其论述和声、对位和视谱奏唱的技术论文著称。曾师从兰斯大教堂管风琴师,并在巴黎音乐学院学习。1868年任马德莱娜教堂唱诗班指挥,后又继圣-桑而任该堂管风琴师。1871~1890年在巴黎音乐学院教授和声,1896~1905年任该院院长。他的作品包括各种类型,有歌剧、合唱及管弦乐队作品,以清唱剧《基督临终七言》(1867)最著名。

Dubos, René (Jules) 迪博(1901-02-20,法国圣布里斯~1982-02-20,纽约市) 法国出生的美籍微生物学家。最先从某些土壤微生物中分离出抗菌物质,从而导致了多种重要抗生素的发现。他以在抗生素、获得性免疫、结核病及胃肠道固有细菌等方面的研究和著作闻名于世。后研究人类与自然环境的关系。著有《人类的细菌性和真菌性传染病》(1948)、《巴斯德与现代医学》(1960)和《人类、医学与环境》(1968)、《人是动物》(1968,1969年获普利策奖)、《理智的觉醒:为人类服务的科学》(1970)、《内心深处的上帝》(1972)、《大地的恳求》(1980)等。

Dubrovnik 杜布罗夫尼克 意大利语作Ragusa(拉古萨)。克罗地亚达尔马提亚的港口。位于亚得里亚海岸的南部,通常被认为是达尔马提亚海滨最美丽的城市。坐落在以斯尔第耶山光秃的石灰岩为基石的突出于海中的岬角上。海防要塞拔水而起,向陆地的一侧有一个巨大显眼的圆塔。

城墙多为双层,一直使该市引以自豪。墙内有许多花园环绕的别墅。该市的基本布局可追溯到1292年,当时由于一场大火,重建了港口。主街道沿峡谷修建,两侧有美丽的文艺复兴时代后期的房屋。1272年前,这里是一条沼泽河道,将拉丁岛拉古萨和杜布罗夫尼克森林居民区分隔开。城墙内不得行驶机动车。除主街道外,旧城街道别致狭窄错综,且多陡峭弯曲。城市两端各有一座14世纪建造的女修道院,把守西门的是方济各会修道院,把守东门的是多明我会修道院。教区长宅邸是杰出的达尔马提亚式建筑之一。岸外洛克鲁姆岛以花园和橘林闻名。一年一度的艺术节吸引许多游客来到这座美丽的城市。

杜布罗夫尼克有铁路通往塞拉热窝和贝尔格莱德。附近格鲁日的新港口有班轮通达尔马提亚其他港口和意大利。主要生产烈

岬角上的杜布罗夫尼克城和港口
美国不列颠百科全书公司供图

酒、乳酪、丝绸和皮革制品。

7世纪时罗马难民为逃避斯拉夫人和阿瓦尔人对埃皮道鲁斯的劫掠来此建城，当时名曰罗萨或拉古谢姆，在该市东南。一批斯拉夫人很快就和这里的罗马人会合，这个城市很早起就成为两个伟大文明的一个纽带。罗马陷落之后，杜布罗夫尼克受拜占廷统治。9～12世纪它自卫抵抗外国列强，但是在1205～1358年间，它又承认威尼斯的宗主权，但保留许多独立权。城市共和政体为所有国家的难民提供避难所——其中有英格兰的国王理查一世。此外，依靠条约和进贡，它沿着达尔马提亚海岸扩大了领土。由于地处通往拜占廷和多瑙河流域的陆路贸易路线的临海终点，它成为一支强大的贸易力量。拉古萨陆路贸易在整个巴尔干半岛蓬勃发展。

1420年，达尔马提亚被售与威尼斯时，杜布罗夫尼克除了名称外，仍是一个自由城市。几世纪来，杜布罗夫尼克人民能在东、西方之间活动自如，从而保住了他们的城市共和政体。与土耳其订立的一份策略性条约延长了杜布罗夫尼克的自由，并维持了在奥斯曼帝国和欧洲之间扮演主要贸易角色的机会。16世纪它与印度和美洲通商，1588年它还派军舰去西班牙准备侵犯英国，虽然侵犯夭折了。

15～17世纪，艺术和文学大放光彩，赢得了"南斯拉夫的雅典"之称。在南斯拉夫历史上第一次把人民的语言引进到文学中来。只是其文学方面的历史与其在海运和贸易上的成就是无法相提并论的。

1667年的一次地震毁掉了城市的许多部分，约有1/5的居民死亡。只是在拿破仑战争中，该共和政体才重新繁荣起来。1800～1805年，作为地中海的唯一中立政体，使它在运输业中获得相当大的份额。1808年拿破仑一世征服了杜布罗夫尼克，1815年的维也纳会议将该市给与奥地利。1918年并入南斯拉夫版图。在1991年克罗地亚要求独立的战争中，杜布罗夫尼克遭受了一些破坏。人口49 700(1991)。

Dubuffet, Jean(-Philippe-Arthur)　**迪比费**　(1901-07-03，法国勒阿弗尔～1985-05-12，巴黎)　法国画家、雕塑家和版画家。第二次世界大战后巴黎派主要画家之一。20世纪40年代末形成自己的风格，称为*涩艺术*(**art brut**)。用清漆和胶将沥青、砂砾、灰烬和沙黏在一起作底子，上面经常用油画色厚厚地涂成棕色调子，再在这粗糙的表面上刻出儿童画般的形象。这种实验性探索，使他成为战后最具震撼力的艺术家之一。

Dubuque　**迪比克**　美国艾奥瓦州东北部城市，迪比克县县城(1834)。在密西西比河畔(有桥通伊利诺伊州东迪比克)，与威斯康星、伊利诺伊两州的边界线交会处隔河相望。

迪比克市的J.迪比克纪念碑
美国不列颠百科全书公司供图

1788年法国商人J.迪比克与印第安人达成协议，获得在此开采铅矿的权利，成为最早在艾奥瓦地区定居的白人。城市遂以其姓氏命名。1837年设镇，1841年设市。早年有采矿和锯木业。随河运和铁路交通发展而开始工业化。20世纪80年代成为一制造业地区的中心，肉类加工、农业、出版业、机械制造为主要经济活动。还经营赌场。1893年设罗马天主教大主教区。设有迪比克大学(1852)等教育机构。人口：市57 686；迪比克都会统计区89 143(2000)。

Duby, Georges　**杜比**(1919-10-07，法国巴黎～1996-12-03，普罗旺斯地区艾克斯附近)　全名Georges Michel Claude Duby。法国多产和有影响的历史学家。1950年在巴黎大学获历史学博士学位后，到马赛-普罗旺斯地区艾克斯大学任教。1970年前往法兰西学院，任中世纪社会史教授直至1993年。著作甚多，其中最有影响的是博士论文《11和12世纪马孔内地区的社会》，出版于1953年。这篇论文有助于人们对中世纪社会产生一个新的认识。他还当过电视节目播放协会(一家公共电视制作局)的主任。1987年当选为法兰西学院院士。

Ducale, Palazzo(Venice, Italy)　参阅**Doges' Palace** *首领府*。

Ducas FAMILY　**杜卡斯家族**　又拼Dukas或Doukas。拜占廷皇族，在10世纪时曾经显赫一时。913年因君士坦丁·杜卡斯企图攫取皇位而丧生，整个家族衰落；君士坦丁之父是安德罗尼库斯·杜卡斯将军。10世纪末，与这一家族母系有姻亲关系的另一个杜卡斯家族崛起，成员有1059年即位的君士坦丁十世皇帝以及其子迈克尔七世(参阅**Michael Vll Ducas**，1071～1078在位)。迈克尔之子君士坦丁与阿历克塞一世·康尼努斯自1081～1090年前后为共治皇帝。君士坦丁与阿历克塞之女安娜曾订有婚约，但君士坦丁早死未及完婚。1204年阿历克塞五世·杜卡斯·穆泽弗卢斯将皇帝伊萨克二世·安基卢斯及其子阿历克塞四世废黜，登上王位；此后他力图保卫君士坦丁堡打退十字军，但以失败告终。14世纪中叶皇帝约翰五世·帕里奥洛加斯与皇帝约翰六世·坎塔库兹努斯之间发生内战，一名迈克尔·杜卡斯在战争中发挥了主导作用。他的孙子就是15世纪著名历史家杜卡斯，以其用白话写成的一部记述1341～1462年大事的历史而闻名。"杜卡斯"之名荣显尊贵，后世君主多想把它附于自己名字之后。

Ducas, Irene(Byzantine empress)　**杜卡斯**　参阅**Irene**(1066～1120)*伊林娜*。

Duccio DI BUONINSEGNA　**杜乔·第·博尼塞纳**　(13世纪中叶，锡耶纳共和国锡耶纳～约1318锡耶纳?)　中世纪意大利画家，锡耶纳画派创始人。其艺术吸取古典文化的明朗因素，融会哥特式精神，改进传统的拜占廷艺术，对以后画家有深远影响。生于锡耶纳附近的康波利乔镇。曾学习契马布埃的绘画风

杜乔·第·博尼塞纳绘《鲁塞莱圣母》(1285)
美国不列颠百科全书公司供图

格，并受本地画家圭多(锡耶纳的)影响，此外还吸取了拜占廷书籍插图的线条、"希腊化"时期艺术的鲜明性和当时法国哥特式袖珍画的色调和抒情性动态。1285年受托为佛罗伦萨新圣母堂绘制了祭坛画，即著名的《鲁塞莱圣母》，1287～1288年为锡耶纳主教堂设计圣使徒窗玻璃画，显露出革新风格，因而名声大振。集中体现出其艺术才能的是锡耶纳主教堂的主祭坛画(1308～1311)，以圣母子进入天国为主题，在反正两面布置着《基督受难》、《复活》等59个《圣经》故事，出色地将拜占廷观念的威严与锡耶纳精神中潜在的柔情和神秘主义融合在一起。杜乔不只是将宗教情节当作点缀或历史叙述，其风景、建筑、人物性格和姿态等都涉及广泛的日常生活，组成一个抒情感人的整体。杜乔在14世纪创建抒情风格的锡耶纳画派，不仅在意大利，而且在全欧洲都有重要影响。

Duccio, Agostino di　杜乔　参阅**Agostino di Duccio** 阿戈斯蒂诺。

Ducetius　杜凯提奥斯(?～约公元前440)　西西里的一个古老民族西库利人的希腊化的领袖，他曾在很短时期内把西西里东部的土著村落结合成一个强大的联盟。公元前460年，当叙拉古和其他西西里城邦的僭主统治垮台后的混乱期间，他抓住机会，在叙拉古民主力量的帮助下把前僭主希伦的殖民者赶出卡塔纳，并把它还给原先的哈尔基季基居民。由此，他的影响扩大到其他村落，并在帕利凯建立了一个新的中心；但是他的独立政策使得叙拉古和阿克腊加斯联合起来反对他。尽管他在初期取得了一些小的胜利，但在公元前450年却被敌人的联军彻底打败，并且失去了西库利人对他的信任。他去叙拉古和科林斯避难。公元前446年他返回西西里，并同希腊人、西库利人一道在东北海岸殖民。他试图以此为中心重建西库利人的权力，但取得部分成果时他便去世了。

Duchamp, Gaston　杜尚　参阅**Villon, Jacques** 维永。

Duchamp, Marcel　杜尚(1887-07-28，法国布兰维尔～1968-10-02，讷伊)　法国画家。他打破了美术作品和日常物品之间的界限。父为公证人，家庭有美术传统，兄弟姐妹6人，4人是美术家。曾在家乡作过几幅油画，如《勒弗朗索瓦肖像》，已形成一定的风格。1904年10月到巴黎，给一些娱乐性杂志作漫画，曾尝试过各种风格流派，但不模仿重复，不粗制滥造，也不经常展出自己的作品。1912年作《下楼梯的裸体，第二号》，画风一新。当年把该画送交第28届独立沙龙时，评选委员会拒绝悬挂，因为其讽刺性已超出人们所能忍受的程度。1912年杜尚还作过几幅油画，既不属于立体派，也不属于未来派或抽象派，而是表达了杜尚通过其内心冲动所见到的人体幻象。1913年开始研究创作《大玻璃》(又名《新娘的衣服被单身汉们脱光》)，为此完全抛弃所谓的"视网膜艺术"，而采取工业设计图的几何方法。这一时期他发现所谓"现成取材法"，1913年作《自行车轮》，用的是一个普通的自行车轮子。1914年作《药房》用的是一张商业用印刷品，仅在上面加上两个像小药瓶的图形。现成取材画使现代艺术本

杜尚绘《下楼梯的裸体，第二号》(1912)
美国不列颠百科全书公司供图

身变成了创造与批评的混合物。杜尚1915年去美国，到达纽约时，受到新闻记者的包围。诗人和收藏家阿伦斯伯格为其安排画室，即着手画《大玻璃》。这幅画作了8年多仍未完成，1923年搁笔。1917年把一个尿器当作现成取材的艺术品，命名为《泉》。1918年去布宜诺斯艾利斯，1919年返回巴黎，和第一个达达小组建立联系，创作最著名的"现成画"：在《蒙娜丽莎》画像上加上胡须，以嘲讽过去的艺术。1934年后与超现实主义画家有密切的接触，曾协助举行多次画展。纳粹占领法国后，前往纽约。1955年成为美国公民，过着半隐居的生活。1960年左右，美国新一代艺术家重新发现杜尚，欧美各地争相展览他过去的作品。杜尚最后20年间曾秘密绘制一幅巨作，标题为《赠送：1. 瀑布，2. 煤气灯》，现藏美国费城艺术博物馆。在藏画室厚重的木门上挖两个小洞，参观者只能从小洞中一瞥杜尚谜一般的作品。

Duchamp-Villon, Raymond　杜尚-维庸(1876-11-05，巴黎～1918-10-07，戛纳)　法国雕刻家，最早采用立体主义原则的现代雕刻家之一。1900年弃医致力雕刻，经常与其弟艺术家马塞尔和加斯东(后者以笔名雅克·维庸而更为著称)密切合作。起初受罗丹作品影响。后作品不断趋向更为简化的形式，从《波德莱尔》(1911)头像及《马吉》(1911，纽约市古根海姆博物馆)头像等作品即可看出，这两件作品实际上已简化为简单的几何图形。《坐着的妇人》(1914，耶鲁大学美术馆)说明立体派画家的典型方法对其影响日深。其杰作《马》(1914)，表明他已完全转向抽象，简化到只见其几何形主体，并把空间纳入作品的总体。他还开始把立体主义原则用于建筑，但未获实现，在第一次世界大战中阵亡。

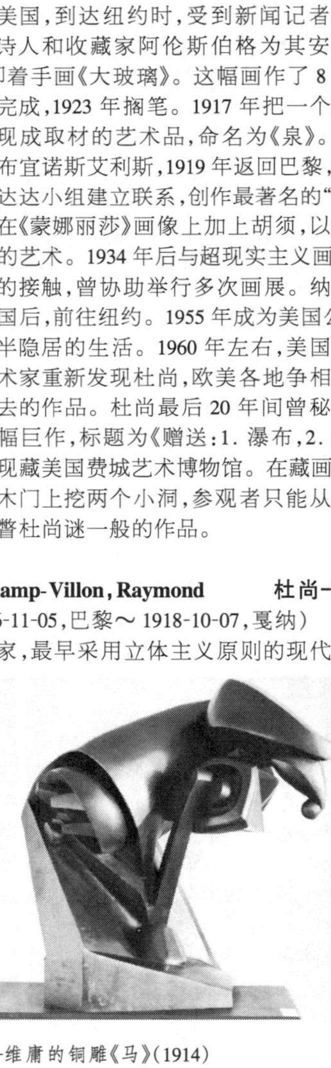

杜尚-维庸的铜雕《马》(1914)
美国不列颠百科全书公司供图

Duchenne, Guillaume-Benjamin-Amand　迪歇恩(1806-09-17，法国布洛涅～1875-09-15，巴黎)　法国医师、神经病学家。首次描述了数种神经和肌肉疾病，在研究这些疾病的治疗方法时，创造了电诊断及电疗法。他探索了电刺激对患病的神经和肌肉的作用。首次描述了数种由神经疾病所引起的肌萎缩和麻痹，包括脊髓痨(1858)。发明了用以穿取身体深部小量组织的迪歇恩氏套针，为诊断性活体检查打下基础。其最有名的著作有《电定位》(1855)和《运动生理学》(1867)等。

Duchesne, André　迪歇纳(1584-05，法国布沙尔岛～1640-05-30，巴黎)　拉丁语作 Andreas Chesneus，Andreas Quercetanus 或 Andreas Querneus。又译迪谢纳。法国历史学家、地理学家，有时被称作法国历史之父。他是第一个有鉴别地搜集民族历史资料的学者。曾在卢丹和巴黎求学。早年便钻研历史和地理。著作甚多，包括通史、家史、家谱等等。名著有《诺曼人历史的古代作者》(1619)和《法兰克人历史的作者》(5卷，1636～1649)。

Duchesne, Louis-Marie-Olivier　迪歇纳(1843-09-13，法国圣塞尔旺～1922-04-21，罗马)　教会史学家，19世纪和20世纪初天主教学术复兴运动中的重要人物。首倡通过研究古文物、地形、礼拜仪式、神学和社会而了解教会历史。1867年受神职，1871～1873年在罗马和巴黎学习，1877～1885年任巴黎公教学院教授，1881年创办《文史神学评论》。他讲课受到批评，辞去巴黎公教学院之职。1885～1895年在高等文科学校执教，后任罗马法语学校校长终生。1910年当选法兰西学院院士。

Duchesne, Père(Father)　迪歇纳老爷　参阅**Hébert, Jacques-René** 埃贝尔。

Duchesne, Saint Rose Philippine　迪歇纳(1769-08-29，法国格勒诺布尔～1852-11-18，美国密苏里圣查尔斯)　法国女传教士，美国第一批圣心会女隐修院的创建者。1788年在格勒诺布尔加入圣母往见会。该会于1792年在法国革命中解散，1804年她将该会会址移交给圣心会，本人也应圣心会创始人圣玛德琳·索菲亚·巴拉的邀请加入该会。她为出国传教准备了14年之久。1815年在巴黎开办第一处圣心会女隐修院。1818年率领5名

修女到美国密西西比河以西地区传教，在密苏里州圣查尔斯开办免费学校和寄宿学院；1819年她们迁往密苏里州弗洛里森特兴办孤儿院和隐修院；后又在路易斯安那州格兰德科托(1821)和圣迈克尔斯(1825)成立了两所隐修院学校；在密苏里州圣路易斯成立孤儿院和学院(1827)；1828年恢复圣查尔斯的学校。

duchess 女公爵，公爵夫人 参阅**duke公爵**。

duchesse lace 公爵夫人花边 以布拉班特公国玛丽-亨丽埃特公爵夫人命名的一种比利时花边。大约从1840年至整个19世纪在布鲁塞尔，特别在布鲁日生产这种花边。公爵夫人花边上有线轴编织的花卉纹样。有时用束线(系带)联成带状图案。

Ducis, Jean-François 迪西(1733-08-22，法国凡尔赛～1816-03-31，凡尔赛) 法国戏剧家，第1个为把莎士比亚悲剧搬上法国舞台做出不懈努力的人。虽然他对这些悲剧作了

美国不列颠百科全书公司供图

改编，以迎合法国人喜欢诙谐和警句的癖好，并试图使这些剧作局限于“经典的三一律”(时间、地点和情节的统一)，但是伏尔泰等批评家仍然对莎士比亚“戏剧的不规范演出”愤慨不已。然而，他的几出重要的改编剧却获得很大成功，它们是改成以儿女孝顺为教训的《哈姆雷特》(1769)、《罗密欧与朱丽叶》(1772)、《李尔王》(1783)、《麦克白》(1784)及《奥赛罗》(1792)。他自己创作的悲剧《俄狄浦斯在阿德墨托斯家中》(1778)和《阿卜法尔》(1795)被认为是最好的，前者使他继伏尔泰之后具有讽刺意味地被选为法兰西学院院士。他的全集，包括他文笔优美的书信集，由他的朋友F.-V.坎佩农编辑并于1818、1826年出版。

duck 鸭 雁形目鸭科(**Anatidae**)鸭亚科(Anatinae)水禽的统称，或称真鸭。体相对较小，颈短，一些属的嘴大。腿位于身体后方(如同天鹅一样)，因而步态蹒跚。大多数真鸭(包括由于个体大小和体形原因而被不正确地称为雁的几种鸟)与天鹅和雁不同，具有下列特征：雄鸟每年换羽两次；雌性每窝产卵数亦较多，卵壳光滑；两性的腿上覆盖着相重叠的鳞片；叫声和羽毛显示出某种程度的性别差异。所有真鸭，除**翘鼻麻鸭**(**shelduck**)和海鸭，都在头一年内性成熟，仅在繁殖季节成对，不像天鹅和雁那样成熟较晚终生配对。根据其特有的行为，鸭可分为钻水鸭、潜水鸭和栖鸭3个主要类群。**绿头鸭**(**mallard**)是一种典型的钻水鸭，是大部分家鸭(参阅**fowl**)的祖先，是最受欢迎的猎禽之一。栖鸭如莫斯科鸭有长爪，是最喜欢树栖的鸭。潜水鸭包括海洋种类最多，如**绒鸭**(**eider**)和**海番鸭**(**scoter**)；也包括**秋沙鸭**(**merganser**)族(其中大多数喜欢栖息在淡水地区)。以赤麻鸭(红鸭)为典型的**硬尾鸭**(**stifftail**)族高度水栖，其特征是腿位于身体紧后方。**哨鸭**(**whistling duck**)亦称树鸭，也被称为真鸭，其实不是真鸭，而与雁和天鹅亲缘关系更密切。参阅**dabbling duck**；**diving duck**；**perching duck**。

duck 帆布 牢固、耐久的平纹织物，原先由亚麻短纤维纱制成，后由亚麻或棉制成。帆布比粗帆布或船用帆布薄，区别在于帆布的经纱与纬纱全是单纱。这种织物有不同的质料和颜色，用作帐篷、车篷、薄船帆、输送带、包装袋以及衣服等。俄罗斯帆布是一种细白亚麻帆布。

duck hawk 鸭鹰 参阅**peregrine falcon游隼**。

Duck Lake 达克莱克 加拿大萨斯喀彻温省中部城镇。在南、北萨斯喀彻温河之间，1870年始有人定居。1885年3月26日里尔起义军与迪蒙领导的混血人(美洲印第安人与法裔及苏格兰裔人的混血人)及西北骑警队在此初次接火。现为一农业区的集市中心。附近有印第安人保留地和古达克莱克历史公园。1903年设村；1952年设镇。人口661(1991)。

Duck Mountain 达克山 加拿大马尼托巴省西南部高原，马尼托巴陡崖最高部分。从萨斯喀彻温省边界往东南延伸80千米。最高点鲍尔迪山高832米。高原大部所在的省立达克山公园建于1962年，用以保护密林、湖泊和丰富的野生动物。因此地有无数野鸭(duck)，故名。

duckbill(mammal) 参阅**platypus鸭嘴兽**。

duckbill cat(fish) 参阅**paddlefish桨吻鲟**。

duckpins 鸭柱球 地滚球的一种。使用标准10柱地滚球场，柱略小，高9.4英寸(23.3厘米)，直径不大于5英寸，重3磅12盎司(1.7千克)，无指孔。每局10轮，每轮3个球。用3个球才撞倒全部10根球柱不加分。每场以300分为满分，其他规则同于10柱地滚球。鸭柱球主要流行于美国。由全国鸭柱球大会管理。该大会成立于1927年9月8日。最常见的变种为胶环鸭柱球，柱腰部加一硬橡胶环，使之更有弹力，球重不得超过3磅8盎司。每轮每人两个球。

Ducommun, Élie 杜科蒙(1833-02-19，日内瓦～1906-12-07，伯尔尼) 瑞士作家、编辑，与C.-A.戈巴特共同获得1902年诺贝尔和平奖。在日内瓦和伯尔尼担任杂志和报纸的编辑工作后，大部分生涯任侏罗-辛普朗铁路公司秘书长。但业余时间从事和平活动，积极参与促进欧洲联合运动，并负责编辑创办于1867年的国际和平和自由联盟期刊《欧洲联邦》。1889年他出席了第一届定期举行的国际和平大会。两年后，成为新成立的国际和平局名誉总书记。1895年负责出版该局的《双月通讯》。这一时期他还写了一系列论述和平运动的著作。

Ducos du Hauron, (Arthur-) Louis 迪科·迪欧龙(1837，法国朗贡～1920-10，阿让) 法国物理学家和发明家，1869年创建了3色彩色摄影法，这是19世纪在彩色摄影方面的重要贡献。1868年11月23日被授予彩色摄影法的专利权。用绿色、橘黄色和紫色的滤镜把景物拍摄下来，然后把3张负片印在含有红、蓝、黄(负片的补色)的碳素颜料的重铬酸盐明胶薄片上。将这3张透明的正像重叠在一起，即可得到一张全色照片。法国另一位实验家C.克罗也单独发明了这种摄影法，在迪科·迪欧龙获得专利后48小时才公布他的发现。在《摄影中色彩问题的解决方法》(1869)和《用碳素颜料使摄影中的色彩再现》(1870)两书中，迪科·迪欧龙叙述了他的方法。经过继续研究，并找到了改进色彩再现和减低制作成本的方法。1891年取得立体照片专利权，并领到政府的津贴。1912年成为法国荣誉勋章获得者。

Ducrow, Andrew 杜克罗(1793-10-10，英国伦敦～1842-01-27，伦敦) 英国杰出的马术演员，马术表演创始人。其父为一个比利时壮汉，于1793年来到英格兰。从婴儿时期开始训练杜克罗翻筋斗、骑马和走绳索。后来，杜克罗创作了马术节目《圣彼得堡信使》。这个节目经过各种改编，仍在20世纪的马戏团中演出。主演此节目的骑师叉开双腿站在两匹慢跑的马背上，同时其他马匹佩着各国国旗，一名信使穿过它们并从骑师胯下跑过，以示行进在去俄国的途中。杜克罗的主要经历是在著名的阿斯特利圆形剧场中任老板和主要演员(1824～1841)。1841年阿斯特利圆形剧场第3次毁于火灾，他精神崩溃，不久去世。

ductus deferens 输精管 又作vas deferens。男性生殖系统中的一对厚壁管，从附睾传送精子。其管腔稍大于附睾管，内衬潮湿而有皱褶的黏膜。黏膜周围有三层环状及纵形的肌肉纤维，用以收缩管壁，输送精液。输精管始于阴囊下部的附睾尾后，向上升入盆腔，到膀胱水平时为网状的动、静脉(蔓状丛)及神经纤维所围绕，外覆结缔组织层构成复杂的条索状物——精索，亦用以悬吊睾丸。输精管又向下转到膀胱后面两侧；管腔膨大成壶腹，壶腹的功能为储存精液及分泌含有果糖及起还原作用的硫组氨酸三甲基内盐的黄色液体，用以湿润精子并有助于保存其活力，壶腹内腔有几个网状部分和皱褶，其壁较薄，管腔较大。不同种动物壶腹大小不同；在马较大，在人类约为输精管大小的两倍，壶腹部与精囊管相连成射精管。

参阅 **ejaculation**。

Dudek, Louis　杜德克（1918-02-06，加拿大魁北克蒙特利尔～2001-03-22，蒙特利尔）　20世纪40年代加拿大诗歌复兴的主要人物。就学于哥伦比亚大学和他后来任教的麦吉尔大学，做过编辑，写过评论。诗歌作品包括：《城市的东部》（1946）、爱情诗《清澈的海》（1956）和社会讽刺诗《可笑的高视阔步》（1958）等。《诗集》出版于1974年。他的诗歌表现了他对人、地和物的观察能力。《欧洲》（1955）是一首包括99篇章的游记诗，它和杜德克的其他作品明显地受到E.庞德的影响。另一部诗集《横断面》（1980）收入他在1940～1980年间所写的诗。

Dudinka　杜金卡　俄罗斯中北部克拉斯诺亚尔斯克边疆区北部泰梅尔自治区城市和行政中心。叶尼塞河下游港口。建于1667年。1951年设市。为诺里尔斯克镍矿石的输出港（其间有铁路相连）。另有一座天然气厂。天然气来自该市西面160千米处的气田。人口26 800（2001）。

Dudley　达德利　英格兰西米德兰兹都会郡西部边缘都会自治市。面积98平方千米。达德利的旧城及其周边地区为该自治市中心，与南部斯陶尔布里奇和黑尔斯欧文同属伍斯特历史郡。自治市西部和北部地区属斯塔福德历史郡。塞奇利-诺斯菲尔德岭将该市一分为二，南面和西面是塞文河周围的肥沃乡土，市南的塞文河支流斯陶尔河滨有斯陶尔布里奇和黑尔斯欧文两城镇。北面和东面为工业化的黑乡高原。中世纪起已产煤、铁，18世纪始用煤炼铁。19世纪前半叶兴建了许多高炉，由于污染严重，被称为"黑乡"。17世纪开始的铁钉制造是重要的地方工业，还有铁链和锚制造业。玻璃生产可追溯至17世纪初，现生产水晶玻璃器皿。金属加工仍是区的重要工业，生产重型机械铸件、管材、锚链、电缆、螺母、螺栓等。也有塑料、纺织、化工和电子等工业。境内设有雷恩矿巢地质自然保护区，以保护典型的志留纪石灰岩（1924年以前曾大规模开采）。人口305 164（2001）。

Dudley, Charles Benjamin　达德利（1842-07-14，美国纽约牛津～1909-12-21，宾夕法尼亚阿尔图纳）　美国化学工程师。参与建立了材料试验科学。1867年进耶鲁学院，靠在《纽黑文卫报》任夜间编辑读完大学，最后在设菲尔德理学院获哲学博士学位并当选为美国大学优秀生联谊会会员（ΦBK）。1875年任宾夕法尼亚铁路公司化学师，制定了研究铁轨的成分和特性的计划。他所写的《钢轨的化学成分和物理特性》的研究报告在《美国采矿工程师学会会报》上发表（1878）后，引起了轰动。钢铁厂商不愿外人介入冶金领域；但是他继续发表研究成果，他所坚持的要求实行严格标准的主张取得了胜利。最后他对燃料、润滑剂、油漆、照明设备以及机车和其他车辆的机械部件制定了一整套标准规格。1898年参与建立美国材料试验学会，1902年起终身任学会主席。

Dudley, Dud　达德利（1599，英格兰？～1684，英格兰？）　英国铁器制造商。通常把首先用焦炭熔化铁矿的方法归功于他。焦炭几乎为纯炭，是从烟煤制造的蜂窝状硬块。在达德利开始实验用焦炭（他称之为"沥青煤"）之前，用木材制造的木炭曾唯一地被用于熔化铁，这使燃料森林遭到迅速破坏。因而达德利的实验受到了英国政府的鼓励，他的发明于1621年获得专利。不久在哈斯科桥铁厂创造了每周生产7吨铁的纪录。

Dudley, Edmund　达德利（约1462～1510-08-18，伦敦）　英格兰国王亨利七世的大臣，政治寓言《共和国之树》（1509）的作者。1506年任"国王委员会"主席。委员会是一个为重新设立采邑税和违法行为罚款而成立的由法学家和财政官员组成的小型机构。他被指控欺骗国王——他聚敛了大笔财产——或犯有贪污罪，但未经证实。亨利七世刚死，他和委员会另一领导人R.恩普森就被捕（1509-04）。亨利八世为了收买人心而将他们处决。关押在伦敦塔时他写下《共和国之树》（1948，D.M.布罗迪编）。书中充满一位大雄辩家的冷嘲和机智，主张社会各阶层均须恪尽职责，痛斥法律包庇的滥用职权行为，力陈有节制地使用王权。

Dudley, Lady Jane　达德利　参阅 **Grey, Lady Jane** 格雷郡主。

Dudley, John　达德利　参阅 **Northumberland, John Dudley, duke of** 诺森伯兰公爵。

Dudley, Sir Robert　达德利　参阅 **Leicester, Robert Dudley, earl of** 莱斯特伯爵。

Dudley, Sir Robert　达德利爵士（1574-08-07，英格兰萨里里士满～1649-09-06，佛罗伦萨）　英国水手和工程师。1594年计划到圭亚那探险，航行到特立尼达后，派小船沿奥里诺科河上溯一段距离。1596年因在英国对西班牙的海战中建立功勋而被封为爵士。1605年到意大利，为托斯卡纳大公效力，主持比萨与里窝那之间的沼泽排水工程（1620）和里窝那港口的建设。晚年出版著作《论海洋的奥秘》（1646～1647），集当时航海知识之大成，该书包括船舶建造，有5种船级的海军舰队的建设计划、海军训练、经度测定和仪器设计等内容，附有以G.墨卡托投影为基础的海图。

Dudley, Thomas　达德利（1576，英格兰北安普敦～1653-07-31，马萨诸塞罗克斯伯里）　英属马萨诸塞殖民地总督，除J.温思罗普外，多年间他始终是马萨诸塞湾殖民地最有影响的人物。英国乡绅之子。1629年要求去新英格兰定居。经马萨诸塞湾公司总部同意，他于1630年4月与新任命的总督温思罗普同船前往美洲。迄1650年，他曾13次当选副总督，4次当选总督，亦是哈佛学院的发起人之一。

Dudley diamond (gem)　**达德利钻石**　参阅 **Star of South Africa** 南非之星。

Dudo of Saint-Quentin　迪多（约960，法国皮卡第韦芒杜瓦～1043以前，诺曼底鲁昂）　法国诺曼底公国初期的历史学家，所著编年史为诺曼底早期历史的重要资料。986年由韦芒杜瓦伯爵派往鲁昂，请求诺曼底公爵给予援助以抵抗卡佩王朝的缔造者于格·卡佩。他经常出入诺曼底公爵理查一世的宫廷。理查聘请他撰写诺曼底历代公爵的历史，他在1015～1026年的某个时间完成《诺曼底初期公爵的习惯和事迹》。虽然由于叙事不够翔实，又富有传奇色彩，这部史书没有多大文献价值，但是作为有关诺曼底宫廷的第一手材料，它依然十分重要。

Dudok, Willem Marinus　迪多克（1884-07-06，阿姆斯特丹～1974-04-06）　荷兰建筑师。作品具有阿姆斯特丹学派注重个性表现和风格派强调几何形体的双重特点。曾在皇家军事学院学习，1913年以前在军队中服务。1915年任希尔弗瑟姆市政府的建筑师，为该市设计了不少建筑，主要的有：布拉文克学校（1921）、冯德尔学校（1928～1929）、市政厅（1928～1930）等；这些建筑虽然都是立方体的组合，但均显示出坚实的力量和质感。其他设计有：巴黎大学城的荷兰楼（1927～1928）、鹿特丹的比延考夫百货商店（建于1929～1930年，第二次世界大战中被毁）和鹿特丹的伊拉斯谟住宅（1939～1940）。

due process　正当程序　指按照各个法律制度中制定的规则和原则保护个人权利的行使的诉讼程序。在各个案件中，正当程序要求政府按照公认的保护个人权利的保护条款，根据法律的允许和授权行使其权力。正当程序主要是和美国宪法的基本保证之一联系在一起的，它来源于英国早期的普通法和过去的宪法。体现在英美法中的正当程序概念的具体表述首次出现在大宪章（1215）第39条中，在该条中王室作如下的许诺："凡自由民除经贵族的合法裁判或根据国家的法律以外，不受逮捕、监禁、剥夺、放逐或用任何别的方式加以摧残。"以后英国的法令中，凡提及"贵族的合法裁判"和"国家法律"时，实际上被看作是正当的法律程序的同义语。美国联邦宪法的起草人在1791年批准的宪法第5条修正案中采纳了这一正当程序的措词，其中规定，"……未经正当法律程序，不得剥夺任何人的生命、自由或财产"。由于这条修正案被认为不适用于可能侵犯个人的宪法权利的州的诉讼，因而直到1868年批准第14条修正案以后，各州的立法和程序活动才受联邦执行的正当程序的约束。正当程序所涉及的实体法和程序法的含义，是经过几十年来美国最高法院对争论问题作出解释而逐步发展的。目前，如果一项法律有理由被认为可以增进公众福利而所选择的方法与合法的公众利益也有某种合理的关系，那么该法律就算是满足了正当程序标准。如果法律调整的是像旅行权或投票权等的基本权利，那么这种法令就必须受到严格的所谓强制性的利益检验标准的司法审查。如果某个州可以有把握地从经济立法中得到预期的公共利益，那么该经济立法便可以得到普遍的承认。为根据宪法第14条修正案的正当程序条款确定各州所承担的程序保证，最高法院曾对州法院中的刑事司法审判实行过相当大的监督，而对州的民事和行政诉讼也时而施加影响。最高法院的若干判决曾遭到强烈的批评，一方面是因为它不适当地干涉了州的司法审判，另一方面是因为它没有将宪法前10条修正案所有的特定的程序保障同等地适用于州和联邦的诉讼。一部分大法官坚持这样的主张，说宪法第14条修正案的制订人旨在以整个权利法案来约束各州。他们宣称，这一立场将为审查州的各种活动提供客观基础，并将为州的权利与授权和联邦的权利与授权之间达成合乎理想的一致性。但另有一部分大法官却争辩说，只要各州遵守基本的公正原则，就应当允许他们在处理各自的事务中有相当大的伸缩性。后来，后一种观点实际上已占优势，而正当程序被公认为只包含那些"深深扎根于被列为首要地位的美国人民的传统和良知之中"的司法原则。而事实上，几乎全部权利法案都包括在这些基本原则中。

duel 决斗 指按照预定的规则由两个或两个以上带有致命武器的人为了解决争吵或某种荣誉而进行的格斗。它是诉诸于通常司法程序之外的另一种选择。用司法决斗或用格斗作为审判是决斗的最初形式。凯撒和塔西佗都说过，日耳曼部落用单独剑斗来解决争端。随着日耳曼的入侵，这种做法在中世纪早期就在西欧确立下来了。在法律争讼中采用司法决斗是因为庄严的证词和宣誓曾导致普遍作伪证的现象，而**神明裁判(ordeal)**又似乎过分取决于碰运气和受僧侣们的操纵。如果一个人在法官面前宣称他的对手犯了某种罪，而对手回答说控诉他的人撒谎，那么法官就命令他们用决斗来见高低；法官还要为决斗确定时间、地点和武器等条件；双方格斗人还需交付担保品，以保证到场。扔出手套就是挑战，对手拾起手套就是应战。由于人们相信在这样诉诸"上帝的裁断"中，正义的捍卫者是不会被打败的，如果失败的一方还活着，则要依法加以处理。这种审判的方式适用于所有自由民，在某种情况下甚至对农奴也适用。只有教士、妇女、病人、20岁以下的男女和60岁以上的男人才能要求豁免。在某种情况下，接受审判的人可以任命职业斗士或"选手"来代表他们，但主人以及被击败的选手都要受到法律的惩罚。在大多数国家中，决斗也用于解决非个人的问题。例如西班牙于1085年就曾举行过决斗，以决定在托莱多市的礼拜仪式到底是采用拉丁的还是摩斯阿拉伯的仪式：结果是摩斯阿拉伯的选手鲁伊斯·德·麦斯坦沙获胜。这些决斗的程序都有很具体的规定。决斗在比武场举行，通常有宫廷和司法高级官员以及宗教界的显赫人士到场。在格斗之前每个参加者都要发誓申明，他的情况是公允的，他的证据是真实的，他除了携带规定的武器之外，并未携带别的武器，也不借助于魔术。当一个战斗者受伤或倒地时，他的对手一般就把膝盖压在他的胸部，除非后者请求宽恕，否则就可以在他盔甲的接缝处插进匕首。

威廉一世于11世纪把司法决斗(或用决斗作为审判)引进英格兰，到1819年最后被废除。在法国，致命的司法决斗变得十分频繁，以致从12世纪起，就力图减少它的使用。最后一次经法国国王批准的决斗是在1547年7月10日举行的。荣誉的决斗是私人为了真正的或想象的被蔑视或受侮辱而引起的对抗。这种做法因为有用佩剑作为日常服式的一部分的风尚而受到很大的推动，从15世纪末叶起似乎就从意大利传到欧洲的其他部分。人们为了小小的借口就斗起来，而且最初往往没有证人在场；由于这种秘密常被滥用(例如用埋伏)，不久以后决斗人必须有朋友或助手陪伴便成为司空见惯的事了。后来这些助手们也斗起来，以表明他们是不辜负他们的朋友的重托的。荣誉的决斗在法国变得十分盛行，以致查理九世于1566年发布一项敕令，对任何参加决斗的人都处以死刑。这个敕令变成后来反决斗诏令的模式。但是决斗比法国的君主政体存在的时间还长。从大革命时期开始，决斗成了政治争论的一种特征，因此政治决斗在19世纪变得十分频繁。在20世纪决斗在法国也时而举行，但常常只是为了形式的缘故，事先作好准备使得不论是用剑或用手枪都不会致死，有时甚至只是为了引起公众注意的目的。在德国一直到第一次世界大战，荣誉决斗都是被军事法典批准的，再一次得到合法化则是在纳粹统治下的1936年。意大利的法西斯政权也鼓励决斗。在德国的大学生活里，学生决斗还是一个特色。大多数的德国大学有长期建立起来的战斗队，它们有严格的规则、秘密的集会、特别的制服和巨大的威信。他们的舞剑方式和正常的防卫方法有所不同，学生们能够在头部及面颊留下痕疤，是勇敢的标志，并受到人们的赞誉。妇女中的决斗，虽属少见，但也见于文字记载。

Duellona(Roman goddess) **杜埃娄娜** 参阅 **Bellona 贝娄娜**。

Duero, Río(Europe) 参阅 **Douro River 杜罗河**。

Duèse, Jacques 杜埃兹 参阅 **John XXII 约翰二十二世**。

Dufaure, (Jules-) Armand (-Stanislas) 杜弗尔(1798-12-04，法国索容～1881-06-28，巴黎附近吕埃) 法国政治家。他作为保守共和派的漫长政治生涯贯穿了七月王朝与第三共和国的最初年代，并反映出19世纪法国的共和主义反复无常的变化。原在波尔多从事司法工作，1834年选入众议院。1839年在苏尔特元帅的政府中任公共工程大臣，对法国铁路系统的发展产生过重大影响。1840年加入反对国王路易-菲力普的一派，1845年当选为众议院副议长。1848年加入共和派。曾在立法议会中工作，第二共和国初年在L.卡芬雅克将军的临时政府中任内政部长。拿破仑三世即帝位后，他被迫退出政界，重操律师业。1864年被选为法兰西学院院士。第二帝国崩溃后协助共和党人A.梯也尔建立新的共和体制，任司法部长。1876年3月任总理，次年2月12日辞职，12月13日再次掌权。对1879年麦克马洪元帅因被指摘有反共和意图而被迫辞去总统职务一事有特别影响。不久以后，他也最终退出政界。

Dufay, Guillaume 迪费(约1400～1474-11-27，康布雷主教管辖区康布雷) 法国作曲家，所作宗教音乐与世俗歌曲均甚著名。曾任康布雷大教堂唱诗班歌手(1409)，约1420年至里米尼的马拉泰斯塔府邸供职，1428年成为教皇的歌手之一。1426年任康布雷大教堂咏经司铎。在随萨沃依公爵工作7年后，约自1440年起定居康布雷，监督大教堂的音乐事务。约1445年获教会法规学位，1446年在蒙斯任咏经司铎。现存作品包括87首经文歌、59首法国尚松、7首意大利尚松、7首完整弥撒曲和35首弥撒曲的段落。他经常采用(可能是他创始的)假低音(福布尔东)的技巧。在意大利居留时期曾为一些公众庆典活动创作仪式经文歌，例如教皇犹金四世当选(1431)、维泰博协议(1433)等。所作尚松一般为三声部，表现春天、爱情和忧思等内容。大多采用叙事曲、回旋曲及维尔莱等诗歌与音乐结合的曲式，也有少数采用自由曲式。迪费的弥撒曲为15世纪后半叶弥撒曲的迅速发展打下基础；他的完整弥撒谱曲均为四声部，固定旋律放在男高音声部中。所用固定旋律包括世俗歌曲如《武装的人》和他自己的叙事曲《脸色苍白》，以及宗教旋律如《圣母欢乐》等。在这些作品以及他在康布雷时期的其他作品中，迪费完善了一种典雅而富有表现力的风格，将"英国式"的恬美和声汇入欧洲大陆音乐。他的音乐创造了勃艮第作曲家的典型风格，使中世纪后期的音乐得以与后来文艺复兴时期的法国－佛兰德斯作曲家风格衔接起来。

Duff, Alexander 达夫(1806-04-26，苏格兰珀斯郡穆林～1878-02-12，爱丁堡) 苏格兰长老会第一个国外传教士。经过两次船难，终于在1830年5月到达加尔各答，开办英语学校，招收印度教徒和穆斯林子弟，兼授《圣经》和西方科学知识。1844年与他人合作创办《加尔各答评论报》，1845～1849年任主编，然后返回苏格兰。1851年当选独立教会大会主席。1856年重去印度。同年，孟加拉军队哗变，反抗英国殖民政府。1858年发表《印军哗变因果》一书，谴责政府的政策。返回苏格兰后于1873年再度当选独立教会大会主席。

Duff, Mary Ann Dyke 达夫(1794，英国伦敦～1857-09-05，美国纽约州纽约) 婚前名Mary Ann Dyke。美国悲剧女演员，在其事业的巅峰期与著名英国女演员S.西登斯齐名。早年学习芭蕾，1809年和两个姐妹在都柏林剧院首次参加芭蕾舞演出。1810年与J.达夫结婚。她随达夫来到波士顿，1810年12月31日在美国首演《罗密欧与朱丽叶》。她和丈夫在波士顿一直演出到1812年，后转到一家费城剧团，1817年重返波士顿。当时她的主要资本是美貌，而演技平平。后来丈夫患病，家庭重担需要她来承担，于是她更加专心于表演，取得惊人进步。1818年2月饰演的朱

美国不列颠百科全书公司供图

丽叶颇受好评，到1827年被公认为英语舞台上最重要的悲剧女演员。以浓烈而细腻的情感生动地表现出女主角的庄重和悲惨，从而获得“美国西登斯”的美称。不过1827～1928年在英国的巡演并不十分成功。丈夫1831年去世，她的事业也开始走下坡路。1833年与演员C.扬有过短暂婚姻，在纽约、费城、巴尔的摩的舞台上也取得一些成就。1835年11月在纽约最后一场演出。1836年与J·G·西维尔结婚，移居路易斯安那州新奥尔良。晚年几个孩子相继去世，并与丈夫分居。后回到纽约，一直深居简出直到去世。

Dufferin and Ava, Frederick Temple Hamilton-Temple-Blackwood, 1st marquess of 达费林和阿瓦侯爵（第一）（1826-06-21，托斯卡纳大公国佛罗伦萨［意大利］～1902-02-12，爱尔兰贝尔法斯特附近克兰德博耶） 即F.T.汉密尔顿-坦普尔-布莱克伍德。英国外交家，出色的加拿大总督和印度总督。达费林男爵（第四）之子。曾就读于伊顿学院与牛津大学基督堂学院。1864～1866年担任次官职务，并于1868～1872年在内阁之外任格莱斯顿的兰开斯特公爵领地大臣。1871年被封为达费林伯爵。1872～1878年任加拿大总督期间，对统一新成立的自治领有很大贡献。1881年任英国驻奥斯曼土耳其大使，处理因英国占领奥斯曼属国埃及引起的问题。1884年继里彭勋爵任印度总督，安抚了当地由于里彭的改革引起对抗的英国居民。通过1886年对缅甸的兼并，他巩固了英国的领地。1888年他从印度退休时，因其业绩受封为达费林和阿瓦侯爵。后又担任英国驻意大利大使（1889～1891）和驻法国大使（1892～1896）。1896年退休。

Duffy, Sir Charles Gavan 达菲（1816-04-12，爱尔兰英纳亨郡～1903-02-09，法国尼斯） 爱尔兰民族主义者，后成为澳大利亚政治领袖。达菲在都柏林学习法律时，与狄龙和戴维斯一起创办反映爱尔兰民族主义观点的《民族》周刊（1842）。后来与他的两个同事成立“青年爱尔兰”党，主张爱尔兰独立。达菲在1848年8月一次流产的起义举行之前被捕，并被监禁至1849年。1852年他代表韦克斯福德郡新罗斯市当选为议员。他在议会里组成一个约有50名爱尔兰议员的独立的反对派，对凡是不支持爱尔兰租户联盟要求的任何政府设置障碍。他的手法成为巴涅尔所采取的手法的前奏，但达菲的努力由于派别活动和得不到牧师的支持而被挫败，他们认为他过于激进。达菲于1855年退出爱尔兰政坛。他在离开爱尔兰时说，他是“作为解剖台上的一具死尸”前往澳大利亚的。他在墨尔本开业当律师，于1856年当选为维多利亚

美国国会图书馆供图

邦下院议员。他于1857年任该邦土地和就业部部长后，促使议会通过重要的土地法。1871～1872年任维多利亚总理，1873年被封为爵士，并于1877～1880年任维多利亚邦下院议长。达菲退休后在法国南部撰写回忆录，他的回忆录成为这一时期爱尔兰历史的主要来源。他的书包括《北方和南方的联盟，1850～1854》（1886）和《我在两个半球的生活情况》（1898）。

Dufour, Guillaume-Henri 杜富尔（1787-09-15，奥地利帝国康斯坦茨［今在德国］～1875-07-14，瑞士日内瓦附近莱孔塔米讷） 土木工程师和军官，4次当选为最高统帅。在巴黎综合工科学校和梅斯工程学校毕业后，曾在拿破仑的军队中服役。1813年参加科孚保卫战，1814年参加法国的几次战役。1817年返回瑞士，任州工程师。1819年参加建立图恩军事学校，任首席教官。1831年任瑞士陆军总参谋长。1833年率领一个师前往巴塞尔恢复秩序。1847年当选为联邦军统帅。他镇压天主教各州分离主义者联盟。1849年再次当选，确保瑞士的中立。1857年第3次当选，处理瑞士与普鲁士之间的冲突。1859年第4次当选，处理法国吞并萨伏依的危机。1864年任日内瓦国际会议主席。该会议制定了战时伤兵处理公约，最终创立了红十字会。

Dufourspitze 杜富尔峰 瑞士最高峰和阿尔卑斯山第二高峰。海拔4 634米，位于布里格西南偏南45千米处，在意大利边境附近彭尼内山的罗莎山山岳之中。1855年英国人首次登上该峰。峰名取自首先用仪器为罗莎山诸峰定位的测量队队长G.-H.杜富尔将军。

Dufy, Raoul 杜飞（1877-06-03，法国勒阿弗尔～1953-03-23，福卡尔基耶） 法国画家和设计师，以色彩鲜艳，装饰性强，场面豪华欢快而著称。杜飞1900年去巴黎美术学院学

杜飞绘《城堡府邸与马》（1930）
美国不列颠百科全书公司供图

习，但他对过去的传统美术不感兴趣，迷恋印象派和后印象派的生气勃勃色彩并列的画法，他采用了这种风格。1904年他放弃了印象派画法，开始转向用一块块强烈色彩的典型野兽派风格。但在1908～1909年和立体派画家G.布拉克和E.-O.弗里斯一起作画时，他又改变了风格，暂时采用色彩柔和与立体派方式的构图。然后他又为书籍作木刻插图，在这方面取得的成功鼓励他设计纺织品，最终生产陶瓷和壁毯。20世纪20年代初期杜飞再度致力于绘画，开始创造出他现在的最佳名作。他的独特风格的特色是在白色的底子上薄薄地涂上一层明亮的装饰性的颜色，简略地用引起美感的波状的线勾勒出物象的轮廓。他的主题是游乐与壮观的场面，包括赛马、赛艇会、阅兵式与音乐会。他久居在法国里维埃拉地区，画有《尼斯》（1927）、《布洛涅森林》（1929）和《多维尔》（1930）等一系列油画。他的生动、无忧无虑、高雅的绘画虽然非常受欢迎，但有时也被评为近于肤浅。

Dugdale, Sir William 达格代尔（1605-09-12，英格兰沃里克郡舒斯托克～1686-02-10，沃里克郡布莱斯霍尔） 英国文物学家，中世纪的杰出学者，研究系谱和契证的权威。早

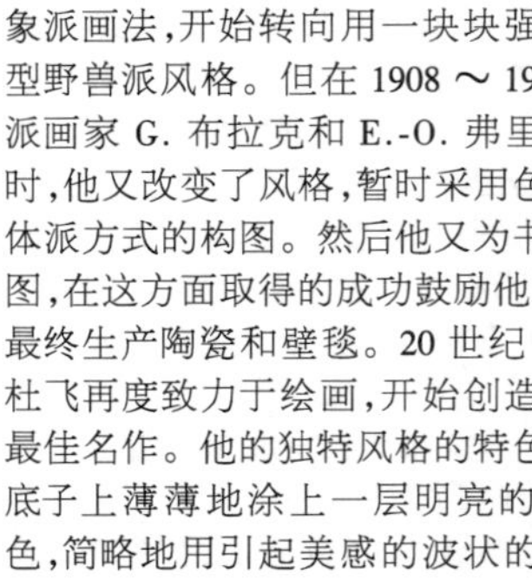

美国不列颠百科全书公司供图

年在沃里克郡的布莱斯霍尔定居，成为小地主。他的家逐渐成为学术界的中心。编著有《英国国教修道院》（3卷，1655～1673），《沃里克郡的古迹》（1656）和《英格兰贵族》（1675～1676）。1667年受封为爵士。

Dughet, Gaspard 杜盖（1615，教皇国罗马［意大利］～1675，罗马） 又称G.普桑，别名Le Guaspre。意大利巴罗克时期风景画家，以绘制罗马田野地形风景图闻名。一生主要在罗马及其近郊工作。因其父是法国人，常被归入法国画派。其风格主要是在不同程度上

摹仿大师普桑以及克劳德·洛兰，有时倾向于前者的结构雄伟，有时倾向于后者的风韵抒情，但多折衷于二者之间。大多数画虽无诗意，却能完善表达罗马近郊景色的特征。

dugong（*Dugong dugon*） **儒艮** 又作sea cow。又称海牛。海牛目大型海洋哺乳动物，儒艮科唯一的现存种。栖息于红海及非洲东部到菲律宾、新几内亚和澳大利亚北部一带沿岸的浅水中。长约2.2～3.4米。体重230～

儒艮（*Dugong dugon*）
美国不列颠百科全书公司供图

420千克。体圆，从头端到尾端渐细，尾端为一水平的鳍，分成两叉，叉的末端尖细。前肢成圆形的鳍足，无后肢。头与躯体紧接，无明显的颈部。嘴宽呈方形，吻部多硬毛。妊娠期约11个月，每产一仔。以胸部两个乳头哺乳。成对或成群（可达6只）栖息。可潜水达10分钟，以绿藻等海生植物为食。休息时直立于适当深度的水中，头伸出水面。据信，早期的海员见到过儒艮，广泛流传的美人鱼的神话由此产生。肉、油及皮可用，故为人滥捕。虽然在大多数分布区内受法律保护，但有些种群由于滥捕而趋于绝灭。

dugout **独木舟** 用一根挖空的木头做成的船。它起源于古代，但现在仍在使用。船身可长达30米，外表呈流线型，通过烧、切凿和刮削挖空成形。在它的两舷加上木板就可形成像美国独木舟（**pirogue**）那样更复杂的结构。参阅**canoe**。

Duguit, Léon **狄骥**（1859-02-04，法国利布尔讷～1928-12-18，波尔多） 法国法学家。他是同代人中最富革命意识的法律思想家之一，详尽地论述了一种富有影响的自然法哲学。曾在波尔多大学研习过法律，并于1883年在卡昂任法律系教授。1886年回到波尔多任法律系主任，直到去世。狄骥摒弃法律起源于帝王或国家的权力的传统理论，认为法律的基础在于人是社会性动物，具有集体意识，或者说具有团结和互相依存的本能。由此而得出这样的观点：要在社会上共同生活，就必须有一定的行为准则。按狄骥的观点，国家不是最高统治权，而是由于人类社会需要而产生的机构；政府和个人一样，要受因社会需要而产生的法律的约束。狄骥的观点是对法律思想的重要的、独创性的贡献。他的最重要著作之一是《宪法论》（5卷，1921～1925）。

Duhamel, Georges **杜亚美**（1884-06-30，法国巴黎～1966-04-13，巴黎附近的瓦尔蒙杜瓦） 法国小说家。以两种多卷本小说《萨拉万的生平与遭遇》（5卷，1920～1932）、《帕斯基埃家史》（10卷，1933～1944）而引人注目。1908年获理科学士学位，1909年取得医学博士学位。他开始时写诗歌、戏剧，并撰写文学评论。1906年他和其他几位作家和艺术家一起在马恩河上的克雷泰伊创办一个名叫修道院的短命社团。第一次世界大战期间他是前线的军医。他深为战争带来的痛苦所触动，也为战争的无益而苦恼，遂把治疗伤员的感受都记载在两部短篇小说集中：《受难者》（1917）和《1914～1917年的文明》（1918），后者获龚古尔奖。1920年杜亚美决定以写作为职业。之后他主要写小说和多种多样的散文，并就各种社会和道德问题写了不少杂文。他的作品中有一部5卷本的自传，题为《我的生平》。他的两部多卷本小说也有许多基于个人经历的感受。《萨拉万的生平与遭遇》描绘了20世纪的一位"小人物"，试图在没有宗教信仰的支持下为寻求自救而感受的压抑和无所适从的心境；《帕斯基埃家史》则叙述了19世纪80年代到20世纪20年代一个法国中产阶级家庭的故事。评论家在该书中发现了杜亚美的显而易见的幽默、同情心和所具有的观察力。1935年杜亚美当选为法兰西学院院士。

Duhamel, Jean-Marie-Constant **杜哈梅**（1797-02-05，法国圣马洛～1872-04-29，巴黎） 法国数学家和物理学家，在法国数学家J.傅里叶和S.泊松工作的基础上提出了关于晶体结构中热传导的理论。1814年入巴黎综合工科学校，后被迫回到雷恩。1830年起在巴黎综合工科学校教授解析学，历时39年，从事有关振动弦、圆柱形和圆锥形管中空气振动以及谐泛音物理等声学研究工作。还研究了边界温度可变的固体中的热量分布，从而得出偏微分方程中的一个原理，称为杜哈梅原理。还曾执教于巴黎高等师范学校和巴黎大学，是法国科学院院士。

Duhem, Pierre (-Maurice-Marie) **迪昂**（1861-06-10，法国巴黎～1916-09-14，卡布雷斯派恩） 法国物理学家、数学家和科学哲学家。强调以进化的抽象概念为基础编纂现代科学史。主张科学理论的作用在于使各种关联系统化而不在于解释新的现象。在里尔和雷恩任教之前曾因天主教教义和亚里士多德哲学的影响而在斯坦尼斯拉斯学院和高等师范学校学习。1894年在波尔多大学任理论物理学教授，在热力学和流体动力学方面亦颇有造诣。他有著作多卷：《对莱奥纳多·达·芬奇的研究》（1906～1913），《物质的理论，它的对象和结构》（1906）。1913年，着手出版《世界体系——从柏拉图到哥白尼的宇宙学说史》（1913～1917），此书共分10卷，他去世时只完成5卷。

duḥkha（Buddhism） 参阅**dukkha** 苦。

Dühring, (Karl) Eugen **杜林**（1833-01-12，普鲁士柏林［德国］～1921-09-21，德国诺瓦韦斯） 哲学家、政治经济学家、多产作家和德国主要的实证主义者。实证主义认为实证的知识来自对自然现象的观察。1856～1859年杜林执律师业，1864～1877年在柏林大学讲授哲学。他是一个无所畏惧的批评家，批评的目标包括军国主义、马克思主义、宗教、犹太主义和一般大学。作为多才多艺的学者，他写过不少哲学、经济学、数学、物理学和文学方面的论文。杜林持乐观主义观点，认为人们具有互相同情之天性。这种态度导致某些评论家把他的社会主义称为极度空想。将此观点用于其经济理论时，便使他舍弃社会达尔文主义生存竞争永无止息的概念，而主张建立"自由社会"。在这种理想社会中，以权力为基础的一切人类关系均被废除。杜林和马克思派社会主义者之间的意见分歧也反映在其"同情的伦理学"中。他认为马克思主义者提出的资本家和无产阶级之间的二分法并无必要。恩格斯在其著名的《反杜林论》（1877～1878）一书中，抨击了杜林的社会主义思想和他的"庸俗唯物主义"。杜林的主要著作包括：《资本和劳动》（1865）、《自然辩证法》（1865）、《批判的哲学史》（1869）、《国民与社会经济学教程》（1873～1892）。

dui **敦** 又拼Tui。中国古代盛黍稷的食器。盖与器身均呈半圆球状，均有3足、2耳，合之似西瓜，故俗名西瓜鼎，盖亦可倒置盛食。铜敦是春秋时期出现的食器，战国时

东周青铜敦
美国不列颠百科全书公司供图

期更为流行，并常见仿铜明器。秦汉时期敦为"盛"（盒）所取代。

duiker **小羚羊** 偶蹄目牛科一些体小性怯的羚羊的统称，包括灰小羚羊（*Sylvicapra grimmia*）及小羚羊属（*Cephalophus*）的约13个种（森林小羚羊）。英文名源自南非语，意为潜水兽，这是因为当受惊时，它们会急跳水中隐蔽。小羚羊分布于非洲大部分地区，但很难见到。灰小羚羊或称灌丛小羚羊，腿长，栖于灌丛或青草覆盖的地方。森林小羚羊腿短，弓背，栖于森林和浓密的灌丛。小羚羊夜间活动，独栖或成对生活，吃各种植物；有时吃小动物或尸肉。小羚羊有80多种有名称的类型。灰小羚羊肩高57～67厘米，毛浅黄色至浅褐灰色；雄体有角，角直而尖。森林小羚羊肩高36～46厘米，从淡褐、浅红褐到近黑色；雄雌都有短而尖的角。有代表性的

斑马小羚羊(*C. zebra*)
美国不列颠百科全书公司供图

森林小羚羊包括黄背小羚羊(*C. silvicultor*),体深褐色,背下部有三角形的毛簇,由可竖起的黄毛构成;蓝小羚羊(*C. monticola*)淡蓝色、浅灰色或褐色;斑马小羚羊(带纹小羚羊,*C. zebra*)为鲜明的浅红褐色,有垂直黑色条纹。

Duilius, Gaius 杜伊利乌斯(活动时期公元前3世纪) 罗马统帅。在第一次布匿战争(公元前264～前241)中战胜迦太基海军。公元前260年出任执政官,统帅罗马新建成的舰队。他发明带有挠钩的登船桥,并利用这种战具在西西里北部海岸的迈利附近重创迦太基舰队。罗马为他举行凯旋仪式,以庆祝罗马历史上的第一次海战胜利。公元前258年任监察官。

Duisburg 杜伊斯堡 德国西部北莱茵-威斯特伐利亚州城市。在鲁尔河与莱茵河交汇处。经莱茵-黑尔讷运河通北海德国港口和多特蒙德-埃姆斯运河。罗马时代称卡斯特

莱茵河与鲁尔河交汇处的杜伊斯堡市
美国不列颠百科全书公司供图

鲁姆德乌托尼斯。公元740年首见记载。1129年获特许状。1290年成为自由城市。1655～1818年作为新教大学所在地复兴起来。1880年后日渐工业化,逐渐并入周围城镇,成为世界最大内陆港之一和西欧主要钢铁业中心之一。1975年莱茵豪森等城市纳入,范围进一步扩大。第二次世界大战后尚存的古建筑有14世纪哥特式教堂和12世纪罗马式隐修院教堂。建有美术和历史博物馆及一个动物园(内有德国最大水族馆)。1972年,成立一所有大学水平的先进技术训练所。作为采煤和钢铁业中心,也生产重型机械、化工品、纺织品、木器和金属产品等。莱茵河上杜伊斯堡-新安坎普大桥为世界最长跨距桁架桥之一。人口约506 496(2003)。

Duitama 杜伊塔马 哥伦比亚博亚卡省西北部城市。临奇卡莫查河,位于安第斯山脉东面的平行山脉,海拔2 530米。旅游胜地和工商业中心,有面粉厂和雪茄厂。郊区有银矿和铜矿。位于泛美公路和波哥大到帕斯德里奥的铁路线上。人口56 390(1985)。

Dujardin, Félix 迪雅尔丹(1801-04-05,法国图尔～1860-04-08,雷恩) 法国生物学家、细胞学家,以研究原生动物和无脊椎动物的系统分类学闻名。主要靠自学成才,曾任图卢兹大学理学院地质学和矿物学教授(1839)、雷恩大学理学院动植物学教授和院长(1840)。初研究纤毛虫,1834年建议设立根足纲(Rhizopoda)。在有孔虫族中,他发现一种能穿过钙质壳孔的无固定形状的生活物质,他称之为"肉质"(后称原生质)。根据这项工作,他在1835年反驳了C.埃伦贝格反复引用的微观生物具有与高等动物相同的器官的学说。他还研究了刺胞动物和棘皮动物。他对蠕虫的研究为后来寄生虫学的发展奠定了基础。

Dujardin, Karel 迪亚丁(1622,尼德兰阿姆斯特丹～1678-11-20,威尼斯[意大利]) 荷兰浪漫派油画家和铜版画家。以生动地描绘意大利农民、牧人及其羊群著名。也作宗教、神话、寓言等题材的油画、风俗画以及许多出色的肖像画。其中以大幅群像画最为著名。

Dujiang Weirs 都江堰 中国古代著名水利工程之一。在四川省岷江中游都江堰市境内。古时因在都安县境内,称都安大堰。宋以后称都江堰。岷江源于川北松潘高原,集水面积2万多平方千米,除雨水外并有冰雪融水补给,至都江堰市年平均流量已达158亿立方米。都江堰市以下进入成都平原,地势由西北向东南倾斜,平均坡降约4‰,流速骤降,易淤易决,常致水患。据传,战国时蜀相开明曾决玉垒山,以除水害。秦于公元前256年灭西周,以李冰为蜀守,李冰主持兴修都江堰工程。以后经过历代改建,工程不断

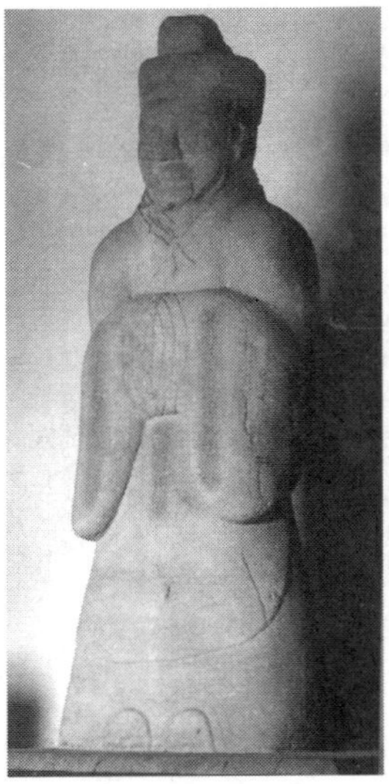

蜀守李冰石像
中国大百科全书出版社供图

完善。枢纽工程分百丈堤、都江鱼嘴、金刚堤、飞沙堰、人字堤和宝瓶口。"都江鱼嘴"又叫"分水鱼嘴",分岷江水流为内外二江:外江是岷江正流,南流到宜宾附近汇入川江(长江);内江则通过凿玉垒山形成的宝瓶口,经走马河、蒲阳河、柏条河等流向成都平原,灌溉农田,便利航运,然后分别汇入岷江、沱江。在鱼嘴上游,唐龙朔年间建有百丈堤,用以引导江水和防护江岸。鱼嘴两侧建金刚堤,束江分水。飞沙堰是内江分洪减淤工程的低坝,长约300米,可使进入内江过多的洪水漫过低堤坝进入外江。飞沙堰下现有人字堤,也起护岸溢洪作用。宝瓶口紧靠都江堰市,左称玉垒山,右称离堆,宝瓶口引水通道宽20米,高30米,长100米,两壁有醒目的水尺和自记水位计,可以观察进入内江的水量,为成都平原自流灌溉的门户。附近的河床常易被砂砾卵石淤高,相传李冰曾制定"深掏滩,浅作堰"的岁修原则,以及"遇弯裁角,逢正抽

都江堰上的灌溉水渠
美国不列颠百科全书公司供图

心”的八字治水方针。总灌溉面积过去曾达20万公顷，1949年时减至13万多公顷。以后经过整治，并兴建了人民渠灌区、西河灌区、东风灌区等，灌溉面积已发展到57万公顷以上。

Dujiangyan 都江堰 中国四川省县级市。古代水利工程都江堰渠首所在地。位于成都平原西端，距成都55千米。面积1 208平方千米。三国蜀汉时始建都安县，县治在导江铺。北周改汶山县。五代前蜀设灌州。明降州为县。1988年改县为市，因地处都江堰渠首故名都江堰市。都江堰坐落于川西北高原和成都平原交接处，历来是商贾云集的山货药材集散中心。农业主要有水稻、小麦、油菜、大麻等作物，还有川芎、泽泻等中药材。茶叶、猕猴桃产量在四川均占重要地位。工业有食品、造纸、机械和煤炭等部门。市内的都江堰属中国重点文物保护单位。都江堰建于战国时期秦孝文王元年（公元前250），由“鱼嘴”、“金刚堤”、“飞沙堰”和“宝瓶口”四大主要工程和数以千计的渠道与分堰组成，是中国古代劳动人民利用天然地形条件建造而成，经改造和扩展现可灌溉30县市的57万公顷以上的农田。青城山绵亘于市西，系中国道教的发祥地。山中林密竹茂，气候潮湿，有“青城天下幽”之称。有天师洞、建福宫、上清宫等宫观亭台数十处，还有日出、云海、圣灯三大自然奇景。人口600 000（2003）。

Dukakis, Michael S(tanley) 杜卡基斯（1933-11-03，美国马萨诸塞布鲁克莱恩～ ）美国政治家、律师，1988年民主党提名的总统候选人。希腊移民之子，1955年毕业于斯沃斯莫尔学院。在驻韩国美军中服役后，进哈佛大学法学院学习，1960年获法学学位。之后活跃于马萨诸塞州民主党政坛，任州众

美国不列颠百科全书公司供图

议员8年（1962～1970）。1970年竞选马萨诸塞州副州长失败，但1974年竞选州长获胜。在州长任期内，他应付了该州严重的预算赤字危机，使该州财政得以复苏。1978年再度竞选州长失败，但于1982年又一次当选为马萨诸塞州州长。在他当州长的第2个任期内，协调了政府的各项政策，从而大大加强了该州的经济基础，救活了老的企业，并促进了新企业的成长。1986年以压倒优势重新当选为马萨诸塞州州长。部分由于他的努力，马萨诸塞州成为全国经济最繁荣的州之一。1987年4月，杜卡基斯宣布竞选总统。他在1988年民主党预选中成为最受欢迎的候选人，赢得了该党总统候选人提名。但在1988年11月大选中败于共和党候选人布什。

Dukas FAMILY（Byzantine family） 参阅**Ducas family 杜卡斯家族**。

Dukas, Paul(-Abraham) 杜卡（1865-10-01，法国巴黎～1935-05-17，巴黎） 法国作曲家，以一首管弦乐曲而享有盛名，这就是巧夺天工而令人眼花缭乱的《魔法师的弟子》（1897）。曾在巴黎音乐学院学习。1888年所

中国大百科全书出版社供图

作康塔塔《维莱达》获罗马大奖第二名之后，又以其为高乃依《波里耶克特》所谱序曲（1892年首演）和《C大调交响曲》（1896）而在法国青年作曲家中奠定了地位。其他作品（数量不多，因为他对自己的作品审视甚严）主要为戏剧音乐、标题音乐与钢琴曲。杜卡是一位配器大师，1910～1912年间曾在巴黎音乐学院任管弦乐法教授，自1927年直至去世任作曲教授。曾为巴黎多家报纸撰写评论文章，他的文集《保罗·杜卡论音乐》（1948）中收有几篇论拉莫、格鲁克和柏辽兹的最佳文章。《魔法师的弟子》取材于歌德同名作品，是一首描绘性音乐，与R. 施特劳斯的《梯尔·艾伦施皮格尔》作于同一时期，风格亦大致相同。但杜卡的音乐才华，其幅度远比这首具有特定时代特点的辉煌之作所提示的要宏博得多。《奏鸣曲》（1901）是使贝多芬、舒曼和李斯特的传统得以延续的最后的杰出钢琴曲之一。《拉莫主题变奏曲、间奏和结尾》（1903）则是贝多芬《迪亚贝利变奏曲》（作品第120号）的一篇译成法国音乐语汇和风格的精美作品。而芭蕾舞剧《仙女》（1912）则显示出作曲者对印象主义配器法的高超技艺。在取材于梅特林克剧本的《阿丽安与蓝胡子》（1907）中，气氛与音乐织体弥补了戏剧冲击力的不足。1912年以后，除一首为纪念他的赞赏者德彪西而写的浮想联翩的《牧神在远方的呻吟》（1920）和美妙的歌曲《龙萨十四行诗》（1924）以外，他不再出版自己的作品。

duke 公爵 阴性名词为duchess。欧洲的一种贵族称号。通常是仅次于亲王或国王的最高级的贵族，只有那些有介乎王公二者之间的称号（例如大公）的国家是例外。罗马人授予那些负责统治各地区的高级军事指挥官的称号dux（公爵），被人侵罗马帝国的蛮族所采用，在他们自己的各个王国里，以及在法国和德意志，授予管辖大片地区的统治者。在法国和德意志，加洛林王朝初期的君主们继续任命公爵，但是他们的比较懦弱的继任者们发现自己不得不让公爵们在他们必须保卫的地区内越来越多地脱离国王的控制。

德意志 法兰克尼亚、士瓦本、巴伐利亚和萨克森起初是不同部族的聚落或生息之地，随着被加洛林王朝任命为军事长官的公爵们使自己越来越独立，这些地方成了德意志幅员广阔的诸“原始公国”。在12世纪创建新的奥地利公国（1156）和施蒂里亚公国（1180）的霍亨斯陶芬王朝的皇帝们似乎成功地把公爵降为真正的驯服的封臣；与此同时，较小的贵族家族在损害公爵的权威的情况下开始合并他们自己的土地和加强自己的管辖权。这些裂土分封的小国（如伯爵领地等等）的成长，自然削弱了公爵们的威信。尽管1250年后霍亨索伦王朝纲纪已坠，尽管诸公爵纷纷取得其公国的独立地位，但他们的公爵头衔不再表示听命于国王的较大权势，而只是高于有王权的伯爵的一个等级而已。更有甚者，由于1356年金玺诏书赋予诸选侯（其中仅有一人为公爵）广泛特权，公爵一衔，甚至在理论上也不成其为神圣罗马帝国诸邦君中的最高等级了；奥地利诸公爵的确只有僭用大公这一新头衔，以示能与诸选侯分庭抗礼。16～19世纪，甚至一些拥有较小领地的领主也被授予或获得了公爵的称号。有11个公国一直延续到1918年，其中奥尔登堡、两个梅克伦堡、萨克森-魏玛（即萨克森大公国）、巴登和黑森-达姆施塔特为大公国；安哈尔特、不伦瑞克、萨克森-阿尔滕堡、萨克森-迈宁根和萨克森-科堡-哥达为自主的公国。

法国 诺曼底、阿基坦和勃艮第公爵实际上在封建的早期就是独立于法国国王统治之外的，布列塔尼公爵也是如此，尽管法国王室最初只授予他伯爵的称号。然而，这些大领地逐渐重新并入王畿。此后，这类采邑只分封王室成员，称为“同公爵领地”（duchés-pairies），最初颁赠给嫡出王子，但自16世纪起，也颁与庶出王子、外国王子，以及法国国王治下的其他贵族。同公爵领地可以世袭，但也有其他类型的世袭公爵领地，还有所谓终身领地，如特颁或诏赐（à brevef或par lettres）等领地，即属这一类。除了法国王族中的公爵以外，还有从旧制度沿袭下来的30多个公爵称号保留到20世纪80年代，但已非官方称号。法国的第一个公国是于泽公国（1565年设置；1572年正式获得批准）。

意大利 意大利的一些延续到近代的拥有领地的大公国是米兰、佛罗伦萨（即托斯卡纳大公国）、卢卡、曼图亚、摩德纳和帕尔马-皮亚琴察等。但是，教皇、神圣罗马帝国皇帝和那不勒斯国王全都可以任意授予公爵的称号，而且是经常授予，结果这个称号相当普遍。萨伏依王室的国王们往往把“公爵”（duca)的称号授予他们的后裔。

西班牙 西哥特人的公国在穆斯林统治下消失了。但在基督教重新征服时期,又恢复了"公爵"(duque)这个荣誉称号,1370年,为盖克兰在卡斯蒂里亚境内建置了索里亚-莫利纳公爵领地。不过这个封号最初只授予王子,15世纪中叶以后越来越经常地授予其他贵族。后来的公爵领地中,第一个延续下来的是建于1445年的西多尼亚公爵领地。西班牙的国王们还在他们的那不勒斯和西西里的领地上任意建立公国。佛朗哥将军根据议会授权在1948年又建置了3个公爵领地:卡尔沃萨特洛公爵领地、莫拉公爵领地及普里莫·德·里韦拉公爵领地。

葡萄牙 约翰一世在王子多姆·佩德罗和多姆·恩里克从摩尔人手中夺取休达(1415)以后,为他们建立科英布拉公国和维塞乌公国。1442年又给他的私生子阿方索建立布拉干萨公国。在葡萄牙并入西班牙之前,还给王族的各支建立了另外6个公国。此后,公爵领地也颁赠给王族以外的人们,不过葡萄牙建置的公国数目,远远少于西班牙。

不列颠群岛 英格兰在1337年以前没有公爵的称号。1337年,爱德华三世把康沃尔郡升格为公国,授予"黑太子"爱德华。随后建立了兰开斯特公国(1351)、克拉伦斯公国(1362)、约克公国(1385)、格洛斯特公国(1385)、贝德福德公国(1413年第一次建置)和萨默塞特公国(1443年第一次建置)。所有这些公国都属于王室男性后裔。但到1444年时,汉弗莱·斯塔福德以外戚身分,也被封为伯明翰公爵(第一次封赠)。从建立诺福克公国(1483)以后,公爵的称号经常授予王族以外的人,但很少建立公国。在苏格兰,最早授予公爵称号是在1398年,罗伯特三世封长子戴维为罗思赛公爵,封戴维的兄弟罗伯特为奥尔巴尼公爵。在20世纪80年代,除了王族的公爵领地外,英格兰的贵族中有9个公爵领地,即诺福克(1483置)、萨莫塞特(1546)、里士满(1675)、格拉夫顿(1675)、博福特(1682)、圣奥尔本斯(1684)、贝德福德(1694)、德文郡(1694)及拉特兰(1703)。苏格兰的贵族中有8个公爵领地,即哈密尔顿(1643)、伯克卢(Buccleuch;1663)、伦诺克斯(1675)、昆斯伯里(1684)、阿盖尔(1701)、阿瑟尔(1703)、蒙特罗斯(1707)及罗克斯堡(1707)。大不列颠的贵族中有6个公爵领地,即莫尔伯勒(1702)、布兰登(1711)、波特兰(1716)、曼彻斯特(1719)、纽卡斯尔(1756)及诺森伯兰(1766)。爱尔兰的贵族中有两个公爵领地,即伦斯特(1766)和阿伯康(1868)。联合王国的贵族中有6个公爵领地,即惠灵顿(1814)、萨瑟兰(1833)、威斯敏斯特(1874)、戈登(1876)、阿盖尔(1892)和法夫(1900)。不过,上述里士满公爵也就是伦诺克斯公爵及以后的戈登公爵;伯克卢公爵也是昆斯伯里公爵;哈密尔顿公爵也是布兰登公爵;阿盖尔公爵领地则属于两名贵族所有。结果,31个贵族领地只有26名公爵。

Duke, James Buchanan 杜克(1856-12-23,美国北卡罗来纳达勒姆～1925-10-10,纽约州纽约) 美国烟草大王和慈善家。其父W.杜克,在美国南北战争后即从事烟草生意。他和兄长本杰明(1855～1929)一同参加了本家族的烟草生意。1890年美国几家主要的香烟制造公司合并组成美国烟草公司时,他出任总裁。后来他协助建立美国鼻烟公司(1900)和美国雪茄公司(1901)。1911年美国最高法院命令解散这家垄断的美国烟草公司,杜克担负起将公司分成几家单独公司的任务。这些公司后来成为美国主要的香烟制造商。对达勒姆的三一学院的建立,杜克家族做出了巨大的贡献。1924年他捐款设立基金扩建该学院。学院后改名为杜克大学。

Duke, Vernon 杜克(1903-10-10,俄国普斯科夫附近帕菲亚诺夫卡～1969-01-16,美国加利福尼亚圣莫尼卡) 原姓杜凯尔斯基。俄国出生的美国作曲家,以其为电影、百老汇音乐剧及时事讽刺剧所作的不落俗套的旋律而著称。最流行的歌曲有时事讽刺剧《走快一点》(1932)中的《4月在巴黎》和《1936齐格飞活报剧》中的《我开始不了》。曾就读于基辅音乐学院;16岁时因俄国革命而逃离,后定居君士坦丁堡(今伊斯坦布尔)。听到格什温的《斯凡尼》之后,留下深刻的印象,从而对美国流行音乐发生兴趣。1921年赴美,结识格什温,格什温建议他将姓氏美国化;但杜克返回欧洲专心写作古典音乐,为S.佳吉列夫的俄罗斯芭蕾舞团创作了芭蕾舞剧《和风与花神》(1925)及两部交响曲。1929年定居美国,30年代为电影和戏剧创作配乐插曲。1940年为全部由黑人演出的音乐剧《天空中的小屋》谱曲,获得好评(该剧于1943年拍成电影)。1944年为《赛迪·汤普森》谱曲。曾应"自由之声"电台之请把美国流行歌曲译成俄文向苏联广播。自传《到巴黎的护照》于1955年出版。1957年为百老汇上演的让·阿努伊的《刻骨铭心的年华》作曲。

Duke of York Islands 约克公爵群岛 原称新劳恩堡群岛。太平洋西南部俾斯麦群岛的珊瑚岛群,分布在圣乔治海峡诸岛之间,东有新爱尔兰岛、西南为新不列颠岛。包括约克公爵、马卡达、乌鲁和米奥科诸岛。陆地总面积60平方千米。地势低洼、林木茂密。低洼地势使其频频遭遇自然灾害,地震、海啸和火山喷发时有发生。20世纪90年代末受到上升水位的威胁。研究证实该群岛正在下沉,2000年开始进行重新安置工作,大多岛民移居新不列颠岛和新爱尔兰岛。人口8 234(1990)。

Duke University 杜克大学 美国北卡罗来纳州达勒姆的一所私立男女同校高等学府。该校是联合卫理公会的一个附属机构,但不受教会控制。1839年协和学院在北卡罗来纳州兰道夫县成立。1859年重新组建,改为三一学院。1892年该校迁往达勒姆。1924年该校得到新的许可证,因为得到烟草大王杜克捐款,改名为杜克大学。杜克大学的本科生一直是男女分校,男生在三一学院学习,女生在女子学院学习,直到20世纪70年代这两个学院才合并为三一学院。除三一学院(文科)外,该大学还包括工程学院、法学院、商学院、护士学校和林学院。杜克大学还和北卡罗来纳的其他大学进行一些合作项目。研究生院开设多个专业的硕士和博士课程。其医学院享誉全国。大学著名的设施包括礼堂、灵长动物中心、艺术博物馆等。著名校友有R.M.尼克松总统等。

Dukenfield, William Claude(American actor) **达肯菲尔德** 参阅 **Fields, W.C.** *菲尔兹*。

Dukhobor 杜霍波尔派 18世纪兴起于俄国的农村教派的成员。他们主张直接接受上帝的启示,否定包括《圣经》在内的一切外部权威。1652年俄罗斯正教牧首尼康改革礼拜仪式,同时沙皇彼得大帝接受西方影响,激起反对情绪,这种情绪表现为神秘和传教教派的涌现。杜霍波尔派兼有这两种特点,该派主要流行于俄国南部。他们否认教会和国家的权威,主张个人直接接受启示。由于他们的平等主义与和平主义信仰,自1773年以后不断遭受迫害。该派自1886年起称基督教普世兄弟会。经过俄国小说家列夫·托尔斯泰的请求,沙皇允许该派信徒出国。到1899年为止,已有7 500人靠英格兰公谊宗信徒筹款迁居加拿大,另有12 000人留在俄国。1939年杜霍波尔派改名为"基督教属灵团体协进会",他们蔑视土地法、赋税法和教育法,因而与加拿大政府发生冲突。第二次世界大战后,此派较为兴旺,但号称"自由之子"的极端派继续举行裸体游行、纵火、爆破等活动,他们烧毁财物,不问其属于自己还是属于他人或政府,用以表示蔑视物质财富。

Dukhonin, Nikolay Nikolayevich 杜赫宁(1876-12-13～1917-12-03,俄罗斯莫吉廖夫) 沙皇军队最后一个司令。第一次世界大战中担任过各种军职,是俄军最年轻的将军之一。1917年9月克伦斯基临时政府任命他为俄军总参谋长。十月革命后,杜赫宁呼吁军队继续效忠临时政府。11月13日克伦斯基隐藏起来,任命杜赫宁为最高统帅。杜赫宁企图使俄军就地待命,保持中立。11月20日布尔什维克命令他与德军进行停战谈判,但他拒不执行。12月2日布尔什维克将他逮捕,拟从莫吉廖夫押解到彼得格勒监狱。第二天启程时,一群愤怒的士兵把杜赫宁拉出车厢打死。

dukkha 苦 梵语作duḥkha。佛教用语,指一切存在物的真实性质。佛教全部教义以苦为基础,苦与无常和无我共为存在物的特点,认识此点是觉悟的开端。苦有三种:逼恼所生之苦(老、病、死)、乐境消逝之苦、舍弃所爱之苦。

Dukla Pass 杜克拉山口 喀尔巴阡山(当地称东贝斯基德山)通道,在波兰和斯洛伐克边界上。1849年俄军经山口南入匈牙利,两次世界大战中俄军和苏军亦利用过此山口。和平时期,它是波兰和斯洛伐克之间客货运主要通道。

DUKW 水陆两用车 第二次世界大战时美国陆军和海军陆战队使用的2.5吨重6轮水陆两用卡车，主要用于从近海运输供应船向滩头战斗部队运送军火、给养和装备。

美国不列颠百科全书公司供图

Dulan 都兰 中国青海省海西蒙古族藏族自治州辖县。位于省境中北部，柴达木盆地东南缘。县政府驻察汗乌苏镇。1917年设都兰理事，1931年置都兰县，1952年设都兰自治区，1953年改都兰蒙古族自治区，1955年复置都兰县。面积50 000平方千米。县境三面环山，布尔汗布达山和鄂拉山山峰海拔5 000多米。经济以农牧业为主。农业主产小麦、油茶、豌豆等。香日德农场是中国春小麦高产区。野生动物有马鹿、麝、雪豹、野驴、野牛、白唇鹿、藏羚羊、黑颈鹤等。青藏公路经此。附近有多种矿藏，建有采矿、电力、煤炭、建材、皮革、肉类加工、炼铁等工业。名胜有唐代吐蕃墓葬群。人口70 000(2005)。

Dulany, Daniel 杜拉尼(1685，爱尔兰昆斯郡～1753-12-05，马里兰安纳波利斯[美国]) 美洲殖民地律师、地主和官员。1703年去马里兰学习法律，1709年取得律师资格，后因操律师业著名并致富。他在移居安纳波利斯一年以后即被选为该城代表进入马里兰州议会。起初，他是一个反对殖民地领主权的立法派别的领袖之一，并且主张马里兰州的公民有权获得所有英国制定法赋予的权益。但在下一个十年期间，他转而支持领主派，并被不断奖给殖民地的高级官职。1742年成为总督的参议。任该职期间在1747年保证通过烟草检查法中起了主要的作用，这项法律大大提高了殖民地的烟草作物的质量。

Dulany, Daniel 杜拉尼(1722-06-28，马里兰安纳波利斯[美国]～1797-03-17，美国马里兰巴尔的摩) 美国律师，独立战争以前时期有影响的政治人物。杜拉尼是马里兰州一位官员之子，与其父同名。他曾在英国伊顿公学和剑桥大学受教育，并在返回马里兰后成为一位律师。1751～1754年任马里兰州立法议会议员，并于1757年被任命为总督的参议，以表彰他对私有殖民地政府的支持。后担任过其他的高级职务，并成为美洲殖民地知名的律师之一。尽管他是忠诚的英国臣民，但他批评英国政府的某些政策，而且在1765年印花税条例引起的危机期间，撰写《关于在英国殖民地征税的合理性的考虑》(1765)，成为反对印花税条例的最有影响的小册子。然而，他反对反抗英国统治的革命行动，并在美国独立战争期间始终是一个亲英分子，因此于1781年被没收财产。

Dulbecco, Renato 杜尔贝科(1914-02-22，意大利卡坦扎罗～2012-02-19，美国加利福尼亚拉霍亚) 意大利病毒学家。1975年与其两名学生H. 特明及D. 巴尔的摩共获诺贝尔生理学或医学奖。50年代他与M. 福格特一同创始将动物病毒进行人工培养，又研究病毒控制寄主细胞的机制，证明能使小鼠患肿瘤的多形瘤病毒(polyoma virus)可将自身的DNA插入寄主细胞的DNA中，并使寄主细胞转化为癌细胞(他是在一定的意义上用“转化”一词的)。已转化的寄主细胞的DNA复制序列中仍然包含该病毒的DNA片段，并表达为癌细胞。他认为，人类的癌症可能也是外来的DNA片断通过同样的复制过程造成的。杜尔贝科生于意大利，在意大利开始其研究工作，1936年获都灵大学医学博士学位，并留校任教数年。1947年赴美，从事病毒研究，初在印第安那大学与S. 卢里亚共事，1949～1963年入加利福尼亚理工学院。1963～1972年为加利福尼亚州拉霍亚索尔克生物科学研究所研究员，后任伦敦帝国癌症研究基金会主席5年，1977年回索尔克生物科学研究所任专任教授。

Dulce, Gulf of 杜尔塞湾 又称奥萨湾，太平洋的狭长小湾。北、东和西同哥斯达黎加西南部接界。主要港口为戈尔菲托港和希门尼斯港。

dulce melos 迪尔塞梅洛琴 又拼doulcemele。欧洲中世纪末的一种长方形弦键琴，只见于文字记载，无实物流传。在兹沃勒的阿尔诺的著名手稿(约1435)中曾对此琴加以描述和绘画。图上示出它的12对琴弦紧绷在35个琴键的尾端部分的上方。它们驾在琴桥之上而被后者分成3段，每段各发出一个不同的音高，并由不同琴键控制。每一段琴弦都借助装在一个键的一端的加重木质击杆而产生振动；当琴键被压下并突然停住时，击杆继续向上腾起，于是附在其一边的铜件击弦，然后击杆弹回到键上。从原理上来说，这一动作预示了现代钢琴中的锤的动作。

dulcimer 大扬琴 弦乐器，萨泰利琴的一种。琴弦用小槌敲击而不是拨奏。欧洲的大扬琴、土耳其和波斯的桑图尔琴以及中国的扬琴，都在每个音上用两根或更多的金属弦，张在一个扁平、梯形的音箱上。有两个长的琴桥，弦线驾在一个琴桥上方和穿越另一琴桥之下，并交替着向右和向左倾斜，以便于用小槌快速击奏。大扬琴约在15世纪由波斯传入欧洲中部。钢琴就是一架用键盘装置牵动槌子的大扬琴。

DuLhut, Daniel Greysolon, Sieur 迪吕(约1639，法国圣日耳曼-拉瓦勒～1710-02-25或26，蒙特利尔[今在加拿大魁北克省]) Du-Lhut又拼Du Luth或Duluth(德卢斯)。法国军人、探险家。为法国控制苏必利尔湖以西和以北地区起主要作用。美国明尼苏达州的德卢斯以他的名字命名。1657年进入驻里昂的军队当掌旗官。约1665年成为近卫骑兵军官。此后两次航海去新法兰西。1674年参加对荷兰人的战斗。1678年率领一群法国人和3名印第安人奴隶到达苏必利尔湖地区，想通过谈判和平解决湖的西部和北部地区印第安部落之争。1680年夏天继续西进，深入今日的明尼苏达，到达密西西比河畔。因被诬违法进入森林从事贸易，返回法国为自己辩白。1682年重返加拿大。翌年又去西部，劝说印第安人不要把毛皮卖给英国人。1696年任弗隆特纳克堡司令。其后退休在蒙特利尔度其余年。

Dulkadir DYNASTY 杜勒卡迪尔王朝 统治安纳托利亚东部埃尔比斯坦-马拉什-马拉蒂亚地区的土库曼王朝(1337～1522)。创建者卡拉贾，乃土库曼人的首领。1337年由马木路克苏丹承认他为代理人。但是，后来他和他的儿子均在反对苏丹的叛乱中兵败被杀。1399年奥斯曼苏丹巴耶塞特一世立穆罕默德为王以对抗马木路克的影响。而穆罕默德力求与双方保持和平关系。1450年后奥斯曼与马木路克间斗争加剧，导致杜勒卡迪尔王朝内争激烈，统治者频繁更迭。1522年并入奥斯曼帝国。

Dull Knife 钝刀(?～1883，蒙大拿准州汤河印第安人保留地) 切延内族名晨星。美国北切延内族的酋长，曾率领本族人民铤而走险，从俄克拉何马的拘留地迁往蒙大拿的故园。G. A. 卡斯特中校在小比格霍恩河战役中败北5个月以后，进行讨伐性的远征，攻击在波德河红岔口的钝刀的营地(1876-11-25～26)。他的族人大多逃走，他们的窝棚、衣食用品等都遭到破坏。当钝刀向军队投降时，其族人多已冻饿而死。1877年，美国陆军把他和族人押解到印第安人地区南切延内的保留地。那里食物缺乏，气候恶劣，不到两个月，就有2/3的人生病，许多人死亡。钝刀和其他被流放的北切延内领袖们恳求在以前居住的地区得到一个保留地，但毫无结果。他害怕族人死绝，就与北切延内另一首领小狼决定不顾军队的反对，返回家园。1878年9月9日，两人共率领89个战士和246名妇女儿童出发，行程达400余英里，击败或躲开各支部队(总共达1万名以上)。10月，两人的队伍分开。小狼向西北挺进，于1879年3月25日投降，获准留在蒙大拿。钝刀率部于1878年10月23日放下武器，被军队关入鲁宾逊堡。他们拒绝返回俄克拉何马，军队企图用饥饿迫使他们屈服，不准升火取暖，不给食品和水。1879 年 1 月 9 日，他们破狱而出，有 64 人被打死，有 78 人（大多负伤）又被抓回。只有 6 个人（包括钝刀）逃脱，进入南达科他州派恩里奇保留地。这时公众舆论同情他们，迫使印第安人事务局放弃原来的计划，在汤河和罗斯巴德河畔为北切延内族设立一保留地，终于允许钝刀和他的族人（剩下不足 80 人）与小狼的一队人重新会合定居。

Dulles, Allen W(elsh)　杜勒斯（1893-04-07，美国纽约沃特敦～1969-01-29，华盛顿［哥伦比亚特区］）　美国外交家和情报专家，曾任中央情报局局长（1953～1961）。他是美国

美国中央情报局供图

国务卿 J.F.杜勒斯的弟弟。1916 年在普林斯顿大学获硕士学位。同年入外交界，1922 年任国务院近东司司长。1926 年获法学学位后，一度在美国驻北京使馆当参赞，后参加他哥哥为其中成员的纽约法律事务所。当美国参加第二次世界大战的时候，杜勒斯到战略情报局工作。1942 年 10 月至 1945 年 5 月，他任战略情报局驻伯尔尼办事处主任。他在导致德军在北意大利投降的事件中起过特别显著的作用。1948 年杜勒斯任负责检查美国情报系统的三人委员会主席。1951 年成立中央情报局，他在 W.B. 史密斯将军手下任副局长；1953 年 D.D. 艾森豪威尔总统任命他为局长。中央情报局在许多重大的谍报活动中都有所建树：1953 年在伊朗推翻摩萨台政府；1954 年在危地马拉推翻 J.阿本斯政府。1956 年赫鲁晓夫作谴责斯大林的秘密报告时，中央情报局也弄到了报告的副本。但是，在 1960 年 6 月计划召开最高首脑会议的前夕，U-2 型侦察机在苏联上空被击落，使中央情报局大为出丑。J.F.肯尼迪重新任命杜勒斯为中央情报局局长之后，他因与 1961 年美国从猪湾入侵古巴的失败有关而于同年秋辞职。主要著作有《德国的地下活动》（1947）、《情报技术》（1963）和《秘密投降》（1966）。

Dulles, John Foster　杜勒斯（1888-02-25，华盛顿［哥伦比亚特区］～1959-05-24，华盛顿［哥伦比亚特区］）　艾森豪威尔总统时期的美国国务卿（1953～1959）。第二次世界大战后美苏冷战时期美国外交政策诸多主要部分的设计师。

艾伦·梅西和伊迪丝·（福斯特·）杜勒斯的 5 个孩子之一。外祖父 J.W. 福斯特是哈里森总统任内的国务卿。姻叔 R. 蓝辛是威尔逊总统内阁的国务卿。

美国不列颠百科全书公司供图

曾就读于纽约州沃特顿的公立学校，其父在该地任长老会牧师。后求学于普林斯顿大学、乔治·华盛顿大学和法国索邦大学。1911 年进入纽约沙利文-克伦威尔律师事务所，擅长国际法，1927 年成为事务所的领导人。

1907 年 19 岁时，随同其以平民身分代表中国的外祖父福斯特参加海牙第二次国际和平会议，实际上开始了他的外交生涯。第一次世界大战结束时他 30 岁，威尔逊总统任命他为美国代表团法律顾问，出席凡尔赛和会，后任战争赔偿委员会委员。

第二次世界大战中，在华盛顿（哥伦比亚特区）敦巴顿橡树园会议上帮助起草联合国宪章，1945 年任旧金山联合国大会的高级顾问。当时美国可以接受的对日和约无法在苏联的参与下签订，杜鲁门总统及其国务卿艾奇逊决定不召开和会商讨条约，而是将通过个人谈判来签订条约的艰巨使命交给杜勒斯。他奔走于有关各国首都之间，终于使日本和其他 48 国于 1951 年在旧金山签订了先前（由美国）同意的条约。

1953 年 1 月艾森豪威尔总统任命他为国务卿，他认为这一任命是授权他制订外交政策，这通常被当作是总统的事。杜勒斯充分意识到北约只能有效地保卫西欧，无法保护中东、远东和太平洋诸岛，他热切谋求填补这些缺口。1954 年他发起召开马尼拉会议，缔结东盟条约，将 8 个位于东南亚和与该地区休戚相关的国家用一个中立的防卫公约联合起来。1955 年签订巴格达条约，后改名中央条约组织，将所谓中东北部国家土耳其、伊拉克、伊朗和巴基斯坦联合在一个防御组织中。在欧洲，1955 年杜勒斯促使奥地利国家条约最后形成，恢复奥地利 1938 年以前的国界，阻止了德国和奥地利未来的联合；1954 年推动签订的里雅斯特协定，规定对意大利和南斯拉夫之间的自由区实行分治。

决定杜勒斯外交政策的 3 个因素是：对共产主义的深恶痛绝，部分的原因是出于他强烈的宗教信仰；他的倔强的个性，常常坚持领导而不是跟随公众舆论；作为国际法律师，他对条约的价值抱有坚定的信念。在这三者之中，对共产主义的强烈敌视是他政策的主旋律。无论走到那里，他总是随身带着斯大林的《列宁主义问题》一书，并向助手们强调，这本书和希特勒的《我的奋斗》一样，是企图征服世界的蓝图，因此有必要学习这本书。把苏联推向边缘似乎令他格外满意。在商谈奥地利国家条约时，在一些小问题上他也拒不让步，连奥地利人都害怕苏联会退出谈判，请求他稍作变通，但他坚持己见，结果苏联让了步。

对美国的盟国也同样地不妥协。杜勒斯坚持成立欧洲防务集团，几乎使自由世界向两极分化。他在巴黎的一次讲话中宣称，美国将对苏联的任何侵略行为作出“大规模核报复”。还须指出，1956 年 7 月他粗暴地拒绝埃及总统纳赛尔要求援助修建阿斯旺水坝，导致美国在中东的影响开始瓦解。尽管他后来承认措辞不够委婉，但一直坚信业已从苏联集团购买武器的纳赛尔，迟早会反对美国。

因癌症病情严重，于 1959 年 4 月 15 日辞去政府职务，去世前获得自由勋章。

Dulong, Pierre-Louis　杜隆（1785-02-12，法国鲁昂～1838-07-18，巴黎）　化学家、物理学家。他提出了有关比热的杜隆-珀蒂定律（1819），此定律对测定原子量十分有用。他曾当过 C.-L. 贝托莱的助手，后任巴黎综合工科学校的物理学教授（1820），1830 年就任该校校长。杜隆因研究化学，购置设备而陷于贫困。1813 年他发现了三氯化氮，在研究这种具有强烈爆炸性的化合物时，不幸一目失明，一手受重伤。在物理学方面的重要研究是和 A.-T. 珀蒂合作进行的，1817 年他们指出，牛顿冷却定律只有当温度变化不大时才正确。他们在计温学和传热学方面的工作（1818）曾得到法兰西学院的表彰。1820 年和 J.贝采利乌斯联名发表了关于液体密度和水的论文。并与 L.-J. 泰纳尔合作，探讨了某些金属促进气体化合的性质。他还研究了气体的折射率（1826）及比热（1829）。1830 年他和 F. 阿喇戈一起发表了论述高温下蒸气弹性的研究报告。在他最后一篇论文中（1838）描述了测定化学反应所释放热量的实验方法。

Dulong-Petit law　杜隆-珀蒂定律　说明元素的摩尔原子热容（比热 × 原子量）为常数；即对于所有固态元素均相同，约为每摩尔原子 6 卡。这一定律是法国化学家 P.-L. 杜隆和物理学家 A.-T. 珀蒂于 1819 年依据观察提出的。如果测得元素的比热，就可用此经验定律计算出它的原子量；事实上许多原子量最初就是这样得出的。后来，此定律被更改为只用于金属元素；再后，在更低的温度下观测表明，一切固体的热容在温度足够低时都趋于零。此定律现在只用作中等温度下的一种近似。

dulse（*Rhodymenia palmata*）　**掌状红皮藻**　见于北大西洋两岸的红色海藻，形似手掌，质地如同薄橡胶；分枝的数量和大小（12 ～ 40 厘米）不等。以吸盘或假根附着于岩石、软体动物或较大的海藻上。北大西洋的渔民将其晒干生食；长时间咀嚼后方能品出其味道。亦可与鱼、黄油同食，与牛奶及黑麦粉同煮，或用作开胃食品。其中所含的凝胶状物质可用作增稠剂，并可使掺入其中的食物带上粉红色泽。可制成一种带咸味的糖果，英语亦称为 dulse。

Duluth 德卢斯 美国明尼苏达州东北部城市，圣路易斯县县城，主要内陆港口。临苏必利尔湖圣路易河口，与威斯康星州苏必利尔隔河相对。德卢斯-苏必利尔港由苏必利尔湖和圣路易斯河汇合处所留沉积物形成的天然防浪堤建成。该港是圣劳伦斯海上航道的西部终端，虽冬季封冻，但吞吐吨位仍居湖区各港之首，居世界前列。转运货物有铁矿石、煤、粮食和原油。港口有煤码头、粮库、铁矿砂码头等。工业门类繁多。旅游、商业、会议和设在德卢斯国际机场的军用防空设施均有利于该市经济发展。设有明尼苏达大学分校(1947)、圣斯科拉斯蒂加学院(1912)、德卢斯理工学院、奇泽姆自然史博物馆和特威德艺术博物馆等。苏必利尔国家森林总局设在该市。有交响乐团、芭蕾舞团和剧院等。当地早年由印第安人居住。17世纪法国商人曾到此，其中包括德卢斯先生(参阅**DuLhut, Daniel Greysolon, Sieur**)，此地因而得名。1856年始建，1870年设市。由于铁路向西北产麦区扩建，德卢斯运河凿通(1871)，湖上贸易增长和铁矿的开发，城市日趋繁荣。人口：市86 918；都会统计区243 815(2000)。

Duluth, Daniel Greysolon, Sieur 参阅**DuLhut, Daniel Greysolon, Sieur 迪吕**。

Dulwich 达利奇 英国大伦敦市南部达利奇学校周围的高级住宅区。著名莎士比亚戏剧演员E.艾莱恩于1605年购买达利奇地产并建立了上帝恩赐学院，为“12位穷学生”提供教育，为“男女穷教友各6位”提供救济所。该校现包括达利奇学院、艾莱恩学校和詹姆斯·艾伦女子学校。著名的达利奇学院画廊(1814)，在第二次世界大战后全面修复，是主要的私人艺术陈列馆。达利奇村以拥有许多古代建筑著名。达利奇收费门是伦敦地区尚在使用的最后一个收费门。

dulzian(musical instrument) 参阅**curtal 科塔尔管**。

Dum Dum 达姆达姆 印度西孟加拉邦东南，加尔各答工业郊区。辖4个城镇。有一个兵工厂，为首先制造达姆弹之地。有黄麻、鞣革、轧钢、玻璃、火柴、肥皂和机械等厂。设有几座医院和加尔各答大学分校。人口：达姆达姆40 942；北达姆达姆151 298；南达姆达姆230 507；达姆达姆机场区4 919(1991)。

Dum-Dum fever(disease) **达姆-达姆热** 参阅**kala-azar 黑热病**。

Duma 杜马 全称“国家杜马”，俄国经选举产生的立法机构。这是1905年革命的一个成果。尼古拉二世在《十月宣言》中宣布成立杜马，并指出杜马等于议会，法律的颁布要经杜马批准。但在1906年4月召开第一届杜马之前，他又颁布《基本法》，取消了杜马对政府大臣和国家预算的控制权，限制它的立法权力。杜马共有4届(1906-05-10～1906-07-21；1907-03-05～1907-06-16；1907-11-14～1912-06-22；1912-11-28～1917-03-11)。4届杜马均未得到大臣和皇帝的信任或合作。头两届杜马很快被解散。1907年斯托雷平通过一次事实上的政变，限制选举权，从而减少了激进派和少数民族代表，使第三届杜马成为保守的，任满5年任期。第四届杜马也是保守的，但在第一次世界大战期间，它对政府的无能和玩忽职守日益不满。1915年杜马成为反对帝制的中心。1917年二月革命时期成立国家杜马临时委员会，它组成第一届临时政府，废黜尼古拉二世。此外，在苏维埃以前的俄罗斯历史上，有过评议性或顾问性的会议，特别是10～17世纪的波雅尔杜马和城市杜马(1785～1917)等。1993年，俄罗斯联邦组成了新的国家杜马。

Dumaguete 杜马格特 菲律宾内格罗斯岛东南部城市。临保和(棉兰老)海，在塔尼翁海峡南入口处。为中米沙鄢的第二大港，仅次于宿务市。是商业、行政和教育中心。1901年美国长老会在杜马格特创设西利曼大学，内设著名的文理学院。陶器、地席和编织业很著名。通班机。1948年设市。人口102 265(2000)。

Dumas, Alexandre, PÈRE 大仲马(1802-07-24，法国埃纳维莱科特雷～1870-12-05，迪耶普附近皮伊) 法国19世纪最多产和最受民众喜欢的作家之一。以戏剧创作开始文学生

美国不列颠百科全书公司供图

涯，后又撰写历史小说，获得盛誉，其中尤以《基督山伯爵》和《三个火枪手》为最。但其作品从未获得无可争辩的文学价值。他的自传坦率、虚假和自吹自擂兼而有之，详细叙述了他不平凡的一生所经历的各种事件，对浪漫主义时期法国文坛生活提出了独到的见解。父亲原为帝制时期的一名普通士兵，后成为拿破仑军队的一员将领。因家道中落，年轻的大仲马前往巴黎，打算当一名律师。在奥尔良公爵的府邸，他设法谋得一个差事，但却并不满足，总想在戏剧界碰碰运气。他与演员塔尔马和日后成为浪漫主义运动发起人的年轻诗人们保持联系。如果从现代观点来评价他的剧作，这些作品只是粗线条的、草率的和感情夸张的，但是在19世纪20年代末和30年代初却受到极大欢迎。《亨利三世及其宫廷》(1829)生动地描述了法国文艺复兴；《拿破仑·波拿巴》(1831)起到了为刚死去的皇帝树碑立传的作用；《安东尼》(1831)是一出描写通奸和廉耻的戏剧。以后，他把注意力逐渐转向历史小说，与别人合写了许多作品。他在创作中从不顾及历史的真实，对人物心理的分析也不完善。他的主要兴趣是以丰富多彩的史实为背景，创作出有生动、紧张情节的小说。最著名作品有《三个火枪手》(1844，描写黎塞留出任首相期间4个闹事英雄的故事)、《二十年后》(1845)、《基督山伯爵》(1844～1845)、《布拉日罗纳子爵》(1848～1850)、《黑色郁金香》(1850)。名利双收的大仲马沉溺于奢侈豪华的生活，为了偿还债款，经常被迫以极高的速度写小说。

Dumas, Alexandre, FILS 小仲马(1824-07-27，法国巴黎～1895-11-27，马尔利勒鲁瓦) 法国剧作家及小说家，“问题剧”创立人之一。“问题剧”指中产阶级现实主义戏剧，其宗旨在于揭露当时社会的某些弊病并提出补救办法。小仲马是大仲马的私生子。在文学创

美国不列颠百科全书公司供图

作上，他跟其父一样多产，但两人的作品却相差悬殊。他的初次成功是小说《茶花女》(1848)。他把该小说改编成剧本时，才发现自己的才能。该剧在1852年首次上演。作曲家威尔地根据该剧谱成歌剧于1853年首演。他的父亲侧重多姿多彩的历史小说和历史剧，而小仲马却专写现代剧。小仲马是他父亲因桃色事件而破产的不幸见证人，因而在他的戏剧中大力宣扬家庭及婚姻的神圣。如1855年上演的《半上流社会》一剧就写娼妓威胁到婚姻制度的问题。19世纪末著名的评论家称赞他的戏剧有严肃的道德观。1875年当选为法兰西学院院士。他最引人注目的戏剧有《私生子》(1858)和《放荡的父亲》(1859)。

Dumas, Jean-Baptiste-André 杜马(1800-07-14，法国阿莱～1884-04-10，戛纳) 法国化学家，有机化学特别是有机分析的先驱。21岁前在生物化学和胚胎学方面已有独到

美国不列颠百科全书公司供图

研究。1818年与C. 柯弟德一起用碘治疗甲状腺肿。1832年成为巴黎大学和法兰西学院教授。曾发明用于测定有机化合物中氮含量的燃烧法(1830),分离出蒽(1831),发现樟脑的结构式(1832),并证明卤素可取代有机化合物中的氢(1834)。与E.-M.佩利若一起分离出甲醇(1834),并确定了醇的系列(1836)。与J.von李比希一起证明,在有机化学中,原子团能集体行动,在使分子的其他部分发生变化的化学反应中,保持不变。他提出了不同于J. 贝采利乌斯的原子量,贝氏理论遂为杜马、李比希、A. 洛朗和C. 热拉尔的理论所取代。

dumb barter 哑巴交换 参阅 silent trade *无声交易*。

dumb cane 哑藤 又作 mother-in-law's tongue。天南星科花叶万年青属(*Dieffenbachia*)约30种植物的俗称,为耐荫的室内观叶植物。茎含有草酸盐,嚼之可致舌及喉肿胀发炎并一时失音,故得名。原产美洲热带,为直立草本。其中斑点花叶万年青(花叶万年青,*D. maculata*,前作彩色万年青[*D. picta*])和哑丛根芋(*D. seguine*)等少数几种叶大,斑驳,许多变种的叶色鲜艳,具有园艺价值。可爱万年青(*D. amoena*)植株高达180厘米以上,叶长50厘米,沿主脉上有奶油色的斑点。哑藤又俗称婆婆舌,婆婆舌一名又指虎尾兰属(*Sansevieria*)植物。

dumb gulper shark 哑刺鲨 一种所知甚少的角鲨科鲨鱼,与狗鲨有亲缘关系。与刺鲨属的成员相似,它们有绿色的大眼睛。能长到109厘米长,几乎只生活在澳大利亚近海岸250～385米深的海域,其食性未知。

Dumbarton 邓巴顿 苏格兰西邓巴顿政务会辖区的行政中心和敕准自治市(1222)。属邓巴顿历史郡。在格拉斯哥大都市区西北、利文和克莱德河汇流处附近。该地高75米,可俯瞰全城的玄武岩高地曾是卫城要塞。5～8世纪时为斯特拉斯克莱德王国都城。中世纪时曾在英格兰和苏格兰之间多次易手。第二次世界大战后原有的造船业衰落。现以酿制威士忌酒为主要行业。人口21 962(1991)。

Dumbarton Oaks Conference 敦巴顿橡树园会议(1944-08-21～1944-10-07) 中国、苏联、美国、英国四国代表在华盛顿(哥伦比亚特区)乔治敦的一座府第——敦巴顿橡树园开会,提出在第二次世界大战后建立一个国际组织的建议,此国际组织就是联合国的基础。1943年莫斯科宣言即已确认战后需成立一国际组织以接替国际联盟。敦巴顿建议并未对联合国设计出一套完整的蓝图。代表们未能就一些关键性问题达成协议,如拟议中的安全理事会的表决方式及苏联各加盟共和国的成员资格问题等。这些问题在1945年2月雅尔塔会议上才解决,雅尔塔会议并建议在新国际机构下建立托管制度,以取代国际联盟的委任统治制。上述建议成为旧金山会议协商的基础,1945年旧金山会议上产生了联合国宪章。

Dumbarton Oaks Research Library and Collection 敦巴顿橡树园研究图书馆和收藏馆 设在华盛顿(哥伦比亚特区)的一座乔治时代式大厦(建于1801年)里的机构,藏有拜占廷时期的艺术品(4～15世纪)、前哥伦布时期的艺术品(陈列在P.约翰逊设计增建的8个圆形玻璃陈列馆内),并设有三个图书馆:一个拥有10万册拜占廷时期的藏书;另一个拥有18 000册前哥伦布时期的藏书;第三个拥13 000册园林建筑学藏书。大厦(原为R.W.多尔西的住宅)、艺术收藏品和图书均为布利斯夫妇所有。他们于1940年连同基金一起捐赠给哈佛大学。中、美、英、苏四国代表于1944年在这所大厦举行会议,决定成立联合国。

Dumbartonshire 邓巴顿郡 苏格兰西部历史上一个地区和旧郡,面积632平方千米,境内有利文谷地和在格拉斯哥西北的洛蒙德湖盆地。1975年重新划分行政区域时,将该郡分别划入邓巴顿、坎伯诺德、贝尔斯登-米尔盖、斯特拉斯凯尔文和克莱德班克各区。该地区西部和西北部多山,最高处超过975米。该地有史前人类所遗留的、构造粗糙的堡垒和古墓,还有筑在福斯河口和克莱德河之间安东尼城墙的几处遗址。在邓托切尔、坎伯诺德和其他一些地方也有罗马人的遗迹。该郡是古苏格兰伦诺克斯地区的一部分,狮子威廉于1174年设为伯爵封地,其后查理二世又将其作为公爵采邑封给他的非婚生子里奇蒙-伦诺克斯公爵查理。传闻罗伯特一世在班诺克本战役之前在达尔拉特集兵,1329年卒于卡德罗斯堡。1645年,誓约派教徒被蒙特罗斯伯爵击败从基尔赛斯溃退时,经过该郡南部几个区。麦格雷戈部族人和麦克法兰部族人在海兰安家落户并袭击其邻近中央低地的居民。

Dumesnil, Mademoiselle 迪梅尼尔小姐(1713-01-02,巴黎～1803-02-20,巴黎) 原名玛丽-弗朗索瓦丝·马尔尚。法国悲剧女演员。以扮演伏尔泰和拉辛剧中的人物而出名。1737年在法兰西喜剧院首演,饰拉辛《伊菲热妮在奥利德》剧中的克莉当内斯特尔。她是个性情急躁、藐视传统的演员。她以极大的努力饰演高乃依《罗多古娜》中的克娄巴特拉和拉辛《菲德拉》等剧中的角色。1775年退休。25年以后同意出版《玛丽-弗朗索瓦丝·迪梅尼尔回忆录》,以答复同行对手、女演员克莱龙小姐的抨击。

Dumfries 邓弗里斯 苏格兰西南部邓弗里斯-洛韦政务会辖区敕准自治市。属邓弗里斯历史郡。临尼思河,离爱尔兰海索尔韦湾13千米。为一广大畜牧业地区的主要贸易中心。苏格兰诗人彭斯自1791年居此直至1796年去世,其遗物于1815年葬于此,其故居现为陈列馆。针织为传统手工艺。原有花呢生产已为新行业取代。跨尼思河桥梁不下5座,包括一座15世纪的旧桥。人口32 136(1991)。

Dumfries and Galloway 邓弗里斯-加洛韦 苏格兰西南部一政务会辖区。1975年重划行政区时设置。面积6 395平方千米。由邓弗里斯、柯库布里和威格敦3个历史郡及艾尔历史郡西部小片地方组成。该地区从北海峡中的苏格兰最南端的锤形半岛林斯半岛起向东延伸,包括北面的加洛韦森林公园的丘陵和荒野,以及南面的沿海平原和河谷。与英格兰交界处附近的尼思河畔邓弗里斯市("敕准自治市")是该区主要居民区。唯一最重要的经济是农业,特别是奶牛场和林业。人口146 800(1999)。

Dumfriesshire 邓弗里斯郡 又名邓弗里斯,苏格兰西南部历史郡。1975年行政区改组时,分别划入*邓弗里斯-加洛韦*(**Dumfries and Galloway**)行政区下的尼思代尔区、安嫩代尔-埃斯克代尔区。早期居民在北部遗留有山寨、石圈、营垒、古冢和锥形石堆以及碑石等。古罗马人将在此居住的英国人称为塞尔戈韦,在安嫩河上游建造了许多城堡。有古罗马道路的遗迹,在比伦斯有保存得很好的古罗马营寨。发现有罗马人的手工艺品。罗马人撤退后,塞尔戈韦人被来自爱尔兰的苏格兰人所征服。该区的著名人物有历史学家T. 卡莱尔(生于埃克尔费亨村)、土木工程师T. 特尔福德、英格兰银行的创办人W. 佩特森等。

Dumka 杜姆加 又称纳加杜姆加。印度东北部比哈尔邦中东部城镇。位于莫尔河以东。为公路枢纽和重要农产品贸易中心。每周有牲畜集市。设有帕戈尔布尔大学分校。1903年设市。人口38 096(1991)。

Dummer, Jeremiah 达默(1681,马萨诸塞波士顿～1739-05-19,英国埃塞克斯普拉斯托) 美洲殖民地驻英国代表、著作家、耶鲁学院的捐助人。1699年哈佛大学毕业后去荷兰深造,1703年获乌得勒支大学博士学位。回波士顿后,谋求在哈佛任教未成。1708年去英格兰,在伦敦从事商业活动。1710年任马萨诸塞殖民地驻英代表,两年后又被任命为康涅狄格殖民地驻英代表。他竭力维护自己所代表的殖民地的利益。1715年著《为新英格兰宪章申辩》,反对对现行新英格兰宪章中的权利作任何的改变。

Dumont, Alberto Santos(flight pioneer) 参阅 **Santos-Dumont, Alberto** *桑托斯-杜蒙特*。

Dumont, François 迪蒙(1751-01-07,法国吕内维尔～1831-08-27,巴黎) 法国细密画家。曾从J. 吉拉尔代学画,1788年当选为院士,作品有《路易十六》、《玛丽·安托瓦内特》、《路易十八》、《查理十世》和当时名人肖像画。其弟托尼·迪蒙,也是细密画家,曾于1810年获法兰西学院奖章。

Dumont d'Urville, Jules-Sébastien-César 迪蒙·迪尔维尔(1790-05-23,法国孔代叙努瓦

罗～ 1842-05-08，默东附近） 法国航海家。指挥考查南太平洋（1826 ～ 1829）与南极（1837 ～ 1840）的航行，广泛修订了当时的海图，发现或重新划分了一些岛群。1820 年在对地中海东部进行海图测量时，帮助法国政府对当年在爱琴海的米罗斯岛出土的著名维

美国不列颠百科全书公司供图

纳斯雕像取得了所有权。1822 年参加环球航行。1825 年回到法国。下一次航行是去南太平洋。这次航行中测绘了新西兰部分海岸，考察了斐济和洛亚蒂群岛、新喀里多尼亚、新几内亚、安汶、范迪门地（今塔斯马尼亚）、加罗林群岛和西里伯斯岛。1828 年 2 月，在圣克鲁斯群岛中的瓦尼科罗岛发现了 1788 年失踪的法国探险家拉佩鲁兹的帆船残骸。探险队于 1829 年 3 月 25 日返回法国。这次航行的结果，大规模地修订了南海海图，将一些岛群划为美拉尼西亚、密克罗尼西亚和马来西亚群岛。还带回大约 1 600 件植物标本、900 块岩石标本和他所观察过的岛屿上的语言资料。1829 年提升为舰长后，于 1830 年 8 月运送流放的国王查理十世去英格兰。1837 年 9 月从土伦去南极洲，在麦哲伦海峡进行测量之后，船只在西经 44°47′、南纬 63° 29′处遇到浮冰。由于无法穿过，沿浮冰边缘向东航行了 300 英里。继而向西航行，观察了南奥克尼群岛和南设得兰群岛，并发现了茹安维尔岛和路易菲利普地。因坏血病被迫停于智利的塔尔卡瓦诺。在继续穿过太平洋到斐济和帛琉（今帕劳）岛、新几内亚和婆罗洲之后，又转回南极洲，希望在未被勘察过的东经 120°～ 160°之间地区找到磁极。1840 年 1 月观察了位于澳大利亚以南的阿黛利海岸，这是以迪尔维尔夫人的名字命名的。于 1841 年末回到法国。1842 年在一次火车事故中与妻、子一起遇难。迪蒙·迪尔维尔的主要著作（与别人合作）有《1826 ～ 1829 年科书黛星盘号的旅行》（1830 ～ 1834）及《1837 ～ 1840 年南极和大洋洲的航行》（1841 ～ 1854）。

Dumouriez，Charles-François du Périer 迪穆里埃（1739-01-25，法国康布雷～1823-03-14，英国白金汉郡特维尔公园） 法国将军。1792 ～ 1793 年为法国大革命赢得辉煌胜利，然后背叛，投靠奥地利。1758 年参加陆军。在七年战争（1756 ～ 1763）中与普鲁士作战，功勋卓著。曾多次任路易十四密使去马德里（1767）、波兰（1770 ～ 1772）和瑞典（1773）。后因从事密谋活动被关押（1773 ～ 1775）。1778 年任瑟堡司令官。1789 年法国大革命为野心勃勃的迪穆里埃带来了新的机遇。1790 年加入雅各宾俱乐部。1792 年 3 月任外交部长。6 月任陆军部长，3 天后辞职，改任北方军司令。9 月 20 日他同瓦尔米公爵克勒曼在瓦尔米战役中击败入侵的普鲁士军队，迫使普军撤出法国。后来他又在热马普战役（11-06）中击溃奥地利军队，占领比利时。翌年 2 月 26 日攻入荷兰。3 月在内尔温登和卢万连连被奥军击败，他与敌人缔结停战协定，继而实施其进军巴黎推翻国民公会的计划。国民公会派陆军部长里埃尔和 4 个特派员去解除他的职务。他把这些人交给奥军，并于 4 月 5 日向奥军投降。后定居英国。1814 年法国王朝复辟，国王路易十八不准他返回法国。

dumpling 汤团 用发酵小面团做成的一种面食。煮熟或蒸熟，放入汤内或与炖过的食品或水果一起食用。一般用面粉或麦片拌蛋汁揉捏成小面团放入水中或肉汁汤中，以文火煮至面团漂浮起来即成。许多食谱还把香菜、洋葱、磨碎的干酪或剁碎的肉均裹入面团。匈牙利汤团中包有磨碎的干酪。中欧的汤团是将面糊状物放在滤器中挤入沸水里制成。意大利汤团常混有马铃薯或南瓜泥。犹太人在节假日或安息日前夕，习惯用未发酵的麦粉制成汤团。犹太人的汤团和中国的馄饨都放入肉汤内食用，它们都用面皮包馅，而不完全是面团。东方的"饺子"，一般是用剁碎的虾仁、猪肉或牛肉与蔬菜搅和在一起，用酱油等调味做馅包入面皮内。苹果和其他水果汤团是正餐后的甜食，是将水果片包在饼干面团内烘焙制成的。

Dumuzi（Mesopotamian deity） **杜木兹** 参阅 **Tammuz 坦木兹**。

Dumyāṭ 杜姆亚特 地中海沿岸下埃及一省。位于尼罗河三角洲。面积 589 平方千米。尼罗河的达米埃塔支流将该省一分为二。在省会**达米埃塔**（**Damietta**）以外，经济以渔业和农业为主。1979 年开辟萨拉姆运河，从达米埃塔支流引水入苏伊士运河区和西奈。在东面的曼宰莱湖周围开垦许多耕地，但北方仍有大片盐沼。省会是唯一重要的城市中心。人口 1 056 324（2004）。

Dumyāṭ（Egypt） **杜姆亚特** 参阅 **Damietta 达米埃塔**。

Dun Cow，The Book of the 《牛皮书》 爱尔兰文学中现存最古老的手稿。据说因原稿写在牛皮上，故名。牛皮来自克朗麦克诺伊斯的圣夏兰一条出名的母牛。克朗麦克诺伊斯隐修院博学的爱尔兰修士约在 1100 年从较古老的手稿和口头传说中收集真实资料和传说编成此书，这些资料与传说主要源出 8 世纪和 9 世纪，书中还穿插着宗教经文。它还包括《夺牛长征记》的部分原文。这是古爱尔兰厄尔斯特一组故事中最长的一则，其篇幅几乎接近史诗。此外，书中还描绘了厄尔斯特人和康诺特人之间的冲突。书中还有一首被认为是福盖尔所写的赞扬圣科伦巴的诗；一首据说是芬尼亚故事中的传奇英雄麦库尔的关于冬天的诗；关于 7 世纪的厄尔斯特国王蒙安和克努查战役的历史记载；以及一爱尔兰爱情小说中关于达·德加求婚的故事。

Dun Karm（Maltese poet） **杜恩·卡姆** 参阅 **Karm，Dun 卡姆**。

Dún Laoghaire 邓莱里 爱尔兰都柏林郡的海港和自治市。位于都柏林东南 11 千米的都柏林湾。原为一渔村，称为金斯顿，1816 年大港口兴建后，渔村逐渐发展成为带状大居民区。有旅客和车辆轮渡通往威尔士的霍利黑德。1969 年修建了一座新的车辆渡口。港内多游艇。城镇内有许多旅馆和寄宿舍。人口 54 715（1986）。

Dünaburg（Latvia） **迪纳堡** 参阅 **Daugavpils 陶格夫匹尔斯**。

Dunajec River 杜纳耶茨河 波兰南部河流，源出斯洛伐克边境附近的塔特拉山；向东北注入维斯图拉河，全长 251 千米。在罗日努夫、奇胡和乔尔什滕皆筑坝，建有水电站。1975 年 3 月，捷克斯洛伐克和波兰沿该河调整了两国边界，使波兰得以在乔尔什滕地区修建灌溉水坝。

Dunant，Henri 邓南特（1828-05-08，瑞士日内瓦～ 1910-10-30 海登） 全称 Jean-Henri Dunant。瑞士人道主义者，红十字会（现名红十字及红新月会）创建者及世界基督教青年会创办人之一，也是 1901 年第一届诺贝尔和平奖获得者之一。邓南特曾目睹索尔费里诺战役（1859-06-24），此役伤亡近 4 万人。他曾组织紧急救护队为奥地利及法兰西伤员进行战地服务。他在《回忆索尔费里诺战场》（1862）一书中，建议在世界各国组织志愿救济团体，以防止和减轻人们在战时及平时遭受的苦难；主张对不同种族及信仰应一视同仁；还提议订立一项救护战争中伤员的国际协定。1863 年创立红十字会时，首批全国性救济团体以及第一个日内瓦公约同时产生。后经营商业破产，1867 年离开日内瓦，晚年陷于贫困，默默无闻，但仍继续致力于改善战俘待遇、废除奴隶制度、提倡国际仲裁、裁军以及建立犹太人国家。1895 年，邓南特被一名瑞士海登的新闻记者"重新发现"，使他得到许多荣誉和养老金，其中包括第一届诺贝尔和平奖。

Dunántúl（Hungary） 参阅 **Transdanubia 外多瑙**。

Dunash BEN LABRAT **杜纳什·本·拉卜拉特**（约 920，摩洛哥非斯？～约 990，科尔多瓦？） Labrat 又拼 Librat。又作 al-Abrad 或 Adonina ha-levi。希伯来诗人、语法学家和善辩论者。首先在诗中采用阿拉伯格律，使希伯来诗开创一种新风格。对迈纳海姆·本·萨鲁克所著希伯来语词典的责难引发一场争辩，有助于推进希伯来语文学黄金时代的到来。杜纳什出生于非斯或巴格达。曾游历巴比伦的苏

拉，在该地就学于著名犹太学大师萨阿迪亚·本·约瑟。他在苏拉用阿拉伯格律创作诗歌，其创举使萨阿迪亚也为之惊诧。后来移居摩尔人统治的西班牙的科尔多瓦，经历一场犹太文化复兴运动。运动是由有权威的犹太政治家、哈里发的顾问希斯代·伊本·沙普鲁特（约 915 ～ 975?）所领导的。当时希斯代的亲信语文学家迈纳海姆·本·萨鲁克曾编写一本重要的希伯来语词典，杜纳什作文极力诋之，对迈纳海姆进行人身攻击的同时，颂扬希斯代，迈纳海姆从此失宠，不久去世。迈纳海姆的门生和他展开论辩，因之为重新研究希伯来语语法铺平道路。杜纳什还写过一篇未发表的论语法的文章，阐明希伯来语动词虽以三辅音词根为基础，但在某些词形变化中，可以去掉一个字母，此种理解在当时确为卓识。

Dunash BEN TAMIM **杜纳什·本·塔明**（约 900 ～约 960） 又作 Adonim 或 Abu Sahl。犹太医生、最先对希伯来语和阿拉伯语进行比较研究的学者之一。曾在凯鲁万（在今突尼斯）的法提玛朝哈里发宫廷任医，就像同时代的其他受过教育的犹太人一样精通希伯来语。其名作系用阿拉伯语写成，但原书已佚，现仅存希伯来语译本。该书指出：希伯来语比阿拉伯语古老，而阿拉伯语是希伯来语的讹变。穆斯林著作家们常引用其说。

Dunaújváros 多瑙新城 匈牙利中部费耶尔州城镇，位于多瑙河西岸，距布达佩斯 65 千米。由旧城杜纳彭特勒和新城科马罗姆组成，有范围广阔的住宅区和大型联合钢铁厂。铁矿石由乌克兰用船运来，焦炭由匈牙利西南部的佩奇-科姆洛煤田运来。繁忙的河港位于索尔基岛上，与市镇有桥连接。其他工业有房屋预制构件厂、纺织厂和服装厂。铁路联运通过新城，公路和河道联系通过旧城。杜纳彭特勒现有希腊东正教堂（1696）和古旧的农舍，有些农舍是从松软的黄土岩上挖掘而成的窑洞。人口59 000（2001）。

Dunaway, Faye 唐娜薇（1941-01-14，美国佛罗里达巴斯康姆～ ） 全名 Dorothy Faye Dunaway。美国电影女演员以紧张而颇具吸引力的表演而为人们所记忆。在她演出银幕处女作《迈阿密传奇》（1967）之前，曾在外百老汇演出过几出戏剧（1962 ～ 1967）。出演《我俩没有明天》（1967）使她成为国际巨星，后来又演出了《唐人街》（1974）、《荧光幕后》（1976，获奥斯卡奖）、《亲爱妈咪》（1981）以及《酒吧油子》（1987）。

Dunbar 邓巴 苏格兰东南部东洛锡安政务会辖区和历史郡的敕准自治市（1369）和渔港。临福斯湾南岸。约 856 年建立城堡以抵御英格兰的入侵。1620 年建造的市政厅现仍在使用。有两处港口，皆因有暗礁而难于航行。建有新式渔村。经济以旅游、渔业、农业、酿酒为主。人口 6 518（1991）。

Dunbar, Patrick Dunbar, 9th earl of 邓巴伯爵（第九） 参阅 **March, Patrick Dunbar, 2nd earl of 马奇伯爵（第二）**。

Dunbar, Paul Laurence 邓巴（1872-06-27，美国俄亥俄代顿～ 1906-02-09，代顿） 美国第一个以写作为生并在国内取得显赫地位的黑人作家，以用黑人方言所写诗歌和短篇小

美国国会图书馆供图

说而称誉。父母原都是奴隶。他是代顿中学唯一的黑人学生，而且主编过校刊。后来当电梯工人时，自费出版第一本诗集《橡树和常春藤》（1893）。第二本诗集《老老少少》（1895）和第三本诗集《下层生活抒情诗》（1896）得到小说家和评论家豪威尔斯的赏识。1897 ～ 1898年曾在国会图书馆阅览室工作。他除写诗外，还出版过 4 本短篇小说集和 4 部长篇小说。前 3 部长篇小说（包括反映他自己的精神困惑的《未受邀请的人》；1898）都以白人为主人公。最后一部长篇小说《诸神的娱乐》（1902）描写迁入北方城市的黑人家庭。

Dunbar, William 邓巴（约1460或1465，苏格兰～ 1530 前） 中世纪的苏格兰诗人，曾在詹姆斯四世宫廷中服务，是苏格兰诗歌黄金时代乔叟派中的首要人物。可能是邓巴和马奇两伯爵家族的后代，似于 1479 年获圣安德鲁斯大学文学硕士学位。据信是方济各会的见习修士，曾受国王差遣，游历英法两国。1501 年，他确实在英格兰，这也许和安排詹姆斯四世和玛格丽特·都铎于 1503 年举行的婚礼有关。1500 年被国王赐给 10 镑年金。1504 年成为牧师。1510 年被赐予 80 镑年金，以示王室对他的礼遇。1511 年，陪同王后到阿伯丁，并写韵文赞扬了该城的款待。除少数几首外，归属邓巴名下的 100 多首诗都是应景短诗，多系个人即兴之作或描写宫廷事件，从最辛辣的讽刺诗到宗教热情昂扬的赞歌都有。在他较长的诗篇中，有些是宫廷式的乔叟派作品，像梦幻寓言《金色的盾牌》，寓意巧妙，形象描绘迷人。《蓟与玫瑰》是一首对詹姆斯四世和玛格丽特·都铎婚礼的颂歌。《邓巴和肯尼迪的争吵》精彩地表现了他对他的诗坛敌手 W. 肯尼迪的人身攻击，而在回忆已去世诗人的《哀诗人》中却偶而爱慕地提及后者。最著名和令人震惊的讽刺诗是用押头韵法写成的《论两个已婚妇女和寡妇》。他的多才多艺是惊人的。他写圣歌和讽刺诗，道德剧和淫秽喜剧，颂歌和倾诉，挽歌和挖苦性作品等都得心应手。他的诗歌词汇分属不同层次，他得心应手地从一个层次转换到另一层次以取得讽刺效果。他下笔异常坦率而机敏，处理旧题材和旧形式时富于想象力和独创性。与他之后的其他苏格兰诗人——特别是彭斯——一样，他是极富有创造性的传统派诗人。就艺术技巧和范围而不从人文学的角度而论，他是苏格兰最优秀的诗人。

Dunbarton 邓巴顿 又称 Dunbartonshire, Dumbartonshire, Dumbarton。苏格兰中西部一历史郡。由两部分组成：位于西部的主体部分沿克莱德河北岸从格拉斯哥郊区一直延伸至洛赫隆，另有东部小片土地。大片的西部地区多为陡峭的山地和河岸。东部多为地势低平的平原。整个西邓巴顿政务会辖区及北拉纳克、东邓巴顿和阿盖尔-比特几个政务会辖区的部分地区均属邓巴顿历史郡。

Duncan 邓肯 美国俄克拉何马州中南部城市，斯蒂芬斯县县城（1907）。原为奇瑟姆小道上的牛市。1892 年罗克艾兰铁路修筑至此时兴建。1898 年设镇。1910 年设市。1921 年发现石油后，石油工业取代农业为主要经济部门。E. 哈利伯顿在此首创具有世界影响的油井灌浆法。人口 22 505（2000）。

Duncan I 邓肯一世（？～1040-08-01，苏格兰马里埃尔金附近） 苏格兰国王（1034 ～ 1040）。国王马尔科姆二世之孙。约在 1034 年前不久，斯特拉斯克莱德地区并入苏格兰人的王国，马尔科姆二世破格任命他为该地区统治者，从而破坏了既定的继承制，即王位由王族的两个支系轮流继承。马克科姆死后，邓肯一世平稳继位。但很快更有权继承王位的马里小邦君主麦克佩斯就与他争夺王位。1039 年他围攻达勒姆未胜。翌年被麦克佩斯谋害。后来，他的长子杀死麦克佩斯，成为马尔科姆三世。

Duncan II 邓肯二世（？～1094） 苏格兰国王（1093 ～ 1094）。马尔科姆三世之子。1072? ～ 1087 年在诺曼族英格兰人那里当人质，据说这是为了表明他的父亲对英王威廉一世的效忠。1094 年他在一些英格兰人和诺曼人的支持下赶走叔父 D. 贝恩，成为苏格兰人的国王。贝恩唆使人将他杀死，恢复了王位。

Duncan, David Douglas 邓肯（1916-01-23，美国密苏里堪萨斯城～ ） 美国新闻摄影记者，在朝鲜战争时期，以拍摄生动的战斗场面而著名。1938 年大学毕业后，从事自由职业摄影。第二次世界大战期间，在美国海军陆战队服役，拍摄了海军陆战队在太平洋上的航空活动。1946 年，在《生活》杂志任专职摄影师。1950 年，采访朝鲜战争，其照片用生动的语言表现了普通士兵的生活。这些照片后来刊登在《这就是战争!》一书中。1955 年，邓肯从《生活》杂志辞职，恢复自由职业摄影。1956 年，与艺术家毕加索相遇，对这位艺术家的作品产生了历久不衰的兴趣，这表现在他的《毕加索的个人生活》（1958）、《毕加索的毕加索》（1961）等画册中。其作品《克里姆林宫》（1960）是通过克里姆林宫的艺术宝库反映俄国的历史。自传《美国流浪者的图片史诗》出版于 1966 年。他拍摄的 1968 年民主党和共和党选举总统的大会，刊登在《美国自画像》（1969）中，越南战争照片选登在《没有英雄的战争》（1971）中。

Duncan, Isadora 邓肯(1877-05-26/1878-05-27,美国加利福尼亚旧金山～1927-09-14,法国尼斯) 1894年前曾用名Angela Duncan。美国舞蹈家,把解释性的舞蹈提高为创造性

美国不列颠百科全书公司供图

艺术的先驱者之一。她的演出最初在美国未受重视,后来她潇洒自如的舞蹈风格先在英国,后在包括俄国在内的欧洲各国获得巨大成功。邓肯家境清贫,从小受教于担任音乐教师的母亲,对古典芭蕾刻板程式反感,按自然节奏和动作跳舞。后来更是有意识地应用这种方法去表现作曲家勃拉姆斯、瓦格纳和贝多芬等人的作品。最初在芝加哥和纽约市演出,未获成功。21岁以微薄积蓄乘坐运牛船远航英国。她在不列颠博物馆钻研古希腊雕像,肯定了她原来只是本能地做出的舞蹈动作与姿态的古典用法,并主要以此为基础建立起她的方法体系。她通过著名女演员P.坎贝尔夫人的赞助,得以在伦敦社交名流的私人招待会上演出。她以无拘无束挥洒自如的舞姿使只熟悉日趋衰落的保守形式的观众倾倒、心折。不久这位赤足林中仙子般的青年女演员的飘逸舞姿便在各类剧院、音乐厅出现,风靡全欧洲。1905年初次出访俄罗斯,舆论界对她的表演虽有争议,但她却引起了艺术评论家S.佳吉列夫的注意(佳吉列夫不久成为西欧芭蕾舞复兴的领袖)。邓肯曾在德国、俄国和美国办过舞蹈学校,但均为时不久。她的私生活也和她的艺术生活一样,以处处蔑视、触犯陈规旧律而闻名。她长女的父亲E.G.克雷格是一位舞台设计艺术家,和她一样嫌恶婚姻关系;次子的父亲P.辛格是个富裕的著名艺术赞助人,也和她没有婚姻关系。1913年她因两个子女所乘的汽车在巴黎翻入塞纳河溺水身亡而悲悼不已,欲创办一舞校以作排解,因第一次世界大战爆发而未成。后到南美、德国和法国巡回演出,不甚理想。1920年应邀到莫斯科创办自己的舞蹈学校。1922年她放弃反对婚姻的原则,与比她小17岁的著名俄国诗人叶赛宁结婚。她偕丈夫一同去美国巡回演出,可惜时机不对,抵美时正值美国恐惧"红祸"的高潮,她与丈夫被误认为俄共的间谍。一次在波士顿的交响乐音乐厅向观众介绍她丈夫时,听众中有人高声对她辱骂,她在台上慷慨陈词,严加责斥,晚会在骚乱中结束。她再次离开美国时对记者说:"再见吧美国,我再也不回来了!"她从此没有再回去。其后和叶赛宁在欧洲的生活也不美满,因叶赛宁的精神不安日益加剧,最后他独自回到苏联,1925年自杀身亡。邓肯的余年在法国尼斯的弗伦奇海岸离群索居,因围巾缠在汽车后轮上被勒死。

邓肯为同时代第一流音乐家、艺术家和作家所推崇,是知识界的一份启迪力量,是他们中偶像式的人物,但亦常常是思想较狭隘者的攻击目标。她的思想超前于时代太远,太过激烈地蔑视社会习惯,因而被广大人群认为是个鼓吹"自由恋爱"的分子。但她作为伟大舞蹈革新家确实当之无愧。她把舞蹈从人为的技术性限制中解放出来,摆脱对华丽但空洞的动作技巧的依赖,为尔后由M.维格曼、M.格雷厄姆等人创立的现代舞蹈被公众接受铺平道路。其自传出版于1927年。

Duncan, Otis Dudley 邓肯(1921-12-02,美国得克萨斯诺科纳～2004-11-16,加利福尼亚圣巴巴拉) 美国社会学家。他对芝加哥黑人人口的研究(1957)在他事业的早期就揭示出人类生态学作为社会学的一个分支学科是合理的。邓肯于1941年在路易斯安那州立大学获学士学位,1942年在明尼苏达大学获硕士学位,1949年获芝加哥大学博士学位。1951年起在芝加哥大学任教,1957～1960年任该校人类生态学副教授,1960～1962年任教授。1973年任亚利桑那大学社会学教授。他所著的为人们广泛参考的《美国职业结构》(1967;与P.M.布劳合著)一书,通过把人口说成是流动的劳动力而提出了有关现代都市社区的结构及发展的科学论述。该书曾获索罗金奖。

Duncan, Robert (Edward) 邓肯(1919-01-07,美国加利福尼亚奥克兰～1988-02-03,圣弗朗西斯科[旧金山]) 原名Edward Howard Duncan。曾用名Robert Edward Symmes。美国诗人。20世纪50年代黑山派诗人的领袖之一。1936～1938年和1948～1950年间,就读于伯克利加利福尼亚大学。1938～1940年任《实验评论》主编。20世纪50年代,在美国和加拿大各地以诗歌为题讲学。1956年曾在北卡罗来纳州黑山学院授课。后长期在圣弗朗西斯科(旧金山)居住,在该地诗人群中甚为活跃。邓肯诗作富于音乐性,能引发读者想象。他善于将各种联想与形象编织在一起,而其含义往往不明。其作品大多有神话和富于幻想的神秘主义色彩,但在主题上则有时体现出鲜明的社会政治主张。早期诗作收在《岁月遗存:1939～1946年早期诗作》(1966),50年代作品收在《衍生集,1950～1956年诗选》(1968)。其优秀作品见于《开拓集》(1960)、《根与枝》(1964)、《弯弓集》(1968)、《基础工作》(1984)。他也写剧本,有《美狄亚在科尔喀斯》(1965)等。

Duncan, Ronald 邓肯(1914-08-06,罗得西亚索尔兹尔兹伯里[今津巴布韦哈拉雷]～1982-06-03,英国德文巴恩斯特珀尔) 英国剧作家、诗人和文学家。他的诗剧表达了传统的宗教信仰同现代的实利主义和怀疑主义间的对比。早年热衷于社会主义,后在文学作品中改为宣扬基督教和佛教思想。以若干剧作闻名于世,在这些剧中他以热情的诗的语言表达了对当代社会中道德价值的衰落和怀疑主义的发展的认识。这些剧包括《通向坟墓之路》(1945)、《斯特拉顿》(1949)、《圣母马利亚的不倒翁》(1951)、《唐璜》(1953)、《撒旦之死》(1954)、《有感染力的人》(1958)。邓肯还写过电视剧、诗篇、短篇小说、长篇小说和许多非文学类作品。他为英国作曲家布里顿的歌剧《贞女卢克丽霞的受辱》(1946)撰写歌词。1955年创立英国剧团。1938～1946年间他任《城里人》的诗歌编辑。

Duncan Island (Galapagos Islands) **邓肯岛** 参阅 **Pinzón Island 平松岛**。

Dundalk **邓多克** 爱尔兰劳斯郡的海港、都市区和行政中心。靠近邓多克湾的卡斯尔敦河河口。约1200年受约翰王和其他君主的敕封。为铁路枢纽,有铁路修理厂、蒸馏酒厂和酿酒厂。生产咸肉、鞋、服装、香烟、烟草、电子计算机和电器零件。贸易以牲畜和农产品为主。人口27 385(2002)。

Dundas **邓达斯** 旧称图勒。原为爱斯基摩居民点。现为美国主要空军基地和通信中心。在格陵兰西北部。位于巴芬湾阿瑟尔角上。第二次世界大战期间,美国在此设空军

邓达斯附近的伍尔斯滕霍姆峡湾
美国不列颠百科全书公司供图

基地。1952年改作北美和北欧之间飞越北极的航线中间站。1961年建成弹道导弹预警站。至20世纪末该处已无平民居住。

Dundas, Henry **邓达斯** 参阅 **Melville, Henry Dundas, 1st Viscount 梅尔维尔子爵(第一)**。

Dundee **邓迪** 苏格兰东部邓迪城区的主要工业城市、敕准自治市及海港港口。1892年设市,1894年设郡级自治市。邓迪人口居苏格兰城市中第三位,工业仅次于格拉斯哥,居第二位。位处称为泰湾的北海水湾北岸,河湾上有现代所建的福斯湾-泰湾公路桥。离爱丁堡以北约64千米。该城河边地长13

千米余，城市面积超过52平方千米，在泰河与邓迪洛（高174米）之间。邓迪洛是一座高耸的火山岩岩颈。该城镇最早历史记载见于12世纪末或13世纪初设为敕建自治市之时。其后四五百年间，该城屡遭劫掠，居民惨遭英格兰人的杀戮。自古以来邓迪渔业便很发达，苏格兰最大的捕鲸船队以此为基地。19世纪发明黄麻纤维涂以鲸油后可织成粗麻布做口袋和地毯衬里，于是该城传统的纺织品制造业便与捕鲸业紧密结合起来，而邓迪亦成为全世界黄麻纺织业中心，得到迅速发展。现该地仍生产纺织品，包括亚麻布、帆布、绳索和地毯。但第二次世界大战后大批工人受雇从事新兴的轻型机械工业。邓迪还以生产糖果糕点和果酱闻名。橘子果酱是其名产。20世纪末邓迪的制造业下滑，服务业逐渐发挥重要经济作用。为重要的教育科研中心，信息技术和生物技术方面科研力量尤为雄厚。因历史上屡经动乱，古建筑物只保留一座城门（东港口）。市教堂是在同一屋顶下的三座堂区教堂的集成建筑物，现在仍是时新的玻璃和混凝土建筑的市中心的焦点。清除贫民窟时拆去许多旧街道、庭院和建筑物。邓迪大学创于1881年，1897年与圣安德鲁斯大学合并，1967年又分开。另外还有技术、师范、商业和美术等学院。布劳蒂费里原为一独立的自治市，是邓迪富商喜爱的住宅区，现已划入邓迪市。人口144 430（1999）。

Dundee, Angelo　邓迪（1923-08-30，美国宾西法尼亚费城～2012-02-01，佛罗里达克利尔沃特）　美国职业拳击教练和经理。早年用研究世界著名拳击教练的技巧掌握了拳击术。他训练出来的第一个世界冠军是C.巴西里奥，20世纪50年代的次中量级和中量级冠军。后迁居佛罗里达州迈阿密，是著名的第五街体育馆的主教练。1960年受雇训练M.阿里，他们之间的关系贯穿于阿里的整个拳击生涯。邓迪对安排次中量级冠军S.R.伦纳德的事业也有帮助。他训练出来的著名拳击手还有G.福尔曼、J.埃利斯、L.罗德里格斯、S.拉莫斯、R.迪帕和W.帕斯特拉诺。1992年入选国际拳击名人堂。

Dundee, John Graham of Claverhouse, 1st Viscount of　邓迪子爵（第一）（1649？～1689-07-17或18，苏格兰珀斯基利克兰基山口）　即格雷厄姆（克拉弗豪斯的）。苏格兰军人，人称“健美的邓迪”。他在1689年领导了支持被废黜的罗马天主教君主英王詹姆斯二世的起义。但举事伊始便死去，致使苏格兰詹姆斯党人抵抗威廉三世国王和玛丽二世女王的叛乱毫无取胜希望。贵族家庭出身。曾在法国和荷兰军队中服役。1678年回苏格兰，任龙骑兵上尉。次年在苏格兰西南部镇压长老会教徒反对查理二世国王的英国国教统治的起义。1679年6月1日在拉纳克的德拉姆克洛格沼泽地败于叛军，但6月22日在博斯韦尔布里奇获胜。此后在英格兰得到查理二世之弟约克公爵詹姆斯的宠信。1685年公爵登上王位成为詹姆斯二世。1688年11月奥伦治的威廉入侵英国时，他担任驰援英格兰国王的苏格兰军副司令。11月12日封邓迪子爵。12月詹姆斯二世逃离英格兰，邓迪返回苏格兰，继续支持逃亡的国王。他在中部高地招兵买马，1689年7月17日在基利克兰基山口伏击H.麦凯将军，大获全胜。但他中弹落马，重伤而亡。8月，在邓凯尔德战役中，苏格兰人的抵抗遭到失败。

Dundee City　邓迪城　苏格兰东部泰赛德行政区的一个区。1975年行政区改组时设置。由前邓迪市全部、安格斯和珀斯郡部分地区组成，面积235平方千米。位于泰河口湾北岸。范围包括邓迪市及其四周一些乡村和莫尼菲斯居民区。人口约165 548（1991）。

Dunderlands　敦讷尔兰　挪威中北部诺尔兰郡拉纳河下游河谷。位于北极圈内，从北海沿岸的拉纳湾向东北伸延约50千米。有丰富的磁铁矿和赤铁矿供应河口处穆村的钢铁厂。有石灰石岩洞和地下河等自然风景。

Dundo　栋多　安哥拉东北部矿业城镇。位于刚果（金）边界以南24千米处，建于1912年首次发现钻石的地点附近。从20世纪20年代初至1971年，国际财团安哥拉钻石公司垄断了这一地区的钻石开采。1977年安哥拉政府将该公司收归国有。至1980年每年生产的优质钻石约占全世界总产量的10%。此后，由于内部斗争、缺少技术设备和其他经济问题，钻石产量大大削减。国立栋多博物馆（1947年建）收藏有大量人种志方面的珍品，其中包括当地隆达-乔奎各部族的传统木制面具和木雕。

Dundonald, Thomas Cochrane, 10th earl of　邓唐纳德伯爵（第十）（1775-12-14，苏格兰拉纳克郡安妮菲尔德～1860-10-30，伦敦）即T.科克伦。英国海军上将。1793年加入其叔指挥的一艘军舰，其后在拿破仑战争中在其他军舰上服役。1806年和1807年两度被选为议员。1809年4月统率火攻船大败法国舰队。由于要求改革议会和改革海军，受排挤而被迫退出海军。1814年2月，因参与散布关于拿破仑退位的谣言以在证券交易中大捞一笔的阴谋而受审，被判处徒刑，因而被逐出议会，并被褫夺1809年因战功而获得的巴思勋章。在这个命运最不济的时刻，他接受智利的邀请（1817-05），统率其舰队进行反对西班牙的独立战争。因捕获西班牙旗舰“翡翠号”对智利和秘鲁的独立做出了重大贡献。从1823至1825年，邓唐纳德在巴西反对葡萄牙的战争中转入巴西军队服役。不久以后，邓唐纳德回到欧洲，受雇于希腊人，为其独立而战。1828年因派系纷争以及他所建议的汽船战舰迟不参战愤而去职。汽船参战之议，由其首倡。回国后，他为恢复自己在英国海军中地位而积极活动，1832年终于如愿以偿。他继承其父为邓唐纳德伯爵。死后葬于威斯敏斯特教堂。著有《水手自传》（2卷，1860～1861）和《智利、秘鲁和巴西解放战争亲历记》（2卷，1959）。

dùndún pressure drum　登登压腰鼓　尼日利亚西南部约鲁巴族用的沙漏形双面膜鼓，能模仿人的说话音调和滑音。音乐家用以在对某一神明或国王的颂诗仪式上演奏。在东非、亚洲和美拉尼西亚有类似乐器。压腰鼓（pressure drum）这一名称来自鼓身的形状，因

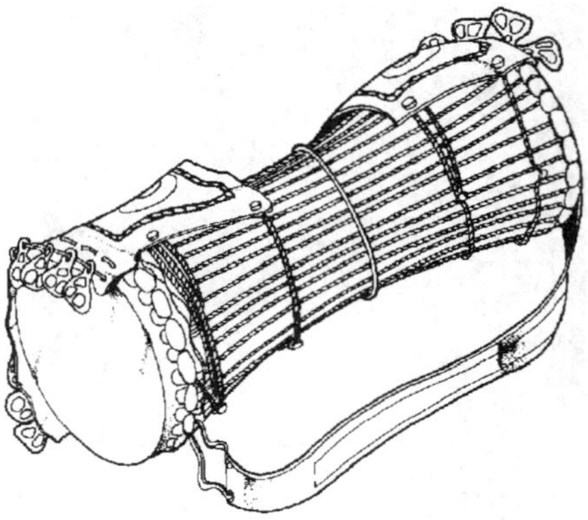

登登压腰鼓

它的中间部分比两端细，呈细腰形。演奏者把鼓挎在左肩上，左手操纵连接两个鼓面的皮带，右手拿弯曲的鼓槌敲击。演奏者可将皮带放松或绷紧，以控制（亦即提高或降低）鼓的音高。

Dunedin　达尼丁　新西兰南岛东南部港口城市。在奥塔戈港湾顶端。湾口有深水港查默斯港。建于1848年，为苏格兰自由教会居民点。1861年在奥塔戈发现金矿后日趋繁

达尼丁市的奥塔戈高中（男校）
美国不列颠百科全书公司供图

荣，移民增多，19世纪后半叶成为新西兰主要城市。1865年设市。现为工业中心，出产纺织品、家具、化工产品，还有船舶修理、机器制造和铁、铜铸造等工业。有公路、铁路、航空和港口之利。以“城市护林带”（环绕内城的200公顷森林带）闻名。其他名胜有植物园、美术馆、奥塔戈博物馆等。市内的奥塔戈大学于1869年创办，为新西兰历史最悠久的大学。该市亦为宗教中心。有罗马天主教和英国圣公会教堂及三所神学院。人口：城市116 577（1991）。

Duneideann（Scotland）　参阅**Edinburgh**　爱丁堡。

Dunér, Nils Christofer 杜奈尔(1839-05-21,瑞典尔比尔贝格～1914-11-10,斯德哥尔摩) 瑞典天文学家。以研究太阳自转周期而著称。杜奈尔是瑞典隆德皇家大学天文台的高级研究员(1864～1888),1867年开始研究双星。他也是对恒星光谱研究(即探索恒星在不同波段的特性)的创始人。1888年杜奈尔在就任瑞典乌普萨拉大学天文学教授兼乌普萨拉天文台台长后不久,就着手研究太阳自转(这一课题现已成为经典课题)。他用多普勒频移测定,太阳自转周期在太阳赤道上下约为25.5天,而在太阳两极附近则达到38.5天。

Dunes, Battle of the 沙丘战役(1658-06-14) 蒂雷纳元帅统率的法英联军在敦刻尔克(当时在西属尼德兰境内)附近进攻西班牙军取得胜利。这一胜利对西班牙占领下的敦刻尔克的投降和法西签订比利牛斯山和约起了很大作用。克伦威尔派洛克哈特将军率领6 000名英国步兵增援正在围攻敦刻尔克的蒂雷纳后,开始了这次战役。由奥地利的小唐·约翰和大孔代率领的西班牙军和由约克公爵(后成为詹姆斯二世)统率的几个英国保皇军组成的军团,前来敦刻尔克解围,在附近沙丘摆下阵势。蒂雷纳发起进攻。虽然孔代的骑兵取得优势,但其余的西班牙军,除了英国保皇军的一个军团外(该军团后与其国王詹姆斯二世在伊普尔重新会合),未能阻挡英法联军的进攻而退却。

Dunfermline 丹弗姆林 苏格兰东部法夫政务会辖区和历史郡的一个区。1975年行政区改组时设置。由前法夫郡部分地区组成,面积303平方千米。在福斯湾北侧,大部为低地。经济以采煤和乳制品业为主。首府丹弗姆林。人口125 529(1991)。

Dunfermline 丹弗姆林 苏格兰法夫政务会辖区和历史郡的敕准自治市、城市。在距福斯湾5千米的内陆高地上。早期曾为凯尔特修士居住地。皮滕克里夫公园内保存有古王宫残迹。葬有7位苏格兰王。1624年被大火焚毁。后发展成麻织业和织花台布业中心,兼营漂白和印染业。现经济以服务业和制造业为主。百万富翁、工业家和慈善家A.卡内基的出生地(1835),受其捐赠颇多。设有卡内基信托基金会总部。人口55 083(1991)。

dung beetle 蜣螂 又作dung chafer或tumblebug。又称屎壳郎。鞘翅目金龟亚科昆虫。用铲状的头和桨状的触角把粪便滚成一个球。初夏时蜣螂把自已和粪球埋在地下土室内,并以之为食。稍后,雌体在粪球中产卵,孵出的幼虫也以此为食。

虫体一般呈圆形,5～30毫米长。色深,有的具金属光泽。鞘翅短,腹部末端露出。雄虫头顶有一长而弯曲的角状突。在24小时内吃的食物可超过本身的体重。因为能加速使粪便转变为其他生物能利用的物质的过程,所以对人类有益。

见于古埃及许多绘画及首饰中的甲虫形护符描绘的是一种蜣螂——神圣金龟(*Scarabaeus sacer*)。其中反映了古埃及人的宇宙起源学说,蜣螂代表太阳,所滚的粪球代表地球。蜣螂3对足共30节(实际上该种仅20节,与之近缘的种方具30节)代表每月的30日。有些种类(如印度的*Heliocopris*和某

牧场金龟(*Geotrupes*属)
美国不列颠百科全书公司供图

些*Catharsius*)所滚的粪球非常大,外包一层黏土,干后极硬,曾被误认为是古时的石头炮弹。澳大利亚的共生蜣螂(*Macrocopris symbioticus*)生活于沙袋鼠的肛门内。

牧场金龟亚科的种类(如Aphodiinae和Geotrupinae)亦称屎壳郎(dung beetle),但不滚粪球,而是在粪堆下挖一洞,用以取食和产卵。蜉金龟较小,长4～6毫米,多为黑色,翅盖黄色。牧场金龟(如*Geotrupes*属)长14～20毫米,褐色或黑色。欧洲粪金龟子(*Geotrupes stercorarius*)是欧洲常见的种。

dung-chen 长号筒 中国藏传佛教寺院中进行宗教活动时使用的铜质长形号筒。

吹奏长号筒
中国大百科全书出版社供图

dung fly 粪蝇 又作cordylurid。双翅目粪蝇科昆虫。常见于厩肥中。在牛粪中生活和繁育,加速粪的分解。成体黄色或褐色,可寄

粪蝇(*Scatophaga stercoraria*)
美国不列颠百科全书公司供图

生在昆虫身上;有些种吃植物。小粪蝇科的种类称为小粪蝇。

Dungannon 邓甘嫩 北爱尔兰城镇、首府和区(1973年建立,原跨阿马和蒂龙两郡)。1782年爱尔兰会议在此宣告独立。现今是集镇,生产亚麻布和雕花水晶玻璃。17世纪初在此建立皇家学校。区面积911平方千米,主要是牧区,饲养猪、乳牛和家禽。其他主要居民中心有科莱兰,是个煤区中心,但从未赢利。有公路通贝尔法斯特。人口:城镇10 983;区47 735(2001)。

dungarees(apparel) **粗蓝斜纹布工装裤** 参阅jeans 紧士裤。

Dungarpur 栋格尔布尔 印度西北部拉贾斯坦邦栋格尔布尔县县城。农产品市场和公路交通中心。栋格尔布尔初建于14世纪。设有一座医院和拉贾斯坦大学分校。栋格尔布尔县为山林地区,属默希河流域。面积3 770平方千米。主要农作物有小麦、粟、水稻、玉米和豆类。开采绿柱石、铅、锌、银、铁和云母。1530年以前,栋格尔布尔作为土邦包括在班斯瓦拉邦内。此后相继受莫卧儿人、马拉塔人和英国人统治。1948年栋格尔布尔并入拉贾斯坦邦。人口:城镇35 608;县874 329(1991)。

Dungarvan 邓加文 爱尔兰沃特福德郡的集镇、海港、市郊区和行政中心。位于科利甘河口的邓加文湾。古迹有国王约翰约1200年建造的城堡、奥古斯丁男隐修院的城堡古楼和断壁残垣。工业有制胶厂、制革厂、奶制品厂和水果包装站。人口6 800(1986)。

Dungeness 邓杰内斯 英格兰肯特郡南部海岬,为荒凉的三角形砾石滩。从北部罗姆尼沼泽地向东南突入英吉利海峡,北面则伸入多佛尔海峡。设有灯塔、核电站、海上救生站、信号站和鸟类禁猎区。

Dungeness crab(*Cancer magister*) **邓杰内斯蟹** 即首黄道蟹。甲壳纲十足目动物,可食,分布于阿拉斯加到加利福尼亚南部的太平洋沿岸。是该海岸地区最大、最有商业价值的蟹类之一。雄蟹宽18～23厘米,长10～13厘米。背面红棕色,向后稍淡,足和腹面淡黄色。生活于低潮线下的沙质海底。北美的近缘种有大西洋沿岸的岩蟹(斑黄道蟹,*C. irroratus*),新英格兰到加拿大沿海的约拿蟹(北黄道蟹,*C. borealis*),太平洋沿岸的红蟹(红黄道蟹,*C. productus*)和太平洋岩蟹(触角黄道蟹,*C. antennarius*)。以上各种都是食用蟹,但商业价值不同。在英国,*C. pagurus*称为食用蟹或普通蟹,可捕捞以供商售,宽25厘米,重可达5千克。

Dunham, Katherine 邓翰(1910-06-22,美国伊利诺伊乔利埃特～　) 美国舞蹈家、舞蹈编导和人类学者,以其对原始舞蹈、祭祀仪典舞蹈、种族舞蹈富有革新精神的诠释而著称。她是组织黑人舞团进行晚会演出

的第一人。既是一个带着五光十色、形式多样的舞蹈节目巡回演出于美国和欧洲的著名演员，又是一个热衷于探索黑人文化渊源的严肃艺术家。在先后获得芝加哥大学的人类学硕士和博士学位之后，得到奖学金在加勒比海地区研究原始舞蹈。1931年在芝加哥创办她的第一所学校。1936年获尤利乌斯·罗森沃德基金会的奖学金，去海地研究传统舞蹈。1940年组织了一个全部由黑人组成的舞蹈团，演出《热带地区》（1937年编导）和《爵士热》（1938），这是以她的研究为基础创作的很多歌舞表演中的最早两部作品。1943年率团开始广泛的巡回演出。在芝加哥和纽约市她的实验剧院里受过培训的很多学生，后来成为现代舞领域里的佼佼者。她还为百老汇的舞台演出、歌剧和电影设计过舞蹈，指导为芝加哥黑人高中学生开设的专门项目，是塞内加尔总统的艺术和技术顾问和南伊利诺伊大学的常任艺术家和教授。她的著作包括她在牙买加人类学研究的报道《K. 邓翰到阿科姆邦的旅行》（1946）和自传《清白者的风格》（1959），以及为普及性和学术性杂志写的文章。

邓翰演出的《热带舞蹈》（1945～1946）
美国不列颠百科全书公司供图

Dunhill, Thomas Frederick　邓希尔（1877-02-01，英国伦敦～1946-03-13，林肯郡斯肯索普）　英国作曲家，以轻歌剧和歌曲闻名。曾就学于伦敦皇家音乐学院。1899～1908年任伊顿学院助理音乐教师。所作杰出喜歌剧有《坦蒂维的塔楼》（1931）和《幸福家庭》（1933）。在他的歌曲中，为叶芝的诗谱曲的《天堂之帆》和《杜尼的提琴手》特别受欢迎。另有交响曲、室内乐和论文《沙利文的喜歌剧》（1928）。

Dunhuang　敦煌　又拼 Tun-huang。中国甘肃省县级市。中国历史文化名城。位于省境西北部河西走廊西缘，党河下游绿洲上。是古代“丝绸之路”西出玉门关和阳关主要门户。汉代置敦煌县。敦煌寓意地大且盛。西汉元鼎六年（公元前111）为敦煌郡治。以后相继为后凉、西凉和北凉的领地。北魏名瓜州。唐武德五年（622）改称西沙州。唐中叶后属吐蕃，大中五年（851）吐蕃内乱，唐收复沙州。11世纪中叶属西夏。元至元十七年（1280）为沙州路治。明代永乐初置沙州卫，

敦煌县西南部的阳关古道
中国大百科全书出版社供图

在敦煌驻军。清乾隆二十五年（1760）改敦煌县。1987年改县级市。辖七里、沙洲、肃州、莫高4镇和6乡。面积26 960平方千米。敦煌是佛教传入中国最早的地区之一，从东晋太和元年（366）始建莫高窟起，到金正大四年（1227）西夏灭亡止，敦煌一直是佛教徒的朝圣地。历代地方长官，包括吐蕃等部落首领都在此修建寺庙。现保存有北魏、西魏、北周、隋、唐、五代、宋、西夏，元各代壁画和塑像洞窟492个，壁画4.5万多平方米，彩塑2 400余身，宋木结构建筑5座。最大的窟高40余米，30米见方，最小的高不盈尺。窟内金碧辉煌，绚丽夺目，是中国现存规模最大、内容最丰富的石窟艺术宝库。清光绪二十六年（1900）发现窟内藏经洞，藏有佛经、道（教）经、祆（教）经、景（教）经以及文书数万件，是研究中国中世纪社会历史的宝贵资料（参阅**Dunghuang caves**）。20世纪70年代初，经安西北部通往新疆的公路和铁路建成后，敦煌的重要性大大下降。80年代旅游业兴起，市场活跃，经济繁荣，地位又趋重要。市境南北高，中部低。疏勒河及党河冲积平原为绿洲，四周多戈壁与流沙。气候干旱，昼夜温差大。经济以农业为主，是甘肃省重要产棉区，并产小麦、谷子、大麻、油菜籽和瓜果，畜牧业也较发达。矿产有磷、石棉、芒硝。工业有农机、化肥、粮油加工等。文物古迹除中外驰名的“莫高窟”外，还有汉长城、玉门关、阳关、龙勒（寿昌）城等遗址及西千佛洞。鸣沙山下有大型古堡式风俗博物馆。红柳园至当金山公路纵贯南北，北接兰新铁路及甘新公路，南达青海和西藏，乡、镇通汽车。民航班机可达兰州、北京、西安、乌鲁木齐和嘉峪关。有汉、回、蒙古等民族。人口140 000（2005）。

Dunhuang caves　敦煌石窟　中国古代北方地区佛教石窟群之一。位于甘肃敦煌境内，向有佛教艺术宝库之称。现为国家重点文物保护单位。敦煌石窟包括敦煌莫高窟、西千佛洞和安西的榆林窟、水峡口千佛洞。一般是指敦煌莫高窟。莫高窟创建于前秦建元二年（366），现存最早洞窟可能是十六国北凉五代、宋、西夏、元等朝代都相继兴建。共有洞窟735个，窟内壁画4.5万多平方米，敷彩泥塑2 400余身。莫高窟佛教石窟群为研究佛教艺术史提供了大量珍贵资料。敦煌壁画除表现各类佛经人物、佛教故事以及经变画外，还有众多供养人画像，再现了中国中世纪社会生活的场景。清光绪二十六年（1900）道士王圆箓在莫高窟发现一个藏经洞（即第17窟），是20世纪最重大的古代文献发现之一。

地处河西走廊西端的莫高窟
中国大百科全书出版社供图

莫高窟第45窟的唐代彩塑
中国大百科全书出版社供图

洞中发现藏匿近千年的4万多件古代写本、印本和文物。除大量汉文佛经外还有儒家、道家以及其他宗教典籍、其他民族文字的写本、绢画和具有珍贵史料价值的官私文书等。

敦煌石窟第257窟内的鹿王本生壁画
美国不列颠百科全书公司供图

这些文物大部被英、法、日、俄等国的探险家掠走，残余者现藏北京图书馆。敦煌石窟保存的佛教艺术品和藏经（397～439）时开凿。此后北魏、西魏、北周、隋、唐、洞出土的文物开启了敦煌学的研究，1944年在莫高窟设立敦煌艺术研究所，现名敦煌文物研究所。20世纪60、70年代在莫高窟下层洞窟前又清理一批宋、元时期的木构建筑遗址，为研究莫高窟的历史补充了新资料。

Dunira, Henry Dundas, Baron　邓尼拉男爵　参阅**Melville, Henry Dundas, 1st Viscount 梅尔维尔子爵（第一）**。

dunite　纯橄榄岩　几乎全部由橄榄石组成的一种浅黄绿色的侵入火成岩。一般形成岩床（侵入于其他岩石层之间的板状岩体），也可呈透镜状（边缘薄的岩层）或管状（横截

产自美国北卡罗来纳州杰克逊县的纯橄榄岩
美国不列颠百科全书公司供图

面大致呈卵圆形的漏斗状、随深度增加而变得越来越缩小的岩体）产出。产地有新西兰的顿（Dun）山，这种岩石由此得名；还有南非的灌木草原火成杂岩体，以及瑞典耶姆特兰省的弗罗斯特维肯。纯橄榄岩内也含有铬铁矿、铬尖晶石和磁铁矿，在某些情况下还有尖晶石、钛铁矿、磁黄铁矿和铂。纯橄榄岩是商业上的贵重金属铬的重要来源。

Duniway, Abigail Jane Scott　达尼韦（1834-10-22，美国伊里诺伊格罗夫兰～1915-10-11，俄勒冈波特兰）　婚前名Abigail Jane Scott。美国妇女参政先驱、作家，以为俄勒冈妇女争取选举权而闻名。出生于一个劳苦的农村大家庭，所受教育有限。1852年举家迁往俄勒冈。1853年与B.C.达尼韦结婚前在学校执教。1859年出版首部作品《格雷船长的伙伴》。1862年其夫经商亏损，失去农场后不久残废。为养家糊口，她在拉斐特开办一个寄宿学校。1866年在奥尔巴尼任教，后经营女帽及小饰品商店。1871年移居波特兰，创办争取女权和妇女参政的报纸《新西北》。1873年领导组织俄勒冈州平等选举权协会，并当选主席。1875年出版诗集《我的沉思》，1876年发表长诗《大卫和安娜·马特森》。在以后的年月中，她四处周游，就妇女选举权问题发表演说，并曾多次游说州议会。其努力在俄勒冈州虽未获成功，但华盛顿准州及爱达荷州先后于1883年和1896年给予妇女选举权，使其名声大振。1887年停办《新西北》，1894年返回波特兰，1895年任《太平洋帝国》周刊

美国不列颠百科全书公司供图

编辑，恢复争取妇女选举权的斗争，并再次领导俄勒冈州平等选举权协会，但1884年遭受失败，1900年在第二次公民投票中亦未成功。1905年全美妇女选举权协会在俄勒冈州发起运动，但她此时辞去州组织职务，在运动中未发挥作用。1906年、1908年和1910年三次公民投票中该运动均遭失败。1905年出版第二本小说《从西部到西部》。1912年妇女选举权终于写入俄勒冈州宪法，不过此时她已只能靠轮椅行动，对此胜利贡献不大。但由于其数十年为此胜利所作的基础工作，故请她起草正式宣言并与州长共同署名。她成为登记参选的第一位俄勒冈州妇女。1914年出版自传体著作《开辟路径：关于太平洋沿岸各州平等选举权运动的自传体历史》。

Dunk Island　邓克岛　在澳大利亚昆士兰州东北海岸外5千米处。位于珊瑚海罗金厄姆湾湾口之北，由花岗岩构成，边缘为珊瑚，属法米利岛群。面积5平方千米。植被繁茂。最高点240米。为大堡礁保护最好的游览地之一。主要居民点为布拉马贝。有航空线与大陆的汤斯维尔和凯恩斯相通。现为鸟类保护区和国家公园。有土著居民刻画的洞穴壁画。

Dunkeld　邓凯尔德　苏格兰珀斯历史郡珀斯-金罗斯政务会辖区的宗教古城。临泰河，四面青山环抱。为凯尔特教会早期中心。1127年建立大教堂。1704年为敕准自治市。1809年建特尔福德桥。以后并无多大发展，一直为小居民区。人口590（最新统计）。

Dunkirk　敦刻尔克　法国北部北加来海峡大区诺尔省城镇、海港。临多佛尔海峡，在比利时边界和加来之间，陆路在里尔西北79千米。1067年首见记载。中世纪6次被围攻劫掠。16～17世纪处在法国、西班牙、英国、荷兰之间冲突的中心。1662年归属法国。第二次世界大战中1940年5～6月，被德军围困的英国远征军和其他盟军部队从这里乘军舰和数百只民船撤往英国。1945年5月该镇被美军解放。交战中大部分房屋被毁。战后按新布局重建；城中心有让巴尔大广场。附近有一建于15世纪的高40米的钟楼，1940年被大火严重烧毁后重建。镇博物馆保存有17世纪荷兰二流画家的作品。大型人工港1945年后大部重建；后又扩建。13.5千米长带船台码头可停靠大小船只。港口机械设备先进，仓库专存水果、谷物和冷冻品。通过铁路和运河网与比利时和法国北部所有重地联结。是法国吞吐量最大的港口之一。进口以燃料油、煤、磷酸盐和矿石为主。出口糖、水泥和化工产品。每天与英国多佛尔间有渡轮往来。60年代初在此建成法国第一座远离内陆煤田的钢厂。作为一工业中心，该城镇有炼油、冶金、造船业。人口71 200（1999）。

Dunkirk　敦刻尔克　美国纽约州西部肖托夸县城市和港口。在布法罗西南64千米，弗里多尼亚正北，濒伊利湖。约1805年始有居民。初名查德威克湾，后因该港形似法国

敦刻尔克市的圣马利亚隐修院
美国不列颠百科全书公司供图

敦刻尔克港，改为今名。1837年设村，1880年设市。通伊利运河（1825）和伊利铁路（1851，今伊利—拉卡瓦纳铁路）。有渔业、农产品运输业和多门类工业（主要为不锈钢）。市内有圣十字架神学院和圣哥伦布神学院、圣马利亚隐修院和福音派与新教教会宗教会议会址。是著名记者和作家S.H.亚当斯的出生地（1871）。人口：市13 131；詹姆斯敦-敦刻尔克都会统计区139 750（2000）。

Dunkleosteus（extinct fishlike animal） 参阅 **Dinichthys** 恐鱼属。

Dunkula（The Sudan） 参阅 **Dunqulah** 栋古拉。

dunlin（*Calidris*, or *Erolia*, *alpina*） **滨鹬** 又作 oxbird，oxeye 或 red-backed sandpiper。又称红背鹬、牛鹬、牛眼鹬。鸻形目鹬科中最常见最喜结群的鹬（**sandpiper**）类之一。体长约

滨鹬（*Calidris alpina*）
美国不列颠百科全书公司供图

20 厘米。喙尖向下弯曲。繁殖羽腹部黑色，背部发红色。冬羽上体灰，下体白。在北极周围，有时亦在不列颠群岛和波罗的海地区繁殖。聚成大群越冬于赤道北部海滨。

Dunlop Holdings PLC 邓洛普持股公司 英国轮胎橡胶公司（BTR PLC）的子公司，也是英国轮胎及其他橡胶制品的主要制造商。总部设在伦敦。自 19 世纪后期以来，该公司即从事轮胎制造。创建人 J.B. 邓洛普（1840～1921）先造出了第一个充气的轮胎并于 1888 年获得气胎专利权。次年他组织公司制造自行车轮胎。1896 年公司在英国注册，名为伯恩兄弟印度橡胶公司。1900 年公司改名为邓洛普橡胶公司，并于 6 年后开始生产汽车轮胎。为了保证橡胶供应，该公司在马来半岛购置橡胶园，至 1926 年它已是大英帝国范围内占地最多的橡胶园主。不过 1981 年它向马来西亚投资者出售了当地的财产；同年公司改组为公众性有限公司并取现名。1982 年邓洛普公司将其很大一部分欧洲轮胎企业出售给自己的联号和以前的子公司日本住友橡胶工业公司。1985 年一家工业控股公司英国轮胎橡胶公司收购了邓洛普公司，同时出售了邓洛普公司在美国的轮胎企业。

Dunmore, John Murray, 4th Earl of 邓莫尔伯爵（第四）（1730?～1809-02-25或1809-03-05，英国肯特拉姆斯盖特） 美国革命前夕英王驻弗吉尼亚殖民地总督。苏格兰斯图亚特王室的后裔，第 3 代伯爵 W. 默里的长子。1756 年继承爵位。1761～1770 年为上院议员。1770 年任纽约总督，1771 年任弗吉尼亚总督。他个人对西部地区感兴趣，并且为了保护弗吉尼亚西部边境，于 1774 年招募 3 000 名民兵，征服俄亥俄河上游地区的肖尼族印第安人，人们称此举为邓莫尔伯爵战争。随着革命的来临，邓莫尔的权势急剧衰落。1772、1773 和 1774 年，弗吉尼亚议会由于表现革命情绪而被他解散。1775 年 4 月他夺取这一殖民地的弹药库，因而激起武装起义。他躲到一艘英国舰船上之后，立即颁布戒严令，并声称给与加入英军的奴隶以自由，还建议达特茅斯爵士用印第安人打击起义者。1776 年 1 月 1 日，他在诺福克附近的格雷特布里奇战败后，命令他的军舰炮轰诺福克，致使该城起火。他于 1776 年 7 月返回英格兰，再次成为上院议员。1787～1796 年任英王驻巴哈马群岛总督。

Dunne, Finley Peter 邓恩（1867-07-10，美国伊利诺伊芝加哥～1936-04-24，纽约州纽约） 美国新闻记者和幽默作家，他塑造了一个朴实的哲学家杜利先生。父母是爱尔兰移民。1884 年开始为芝加哥各报撰稿，最后专写政治报道和社论。1892 年开始给《芝加哥晚邮报》写爱尔兰方言小品文，5 年后又给《芝加哥日报》撰稿。在这些小品文中他塑造了用浓重的爱尔兰土腔议论政治和社会问题的酒吧老板杜利。邓恩共写有 700 多篇方言小品文，其中有一部分方言小品文收入 1898～1919 年出版的 8 卷集中。

Dunne, Irene 邓恩（1898-12-20，美国肯塔基路易斯维尔～1990-09-04，加利福尼亚洛杉矶） 原名 Irene Marie Dunn。美国电影和戏剧女演员和歌唱家，以扮演端庄高雅而有教养的女性闻名，也以扮演喜剧角色著称。邓恩受过专业歌唱训练，希望进入纽约大都会歌剧院，但未能如愿，于 1920 年加入芝加哥巡回剧团演出音乐喜剧《和平女神》。接着参加了几个百老汇舞台剧的演出，其中最著名的是在巡回演出的《演艺船》（1929）中扮演玛格诺丽娅·霍克斯一角，这使她得以与雷电华影片公司签订合同。她的第一部影片《冥顽粗汉》（1930）并不怎么有名，但随着《锡马龙》于 1931 年放映，她成为家喻户晓的明星。此后她演出了约 40 部故事片，扮演正剧角色和喜剧角色。其中扮演正剧角色的有《后街》（1932），与 R. 泰勒合演的《意乱情迷》（1935），与 C. 布瓦耶合演的《风流韵事》（1939），与 R. 哈里森合演的《安娜与暹罗王》（1946），以及《妈妈活在我的记忆里》（1948）。演喜剧角色的有与 F. 阿斯泰尔和 G. 罗杰斯合演的《罗伯塔》（1935），《演艺船》（1936），以及与 C. 格兰特合演的两部影片《残酷的事实》（1937）和《我的爱妻》（1940）。于 1952 年拍完《摇钱树》后息影。

Dunnet Head 邓尼特角 苏格兰海兰政务会辖区凯斯内斯区的一个峭壁似的圆形砂岩岬角，为英国大陆的最北端。邓尼特角伸入北海的彭特兰湾。岬角约 5 千米宽，构成海拔约 30 米的高地，上面的山峰高 129 米。岬角的北端有一个 105 米高的灯塔，建于 1831 年。

Dunning, John 邓宁 参阅 **Ashburton, John Dunning, 1st Baron** 阿什伯顿男爵（第一）。

Dunning, John R(ay) 邓宁（1907-09-24，美国内布拉斯加谢尔比～1975-08-25，佛罗里达比斯坎岛） 美国核物理学家。他的核裂变实验为研制原子弹打下了基础。1929 年毕业于内布拉斯加的卫斯理大学，并于 1934 年在纽约市的哥伦比亚大学获物理学博士学位。大约在获得博士学位时，他成为哥伦比亚大学的讲师。1935～1936 年，他在欧洲工作，同著名的核物理学家接触，回哥伦比亚大学后，领导建立哥伦比亚第一个回旋加速器。1939 年，他领导美国研究小组验证了德国物理学家关于铀原子裂变的报告。他和 A. 尼尔及其他合作者于 1940 年证明，主要是同位素铀 235 参与了铀核裂变。接着他指导哥伦比亚的研究小组用气体扩散法使铀 235 从含量更丰富的铀 238 中分离出来。气体扩散法至今仍是获得铀 235 的主要方法。1946 年，邓宁成为哥伦比亚的正教授，从 1950 至 1969 年是该校工程系的主任。

dunnock 林岩鹨 一种形似鹟的岩鹨（**accentor**）。

Dunois, Jean d'Orléans, comte de 迪努瓦伯爵（1403，法国巴黎～1468-11-24，拉伊莱罗斯） 绰号私生子奥尔良。法国军事指挥官、外交家。对法国在百年战争中最后战胜英国发挥了重要作用。奥尔良公爵路易之私生子，1420 年开始为太子查理（后为查理七世）服务，成为查理的亲信。后任侍从长，1427 年在蒙塔日击败英军。1427～1428 年守卫奥尔良，直至贞德前来解围。后参加帕泰战役，并陪同查理前往兰斯加冕。1432 年占领沙特尔和拉尼，并参加一系列战役，终于在 1436 年凯旋巴黎。1439 年参加在格拉沃利纳与英国的谈判，1444 年参加与英国缔结停战协定的谈判。协定签订后，他参与重新占领诺曼底（1449～1450）和吉耶讷（1451）的战役。

Dunoon 达农 苏格兰西部阿盖尔历史郡阿盖尔-比特政务会辖区的小市（镇）。在克莱德湾西北岸。现为海滨胜地。沿岸多旅馆和别墅。附近的霍利湾为美国北极星导弹潜水艇基地。湾口设有皇家克莱德游艇俱乐部总部。人口 9 038（1991）。

Dunqulah 栋古拉 又拼 Dongola 或 Dunkula。苏丹北部城镇，临尼罗河。在喀土穆西北约 448 千米处。周围地区生产棉花、小麦、大麦、甘蔗和蔬菜等农产品。有公路与瓦迪哈勒法和马拉维相连接。有国内机场。旧栋古拉历史城镇在尼罗河东岸，现栋古拉东南 160 千米处。从 6 世纪中起，为基督教的马库拉王国首都。努比亚王国于 14 世纪灭亡后，旧栋古拉成为一穆斯林城镇。后被丢弃成为废墟。人口 16 900（2001）。

Duns 邓斯 苏格兰东南部贝里克希尔历史郡苏格兰边界政务会辖区小市（镇）。是历史郡首府。古住宅区邓斯-劳是 13 世纪哲学家 J. D. 斯科特斯的出生地。人口 2 444（1991）。

Duns Scotus, John 邓斯·司各脱（约1265，苏格兰洛锡安邓斯～1308-11-08，科隆） 经

院哲学家和神学家。有“细密博士”之称。为纯洁受胎说提出权威性答辩，认为意志优于理智，爱优于知识，宇宙的本质由爱，而不是由上帝的先知构成。在唯实论和唯名论的争论中，他主张普遍概念以个体的“共同本性”为基础的观点虽然使他成为奥康姆唯名论攻击的主要目标，但这一观点后来又深刻地影响着美国哲学家皮尔斯。极力捍卫教皇权力，以反对国王的“神圣权力”。其直觉认识理论使日内瓦改革者加尔文受启发，从而联想到怎样才能“体验到”上帝。在早期的《牛津讲演》中，坚持认为神学不是对上帝进行思辨的科学，而是对上帝进行实践的科学。人的最终目的是通过爱与神圣的三位一体相结合。哲学对神学的贡献在于它能证明的确有一个无限存在。1288～1301年他在牛津大学学习神学，对中世纪的神学教科书亦即彼得·朗巴德的《思维四书》进行研究。1302年秋至1303年6月，在巴黎讲课时，对《思维四书》进行评论。1305年以后，继续写作他在牛津即已着手的《体系》。这一时期的手稿说明他同多明我会首领之间曾进行一场重大论争，反对物质是个体性要素（使某个体事物区别于其他同种事物的形而上学要素）的论点。所论述的21个问题后来经过修改、补充，形成两个主要论题——上帝和创造物。这两篇《各种问题》虽然范围不及《体系》广泛，却体现了最成熟的思想，是其成名之作。1307年在科隆任教授。《体系》和《各种问题》由学生们完成。其著作广为流传，从1472年起已有30多种不同版本。在16～18世纪的天主教神学家中其追随者与托马斯·阿奎那的追随者不相上下，而在17世纪时则在数量上曾超过一切其他学派追随者之总和。

Dunsany, Edward John Moreton Drax Plunkett, 18th baron of　邓萨尼（1878-07-24，伦敦～1957-10-25，都柏林）　即E.J.M.D.普伦基特。爱尔兰剧作家和小说家。他的许多受欢迎的作品想象力和理性的独创性兼备，描绘出一个可信的幻想世界。伊顿公学和桑德赫斯特学院毕业。曾参加南非战争和第一次世界大战。第一部短篇小说集为《佩加纳的神祇》（1905），第一个剧本为《闪闪发光的大门》，1909年在都柏林阿比剧院上演。后来写过诗剧、小说和回忆录，共50多种，他的作品专写神仙世界，词藻华丽，同时还插入了独具特色的恐怖场面。

Dunsinane　邓斯纳恩　苏格兰东部锡德洛丘陵的一座山峰。在珀斯东北约13千米处，海拔308米。山顶有古城堡遗迹，相传为莎士比亚剧作《麦克佩斯》中的城堡。

Dunstable　邓斯特布尔　英格兰贝德福德行政、历史郡南贝德福德区城镇。亨利一世统治时期（1100～1135）成为敕准自治市。曾以草帽制造业著名。现为轻型机械工业和汽车工业中心。附近有大型水泥厂。有惠普斯奈德动物园，是伦敦动物园的分园（1931年开放）。附近有伦敦滑翔俱乐部总部。人口49 666（1991）。

Dunstable, John　邓斯塔布（约1385，英格兰～1453-12-24，伦敦）　英格兰作曲家，对中世纪后期与文艺复兴早期之间的过渡有所影响。他的恬美而宏亮的音乐在欧洲大陆的影响得到同时代人承认。关于他的生平，历史资料很少。曾在贝德福德公爵（1422～1435年为法国摄政王）府任职，邓斯塔布可能曾随其庇护人同去法国。他的音乐在欧洲大陆享有盛誉。据其墓志铭所记，他不仅精于音乐，也是数学与天文学的行家。他对欧洲音乐的影响在于他的流畅而略显不对称的节奏，更重要的是他的和声。他是英国以三度和六度为基础的饱满而响亮的和声传统发展到高峰的代表人物。这种英国传统在整个14世纪中与欧洲大陆的比较刻板而不协和的音乐风格始终并驾齐驱。他留下大约60首作品，其中包括弥撒曲段落、经文歌和世俗歌曲，大多为三声部。在他的某些弥撒曲段落的固定旋律声部中，他往往采用大陆的同一节奏法。许多作品中突出的不是固定旋律声部，而是它上方的高音声部；高音声部可以自由创作，亦可采用固定旋律的装饰变体，这是英国人的创新。他的某些经文歌表现出二重结构，即以两个旋律为基础而形成复调，一是固定旋律声部中的素歌固定旋律，另一是高音声部中的旋律（带变奏）。这一结构可能即由邓斯塔布所创用，在后来的作曲家中盛行一时。

Dunstan of Canterbury, Saint　邓斯坦（坎特伯雷的），圣（924，英格兰格拉斯顿伯里附近～988-05-19，坎特伯雷）　英国隐修院院长，著名的坎特伯雷大主教，韦塞克斯王国诸国王的首席顾问，因从事重要的修道制度改革而著称。出身显贵，在格拉斯顿伯里接受爱尔兰修士及巡视员的教育。后来首先投入叔父坎特伯雷的艾特尔海姆大主教的门下，继而进入英格兰国王艾特尔斯坦的宫廷。有人恶意控告他施行妖术，他便与同乡温切斯特的主教艾尔夫赫亚克一同避难。后者促使他成为一名修士，后来又授予他神职。于是，邓斯坦就在格拉斯顿伯里隐修，学习各种技艺和音乐，直到艾特尔斯坦的继任者埃德蒙一世召回他作顾问。约943年，埃德蒙任命他为格拉斯顿伯里隐修院院长。在他主持下，该隐修院成为一座著名的学府。埃德蒙的继任者伊德雷德在位时期，邓斯坦成为国家的首席大臣，任职期间，他致力于建立国王的权威，安抚王国中的丹麦人，铲除异端，并改造神职人员和教友。国王埃德威格于955年登基后，邓斯坦一度丧失他的影响和官职。他显然曾与埃德威格争吵过，被剥夺一切权力，放逐到佛兰德。他在布朗迪尼乌姆隐修院中研究欧洲大陆的修道制度，957年国王埃德加召他回国，他便利用这一研究作为重新组织英国修道制度的主要根据。同年，埃德加任命他为伍斯特及伦敦的主教。959年埃德威格去世，埃德加成为英国唯一的国王，邓斯坦被任命为坎特伯雷大主教。这一时期文化活动蓬勃发展，邓斯坦亲自改革并重建了数处著名的隐修院，并赞助传教士前往斯堪的纳维亚半岛。975年埃德加逝世，邓斯坦拥立埃德加的长子继承王位，即日后为人所知的殉道者圣爱德华。978年爱德华被人暗杀，由艾特尔雷德二世继位。邓斯坦罢官免职，退隐坎特伯雷，在主教座堂学校执教。

Dunster　邓斯特　英格兰萨默塞特行政、历史郡西萨默塞特区的城镇（堂区）。位于埃克斯穆尔国家公园边缘。离布里斯托尔湾的邓斯特海滩2.4千米。曾在一鹿园中发现铁器时代居民点遗迹。在诺曼征服（1066）以后，山顶城堡曾为封建行政区的行政中心，统治地域包括萨默塞特、多西特、德文和威尔特等郡。12世纪设建制。主要街道上有一座16世纪的八角形建筑——纱线市场。邓斯特的经济以旅游业为主。亦有农业和林业。人口860（2001）。

Dunster, Henry　邓斯特（1609-11-26受洗，英格兰兰开夏贝里～1659-02-27，马萨诸塞湾锡楚埃特[今在美国马萨诸塞]）　美洲牧师、哈佛学院第一任院长。在英国剑桥大学受教，获文学硕士学位（1634），以博学著称。在到达美洲马萨诸塞3星期后即出任剑桥镇哈佛学院院长（1640-08-27），使当时已经几乎垮台的学院，在他主持下重获新生，并以英国大学为模式形成一种体制和校风，其所有主要特点一直保持到19世纪。1653年，他因采取浸礼会观点，拒绝让自己的孩子受洗而触犯马萨诸塞殖民当局；1654年被撤销院长职务，交付审判，被判当众警告，并被拘留，以防骚动。他虽资财有限却慷慨捐助学院。迁到自由气氛较浓的马萨诸塞锡楚埃特后，仍继续布道传教，直至去世。

Dunwich　邓尼奇　英格兰萨福克行政、历史郡萨福克海滨区村镇（堂区）。濒临北海。在盎格鲁-撒克逊时代为东盎格鲁最重要的商业中心。650年前建主教管区。原有港口十分富有，后因严重的海岸污染而衰落。1347年巨浪卷走400余所房屋，类似灾难1570年再次发生。人口129（最新统计）。

duodenum　十二指肠　小肠的起始段，接受被胃部分消化过的食物并开始吸收营养物质。是最短的一段肠，约23～28厘米（9～11英寸）长，呈马蹄形走向，位于肝脏下方，末端向上向左侧开放入空肠。根据解剖与功能，十二指肠可分为四段：上部、降部、水平部和升部。当食糜和胃分泌物通过胃幽门进入十二指肠上部时，刺激十二指肠壁的腺体释放促胰腺分泌的激素。胰管和胆总管开口于十二指肠降部，带来碳酸氢盐（以中和胃酸）、胰酶（进一步帮助消化）和胆盐（乳化脂肪）。十二指肠水平部和升部的黏膜层，在食物进入下一部分小肠（空肠）之前，开始吸收营养，特别是铁和钙。未被中和的胃酸，可使十二指肠，特别是其上部，易患消化性溃疡，这是影响这部分小肠最常见的健康问题。由于十二指肠水平部位于肝脏、胰腺和大血管之间，可能因被这些结构压迫，引起痛性扩张、恶心和呕吐，须手术减压。

Duolun　多伦　又拼Dolon Nor或To-lun。中国内蒙古自治区锡林郭勒盟辖县。位于锡林郭勒盟南部。有闪电河流贯,邻接河北省。面积3 773平方千米。县府驻多伦淖尔镇。多伦淖尔镇是内蒙古草原上最早建立的都市,为自治区的历史名城。元上都遗址在城西北25千米处闪电河北岸,是南宋宝祐四年(1256)为忽必烈所建。元在北京建大都后,以上都为夏都。上都由内城、皇城和外城组成,俗称兆奈曼苏默城(蒙语108庙之意)。1358年、1363年两次被毁。1368年为明军占领,改称开平府。1692年康熙帝在多伦诺尔大会蒙古各部封建主后,拨款修建喇嘛庙,成为喇嘛教中心。清置多伦诺尔厅。以寺庙为中心的集市景况繁盛。18世纪中叶以后,商人逐渐定居,形成仅次于呼和浩特的商业城市。有商号4 000余家,人口曾达18万。清光绪二年(1876)后,汉人来此垦殖。1913年改为多伦县。该城地处三口(张家口、独石口、古北口)外的战略要地,战火频繁,寺庙被毁,商号倒闭。到1949年寺庙残破不堪,商号只剩下300余家。境内气候干燥,无霜期短,作物以莜麦、小麦、马铃薯、胡麻为主。牧畜以牛、马、羊为主。1949年后大兴水利,农业迅速发展。传统手工业以靴鞋驰名,现已建立皮毛、皮革加工厂,发展靴鞋制造。新兴工业有电力、冶金、煤炭、农机修造、建材、粮油加工、酿酒、服装、造纸、纺织等。公路可通赤峰、承德、张家口。人口100 000(2005)。

Duonelaitis, Kristijonas 参阅**Donelaitis, Kristijonas** 多涅拉伊蒂斯。

Duong 东(1796~1860-10-19,柬埔寨乌栋) 又拼Duang。在柬埔寨成为法国保护国之前的最后一个柬埔寨国王。他于1841年继承王位,1848年正式登基。国王安赞二世之弟,安赞二世在柬埔寨沦为暹罗(泰国)和越南两国的附庸时期的统治很不稳定。1841~1847年,这两个邻国在柬埔寨互相敌对,战争与不稳定的停战互为交替。由于谁也不能取得决定性胜利,两国同意对这个高棉人的国家实行双重统治。在双方同意下,东于1848年在新首都乌栋加冕为王。近代柬埔寨人对东的政权备加赞扬,因为他在强大的邻国忙于别的事务时曾努力谋求复兴国家。可是由于国家贫穷以及内部意见分歧,他的希望在很大程度上受到挫折。东注意到向国外求援,请新加坡帮助他驱逐柬埔寨沿海海盗。与殖民时期法国作家们所写的情况相反,他并未谋求将柬埔寨成为法国的保护国。面临着各种各样的问题,东曾同意探讨与法国建立某种不甚明确的关系,后于1860年去世,未及达成协议。1863及1864年,法国人进入柬埔寨,此时诺罗敦继东之后成为国王。尽管东个人十分努力,最多也只能使柬埔寨保持一种不稳定的独立。在他统治的末期,几个儿子之间的分歧已有征兆。而柬埔寨东南部的占人和马来人发动的叛乱则更增加了王国的困难。

duoviri 双职制 又拼duumviri。古罗马由两人担任同一官职的制度。如国事犯的审判由两名法官同时负责;海军舰队由两人担任司令;移民地和自治地也有两名长官。

Dupanloup, Félix-Antoine-Philibert 杜庞卢(1802-01-03,法国圣费利克斯~1878-10-11,拉科姆) 奥尔良的天主教主教,19世纪中叶法国天主教开明派的代言人。1825年受神职,1837~1845年任巴黎圣尼古拉-迪-夏尔多内初级神学院院长,在俗学生闻名来受业者很多。在七月王朝期间争取教育自由的斗争中,表现突出。1850年参与拟订法卢法,规定给予独立中等学校以合法地位。1849年任奥尔良主教。1854年当选法兰西学院院士,参与改组天主教开明派期刊《传信报》。1860年拿破仑三世有侵犯教廷世俗主权之势,杜庞卢发表公开信为教廷辩护,但1870年以后梯也尔宣布不再讨论这一问题时,他表示拥护。他在1869~1870年第一次梵蒂冈会议上属于认为教皇一贯正确论是不合适的一派。

Duparc, (Marie-Eugène-) Henri 迪帕克(1848-01-21,法国巴黎~1933-02-12,蒙德马桑) 法国作曲家。他为波德莱尔、利勒、戈蒂埃和其他作家的诗写下不朽的歌曲,因而

中国大百科全书出版社供图

著称于世。师承弗兰克。1869年在魏玛结识了李斯特和瓦格纳。1870年出版《旋律五首》(作品第2号),其中的《叹息》和《忧伤的歌》二首,后来收入他作于1868~1884年间的歌曲集(8首由管弦乐伴奏)。在这些歌曲中,他扩展了法国歌曲,使之形成一种戏剧性的演唱,近似歌剧的一场,并使它带有音乐诗的感觉和交响乐结构的构思。青年时代作有两首管弦乐队作品《献给星星》与《莱诺拉》及一首经文歌。约自1890年起,因怀疑自己的创作能力而极少创作。出于严格的自我批评,他几乎销毁了后来的全部作品和草稿,以及较早的手稿和瓦格纳与同时代的诗人给他的信件。后半生与法国天主教诗人F.亚默和P.克洛岱尔过从甚密,并创作歌曲《圣约书》(1906~1913),它的歌词是一篇祷告文。

Duperron, Jacques Davy 迪佩龙(1556-11-25,伯尔尼~1618-09-05,巴黎) 法国枢机主教,对亨利四世改信天主教起过很大作用。一个逃离诺曼底的胡格诺派教徒之子,受过极好的人文教育。1562年返回法国,1576年成为亨利三世的侍读。1589年亨利三世死后,他于1591年起任埃夫勒主教,向国王亨利四世讲授天主教教义。1594年被派往罗马,为亨利向教皇克雷芒八世求取赦罪文。1600年在枫丹白露举行的一次大会上,他雄辩地捍卫天主教立场以反对基督教新教。1604年被派往罗马任外交代办并被任命为枢机主教。生前著有多种哲学与宗教论述及一些有关外交的著作。

Dupin, Louis Ellies 迪潘(1657-06-17,巴黎~1719-06-06,巴黎) 法兰西天主教教会史学家。所著《教会著作家作品新编》(58卷,1686~1704)一反学术界传统,将人物传记、经文考证、教义评论和参考书目融合为一,并采用时代语言。1691年这部著作受到巴黎大主教的谴责,虽然迪潘表示悔罪,但该书仍于1696年被查禁。迪潘维护高卢主义,主张限制教皇权力。教皇克雷芒十一世发布谴责詹森主义的通谕以后,迪潘表示抗议,于是被控为詹森派,1713年被放逐到沙泰勒罗,经过再一次悔过而获释。此后他致力于恢复教会统一。俄国沙皇彼得一世1717年访问法国时曾委任迪潘制订促使东正教与天主教归一的计划。

Dupleix, Joseph-François 杜布雷(1697,法国朗德勒西~1763-11-10,巴黎) 法国殖民官员、法属印度总督,是一个富有想象力的政治空想家,但在失望和贫困中去世。父为法国东印度公司董事,1715年让他去印度和美洲旅行。他在1720年任法属印度首府本地治理的高级参事。1731年任孟加拉金德讷格尔法国商站站长。11年后任法国在印一切机构的总督。1746年在法国舰队协助下攻占马德拉斯,并两次击败前来救援英军的加尔那迪的部队。他试图用印度人的力量摧毁英国东印度公司,但后来法军被英军打败。1754年被召回巴黎。

Duplessis, Maurice (Le Noblet) 杜普莱西斯(1890-04-20,加拿大魁北克三河城~1959-09-07,魁北克谢弗维尔) 加拿大政治家,1936年任魁北克省政府总理,除1940~1944年战争时期外,终身任此职。魁北克拉伐尔大学毕业,1913年取得律师资格,1931年成为皇家律师。1927年选入魁北克省议会。1933年成为魁北克省保守党领袖,后又主张法裔加拿大人自治,组成新的民族主义政党——民族联盟。1936年出任总理和首席检察官。1939年去职。1944年重新当选。但上台后不久就与他所谴责的加拿大和美国财阀沆瀣一气。但因其极有魄力,又致力于谋求该省利益,在1948、1952和1956年的选举中,民族联盟都大获全胜。他死后民族联盟迅速衰落。

Duplessis-Mornay, Philippe 迪普莱西-莫尔奈 参阅 **Mornay, Philippe de** 莫尔奈。

Duplicate Bridge 复式桥牌 又称比赛桥牌(Tournament Bridge)。既可以当作比赛项目,也可以在桥牌俱乐部或在家里玩的一种定约桥牌。因为每一副牌由不同的牌手在每手牌情况、发牌人和有局情况完全相同的条件下至少打两次,故名。设计出复式桥牌是用来逾越盘式桥牌的主要障碍,即一连串好牌抹煞了娴熟的牌手和打得不好的牌手之间的差别。复式桥牌的目的不像盘式桥牌那样

累积最多的分，只是叫牌和出牌，玩得比别的对手更好而已。

duplicating machine 复印机 利用各种复制技术由印刷的、打字的、绘制的或其他的原件制出副本的装置。复印机的主要类型有蜡纸复印机、*胶版复印*(**hectograph**)机、*小胶印*(**multilith**)机和铭印机。无论所用复印方法如何，复印机都需要备有赖以复印副本的原件。复印机与复制机(copying machine，或译晒图机)稍有不同，后者是利用爆光成像法将原件制成副本的。

DuPont Company 杜邦公司 全名E.I.du Pont de Nemours & Company。美国公司，主要从事化工产品、塑料和合成纤维的制造。1802年，E.I. 杜邦(1771～1834)在特拉华州创立杜邦公司，起先是制造黑色火药，后又制造其他火药。20世纪以前，主要产品为炸药；20世纪开始转入产品的多样化。现在全世界都设有制造厂、子公司和联号。总部设在特拉华州威尔明顿。

当年轻的法国移民杜邦发现在美国碾制火药大有可为时，他回到巴黎，找到几位投资者合作；1801年4月21日他们签订了杜邦公司组织章程。1802年7月19日，他在特拉华州威尔明顿附近的布兰迪万河旁定居，雇工设立火药厂。两年后第一批黑色炸药制成投入市场。以后销售量逐年增加，1812年战争期间增加更快。1834年杜邦去世时，他的炸药厂已成为美国的大型企业。炸药在工矿和采石业的重要性日益明显。1857年该公司制成一种"苏打粉"，这是最早的不折不扣的工业炸药。1880年开始制造硝化甘油和甘油炸药。1904年开始生产一种特殊的硝化纤维素，这是制造炸药的副产品，可用于油漆、皮革抛光剂等。1915年生产硝化塑料。1917年购入几家公司，于是又生产染料、油漆、酸类、重化学品及其他产品。杜邦公司于1931年首创氯丁合成橡胶，1938年首创尼龙，并扩大生产范围，制造像塑料、电化学品、照相胶片和农药等各种产品。该公司有名的合成纤维产品很多，如奥纶、聚酯薄膜、涤纶等。

该公司经过近一个世纪的合股经营之后，于1899年首次改组成为股份有限公司。1907年成为美国一宗反托拉斯诉讼案的目标，1912年被迫放弃经营火药业务的主要部分。1917年它开始购买通用汽车公司的股权，到1925年底拥有通用汽车公司股票总额的25%。经过13年反托拉斯诉讼后，杜邦公司于1962年被勒令放弃通用汽车公司的股票。

公司管理部门也在变化中。从1802～1940年所有的公司首脑都是杜邦家族成员，而且除一个是杜邦家女婿(1834～1837年任总裁)外，其余都是杜邦姓氏子弟。1915年这种家族控制由于创设克里斯蒂安娜证券公司而得以加强；克里斯蒂安娜证券公司的主要股东是杜邦家的人，而且它掌握了杜邦公司(当年重新改组注册的)股票的有效控制权(28%)。然而到20世纪70年代，根据税法，杜邦家的人认为这种体制并不有利，遂于1977年(经过长时间的诉讼后)成功地将克里斯蒂安娜证券公司合并到杜邦公司。在公司管理权转向与杜邦家族无关的人们的同时，公司结构也在改变：1940年以后仅有一名高级行政官员是杜邦家的人(1962～1967)；1967和1973～1976年，主要是面临严峻的外国竞争而要求提高经营效率，公司进行了广泛的部门改组。20世纪80年代杜邦公司收购了康诺科(即大陆石油公司)等公司，力图实现多样化经营。公司扩展业务，除生产工业聚合物、人造纤维、化工用品外，还生产石油燃料、润滑剂、医药品和农用化学产品。

Duport, Adrien(-Jean-François) 迪波尔(1759-02-05，巴黎～1798-08-15，瑞士阿彭策尔) 法国大革命初期的君主立宪派首领。原为巴黎高等法院著名法官，后当选为贵族代表，出席三级会议。1789年6月25日，他和其他46名贵族代表加入无特权的第三等级，任议会律师，对建立新的司法机构起过主要作用。1791年春，他和A. 巴纳夫、拉梅特等3人感到进一步的民主改革将危及君主体制和私有财产。他们成为国王路易十六的秘密顾问，同保皇派一起组成斐扬俱乐部。他出任巴黎刑事法庭庭长。翌年8月10日推翻君主制后，他逃往英国。热月9日激进民主派罗伯斯比尔倒台后，他返回法国。共和5年果月18日(1797-09-04)军事政变后，他又逃往瑞士。

Duport, Louis(-Antoine) 迪波(1781或1783，巴黎～1853-10-19，巴黎) 法国芭蕾舞蹈家。使古典舞技巧精益求精，特别擅长多种多样的单腿旋转以及腾空高跳。迪波曾经是一位天才的儿童舞蹈家和小提琴家。成年以后，1799～1806年在巴黎表演舞蹈，向A. 维斯特里斯在巴黎艺术学院(今巴黎歌剧院)男舞蹈演员的最高地位提出挑战。1808～1812年在圣彼得堡表演舞蹈，在那里参加了C. 季德洛的舞剧演出，特别是在《微风和花》中的表演受到高度的赞扬。还在维也纳、那不勒斯和伦敦等地表演舞蹈，最后一次演出在1830年。1836年以前为维也纳的一个剧院排练舞剧，然后在巴黎退休，拥有大笔财产。

Dupplin Moor, Battle of 杜普林沼地战役(1332-08-12) 争夺苏格兰王位的一次战争。地点在珀斯东南11千米处。要求获得苏格兰王位的巴利奥尔打败了年轻国王戴维二世的摄政马尔伯爵唐纳德的军队。在英格兰国王爱德华三世的秘密鼓励下，被戴维的父亲罗伯特一世剥夺了继承权的巴利奥尔和另外一些骑士在金霍恩登陆，挥师北上，8月11日夜渡过伊恩河。第2天拂晓发现苏格兰主力部队分成两师，正在严阵以待。巴利奥尔让手下的大部骑兵下马，弓箭手布置在两翼。当苏格兰军的第1师冲锋时，这些弓箭手万箭齐发，把苏格兰军的两翼压到中间。苏格兰军的第2师在冲锋时又自相践踏，伤亡甚众。巴利奥尔乘胜追击，进入珀斯，1332年9月加冕为国王。戴维国王虽暂时离开国家，但巴利奥尔始终未得到广泛承认。1339年丢失了珀斯，1356年让位给爱德华三世。

Duprat, Antoine 迪普拉(1463-01-17，法国伊苏瓦尔～1535-07-09，南图伊勒) 法国大法官和枢机主教，国王弗兰西斯一世最亲信的顾问之一。曾习法律，1490年开始任法官，1495年在图卢兹高等法院当律师。1503年在路易十二的宫中当侍应官，负责管理呈递给国王的奏章。同时，又任巴黎高等法院院长。他深得弗兰西斯的母亲、萨伏依的路易丝的宠信，负责弗兰西斯的教育。弗兰西斯即位后，他成为法国大法官。1516年《博洛尼亚政教协议》签订后，他历任瓦朗斯和迪镇主教(1522)、阿尔比主教(1528)、莫城主教(1534)和桑斯城大主教(1525)。1527年任枢机主教，1530年任教皇驻法国使节。他坚决反对宗教改革运动，在这方面对弗兰西斯影响极大。

Dupré, Giovanni 杜普雷(1817-03-01，托斯卡纳锡耶纳～1882-01-10，佛罗伦萨) 意大利雕刻家。在意大利雕刻因袭A. 卡诺瓦成风之时，独以生动而独特的处理手法而获得成功。其父为木刻家。他的第一件重要作品是《亚伯》(1842，佛罗伦萨皮蒂陈列馆)。曾受俄国大公爵夫人玛丽之托作《该隐》雕像(1844，皮蒂陈列馆)，受托斯卡纳大公爵夫人之托作《乔托》雕像(1845，佛罗伦萨乌菲齐美术馆拱廊)。最著名作品是表情哀痛的《莎福》(1857)。1856年到那不勒斯和罗马访问。在罗马见到卡诺瓦的《庇护六世》纪念碑像，使他趋向新古典主义。所作纪念碑如都灵的加富尔纪念碑，以其热情的自然主义同讽喻的需要和理想的宏伟间的冲突而受到损害。还作有许多胸像。

Dupré, Jules 杜佩雷(1811-04-05，法国南特～1889-10-06，利勒亚当) 法国画家、巴比松风景画派的重要成员。出身于瓷厂主家庭，其艺术生涯从父亲的作坊开始，后来到叔父办的塞夫尔瓷厂。1831年首次参加展览。1834年获沙龙二等奖。同年访问英国，从康斯太布尔的风景画中学到怎样表现大自然的运动感。南安普敦和普利茅斯辽阔的水面、天空和大地为他提供了丰富的素材。后期他来到枫丹白露森林边上的巴比松画家中间，改变了自己的风格。画面景色宽阔，色彩单纯而和谐。

Dupré, Marcel 杜佩雷(1886-05-03，法国鲁昂～1971-05-30，巴黎) 又译迪普雷。当时最杰出的法国管风琴演奏家。以即兴演奏闻名，在教学上影响深远。10岁举行第一次管风琴演奏会，15岁时，他创作的清唱剧《雅各布之梦》上演。作为圣絮尔皮斯教堂和巴黎圣母院的管风琴师，他于1920年连续举行10场独奏会，凭记忆演奏了J.S. 巴赫全部管风琴作品。在巡回演出中(1921年在美国首演)经常根据听众中的音乐家提供的主题即兴演奏赋格和交响曲。他的《交响曲-受难曲》、《十字架之路》都是先在音乐会上即兴演奏然后记谱而成。记谱作品包括一套76首众赞歌和一首管风琴协奏曲。他还写了几部有关管风琴技巧与即兴演奏的著作。1947～1954年在法国枫丹白露主持美国音乐学院。1954

年起,任巴黎音乐学院院长。

Dupré, Marie-Jules 杜佩雷(1813-11-25,法国阿尔比～1881-02-08,巴黎) 又译杜白蕾。法国海军军官,1871～1874年的法属交趾支那总督。1831年海军学校毕业。1847年晋升海军少校,1854年升为海军上校。曾参加克里米亚战争。1860年参加交趾支那远征军。1864年任留尼汪岛总督。1867年升为海军少将。1870年指挥法国海军封锁中国和日本的港口。1871年任交趾支那总督。1873年应法国商人堵布益的要求,不顾法国政府的反对,派安邺率兵去东京地区。占领河内后,派霍道生与越南朝廷谈判,达成协议;越南皇帝嗣德承认法国对交趾支那西部3省的兼并,并开放河内、海防和归仁与外国通商。但嗣德拒不执行,杜白蕾也因此被调回国。回国后晋升海军中将,先后任罗什福尔和土伦的海军军区司令,1878年退役。

Duprez, Gilbert(-Louis) 杜普雷(1806-12-06,法国巴黎～1896-09-23,巴黎) 法国男高音歌唱家、声乐教师和作曲家。曾就读于巴黎音乐学院。1825年在巴黎奥德翁剧院首次登台,扮演罗西尼《塞维利亚的理发师》中的阿尔马维瓦一角。在奥德翁略有成就后,赴意大利深造,非常走红,尤其是在那不勒斯。1835年唐尼采蒂挑选他在其《拉默莫尔的露契亚》首演中饰演埃加尔多一角。后返回法国,成为公认的第一位浪漫派男高音歌唱家,以其嘹亮的高音区和夸张的表演而著称。1837～1847年间是巴黎歌剧院首要演员,曾在柏辽兹歌剧《邦弗纽托·切利尼》中扮演剧名主角和在唐尼采蒂的《宠姬》中扮演费尔南多。还曾在伦敦和德国演唱,1842～1850年执教于巴黎音乐学院。因教唱获得成功,遂于1853年创办自己的歌唱学校。作有歌剧6部,1826～1865年间先后演出;此外还写有多卷教材和普及读物,包括《歌唱的艺术》(1845)、《一位歌唱家的回忆》(1880)和《我晚年的消遣》(1888)等。

Dupuis, Jean 堵布益(1829-12-08,法国圣瑞斯特-拉庞迪～1912-11-28,蒙特卡洛) 法国冒险家、商人、政论家。曾于1873年致力于在越南北方建立法国的势力,但未成功。1858年开始在埃及经商。1860年到上海,一年后又去汉口,专门倒卖军火。他学习汉语,拉拢地方官吏。1871年从云南顺红河而下,进入越南。由于想要利用红河向云南提督马如龙运送军火,他回巴黎请求政府的许可。在法国政府的默许下,他于1872年11月从香港启航,但在上溯红河时,引起与越南政府的纠纷,结果使他完全破产。回国后,他极力鼓吹法国向越南北方扩张,并且吹嘘自己是红河商路的发现者。著有《东京问题的根源》(1896)、《1872～1886年东京的历史和政治》(1910)。

Dupuit, Arsène-Jules-Étienne-Juvénal 杜普伊(1804-05-18,法兰西帝国皮埃蒙特区福萨诺[今在意大利]～1866-09-05,法国巴黎) 法国工程师兼经济学家,是研究分析公共工程成本效益的先驱者之一。他曾在巴黎综合工科学校学习,后参加土木工程队工作,升任为桥梁与公路总监。通过本职工作,他对建设公共工程的经济问题和使用公共工程的收费问题深感兴趣。除了公共工程使用者的花费之外,他致力于研究公共工程的效益。他是需求曲线创制人之一,首先将边际效用递减概念应用于实际工作。在决定公共工程成本效益的过程中,他引出后来被英国经济学家A. 马歇尔称之为消费者剩余的概念,即消费者享受到高于他所付代价的福利。杜普伊无疑是公共工程成本效益分析的创始人。他还分析过价格弹性,这导致了许多观念的发展,现在著名的税务"拉弗曲线"即其中之一。

Dupuy, Charles-Alexandre 迪皮伊(1851-11-05,法国勒皮～1923-07-23,泰特河畔伊勒) 法国政治家。在德雷福斯事件时期执政,对于长期争执造成的政治与社会紧张局面带来的危机未能妥善处理。曾任哲学教授。1885年选入众议院前,属J. 费里的温和共和派。1892年12月至1893年4月任教育部长;1893年4月组阁,但在11月底辞职。12月5日被选为众议院议长。1894年5月任总理兼内政部长。他的内阁一直继续至1895年1月。1898年11月德雷福斯案提交最高上诉法院审理后,他组织了一个共和派集中的政府。1899年6月12日辞职。1900年6月当选为上卢瓦尔省参议员,任职至1923年去世。

Dupuy, Pierre 迪皮伊(1582-11-27,法国阿让～1651-12-14,巴黎) 法国历史学家,路易十四的图书馆长。他曾游遍全国,搜集约2万册图书和1 200份手稿,于1657年呈献给国王。其著作主要为法律问题的文献,其中有《论法国教会的权力与特权》(1639)以及有关教皇卜尼法斯八世与法王美男子腓力四世在王权神授上的冲突(约1300)的著作。

Dupuytren, Guillaume, Baron 迪皮特伦(1777-10-05,法国利摩日附近皮埃尔-比非耶尔～1835-02-08,巴黎) 法国外科医师、病理学家。因1832年描述迪皮特伦氏挛缩并研究出减轻挛缩的外科手术而闻名。1802年人王宫医院,在该院工作了30余年,成为该院外科负责人。曾任法王路易十八的外科医生,被封为男爵;后又任查理五世的外科医生。1812年第一个切除下颌;1826年对烧伤进行了新的分类,第一个对先天性髋关节脱位的病理作了详尽的描述;1828年设计了子宫颈癌的外科手术方法,并首创了人造肛门手术。其他成就还有锁骨下动脉结扎(1812和1829)、压迫法治疗动脉瘤(1818)及外科手术治疗斜颈(1822)等。

Dupuytren's contracture 迪皮特伦氏挛缩 手掌筋膜增厚所造成的手部屈曲性畸形。可能为遗传性疾病,亦可能为硬皮病或类风湿性关节炎的一个症状。患部结缔组织增生,使手指的肌腱短缩绷紧,手指固定于屈曲位置。病变可累及一指至多指。致残程度变异很大,轻者仅无名指不能伸直,重者全手蜷曲呈握拳状。邻近的神经或其他结构不受影响。对重患者,切除部分结缔组织可使挛缩缓解。

Duque de Caxias 卡希亚斯公爵城 巴西里约热内卢州城市。1931年是卡希亚斯区政府所在地。1943年是卡希亚斯公爵城市政府所在地。为商业和制造业中心,城外有一大型炼油厂。设有卡希亚斯公爵研究院。人口772 327(2000)。

Duque de Estrada, Diego 埃斯特拉达公爵(1589-08-15,西班牙托莱多～1637以后,撒丁岛) 西班牙军人和冒险家。军人之子,幼时成为孤儿,由堂兄抚养成人。他与堂兄的女儿订婚后,某天夜里发现有个男人进入未婚妻的室内,他一怒之下把未婚妻和那个男人一齐杀死。因为这是犯法行为,他不得不弃家逃走,在西班牙南部过了一段流浪生活。后来他在埃西哈被捕,解往托莱多。继而得友人调停及一修女之助又逃出监狱,前往那不勒斯,投效总督奥苏纳公爵。他多次参加那不勒斯对土耳其人和威尼斯人的战争,并被派到威尼斯城内去破坏军火库,因机密泄漏及时逃脱。奥苏纳公爵失势后,他重新过流浪生活,在特兰西瓦尼亚当过兵,参加过三十年战争。1633年加入上帝的圣胡安会,1637年后死于撒丁,据说他曾参加过保卫撒丁岛的反法战争。他留有一部回忆录,题其书名曰:"自知人微,饱尝世态,择善而从。"

Duquesne, Abraham, MARQUIS DU QUESNE **迪凯纳**(1610,法国迪耶普～1688-02-01或02,巴黎) 法国海军军官。在黎塞留和柯尔贝尔执政时期,于1676年击败西班牙与荷兰的联合舰队,取得了决定性胜利。1644～1647年为瑞典女王克里斯蒂娜效劳,任海军上将。回法国后,他在投石党运动期间忠于王室。在荷兰战争(1672～1678)初期,因被指责在索莱湾战役后不服从命令以及拒绝放弃信奉基督教新教而被解除指挥权。后期奉命去西西里,帮助西西里人反抗西班牙人。1676年在阿戈斯塔和巴勒莫海岸附近的两次海战中击溃西班牙与荷兰联合舰队。1681年封侯爵。由于信奉新教,不得任海军上将,但尽管《南特敕令》被撤销(1685),他仍获准退休,安度晚年。

Duquesnoy, François 迪凯努瓦(1597,布鲁塞尔～1643-07-12,托斯卡纳里窝那) 生于佛兰芒的罗马雕刻家,其作品受其密友画家普桑之影响,风格比较严谨。出身雕刻世家,在家庭作坊中曾学到一些鲁本斯的技艺。1618年赴罗马,致力于恢复古典雕刻,为时达10年之久。同时也创作了新颖的小型铜雕、牙雕和木雕。1627～1628年与当时的权威雕刻家G.L. 贝尔尼尼合作,为罗马圣彼得教堂制作祭坛华盖。1629年受托制作两座巨型大理石雕像,均为其杰作。其一为圣彼得教堂四大雕像之一《圣安德鲁》,风格严谨,仍近于贝尔尼尼的风格。其二为《圣苏姗娜》雕像,是为罗马罗雷托圣母院唱诗席所作,1633年完成,是古典理想与对大自然细密研究的

迪凯努瓦的《圣苏姗娜》(1633)
美国不列颠百科全书公司供图

独特综合。作品大部分为小型浮雕，表现神话的、酒神的或宗教的题材。其那不勒斯圣使徒教堂费罗马利纳小礼拜堂祭坛上的《小天使》(1642)尤为著名。

Dur Sharrukin 杜尔舍鲁金 阿卡德语“萨尔贡的要塞”之意。亚述古城，即今豪尔萨巴德，在伊拉克尼尼微东北。公元前 717 ～前707年为亚述国王萨尔贡二世所建造。

杜尔舍鲁金古城宫殿门口的守护神——带翼人面公牛
美国不列颠百科全书公司供图

1843 年始发掘，1858 ～ 1865 年和1928 ～1935 年继续发掘。出土有壁上浮雕、象牙雕刻大型带翼公牛塑像。最有价值的发现是《亚述诸王表》，表中有从约公元前 1700 年至约公元前 11 世纪中期所有亚述国王的名字和在位年代。

Dur Untashi(Iran) **杜尔温塔什** 参阅 **Choghā Zanbīl** 乔加-赞比尔。

Dura-Europus 杜拉-欧罗波斯 又拼 Doura-Europus。叙利亚境内古城，已成废墟，其遗址位于代尔祖尔省附近的叙利亚沙漠中。考古发掘工作最初于 1922 ～ 1923 年间由居蒙主持，其后于 1928 ～ 1937 年间又由罗斯托夫采夫领导进行。杜拉原为巴比伦村镇，约公元前 300 年之际，塞琉西王朝将该地重建为一处屯兵之所，并仿照塞琉古一世在马其顿当地所建欧罗波斯城之名而为杜拉赋予另一新名。约公元前 100 年，杜拉-欧罗波斯城为安息人占领，后成为一处繁荣的商队云集之地。公元 165 年该城为罗马人所兼并，改为边防要塞。公元 256 年后不久，萨珊王朝的军队占领杜拉-欧罗波斯并将城市破坏殆尽。杜拉-欧罗波斯出土的遗存物，揭示出当地日常生活的一幅异常详细的画面；同时许多铭文、浮雕、建筑物也提供了希腊文化与闪族文化之融合现象的丰富信息。建于公元 3 世纪的两幢建筑物中曾发现大量壁画。

duralumin 杜拉铝 坚硬的轻质铝合金。广泛用于飞机制造。1910 年由德国冶金学家 A. 威尔姆发明并获得专利，最初只生产于德国迪伦。合金的原始成分为了满足特殊用途而有变动。可含有约 3% ～ 4% 铜、0.5% ～ 1% 锰、0.5% ～ 1.5% 镁，在某些配方中还含有硅。这些合金经热处理和时效处理后，在强度方面，可与软钢相匹敌。杜拉铝较软，具有延展性和在正常情况下的可加工性，可经滚轧、锻造、挤压或拉伸制成各种型材和产品。又因较轻，与钢相比其单位重量有较高强度，适于作飞机结构材料。因杜拉铝焊接后强度降低，故在飞机结构中采用特殊叠层板材形式(称包铝硬铝合金)，它使用纯铝或耐蚀铝合金作为薄表面层，覆盖在强度较高的杜拉铝芯上。

duramen(botany) 参阅 **heartwood** 心材。

Duran, Profiat 杜兰(约1350，法国佩皮尼昂？～约 1415) 希伯来语名为伊萨克·本·摩西·哈列维。笔名埃福德或埃福迪。犹太人哲学家和语言学家。其先人是居住在法兰西南部的犹太学者，他曾在日耳曼境内受教育，后在西班牙境内加泰罗尼亚某豪富宅中任教师。1391 年西班牙迫害犹太教徒，杜兰被迫改奉基督教，离西班牙后重新公开宣布信仰犹太教。此前他曾与另一被迫改教的犹太人共同商妥前去巴勒斯坦旅行未果。后来此人写信给杜兰，表示继续信奉基督教，并劝杜兰也这样做。杜兰写给此人的复信成为名著，题为《不要效法你们的祖先》。信中他以巧妙的讽刺笔法描绘在基督教教义中所见的不合理之处，并佯作不知真相，概括展现当时教会内最严重的弊端。这封信广为流传，基督教徒起初还以为它是为基督教辩护，后来才看清真相，于是将此信的印本当众焚毁。此信于 1554 年在君士坦丁堡重新出版。然而杜兰之所以闻名，并非由于论战著作，主要还是由于他所著的《希伯来语文法》(1403)。基督教徒和犹太教徒都认为该书学术价值甚高。

Durán, Roberto 杜兰(1951-06-16，巴拿马瓜拉雷～) 别名 Manos de Piedra(“石头手”)。巴拿马拳击运动员，曾获轻量级、次中量级、初次中量级和中量级世界冠军。1967 年 3 月开始其职业拳击生涯，连胜 32 场，其中 26 次击倒对手；后来在 1972 年 11 月的一场 10 回合的非锦标赛中，判定输给 E. 德赫苏斯。1972 年 6 月，杜兰在世界轻量级锦标赛中于第 13 回合击倒 K. 布坎南夺冠；其后在 1973 至 1978 年间的 12 场轻量级冠军争夺战中连续获胜，并赢得这段时间内所有的非冠军赛。升入次中量级后，1980 年 6 月的世界冠军赛上，以 15 回合数点击败 S. R. 伦纳德；但 11 月再战，在第 8 回合被击倒，又将冠军输给伦纳德。不过事实上他不是被击倒，而是打到中间回合时认输，说“不打了！”。1981 年夏天重返拳坛，1983 年成为世界拳击协会超次中量级冠军，1989 年获世界拳击理事会中量级冠军。他的拳击生涯非常长(一直打到 49 岁)，但“不打了！”事件多少使他的辉煌成绩受到一些影响。然而，拳击专家们还是一致认为杜兰是 20 世纪最好的拳击手之一。

Duran, Simeon ben Zemah 杜兰(1361，巴利阿里群岛马霍卡[今属西班牙]～ 1444，阿尔及尔[阿尔及利亚]) 又名拉什巴兹。西班牙犹太教拉比。是在该国内第一位由犹太人社团定期支付薪俸的拉比。曾评注塔木德著作中的通俗的伦理论文《列祖》。他的评注著作《列祖之盾》把迈蒙尼德(1135 ～ 1204)的“信仰十三条”归纳成三个基本信条：上帝存在；犹太教律法为上帝所立；上帝必将奖善罚恶。

Durance 迪朗斯河 法国阿尔卑斯山区主要河流。发源于蒙热内夫尔大区上阿尔卑斯省，在阿维尼翁以下与罗讷河汇合，长 304 千米。流经壮观峡谷和多石河谷，至昂布兰以下过塞尔蓬松坝并形成面积 27 平方千米的湖泊。进入上普罗旺斯阿尔卑斯省后，流经锡斯特龙前纳一条急流比埃什河，水坝再次形成人工湖。过坝后接纳布莱奥讷河和阿瑟河。接纳韦尔农河后西折与罗讷河汇合。下游和支流上有其他大型水坝。第二次世界大战后沿河建有水电站和水利灌溉工程。

Durand, Asher B(rown) 杜兰德(1796-08-21，美国新泽西杰斐逊村～ 1886-09-17，杰斐逊村) 美国油画家、版画家和插图画家。哈得孙河风景画派的创始人之一。1812年从雕版师学艺。1823 年以刻制 J. 特朗布尔的绘画《独立宣言》初露头角。以后 10 年他继续复制美国艺术家的绘画作品(例如 J. 范德林所作《阿里阿德涅像》)，也曾为礼品书和年鉴作过插图，并刻印了一套美国当代 72 名人肖像。曾和其兄赛勒斯(1787 ～ 1868)一起创办钞票雕版公司，赛勒斯发明了描画线条的机器，大大改进了纸币雕版艺术，同时杜兰德为联邦刻印管理局所提供的作品对美国纸币的设计风格及其绘画性和装饰性也起了重大影

杜兰德绘《相近的灵魂》(1849)
美国不列颠百科全书公司供图

响。1835年以后,杜兰德主要致力于肖像画,绘有美国总统和其他政治家、社会活动家的肖像。1840～1841年访问欧洲,并研究古代大师的作品。返美后,以细致的笔调创作了描绘哈得孙河谷、阿迪朗达克山脉及新英格兰风光的具有浪漫主义色彩的风景画。他是在户外大自然中作画的早期美国艺术家之一。名作有《相近的灵魂》(1849,纽约公共图书馆)。杜兰德还是全国设计学会(1826)的创始人之一,1845～1861年曾任会长。

Durand, Guillaume 迪朗(约1230,法国皮米松～1296-11-01,罗马) 又称迪朗杜或迪朗蒂。法兰西教士,教会法学者、教仪学者。在博洛尼亚大学学习教会法,获得博士学位。1260年后不久任教廷法官,管理向教皇申诉的案件。在1274年第二次里昂会议上,参与草拟教皇格列高利十世所颁布的法规。1291年就任法国南部芒德主教。迪朗编成教会法和民法论文汇集《司法全鉴》。这本书提供有关中世纪教会法庭诉讼的资料,至今仍有价值。所著《圣事论》综论崇拜仪式及其意义。

Durand Line 杜兰线 1893年划定的阿富汗与英属印度之间的边界线,穿过兴都库什山脉中的部族地区。现为阿富汗与巴基斯坦之间的边界线。这条线以迫使阿富汗国王接受此线的M.杜兰爵士的姓氏命名。20世纪中叶该线两侧地区成为普什图人独立运动组织建立巴克图尼斯坦国的主体。1980年约有750万普什图人居住在杜兰线附近。

Durand-Ruel, Paul 迪朗-吕埃尔(1831,巴黎～1922-02-05,巴黎) 法国画商,巴比松艺术家和早期印象派画家的拥护者。1865年继承其父画廊,开始集中购买巴比松艺术家特别是柯罗、杜比尼和J.杜佩雷的作品,并购买能找到的卢梭的每件作品。还曾预付米勒稿费,多年提供援助。19世纪70年代初结识莫奈和毕沙罗,大胆收购他们以及雷诺阿、德加、西斯莱、马奈和皮维斯·德·夏凡纳等人作品。1886年到纽约,在国立设计学院展出收藏的画作,获得极大成功。翌年,他在纽约建立迪朗-吕埃尔分店。他是印象派画家的主要代理商。

Durandus of Saint-Pourçain 迪朗杜(圣普尔桑的)(约1270,奥弗涅圣普尔桑～1334-09-10,法兰西莫城) 法兰西主教、神学家及哲学家。当时,中世纪神学家托马斯·阿奎那的学说已经成为多明我会的正宗,而迪朗杜主张,哲学家除了对教义真理外,对任何权威都应依靠自己推理得出结论。这种把推理和信仰严格分离的理论,动摇了经院哲学,因为经院哲学在很大程度上是通过推理来证明宗教信条的。不同于托马斯·阿奎那的观点,迪朗杜还认为世上只有个体事物,无所谓类别。他把这种观点运用在神学方面,引起教会当局的指责。

Durandus, William 迪朗杜 参阅**Durand, Guillaume 迪朗**。

Durang, John 杜朗(1768-01-06,美国宾夕法尼亚约克～1822,费城) 第一个在美国出生的著名职业舞蹈演员,尤以角笛舞著名。1784年17岁时,在小L.哈勒姆的"演讲"和爱国滑稽剧中首次演出。当时法律禁止演剧和舞蹈表演,因此采用"演讲"的隐晦说法。杜朗虽曾从欧洲来访的舞蹈演员学习,但未正式接受古典芭蕾舞训练。法国杂技演员、小提琴家A.普拉西德对他的一生影响甚大。普拉西德多才多艺,可从杜朗同时是舞蹈演员、杂技演员、戏剧演员、魔术师、作家、导演及舞台监督多方面的才能中体现出。另一位法国人——老美国舞团的导演J.B.弗朗西斯基也对杜朗产生影响。杜朗在他的舞团里跳舞,经常与来自圣多明各的芭蕾女演员A.加尔迪夫人结成舞伴;后期又从弗朗西斯基的作品中汲取灵感,用以创作芭蕾舞和露天杂剧。

Durango 杜兰戈 墨西哥中北部的州。面积123 180平方千米。西部为西马德雷山脉,矿产丰富。东部为半干旱平原用于放牧。纳萨斯河属全州最长,从马德雷山东流,全长约600千米,是种植经济作物的主要水源。作物有棉花、小麦、玉米、烟草、甘蔗、蔬菜和水果。下游为著名的拉古纳棉花区。矿产丰富,有银、金、硫磺、锡、煤、水银、锑、铜等矿。矿业历史悠久,开采有限。距州首府杜兰戈2英里的塞罗德梅尔卡多山丘有品位极高的铁矿,供本地冶炼。圣迪马斯附近有卡尔德拉里亚银矿,其产品久负盛名。境内交通运输网不健全,妨碍矿产的开发。1562～1563年最初被欧洲人开发。1823年成为单独的州。墨西哥国家铁路从东北到西南贯穿州境,东部另有一铁路。还有泛美公路的两条支线和航空线通该州。人口1 482 800(2001)。

Durango 杜兰戈 墨西哥杜兰戈州首府。在马德雷山脉的富饶谷地。海拔1 889米。城北塞罗德梅尔卡多山丘有品位极高的铁矿,是世界最大铁矿之一。1556年始建。1823年前曾是新比斯开省政治和教会首府。以疗养地和附近温泉久负盛名。重要商业和矿业中心,工业有棉织、毛织、玻璃、炼铁、面粉、榨糖和卷烟等。市内有杜兰戈华雷斯大学(1957)。通公路、铁路和航空线。附近有国际机场。人口411 800(2001)。

Durango 杜兰戈 美国科罗拉多州西南部城市,拉普拉塔县县城(1881)。在拉普拉塔山麓,濒临阿尼马斯河。海拔1 983米。1880年在开矿热中建立。作为农产品和地方物产(木材、煤、石油、天然气、金、银、铅、铀、钒)转运地发展起来。现亦为主要旅游中心。圣胡安国家森林总部所在地。当地建有窄轨旅游铁路、梅萨弗德国家公园和珀加托里滑雪场。市内有刘易斯堡学院(1911)和少量轻工业。人口13 922(2000)。

Durānī(Afghan history) 参阅**Durrānī 杜兰尼人**。

Durant 杜兰特 美国俄克拉何马州南部城市,布赖恩县县城(1907)。在雷德河谷,南距得克萨斯州界数千米。约1870年始有人居住。随1872年密苏里-堪萨斯-得克萨斯铁路通此而迅速发展。为农产品集散中心。设有俄克拉何马州立东南师范学院(1909)。经济以石油、天然气和制造业(花生和棉花加工、通用卡车车身、服装、水泥预制件等)为主。城西雷得河上丹尼森水坝和特克索马人工湖,风景秀丽,为游乐区中心。人口13 549(2000)。

Durant, Will and Ariel 杜兰特夫妇(威尔1885-11-05,美国马萨诸塞北亚当斯～1981-11-07,洛杉矶;阿里尔1898-05-10,俄国普罗苏洛夫～1981-10-25,洛杉矶) 美国作家。

朱利安·沃塞供图

夫妇合作著有《文明的故事》(11卷,1935～1975),确立了他们著名的通俗哲学和历史作家的地位。威尔1917年发表《哲学和社会问题》,从此开始其写作生涯。第二部书《哲学的故事》(1926)在不到30年内销售200多万册,并被译成数种文字。第二年,小说《转变》问世。该书是一部自传体作品,记述他自己早年在社会、宗教和政治等各方面的失望经历。1970年发表《对生活的解释:现代文学概述》。此书是将他一生中阅读现代文学作品的笔记扩充而成,文字轻松,逸话很多,以一般读者为对象。1913年威尔在纽约的一所中学教书时，与其学生阿达·考夫曼结婚，他称她为阿里尔；后来她便正式采用了这个名字。虽然阿里尔参与了《文明的故事》各卷的写作，但直到1961年出版该书第7卷《理性时代的开始》时才正式署名，成为这部作品的共同撰稿人。此后她一直作为丈夫的合作者完成了其余各卷。该书第10卷《卢梭与革命》于1967年出版，获普利策奖。

Durant, William Crapo　杜兰特（1861-12-08，波士顿～1947-03-18，纽约市）　美国实业家，通用汽车公司创办人。1886年在密歇根州开设马车商行，1903年买进一家小厂，开始制造别克牌汽车。1908年合并几家汽车制造厂，创办通用汽车公司。1910年因财政困难，失去对该公司的控制权，便另与雪佛兰组建雪佛兰汽车公司。1915年雪佛兰公司购得通用汽车公司的控制股权。杜兰特以此为基础创建现在的通用汽车公司，自任总经理。通用汽车公司曾发展为世界上销售额最大的公司之一。第一次世界大战后，困难又促使他于1920年脱离通用汽车公司；1921年他组建杜兰特汽车公司。该公司以及后来的一些企业，有些很庞大，一般都不成功。

Durante, Francesco　杜兰特（1684-03-31，那不勒斯～1755-08-13，那不勒斯）　意大利宗教音乐和器乐作曲家，尤以教学而享盛誉。曾在罗马学习。1710年任教于圣奥诺弗里奥音乐学院。1728～1739年在那不勒斯任波韦里音乐学院唱诗班指挥，1742年起在圣玛丽亚·迪·洛雷托音乐学院任教。1745年继L.莱奥在圣奥诺弗里奥音乐学院任主要教师。他的学生中有很多是18世纪那不勒斯歌剧学派杰出的作曲家，如约梅里、皮契尼、佩戈莱西、帕伊西埃洛、特拉埃塔、芬奇等。作品有经文歌、弥撒曲、清唱剧及为耶利米哀歌所作配乐，还有拨弦键琴曲和弦乐曲。

Durante, Jimmy　杜兰特（1893-02-10，纽约市～1980-01-29，美国加利福尼亚圣莫尼卡）　美国喜剧演员，表演各种娱乐节目长达60多年。少年时，梦想成为酒吧间里的钢琴演奏者。他父亲是一个理发师，为他买了一架钢琴，并请了一个不定时的教师。17岁时终于实现了他的梦想，在纽约布鲁克林一家酒吧间里演奏钢琴。1923年在纽约与歌舞杂耍演员埃迪·杰克逊和卢·克莱顿共同开设杜兰特俱乐部。他参加百老汇戏剧的演出，并在一部影片中扮演角色，还在几个广播节目中担任角色。他的节目结束语同他的毡帽、手杖和他的坚持误用和错读词句同样有名。他还在一些电视节目中使用同一结束语。他的超大的鼻子成为他的商标。

Duranti, William　迪朗蒂　参阅 **Durand, Guillaume** 迪朗。

Durão, José de Santa Rita　杜朗（1722?，巴西卡塔-普雷塔～1784-01-24，里斯本）　巴西叙事诗人，以长诗《卡拉穆鲁》而闻名。他在诗中用印第安人作文学人物，这成为他的主要贡献。在里约热内卢耶稣会学校受教育后，1756年在葡萄牙科英布拉大学获神学博士学位。两年后人奥古斯丁会格拉提安隐修院，因为同情被逐的耶稣会教士，被迫流亡西班牙和意大利。1778年回到葡萄牙，任神学教授，不久退隐格拉提安隐修院。1781年在里斯本出版《卡拉穆鲁》，描写迭戈·阿尔瓦雷斯发现巴伊亚的故事，作品以所描写的南美洲景色、印第安人生活，以及所表现的对巴西的热爱引人注目。

Duras, Marguerite　迪拉斯（1914-04-04，交趾支那嘉定[越南]～1996-03-03，法国巴黎）　法国小说家、电影剧本作者、歌剧剧本作者、剧作家、电影导演。因其电影脚本《广岛之恋》(1959)和《印度之歌》(1974)而世界闻名。长篇小说《情人》(1984)获龚古尔奖。她的童年大多在印度支那度过，17岁返回法国定居，在巴黎大学求学，获法律和政法学士。她拥护左翼事业，曾参加法国共产党达10年之久。

迪拉斯1942年开始写作。她出版的第三本小说《太平洋大坝》(1950)使她初次成名，该书为半自传式小说，描写印度支那一个法国穷人之家。她的下一本成功小说《直布罗陀的水手》(1952)和《如歌的中板》(1958)更为抒情和复杂，更多对话。这种出色的对话才能使她为A.雷内导演的，受到评论界称赞的电影《广岛之恋》写下了别具一格的电影脚本，内容为一个日本商人和一个法国女演员在战后广岛的短暂的恋爱故事。后来她所写的几部电影剧本有些都是根据自己小说改编的。接着她又经常采用一种更为抽象和综合的方式写作，人物不多，剧情和叙述更少，传统小说的成分一般地更少。她的名字甚至还与"新小说"运动联系在一起，尽管她自己对此否认。半自传体故事《情人》写一个法国少女同一个比她大12岁的中国男子的爱情故事，后修改为长篇小说《中国北方的情人》(1991)。她的其他小说有：《昂德马先生的下午》(1962)、《史坦因的狂喜》(1964)、《印度之歌》等。迪拉斯既编剧又导演了影片《印度之歌》，该片的摄影及剪辑也十分优美，描写了法国驻加尔各答大使夫人的生活和她的几位情人。

Durazno　杜拉斯诺　乌拉圭中部一省。北邻内格罗河水库。面积11 643平方千米。该省许多地区为地势起伏的丘陵。以畜牧业（牛和羊）为主，亦种植玉米、小麦等粮食作物。有铁、铀、大理石和花岗岩矿藏。省会杜拉斯诺（Durazno）通铁路和公路。人口55 699(1975)。

Durazno　杜拉斯诺　全称圣佩德罗-德杜拉斯诺。乌拉圭杜拉斯诺省省会。临伊河。建于1821年。在争取全国独立的战斗中，曾为共和国首都。养牛业的加工及贸易中心。设有畜牧学校。有肉类加工、乳制品、碾米和水泥厂。人口30 600(1996)。

Durazzo（Albania）　参阅　**Durrës** 都拉斯。

Durban　德班　原名纳塔尔港。南非夸祖鲁/纳塔尔省最大城市和南非主要海港。濒印度洋纳塔尔湾。开普殖民地商人1824年在地图上标示该港，起名纳塔尔港。1835年

德班市海滨
南非旅游公司供图

在纳塔尔港建德班，以开普殖民地总督B.德班的姓氏命名。1854年建镇，1935年设市。城市沿海岸伸展，南有"布拉夫"丘陵，北越乌姆杰尼河延伸到德班北部高原。行政机关和商业中心在平地上，围绕海港的小山上是白色的伯里亚居住区。有许多公园：兰花温室的植物园；玫瑰园的詹姆森公园和养有毒蛇的蛇园。设有德班-韦斯特维尔大学（1961年建立，学生主要为印度人，1979年后招收非印度人）、纳塔尔大学（1910年建立）。还有几所博物馆、黑人市场和印度人市场。德班港1855年开始扩建，现已成为世界上主要商港之一。为威特沃特斯兰德工业区的主要集装箱港口，原材料与工业设备的进口港。出口货物有矿产品、煤、糖和谷物。石油精炼后由管道输往约翰内斯堡。第一次世界大战后，德班从维多利亚式城镇发展成现代化大都市，有许多摩天大楼和多层建筑物。现为南非蔗糖业总公司所在地和各种制造业的中心。靠近夸祖鲁/纳塔尔禁猎区和海滩，旅游业发达。德班（及邻近的派恩敦）的印度居民多于白人。70年代末，许多黑人从德班迁入黑人区。人口：市715 700；德班-派恩敦-伊南达都会区1 137 400(1991)。

D'Urban, Sir Benjamin　德班（1777，英国诺福克诺里奇附近黑尔斯沃思～1849-05-25，蒙特利尔）　英国陆军上将、殖民地行政长官，以在南非开普殖民地推行的边境政策而闻名。1793年参军，参加过几次拿破仑战争。1820年调往西印度群岛，任安提瓜岛总督。1834年任南非开普殖民地总督兼总司令。任内，大批荷兰农民被迫迁移至远北和东部地区（史称大迁徙）；操班图语的科萨部族的进犯，引起了开普边境战争（1834～1835）。他击退进犯者，并吞并了凯斯卡马河和大凯河之间的土地。他对非洲人采取极为残酷的手段。1838年他被撤销总督职务，但仍任总司令。1847年任加拿大英军司令。

durbar　杜尔巴　波斯语意为"宫廷"。在印度，指宫廷或接见厅，又指由政府召集的任何贵族正式会议。3次最著名的杜尔巴于1877、1903和1911年在德里举行，分别庆祝

维多利亚女王担任印度女皇(1876)、爱德华七世加冕(1902)及乔治五世和玛丽王后访问印度(1911)。

Düren 迪伦 德国西部北莱茵-威斯特法伦州城市。濒临鲁尔河，艾弗尔丘陵东北坡。748年首见记载。查理曼大帝曾在此召集议会和宗教会议，并数次与萨克逊人交战。20世纪70年代初居策尼希等地纳入，城市面积扩大了一半以上。生产纸张、金属制品、纺织品、玻璃、糖和化工品等。人口92 966(2003)。

Dürer, Albrecht 丢勒(1471-05-21，纽伦堡帝国自由市[德国]～1528-04-06，纽伦堡) 文艺复兴时期德国最重要油画家、版画家、装饰设计家和理论家。同达·芬奇一样，他具有多方面的才能。他的人文主义思想使其艺术具有知识和理性的特征。同宗教改革领袖马丁·路德周围的人也有密切关系。

丢勒幼时在其父作坊接受艺术启蒙教育。1486年从画家、木刻插画家M.沃尔格穆特(1434～1519)学习。3年后到外地旅行。1490年创作了最早的知名作品《父亲肖像》，显示出作为一个成熟的艺术家所具有的独特风格。1490～1494年到尼德兰、瑞士等地旅行，创作了一批木刻、插画和小型宗教画。1494年5月返回纽伦堡，同年秋天去意大利旅行。这时期创作了一批以蒂罗文北部的阿尔卑斯山为题材的水彩画，用笔粗放，却不失细节的和谐，色彩明暗偏冷，显示了画面的深度和气氛。1495～1505年第二次旅行期间，其素描、油画和版画都直接或间接地反映出意大利艺术的强烈影响。

丢勒自画像，1500年
美国不列颠百科全书公司供图

这时期的风俗画和带有寓意性题材的作品，或是来自意大利模式，或是在文艺复兴自由精神影响下的独立创造。同时也创作了一些在其绘画中很少见的神话题材作品。意大利古典主义和人文主义的影响在丢勒的版画中比在其素描和油画中更为突出。1500年前后，丢勒的风格徘徊于哥特式与意大利文艺复兴艺术之间，后经过不懈的努力终于确定了自己的方向。1505～1507年丢勒第二次到意大利，大部分时间在威尼斯度过，对威尼斯画派奠基者G.贝利尼的艺术十分推崇，这个时期其肖像画所具有的甜润、柔和特征就是受贝利尼风格的启发。1507～1513年丢勒完成一系列《基督受难》的铜版画与木刻组画。1513～1514年制作最重要的铜版画《骑士、死神和魔鬼》、《圣杰罗姆在书斋中》等。1512～1519年受马克西米连一世之聘任御前画师，主要作品是版画。1520年偕妻到尼德兰旅行，1521年底回到纽伦堡，健康状况开始恶化。

丢勒绘《忧郁》
中国大百科全书出版社供图

丢勒最后的岁月致力于理论与科学著作，同时完成杰作《四圣图》。其理论著作包括绘画技巧、人体比例和建筑工程等方面，并亲自为这些著作制作版画插图。1528年逝世，葬于纽伦堡的约翰尼斯基尔霍夫教堂墓地。

D'Urfey, Thomas 德弗(1653，英格兰德文埃克塞特？～1723-02，伦敦) 英国剧作家、讽刺作家和歌词作者。善用轻松讽刺笔法，剧本在当时非常流行。德弗的喜剧用生动活泼的对话引导复杂的情节，在某种程度上为18世纪后期的感伤喜剧指引了道路。德弗身为弄臣兼歌手，侍奉国王查理二世和詹姆斯二世，受到二王的庇护。威廉和玛丽即位后，德弗改变了自己的宗教信仰和政治忠诚，结果又博得他们的宠爱。他是文艺界主要人物的朋友，散文家斯梯尔和艾迪生都与他友好。1676～1688年间，德弗写过32本剧本。还写过约500首歌，其中许多被引用到当时的民谣歌剧中。他也写歌词，由H.普赛尔谱曲，以颂歌《约克郡的欢宴曲》最后著名。还为普赛尔的歌剧《狄多与埃涅阿斯》写收场诗。

美国不列颠百科全书公司供图

Durfort, Louis de 迪尔福 参阅**Feversham, Louis de Durfort, 2nd earl of 费弗沙姆伯爵(第二)**。

Durfort FAMILY 迪尔福家族 17和18世纪法国显贵家族。该家族可溯至11世纪。迪拉斯侯爵居伊·阿尔东斯第一·德迪尔福(1605～1665)自称系该家族成员。居伊3子均闻名：J.亨利第一(1625～1704)曾任法国陆军元帅(1675)，封迪拉斯公爵(1689)；居伊·阿尔东斯第二(1630～1702)，亦曾任法国陆军元帅(1676)，封坎坦公爵(1691)；路易(1638～1709)前往英格兰，并于1677年成为第二代费弗沙姆伯爵。J.亨利的次子J.巴蒂斯特(1684～1770)于1741年成为法国陆军元帅。1775年其子E.费利西泰(1715～1789)继承其职位；其孙A.B.马洛(1771～1838)与作家C.德凯尔桑(1779～1829)结婚。

Durg 杜尔格 前称德鲁格。印度切蒂斯格尔邦中部城市。位于塞奥纳特河东岸。为杜尔格-比莱城镇群的组成部分。农产品市场。稻米和豆类加工中心。设有拉维善卡尔大学的3个学院。杜尔格县面积19 670平方千米，中心为一平原，周围是索德布尔岭。该县初建于1906年，1948年因几个恰蒂斯加尔土邦的归入而扩大。该县主要农产品有小麦、棉花、稻米和油菜籽；开采铁矿、石灰石、砂岩、滑石和黏土。拉杰南德冈与凯拉格尔为商业中心。比莱为发展中的工业城市，有大型钢铁厂。人口：市150 645；杜尔格-比莱大都会区166 932(1991)。

Durgā 难近母 印度教神话所传湿婆的配偶女神萨克蒂的多种形象之一。她杀死牛魔摩西娑苏罗。据说梵天、毗湿奴、湿婆和其他较小的神灵口喷火焰，以火焰生难近母，意在使她除掉摩西娑苏罗。在大多数绘画和雕塑中，她骑狮或虎行进，有8或10臂，各手持有诸神所赐武器。每年9、10月间举行的难近母祭是印度东南部地区最隆重的节日。信徒

17世纪中叶印度麦华绘画中的难近母像
美国不列颠百科全书公司供图

将特制的难近母像供奉 9 天后沉入水中，此时举行大规模的游行和公私庆祝活动。

Durgāpur 杜尔加布尔 印度东北部西孟加拉邦城市。位于达莫德尔河北岸。有公路和铁路通加尔各答、布德万和阿散索尔。印度主要钢铁工业中心之一。有洗煤厂、合金与特种钢厂、煤矿机械厂、砖瓦厂和两个热电站。由达莫德尔河提供水电。设有工业学院、音乐学院与布德万大学分校。人口 425 836(1991)。

Durham 达勒姆 英格兰东北部行政、地理和历史郡。临北海。行政、地理和历史郡所辖范围略有不同。行政郡下设 7 个区：切斯特勒斯特里特、德文特赛德、达勒姆市、伊辛顿、赛奇费尔德、蒂斯河谷、威尔河谷。地理郡包括行政郡所辖范围和达灵顿、哈特尔普尔 2 个单一政区及第斯河畔斯托克顿单一政区的部分地区。历史郡包括除蒂斯河谷的部分地区外的全部地理郡所辖范围。另外盖茨黑德、南泰恩赛德和森德兰都会自治市也属达勒姆历史郡。该郡西部为奔宁山脉石灰岩高地(海拔 2 452 英尺[747 米])。东部为东达勒姆高原(700 英尺)。中间为冰碛覆盖的威尔河谷低地。西部高地土壤瘠薄，水源缺乏，只能养羊。较低的东部高原区主要从事综合性农业，特别是乳品业。古罗马时代设有军事哨所。后并入诺森布里亚的撒克逊王国。19 世纪煤田的开发使其成为不列颠工业发展的关键地区之一。后来传统行业持续衰落。1945 年成为东北部开发区之一部分。新建城镇牛顿-艾克利夫和彼得利被指定吸收衰落矿区的居民。至 20 世纪末地理郡的煤矿开采已停止。新兴轻工业发展迅速。达勒姆市为郡行政、教会和教育中心。面积：行政郡 2 232 平方千米，地理郡(包括全部第斯河畔斯托克顿单一政区)2 731 平方千米。人口：行政郡 506 400；地理郡(包括全部第斯河畔斯托克顿单一政区)880 700(1998)。

Durham 达勒姆 英格兰达勒姆行政、历史郡一城市(区)。古城中心位于威尔河湾的

达勒姆市大教堂中殿内景
美国不列颠百科全书公司供图

半岛上。威廉一世(1066 ～ 1087 年在位)选此地为抵抗苏格兰人的要塞和堡垒，后成为达勒姆的封建亲王兼主教驻地，并担负国家北方地区的防务。中世纪为朝圣地，大教堂中有 7 世纪圣库思伯特教士的遗物。当地主教对该城成为教育中心起了重要作用。老城中心被列为世界遗产。15 世纪建立第一所学校，即现今达勒姆学校。1832 年创办一所大学。古尔本凯厄恩东方艺术和考古博物馆是该大学东方研究院(1960 年开设)的一部分，收藏有关远东的各种重要资料。现仍为宗教和教育中心，亦承担郡政府的一部分重要行政职能。有组装风琴和生产地毯的小工厂，但从未成为一个工业城市，但一直是该地区行政和文化中心。全区面积 187 平方千米。人口：市 36 937(1991)；区 90 300(1998)。

Durham 达勒姆 美国新罕布什尔州东南部城镇。在斯特拉福德县，多佛西南，临奥伊斯特河。1635年始有居民点。1732年设镇。独立战争时期民军曾将从英军手中夺得的大量军火藏在该镇。设有新罕布什尔大学(1866)。镇内奥伊斯特河畔有革命军将领 J. 沙利文的故居(约 1740 年建)。面积 58 平方千米。人口 12 664(2000)。

Durham 达勒姆 美国北卡罗来纳州中北部城市，达勒姆县县城(1881)。约 1750 年始有居民点。1869 年设市。至 20 世纪初因发展烟草工业而繁荣，亦建有纺织业。现经济

达勒姆市杜克大学的戴维森大楼
美国不列颠百科全书公司供图

以高技术产业为主，如精密电子仪器生产。杜克家族对达勒姆的工业发展有重大作用。部分由于杜克家族的赞助，达勒姆也成为教育、医药及研究中心。设有杜克大学(1924)、三一学院(1838)、北卡罗来纳中央大学(1909)、达勒姆学院(1947)及达勒姆工学院(1961)。西北郊的州立本尼特历史名胜是 1865 年 4 月 26 日南方联盟的 J.E. 约翰斯顿将军向 W.谢尔曼将军投降处。人口：市187 035；罗利-达勒姆-查珀尔希尔都会统计区 1 187 941(2000)。

Durham (livestock) **达勒姆牛** 参阅**Shorthorn 短角牛**。

Durham，John George Lambton，1st earl of 德拉姆伯爵(第一)(1792-04-12，伦敦～1840-07-28，英国怀特岛考斯) 即 J.G.兰布顿。英国政治家、辉格党改革派。曾任加拿大总督和高级专员。他的《英属北美事务报告》(1839)曾指导英帝国政策多年。大地主家庭出身。1813 ～ 1828 年为下院议员。1828 年封男爵，1833 年封伯爵。他与辉格党内要人第 2 代格雷伯爵的女儿结婚。但他关于扩大选举权和实行其他激进措施的建议却使格雷和其他正统辉格党人反感。1830 年格雷组阁，他任掌玺大臣。他与罗素勋爵等人起草了第 1 个议会改革法案(1831，未通过)。在次年通过了第 3 个改革法案后，他赴俄、普、奥 3 国执行外交任务。1835 ～ 1837 年任驻俄大使。1838 年任加拿大总督和高级专员。面对法裔加拿大人的敌意，下加拿大(今魁北克)的混乱状态，以及美国向加拿大的扩张，他被赋予几乎是独裁的权力，但他采取比较缓和的政策，到任不久就宣布大赦，开释除 24 名首领外的所有法裔加拿大叛乱分子。由于首相梅尔本勋爵反对他的做法，他只得挂冠而去。返英后，于 1839 年 1 月末向殖民部提出他的著名报告，建议将上加拿大与下加拿大合并，并给予较多的自治权。他认为在加拿大应该成立一个由殖民者组成的内阁，在内政方面总督依照内阁的意见办事，外交和国际贸易仍由伦敦统一处理。法裔加拿大人应放弃自己的语言，完全归化于英裔加拿大人。1841 年上、下加拿大正式合并。

durian(*Durio zibethinus*) **榴莲** 木棉科乔木。印度尼西亚、菲律宾、马来西亚和泰国南部均有栽培。树冠形如榆树。叶长圆形，渐狭，基部圆形。花黄绿色。果球形，直径 15 ～20 厘米，亦称榴莲；外果皮坚硬，表面有粗硬尖刺；内分 5 室，均呈卵形，其中充满乳白色奶蛋糊状果肉，每室含 1 ～ 5 粒种子，大小如栗子。果肉可食，种子可烤食；多种动物常食其成熟果实。果微甜，带有似林堡干酪般的刺激气味。很少供出口。

duricrust 铝铁硅钙壳 二氧化硅(SiO_2)、三氧化二铝(Al_2O_3)、三氧化二铁(Fe_2O_3)按不同比例组成的固化堆积物的地表或近地表的土壤。其他物质的掺和通常是存在的，铝铁硅钙壳在有限的地区可以因为锰或钛的氧化物而变得更肥沃。这样，硅壳、铁壳和铝壳就组成铝铁硅钙壳本身。但是，碳酸钙、石膏和石盐的结壳层常常被看作是铝铁硅钙壳的不同类型。

duricrust 这一术语(在拉丁语里，“durus”意思是“坚硬的”)首次在澳大利亚用来指地表或近地表的成层物质，如红土、矾土和石英岩。这些壳本身不是地形，而是代表平原或其他特点的低地形之上部的化学变化。在这个意义上，它们是一种极端类型的土壤。

铝铁硅钙壳的分类 两种不完全的分类法使用以“-crete”结尾的复合词来表示胶结作用的种类，或者使用以“-crust”结尾的复合词来表示基本的化学成分(附表的头两栏)。这两种分类都是有缺陷的，虽然硅质壳与铁质壳之间在工作上的区别是有用的。较实用的分类法(附表的第 3 栏)是对非洲土壤科学家提出的术语加以改进和扩展而成的。落在

铝铁硅钙壳的分类

分类依据 胶结物	硬壳类型 成分(i)	 成分(ii)	化学成分 (非全部成分)
常态硬壳			
硅质胶结	硅质壳	硅质的	SiO_2
		硅铝质的	SiO_2, $Al_2O_3/Al_2O_3\cdot 2H_2O$
硅质胶结	硅质壳/		
铁质胶结/	铁质壳	铁硅质的	Fe_2O_3, SiO_2
铁质胶结	铁质壳	铁硅铝质的*	$Fe_2O_3 \pm FeOOH$, SiO_2, $Al_2O_3\cdot 2H_2O \pm AlOOH$
		铁铝质的	Fe_2O_3, $FeOOH$, $Al_2O_3\cdot 2H_2O$, $AlOOH$
		铁质的	Fe_2O_3, $FeOOH$
		铁锰质的	Fe_2O_3, MnO_2
		钛铝质的	TiO_2, $Al_2O_3/Al_2O_3\cdot 2H_2O$
		铝质的	$Al_2O_3\cdot 2H_2O$, $AlOOH$
钙质胶结	钙质壳	钙质的	$CaCO_3$(方解石)
		钙硅质的	$CaCO_3$, SiO_2(方解石+玉髓状硅石)
石膏质胶结	石膏质壳	石膏质的	$CaSO_4\cdot 2H_2O$(石膏)
盐质胶结	盐质壳	石盐质的	NaCl(往往不纯;岩盐)

*铁硅铝质范围内典型矿物:SiO_2,石英+玉髓状硅石;Al_2O_3,非晶质,至 $Al_2O_3\cdot 2H_2O$,水铝石,和 AlOOH,软水铝石;Fe_2O_3,赤铁矿,至 FeOOH,针铁矿,和 $Fe_2O_3\cdot 2H_2O$,褐铁矿(在未水合处);TiO_2,金红石/锐钛矿;MnO_2,软锰矿/硬锰矿。

铝铁硅钙壳本身范围内的类型界线应当被看做是过渡性的。

铝铁硅钙壳本身,在保存得最好的地方,是表内所列举的当中最连续和范围最广大的类型。它们代表风化作用、剥蚀作用和土壤形成作用的最终产物,主要出现在侵蚀台地,如麓原之上,或者作为河流分水岭上的表土或残积物。这些壳常形成厚达 120 米的深风化剖面的一部分。或者有时,它们也出现在悬崖陡坎基部,河流阶地中,或河谷底部,通常接近于或低于残积物覆盖层。除了当这些壳的被磨损或被扩展的边缘而外,它们的厚度变化范围从大约 0.5 米到至少 12 米。这与厚度为 15 厘米的、常常与洞穴状(蜂窝状)风化作用相关的(特别是在干旱地区)板状风化壳形成对照。

铝铁硅钙壳的分布 铝铁硅钙壳集中在热带到亚热带地区,并且明显地向热带以外扩展,特别在南非和澳大利亚是如此。它们正常情况下在热带雨林是不存在的。它们中很多与过去的气候的、生物的和地貌的环境相关,而在这些地区现有的条件下却并不形成,在这个意义上说来,它们中很多是化石壳。

其他类型的壳与近潮湿的气候到干旱气候相关联,虽然并不必一定是与今天的干旱气候带相关联。碳酸钙质壳(钙壳)和硫酸钙质壳(石膏壳)厚度达 4 米,出现在内流河盆地,在那里它们起初作为蒸发岩而形成(参阅 **evaporite**)。或者,钙质壳在富钙土壤范围的最末端处或其附近,作为地表的到近地表的土壤层或土壤带而形成。富含石膏的层,通常在很多沙漠土壤和半沙漠土壤中,似乎不足以抵抗侵蚀形成硬壳。钙硅质壳是钙质壳或其他表生石灰岩硅化的结果,对它们的来龙去脉研究得很少。盐质壳(盐壳)在沿沙漠边缘的地方或咸地下水出露的地方形成,但是,如果它们不结晶成岩盐,这些壳也对侵蚀缺乏抵抗力,并且可能是短命的。

在澳大利亚、印度、非洲和南美,铝铁硅钙壳主要的扩展倾向于不同切割状态下的风化麓原和平原,虽然有些壳出现在高差起伏很大的地区之河谷内。富铝质壳产生出有商业价值的铝土矿。碎屑状铝铁硅钙壳与河谷底铝铁硅钙壳存在于所有这些国家,主要在靠近残积盖层边缘的地方。这些壳包括西非洲有经济价值的锰矿藏,以及南澳大利亚的硅化阶地卵石。岩层状况、铝铁硅钙壳的风化作用、侵蚀作用和切割作用与连续的或更新的铝铁硅钙壳形成作用之可能的联合,是高度复杂的。此外,现在一些铝铁硅钙壳埋藏在大陆的(非海洋的)沉积物之下。

今天的铁质壳形成的粗略界线是等降雨量线 500～700 毫米到 1 200 毫米之间,低于前者则铁不易活动,高于后者则脱水作用通常不进行。很高的年平均温度(高达 20～25°C)也是需要的。出现在指出的界限范围之外的铝铁硅钙壳一般是化石(与以前的气候状况相关的),在这个界线范围以内的很多铝铁硅钙壳也是化石。由地层学或放射性测量法确定的年代在西非洲大到 5 000 万年,在澳大利亚则超过 2 300 万年,但是铝铁硅钙壳的形成作用今天仍在一些地方进行着。与化石壳相关的现象包括在第三纪(距今 250 万年前至 6 500 万年前之间)时期美国南部山麓区和西欧、西北欧地块的深风化作用,以及西伯利亚北纬 65°残积铝土矿的形成。

铝铁硅钙壳形成作用的相关因素 铝铁硅钙壳的形成包含着风化物质的巨大丧失。由霞石正长岩(喷出的火成岩)热带风化作用概括出来的实例表明,从新鲜岩到铝铁硅钙壳,二氧化硅从 55%减少到 5%,三氧化二铝从 1%增加到 45%,三氧化二铁从 5%增加到 23%,化合水从 1%增加到 25%。

热带森林中植物和土壤之间的营养物循环,包含着植物的过量吸收,这本身又促进深风化。在深风化剖面里,粉砂级的物质被破坏掉或沥滤出去。黏土物质倾向于被分散并向下迁移,特别是在降雨量高和植物生长旺盛降低电解质浓度的地方是如此。残留的氧化物倾向于聚集成为一种球形细微构造常出现的形态。

在上覆土壤剥离之前、期间或之后,能促进铁质壳脱水和硬化的机制,包括森林的破坏和潜水面的降低,这两者能够以几种方式出现。例如,除了人的开垦以外,森林的破坏也可由于气候变迁以及河流作用的下切而引起。

硅质壳的形成需要二氧化硅选择性地富集,这一事实导致一些专家把硅质壳认为是铁质壳剖面的下部。但是,硅质壳与铁质壳之间在分布上的对照差异是清楚的,这两类型之间的过渡情况也是很好地证明了的。硅质壳经常是(但并非一成不变地)由于砂岩和石英质砾岩硅化作用的结果而产生的。它们出现在那些通常比具有铁质结壳的地区更加干旱的地区,但是许多地区的化石性质,再加上它们通常所隶属的深风化剖面,大概表明形成时间的湿润气候,并且阻止了直接参照现存的控制因素。就像铁质结壳一样,硅质壳通常最初是起源于地表面以下,可能在侵蚀的细粒物质层下面。

离子的活化、迁移与富集 铁氧化物和铝氧化物,以及一些情况下的硅氧化物的选择性富集之成土作用过程,包含着作为最重要因素的离子交换。虽然还不完全了解,但确是包含着带负电荷的离子与电解质(土壤溶液)中其他离子的交换。离子交换受到离子固定到矿物结构中这种作用的影响。相应的作用过程包括水化作用(水的吸收)、羟基化作用(H^+ 和 OH^- 离子的吸附)、氧化作用(氧的化合,随着电子流失到风化营力之中)和还原作用(化合氧的耗竭)。离子交换受到阳离子交换能力(CEC)的控制,这阳离子交换能力表示为在 pH 值为 7 时每 100 克黏土毫克当量中可交换阳离子的数量。低的 CEC 值对于高岭土质黏土,以及实际的或潜在的铝铁硅钙壳来说是典型的。

土壤水将分解为带相反电荷的 H^+ 和 OH^- 离子,大气中和土壤中的 CO_2 在溶液中形成 HCO_3^- 和 H^+ 离子。这些产物促进一些金属阳离子的置换,特别是在矿物硅酸盐中的金属阳离子,大量地被在可去除溶解质中与 OH^- 离子相结合的 H^+ 离子置换。H^+ 离子很小,相对于其体积大小来说,它电荷很高,可以容易地进入晶体格架里;OH^- 离子中和了 Na^+、K^+ 离子的小电荷和 Ca^{2+}、Mg^{2+} 离子的较大电荷。土壤粒子中的正电荷部分地与铁、铝和锰的氢氧化物有关。负电荷随 pH 值降低而增加,它们被正离子所中和,这些正离子中,$Al(OH)_2^+$ 是较有意义的之一。带负电荷的胶体 SiO_2 和胶体 Al_2O_3 与带正电的 Fe_2O_3 可能在 H^+ 离子浓度高的情况下相互作用,生成黏土矿物。这些黏土矿物当中,最稳定的是高岭土族的、一对一的层状硅酸盐,它们里面,每一个硅氧层被一个氢氧化铝层所压缩。

离子交换作用过程最低限度有一部分是包含生物和有机物的。螯合作用物质、复杂的氨基酸和聚合的化合物使得铝离子和铁离子失去活性,并把它们固定在格架结构中。以后,除了酸性明显降低和它们再沉积时以外,这些离子的行为就好像它们不存在了一样。锰和氧化硅可以类似地处理对待。溶解作用与淋溶作用的综合作用(溶淋作用),以及螯合作用与淋溶作用的综合作用过程(螯合萃取作用)似乎在铝铁硅钙壳形成之前的富含氧化物杂赤铁土形成中进行得很强烈。在铁的活化与固定当中,正如在有机酸的一般产生过程中一样,细菌也起了一定作用。一些细菌起作用生成可溶性铁,另一些细菌则把可溶性低价铁[$Fe(OH)_2$]氧化成不溶性高价铁(Fe_2O_3);土壤微生物,包括细菌在内,特别牵连到大量明显的螯合作用物的产生过程。

岩石类型、地形和潜水面变动 铝铁硅钙土出现在火成岩、变质岩和沉积岩的广大范围内,包括花岗岩、玄武岩、辉长岩、砂屑岩和黏土岩。对于铝铁硅钙壳的化学来说,仅仅存在着最粗的倾向,就是被基岩的化学所控制,甚至在相似的气候下也是如此,虽然,霞石正长岩特征性地风化形成铝质(富含铝质)壳,基性火成岩风化形成高价铁质(富含铁质)壳到钛铝质壳,在一些地区,砂屑岩和黏土岩风化形成硅质(富含硅质)壳。高价铁质壳坚硬度较高,结构上易变,比起铝质壳来水化作用不太强烈。虽然在硅质壳中结构从豆子般大小的结核变成斑驳状的和巨块状的,在低的水平面上有天然的、地表以下的侵蚀管,这些壳仍不含水。

剖面排水状况是有影响的;易于沥滤的,从碱性到中性的条件有利于氧化硅的排除和铝的富集,如果可达到的话,也有利于钛的富集。接近于潜水面能促进铁的富集,而不良场地排水和弱酸性却可能有利于氧化硅的富集。但是,从已知的分布推断,铁质壳与硅质壳的形成作用之间地理上的对比差异更甚于岩石性质上控制,这岩石性质的控制好像只有在过渡地带作用是大的。

铝铁硅钙壳的形成对于地形的要求包括低缓的坡度,或者是处于地下水能供给铁的氧化物和锰的氧化物,或者两者都能供给的那些地方。在最大坡度为8°～10°(平均坡度为2°或更小)的麓原或平原上的、保存很好的化石壳,使人们推想地下水微弱的侧向运动和通过沥滤作用而使壳相对富集。这与在悬崖陡坎基部和河谷谷底上壳的绝对富集相关的积极位移形成对照。很多深风化剖面的浅色带和斑驳色带对地下水活动也是有指示意义的,前者被看做是还原环境(脱离子环境)中高岭土化作用的结果;后者则是由于地下水面的季节性变动而引起的。这些地带对于供给很多壳的铁质成分无能为力也证明了相对富集。

气候和时间的影响 钙质壳、石膏壳和盐壳当归因于干燥气候,但是,铝铁硅钙壳本身,至少在现代和晚全新世存在(全新世开始于距今约10 000年前),它应当归因于潮湿的热带气候,可能也有季节性干旱及同时存在的湿润与温暖季节,土壤温度平均在25～30℃。在这样一些条件下,原始岩石体积的50%或更多都可能在风化作用期间丧失掉,但一些剖面上构造的保存表明向下加厚,而不是整个尖灭。

30～50年的时段将会把干燥的铁铝质黏土转变成铁铝质铝铁硅钙壳;但是由已知的值来外推,使人推想为了形成实际的深风化剖面可以需要长达1 500万年。然而,在第三纪潮湿的热带森林持续时间内,这样的时间段也就很好了。

气候变化大概与现在年平均降水量大于1 200毫米的赤道地区铝铁硅钙壳的存在是相关的。从前非洲干旱地带向北扩张,卡拉哈里沙漠在它现在边界之外扩充了1 600～3 000千米,已得到很好的证明。与此相似地,现代潮湿热带型的过去气候可能与热带范围以外化石壳的存在有关,并且也与残留的第三纪深风化作用有关。这样的气候似乎可以从减小的极地-赤道的温度梯度而得到解释。

虽然铝铁硅钙壳的脱水作用和硬结作用常常被称为不可逆的,但是,在长时期中,这并不是真的。除了侵蚀覆盖层的解聚作用外,残留铁质壳可以受到新一轮成壤作用过程的侵袭,这一过程重新激活离子,并且产生红黄色土壤——这在较老的分类中被称作"红土型灰壤"。

Durie, John 参阅 **Dury, John 杜里**。

Duris(Greek painter) 参阅 **Douris 多里斯**。

Durisol 硬土 联合国粮食及农业组织土壤分类系统中30类土壤之一。是半干旱环境中,地表1米内坚实硅石层的土壤。硅石如果不是不牢固的小块,就是经雨淋向下移动而聚集成的硬盘。多见于美国西南部、智利、南非,尤其是澳大利亚降雨量少的地区。通常和沙性土、钙积土、雏形土、石膏土和变性土一起出现,并且和积聚在硬硅石层内、美国土壤分类中的干旱土纲和变性土纲的土壤有密切联系。

Durius(Europe) **杜里乌斯河** 参阅 **Douro River 杜罗河**。

Dürkheim(Germany) **迪克海姆** 参阅 **Bad Dürkheim 巴特迪克海姆**。

Durkheim, Émile 涂尔干(1858-04,法国埃皮纳勒～1917-11-15,巴黎) 法国社会科学家,曾提出一套实验研究与社会学理论相结合的方法论,效果卓著,被普遍认为是社会学法国学派之父。

幼年时期及其教育 涂尔干出身于一个不太富有的犹太人家庭,未满20岁时父亲去世,使他肩负起沉重的家庭赡养责任。早在弱冠之年他就深信,对于一个人精神境界的发展来说,勤奋刻苦乃至忧愁悲伤都要比安逸与享乐来得更有助益。他学业优良,于1879年通过了严格而竞争激烈的高等师范入学考试。那时他的思想已彻底非宗教化,但具有道德伦理改革的强烈愿望。他向科学特别是社会科学寻求出路,向深刻的教育改革寻求出路,以避免社会"失范"的危险,失范就是他后来对社会普遍不满现象的概括说法。

美国不列颠百科全书公司供图

涂尔干对于学校正规考试制度的陈旧做法反感很大,1882年他通过了最后一次竞争极强的考试,然后接受多次外地的聘请,在1882～1887年间执教于桑斯、圣康坦及特鲁瓦等地的国立中学,讲授哲学。1885～1886年,他请假一年,到德国进修,深得实验心理学先驱人物W.冯特的赏识。1887年,他受聘在波尔多大学担任讲师,后任教授,讲授社会学原理课程,迄于1902年。

分析方法 涂尔干谙熟数种外语,1896年创办学术性期刊《社会学年代》,能对德语、英语及意大利语写成的著作撰写书评。但他很少外出旅行,而且从来不作实地调查。他研究澳大利亚或新几内亚土著部落以及研究爱斯基摩人的大量资料,都是由其他人类学者、旅行家或传教士搜集的和提供的。

涂尔干的这种做法,并非出于思想褊狭或不重视实际工作。他并不像法国哲学家A.孔德那样不顾实验观察便大胆作出武断的结论。不过涂尔干的确也坚持自己看法,他认为从世界各遥远地区所收集到的资料,不一定总会产生对过去有启发性的看法,即使对现状,也是如此。他也认为,一堆事实,除非经过归纳成为各种类型和法则,是不具备什么意义的。同时,他反复强调,只有从那种基于真实之内在性质的解释之中,才能得到真知灼见,真知灼见不能由观察外界事物而获得。这样,他就构拟出诸如"圣物"或"图腾崇拜"之类的概念,这和马克思在其理论中提出"阶级"这一概念非常相似。

事实上,涂尔干的真正兴趣所在,并不是为研究那些所谓原始部落而研究,而是认为这种研究可以对认识现实有所启迪。他所思考的和撰写的,大多取自19世纪70～80年代他成年期间目睹的重大事件,并发自他对这些事件的热烈关注之情。

法兰西第二帝国因1870年败给德国人而崩溃。对于热情青年涂尔干来说,这无异于一个世风奢靡而无耻时代的到来。1871年巴黎公社接管法国政权,造成愚蠢的破坏。

巴黎公社成立后所出现的血腥镇压活动,被认为是资本主义制度的残忍性和恐惧中的资产阶级的自私性之明确证据。其后于1886年的陆军部长G.布朗热事件,成为民族主义复活并立即引起排犹行动的几次重大事件之一。老一辈的法国思想家如E.勒南及H.泰纳等,都在1871年后一度中止他们的历史与哲学研究,转而对这些社会邪恶进行分析,以便找出纠正办法。

涂尔干与一些青年哲学家和学者们相信,进步不见得就是科学技术发展的必然后果,科技发展的上升曲线可以带来洋洋自得的乐观主义，然而却不能代表社会的进步。他感到弥漫着一片“失范”的氛围。

涂尔干这些社会学论断的资料，与道德哲学初无二致，首先表达在他的非常重要的博士论文《社会分工论》(1893)和另一著作《论自杀》(1897)两书中。他认为，伦理和社会结构正因技术与机械化之出现而受到威胁和损害。劳动分工造成工人们既彼此更加疏远又彼此更加依赖，因为没有一个人能再单独制出其产品了。由于凡是个人能与其所属文化相结合的地方，自杀现象似乎就要少些，可见这种纯系出自个人决心的自戕行为，应以社会外部诸力量的因素来解释其原因。

德雷福斯事件的影响 上述两部早期著作，再加上涂尔干那部以科学谨严态度提出的有关社会学研究方法诸定则的《社会学方法论》(1895)，都为他带来声誉和影响。然而这门探讨社会现象的新兴学科，却使一些怯懦之徒和保守的哲学家胆战心惊，涂尔干不得不忍受来自多方的攻讦。德雷福斯事件发生于该世纪之末，由此带来对犹太人的轻蔑或公然侮辱，这使涂尔干看清了一直藏在文明假象之下的潜在憎恨和深刻的仇隙。他积极投入营救德雷福斯的运动。虽然涂尔干以一名重要思想家的资格本应被选入法兰西学院这样有名望的学术团体而未实现，但他却在1902年受聘于巴黎大学，并于1906年成为教授。

这位社会学家越来越关心教育和宗教，认为这是改造人性最强有力的手段，也是塑造社会深层变革所要求的新制度新风气的最有效的方法。涂尔干的同事们对他的热心于教育改革倍感钦佩。

涂尔干在波尔多大学讲授有关教育学课程的讲稿，死后于1938年出版，题名《法国教学法之演进》。此书迄今仍不失为资料丰富持论公允的法国教育学著作之一。涂尔干晚年另一重要著作讨论澳大利亚的图腾体系，题名《宗教生活之初级形式》(1915)。虽然作者对宗教持不可知论的态度，他还是表现出对于宗教现象之所有阶段的系统理解。法国的保守派在第一次世界大战前的一段时期中反对巴黎大学，指控大学过分地被德国的学术声望所左右，同时他们把矛头也对准了涂尔干，认为他也受到德国人的怂恿来进行这种系统化的宗教研究，以便把社会造成一种神物，而把社会学搞成一种宗教信仰。

事实上，涂尔干并不像孔德所创实证主义学派那样把社会学当成一个崇拜的偶像，也不像“功能主义者”那样以保持一种社会机制的存在与平衡中的作用来解释每一社会现象。不过，他也确实下功夫来系统地建立一门具体的社会科学，用以指导人们的行为，使其向着更大的团结迈进。由于涂尔干的努力，法国社会学当时进入全盛阶段，而法国社会学的整个发展过程，似乎都与涂尔干密切相关。

死亡及遗产 1916年，涂尔干的儿子牺牲在巴尔干前线，他的生命“断点”随之相继来临。他极力想抑制悲恸，但其子之死正当那些民族主义分子对他大肆污蔑的时刻，涂尔干对此忍无可忍，他在1917年11月与世长辞。

涂尔干身后留下由一批杰出的研究人员组成的学派。他从来不是一位专断的大师，他鼓励弟子们要超越他，如有必要不妨提出相反的看法。他的外甥M.莫斯，曾任法兰西学院社会学讲座教授，其论述在系统性上不如涂尔干，但更重视符号的象征意义之研究，认为符号是一种无意识的心理活动。他的弟子C.莱维-斯特劳斯，亦曾任法兰西学院社会学讲座教授，其治学态度是善于推理，倾以热情，使情理交融，从而施之于实际研究工作，这方面与涂尔干颇为相似，但他对涂尔干的观点曾提出异议并作过修正。自有涂尔干以来，社会学在法国已成为一门基本学科，它扩大了对法律、经济学、中国制度与风俗、语言学、民族学、艺术史、历史等科目的研究领域，并使这些领域大有改观。

Durlas(Ireland) 参阅**Thurles 瑟勒斯**。

Durmitor 杜米托尔 黑山境内的山岳，为迪纳拉山脉之一部并划入一国家公园区。其中有15座山峰高逾2 000米；最高点博洛托夫库克峰高达2 522米。山峰间有深谷和冰川湖。山区的扎布利亚克是本国最高居民点，为一旅游中心，盛行冬季运动。山谷间饲养牲畜。

Durnovo, Pyotr Nikolayevich 杜尔诺沃(1845，俄罗斯莫斯科省～1915-09-24，彼得格勒) 俄国政治家、沙皇亚历山大三世和尼古拉二世时代的警察头子。他残酷地镇压了1905年的革命，并以1914年撰写的预见第一次世界大战进程和俄罗斯帝国崩溃的备忘录而闻名。辞去军职进入政府任职后晋升迅速。1883年任俄国警察总监。曾破获刺杀亚历山大二世的恐怖组织。1893年因男女关系问题被革职。1900年任副内务大臣，1905年任内务大臣，他是一个坚决的右翼分子，由于他毫不留情地镇压圣彼得堡和莫斯科的布尔什维克，很快就赢得尼古拉二世的信任。1906年在混乱结束之后，杜尔诺沃被撤职。但后来他又参加国务会议，很快成为右翼分子的领袖。他反对一切削弱君权的活动。

Duroc 杜洛克猪 1822～1877年由纽约州的老杜洛克猪(Old Duroc pig)和新泽西州的红色娟姗猪(红色泽西猪，Red Jersey pig)杂交育成的猪品种。前称杜洛克-娟姗猪(杜洛克-泽西猪，Duroc-Jersey)。特别适合饲养于美国玉米带，20世纪30年代已是美国最主要的猪品种，并于整个世纪内断断续续享有此种荣誉。已广泛输出国外，特别是输往南美和北美的温带地区。红色者最多见亦最受欢迎，但亦有其他颜色者。近来的选择着重于体长和匀称、多瘦肉和增重快。

Duroc, Géraud-Christophe-Michel, DUC (duke) DE FRIOUL **迪罗克**(1772-10-25，法国蓬塔穆松～1813-05-23，西里西亚格尔利茨附近马克斯德夫) 即弗里乌尔公爵。法国将军、外交家，拿破仑最亲密的顾问。骑兵军官之子。曾入沙隆炮兵学校学习。1792年移居国外。回国以后，被征调至驻意大利的炮兵部队。1796年由拿破仑任为副官。在埃及时为少校，在叙利亚晋升上校。雾月18日政变(1799-11-09)后任高级副官。1804年起任宫内总管，并承担外交任务。他曾缔结《枫丹白露条约》和《巴约讷条约》(1807～1808)。1803年成为少将，在奥斯特利茨率领一个师参加各次战役。1813年任元老院议员。他在筹组新军时出过大力，并随新军参加吕岑和包岑两次战役(1813)。后在西里西亚的前哨阵地被炮火击中受伤致死，拿破仑深表惋惜。

Durocher, Leo 杜罗切(1905-07-27，美国马萨诸塞西斯普林菲尔德～1991-10-07，加利福尼亚棕榈泉) 全名Leo Ernest Durocher。美国职业棒球运动员和经理。杜罗切于1928年加入纽约扬基队之前在亚特兰大和圣保罗两地各打了一年棒球。他担任游击手时是一个非常好的守场员，但是击球水平一般。1930年他被卖给辛辛那提印第安人队。1933年他又被转卖给圣路易斯红衣主教队，1934年该队在世界系列赛中获胜后他成了球星。1937年，杜罗切被卖给布鲁克林道奇队，1938年成为该队的队长。1939～1946年和1948年他是道奇队的经理，1941年他率领该队夺得了一面奖旗(由于他的不文明行为，1947年整个赛季他被取消参赛资格)。1948～1955年杜罗切任纽约巨人队的经理，率领该队夺得两面奖旗(1951和1954)，并在1954年世界系列赛中获胜。1955年他离开巨人队到电视台担任棒球评论员。1961～1964年他回到洛杉矶道奇队任教练员。1966～1972年他是芝加哥幼狐队的经理，1972～1973年是休斯敦星队的经理。杜罗切是一名战斗性很强的经理，他提出的格言是“循规蹈矩就要落后”。1994年入选棒球名人堂。

Durrānī 杜兰尼人 又拼Durānī。旧称阿布达利人。阿富汗两个主要部落联盟之一，另一个是吉尔扎伊人。纳迪尔·沙阿曾把坎大哈地区的土地授给他们。后来，他们从事农业，并成为阿富汗王国政治和军事的重要支柱。18世纪晚期阿富汗统治者竭力削弱杜兰尼人的势力，但遭到他们的反抗——这是18世纪末及19世纪初阿富汗内战的主要原因之一。

Durrānī, Aḥmad Shāh 杜兰尼 参阅**Aḥmad Shāh Durrānī 阿哈马德沙**。

Durrell, Lawrence(George) 达雷尔(1912-02-27，印度贾朗达尔～1990-11-07，法国索米耶尔) 英国小说家、诗人，地志、诗剧及滑稽短篇故事作家。被广泛认为是战后最有独创性的英国小说家之一。达雷尔的一生大部分在国外度过，所以与英国人缺乏共同的感情。11岁前在印度受教育，1935年移居科孚岛。第二次世界大战期间在埃及任英国驻开罗和亚历山大使馆的新闻参赞，战后在南斯拉夫、罗得岛、塞浦路斯和法国南部任职。《亚历山大四部曲》出版之前，达雷尔已写过几本诗集和散文。该书分为4部——《贾斯廷》(1957)、《巴尔瑟札》(1958)，《蒙托利弗》(1958)和《克利》(1960)。这部内容丰富、给人以美的感受的四部曲畅销一时,受到批评家的高度评价。前3部从不同的角度描绘第二次世界大战之前发生在亚历山大的一系列故事,第4部叙述战争期间的故事。通过由主人公叙述的手法,《亚历山大四部曲》表现了它的主要主题之一:真理的相对性。更重要的是它所包含的主题,即性经验、艺术实践和爱情都是学会理解并最终超越持续的发展阶段而到达最后的真理和现实的方式。后期的小说《当时》(1968)及其续集《从来没有》(1970)不如早期的小说受欢迎。《阿维尼翁五部曲》由《先生》(又名《黑暗王子》,1974)、《利维亚》(又名《活埋》,1978)、《康斯坦斯》(又名《孤僻的习惯》,1982)、《塞巴斯蒂安》(又名《压倒一切的情爱》,1983)和《金克斯》(又名《肢解杀人者的故事》,1985)组成,受到的评价不一。英国许多批评家认为达雷尔的诗和地志是他最不朽的成就。《一个幽僻的乡村》(1943)使他初次被公认为诗人。而《城市、平原和人民》(1946)、《懒惰的树》(1953)和《圣像》(1966)则确立了他的声誉。他的《诗选,1931 ～ 1974》1980年出版。在《普鲁斯佩罗的小屋》(1945)、《对一个海上美女的沉思》(1953)和《苦柠檬》(1957)中,达雷尔描写了3个希腊人的海岛:1937 ～ 1938年他与第一个妻子所居住的科孚岛、1945 ～ 1946年作为盟国政府的新闻官员在那里工作的罗得岛和1952 ～ 1956年他家所在地的塞浦路斯。最后一部作品《凯撒的大幽灵:普罗旺斯的景色》出版于1990年。

Dürrenmatt, Friedrich　迪伦马特(1921-01-05,瑞士伯尔尼附近的科诺尔芬根～ 1990-12-14,纳沙泰尔)　瑞士剧作家、小说家和散文家。他的悲喜剧是第二次世界大战后德语戏剧复兴的主要作品。曾在苏黎世和伯尔尼求学,1947年成为职业作家。他的写作技巧显然受流亡国外的德国作家布莱希特的影响,如使用寓言和让演员跳出角色充当叙事人。迪伦马特对世界的视觉基本上是荒诞的,这赋予其剧作一种喜剧风味。在1955年写的著作《戏剧问题》中,他把悲喜剧中的基本冲突描述为人类试图摆脱生存境况中存在的悲剧性命运的一种喜剧性尝试。他的剧本常常有稀奇古怪的布景。第一个剧本《立此存照》(1947)写1534 ～ 1536年间明斯特城再浸礼教徒遭到镇压的故事。在此剧及《盲人》(1948)和《罗慕洛大帝》(1949)中,他对历史事实采取滑稽的自由处理手法。《密西西比先生的婚事》(1952)是一出旧式情节剧风格的严肃剧,此剧奠定了他的国际声誉,1958年在美国演出时改名为《傻瓜们的经历》。此后写的剧本有《老妇还乡》(1956)、《物理学家》(1962,一部关于科学的现代道德剧,被公认为是他最好的剧本),以及《流星》(1966)和《行星的踪迹》(1970)。迪伦马特于1970年写道,他要"放弃文学,专门从事戏剧",不再创作剧本,而是去改编名作。除剧本外,他还写侦探小说、广播剧和评论文章。

Durrës　都拉斯　意大利语称Durazzo(杜拉佐)。塞尔维亚-克罗地亚语称德拉奇(Drač)。阿尔巴尼亚主要海港,位于地拉那以西的亚得里亚海岸。公元前7世纪为希腊人所创建,称为埃庇丹努斯。古罗马时代为军用大道的终点,称为都拉基乌姆。4世纪为罗马新伊庇鲁斯省省会,449年设为大主教区。现在该市古城区已发掘出数处保存完好的角斗场。自481年后,该城多次易手,辗转被保加利亚人、诺曼人、西西里人、威尼斯人等占领,1355年落入阿尔巴尼亚托匹亚斯家族手中。1501年被土耳其人占据,直至1913年阿尔巴尼亚宣布独立将其列为首都时为止。第一次世界大战时,该市先后被奥地利和意大利军队占领,意军至1920年才撤退。1939年4月7日法西斯意大利入侵阿尔巴尼亚时,都拉斯是意军的主要登陆港口。都拉斯港现已成为阿尔巴尼亚输入粮食的主要渠道。港口设备1944年被德军破坏,现已重建;有铁路线与地拉那及内地其他地区相连接。工业有造船、卷烟、塑料和皮革制品等。人口约83 300(1989)。

durukuli(*Aotus trivirgatus or Aotes trivirgatus*)　**夜猴**　又拼douroucouli,又称owl monkey(枭猴)或night monkey(三道纹夜猴)。一种中美和南美的夜行性猴。夜猴属于卷尾猴科。头圆,耳小,被毛浓密柔软,呈灰白或褐色。其特征是具大而黄褐色的眼睛,眉上方有白纹,穿插着三条黑带。夜猴体长和尾长相等,均约为25 ～ 50厘米,尾不能缠卷。体重780 ～ 1 250克。嗓音大。栖息在森林中,白天以小家族群睡于树洞。夜猴夜晚活动,以昆虫、果实和小动物为食。

durum wheat　硬粒小麦(species *Triticum durum*)　又作durum。小麦(**wheat**)的一种,用以磨制富含谷蛋白的粗粒面粉。精制的粗粒面粉用来制造意大利面食。

Duruy, Victor　迪律伊(1811-09-11,法国巴黎～ 1894-11-25,巴黎)　法国学者,官吏。1833 ～ 1861年在亨利四世学院任教。任教育部长期间(1863 ～ 1869),发动广泛的改革,其中一项是推行免费的义务初等教育。此措施在当时的法国执行过早,因而失败。部分原因是拿破仑三世不予支持。他还为女孩提供非宗教性的中等教育,在高中和大学课程中增设现代语言及当代历史,改革教师培训办法,并为各省开办一种大学教育校外推广课程。1869年成为参议员,后又从事学术工作,1884年成为法兰西学院院士。

Durūz, Mount ad-　德鲁兹山　又拼Jebel ed-Druz。在叙利亚南部苏韦达省正东。海拔1 800米。该山自11世纪以来为德鲁兹派穆斯林定居地。现有约120个德鲁兹村庄。其西坡的盖奈瓦特村为该派朝圣地。整个山区位于有战略意义的南北贸易路线上,有许多罗马时期的城镇和堡垒遗址。

Dury, John　杜里(1596,苏格兰爱丁堡～ 1680-09-26,黑森-卡塞尔卡塞尔[德国])　Dury又拼Durie。苏格兰基督教(新教)牧师。先后在色当大学、莱顿大学和牛津大学受教育。1630年前后,即已在为争取信义宗与归正宗联合而努力。他一生为此目的到处奔走、商谈、通信、出版著作。1654年,他在克伦威尔和英格兰大学的支持下再次前往瑞士、德国和低地国家斡旋,徒劳往返。

Duryea, Charles E.; and Duryea, J. Frank　杜里埃兄弟(查尔斯·E.1861-12-15,美国伊利诺伊坎顿～ 1938-09-28,宾夕法尼亚费城;J.弗兰克 1869-10-08,伊利诺伊沃什本～ 1967-02-15,康涅狄格塞布鲁克)　美国早期汽车发明家,发明并制造了美国第一辆实用的汽车。1886年C.杜里埃在俄亥俄州展览会上看到一台固定式汽油发动机,他认为这种机器体积小,可以用作马车或货车的动力。1891年完成设计,和他的兄弟在马萨诸塞州斯普林菲尔德制造了一辆汽车和发动机。该车于1893年9月22日在斯普林菲尔德市的大街上行驶成功。1895年主要由F.杜里埃制成一种改进型的汽车,它在几次竞赛中获胜。当时曾制造并出售了13辆该型汽车,但公司倒闭了。兄弟两人分道扬镳,C.杜里埃制造3轮汽车和其他型式的汽车;F.杜里埃研制出昂贵的斯蒂文斯-杜里埃牌高级轿车,这是早期标准牌号中最出名的一种,一直生产到20世纪20年代。

Dušan, Stefan(Serbian emperor)　参阅**Stefan Dušan 杜香**。

Duse, Eleonora　杜丝(1858-10-03,奥地利帝国伦巴第维杰瓦诺或附近[今在意大利]～ 1924-04-21,美国宾夕法尼亚匹兹堡)　意大利女戏剧演员,以出色地扮演意大利剧作家

美国国会图书馆供图

邓南遮和挪威剧作家易卜生笔下的女主人公而闻名于世。

杜丝家中大多数成员均在同一个巡回剧团作演员。首次登台演出时年仅4岁,在根据雨果《悲惨世界》改编而成的戏剧中担任角色。14岁上扮演的朱丽叶在维罗纳演出时,她的才能立即被评论家们所公认。家境衰败之后,她从一个剧团转到另一个剧团,事业上没有取得多大成功,直到1878年在那不勒斯登台演出,这标志着她事业上的转折。在那里主演左拉的《黛莱丝·拉甘》获空前成功。观众和评论家们一致认为,以前从不曾有演员将一个女人的痛苦表演得如

此真实。

1882年杜丝有机会观看萨拉·贝因哈特的表演。这位法国女演员在现代戏角色中的成功使杜丝受到启发,她也开始演当代法国剧作家的现代戏,因为她发现意大利观众对传统保留剧目中的陈旧作品已经厌烦。此后3年里她接连表演了小仲马的一些剧作,其中第一个就是饰演《巴格达公主》中的莉昂奈特,取得成功,接着又扮演了《克卢德的女人》中的塞扎兰一角。1884年主演小仲马的新作《德尼丝》,并扮演维尔加《乡村骑士》中的圣图扎。1885年,她与杰出的演员兼演出经理C.罗西一起去南美巡回演出。返回意大利后组建起自己的"罗马市戏剧团",并率领该团去整个欧洲和美国演出。

1894年她与青年诗人邓南遮相爱,邓南遮曾专门为她写过许多剧本。除演出邓南遮的剧作外,她在易卜生戏剧中寻找到用之不竭的自我表现源泉。她一直最爱扮演《玩偶之家》中的娜拉、《罗斯默庄》里的丽贝卡·韦斯特、《约翰·加布里埃尔·伯克曼》中的埃拉等角色,而最喜欢的则是《海上夫人》中的伊莉达。在主演《海达·加布勒》时表现出超凡的才华。易卜生观看了她的表演,她奇特的梦幻般的风格,使易卜生深感困惑,似乎她已超越了现实主义的界限。

英国剧作家萧伯纳是欣赏杜丝才能的众多评论家之一,这种才能可以创造出一种"无限变幻的美丽姿势和动作"的幻觉。他承认"在这种明显的众多变化和音调抑扬中"他从不曾看到过她陷入"尴尬局促境地"(《戏剧意见及论文》,1907)。她具有上千种面部表情,她的形体控制、调整幅度和姿势选择都是最出色的,对每一个角色她都有不同的行走方式,总体效果大大超出"自然主义的"表演风格。杜丝的表演不仅逼真,而且对其扮演的角色作出评论;例如,她对娜拉有更多的了解,可能要比易卜生笔下的这位女主人公更了解自己。她的一位评论家写道:杜丝表演出台词的字里行间内的东西,表演出转调的色彩。她嘴唇上发出的颤音可以准确地反映出脑子里正在思考的东西,这是人物内心生活所需要的,她提供了人物的这种动机,而这也是剧作家所未能完成的。看她的表演就像是在读一部心理描写小说。

1909年杜丝出于健康原因退出舞台。第一次世界大战期间她经济拮据,只得于1921年重返舞台。她的表演魅力不减当年,但健康依然不佳,这干扰了她晚年的事业。1923年她在伦敦和维也纳演出,接着又开始其最后的美国巡回演出,后在演出过程中卒于匹兹堡。遵照她的愿望,遗体被送回意大利,葬于一座小型阿索洛公墓。

杜丝是当时一位最有影响、最富表现力的女演员,在她扮演的每个角色中都创造出新的东西,并且各不相同。她的才能可与同时代法国剧坛天才明星贝因哈特相比。她是一个伟大的演技专家,在舞台上总是竭力给角色注入自己的个性,无论什么角色她都能胜任。

Dušek, Jan Ladislav(Bohemian musician) 参阅 **Dussek, Jan Ladislav 杜塞克**。

Dushan 独山 中国贵州省黔南布依族苗族自治州辖县。位于省境南部,黔桂铁路纵贯境内,与广西为邻,自古有"贵州咽喉"之称。明弘治八年(1495)置独山州,1913年改

独山县革命公墓
中国大百科全书出版社供图

独山县。面积2 442平方千米。县府驻城关镇。农产有稻谷、玉米、小麦、油菜籽、青麻等。森林资源丰富,有油桐、油茶、松、杉、栎木、楠木、青杠、樟、榕、梓木及各种果林,还有天麻、党参、天冬、杜仲、麦冬、黄连、红花等多种药材。地下矿藏丰富,有铁、煤、锑、铅、锌等多种矿。盛产"盐酸"腌菜,历史久远。布依族传统手工艺品细篾凉席以光滑柔软、花纹精美著称。1949年后建有建材、电力、酿酒、造纸、采矿、机械等工业。全县75%地带分布可溶性碳酸盐,到处可看到典型的喀斯特地貌,如孤峰、残丘、峰林、峰丛、溶洞、地下河等,是中国著名的岩溶区。降水极易渗入地下,地表严重缺水。80年代后半期以来,在地下河段修建地下水坝,拦蓄地下水灌溉农田。已找到22条地下河,修筑地下水利工程400～500处。其中地下水库20多座,地下电站14处,地下排灌工程5处,大大增强了抗旱排涝能力。有汉、布依、苗、水、侗、彝、回、仡佬、壮、瑶等民族,少数民族占人口的2/3。人口330 000(2005)。

Dushan, Stephen(Serbian emperor) 参阅 **Stefan Dušan 杜香**。

Dushanbe 杜尚别 又拼Diushambe, Dyushambe。1929～1961年称斯大林纳巴德。塔吉克斯坦共和国首都。位于共和国西南部的吉萨尔谷地,临瓦尔佐布河(杜尚别河)。由

杜尚别的刺绣厂
美国不列颠百科全书公司供图

原有的3个居民点合并建成。市内有林荫大道、大型公共建筑,以及一些广场和公园。大部建筑为平房以防地震。为重要交通枢纽,工业产值占塔吉克的很大部分。有大型纺织联合企业和自动织机、电缆、家用电冰箱等轻工业工厂。市内设有塔吉克科学院(1951)、塔吉克国立大学、医学院、师范学院、农学院、理工学院,还有几家刺绣厂和几家剧院。居民主要是俄罗斯人与塔吉克人;其他民族有塔塔尔人、乌克兰人等。人口513 000(1998)。

Dushman, Saul 杜什曼(1883-07-12,俄国罗斯托夫～1954-07-07,加拿大安大略多伦多) 俄国出生的美国物理化学家,著有若干种标准教科书。1891年移居美国,1912年在多伦多大学获得博士学位。同年进入通用电气研究实验室,1928～1948年任该室助理主任。在20年代,他对热离子学(即炽热物质发射带电粒子的现象)做了重要的研究。他的第一本书《高真空的产生和测量》(1922)作为标准参考书曾使用多年。他写的《量子论与原子结构》(1931)和《量子力学基础》(1938)两本书为化学家提供了物理学的基本知识。他的《真空技术的科学基础》(1949)一书使他得到了国际上的承认。《原子物理学的基础》(1951)一书则传播了物理学的新成就。

Dussek, Jan Ladislav 杜塞克(1760-02-12,波希米亚恰斯拉夫[今在捷克共和国]～1812-03-20,法国圣日耳曼昂莱) Dussek又拼Dušek或Dusik。波希米亚钢琴家和作曲家,以其钢琴音乐与室内乐最为著名。杜塞克是教堂管风琴师之子,从父学习音乐;幼年弹奏钢琴和管风琴即已表现精湛造诣。曾在伊格劳(伊赫拉瓦)唱诗班任歌手,后在布拉格攻读神学。初任管风琴师,1782年在荷兰首次以钢琴大师身分演出,获得极大声誉。为钢琴与弦乐器创作大量"有伴奏的奏鸣曲"。同年赴汉堡师从C.P.E.巴赫,后又以钢琴家身分在柏林、圣彼得堡、巴黎和意大利巡回演出。1790年在伦敦首次演出,一举成功。在那里创办一家音乐商店,但经营失败,1799年为避债逃离英国。后寓居汉堡和柏林,约自1807年直至去世,住在巴黎的塔列朗府第。作为钢琴家,杜塞克具有极其娴熟的技艺,能够弹出如歌的音色,深得同时代人赞誉。据说他是第一位把钢琴放在舞台一侧的钢琴家,这样听众便能看到演奏者的侧影。所作乐曲包括一大批钢琴奏鸣曲和协奏曲,以及大量为钢琴和弦乐器而作的室内乐。他的钢琴奏鸣曲代表其艺术成就的顶峰。虽然他的作品大多已湮没无闻,但他无论是作为钢琴家还是作为作曲家都促进了钢琴技术的发展。

Düsseldorf 杜塞尔多夫 德国西部一行政区。在北莱茵-威斯特法伦州中部偏西。西界荷兰,东北接明斯特行政区,东邻阿恩斯贝格,南连科隆。面积5 288平方千米,包括**莱茵兰(Rhineland)**广大历史古区的北部。该行政区以州首府与区行政中心之名命名。

德国有两大人口分布地带,一条沿莱茵河从南至北,一条沿鲁尔河与中莱茵高地的

山丘从东到西。该行政区是两条地带的交叉点，为欧洲的重要工业区之一。因有大量烟煤田(主要蕴藏于鲁尔河与利珀河之间并延伸至莱茵河以西，东面则延伸至明斯特与阿恩斯贝格地区)，使该行政区发展迅速。莱茵-鲁尔综合工业区内，公路、铁路及内陆水道纵横密布。工业区以钢铁加工、化学品生产及工程技术为主。杜塞尔多夫为德国人口密度最高的行政区。行政区中的鲁尔综合工业区有三大城市：埃森、杜塞尔多夫和杜伊斯堡。埃森是北莱茵-威斯特法伦州的最大城市，杜塞尔多夫和杜伊斯堡人口亦均超过50万。埃森有多种工业，生产钢铁、机器、化学制品、玻璃、电气设备和消费品。杜塞尔多夫市生产钢铁，同时又是银行业和行政中心。杜伊斯堡位于莱茵河与鲁尔河的汇流处，是欧洲最大的内陆港口，生产钢铁、机器、化学制品和纺织品。

贝尔吉施州的北部地区过去是贝格的伯爵和公爵领地，地处莱茵-鲁尔两河汇流处的东南，经济上主要依靠鲁尔区煤田，工业以轻型的钢铁加工业为主，产品一般为种类繁多的精制品，如索林根的刀、剑、餐具，雷姆沙伊德的手工工具，维伯特的锁、钥匙等。贝尔吉施州首府为乌珀塔尔，该市是一纺织业中心，专门制造合成纤维。

莱茵-鲁尔工业区的西、北两面以下莱茵兰为界。杜塞尔多夫市附近莱茵平原的果菜园种植鲜果与蔬菜供行政区各大都市中心食用。杜塞尔多夫行政区南部有肥沃的黄土平原，种植大宗小麦和甜菜。杜塞尔多夫的西、北部平原人口密度较小，收入以经营牛奶场和食品加工为主，门兴格拉德巴赫和克雷费尔德两市为纺织业中心。

杜塞尔多夫行政区居民多数是莱茵兰法兰克尼亚人的后裔，操下法兰克尼亚语方言。因大量居民从东欧、地中海东部和荷兰等地迁入，都市区的文化特质已不复存在。该地区的天主教徒和基督教徒各占半数。杜塞尔多夫南部黄土覆盖的农业区居民绝大多数聚居在参差错落的大村庄中，而北方则是分散的农庄。该区高等教育机构有集中于埃森、杜塞尔多夫、乌珀塔尔和杜伊斯堡的大学。人口约5 108 646(1989)。

Düsseldorf 杜塞尔多夫 德国西部的北莱茵-威斯特法伦州首府(1946)。该市大部分在莱茵河右岸，位于科隆西北34千米，为莱茵-鲁尔工业区的行政文化中心。杜塞尔多夫(意为“杜塞尔河[莱茵河支流]岸的村庄”)1159年首见于史册，1288年由贝格伯爵建制，从1511年起，为贝格与于利希公爵领地的首府，1609年转属巴拉丁-诺伊贝格家族。该城在三十年战争和西班牙王位继承战争时期受到相当严重的破坏，但在封建选侯威廉二世统治下得到恢复。1805～1813年成为拿破仑所封的贝格大公爵领地的首府，旋即于1815年归属普鲁士。19世纪70年代，建立钢铁工业，贸易与经济便迅速发展起来。第二次世界大战中受到大面积破坏，战后许多古建筑被修复，又建起不少新建筑。

杜塞尔多夫市内的柯尼克萨里商业街颇为著名，旁有濠沟，两边绿树成行。市内名胜

莱茵河畔的杜塞尔多夫市
美国不列颠百科全书公司供图

有13～14世纪的圣兰伯特教堂，教堂中的斜塔为该城象征物，还有旧市政厅(1567～1588)。封建选侯的城堡已于1872年焚毁，其塔楼尚存。杜塞尔多夫盛时的古迹还有扎格豪夫城堡(1752～1763)，今为市历史文物收藏馆；还有尼古拉斯·德·皮加格所建本拉特城堡(1755～1773)，以及腓特烈一世宫殿的遗址。

附近尼安德特河谷中有费尔德豪发洞穴，于1856年首次发现尼安德特人遗骸。市内有全德最高的摩天大楼威廉-马克思大厦(1924)，还有许多文化机构。陶瓷博物馆、州立博物馆和市立图书馆(藏有出生于该地的诗人海涅的著作和有关他的著作)尤为著名。杜塞尔多夫大学建于1965年，还有1767年建的美术学院、一座植物温室和几所技术院校。

杜塞尔多夫在莱茵河畔有3个港口，在洛豪森有一个重要的民用机场。该市是银行业和批发业中心，鲁尔区许多公司总部设于此。以钢铁工业为主，也生产化学品、玻璃和纺织品。人口：市572 511(2003)，大都会区3 233 000(2000)。

Düsseldorf school 杜塞尔多夫画派 在杜塞尔多夫美术学院(今杜塞尔多夫州立美术学院)学习的画家，其作品以坚实的线条和题材严肃而著称。该学院创办于1767年，从19世纪30年代初至60年代，吸引了大批欧美学生。教程与传统的学院方法相同，先学习古代艺术，然后是人体素描、构图，直至绘画。设有解剖和透视课，但可通过考试而免修。学习期限1～3年，许多画家留在当地私人授课或定居，杜塞尔多夫因此获得艺术家城的声誉。学院曾由W. 冯·沙多主持，并曾有许多拿撒勒派(一个向往文艺复兴以前的风格，把原始村社生活与强调宗教题材结合起来的画派)追随者执教。

Dust Bowl 干旱尘暴区 美国大平原的一部分。大致包括科罗拉多州东南部、堪萨斯州西南部、得克萨斯州与俄克拉何马州锅柄状突出地带，以及新墨西哥州东北部。英文dust bowl一词来自20世纪30年代初期该地区所受的风沙灾害。这一带草地本来主要饲养畜群，第一次世界大战后，数百万英亩土地变为耕地，种植小麦。20年代后，因连年过度耕作及土地管理不善，加上雨量奇缺，标准年年均降雨量不及500毫米，因此30年代初，该地区形成严重旱灾，延续数年。原有可固定土壤表层、保持水分的草根全部枯死，土壤表层经春季强风吹袭遂流失殆尽。大风吹起的沙土，形成“黑风暴”，遮天蔽日，沙土累积成堆。有时尘暴横扫美国，波及东海岸。在30年代初期和中期经济大萧条的高峰期，数以千计的家庭被迫离开该地区。由于美国联邦政府的帮助，风害逐渐平息。种植防风林后，草地大多复苏。至40年代初期，该地区已大致恢复旧貌。

dust devil 尘卷风 又称沙卷风(sand devil)，一般是沙漠里在午后出现的小而短暂的旋风。参阅 **whirlwind**。

Duston, Hannah Emerson 达斯顿 (1657-12-23，马萨诸塞湾殖民地[今美国马萨诸塞境内]黑弗里尔～1736?，马萨诸塞伊普斯威奇)婚前名Hannah Emerson，Duston又拼Dustin或Dustan。美国殖民地时期女英雄。1677年与T. 达斯顿结婚。威廉王之战期间(1689～1697)，弗隆特纳克伯爵手下的法国人时常煽动印第安人袭击英国居留地。1697年3月15日，一伙阿贝纳基人袭击了黑弗里尔。27名妇女儿童被杀。产后不到一周的达斯顿和女婴以及保姆玛丽一同被俘。她的丈夫设法带着他们另外的七个孩子逃脱。婴儿被残忍地杀害，达斯顿和玛丽被裹挟北去。行走100英里后，这伙人暂停于今新罕布什尔州康科德地方以北，梅里马克河与康图库克河交汇处的一个小岛上。在那里，他们告诉这两位妇女，再走一小段路到另外一个村庄时，她们会被脱光衣服遭到鞭挞。在岛上，他们遇到一年前被抓的英国男孩。3月30日夜间，达斯顿和那个男孩找到两把小斧头，杀掉了10名抓捕她们的人，其中9个是达斯顿所杀。三个人偷到一个小划子逃了出去。但达斯顿又返回，割下了那10个尸体的头皮，作为这次英勇行为的证明。他们于4月21日安全回到黑弗里尔，向波士顿地方议会报告了他们的经过，地方议会奖给达斯顿25英镑，其两个同伴各得到一半奖金。达斯顿平静度过余生。丈夫死后，移居伊普斯威奇。

Dusun 杜松人 又称卡达桑人。马来西亚婆罗洲岛沙巴州最大的土著民族。聚居在婆罗洲北部从库达特到波弗特的沿海平原和坦布南周围丘陵地带。杜松人属于原始马来人种系，由亚洲迁来，最初有猎头习俗。20世纪末约有31.5万人，占沙巴人口1/3左右，使用南亚语系的卡达桑语。杜松人起初以大型亲属居群为单元，共住一种长形房舍，每一村落约有150～200人。现在许多较小规模的家庭独自居住单个的草舍，自成单元。主要农作物为水稻，辅以刀耕火种的农业，种旱稻、玉米及甘薯等。他们是婆罗洲最早用犁耕作的土著。西部杜松人多从事橡胶生产。杜松人社会以父系传宗为基础，禁止同一传宗居群内的婚姻关系。主要信仰万物有灵，许多人已改信天主教，女教士指导着名目繁

多的农作和公社的祭祀事宜。

Dutch barge dog　荷兰货船狗　参阅**Keeshond**凯斯狗。

Dutch bond　荷兰式砌合　又称佛兰德斯式砌合。在砖工工艺中,墙体或构筑物的一种砖石砌合方法。参阅**bond**。

Dutch cheese　荷兰干酪　参阅**cottage cheese**农家鲜干酪。

Dutch East India Company　荷兰东印度公司　荷兰语作Vereenigde Oost-Indische Compagnie。联合东印度公司的别名。1602年荷兰为保护其印度洋上的贸易并援助自己从西班牙争取独立霸权的战争而创立该公司。它是荷兰在东印度强大的商业帝国的工具,在17世纪大部分时间内兴旺发达。1619年该公司将雅加特拉改名为巴塔维亚(今雅加达),并利用它作为征服爪哇及其外围岛屿的根据地。17世纪末叶,该公司的贸易和海上霸权业已衰落,但对爪哇的事务却越陷越深。到18世纪,该公司已从一家商业航运公司变成为一个对农产品有兴趣的松散的地区性组织。到18世纪末,它日趋衰落和腐败,并负债累累。1799年荷兰政府终于吊销该公司特许状并接管其债务和资产。

Dutch East Indies　荷属东印度群岛　又称尼德兰东印度群岛。荷兰的海外领地之一,迄1949年12月为止。今为印度尼西亚。这一领地包括苏门答腊和邻近岛屿、爪哇及马都拉、婆罗洲(沙巴、文莱除外)、西里伯斯及桑义赫和塔劳群岛、马六甲和爪哇东面的小巽他群岛(葡属帝汶及其飞地欧库西除外)。此外,荷属新几内亚(后改称伊里安查亚)于1962年8月划归印度尼西亚,它包括东经141°以西新几内亚岛以及卫古、萨拉瓦蒂和米苏尔等近海岛屿。在第二次世界大战期间,除荷属新几内亚南部的一部分外,荷属东印度群岛被日本占领。1945～1949年是过渡时期,荷兰企图重新控制这些岛屿,但没有成功。1949年这些岛屿获得独立,即现今的印度尼西亚。

Dutch elm disease　荷兰榆树病　广布的致死性榆树真菌病,首先报导于荷兰,病原为榆梢枯长喙霉(*Ceratocystis ulmi*)。可能于第一次世界大战时从亚洲传入欧洲。1930年始见于美国。20世纪30年代末及40年代初,联邦政府开展了消灭该病的运动,使染病榆树数量锐减,但未能控制疾病蔓延到极易感染的美洲榆(*Ulmus americana*)生长的区域。病树一个或多个枝条的叶片突然萎蔫,变为暗绿色至黄或褐色,卷曲并早落。生长迅速的幼榆树一两个月内死亡;较老或活力较衰弱的树有时可持续两年以上才死亡。萎蔫的树枝的白色边材可变褐色或黑色。因症状易与其他病害相混,尤易与榆韧皮部坏死病和顶死病相混,故需进行实验室培养才能正确诊断。真菌能从病树通过自然接根蔓延到15米以外的健康树株。在地面上主要通过欧洲榆树皮蠹(波纹棘胫小蠹,*Scolytus multistriatus*),其次由美洲榆树皮蠹(榆绒根小蠹,*Hylurgopinus rufipes*)传播。雌蠹在弱树或死榆木树皮与木材间挖掘产卵室。若该树已感染真菌则在卵室中大量产生分生孢子。许多初羽化的成虫身上携带孢子,成虫在叶轴及嫩小枝杈上取食,即可将孢子传到健康树上。孢子散出并进入导管中,迅速以酵母菌状芽生繁殖。成群的榆皮蠹迅速聚集到病弱的榆树上。必须消除榆皮小蠹,铲除死树和弱树。早春榆树抽叶前剥去树皮烧毁。每年一次于休眠期喷雾,树表涂刷持久性杀虫剂(如甲氧氯)可大量杀灭小蠹虫。杀菌剂边材注射的保护作用大于治疗作用。光叶榆(*Ulmus carpinifolia*)、榔榆(*U. parvifolia*)、西伯利亚榆(*U. pumila*)以及美洲松与亚洲榆的杂交种能抗此病。其他榆类以及有亲缘关系的榉属(*Zelkova*)、普拉纳氏树属(*Planera*)均对该病敏感。

患荷兰榆树病的英国榆
美国不列颠百科全书公司供图

Dutch language　荷兰语　尼德兰境内通行的荷兰语,它也通行于比利时北部,那里通称为佛兰芒语。在中世纪欧洲,这种语言叫做Dietsc或Duutsc。从历史上看,与德语的Deutsch等同,意为"大众的语言",与宗教语言及学术语言形成对照。Duutsc借入英语后,发展为现代的"Dutch"一词的形式。这种语言的正式名称是Nederlands或Netherlandic。在尼德兰境内,此语又称为Hollands(Hollandish),这说明标准的荷兰语大体上是以昔日荷兰省(即今北荷兰省与南荷兰省)的方言为基础形成的。参阅**Netherlandic language**。

Dutch literature　荷兰文学　在荷兰和比利时北部的荷兰语区以荷兰文写成的文学作品的总称。

荷兰语言与文学的发展是缓进的。荷兰语最早的文学作品为10世纪早期出现在中低法兰克尼亚的《瓦赫滕东克赞美诗残篇》。荷兰的中世纪文学大多出自今比利时。H.冯·费尔德克是12世纪早期作家之一,荷兰人声称他是荷兰人,而德国人则声称他是德国人。14世纪北部各省因M.斯托克的韵文史记及"现代信仰"运动的宗教著作而著名。D.波特的生动的散文《爱情的透镜》完成于15世纪早期。"词章院"(一些有组织的文化中心)创作的诗歌与讽喻剧支配了荷兰文坛达200年之久。

16世纪反抗西班牙统治的运动产生了许多政治性通俗歌曲。豪特成为第一位荷兰文艺复兴诗人。D.V.科恩海特简洁的散文和H.L.斯皮赫尔艰涩的诗篇探究道德哲学问题。当北方各省赢得独立而南方各省停滞不前时,荷兰迅即成为欧洲及海外的主要政治及经济力量。同样,在文化上17世纪"黄金时代"出现了非常多的人才。G.A.布雷德罗写下了深切感人的抒情诗及严峻的现实主义喜剧,如《西班牙的布拉德人》(1617)。P.C.霍夫特首先写作彼特拉克式的爱情十四行诗,后写古典剧,最后写庄重的历史散文。冯德尔的诗直接抒写个人感受,他的圣经悲剧如《路济弗尔》(1654)和《耶弗他》(1659),兼有巴罗克式的宏伟壮观和亚里士多德的古典主义特色。喜欢说教的J.卡茨和较为亲切的J.勒伊肯有较多读者,而C.惠更斯在诗作中显示的诙谐与学识在荷语文坛可称独步。

18世纪早期,法国古典主义起了窒息创作的作用,但H.波特使华美与自然相结合的作品,埃芬出以旁观者口吻的散文以及B.沃尔夫和A.代肯的书信体小说《萨拉·比尔格哈特》(1782)皆为一时之选。该世纪末的诗人A.斯塔林和W.比尔德狄克成为浪漫主义的先导。19世纪前半期是历史性小说的全盛期,作家有伦内普、A.德罗斯特和A.博斯博姆-图桑,而E.J.波特希特、布林克和C.B.许埃特则通过期刊《向导》提高了文艺批评的水准。N.贝茨所作幽默小说《暗箱》(1839)深受读者欢迎。但19世纪荷兰散文文学的里程碑当推激进的穆尔塔图里(E.D.德克的笔名)于1860年所作的革命的、入木三分的小说《马克斯·哈弗拉尔》。19世纪末出版的期刊《新向导》,拥有撰稿人如诗人W.克洛斯、A.费尔韦和H.霍尔特,戏剧家H.海厄曼斯,散文作家戴塞尔、霭覃、L.M.A.库佩勒斯和M.艾曼斯等,成为更为广泛的文学复兴的先声。

20世纪的前数十年中,讽刺作家尼斯可(J.H.F.格隆罗的笔名)、新浪漫主义者斯亨德尔和不断探索的J.J.斯劳尔霍夫继续这条路线。主要诗人则为J.H.利奥波德、A.R.霍尔斯特、H.马尔斯曼、J.C.布洛姆和M.奈霍夫。在两次世界大战之间,M.布拉克和佩龙主要以他们的论说文知名。20世纪中期,杰出人物为多产小说家S.费斯特代克和极富独创性的诗人G.阿赫特贝格。战后年间,阴郁的W.F.赫尔曼斯、怪诞的H.穆利许和内向的G.雷夫成为主要的散文作家。在诗人中,卢斯贝尔特(L.J.斯沃斯厄克的笔名)和G.科文那尔在20世纪50年代居于前列,以后有R.库布兰、J.贝恩列夫和贝格。

Dutch metal　荷兰黄铜　颜色像金的黄铜,含铜量为85%～88%,其余为锌。含锌量愈高,颜色愈浅。该合金有较高韧性和延展性,用以青铜化以及制造仿金叶。镀荷兰黄铜较镀金便宜得多;但荷兰黄铜镀层除非涂漆,否则会迅速失去光泽。参阅 **brass**。

Dutch Reformed Church 荷兰归正会 阿非利堪斯语作 Nederduitse Gereformeerde Kerk (NGK)。南非基督教派别,最初由 17 世纪中叶从荷兰迁到南非的首批白人归正宗信徒成立。它是操阿非利堪斯语的白人的主要教会,其信徒人数在南非共和国白种人口中占 40%。荷兰归正会由大会管理,大会每 4 年开会一次,总部设在开普敦。该会的不平静的历史与南非的历史交织在一起。它于 1857 年举行大会决定,"在可能条件下接纳从异教改信真道的教友加入我会现有地方教会,是合宜的和符合《圣经》的",但是,根据其后作出的各项决议,却又成立了一批所谓子教会,其中主要有非洲荷兰归正会(又称班图教会,1859 年成立)、南非荷兰归正宣教会(专为有色人种和混血人种设立,1881 年成立)和非洲印度人归正会(1947 年成立)。在 1986 年以前,荷兰归正会支持政府的种族隔离政策,并屡次委派专人为这种政策寻找神学根据。他们的研究结论遭到欧洲和美国的归正宗教会的反对,1982 年 8 月,设在渥太华的世界长老、公理会归正联盟大会开除了荷兰归正会,同时又宣布种族隔离理论为异端,违背《圣经》。1961 年荷兰归正会退出世界基督教协进会,1978 年同荷兰的荷兰归正会断绝关系。但是,南非的荷兰归正会于 1986 年批判了自己为种族隔离政策寻找经文根据的企图,并于 1989 年谴责种族隔离为罪恶。

Dutch Reformed Church in Africa 非洲荷兰归正会 1859年由全白人教会南非荷兰基督教归正会为其非洲黑人教徒设立的教会。母会负担子会预算额的 80%,借此对它实行广泛的控制。非洲荷兰归正会领导人反对在教会中和社会上实行种族隔离。1982 年世界长老、公理会归正联盟开除南非荷兰归正会,非洲荷兰归正会代表在此项决议上签字,于是与母教会断绝关系。1989 年南非荷兰归正会决定谴责种族隔离,此举避免了它与子会之间的无可挽救的决裂。非洲荷兰归正会总会设在南非共和国布隆方丹市。

Dutch Reformed Mission Church in South Africa 南非荷兰归正宣教会 南非基督教组织,1881 年由脱离南非荷兰归正会的三个教会联合而成,团结由混血信徒组成的半自治教会。这个教会在组织、教义和习俗上与母会相似。20 世纪中叶以来努力结束对白人教会的经济依赖并摆脱其影响。1962 年举行大会,宣布信徒不限于某一种族,反对种族隔离的白人也可入会。该会总部设在南非开普省卡卡马斯市。

Dutch Republic 荷兰共和国 全称尼德兰联合省共和国(1588 ～ 1795)。由1568 ～1609 年摆脱西班牙统治而独立的北尼德兰的 7 个省组成。疆域约相当于今荷兰王国。17 世纪为世界强国之一,曾夺得许多殖民地。它曾成为国际金融中心,并为艺术家、作家、科学家和哲学家提供了一个文化荟萃的场所。在反对法王路易十四的同盟战争中起了显著的作用。18 世纪突然衰落。由于长期进行战争,国家弄得精疲力竭。作为殖民帝国,它与英国相比已黯然失色。1795 年由于国内发生民主革命和法国军队入侵而土崩瓦解。

Dutch War 荷兰战争(1672 ～ 1678) 又称法荷战争。法王路易十四的第 2 次征服战,他的主要目的是在迫使荷兰共和国默许后树立法国对西属尼德兰的控制权。第 3 次英荷战争(1672 ～ 1674)是这次战争的一部分。1670 年,路易与英国签订反对荷兰人的《多佛秘约》,然后于 1672 年 5 月在英国海军的支援下入侵荷兰共和国。法军长驱直入,很快占领了荷兰 7 个省中的 3 个。荷兰人掘开阿姆斯特丹一带的堤坝,海水淹没大片地区,由奥兰治的威廉三世统率的荷兰军队沿这条"水线"之后集结。到秋天,威廉开始对法国侵略者进行陆上作战。同时,荷兰海军在海军上将 M.A. 德勒伊特指挥下,1672 年于索莱湾海面、1673 年于奥斯坦德和凯伊克迪因海面作战,奋力击退英法舰队的进攻,两次挫败敌人对共和国的侵犯。英格兰遂于 1674 年 2 月签订《威斯敏斯特条约》,同荷兰人媾和。1673 年,西班牙、神圣罗马帝国皇帝和洛林站到荷兰人一边反抗法国,因而到该年底,法国人已经被逐出荷兰共和国。1674 ～ 1678 年,法国军队与他们唯一有实力的盟友瑞典不断向尼德兰南部(西属)和沿莱茵河前进,经常击败协作很差的大同盟军队。最后,由于战费负担沉重,而英国又虎视眈眈、大有站在荷兰人一边重新加入战争之势,路易虽然在军事上处于有利地位,也只好罢兵言和。法国同大同盟之间签订《内伊梅根条约》(1678 ～ 1679),结束这场战争。荷兰共和国完整无损,法国则大大扩充了它在西属尼德兰的势力。

Dutch Wars 荷兰战争 参阅 **Anglo-Dutch Wars** 英荷战争。

Dutch West India Company 荷兰西印度公司 荷兰语作 West-Indische Compagnie。西印度公司的别名。荷兰贸易公司。1621 年成立,主要目的是对西班牙和葡萄牙进行经济战争,打击它们在西印度群岛、南美洲和非洲西海岸的殖民地。17 世纪 30 和 40 年代,该公司在巴西同葡萄牙人的斗争中获得最大的胜利;但因此耗尽了资财,便日渐衰落。1794 年解散。公司成立后,由代表尼德兰(荷兰)各地区的董事会管理,被授予与南北美洲、非洲及大西洋地区之间进行贸易的垄断权。公司得到议会方面的军事和财政援助,在西非沿海获得了几座港口,用以向西印度群岛和南美洲的种植园输送奴隶。但公司的贸易不佳,不足以筹集资金来对西、葡、英三国防务严密的地区发动攻击。西印度公司同其在东南亚的姐妹公司——荷兰东印度公司相比较,成绩大为逊色。1791 年由国家接管,1794 年法国进攻联省共和国后,被解散。

Dutchman's-breeches (species *Dicentra cucullaria*) **兜状荷包牡丹** 荷包牡丹科植物。

兜状荷包牡丹(*Dicentra cucullaria*)
美国不列颠百科全书公司供图

花白色,尖端黄色,着生于花枝上,随风摇曳,颇似倒挂着的荷兰人的马裤,故俗名荷兰人灯笼裤。原产北美东部和中西部开阔林地。叶灰绿色。从白色的地下块茎生出,花柄高出叶片之上,也从地下茎直接抽出。在荫蔽无风的荒园内生长良好。

Dutchman's-pipe (species *Aristolochia durior*) **烟斗藤** 又作 pipe vine。即美洲马兜铃。马兜铃科攀缘藤本植物,原产于北美中部及东部。叶心脏形或肾形,宽约15～35厘米。

烟斗藤(*Aristolochia durior*)
美国不列颠百科全书公司供图

花黄棕色或紫棕色,管状,形似弯曲的烟斗,长约 8 厘米,故俗名烟斗藤或荷兰人烟斗。常种作绿篱或用以装饰游廊和棚架。

Dutra, Eurico Gaspar 杜特拉(1885-05-18,巴西库亚巴～ 1974-06-11,里约热内卢) 巴西军人、总统(1945 ～ 1950),其政府以恢复制宪民主而闻名。1910 年任骑兵少尉,此后 22 年不断迁升。他一贯支持政府,反对革命运动。1930 年 G.D. 瓦加斯政变上台,他表示反对。但在 1932 年的圣保罗起义中,他又拥护瓦加斯,并成为 1937 年起草巴西宪法的主要人物之一。1945 年 10 月瓦加斯企图阻挠选举,他发动政变,同年 12 月在社会民主党的支持下当选总统。杜特拉政府恢复国家正常生活,尊重民主自由,谋求通过美洲国家组织改善与美国的关系。但他的政府缺乏一定的财政政策,因而引起人民的不满,结果在 1951 年选举中被瓦加斯击败。

Dutrochet,(René -Joachim-)Henri 迪特罗谢(1776-11-14,法国内翁～1847-02-04,巴黎) 法国生理学家。发现并命名了渗透现象,第一个认识绿色素在植物细胞利用二氧化碳中的重要性。曾于巴黎学医(1806 年获医学博士学位),又在西班牙担任军医官数年,后放弃行医而致力于科学研究。注意到植物和动物的物理化学过程非常相似,便致力于植物和动物生理学的研究。他第一个透彻地研究了植物的呼吸机制、光敏感性和向地性,并在渗透作用方面做了一些经典实验,内容包括渗透作用在植物内部运输中的作用以及经半透膜的扩散,创造了渗透压力计。还创造了检测肌肉组织及植物个体产热情况的技术,证明了蕈帽部分是蘑菇繁殖体。迪特罗谢也是最早认识具体细胞在机体功能上的重要性的人之一。他对科学最有价值的贡献是强调所有活机体的生命基本过程的相似性,又认为所有这些过程都可以用物理力和化学力来解释。

Dutse 杜齐 尼日利亚北部吉加瓦州首府、集市镇。位于卡诺市和比尔宁库杜之间的公路北侧。地势呈波浪起伏状,覆盖着苏丹大草原。杜齐于 1991 年从卡诺州分裂出来就成为吉加瓦州的首府。经济主要依靠牲畜饲养。

Dutt,Michael Madhusudan(Bengali poet) 参阅 **Datta,Michael Madhusudan 达达**。

Dutt,Utpal 杜特(1929-03-29,孟加拉巴里萨尔[今在孟加拉国]～1993-08-19,印度加尔各答) 印度演员、编导。1947 年成立加尔各答小剧团。曾在莎士比亚悲剧中扮演奥瑟罗,因感情投入得到观众喝彩。1954 年以后编导过一些有争议的孟加拉政治剧。1965 年,国大党生恐他的戏剧《惊涛拍岸》会引起西孟加拉的反政府抗议而将其逮捕,关押数月。70 年代,他的 3 部戏剧虽被官方禁止,但深受群众欢迎。参演的影片多达 200 部,尤以其《梅格》(1961)、《恰尔》(1978)和《母亲》(1984)最为成功。作为演员和其他导演曾拍过多部优秀影片,还出版一些关于莎士比亚和革命戏剧的著作。

Duṭṭhagāmaṇī 杜多伽摩尼(?～公元前 77,锡兰阿努拉德普勒[今斯里兰卡]) 锡兰国王(公元前 101 ～前 77),曾一度终止印度泰米尔印度教徒对大多为佛教徒的僧伽罗人的统治,因而作为民族英雄而受人敬仰。锡兰东南部一个僧伽罗人国王之子。曾企图组织 10 个青年酋长前去进攻锡兰北部的泰米尔人,但父王反对这一计划,用铁链把他锁住。他逃脱后,流亡在外。父王死时,他夺得王位和国宝大象坎杜拉。他骑着这头大象,引军北上,在阿努拉德普勒击败并杀死泰米尔人领袖艾拉拉,恢复僧伽罗人对整个锡兰岛的统治。他在阿努拉德普勒营造有 1 600 根柱子的布拉曾宫,在罗安凡里开始建筑巨大的窣堵波(圣陵)。窣堵波尚未完工,他已去世。

Dutton,Clarence Edward 达顿(1841-05-15,美国康涅狄格沃灵福德～1912-01-04,新泽西恩格尔伍德) 美国地质学家和有开创性的地震学家,提出并命名了地壳均衡的原理。根据这一原理,地壳的表面高度是由它的密度来决定的:较轻的物质上升,形成大陆、山地和高原,较重的物质下沉,形成盆地和洋底。1862 年参加美国陆军,担任少尉。南北战争后,开始对地质学感兴趣。1875 年在美国落基山地区地质地理调查队遇到博物学家 J.W. 鲍威尔,用 10 年时间对犹他、亚利桑那和新墨西哥州的几处高原进行了考察。他在那里考察了火山活动以及地壳的隆起、下陷、扭曲和褶皱。他关于 1886 年影响到南卡罗来纳州查尔斯顿的地震之研究导致他于 1889 年发表了报告,在此报告中提出了用以确定震源的深度和空前精确测量震波速度的方法。在《关于自然地质学中某些重大问题》(1892)一文中,提出了地壳均衡的原理。1904 年他发表了一篇半通俗性的论文:《从新地震学观点看地震》。在他工作的晚期,他得出结论认为熔岩是放射性元素衰变过程中释放的热熔化的,并且受上覆岩层的重压驱迫升到地表。

duumviri(ancient Roman magistrates) 参阅 **duoviri 双职制**。

Duun,Olav 杜恩(1876-11-21,挪威约阿岛福斯内斯～1939-09-13,滕斯贝格) 在汉姆生、温塞特之后的第三位 20 世纪挪威小说家。他的许多长篇小说分析了农民生活的心理与精神特点。他的名著是一组长篇小说,题为《于维克的人们》(1918 ～ 1923),叙述一家农户 4 代人的经历,象征性地追溯挪威人如何由不自觉的原始状态,过渡到文明的崇尚人性状态,中间还穿插着追述早期暴力的传统。这组长篇小说中已有英译本者有《浪槽》(1930)、《盲人》(1931)、《盛大的婚礼》(1932)、《奥丁在仙境》(1932)、《奥丁长大了》(1934)及《风暴》(1935)等。

Duvalier,François 杜瓦利埃(1907-04-14,海地太子港～1971-04-21,太子港) 海地总统。毕业于海地大学医学院,一直当医生,1943年参加美国发起的防治雅司病运动。在

美国不列颠百科全书公司供图

D. 埃斯蒂姆总统时代,他出任过卫生局总局长和劳工部副部长。1950 年 5 月埃斯蒂姆被推翻后,他重操旧业,1951 ～ 1954 年参加美洲卫生委员会的工作。同时,他开始进行反对新总统 P.E. 马格卢瓦尔的活动。到 1954 年,已成为反对派的核心人物,并转入地下。马格卢瓦尔辞职以后,杜瓦利埃于 1957 年 9 月当选为总统。他为了巩固自己的地位,削减国家的军队,搞一个叫做“恶魔”的秘密武装组织,清洗政敌。1961 年操纵立法选举,使自己的总统任期延长到 1967 年。1963 年末开始宣扬个人迷信,俨然成为海地民族半神化的象征。1964 年 4 月成为终身总统。尽管他外交上陷于孤立,又被梵蒂冈逐出教会,但他执政时间比任何前任都长。他的恐怖统治镇压了政治反对派,但使海地保持了前所未有的政治稳定。死后权力转入其子之手。

Duvalier,Jean-Claude 杜瓦利埃(1951-07-03,海地太子港～) 海地总统(1971 ～ 1986)。弗朗索瓦·杜瓦利埃的独生子。1971 年 4 月继承其父任终身总统,年仅 19 岁,为世界上最年轻的国家元首。他当政后实行预算和司法改革,释放若干政治犯,放宽新闻检查,宣布“逐步民主化”政策。但是他不允许任何政治反对派存在,所有重要政治官员和法官都由他任命。尽管他积极寻求外援以促进经济的发展,但在对外关系方面,海地依然处于半孤立状况。在社会动乱日益加剧的情况下,杜瓦利埃偕妻子在 1986 年初离开国家。政权由一个六人委员会接管。

Duvall,Gabriel 杜瓦尔(1752-12-06,马里兰布埃纳维斯塔附近玛丽埃塔～1844-03-06,美国马里兰乔治王子县) 美国最高法院大法官(1811 ～ 1835)。26 岁获得律师资格时,他已经在马里兰的制宪议会担任了 3 年的书记,以后继续担任类似的职务。马里兰州成立后,他在州政府中任职。1794 年被选入国会。1796 年,他被任命为马里兰州最高法院法官。1802 年被杰斐逊总统任命为美国财政部第一任审计官。1812 年,麦迪逊总统任命他为最高法院大法官。作为首席大法官马歇尔和大法官 J. 斯托里的同僚,杜瓦尔写出的意见比较少。最能使人们记起他来的是他在“M. 奎因和蔡尔德诉赫伯恩”案和“勒格朗诉达纳尔”案中支持奴隶的权利。

Duvall,Robert 杜瓦尔(1931-01-05,美国加利福尼亚圣迭戈～) 美国演员。出生于海军上将之家,1953 年大学毕业,在朝鲜战争中服役两年。后师从 S. 迈斯纳学习戏剧,并上演外百老汇戏剧及百老汇戏剧。1962 年首次参演《杀死一只知更鸟》,其后几年继续饰演影视剧小角色。在《风流医生俏护士》(1970)、《教父》(1972)和《教父》第二集(1974)中担任主要配角,并以在《教父》中的表演赢得首次奥斯卡提名。70 年代末在《现代启示录》(1979)和《霹雳中校》(1980)中扮演军人,曾两度获奥斯卡提名。在《温柔的怜悯》(1983)一片中饰演乡村歌星,荣获奥斯卡最佳男演员奖。80 年代以在电视连续短剧《寂寞之鸽》(1989)中令人称道的演技荣获艾美奖。其 90 年代的杰作有《雷霆壮志》(1990),《不一样的本能》(1996)和《家丑》(1996)。编导并主演的《使徒》(1997)为其赢得第三次奥斯卡最佳男演员提名,并以《民事诉讼案》(1998)第三次获奥斯卡最佳男配角提名。

Duve, Christian René de　迪韦（1917-10-02，英国萨里泰晤士迪顿～　　）　比利时细胞学家、生物化学家。曾发现溶酶体（司消化的细胞器）及过氧化酶体（一种细胞器，有过氧化氢参与的代谢过程在此进行），并因此与A.克劳德、G.帕拉德共获1974年诺贝尔生理学或医学奖。1949年迪韦在研究胰岛素对肝组织的作用时，发现降解细胞物质的酶缓慢地发挥作用，提示这些酶是封闭在一个膜状囊内，构成一种细胞器。他称之为溶酶体，并估算了它们的大小。这一说法后来得到电子显微镜观察结果的支持。他又改进了克劳德设计的分离细胞器的技术，以游离溶酶体及过氧化酶体。1941年他在比利时卢万公教大学获医学博士学位，1946年又获化学硕士学位，1948年在该校任教，1962年后同时领导卢万及纽约市洛克菲勒大学的研究室。

Duveen (of Millbank), Joseph Duveen, Baron　杜维恩男爵（1869-10-14，英国约克郡赫尔～1939-05-25，伦敦）　英国国际艺术经纪人。青年时代起就大规模收售艺术品。其总店设在纽约，为许多财阀建立私人艺术收藏。美国各博物馆所陈列的意大利、荷兰、法国和英国大师们的作品，主要是他的功劳。由于为英国塔特陈列馆、不列颠博物馆搜集艺术品有功，被英王封为贵族。

Duveneck, Frank　杜维内克（1848-10-09，美国肯塔基卡温顿～1919-01-03，俄亥俄辛辛那提）　画家、雕刻家和美术教师。曾在慕尼黑师从W.迪茨，受哈尔斯、伦勃朗和鲁本斯的作品影响很深。1875年在波士顿举行的展览会上，其作品引起人们的注意。他的画惯用褐黑和土黄，画面开阔，使人想起一些欧洲绘画大师的作品。1878与1888年间，在慕尼黑和佛罗伦萨学习的许多美国青年画家拜他为师。1888年后，曾任辛辛那提艺术学院院长。

Duvergier de Hauranne, Jean, ABBÉ DE SAINT-CYRAN　**迪弗吉埃**（1581，法国巴约讷～1643-10-11，巴黎）　法国圣西朗隐修院院长、詹森主义运动创始人之一。曾在比利时境内卢万学习神学，后定居巴黎。同詹森友善，反对坚持经院哲学的卢万耶稣会会士。1618年受神职为司铎，1620年任圣西朗隐修院名誉院长，从此他被通称圣西朗。1637年在凡尔赛附近波尔罗亚尔女隐修院遗址成立修会，通称静修派。用笔名奥雷里乌斯发表文章，抨击耶稣会所倡导的难以自圆其说的功利主义，驳斥他们对主教权力的蔑视。此文公开反对枢机主教黎塞留，黎塞留大怒，结果他于1638年被监禁在万塞讷，直到1643年黎塞留去世才获释。

Duvet, Jean　迪韦（1485，法兰西朗格勒～1561）　法国版画家。其风格与题材源于中世纪和佛罗伦萨的风格主义。曾为金匠，大部分岁月在朗格勒、第戎或日内瓦度过。曾为法皇弗朗西斯二世及亨利二世工作过。最早的版画《圣母领报》（1520）属意大利风格，建筑布局是古典式的，在人物形象上反映出具有当时罗马艺术的特点。版画《所罗门的审判》未注日期，可能据拉斐尔埃利马斯的草图并参照意大利北部版画而作。后期名作有组画《独角兽》和《启示录》，前者作于16世纪40年代，后者则充分反映了作者的想象力。其题材仿效丢勒的木版画，风格具有独创性。

Duveyrier, Henri　杜韦里埃（1840-02-28，巴黎～1892-04-25，塞夫尔）　法国的撒哈拉沙漠探险家。他对图阿雷格人的考察对非洲的人种学做出了贡献。他的考察促进了法国的殖民地扩展计划。在19岁时就已经学会阿拉伯语，开始了为期近3年的穿过北撒哈拉大沙漠的旅行。回到法国后，发表了《撒哈拉——北部图阿雷格部落的考察》（1864）。在后期的旅行中，显著地增加了对阿特拉斯山南部地区的知识，考察了阿尔及利亚和突尼斯的浅盐湖，尤其注意图阿雷格部落的风俗和语言。还发表了《突尼斯》（1881）和关于赛努西穆斯林（1884）的著作。

Duvivier, Julien (Henri Nicolas)　迪维维耶（1896-10-08，法国里尔～1967-10-29，巴黎）　法国电影导演，30年代法国电影界“五巨头”之一，因运用当时先锋派导演的作品所特有的“诗意现实主义”而赢得世界声誉。从影初期曾经为M.莱皮埃和L.弗亚德等大导演当过助手，间或也写剧本。从影片《妇女乐园》（1929）起，他导演了一批使他蜚声影坛的作品。1938年，应聘赴好莱坞导演了《翠堤春晓》。战后，他回到欧洲，导演了一些成功的影片，包括英国版的《安娜·卡列尼娜》（1948）、《巴黎天空下》（1950）以及《唐·卡米罗的小天地》（1952）等。

Duwaym, Ad-　杜韦姆　苏丹中部城市。临白尼罗河，在沃德迈达尼西南约140千米处。海拔382米。周围农业地区产棉花、谷物、油籽、花生、小麦、水果和蔬菜。有芝麻和花生榨油厂、肥皂厂和食品加工厂。有公路通往铁路线上的库斯提和坦达尔提。在白尼罗河上设有船渡与古泰纳相连。人口92 200（2001）。

Duxbury　达克斯伯里　美国马萨诸塞州东部普利茅斯县城镇。临达克斯伯里湾，在波士顿东南53千米处。包括达克斯伯里和南达克斯伯里两村。约1628年始建。1637年设镇。独立战争后，经济以造船和渔业为主。现主要为住宅区。旅游业和商业为居民收入主要来源。殖民时代遗址有J.奥尔登故居（1653）、斯坦迪什遗址保护区和奥尔登墓地（葬有奥尔登和斯坦迪什）。面积62平方千米。人口14 248（2000）。

Duy Tan　维新（1899～1945-12-26）　越南皇帝（1907～1916在位），原名永珊。第一次世界大战前及战时，越南反殖民主义抗法运动的象征。成泰皇帝之子。1907年9月5日即位，改名维新。1916年因参加反法起义活动，被法国殖民当局废黜，流放留尼汪岛。第二次世界大战中参加自由法国军队，称永珊少校。由于作战有功，获“法国解放之友”的荣誉称号。后因飞机失事罹难，葬于今中非共和国。

Duyckinck, Evert Augustus　杜伊金克（1816-11-23，美国纽约州纽约～1878-08-13，纽约市）　美国传记作家、编辑、评论家。与其弟乔治·杜伊金克（1823～1863）共同编写的两卷集《美国文学百科全书》（1855，增补版1866），以学者的态度集中注意力于美国文学著作，对19世纪中期美国文学的发展做出了贡献。杜伊金克是出版商的儿子，1835年毕业于哥伦比亚学院，同其弟一样，攻读法律两年并获得律师资格，但从未正式开业。1838～1839年在欧洲研究文学。回纽约后，与人共编《阿克图拉斯》杂志。1847年，曾短期担任《文学世界》杂志主编。第二年，他同其弟购下了这个杂志并一同任编辑，使该杂志成为当时最有影响的文学周刊，直至1853年。最后，尽管刊物质量很高，但由于经费困难而失败。杜伊金克结识了当时的大多数著名作家，并且对许多人的事业给予过支持，其中包括梅尔维尔。《美国文学百科全书》包括殖民时期以来的作家的传记和评论材料以及他们作品的选萃。他还写过几本颇受欢迎的传记汇编，如《美国总统生平》和《欧美名人传》（2卷，1873）。他的约18 000册重要藏书现存纽约公共图书馆。

Duyun　都匀　又拼Tu-yün。中国贵州省黔南布依族苗族自治州辖县级市，自治州首府。省南部的工业城市。位于黔桂铁路线上，清水江上游龙头河畔。元置都云县。明洪武二十三年（1390）改都匀卫。弘治七年（1494）置都匀府。清康熙十一年（1672）改都匀卫为都匀县。1913年废府存县。1958年由县改市，1962年撤市改县。1966年析都匀县城区复设市。1983年8月撤县并市，面积2 278平方千米。地处亚热带，降水充沛。主要农产有稻谷、小麦、玉米、豆类、甘薯、苎麻、烟草、油菜籽、茶叶、柑橘、油茶、油桐及木材、药材等。建有钢铁、煤矿、建材、化工、麻纺织、电力、机械、蜡纸、制革、面粉、冷冻肉等工厂。都匀是多民族聚居地区，主要有汉族、布依族和苗族，此外有回族、水族、侗族、瑶族、壮族等。各族人民能歌善舞。布依族、苗族的“大年”、“四月八”、“六月六”，苗族的“小年”、“四月四”，水族的“过端”都是富有特色的传统佳节。重要名胜有七级文峰塔和张翀摩崖。人口480 000（2005），少数民族约占一半以上。

始建于1573年的都匀龙潭口七级文峰塔
中国大百科全书出版社供图

Dvaita　二论　印度正统吠檀多哲学中的一个重要学派。创始人是摩陀伐，又名阿难陀提尔塔（约1199～1278）。其出生地为卡纳塔克邦，该地仍有其信徒。摩陀伐被信徒们看成是风神伐由的化身，由大神毗湿奴派到大地上来拯救善人；在这之前，邪恶势力曾派来了哲学家商羯罗、不二论派的重要倡导者。摩陀伐在其论述中表现了正理派的影响。他说毗湿奴是最高的神，这样就把奥义书里的梵同一位人格神等同起来，就像过去罗摩奴阇(约 1017 ～ 1137)在他之前所曾做过的那样。摩陀伐学说里有三个永恒的本体论等级：神的等级、灵魂的等级和无生命的自然界的等级。逻辑的证据证明神的存在，不过只有经书才把它的本质教给人们。神概括了一切完美，并且有一个非物质的本体，其中包括存在、精神和幸福。神是宇宙的有效原因，但摩陀伐否认它是物质的原因，因为神不能通过分裂自己或采取其他任何方法创造世界，否则就同神是不可改变的这一学说相抵触。而且，承认一个完美的神把自己变成一个不完美的世界，这也是不敬的。个人的灵魂不可胜数，如原子那样大小。他们是神的一“部分”，完全靠神的恩惠才得以存在。他们的活动完全隶属神的意旨。也正是神允许灵魂在有限的范围内享有行动的自由，而自由的方式同这个人过去的行为(“业”)相称。对摩陀伐也和对其他许多印度哲学家一样，无知意味着错误的认识(“无智”)，只有通过“虔信”才能消除或纠正无知。人们可以通过各种途径达到“虔信”：独自一人钻研圣典，无私地履行自己的职责，或进行各种“虔信”的实际活动。伴随这种“虔信”，直观地洞察神的本质。“虔信”本身也能成为一个目的。对一个虔信者来说，他对毗湿奴的崇拜比因此而得到的解脱更加重要。

Dvaravati 他叻瓦滴 又译堕罗钵底。东南亚的古王国(6 ～ 13 世纪)，也是在今泰国建立的第一个孟人王国，在传播印度文化方面起过重要作用。地处湄南河流域下游，西到德林达依(丹那沙林)山，南至克拉地峡。6 世纪后期成为独立实体，保持独立到 11 世纪后期。曾 3 次受邻国统治：10 世纪缅甸人征服德林达依山以西的孟人国家直通时；11 ～ 13 世纪高棉帝国(柬埔寨)在东方兴起时；13 世纪后期它为泰帝国所并吞时。他叻瓦滴曾传播印度文化，在历史上具有重要性。在雕塑、文字、法律和政府形式方面，印度的影响十分明显。与印度的接触，促进了孟人的发展和文明建设。反过来，高棉人、缅甸人和泰国人在文字体系、艺术形式、政府、宗教术语和学术方面亦深受他叻瓦滴的影响。

dvija 再生族 英语作 twice-born。在印度教社会制度下，婆罗门、刹帝利和吠舍这 3 个种姓的成员可以经过象征重生的入法礼而获得灵性，称为再生族。最低种姓首陀罗不得领受入法礼(**upanayana**)，因为据说他们不是雅利安族。在神学上他们也不得学习乃至聆听吠陀。

Dvina River, Northern 参阅 **Northern Dvina River** 北德维纳河。

Dvinsk(Latvia) **德文斯克** 参阅 **Daugavpils** 陶格夫匹尔斯。

Dvořák, Antonín (Leopold) 德沃夏克 (1841-09-08，奥地利帝国波希米亚奈拉霍捷夫斯[今在捷克共和国]～ 1904-05-01，布拉格) 第一位得到世界承认的波希米亚作曲家，以将民间素材转化为 19 世纪浪漫派音乐语言而著称。

生平 德沃夏克出生于布拉格以北伏尔塔瓦河沿岸的波希米亚奈拉霍捷夫斯村(今在捷克境内)，很早即在其父经营的小客栈及其周围环境中开始接触音乐。少年时代已成为一位技巧娴熟的小提琴家，在为当地的情

布拉格德沃夏克博物馆供图

侣伴舞的业余音乐活动中大显身手。1857 年，一位有洞察力的音乐教师自知才疏学浅，不足以指导小德沃夏克，便说服他父亲把儿子送往布拉格一所管风琴学校就读。他后来在没有父亲经济资助的情况下完成两年学业；在多家小客栈和剧院乐队拉中提琴，同时还教几名私人学生以贴补微薄薪金。19 世纪 60 年代对德沃夏克来说是十分艰难的时期，时间紧，经济拮据。1864 年前后，存放在他的写字台中未经演奏的作品有两部交响曲、一部歌剧、一些室内乐以及许多歌曲。这一时期斑驳陆离的作品表明他早期对贝多芬和舒伯特音乐的爱慕，如今已越来越多地点染上瓦格纳和李斯特的影响。1873 年 11 月，当几次成功的作品音乐会使他在布拉格声誉鹊起之际，他与切尔玛科娃结婚，开始其无比幸福的家庭生活。1875 年德沃夏克获奥地利政府国家奖；这次获奖使他与勃拉姆斯结交，成为亲密无间的朋友。勃拉姆斯不但在技术上给他宝贵的忠告，而且为他找到一位有影响的出版商西姆罗克。正是由于西姆罗克的出版社推出了德沃夏克的女高音和女低音的《摩拉维亚二重唱》(1876)和钢琴二重奏《斯拉夫舞曲》(1878)，才使德沃夏克以及他祖国的音乐第一次赢得全世界的注意。当时一些主要评论家、器乐家和指挥家的交口称誉使他进一步在国外声誉卓著，并导致他在国内的更大成功。1884 年访问英国(这是他 10 次英国之行的第一次)；他的作品(特别是合唱曲)在英国的成功成了他永恒自豪的源泉，《圣母悼歌》(1877)和《赞美颂》(1892)在一些同类优秀之作中获得一席之地。1890 年他的朋友柴可夫斯基为他组织两场音乐会，使他得以在莫斯科亲自尝到成功的滋味。翌年获剑桥大学名誉音乐博士学位。1892 年德沃夏克应纽约新成立的国立音乐学院之邀担任院长之职。在美国期间他到处旅行，往西最远到过艾奥瓦州。虽然他觉得在这新世界的环境中大有足以令他神往、催他奋发的东西，但不久他就开始怀念祖国而于 1895 年返回波希米亚。他在生命的最后几年中创作了几首弦乐四重奏和交响诗，还有最后的 3 部歌剧。

作品 斯美塔那奠定了捷克音乐民族主义运动的基础，而发展和弘扬这一运动的事业则留待德沃夏克来完成。他创作一首又一首给人们留下深刻印象的作品，它们很快就与他的杰出的德国同时代人的音乐同样广受欢迎。德沃夏克之所以受人喜爱，原因在于他出类拔萃的旋律天才及其音乐的清新可爱的捷克特色，这些音乐同当时比较滞重的作品形成鲜明对比。他的娴熟技巧和丰富旋律灵感帮助其创造出洋洋洒洒一大批多姿多彩的作品。所有音乐体裁他都写，而且每种体裁都留下公认的经典之作，唯一例外的是歌剧。他的成熟的交响曲都是高质量的。不过，能在交响乐结构上与音乐上同样令人满意的仅有色调阴暗的《D 小调第七交响曲》(1885)而已。长期以来人们一直认为德沃夏克的成熟交响曲为第一交响曲到第五交响曲，此外他还有较早创作的 4 部交响曲(未编号)。现在这 9 部交响曲已按实际创作顺序重新编号。《E 小调第九交响曲：自新大陆》(1893)是他最著名的作品，虽然人们认为它是在黑人灵歌基础上并受到他寓居美国期间的其他影响而写成的，但这部音乐的主题却带有典型的波希米亚风格。确切地说，《D 大调第六交响曲》(1880)或《G 大调第八交响曲》(1889)更能代表作曲家的特性。他的 4 首协奏曲中的《B 小调大提琴协奏曲》(1895)可以称之为经典之作。他的室内乐作品也都是一些上乘之作。《A 大调钢琴五重奏》(1887)是室内乐的光环之一，弦乐四重奏作品第 51 号(1879)、作品第 105 号(1895)、作品第 106 号(1895)、《弦乐六重奏》作品第 48 号(1878)，以及《杜姆卡三重奏》作品第 90 号(1891)均为佳作。他的合唱曲虽然一问世便受到听众青睐，但后来都遭到 19 世纪晚期大部分合唱音乐同样的命运，惟有《圣母悼歌》和《赞美颂》是同类作品中的佼佼者。歌剧始终是德沃夏克的才华无法驾驭的唯一体裁，他一共创作 10 部之多，其中《水仙女》(1900)歌剧尤为引人瞩目。他笔下最富感染力的往往是一些缺乏雄才大略的五花八门的作品，例如《斯拉夫舞曲》(1878，1886)及其他钢琴二重奏、《交响变奏曲》(1877)、《小品曲》(1878)、《吉普赛歌曲》(1880)和《随想谐谑曲》(1883)。德沃夏克的主要缺点是喜欢东拉西扯，翻来覆去，间或趣味不够高雅，大型作品构思不够严密。但是，同他的无比丰富的旋律和为了达到目的而采用的单纯质朴手法相比，这类缺点实在是无伤大雅。

Dvůr Králové nad Labem 拉贝河畔王宫镇 捷克共和国东捷克州城市。位于赫拉德茨-克拉洛韦正北、拉贝河(即易北河)左岸。13 世纪末由国王瓦茨拉夫二世在此建镇，将该地作为赠品赐予王后伊丽莎白。1866 年普鲁士军在此大败奥地利军。现为纺织品

和亚麻制品中心。人口约16 972(1991)。

Dwangwa River 杜万瓜河 马拉维河流。尼亚萨湖支流。源出中央区高原西部分水岭,向东北流入尼亚萨湖。全长160千米。杜万瓜河上游为古老的宽阔河谷和曲流,下游是近代切割而成的狭窄峡谷。在恩科塔科塔以北40千米处注入尼亚萨湖的河口为一片平坦的沼泽地。

dwarf 侏儒 身材低于本种族成员正常高度的人。有关侏儒的生理学问题,参阅**dwarfism;pygmy**。

民间传说 条顿民间传说、斯堪的纳维亚民间传说以及他们的神话中,侏儒一词源于古诺尔斯语dvergr,是指一个仙族,他们居住在深山或矿井底层。侏儒类型各异,但均身材矮小,有的不足45厘米,有的则如两岁婴儿的身高。有些面目秀美,但多数状如老翁,严肃而有长须,甚至驼背。山居侏儒聚为王国或部落,有国王、酋长及军队。居处为地下洞穴,据说藏有大量黄金及宝石。他们主要以金工著称,制作魔剑及指环;但也富于智慧,深谙秘法,能预知未来,变化形状及隐身有术。许多传说显示他们为善类,对取悦于他们的人表现得慷慨大方,对触犯他们的人则施以报复。瑞士侏儒或称"土地人",有时帮助人们做农活、寻找走失的牲畜,给穷苦儿童们拿来薪柴或水果。在斯堪的纳维亚及德国,这些侏儒同样对人友善,但偶尔偷走谷物,挑逗牛只,或拐走儿童和少女。他们的劳务常常用他们贮藏的黄金作为报偿;但那些偷走他们的财宝者,后来便遭到不幸或当他们回到住处时会发现黄金变为落叶。矿井侏儒比起山居者往往更为善变和怀有恶意。人们可以听到他们在底层来回移动,有时矿工看见他们,就要谨慎地施以食物以示抚慰。

历史 在某些社会中,侏儒曾是宠幸或弄臣,供职于宫廷及政要府邸。早期埃及法老蓄养侏儒,至托勒密王朝此风不衰。在荷马时期和希腊古典时期,侏儒尚不足称道,但到罗马帝国就盛行起来,奴隶儿童有时被人为阻碍发育以提高其价格。中古欧洲,亦有家庭侏儒料理家务,文艺复兴时期此风盛行,个别侏儒居然享有名望。埃斯泰家族的女侯爵伊萨贝拉曾把她的府邸的一部用作侏儒居所,并在遗嘱中提到其中两名侏儒。画家D.委拉斯开兹为西班牙腓力四世所作肖像中,衬以侏儒,使后人得以熟悉他们的情况。18和19世纪中,俄罗斯沙皇及贵族蓄养无数侏儒。宫廷为侏儒举办婚礼。1710年的一对侏儒夫妇是在沙皇寝宫度过新婚之夜的。

侏儒偶尔也居高位,但主要是弄臣。18世纪西欧仍可听到家庭侏儒,不过这种风气已趋没落,而19世纪的侏儒如C.斯特拉顿("大姆指将军")之流,因矮小而获得金钱与名誉,则属于另一范畴。

dwarf cornel 矮梾木 参阅**bunchberry**御膳橘。

dwarf mistletoe 油杉寄生 槲寄生科油杉寄生属(*Arceuthobium*)植物,约8～15种,花小,寄生在松柏类植物上。主要分布于北半球,有几个热带种也见于加勒比海、地中海、东南亚地区。小油杉寄生(A. minutissimum)是具有特化的输水组织的最小植物之一;花茎从寄生植物上发出,长不到3毫米。该属多数植物的果实长约4毫米,具1颗覆被黏性物质的弹头状种子,成熟时内部压力使果皮开裂,种子高速射出而黏附于种子跌落的表面,通常是邻近其他乔木的枝上。该属植物以此独特的散播方式在森林中蔓延,严重危害观赏及材用树。

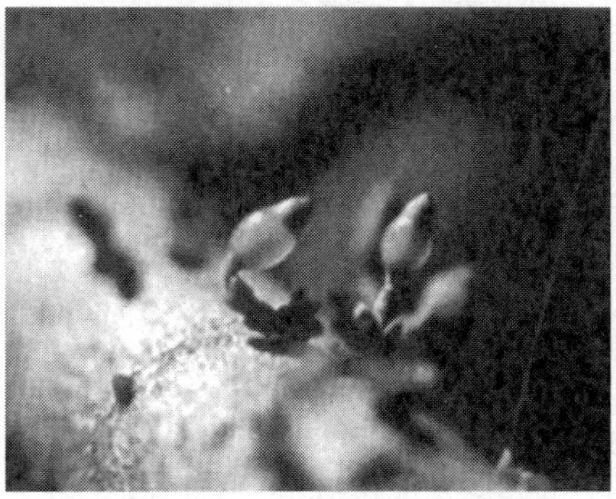

小油杉寄生(*A. minutissimum*)
美国不列颠百科全书公司供图

意大利贡扎加王朝的侏儒
美国不列颠百科全书公司供图

dwarf star 矮星 指质量、半径和光度都是中等或偏小的恒星。矮星中比较重要的一类是白矮星(参阅**white dwarf star**)和红矮星。其中还包括大量的所谓主序星,太阳就属于主序星。矮星的颜色可以是从蓝到红的任何一种颜色,它相应于温度从高(10 000K以上)到低(几千度)。

dwarf yew 矮紫杉 参阅**American yew**美洲紫杉。

dwarfism 侏儒症 生长停滞、以致不能达到正常成人身材的一种症状。见于多种遗传性及代谢性疾病,最常见的可致侏儒症的遗传性疾病如:①软骨发育不全,躯干发育正常,而长骨骺部软骨成骨过程出现异常,肢体极短,头部往往较大,智力及寿命均在正常范围之内;②软骨发育不良,症状与软骨发育不全相似,但头部大小正常;③畸形性侏儒症,特征为进行性骨骼畸形,在婴儿期即常因呼吸衰竭而死亡,但若能度过婴儿期则寿命多为正常,智力无障碍。垂体性侏儒因垂体生长激素分泌障碍引起,是主要的因内分泌系统疾病引起的侏儒症。可为遗传性,病因如垂体肿瘤、感染或梗死,在大多数垂体性侏儒病例中其他内分泌功能及性功能正常,但全脑下垂体机能低下时所有垂体分泌的激素均缺乏,性发育亦障碍,某些内分泌性或遗传性侏儒症患者伴有智力低下。胎儿期及新生儿期甲状腺分泌不足可致克汀病,特征为生长迟缓,智力严重障碍,某些型的黏多糖贮积病患者以侏儒症为特征,常伴智力低下,许多遗传性侏儒症患儿因有严重代谢障碍常为死产或降生后不久即死亡。在生长发育的决定性阶段出现营养缺乏亦可导致侏儒症,主要有儿童期抗维生素D性佝偻病,但患儿智力正常。

Dwārkā 杜瓦尔卡 印度中西部古吉拉特邦西南部城镇。位于奥卡曼达尔半岛(卡提阿瓦半岛的西支)西岸。又称杰格德或吉加特。传说中的克里希纳神的都城,为印度教七大圣地之一。收入多来自朝圣活动。港口输出粟、酥油、油籽和盐。有大型水泥厂。通铁路和公路。人口 27 823(1991)。

Dwārs(India) 参阅 **Duārs 杜阿尔斯**。

Dwiggins, William Addison 德威金斯(1880-06-19,美国俄亥俄马丁斯维尔～1956-12-25,马萨诸塞欣厄姆) 美国印刷字体和书籍装帧设计家、木偶剧演员、插图画家和书法家。曾设计美国和英国广泛使用的铸造排字机的 4 种印刷字体,即喀里多尼亚字型、埃勒克特拉字型、埃尔多拉多字型及米特罗字型。他在芝加哥师从古迪学艺,后于 1906 年迁往马萨诸塞州欣厄姆,以设计广告和绘写美术字为职业。1917～1918 年任哈佛大学出版社代理主任,以后从事书籍装帧设计。他与默根特勒铸造排字机公司、耶鲁大学出版社及克诺普出版公司在各种业务上有过联系。在他所设计的几百种书籍中,排版力求采用当代的花饰,装订设计使用早期印刷物上的花形重复图案,这些都深受读者欢迎。1929 年以后,他为 G. 梅西的特装本协会设计精装本。他还为许多书籍绘制插图。著有《广告设计》(1928),《活动木偶戏》(1939)及《第一千纪》(1945)等书。

Dwight, John 德怀特(约1637～1703,伦敦) 英国第一个出众的陶艺师和炻器制造者。在牛津大学基督堂学院取得民法学士学位后,任切斯特主教辖区的登记员和抄写员。1665 年移居威根,在 1671～1674 年间又移居伦敦的富拉姆。1671 年,德怀特取得了生产"透明陶器(常称瓷器)"和"炻器(俗称科隆陶器)"的专利权。实际上他并没有造出瓷器,看来是他的炻器部分半透明的质地使他误认其为瓷器。德怀特制陶工场所制作的最主要产品,是塑造精巧的炻器胸像和全身像,如莱茵河的鲁珀特亲王和查理二世的胸像、他女儿的斜倚半身像,以及各种古典名人像。这些作品作者姓名不详。生产的实用产品有各种炻器瓶和酒杯等。

Dwight, Timothy 德怀特(1752-05-14,马萨诸塞北安普敦～1817-01-11,美国康涅狄格纽黑文) 美国教育家、神学家和诗人,在当时颇有影响。母亲是传教士 J. 爱德华兹之女。在母亲的教育下,他 13 岁进入耶鲁大学,1769 年毕业,从事过各种职业,曾担任耶鲁大学教师、中学校长、马萨诸塞州议员及大陆军随军牧师。1783 年,他在康涅狄格州格林菲尔德希尔办学,获得成功。后来成为该地公理会牧师。在康涅狄格州,他开始写诗,如《格林菲尔德希尔》(1794)和史诗《占领迦南》(1785),前者是这个村子的通俗史和对它的赞颂,后者是用《圣经》故事来比喻从英国人手中夺取康涅狄格,被一些批评家称为美国第一部史诗。他的政治讽刺诗使他成为**哈特福德才子**(**Hartford wits**)之一。其诗作雄浑有力,鼓舞人心,具有道德力量。德怀特于 1795～1817 年间担任耶鲁大学校长,对校务行政多有改进,其措施涉及各个方面,其中尤以对课程设置方面的改革、更新,效果尤其显著。德怀特长于辩才,善于布道,担任神学教授期间,对于漠视宗教的倾向的抨击不遗余力,其布道文汇为一编,题名《对于神学的解释和辩护》(1818～1819,共 5 卷)。

Dworkin, Andrea 德沃金(1946-09-26,美国新泽西卡姆登～2005-04-09,华盛顿[哥伦比亚特区]) 美国女权主义者和作家。早年即开始写作。读大学本科时(1968 年获文学士),曾参加学生反对越南战争游行。在一次游行示威时被捕,其在纽约市女子居留所的经历导致她以批判的眼光分析她所察觉到的妇女遭男人压制的现象。继而出版了几本书,如《女人不喜欢:性行为激进观》(1974)和《我们的血:关于性政治的预言和论述》(1976),同时还进行对淫秽作品的研究。按她的说法,淫秽作品是男人用来控制女人的主要武器之一。她与主张男女平等的律师 C.A.麦金农合作出版了《淫秽作品与公民权利:妇女平等新的一天》(1988)。她们共同起草了一条引起争议的法规,将淫秽作品定为性别歧视的一种形式,使遭到性侵犯的受害者,在可证明淫秽作品是侵犯行为直接原因的情况下,状告淫秽作品的制作者和经销者。80 年代美国有几个城市通过了这项法规,但后来被联邦法院裁定违宪。她是女同性恋者,也在《同性恋新闻》等期刊发表文章。后来出版的著作包括《右翼妇女:居家女性的政治》(1983),《性交》(1987),《战区来信》(1989)和《替罪羊:犹太人、以色列和妇女解放》(2000)。还著有短篇小说集和自传体小说《冰与火》(1986)和《慈悲》(1991)。自传《心碎:女权战士的政治回忆录》于 2002 年出版。

Dwyfor 德威弗尔 威尔士西北部圭内斯郡的一个区。1974 年设立。面积 618 平方千米。自位于东部边界的斯诺登山(海拔 1 085 米)向西延伸至里恩半岛顶端附近海域的巴德西岛。其西、北、南三面临爱尔兰海,海岸线长 160 多千米。该地偏僻隐蔽,使它很早就成为威尔士人抵抗英格兰人的聚集地。对英格兰统治者的有组织的抵抗停止以后很久,这个地区仍然保持着威尔士民族主义感情。该区虽然基本上是农业区,但旅游业已发展成主要经济活动。旅游胜地有斯诺登国家公园(延伸到该区的西部),巴德塞伊岛上著名的鸟类禁猎区和南部沿海的克里基厄斯和波斯马多格度假城镇。普尔黑利既是区首府又是著名的游览胜地,英国最大的度假营地之一就在附近。公路自北向南贯穿该区西部,有铁路在里恩半岛上通至普尔黑利。人口约 26 300(1985)。

Dyak(people) 参阅 **Dayak 达雅克人**。

dyal 摇鹊鸲 又拼 dayal 或 dhyal。一种鹊鸲(**magpie-robin**),人们喜爱的笼鸟。

dyarchy 双头政治 又拼 diarchy。1919 年《印度政府法案》所提出的英属印度各省的双重政府体制。标志着民主原则首次引入英属印度执行机构。它主要是把省的行政工作分为专权部分和民主部分。专权部分的执政官由英国国王任命。民主部分的部长由总督在民选的省议员中选任,后者为印度人。前者掌管司法、警察、地税和灌溉;后者负责地方自治、教育、公共卫生、公共工程、农业、林业、渔业等。1935 年省区自治后废除。

dybbuk 附鬼 又拼 dibbuk。复数形式 dybbukim。犹太民间传说用语。指一种游魂,谓人生前有罪,死后其魂到处飘荡,最后附在活人身上。关于这种鬼魂的传说,特别在 16、17 世纪流行于东欧。人们常把神经病或精神病患者带到通神法师(ba'al shem)那里,由通神法师举行驱鬼礼,这样才能把附体的鬼魂赶走。神秘主义者 I. 卢里亚(1534～1572)曾提出灵魂转世之说(gilgul)以解释犹太人相信附鬼的原因,认为那是灵魂求得"轮回"的一种手段。他的弟子们便进一步发展了鬼魂附体之论。犹太学者兼民俗学家 S. 安斯基约于 1916 年前后用意第绪语(Yiddish)写成剧本《附鬼》,后来被译成几种文本,引起世人对这一问题的兴趣。

Dyce, Alexander 戴斯(1798-06-30,爱丁堡～1869-05-15,伦敦) 苏格兰编辑。所编辑作品具有严谨和完整的特点,使 19 世纪的人们对莎士比亚及其同时代人作品的兴趣不断增长。在牛津大学上学时,即编纂了一部莎士比亚语言辞典。在康沃尔和萨福克任副牧师后,定居伦敦并从事文学。除完成 W. 吉福德的《雪莱的剧作和诗歌》(1833)以及修订他自己的《约翰·福特文集》(1869)外,他又汇编了剧作家 G. 皮尔、J. 韦伯斯特、R. 格林、T. 米德尔顿、鲍蒙特和弗莱彻及 C. 马洛的作品。他编的莎士比亚作品集出版于 1857 年,1864～1867 年又有所增订,对 19 世纪的莎士比亚研究做出了贡献。他勤奋编辑诗作,出版了许多 17、18 世纪的作品并于 1843 年出版了一部斯克尔顿的诗集,重新唤起人们对这位 16 世纪诗人的兴趣。

Dyce, William 戴斯(1806-09-19,苏格兰阿伯丁郡阿伯丁～1864-02-14,伦敦) 苏格兰画家,英国美术教育先驱。曾在苏格兰皇家学院和伦敦皇家学院美术学校学习。于

戴斯绘《阿伦河畔》
中国大百科全书出版社供图

1825 年和 1827～1828 年两度在罗马与德国的拿撒勒派画家接触,并将此派理论介绍到伦敦。1848 年成为皇家学院院士。在意大利进行的研究,使他把英国拉斐尔前派绘画引向追求原始的纯朴与和谐。他对装饰设计绘

画的发展也产生过很大影响，在训练设计教师方面的作用尤为显著。逝世前，正从事议会大厦的壁画创作，保存至今的有上院的《埃塞尔伯特的洗礼》(1846)和女王更衣室中的《亚瑟王》组画(1848以后，未完成)。

Dyck，Anthonie van　戴克　参阅**Van Dyck，Sir Anthony** 凡·戴克。

Dyckia　狄克氏花属　凤梨科的一属。约80种。原产南美。叶长而硬，通常肉质，莲座状密生，边缘具刺，末端尖。花小，多黄色或橙色。少花狄克氏花(*D. rariflora*)和黄花狄

一种狄克氏花属(*Dyckia*)植物
美国不列颠百科全书公司供图

克氏花(*D. sulphurea*［短叶狄克氏花，*D. brevifolia*］)通常用作室内观赏植物。二者叶长约10～20厘米，宽不足0.8厘米。前者花几乎无柄，花序高约45厘米，自莲座中央生出。后者花序高30厘米，每一花梗上着生30～40朵黄花。

dye　染料　用于使其他材料着色的有强烈色彩的复杂有机化合物。染料用于使纺织品、纸张、皮革和许多其他物质着色。在染色过程中，染料分子由溶液中沉积在材料上，且随后不会被原来溶解它们的溶剂除去。染料一般由煤焦油和石油化工产品合成制得。染色工艺已有数千年的历史。古人所知的主要染料是由茜草属植物和能产生靛蓝的植物制得，此外还有由软体动物制得的泰尔红紫（其化学结构是靛蓝衍生物）。古代发现的染色方法中有许多在今天仍然使用。一种称为媒染剂的无机化学制品就是一个例子。这种物质在材料染色前施用，以通过将染料变为不溶解的金属盐沉淀在材料中的方式帮助染料附着在材料上。第一种合成染料苯胺紫是1856年英国化学家W.H.珀金发明的。它是一种煤焦油衍生物反应的意外产物。结果，在19世纪末兴起了大规模的煤焦油染料工业。其基本原料是含有所谓芳香烃的有机物质，其中的碳原子连接成六元环。虽然今天其原料除了来自煤焦油外还来自石油，但是芳香族化合物仍是大多数染料的特征。除芳香族化合物外，许多染料还含有一种亚基，称为发色团。发色团可有力地吸收可见光谱中的辐射。还可用称为助色团的各种各样原子团来转移吸收过程，以使颜色更为强烈。染料分子的化学结构已证明易于改动，于是可制得范围广泛的煤焦油染料。化学合成的发展导致生产出许多新染料，可牢固地着色在许多不同类型的物质上。纤维吸收染料特别好，因为它们是多孔性的，并可对染料分子产生化学力。染料靠离子力、氢键或其他吸引力而附着在纤维上。染料工业的一个重大进步，是发展了与纤维反应型染料。这种染料分子与它着色的纤维之间形成共价键。这种结合是将染料分子附着在纤维上的最牢固的方法。对于天然材料，如棉、毛和丝等，必须合成适合这些材料的独特化学结构的染料。另一方面，也可以改变合成纤维的化学结构，以改变它们的染色性能。

dye-transfer process　染印法　摄影中制作彩色相片的一种技术，即将被摄体的颜色通过滤色镜分解成3种成分，分别记录在3张明胶负片上。将这3张负片制成浮雕正片，片上的明胶厚度与颜色成分的强度成比例。然后将每张浮雕正片用补色染料浸透，再将染好的3张正片逐次对正叠印在适当的表面上，便成为彩色相片。一组明胶浮雕正片经过简单的染色和反复叠印，便可印制多达150张彩色相片。20世纪后期采用全色底片，便可直接由彩色负片制成浮雕正片。

Dyer，Sir Edward　戴尔(1543-10，英格兰萨默塞特夏普哈姆帕克～1607-05，伦敦)　英格兰朝臣、诗人。据称写有少量抒情诗，批评家认为这些诗技巧高超、情深意长，因此出名。他曾就学于牛津大学，由莱斯特伯爵引见进入朝廷。为菲利普·锡德尼爵士的朋友，后者去世时曾写挽歌表示哀悼。曾奉命于1584年和1589年出使荷兰和丹麦，1596年受封爵士。他当时作为诗人，声誉极高，但因作品匿名或以姓名首字母在诗集中出现，诗作很少能够被确认。最著名的一首是《我的心便是我的王国》。

Dyer，Sir James　戴尔(1512，英格兰萨默塞特朗德希尔～1582-03-24，亨廷顿郡大斯托顿)　从1559年起担任英国民事法院首席法官，他创立了公布法律案件作为判例的这一

美国不列颠百科全书公司供图

近代制度。他的方法代替了在年鉴上记载案件的方法(始于1292)，那种方法只说明审判的结果，以保障当事人的权利，并不能作为以后判决的指南。戴尔的著作有王座法院和民事法院的案例3卷，涉及的年代是1513～1582年，实际上包括了他整个的一生，因而有一部分是他追记的。1552年被封为爵士。

Dyer，Mary Barrett　戴尔(17世纪初，可能是英国萨默塞特郡～1660-06-01，马萨诸塞湾殖民地波士顿［今在美国马萨诸塞］)　英国出生的宗教人物，她忠于贵格会教义的殉道精神有助于马萨诸塞湾殖民地的贵格会信徒免受迫害。1633年在伦敦与W.戴尔结婚，1635年前后同赴美洲，定居波士顿，开始接受A.哈钦森的唯信仰伦宗教观点。1638年随哈钦森流放去罗得岛。其丈夫参加了朴次茅斯(罗得岛)的创建，成为这片殖民地的领导人物。1652～1657年，与丈夫在英国生活。期间，成为公谊会(贵格会)的一员。1657年返回新英格兰后，为贵格会从事传教工作。在严厉的反贵格会法律统治下，她被多次监禁、驱逐。1659年9月，被正式判处流放，并称如果返回，即予处决。然而她竟于同年10月返回。戴尔遭被捕和判刑，经其子及康涅狄格和新斯科舍省长在绞刑架旁求情缓期执行，再遭驱逐。1660年5月，她受良心驱使，不顾律令，再次回到波士顿，1660年6月1日被公开绞死。她的死亡(即使在马萨诸塞也逐渐被认为是殉道)加速了当地反贵格会律令的松动。

Dyer，John　戴尔(1699-08-13受洗，威尔士卡马森郡阿伯格拉斯尼～1757-12，英国林肯郡科宁斯比)　英国诗人，主要以《格朗加尔山》(1726)一诗而闻名。该诗系仿蒲柏的《温莎森林》写成。他最长的诗《羊毛》(1757)是一首以养羊为主题的无韵诗，为18世纪试图模仿维吉尔的《农事诗》的典型之作。他的诗《罗马的废墟》(1740)融描写与沉思于一体。

Dyer，Reginald Edward Harry　戴尔(1864-10-09，印度穆里～1927-07-23，英国布里斯托尔附近隆阿什顿)　英国将军。1885年入伍，后转入印度陆军。1886～1887年在缅甸作战，1901～1902年参加封锁瓦济里斯坦。第一次世界大战期间(1914～1918)固守波斯东部警戒线，防止德军进入阿富汗。1919年为旅长。同年4月13日制造**阿姆利则血案**(**Amritsar，Massacre of**)，指挥部队枪杀379名赤手空拳的印度群众，显然是对杀害4名欧洲人和殴打1名女传教士进行报复。后被解职。

dyerswoad(herb)　**染匠菘蓝**　参阅**woad** 菘蓝。

Dyfed　达费德　威尔士西南部的郡。1974年由原卡迪根、卡马森和彭布罗克诸郡合并组成。分6个行政区：卡马森、塞罗迪金、迪内弗尔、拉内利、普雷塞利和南彭布罗克。面积5 768平方千米。地处半岛，在卡迪根湾(北)和卡马森湾(南)之间。主要半岛西端分

成一些小半岛,中间为小港湾隔开(如圣布赖兹湾和米尔福德港)。主要河流托威河和泰菲河奔流在广阔的冲积谷中。西南部有大量的新石器时代和铁器时代遗迹。盎格鲁-诺曼底人建有许多古堡。坦比是保存完好的盎格鲁-诺曼底人居民点遗址,有古堡、城墙和街道。经济以农业为主。沿海地区土地肥沃,气候温和,年降雨量不到1 140毫米,适宜耕种,盛产马铃薯、早熟蔬菜和花卉。乳品业尤其在陶伊河谷十分重要。内陆饲养牛羊。彭布罗克国家海滨公园风景秀丽,使旅游业日盛。第二次世界大战后发生的变化,是米尔福德建造了几座大型炼油厂和扩建了港口供巨型油轮停泊。卡马森是郡行政和服务业中心,其北面的阿伯里斯特威斯是教区和教育中心。最南端的拉内利镇以制造马口铁著称。人口约335 900(1985)。

Dygasiński, Adolf　迪加辛斯基(1839-03-07,波兰涅戈斯瓦维采～1902-06-03,俄罗斯帝国波兰马佐夫舍地区格罗济斯克)　波兰作家、诗人。以教学为业,是科学的崇拜者。被认为是波兰杰出的博物学作家。发表约50卷文学质量参差不齐的短篇小说,其中以描写野生和驯养动物者为最佳。他的《生活的欢宴》(1902)被评为杰作,这是一篇寓言散文诗,描写一只小鸟和一只强大的雕鸮之间的搏斗。

Dylan, Bob　迪伦(1941-05-24,美国明尼苏达德卢斯～　　)　原名罗伯特·齐默尔曼。美国歌星和作曲家。其歌曲在20世纪60年代决定了一代人的音乐发展方向。在德卢斯和希宾镇度过动荡不定的童年后,他以诗人迪伦·托马斯的名字为姓而开始周游全国。他的生活和唱歌都有意识地模仿民歌手W. 格思里;在纽约的咖啡馆里演唱格思里所写大萧条时期的歌谣与自己创作的歌曲,开始其专业演唱生涯。1962、1963、1964年录制的唱片使他闻名于世。其两首歌曲:《在风中吹拂》和《时代在改变》成了民权运动的赞歌。他的许多歌曲立足民间传统,特别是以简朴

戴维·加供图

旋律的运用为基础,采用比喻性歌词,它们所表现的诗歌艺术手法与想象力是以前的美国民间音乐中很少见的。1965年开始接受电子扩大乐器和摇滚音乐节奏,作品与他过去采用普通乐器的社会抗议歌曲大相径庭。具有里程碑意义的唱片集《重访61号公路》(1965)和《金发碧眼》(1966)奠定了他作为摇滚乐带头人的地位,使他的盛名达到顶峰。1966年遇车祸后,一段时间深居简出,然后又经历一次音乐上的转变,发表了几本唱片集(以1969年的《纳什维尔地平线》最为著名)。70和80年代继续演出,并录制有影响的唱片,例如《轨道血迹》(1975)、《欲望》(1975)和《异教徒》(1983)。

dynamical time　力学时　力学天文学(天体力学)的时标。天体的轨道运动只受牛顿运动定律和万有引力定律支配,经相对论修正后,表为力学时的函数。1952年,国际天文学联合会(IAU)将力学时标,定名为历书时(ET),这是根据美国天文学家S. 纽康的非相对论性太阳表(1898)中的地球轨道运动得出的。事实上,观测月球运动,用"月球历书时"来决定"历书时"更为准确。为此,在1954年的非相对论性《改良月球历书时》中便采用经验性的或非万有引力的项来修正地-月潮汐力产生的干扰效应。

大约1967年以来,由于采用雷达、激光、射电天文方法、空间探测器和原子钟等而得到相当精确的观测结果,因而有必要采用改进的相对论性的历书时。1984年,国家天文年历内的历书时已用"质心力学时"(TDB)代替,其运动方程涉及太阳系的质心(质量中心),并包含相对论性各项。不同形式的质心力学时采用不同的相对论,国际天文学联合会并未特别指定一种用数值诠释质心力学时的历书时。但另指定一种辅助时标——地球力学时(TDT),用于视地心历书时(即用于与地球中心有关的运动方程)。根据定义,TDT = TAI + 32.184秒。式中的TAI为"国际原子时"。

dynamics　动力学　物理学中力学的分支。研究物体运动的各物理因素如力、质量、动量和能量之间的关系。静力学是动力学的特殊情况,静力学中外力不引起线性位移或转动,只造成平衡。相比之下,运动学则不考虑运动的起因,而以位置、速度和加速度来描述运动。动力学则涉及力和力矩对具有一定质量物体的运动的影响,它是16世纪末由伽利略奠基的。他通过用光滑物体沿斜面下滑的实验,得出了落体运动的定律;他还第一个认识到力是物体速度变化的原因,后来由I. 牛顿于17世纪把这个事实表述为第二运动定律,阐明作用在物体上的力等于它的质量乘加速度。

dynamite　达纳炸药　以硝化甘油为基体,但比单独使用硝化甘油要安全得多的爆破用炸药。1867年由瑞典化学家A. 诺贝尔获得专利。诺贝尔将硝化甘油和多孔硅藻土按照能形成基本干燥颗粒的比例混合,制成不怕振动、但受热或撞击后易于引爆的固体。后来又用木浆作吸收剂,并加入硝酸钠作为氧化剂,以增加炸药的爆炸力。诺贝尔还发明了硝化纤维和硝化甘油混合构成的胶质炸药。后来,用硝酸铵代替部分硝化甘油,制成更加安全廉价的炸药,称做特种达纳炸药。参阅 **explosive**。

dynamo　参阅 **electric generator** 发电机。

dynamo theory　发电机理论　以地核中自激发(或自生)发电机来解释地球主要磁场成因的一种地球物理学理论。在这发电机的机制中,地球外核里的流体运动驱使导电物质(液态铁)通过一个早已存在的弱磁场,并产生电流(地核中来自放射性衰减的热被认为引起对流运动)。电流本身产生磁场,这磁场也与流体运动相互作用,造成了次生磁场。这两个磁场加在一起比原来的磁场强,并且主要位于沿地球自转轴的方向。发电机理论是德国出生的美国物理学家W.M. 埃尔萨塞和英国地球物理学家E. 巴拉德于20世纪初提出的。虽然产生地磁场的各种其他机制也提出来过,但只有发电机概念至今还受到认真的考虑。

dynamometer　测力器　又称测功器。测量转轴所传递的机械力或功率的装置。由于轴功率等于扭矩(旋转力)乘以转速,所以一切测量功率的测功器实质上都是扭矩测量器,

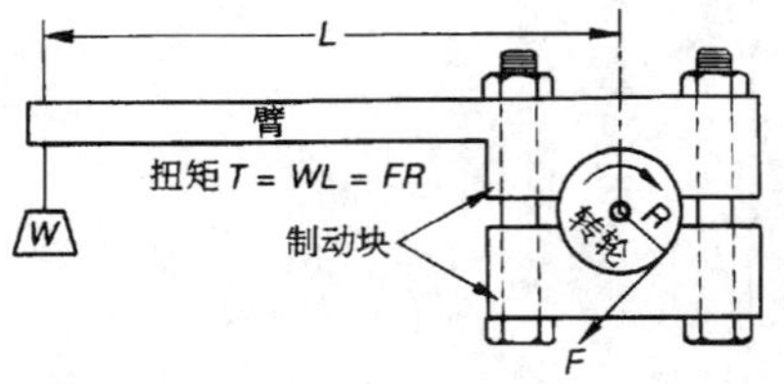

波朗尼制动测功器组件示意图

轴的转速分开测量。在测力装置中有一种是挠性金属环,环受力而挠曲,其挠度就是外加力的度量。另一种液压测力器是通过液体的压力来测量压缩力。测功器有两类:传动式测功器和吸收式测功器。前者是通过轴的弹性扭转或插入轴段之间的专用扭矩仪来测量扭矩的装置。扭矩由原动机、电动机或机器传递的有效负荷产生。吸收式测功器则是靠机械摩擦、流体摩擦或电磁感应对轴的转动产生的恒定约束力来测量扭矩的。波朗尼制动测功器(见图)的原理是,通过拧紧螺栓使制动块压紧转轮,在转轮缘上产生机械摩擦力 F,直到摩擦力矩 FR 与扭矩 WL 平衡为止。水测功器是靠旋转叶轮与固定壳之间的循环水产生阻力;而电测功器则产生和吸收直流电流或涡流电流。在每种情况下,对旋转体施加约束力的零件是活动支承的,以阻止它与旋转体一起旋转,并通过作用在离转轴某一已知距离的弹簧或重锤上的力来测量制动力。弹簧或重力锤所受的力乘以它离转轴的距离就是扭矩。

dynamophone(musical instrument)　参阅 **telharmonium** 电风琴。

dyne　达因　物理学厘米-克-秒单位制中力的单位。它等于使1克质量产生1厘米/秒^{2}加速度的力,1达因 = 0.000 01牛顿。

Dyott, Thomas W.　迪奥特(1771,英国～1861-01-17,费城)　美国专利药品界巨子、玻璃制造商、禁酒鼓吹者和改革家。他的"画瓶"特别有古玩价值。他原是伦敦的药店学徒,18世纪90年代来到费城时,几乎是身无分文,租了一间地下室,白天擦皮鞋,夜里制

造黑皮鞋油。1807年开了一家药店，在自己名字上加上“医学博士”的头衔，很快成为美国出售“家用药”的最大药商。制品中畅销的有万灵驱虫锭和以植物为原料的神经兴奋剂。由于需要许多装药瓶子，1833年他买进宾夕法尼亚州肯辛顿玻璃厂，雇有400名工人。这位“博士”自己的药品里含有大量酒精，在他的叫做迪奥特城或“禁酒城”的工厂里绝对不许饮酒。清晨工人听到钟声起床，定时沐浴，工间休息有茶点，晚餐后休息一小时，然后上夜校和作祈祷。

当迪奥特创办的银行倒闭时，他被判处短期监禁。出狱后回到药店，去世之前又积聚了一笔财产。肯辛顿玻璃厂的产品有威士忌长颈瓶、专利药品和腌制食品瓶、鼻烟瓶、细颈大瓶和有各种不同颜色的装腐蚀性溶液的大瓶，颜色从无色透明和海蓝色到深橄榄色、琥珀色和灰绿色。那种受人欢迎、普遍仿造的华盛顿瓶、林德瓶和科苏特瓶都是这个工厂首创的。

dysentery 痢疾 以肠管炎症、腹痛、里急后重、腹泻、粪便中常含血液和黏液为特征的传染病。痢疾有两个类型：细菌性痢疾和阿米巴痢疾，分别由细菌和阿米巴引起。细菌性痢疾又称为志贺氏菌病，由志贺氏菌属（*Shigella*）细菌引起。症状轻重不一，轻症者症状轻微，重者突然发病；症状严重，可死于脱水及细菌毒素中毒。潜伏期1～6天。起病急，表现为发热，稀便，可含脓血。可有里急后重及呕吐，因体液大量丢失而迅速脱水。随着病情的发展，大肠出现慢性溃疡，血便明显。志贺氏志贺氏菌（*Shigella shigae*）又称痢疾志贺氏菌Ⅰ型（*S. dysenteriae type* 1），该菌引起的细菌性痢疾最为严重，主要见于热带和亚热带地区。弗氏志贺氏菌（*S. flexneri*）、索恩氏志贺氏菌（*S. sonnei*）和博氏志贺氏菌（*S. boydii*）是另一些能引起痢疾的志贺氏菌。细菌性痢疾的治疗以使用四环素、土霉素、金霉素等抗生素为基础。对严重脱水的病人需要大量补液，在某些病例可能需要输血。阿米巴痢疾又称肠阿米巴病，由一种原虫——溶组织内阿米巴（*Entamoeba histolytica*）引起。阿米巴痢疾与细菌性痢疾相比，病程更为迁延，更呈隐袭性。治疗亦更为困难，因病原体可表现为两种类型：可活动的滋养体及不能活动的包囊，分别引起不同的病程。滋养体引起急性痢疾，其症状似细菌性痢疾。包囊引起慢性病程，表现为间歇性的腹泻、胃部痉挛或腹痛发作。有些病例排血便。慢性类型较急性类型常见，特征为症状忽而减轻忽而加剧。慢性类型亦可致大肠溃疡。两种类型的阿米巴痢疾均用吐根素、双碘喹或其他药物（这些药物专门杀灭肠道内繁荣生长的阿米巴）治疗。体内带有细菌性痢疾或阿米巴痢疾病原体的人，其粪便可污染食物或水，污染的食物或水为他人所吞食，便可将疾病传播。传播常由用脏手处理食品的受染者造成。阿米巴痢疾常由携带病原体但当时并无症状的人散布。人群居住拥挤、卫生条件差时痢疾经常发生。痢疾是战俘营的典型疾病，尤其在热带气候条件下。

dyslexia 诵读困难 其他方面智力正常，但不能学习拼音和阅读或在这方面发音困难的一种现象。是一种慢性的神经障碍，抑制人的认识和处理书写符号（尤其是与语言有关的符号）的能力。具有许多不同症状，主要是查不出原因的朗读能力极差，阅读和书写单词和字母时往往颠倒次序（可从明显的词序改变及其他形式的拼写错误中分辨出），在说话和字迹模糊的书写中同样也能发现颠倒的字母和单词。男孩诵读困难的发生率是女孩的3倍，通常在低年级中更为明显。且在家族中遗传。只有少部分诵读困难者到成人阶段仍不能阅读，而许多诵读困难者在一生中拼、读的能力一直较差。在书面的智力测验中，他们平均都在一般水平以上。对这些人最好的治疗是在朗读方面进行长期的、有适当指导的训练。目前，这种病的原因还不清楚，甚至其诊断也很困难；通常对那些阅读困难而不能作出明显解释的孩子或成人诊断为诵读困难。

dysmenorrhea 痛经 又作dysmenorrhoea。经前、经期疼痛的一种妇科病。分原发性或继发性。原发性痛经占大多数，子宫结构无病理学改变，继发性痛经有器质性病变（可为先天性）。原发性痛经的疼痛发生于月经前数日、月经来潮时或整个月经期。疼痛的程度不同，可严重到不能忍受，亦可为轻微短暂的阵痛。一般症状可有易怒、疲乏、背痛、头痛、腿痛、恶心、呕吐及痉挛性疼痛。典型的痛经患者是20～25岁的独身妇女，既往有过数年无痛性月经。痛经的病因现已澄清，女性在经期的内分泌功能失调、前列腺素分泌过多是原发性痛经的病因。前列腺素可刺激子宫平滑肌挛缩，致痛性痉挛。前列腺素拮抗剂有明显疗效。许多患者在生育后痛经缓解。继发性痛经罕见，发病原因可能为生殖道梗阻、炎症或神经组织退行性变、异常的子宫壁分隔或子宫发育异常、子宫的慢性感染、息肉或肿瘤，或支持子宫的肌肉无力。疼痛常为持续钝性。肿瘤所致者为锐痛。治疗应针对病因。

Dyson, Sir Frank (Watson) 戴森（1868-01-08，英国莱斯特郡阿什比德拉祖什附近米舍姆～1939-05-25，从澳大利亚到英格兰的航行途中） 英国天文学家。1919年曾组织观测

美国不列颠百科全书公司供图

太阳近旁的恒星，从而为支持爱因斯坦关于光线在引力场内会发生弯曲的预言提供了证据。1894年任皇家格林尼治天文台的首席助理，又是赴葡萄牙（1900）、苏门答腊（1901）和突尼斯（1905）观测日食远征队的成员。他对日冕和色球的观测发表在《1900、1901和1905年日全食光谱的波长测定》一书中。1901年被选为伦敦皇家学会会员，1905年应聘为苏格兰皇家天文学家，1910年返回格林尼治，荣任第9任英格兰皇家天文学家，5年后被授予爵位。由于他对恒星的分布和运动以及它们同银河系结构的关系等方面的研究，1921年荣获皇家学会勋章。他的《日月食》（1937）一书是同R. van der R. 伍里合著的。

Dyson, Freeman (John) 戴森（1923-12-15，英国伯克郡克罗索思～　　） 英国物理学家和教育家，以其关于地外文明的幻想著作而闻名。戴森是一位音乐家和作曲家之子，就学于剑桥大学。少年时代即对数学感兴趣，但1943年他中断在剑桥的学习，而去皇家空军轰炸机司令部服役。1945年在剑桥获文学士学位，并成为三一学院的研究员。1947年赴美学习物理学，并在纽约州伊萨卡的康奈尔大学和普林斯顿花了两年时间在当时任高级研究院院长的J.R. 奥本海默 的指导下从事研究工作。1949年回英国，为伯明翰大学的研究员，1951年任康奈尔大学物理学教授，2年后任高级研究院物理学教授，1957年入美国籍。戴森作为向太阳系内外探索和殖民的长期鼓吹者，研究了探寻地外智力生命迹象的方法。他写了几本书，包括他的自传《干扰宇宙》（1979）、《武器和希望》（1984）、《生命的起源》（1985）和《全方位的无限》（1988）。1990年获不列颠奖。

dyspareunia 性交困难 妇女于性交时感到疼痛而难以完成性交的情况。通常为体质性而非心理性。性交困难的原因包括阴道的炎症或感染、阴道痉挛（**vaginismus**，下部阴道肌肉的随意或不随意收缩）、残存处女膜、阴道润滑不足、感染、子宫内膜异位症、肿瘤或其他病理情况（包括肛门病如痔或泌尿道病）。部分原因可能为精神性欲矛盾，但罕为全部原因，例如头几次性交时感到疼痛可能会造成即使不再感觉疼痛时仍然对性交有反感或恐惧。诊断出性交困难的内在原因可能需要治疗感染或炎症，寻求性学咨询并求教有关生殖系统解剖和性功能的知识，使用阴道润滑剂，而在某些病例还可能需要手术切除肿瘤或治疗子宫内膜异位症。治疗中常需要配偶双方的合作。

dyspepsia 参阅 **indigestion** 消化不良。

dysphasia（neuropathy） **言语困难** 参阅 **aphasia** 失语。

dysphemia 语言困难 参阅 **stuttering** 口吃。

dysplasia 发育异常 某种身体结构或组织的畸形。一般多指可能发生于身体任何部分的骨骼畸形。有几种见于人类的发育异常就是已经明确的疾病。软骨外胚层发育异常或称埃利斯-范克列弗尔德二氏综合征，是一种极罕见的先天性疾患。具有遗传性（常染

色体隐性遗传)。患者心脏异常(可因此导致夭折)、多指(趾)、牙齿和指(趾)甲发育不良,呈侏儒型,常有膝外翻和掌骨融合现象。在美国宾夕法尼亚州的基督教老阿门会中本病发病率最高,每1 000个新生儿中就有5个患病。进行性骨干发育异常或称恩格尔曼氏综合征,是一种发病于儿童期的罕见的遗传性(常染色体隐性遗传)疾患。患者长骨骨干及颅骨穹窿增厚;患部无疼痛,患者身高超过正常人,肌肉软弱无力,易于疲劳;呈僵硬的鸭行步态。骨骺发育异常是在儿童发育期并不罕见的骨骺疾患。患儿骨骺的生长及骨化非常缓慢;常见侏儒症,亦可能只见下肢短小;到中年常发展为退行性关节疾患,但患者在其他方面可能正常。点蚀状骨骺或称斑点状骨骺发育异常,非常罕见,对之了解不多;出生时骨骺软骨中可观察到不透明的斑点状物质;每于一岁内即死亡;幸存者可表现为侏儒、智力迟钝及先天性白内障。干骺端发育异常是极罕见的家族性疾患,患者的长骨骨干皮质菲薄,易于骨折;但其他方面可能正常。髋部发育异常是犬类的遗传性疾患,大的犬种如德国牧羊狗、老英国护羊狗、瑞士圣贝尔纳雪山救人狗,特别易患此病,患犬股骨头及髋臼可表现一系列畸形。

dysprosium　镝(Dy)　化学元素,周期表Ⅲb族稀土金属。镝是比较硬而又很活泼的金属,可被空气和水氧化。金属镝熔点高,且能吸收中子,故可用于核反应堆的控制棒中。其化合物已用于制作激光器材料,用作某些电子设备的部件或磷光体活化剂。P.-É.勒科克·德·布瓦博德朗首先发现与钬和其他重稀土元素伴生在一起的元素镝(1886),后来G.厄本能制备出相当纯的镝(1906)。镝的重要矿物资源有磷钇矿、褐钇铌矿、硅铍钇矿、黑稀金矿、复稀金矿和钇易解石。镝还存在于核裂变产物中。工业上采用离子交换法来分离镝。用碱金属或碱土金属热还原无水卤化物,可制备金属镝。在室温下,金属镝结晶成六方密堆结构。低于－168 °C时具铁磁性,在非常低的温度下具超导性。镝天然同位素都是稳定的,其质量数分别为156、158、160、161、162、163和164。后4种约占天然镝的98%。镝具有典型3价稀土离子的化学性质,形成一系列淡黄色化合物。Dy^{3+}离子具强顺磁性,这种性质已被用于产生磁冷却,以获得非常低的温度。镝原子序数66。原子量162.500 。熔点1 412 °C 。沸点2 567 °C。比重8.551(25 °C) 。化合价3 。电子组态2,8,18,28,8,2或(Xe)$4f^{10}5d^{0}6s^{2}$ 。

Dyula　迪尤拉人　又拼Diula,Dioula或Jula。西非民族,操尼罗-刚果语系的曼德语。大多是穆斯林,久以经商著称。迪尤拉人早在古代加纳帝国时期就是活跃的黄金贸易商人。在马里帝国的统治下,他们把南部林地黄金产区与苏丹西部及北非的交易网连接起来,使这项商业活动繁荣兴旺。他们的另一项重要交易物资是可乐果,他们也以巧于手工艺而著称。16世纪前后,他们开始分散到各地并聚为城镇,到19世纪中叶,这些城镇的一部分就扩大为城邦,但在1900年前后又衰落下去。迪尤拉人现居住在科迪特瓦、布基纳法索(以前称上沃尔特),以及马里和加纳的部分地区的城乡之中。有些迪尤拉人已从事农业,而大多数人仍然经商,至少在旱季如此。

Dyushambe(Tajikistan)　参阅 **Dushanbe 杜尚别**。

Dzalamo　参阅 **Zaramo 扎拉莫人**。

Dzaudzhikau(Russia)　**藻吉考**　参阅 **Vladikavkaz 弗拉季卡夫卡兹**。

Dzerzhinsk　捷尔任斯克　1929年以前称拉斯佳皮诺(Rastyapino)。俄罗斯西部尼热哥罗德州城市。位于莫斯科至下诺夫哥罗德铁路线上。为奥卡河港口。属下诺夫哥罗德都会区的一部分,沿河有卫星城。是俄罗斯最重要的化学工业中心之一,生产磷肥、氮肥、合成纺织原料和塑料,亦生产建筑材料和面粉。苏联时期该市生产大量化学武器,现受到毒化学废弃物的严重污染。建有一所工程学校和火车站。人口285 000(1995)。

Dzerzhinsky, Feliks Edmundovich　捷尔任斯基(1877-09-11,俄罗斯帝国明斯克附近捷尔任诺沃[今在白俄罗斯]～1926-07-20,莫斯科)　布尔什维克领导人,苏联最初的秘密警察组织的首脑。波兰贵族之子。1895年加入立陶宛社会民主党。1897～1908年间被俄国警察5次逮捕,但从西伯利亚流放地一再脱逃。他曾参加俄国1905年革命,并成为波兰-立陶宛社会民主党领导人,1906年说服他的同事们与俄罗斯社会民主党联合。后在俄罗斯帝国境内和西欧从事革命活动。1912年第6次被捕,一直被囚禁到1917年二月革命以后。1917年7月选入布尔什维克党中央委员会,在1917年十月革命中发挥积极作用。1917年12月成为全俄肃清反革命及怠工特设委员会(契卡)——俄国秘密警察机构的首脑。契卡通过专断地处决确凿的和所宣称的苏维埃国家的敌人来巩固列宁的专政。捷尔任斯基在俄国建立了最初的集中营,赢得了铁面无私和狂热的共产党人的声誉。1919年后任内务人民委员,1921年任交通人民委员。在他成为斯大林的一名坚定的支持者后,1924年被任命领导最高国民经济委员会,同年当选为党的政治局候补委员。1926年在中央委员会会议的激烈辩论中因心力衰竭死去。

Dzhalal-Abad　贾拉勒阿巴德　吉尔吉斯斯坦贾拉勒阿巴德州首府。1877年建市,初期仍为一村镇,1927年确立城市地位。现有食品工业和轻工业。有剧院及博物馆。人口约75 900(1991)。

dzhalman　参阅 **Selevin's mouse 月鼠**。

Dzhambul　江布尔　又拼Džambul。哈萨克斯坦南部一州。面积14.46万平方千米。建于1932年。南部是吉尔吉斯山脉和卡腊套山北坡。山麓有一片狭长灌溉区,土地肥沃。中部是穆云库姆沙漠,沙漠北部是别特帕克达拉黏土沙漠。夏季干热,冬季寒冷。楚河、塔拉斯河和阿萨河沿岸种植甜菜、谷物和马铃薯。较干燥地区放牧牛、羊和骆驼。卡腊套山极丰富的磷灰石矿使卡腊套成为重要的磷酸盐生产中心。亦生产糖、其他食品、化学品及建筑材料。居民主要是哈萨克人和俄罗斯人,另有德意志人、乌克兰人、乌兹别克人、鞑靼人、东干人和希腊人。首府为江布尔市。其他主要城市为楚、卡腊套和扎纳塔斯。人口约1 056 400(1991)。

Dzhambul　江布尔　又拼Džambul。哈萨克斯坦南部江布尔州城市。位于塔拉斯河与土耳其斯坦-西伯利亚铁路的交叉点,是哈萨克斯坦最古老的城市之一。建在曾为欧洲通往中国丝绸之路停靠站的繁华古城塔拉斯的原址上。13世纪古城被蒙古军队摧毁。18世纪后期浩罕的首长们在原地建起新城镇奥利耶阿塔。1864年要塞和城镇被俄罗斯人攻占,1938年以哈萨克斯坦诗人江布尔(1846～1945)的名字重新命名。现代的江布尔市有大型磷酸盐加工厂,有一座大发电站,有食糖、皮革和鞋袜工厂,还有一座羊毛洗涤厂。有为培育师资、食品和轻工业技术员以及水利工程师而设立的学校。还有一座博物馆和两家戏院。人口约312 300(1991)。

Dzhezkazgan　杰兹卡兹甘　又拼Džezkazgan。哈萨克斯坦杰兹卡兹甘州城市和首府(1973年起)。濒临卡拉肯吉尔河水库。1938年为开发当地丰富的铜矿而建立。1973年城东南兴建大型铜矿采冶综合企业。有铁路通卡拉干达。城区包括毗邻的矿城萨特帕耶夫。人口约111 100(1991)。

Dzhirgalantu(Mongolia)　**扎尔格朗图**　参阅 **Hovd 科布多**。

Dzhizak　吉札克　乌兹别克斯坦东部吉札克州城市和首府。位于桑扎尔河灌溉区一小绿洲上。在萨马尔罕东北。为乌兹别克斯坦最古老的居民点之一。吉札克现在加工棉花等农产品,也生产各种建材。人口约110 900(1991)。

Dzierżoniów　杰尔若纽夫　德语作Reichenbach(赖兴巴赫)。波兰西南部下西里西亚省城市,滨皮瓦瓦河。12世纪建立社区,名为赖兴巴赫;13世纪建镇。1335年津比桑公爵(明斯特贝格)将其抵押给波希米亚,从此它归属哈布斯堡王朝统治。1742年随同西里西亚划归普鲁士;1945年归还波兰,并以波兰牧师杰尔容的名字重新命名。现为下西里西亚地区的重工业城市,20世纪末重工业逐渐衰落。也是周围地区的重要贸易中心。人口35 437(2002)。

Dzungarian Basin　准噶尔盆地　又拼Chun-Ko-erh p'en-ti, Junggar pendi。中国新疆维吾尔自治区北部盆地。东北为阿尔泰山,

南为天山山脉，西部有一系列断块山地，盆地呈三角形，面积约18万平方千米。地势向西倾斜，北部略高于南部。发源于阿尔泰山的额尔齐斯河沿山前断陷平原流向西北，经过

准噶尔盆地乌尔禾地区
中国大百科全书出版社供图

哈萨克斯坦的斋桑泊和俄罗斯的鄂毕河，注入北冰洋。其余河流如发源于阿尔泰山东部的乌伦古河，发源于天山的乌鲁木齐河、玛纳斯河、奎屯河等分别注入盆地中的布伦托海、玛纳斯湖、艾比湖。由于大量引水灌溉，玛纳斯湖已经干涸，艾比湖的面积也已缩小。天山北麓平原为新建的重要农业区，种植小麦、玉米、水稻、棉花、甜菜等。盆地内夏季气温高，棉花种植地区已达北纬44°，为世界上棉花种植的最北限。盆地中有丰富矿藏，南缘有煤田，西部有独山子和克拉玛依油田，两地都设有炼油厂，有输油管通往乌鲁木齐市。盆地西缘有阿拉山口、老风口、布尔津风口等，风力强劲，对交通及其他经济活动有一定影响。盆地中部为古尔班通古特沙漠，面积4.88万平方千米。年降水量150～250毫米。一些河流的尾闾可深入沙漠形成一定的植被覆盖，使沙丘呈固定或半固定状态，部分地区可作为冬季牧场。

Dzunghar 准噶尔 中国卫拉特蒙古四部之一。清代称西部蒙古为卫拉特或厄(额)鲁特，即元代的“斡亦拉”，明代的“瓦剌”。初居叶尼塞河上游，从事狩猎。15世纪中开始向南发展，后迁牧于阿尔泰山以东的科布多南北及额尔齐斯河上游到天山以北的准噶尔盆地。16世纪后期分为杜尔伯特、准噶尔、土尔扈特及和硕特四部。虽分牧而居，部自为长，但已形成松散联盟。“准噶尔”意为左翼，因居四部之左而得名。袭祖姓又称绰罗斯。17世纪中，准噶尔部强大，以伊犁为中心，兼并其他三部。从17世纪初至70年代的准噶尔部首领巴图尔洪及其子僧格在位期间拒绝臣服沙俄，保持准噶尔隶属中国的立场。1653年后厄鲁特各部都与清政府建立隶属关系，准噶尔部也经常入贡。1672年噶尔丹篡夺汗位，继续向周围扩张，进攻青海和硕特部，势力达到天山南路和撒马尔罕、布哈拉、乌尔根齐。1688年噶尔丹集团还在沙俄支持下攻掠喀尔喀蒙古。1697年噶尔丹兵败自杀，其侄策妄阿拉布坦乘机袭据伊犁，并派策凌敦多布入侵西藏，乘西藏内乱之机侵占拉萨。后被清军逐出西藏。策妄之子噶尔丹策零和辉特部贵族**阿睦尔撒纳(Amursana)**继续作乱，1690～1757年经清康熙、乾隆多次讨伐，叛乱终于平定。被准噶尔排挤迁去伏尔加河流域的土尔扈特部和部分和硕特部共3.3万户于1771年返回中国。

E

e-commerce 电子商务 全名 electronic commerce。用计算机通信网络维持商业关系,销售信息、服务及商品。虽然在日常用语中电子商务通常只是指在因特网上进行货物与服务的交易,但它还包括范围更广的经济活动。它包括企业对消费者、企业对企业的商务,还包括支持这些活动的内部组织间的处理事务。电子商务源于供货商与商业客户之间商业文件(如订单和发票)的交换标准。这些标准肇始于 1948 ～ 1949 年的柏林封锁和空运。美军很快发现正常的处理业务方式(伴随着书面订单)已经不能跟上运入柏林的必需货物流量的速度。为了打破书面处理的瓶颈,美军的后勤军官 E.A.吉尔伯特建立了一个通过电报、无线电传打字机以及电话订货的系统。在接下来的几十年里,各个行业纷纷精心制作这套系统,直到 1975 年才公布第一套通用标准。由此得出的国家电子数据交换(EDI)标准是明确的,与任何特殊的机器无关,而且有足够的灵活性来处理多数简单的电子交易。1993 年发明了第一个图形浏览器软件以进入万维网,接着是各公司和个人争相上网,大部分的电子商务都转移到因特网上。在有些领域,如亚马逊网络书店这些新的因特网零售商似乎在一夜之间成长起来,向传统零售商的主宰地位提出挑战。一些大公司如英特尔也接受电子商务的模式。机密信息(如信用卡号和电子资金过户的指令)的安全电子传送对电子商务的持续成长非常重要(可加密)。在促使电子商务成长的其他发明中还有在网络上寻找信息用的电子名录和搜索引擎;自动寻找货物和服务所在位置的软件代理(bots);在因特网上确保身份的数字认证服务等。电子拍卖和逆向拍卖市场(买方能在这里引出许多卖方提出报价)是电子商务成长的另一些因素。eBay 这家全球最大的网上公开拍卖网站成立于 1995 年,到 21 世纪初,会员人数已超过 4,200 万。企业往往部署自己内部网络,以便在公司内部共享信息和加强合作,通常用防火墙这种计算机安全系统来与周围的因特网隔离。企业也经常依赖外部网络,这是公司内部网络的延伸,允许合作企业进入它的内部网络的一部分。要进入这些外部网络一般要通过密码这一关卡。电子商务使得形成业务关系的地理距离的作用降低了。进入零售业务的门槛也降低了。某些传统的中间商已被他们的电子同行所取代,或可有可无。网上的商品价格一般较低,这不仅反映了从事电子商务的成本较低,而且也反映了在网上容易货比三家。同时,还产生了一种新形式的合作企业,称为虚拟公司。实际上这是一个企业网,参与的每家公司实现制造产品或提供服务所需的某些过程。这类公司现已欣欣向荣。

E region E 区 又称肯涅利-亥维赛层,是电离层的一个区,从 90 千米高度伸展到约 160 千米高度。与 D 区(70 ～ 90 千米)中一样,起电离作用的主要是分子,即中性分子——氧(O_2)和氮(N_2)——分裂为电子和带正电荷的分子。E 区和 D 区不同之处在于电离作用在夜间虽有很大减弱,但仍维持着。1902 年马可尼最早的横跨大西洋无线电通信就是依靠 E 区对电波的反射作用。白天电离密度一般为每立方厘米 10^5 电子。有时在同一高度继续地可见到电离更强的小区域。

E source(biblical literature) 参阅 **Elohist source** 埃洛希姆卷。

E-trisomy E-三体 又称18-三体。一种先天性染色体疾病。特征为:耳廓低垂并畸形;两眼突出;下颏后削;疝;手指紧张屈曲伴食指、中指交叉;足底呈舟状;全身强直;可见严重的神经系统畸形及多发性内脏畸形。活产儿发病率为 1/3 000 ～ 1/4 000,女性发病率为男性的 3 倍。半数患儿死于生后 2 个月以内,余者 2 岁内死亡。患者有 3 条第 18 号染色体。

E^1(mountain, Nepal-Tibet) **E^1 峰** 参阅 **Lhotse** 洛子峰。

Ea 埃阿 阿卡德语,苏美尔语作Enki(恩基)。美索不达米亚宗教所崇奉的水神。与安努(苏美尔语称安)和比勒(苏美尔语称恩利勒)共为联立三神。埃阿原为埃利都城的地方神,后来成为主要神灵,主管地下淡水潜流。他本来与种子和羊水相关连,因而象征化育。他的徽号通常是半羊半鱼的动物,近代占星术的摩羯星即源于此。

Eadbald 伊德鲍尔德(?～640-01-20) 肯特国王,616 年继承其父艾特尔伯赫特的王位。他没有受到基督教传教士所传教义的影响,即位后即与其父的遗孀结婚。后在坎特伯雷大主教劳伦蒂乌斯感化下改信基督教,在坎特伯雷修筑一座供奉圣母马利亚的教堂。

Eadbert(Anglo-Saxon king) 参阅 **Edbert** 埃德伯特。

Eadmer(English writer) 参阅 **Edmer** 埃德默。

Eadred 伊德雷德(? ～955-11-23,英格兰今萨默塞特郡弗罗姆) 又拼 Edred。946 ～ 955 年英格兰国王。他使诺森伯里亚永归英格兰统治。西撒克逊国王"老爱德华"(899 ～924 在位)之子。在他即位后,诺森伯里亚人承认其最高统治权,但不久便宣布挪威统治者金发哈拉尔一世之子埃里克(血斧)为他们的国王。他为了报复,大肆蹂躏诺森伯里亚(948)。诺森伯里亚人向他投降,但在 949 年又奉另一挪威国王奥拉夫·西特里克松作为统治者。952 年他们推翻奥拉夫,拥护血斧埃里克为国王,954 年又将后者驱逐并杀死,重新效忠伊德雷德。他是坎特伯雷大主教邓斯坦的密友。他支持后者复兴修道院制度的主张。

Eadric STREONA **伊德里克(斯特奥纳)**(? ～1017) Eadric 又拼 Edric。麦西亚人的首领。出身低微,但由于英格兰国王艾特尔雷德二世的提拔而成为麦西亚人首领,1009 年与国王之女伊德吉斯结婚。他的目的大概是为了将英格兰中南部联合为一体。在英格兰人与丹麦人争夺英格兰统治权的斗争中,他是一个反复无常的叛徒。他主要的叛变行为发生在 1015 年。当艾特尔雷德在垂死之际,他背离了艾特尔雷德的儿子勇敢者埃德蒙,投靠了克努特。最后缔结和约时,克努特将麦西亚伯爵领地归还给他。但克努特怕他再次叛变,于 1017 年圣诞节时将他杀死。

Eads, James B(uchanan) 伊兹(1820-05-23,美国印第安纳劳伦斯堡～ 1887-03-08,巴哈马拿骚) 19 世纪杰出的美国土木工程师。以修建跨越密西西比河的三孔钢拱桥而

美国国会图书馆供图

闻名,还设计了供新奥尔良终年通航的航道。他未受过任何正规教育,完全靠自学成才。少时在密西西比河的航船上任事务长,发明了一种他称为潜艇的打捞救生船和可使人在河底行走的钟形潜水器。12 年中他打捞出许多沉船中的货物,因而致富。后转营玻璃制造,但工厂在墨西哥战争中被摧毁。1848 年重返打捞业,建造了 10 艘潜艇。南北战争中,他建造的以蒸汽为动力的浅水铁甲战舰在北军取得的一系列重大胜利中发挥了巨大的作用。战争结束后,他受聘建造圣路易斯城跨越密西西比河的三孔钢拱桥,于 1867 年 8 月 20 日开始动工。三拱跨度分别为 152、158、152 米,用直径 46 厘米的钢管联结成整体桁架,所用钢材均经过严格鉴定。桥墩建在水下深达 30 米的基岩上,因而工程十分艰

巨，需在气压沉箱中进行。为此，他设立了水上医院，坚持延迟减压，并设置了上下人员用的电梯。为使建桥工程不阻碍通航，他采用木制悬臂支承半拱，并用越过桥墩上方塔顶的钢索将两个半拱扶住。拱中央的接头为一段带螺纹的铸铁栓，以便两个半拱的顶端可以套在栓上。第一拱于 1873 年 9 月 17 日合龙。1874 年 7 月 4 日正式通车。伊兹桥是当时世界上最大的桥，该桥是使用结构钢的先驱，水下基础深度打破了当时的纪录，悬臂法建拱技术也属首创，因此，成为桥梁工程史上的里程碑之一。不久，他又着手为新奥尔良开辟一条终年通航的航道，修建了一系列防波堤，改变了河床的淤积状态，工程历时 5 年，于 1879 年通航。

Eadwig 埃德威格（?～959-10-01） 又拼 Edwy。英格兰人的国王（955 ～ 957），韦塞克斯与肯特的统治者（957～959）。国王埃德蒙一世的长子。即位时年仅 15 岁。957 年麦西亚人和诺森伯里亚人举行叛乱，宣布立他的兄弟埃德加为国王。在以后的两年中，他只控制泰晤士河以南的地区。

Eagan, Eddie 伊根（1897-04-26，美国科罗拉多丹佛～ 1967-06-14，纽约拉伊） 全名 Edward Patrick Francis Eagan。美国拳击手和大雪撬运动员。1 岁丧父，母亲靠教外语赚取微薄收入。他后来对拳击产生兴趣。在丹佛大学就读一年后参军，第一次世界大战中为炮兵中尉。战后进入耶鲁大学，1919 年获美国业余重量级拳击冠军。1921 年毕业，人哈佛法学院，获牛津大学罗德斯奖学金（法学士，1924；文科硕士，1928）。在牛津大学时，赢得英国业余拳击冠军。1920 年奥运会获次重量级拳击冠军。1932 年，只参加雪橇运动三个星期，就参加四人雪橇队并获得奥运会金牌。1983 年入选美国奥林匹克名人堂。1945 ～1951 年任南纽约地方助理检察官。第二次世界大战期间升任中校。

Eagels, Jeanne 伊格斯（1890-06-26，美国密苏里堪萨斯城～ 1929-10-03，纽约） 原名 Amelia Jean Eagels。美国女演员，在舞台与银幕上靠毅力和个性赢得成功。很早便离开学

美国不列颠百科全书公司供图

校做些低微工作，15 岁进入流动帐篷剧团。其后 7 年间在中西部巡演，主要扮演情节剧角色。1915 ～ 1918 年在几部舞台剧中担任较重要角色。在《雨》中饰演汤普森，一举成名，4 年间演出近 1 500 场。1925 年结婚（1928 年离婚）。在《虚假恋人》一剧中最后一次扮演舞台角色。不久即投身电影及轻歌舞剧，出演无声片《男人、女人与罪孽》（1927），以及《嫉妒》和《书信》（均为 1929 年）。虽健康不佳、缺少训练且情绪不定，但她仍显露出极大潜力。眼疾手术后死于过量服用镇静剂。

eagle 雕 隼形目鹰科多种体大、喙厚、脚大的猛禽。一般指较鵟类更为强壮有力的猛禽。体型和飞行特征可与鹫相似，但雕的头上长满羽毛（常有冠羽）；脚健壮，上有大的钩爪。二者觅食习性也不相同，雕以活的获物为食，体笨重，不便于空中追捕，但能出其不意地猎取地面上的动物。雕与猫头鹰一样常将杀死的猎物的头啄断。因为雕强有力，自巴比伦时代以来一直被作为战争和皇权的象征。雕终生单配偶，年年使用同一个巢。其巢往往筑在其他动物无法攀登处。卵的孵化期为 6 ～ 8 周。幼雏成熟很慢，需 3 或 4 年方长成成鸟。哈佩雕得名于希腊神话中十分丑恶、令人讨厌的鸟身女妖（面、胸部为女人，其余部分为鸟），产于南美和南太平洋地区的丛林，体大力强，有冠；在最高的树顶上营巢；猎食鹈鹕（金刚鹦鹉）、猴和树懒。大哈佩雕（角雕，*Harpia harpyja*）见于墨西哥南部至巴西，体长约 1 米，头顶具深色羽冠；上体黑色，下体除胸部有一条黑带外余均白色；至 20 世纪后期已趋罕见，特别是在墨西哥和中美洲。新几内亚哈佩雕（新几内亚角雕，*Harpyopsis novaeguineae*）体长约 75 厘米，体羽灰褐色，尾长，羽冠短而丰满。食猴雕（*Pithecophaga jefferyi*）外形和习性与新几内亚哈佩雕相类似，体长约 90 厘米，上体褐色，下体白色，有一个羽毛长而狭窄的冠羽；分布于菲律宾；今已濒危。短趾雕又称鹞雕，属于蛇雕亚科（Circaetinae）短趾雕属（*Circaetus*），分布于欧、亚、非 3 洲，6 种；体长约 60 厘米；腿短，无羽毛；于树顶上营巢，以蛇为食，又称蛇雕。鹰雕分属鹰亚科（Accipitrinae）鹰雕属（*Spizastur*）、*Spizaetus* 属、*Lophaetus* 属和 *Hieraaetus* 属；体小，腿多羽毛，喙和脚皆大；猎食各种小动物。鹰雕属的种，如热带美洲的饰冠鹰雕（*S. ornatus*）翅短而宽，尾长而圆，头部有纹饰。博内利氏雕（白腹雕，*Hieraetus fasciatus*）分布于地中海和南亚部分地区；体长约 60 厘米，体色上深下淡，尾有宽带斑，背部有白色块斑。军雕（*Polemaetus bellicosus*）产于非洲；体大；上体褐色，喉部黑色；下体白色，有黑色斑点；尾短，有条纹；眼鲜黄色；其身体又大又强壮，足以杀死豺和小型的羚羊；但通常以鹑鸡类和蹄兔为食。海雕有时称为鱼雕或渔雕，属于海雕属（*Haliaeetus*）。其中以白头雕（**bald eagle**）最有名。亚洲种包括灰头渔雕（大渔雕，*Ichthyophaga ichthyaetus*）和小渔雕（*I. naga*）。蛇雕属（*Spilornis*）属蛇雕亚科，共 6 种；主要以蛇（包括大型毒蛇）为食；产于亚洲。有几属雕亦俗称蛇雕，如 *Dryotriorchis* 属的非洲蛇雕，尾甚长；马达加斯加蛇雕属（*Eutriorchis*）的

自上至下：角雕（*Harpia harpyja*）；食猴雕（*Pithecophaga jefferyi*）；军雕（*Polemaetus bellicosus*）；白腹海雕（*Haliaeetus leucogaster*）

美国不列颠百科全书公司供图

马达加斯加蛇雕已濒临绝灭。维罗氏雕（*Aquila verreauxi*）不常见，分布于东非和南非；体黑色，尾部和翅上有白斑；体长约 80 厘米；主要以蹄兔为食。参阅 **bateleur**；**golden esgle**。

eagle owl（*Bubo bubo*） **雕鸮** 鸮形目鸱鸮科鸟类。体大，长达 70 厘米，头上有两束羽毛（耳羽束）。眼大，橙色。体羽茶色，有褐斑，下体色淡。栖息和繁殖于岩穴和树洞。黄昏后栖息于树枝上，主要觅食啮齿类、兔和大型猎禽。雕鸮或称欧亚雕鸮，栖息于欧洲、亚洲和北非，英国所见者多为迷鸟。为角鸮（**horned owl**）的一种，与美洲的大角鸮（*B. virginianus*）有亲缘关系。其他几个雕鸮属（*Bubo*）的种亦称雕鸮，如非洲撒哈拉以南的

点斑雕鸮（*B. africanus*）和东南亚的林雕鸮（尼泊尔雕鸮，*B. nipalensis*）。

Eagle Pass　伊格尔帕斯　美国得克萨斯州西南部城市，马弗里克县县城（1856）。位于圣安东尼奥西南210千米处，濒临格兰德河，有桥梁通对岸墨西哥的彼德拉斯内格拉斯。原为驻防小镇。南北战争时期，南部邦联因其余通路均已被封锁，货物由此出口。墨西哥革命时期，地位尤为重要，1916年前属军管。现为进口港。主要经济活动为边境贸易、旅游运输、农牧场和石油天然气工业。1908年设建制。人口22 413（2000）。

eagle ray　雕魟　鳐目鲼科海鱼的统称，约20多种，分布于各大洋。胸鳍宽大似翼，有些种尾长似鞭，基部具一毒棘；牙扁平，用以磨碎软体动物和甲壳动物。底栖，但常浮游于海面附近，偶而高跃出水面，十分壮观。斑鳐鲼（*Aetobatus narinari*）翼宽可达2.1米。

Eagles, the　老鹰乐队　美国乐队，把乡村摇滚乐培养为20世纪70年代美国年轻白人中的主要风格。最初的成员是D. 亨利、G. 弗雷、B. 利登、R. 迈斯纳。后来的成员包括D. 费尔德、J. 沃尔什和T.B. 施米特。作为以洛杉矶为基地的职业流行乐手，乐队在1972年（推出与乐队名同名的处女专辑）之前，一直与L. 朗斯塔特合作。在老鹰乐队之前，乡村摇滚是60年代晚期洛杉矶的地方性另类音乐。《加州旅馆》（1976）是他们的代表作。之后，朋克与新浪潮重踏乡村摇滚的老路，从地下成为主流时，老鹰乐队的音乐就逐渐退出舞台了。80年代开始，亨利以日渐熟巧的创作歌手身份走上个人单飞的生涯。1993年《共同的思路：老鹰乐队歌曲选》成为那个领域的重量级作品，这是由V. 吉尔等乡村艺人演出的致敬专辑。

Eakins, Thomas　伊肯斯（1844-07-25，费城～1916-06-25，费城）　美国画家，继承了美国19世纪传统并达到最高成就。以画朋友肖像和户外体育运动如游泳、划船等为主。

伊肯斯自画像，1902年
美国不列颠百科全书公司供图

曾在宾夕法尼亚美术学院学习，注重研究人物画和人体解剖。1866年去法国，入巴黎美术学院，从学院派画家热罗姆学习3年，接受了重视素描的学院派传统。1869年去西班牙，深受委拉斯开兹和里贝拉绘画的影响，开始致力于油画。1870年夏回费城。最初描绘的对象是他的姊妹及家庭其他成员。其母和未婚妻逝世后，遂恢复早年的户外活动——打猎、航行、钓鱼、游泳、划船等，并以此为作画的题材。他是现实主义艺术家，只从体验过的生活中取材，描绘最熟悉的人物和环境。其画如朋友惠特曼的诗一样，是"一支谱写自己的歌"。早期描绘的户外景色，严格遵守透视技法，一草一木在画面上的位置都极为精确。1875年为次年将在费城举行的百年纪念展览会作巨幅油画《格劳斯的外科临床讲习》，题材是杰斐逊医学院的格劳斯教授在诊室里当着学生作外科手术。该画真实地记录了现代生活的情景，充满感情但没有伤感的调子，是其杰作。1879年任宾夕法尼亚美术学院教授，很受学生欢迎。他反对研究古代雕刻的石膏复制品，强调学习解剖学并画人体素描，由于在男女合班的课室里使用裸体模特儿而受到外界的责难。伊肯斯认为，艺术家与模特儿之间的关系是纯洁的、客观的、职业上的，正如医生同患者之间的关系一样。但终不为外界所谅解，1886年被迫辞职。后在费城艺术学生同盟和纽约全国设计学会执教，1884年与其学生苏珊·麦克道尔结婚。伊肯斯醉心于人和动物的动态。1879年曾为画一幅赶车图认真研究马的解剖。1884年曾亲自拍摄运动员和动物的连续动作。晚年创作了一系列描绘拳击比赛的油画。其作画题材多种多样，技巧高超，既画事物的外表，又善于揭示内在的本质。主要作品还有：《赛维尔街景》（1870）、《乘单人划艇的马克斯·斯米特》（1871）、《凯萨琳》（1872）、《罗杰斯驾四马马车》（1879）、《悲哀的歌》（1881）、《游泳湾》（1883）、《惠特曼像》（1887）、《回合之间》（1899）、《思想家肯顿》（1900）、《马洪夫人》（1904）等。

Ealdred　伊尔德雷德（?～1069-09-11，英格兰约克）　又拼Aldred。1060年后的盎格鲁-撒克逊约克大主教。诺曼人征服时期，在世俗政治中起了重要作用。1066年圣诞节为征服者威廉（威廉一世）加冕为国王，使其统治合法化。曾任隐修院院长、主教，由教皇尼古拉二世任命为约克大主教。1062年，尼古拉的继任者亚历山大二世迫使他放弃了伍斯特主教的地位。作为大主教，他在约克城和他地修建了许多教会设施。1054年前去德意志和德皇亨利三世谈判，要求让英格兰王位继承人、勇敢者埃德蒙之子爱德华从匈牙利回国。他可能曾将哈罗德二世立为英格兰王（1066-01-06）。在黑斯廷斯战役（1066-10-14）后，他和别人曾希望推选埃德加为被杀的哈罗德的继承人，但他不久又和埃德加一同宣布效忠于威廉一世。在获得教廷同意后，他在威斯敏斯特教堂为新国王加冕。

Ealing　伊灵　伦敦郊区市，在伦敦市中心与其西边界的中间。属米德尔塞克斯历史郡。面积56平方千米。该市有在安妮女王在位时（1702～1714）成为著名的休养胜地的阿克顿；其著名居民有小说家H. 菲尔丁和演员D. 加里克，还有金融世家罗思柴尔德家族。建于1875年的贝德福德公园是英国"花园式近郊区"的先驱。20世纪，伊灵吸引来了制做各种消费品的工厂和许多企业。少数族裔占总人口的1/3多。绍索尔社区在20世纪50年代因大量南亚移民而繁荣起来，这些移民大多来自新独立的、非白人的新"英联邦"国家。人口300 948（2001）。

Ealing Studios　伊灵影片公司　又称Associated Talking Pictures, Ltd.。英国电影制片厂，因其制作的一系列反映第二次世界大战后英国社会现状的机智的喜剧片而在国际上知名。该公司于1929年创建，创建人是英国最著名的两位制片人B. 迪安和R. 贝克，由纺织工业家考陶尔德家族提供经济资助。该公司在两年内开辟了发行渠道，并在伦敦附近的伊灵建起了制片厂。30年代，该公司制作了几部杂耍式的歌舞喜剧片以及严肃的故事片。第二次世界大战期间，它为英国情报部提供资料片、宣传片和其他短片。它的故事片中常常洋溢着一种纪录片式的现实主义。战后十年间，伊灵公司因喜剧片获得极大成功而闻名于世。这些喜剧片表现现实情景中敢于打破常规、反对官僚主义的人物的种种遭遇。1944年，该公司的大部股份售与兰克有限公司。1955年中止影片生产，变卖给英国广播公司。

EAM-ELAS　民族解放阵线-民族人民解放军　希腊语全称Ethnikón Apeleftherotikón Métopon - Ethnikós Laïkós Apeleftherotikós Strátos。共产党发起的抵抗组织（建于1941-09）及其军队（建于1942-12），第二次世界大战期间在被占领的希腊进行活动。曾同德国军队、意大利军队以及其他游击队、特别是**艾德斯**（**EDES**）作战，逐渐成为国内最强大的游击队伍。它还设立有效的行政机构来管理解放区。1944年10月德军撤出希腊时，它已经控制全国约2/3的地区，并积极参与组织战后政府的活动。新政府命令民族人民解放军解除武装，遭到拒绝。1944年12月民族人民解放军主要同英军在雅典激战。1945年2月12日签订瓦尔基萨和平协定，规定民族人民解放军投降。1946年共产党人发动大规模游击战争，并一直坚持到1949年。

Eames, Charles; and Eames, Ray　埃姆斯夫妇（查尔斯1907-06-17，美国密苏里圣路易斯～1978-08-21，圣路易斯；雷1916，美国加利福尼亚萨克拉门托～1988-08-21，洛杉矶）　雷·埃姆斯的母家姓为凯泽（Kaiser）。美国设计家，他们以大批生产美观、舒适、雅致、精巧的家具而著称；同时还著书，参与制作电影，并从事展览会场和织物工业品、消费品的设计。查尔斯·埃姆斯还是一位训练有素的建筑师，曾多年担任克兰布鲁克艺术学会实验设计部主任。在1939～1941年，他与建筑师E. 沙里宁合作进行多种项目设计，其中之一是一种轻便、贴身、壳型座背的椅子（1940～1941），在纽约市现代艺术博物馆举办的结构设计竞赛中获头奖。1940年，他开始同雷·凯泽合作，后者当时正随H. 霍夫曼习画；埃姆斯和凯泽1941年结婚。他们迁居加利福尼亚州为电影设计布景,并从事胶合板的研究。1946年现代艺术博物馆邀请查尔斯·埃姆斯举行个人设计展览会,极其成功。此后米勒家具公司开始大量生产他设计的模压胶合板椅。埃姆斯夫妇回到加利福尼亚州以后,继续从事建筑、产品设计以及电影和展览会的工作。1964～1965年设计纽约世界博览会国际商用机器公司的展厅获得巨大成功。10年以后,设计了一座纪念美国建国200周年的大型展览会,名为"富兰克林与杰斐逊"。曾在巴黎、华沙和伦敦作巡回展览,后在纽约大都会艺术博物馆和芝加哥美术馆展出。1978年查尔斯·埃姆斯逝世后,雷·埃姆斯继续投身于各类设计项目。

Eames, Emma (Hayden)　埃姆斯(1865-08-13,上海～1952-06-13,纽约市)　美国抒情女高音歌唱家,以其美貌和歌喉的技术控制与戏剧表现力赢得人们赞赏。先在波士顿从师于C.芒杰,后在巴黎M.马尔凯西夫人门下学习。1889年,C.古诺选她在其歌剧《罗密欧与朱丽叶》中饰朱丽叶,这次在巴黎歌剧院的首演给她带来极大成功。1891年前往美国,又以朱丽叶一角首次登上纽约市大都会歌剧院舞台,并且成为该院主要歌唱家,直至1909年辞职。在此期间她在伦敦也很走红,特别是饰演托斯卡、安娜、埃尔薇拉(《唐·乔凡尼》)和阿伊达等角色。1911年又重返舞台,在波士顿歌剧院演唱德斯德蒙娜和托斯卡。此后则作周期性的巡回音乐会演唱。多次获得荣誉和奖章。1927年出版自传《回忆与思索》。

EAN (chemistry)　　参阅 **effective atomic number** *有效原子序数*。

ear　耳　脊椎动物的听觉和平衡觉器官。前者主司感受声波刺激、将声波机械能转化为神经生物电冲动;后者主司本体平衡觉。脊椎动物的体型和栖息地虽然很不相同,但它们的听觉器则是一致的。从无颌鱼类到鸟、兽的进化过程中,耳变得越加完善和复杂,区别声音频率的能力越加提高。鱼耳的感声基础结构是球囊、椭圆囊和听壶,它们是彼此相连、充满液体的腔,是由侧线系统派生的。两栖类的耳与鱼类的大致相同,不过蛙具有中耳。中耳是充空气的腔,具有一膜,称为鼓膜。鼓膜在皮肤表面,通过一块小骨与内耳相连,即小柱。爬行类的听壶稍延长(真正蜗壳或内耳的萌芽),鼓膜缩入头内。蛇的中耳消失,外侧开口,但保留小柱,它们对空气中的声音听力很弱,但对地面振动的感觉非常灵敏。鸟类的耳与爬行类的大体相同,但蜗壳较长,更加灵敏,对声音高低的辨别十分敏锐。许多鸟类比人类能听见的频率范围高得多。哺乳动物的耳分为外耳、中耳和内耳3部分。外耳包括耳廓和外耳道。几乎所有陆生兽类具有突出的外耳,即外耳壳,但鲸类和海豹的外耳壳消失,许多掘地穴的兽类的外耳壳也退化或消失。中耳包括鼓膜、鼓室、咽鼓管及听小骨。鼓室位于鼓膜与内耳外壁之间,是一含气空腔,内有听小骨。听小骨为锤骨、砧骨和镫骨。三者相连成听骨链。内耳深藏于颞骨岩部,形状复杂,回旋弯曲,故又名迷路。外有骨壳,名骨迷路。骨迷路内有与其形状相同的膜迷路,其内有内淋巴液。骨迷路与膜迷路之间有外淋巴液。内耳又分前庭、半规管和耳蜗3部分。空气传导即声波经耳廓收集后由外耳道传至鼓膜,使鼓膜振动,并产生听骨链的振动,听骨链的振动经卵圆窗激动前庭阶外淋巴液变为液波,液波振动基底膜,使位于基底膜上的螺旋器受刺激,将冲动经听神经传至听觉中枢而产生听觉。螺旋器(科尔蒂氏器)位于蜗基底膜上,由支持细胞、内外毛细胞、胶状盖膜等组成,为耳蜗神经的末梢感受器。耳蜗可将声波机械振动转化为听神经生物电信号。听神经将此神经冲动传至脑。内耳还是一个与听觉功能无关的平衡觉感受器。空间加速运动和身体的旋转运动可使半规管内的液体出现惯性迟滞,这种迟滞可刺激毛细胞感受器。加速或旋转运动长时间地刺激毛细胞后突然停止,会使人感到头晕目眩。人对重力加速度所致静压力的感觉,是由前庭中的两个球囊毛细胞感受器感受的;前庭椭圆囊和球囊主司定向知觉。内、中、外耳各有特色疾病。人类最常见的进行性失聪的病因是耳硬化。这是内耳周围的骨病,可致卵圆窗上的镫骨固定、声波传导障碍;耳硬化的病因不明,但手术治疗的效果甚佳。先天性神经性耳聋是常见的内耳疾病,主要原因是耳蜗神经缺陷,生后即有症状,这种既成事实的耳聋是最麻烦的疾病,目前尚无法治疗。老年性耳聋是由于听神经的进行性退变所致。无脊椎动物司听觉的结构是多样的,许多节肢动物具有触觉毛,除接受其他能态刺激以外,也接受声能刺激。某些蟑螂和蟋蟀腹部末端具有尾器,对大范围的声音频率产生感觉。某些直翅目(蟋蟀)、同翅目(蝉)和鳞翅目(蛾)昆虫的腹部、胸部或第一对附肢具有鼓膜器,它是身体表面或气管(呼吸小管)中的一种膜,由声波冲击所产生的鼓膜张力的变化被弦音器感受。弦音器是昆虫体各种部位中记录张力变化的高度特化的神经结构。

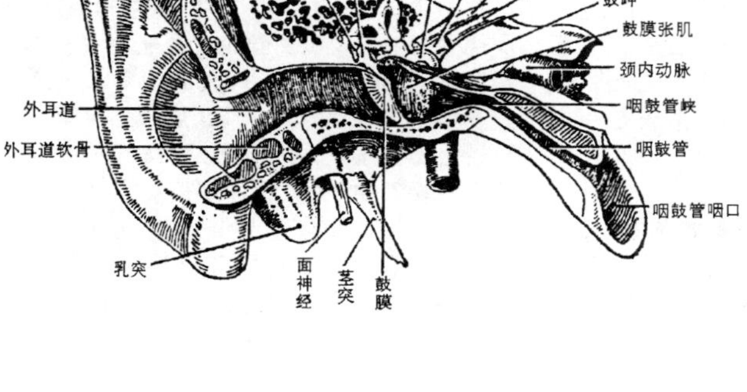

通过头部右侧作切面,示耳各部分及颞叶皮质听区

ear shell　耳鲍　腹足纲前鳃亚纲鲍科鲍属(*Haliotis*)海产贝类。壳扁平,螺层数少。壳口宽斜,耳状,体螺层上具一列排成螺旋形的小孔。壳内面真珠层常呈彩虹般的绿色或蓝色光泽。足肥大,附于岩石。食藻类。见于各海洋岩岸浅水中。大型的种类在英国称为海鲍,在美国称鲍鱼,在新西兰称大鲍,在日本称鳆。北美西海岸产体型较大的种类,如红色的红鲍(*H. refescens*)、绿色的光亮鲍(*H. fulgens*)、黑色的 *H. cracherodi* 和粉红色的皱鲍(*H. corrugata*)等。由于过度捕捞,世界许多地区耳鲍的数量已减少;因此在一些地方已限制捕捞量乃至完全禁止捕捞。自古以来鲍属种类的壳用作装饰品。

ear squeeze　耳挤压症　又称航空耳炎、气压耳炎。因内耳和外耳道间的压力不同而引起的一种物理性疾病。可有严重疼痛、发炎、出血和鼓膜破裂。可见于潜水员和飞行员。中耳通过细窄的欧斯塔基奥氏管(咽鼓管)与鼻腔相通。正常情况下,当外界气压变化时,空气从鼻腔通过欧氏管进入中耳使耳内、外的压力平衡。欧氏管经常被头伤风时出现的分泌液、小肿瘤或过大的扁桃体组织所堵塞。飞行员在非加压座舱内飞至高空时,由于气压减低,中耳内的空气膨胀。通常,膨胀的气体可从欧氏管排出而使压力平衡。如果欧氏管堵塞,则中耳内膨胀的气体便压迫鼓膜,使之向外凸出,严重者鼓膜破裂。飞行员自高空降落时,情况与上升时正好相反。由于气压逐渐增高,就需要空气自欧氏管进入中耳,以保持耳内、外压力平衡。通常在下降时要保持压力平衡较升高时困难,这是因为中耳内形成真空,使欧氏管封闭。常用的平衡耳压的方法有吞咽、打呵欠、咀嚼、张大嘴及堵住口鼻呼气等。除非损害已经造成,否则耳内、外压力恢复平衡后疼痛即可解除。如果降落时耳内、外的压力没有达到平衡,则鼓膜内凹、出血,最后破裂。鼓膜破裂后疼痛和压力缓解,但可引起眩晕、部分失聪和中耳感染。若无严重合并症,则鼓膜通常在3～4周后愈合。此症亦见于潜水员。下潜愈深,身体承受的压力便愈大,因此每下潜3～4.5米,就需要平衡一次内耳与外界的压力。

Earhart, Amelia　埃尔哈特(1898-07-24,美国堪萨斯艾奇逊～1937-07-02[?],失踪,中太平洋豪兰岛附近)　世界最著名的飞行家之一,第一个单独飞越大西洋的妇女。第一次世界大战中在加拿大任军队护士,战后在波士顿任社会工作者。1928年6月17～18日她作为第一个女乘客飞越大西洋并因此而出名。为了证明对这次获得的荣誉当之无愧,她于1932年5月20～21日单独飞越大西洋。不久她又多次飞越美国大陆并投身于鼓励发展商业航空的运动之中。她努力争取航空界为妇女开放,从而结束了男人独占这一新兴职业的局面。1935年1月她单独从夏威夷飞往加利福尼亚,超过了从美国到欧洲的航程。她是第一个成功地飞完这条危险航线

美国不列颠百科全书公司供图

的人，以前有人做过多次尝试，都以失事而告终。1937年她和领航员F.努南驾驶洛克希德公司的伊莱克特拉型双发动机飞机出发作环球飞行，当他们完成2/3航程时，飞机在中太平洋国际日界线附近突然失踪。

earl(title of nobility)　参阅 **count 伯爵**。

Earle, Alice Morse　厄尔(1851-04-27，美国马萨诸塞伍斯特～1911-02-16，纽约长岛亨普斯特德)　婚前名 Mary Alice Morse。美国作家、古文物家，其作品着重研究美国各个时期的行为举止、风俗习惯和手工艺品。1874年与H.厄尔结婚。1890年为《青年伴侣》写了一篇关于佛蒙特州切斯特教堂古老安息日习俗的文章，从此开始了写作生涯。1891年出版第一部书《新英格兰清教徒安息日》，获得很大成功。对家族往事及殖民时期古物的兴趣和不倦的研究，使她在其后几年里写了大量作品，包括《美国的瓷器收藏》(1892)、《旧时新英格兰的习俗和时尚》(1893)、《殖民时期的纽约》(1896)、《殖民时期的儿童生活》(1899)、《旧时的花园》(1901)和《美国服饰200年，1620～1820》(1903)等。其作品重视朴实的日常生活细节，而非政治时事，引起大众对美国历史的兴趣。1909年1月在乘轮船去埃及途中遭遇撞船事故，几乎淹死。自此健康未再恢复。

Earle, John　厄尔(1601？，英格兰约克～1665-11-17)　英国圣公会牧师，因著《微观宇宙志(世界和平之发现)——论文及人物志》(1628年初版；1629、1633年增订)而闻名。这是一本优秀的描写人物的著作，它避免空洞说教而展示真实的人，如“孩子”、“善良的老人”、“年轻的新布道师”、“严肃的牧师”等。厄尔以其谈吐诙谐、饱学多闻、宽宏大量广受称赞。他本人是保皇派圣公会牧师，却努力与不信奉国教者和解。他曾在牛津大学求学，又曾任后来的查理二世的教师，因而被流放(1644～1660)。在此期间，他把《国王形象》译成拉丁文。这是一本极受欢迎的沉思录，据说是查理一世所著。王政复辟后，他先后任伍斯特和索尔兹伯里的主教。

Early, Jubal A(nderson)　厄尔利(1816-11-03，美国弗吉尼亚富兰克林县～1894-03-02，弗吉尼亚林奇堡)　美国南北战争时期(1861～1865)的南部邦联将领，所率军队一度直逼首都华盛顿，但1864年末和1865年初在谢南多厄河谷战役期间的一连串失败导致了南方的最后崩溃。西点军校毕业。曾参加佛罗里达第二次塞米诺尔战争(1835～1842)和墨西哥战争(1846～1848)。南北战争前强烈反对脱离联邦。1861年7月，作为南部邦联军官，在第一次布尔溪战役中作出巨大贡献。后参加1862～1863年的整个弗吉尼亚战役和1863年的葛底斯堡战役。1864年夏，R.E.李将军命他指挥驻扎在具有战略意义的谢南多厄流域的所有南军。他赶走联邦

美国不列颠百科全书公司供图

的D.亨特将军，所向无敌，越波托马克河，进抵马里兰的黑格斯敦和弗雷德里克。1864年7月9日在莫诺卡西战役中击败联邦军队。两天后率8 000名士兵越过银泉，遥指华盛顿。这伤害了北部联邦的自尊心。联邦的U.S.格兰特将军派P.谢里登彻底扫荡谢南多厄流域，一个月内他3次大败于谢里登之手，被迫退至韦恩斯伯勒。1865年3月彻底败北。南部邦联投降后，他前往墨西哥和加拿大，出版《美国南部邦联独立战争最后阶段回忆录》(1866)。1869年回弗吉尼亚执律师业。

Early American furniture　早期美国家具　移居美国的居民于17世纪后半期制造的家具。现今已经发现的最早的美国家具是在17世纪中期制造的，这时移民的生活已日趋稳定。许多早期家具，以詹姆斯一世时期的式样为依据，外形厚实，家具的腿脚不再具有特殊形状，仅是简单的长方形。比起其前身英国家具来，雕刻要平淡和简单得多，也不注重涂饰。最常用的材料是栎木和松木。由于早期的移民生活不安定，便于携带的箱子就成为一种特别重要的家具。日常使用的是容易拆卸的搁板桌，而最普通的坐具是用榫头装成的方凳，此外是从英国的车床制椅子简化而成的布鲁斯特椅和卡弗椅。17世纪末期，那些较为富有的家庭才开始使用装有皮椅座的克伦威尔椅。早期的床大多只有简单而低矮的用车床制作的床柱和不加装饰的低矮的床头板。美国家具在早期即具有地方特点，特别体现在17世纪留存下来的家具上，马萨诸塞沿海居民点的箱子与康涅狄格河流域的箱子比较，显得更加朴素，菱形几何图案雕刻以及箱缘上重叠的新月形图案是更为明显的特点。

Early Christian art　早期基督教艺术　又称古代基督教艺术。从基督教创始时期起到大约6世纪早期的建筑、绘画和雕塑，特别是这一时期意大利和西地中海一带的艺术。基督教是罗马帝国后期流行的神秘主义和唯灵论思潮的一部分。能够确认的最早的基督教艺术作品是2世纪罗马墓穴的壁画和天顶画。这种墓穴的装饰大体是按照古罗马印象主义所形成的一种简略风格，一直持续到4世纪。它们为了解基督教艺术的题材发展的某些方面提供了重要材料。早期基督教的图像运用偏重于象征。单画一条鱼就足以暗指基督。饼与酒引起圣餐的联想。最早的基督生平场面都取材于《圣经》所叙述的一些神迹。耶稣受难，特别是耶稣被钉死在十字架上的经历，在基督教盛行之前一般避而不提。早期基督教艺术在基督教受迫害时期就已存在。直到公元313年，后来继承皇位的君士坦丁大帝信奉基督教，为基督教成为国教铺平了道路，从此基督教开始盛行。罗马帝国不久就在全国建造教堂，通常为长方形廊柱大厅，如罗马古老的圣彼得大教堂，或为圆形或多边形，如伯利恒圣诞教堂。大规模的雕刻当时还不流行，仅制有石棺浮雕(如死于359年的朱尼厄斯·巴苏斯的浮雕)、象牙板和书籍封套。教堂墙壁用绘画或镶嵌画装饰。罗马圣马利亚大教堂的镶嵌壁画内容丰富，涉及《旧约》和《新约》中的许多故事，作于432年。绘画也用作宗教书籍和其他手抄本的插图。这一时期的艺术虽然有意背离早期的自然主义，但仍有很大的影响力和直观性。

Early Netherlandish art　早期尼德兰艺术　14世纪晚期和15世纪在勃艮第公爵兼佛兰德斯伯爵所辖领地创作的雕刻、绘画、建筑和其他视觉艺术。虽然“早期佛兰德斯艺术”是一习用语，但因“勃艮第的”和“佛兰德斯的”仅表示现象的一部分，二者均不能概括全体。1363年，法国的约翰二世授予其子腓力(绰号勇者)以勃艮第公爵称号。腓力与佛兰德斯的女继承人结婚，1384年岳父去世后，他的公爵头衔又加上了佛兰德斯伯爵的头衔。强大的佛兰德斯-勃艮第联盟牢固地持续下去，直至1482年勇者腓力的曾孙女勃艮第的玛丽亡故才告终止。腓力用艺术作品美化他的都城第戎。他在加尔都西会修道院的小礼拜堂设计了王陵，直至法国大革命为止。在那里可以见到他的墓以及他的儿子和孙子的墓。C.斯吕特(约1340或1350～1406)是他的主要雕刻师。当时最伟大的现实主义艺术家斯吕特为修道院的大门雕刻了公爵夫妇跪拜姿势的肖像(1385～1393)，并为花园设计了精致的象征性喷泉，称为《摩西之井》(1395～1404或1405)。在中心基墩的侧面雕有6位先知的全身像，与真人一样大小，施彩色。在第戎服务的画家有J.马卢埃、H.贝勒肖兹和布罗德兰姆(活动时期1381～约1409)。布罗德兰姆是最早试用隐喻性象征手法表现极端自然世界的大师之一，在他为第戎所绘的一套祭坛侧翼画中具有几个层次的寓意。在公爵之孙善人腓力统治时期(1419～1467)，不但继续资助艺术，而且规模更大。新公爵的规划中根本没有列入图书馆，而他的图书馆最终竟藏有约250种有彩色装饰的手抄本。善人腓力认识到艺术的宣传价值，漫长

的在位期间不断有盛大的场面，如庆祝胜利的大游行和美味珍馐的国宴。许多艺术家把他们一生的大量工作时间消耗在这些“一时性的”成就上。公爵的文件中经常出现凡·爱克(约 1395 ～ 1441)的名字。他曾出游几个国家，据云是去作肖像画和实地进行素描，有一回是给葡萄牙的伊莎贝拉画肖像(1428)；公爵对此肖像大为称许，后来同那位公主结了婚。

凡·爱克完善了一种用油和上光技法，佛兰德斯的其他大师们纷纷采用，使他们的油画的光亮颜色能够长期保持不变。凡·爱克最重要和最著名的作品是《崇拜耶稣》(1432 年完成，藏根特)和《乔凡尼·阿诺菲尼与乔凡娜·齐纳米(?)的婚礼》(1434，藏伦敦国立美术馆)。另外还有许许多多画家，他们的作品曾经歌颂 15 世纪佛兰德斯的财富和智能。与凡·爱克同时期的最重要的画家是佛兰德斯大师，而在下一代人中，布鲁塞尔的韦登(1399 或 1400 ～ 1464)继他之后为公爵所器重。韦登的油画线条雅致，富有动势，情感有节制，色彩柔和，对诸邻国的艺术以及 15 世纪后半期的意大利**十五世纪**(**Quattrocento**)艺术具有深远的影响。

早期佛兰德斯画家们描绘自然时的精细入微，构图时的天生敏感，以及他们的高度概括的象征手法，均为门徒们所继承，而每个门徒又推陈出新，给所学到的东西加上他自己的特殊方向。一直活跃到勃艮第-佛兰德斯政治联盟结束的大师们中有 P.赫里斯特斯(约 1420 ～ 1472 或 1473)、D.包茨(约 1400 ～ 1475)、胡斯(约 1440 ～ 1482)和 H.梅姆灵(1430 或 1435 ～ 1494)。

Earn 厄恩 苏格兰中部湖泊和河流名。湖泊位于斯特灵与珀斯-金罗斯区的交界处，河流流经珀斯-金罗斯。厄恩湖长 10.5 千米，最宽处 0.8 千米。洛亨黑德位于其西端，圣菲伦斯村在其东端，著名的盛产鱼的厄恩河由此注入泰河，全长 74 千米。厄恩河谷美丽富饶，有疗养地和许多古迹。

Earnhardt, (Ralph) Dale 厄恩哈特(1951-04-29，美国北卡罗来纳坎纳波利斯～ 2001-02-18，佛罗里达代托纳比奇) 美国普通型汽车赛赛手。在 20 世纪 80 和 90 年代中，他是普通型汽车赛全国协会(NASCAR)中的主要车手。60 年代，他的父亲拉尔夫·厄恩哈特在美国的东南部比赛普通型汽车，培养了儿子对这项运动的热情。1975 年年轻的戴尔·厄恩哈特在 NASCAR 温斯顿杯赛中首次亮相。他在环道上继续作为兼职车手参赛，1979 年正式成为温斯顿杯系列赛中的职业车手。那一年他获得了 17 次前 10 名，并赢得年度新手的称号。第二年他取得 5 次比赛的胜利和 19 次前 5 名，赢得了他第一个温斯顿杯头衔。后来厄恩哈特又赢得 6 次温斯顿杯(1986 ～ 1987、1990 ～ 1991、1993 ～ 1994)，相当于 R.佩蒂的职业得分。厄恩哈特获得进攻性驾车手的声誉，外号“威吓者”。他在 2001 年代托纳 500 大赛的最后一圈中出了车祸，受伤后不治身亡。他的儿子小戴尔后来也参加了 NASCAR 温斯顿杯系列赛。

Earnshaw, Thomas 厄恩肖(1749-02-04，英国兰开夏莱恩河畔阿什顿～ 1829-03-01，伦敦) 英国制表家，最早使制造精密记时计的工艺简单化和经济化，以适应大众需要。14 岁当学徒，后在伦敦开设表店。他对伦敦格林尼治皇家天文台的中星仪时钟做过重大的改进，并独立地发明了双金属补偿摆轮。在钟表机件的发展中，他还发明了圆柱形游丝和擒纵机。

Earp, Wyatt (Berry Stapp) 厄普(1848-03-19，美国伊利诺伊蒙茅斯～ 1929-01-13，洛杉矶) 美国西部传奇性的边疆开拓者，曾为流动酒店主人、赌徒、执法者、快枪手和骗子。第一部重要传记是 S.N.莱克与他合写的《边境警长怀特·厄普》(1931)，此书以小说手法塑造了一个大无畏的执法者的形象。厄普和他的 4 个兄弟——詹姆斯(1841 ～ 1926)、维吉尔(1843 ～ 1906)、摩根(1851 ～ 1882)和沃伦(1855 ～ 1900)——都是在伊利诺伊州和艾奥瓦州度过早年生活。美国内战快结束时(1864)随父母迁居加利福尼亚州的圣贝纳迪诺。1868 年全家搬回伊利诺伊州，途中怀特和维吉尔到联合太平洋铁路公司工作。厄普家迁到密苏里州的拉马尔后，怀特结婚(1870)，并被选为当地警长。但是其妻患伤寒症死后，他即远走高飞，由印第安准州飘泊到堪萨斯州的一些城镇。1875 ～ 1876 年在威奇托、1876 ～ 1877 年在道奇市任警官；1877 ～ 1878 年在布莱克山淘金；此后回道奇市，1878 ～ 1879 年任警长助理。他在那里成为有名的执法者和赌徒，并结交 D.霍利德、B.马斯特森等持枪歹徒。他与第二个妻子离开道奇市，前往新墨西哥州，然后又去加利福尼亚州，一度在韦尔斯-法戈公司当守卫。1878 年终于在亚利桑那州西大荒的汤姆斯通镇落脚。这时厄普家的大部分人都聚集于此，购买了房地产和商号。怀特成为镇上的赌徒，在东方酒店当保镖，他的哥哥维吉尔成为该镇的警长。1881 年厄普家与以 I.克兰顿为首的帮伙交恶成仇，双方在 O.K.科拉尔进行一场有名的枪战(1881-10-26)，由厄普三弟兄(维吉尔、怀特和摩根)与霍利德对抗克兰顿帮伙。克兰顿帮伙中 3 人被打死，但克兰顿本人及一名党羽脱逃。后来本镇人怀疑此次枪战是谋杀而非打击犯罪，遂解除维吉尔的职务。1882 年 3 月，摩根被不知名的刺客杀死，怀特、他的弟弟沃伦以及几个朋友至少枪杀了两个嫌疑犯。由于被指控谋杀，怀特逃走，先到科罗拉多州，然后又到西部几个新兴城镇，最后抵加利福尼亚州，他在那里以各种营生糊口，当过警察、赌徒，下过矿井，经营过房地产。

earphone 耳机 手持或头戴贴近人耳或塞入外耳的小扬声器。将电信号转换为声信号的元件，与大扬声器中的元件相似。常见的形式有手持式电话受话器、**头戴式受话器**(**headphone**)和耳塞三种。动圈式耳机可获得最高保真度。

earplug 耳栓 多为原始民族使用的一种耳部饰物，通常插在穿了孔并把孔撑大的耳垂上，为现在穿耳式耳环的前身。

Earraghaidheal (Scotland) 参阅 **Argyll 阿盖尔**。

earring 耳环 个人耳上所戴的下垂饰物，通常用环或钩通过耳垂穿刺的小孔而悬戴，现代则常用螺丝夹夹于耳垂。装饰或改善耳朵外观的欲望几乎世人皆同。一般来说，耳环均成对戴用，两个耳环完全相同，但有时也戴单个耳环(在文艺复兴及巴罗克时期，欧洲特别流行单个耳环)。在东方，男女均有戴耳环的；在西方(包括古代以色列和埃及)，耳环通常是女性专用的饰物。在希腊人和罗马人中间，只有妇女戴用耳环；男性戴耳环者，在古典文学中，常称之为纯东方(即中东)的特色。在克里米亚的希腊移民坟墓(公元前 400)中，曾发现非常复杂而精美的耳环。在古代伊特鲁里亚的坟墓中，也发现外观与做工极为精美的同类珠宝饰物。罗马耳环的式样比较简单，但镶有珍珠及宝石。在 17 世纪末期及 18 世纪，欧洲使用假发、头饰或头巾而遮蔽两耳，因而耳环渐趋消失。19 世纪期间，在欧洲和美洲，仍不流行戴用这些饰物。但在 20 世纪又告流行，特别是在推出夹式耳环之后。简化的无痛穿耳法使穿耳式耳环再度流行起来。

Earth 地球 按从太阳向外距离远近算的第三颗行星。就现代科学所知而言，地球是太阳系中唯一具备适合生物生存的行星体。

基本的行星数据 地球到太阳的平均距离大约为 149 573 000 千米。地球以 29.8 千米/秒的速度绕太阳公转，转一周需 365.25 天。当地球绕太阳公转时，也绕自己的轴旋转，每 23 小时 56 分 4 秒转一周。

地球作为太阳系的第五大行星，其赤道圆周长为 40 076 千米，赤道半径为 6 378 千米，极半径为 6 357 千米，平均半径为 6 371 千米。表面积约 509 600 000 平方千米，其中约 29% 或 148 000 000 平方千米是陆地。表面的其余部分被大洋和较小的海所覆盖。地球质量为 5.976×10^{27} 克(或约 6×10^{21} 吨)，平均密度为 5.517 克/厘米^3。

地球有一个自然卫星——月球。月球绕地球运行，其与地球之平均距离约 384 400 多千米。

地球形状与重力 地球旋转的向心力使其在赤道隆起。因此，地球具有扁球体的形状，近极处比近赤道处要扁平。相应地，高纬度地区纬度一度比低纬度地区纬度一度要长些。

地球的重力场或重力表现为作用于自由的、无支持的物体上的力，使此物体朝着地球中心的总方向运动。地球的重力不是固定的，而是在地表上从一地到另一地有较大变化，主要是随纬度变化。平均重力加速度在极地约为 983.22 厘米/秒^2，稍高于赤道处的大约 973.03 厘米/秒^2。

大气圈和辐射带 地球大气圈由气体混合物组成，主要是氮(78%)和氧(21%)。氩占了气体圈其余部分的大部分，还存在痕量的水蒸气、二氧化碳和各种各样的其他气体。在低纬度地区,细小的尘埃粒子和小水滴以悬浮状态存在。

地球被磁层围绕,这是个强磁力区,从高层大气约140千米处向上延伸。在磁层中,地球的磁层捕获快速运动的带电粒子(例如电子、高能质子),这些粒子大多数似乎是太阳在其强烈活动期间发射出来的。如果不是磁层的屏蔽效应,这样的粒子将会轰击地球表面并毁灭生命。这些被捕获粒子很高的浓度就构成两个环形带,叫做范艾伦辐射带。这些带在若干地球现象,如在极光中起了关键作用。

水圈 地球是唯一已知有液态水的行星。液态水与冰一起构成了水圈。海水占了水圈总质量的98%,并覆盖了地球表面的大约71%。有意义的是,海水构成了最早地球生命形态的环境。水圈的其余部分为淡水组成,淡水主要存在于湖泊、流水(包括河流)和冰川中。

表面特征 地球表面划分为大陆块,一共有7个:欧洲、亚洲、非洲、澳洲、北美洲、南美洲和南极洲。这些大陆被所谓世界大洋所环绕,世界大洋通常分为3个主要水体,即大西洋、太平洋和印度洋。大陆和大洋凹地可以进一步划分为大的地形特征,如山系、火山链、裂谷、陆地高原、大洋中脊、海沟、海底峡谷和大洋底部的平顶海山(平顶的、很深处的海底山脉)。这些3、4级地形特征的大多数都是由于垂直构造运动(即地壳的上升和沉降)以及被称为岩浆的熔岩物质喷发作用而形成的。较小尺度的大陆地形,包括麓原、洞穴和陡崖,都是由剥削作用过程而产生的,包括岩石的风化作用和侵蚀作用,以及作为上述作用结果而产生的沉积碎屑物的堆积作用。

构造与成分 广义地说,地球由两大区域组成:主要由熔融的、富铁的金属合金组成的核;硅酸盐矿物的固体壳,包括地幔与地壳。在大陆地区,地壳主要由花岗岩构成,而大洋底的成分则主要相当于玄武岩和辉长岩。平均而论,地壳从地表向下延伸35千米而到达下伏的地幔,地壳与地幔以莫霍洛维奇不连续面(简称莫霍面)分开。地幔由以橄榄石、辉石和硅酸盐钙钛矿占优势的岩石物质组成,它终止于大约深2 900千米处。地核被认为具有二元结构:外部是流体区域,内部是极密的固体区域,内核直径大约仅2 400千米。内核最可能是仅由铁组成,而外核似乎包括像硫或氧这样一些合金元素,正如由它较低的密度所推想的那样。

现在的研究表明,地球表面磁场的90%以上来源于外核中的电流系统。磁场被认为是该区域流动的熔融金属里的电荷流产生的。如古地磁研究所揭示的、过去地质历史时期磁场的变化,推断出外核中电传导流是循环流动的。作为引起表面变化原因的流体运动大概也产生并保持这种电传导流。这个作用过程与发电站使用的发电机(旋转式发电机)里产生的过程很相似,在发电机里,由彼此超越的金属电线的运动而产生电流。在地球外核中,熔融铁合金的流动就相当于运动着的电线。

Earth, Wind and Fire 地风火乐队 美国流行乐、灵歌和融合爵士乐乐队,20世纪70年代最受欢迎和最有影响的黑人乐队。主要成员为:M.怀特、P.贝利、V.怀特、F.怀特、A.麦凯、J.格雷厄姆、R.约翰逊、L.邓恩和A.伍尔福克。1970年由怀特在洛杉矶创立,最初以爵士乐为主。1971年歌手贝利、键盘手邓恩和萨克斯管手伍尔福克加入,重组为新的地风火乐队,融入了包括放克乐、灵歌和流行乐等多种曲风。乐队的第二张唱片《仰望天空》(1973)销售达50万张。1975年的《世界就是这样的》使乐队成为超级明星。随后的11张金唱片均大获成功,其中8张成为销售量达100万张的白金唱片,包括《感激》(1975)、《灵魂》(1976),《一切的一切》(1977),《地风火乐队精选辑1》(1978)和《起来!》(1981)。乐队的魅力来自于它能够表演各种类型的音乐,如民谣、圣歌、加勒比黑人爵士乐、放克乐、摇滚乐和迪斯科舞曲。歌曲以普遍友爱、启迪智慧和浪漫愉快的精神为主题,歌词富有诗意、振奋人心。乐队还以壮观的演出而闻名,其巨大的舞台支架、精致的演出服装和狂放的音乐热情,以及乐队的编舞、作曲和神秘主义,被70年代的许多乐队竞相仿效。尽管该乐队在80年代出现过短暂的内部分裂,但直到90年代仍活跃于国际舞台。2000年入选摇滚乐名人堂。

Earth current 地电 参阅 **telluric current 大地电流**。

Earth Mother 大地母亲 古代宗教及现代无文字社会的宗教所信奉的永恒的滋生万物之源。与称为**母亲神**(**mother goddess**)的各种女性丰产神不同,大地母亲并非具体的生命力来源,不需要定期经历性交。大地母亲就是母亲,没有事物与她分离。万物从她而来,再回归于她,本身就是她。大地母亲的最古老形式超越一切特性与性别。她径直从自身无穷无尽地产生万物。她可以任何形式显示她自身。在另外一些神话体系中她是较为有限的人物。她是女性的大地,是男性天空的配偶;她在太初之时从天空受孕,生出地上万物。在农业社会流传的神话中,大地母亲具有更为有限的反映,她无非就是大地及其生养化育之力。

Earth Resources Technology Satellite 地球资源技术卫星 缩写为ERTS,参阅**Landsat**。

Earth satellite 人造地球卫星 发射到绕地球轨道上作短期或长期运行的人造物体。这类航天器有的载人,有的不载人,而以后者较普遍。I.牛顿在1687年出版的《自然哲学的数学原理》一书中首先提出过人造地球卫星绕轨道飞行的设想。近3个世纪后,苏联于1957年10月4日发射了第一颗人造地球卫星——"人造卫星"1号。3个月之后,即1958年1月31日美国的第一颗卫星——"探险者"1号进入轨道。"探险者"1号比前者小得多,载有探测辐射的仪器,发现了最内层的两条范艾伦辐射带,它是地球周围带电的太阳粒子区。此后,至少有15个国家发射了5 000颗以上的人造地球卫星。这些卫星大小悬殊,设计不同,从只有几磅重、仅能装两台无线电发射机的小小圆球,到重以吨计、装有大量仪器设备的"太空实验室"。卫星的用途也多种多样。科学卫星主要用于搜集地球表面和大气的数据,并用于天文观测,气象卫星发送云图照片并测量其他有助于天气预报的气象要素。通信卫星在地球上相距很远的两地间转播电话、广播、电视节目和数据通信。导航卫星能使远洋航行的船只和飞机在各种气象条件下都可确定自己的位置。有的人造卫星具有明显的军事用途,例如侦察和监视卫星。卫星轨道的选择主要取决于航天器的功能。例如,大多数气象卫星和侦察卫星都射入极间轨道上,即极轴是轨道平面上的一条直线。由于地球自转速度比绕极间轨道运行的人造卫星慢,故在一定时间内,卫星将飞越整个地球表面,覆盖全球。通信卫星则不同,它通常都在赤道轨道上,使其能沿东-西方向绕地球上人口密集地区运行。此外,通信卫星总是发射到离地35 890千米的高度上,使卫星的运动与地球的自转同步,因而卫星就固定位于某一地点的上空。只要在同步轨道上有3颗处于适当位置的通信卫星,就可转播世界各地间的信号。所以,通常由多颗通信卫星组成网或系统。

Earth sciences 地球科学 涉及到固体地球、其上的水及包围着它的空气的研究领域。地球科学包括地质科学、水文科学和大气科学。地球科学这3大主要分支的每一个,按照常规都根据其具体研究课题划分为各个学科和亚学科。

地质科学 在地质科学中,各学科常常归并在自然地质学的名目之下,它包括对矿物的研究(矿物学)、对岩石的研究(岩类学与岩石学)、对固体地球构造的研究(构造地质学)、对沉积地层及其所含化石的研究(分别为地层学与古生物学)以及对大地形态的研究(地貌学)。这些自然实体的发展历史都广义地综合在历史地质学的名目之下。

地球物理学与地球化学与上述许多学科相交叠。广义地说,地球物理学涉及地球所有部分的物理性质和动力状态。地球物理学家们所研究的现象中,有地球的重力场与磁场、地球的热性质、行星内部及其周围的流体运动,以及地震和火山活动中机械能和热能的释放。地球化学涉及地球的成分和发生在自然界的化学变化。虽然这两大类地质科学都集中注意影响地球今日的变化,但它们亦关系到确定导致现存状态的一连串事件。

经济地质学、工程地质学和其他各种各样所谓"应用地球科学",绝大部分都在于地球物理学与地球化学原理与技术之实际应用。与后两个研究领域密切相关联的,还有天体地质学,是比较新的学科,它涉及太阳系的其他行星体及其卫星,也涉及到小行星、流星体和玻璃陨石。

地质科学对于现代社会有着重大的贡献。这些领域的科学工作者把勘查工作导向化石燃料(例如石油、天然气和煤)的堆集、工业矿物的沉积,以及地热能的聚集。在石油勘探中,地面地质制图、重力测量、地震方法和钻孔样品分析全都成为必要的。关于地球历史周期和板块构造环境的知识,帮助经济地质学家确定区域成矿省并探明有商业价值的金属矿床。依据地球物理资料的全球热流图,在寻找主要地热能源中证明是非常有价值的。

地震学研究在解释地震中大地运动的特征上起着关键作用。这类信息对于预测未来地震中大地的运动是必要的,它使工程师们能够设计抗地震的建筑物、桥梁和其他建筑结构。在选定像核电厂和大坝这样一些设施的地址当中,工程地质学家所提供的关于基岩的成分和构造的信息是很重要的。

水文科学 水文科学涉及到地球水圈内水(它的一切存在形式)的产生、运动及其物理性质与化学性质。其组成学科包括对接近地表水的研究(水文学)、对海洋的研究(海洋学)、对于湖泊和内陆海的研究(湖泊学)以及对冰川和冰盖的研究(冰川学)。

因为水对于很多人类最基本的活动——农业、工业、发电和娱乐——都是必要的,所以水文科学至关重要。它提供很多有用水资源之开发和管理赖以建立的知识,还提供对于像地下水污染和**酸雨(acid rain)**这样的严重问题以更好的理解。

大气科学 大气科学集中注意于地球大气层的结构与动力状态。大气科学传统上划分为3个学科:气象学、气候学和高层大气物理学。气象学主要是涉及大气层下部短期的天气变化。气候学则必须研究全球范围内的长期天气状态(这种状态存在的时间大约从1个月到几百万年)。这个领域的研究者试图解释为什么从一个地区到另一个地区气候不同,以及它与自然环境中的其他因素是怎样相互作用的。高层大气物理学牵涉到对下平流层以上大气层各区域之研究,涉及像气辉、磁暴、极光和光化学作用过程这样一些现象。

大气科学各种各样的应用中,天气预报具有最直接的效果。今天,天气预报的进行利用了全世界范围的网络,这网络包括地面站和特别装备有气象测量仪器的地球轨道卫星。高速度的计算机被用来分析搜集到的资料数据以产生出合理准确的短期预报。

近年来引起相当大兴趣的另一方面应用是人工影响天气。所考虑改变大气状况方面,包括努力增加降水、削弱飓风以及抑制雹和雾。

Earth tide 固体潮 又称陆潮。固体地球在太阳和月球的重力场内自转时的变形现象。固体潮如同海洋潮汐一样。地球变形的原因是因为地球具有一定的弹性,假如它是完全刚性的,就不会有固体潮。用数学方法可计算出好几种潮动分量,但其中只有4种是大到可以测出的,即太阴全日潮、太阴半日潮、太阳全日潮和太阳半日潮。全日潮的周期约为24小时,半日潮的周期约为12小时。这些潮动的实际振幅按固体地球表面的垂直运动计算,约为30.48厘米或稍小。

earthenware 陶器 一种烧成温度未到玻化点的陶瓷器皿,气孔率比炻器和瓷器稍大,也更粗糙。坯体可用泥浆(在烧成前施加的液态黏土混合物)完全覆盖或装饰,也可上釉。陶器通常都是上釉的,既是为了实用,也是为了装饰。为了克服其孔隙的影响(不上釉时,孔隙会降低其实用性,例如不能贮存液体等),烧成物被悬浮在水中的细玻璃粉末涂覆,然后再经第二次烧成。烧成过程中,覆于表面的细微颗粒熔融成一层非晶质的玻璃状物质,将坯体的孔隙密封起来。釉陶有两大类:坯体上透明铅釉而呈米色者称为米色陶器;上不透明白色锡釉者称锡釉陶器,又称马约利卡彩陶或代尔夫特陶器。在土耳其安纳托利亚高原沙塔夫鲁克地方新石器时代村落遗址发掘出的一种粗制软质陶器被认为具有约9 000年的历史,是已知的最早的陶器。在20世纪,陶器仍被广泛地应用,很多市售的器皿是耐热和耐寒的,因而适用于烹调、冷冻和盛放食品。

(上)18世纪晚期的卢森堡米色陶器;
(中)15世纪的法国铅釉陶水罐;
(下)19世纪上叶的西班牙锡釉陶盘
美国不列颠百科全书公司供图

earthfill dam 填土坝 或称土坝、填筑坝。用泥土分层压实筑成的堤坝。筑坝时用不透水材料筑成坝心,然后在坝身的上下游两侧填以较透水的材料,表面铺筑石块,以御风雨侵蚀。旁设溢洪道(通常用混凝土筑成),用以保护土坝,以免水溢坝顶而被冲垮。

earthflow 土流 为水饱和后在重力作用下顺坡向下流动的成片或成股的土石碎屑。它代表蠕动和泥流的中间阶段。土流往往从斜坡上部有岩屑和风化物质聚积的大洼地中开始。土流的运动常由暴雨引发,速度可以是比较缓慢的,也可以很快,取决于含水量大小、坡角和地域的其他特性。

earthnut(*Conopodium majus*) **锥足草** 又作pignut,hognut。俗称地栗、猪栗。伞形科多年生植物,块茎可食。在不列颠群岛、挪威、法国、西班牙、葡萄牙、意大利和科西嘉岛的树林和田野中生长。植株细长,光滑,高75～100厘米。叶多分裂。花小,白色,复伞形花序。块茎直径2.5厘米。在欧洲大陆比英国更普遍食用。英语中,earthnut一词有时指花生。

earthquake 地震 地球内部的任何突然震动,它起因于构造运动或火山活动,并且产生弹性波。这种地震波通过地球传播就引起地表的破坏性震颤。

大多数重要的地震之成因和分布,都可以根据板块构造理论来解释。这一理论认为,地球表面由若干个大的刚性板块组成,这些板块彼此相对运动,并在它们的边界上相互作用。最剧烈的地震倾向于产生在碰撞的板块之边界,在那里,一个板块向另一个板块之下沉降。这些地震的大多数起源于地表以下深度大于300千米处,并且与岛弧和海沟相伴随。很多地震现象也出现在板块彼此分离或相对滑动的边缘。在这些地点发生的地震倾向于较低强度,并且是浅源的。在所有这样的边缘地区,地震波均由岩石的突然断裂而产生,当构造运动过程中积累的弹性应变超过了岩石的强度时,就引起突然断裂。

现已确定了3个主要地震活动带:①环太平洋带,位于太平洋周围沿板块边缘处,包括日本、印度尼西亚、新几内亚、安第斯山脉、中美洲西部,以及美国加利福尼亚州的圣安德列亚斯断层区的著名地震活动区;②横贯亚洲带,它从欧洲地中海区向东经亚洲延伸到太平洋;③大洋中脊,它形成世界范围的连通的裂谷系统。

有些地震有时发生在这些带及各种不同的结合带之外,离板块边界相当远的地方。这些所谓"板块内地震"应当用板块运动以外的机制来解释,并且推想甚至在板块内部,应

历史上的大地震

公元年份	震级(阿拉伯字)或烈度(罗马字)*	死亡人数	影响地区
365	XI	50 000	希腊克里特岛,克诺索斯
526	…	250 000	叙利亚安蒂奥克
844	VIII	50 000	叙利亚大马士革
847	…	50 000	伊拉克摩苏
847	X	70 000	叙利亚大马士革
856	…	200 000	伊朗达姆甘古米斯
893	…	82 000	高加索
893	…	180 000	印度戴普尔
893	…	150 000	伊朗阿尔达比勒
1042	X	50 000	叙利亚巴勒贝克,帕尔米拉
1138	XI	230 000	叙利亚阿勒颇,甘扎赫
1201	IX	1 100 000	上埃及或叙利亚
1268	…	60 000	土耳其安纳托利亚,奇里乞亚
1290	6.7	100 000	中国
1556	IX	830 000	中国陕西省
1667	6.9	80 000	阿塞拜疆舍马哈
1668	XII	50 000	中国山东省
1693	XI	100 000	意大利卡塔尼亚,西西里
1703	…	200 000	日本耶多
1727	VIII	77 000	伊朗大不里士
1730	…	137 000	日本北海道
1731	…	100 000	中国北京
1737	…	300 000	印度加尔各答
1739	X	50 000	中国
1755	XI	62 000	葡萄牙里斯本;西班牙;摩洛哥
1780	…	100 000	伊朗大不里士
1811	8.6	…	美国蒙大拿州新马德里
1835	7.6	28 300	日本北部
1857	8.3	…	美国加利福尼亚州特绒山口(帕姆代尔)
1868	7.7	70 000	厄瓜多尔;哥伦比亚
1883	…	100 000	印度尼西亚爪哇
1905	8.6	19 000	印度查谟和克什米尔
1906	8.3	700	美国加利福尼亚州旧金山
1906	8.6	1 500	智利瓦尔帕莱索
1908	7.5	58 000	意大利墨西拿,卡拉布里亚
1915	7.5	32 600	意大利阿布鲁齐
1920	8.5	200 000	中国甘肃省
1923	8.3	142 800	日本东京,横滨
1927	8.0	40 900	中国南山
1932	7.6	70 000	中国甘肃省
1935	7.5	30 000	印度奎达
1939	8.3	28 000	智利奇廉
1939	8.0	32 700	土耳其埃尔津詹
1948	7.3	19 800	土库曼斯坦阿什哈巴德
1950	8.7	574	印度阿萨姆
1960	5.9	12 000	摩洛哥阿加迪尔
1960	8.5	5 700	智利瓦尔迪维亚,蒙特港
1963	6.0	1 070	南斯拉夫斯科普里
1964	8.3	131	美国阿拉斯加,威廉王子湾
1970	7.7	10 000	中国云南省南部
1970	7.8	66 794	秘鲁北部
1972	6.2	5 000	尼加拉瓜马那瓜
1976	7.5	22 778	危地马拉危地马拉城
1976	6.5	929	意大利东北部
1976	7.8	240 000	中国唐山
1977	7.2	1 581	罗马尼亚布加勒斯特
1978	7.4	25 000	伊朗呼罗珊
1979	7.9	579	哥伦比亚;厄瓜多尔
1980	7.7	5 000	阿尔及利亚阿斯南(埃什-谢利夫)
1980	6.9	3 114	意大利南部
1983	6.9	6 400	土耳其东部
1985	8.1	9 500	墨西哥墨西哥城
1986	5.4	1 000	萨尔瓦多圣萨尔瓦多
1988	6.8	25 000	亚美尼亚列宁纳坎(库迈里)
1989	7.1	62	美国加利福尼亚州北部
1990	7.6	50 000	伊朗拉什特
1990	7.7	1 600	菲律宾吕宋岛
1991	7.1	2 000	印度北部
1992	7.5	2 500	印度尼西亚弗洛雷斯岛
1993	6.4	30 000	印度南部
1995	7.2	5 000	日本神户
1995	7.1	2 000	俄罗斯萨哈林岛
1999	7.4	30 000	土耳其伊兹米特
1999	7.6	2 400	中国台湾
2001	7.9	14 000	印度古吉拉特

*20世纪以前地震事件的震级一般是由烈度资料估计。当无可靠的震级时,则将最大烈度以罗马字从Ⅰ～Ⅻ表示出。

资料来源:美国商业部国家海洋与大气管理局固体地球物理世界资料中心A的《公元前2150～1991年重大地震目录》(1992年9月)、《1900～1979年重大地震图及表》;慕尼黑《世界自然灾害图》(1978);瑞士重新保险公司的《地震与火山活动图集》(1978);美国内政部地质调查所的《地震信息通报》,史密斯逊研究院,SEAN通报。

力偶尔也可以超过岩块的强度。

有些类似于地震的现象(一般相对较小)被人类活动所激发,它会打乱地下岩层的平衡,例如像地下核试验、高坝之后大量蓄水以及通过深井将液态废物灌注入地球深处。

地震的位置通过地震仪来测定。这种仪器记录由地震波引起的大地振动,这地震波从它们起源的地点通过地球或沿着地球表面传播。浅近地震的地震波谱很简单,它表明P波(或称原生波)的到达,P波是振动方向与传播方向一致的波;较慢传播的是S波(或称次生波),S波的振动方向与传播方向呈直角相交;还有表面波,此波之极高振幅沿地球表面分布。在远距离地震的情况下,地震波谱的图形倾向于较复杂,因为它表示从一个点发出,但到达地震仪之前已在地壳内部反射或折射过的地震波之各种不同类型。这些波到达的时间与震中距(也就是从地震起源点到该点的距离)之间的关系可通过时间-距离曲线表达出来,在该曲线上,到达时间在垂直轴上读出,震中距则在水平轴上读出。如果各种不同的地震波的到达时间在一个记录台站的地震波谱上读出,并且与标准的时间-距离曲线相对比,那么从该台站到地震中心的距离就可以确定。

地震的震级通常是根据里克特标度来确定,该标度是根据地震仪记录到的地震波幅度的对数标度。这个标度是这样排列的:就是地震震级每增加1个单位就代表地震大小增加10倍,也就是说,里克特震级8级地震就有4级地震的10 000倍那么大。然而4级地震只能产生轻微的损失,8级地震却构成破坏性地震事件。地震震级不同于地震烈度,烈度是地球表面上对地震的感觉程度以及在任一给定地点相伴随的损害。一般说来,地震烈度随着与其震中距离之增大而减小,但是,其他因素,包括地表地质情况在地震对人造建筑结构的影响上也可以具有重大的意义。

大的地震导致历史上一些最重大的灾害。没有其他自然现象能在那样大的面积,那样短的时间里,造成如此大的破坏。例如,1556年中国陕西省发生的大地震估计死亡人数近83万,且毁灭了所有的城镇和乡村。大地震期间地表的剧烈运动会给设计得不好的、结构不良的建筑物造成巨大破坏。人被压死并埋在垮塌的建筑物之下,或被失去控制并沿着建筑物薄弱处猛燃起来的火烧死。破坏性作用还有偶尔伴随地震发生的地滑及泥滑,如像海啸——由附近海底的震动或地震触发海底地滑所引起的巨大地震海浪。

从20世纪60年代中期以来,为准确地预报地震已做了很多研究工作,最杰出的工作是中国、日本、俄罗斯和美国地震学家们做的。尽管已有了各种各样的进展,但是还没有发明出一种方法,能以很高的精确度和连贯性预报出地震的时间、地点或者震级。地震学家们发现，大的地震之前常常在震中周围环境里有某些可测出的物理变化。这些所谓"前兆现象"包括断层带地壳变形程度、岩石扩容(也就是体积增加)现象以及井水中氡浓度的增高。对于这些或其他一些相关现象的连续监测与密切详查，是将来提高预报能力所期望的。

earthshine 地照 地球反射的太阳光，特别是指反射到月球又从月球反射回地球的太阳光。在新月(朔)前后的几天内，这种来回两次反射的地照，足以使人看见整个月面。这

月球上的地照
美国不列颠百科全书公司供图

时，从在月球上的观测者来看，地球是一个几乎全被太阳照亮的天体，直径为地球上所见月球的4倍。地球和月球的位相正好是互补的。当月球接近新月时，地球差不多满相，此时地照最强。

earthworm 蚯蚓 又作 angleworm。环节动物门寡毛纲陆生动物，1 800余种，尤指正蚓属(*Lumbricus*)的种。美国东部有17个本地种及13个从欧洲引进的种，其中陆正蚓(*L. terrestris*)最为常见。蚯蚓几乎见于世界各地所有湿度合适并含足够有机物质的土壤。一种澳大利亚蚯蚓可长达3.3米。陆正蚓长25厘米，浅红褐色，之所以带浅红色，是因为血中含血红蛋白。某些蚯蚓，如原产英国的浅黄绿并唇蚓(*Allolobophora chlorotica*)为绿色。蚯蚓的躯体分为多数体节(陆正蚓多达150节)。某些内脏器官(如排泄器官)见于每一体节。第32～37节稍粗，无节间沟，色稍浅，在生殖季节能分泌黏稠物质，形成蚓茧，包裹排出的卵。蚯蚓躯体前后两端渐细，尾端稍钝。蚯蚓无视觉及听觉器官，但能感受光线及震动。以土壤中腐烂的生物体为

陆正蚓(*L. terrestris*)
美国不列颠百科全书公司供图

食，进食同时吞下大量土壤、沙及微小的石屑。据估计，蚯蚓每日的进食量及排遗量与其体重相等。蚯蚓为雌雄同体，但需行异体受精。交配时两条蚯蚓互抱，并分泌黏液使双方的腹面粘住，各排出精子输入对方受精囊内。交配后两个个体分开并形成蚓茧。蚯蚓自蚓茧向后退出，蚓茧前移至第14体节时成熟的卵落入，经过第9～10体节时，受精囊内来自对方的精子逸出，使蚓茧中的卵受精。交配后24小时，蚓茧从蚯蚓的头端脱出，留在土壤中。通常于2～4周后形似成体而微小的幼体自蚓茧钻出。60～90天后性成熟，约一年后发育完成。蚯蚓一般留在土壤表层，但于气候干旱时或冬季可钻入2米深处。有一个亚洲种于暴雨后能爬树以防淹溺。蚯蚓为多种鸟兽的食物，又间接为人类提供食物，疏松土壤利于通气和排水，将有机物质拖入所挖洞穴使加速分解，从而增加植物生长所需的营养成分。蚯蚓又可作为鱼饵，故俗称钓鱼虫。

earwax impaction 耵聍栓塞 耵聍充满外耳道的一种耳病。耵聍由外耳道皮肤的腺体产生，正常情况下可向外排出。若产生过快，就会凝聚变硬，堵塞外耳道，阻止声音传到鼓膜，引起听力减退。但无痛感。本病常见于婴儿，由于清除耵聍时所用棉签过大，耵聍反被推向细小的耳道深处。亦见于产业工人，由于环境中的污垢进入耳内所致。耳毛过多的人，耵聍被毛缠绕不能脱出，也容易发生耵聍栓塞。本病症状常为突然听力减退。栓塞的耵聍易为医生所取出。

earwig 蠼螋 革翅目昆虫。约1 100种。前翅短，革质；覆盖大而膜质的后翅。体长5～50毫米，体形扁平，细长，色深，有光泽。咀嚼口器。渐变态(一生有卵、稚虫及成虫3

雄体(左)及雌体(右)蠼螋
美国不列颠百科全书公司供图

个阶段)。夜出性，通常为植食性。有几个种的腹部腺体分泌一种难闻的液体，能射出10厘米远，起防卫作用。腹部末端有一对角质镊状尾铗；雄体者较大，形状与雌体者亦异，可能用于防卫、捕食和协助把后翅折在前翅下，婚飞时用以握持雌体；受惊或进攻时尾刺像蝎一样举在体上方。古代迷信蠼螋能钻入入睡者的耳内，故得其英文名。

easel painting 架上绘画 在可移动的支架上完成的画，如板上画或布画。已知最早的架上画出自古代埃及和公元1世纪的罗马，但直到13世纪才比较普及，最后取代了盛行的壁画。

easement 地役权 在英美财产法中，指地产所有人授予他人为特定目的使用其部分土地的权利。设定地役权的方式有：①用书面契据明确规定授权他人为特定目的使用某块土地；②出售给他人土地时为自己保留对其中部分土地的将来使用权；③在契据中附带一项规定地役权的条款(例如将一段土地作为通道的"通道权")；④两个以上毗连地块的所有人出售其中的一块土地时，买受人为使用和享有购买的地块，要求出卖人给予另一块土地将来的地役权，比如作为车道或排水沟。此种方式产生的地役权又称为必要的地役权。在英国和美国的多数州，制定法准许通过时效取得地役权，例如可因土地所有人、其先辈或前所有人长期连续使用他人的土地而产生地役权。至于连续使用的时间需要多久才产生地役权，则由适用的州法具体加以规定。限于某个人或某几个人使用的地役权是私用地役权。而公用地役权，例如公路以及由现在和过去的所有人将私有土地的一部分捐献出来作为公园(称为捐献)，就不限于私用了。享有地役权的人称为需役地所有人。地役权存在于其上的土地的所有人称为供役地所有人。

Easington 伊辛顿 英格兰东北部达勒姆行政、历史郡一区。面积143平方千米。沿北海海岸，南北延伸是一高原，海拔90～120米。19世纪20年代始有采煤业，为该郡唯一产煤区，20世纪初产量达到高峰，此后即逐渐下降，至20世纪末采煤业已停止生产。锡厄姆建于1828年，为区的港口。区行政中心彼得利创建于1948年，为轻工业中心。农业方面以乳品业最为重要。人口93 500(1998)。

East, Catherine 伊斯特(1916-05-15，美国西弗吉尼亚巴布斯维尔～1996-08-17，纽约伊萨卡) 婚前名 Catherine Shipe。美国女权主义者，公职人员。1943年获马歇尔大学历史学位。在文官委员会工作24年后，1963～1975年任美国劳工部研究员。1963年还担任首届妇女地位总统顾问委员会执行秘书，并任历届顾问委员会高级职员至1977年。全国妇女组织创始人B. 弗里丹称其为"当代妇女运动的助产士"。其后几十年中，因有机会接触有关妇女的官方资料，不仅能据以驳斥反对女权立法者的主张，且能调解妇女工会积极分子与女权主义者的分歧。后在华盛顿大学从事妇女问题研究工作数年。1983～1986年为华盛顿全国妇女政策委员会立法部主任。

East, Edward Murray 伊斯特(1879-10-04，美国伊利诺伊迪科因～1938-11-09，马萨诸塞波士顿) 美国植物遗传学家、植物学家、农艺学家、化学家。他的以及其他人的实验导致杂交玉米的产生。他特别注意测定和控制玉米中蛋白质和脂肪的含量，两者对于玉米作为动物饲料的价值有重大影响。幼慧，15岁中学毕业，在一个金工车间工作2年以获得升学所需的金钱。初学化学，并对遗传学产生兴趣，1900年始在厄巴纳的伊利诺伊大学伊利诺伊农业实验站任C.G.霍普金斯的化学助手。从事旨在提高玉米脂肪及蛋白质含量的杂交实验。1904年获硕士学位。之后

在康涅狄格农业实验站任农艺师4年，继续进行玉米实验。在他的遗传学研究和遗传学家兼植物学家G.H.沙尔的独立研究的基础上，人们培育出了杂交玉米。12年后，在他的学生D.F.琼斯负责下，杂交玉米种子开始商业化生产。1909年伊斯特在哈佛大学任教。1916年帮助《遗传学》杂志创刊。虽然继续进行遗传学研究，但后期工作多具有理论性质。写有一些学术和有关国际事务的著作。

East, Michael　伊斯特（1580?～1648，英格兰斯塔福德郡利奇菲尔德）　英国作曲家，尤以所作牧歌闻名。一度被认为是音乐印刷商托马斯·伊斯特之子，但最近研究证明他们充其量不过是远亲。伊斯特早在1601年和1604年即有牧歌问世。1606年获剑桥大学音乐学士学位。他在伦敦曾有若干赞助者。1609～1614年受聘于伊利大教堂。他自1618年以后住在利奇菲尔德，一度担任该地大教堂唱诗班指挥。在此期间出版7套曲集（1604、1606、1610、1624和1638年各一套，1618年两套），包括牧歌、田园曲、赞美歌、"那不勒斯派乐曲"、幻想曲、各种歌曲，以及低音维奥尔琴与高音维奥尔琴作品。他的作品勾画出该时期英国音乐风格（略带意大利风味）的主要轮廓，但他的音乐似乎缺乏创造性与特色。

East, Thomas　伊斯特（约1540，英格兰伦敦～1609-01，伦敦）　East又拼Est和Este。英格兰出色的音乐出版家，他1592年所出版的诗篇歌集是首批用总谱印刷的合唱歌曲集之一。1565年，他取得印刷营业执照，后成为作曲家W.伯德和T.塔里斯的代理人，他们从伊丽莎白一世处取得了出版乐谱的专卖权。他的第一部出版物是伯德的《诗篇歌、十四行诗、悲歌和虔诚颂》（1588）。1592年他编纂了以惯用曲调演唱的《诗篇歌全集》，由著名音乐家为诗篇曲调配上和声。他的牧歌集包括T.威尔克斯、J.威尔比和T.莫利等人的歌集。

East Africa　东非　非洲大陆东部地区。范围包括布隆迪、肯尼亚、卢旺达、坦桑尼亚、乌干达和索马里等国。广义的东非范围更广，北部包括苏丹和埃塞俄比亚，南达赞比西河，有时还包括莫桑比克。参阅**eastern Africa**。第一次世界大战后，德属东非划分成英属坦噶尼喀（1964年与桑给巴尔并成坦桑尼亚）、比利时属卢旺达-乌隆迪（现卢旺达和布隆迪），基翁加三角区划归葡属东非（现莫桑比克）。肯尼亚称东非保护国直到1920年。第二次世界大战使各领地有必要加强合作，1948年成立东非最高委员会；英属领地独立后，1961年改为东非共同事务组织（EACSO），1967年成为东非共同体。紧张的经济关系使这些联系逐渐恶化，到1977年东非共同体停止活动。

East African lakes　东非湖泊　位于北起红海、南到赞比西河的东非大裂谷带的湖群。湖群包括位于埃塞俄比亚、肯尼亚、乌干达、扎伊尔、卢旺达、布隆迪、坦桑尼亚、赞比亚、马拉维、莫桑比克和津巴布韦的湖泊。8个最大的湖泊分别是：维多利亚湖、坦噶尼喀湖、尼亚萨湖（马拉维湖）、鲁道夫湖（图尔卡纳湖）、艾伯特湖（蒙博托湖）、基伍湖、鲁夸湖和爱德华湖。这一系列湖泊的规模从维多利亚湖的69 485平方千米到爱德华湖的2 150平方千米；表面高度从鲁道夫湖的海拔375米增加到奈瓦沙湖的海拔1 884米。这些湖泊在它们所在的地貌形成之后才形成。对一些湖泊来说，火山活动起了阻塞排水和形成湖岸岸线的作用。上升的湖滩表明，在更新世（160万年前至1万年前）的雨期，湖的水面较现在高，湖面更加宽阔。化石记录表明，在强烈的火山活动期，爱德华湖和乔治湖的有机物含量急剧减少。高度在海拔610米到低于海平面的位于内陆谷地的湖泊，气候干热；在较高的高度，气候条件接近两侧高地的气候条件。主要湖泊的水面可产生突如其来的和灾害性的暴雨。湖面的变化与降雨密切相关。其他因素影响着更长期的水面涨落，其中由于沼泽扩展而增多的淤泥造成了湖泊出口周期性的阻塞。大多数湖泊有丰富多样的鱼类，尽管人类移养的鱼很大程度上改变了某些习性。在陆地，植被从半荒漠到一片片茂密的常绿林均有，在不同地区生长着介乎两者之间的灌木林和灌丛、草原、稀树草原或宽阔的林地。国家公园和动物保护区的建立增加了野生动物的数量。渔业和水力发电是这些湖泊的两项主要资源。除鲁道夫湖的道路不便外，主要的湖泊可通过道路和飞机顺畅地到达。

East African local race　东非地域人种　尼格罗（非洲）地理人种中的一个亚群。大致相当于一个遗传隔离种群，由东非和苏丹居民所组成。东非地域人种的体型主要是适应炎热、干旱气候的一种类型，其显著的特征是：体格瘦长，脸、鼻瘦狭，皮肤色素沉着，由中等程度乃至浓重。苏丹人肤色深黑，体格高而瘦；其他东非居民大多身材细长，但肤色比苏丹人更浅。他们全部都是乌睛黑发，发型分为波纹型、卷曲型。

East African mountains　东非山地　与东非大裂谷带有构造联系的山地，其范围北起红海，南抵赞比西河。这一地区包括埃塞俄比亚、肯尼亚、乌干达、扎伊尔、卢旺达、布隆迪、坦桑尼亚、赞比亚、马拉维、莫桑比克和津巴布韦境内连绵的山脉和周围高原上耸立的孤立山峰。周围高原上耸立的各高峰海拔达4 900米以上，尽管这些山峰接近赤道，峰顶却为冰雪覆盖。非洲最高的山峰——乞力马扎罗山高达5 895米，位于坦桑尼亚北部与肯尼亚接壤的边界。东非其他主要山地和山脉有肯尼亚山、阿伯德尔山脉、马乌陡崖、埃尔贡山、梅鲁山、鲁文佐里山脉和维龙加山脉。除鲁文佐里山脉外，其他所有山地和山脉均属火山地区。维龙加山脉分隔了尼罗河和刚果河盆地，是形成大陆流域分界的唯一的东非山脉。土系包括了从高山未变化的岩石到海拔较低地方的已很好开发的肥沃土壤。在干旱气候居支配地位的地区，山地是显著的高降雨区。在约3 000米的云顶以上，降雨减少。肯尼亚山的植被高度带发育良好，随着海拔高度的增加，植物种类依次由周围的稀树草原到开垦地作物、山地森林、石南属植物，最后是高山带。大象、犀牛、野牛、羚羊、灌丛野猪、各种猴和非洲蹄兔是山地森林中的主要栖居动物，豹和羚羊占据着高沼地和高山带。人类居住地主要是较低的山坡。矿物（主要是铜）、水电动力和森林是主要资源。由于有一些公园和野生动物保护区，东非山地对旅游者有很大吸引力。

East African Rift Valley　东非大裂谷　又称非洲-阿拉伯大裂谷、大裂谷或裂谷。地球表面最大裂谷的一部分。从约旦向南延伸，穿过非洲，止于莫桑比克。总长6 400千米，平均宽度48～64千米。北段有约旦河、死海和亚喀巴湾。向南沿红海进入埃塞俄比亚的达纳基勒洼地，然后进入肯尼亚的鲁道夫湖、奈瓦沙湖和马加迪湖。坦桑尼亚境内一段东缘因受侵蚀已不太明显。裂谷后向南经希雷谷到达莫桑比克贝拉附近的印度洋沿岸。西面一岔裂谷从尼亚萨湖北端呈弧形延伸，经过鲁夸湖、坦噶尼喀湖（世界第二深湖，1 436米）、基伍湖、爱德华湖和艾伯特湖。裂谷湖泊多深而似峡湾，有些湖底大大低于海平面。裂谷附近高原一般向上朝裂谷倾斜。至谷底平均落差600～900米，有些地段达2 700米以上。据推测，裂谷形成于上新世和更新世，一些地段同时伴随有大规模火山活动，因而形成乞力马扎罗（5 895米）和肯尼亚（5 199米）等山峰。

East Anglia　东英吉利亚　英格兰最东端的传统行政区。由诺福克、萨福克两个历史郡和剑桥历史郡、埃塞克斯历史郡的一部分组成。传统的中心城镇为诺斯威奇的大教堂城市（自从1961年起为东英吉利亚大学和东英吉利亚研究中心所在地）。地势低洼，起伏不平，大部分地区为冰川沉淀物覆盖。该地区的形成受历史传统和地理环境影响。科尔切斯特是英格兰有记载的最古老城镇，在前罗马时期和罗马时期均为要冲。东英吉利亚为盎格鲁-撒克逊英格兰诸王国之一。中世纪时本区以盛产羊毛和毛织品而闻名。诺里奇是当时英格兰最大的纺织镇。现代经济以农业为主。谷物已取代牧羊业。大麦为主要作物。在某些地区，商业菜园作业亦很重要。沿岸有重要的渔港和度假胜地。多数城镇均发展了轻工业。

East Asian arts　东亚艺术　中国、朝鲜和日本的音乐、视觉艺术和表演艺术。中国可以看作是朝鲜、日本艺术的根源，但中国的文化艺术因素并不是简单地被两国吸收，而是有它们自己不同的民族特色。书法是中国最重要的视觉艺术。它的表现特质具有视觉艺术的一切要素，因为艺术家的目标从来不是单纯的再现或写实主义，而是展现艺术的本质。在中国，绘画和书法被当作唯一真正的美术，因为只有它们既不需要体力劳动，亦不具有体力活动性质。至于雕塑、青铜铸造、刻工和陶瓷、纺织品、金属制品和漆器的制作，只被看作是手工艺。这些手工艺深受画家和书法家的美学影响，特别是线条的有节奏的运动。中国建筑的特色是木结构建筑物，典型的建筑物包括台阶、连梁柱框架、屋顶桁架和一个带斜坡的沉重屋顶。

长久以来，朝鲜的视觉艺术显示出其形式极为简单，手法十分朴素，采用装饰，同时也采用自然主义手法。在朝鲜艺术的显著特点中，值得注意的是在建筑和雕塑中使用石块(特别是在大新罗王朝时代，668 ～ 935)和青瓷釉料的发展，这种釉料的质量和色泽优异。

日本的视觉艺术在表面和外观上都反映出一种魅力。主要特征之一是讲究装饰效果。日本绘画的主题，通常来自文学著作，而所绘的作品也往往是一幅寓意深刻的简单山水。6 世纪中叶佛教传入日本，对日本建筑和雕塑的意象和风格产生深远的影响，正如对朝鲜艺术一样。虽然书法和毛笔画对于中国人和日本人同样重要，然而在平安时代(794 ～ 1185)晚期，日本艺术摆脱了对中国的模仿。在断然脱离中国的美学思想之后，日本各种手工艺开始更加受到重视，那些从事手工艺的能工巧匠产生了前所未有的影响。日本艺术的另一个值得注意的发展是德川幕府时代的彩印运动(浮世绘)。

东亚音乐与西方或欧洲音乐不同，它用由端部吹气的竹箫，而不是用拨弦乐器来定音高标准。尽管有这种不同，两个音乐体系都是以 12 音程为基础发展出五声音阶。中国音乐在合奏时配置少量乐器，东亚的乐曲对旋律、节奏的重视高于和声。

早期中国音乐使用一些吹管乐器和打击乐器，包括埙、排箫、笙、磬、鼓、钟、筑等。现代中国音乐丰富多彩，可以分为声乐、民歌、舞曲、舞台音乐或器乐等几大类。声乐的特征是旋律与汉语及简练的音乐语言习惯的密切结合，民歌歌曲是用音乐充分表达的文学创作。舞曲的特征是多节奏的速度和众多的乐器。在中国，无论管弦乐、器乐合奏还是器乐独奏，多阶段的程式化结构均占重要地位，一般按照起、承、转、合四个阶段展开。

根据正史记载，日本音乐起源于 8 世纪之前。在平安时代，各种音乐(外来的和本土的)均整理有序，迄今未变。“唐乐”是一个通称，指一切来自中国、南亚和中亚的音乐以及这些国家典型的谱曲。朝鲜、东北亚和中国东北地区的音乐都列入“狛乐”一类。“御神乐”一词则指皇家举行神道教仪式的音乐和一些早期歌舞的音乐。日本音乐虽然是沿着自己的道路不断发展的，但是仍然先后受到中国音乐和西方风格的强烈影响。

初期的朝鲜音乐包含着中国宫廷音乐的许多成分，但是也具有本土音乐的特色。一些古代乐器保存了下来，朝鲜本土的乐器伽倻琴依然在全国各地使用。

在东亚的舞蹈和戏剧这两个相关的范畴中，值得注意的是在东亚各国，音乐、舞蹈和戏剧一般是联系在一起的，无法找到像在西方芭蕾和戏剧中所能见到的一种形式的单独发展。东亚表演艺术包括以下几种形式：有面具和无面具的舞蹈、有面具的舞剧(如日本的能乐)、列队舞蹈、歌剧、皮影戏、傀儡戏和带音乐和舞蹈的对白剧。

East Aurora　东奥罗拉　美国纽约州西部伊利县一村，西北距布法罗 19 千米。名为东奥罗拉，但却处在纽约州奥罗拉以西 145 千米处。1804 年始有居民，1849 年设村，1874 年改现名。E.哈伯德 1895 年在此开办罗伊克罗夫特手工艺作坊和罗伊克罗夫特印刷所，以工艺精湛著称，但均于 1938 年关闭。现主要为住宅区。人口 6 673(2000)。

East Australian Current　东澳大利亚洋流　表面洋流，西南太平洋塔斯曼海中反时针洋流的一部分。由来自珊瑚海的水团——1 月至 3 月的季节风推动的赤道水流和 4 月至 12 月东流的亚热带水流——形成，向东南流，穿过大堡礁和切斯特菲尔德礁(南纬 20°)之间，沿澳大利亚东岸进入塔斯曼海。在接近南纬 25°时变窄，至新南威尔士的拜伦角岸外水势最强。至南纬 32°以南变弱，并开始消散，但其残余水流继续向南飘流，直到塔斯马尼亚岸外，折向东，然后向北流成为塔斯曼洋流。水流表面的含盐度为 35‰以上，至 200 米深度时达到最高程度 35.8‰。至大于 1 000 米的深度时，东澳大利亚洋流的流量约为3 000 万立方米/秒。

East Avon(river, England)　**东埃文河**　参阅 **Avon, River** 埃文河。

East Ayrshire　东艾尔　苏格兰西南部政务会辖区。属艾尔历史郡的一部分。地势起伏，西部和北部为低地，东部和南部为高地。在低地区乳业占重要经济地位，在高地区牛羊养殖业主导经济。行政中心基尔马诺克是最大的城镇，拥有工程、威士忌酿造等多种工业。斯图尔顿的织物制造和工程业尤为重要。多个城镇生产花边和人造纤维织物。人口 120 940(1999)。

East Berlin　东柏林　德语作 Ost Berlin。柏林(**Berlin**)市的东部。1990 年德国统一以前为德意志民主共和国(东德)的首都。

East Cambridgeshire　东剑桥　英格兰中东部剑桥行政、历史郡的一个区。面积 656 平方千米，在剑桥市东北面。大部处在已开垦的沼泽地区。东南部有高地。区首府伊利附近为重要甜菜产区，也广种谷物、洋葱、马铃薯、水果、蔬菜等。伊利南 16 千米处的韦克沼地为当地仅存原始沼泽，生长有稀有昆虫、鸟类和植物。利特尔波特、索厄姆和哈德纳姆为地区性农业中心。在伊利大教堂内的彩绘玻璃展现了从 14 世纪至今的手工艺发展。人口 72 900(1998)。

East Cape(eastern Russia)　**东角**　参阅 **Dezhnyov, Cape** 杰日尼奥夫海角。

East Caucasian languages　东高加索诸语言　参阅 **Dagestanian languages** 达吉斯坦诸语言。

East Champāran(India)　参阅 **Purba Champāran** 东坚巴兰。

East Chicago　东芝加哥　美国印第安纳州西北部莱克县工业城市和港口。邻接加里、哈蒙德和怀廷，是芝加哥-卡柳梅特工业城市联合体的一个组成部分。1887 年兴建，1889 年设市。印第安纳港口的修建促进了工业的发展；港口与大卡柳梅特河有运河相通。工业密集，有铸造厂、炼油厂、耐火材料、铁路修配、化工、工业槽罐和阀门厂。居民种族复杂，有墨裔美国人、黑人和东欧人。人口 32 414(2000)。

East China Normal University　华东师范大学　中国以教师教育为主的综合性大学。校址在上海市普陀区和闵行区。创建于 1951 年 10 月，建校时以私立大夏大学、光华大学为基础。1952 年全国高等院校院系调整前后，又调进圣约翰大学、大同大学、同济大学、复旦大学、浙江大学、交通大学、沪江大学、震

上海华东师范大学的电化教学楼
中国大百科全书出版社供图

旦大学和东亚体育专科学校等高等院校的部分系科和教师。1997 ～ 1998 年，上海幼儿师范专科学校、上海教育学院、上海第二教育学院先后并入。设有人文、教育科学、教育管理、学前教育与特殊教育、外语、商学、法政、体育与健康、理工、资源与环境科学、生命科学、信息科学与技术、软件、对外汉语、职业技术、传播、艺术、设计等 15 个学院，含 39 个系，61 个本科专业，其中中文、历史、数学、地理、心理 5 个专业是国家文理科基础学科人才培养和科学研究基地。学校还拥有 6 个国家重点学科，1 个国家重点实验室。设在学校的教育部中学校长培训中心，是从事省级重点中学校长以及其他教育管理干部培训的国家级基地。学校建有 100 多个研究所和一批跨学科的研究、实验、计算及测试中心。1986 年设立研究生院，现有 9 个一级学科博士点，有 88 个二级学科博士点，133 个硕士点，拥有 10 个博士后流动站。有中国科学院、中国工程院院士 9 人，教授、副教授1 200 余人。本科生13 500人，研究生5 900人，留学生2 200余人。图书馆藏书 350 余万册。校园面积 173 余万平方米。2002 年在上海闵行区新建占地 120 万平方米的新校区。出版物有《华东师范大学学报》等 20 余种。

East China Sea　参阅 **Dong Hai** 东海。

East Cleveland　东克利夫兰　美国俄亥俄州东北部凯霍加县的城市。位于克利夫兰城郊，伊利湖东南。其位置由农场主于 1801 年

所定,东克利夫兰镇则于1805年创设。边界线被缩减后,于1895年设村,1911年成为城市。有轨电车帮助了郊区的发展。该市主要是住宅区,有一些工业开发,是内拉公园的所在地,通用电气公司灯泡生产部门的总部。城内林山公园一度曾是石油大王J.D.洛克菲勒避暑山庄的一部分。凯斯西部保留地大学的沃纳-斯沃西天文台就在附近。人口约27 217(2000)。

East Dereham 东迪勒姆 又作Dereham。英格兰诺福克行政、历史郡布雷克兰区城镇,在诺里奇西北偏西26千米,该地原有一座7世纪的基督教女修道院,于丹麦人入侵时被毁。堂区教堂为12世纪所建,屋顶为垂直式风格,有绘画。又据说该教堂最初的建造者可能是7世纪时的人,名圣威瑟伯加,教堂内倒塌了的小礼拜堂中原有他的墓。教堂内还有18世纪诗人W.柯珀的墓。柯珀的故居已不复存在,柯珀纪念教堂建在故居旧址上。该镇是一农业中心,生产农业机械设备,还有面粉厂。其东北5千米的斯旺顿莫利有一座约建于1370年的庄严的教堂,其上一扇巨大的窗扉是为纪念附近皇家空军基地的飞行员而建造的。人口12 974(1991)。

East Detroit 东底特律 美国密歇根州马科姆县的城市。位于底特律东北偏北16千米。主要是底特律的近郊住宅区,但有诸如卡车、饲养家禽和轻工制造品等商业。1837年开始有人定居。该市地处军用道路(现为格拉希厄特路)与格拉希厄特堡(休伦港)和韦恩堡(底特律)相连接处。与底特律和芒特克莱门斯之间距离相等。1924年以哈夫韦村的名称注册。1929年成为市的时候正式使用现名。人口34 077(2000)。

East Devon 东德文 英格兰西南部德文行政、历史郡的一个区。位于郡的东南部,南临英吉利海峡的莱姆湾。面积817平方千米。东部的霍尼顿和阿克斯明斯特两镇以手织花边和地毯织造业著称。中部沿海城镇比尔附近的优质石灰石开采业已有几个世纪的历史。东德文是著名的悬崖旁胜地,西南部的埃克斯茅斯和锡德茅斯(区首府)亦为旅游胜地。西部的埃克塞、克利斯特和奥特三河谷地均为肥沃的红土壤,生产水果和蔬菜。该区的乳制品生产亦重要。人口124 400(1998)。

East Dunbartonshire 东邓巴顿 苏格兰中西部政务会辖区。贝尔斯登-米尔盖和柯金蒂洛赫等几大城镇均在东南部,属邓巴顿历史郡。该区还包括南部拉纳克历史郡的毕晓普布里奇和东北部斯特灵历史郡的伦诺克斯福斯特和坎普斯丘陵。东邓巴顿南部以城市为主,低地区与格拉斯哥相邻。北部多为乡村。南部城镇拥有工业,但主要为格拉斯哥的市郊居民区。北部经济以农业为主。面积202平方千米。人口110 690(1999)。

East End 伦敦东区 伦敦市传统的一部分。从肖尔迪奇大街、洪斯迪奇、阿尔盖特大街和塔桥向东延伸到利河,主要位于伦敦内城陶尔哈姆莱茨自治市,形成于19世纪。一度十分拥挤、贫困。第二次世界大战后进行了重建。有托因比服务所、怀特查泊尔画廊和斯皮塔尔菲尔德市场。

East European Plain 东欧平原 参阅**Russian Plain** 俄罗斯平原。

East Falkland 东福克兰岛 南大西洋福克兰群岛的两个大岛之一。长140千米,宽88千米。海岸线曲折。最高点尤斯伯恩山海拔705米。面积6 605平方千米(不包括附近的小岛屿)。东北岸有斯坦利镇。人口2 197(2001)。

East Flanders 东佛兰德 比利时西北部一省。面积2 982平方千米。境内有莱厄河、斯海尔德河及登德尔河流贯。划分为6个行政区(阿尔斯特、登德尔蒙德、埃克洛、根特、奥德纳尔德和圣尼克拉斯)。属丘陵地区。北部为沙和黏土混合土壤,南部为肥沃的冲积层。东北部斯海尔德河口以西为肥沃的瓦斯兰低地垦区。自中世纪以来农业就很发达,由于农庄规模小(尤其在南部),大部分农业采用园艺化方式经营。根特四周种植花草以供出口;北部种植黑麦、马铃薯和蔬菜。瓦斯兰生产蔬菜、灌木果、牛奶和家禽。土地肥沃的南部出产小麦、燕麦、大麦、亚麻、蛇麻子、菊苣、甜菜和烟草。普遍种植饲料作物和饲养猪、牛。中世纪以来纺织业发达。工商业亦长期繁荣。纺织业中心在省会根特,占国家纺织品生产的半数。其他纺织业城市有丹泽、龙瑟、奥德纳尔德、赫拉尔兹贝亨、阿尔斯特、尼诺弗和登德尔蒙德。其中许多城市拥有冶金、化学品、食品加工和皮革等工业。圣尼克拉斯和埃克洛为繁忙的商业城市。该省公路与铁路交通发达。有几条运河将根特与布吕赫、奥斯坦德和泰尔讷曾(荷兰)联系起来,水运繁忙。讲佛兰芒语的东佛兰德是欧洲人口最稠密的地区之一。人口1 359 702(1999)。

East Friesland 东弗里斯兰 德语作Ostfriesland。德国中北部下萨克森州西北部文化区。濒北海。包括沿海沼泽地和东弗里西亚群岛。与荷兰西弗里斯兰和日德兰半岛的北弗里斯兰有密切文化联系。弗里西亚人原为以航海、经商闻名的日耳曼人,12世纪从荷兰沿海迁至德国北部。原用古弗里西亚语,现已不流行,仅在几个小农区内使用。居民多为新教徒。经济以养牛和奶制品、肉类业为基础。传统的独层屋舍特别适用于养牛。一个极大的陡斜屋顶保护着中间宽广的打麦场,周围为住房和畜舍。从建筑物的山墙端入口处可进入到打麦场。

East Galloway (Scotland) **东加洛韦** 参阅**Kirkcudbright** 柯库布里。

East Germany 东德 前德意志民主共和国。德语作Ostdeutschland或Deutsche Demokratische Republik。欧洲国家(1945～1990),现构成德意志联邦共和国的东部。参阅**Germany**。

East Greenland Current 东格陵兰洋流 发源于北冰洋沿格陵兰东岸向南和向西南流的冷水流。参阅**Greenland Current**。

East Greenland orogen 东格陵兰地槽 又作East Greenland Geosyncline。格陵兰东海岸地壳中的长条形凹槽,堆积了前寒武纪晚期和古生代早中期(6.5亿年前至3.5亿年前)岩层的一个不连续的带。这个地槽在晚志留世到晚泥盆世(大约4.23亿年前至3.54亿年前)的加里东造山运动的几幕中发生变形。变形的结果,引起褶皱、向西逆冲,以及在泥盆纪沉积岩层之下及其内部角度不整合的发育,还伴随有志留纪和泥盆纪花岗岩的侵入。这个地槽在古生代大陆裂开前可能代表加里东地槽的西翼,后者的残留部分现在沿挪威西北海岸出露。

East Greenwich 东格林尼治 美国罗得岛州中部肯特县县城。临格林尼治湾,在普罗维登斯的南面。1677年开拓并设镇,时在菲利普王(印第安)战争末,以伦敦的格林尼治命名。早期有农作、捕鱼、造船、陶器制造和制革等业。美国独立战争期间,罗得岛州长W.格林的家充作国会大厦;这座房子原由小戈顿于1680年所建,后由格林进行扩建并保留了下来。至今还很活跃的肯特独立警卫连是一支志愿民兵组织,1774年由J.M.瓦纳姆将军在东格林尼治组建,将军的住宅(1773)按原装饰修复;1843年以希腊复兴小教堂式建成的警卫队操练厅和总部是该市镇受保护的文物。其他著名建筑有肯特县法院(1750)和风磨小屋(1818年前),朗费罗为其朋友G.W.格林购下此小屋,并将其作为自己一首诗中的主题。纺织业曾一度相当重要;制造业现已多样化,有机械、金属制品、食品加工、印刷材料、化学品和珠宝首饰等方面。面积43平方千米。人口12 948(2000)。

East Grinstead 东格林斯特德 英格兰西萨塞克斯行政郡中萨塞克斯区的堂区(城镇)。属萨塞克斯历史郡。在伦敦以南威尔德的树木茂盛的农村地区。1121年特许设立集市。维多利亚女王医院(1889)从1939年起成为世界著名整形外科中心。附近的新教堂是英国的第一座摩门教堂,建成于1958年。人口27 058(1991)。

East Hampshire 东汉普夏 英格兰南部汉普行政郡一区。面积515平方千米。为白垩高地的农业区。北唐斯、威尔德和南唐斯等丘陵向西延伸段在此汇合,海拔180～240米,地势起伏。经济以农业为主,出产蔬菜、水果、蛇麻子和乳制品。主要堂区城镇奥尔顿和彼得斯菲尔德(区首府)有许多重要的历史古迹。北面的奥尔顿坐落在英吉利海峡至不列颠白垩土内地之间的史前通道上,以柯蒂斯农具博物馆、诺曼古塔和诗人E.斯宾塞故居等名胜著称。圣劳伦斯教堂还留有英国内战时期(1642～1645)的弹痕。小说家J.奥斯汀就出生在西南部附近。彼得斯菲尔德在该区南部，古迹有诺曼教堂、乔治王朝时的房屋和威廉三世(1650～1702)的骑马塑像(1724)等。塞尔伯恩镇是著名博物学家G.怀特的故乡。怀特所著《塞尔伯恩博物志及古迹》一书被誉为英国博物学的第一部经典著作。人口111 300(1998)。

East Hampton　东汉普顿　美国纽约州东南部萨福克县一镇。位于长岛南岸附近，纽约市东161千米。包括东汉普顿村。1648年始有居民。1920年设镇。原为捕鲸和渔业中心。L.比彻尔曾任本镇长老会牧师(1799～1810)，他是雄辩家和牧师H.W.比彻尔以及《汤姆叔叔的小屋》作者H.B.斯托两人的父亲。东汉普顿村现为避暑胜地。古迹有J.H.佩恩(1791～1852，即著名歌曲《家，可爱的家》的作者)的出生地(现为博物馆)、胡克磨坊(1806)及克林顿学院(1784)。人口19 719(2000)。

East Hartford　东哈特福德　美国康涅狄格州中部哈特福德县城镇。临康涅狄格河，与哈特福德隔河相对。其范围包括霍卡努姆和伯恩赛德两村。1639年始建。1783年设镇。早期建有造纸、火药、玻璃、棉纺、制帽和手表厂。为飞机引擎制造商普惠公司的总部所在地。现已高度工业化。面积47平方千米。人口49 575(2000)。

East Haven　东黑文　美国康涅狄格州南部纽黑文县城镇。临长岛湾，在纽黑文之东，隔索尔顿斯塔尔湖与布兰福德相对。初为纽黑文市之一部。1785年设镇。原为农业社区。现农业和蔬菜生产仍重要。亦发展轻工业。有奥尔德斯通公理会教堂(1774)等殖民时期的建筑和博览馆展出电车及城区间铁路车辆。面积32平方千米。人口28 189(2000)。

East Hertfordshire　东哈特福德夏　英格兰东南部哈特福德行政、历史郡的一个区。位于大伦敦绿带北缘，面积478平方千米。它地势起伏，有许多中世纪庄园和农舍。西南部有利河流经，东南缘有斯托特河环绕，至区的南端与利河汇合。北部和中部土壤肥沃，出产谷物。南部放养奶牛。英国第一条运河，新河渡槽长40千米，建于1613年，起自区南部韦尔镇东南的水源至北伦敦的纽因顿和霍恩西以增加伦敦的供水，至今仍在使用。工业有酿酒、制刷、印刷和轻型制造等。郡首府哈特福德，亦为毕晓普斯托福德、索布里奇沃思和韦尔三镇的行政中心。纪念英属南非的帝国缔造者C.罗得斯的纪念馆(1938年建)，在毕晓普斯托福德。人口127 100(1998)。

East India Company(Dutch)　**东印度公司**　参阅 **Dutch East India Company** *荷兰东印度公司*。

East India Company　东印度公司　又称英国东印度公司。英国公司，1600年12月31日成立，目的在于发展英国对远东和印度的贸易。成立之初，是垄断性的贸易团体；后来参与政治，从18世纪初到19世纪中叶，成为英帝国主义在印度的代理。当初东印度的香料贸易由西班牙和葡萄牙所垄断。由于1588年西班牙无敌舰队的溃败，英国有可能分享东印度的香料贸易，于是成立了东印度公司。该公司遭到荷属东印度(现为印度尼西亚)的荷兰人和葡萄牙人的抗争。1612年该公司击败了在印度的葡萄牙人，从印度莫卧儿帝国获得了贸易特权，于是，便致力于绸缎布匹、靛青和硝石的贸易，还经营南印度的香料，并将商业活动扩大到波斯湾、东南亚和东亚。18世纪中叶以后，棉布生意衰落，但中国茶叶却成了重要的输入品。输入茶叶以输出鸦片来偿付，终于导致了1839～1842年的鸦片战争。1757年公司获得孟加拉的控制权。从此直到1773年英国对印度的政策便受到公司股东会的影响，而股东会的投票表决权是可以通过购买股票而获得的。这引起了政府的干预。1773年和1784年英国分别通过《管理法案》和《皮特印度法案》，公司逐渐失去了商业上和政治上的控制权。1813年公司丧失了商业垄断权，1834年起仅成为英国政府管理印度的代理机构。1857年印度兵变后，这一权力也被剥夺，1873年该公司的法人地位到此终止。

East India Company(French)　**东印度公司**　参阅 **French East India Company** *法国东印度公司*。

East Indiaman　东印度贸易船　16～19世纪欧洲与南亚通商用的一种大型帆船。这种船最早出现于葡萄牙和荷兰，至16世纪才出现于英国。其尺寸不等，约为400～1 500吨以上，通常都较当时的军舰大。船上装有3根船桅，都有较好的武装，以防御海盗。

East Indies　东印度群岛　马来群岛的大部分岛屿，介于亚洲大陆(西北)和澳大利亚(东南)之间，沿赤道伸展6 100千米以上的宽阔地带。拥有婆罗洲、苏拉威西(西里伯斯)、爪哇、新几内亚、苏门答腊几座大岛。包括文莱、印度尼西亚、马来西亚3国，有时也包括巴布亚新几内亚和菲律宾。历史上，"东印度"的地域概念比较松散，即适用于现在的印度尼西亚共和国(过去称为荷属东印度群岛)，也可包括马来群岛(菲律宾属于该群岛)，甚至推广到整个东南亚和印度。

地理　东印度群岛将印度洋(南)和太平洋(北、东)分隔开，共有两组不同的岛群：苏门答腊、婆罗洲、爪哇和新几内亚岛，它们或全岛、或岛的一部分处在大陆架上面；西部的巴厘和婆罗洲与东部的阿鲁与新几内亚之间的岛屿则为沉没在海洋中山脉的峰岭。本地区的核心是巽他台地，台地上面是浅海，巽他台地亦称巽他陆架，巽他陆架是东南亚大陆延伸的稳定地块。邻近的莎湖陆架、新几内亚及其附属岛屿是这个陆架的一部分，同样地也是澳大利亚大陆的延伸。在这核心周围，本地区的其余部分则是陆架外缘一系列连续褶皱运动逐渐形成的，更强烈和广泛的造山运动发生于中生代时期。东印度群岛各处散布着200多座火山，其中约70座在印度尼西亚，过去150年间喷发过。在4个主要冰期，当时海平面比现在低100多米，巽他与莎湖两陆架露出海面，陆架地面大河奔流，一些陆桥让动物和古人类可以在本地区穿行和迁移。当17 000年前冰盖融解后，巽他陆架一部分被淹没，山脉和较高的地方成了浅海浸入的岛屿或半岛。该地区群岛地形以崎岖的山地为骨架，上覆着火山带，许多火山锥高出3 000米。在稳定的巽他陆架各地，山坡长期遭受风化，轮廓平缓；而不稳定地区山脉年轻，地形很不规则。有些岛屿有广阔的河口湾，由沉溺河口形成；而许多浅海沿岸，如苏门答腊东岸、婆罗洲西岸和南岸、新几内亚西南岸，拥有大片沼泽带，终年积水，不及排水良好和肥沃的冲积平原如爪哇中部和东部、苏门答腊北部以及小巽他群岛部分地方那样适宜人类居住。

东印度群岛的多山地形，加上充沛的年降水量，使短小、坡降陡的河流侵蚀力强。大陆架岛屿的河流将其侵蚀物沉积于周围浅海，迅速生成广大的泛滥平原与三角洲，这类低地上的河流漫长，如苏门答腊的穆西河、婆罗洲的卡普阿斯河与巴里托河，以及新几内亚的塞皮克河与弗莱河。介于两个陆架之间，从深海里陡峭升起的岛屿，没有机会在深海周围产生沿海平原和三角洲，平坦的低地很有限，河流一般也都短小与坡降陡竣。本地区土壤相当复杂。火山带的土壤及其衍生的冲积层很肥，如中爪哇和东爪哇、苏门答腊部分地区以及苏拉威西的零散地方。砖红壤产生于马来亚、婆罗洲及稳定的巽他陆架其他岛屿，对农业而言，土壤贫瘠，有时简直无法利用。在巽他陆架边缘的印度尼西亚大岛上，有广阔的沿海沼泽，沼泽表面积聚着枯死的植物，使原本没有利用价值的土地，具有潜在的肥力。

东印度群岛全部位于热带，在赤道两侧各10个纬度之间，气温高，年平均27 °C。温度年较差在赤道上只有几度，离赤道越远，较差逐渐增大。气温年变化也受到附近海洋的影响和调节。影响气候变化的因素是降水，年降水量从苏门答腊和爪哇山地迎风坡的8 130毫米以上，到苏拉威西西部与小巽他群岛的雨影带的不足500毫米。群岛大部分年平均降水量2 000毫米以上，全年均匀分布，但从中爪哇往东到全部小巽他群岛，年降水量逐步减少而干季拉长。另一个气候变化因素是台风，每年7～11月份，从西南太平洋上向西和向北吹来20多起台风。

在大部分东印度群岛上，大雨和高温导致植物全年快速生长，种群丰富。雨水充沛地区覆被着热带常绿雨林，比较干爽的地区有半落叶季风林，包括柚木和桉树，这类森林主要呈季节性生长。其他森林类型有海滨林(红树林、水椰子、露兜)、沼泽林及山地林。棕榈科有150多种，包括椰子、糖棕、西谷棕、槟榔等。竹子分布于全区。大片自然林被人类农耕反复清除，现在主要孳生着白茅。东印度群岛的植物区系是世界上最丰富的，乔木、灌木和草类多达3万种以上，属于2 500多个已鉴定的科。种群丰富是雨水充沛、生长期长、地形差异与环境复杂的结果，也是东印度群岛作为亚澳两大陆之间的陆桥位置等作用综合形成的。两大陆动植物在群岛上发生混合。马来群岛的动物区系也颇丰富，但大型动物不多,象、虎、犀牛、野牛、貘及猿都属于亚洲种。区系动物在巽他陆架岛屿的分布不均匀,标志着这些岛屿在不同地质时期的连接或分离。澳大利亚的区系动物,袋鼠在新几内亚有发现,其他有袋类分布越过莎湖陆架远达帝汶和苏拉威西岛,两岛之间的某些岛屿则有风土种如矮水牛以及小巽他群岛的科莫多岛(弗洛勒斯岛附近)上的巨蜥。群岛也许拥有全世界最丰富的昆虫和鸟类,它们分布范围更广泛,特别引人注目的是大螯甲虫、巨蝶、羽色绚丽的极乐鸟、俊美的孔雀雉和斑斓的凤头鹦鹉。

居民 东印度群岛的主要居民似乎是从东南亚及南亚大陆移来的。在本地区的原始居民中有尼格罗种人,亦称尼格利陀人。他们被约在4 000年前开始从亚洲大陆人境的原始马来人所取代或吸收,原始马来人带来水稻种植与家畜饲养技能。约在公元前3世纪从东南亚来的马来人接踵而至,散布到印度尼西亚和菲律宾各地,后来他们又被继来的民族如孟-吉蔑、泰、缅人挤出亚洲大陆(马来半岛除外)或同化。东印度群岛的马来族系后来又同阿拉伯人、印度人及中国人有小规模的混合。东印度群岛居民讲多种语言,属于马来-波利尼西亚语系,亦称南岛语系。现代居民的多元文化主要是印度教、伊斯兰教与佛教文化作用的结果。

经济 该地区的农业重要性无论怎样强调也不为过,大部分居民是农民,直接或间接以农为生,但农业经济多种多样,大多数农民是自给性的稻农,种植水稻,有时也以玉米、芋类或木薯作主粮。本区域的集约稻作区出现在河流谷地、三角洲及沿海沼泽带的肥沃冲积土上,而甘蔗、椰干、香料、橡胶、烟草及植物纤维等经济作物也有小农种植。种植园生产价值高的出口品橡胶、棕榈油、剑麻、金鸡纳霜(奎宁)和茶叶,还有咖啡、烟草和椰干。山区游耕农在高坡上种植山稻和玉米。畜牧业规模小,除印度尼西亚东部群岛外,很少大群饲养。一般经常饲养的大牲畜是水牛和黄牛。用动物拉犁是本地区农业的基础。森林提供有价值的资源,如木材、树脂、藤条及其他林产品。木材出口对于婆罗洲及苏门答腊欠发达的经济特别重要。虽然该地区不是世界大贸易集团之一,但这里占世界天然橡胶出口量的一半以上和锡出口量的1/3左右。印度尼西亚只有1/7的国内生产总值来自制造业,其余国家则占到10%～25%。乡村工业有橡胶和棕榈油的初加工、小规模碾米、砖瓦业。城市工业有大规模碾米、橡胶深加工、炼锡和纺织,还有玻璃、肥皂、香烟及其他消费品的制造业。该地区大部分所在的巽他陆架是世界上高度成矿带之一,富含锡、金、铜、锌、银、铅、铁、锰、铬、钴、钒、钼和钨,还有广泛分布的石灰岩、萤石、高岭土、石膏、泥灰岩、硅砂和盐。第二次世界大战以后,各国相继独立,不仅加强传统采矿业,并开发过去未曾普遍开采的各种矿产如石油、天然气、铁矿石、铝土、镍和铜。石油矿区分布在文莱、婆罗洲东部等处,铝土和镍则产于印度尼西亚。矿产开发影响当地景观,也促进都市和交通发展。

历史 公元1～15世纪,苏门答腊、爪哇和婆罗洲出现一些印度文化影响的王国,相继兴衰。14和15世纪,伊斯兰从中东和印度传入,马来亚的马六甲既是本地区转口贸易中心也是伊斯兰的传播中心。16世纪欧洲人开始殖民统治,1511年葡萄牙人占领马六甲,然后被荷兰人驱逐。虽然英国人极力想插手东印度群岛,但终被荷兰人所控制,葡萄牙人最后只剩下帝汶岛。第二次世界大战期间日本人取代了欧洲殖民者,这个时期激发了民族主义的成长和战后新国家的诞生;分别为印度尼西亚(1949)、马来西亚(1963)、巴布亚新几内亚(1975)和文莱(1984)。

East Java (Indonesia) 参阅 **Jawa Timur** *东爪哇*。

East Kazakhstan (Kazakhstan) 参阅 **Vostochno-Kazakhstan** *东哈萨克斯坦*。

East Kilbride 东基尔布赖德 苏格兰拉纳克历史郡南拉纳克政务会辖区自治市(城镇)。为第二次世界大战后苏格兰最早规划的新兴城市,为容纳格拉斯哥的过剩人口而建。除原有的牛奶加工和农机工业外,轻工业和各种消费品制造业也有所发展。设有国家工程实验所。人口70 422(1991)。

East Lansing 东兰辛 美国密歇根州英厄姆县住宅区和大学城。临红杉河,毗邻州首府兰辛。1855年创办州立密歇根大学农学院。1907年设市。人口:市46 525;兰辛-东兰辛都会统计区447 728(2000)。

East Lindsey 东林齐 英格兰中东部林肯行政、历史郡东部的一个区。濒临北海。面积1 762平方千米。地形主体为中北部的沃尔兹高地,其西有肥沃的谷地,南有经开垦的沼泽地,东部有林肯沼地平原。出产小麦、大麦、马铃薯、蔬菜,西部谷地饲养奶牛和马群。首府劳思为轻工业中心。诗人A.丁尼生曾在高地的萨默斯比村度过其童年时光。人口124 800(2000)。

East Liverpool 东利物浦 美国俄亥俄州东部哥伦比亚纳县城市。濒临俄亥俄河。在俄亥俄、宾夕法尼亚和西弗吉尼亚三州交界处。有桥通西弗吉尼亚州的纽厄尔和切斯特。初建于1798年。1840年发展起陶瓷工业。1882年设市。每逢6月举行三州陶器节。因靠近斯特拉顿船闸及大湖各港口,又通公路,成为重要的河运终端站,还设有州立肯特大学分校。人口13 089(2000)。

East London 东伦敦 南非开普省港市。在布法罗河河口。英国人在1836年第一次到达此港。1847年并入开普殖民地。19世纪50年代后期德国移民来到该市。1873年建镇,1914年建市。为海滨休养胜地。市内街道宽阔,有花园。东伦敦作为南非铁路的终点站,是特兰斯凯和西斯凯(未得到国际承认的独立黑人国家)的货物集散中心。渔业颇盛,还有各种工业。1921年建立的东伦敦博物馆有珍贵的自然历史收藏品。人口85 699(1985)。

East Lothian 东洛锡安 苏格兰东南部政务会辖区和历史郡。位于爱丁堡东部福斯湾南岸。政务会辖区与历史郡所辖范围略有差异。历史郡东南部兰默缪尔丘陵的一部分归苏格兰边界政务会辖区所有,而政务会辖区的马瑟尔堡附近地区则归中洛锡安历史郡所属。面积681平方千米。行政中心为哈丁顿。18世纪农业有所发展,开始植林,亦开始发展工业。大厦官邸开始兴建,公园被围了起来且广植树木。建起了新村庄,如1722年建立的吉福德村和1732年的奥米斯顿,在建筑上均极具风格。19世纪70年代,农业繁荣昌盛。19世纪最后几年在北贝里克、吉伦和邓巴开发了高尔夫球场和各种度假设施。西部的普雷斯顿潘斯成为采煤矿镇。20世纪中叶,采煤业衰退,最后的一个煤矿于1964年关闭。工业有食品和饮料生产以及纺织品、精密仪器和电子设备等制造业。人口90 430(1999)。

East Malaysia 东马来西亚 与西马来西亚形成马来西亚联邦(由13个州组成)的两翼之一。范围包括婆罗洲岛北部的沙巴和沙捞越两州。隔640千米宽的南海水域与西马来西亚相望。人口约3 385 119(1991)。

East Mauch Chunk 东莫克琼克 原美国宾夕法尼亚州一城镇,自1954年成为*吉姆索普*(**Jim Thorpe**)镇的一部分。

East Moline 东莫林 美国伊利诺伊州西北部罗克岛县城市。临密西西比河。与艾奥瓦州的莫林、罗克艾兰和达文波特组成阔德城工业联合体。1895年设居民点。1907年设市。农机制造业中心。有铁路检修厂和州立东莫林医院。黑鹰战争(1814)的战场已辟为州历史纪念地。人口20 333(2000)。

East Northamptonshire 东北安普敦 英格兰中南部北安普敦行政、历史郡东北部的一个区。面积510平方千米。除南端外,均为乡村农业区。地表为肥沃的冰川流积土,起伏丘陵(60～90米)为宁河南北穿切。南部城镇拉什登、厄斯灵伯勒、海厄姆费勒斯和朗兹,是早期制革业和制鞋业发展的结果。现在则具有多样化工业。昂德尔和行政中心斯拉普斯顿两个城镇是附近农区产品集散中心。人口73 500(1998)。

East Nusa Tenggara (Indonesia) 参阅 **Nusa Tenggara Timur** *东努沙登加拉*。

East Orange 东奥兰治 美国新泽西州东北部埃塞克斯县城市。西北邻纽瓦克。1678年建居民点。1863年由奥兰治分出辟为城市。1899年设建制。主要为近郊住宅区。亦有一被命名为"安培"的工业区,F.B.克罗克和S.S.惠勒于19世纪90年代在这里开始制造电动机。其他工业产品有标牌、化工品和塑料。阿普萨拉学院建于1893年。人口69 824(2000)。

East Pacific Rise 东太平洋海隆 太平洋南部洋底的水下线状山脉,大致与南美洲西海岸平行。海隆的主要部分一般距海岸约3 200千米。最北端出露,向北远至加利福尼亚湾口,在那里汇入到太平洋-北美板块边界的转换带。在约南纬55°,西移约1 600千米,以西南西向成为太平洋-南极洲海岭,一直到新西兰南部和南极洲附近。东太平洋海隆的表面基本是平坦的,两侧急剧地降低。主要由碱性火成岩地壳构成,上覆或多或少的平展的沉积物。它比周围的海底高出约1 800～2 700米,而且由于约间隔320千米出现的断层,导致大范围的断裂。东太平洋海隆及其北部和西南部相关的构造形成太平洋板块的东部和南部的边界,从北到南毗邻北美、科科斯、纳兹卡和南极板块。东太平洋海隆的脊部是一个海底扩张中心,即玄武岩熔岩构成的新的洋壳沿着脊部涌出、冷却,从脊部流向不同方向。离智利和秘鲁海岸不远处,洋底扩张的速率为每年约16厘米,这是地球上最快的洋底扩张速率之一,而在加利福尼亚湾口,扩张的速率减少到约6厘米。随着这种火山活动,产生一些热液火山口,造成沸热的海水上涌,常常携带着多种硫化物矿物。这些火山口使那些由固硫细菌合成的有机体得以生存。

East Point 伊斯特波因特 美国佐治亚州西北部富尔顿县城市,亚特兰大市西南郊区。创建之初,是亚特兰大—西点铁路(1853年建成)的东线终点站。1887年建市。现已成为一座工业化城市,制造纺织品、化肥、金属制品等。设有亚特兰大基督教学院(1937)。人口39 595(2000)。

East Providence 东普罗维登斯 美国罗得岛州东部普罗维登斯县城市。在锡康克和普罗维登斯两河东岸。与普罗维登斯市隔河相对。1636年始有移民。1644年为里霍博思镇之一部。1862年设镇。1958年建市。现为住宅区。亦生产化学品、珠宝首饰和机械。沿河建有精炼石油产品存储设施。人口48 688(2000)。

East Prussia 东普鲁士 前德国的一个省。在第一次和第二次世界大战之间的时期,东普鲁士北濒波罗的海,东界立陶宛,南邻波兰,西接但泽自由市(格但斯克)。在第二次世界大战以后,东普鲁士被苏联和波兰瓜分。波罗的海地区的古代居民自称普鲁士人,后来被条顿骑士团消灭。1308年条顿骑士团征服波兰的波莫瑞省之后,普鲁士一称泛指条顿骑士团统治的全部领土。1701年勃兰登堡选侯成为普鲁士国王。1815年起,东普鲁士专指普鲁士王国最东的一省。第二次世界大战后,波兰分得东普鲁士的南半部,苏联分得北半部。北半部除克莱彼达重新并入立陶宛外,其余部分属俄罗斯联邦,柯尼斯堡改称加里宁格勒,因斯特堡改称切尔尼亚霍夫斯克,梯尔西特改称苏维埃斯克。在南半部,波兰大批移民,德国人撤走。

East Rājasthān Uplands 东拉贾斯坦高地 印度西北部拉贾斯坦邦东南部高地。面积约6万平方千米。位于阿拉瓦利山以东。东北部海拔250米,西南部495米,是中央高地的北部。四周地区为恒河上游平原(北)、马尔瓦高原(南)、印度中央高地(东)和阿拉瓦利山(西)。高地宽广多石,中部多沙。该区河谷开阔平坦,丘陵顶部平整如小高原。主要河流有伯纳斯河、格里河、格塔利河与邦根加河。农业为居民主要职业,出产谷物、豆类、油籽、棉花、花生、甘蔗和烟草。工业多为手工业。

East Renfrewshire 东伦弗鲁 苏格兰中西部政务会辖区。位于格拉斯哥市西南。属伦弗鲁历史郡。南部和西部地区为高地农业区,最南端海拔375平方千米。乳业和蔬菜种植业是主要农业活动。北部市区在19世纪初兴起纺织业,现已衰落。发达的交通系统建成后该区面貌大为改观。还生产卫生间和浴室用具。面积173平方千米。人口89 280(1999)。

East Riding of Yorkshire 东约克郡 英格兰东部约克历史郡的一个单一政区和地理郡。北起约克郡丘陵,南至亨伯河,东临北海,西抵德文特河。是英格兰最大的单一政区。地理郡包括整个单一政区的辖区和赫尔河畔金斯敦。史前就有人居住,但直到中世纪末,当地人口仍很稀少。18世纪农业改革后,人口始增。有谷物种植和肉羊饲养。市区主要产业包括海运、食品加工和化工用品。北海的石油和天然气提炼占重要经济地位。1981年建成英国最长的悬索桥亨伯桥(长1 410米)后,贯通了去往英格兰其他地区的交通。沿海旅游业较发达。主要城镇包括赫尔、布里德灵顿、古尔等。单一政区行政中心为贝弗利。面积:单一政区2 416平方千米;地理郡2 487平方千米;人口:单一政区312 800;地理郡574 600(1998)。

East River 伊斯特河 美国纽约市连接上纽约湾与长岛湾的通航海峡,在曼哈顿与布鲁克林及昆斯之间。长约26千米,宽200～1 200米,经由哈莱姆河、斯派腾戴维尔河与哈得孙河相连。河中有罗斯福、沃尔兹、兰多尔斯及里克斯诸小岛。布鲁克林、曼哈顿、威廉斯堡、昆斯伯勒、特赖伯勒、布朗克斯-怀特斯通和斯罗格斯·内克等公路桥及海尔格特铁路桥飞架两岸,另有公路、铁路及地铁等多条隧道从河床下面通过。南段有港口设施。

East Saint Louis 东圣路易 美国伊利诺伊州西南部圣克莱尔县的城市。临密西西比河,与密苏里州的圣路易斯隔河相望。1797年建为渡口,20年后设村。原名伊利诺伊镇,1859年建镇。在与邻镇东圣路易斯敦(1859年设立)合并之后,建成东圣路易斯市。第一条铁路(1855)和伊兹桥(1874)建成之后,成为交通枢纽。1873年纳雄耐尔城开设纳雄耐尔牲畜围场之后,肉类加工成为主要产业,纳雄耐尔城由另一政府管辖,但是经济上为东圣路易斯的一部分。20世纪中叶,该市工业有炼油、化工、颜料、钢材、玻璃和建筑材料。随后数十年种族结构的变化带来工业和经济改进方面的损失。市东北为州立卡霍基亚土冢历史文物保护区,内有史前印第安人墓地。人口31 542(2000)。

East Saint Louis Race Riot of 1917 1917年东圣路易斯种族暴乱(7月2日) 第一次世界大战期间美国最严重的种族对抗事件,因伊利诺伊州东圣路易斯市一持有政府合同的工厂雇用黑人工人而引起,矛头直指战争工业中新雇用的美国黑人。暴乱使6 000黑人无家可归,40名黑人和8名白人被杀害。7月28日,全国有色人种促进协会在纽约城第五街举行静默游行,抗议对黑人的暴力行为。德国乘机进行夸张宣传,企图煽起美国黑人的反战情绪。W.威尔逊总统公开谴责了暴乱和私刑处死黑人的行为(1916年发生54起,1917年发生38起)。

East Scotia Basin 东斯科舍海盆 南大西洋斯科舍海东部海底的凹槽。中心位置在火地岛以东2 000千米处,东西长1 100千米,南北宽500千米。北以南乔治亚岛、东以南桑威齐群岛为界。平均深度1 500米。为斯科舍海底山脉环绕。南极的环极洋流由西向东流经海盆。以南乔治亚岛与南奥克尼岛之间一水下海隆与西斯科舍海盆相隔。盆底大部覆盖着硅藻和湿软泥,局部发现有锰矿结核。

East Siberian Sea 东西伯利亚海 俄语作Vostochno-Sibirskoye more。北冰洋的一部分,位于新西伯利亚群岛(西)和弗兰格尔岛(东)之间。西面通过德米特里·拉普捷夫、埃捷里坎和桑尼科夫等海峡与拉普捷夫海相连,东面通过德朗海峡与楚科奇海相接。面积936 000平方千米。全年大部分时间冰封。最大深度155米,但在西部和中部只有9～20米。有几个岛群。主要港口有楚克奇自治区的佩韦克和萨哈(雅库特)共和国的安巴奇克,仅限于8月和9月通航。

East Staffordshire 东斯塔福德 英格兰中部斯塔福德行政郡的自治市(区)。大部分地区属斯塔福德历史郡,仅达夫河东岸罗切斯特附近小片地方和特伦特河东岸伯顿属德贝历史郡。面积390平方千米。大部为起伏平缓的农区。位于斯塔福德工业区和伯明翰的西米德兰兹集合城市之间。东部有特伦特和达夫代尔两河流经。农牧业以乳制品生产为主。行政中心特伦特河畔伯顿是英格兰酿造业中心,其西北22千米处的尤托克西特堂区是英国著名的障碍赛马场之一。人口103 770(2001)。

East Sussex 东萨塞克斯 英格兰东南部行政、地理郡。属萨塞克斯历史郡。行政郡分为伊斯特本和霍夫、刘易斯、罗瑟和威尔登4个区。刘易斯为郡行政中心。地理郡包括上述区和布莱顿和霍夫单一政区。南部丘陵沿海岸线穿过该郡,沿岸有一系列悬崖,最著名的是比奇角。东南部有被开垦了的沼泽地。布赖顿附近的怀特霍克山有新石器时代的居民点遗址。刘易斯附近的卡伯恩山曾是铁器时代的山寨。南撒克逊人曾一度统治该地区,但后被韦塞克斯人占据。中世纪起在威尔德发展炼铁工业。18世纪后期,布赖顿是敕准海滨胜地。今日从布赖顿和霍夫、皮斯黑文、锡福德、伊斯特本、贝克斯希尔至黑斯廷斯形成一长长的旅游带。有电气化铁路直通伦敦。郡内有12和13世纪的城堡、隐修院和撒克逊时代的教堂。赫斯特蒙苏城堡(1440)现为皇家格林尼治天文台。萨塞克斯大学(1961)位于布赖顿附近的福尔默。面积:地理郡1 810平方千米;行政郡1 725平方千米。人口:地理郡747 100;行政郡491 300(1998)。

East Syrian rite(liturgies) **东叙利亚礼仪** 参阅 **Chaldean rite** 迦勒底式礼仪。

East Timor 东帝汶 由帝汶岛东部、阿陶罗岛(坎宾岛)、贾科岛以及帝汶西部岸围绕潘特马卡萨城镇的地区组成的国家。东南临帝汶海,北临韦塔海峡,西北临翁拜海峡,西南与帝汶西部接壤。帝力是最大城市和首都。1975年前属葡萄牙,1975年宣布独立。独立9天后,印度尼西亚军队侵入该国,将其

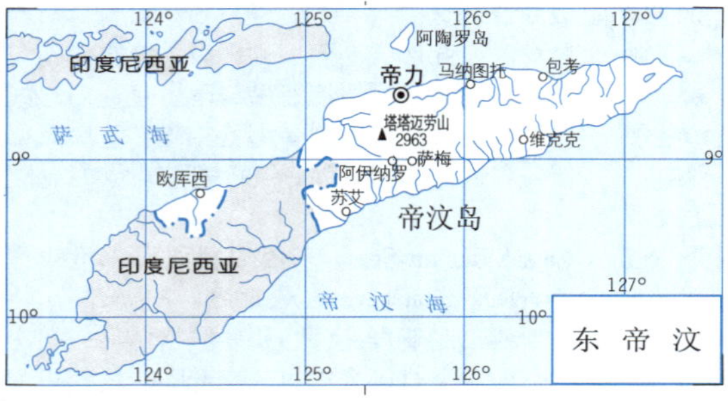

美国不列颠百科全书公司供图

兼并,建为第27个省。但是,印度尼西亚占领东帝汶的合法性在联合国有争议。随后的20年中,数以万计的东帝汶人在反抗印尼统治或饥饿和疾病中丧生。面对不断增强的国际压力,印尼政府同意以全民公决的形式决定东帝汶的归属。由于近4/5的选民支持东帝汶独立,在联合国的监管下东帝汶回到兼并前的独立状态。这一政权的交替带来了反独立势力的武装反抗,数百人丧生,数千人移居帝汶岛西部。2002年4月独立运动领袖夏纳纳·古斯芒当选国家第一任总统。2002年5月东帝汶正式成为主权国家。面积14 609平方千米。西北海岸的欧库西地区有珍贵的檀香木森林、椰林和水稻种植园。主要城镇欧库西(旧称潘特马卡萨)为港口,并有一个机场。丘陵起伏的近海岛屿坎宾岛也有一个机场。居民主要从事渔业。其东部崎岖多山,高原中央的塔塔默劳山海拔2 960米。气候干燥,雨量适度。丘陵地区覆盖着檀香木;低地生长灌木和草,也有椰树和桉树。有一处温泉和众多的山涧溪流。野生动物中有一种叫做斑袋貂的有袋动物,还有猴子、鹿、香猫、蛇和鳄鱼。农业是经济的支柱,主要产品有椰干、皮革、咖啡、棉花、稻米、小麦、烟草、羊毛、马铃薯和玉米,还有珍珠和檀香木。工业生产肥皂、香水、食品、化工品和机械制品,也加工咖啡。手工业生产陶器、木器、象牙雕刻、编织品以及椰壳纤维和篮子。公路与东北岸平行,连接毛巴拉、马纳图托、图图阿拉和首都帝力。居民大多数是与马来人和波利尼西亚人混血的巴布亚人,主要是基督教徒。使用约40种不同的巴布亚和马来语或方言。少数人讲葡萄牙语。人口约797 000(2002)。

East-West Schism(Christianity) **东西两派教会分裂** 参阅 **1054, Schism of** 1054年教会分裂。

East York 东约克 加拿大安大略省西南部自治市(1967～1998)。1998年与北约克、多伦多、斯卡伯勒、约克合并组成多伦多都会区。面积21平方千米,分别与多伦多(南与西)、北约克(北)和斯卡伯勒(东)为界。1967年1月1日与前东约克区(1924年由约克区设立)和前利塞德镇(1819年詹姆斯·利开拓,1913年建制)合并成工业和居住城市综合区。这两个城镇最初是在1927年由横跨唐河的高架桥连系起来的。人口115 185(2001)。

East Yorks Borough of Beverley 贝弗利东约克自治市 英格兰亨伯赛德郡的区和自治市,以前称贝弗利。1974年以前该镇属约克郡。贝弗利镇是紧随着7世纪时建造的贝弗利大教堂而发展起来的。806年,教堂附设的修道院被丹麦人破坏,后被盎格鲁-撒克逊王艾特尔斯坦(925～939年在位)重建。俯视这个城镇的贝弗利大教堂是一个典型的哥特式建筑,它是从早期英国建筑发展而来的具有装饰风格的建筑。1129年贝弗利首次获特许状建镇后,成为与欧洲进行兴旺的布匹贸易的重要集市中心,但是由于没有发展大规模的现代工业,这个城镇一直保留着古代建造的修道院和集市城镇的许多特征。贝弗利还是附近赫尔河畔金斯顿城市区的一个住宅郊区。面积404平方千米。人口约109 500(1991)。

Eastbourne 伊斯特本 英格兰东萨塞克斯行政郡一区(自治市)。属萨塞克斯历史郡。濒临英吉利海峡。面积46平方千米。威希塔

伊斯特本海滨
中国大百科全书出版社供图

和棱堡是防御拿破仑入侵的工事。19世纪初铁路开通后开始成为现代游览胜地并发展为居住城镇和会议中心。人口89 667(2001)。

Eastchester 伊斯特切斯特 美国纽约州东南部韦斯特切斯特县城镇(乡)。位于扬克斯东面。1665年首批居民公布了自己的约法,称"伊斯特切斯特盟约"。建于1788年。包括未设建制的伊斯特切斯特村以及布朗克斯维尔村(1898)和塔卡霍村(1903)。面积13平方千米。人口31 530(2003)。

Easter 复活节 拉丁语作Pascha。基督教会的重大节日,纪念耶稣基督在十字架上受刑死后第3天复活。根据西方教会传统,在春分(3月21日或其后一日)当日见到满月或过了春分节见到第一个满月之后,遇到第一个星期日即为复活节。根据东方教会传统,如果满月恰好出现在这第一个星期日,则复活节再推迟一周。因此,复活节可能在3月22日至4月25日之间。由于计算方法不同,东方教会的复活节有时与西方的复活节一致,有时要迟1周、4周乃至5周。复活节的民俗因地而异,吃复活节蛋(过去在节前大斋期间禁止吃蛋)是最流行的活动,寓复活再生之意。古埃及人认为野兔象征化育多产,后来欧洲人也把它用之于复活节庆祝活动。北美洲则代之以象征化育多产、人生除旧布新、月象盈亏的家兔,据说家兔产卵于复活节专巢中,又说它把卵藏在隐蔽处,等待儿童搜寻。

Easter cactus(*Rhipsalidopsis gaertneri*) **复活节仙人掌** 一种受欢迎的扁平茎仙人掌。在北半球,其鲜红色花朵于复活节期间开放而被栽培观赏。近缘种 *R. rosea* 被称矮化复活节仙人掌,株形较小,花粉玫瑰色,芳香,数量相当多。10 °C的冬季气温对其花芽的萌发十分有利。原产于巴西雨林,附生于其他植物体上,常被视为是仙人棒属(*Rhipsalis*)植物。还曾把这些种与蟹爪属(*Schlumbergera*)植物合称感恩节仙人掌和圣诞节仙人掌。

Easter Fracture Zone 复活节岛断裂带 东南太平洋地球表面的海底断裂带。测绘不完全,可能长5 900千米。从西经131°、南纬20°的土阿莫土群岛以东、向东南偏东延伸至南纬26°的秘鲁-智利海沟。与包括复活节岛在内的几个火山岛有关,因而以复活节岛命名。沟与岭之间的最大起伏约3 000米。断裂带以北的秘鲁海盆深约4 000米(13 000英尺),比断裂带以南的海底深约几千英尺。横切东太平洋海梁。北盘的海梁顶脊比南盘西移几百英里。断裂带上的地震活动局限于此位移地段或转换断层。据认为,是海底扩张形

成了该断裂带，表现为转换断层产生的断崖。

Easter Island 复活节岛 西班牙语作Isla de Pascua，又称拉帕努伊岛。太平洋东部岛屿，距智利西部3 600千米。为智利瓦尔帕莱索区下属的一省。该岛面积很小且多丘陵，由一系列互不相连的海底火山喷发物构成，面积163平方千米。大部分为草地。气候属亚热带型。历来以农业为业。其混杂的人口主要为波利尼西亚人后裔，几乎全部住在避风西海岸的安加罗阿村。居民养牛，亦种植一些甘薯、甘蔗、无花果、香蕉、葫芦、芋头、玉米及马铃薯。旅游业为当地经济的支柱。无天然港口，但在邻岛近岸处可找到锚地。建有一座商业机场，有通往智利圣地亚哥的定期班机，还有几所小旅馆。由于缺乏铺设路面的公路，当地运输需要马匹和四轮驱动的汽车。公元400年前后，来自马克萨斯群岛的波利尼西亚人定居于此。该岛一直以其隆戈隆戈象形文字和用整块巨石雕成的奇特人像闻名。关于这些石雕人像的由来，曾出现过各种传说与推测。石像用凝灰岩（一种软火山石）雕成，高3～12米，有些重达50余吨。岛上的非波利尼西亚人遗迹，曾引起许多猜测，但最近的考古工作表明，大部分石像系竖立于1000～1600年，环境恶化和岛上居民之间的争斗，使该岛的财富急剧减少，尤其是1862～1863年来自秘鲁的奴隶贩子在岛上大肆搜捕，约1/3的人口被掠走。当少数遭劫持的岛民被送回时，他们带来了天花和结核病，造成岛上人口的进一步减少与文化的衰落。19世纪60年代后期，由于基督教传入，残存的波利尼西亚文化传统已被遗忘。第一个看到复活节岛的欧洲人是荷兰海军将军J.罗赫芬（1722）。1888年该岛被并入智利版图。智利几乎将岛上全部土地都租给了大牧羊场主。20世纪80年代中期牧羊场的经营活动结束，该岛现由一名文官总督治理。智利已宣布全岛为历史保护区。人口约2 095（1989）。

复活节岛巨石雕像
美国不列颠百科全书公司供图

Easter Rising 复活节起义（1916） 又作Easter Rebellion。1916年4月24日复活节周一在都柏林开始的爱尔兰共和派反对当地英国政府的起义。起义是由皮尔斯、克拉克以及爱尔兰共和兄弟会的其他几个领导人策划的，这是一个称为爱尔兰义勇军的民族主义组织内部的一个革命团体。爱尔兰义勇军约有成员16 000人，拥有1914年从德国偷运进口的德国武器。这两个组织得到爱尔兰市民军的相助。爱尔兰市民军是都柏林工人1913年大罢工失败后组织起来的。他们还得到一个小党新芬党的相助。起义原计划在全国范围内举事，但因一系列不幸事件使起义仅限于都柏林一处。英国人原已得知起义计划，于4月21日在凯里郡以为反叛者运送武器为由逮捕了爱尔兰民族主义分子凯斯门特爵士。因此，爱尔兰义勇军的领导人麦克尼尔撤消了起义动员令，但皮尔斯和克拉克率领约1 560名爱尔兰义勇军和200人一小队的市民军坚持原议。4月24日他们占领了都柏林邮政总局和都柏林市中心的其他一些战略据点，由皮尔斯宣读了一份声明，宣布成立爱尔兰共和国。英国军队不久到达，将起义镇压下去，巷战在都柏林继续了一个星期，全市陷于瘫痪。英国炮兵的轰击和四处的大火迫使皮尔斯和他的同伴于4月29日投降。皮尔斯和另外14名起义领袖在后来的几周内受到军事法庭审判，被英国当局处决。虽然起义本身并不受大多数爱尔兰人的欢迎，但处决却使人们对英国当局大为反感，死去的共和派领袖们成了英雄烈士，爱尔兰的政府因此垮台。从那时起，直至1921年12月6日爱尔兰自由邦成立，英国政府曾几次试图恢复在爱尔兰的统治，但均未成功，复活节起义预示了英国在爱尔兰统治权力的末日。德·瓦勒拉是这次起义中级别最高的幸存者，他个人因此事在爱尔兰人民中享有声誉。

Easter Vigil 参阅**Holy Saturday圣星期六**。

eastern Africa 东部非洲 非洲大陆一地区，自非洲之角向南延伸，穿过前德、英属东非领地。按照《不列颠百科全书》的定义，所谓东部非洲包括今非洲之角诸国（吉布提、厄立特里亚、埃塞俄比亚和索马里）和东非诸国（肯尼亚、坦桑尼亚和乌干达）。面积3 678 000平方千米。人口约141 261 000（1995）。

土地 东部非洲主要为高原，多属非洲大陆海拔最高的地区。最突出的两个高地分别在埃塞俄比亚和肯尼亚；这里有许多地区海拔达2 000～3 000米。两条平行裂谷是穿越该地区的东非大裂谷带的一部分。东裂谷即大裂谷自红海与亚丁湾的汇流处向南延伸，穿过埃塞俄比亚和肯尼亚高地，一直到坦桑尼亚境内。西裂谷沿乌干达和坦桑尼亚西部边界呈曲线延伸。两裂谷之间为一平原，构成乌干达的大部和坦桑尼亚的西部，还包括维多利亚湖。乞力马扎罗火山为非洲最高山，海拔达5 895米，位于坦桑尼亚东北部。非洲之角为非洲大陆伸向阿拉伯海的大半岛，其中有索马里的广大低地沿海平原。

东部非洲的气候一般属热带型，但平均气温随地区海拔升高而降低。降雨量亦因海拔的不同而受影响；乌干达、坦桑尼亚和肯尼亚西部雨量充沛，而索马里、埃塞俄比亚东部和肯尼亚东北部年降雨量不足250毫米。

东部非洲的植被：较湿润地区为林地和草地；半干旱地区有热带旱生灌丛。坦桑尼亚和肯尼亚的草地因其野生动物，尤其是大量移栖的有蹄动物群（如牛羚、斑马和瞪羚）和食肉动物（如狮子、鬣狗和豹）而闻名。

人民 东部非洲居民有160或更多个不同种族，视统计方法而定。埃塞俄比亚大部分人以及坦桑尼亚和肯尼亚部分人所讲的语言属含米特-闪米特语系的库施特分支。乌干达以及肯尼亚和坦桑尼亚裂谷部分地区的居民讲尼罗-撒哈拉语；除这些种族的居民之外，其余人多讲班图语。

东部非洲最大的部族群为奥罗莫（加拉）人和同源索马里人。前者讲库施特语，居住在埃塞俄比亚南部许多地区；后者居住在索马里、埃塞俄比亚东南部和吉布提的许多地区。讲闪米特语的提格雷人为厄立特里亚的主要种族，而阿法尔人则分布在厄立特里亚和吉布提。埃塞俄比亚另有相当大的种族群为安哈拉人和锡达莫人。肯尼亚、坦桑尼亚和乌干达的种族结构比较零散，许多较小部族杂居或者散居各地。讲尼罗语的人为数最多，属于卢奥、兰戈、卡兰津、马赛和卡拉莫琼各族，而主要讲班图语的种族群为基库尤、查加和坎巴人。

经济 东部非洲国家的经济主要以农业为基础。大部分居民直接从事生存农业或畜牧业。马铃薯、豆类、小麦、大麦、咖啡和茶种植在乌干达以及肯尼亚和坦桑尼亚西部高地。玉米、高粱、大麦、小麦、豆类和粟为厄立特里亚和埃塞俄比亚的主要作物。索马里、吉布提以及肯尼亚东北部的降雨量不足以种植作物，而以畜牧业（骆驼饲养居多）为主。维多利亚湖和两裂谷的诸湖泊均有渔业。

矿产资源有分散的金矿和铅、铜、铁、煤等矿藏。坦桑尼亚西北部开采的钻石已经成为本地区开采的最贵重的矿物。出口大部为装运前经过加工的原料。取代进口并以供应当地市场为目的的制造业集中在各个城市。大部分地区以公路运输为主。肯尼亚和坦桑尼亚均拥有良好的交通设施。主要港口有达累斯萨拉姆（坦桑尼亚）、蒙巴萨（肯尼亚）和吉布提市。

历史 在非洲之角，库施特部族被认为是公元前2千纪时埃塞俄比亚北部和中部的居民。据埃及象形文字记载，早期的朋特文明大约亦在这一时期建立。公元2世纪在埃塞俄比亚建立起阿克苏姆王国，4世纪（在埃扎纳统治期间）该王国基督教化。7世纪伊斯兰教从亚丁湾和印度洋沿岸建立起的阿拉伯贸易站渗入非洲之角。到10世纪，从海湾到内陆地区居住着过游牧生活的索马里人；在其南面和西面则是以畜牧为基础的奥罗莫

(加拉)人。19世纪80年代,英国和意大利占领埃塞俄比亚和索马里的不同地区,法国占领吉布提。今埃塞俄比亚全境是在曼涅里克二世(1889～1913)统治期间实现统一的;1935年意大利入侵并占领该国大部分地区;1941年被英国驱逐。1960年英属索马里兰(北部)和意属索马里兰(南部)合并后成立索马里共和国;1977年吉布提独立。经过连年战争后厄立特里亚于1993年脱离埃塞俄比亚,获得独立。

讲班图语的各部族属公元1千纪初从西部非洲迁来的东非最早居民之列。从7世纪到15世纪末期葡萄牙人到来为止,阿拉伯人在肯尼亚和坦桑尼亚(包括桑给巴尔岛)沿岸地区一直占居优势。到17世纪末,尼罗-含米特部族开始迁入乌干达北部,后又迁入肯尼亚北部。18世纪初由于沿海地区阿拉伯人与阿曼统治者联合在一起,使葡萄牙人失去今莫桑比克与坦桑尼亚交界以北占有的土地。到19世纪初,阿拉伯商人深入内地搜寻奴隶和象牙。19世纪50和60年代,英国和德国探险者也开始渗入东非内地。1886年英德达成协议,北部海岸带(肯尼亚)划归英国势力范围;南部海岸带(坦噶尼喀)划归德国势力范围。1890年乌干达归英国管辖。1961年坦噶尼喀获得独立;1964年与桑给巴尔合并,建立坦桑尼亚。1962年乌干达获得独立;1963年肯尼亚完全独立。

Eastern Air Lines, Inc.　东方航空公司 美国从前在东北部和东南部服务的航空公司。1928年由H.F.皮特凯恩(1897～1960)所创办,称为皮特凯恩航空公司;次年该公司被出售,成为东方航空运输公司,为北美航空公司将近48个分部之一。1938年3月29日东方航空运输公司组成具有今名的独立公司,并以350万美元售与第一次世界大战时期的空战英雄E.V.里肯巴克和他的几位伙伴。里肯巴克自1935年1月起任该公司总经理,1938～1959年任总裁。该公司多年间兴旺发达,于20世纪70年代和80年代初期购并若干其他航空公司。该公司的主要业务是沿美国东部海岸空运许多前往佛罗里达、加勒比海地区和南美洲的旅客。到20世纪80年代中期,东方航空公司财政状况开始恶化,1986年被得克萨斯航空公司所接管。经营不善仍在继续,1989年该公司售出其盈利的东北部往返飞行业务部。一系列大型工会罢工开始了,公司趋于破产。1990年美国联邦破产法庭解除得克萨斯航空公司的控制并指派托管人管理东方航空公司。尽管有这些变化,该公司仍不得不于1991年进行清理。

Eastern Austronesian languages　东澳斯特罗尼西亚语　参阅 **Oceanic languages** 大洋洲诸语言。

Easternc Cape　东开普　南非中南部省份。西与西开普省为界,西北邻北开普省,北接自由邦省和莱索托王国,东北邻夸祖卢/纳塔尔省,东南和南部濒临印度洋。原东格里夸兰(环绕乌姆济姆库卢)现在是东开普省的一块飞地,位于夸祖卢/纳塔尔省的南部。东开普省在1994年前是好望角(**Cape of Good Hope**)省的一部分。省会在毕晓。东开普省主要是个多山之乡。包括德拉肯斯山脉的南部支脉,东北部海拔逾2 700米,从非洲南部的内地高原向南逐渐下降形成沿印度洋相对狭窄的海岸平原。内地高原和大鱼河西南面的地势为东西走向的山脉和山谷。在大鱼河的东面,包括大凯河低谷,常流河在通向海洋的流程中冲出许多深谷。该省天然植被多属草原型,在许曼斯多普西海岸有一些森林。山地斑马国家公园坐落在克拉多克西面。沿海气候属亚热带,但在北部海拔较高处气候温和。夏季炎热,北部高山上冬季有雪。年降雨量从西部近赫拉夫-里内特处的350毫米增至东面近东伦敦沿海的900毫米。东开普省人口87%为黑人,主要操恩古尼语种的科萨语。混合种人约占全部人口的10%,白人所占比例更少,操阿非利堪斯语和英语。全省均饲养美利奴羊、安哥拉山羊和乳牛。内陆有灌溉,多种植小麦、玉米和高粱,沿海则种植柑橘、菠萝、烟草和马铃薯。伊丽莎白港和东伦敦为制造业中心,生产马达,加工水果和蔬菜罐头亦很重要。印度洋沿岸有许多海滨休养胜地。格雷厄姆斯敦、黑尔堡(近艾丽斯)和伊丽莎白港均设有大学。沿海港口东伦敦和伊丽莎白港有公路和铁路通东北部的昆斯敦和乌姆塔塔以及西北部的赫拉夫-里内特和米德尔堡。全省面积169 580平方千米。人口约7 039 300(2005)。

Eastern Chin　东晋　参阅 **Jin** 晋。

Eastern Desert　东部沙漠　阿拉伯语拉丁字母转写作 Aṣ-ṣaḥrā' ash-Sharqīyah,又称阿拉伯沙漠。埃及东部的大沙漠。从尼罗河三角洲向东南延伸,进入苏丹东北部,又从尼罗河河谷向东延伸至苏伊士湾和红海。面积约221 940平方千米。是地势起伏的沙质高原,高原自尼罗河河谷突然高耸,并在尼罗河以东约80～137千米的地带并入南部2 187米高、南北走向崎岖不平的火山山链(红海山)。沙漠偶而降雨,广泛地为干河谷(季节性溪流的干河床)所切断。大部分定居的人口住在红海山以东沿红海海岸平原的小村落中,以捕鱼、采矿或开采石油为生。沙漠中的游牧人民则以放牧和交易为生。东部沙漠与埃及其他地区相当隔离,自然资源丰富,包括埃及的大油田(位于红海岸上和岸外)和磷酸盐、石棉、锰、铀和黄金的矿藏。

Eastern Highlands (India)　**东部高地**　参阅 **Purvachal** 东部山脉。

Eastern Indian bronze　东印度铜像　9世纪后,在今印度的比哈尔和西孟加拉一带,延及今孟加拉国生产的一种金属雕像。有时被认为是巴拉铜像,取名于当时的巴拉和森纳

约9世纪的东印度铜佛像
美国不列颠百科全书公司供图

王朝(8～12世纪)。铜像输出到东南亚各地,其形式影响到缅甸、泰国和爪哇,对克什米尔、尼泊尔和中国西藏佛教艺术的影响也很明显。铜像采用8种金属的合金,经"失蜡"工序铸成。有佛教后期多种佛像。由于小巧,携带方便,适合于私宅奉祀。铜像在形态上大多继承萨尔那特的笈多艺术传统。

Eastern Indian painting　东印度绘画　又称巴拉绘画,因巴拉王朝而得名,11和12世纪兴起于现比哈尔和孟加拉。几乎全是在棕榈叶上作画,描绘佛陀和佛教诸神的一生事迹,也有画在布上和墙上的。12世纪后期,

约12世纪的东印度佛像绘画
美国不列颠百科全书公司供图

随着伊斯兰教徒入侵，该画派也就销声匿迹了。现在尼泊尔还藏有很多这种画像。此画派曾影响到中国西藏、缅甸、锡兰（今斯里兰卡）和爪哇。狭窄的棕榈叶决定这种细密画的面积仅有6厘米×8厘米大小。

Eastern Orthodoxy 东正教 基督教三大教义及组织集团之一，其特色是继承使徒教会传统，采有自己的礼仪和地域性教会。东正教会遵循由最初的七次普世宗教会议确立的信仰和习俗。其教徒主要在巴尔干地区、中东和俄罗斯。东正教包含许多自主教会，它们承认君士坦丁堡牧首（普世牧首）的名义上的领导，而且相互联系。造成东正教与天主教分裂的，并非神学因素而是文化及政治因素。罗马帝国分为东西两个半部，西半部主要使用拉丁语，东半部知识界主要使用希腊语；在文化方面，西派基督教（天主教和新教）与东正教之间的分歧使罗马帝国这种分裂状态长期存在。从4世纪起，这东西两半在政治上日趋疏远。西罗马帝国屈从于5世纪蛮族的入侵。一向在整个基督教会享有至尊之荣的教皇成为已覆灭的旧帝国主要权威的继承人。东罗马帝国虽已经削弱，却延续了千年以上，即史家所称的拜占廷帝国。拜占廷帝国京城君士坦丁堡的牧首即成为教会的首脑，但是，他是全权皇帝的臣下，从来未取得教皇那样的独立权。拜占廷帝国的传统是东正教会在国家中仅发挥从属作用。最初的基督教文献用希腊文写成。到了5世纪，一向接受希腊学术领导的大多数埃及和叙利亚基督徒，由于在对待两次普世会议以弗所会议（431）和卡尔西顿会议（451）的决议的分歧而与基督教会其他部分决裂；于是，希腊传统的统治地位不复存在。阿拉伯人攻占这些地区，进一步削弱了东派基督教，使5世纪的教会分裂成为永久性的。同时，拉丁系基督教却传播到旧罗马帝国疆界之外，使西欧其他地区的民族归奉该教。到了10世纪，俄罗斯经过君士坦丁堡方面的传教人员的劝化改奉东正教，才使东西两派教会的均势有所平衡。9世纪，西方在查理曼统治下企图重振罗马帝国，于是罗马与君士坦丁堡之间首次出现公开的紧张，在教义和礼仪上的细微差别遂成为分裂的契机。分歧中主要的是：西派教会认为三位一体上帝的第三位圣灵是从圣父和圣子出来的，而希腊方面则认为，圣灵仅仅是从圣父出来的。西派教会人士在被奉为神圣的《尼西亚信经》中插入“和子”的词句，引起希腊方面不满，西派教会则指责希腊方面删除此句是异端作法。这种分歧导致长期的分裂。1054年教皇利奥九世和君士坦丁堡牧首米恰尔（色路拉里乌斯）互相判处绝罚，教会史上即以该年为分裂之始。这种互不承认的局面一直延续到1965年。不光彩的第四次十字军行动推翻拜占廷皇帝，洗劫君士坦丁堡，并于1204年任命一个服从教皇的拉丁人为君士坦丁牧首，这些事在东方造成的恶感使后来的多次恢复统一企图均归于失败。自那时起，东正教先后在它全部或大部分势力范围内面对怀有敌意的天主教、穆斯林和共产党的统治，仍能保持其本色，继续受人民爱戴。从1453年复兴的拜占廷帝国败于土耳其人起，到1917年俄国的革命止，俄罗斯正教会一直是世界东正教的领袖。派到阿拉斯加活动的俄罗斯传教人员于1794年在美洲建立起东正教会，东欧移民使东正教成为美洲宗教生活中的主要因素。美洲的东正教信徒大都按民族组织各自的教会，同欧洲母会保持联系。东正教的礼拜仪式华丽多彩，满足人的各种感官，是其最突出的特点。圣像（基督、圣母和圣徒的正式画像）在东正教礼拜中发挥重要作用。隐修制度和隐修生活久已是东正教的重要内容。东正教会的主教一律必须是修士（因而必须独身），但已婚男子可受神职为司祭。隐修制度促进了静修运动的兴起。东正教会积极参加20世纪的普世教会运动。东正教大多数教会与新教主要派别都加入世界基督教协进会，并与许多教会进行神学讨论以增进了解和团结。特别是东正教与天主教的关系有显著的改善，尤其是在撤销了1054年的相互谴责之后。同时，东正教人士又表示决心维持东正教会的完整，毫不动摇地履行捍卫伟大传统的天职。

Eastern Question 东方问题 19世纪到20世纪初由于奥斯曼帝国的崩溃所引起的外交问题，其焦点是争夺对前奥斯曼帝国领土的控制权。帝国领土内的任何政治变动都在欧洲大国之间造成紧张局势，欧洲各大国都怕别国乘机扩大自己的影响。这个问题在19世纪不时发生，例如19世纪20年代的希腊独立战争、1853～1856年的克里米亚战争、1875～1878年的巴尔干危机、1908年的波斯尼亚危机以及1912～1913年的巴尔干战争，当时都曾引起东方问题。奥斯曼帝国领土的最后分割情况如下：巴尔干半岛各行省在一个世纪之内常常由俄罗斯或任一其他大国支持，建成独立国家；英国占领塞浦路斯（1878）和埃及（1882），并在第一次世界大战后取得对巴勒斯坦和伊拉克的委任统治权；法国占领叙利亚和黎巴嫩（1920）。奥斯曼国家的心脏地区土耳其在1923年被承认为独立的共和国。

eastern red cedar（*Juniperus virginiana*） **东方红柏** 又作pencil cedar。又称铅笔柏。柏科常绿乔木，可供观赏和材用。原产于北美东部贫瘠土壤或石灰岩地区。高12～15

东方红柏（*Juniperus virginiana*）
美国不列颠百科全书公司供图

米，直径0.3～0.6米。幼叶针状，成熟后深绿色，鳞片状。球果圆形，直径约0.7厘米，绿色，肉质，成熟后变为深蓝色，外被灰色蜡质。纤维状树皮淡红棕色或灰色，分裂成长鳞片状。木材芳香，可用制铅笔、栅栏柱和家具等。

Eastern Rift Valley（Africa） **东部裂谷（非洲）** 又称大裂谷或裂谷。东非大裂谷（**East African Rift Valley**）的主支。

Eastern rite church 东仪天主教会 又作Eastern Catholic Church。起源于古代东方一些国家或民族基督教会而与罗马教廷亦即天主教会建立组织关系或教会法关系的东方基督教会。基于这种关系，这些教会承认天主教的信仰，遵守七件圣事，承认罗马教皇为教会至尊首脑，但是保留其他特点，如适合于它们的礼仪、神职、宗教艺术和组织。东仪天主教会的特殊地位在这种教会同罗马方面建立关系时获得保证，1964年11月21日第二次梵蒂冈会议的教令又予以批准。在20世纪末，全世界东仪天主教会共有信徒1 200多万。1596年的布列斯特-立陶夫斯克联合协议是东仪天主教发展史上的重要里程碑，根据该协议，乌克兰正教会的各主教（例外的只有两位）接受信奉天主教的波兰国王的要求，承认教皇的至尊地位。在该项协议之前，东仪天主教会仅存在于意大利南部和西西里岛上的意大利-阿尔巴尼亚人中间，还有在12世纪与罗马方面建立关系的大批马龙派信徒及同样在12世纪与罗马方面建立关系的叙利亚-黎巴嫩地区的一些亚美尼亚教会信徒。其他先后与罗马教廷建立关系的有：一些聂斯脱利派信徒（1551）、罗塞尼亚信徒（1595）、特兰西瓦尼亚的罗马尼亚信徒（1698）、叙利亚的麦尔基派（1724）。在建立关系的过程中政治因素也在起作用。东仪天主教会都以教皇为最高首脑。罗马教廷设有东仪教会部。东仪教会部部长为教皇本人，日常工作由枢机副部长负责。东仪天主教会各个教会的组织，因历史条件、民族条件、信徒人数、进化程度及其他情况而有所差异。在各种组织单位中，宗主教区由礼仪相同的若干主教区组成，首脑为宗主教。在20世纪末，全世界共有6个东仪天主教宗主教区：亚历山大宗主教区（科普特教会）；安提阿宗主教区（共3个，分别为叙利亚教会、马龙派教会和希腊麦尔基派教会）；巴比伦尼亚宗主教区（迦勒底教会）；锡斯（西利西亚）宗主教区（亚美尼亚教会）。巴比伦尼亚宗主教区和锡斯宗主教区的首脑称卡托利科斯。大主教区管辖采用共同礼仪的若干主教区，但其辖区尚不足以设立宗主教区。都主教区管辖不属于任何宗主教区和大主教区的若干教省，包含若干主教区，其中主教之一为都主教。在20世纪末，共有5种礼仪通行于东仪天主教会：拜占廷礼仪、亚历山大礼仪、安提阿礼仪、迦勒底礼仪、亚美尼亚礼仪。拜占廷礼仪最为重要，分布最广，涉及人数最多（其中许多在美洲）。亚历山大礼仪见于埃及和埃塞俄比亚。使用安提阿礼仪的有马龙派教会、叙利亚教会和马兰卡公教会（在印度）。使用迦勒底礼仪的有迦勒底教会和叙利亚-马拉巴派教会。使用亚美尼亚礼仪的只有亚美尼亚教会，分布在中东、欧洲、非洲、南北美洲和澳大拉西亚。

Eastern Schelde 东斯海尔德 Schelde又拼Scheldt，荷兰语作Oosterschelde。荷兰西南部一条水道，长约50千米，向西北延伸，经三角洲群岛，注入北海。原为斯海尔德河的河口湾。在沃尔凯拉克海峡上的一座大坝于1970年完成前，它也是默兹（马斯）河的河口湾。东斯海尔德包括一条东南-西北流向的主要水道，位于托伦岛（东北）、诺德贝弗兰岛（西南）、斯豪文-德伊弗兰岛（西北）及南贝弗兰岛（以前为一岛屿，现为半岛）之间。水道东北一条较小叉流向托伦岛西北延伸，注入沃尔凯拉克海峡。东斯海尔德为水生贝壳类动物（贻贝、牡蛎、河虾）的养殖区，及雁类和其他候鸟的冬季栖息地。20世纪60年代末期，东斯海尔德大坝在东斯海尔德河口动工修建。原来设计将它建成为防波堤，可以将水道完全关闭，以抗御暴风雨并防止淤塞。在大坝修建过程中，发现此工程对海上环境产生一些不利影响，其中包括水的含盐成分比例失调，水生贝壳类动物及候鸟之数量均见减少。于是对大坝设计予以修改。1986年竣工时，大坝是一座对付暴风雨袭击的防浪堤坝，并使水道成为缩小的潮汐咸水区。第二级的大坝有位于东斯海尔德东部的奥斯特坝和位于圣菲利普斯兰半岛以北的沃尔凯拉克海峡内的菲利普斯坝。奥斯特坝形成佐姆淡水湖，并经恩德拉赫特水道斯海尔德-莱茵运河与北面的沃尔凯拉克淡水海峡沟通。这些大坝提供了公路旅行之便，并构成临河的娱乐区。莱兰德大桥位于斯豪文-德伊弗兰岛和诺德贝弗兰岛之间，长5 022米，于1965年建成。

Eastern Seaboard 东海滨 又称大西洋海滨。美国东部大西洋沿岸地区。北起缅因州，南至佛罗里达州。曾是欧洲人来美洲的最早移居地。现习惯上专指从波士顿至费城之间的高度城市化的沿岸地区。

Eastern Sudanic languages 东苏丹诸语言 尼罗-撒哈拉语系中语言差异最大的一个语支。一些学者认为，东苏丹语支可包括穆尔勒-迪丁加语、巴雷亚语、梅拉里特语、因加萨纳语、达朱语、尼扬吉亚语、特梅因语、尼马语、尼罗语及努比亚语等分支。这些语言通行的地区是：北起埃及南部，南到坦桑尼亚北部，东起埃塞俄比亚，西到乍得。尼罗语分支和努比亚语分支是东苏丹语支中两个最重要分支。有些学者把东苏丹语这一术语常用于称呼中苏丹语支。参阅 **Nilotic languages**；**Nubian languages**；**Central Sudanic languages**。

Eastern Townships 东镇区 加拿大魁北克省东南部行政区，位于圣劳伦斯低地与美-加边界之间，地区中心为舍布鲁克。该地区自西南的密西斯阔伊县延伸至东北部的多切斯特县，并包括其他13个县。总面积23 620平方千米。该地区有若干平行走向的山脉（阿巴拉契亚山脉的延伸部分）、萨顿山脉（佛蒙特州的格林山脉延伸部分）、斯托克山脉和梅冈蒂克山脉。有一些湖泊和许多河流注入圣劳伦斯河。虽然美国独立战争后，早在1784年就有少数效忠派自美国移居于密西斯阔伊湾，但是直至1791年该地始行勘测，同时在下加拿大实施英国的土地法，取代法国的领主保有地制度。后来，虽然最初的移民是英国人（大部分为效忠派），但有大批法裔加拿大人涌进该地区，因此今天所有15个县中，操法语居民占多数。东镇区的多样化经济包括石棉矿业，过去一直占世界石棉供应量的80%，后由于石棉对人体健康的危害逐渐受到关注而衰落。农业包括奶品业、养羊和种植水果。制造业也占重要地位，尤其是纺织、造纸、家具和机械。

Eastern Woodlands Indian 东部林地印第安人 北美洲土著，居住在西起密西西比河流域、东至大西洋海岸线的大部分森林地带。该区北部疆界包括大湖区，并延伸至现在的加拿大；南部边界则包括现在的伊利诺伊州及北卡罗来纳州。他们使用的语言属于易洛魁语系、阿尔冈昆语系及苏语组。东部林地印第安人主要集中在资源丰富易于耕作的空旷地带。因此绝大部分人口都定居于南部或是临近海岸、河流、湖泊与其他水源的地方。女人操持家务、抚育子女，同时要照料庄稼、缝制衣裳，编织筐篮；男人则从事渔猎、建造房舍、制作工具，还要外出作战。

东部林地印第安人的社会结构除部落这种较大的组织之外，尚有氏族。氏族是由占据某一特定地区，并且采用一个姓和享有共同利益的族人所组成。一个部落包括数个氏族，是一个文化单位和政治单位。部落经常还包括部族，部族成员可能有来自其他社区或部落的人。部族的依附关系主要表现在履行责任上，并且要求终生信守承诺。东北部的印第安人领袖为酋长或头目，通常是世袭的。因为问题都要经由冗长的议事会寻求一致同意来解决，故此领袖人物必为聪明善辩者。

东部林地印第安人的经济体系比较简单，且与有丰富的自然资源可利用有关。在适于玉米生长的地区，主要是易洛魁人从事农耕，玉米以外的作物还包括豆类和南瓜等。他们以锄和掘土铲从事耕作，但不使用畜力。其他由渔、猎和采集而取得的食物，颇为丰足。他们往往随季节变化迁徙到不同的地区去。东部林地印第安人的住所有棚屋和长形房屋，都是利用林木建造的。自然资源也提供了制造独木舟、雪鞋和衣着的材料。其衣着有披肩、长袍、裙、护腿、鹿皮鞋和男人的腰布。佩带珠宝、涂敷油彩和文身是颇为常见的装饰。这一文化的信仰体系包括一些谙熟草药知识的巫医组成的会社，相信万物有灵，重视译梦所得的启示。

印第安人各部族之间的联盟是为反抗17世纪以来欧洲人殖民而形成的，如强有力的易洛魁联盟。一般说来，印第安人彼此间的战争，似乎随着欧洲人的影响而增多。在交易中欧洲人提供枪械和其他制品换取海狸和其他动物的毛皮，并引进贝壳币作为一种货币使用。同时欧洲人也带来新的疾病，使大量印第安人丧生。首先受到欧洲人严重影响的是沿海地区的阿尔冈昆人。这样便发生了1637年的皮阔特战争，1675～1676年的菲利普王战争，还有多次反对欧洲势力入侵的起义活动，但均告失败。于是印第安人开始接受欧化作为求生之道，部分印第安人则离开本区举族西迁或向北迁入加拿大。居住在内陆地区（大部分是易洛魁人）和大湖区北部的印第安人，则因其居住地区难以进入，且欧洲人又出于商业利益而想保持良好关系之故，受到影响的时间较晚，直到美国独立战争之前，这里的印第安人始终保留其组织且难以对付。

至于大部分未接受白人文化的印第安人，都逐渐被消灭或被迫向西向北进入加拿大。有些则被安置在居留地，少数居留地迄今仍然存在；阿尔冈昆居留地设在新英格兰和长岛；易洛魁居留地设于纽约州；少数大湖区以北的印第安人仍留在那里。除此之外，东部林地印第安人的文化已经消失。

Eastern Yugur language 东部裕固语 中国裕固族语言之一。属阿尔泰语系蒙古语族。主要分布中国甘肃省肃南裕固族自治县和酒泉县一些地区。使用人口约4 000。东部裕固语语音特点是元音分长短；有圆唇前元音；复辅音和复元音较多；词首元音失落的多，但保留词末的元音；有元音和谐的现象，但只关系到少数元音；多音节词的重音在末一音节。东部裕固语（康乐）有29个单辅音，包括双唇、舌尖中、舌根、小舌塞音分清、清送气两套；舌尖前和舌叶塞擦音也分清、清送气两套；有双唇、舌尖前、卷舌、舌叶、舌根、小舌、喉门擦音10个；舌尖中鼻音和边音各分清、浊两套，双唇、舌根、鼻音和颤音各1个。有24个复辅音（如sg、ʃb、hd、mdʒ、rG等）；有15个单元音，其中包括8个基本元音和7个长元音，15个复元音。词类有名词、代词、形容词、数词、动词、副词、后置词、连词、助词、叹词10类。语法上有丰富的形态变化。如名词有数（单数、复数）、格（主格、领宾格、位与格、离比格、造格、联合格、连带格）、领属（人称领属、反身领属）等语法范畴；动词有态（主动态、众动或互动态、使动态、被动态）、式（陈述式、祈使式）、体（完成体、持续体、多次体、未完成体）、时（过去时、现在将来时）。句子主语在前，谓语在后；宾语、补语在动词前；定语、状语在中心词前。词汇上借词比重较大，约占1/3左右。其中汉借词最多，现代新词术语几乎全部借自汉语。

Eastham 伊斯特姆 美国马萨诸塞州东南部巴恩斯特布尔县城镇（乡）。在科德角北岬，包括北伊斯特姆村。1620年12月有“五月花”清教徒在临近韦尔弗利特港入口处的科德角湾登陆，遇到第一批印地安人。现在毗连的“第一次相遇海滩”立有纪念碑。1644年创定居点，1651年设建制。美国革命战争后，当地的渔业和沿海贸易一度繁荣。该地19世纪中叶时以农业为主，现为避暑胜地，也是前往瑙塞特海滩和科德角国家海滨游览区的旅游基地。面积36平方千米。人口5 453（2000）。

Eastlake, Charles Lock 伊斯特莱克（1836-03-11，英格兰德文普利茅斯～1906-11-20，伦敦） 英国博物馆学家、艺术作家。他的名字成为19世纪家具式样的同义词。他是新古典主义画家C.L.伊斯特莱克爵士之侄。早年在伦敦皇家学院攻读建筑,1854年获建筑绘图银质奖章。后来放弃建筑,往欧洲大陆习绘画,回国后从事写作和设计。1866～1877年任英国皇家建筑师学会的秘书,1878～1898年任伦敦国立美术馆的管理员和秘书。他将收藏品重新分类,最早使用玻璃保护艺术品,使之不受伦敦污浊空气的侵蚀。他在绘画和工艺美术方面的著作长期享有盛誉。家具式样虽然创制不多,但匠心独运,为詹姆斯一世式和哥特复兴式的主要代表,并对维多利亚和爱德华时代的家具和建筑风格产生了深刻的影响。他不赞成机器产品,推崇手工制作。所著《家具及其被覆材料等家庭风格琐谈》(1868)是一本有影响的著作,多次重版。1876年出版《装饰美术和美术工艺讲座》一书。后来,陆续发表《名画录》,介绍欧洲大陆博物院如米兰的布雷拉宫(1883)、罗浮宫(1883)、威尼斯的皇家美术馆(1888)的藏画。他还写了一系列社会问题的论文,其中《我们的广场和圈子》(1895),用杰克·伊塞尔的笔名发表。

Eastlake, Sir Charles Lock　伊斯特莱克(1793-11-17,英格兰德文普利茅斯～1865-12-24,意大利比萨)　英国新古典主义画家,对国家收藏绘画作品做出了贡献。最初师从英格兰历史画家和作家B.R.海顿,立志学习历史画,后入伦敦皇家学院。1813年后对欧洲大陆作大范围旅游,并自1818～1830年驻留罗马。其间绘有意大利农村的风景人物。约1823年以后,热衷于历史和古典题材。1830年当选为皇家学院院士。1830～1840年,他把精力主要投入到工作笔记中。1843～1847年任国立美术馆保管员。1847年出版《油画史资料》。1850年继任皇家学院院长,并封爵士。后期不再绘画,而专门从事行政工作。1855年任国立美术馆馆长,他购入139件重要绘画,提高了该馆的地位。为增加国家绘画藏品,曾多次出游寻求有价值的艺术珍品,后在一次旅行中死去。

Eastleigh　伊斯特利　英格兰汉普行政、历史郡的城镇和自治市(区)。位于南安普敦的东面和北面。面积80平方千米。现有许多工厂和划艇运动场。人口112 500(1998)

Eastmain River　伊斯特梅恩河　加拿大魁北克省西部新魁北克行政区河流。源出魁北克省中部奥蒂什山地,向西流,注入詹姆斯湾。全长约800千米。多急流和瀑布。可能是哈得孙湾公司在1685年发现。

Eastman, Crystal　伊斯曼(1881-06-25,美国马萨诸塞马尔伯勒～1928-07-08,宾夕法尼亚伊利)　美国律师、女权主义者、作家。1903年毕业于纽约州的瓦萨尔学院,1907年毕业于纽约大学法学院。因1910年发表颇有影响的"工伤与法律"报告,得以在纽约州某主管委员会中任职,致力于制定《工作场所卫生安全法》,并起草第一部《工人补偿法》。积极争取妇女选举权,1913年与他人成立国会联

美国不列颠百科全书公司供图

盟,后成为全国妇女党。第一次世界大战期间参加和平运动,反对美国参战,并领导妇女和平党纽约分部。1917年成立全国公民自由社,1920年重组为美国公民自由联盟。晚年为女权刊物撰稿,继续为男女平等事业奋斗。1915年离婚,拒收前夫给予的赡养费,斥之为承认对男人的经济依赖。

Eastman, George　伊斯曼(1854-07-12,美国纽约沃特维尔～1932-03-14,纽约罗切斯特)美国制造商,他的第一架柯达照相机促进了业余摄影的大规模发展。伊斯曼于1880年

美国国会图书馆供图

改进了制造摄影干片的方法,他开办伊斯曼干片和胶卷公司并开始生产。1888年首批投放市场的柯达照相机,是一种简单的手提方盒式照相机,装有一卷可拍100张的纸底片。拍完后要将照相机送回厂内进行显影、印像和重装底片。1889年,伊斯曼生产了透明胶片;1892年,将原企业改组为伊斯曼-柯达公司。8年后,生产了供儿童用的勃朗尼照相机,每架售价1美元。到1927年,伊斯曼-柯达公司实际上已垄断了美国摄影工业,并且一直是美国摄影工业中最大的公司之一。1924年,伊斯曼将他的一半财产捐赠给罗切斯特大学(伊斯曼音乐学校是该大学的一部分)和麻省理工学院等单位,金额达7 500万美元以上。他还是采用分发红利的办法来刺激工人的首创者之一。伊斯曼自杀而死。

Eastman, Mary Henderson　伊斯门(1818,美国弗吉尼亚沃伦顿～1887-02-24,华盛顿[哥伦比亚特区])　婚前名Mary Henderson。19世纪美国作家。美法海战英雄海军准将T.特拉克斯顿的外孙女,1835年与西点军校教官S.伊斯门陆军中尉结婚。6年后随丈夫到明尼苏达得以有机会观察土著苏人的生活,著有《斯内林堡周围苏人的生活及传说》。同年移居华盛顿哥伦比亚特区。1852年出版《菲利斯姑姑的小屋》(1849),极力为南方和奴隶制辩护,以回应H.B.斯托的《汤姆叔叔的小屋》。后将发表的系列故事结集成书《印第安人生活传奇》(1853)、《美洲土著人选辑》(1853)和《美洲年鉴:北美早期史》(1854)。书中插图都由她丈夫所画。她关于美洲土著人的作品,虽然经常多愁善感,并在某种程度上带有常见的偏见,但均取材于第一手资料,十分珍贵。1879年发表诗作《复活节天使》。

Eastman, Max (Forrester)　伊斯曼(1883-01-12,美国纽约卡南代瓜～1969-03-25,巴巴多斯布里奇敦)　美国诗人、编辑、第一次世界大战前后的激进派代表人物。1905年在马萨诸塞州威廉斯学院毕业。在哥伦比亚大学教授四年逻辑和哲学。1910年创建第一个争取妇女选举权的男子组织,并编辑出版激进的政治与文学刊物《群众》。《群众》的编辑们由于反对美国参加第一次世界大战而在1918年两次受审,但两次均以陪审团发生分歧而告终。此后,伊斯曼编辑和出版《解放者》杂志,直到1922年他去俄国研究苏维埃的政治制度为止。他同苏联司法部长的妹妹叶莲娜·克雷连科结婚。但是他认为俄国的腐败统治集团已经背弃十月革命,于是返回美国。20世纪20～30年代写过几本攻击苏联的书:《列宁死后》(1925)、《穿制服的艺术家》(1934)、《社会主义在俄国的终结》(1937)和《斯大林的俄国与社会主义危机》(1939)。1932年他还翻译了托洛茨基的俄国革命史。1941年起任《读者文摘》特约编辑,写作题材广泛。他的著作还有:《诗歌欣赏》(1913～1948,共23版)、《笑的享受》(1936)、自传《生存的乐趣》(1948)和《爱情与革命》(1965)。

Eastman Kodak Company　伊斯曼-柯达公司　简称柯达公司。美国胶卷、照相机、照相器材的大制造商,还兼营冲洗加工业务和制造其他映像产品。总部设在纽约州罗切斯特。1880年银行职员G.伊斯曼开发并完善了制造摄影干片的方法(以前每次照相时必须临时在底片上涂敷新而湿的化学品),遂组建一家商号。1901年此商号注册成为伊斯曼-柯达公司。1884年伊斯曼推出胶卷;1888年开发出柯达照相机。这种照相机结构简单,便于携带,可供广大业余摄影者使用。照相机随带密封在机内的胶片同时出售,拍照后将整个照相机寄回罗切斯特该公司,由公司冲洗旧胶片,换装新胶片。1900年伊斯曼推出价格比较低廉的勃朗尼照相机,这是一种装有可替换胶片的盒式照相机,拍照后不必将整个照相机寄回工厂换装胶片。在以后的年月里,该公司继续为业余摄影者生产出创新的产品。它是首家生产家用电影设备和柯达克罗姆牌便于应用的彩色幻灯片的厂商。20世纪60年代,该公司推出英斯塔迈蒂

克牌(Instamatic,俗称“傻瓜”)静止摄影和电影摄影机系列。1982年推出的圆盘式(Disc)照相机是技术先进的照相机系列,它除了自动聚焦和进卷外,还可在必要时自动闪光。1984年该公司推出8毫米录像机系统和盒式录像带而进入录像市场。

Easton 伊斯顿 美国宾夕法尼亚州东部城市,北安普敦县县城(1752)。在利哈伊河与特拉华河汇流处,与艾伦敦、伯利恒、威尔逊和西伊斯顿组成利哈伊河谷工业联合体。始建于1752年。独立战争期间为前哨基地。美国《独立宣言》就是1776年7月8日在这里宣读的。周围地区自然资源丰富,有耕地,还有石灰石、石板岩、铁矿、蛇纹岩矿等。工业制品有气阀、水泥、粉笔、机械、钢材、纺织品、纸张和运输设备。市内有1826年建的拉斐特学院。独立宣言签署人G.泰勒的伊斯顿住宅(1757)已修复。1789年设自治镇;1887年设市。人口:市26 263;艾伦敦-伯利恒-伊斯顿都会统计区637 958(2000)。

Eastport 伊斯特波特 美国最东部城市和港口。位于缅因州东部华盛顿县境内,大西洋帕萨马科迪湾沿岸的穆斯岛上,有桥梁通大陆。约1780年始有人定居。1798年设镇。1893年设市,联邦政府在20世纪30年代在当地大兴土木修建帕萨马科迪潮汐发电工程,建造两个潮汐坝,但均未完成。经济以渔业为主,是主要的水产业中心。主要水产鲱鱼用于制罐头和生产其他产品。奥尔德绍就在附近,据称为世界上最大的旋涡之一。人口1 640(2000)。

Eastwood, Clint 伊斯特伍德(1930-05-31,美国加利福尼亚圣弗朗西斯科～) 美国电影演员,20世纪70年代最受欢迎的好莱坞明星之一,后成为备受尊敬的多产导演

伊斯特伍德在影片《为了几块钱》中的剧照
美国不列颠百科全书公司供图

和制片人。在加利福尼亚读完高中后,曾从事多种职业,并在美军中服役,后成为好莱坞扮演小角色的演员。因在西部电视连续剧《皮鞭》(1959～1966)中扮演第二号人物而首次引起人们注意。又因在S.里昂涅导演的3部西班牙-意大利式的西部片(俗称“通心粉西部片”):《为了几块钱》(1964)、《为了更多的几块钱》(1965)和《好人,坏蛋和丑八怪》(1966)中扮演无名氏——一个沉默寡言、大胆无畏、只为挣钱而行事的枪手,而成为国际知名的大明星。这几部影片在美国上映后,伊斯特伍德开始在好莱坞影片中担任明星角色,特别在D.西格尔导演的《库根的恫吓》(1968)、《莎拉妹妹的两头骡子》(1970)、《被骗的人》(1971)、《逃离阿尔卡特拉兹》(1979)。伊斯特伍德最广为人知的角色之一是在《辣手哈里》(1971)及其几部续集中扮演的机警凶狠的警探哈里·卡拉汉。他还展示了不凡的导演才能,拍摄了《假装糊涂》(1971)、《不法之徒乔西·韦尔斯》(1976)、《布朗柯·比利》(1980)、《苍白骑士》(1985)和《白人猎手黑人心》(1990)。他的题名为《鸟》的爵士乐手查利·帕克的传记片完成于1988年。伊斯特伍德的表演风格是面无表情,他的影片很少受到评论界的赞扬,但他强悍动人的银幕形象却使他在票房上屡获成功。他的典型角色是一个孤胆英雄式的硬汉,虽然凶狠,却符合于他自己的不多加解释的道德准则。他的修正西部片《不可饶恕者》(1992)获得奥斯卡最佳影片奖,他也因此获得奥斯卡最佳导演奖。

Eaton, Amos 伊顿(1776-05-17,纽约查塔姆～1842-05-10,美国纽约特洛伊) 美国植物学家、地质学家和律师,他的公开演说激起了人们对科学的广泛兴趣;而作为一位教师和教科书的编著人,又使许多学生受到鼓舞。曾就学于威廉斯学院(马萨诸塞州威廉斯敦),后在纽约州卡茨基尔作律师和土地经纪人,同时从事自然科学研究。在成功地举行一系列有关植物学、矿物学和地质学的公开讲演,并于1810年发表一部有关植物学的著作之后,放弃律师业务,到耶鲁大学深造。他后来移居威廉斯敦,有关科学的演讲大获成功,以至后来应邀在新英格兰其他城镇多次发表演讲。1820年他担任佛蒙特州卡斯尔顿医学院博物学教授,并进行地质和农业调查。1824年成为特洛伊伦斯勒学院(今伦斯勒工业学院)资深教授。

Eaton, Cyrus S(tephen) 伊顿(1883-12-27,加拿大新斯科舍帕格沃什～1979-05-09,美国俄亥俄克利夫兰附近) 美国-加拿大企业家和慈善家。1907年开始经商,数年内即在加拿大西部建立了几家发电厂,不久在美国投资兴办其他公用事业、银行和钢铁厂。他是个无情的兼并者,合并了许多曾在他控制下的公司。1930年将他所拥有的几家钢铁公司合并为共和钢铁公司,这是美国第三大钢铁公司。大萧条时期伊顿丧失了他的大部分财产,但随后在证券业、银行业和铁路方面展开活动,东山再起。50和60年代伊顿以主张核裁军和改善美苏关系而闻名。他是1957年帕格沃什会议的发起人之一(最初会议在新斯科舍他的小屋里举行),各国主要的科学家和学者在会上交流思想,增进国际了解。伊顿逝世时,他的财产估计约达2亿美元。

Eaton, John 伊顿(1829-12-05,美国新罕布什尔萨顿～1906-02-09,华盛顿[哥伦比亚特区]) 美国教育家。曾任教育官员(1870～1886)及波多黎各公立学校的第一任美国学监。在农场长大,靠做工读完位于新罕布什尔州汉诺威的达特茅斯学院,于1854年毕业。曾任克利夫兰一所学校的校长和托莱多的学监。1859年辞去在托莱多的职务,进安多弗神学院。由于美国内战爆发,他在1861年应征入伍任牧师。1862年驻守在田纳西,这时U.S.格兰特将军命令他把大批投奔联邦军队的逃亡奴隶集中到军营,让他们劳动和学会如何自立。1863年任黑人团上校,并且在1865年加准将衔。他对逃亡奴隶的管理方式成为解放黑奴事务管理局的一个惯例,并于1865年3～12月任该局助理专员。后到田纳西州孟菲斯,1867年接受了为期两年的州公共教育学监的任命。1870年格兰特总统任命他为新设立的美国教育局局长。在他的管理下,教育局从内政部一个无关紧要的单位发展成为一个配备了精干人员、备有集自全球各地的教育资料的很有影响的部门。当他由于健康原因而于1886年辞职时,美国教育局被普遍认为是一个模范行政部门。1886～1891年伊顿在俄亥俄任玛丽埃塔学院院长,后在盐湖城谢尔登·杰克逊学院任院长(1896～1899)。继而离开犹他州任波多黎各学校的第一任美国学监。由于身体不佳,他不得不在1900年辞职,但他曾在该地进行了若干改革。

Eaton, Margaret 伊顿(1799-12-03,华盛顿[哥伦比亚特区]～1879-11-08,华盛顿[哥伦比亚特区]) 母家姓O'Neale。美国妇女。她在1829年与一位民主党政治家的婚事导致杰克逊总统的“内阁危机”,最后使M.范布

美国国会图书馆供图

伦出任该党的领袖。其父是小旅店店主,丈夫是舰艇事务长。1828年丈夫去世后,田纳西州参议员J.H.伊顿得到杰克逊的赞同,与她结为夫妇,同时担任了陆军部部长。结婚几周后,华盛顿传出她名声不好的流言蜚语,华盛顿的主妇都对她嗤之以鼻,但有些论者认为:她的主要罪过在于出身微贱。副总统J.C.卡尔霍恩的夫人带头排斥她,但是,国务卿范布伦却对她十分敬重。杰克逊和卡尔霍恩关系疏远,最终导致杰克逊改组内阁,清除掉卡尔霍恩的3名支持者。1832年杰克逊推荐范布伦竞选副总统,4年后又支持他竞选总统。伊顿于1831年辞去内阁职务,1836～1840年出任美国驻马德里公使。1856年伊顿去世后,她又改嫁他人。

Eaton, Theophilus 伊顿(约1590,英格兰白金汉郡斯托尼斯特拉特福～1658-01-07,康涅狄格殖民地纽黑文) 英格兰商人,纽黑文殖民地的创建者之一和总督。最初经营与波罗的海各港口的贸易,获得成功,当选为东方公司副董事长,并被任命为查理一世驻丹麦宫

廷的代表。从哥本哈根返回伦敦后，对殖民新英格兰发生兴趣，得到马萨诸塞湾公司的特许证。1637年初与J.达文波特以及一些清教徒前往新英格兰。是年6月抵达波士顿，次年4月在纽黑文(基尼皮亚克)建立了独立的殖民地。1639年当选为殖民地总督。此后连选连任，直至逝世。1643年曾任新英格兰联邦最初的政府成员。12年后与达文波特一起为纽黑文殖民地制订了一部新法典。

Eaton, William 伊顿(1764-02-23，康涅狄格伍德斯托克～1811-06-01，美国马萨诸塞布里姆菲尔德)　美国陆军军官、冒险家，在的黎波里战争期间于1804年率一支远征队跨过利比亚沙漠。曾在美国陆军服役，1798年出任美国驻突尼斯领事。1803年建议瓦解当时的的黎波里政权，扶植流亡的帕夏哈迈特·卡拉曼里复位，以解决美国与的黎波里的海上之争，得到杰斐逊总统的批准。伊顿偕同美国海军陆战队10名人员、若干阿拉伯人及卡拉曼里自埃及西进，在美国海军炮火掩护下，于1805年4月27日攻下利比亚的德尔纳。当时统治的黎波里的帕夏同意与美国签订和约，伊顿于是中止其行动。

Eau Claire 欧克莱尔　美国威斯康星州中西部城市，欧克莱尔县县城(1857)。地处欧克莱尔河与奇珀瓦河汇合处，在明尼苏达州圣保罗东150千米处。1846年有人定居，1855年始建，1872年设建制。先发展伐木业，后伐木业衰落，现经济以制造业(计算机设备、纸制品、电子产品、食品加工)和医疗保健业为主。这里也是周围广大产奶区的贸易中心。有第一区理工学院(1912)和威斯康星大学(欧克莱尔，1916)。半月湖上有卡森公园。人口：市62 496；都会统计区148 337(2003)。

eau de cologne　参阅 **cologne 科隆香水**。

eavesdropping, electronic　参阅 **electronic eavesdropping 电子窃听**。

EB virus EB病毒　参阅**Epstein-Barr virus 爱泼斯坦-巴尔二氏病毒**。

Ebadi, Shirin 伊巴迪(1947，伊朗哈马丹～　)　伊朗律师、作家和教师。以其在促进民主与人权，特别是为维护伊朗妇女和儿童的权利所做的贡献，获得2003年诺贝尔和平奖。为获得诺贝尔奖的第一个穆斯林妇女和第一个伊朗人。1969年在德黑兰大学取得法律学位。是伊朗最早的女法官之一，1976～1979年任德黑兰市法院院长。1979年革命和伊斯兰共和国成立之后，妇女被认为不适于做法官，她被迫辞职。于是开业当律师，在德黑兰大学任教，并且提倡公民权利。她经常在法庭上为妇女和持不同政见者，以及许多与伊朗政府有纠葛的人辩护。1999年她还散发伊朗政府官员与杀害德黑兰大学学生有牵连的证据，为此于2000年被监禁3个星期。

Eban, Abba (Solomon) 埃班(1915-02-02，南非开普敦～2002-11-17，以色列特拉维夫)　以色列外交部长(1966～1974)，有卓越的演说天才。他为以色列效力，赢得外交界的广泛赞扬，也赢得美国犹太人对以色列的更大支持。在英国长大，曾在剑桥大学研究和讲授东方语言和古典作品。1941年任英军少校，为防止德军进犯巴勒斯坦而训练犹太志愿军。1946年任犹太代办处政治情报官。1947年任联合国巴勒斯坦问题特别委员会联络官，并出席联合国大会。此次大会通过了

美国不列颠百科全书公司供图

分治巴勒斯坦的决议。1949年联合国接纳以色列为会员国，他任常驻联合国代表。1950～1959年兼任驻美大使。1959年选入国会，在本-古里安内阁中任教育文化部长。艾希科尔组阁时，他任副总理，后任外交部长，曾努力加强以美关系，并使以色列与欧洲经济共同体密切合作。1967年5月，当以色列受到阿拉伯封锁威胁时，他到巴黎、伦敦和华盛顿之间奔走。六日战争发生后，在联合国安全理事会和联合国大会中为以色列的行动辩护。著有《以色列的呼声》(演说集，1957)、《民族主义的潮流》(1959)、《我们的人民》(1969)、《自传》(1977)和《个人的证词》(1992)。

ebb tide 落潮　海湾或有潮河在低潮时水向海的流动。高潮时反方向的水流叫涨潮。参阅 **tide**。

Ebba Ksour(Tunisia)　**艾拜古苏尔**　参阅 **Althiburos 阿尔西布罗斯**。

Ebbinghaus, Hermann 艾宾豪斯(1850-01-24，雷恩尼希普鲁士巴门[德国]～1909-02-26，德国哈雷)　又译艾宾浩斯。德国心理学家，首先设计了测量机械学习和记忆的实验方法。1873年在波恩大学获博士学位，随即在柏林的弗里德里希-威廉大学任助教，直到1894年进入布雷斯劳大学任教授。以自己为被试进行观察，艾宾豪斯设计了2 300个3字母无意义音节，以测量联想的形成。根据这个首创的学习研究、对因素的严格控制以及对数据的详尽处理，他作出了记忆有序的结论。他的发现包括著名的将遗忘与时间进程联系在一起的遗忘曲线，1885年发表于《论记忆》中。完成了记忆研究后，艾宾豪斯转入颜色视觉的研究，并在1890年与物理学家A.科尼希一起创办《感官心理学和生理学杂志》。1897年研究了布雷斯劳小学生心理能力，从而创造了一种填字测验。同年出版另一部对其声誉有决定性影响的著作《心理学原理》第一部。1905年他离开布雷斯劳到哈雷大学，1908年在该校写成更受欢迎的著作《心理学纲要》。与当时占主导地位的观点不同，艾宾豪斯的研究表明，科学方法可以用于较高级的思维研究。

Ebbo of Reims 埃博(约775～851-03-20，萨克森希尔德斯海姆[德国])　Ebbo又拼Ebo。法兰克王国大主教。他率传教团前往北方的开拓性使命为丹麦的基督教化铺平了道路，同时对当代的艺术也曾产生过重大影响。农奴家庭出身。在加洛林宫廷中受教育。他与查理曼的儿子虔诚者路易一世成为密友。历任亚琛帝国图书馆馆长、大臣、兰斯大主教。822年奉教皇之命率法兰克传道团前往丹麦。到833年，埃博参与了反对皇帝的派别，他们指责路易一世破坏了法兰克的统一。埃博同意废黜和监禁路易。但834年，在他支持的洛泰尔垮台和路易复位后，他被捕获关押。840年路易一世死去，洛泰尔重新要求继承法兰克王位。841年，他被两个兄弟"秃头"查理二世和日耳曼路易击败。从此法兰克王国由3个国王联合统治。841年埃博被"秃头"查理二世放逐。他逃往罗马，最后获得日耳曼路易的庇护，845～847年任希尔德斯海姆大主教。

Ebbw Vale 埃布韦尔　威尔士语作Glynebwy。威尔士格温特郡布莱奈格温特郡级自治市的工业城镇。属蒙默思历史郡。最早是采煤中心。18世纪末以来，利用当地的煤、铁矿砂和石灰石炼铁；随后又发展炼钢业。1978年钢铁厂关闭。20世纪煤矿业停产给埃布韦尔带来了经济困难。城镇继续生产马口铁，发展一些轻工业。为重要商业中心。人口33 280(2001)。

Ebenales 柿目　显花植物的一目，属木兰纲。5科，145属，约1 700种。乔木或灌木。主要分布于热带。仅3科——柿科、山榄科及安息香科有重要经济价值。绝大多数种类生于湿热的热带森林。仅少数种类——美国东部的普通柿(弗吉尼亚柿，*Diospyros virginiana*)及亚洲的黑枣(*D. lotus*)在相当干燥的土壤中亦能生长繁盛。本目的特点包括木质、单叶、雄蕊附着于花瓣、子房每室中仅具少数胚珠等。

柿科(Ebenaceae)有6属，约450种。落叶乔木或灌木，心材坚硬，黑色、红色或绿色。花单性，雌雄异株，稀两性或杂性同株。子房上位。心皮2～8，离生，每室含胚珠1～2粒。常为浆果。乌木(大望加锡乌木树，*Diospyros ebenum*)产于印度及东印度群岛，其木材(乌木)商业价值极高。心材黑色，有褐色条纹，内充坚硬的树胶，故木材沉重，下水即沉。这种纹理细密的木材不易加工，但磨光后具漂亮的金属光泽；主要用来制造笛子、黑色的钢琴键、刀柄、镶嵌装饰、雕塑。柿科有些种为果树，如日本柿(*D. kaki*，栽于东方、地中海地区及美国南部温暖地区)、美洲柿(*D. virg-*

iniana，原产于美国，种子数多）、印度乌木（二花柿，*D. digyna*［前称 *D. ebenaster*］，果深褐色，味美）。黑枣（君迁子）在西欧及地中海地区用作观赏树。多花柿（*D. multiflora*）的树皮可制箭毒。

山榄科（Sapotaceae）植物的特征为含黏性的乳状液汁。本科约126属，800种，其中一些代表性种类有重要的经济意义，如桃榄属（*Pouteria*）植物、铁线子属（*Manilkara*）植物、巴拉塔树（重锯齿铁线子，*M. bidentata*，心材紫色）及其他材用树。人心果（*Achras zapota*）原产于墨西哥南部，果芬芳味美，树干含糖胶树胶，是许多口香糖的主要原料，此树今在印度、夏威夷及非洲部分地区栽培。本科许多植物的种子可提取食用油，这包括奇异牛油果（*Butyrospermum paradoxum*，长于苏丹及尼罗河地区的稀树草原）及摩洛哥铁木（*Argania spinosa*）。*Payena* 属的一些种产于泰国及邻近区域，可采取乳汁以加工制成杜仲胶（一种无弹性的似橡胶的物质）。

安息香科（Styracaceae）又称野茉莉科，特征为叶上有星状毛，果肉质，为核果（与其他科为浆果不同）。10属，150种。乔木或灌木，一般株高矮于其他科的种类。有3个属原产于中国，其种类栽培供观赏。马来亚的安息香（*Styrax benzoin*）产树脂安息香，用为香料的主剂、镇静剂及防腐药。

山矾科（Symplocaceae）或称灰木科。2属，约500种。分布于非洲以外的热带和亚热带。花两性，子房下位或半下位，分室完全。

Lissocarpaceae科。仅1属，2种。分布南美热带，特征与柿科一致，但子房下位。

柿目的花序各异，柿科及山榄科植物的花聚生成小簇，甚至单生，更原始的安息香科及山矾科则有分枝，为圆锥花序或聚伞花序。理想化的柿目植物的花包含四轮。萼片、花瓣及雄蕊为4～5基数。每轮的萼片及花瓣侧面相连，分别形成瓮形的花萼及花冠。雌蕊由4心皮合成，包含一个子房，一条花柱，柱头的叶数与子房的室数相同。胚珠1～2枚，中轴胎座。柿科植物罕有同一朵花中雌、雄蕊均具功能者。有的花中雄蕊能产生花粉而雌蕊发育不全；反之雌花中的雌蕊发育良好而雄蕊败育。雌花与雄花着生于不同的植株上，但每种植株均具少数完全花，借此保证一株离群的植物也能结果。果肉质。山榄科及Lissocarpaceae科为子房下位，而其他各科为子房上位。

Ebensee　埃本塞　奥地利中部上奥地利州城镇。在格蒙登南面，地当特劳恩河流入特劳恩湖处。1450年首见记载。1607年开始有盐场。地处赫伦山麓，为避暑和疗养胜地。工业产品有化学品（氨和苏打）、水泥和胶合板。人口8 734（1991）。

Eberbach, Heinrich　埃伯巴赫（1895-11-24，德国斯图加特～1992-07-13，诺青根）　第二次世界大战时德国坦克部队指挥官。1914年7月加入德国军队，第一次世界大战时在西线作战。1915年受伤被俘，交换战俘后，派往中东战场，又被俘。战后任职于警察部队。1935年重入军队，指挥装甲部队。曾进攻波兰（1939）和法国（1940）。在入侵苏联（1941）的战争中指挥装甲旅进攻莫斯科未果。1942年指挥第四装甲师，升任少将。1944年7月3日接替L.G. von施韦彭伯格将军指挥数个装甲师，后重组为第五装甲军团。同年8月31日被英军俘获，1948年释放。

Eberhard　埃贝哈德（？～939，德意志安德纳赫）　法兰克尼亚公爵（918年起）。德意志国王康拉德一世的兄弟。915年他支持兄长讨伐叛变的萨克森公爵捕鸟者亨利。康拉德死后，亨利成为国王亨利一世。埃贝哈德放弃对王位的一切要求，而换法兰克尼亚的几乎完全的独立。亨利之子奥托一世（936年接位）企图对他行使更多的权力。他于938年造反，但被击败。939年再次发动叛乱，阵亡。

Eberhard I　埃贝哈德一世（1445-12-11，德意志乌拉赫～1496-02-24，蒂宾根）　绰号多须的埃贝哈德。符腾堡第一公爵，政治和宗教改革家，为符腾堡在德意志历史上的作用奠定了基础。他扩大了自己的领土，1482年又确立了长子继承制。他还改革隐修院，创建蒂宾根大学。他是亲哈布斯堡王室的士瓦本联盟的领导人，在1495年沃尔姆斯议会上被封为公爵。

1477年彩色玻璃画窗上的埃贝哈德六世像
美国不列颠百科全书公司供图

Eberhard, Johann August　埃伯哈特（1739-08-31，勃兰登堡哈尔伯施塔特～1809-01-06，哈雷）　哲学家和辞典学家。拥护莱布尼兹的观点，反对康德的观点。所编德语辞典被人们使用达一个世纪之久。曾在哈雷大学攻读神学，1763年在哈尔伯施塔特任路德宗传道士。1774年在夏洛腾堡任牧师。由于受德国犹太思想家M.门德尔松和德国作家C.F.尼古拉（康德的反对者）的影响，逐渐同正统的路德宗教义疏远。在其所著《再为苏格拉底辩护》（1772～1778）和《思维与感觉概论》（1776）中，主张自由探索宗教学说，拥护莱布尼兹和德国思想家C.沃尔弗方式的认识论的唯理论。他认为鉴于莱布尼兹和沃尔弗已经取得的成就，康德的批判哲学就显得是多余的。1778年普鲁士国王腓特烈二世任命他为哈雷大学神学教授。8年后成为柏林科学院院士。1805年被任命为枢密顾问官。6卷本德语辞典（1795～1802）于1802年以缩写本形式重新出版，书名改为《德语同义语辞典》。埃伯哈特反对抽象的哲学思考，在研究美学、伦理学之类学科时也喜欢用经验主义的方法。后期作品有《美术与科学理论》（1783）、《哲学通史》（1788）和《美学手册》（1803～1805）。

Eberhart, Richard　埃伯哈特（1904-04-05，美国明尼苏达奥斯汀～2005-06-09，新罕布什尔汉诺威）　美国诗人、教师、马萨诸塞州剑桥诗人剧院的创办人（1951）。曾就读于剑桥大学达特茅斯学院和哈佛大学。1930年出版第一本诗集《大地的新装》。30年代任泰国王子的导师。此后在美国几所大学特别是达特茅斯学院（1956～1970）任教。曾任国会图书馆诗歌顾问（1959～1961）。1962年与J.H.惠洛克分享博林根诗歌奖。1976年出版《诗集，1930～1976》。《诗歌与诗人》（1979）是他的评论集之一。1966年凭借《诗选1930～1965》（1965）获得普利策奖。1982年被选入美国艺术文学院。

Ebers papyrus　埃伯斯纸草文稿　约公元前1550年的埃及医学文集。已知的最古老的医学著作之一。该纸卷中收录巫医处方及民间偏方700个，可用以治疗鳄鱼咬伤至趾甲痛等一系列伤病及驱除居室内的蝇、鼠、蝎等毒虫害兽。该文对循环系统描述之精确出人意料，如已注意到全身均有血管存在，心脏为血液循环的中心。该文稿于1873年为德国埃及学家兼小说家G.M.埃伯斯所得。

Eberswalde-Finow　埃伯斯瓦尔德-菲诺　德国东北部勃兰登堡州城市。在柏林东北约60千米，桑-埃伯斯瓦尔德的冰川谷中。1913年在菲诺发现公元前11～前10世纪的黄金储藏证明早在青铜器时代初期这里就有人居住。地处菲诺的天然渡口，邻近有森林、沼铁矿床和水力，使这里很早就是贸易、木材业、磨粉业和金属制作业的中心（1440年就有最早的铁铺）。菲诺在1602～1620年间开凿运河，改进航行。虽然在三十年战争（1618～1648）中该市遭到洗劫，但因菲诺运河的建设17世纪仍在发展。18世纪中叶传统工业有所发展，19世纪开办造船厂和起重机工厂。这两种工厂至今犹是欧洲同行业中规模最大的厂家。奥得-哈弗尔运河（1914年竣工）经过城北。现代工业有轧钢厂，以冰川沉积为原料的沙石厂、砖厂以及化学品工厂。城市

埃伯斯瓦尔德-菲诺市菲诺运河上的运煤驳船
美国不列颠百科全书公司供图

的文化设施包括一所森林研究所(1830)及附设的一个植物园,一所医学院和一个地方博物馆。人口约42 466(2003)。

Ebert, Friedrich　艾伯特(1871-02-04,德国海德堡～1925-02-28,柏林)　德国社会民主党领袖,温和的社会党人,领导制订魏玛宪法,该宪法试图将在第一次世界大战中战败的德国重新统一起来。1919～1925年任魏玛共和国总统。裁缝师傅之子。早年当过马具工人,不久成为社会民主党人和工会主义者,代表所谓修正主义的"工会"社会主义,但对马克思主义的意识形态斗争并无太大兴趣。一贯关注德国工人阶级生活条件的实际改善,特别是其社会地位和道德观念的提高。1905年成为德国社会民主党总书记。1913年继倍倍尔之后任党主席。在他的领导下,社会民主党在国家政治中的影响日益增强。1914年8月3日,他说服党员支持战争拨款,而没有要求德国实行真正的和平政策,结果他的党无力迫使政府采取有可能使德国避免彻底失败的政策。艾伯特未能使全党长期坚持他的路线。1917年3月,一些左翼分子退党另组德国独立社会民主党,竭力反对战争拨款和德国的战争政策。另一部分人则从社会民主党分裂出来成立德国共产党。退出社会民主党的左翼致力于社会革命,而艾伯特及其党则主张建立议会民主。战争期间,天主教中央党、民主党(前进步党)和社会民主党组成以1848年自由主义革命旗帜的颜色命名的所谓黑-红-黄(魏玛)联盟。

在艾伯特的积极合作下,通过对宪法的全面改革,于1918年10月组成以巴登的马克斯王子为首,包括黑-红-黄联盟3党的新政府。这样,德国就不需要进行革命来达到议会民主改革,而艾伯特竭尽所能正是要阻止这样的革命发生。但停战前3天,革命爆发了。11月9日,革命在柏林获得胜利。当天马克斯王子要求艾伯特接替他担任总理,但仍希望为皇帝建立摄政的艾伯特实际上只当了一天的总理。11月10日,他屈服于革命的既成事实,成立由社会民主党和独立社会民主党代表组成的清一色的社会党人政府。政府称为人民代表会议,其权力来自仅由柏林的工厂和军团独断地选出的工人士兵会议。艾伯特决定尽快地将人民代表会议和工人士兵会议的权力交给由自由选举产生的德国议会。

在1919年1月的选举中,黑-红-黄联盟获得85%的多数票。在3党联盟的基础上,组成以社会民主党人P.谢德曼为首的共和国第一届政府。联盟制订了魏玛宪法,该宪法因在魏玛这座小城镇拟订而得名。组成联合政府的3党选举艾伯特为共和国首任总统。艾伯特希望改变帝国的有机结构。但旧有的德国各州成功地抵制了他的"单一国家"制,特别是普鲁士仍继续作为一个邦而存在。由于魏玛政府在最初几年里为其所发动的反对左派社会党人和共产党人的内战所困扰,以致未能触动支撑旧德国的各种组织和力量。在内战中,共和国力量耗尽,无力对帝国进行根本改革。易北河以东的容克地主凭着其拥有的大庄园和对社会与政治生活的影响,也在革命中幸存下来。

1920年6月6日共和国第一届议会选举中,黑-红-黄联盟失去多数,社会民主党因此失去了在帝国中的统治地位。这次选举的失败是凡尔赛和约的直接结果。对黑-红-黄联盟的失去信心,是对魏玛共和国的致命打击。1920年3月13日,激进的民族主义者、共和国军队的一部分人和"自由团"义勇军对共和国发动政变。这场由庸碌无能的政客,企图恢复君主制的W.卡普领导的政变,几天后即告失败,但艾伯特期望军队与社会民主党人和解的梦想却被粉碎了。1923年1月,德国被宣布没有履行凡尔赛和约中的赔款条款所写明的运煤规定。法国占领鲁尔区,企图一举解决赔款问题。艾伯特支持全民抵抗和鲁尔总罢工,但罢工使数百万人失业,通货膨胀惊人,国家发生最严峻的社会和政治危机。希特勒在巴伐利亚攫取政权的企图几乎成功。鲁尔斗争前夕被任命为总理的无党派人士W.古诺面对危机束手无策。接替古诺的中右派人民党的G.斯特莱斯曼克服了危机。为抗议他转向更右的立场,艾伯特的党退出执政联盟,导致总理于1923年11月辞职。退出内阁导致艾伯特的党在许多年里再也未能积极参与国家政治活动。右派许多人坚持诽谤艾伯特,德国一法庭宣判他在战争期间支持军火工人罢工,至少在法律意义上犯有叛国罪。

Ebetsu　江别　日本北海道城市。位于石狩川下游。原为一拓荒村。作为札幌市卫星城迅速发展起来。工业区、住宅区规划得体。有食品加工业,并生产金属制品、陶器和纸张。石狩川水源丰富,河上有北海道最大电站,对工业发展有重要作用。人口约111 099(1994)。

Ebionite　伊比奥尼派　早期基督教会苦修派别,他们强调基督教义中的犹太教成分。该派之事始见于伊里奈乌斯的著作,据说迟至4世纪该派仍在活动。他们从巴勒斯坦移居外约旦和叙利亚,后来小亚细亚、埃及和罗马也有该派信徒。该派信奉造物主独一上帝,认为约瑟与马利亚所生之子耶稣为弥赛亚,在《新约》中仅采用《马太福音》,反对背弃犹太律法的保罗,尊耶路撒冷为上帝的圣殿。伊比奥尼派的大部分教义都来源于死海古卷中所载的更古老的库姆兰教派。

Ebira (people)　参阅 **Igbira 伊格比拉人**。

Ebisu　惠比寿　日本神话中七福神之一,主要为渔民和商人所奉祀。其像肥胖多髯,一手执钓杆,一手提象征吉祥的鲷鱼,莞尔而笑。一些神道教派别认为惠比寿是蛭儿,即造化之神伊奘冉尊和伊奘诺尊夫妇的头生儿,出生后不得父母喜爱,被置于芦苇舟中飘流。惠比寿有时与大国主神之子事代主神有关系,又因为他曾在地上诸神与天上诸神冲突中斡旋和平而被尊为幸福之神。参阅 **Shichi-fuku-jin**。

Ebla　埃卜拉　古城遗址,位于叙利亚西北部阿勒颇西南53千米处。今称马尔迪赫圆丘。埃卜拉的鼎盛时期约为公元前2600～前2240年间,曾占有叙利亚北部,黎巴嫩及美索不达米亚平原北部(今伊拉克)部分地区,其贸易及外交关系可远达埃及、伊朗及苏美尔。

1964年开始,罗马大学一支考古工作队在保罗·马提埃领导下,对已知为埃卜拉遗址的这座圆丘进行发掘。1975年马提埃领导的考古队发现了埃卜拉的档案馆,藏品可上溯至公元前第3千纪,约有15 000件泥板及碎片,虽其架板早已腐朽倾圮,但其排列顺序几乎一如其旧,这为研究埃卜拉提供了丰富的资料。

埃卜拉的繁荣,部分由于当地农产富足。因地处叙利亚北部肥沃平原,适于种植大麦、小麦、橄榄、无花果、葡萄、石榴、黄麻等作物,兼有牛、羊、猪等家畜饲养之利。此外,埃卜拉控制着17个城邦,大多坐落于今黎巴嫩及土耳其东南部,这些地方盛产白银及木材。埃卜拉城本身是一个制造业中心和商品集散地。当地主要产品为亚麻布和羊毛织物,尤以花布著称。其次是金工,包括金、银、铜、锡、铅等的熔炼及合金制造等,是仅次于织物的经济活动。木工及橄榄油、葡萄酒、麦芽酒等酿造品也很重要。

贸易是埃卜拉第3位经济支柱。布匹、制成品、橄榄油为主要出口物资;进口物资则有金、银、铜、锡、宝石及绵羊等。埃卜拉因其地理位置优越,大大受益于转口贸易。来自伊朗、安纳托利亚、塞浦路斯的各类物资,在埃卜拉转口,运往远处的苏美尔和埃及等国家。对埃及的贸易要经过比布鲁斯。

外交活动加上有限的战争行动,是支撑埃卜拉商贸活动的一些因素。地当幼发拉底河与加利赫河汇合处的埃马尔城是一个战略重镇,同埃卜拉城因统治家族的联姻而结盟。哈马兹城是埃卜拉在伊朗境内的商务与外交上的盟友。埃卜拉还同其他一些城市缔结了商约。雄踞幼发拉底河畔的马里城恰处于埃卜拉的东南,曾是埃卜拉最大的商业竞争对手。为此埃卜拉曾两度出兵攻打马里,有一段时间埃卜拉曾派驻马里一名督军,对该城实施统治权。

埃卜拉由国王综揽政务。国王不是世袭职,而且任期有限。另设长老议事会,享有决策大权。布匹织造事务则由王后专管。国王任命总督 14 名，分别管理埃卜拉的各行政区，其中两名总督负责埃卜拉本城事务。

埃卜拉的宗教信仰为多神教，而主要是迦南人的宗教。达比尔神是埃卜拉城的保护神；但他们也崇奉大衮神、西比什神、哈达德神、巴拉图神及阿斯塔特女神。埃卜拉的语言是迦南语的一种方言，与西北闪米特诸语言关系最近，只是迄今学术界尚无定论。但埃卜拉出土的泥板文书所用字母则是苏美尔楔形文字，与阿达卜及阿卜萨拉比赫两地(均在今伊拉克境内)出土的泥板极为相似。泥板文书表明苏美尔教师曾到过埃卜拉，而阿达卜附近曾有一条"埃卜拉运河"，可证明埃卜拉人也曾到过苏美尔。另有一些出土资料诸如方言词汇、音节文字、地名表以及学生作业等，都说明埃卜拉曾是一处文化教育中心。埃卜拉文书之完整性大大提高了现代学者对于苏美尔研究的水平，尽管文书有些片段是苏美尔泥板文书部分文字的抄袭或复录之作。

埃卜拉的繁荣引起阿卡德王朝(约公元前 2350～前 2195)的注意。尽管阿卡德王萨尔贡所称曾经征服埃卜拉，因考古发掘出土证物而使学者们对这一说法产生怀疑，但埃卜拉城一次毁于大火很可能就是萨尔贡的孙子纳拉姆辛约公元前 2240 年攻陷该城的结果。埃卜拉此后陷于极端贫困状态，历经两个半世纪之久；又被一部分阿莫里特人洗劫，然后在该地建立了阿莫里特王朝。阿莫里特人重建王宫及神庙，在后来的考古发掘中，还出土一具雕像，显系阿莫里特人之王。在阿莫里特王朝统治下，埃卜拉的昔日繁荣只得到部分恢复。出土文物中有一骨制节杖，装饰精致，系法老霍特普·伊布·瑞(公元前 1765 年前后在位)所持，此物足证当时埃卜拉同埃及已重建外交关系。埃卜拉最终在约公元前 1650～前 1600 年间震撼中东地区的大骚乱中遭到毁灭性破坏，不过许多创始于该城的工艺技术及文化传统却在叙利亚文化中继续保持了其生命力。

Eblaite language　埃卜拉语　古代闪米特语言。可能是保存完整的最古老的语言。溯源至公元前第三千纪的第三个"四分之一时段"期间，属闪-含语系北中部闪语支。20 世纪 70 年代中期，在叙利亚阿勒颇附近的马迪赫山所进行的考古发掘，曾出土许多埃卜拉国家档案中的楔形文字书写的埃卜拉语泥板和泥板残片。档案泥板是用古典的美索不达米亚楔形文字书写的，其中苏美尔词符占有显著地位。从语言学观点看，埃卜拉语是闪米特语族北中部语支的语言，这个语支还包括亚摩利语，以此与闪米特语族北部近缘语支的古阿卡德语相区别。出土档案提供了埃卜拉人政治和文化活动的资料。尽管现仍处于研究阶段的初期，但已可看出埃卜拉语曾是高度发展的闪米特西北地区的官方文化语言，在那拉姆-辛约于公元前 2240 年灭亡埃卜拉国家之前，埃卜拉语除作为地区语言外，可能还是整个地区定居者中主要的受过教育的人们的语言。这种语言显示出埃卜拉国家地缘影响往北约至赫梯，往南直到埃及。埃卜拉语泥板的发掘不仅显示出埃卜拉文化，并且有助于对包括希伯来语在内的闪米特诸语言进行比较研究，且对无亲缘关系的苏美尔语所进行的现代研究工作大有助益。

Ebner-Eschenbach, Marie, Baroness (Freifrau) **von　埃布纳-埃申巴赫**(1830-09-13，摩拉维亚兹迪斯拉维奇[今在捷克共和国]～1916-03-12，奥地利维也纳)　奥地利女小说家，以敏锐地描写奥地利穷人和贵族的生活著称。以戏剧《苏格兰的玛丽亚·斯图亚特》(1860)开始其写作生涯，但自认小说领域才是她用武之地。在《巴纳利亚公主》(1872)、《博彻娜》(1876)和杰作《教区的孩子》(1887)里，她形象地描绘了摩拉维亚故乡的环境，表现了对贫苦人民及其问题的真正同情，以及对儿童状况的冷静了解。《女钟表匠洛蒂》(1879)、《两位伯爵夫人》(1885)和《罪不可赎》(1890)也以同样的洞察力描写了奥地利贵族的生活。1848 年嫁给奥地利上尉，后来的元帅冯·埃布纳-埃申巴赫·莫里茨男爵，先是卜居维也纳，后迁居克洛斯特布鲁克。1863 年，返回维也纳长住，直到逝世。

Ebo OF REIMS　参阅 **Ebbo of Reims** 埃博。

Ebola　埃博拉病毒　属 Filoviridae 科病毒(1987 年建科)，可致一种严重的、常为致命的出血热。主要症状有高热、皮疹、大出血。有报告表明在灵长目动物和人类中已有多次爆发流行，死亡率介于 50%～90%。埃博拉病毒因首见于刚果(金)北部的埃博拉河地区(1976 年)而得名，同年在刚果(金)、苏丹爆发流行，导致几百人死亡。1995 年，刚果(金)再次爆发埃博拉出血热大流行，又有好几百人殒命。Filoviridae 科只有两个成员，除了埃博拉病毒，就是 1967 年发现的马尔堡病毒(Marburg virus)。电子显微镜下，埃博拉病毒呈微丝状，偶有分支或盘绕。病毒体为单链 RNA(属 RNA 病毒)，但其本身无致病性。埃博拉病毒的确切致病机制目前尚未明了。有假说认为，埃博拉病毒 RNA 指导合成的蛋白质可抑制机体的免疫功能，致使病毒在体内大量复制。埃博拉病毒性出血热和虫媒、兽媒出血热的症状、体征十分相似，但在节肢动物和啮齿动物中尚未发现有埃博拉病毒的自然宿主。传播途径有患者血液、精液、体液、尿或呼吸道分泌物；愈后患者可成为病毒携带者。环境恶劣、缺医少药是促成埃博拉病毒性出血热爆发流行的重要原因。埃博拉病毒性出血热的潜伏期多在 4～16 天，而后起病急骤。患者高热、头痛、不思饮食、肌肉疼痛，几天内即可出现弥漫性血管内凝血(DIC，一种休克状态)。因 DIC 大量消耗凝血因子，故其后果是大出血。在埃博拉出血热，DIC 主要发生在肝、脾、脑等深部脏器，致使外周组织出现严重的毛细血管出血。随后出现的症状主要有恶心、呕吐、血性腹泻、黏液性腹泻、结膜炎、咽炎等。皮肤斑丘疹(常伴皮肤色泽改变)最先出现在躯干，而后迅速蔓延至四肢和头面部。DIC 导致的大出血多位于内脏的体表通道、消化道、注射针孔、深部脏器等等。患者多于病后 8～17 天死于大出血、休克或肾功能衰竭。埃博拉出血热目前还是不治之症，临床上只能对症处理，如输血以控制出血、输液以维持水和电解质平衡等。应对患者实行完全隔离，并对患者所用器械进行彻底消毒，以防止病毒传播。

Eboli　埃博利　意大利南部坎帕尼亚区萨莱诺省城镇。在萨莱诺市东。著名古迹有科隆纳家族的城堡和罗马式圣彼得罗·阿里·马尔米小王长方形教堂(1150)。农业中心。以产橄榄油和乳品闻名。当地传说"基督停在埃博利"意指埃博利南面地区物质和社会条件的落后和悲惨的生活状况。人口：城市区约 34 538(1993)。

Ebolowa　埃博洛瓦　喀麦隆西南部城镇。在雅温得西南 112 千米。地当公路交叉点。为可可贸易中心。农业学校在该镇附近设立了种植非洲食品作物的实验农场。有木材加工厂。建有医院、博物馆和机场。人口约 31 623(1987)。

Ebonics　黑人英语　又称 African American Vernacular Euqlish(AAVE，非洲裔美国人英语方言)，旧称 Black Euqlish Vernacular(BEV，黑人英语方言)。大部分非洲裔美国人说的美国英语方言。很多学者认为，像几种英语克里奥尔语一样，黑人英语方言是非标准的殖民地英语与非洲语言的交流发展出来的。黑人英语与南方白人非标准的方言在某些方面相似，是受教育程度低的人在非正式场合使用的。主要特征如下：①省略系动词 be，如 Larry sick；②简化辅音连缀，因此 passed 或 past 与 pass 常无法分辨；③双重否定，如 She don wan nothing；④主谓不一致，如 He do；⑤一般疑问句中主谓不倒装，如：Why you don't like me? ⑥从句中主谓倒装，如：He aks me did I do it? ⑦在一些疑问句中省略助动词 do，如：What you want? ⑧使用表习惯的系动词 be，如：Billy don't be telling lies。此外，黑人英语的语调和重音也不同，如 police 这个词的重音落在第一个音节而不是第二个音节。

ebony　乌木　几种广布热带的柿科柿属(*Diospyros*)乔木的木材。最好的乌木仅取自心材，质重，色深黑。因乌木色佳，坚硬，耐用，易于抛光，故用制细木家具、镶嵌材料、钢琴键、刀把及车削制品。古代印度国王用乌木制节杖和雕像，又认为乌木能抗毒，故用之制酒杯。据希罗多德记述，古代埃塞俄比亚人每 3 年向波斯进贡乌木 200 根。最好的印度和锡兰乌木取自锡兰乌木(*D. ebenum*)，该种广布斯里兰卡亭可马里以西的平原地区，树干粗壮，树皮乌黑发亮如炭，边材色纯白，心材质地极细密，色深黑。乌木仅采用其心材部分，但经修削后直径仍达 30 至近 100 厘米。印度东部的乌木多取自科罗曼德尔乌木树(*D. melanoxylon*)，树高 18～24 米，树围 2.4～3 米，分枝不规则，叶长圆形。山乌木(*D. montana*)亦原产于印度，木材黄灰色，质软而耐用。稀有乌木(*D. quaesita*)的木材在斯里兰卡称为卡拉曼德木，纹理细密，极硬，色淡褐如榛子，并有黑色斑纹，适于制胶合板及家具。*D. dendo* 原产于安哥拉，心材色深黑而质硬，称为黑乌木或加蓬乌木、拉各斯乌木、卡拉巴尔乌木、尼日尔乌木。商售牙买加乌木（美洲乌木、绿乌木）取自豆科乔木或灌木 *Brya ebenus*，其心材深褐色，质重，极硬，能高度抛光。

Ebony 《黑檀杂志》 适合美国黑人中产阶级口味的月刊，是第一个为黑人编纂且大量发行的杂志。由芝加哥人约翰逊（**Johnson, John Harold**）于 1945 年创办，他曾于 1942 年创办袖珍杂志《黑人文摘》。他把《黑檀杂志》办成以新闻与图片为主，风格类似《生活》杂志，但以黑人读者为对象。《黑檀杂志》一开始便获得成功，发行量达 2.5 万份。编辑重点也从开始着重报道娱乐界和体育界黑人明星，转向报道各界黑人的成就。至 21 世纪初该刊物的发行量达 180 万份。

Ebot（city, ancient Egypt） 参阅 **Abydos 阿比多斯**。

Éboué, Félix 埃布埃（1884-12-26，法属圭亚那卡宴～1944-05-17，埃及开罗） 法国黑人出身的殖民官员，所任职务达到法国殖民行政体制的最高一级，1940 年在促使法属赤道非洲拥护戴高乐的自由法国方面起了重大作用。1908 年在殖民学院毕业后，被派往乌班吉-沙里（今中非共和国）工作。1930 年任总驻节官。1932 年任总督府秘书长，后为马提尼克代理总督，最后任瓜德罗普总督，根据法国人民阵线政府的方针进行多项改革。1938 年 7 月被调到非洲最贫困的国家之一乍得。他使这个具有重要战略地位的殖民地以及整个法属赤道非洲归附到戴高乐将军麾下。作为回报，戴高乐任命他为法属赤道非洲的总督，并于 1944 年，在其首府布拉柴维尔举行讨论战后殖民统治改革的会议上，对他进一步表彰。1944 年埃布埃在开罗休假期间死去，1949 年成为安葬于巴黎的法国先贤祠的唯一一名黑人。

Ebro River 埃布罗河 拉丁语作 Iberus（Hiberus）river。西班牙最长、流量最大和流域面积最广的河流。源出坎塔布连山脉雷诺萨附近。流向东南，到巴塞罗那和巴伦西亚之间塔拉戈纳省地中海沿岸的三角洲，全长 910 千米。由于穿越沿海山脉形成许多峡谷，仅三角洲与托尔托萨之间 25 千米河段可通小船。流域面积 85 500 平方千米，约占全国的 ⅙。但土地干旱、贫瘠，人口稀少。20 世纪 50 年代在该河中游图德拉及萨拉戈萨之间主要泛滥平原和卡斯佩周围中北平原河间地加强水利建设。有现代化的灌溉渠网络。接纳 200 多条支流，最大支流已被开发用于水力发电和灌溉。流域盆地东南部及其下游地区褐煤蕴藏丰富，可用于火力发电。

Ebroïn 埃布罗恩（？～680或683） 法语作 Evrouin。中世纪纽斯特里亚的法兰克王国宫相，从 656 年起任职约 20 年。673 年傀儡国王克洛塔尔三世死后，他指定克洛塔尔的兄弟提奥多里克三世为继承人。权贵们起来造反，请求克洛塔尔的另一兄弟奥斯特拉西亚国王希尔德里克二世的支持。希尔德里克占领纽斯特里亚和勃艮第，将埃布罗恩囚禁起来。675 年希尔德里克遇刺，埃布罗恩逃走，恢复提奥多里克三世的王位。他以谋杀希尔德里克的罪名残酷地处死了对手欧坦主教圣莱热。晚年他成功地反对奥斯特拉西亚，打败其宫相丕平二世。埃布罗恩为人极为残暴，终于被法兰克贵族暗杀。他的死标志着纽斯特里亚在法兰克事务中的支配地位的终结。

ebullism 体液沸腾 因周围压力极度降低造成体液内出现气泡的现象。海拔越高，气压越低。因此飞行员飞人高空时易出现此种情况。在海平面大气压（760 毫米汞柱）条件下，水的沸点为 100 °C。液面上的气压降低，液体沸点亦降低。在海拔 18 605 米高处（或在大气压力为 47 毫米汞柱）时，水的沸点仅为 36.7 °C，与人的正常体温相同；这就是说体内液体和组织内含有的水分在这种压力下要发生气化。为预防体液沸腾，驾驶员需穿曾压服或在加压舱内生活。体液沸腾通常发生在装备失灵时。症状包括口和眼的黏膜起泡、皮肤肿胀、血液内出现气泡、循环和呼吸功能障碍或衰竭、脑组织由于动脉梗阻而缺氧、肺组织肿胀和出血等。如果在体内组织出现损伤以前未能及时施以复压治疗则可造成死亡。

Eburon glacial stage 埃布隆冰期 北欧更新世（始于约 160 万年前，终止于约 1 万年前）的年代地层单元。位于瓦阿尔间冰期之前，提格尔间冰期之后，该 2 间冰期是气候较温暖的时期。此冰期以含有适应寒冷气候条件的动植物化石的沉积物为特征。

Eça de Queirós, José Maria de 埃萨·德·克罗兹（1845-11-25，葡萄牙波瓦-迪瓦尔津～1900-08-16，巴黎） 葡萄牙小说家，致力于社会改革并把自然主义和现实主义引进葡萄牙。一位有地位的地方法官的私生子。早年由亲戚抚养，5 岁时即在寄宿学校读书。1866 年从科英布拉大学法律系毕业后，定居里斯本，开始创作活动。不久，他的短篇小说和各种题材的文章便在《葡萄牙新闻报》上发表。1871 年起，与一群主张社会改革和艺术改革的青年知识分子建立密切联系，被称为"七十年代派"。在这群人的推动下，他作了一系列讲演，谴责了当时葡萄牙文学的虚伪和缺乏独创性。历任驻哈瓦那（1872 ～ 1874）、纽卡斯尔（1874 ～ 1879）和布里斯托尔（1879 ～ 1888）的领事，在这期间，他写了一些最为人所称道的小说，企图通过文学作品来暴露在他看来是传统秩序的邪恶和荒谬，对葡萄牙进行社会改革。他的第一部长篇小说《阿马罗神父的罪恶》（1875）描写独身生活对一个性格软弱的教士所起的毁灭性作用，以及宗教狂热在葡萄牙一个外省村镇所造成的危害。下一部小说《堂兄巴济利奥》（1878）辛辣地讽刺了激情的浪漫主义理想及其悲剧性后果。《马亚一家》（1888）是他的杰作，详细地描绘了葡萄牙中产阶级上层和贵族社会的生活，其主题是传统家庭的堕落腐化。后期小说倾向于伤感，《城与山》（1901）赞美了葡萄牙乡间的美景，田园生活的乐趣。

Écarté 埃卡泰 属尤克牌戏的一种纸牌游戏，常用于赌博。19 世纪盛行于法国与英国，但以后即衰落。游戏由 2 人玩，但旁观者也常常参与下赌。游戏用 32 张牌进行。32 张牌是：每一种花色的 K（最大）、Q、J、A、10、9、8、7。每人先抓 5 张牌，翻开第 11 张牌作将牌花色。任何一方均可叫"停"，这时就开始打牌。若无人叫停，牌手即开始轮流换牌，即扔掉手上无用的牌，换进有用的牌，但手上始终为 5 张牌。每个牌手还有机会叫停，一旦有人叫停，即开始打牌。若在换牌过程中一直无人叫停，以至整副牌已经抓完，这时就必须开始打牌。在玩牌过程中翻出的将牌不能改变（即第 11 张牌花色为将牌花色）。在开始打牌前，有将牌 K 的一方先将其亮出，即可得 1 分。游戏主要是机械地比大小，即后出牌一方对对手打出的花色，必须用更大的将牌或更大的牌才能赢回一墩牌。一方赢 3 墩或 4 墩牌，得 1 分，或者 5 墩牌全拿（满贯），得 2 分。抓完初手牌（即前 5 张牌）即叫停，叫停的一方在打牌时至少须赢 3 墩，否则对方即得 2 分。先得 5 分的一方为胜者。

Ecbatana 埃克巴坦那 伊朗境内古城，现代城市哈马丹（**Hamadan**）即建于埃克巴坦那遗址之上。埃克巴坦那曾为米底王国都城，其后成为阿契美尼德王朝诸王的夏宫，也曾是安息诸王的行宫所在地。据希腊古代作家的记载，埃克巴坦那城是由一位半传说人物米底人的第一位国王台奥赛斯所建，其时间在公元前 678 年前后。据希腊历史学家希罗多德的描述，该城在公元前 5 世纪时筑有围墙 7 道，呈同心圆状。埃克巴坦那于公元前 550 年被波斯的居鲁士大帝攻占，当时米底统治者阿斯提亚格斯成为末王；后来在公元前 330 年时，埃克巴坦那又被亚历山大大帝自波斯阿契美尼德王朝的最后一名统治者手中夺走。这座古城的遗址部分位于今哈马丹城内，尚未进行考古发掘。

Eccard, Johannes 埃卡德（1553，图林根米尔豪森［德国］～1611秋，勃兰登堡柏林） 德国作曲家，因为教堂全年不同仪式使用的一组路德宗众赞歌配乐而闻名。自 1608 年起，成为勃兰登堡选侯的教堂私人祈祷处乐长，直至 1611 年去世为止。所写歌曲及早期弥撒曲恢复了他的老师、著名作曲家拉索的风格。喜爱创作短小声乐和器乐宗教乐曲，其中最杰出的是 1597 年用五声部所写的一组众赞歌《牧师的众赞歌》。

Ecce Homo 你们看这个人！ 基督教艺术题材，源出罗马犹太巡抚本丢·彼拉多对要求处死耶稣的犹太人说的话（《约翰福音》19：5）。此题材最早出现于 15 ～ 17 世纪西欧，当时有些绘画显示基督在受到罗马士兵鞭打和戏弄之后的形像。画中基督多是身穿紫袍，头戴荆冠，因为罗马士兵就是这样把他打扮成一位国王而戏弄的。欧洲文艺复兴时期

H.博斯绘《你们看这个人!》
美国不列颠百科全书公司供图

各画派都普遍采用这一题材。15世纪耶稣基督的痛苦经历在西欧特别受人怀念,于是这一题材十分流行。

Eccelino III da Romano (Italian noble) 参阅 **Ezzelino III da Romano** 埃切利诺三世(罗马诺的)。

eccentric-and-rod mechanism 偏心圆盘连杆机构 用于从回转轴得到往复直线运动的一种机构。其用途与曲柄滑块机构相同,当要求往复运动行程小于驱动轴尺寸时特别有用。图中,在旋转轴的 A 点固定有偏心圆盘2,其偏心距为 AB。偏心环和连杆3由两

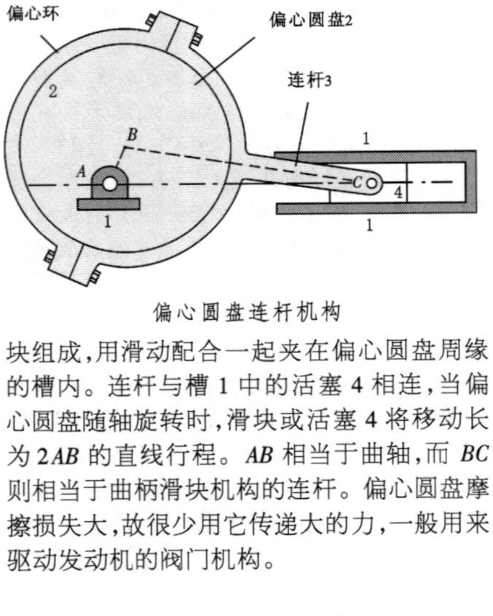

偏心圆盘连杆机构

块组成,用滑动配合一起夹在偏心圆盘周缘的槽内。连杆与槽1中的活塞4相连,当偏心圆盘随轴旋转时,滑块或活塞4将移动长为 $2AB$ 的直线行程。AB 相当于曲轴,而 BC 则相当于曲柄滑块机构的连杆。偏心圆盘摩擦损失大,故很少用它传递大的力,一般用来驱动发动机的阀门机构。

Ecchellensis, Abraham 参阅 **Ibrāhīm al-Ḥāqilanī** 易卜拉欣·哈吉拉尼。

Eccles, Sir John Carew 埃克尔斯(1903-01-27,墨尔本~1997-05-02,瑞士康特拉) 澳大利亚生理学家,因发现神经细胞传导或抑制冲动的化学方程式而与A.霍奇金、A.赫胥黎共获1963年诺贝尔生理学或医学奖。1951~1966年在堪培拉的澳大利亚国立大学工作时,他证明了若冲动使神经细胞兴奋,一种突触即向邻近细胞释放一种物质(可能为乙酰胆碱),使神经膜的孔隙增大,以致钠离子能自由进入邻近神经细胞,并逆转其电荷的极性。这一电变化的波构成神经冲动,并在神经细胞间传导。他又发现,有一种神经细胞兴奋后,会向邻近细胞释放一种促进阳性的钾离子透过细胞膜外流的物质,强化了现存的极性,并抑制冲动的传导。他的研究多以霍奇金及赫胥黎的发现为基础,且对神经病的内科治疗,肾、心及脑功能的研究均影响极深。著有《脊髓的反射活动》(1932)、《神经细胞生理学》(1957)、《中枢神经系统的抑制路径》(1969)、《认识大脑》(1973)及《人的心灵》(1980)等。

Eccles, William Henry 埃克尔斯(1875-08-23,英格兰兰开夏巴罗因弗内斯~1966-04-29,牛津) 英国物理学家,发展无线电通信的先驱者。1901年于伦敦皇家理学院获博士学位,然后在伦敦的西南工业学院任教(1902~1916),1916~1926年继S.汤普森之后在伦敦城市同业公会工学院任教。他是亥维赛理论的较早支持者,该理论认为高层大气会反射无线电波。他于1912年提出,由于太阳辐射的影响而引起白天和黑夜无线电波传播的差别;他用检波器和放大器做了无线电接收的实验,并研究了大气对无线电接收的干扰。他的著作有《无线电报手册》(1915)和《连续波无线电报》(1921)。

Ecclesia 公民大会 希腊语作Ekklēsia。古代希腊城邦公民的全体大会。源于荷马时代的"阿戈拉",即人民的集会。雅典的公民大会有极详细的记录。它在德拉古时期(约公元前621)已经在进行活动。在梭伦立法(约公元前594)的过程中,公民大会由18岁及以上的全体男性公民组成,它有最终决定政策的权力,并有权在公开法庭听取上诉,参加执政官的选举,对个人授予特权。在公元前5世纪~前4世纪,雅典的五百人会议中有一个委员会负责召集公民大会,定期会议每10年召开4次,另外还有不定期的特别会议。除批准长官的任命,研究岁入和诸如此类固定的事项外,议事日程由五百人会议的委员会确定。所有议案都由五百人会议提出,公民大会不能提出新的问题。参加公民大会的人可以自由发言,讨论完毕通常进行举手表决,在大多数情况下简单的多数便确定了结果。希腊大多数城邦都有过公民大会。它们在整个希腊化和罗马时期继续进行活动,不过在罗马帝国时期,它们的权力逐步萎缩。

Ecclesiastes 《传道书》 《旧约》的一卷智慧文学著作,列在犹太教正典第三类圣录部分。在希伯来圣经中则列在《雅歌》和《耶利米哀歌》之间。作者不详,但据第一章第一节说,作者是"传道者",或云此词指"在耶路撒冷作王的大卫之子",即公元前10世纪的所罗门,但书中经常出现阿拉米文及包含理性主义内容,可见成书年代约在公元前3世纪后半叶。该书中的许多思想表明,作者怀疑智慧神学中有关善恶有报的教义。

ecclesiastical court 教会法院 指宗教当局所设立的法院,用以处理教士间的争执,以及处理或是涉及教士或是涉及世俗人精神方面的事务。虽然目前在犹太人(参阅 **bet din**)、穆斯林和许多基督教派之间仍存在这种法院,但它们的职能已演变为严格限于宗教问题和教会财产的管理问题。在历史上的早期,教会法院常常有一定程度的世俗管辖权;在中世纪,天主教会的法院在权力方面则和世俗法院分庭抗礼,精神事务的范围常常扩展到世俗领域方面。教会法院有权管辖受圣礼约束的事件,这包括任何与婚姻有关的事件,如分居和子女的合法地位等;它们对涉及遗嘱的案件也拥有专有管辖权。英国的教会法院(于16世纪成为国教法院)在继承人的财产(动产)事务方面便拥有全面的管辖权,直到16世纪时为止;后来则和大法官法院争享这一管辖权,一直到1857年。英国的教会法院还主张对被指控犯有各种不同罪的大部分教士应享有管辖权。教会法院的广泛权力在中世纪期间引起了很大的争论,因为很多人都能提出主张说他们是在教会保护之下,因此可以准许请求教会法院的庇护。提出这些要求的人员包括十字军士兵、学者、寡妇、孤儿,而且在法律的若干领域内还包括一切有文化的人。教会法院对有关教会纪律和行政管理的一切争执,对教士或宗教社团所要求的财产、什一税、圣俸、涉及宣誓和誓词以及异端等问题,都享有管辖权。在异端分子顽强盘据而必须加以镇压的地方,便运用宗教的专门审讯法庭,而世俗的统治者在绝罚的威胁下只能执行该法庭的最严厉的判决。虽然最初由主教出席于较低级的法院,但不久在大多数情况下作为主教代理人出席的副主教便取代了主教。这些副主教有专门的检察官和书记官的协助。后来这些副主教们又被通晓教会法和罗马法的人士所取代。上诉先是向大主教提出,最后通过教皇使节可以上诉到罗马。凡是在王室司法显得软弱的许多地区,教会法院就承担起司法管辖权。到了14世纪随着王室司法审判工作日益增多,这两种权力间的争执也就日益扩大。世俗当局想方设法削弱教会法院的权力。其办法之一便是用再审令的办法将案件调到世俗法院重审。其次更巧妙地就是把教会法院的管辖权局限于精神事件。婚姻的民事契约和圣礼分开了,其他契约和遗嘱也被划入世俗的范围内。到16世纪时,欧洲大陆的教会法院基本上已不再拥有任何世俗职能了,但是仍然留有若干的痕迹。例如,在德国的一些地区,结婚和离婚仍处在教会法院的管辖下,直到1900年《德国民法典》生效时才停止。当前英国的教会法院对涉及教会建筑物的民事案件,以及对教士被控犯有宗教罪的刑事案件行使管辖权。

ecclesiastical heraldry 教会纹章 与教会行政管理团体及神职教士人员有关的纹章。大修道院、小修道院及主教辖区各有自己的纹章,而高级传教士则常把教会纹章系于其个人纹章之上。

最初在大多数王国里,教会都实行佩戴纹章根据自愿的办法。这个原则,不仅仍在诸如美、法这类没有纹章管理部门的国度实施,而且在英国也如此。天主教会内部设专

门委员会行使纹章管辖权，英国教会及英国国教海外各主教辖区的纹章则由英国纹章院长官颁发。

在英格兰，英国国教的主教们的盾形纹章之上加一主教冠；但达勒姆主教因系王权郡主教亦即郡主拥有皇家诸权力之地区的主教，其冠为公爵冠冕状，亦即饰有三草莓叶的小型冠冕，而在盾形纹章之后还有一剑与牧杖作 X 状交叉的饰物。英格兰的大主教的纹章则在盾形章之后有两牧杖呈 X 状交叉的饰缀。

国际天主教会的纹章使用方式是：枢机主教纹章上覆红色冠，冠之两侧各缀 15 条红色流苏作为穗饰，盾形章后系大主教十字（即 ‡ 形十字）及枢机主教白羊毛披肩，披肩为主教全权之象征。西方教区牧首的纹章上覆绿冠，冠两侧各缀绿色流苏 15 穗，盾形章缀有一个大主教十字。东方教区牧首的纹章，就其盾形章之上覆以主教冠这点说，更与英国国教的主教纹章相似。这种纹章，一侧饰有呈 X 形相交的主教牧杖和牧首权杖；另侧缀以大主教十字及牧首谕杖，亦呈 X 形交叉。东方教会的大主教纹章所附缀饰与西方教会牧首纹章饰物相同，只是绿色流苏之数为 10；主教纹章各有 6 股绿色流苏缀于一侧，盾形章后附一主教十字。邦君兼主教的纹章上覆主教冠，缀有呈 X 交叉形的主教十字及牧杖，另侧则是红色邦君斗篷，饰有貂皮，上覆王冠。

凡大修道院长之不兼管主教辖区者其纹章的盾形本体之上覆以绿冠，冠之两侧各缀绿色流苏 6 道，另覆主教冠及一带有白色纱罩的金十字，白纱常加装饰。一般大修道院长纹章上覆黑冠，每侧各有黑色流苏 6 条，盾后带金牧杖，牧杖覆以纱罩作为装饰；有时也可用主教冠代替牧杖。高级教士的纹章在盾形章上覆以紫冠，冠之两侧各缀红色流苏 10 条，而典录使徒纹章之上亦覆紫冠，但冠两侧各有 6 条红色流苏。典录使徒是罗马教廷典录使徒团的 7 名组成人员之一。内廷教士的纹章覆有紫冠，冠之每侧各有紫色流苏 6 条；教皇侍从纹章上覆黑冠，冠侧各缀 6 条紫色流苏。主教座堂公祷团员纹章覆以黑冠，冠两侧各缀黑色流苏 3 条；教区长纹章亦覆黑冠，冠侧各有两条黑色流苏；一般神父纹章覆黑冠，两侧各有黑色流苏一条。这最后一种纹章制式亦适用于苏格兰境内的苏格兰教会的教区牧师、英国国教的教区长或罗马天主教神父。

长老会的大会主持人的纹章覆有黑色教士冠，冠侧各缀蓝色流苏 10 条；宗教会议主持人及长老评议会主持人的纹章各有黑冠，但流苏数目分别为 6 条及 3 条。女王私人的皇家小礼拜堂的牧师所用流苏为红色，皇家城堡牧师的流苏为蓝色。苏格兰皇家小礼拜堂的首席长老兼任皇家十字和邓德伦南修道院长，同时又是蓟勋位首席爵士，其盾形章后有一绿色牧杖。苏格兰长老评议会的主持人，佩戴与此相同的纹章。

Ecclesiasticus 《便西拉智训》 又称《西拉赫之子耶稣的智慧》。次经（天主教承认为正经，但犹太教徒和新教徒不承认它是正经），希腊化初期犹太教（公元前 3 ～公元 3 世纪）中十分流行的智慧书类宗教作品的杰出范例。此书载入七十子希腊文本《圣经》即希伯来圣经的希腊文译本，不过后来犹太教徒对它持排斥态度，把它列入外典。也和其他主要的智慧书类作品（《箴言》、《传道书》、《约伯记》和《所罗门智训》）一样，此书包含实用的和道德的准则与告诫，按主题（伪善、慷慨大度、孝顺）加以编排。智慧被拟人化地称做索菲娅或智慧夫人，详细地论述了她同上帝的永恒关系（第 24 章），而这也就是摩西的律法。在外典当中，此书是唯一知道作者之名的。一个叫本・西拉的人在大约公元前180 ～前 175 年在巴勒斯坦用希伯来语写成此书，他大概是精通犹太律法和风俗习惯的法学家。本・西拉的孙子（不知其名）将此书带至亚历山大并在公元前 132 年之后不久为讲希腊语的犹太人把此书译成希腊语。翻译此书的目的可能是鼓励人们坚持祖传的信仰和习俗，并且通过证明犹太教和希腊化哲学真理本质上的一致来捍卫犹太教的教义。比如说，作为来自上帝的积极的发散物的“智慧”这一概念和斯多葛派关于宇宙理念的概念极为相似。此书现存一希腊文本及若干希伯莱文本，其中某些部分是 1896 ～ 1897 年间在开罗的以斯拉会堂的秘库和*《死海古卷》*（**Dead Sea Scrolls**）里发现的。

eccyclema 转轮舞台 又译活动式布景台。古希腊剧场中，由一个装有轮子的或在轴上转动的平台构成的舞台机械装置。它可以被推上舞台，展示一间内室或某些表演区以外的舞台造型和场景。活动式布景台于公元 5 世纪时被引入雅典舞台，为导演提供了一种表现戏剧情节的手段。由于古希腊舞台禁止出现暴力，于是有人想到可以用舞台技巧手法来展示被谋害的尸体。活动式布景台主要用于悲剧，但偶尔也用于喜剧。例如在阿里斯托芬的《阿卡奈人》中，一位代表剧作家欧里庇得斯的人物不愿意离开家，后来由那位想要借套衣服的狄开俄波利斯为他送来“换景器”，把他推到被服装包围的舞台上。舞台上出现暴力的禁止被取消之后，活动式布景台仍然被作为一种布景迁换装置，最后导致现代转台和其他旋转舞台装置的出现。

ecdysiotropic hormone 蜕皮激素 参阅 **thoracotropic hormone** *促胸腺激素*。

Ecevit, Bülent 埃杰维特（1925-05-28，土耳其君士坦丁堡[今伊斯坦布尔]～ 2006-11-05，安卡拉） 土耳其诗人、新闻记者和政治家，曾于 1974、1977 和 1978 ～ 1980 年任土耳其总理。埃杰维特在伊斯坦布尔受教育。1946 ～ 1950 年为土耳其驻伦敦大使馆官员。后回安卡拉从事写作。其父曾任该党国会议员。埃杰维特本人于 1957 和 1961 年两次被选为安卡拉市的该党国会议员，1965 和 1969 年又被选为宗古尔达克的国会议员。1959 年选入党的执行委员会。1961 ～ 1965 年任劳工部长时，他使罢工成为劳工的合法武器，这在土耳其历史上是第一次。1966 年在伊诺努任共和人民党领袖时担任党的秘书长，但他反对伊诺努与军人政府的合作。1972 年任该党主席，1974 年 1 月任总理。埃杰维特任政府首脑后对所有政治犯宣布大赦。在塞浦路斯发生希腊主使的政变之后，于 1974 年 7 月 20 日下令在该岛进行军事干涉。1974 年 9 月请求国会进行一次信任投票，但未获信任。经过一场严重的政治危机之后，由正义党的德米雷尔接掌动荡不稳的政权。以后在 1977 年的危机中，埃杰维特组成一短期政府（06-21 ～ 07-03）。1978 年 1 月，他再度出任总理。任职期内由于经济极度困难，社会动荡不安，他的政府再度垮台。埃杰维特的文学活动包括他 1941 年翻译泰戈尔的《吉檀迦利》和 1963 年翻译艾略特的剧本《鸡尾酒会》。他的政治著作有《中左》（1966）、《这一制度必须改变》（1968）、《凯末尔与革命》（1970）、《民主左派》（1974）和《工农在一起》（1976）。

Ecgfrith 埃克弗里思（？～ 685-05-20，苏格兰安格斯，今福弗尔附近） 又拼 Egfrith。诺森伯里亚的盎格鲁-撒克逊国王（670 即位），最后在南方对麦西亚人和在北方对皮克特人的战争中失败。奥斯威国王之子。至 674 年他曾战胜由麦西亚领导的南方英格兰联盟，并吞林赛地区。但在 678 年，他在特伦特河附近被麦西亚国王艾特尔雷德击败。后侵犯皮克特领土，在一个名叫尼奇塔尼斯梅尔（杜伊恩尼奇丹）的地方兵败被杀。

Echegaray y Eizaguirre, José 埃切加赖-埃萨吉雷（1832-04-19，马德里～1916-09-04，马德里） 西班牙数学家、政治家和 19 世纪最后 25 年的重要剧作家。1904 年与普罗旺斯诗人 F. 米斯特拉尔共获诺贝尔文学奖。第一个剧本《单据簿》于 1874 年问世时他已 42 岁；后成为多产剧作家，平均每年写两部剧本。早期作品几乎完全是浪漫主义的，但在易卜生等人的影响下，后期转向主题剧。他往往使用反面讽刺以展开他提出的主题。在《不是疯狂，就是神明》（1877）中，揭示了诚实竟然被社会谴责为疯狂的不合理现象。

Echeveria 拟石莲花属 景天科的一属。约 100 种肉质植物，原产于得克萨斯至阿根廷。因其幼株常围绕母株丛生，常被俗称为“母鸡带小鸡花”。该属植物叶肉质，宽阔，外有蜡质或粉粒，柔软而光滑，在明亮的阳光下，常具彩虹色或边缘透明红色。其叶丛紧密，对称着生，花序有柄，常远远高出叶丛，是肉质植物收集者所喜爱的类群。有几个小型种，如蜡丛叶拟石莲花（淡黄拟石莲花 *E.* × *gilva*）、珍珠拟石莲花（墨西哥雪球，*E. elegans*）和长毛绒草（垫状拟石莲花，*E. pulvinata*），常作为盆栽或盆景植物。较大的种，如偏肿花拟石莲花（大叶掌花莲，*E. gibbiflora*）、大红拟石莲花（*E. coccinea*）及多茎拟石莲花（*E. multicaulis*）在墨西哥和美国西南部常种植于花园。

Echeverría, Esteban 埃切维里亚（1805-09-02，阿根廷布宜诺斯艾利斯～ 1851-01-19，乌拉圭蒙得维的亚） 诗人、小说家、文化促进者及政治活动家。对阿根廷文学的发展起过重要作用，为拉丁美洲最重要的浪漫派作家之一。在巴黎度过具有决定意义的5年(1825～1830),汲取了那时在法国处于鼎盛期的浪漫主义运动的精神。回到阿根廷后成为这一运动的倡导者。为1838年建立的“五月组织”的成员。该组织渴望发展反映阿根廷社会现实的文学。他还致力于推翻J.M.de罗萨斯的独裁统治,1840年被迫流亡乌拉圭,直至去世。其名著《屠宰场》是拉丁美洲文学史上的里程碑,可能写于1838年,但30年后才出版。该书是一部政治寓言,指控罗萨斯保护在布宜诺斯艾利斯屠宰场谋杀有教养的年轻领导人的凶手。罗萨斯及其支持者代表野蛮,被杀的年轻人代表文明。

Echeverría Álvarez, Luis 埃切维里亚·阿尔瓦雷斯(1922-01-17,墨西哥城～) 墨西哥总统(1970～1976)。1940年任执政的革命制度党主席私人秘书。1945年在墨西哥大学获法律学位,1964年任内政部长,曾因粗暴处理1968年学生骚乱事件受到严厉谴责。任总统后急剧左转,释放1968年被捕的大部分犯人,将数百万亩土地分给无地农民,扩大社会保险、住房和交通运输计划,大量投资兴建公共工程,推行全国性节育计划,控制人口增长。但是,他的政府面临通货膨胀、高失业率等严重困难。由于对外贸易的逆差,1976年墨西哥比索不得不贬值50%,这引起原来支持他的中产阶级的反对。在对外政策方面,他与中国建立外交关系,并支持拉美各国的团结。1977～1980年任驻澳大利亚和新西兰大使。

Echidna 厄喀德那 希腊语:“蛇”。希腊神话中的半人半蛇女怪。她的双亲或是海神福耳库斯和刻托,或是克律萨俄耳(墨杜萨的魔鬼儿子)和卡利洛厄(俄刻阿诺斯的女儿)。她的子孙有同长着100个头的堤丰生的协助赫斯珀里得斯守护金苹果的龙和看守金羊毛的龙、九头怪许德拉、形似山羊的喀迈拉以及看守地狱的狗俄耳苏斯和刻耳柏洛斯。以俄耳苏斯为父的斯芬克斯和奈迈阿狮子也是她的后裔。

echidna 针鼹 又作spiny anteater。又称针食蚁兽。单孔目针鼹科两种卵生兽类的统称。体短粗,近乎无尾,皮毛浅棕色,足具强有力的爪,体上部被毛且具棘针。长吻针鼹

澳大利亚针鼹(*Tachyglossus aculeatus*)
美国不列颠百科全书公司供图

属(原针鼹属,*Zaglossus*)体长45～78厘米,形颇似猪,棘针粗短;有几个类型,通常被认为是新几内亚的 *Z. bruijni* 的亚种。另一个种是澳大利亚针鼹(*Tachyglossus aculeatus*),在澳大利亚和塔斯马尼亚许多生境均有发现(塔斯马尼亚的种群有时被认为是一个独立的种:毛针鼹[*T. setosus*]),体长35～53厘米,针棘似刺蝟。*Z. bruijni* 的肉很珍贵,由于滥伐森林和滥捕,数量日益减少。针鼹可卷缩成球,钻进松散的泥土中迅速消失不见,或紧紧楔入缝隙之内,以此来逃避敌害。雄体后腿上有距,可能用以格斗。两个属都有窄而敏感的吻(长吻针鼹属者更长,并朝下弯),口小,舌能伸长并带黏性,以取食白蚁和蚁类。针鼹耐饥,可一月不食。在繁殖季节雌体出现育儿袋,产卵1枚,然后把卵转移到育儿袋中,在那里孵化。幼仔约10天后孵出。幼仔舐吮从乳孔流出的乳汁,母体无奶头,约7周后,母体将幼仔藏在树叶做成的巢中。在豢养条件下针鼹可以活30～50年。

echinococcosis 棘球蚴病 又作echinococcal disease, hydatidosis或hydatid disease。细粒棘球绦虫的幼虫——棘球蚴寄生体内器官所引起的疾病。细粒棘球绦虫常寄生于绵羊、牛、骆驼、狗及许多其他哺乳动物体内,患兽的粪便中排出虫卵,沾在动物身上或污染食物,若为人吞食即可致病。幼虫在人体发育成为囊肿,多见于肝脏,可于此存在5～20年而不被发现。唯一有效的治疗方法为手术摘除囊肿,但在许多病例中,手术时子囊逸出,残留体内,导致复发。

echinoderm 棘皮动物 棘皮动物门(Echinodermata)的无脊椎动物,特征为体壁具钙化小骨片构成的内骨骼。棘皮动物门已知21纲,但现存仅6纲,约6 000种。此6纲为:海百合纲(Crinoidea,毛头星、海百合等)、海星纲(Asteroidea,海星)、蛇尾纲(Ophiuroidea,蛇尾、蔓星鱼)、海胆纲(Echinoidea,球海胆、饼海胆、心形海胆)、海雏菊纲(Concentricycloidea,海雏菊)和海参纲(Holothurioidea,海参)。棘皮动物广布于各大洋,见于从潮间带到最深的海沟的海水环境。棘皮动物最显著的特征是:内骨骼由钙化的小骨片组成;成体的体型呈五辐射对称。内骨骼形态各异,海胆的小骨片愈合成完整的空心的壳;海星的小骨片光滑或呈针刺状,由肌肉或韧带连接。大部分棘皮动物具有无数称为管足的小突起,位于触手的步带沟内。管足的运动由水管系统控制。水管系统借筛板与外界相通,有5条辐射管,辐射管伸出侧管,辐射管的腹面分支为管足。棘皮动物不同种类的管足形态各异,其功能为运动、呼吸、挖穴、感觉、取食和抓握。棘皮动物可进行有性生殖或无性生殖。有性生殖时,卵在水中受精,发育过程中有或无幼体阶段。一些种类的身体分裂并再生失去的部分,从而完成间接发育。例如,只要带有部分中心盘的海星一条腕就可以发育成一个完整的个体。大部分棘皮动物以沉积或悬浮的微小生物或有机碎屑(活的或死的)为食,但许多海胆和海星以植物为食。有些海星为肉食性,主要以软体动物为食。少数棘皮动物有经济的重要性。在某些国家,一些海胆的卵和海参属(*Holothuria*)的扰海参可用作食品(参阅 **bêche-de-mer**)。许多海星,如普通海盘车(*Asterias vulgaris*)和福布斯氏海盘车(*A. forbesi*)食蛤类和牡蛎,在海底贝类养殖场被视为有害。

echinoid 海胆 棘皮动物门海胆纲海产无脊椎动物。有中空的石灰质壳。管足从壳上的孔穿出到达体表,其功能各有不同。所有的种都有棘刺和棘钳。规则(辐射对称)的海胆体呈球形,肛门位于反口面。不规则(两侧对称)的海胆体扁,口偏离中心,肛门与口在同一面。现存900种,分布中心在印度-马来亚地区。许多灭绝种是古生代和中生代的标志化石。参阅 **cake urchin; heart urchin; sea urchin**。

Echinosphaerites 棘球海林檎属 海林檎纲的属(与海百合、海星有关的绝灭类别)。化石见于奥陶纪(5亿年前至4.3亿年前之间)的海相地层。是一种有用的奥陶纪地层与年代的标准化石。

奥陶纪的棘球海林檎(*Echinosphaerites*)
美国不列颠百科全书公司供图

echiurid (aquatic invertebrate) 参阅 **spoonworm 螠虫**。

Echmiadzin 埃奇米阿津 又拼Ečmiadzin。1945年前称瓦加夏帕特,亚美尼亚共和国城市。位于阿拉斯河平原,埃里温西20千米。为亚美尼亚天主教会大主教的驻地。公元前7世纪建立时称瓦克萨文镇,公元140年左右改名为瓦加夏帕特,安息国国王沃洛加西斯三世定都于此。公元300年左右亚美尼亚政府改信基督教后,瓦加夏帕特即成为亚美尼亚主教驻地。344年结束作为亚美尼亚的首都,453年主教驻地迁址,1441年基拉科斯大主教又将驻地迁回埃奇米阿津,从此这里成为“所

埃奇米阿津市4世纪教堂遗址
美国不列颠百科全书公司供图

有亚美尼亚人的大主教”的驻地。6世纪建成的修道院自10世纪起叫做埃奇米阿津，有一组建筑群，四周筑有10米高的砖墙，现设有一所现代化高等院校和神学院。现今的大教堂是在小礼拜堂原址上于7世纪兴建的，但是1441年后又作重大修复。教堂的收藏中有书稿装饰者圣格列高利的手迹。城市本身是果园和葡萄园丰饶地区的中心，并生产塑料、葡萄酒和罐头食品。人口约53 040(1987)。

Echo 厄科 希腊神话中的山中仙女。在奥维德的《变形记》中，她不断同赫拉女神讲话，使她无法监视他丈夫宙斯的情人，因而触怒女神。为了对她进行惩罚，赫拉剥夺了厄

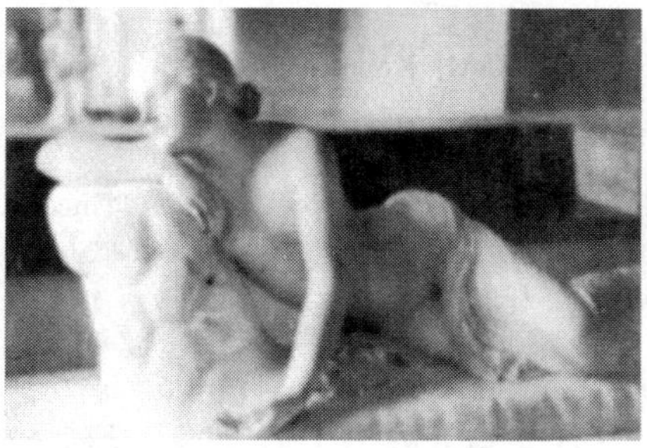

厄科大理石雕像
中国大百科全书出版社供图

科说话的能力，只让她能够重复别人的最后几个词。她因爱恋那喀索斯(那喀索斯爱上了他自己的形象)未成，憔悴而死，最后只留下一个声音。据希腊作家朗戈斯的说法，她拒绝了天神潘的求爱，于是潘使牧人们变疯，由他们把她撕成碎片。该亚(大地女神)掩埋了她的四肢，却允许她保留唱歌的能力。

Echo “回声”号通信卫星 20世纪60年代美国发射的两颗通信卫星。“回声”号是一涂铝的塑料气球，发射后充气膨胀。它们是被动式的人造地球卫星，能将无线电波反射到地面而不能主动接收、放大并再传送此电波。然而，通过太空转发无线电信号得到证实，它们激发人们有极大兴趣去研制主动式卫星通信。1960年8月12日发射了“回声”1号，直径达30米，在高度约1 600千米的大致圆形轨道上运转。“回声”1号在这个高度上用来试验电话、数据和传真的传送。在欧洲收到了信号，尽管没有收到越洋传送的文电。这颗卫星在轨道上运行了几乎8年。“回声”2号是1964年6月25日发射的，直径约40米。这是美、苏在航天领域中第一次合作而为人瞩目。从英国曼彻斯特附近焦德雷尔班克天文台发射的信号，经“回声”2号反射出来以后，被苏联俄罗斯高尔基(现俄罗斯下诺夫哥罗德)附近的泽缅基天文台接收到了。

echo sounder 回声测深仪 参阅 **depth finder** 测深仪。

echo verse 顶真诗 下一诗行或诗节重复上一诗行或诗节的最后部分的诗体。这种手法在16和17世纪的法国、英国以及意大利，特别是在田园诗和戏剧中很流行。其代表作是G.赫伯特的《天堂》和J.斯威夫特的《对女人的温和回声》。

echocardiography 心回波描记术 一种诊断技术，用超声波来产生心脏内部构造的影像。方法为在胸壁放置一个压电传感器，将电脉冲转变为狭窄的超声束，透入身体组织内，超声波在组织密度发生变化的表面反射回来，为也置于胸壁上的接受器接受，还原为电脉冲，并被投射到阴极射线示波器的屏幕上。从不同深度反射回来的回波分别代表心脏各房室的壁、各瓣膜及它们的活动的影像。分析这些图形有助于心脏瓣膜病及先天性心脏病的诊断。

echoencephalography 脑回声检查法 又称颅脑超声波检查法。通过固定在头皮上的探头往头部发送高频率的声波(超声波)，然后根据其反射脉冲来发现颅内异常的一种方法。皮肤、脑室、颅骨和头部其他组织的反射波为探头接受，经放大后显示在阴极射线示波屏上，这样就能测得探头与反射介面之间的距离。这一方法具有快速、无痛和无害等优点，一种很好的筛选试验，可发现颅内占位性病变(可导致脑中线结构向一侧偏移)，适用于对脑出血患者作急诊检查。参阅 **brain scanning**。

echolocation 回声定位 动物借助被目标(如捕食对象)反射回到发射体(如蝙蝠)的声波，定位远方或看不见目标的生理过程。回声定位可用于定位、躲避障碍、捕捉食物以及相互联系的目的。已经知道的使用回声定位的动物有：绝大多数蝙蝠[小翼手亚目的全体成员和大翼手亚目的一个属(棕果蝠)]，大多数齿鲸和海豚(不包括须鲸)，少数地鼠，以及两种鸟：南美洲北部的油脂鸟和东南亚的某些穴居的褐雨燕。回声定位的脉冲是一些突发的短促声，其频率范围，鸟类的大约为1 000赫，鲸类的至少约达200 000赫以上。蝙蝠所用的频率大约为30 000～120 000赫。脉冲以变化速率重复，从每秒钟一次开始直到每秒几百次(例如在蝙蝠接近其标的时)。

ēchos 拜占廷旋律型 与早期拜占廷礼拜仪式圣咏有联系的旋律型。拜占廷体系的“八旋律型”可能源自叙利亚音乐。这一概念亦见之于亚美尼亚、俄罗斯和科普特圣咏。传说拜占廷的八旋律型是由大马士革的圣约翰(749年卒)创始，但在6世纪初的叙利亚文献中已提到oktōēchos(八旋律型)一词。拜占廷旋律型并非音阶，而是可以连接成完整的旋律的旋律公式组合。在希腊正颂(赞美诗)集中，每一条旋律都是按照作品从拜占廷旋律型中所选的公式来分类的。像格列高利圣咏的8种调式一样，拜占廷旋律型也可归类为4对。

Echternach 埃希特纳赫 卢森堡东部城镇。紧靠德国边境，濒叙尔河。罗马时代是特里尔城的休养场所，后在一所隐修院(698)周围发展起来。该镇除隐修院外，另有13世纪的堂区教堂和带有哥特式柱廊的市政厅。为消夏胜地和旅游中心，有矿泉。亦为农贸市场和食品加工中心，有塑料制造业。人口4 211(1991)。

Echuca 伊丘卡 旧称霍普伍德渡口。澳大利亚维多利亚州北部城市。伊丘卡之名称源于一个土著词，意为“水的汇合点”，因该市位于墨累河和坎帕斯皮河汇合处。伊丘卡于1847年建成为一渡口，19世纪50年代发展成为维多利亚州最大内陆河港之一。经营的贸易有羊毛、小麦及木材。1865年伊丘卡成为一自治村镇。但在19世纪70年代，它失去其港口作用，此时铁路取代它承担了交通运输任务，伊丘卡即告衰落。不过，1972年伊丘卡着手恢复了昔日的港口设备，作为一个博物馆和旅游景点而吸引客人，有修复的河运明轮船。由于古尔本河的灌溉工程，伊丘卡得到复兴。它与墨累河对岸的、位于新南威尔士州的邻近城市莫阿马共同为一个生产家畜、水果、蔬菜、烟草、棉花及木材的大区服务。居第二位的工业有锯木、磨面、黄油、酿酒、滚珠轴承的制造等。碾米厂由新南威尔士州的沃库尔-塔拉库尔提供原料。1965年伊丘卡正式成为市。人口约9 960(1993)。

Ecija 埃西哈 西班牙西南部安达卢西亚地区塞维利亚省城市。濒临赫尼尔河，在塞维利亚市东面。有哥特式圣地亚哥教堂(15世纪)和圣克鲁斯教堂。16～17世纪随塞维利亚与西印度群岛贸易而繁荣。生产肥皂、纺织品和植物油等。周围地区种植谷物、橄榄和棉花，并以养马闻名。由于夏季酷热，该市亦有“煎锅”之称。人口约35 566(1991)。

Eck, Johann 埃克(1486-11-13，士瓦本埃格[今在德国]～1543-02-10，巴伐利亚因戈尔施塔特[今在德国]) 德意志天主教神学家，马丁·路德的主要对手。原名Johann Maier，早年以故里地名埃克为自己的别名。先后求学于海德堡大学、蒂宾根大学、科隆大学和布赖斯高地区弗赖堡大学；1508年受祝圣为司铎，1510年获神学博士学位；同年任因戈尔施塔特大学神学教授，开始了他的一生教书生涯。埃克早期所著论文引起公众的重视，其中最早的一篇(1514)抨击中世纪不准在金钱上谋取利息的禁令。埃克原与路德友善，1517年路德发表《九十五条论纲》，友情遂告结束。1518年埃克发表小册子，斥路德的著作为异端。在著名的1519年莱比锡辩论会上，埃克舌战路德及其门徒卡尔施塔特，论题包括罗马教廷的至高地位和教会会议的永无谬误。1520年埃克到罗马，参与草拟6月的教皇诏书，在该项诏书中，教皇利奥十世谴责路德的论纲中的41条，并以绝罚威胁路德。埃克继续写出大量著作，辩护教皇的权力和传统教义。他遍历欧洲，组织天主教力量以反对德意志新教，并草拟天主教会的文件(1530)，驳斥新教《奥格斯堡信纲》中的路德论点。在与宗教改革家的多次公开辩论中，埃克都是天主教会的主要论辩家。埃克是拉丁文著作的多产作家，他广征博引，有力地捍卫天主教信仰。他所撰《反路德派便览》(1525)概要列出引起争论的天主教教义、新教的反对意见以及对争论的解答。此书成为埃克著作中最著名的一部，到1600年已用不同语言印行91版，是16世纪最著名的天主教论辩手册。

ECKANKAR(ECK) 埃坎卡教 西方化的音流瑜伽，1965年由P.特威切尔(约1908～

1971)创建。音流瑜伽由大圣人马哈拉杰(1818～1878)创建,他认为宇宙是由超凡的神发出的一系列音波创造的。当神圣的音流进入物质世界,就被禁锢在里面。根据教义,人是有轮回周期的,倾听神的声音,重复呼唤神的名字就能回到神的身边。修炼音流瑜伽的人需要一位已经跨越物质世界和神之间现实层的大师帮助。特威切尔是马哈拉杰的传人K.辛格(1896～1974)的学生。特威切尔认为,音流瑜伽自古以来就有,他的知识和传授权威实际上是来自古代埃坎卡教的大师,他自己是第971代。他摒弃印度文化的影响,通过使学生与神的光和声音接触的技术,为他们提供一种"灵魂超脱"的方式。埃坎卡教脱离音流瑜伽,增加精神修炼的数量,并且增加更多世俗人所关心的事(康复、和谐及问题的解决)。特威切尔还拒绝音流瑜伽最终与神合一的思想,提出生活的目标是成为神的"同事"。

Eckener, Hugo　埃克纳(1868-08-10,普鲁士弗伦斯堡[今在德国]～1954-08-14,联邦德国腓特烈港)　德国航空工程师,轻于空气的飞行器第一次环球飞行的指挥者。他在齐柏林

美国不列颠百科全书公司供图

飞艇工厂工作期间,曾在20世纪初为发展硬式飞艇作出贡献。第一次世界大战中他为德国海军训练飞艇驾驶员,并领导制造了88艘齐柏林飞艇。齐柏林死后,1918年11月他恢复制造商用飞艇,并成功地推广了飞艇旅行。1924年他指挥ZR-3飞艇(作为战争赔偿为美国建造,后更名"洛杉矶")飞越大西洋,1929年指挥"齐柏林"号飞艇完成具有历史意义的环球飞行,1931年又指挥"齐柏林"号飞艇作极地探险飞行。埃克纳在国际上深受人们的爱戴,而不为希特勒政府所容。还在1937年5月6日"兴登堡"号飞艇在新泽西州莱克赫斯特着火焚毁,许多人丧生,因而结束飞艇国际客运飞行之前,希特勒政府就解除了他主管飞艇的工作。1938年被派往美国为德国飞艇购买氦但没有成功。晚年经营一家机械厂。

Eckermann, Johann Peter　埃克曼(1792-09-21,汉诺威温森[今在德国]～1854-12-03,普鲁士魏玛[今在德国])　德国作家,歌德晚年的助手和知友。著有《1823～1832年的歌德谈话录》3卷(1836～1848),此书重要性与鲍斯韦尔的《约翰逊传》不相上下。幼年家贫,曾参加德国北方反对拿破仑的解放战争(1813～1814)。战后入格丁根大学学习。早年崇拜歌德。1821年出版诗集,1823年把《论以歌德为主的诗艺》手稿寄给歌德,这篇文章写出他对歌德作品的深刻体会;歌德请他去魏玛,此后他就放弃当诗人的梦想,专给歌德作义务助手。最重要的作品《歌德谈话录》(1839)已经译成欧洲各国文字,这部著作不单是歌德的谈话记录,而且提供了关于歌德生平和思想的宝贵资料。埃克曼曾出版歌德遗著(1832～1833),并与里默尔合编歌德全集第一版。

Eckert, J(ohn) Presper, Jr.　埃克脱(小)(1919-04-09,美国宾夕法尼亚费城～1995-06-03,宾夕法尼亚布林马尔)　美国工程师,是第一台一般用途的电子计算机的发明者之一。这种数字计算机是今天大多数计算机的雏型。埃克脱就学于宾夕法尼亚大学穆尔电机工程学院(理学士,1941;理科硕士,1943),在那里他和他的教授J.W.莫奇利一起在计算设备方面作了一些有价值的改进。他们获得政府订制数字计算机的合同,1946年制成,取名为电子数字积分器与计算器(ENIAC)。它实际上包含了当今高速数字计算机上用的全部电路,用于美国陆军的军事计算。1948年埃克脱和莫奇利建立了一家计算机公司,一年后他们宣布二进制自动计算机(BINAC)制成,用磁带存储信息而不用穿孔卡片。埃克脱和莫奇利的第三种机型是为处理商业数据而设计的通用自动计算机(UNIVACI),它在商业上有广泛的用途,可以说开始了计算机的兴盛时期。1948～1966年埃克脱共获得85项专利,绝大多数是电子学上的发明。1950年埃克脱-莫奇利计算机公司为瑞明顿·兰德公司所有,1955年该公司合并成斯佩里·兰德公司,但埃克脱仍居主管位置。1967年,埃克脱被选入全国工程院;1969年,获美国国家科学奖章。

Eckhart, MEISTER　爱克哈特(硕士)(约1260,弗兰科尼亚霍赫海姆[今在德国]～1327或1328,法国阿维尼翁)　多明我会神学家。30余岁时被任命为图林吉亚代理主教。曾在巴黎圣雅克隐修院教授神学,1302年在巴黎获硕士学位,遂通称爱克哈特硕士。他在《神的安慰之书》、《尊贵的人》和《论超脱》等著作中,提出人的心灵与上帝的结合经过4个阶段。开始时,上帝是大全,受造物是虚无。到最后阶段,"心灵超越上帝"。这一过程的动力是超脱。第一阶段:"不相似"。上帝固有地拥有存在,上帝之外只是纯无。第二阶段:"相似"。人脱离个体而依附于普遍的存在,发觉自己是上帝的影像,作为"圣父"的影像的"圣子"在人的超脱的心灵中自我产生。第三阶段:"同一"。这时上帝不复在人之外,而已完全深入人之内心。第四阶段:"突破"。与上帝合一还不够,抛却一切如不抛却上帝,则等于仍未抛却任何事物。人应毫无所求,甚至也不求上帝。超脱的结果就是越出上帝。爱克哈特的哲学融合希腊、新柏拉图主义、阿拉伯和经院哲学的成分而有所独创。在20世纪后半叶,有些马克思主义理论家和佛教禅宗人士对爱克哈特发生了强烈的兴趣。

Eckhel, Joseph Hilarius　埃克尔(1737-01-13,奥地利恩策斯费尔德～1798-05-16,维也纳)　奥地利钱币学家,其按地区、年代和类型的分类法成为后来钱币分类系统的典范和标准。埃克尔曾在维也纳的耶稣会学校读书,14岁时进入耶稣会。他曾在各种学院讲授文法,但由于健康状况欠佳而放弃教学,转而致力于早年感兴趣的钱币学。1772年他被派往意大利,从此有机会参与博洛尼亚、罗马、佛罗伦萨等地的重要钱币收藏活动。1775年起任维也纳大学古物学和钱币学教授,同时是奥地利皇室钱币收藏管理人。他的巨著《古钱币知识》(8卷1772～1798),为钱币学奠定了基础。

Eckhof, (Hans) Konrad (Dieterich)　参阅 **Ekhof, (Hans) Konrad (Dieterich)** 埃柯夫。

Eckmühl, Louis-Nicolas Davout, Prince d' 埃克米尔亲王　参阅 **Davout, Louis-Nicolas** 达武。

Eckstine, Billy　埃克斯坦(1914-07-08,美国宾夕法尼亚匹兹堡～1993-03-08,匹兹堡)　美国歌手、管乐队领队。在培养青年爵士音乐家方面取得巨大成就。1933年在一次业余歌手比赛获奖后离开霍华德大学,开始在夜总会演唱和为舞蹈乐队伴唱。1939～1943年与E.海因斯的管乐队合作。在他的恳请下海因斯又聘用一些新人,如S.沃恩、D.吉莱斯皮和C.帕克。1944年组建自己的管乐队,在该乐队存在的3年时间中,它突出介绍吉莱斯皮、帕克、M.戴维斯、A.布莱基等人的天才,从而大大推动了新的比博普风格。1947年起,他成为一个成功的流行音乐歌手。他录制的唱片中有《爱的俘虏》、《你冲昏我的头脑》、《那黑人魔法》等等。

Eckstorm, Fannie Pearson Hardy　埃克斯托姆(1865-06-18,美国缅因布鲁尔～1946-12-31,布鲁尔)　婚前名Fannie Pearson Hardy。美国作家和鸟类学家,具有关于缅因州的广博学识,在关于该地区的历史、野生生物、文化以及传说方面发表了多部权威性著作。父为著名的皮毛商,同时是一个喜欢野外生活的博物学家和动物标本制作师。她从父亲那里继承了对野外、野生生物和美洲土著的热爱以及相关知识。1888年毕业于马萨诸塞州的史密斯学院,在那里建立了学院的奥杜邦学会,并于1889～1891年间担任过家乡公立学校的负责人。1891年,在父亲的建议下,她为《森林与河流》杂志写了两个系列文章,呼吁公正地执行狩猎法。与其他州的狩猎竞赛者相比,这些法案似乎对以狩猎为生的土著并不公平。1893年,嫁给芝加哥的R.J.A.埃克斯托姆。6年后丈夫去世,与孩子一起在缅因州布鲁尔定居。她在《鸟类百科》和《海雀》杂志上发表了若干篇文章,并在1901年出版了自己的头两本书:《鸟类手册》和《啄木鸟》。在《佩诺布斯科特人》(1904)中,她赞美了伴随她长大的伐木工人和船夫。1932年出版了《缅因州现代印第安人手工艺》,并且凭借《佩诺布斯科特河谷和缅因州海岸的印第

安地名》(1941)一书巩固了她对佩诺布斯科特部落研究的权威性。

eclampsia　子痫　参阅 **preeclampsia and eclampsia** 先兆子痫和子痫。

eclecticism　折衷主义　源出希腊语 eklektikos(有选择的)。在哲学和神学中,指从不同的思想体系中挑选若干学说而不采用每种学说的整个亲本体系。它与力图调和或联结诸体系的融合之说不同,因为它不去解决各体系间的矛盾。在抽象思维领域中,折衷主义容易招致反对,由于每种体系都被视为一个整体,而其各条学说则是组成部分,因而,将来自不同体系的诸学说任意并列于一处,就有从根本上导致杂乱无章的危险。然而,在实际事务中,折衷精神还是常常受到推崇的。一位哲学家,也和一位政治家一样,在原则上可能并不折衷,但是由于见到反对党派所提出的学说的内在价值,也许采取折衷主义。当已经建立的体制由于历史情况或科学知识发生变化而失去它们的新鲜感或暴露出它们的缺点时,上述倾向自然最易出现。例如,从公元前2世纪初起,许多公开声明自己属于早已确立的学派(希腊学院派、逍遥派或斯多葛派)的哲学家都准备吸收其他派别的观点,特别是受到希腊所有哲学启迪的罗马哲学家们,全都避免死板地专宗一派,就连希腊人本身也在放弃这些门户之见(西塞罗是最杰出的折衷主义者)。把古代许许多多的折衷主义者归为一类,说他们形成了一个折衷派,这显然是毫无意义的。但是,在19世纪的法国,提倡苏格兰形而上学的库辛却采取"折衷主义"一名称呼自己的哲学体系。

eclipse　食　一个天体被另一天体全部或局部遮掩的天象。当3个天体排成一线时,发生交食现象。天文学家所知的许多交食现象共有两种明显不同的类型。在第一类中,交食天体进入观测者和被食天体之间,观测者看到的被食天体全部或局部地被交食天体遮掩。日食、月掩星、水星凌日、金星凌星以及双星交食均属此类。第二类交食则仅涉及自身不发光的行星和天然卫星。在此类中,交食天体进入太阳或被食天体之间,观测仍可得见被食天体,但它被太阳照亮的光辉受到干扰,并因进入交食天体的影子而变暗,月食就是此类交食的一例。日食和月食由于可以轻而易举地用肉眼加以观察,并展示出引人入胜的壮丽景象,自古以来即令人关注。上古先民在日全食之际的黑暗降临时或得见被食月亮的奇妙景观时均会惊恐万状。为此,在最古的史书中都可见到日月交食的记载,同时,成功地预报日月食就成为科学地探索大自然的最早的成就之一。

日食　当在环绕地球的轨道运行的月球穿过太阳圆面,月球的影子扫过地球表面之时,发生日食。日光不能穿透本影,即影子的中心部分。对于本影内的地球上的观测者,太阳圆面完全被月球遮盖。这样的日食称为日全食。由于本影与地球的截面很狭窄,只能在一个很窄的区域内,即全食带,才能观测到日全食。天体之间的相对运动,使影锥在地球表面上迅速地移动;因此全食只能持续很短一段时间,在地球的任何地方也不会超过8分钟。对于位于半影以内,即月影的外

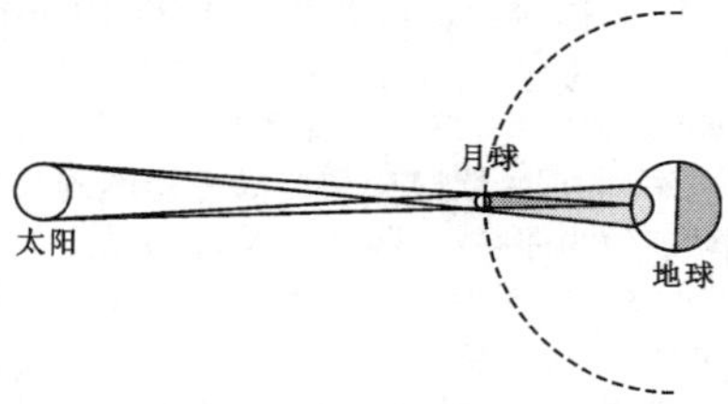

图1　日食:月影扫过地面,在本影地区为全食;在半影地区为偏食

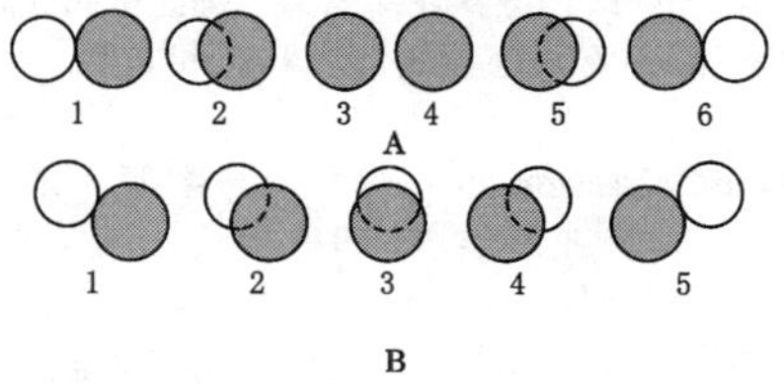

图2　日食过程的各个阶段
暗黑的月面自西(右)向东(左)逐渐通过日面
(A)全食:①第一次接触,偏食始;②偏食;③第二次接触,全食始;④第三次接触,全食终;⑤偏食;⑥第四次接触,偏食终
(B)偏食:①第一次接触,偏食始;③食甚;⑤末次接触,偏食终

围部分的观测者,月球的圆面只有一部分投影在太阳圆面上。这就是日偏食。因为地球绕日公转在一条椭圆轨道上,在一年间,日地距离稍有变化。与之类似,月球的轨道也是椭圆形的,在一个月内,月球圆面的视大小也有某种程度的变化。如果一次日食发生在日地距离最近,而月地距离最远时,月球将不能完全地遮盖上日面,还露出一圈太阳在月球圆面周围。这种形式的日食,称为环食。日食在一年中发生2～4次。在罕见的年份可能出现更多次,例如在1935年共有5次日食。日偏食提供的有天文价值的信息较少,但日全食却能贡献更多有关色球和日冕的本原的知识。日冕是太阳大气的稀薄的外层,通常它总是湮没在发光的太阳表面(光球)的夺目光芒之中。在日全食时,月球起的作用有如地球大气之外的一块屏幕,它隔断了直接来自光球的光线,致使天空的辉光大大地减弱,太阳外围的较暗部分从而得见。日食观测的天文价值近些年来已有所减小,主要是发明日冕仪的结果。这种仪器能人为地屏蔽住光球,从而使科研人员能够无需等待发生日食而主导地研究色球和日冕。

月食　当月球运行到地球影子之中,并失掉了它的由太阳照亮的反光之时,发生月食。由于地球的影子指向地球背向太阳的方向,所以月食只能发生在满月(望)时刻,即月球正处在和太阳相反的方向时。一次月食可以在凡当时月球处于地平线以上的地球上任一地点得见。根据月球的方位不同,月食可

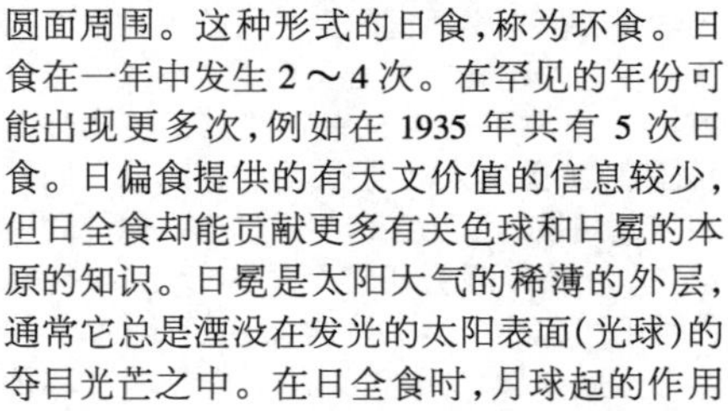

图3　月食:月球在绕地球运行时通过地影。图中U为本影,P为半影

以是全食、偏食或半影食。当月球穿过地球本影的中心,发生的是月全食。全食时间可长达100分钟,而整个月食过程约3.5小时。当只有月球的一部分穿过地球本影,观测到的是月偏食。当月球的运行只通过地影的外围部分,发生的是半影月食。月食通常是每年出现2次。但有时,一年1次也没有,而另一些年则有一年1次或3次。月食对天文研究仅有较有限的价值。它们能为科学家提供研究月球表面物质在突然消失太阳辐射时的反应。此项研究的成果导致对月球土壤的结构或导热性质的更好理解。

其他交食现象　从地球上看,月球呈现在遥远恒星的背景上。当月球自西向东在星座中穿行时,偶尔会在一个亮星或一个行星之前通过,于是造成掩星现象。当月面的东边缘触到一个恒星之像的时刻,恒星突然消失不得见(掩始)。在约1小时或不足1小时之后,月球通过恒星之前面,该星复现于月面的西边缘(掩终)。精确的掩星计时观测资料用于研究月球的轨道运动。一个恒星消失不见的时间测定,也能提供有关恒星直径的信息。水星和金星这两个行星距离太阳比地球更近,它们有时会在地球和太阳之间穿行而过。那时,这两个行星都呈现为投影在太阳光辉圆面上的小而黑暗的圆盘,并慢慢地跨过日面,这就是凌日现象。金星凌日曾是精确测定太阳视差的相当重要的天象。两个子星相互绕转的轨道平面和太阳系的轨道面相接近的双星系统称为食双星。这样,从地球上看去,一个子星交替地通过另一子星的前面和背后,在每一次公转过程中,出现两次交食。根据双星系统在交食中的星光变化,能够计算出双星的轨道和两个子星的相对大小。

eclipsing variable star　食变星　在其轨道平面通过地球或非常靠近地球的轨道上绕公共质心旋转的两颗恒星。因此,地面上的观测者将会看到一颗子星周期地在另一子星的前面通过并发生掩食而使恒星减光。大陵五就是被J.古德利克于1782年证认出的第一颗食双星。现已发现了几千颗。把观测得到的交食时间和分光方法确定的轨道周期加以比较,天文学家就能求出恒星的直径和轨道大小的比例,从而计算出恒星的密度。参阅 **variable star**; **binary star**。

ecliptic　黄道　天文学名词,指太阳一年在星座中穿行的视轨迹的大圆;也可说是地球围绕太阳运行的轨道在天球上的投影。黄道星座沿黄道排列。黄道与天赤道有23.5°的交角;黄道与天赤道的两个交点是春分点和秋分点。在黄道坐标系中,天体的黄经从春分点起沿黄道向东计量。天体的黄纬则从黄道起分别向南、北两极计量,北黄纬为正,南黄纬为负。南、北黄极距相应的天极都是23.5°。

Ecloga　《法律汇编》　简称《汇编》。拜占廷皇帝利奥三世(717～741在位)在726年发布的法律汇编,为6世纪的《查士丁尼法典》以后拜占廷最重要的法律著作。利奥的法典不是用传统的拉丁文,而是用希腊文刊印的,这样就使更多人看得懂,法官们也可以把《汇

编》作实用法律手册。《汇编》虽然照旧以罗马法为基础，但是利奥是用“伟大人道”的精神根据基督教的原则对罗马法加以修正的。在民法方面，大大削减了父亲的权利，增加了妇女儿童的权利。在刑法方面，死刑限于叛国、在军队中开小差及某些类型的杀人、异端邪说和造谣中伤的案件。《汇编》废除了许多以前被认为是死罪应处的死刑，往往代之以断肢。所有社会阶级的人在法律面前一律平等，同罪同罚。为了消灭贪赃枉法，《汇编》规定司法人员实行薪金制，禁止接受礼品。《汇编》对后来的拜占廷的立法和拜占廷以外的斯拉夫国家的法律的发展有很大的影响。

eclogite 榴辉岩 成分类似玄武岩的一小族火成岩和变质岩之任一成员。主要含有绿辉石和红色石榴子石（镁铝榴石）以及各种少量其他稳定矿物，如橄榄石和透辉石。榴辉岩是当富含铁镁质矿物的火山岩或变质岩受到极高的压力和中等至较高的温度时形成。室内实验查明，榴辉岩是从处在非常高的压力条件下的玄武岩浆中结晶出来的，这种条件是上地幔较深部分所共有的，地幔构成位于地壳与地核之间的层带，大约占了此行星总体积的2/3。因此许多研究人员认为榴辉岩是大部分上地幔的代表。在地壳中，它一般呈捕获体（即外来包裹物）出现在火成岩内，以及呈直径达100米的孤立块体出现在变质岩中。有趣的是，榴辉岩在成分上有些像球粒状陨石（参阅 **chondrite**）。

eclogue 牧歌 一种短篇田园诗，通常采取对话形式，题材大多为田园生活和牧人群。牧歌把牧人群生活描写为一种自由的享受，即免遭比较文明的生活中的复杂关系和腐化堕落的折磨。牧歌最早出现在希腊诗人忒奥克里托斯（约公元前310～前250）的《田园诗》里，他通常被认为是田园诗的创始人。罗马诗人维吉尔（公元前70～前19）就采取这种诗体，写了10首《牧歌》。文艺复兴时期，意大利诗人但丁、彼特拉克、薄伽丘等人复活了牧歌和其他种类的田园诗。E.斯宾塞以12首牧歌构成的组诗《牧人月历》（1579）被认为是英语作品中第一首杰出的田园诗。17世纪诗人R.洛夫莱斯、R.赫里克和A.马韦尔写了一些不大正规的牧歌。18世纪的英国诗人如J.斯威夫特开始用牧歌体写非田园题材的讽刺诗。浪漫主义时期诗人反对较早时期那种矫揉造作的田园诗，人们不再喜欢牧歌。现代诗人偶尔为了特殊的目的而恢复这一诗体，L.麦克尼斯的《1925～1948年诗集》（1949）中的讽刺牧歌即为一例。参阅 **idyll**。

Eco, Umberto 埃科（1932-01-05，意大利亚历山德里亚～　　） 意大利文学批评家、小说家与符号学家（研究符号与象征）。1954年获都灵大学博士学位后，任意大利广播电视台文化编辑，1956～1964年在都灵大学讲学，后在佛罗伦萨及米兰执教，1971年在博洛尼亚大学任教授。最初研习美学，在这领域的主要著作为《开放的作品》（1962；1972、1976年修订）。该书提出：许多现代音乐、象征派诗歌和乱中有致的文学（如F.卡夫卡、J.乔伊斯的作品），从根本上讲，其含意是暧昧的，因而吸引读者更积极地参与阐释和创造过程。以此为起点，他在以英文写成的《符号学理论》（1976）及《符号学与语言哲学》（1984）两部作品中，继续探讨和传播符号学的其他领域。他的许多批评、历史及传播学方面的著作，被译成各种文字。他的幻想小说《玫瑰的名字》（1981），叙述发生在一所14世纪意大利隐修院的神秘谋杀案；但本质上，小说从神学、哲学、学术以及历史的角度探讨了“真理”问题，因而成为世界性畅销书。据此摄制成的电影（J.-J.安瑙德导演），于1986年上映。

École Polytechnique 综合工科学校 工程学校。原设在巴黎，自1976年迁往帕莱索，受国防部领导。它是作为土木建筑工程的中心学校由法国国民议会创建于1794年，校领导人为L.卡诺和G.蒙日。1795年改为现名，1802年合并了国家炮兵学校。1804年拿破仑把它改成一所军事学校。过去，绝大多数毕业生在军队里成为技术军官；现在绝大多数毕业生到政府部门任职或从事商业。该校目前有数学、机械工程、物理、化学、经济及人文与社会科学诸系。

École Spéciale Militaire de Saint-Cyr 圣西尔特种军事学院 参阅 **Saint - Cyr 圣西尔学院**。

ecology 生态学 又作 bioecology, bionomics 或 environmental biology。又称生物生态学、环境生物学。研究生物与其环境间关系的学科。生态学研究的重点可为生物个体与其环境的物理化学特征之间的关系（生理生态学）。通常可在实验室内度量生物体对各种因素（如盐度或温度）的耐力。随后人们试图将此结果与生物在自然界的分布情况联系起来。生态学家会研究个体的行为，被研究的特征可包括个体的取食技术、针对掠食的生存适应，以及交配等。此研究领域常称为行为生态学。在植物中相应的研究用以度量植物对环境变化的应答。

种群生态学研究影响动物和植物种群分布和多度的因素。第一步是对种群进行描述，为此应度量其出生率、死亡率、移入和移出率；某具体物种的数量，种群中各物种所占的比例，掠食者-猎物关系等均是影响种群的因素。种群遗传学（生态遗传学）研究基因在自然种群中的行为，是种群生态学的一个非常重要的组成部分。其研究范围包括基因频率在自然中的改变，自然选择对遗传特征的作用，以及多态现象在物种中的出现等。这些问题在理论模式系统内、实验室内或野外种群中研究。

群落生态学研究群落的组织和功能。生活于某具体地区（或称生境）的物种种群之间存在着相互作用，这些种群的组合体即是群落。生态学家研究群落中有什么物种，为什么某一些物种比其他物种占有更大的生态位，群落的稳定性如何，什么因素影响其稳定性，群落内某具体成分（如食肉动物）的影响，营养循环，气候的影响，以及其他各种变量。组成群落的物种间有各种不同的相互关系，有一些复杂的技术对此进行描述和分类。对植物群落而言，此类技术特别完善（植物社会学）。研究表明：群落的结构会随着时间而改变，此种改变常有一定的方向性，称为演替。群落可视为一部加工能量和营养物质的复杂机器。为研究这部机器，必须描述食物网以及能量和营养物质在其中的流动，从初级生产者（绿色植物）到草食动物，肉食动物，和分解者。群落生态学的一个原则是：群落越多样化，食物网越复杂，群落就越稳定。

生态学还有一个重要的分支学科，就是古生态学，即研究化石种类的生态学。研究现存生物的理论和技术也可用于研究已绝灭的种群和群落。

生态学家常常集中研究某些具体种类的生物体，这些分支学科如植物生态学，甚至更细分为昆虫生态学、大型哺乳动物生态学等等。另一方面，生态学家也可以专门研究某种具体的环境，如海滨或热带雨林等。在应用生态学中，基本的生态学原理可用以管理作物或家养动物的种群，从而提高产量，减少虫害。应用生态学家也研究人类对其环境的影响和对其他生物生存的影响。理论生态学家的工作促进某些实用问题（如渔业对鱼类种群的影响）的研究，并设计有关总的生态学相互关系的模式。

econometrics 计量经济学 又译经济计量学。对经济关系进行统计与数学分析的学科。是经济预测的基础。如此提供的分析资料，政府可用以规划经济政策，私人企业可用以对价格、存货和生产做出决策。最初计量经济学研究试图用数量表示商品价格与销售额之间的关系。在理论上，个人消费者对特定商品和服务的需求，决定于消费者的收入及其意欲购买的项目的相应价格。价格和收入若有变化，则可断定它们对销售数量会有相当大的影响。最初的计量经济学者利用长期集聚的市场统计资料研究价格变化与需求变化之间的关系。还有其他人利用按收入水平分类的家庭收支统计来评估收与支之间的关系。这类研究可表明，哪些商品在需求上有弹性，哪些商品无弹性。在生产者方面，计量经济学分析可检查生产函数、成本函数和供应函数。生产函数是一家厂商的产出与各项投入（或生产要素）之间技术关系的数学表述。生产函数最初的统计分析检验了劳动和资本是按其边际生产率得到偿还的这一理论。以后的工作论证了根据价格变化调整的工资率是与劳动生产率密切相关的。原先成本函数方面的工作检查了边际成本开始时随生产扩大而下降、最终却逐渐上升这一理论。然而计量经济学研究表明，边际成本时常保持为一个或大、或小的常数。评估供应函数的工作，迄今主要局限于农业方面。这里的问题是要将温度、降雨量、瘟疫等外部因素的影响同价格、投入等变化的内部因素的影响区分开来。在许多社会中经过许多代人的观察表明，一小部分人却获得大部分的收入。为了用数学说明这种统计的规律性和解释收入分配如此一致的原因，人们已做出多次尝试。在分析收入不平等对总需求的影响方面,分配措施通常是很重要的。20世纪30年代中期以后,国民收入会计学和宏观经济理论的发展为建立宏观经济模式开辟了道路。第二次世界大战后美国L.R.克莱因和A.S.戈德伯格提出的模式,是宏观经济学模式大家庭中的先驱。由美国联邦储备委员会、麻省理工学院和宾夕法尼亚大学联合编制的模型是为了管理整个金融部门而专门设计的。在许多先进的工业国家都开发出一些类似的模型,人们还为经济发展中国家编制出许多模型。开发宏观经济模型的主要目的是要提高经济预测和国家政策分析的工作。模型还一直在分析经济波动和经济增长之中得到应用。

Economic and Social Council(ECOSOC) **经济及社会理事会** 联合国主要机构之一,负责指导和协调联合国专门机构进行经济、社会、人道主义及文化活动。理事会系根据联合国宪章建立,1965年宪章修正案规定将理事会成员国(由联合国大会选举)数目由18个增加到27个,1974年又增加到54个。

Economic Community of West African States (ECOWAS) **西非国家经济共同体** 非洲组织。1975年5月为促进贸易、经济合作和自力更生,非洲15国通过签署拉各斯条约建立该共同体。它谋求协调各成员国的农业政策,促进成员国之间人员、劳务和资本的自由流通。原有15个成员国:贝宁、科特迪瓦、冈比亚、加纳、几内亚、几内亚比绍、利比里亚、马里、毛里塔尼亚、尼日尔、尼日利亚、塞内加尔、塞拉利昂、多哥和上沃尔特(今名布基纳法索)。佛得角于1977年加入。设有4个专业委员会分别负责:①贸易、海关、移民和货币支付;②工业、农业和自然资源;③运输、电信和能源;④社会和文化事务。

Economic Co-operation and Development, Organisation for (OECD) **经济合作与发展组织** 1961年为促进经济进步和世界贸易而成立的国际组织。20世纪80年代会员国有澳大利亚、奥地利、比利时、加拿大、丹麦、芬兰、法国、德意志联邦共和国、希腊、冰岛、爱尔兰、意大利、日本、卢森堡、荷兰、新西兰、挪威、葡萄牙、西班牙、瑞典、瑞士、土耳其、英国和美国。成立这个组织的公约于1960年12月14日由18个欧洲国家以及美国和加拿大签署,1961年9月30日生效。它的基本目的之一是在各成员国中寻求尽可能高的经济增长和就业并不断提高生活水平。它一直想以促进国际贸易和各国之间资本流通的自由化来达到此目的。它的另一主要目标是协调对发展中国家的经济援助。经济合作与发展组织缺乏强行执行决议的权力,基本上是一咨询机构,它通过道义上的劝告、会议、研讨和许多出版物来实施其规划。总部设在巴黎,职员达1 000多人。该组织同许多政府机构和国际货币基金组织、关税及贸易总协定等国际机构保持接触,成为大量交换经济资料的场所。它每年出版1万多页各种科目的资料。它还出版统计、农业、科学研究、资本市场、税收结构、能源、木材、空气污染、教育发展和发展援助等著作,由此可见它所关切的问题。它出版的双月刊《经济合作与发展组织观察家》是经济和有关的社会问题的有用的消息来源。它也出版个别成员国经济年度估计的资料。

economic development 经济发展 指简单而收入低下的国民经济转变成现代工业经济的过程。经济发展理论——原始而贫穷的经济如何得以演变成为成熟而比较富裕的经济——对于不发达国家是至关重要的;通常也是在这种条件下,才讨论经济发展有关的诸问题。

和经济学中的许多概念一样,怎样判断经济"不发达"并没有明确一致的准则。不过一般认为,国民人均收入水平是一国繁荣及其经济发展水平的很好的指标。不过各发展中国家之间差异很大,至于它们不发达的原因及转变其经济的最有效的方法,很难得出粗略而统一的结论。

经济发展理论认为,发达与不发达国家间现存收入水平的差异主要不是非人力所能控制的条件(即自然资源、气候等)所造成的。因此,各国都有潜力达到发达的状况。尽管各发展中国家间有很大的差异,但也有若干共同特点。在多数不发达国家,初级(农业或采掘业)生产在国民收入中占有很大比例,而且经常是某一两项产品所占的份额庞大使得比例失调。第二产业活动的水平总是很低,范围总是不大,而且技术发展特别缓慢。这些国家大多有大量的剩余劳动力(有相当数量的失业或就业不足)和很高的人口增长率。另一共同特点是基础设施不够充分——道路和运输网络不完善、灌溉不够,等等。另一同样重要的特点是人力资源(在技能和教育方面)发展不够,经济和金融机构脆弱。

第二次世界大战后,发达国家和不发达国家都奉行同样的发展方针,通过向各自经济中注入所缺乏的要素集中力量改变上述状况。最显而易见的证明就是,一些不发达国家建立若干整个新工业部门,相信这样不仅可降低它们对少数初级产品的依赖,而且还可提高技术资源的利用和增加国民收入。对于这类大型工业化计划,国内资本资源一般不敷应用,它们不得不以国外投资或政府贷款或捐赠的形式引进大量外国资金。结果,许多发展中国家自20世纪50年代以来已获得相当大的工业发展。还有大批资金用于发展基础设施,对实施培养大量技术好的、训练有素的技术人员的计划也起到了相当大的作用。与此同时,发达国家受到相当大的压力,要采取步骤使世界贸易体制对发展中国家更加有利。这些步骤有:减小若干初级商品价格波动的措施,对发展中国家新兴工业制成品出口提供优惠的措施等。

无疑,这些政策已促进了经济增长,然而一般都认为其总的效果是令人失望的。开始时强调工业化往往导致发展建设尖端的制造工厂;然而这类工厂由于缺乏训练有素的员工或由于缺乏足够大而可靠的国内或出口市场,不能有效地运作。还有,由于这些工业都是资本密集型的,而不是劳动密集型的,它们并没有突出的创造就业的效果。另一种后果是,由于将资源投入大型工业项目(而且还投入诸如高速公路、大型机场之类素负盛望的基础设施的发展),而更加传统的经济领域(它是大多数人民所依赖的)却因缺乏资金而枯萎,无力发展。突击速成的教育计划经常造就大批十分合格的人才而经济却不能适当吸收。另一严重而持续存在的问题就是不能降低高的人口增长率。

总之,虽然非石油出口发展中国家的国民收入在20世纪70年代有了相当大的增长,而人口的迅速增长却使其人均收入增长降至一个不很高的水平。同时,许多发展中国家还继续遭受经济结构严重失衡,伴随有高失业、国际收支逆差和外债不断增大。现在普遍认为,利用庞大的投资计划在不发达国家复制发达国家经济结构的企图并不是取得经济发展的最有效的手段。实际上,人们日渐达成如下共识:瞄准利用发展中国家一定的资源和天然的优势而订出野心不甚大的(在规模和技术内容两方面)计划,能够导致速度更快而社会破坏性更小的经济发展。

economic forecasting 经济预测 指对未来的经济活动和发展所作的推断和预报。自20世纪30年代以来,这种性质的经济预测迅速增长。现在可以利用的经济预测很多,有对特定经济变量(如利率)或个别产品(如钢或汽车)需求作出的短期预测,有对整个经济作出的中、长期预测。尽管这些预测缺乏确定性,可是为了帮助制订政策、战略、法规和长期计划,它们被广泛应用在企业、政府和私人事务之中。

区分宏观经济预测和微观经济预测是有用的。宏观经济预测是为预报整个经济或特定的大的经济变量的未来发展过程而设计的,而微观经济预测是为预报特定经济部门(如某一行业、商品或商号)的可能发展情况而设计的。宏观经济预测中最为知名和应用最广的形式是国民收入或国民生产总值(GNP)预测。宏观经济预测用数字形式预报一国经济活动的主要组成部分——私人消费、政府开支、私人和政府投资、进出口余额。各国都大力从事这种经济预测,典型的是致力于1～5年的预测。这些预测有许多用处。政府用其决定未来经济战略和预报其他经济变量,如通货膨胀、工业产出、就业等可能出现的水平。根据这种预测,政府便可在正式政策确定之前,对各种拟议中的行动(例如减税或增加政府开支)效果进行检验。

宏观经济预测还可用于政府之外作为制订经济主要组成部分更加详细的预测的基础,或用于准备制订微观经济预测。例如,一家零售商通过研究私人消费总的预测,再参考既定的开支形式,便可预报出可能花费在食品和非食用产品上的总金额;然后,通过在微观经济预测领域中工作,便可尝试确定特定大类产品的未来的开支。一般说来,微观经济预测大多从某整体经济的预测或构想出发,然后再按照可适用于某一产品、行业或其他事宜的特别因素和考虑意见,将其稍作改动或分解成为各组成部分。

预测的时间长短,可从1个月到10年或

10年以上。然而鉴于以往20年的经济震荡(例如1972年石油价格涨成4倍),迄今有一种趋势:不用许多数字作长期经济预测,而主张说明经济发展的大方向。

在近数十年间,经济预测技术有了迅速发展。这也部分地反映出人们对许多经济变量相互影响方式的理解在不断加强。同样重要的原因是:精确的统计资料较易获得,且计算机处理大量资料的方法也有所发展。现在计算机的能量已使经济的数理模型的实际开发利用成为可能,通过数理模型的应用,可空前迅速而详尽地探索经济系统的主要决定因素之间的相互关系。多数政府和庞大的预报机构都在这种被称为计量经济预报中使用计算机。

economic geology 经济地质学 研究矿床分布情况、矿床采收中涉及的须要考虑的经济问题以及对其有效储藏量的评定的学科。经济地质学论述金属矿石、化石燃料(如石油、天然气和煤),以及其他有经济价值的矿物如盐、石膏和建筑石料之类。经济地质学应用其他多种地质学科的原理和方法,最主要的是*地球物理学*(**geophysics**)、*构造地质学*(**structural geology**)和*地层学*(**stratigraphy**)。其主要任务是引导矿产资源的勘查并协助确定哪些矿床是经济上值得开采的。经济地质学方面的专家在商品矿物的提炼中也常起辅助作用。

economic growth 经济增长 指国家财富随时间增加的过程。虽然这一术语常被用于讨论短期的经济成效,但在谈及经济理论时一般却用以指长期间财富的增加。该术语一般还用于指发达国家经济;而不发达国家经济中财富的增加,则在"经济发展"条目中加以讨论。

讨论经济增长时,有两大困难。首先是,对增长的主要因素和条件虽已取得相当一致的看法;然而这些因素是如何相互作用的,在经济学者之中却有很大的分歧。第二个问题是,大家对经济增长的准确的含义是什么并没有统一的意见。尽管全国货物与服务总产出(按通货膨胀调整后的国民生产总值计算)实际增长率是应用最为广泛的标尺,可是还有人认为人均国民收入、人均消费或其他度量是最为合适的。

经济学家和经济历史学家长期都在试图了解经济增长的过程和不同国家增长率产生显著差别的原因。目的是要开发出指明经济最大增长的最佳方法的经济模型。早在18世纪,A.斯密在适当强调劳动作用和自由市场力量作用的同时,就试图说明经济是如何和为何运行的。近期经济学家已提出一些不同的理论。W.W.罗斯托认为经济增长或成长可分为若干阶段:传统(以农业为主)阶段;过渡阶段,为迅速发展准备好人力和技术条件;迅速成长的起飞阶段;成熟阶段,特点是大规模生产和群众高额消费。其他分析家已试图将一国经济的成长解释为,从初级产业(农业)生产经二次产业(制造业)生产到第三产业(服务业)生产的发展。还有一些理论致力于探讨生产经济中某一项或另一项主要投入(劳动、资本、技术变更和企业家精神)的变化所引起的结果。

然而人们对经济增长的主要条件已取得很大程度的一致意见。这些条件可以很方便地分成内部和外部条件。基本的内部条件是自然资源的范围和质量。这些资源是指矿物资源、燃料的来源、土地的肥力、交通水道等。一般认为,尤其是在经济发展的最初阶段,自然资源对经济增长率有很大影响。更加重要的是人力资源:①劳动力的大小,劳动力占总人口的比例;②劳动力的质量,质量取决于教育水平及人民的内在品质(健康、能量、发明创造能力等);③劳动的强度,这是由工作的小时数、工作组织的方式和特定政治和经济体制所施加的压力和鼓励所决定的。

与自然和人力资源价值密切相关的是资本资源的大小和技术发展的程度。用现代化和生产能力高的机械装备起来的劳动力利用单位原材料和时间所生产的产品,总要比操作效率不高的机械的劳动力所生产的产品多一些。同样,从事高技术产品生产的劳动力总要比从事简单加工工业的劳动力生产出更多的新增价值。因此,多数经济学家认为资本和技术投资率愈高,经济增长率愈高。最后,经济增长的另一重要内部条件是政府的稳定。在所有其他条件都相同时,一个政治稳定的国家,由于会吸收到更多的国内外投资,其经济总要比一个政治不稳定的国家增长快得多。

国民经济的发展,还有若干主要的外部条件;其中最重要的是世界经济活动水平。这一水平决定着世界贸易水平;由于多数国家要输出很大比例的自己的产出,世界贸易强度便是各国国内生产活动中需求强度的主要决定因素。与此密切相关的是贸易条件(即进出口比价),这是以一国进口产品的价值来衡量其出口货物的价值(即价格)。如一国出口产品价格,按其进口货物成本说来,呈现出长期下降趋势,则其进口能力降低。这对投资货物或原材料的供应有不利的影响,从而会阻碍经济增长。

就历史说来,初级商品生产国家一直在经历着贸易条件日渐恶化的磨难,其影响是阻碍本国经济进步和技术发展。不过,贸易条件恶化的影响是可用输入国外贷款和投资加以克服的。输入国外投资还可以弥补国内技术知识之不足。

economic indicator 经济指标 同其他指标一起,用以测定总的(特别是未来的)经济活动形势的统计数列。主要有三类:①超前指标,在总的经济活动发生变化前相当可靠地上升或下降。如建筑许可证、普通股票价格、企业存货额、消费者分期付款债务、失业津贴金、公司利润等。②重合指标,与整个经济情况发生同时期同方向的变化。各种销售额随经济衰落而衰落、上升而上升,所以它们都是重合指标。③滞后指标,在经济情况变动后发生改变方向的变化。它们对于经济预测没有作用。

economic planning 经济计划 由中央政府作出的或影响的一些主要经济决定的过程。经济计划是与自由放任趋向相对立的。自由放任的最纯粹的形式是避免任何指导经济的企图,依靠市场力量来决定经济发展的速度、方向和性质。

20世纪20年代,苏联首先试行经济计划。当时新共产主义政权为在以农业为主和严重失秩的经济中达到高速工业化,推行了一种严格控制的"指令"经济。同时,在非共产党国家中,作为两次世界大战中间时期解决经济困难的一种方式,计划产生了相当的吸引力。后来,在第二次世界大战期间,大多数政府被迫采取严格控制它们经济的措施,到了50年代,政府在计划和影响经济活动中必须起重要作用的观念已被广泛接受。当前多数政府采取若干计划活动。

在目前,经济计划的范围和性质在任何国家中都同该国政府的政治态度有关。一个极端是若干共产党国家所实行的全面的和严格的计划(特别是中国以及不久以前的大多数东欧国家与前苏联)。这涉及政府拥有大多数生产手段,并且根据政府的经济、政治和社会目标,决定资源的集中分配。它需要中央政府决定生产什么产品、单独的价格水平、工资水平、对外贸易、投资规模和所有其他经济可变因素。它还需要大规模地具体控制各个企业的活动和一个庞大而广泛的中央计划机关。

经济计划趋向的理论根据是:因为市场力量不关心社会价值,而且能够为财富的所有者操纵,所以不能依靠它们来实现所需要的社会和政治目标。此外,还提出的理由是因为它们不能保证充分就业,甚至不能保证已有资源的充分利用。相反的理由则争辩说,由于取消竞争,指令计划破坏了努力经营的积极性,导致无效率。还有理由认为,虽然有一支庞大的计划工作人员队伍,实际上不可能控制或者甚至统一组成经济的多种多样的活动,其不可避免的结果是经济增长缓慢与不稳定、商品短缺和结构不平衡,需要不时进行急剧与浪费的调整。

在20世纪的后半叶,大多数僵化的经济计划国家的经济成就一般是令人失望的,并最终导致对这种缺乏弹性的制度深刻不满。在50年代,若干共产党国家开始一种原本在概念上较少僵化的变形试验。这种过程于1956年在波兰开始,虽然苏联反对改革,施加强大压力,但在整个60和70年代,它在多数东欧国家继续进行。匈牙利走得最远,虽然大量生产因素继续是公有制,到70年代在消费品供应、服务业和食品业已出现相当数量的私人企业。同时,公有企业的管理部门有了决定生产和价格、发放同利润挂钩的奖金等一定程度的自由权。在匈牙利、南斯拉夫和中国,这种计划证明相当成功,但在80年代后期当苏联领袖戈尔巴乔夫在苏联采用时,却遭到了较大的阻力。随后苏联于1991年崩溃,导致在该地对经济计划采取一种完全改变的态度。在苏联的影响近期已经消失的地区亦然。90年代初期,绝大多数东欧国家开始放弃中央计划,转向私人企业,以西方民主国家的混合经济为主要模型。

西欧、北美和日本的混合经济或许已最可行地利用了经济计划。虽然计划范围和政府控制程度各国不同,实际上在所有国家中都保留资本主义结构和规模相当大的私营部门。此外,除开具体控制一个或两个主要公有部门外,绝大多数西方政府趋向于通过调节这种广泛的经济因素如货币供应、政府支出和利率等,来影响它们的经济。这种制度的实质是在政府建立的广泛全面的结构内,由私营企业来作出绝大部分生产和价格决定。其结果是企业有更大程度的自主权,不存在一个庞大广泛的计划机关。

在西方,经济计划的具体特征有很大的不同。比起西欧来,美国传统上较少对政府计划负责;较之其他发达的非共产党国家,法国趋于更强调政府控制。在这种一般背景下,某一国家的立场也会随时代发生变化。60年代的英国工党政府采取了一种有力的干涉主义和计划指导的趋向,但是保守党政府从1976年起的主要目标是减少国家在经济中的作用。20世纪后期,日本可能是经济计划最成功的典型代表,它在资本主义的结构内,通过政府与工业密切合作,制定资本投资、研究和发展的模式与出口战略计划。

发展中国家也采纳了经济计划的理论和实践。虽然它们中的多数倾向于准备中期(5或6年)经济发展计划,但对这种计划没有共同的态度。在多数发展中国家已将它们经济中相当多的部门置于政府所有或影响下时,只有很少数几个国家企图施行精细的指令计划。一般而言,发展中国家经济计划的基本目标是动员充足的资金以发展它们的基础结构和工业的选定领域,并对这些经济部门施加一定程度的影响。这些部门经常是初级产品的生产者,也是国家收入的主要提供者。发展中国家的经济计划并不是一种完全的成功。这些计划经常是根据政治原因挑选的一些不协调的目标,或者不是按照对于可利用资源的一种现实的估算,而是事先决定的过份庞大的目标提纲。在某些情况下,过度依赖易变价格的初级产品会使长期计划特别困难,因为某些国家缺少完成它们计划目标所必需的行政对策和政治稳定。

economic regionalism 经济区域化 同一地理区域的国家间,旨在为便利商品和服务流动以及协调对外经济政策而作出的制度性安排。例子包括:自由贸易区、关税同盟、共同市场和经济联盟。第二次世界大战后的几十年间,欧洲曾制定出几种地区经济一体化方案,有欧洲煤钢共同体(1952)——最终发展成欧洲共同体(1957)和欧洲联盟(1993)——和欧洲自由贸易联盟(1960)。冷战后,这样的安排在全世界急剧增加。诸如欧洲联盟、北美自由贸易协定和东南亚国家联盟自由贸易区等组织的成立和协议的达成,不仅是依靠地理上的接近,还在于经济上越来越互相依赖和相对同一的政治结构(如民主),以及共同的文化、政治传统。经济区域化的形式可按其一体化的水平来区别。最基本的形式是自由贸易区,如欧洲自由贸易联盟,它取消或大大降低了成员国间的关税。也可按经济区域化所表现出的体制一体化水平来分类。欧洲联盟是"紧密型"区域化的例子,亚洲太平洋经济合作组织是个"松散型"区域化的很好例子,而北美自由贸易协定则属于紧密和松散型区域化两者之间的一类。此外,还可按其对待非成员国的方式分类。对非成员国全无排斥或歧视的,属于"开放型",反之,则为"封闭"型。经济区域化的支持者曾试图促进开放型和紧密型区域化的发展,缩减封闭型和松散型的区域化。除了上述例子,还有近30个活跃的和不活跃的区域性贸易安排,包括非洲经济共同体、安第斯共同体、阿拉伯马格里布联盟、东南亚国家联盟、加勒比共同体和共同市场、中美洲共同市场、中欧自由贸易区、南方共同市场、东南非共同市场,以及海湾合作理事会。总的来说,20世纪后几十年经济区域化的趋势是朝着开放型和紧密型的方向发展。

economic stabilizer 经济稳定器 指能够抵销对可自由支配的收入数额的影响从而减小经济周期波动的经济制度或措施。最重要的自动稳定器有:累进所得税、失业津贴与其他转拨款项计划、农产品价格支持及家庭和公司的储蓄。例如,在衰退期间,所得税征收额随着应税的收入总额的减少而自动减少;在采取累进税制时,由于累进税率的高低是随着个人收入的升降而变化的,其影响更为显著。某些稳定器在经济下降时较之经济上升时更能发挥作用。没有迹象表明:消费者在经济好转期间,会在增加支出方面犹豫不决;同样,政府在衰退期间所增加的支出,也不总是会在经济复苏后即行减少。

economic system 经济制度 社会确定和组织经济资源占有和分配的原则和方法的组合。现代经济制度有两种主要的类型,即私人或自由企业经济和中央控制计划经济。不过,实际上这两种经济制度在形式上都不是纯粹的;在现实生活中,一切经济制度都程度不同地包含有这二者的成分。

私人企业经济的基本信念是:让社会中各个成员去追寻个人合理的私利就会产生最大的社会共同利益。其实,最大共同利益不过是其各个组成部分的总和,如果个人合理的私利受到干扰,势必要削减这一总和。保证无数私人目标的追求能产生公共利益的机制是市场,是市场不存偏见地确定生产因素(土地、劳动力和资本)和工业产品两方面的价格。在私人掌握生产因素的情况下,通过价格机制确定这些因素按不同的比例(即何种生产因素用多少)生产出不同的货物和劳务。如果某物市场供应的数量大于需求,就会价格下跌或生产下降,或价格下跌同时生产下降;反之,如果某种产品不能满足需求,则价格会上涨,而且由于有利可图,就会刺激生产发展。

中央计划经济观念是基于人们观察到:私人企业经济承认不平等的财富和收入分配的模式,而且由于技术及其他方面的发展,有些生产厂商所获得的生产规模和地位已足以摧毁市场机制运行所需要的竞争条件。对于拥护中央计划经济的人们说来,解决的方案是公共占有生产资料和中央决定和控制所生产的产品。这样,就可以减少或消除财富和收入上的不平等,还可以按照既定的社会和政治目的来组织经济活动。

西欧、北美和日本的发达经济被说成是私人企业经济,而少数共产主义国家是中央计划控制经济。(发展中国家没有固定的模式;这些针锋相对的哲学常在许多国家艰难地并存着。)然而大多数自由企业发达国家都接受对纯正市场经济的批评,承认一定程度的国家干预的必要性。许多这类国家都有或多或少的——主要是在公用事业和某些基础工业中——国有经济企业。另外,所有的政府都积极插手,利用控制一些关键性的经济变数如货币供应量、利率、政府开支和借款等来影响经济发展的性质与节奏。在多数情况下,政府在这些领域中的行动反映出关于政治、社会或经济目标的一种判断。不过这种行动与中央计划经济理论的处方根本不同,因为它是渊源于相信企业自由是实现经济最高增长的最有效的方法的。虽然国家干预的程度各国不尽相同,而且历届政府可能也有差异,但是西方国家都认为不论根据理论或实践,私人企业都是比较优越可取的。

中央控制经济基于这样的设想:国家决定经济目标和国家严密控制经济活动,在原则上都是可取的。在中央控制的经济中,国家占有生产资料;对投资或货物和服务的产出进行资源分配的方式是按照一项详细的经济计划所决定和组织的,此计划是利用行政命令而不是刺激来力图保证经济各部门和所有的企业都按照一套官方确定的错综复杂且相互关联的目标而运行的。事实业已证明这是不可能办到的。除了庞大的计划和控制的行政机构外,人们不能保证数以千计的目标中各项目标都能实现,可是这种经济制度又是如此僵化刻板,某一方面的失败都要破坏整个计划的完整性。因此,自斯大林时期以来共产主义国家如南斯拉夫、匈牙利和中国都一直在试验、采用有限度的个体企业和个人决策来克服这种制度的不灵活性而又不损害国家控制经济发展的基本目标。

1989年苏联放松了对东欧的控制后,东欧各国都从中央计划的僵硬控制中退缩了,采取了60年代后期匈牙利率先实行的经济模式。在以后的年代中,东欧各国日益依靠私人企业和自由市场的价格机制。同时,苏联及其共产党政府于1991年的垮台伴随着该国中央计划制度的全面崩溃。俄罗斯和前苏联各共和国的新政府开始了向以私人所有制与市场价格机制为基础的经济制度的困难过渡。随着苏联的消亡,使得世界上只有少数国家继续保持着纯粹的中央计划和生产资料的完全国家所有制。参阅 **economic planning**。

economic warfare 经济战 某国政府在国际冲突中所采取的经济措施。如各种进出口管制、与中立国签订贸易协定、海运管制、开列禁运黑名单、封锁敌国输出、先发制人抢购等。从广义上讲,经济战包括旨在消耗别国经济实力以增强本国经济实力所采取的一切措施。

发生战争时,交战国之间的经济战是从封锁和拦截违禁物品开始的。第二次世界大战期间经济战曾扩大到对资助敌方的中立国施加压力；它一直延续到战后成为“冷战”的一部分，取缔供应可提高敌人潜在作战能力的物资。在此期间，主要措施之一就是禁运。20世纪50年代，美国和其他国家曾对苏联和东欧国家采取范围甚广的战略物资禁运。经济战有时也可指，由某国采取措施使另一国在经济上对其依赖，从而取得控制该国的政治权力。这些措施可包括垄断某些货物的供应或保证为弱国提供出口市场。

economics　经济学　分析和阐述财富的生产、分配和消费的社会科学。经济学考察的领域同其他社会科学特别是政治学考察的领域相互重叠；不过经济学主要是涉及到买者与卖者之间的关系。经济学成为一门独立学科，始自1776年A.斯密发表的《国民财富的性质和原因的研究》，其中包括简单的价值论、分配论、国际贸易论和货币论。他建立了古典政治经济学的理论体系。1817年，D.李嘉图发表《政治经济学及赋税原理》，发展了斯密的经济学说，成为英国古典政治经济学的完成者。他的理论核心是：由于土地有限，食物生长的成本提高，经济的增长迟早必会停止。他的比较成本说认为贸易的利益决定于国内生产成本的比较，而不决定于国与国间生产成本的比较。这一规律成为19世纪自由贸易论的基础。1869年马克思出版了《资本论》。他是古典经济学派最后一位理论家，他根据斯密和李嘉图的劳动价值论提出了剩余价值论。1870年以后，多数经济学家抛弃了李嘉图的理论，重新检查价值理论的基础。英国的W.S.杰文斯、奥地利的C.门格尔和法国的L.瓦尔拉三人最早提出了边际效用价值论来代替劳动价值论。A.马歇尔提出了均衡价值论，他认为古典作家们分析价格的决定因素侧重于供给方面；边际效用论者侧重于需求方面，而实际上价格是由供给和需求共同决定的。1890年马歇尔发表的主要著作《经济学原理》直到20世纪30年代都有广泛的影响。上述这些经济学都是以完全竞争为假定条件来进行分析的。

1933年，E.H.张伯林的《垄断竞争理论》和J.鲁宾逊的《不完全竞争经济学》同时发表。随后是J.M.凯恩斯的《就业、利息和货币通论》在1936年问世。这标志着经济学发展到一个新阶段。凯恩斯注意的是国民收入水平和就业量，而不是个别厂商的均衡或资源的配置。他仍然沿用供求均衡分析，但这里的供应指的是国家的生产能力，需求指的是总的有效需求。凯恩斯经济学的核心就是关于有效需求决定因素的分析。他的分析是静态分析，不包括时间这个重要的可变因素。他的门徒R.F.哈罗德研究增长中的经济而创立了一种简单的宏观经济学的模式，于1948年发表《动态经济学导论》一书，提出了“增长论”。

第二次世界大战后，经济学中一个重要发展就是越来越广泛地利用数学，从而发展了数理经济学和计量经济学。战后，经济学家们相信某种经济计划可以缩短穷国与富国之间的差距，对不发达国家的经济情况产生了兴趣，兴起了发展经济学。此外，地区经济学、城市经济学、保健经济学和教育经济学则是1945年以后经济学中的另一些旁支。凯恩斯以后，经济理论分为宏观经济学和微观经济学两大类。微观经济学研究社会中单个经济单位即企业和家庭的经济行为，认为市场价格决定于供求的相互影响，重点是要阐明构成供求关系的各种力量。宏观经济学则侧重于整个国民经济的收入水平、总就业量及总投资的流动等方面的研究，而最主要的就是决定国民收入或总投资水平的各种力量。

当代经济学包括如下主要领域：财政学、货币学、国际经济学、劳动经济学、工业组织、农业经济、经济增长和发展、数理经济学、计量经济学。财政学是研究税收和政府支出及其对收入和就业水平的影响。货币学过去主要是分析货币数量同物价水平的关系，其中心思想即货币数量说。凯恩斯在《就业、利息和货币通论》中批判了货币数量说，从此经济学家们不再相信货币管理政策对经济活动的控制有什么效果。到20世纪60年代，美国有一小派货币经济学家，恢复了老的观点，发展了货币数量说。国际经济学包括不同而又有联系的两部分：国际贸易的纯理论和国际收支调节的理论。劳动经济学，过去主要是注意分析劳动市场的需求，认为工资是由劳动的边际生产率决定的。20世纪60和70年代以来，经济学家开始注意劳动市场的供给方面。一种新概念“人力资本”产生了，于是人们不惜在教育与训练，以及寻求较好工作机会、迁移到其他劳动市场等方面花费金钱，对他们儿女及他们自己进行资本投资，而训练和教育经济学、情报经济学、迁移经济学、保健经济学和贫困经济学，都是这种新观点的一些副产品。工业组织主要涉及的是市场结构和对垄断的公共政策、公用事业的管理以及技术变革经济学等问题。农业经济学对政府促进农业或保护农场主的任何方面都予以极大的注意。发展经济学和上述的微观经济学与宏观经济学同属于经济学的三个主要派生领域，它类似经济史，企图解释经济体系随着时间的推移所发生的变化。经济增长理论（通称为哈罗德-多马模型），始于英国哈罗德和美国多马的著作。数理经济学就是用数学方法研究经济理论。微分是数理经济学的传统工具。微分方程是处理动态问题的理想工具。动态经济学是数理经济学的最新发展之一。计量经济学是运用统计学方法研究经验数据，以检验和估量经济理论所提出的假设和各种经济关系。

以上只谈及经济学的9个重要分支。在经济学中，还有许多其他领域，其中包括经济史、比较经济制度、经济周期、经济预测、国民收入核算、管理经济学、企业财政、市场学、自然资源经济学、经济地理、消费者经济学和地区经济学等。

Economist, The　《经济学家》　伦敦出版的新闻与舆论周刊，被公认为同类刊物中国际声誉卓著者之一。尽管名为《经济学家》，但也广泛登载一般新闻，尤其是与世界经济有关的国际政治动态。创刊于1843年。该杂志文章主要针对工商业者和投资者，但也为其他读者，包括许多国家政府内阁成员所广泛阅读。该杂志文风清晰明快，社论立场中间偏左。它除报道英国情况外也报道其他国家和世界政治经济发展情况。

economy, law of（logic）　**经济法则**　参阅**Ockham's razor 奥康姆的剃刀**。

écorché　肌肉解剖图　法语，意为“去皮”、“剥皮”。表现人或动物去皮后的肌肉位置及其相互关系的解剖图。15世纪起，西方画家即为精确表现身体形态制成立体的肌肉解剖

G.斯塔布斯绘《马的解剖》
美国不列颠百科全书公司供图

模型，作为工作室中的主要设备。许多素描是临摹这些模型的；达·芬奇所画的这种素描尤为著名，有些还印在美术或解剖学教科书中。1543年A.维萨里出版《人体的构造》及《人体构造概要》。G.斯塔布斯曾作版画《马的解剖》（1766），其铅笔素描原稿现藏伦敦皇家艺术科学院。

ecosphere　生态圈　地球上生态系统的总和，包括一切与非生物环境相互作用的活生物体。生态圈与**生物圈**（**biosphere**）这个术语几乎等价，但有进一步含义：应对地球和地球中一切事物进行有意识的生态管理。

ecossaise　苏格兰舞　18世纪末19世纪初在法国和英国流行的对舞的一种变体。跳舞时舞伴分男女面对面站成两排，跳2/4拍的快步舞。跳花样时，各对逐渐向排首移动。由于苏格兰舞的流行，舒伯特、肖邦以及贝多芬等音乐家都创作有苏格兰舞的钢琴曲。他们还为军乐队和小型管弦乐队创作此种乐曲。

ecosystem　生态系统　具体空间单位内活生物体，其自然环境，及其所有相互关系组成的综合体。

支持生命的环境，无论大小，无论是自然

的还是人造的，都是一个完整网络的一部分，在这个网络中每个成分都直接或间接地与所有其他成分相互作用，并影响整个网络的功能。研究生态系统的原则就以这个观点为基础。所有的生态系统都包含在一个最大的生态系统——生态圈之内，生态圈包括地球（地圈）及所有其生物成分（生物圈）。

生态系统可按其非生物成分（包括矿物、气候、土壤、水、阳光和其他无生命组分）或生物成分（包括一切生物种类）来分类。将这些非生物成分联系在一起的是两种力量：通过生态系统的能量流转和生态系统内部的营养循环。

几乎所有的生态系统都以来自太阳的辐射能作为基本能源。日光中的能源为生态系统的自养生物所利用。自养生物主要由绿色植物组成，能进行光合作用，即能利用日光中的能量将二氧化碳和水转化成简单的富含能量的碳水化合物。自养生物利用贮藏于简单碳水化合物中的能量生产更复杂的有机化合物，如蛋白质、脂类和淀粉等，这些物质维持着机体的生命过程。生态系统中的自养组分常归入生产者水平。

自养生物产生的有机物质直接或间接地维持着异养生物。异养生物是生态系统中的消费者，不能自己制造食物。异养生物将自养生物制造的复杂有机物质利用，重新安排，并最终将其分解。所有动物和真菌，就如大部分细菌和许多其他微生物一样，是异养生物。

自养生物和异养生物一道，在生态系统中组成不同的营养水平：生产者水平（由自己制造食物的生物组成）；初级消费者水平（由以生产者为食的生物组成）；二级消费者水平（由以初级消费者为食的生物组成）；等等。有机物质和能量从生产者水平通过不同消费者水平的移动构成一个食物链。例如，草原上的典型食物链可为草（生产者）→鼠（初级消费者）→蛇（二级消费者）→鹰（三级消费者）。事实上，在许多情况下生态系统中的许多食物链互相重叠，互相交织，形成网络状结构，生态学家称之为食物网。所有食物链的最后一个环由将死亡生物体和有机废物分解的分解者组成。如果一个食物链中初级消费者以活植物为食，此食物链即称为牧食途径；初级消费者以死亡植物为食的食物链称为碎屑途径。两个途径在解释生态系统的能量估算中都是重要的。

能量在生态系统中移动时，大部分消失在每个营养水平上。举例说，贮存在草中的能量仅约10%被吸收进以该草为食的鼠体内。余下的90%贮存到不能被鼠分解的化合物中或在鼠代谢过程中以热的形式丢失。在食物链的每个水平都有同样数量的能量丢失；结果，没有什么食物链能包括5个以上的成员（从生产者直到分解者），因为在较高营养水平上可用的能量太少，不能支持更高水平的消费者。

生态系统中的能量流转驱动着营养物质在生态系统内部移动。营养物是活生物体必需的化学元素和化合物。能量在通过生态系统过程中不断丢失；与此不同，营养物却是在生态系统内循环，在其有生命组分和无生命组分之间摆动，从而构成所谓生物地球化学循环。主要的生物地球化学循环包括水循环、碳循环、氧循环、氮循环、磷循环、硫循环和钙循环。分解者在许多生物地球化学循环中起关键作用，能将营养物归还到土壤、水或空气中，在这些地方营养物又可被生态系统中的生物利用。

一个生态系统可被另一个生态系统有序地取代，这称为生态系统发展或生态演替。当生物体刚刚移生到原来没有生命存在的地区（如寸草不长的岩石或熔岩流）时，或当原来存在的生态系统被瓦解（如森林被大火烧毁）时，生态系统演替便发生了。生态系统的演替通常分两个阶段发生。早期阶段又称生长阶段，特征为生态系统内物种数很少，食物链也很短。这样的生态系统相对来说不太稳定，但生产力却极高，也就是说生成有机物的速度大于分解有机物的速度。后期阶段的生态系统又称为成熟生态系统，更为复杂，更多样化，更稳定。生态系统发展到最后阶段便称为顶极生态系统，特征是物种非常多样化，食物网十分复杂，而且高度稳定。主要的能量流转已从生产改变为维持。

人类对生态系统的干扰是广泛存在的。举例说，农业就是有意维持一个不成熟的生态系统，该系统生产力高但相对不稳定。要管好一个生态系统以获得最多的食物生产，就应在新建立的生态系统与成熟的生态系统之间寻求妥协；应当考虑那些能影响自然循环间相互作用的因素。以耕作和施肥等形式将能量添加到生态系统中，便能使短期生产力达到最大值。可是这样做会引起营养物的不平衡，污染的加剧，农作物过度近交又使它们对植物病害的易感性增加；这些都妨碍能量的长期利用效率。

虽然从古代的哲学和宗教中可以看出：人们早已清楚地认识到人类社会与其环境是互相依存的，但系统生态学作为一个学科，其基本原理到19世纪晚期才系统阐述。到20世纪后半叶对生态系统的研究变得越来越复杂，如今在评估农业发展和工业化对环境的影响方面起很大作用。例如，在农场经济方面，对生态系统的研究表明：为了使牧场保持长期高产，放牧就不能过度，以保证土壤的湿度和营养物成分得以平稳地更新，研究也强调在可耕地的耕作方面必须采取多功能策略。系统生态学研究杀虫剂积蓄的后果，又提供了监测大气尘埃和燃烧化石燃料（如煤、石油和天然气）释出的二氧化碳对气候影响的方法。系统生态学又有助于测定地区种群容量并促进了回收利用技术的发展，这些技术在人类未来与环境的相互作用中可能是非常重要的。

ecoterrorism 生态恐怖主义 又称 ecological terrorism 或 environmental terrorism（环境恐怖主义）。指由国家、团体或个人通过破坏环境或威胁破坏环境来恐吓或要挟政府或平民。也用来指各种旨在阻止或干扰据说对环境有害的活动而针对企业或政府机构的犯罪。实施生态恐怖行动的是那些反体制（即反对现行政治体制）的组织。此类恐怖主义又称生物恐怖主义，其具体行为包括污染水源、破坏或废止能源设施，以及使用炭疽等生物剂等手段。另一种形式的生态恐怖主义经常被形容为环境战，指故意使用非法手段破坏、开发或改变环境，作为战争或武装冲突（包括国内的）的一种战略。在武装冲突中改变环境很有可能产生广泛、持久或严重的后果。1998年通过的《国际刑事法院罗马规约》将此种行为视为战争罪。最后，某些环保组织不时的暴力行为也被认为是生态恐怖主义。其行为包括非法闯入伐木公司或其他公司的地界，阻碍其运作；有时候则通过故意破坏该公司的设备或采用对环境无害的改变自然资源的手段，使这些资源无法被人接触或用于商业用途。其他称作生态恐怖主义的活动还有动物解放组织的抗议活动，比如损坏皮货商店的财产和炸毁用动物作试验的实验室等。

ecotone 群落交错区 在两个不同植物群落之间（如在森林和草原之间）的植被过渡区，具有相邻的每一个群落的一些特征，并且常常有一些两侧群落所没有的物种。群落交错区可能呈宽带状，亦可能呈小袋状（如林中空地），两个局部群落在此交混。两个相邻群落彼此间的影响称为边缘效应。群落交错区中，一个物种的生物个体密度往往较两边的群落中高，物种的数目也往往较多。某些生物需要有过渡地区供某些活动（如交配、营巢或摄食）之用。

Écrins National Park 埃克兰国家公园 法国自然保护区。位于法国东南部上阿尔卑斯和伊泽尔两省。建于1973年。占地面积91 740公顷，居法国第二。境内有巴尔-德埃克兰（4 102米）、拉梅热（3 983米）、艾勒弗鲁瓦德、佩尔武等山峰和众多湖泊、冰斗、峡谷。落叶松林覆盖全区。稀有植物有杓兰、橘色百合、头巾百合花等。多山兔、狐狸、土拨鼠和小羚羊等动物。1977和1978年重新引入野山羊。鸟类是典型阿尔卑斯山的，有金鹰、松鸡和鹧鸪、雷鸟等。公园边缘划出177 000余公顷土地布置设施提供来园的游客住宿用。

ECSC 参阅 **European Coal and Steel Community 欧洲煤钢共同体**。

ecstasy 超脱 源出希腊语 ekstasis，意为“站在自我之外”或“超乎自我之上”。奥秘神学用语，指在内心见到上帝、与上帝相通或结合的体验。最典型的方法包含4个阶段：①肃清肉体欲望；②净化意志；③启发心灵；④神人合一。其他方法有舞蹈和使用药物等。古代以色列人的某些先知派别使用音乐以达到超脱。在古希腊德尔斐神谕所，女祭司往往进入超脱状态，口中念念有声，皆是象征复活之蛇神向她的启示，这是她饮用某泉之水所致。原始宗教中的萨满具有治病和转变心灵的能力。他们开发出高度发达的超脱技术，其法是通过“灵魂”或“灵”的飞升。但是，超脱的目的和效果，主要是通过世界各大宗教中的神秘主义者的著作和活动而为世人所知。

ECT 电惊厥疗法 参阅 shock therapy 休克疗法。

ecthyma, contagious (animal disease) **传染性丘疹** 参阅 sore mouth 羊口疮病。

ectoderm 外胚层 最外的胚层,出现于动物胚胎发育的早期。脊椎动物的外胚层随着动物的生长发育成毛发、皮肤、甲、蹄及晶状体,感觉器官、鼻腔、窦、口腔(包括牙釉质)及肛管等部位的上皮;神经组织(包括垂体及嗜铬组织)。成年刺胞(腔肠)动物及栉水母的体壁的外层亦称外胚层。参阅 **endoderm**; **mesoderm**。

ectomorph 外胚层体型 人体的一种类型(体型)。按照美国心理学家 W.H. 谢尔登所制定的体格分类法,外胚层体型多为颀长体型。就人体所能发育的范围说,极端外胚层体型近于直线形:瘦脸、高额,下颏里缩;胸腹瘦窄;心脏窄狭;四肢瘦长;全身各处脂肪和肌肉均不发达;但皮肤表面面积大而神经系统发达。此种体型的人即使营养充分,体重也难增加;他们即使发胖,仍然显出外胚层体型,不过体重增加而已。参阅 **endomorph**; **mesomorph**。

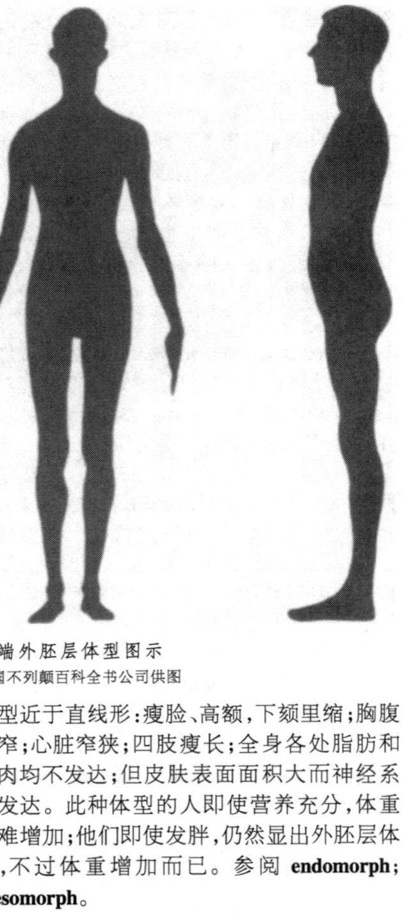

极端外胚层体型图示
美国不列颠百科全书公司供图

ectopic pregnancy 异位妊娠 又称宫外孕。一种病理产科现象。为受精卵植人子宫腔外的器官而发育,任何原因干扰了受精卵向子宫腔内移动均可造成。依植入部位分别称为输卵管、腹腔或卵巢妊娠。输卵管妊娠常见,与正常妊娠的比例为 1:250 至 1:300,黑人较白人多见。病因如输卵管炎症、发育不良或畸形、扭曲等,若受精卵移行受阻,时间延长,则发育过大不易通过,因而植入管壁。输卵管妊娠早期颇似正常妊娠,症状轻微,常被患者忽略。也同样形成胎盘。最后胎盘从管壁剥离,胎儿整个地或分裂成碎片排出。根据受精卵在输卵管内种植的部位不同,闭经后 6 ~ 18 周内输卵管可以破裂而发生流产(有时可无闭经史)。并伴阴道出血及腹痛。开腹探查、切除患侧输卵管、补充失血量可避免死亡。卵巢妊娠罕见,卵从卵泡排出之前即已受精,症状、结局、治疗似输卵管妊娠,妊娠持续时间稍长,破裂出血发生稍晚。腹腔妊娠时胎盘附着于腹膜腔内,少数继发于输卵管妊娠流产(妊娠头 3 个月内有过腹痛,阴道出血者,可作疑诊)。腹腔妊娠可达足月,需及时手术取出胎儿,未及时诊断、治疗可致感染、石胎(钙化的死胎)形成或母体死亡。

ectoplasm 外质 神秘学名词。指神鬼附体者身上渗出的一种物质,多色淡质黏,渗出后可能形成死者的面孔、手或全身形象。据说其质如薄粗布或薄膜,通常只能在降神会(**séance**)的阴暗条件下为人所见。

ectothermy 外温性 参阅 cold-bloodedness 冷血性。

ectropion 睑外翻 下睑松垂、睑缘离开眼球的眼病。有时见于眼睑支架组织松弛的老人。泪点亦随之外翻,结果泪液引流不畅,可致慢性结膜炎。参阅 **entropion**。

Ecstasy 摇头丸 3,4-亚甲基二氧基甲基苯丙胺(3,4, Methylenedioxymethamphetamine, MDMA)。俗称"E 丸",一种迷幻剂,可致欣快感;主型片剂。1985 年,国际《精神药物公约》宣布:在全球范围内查禁摇头丸及其加成化合物,但其流行趋势却有增无减。摇头丸是安非他明(苯丙胺)药物家族的衍生物之一,与中枢兴奋剂甲基苯丙胺(脱氧麻黄碱)有亲缘关系。此外,在化学结构上,它还和另一种致幻剂麦斯卡灵(mescaline,仙人球毒碱,三甲氧苯乙胺)有关。MDMA 于 1913 年由德国的默克化学和药品公司首先合成,1914 年获专利。但因其严重的副作用,未能获准作为食欲抑制剂投产。20 世纪 50 和 60 年代开展了进一步的药理学研究。化学家 A.T. 舒利金等报道了 MDMA 对人类所产生的心理效应,激起了人们对这类化合物可能有助于心理治疗的兴趣。随后,一些精神病学家发现:在临床上,MDMA 可增强医患之间的信任感,故 20 世纪 70 年代末曾一度作为辅助药物被用于心理治疗。70 ~ 80 年代,摇头丸受到"新时代运动"信徒们的疯狂追捧,他们想要探寻由摇头丸所引发的精神、情绪状态之间的相似性,以及被某些传统宗教描述的所谓意识的神秘状态。新时代运动成员指望 MDMA 能成为彻底的"神经意识革命"的基础。摇头丸可增加神经介质 5-羟色胺的产量,并可阻滞其在脑内的重吸收,亦可增加另一种神经介质多巴胺的产量。中枢神经系统的兴奋可使服药者感到精力充沛,还能使他们提高自我意识、缓解社会压力、感觉快乐幸福。摇头丸一般不会产生那些与 LSD(麦角酸二乙基酰胺)等致幻剂有关的严重的感觉障碍。有害作用主要有血压升高、脱水、严重的肌紧张、精神混乱、精神抑郁和偏执狂。20 世纪 80 年代,以摇头丸为舞会药的社交聚会在年轻人当中大行其道。尽管摇头丸在美国和世界绝大多数国家都被查禁,但它仍有一个巨大的消费群体,并在年轻人的亚文化群中充当着重要角色,它有点像 60 年代的 LSD 的角色。据称,到 20 世纪末,在英国长期服用摇头丸者有 50 万人;1988 年的一份报告指出,在美国,曾经试用过摇头丸的人大约有 340 万。

ecu 欧洲货币单位 全称 European currency unit。以一组欧洲共同体国家货币为基础而加权复合的兑换单位。它所包括的主要货币有德国马克、法国法郎、英国镑和意大利里拉。欧洲共同体创造欧洲货币单位,目的是最终使其成为西欧经济统一后的单一货币。由于欧洲货币单位相对稳定,它比个别国家的货币更适合于确定合同的支付条件,因而在商业银行交易中使用欧洲货币单位者日渐增多。欧洲货币单位在国际债券市场上尤为重要,到 20 世纪 90 年代初期,它已经成为国际债券市场上第二广泛使用的货币(仅次于美元)。1999 年欧洲货币单位被欧元(参阅 **euro**)取代。

Ecuador 厄瓜多尔 全称厄瓜多尔共和国。南美洲排名第 4 的最小国家,地跨赤道,濒临太平洋。南北长约 725 千米,东西宽约 640 千米。北邻哥伦比亚,东和南与秘鲁接壤。首都基多。面积(包括加拉帕戈斯群岛)270 667 平方千米。人口约 12 156 608(2001)。

土地 厄瓜多尔由太平洋沿岸的海岸低地(大多低于 300 米)和将海岸低地与炎热的亚马孙河流域的厄瓜多尔部分隔开的多山高原(安第斯山脉)组成。安第斯山脉从西面陡起,形成两条大部连续、自北向南延伸的支脉,其间数座山峰海拔在 4 900 ~ 6 100 米以上。分隔这两条支脉的是海拔 2 000 ~ 2 900 米的山间谷地。另一条较低偏东的支脉与位于亚马孙河流域边缘的安第斯山主脉平行延伸。国内最高山峰为钦博拉索死火山(6 310 米);附近的科托帕克希火山(5 897 米)是世界最高的活火山。该国位于地震活动频繁地带。全国近 1/3 的径流量经西海岸地区的瓜亚斯河及东面亚马孙河流域的纳波-阿瓜里科河排出。

寒冷的洪堡(秘鲁)洋流导致该国沿海一带气候干燥,尤以南部为甚。而高地上的山谷却四季如春,位于中北地区此类山谷之一的基多,全年各月平均温度为 15 °C。安第斯山东侧的亚马孙河流域通常为潮湿的热带气候。安第斯山的永久雪线约始于海拔 5 000 米。全国几乎一半土地有森林覆盖,大多数热带雨林分布在东部低地。全部土地面积约 1/5 是放牧地。野生动物多为南美特有的热带物种,包括濒临绝灭的美洲虎和豹猫。

20 世纪 70 和 80 年代,厄瓜多尔在太平洋沿岸和亚马孙河地区发展了新兴的矿物燃料工业,前者为天然气,后者为石油。

人民 厄瓜多尔人口由许多种族混合而成。印第安人(主要为克丘亚人)约占人口 50%,梅斯蒂索人约占 40%。印第安人大多数居住在安第斯山间谷地。构成亚马孙河流域主要印第安人族群的希瓦罗人,由小部落或家庭单位组成。他们已被吸纳到厄瓜多尔

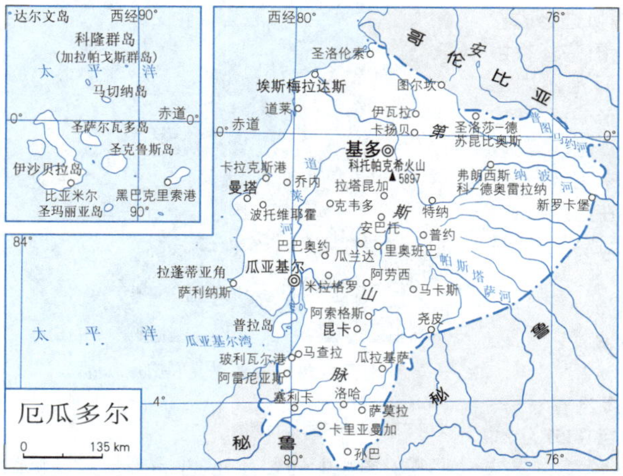

美国不列颠百科全书公司供图

社会。占人口总数不到1/10的白种人，大多为16～19世纪初来到此地的西班牙人后裔。黑人仅占人口很小比例，大多沿北部海岸而居，为殖民地时代从非洲被带到此地的黑人奴隶之后裔。穆拉托人也占人口一小部分，通常住在沿海地区。该国大多数人讲西班牙语(官方语言)，但有些印第安人则只讲克丘亚语。该国为天主教徒占绝对多数的国家。

厄瓜多尔的出生率和死亡率相当高，婴儿死亡率亦高。卫生部已优先考虑妇婴保健计划。人口结构非常年轻，2/5在15岁以下。全国一半人口住在城市区。

经济 厄瓜多尔为发展中的国有与私有企业混合型经济。国民生产总值的增长慢于人口增长。国民生产总值主要来自贸易，其次为制造业和农业。

虽然全国仅有约1/10的土地适合耕种，农业却占用约1/3的劳动力。主要经济作物有香蕉(厄瓜多尔为世界最大香蕉生产国之一)、甘蔗、可可和咖啡。重要粮食作物有玉米、稻、马铃薯、柑橘和木薯。大部山间谷地为放牧区和牧场，主要牲畜有猪、肉牛、奶牛及绵羊。伐木业总体上仍欠发达，不过厄瓜多尔却是世界上最大的美洲轻木生产国。

海洋渔业的总捕获量在拉丁美洲排名较高，其中多为鲱鱼。不过沿海渔场上养殖的虾亦是出口收入的主要来源。此外也捕金枪鱼。

矿业部门雇用不到1%的劳动力；由于生产石油、天然气以及在中南山脉的乔查开采铜矿，该部门在国民生产总值中占有重要地位。

制造业雇用约1/10的劳动力，主要产品为食品(包括原糖和棕糖)、精炼石油产品、纺织品及服装、贱金属、饮料(包括烈性酒)、水泥和药品。

政府拥有部分矿业、石油、渔业和全部水力发电设施及全部铁路。

公路网仅约1/6铺有路面，在基多和瓜亚基尔有4个主要海港与国际机场。铁路系统已衰落，服务变得缓慢、过时。

80年代该国的出口产品主要为原油，以及虾、香蕉、咖啡和可可。厄瓜多尔产品的主要输入国是美国、德国、新加坡、巴拿马和秘鲁。主要进口产品为工业原料及机械、运输设备和消费品，大多来自美国，其次是日本、委内瑞拉和德国。

政体与社会状况 根据1998年宪法，厄瓜多尔为共和国，总统是国家元首和政府首脑。总统和副总统由普选产生，总统不得连任。内阁成员由总统任命。立法权由众议院行使(亦称国民议会)，议员由选举产生，任期4年。总统任命22省的省长。不同地区、阶层、民族和职业的人们组成了多个政党。在山脉地区，以教师、公务员和专业人员为主的中立派民主党派占重要地位。在基多、洛哈以及北部和中部贫穷的高地地区，共产主义政党处于强势地位。中立派沿海政党多由平民论者组成。强调本土民族权力的政党深受当地人们的拥护。由于各政党实力相当，获得全国大选的胜利需组成政党联盟。司法体系由省级法院、高级或地区法院和最高法院组成。尽管尝试改革，但最高法院历来易受外界影响。

厄瓜多尔的社会福利制度惠及所有公、私机构的员工。国民健康状况在该国多数地区都很差。许多农村人口仍然依靠传统的巫医和接生婆进行一切治疗。平均预期寿命男性60岁，女性64岁。

所有6～14岁未成年人须接受免费义务初等教育。一切公立学校都是非教派的，但也有接受政府资助的非教派的和宗教的私立学校。该国最大的大学是1586年建于基多的厄瓜多尔中央大学和1867年创办的瓜亚基尔大学。新闻媒介较少受政府干预。

历史 在西班牙人到来之前，厄瓜多尔居住着许多不同族的印第安人，他们大部分务农。卡拉人曾建立起一个王国，以基多为国都，但1450年后为印加帝国征服。印加皇帝死后，他的两个儿子为争夺王位继承权而进行的长年战争，使印加在西班牙人到达前夕(1526)变得十分虚弱。1532年西班牙人从厄瓜多尔进入印加统治的秘鲁，然后于1534年由S.de贝拉尔卡萨尔率领进军基多的印加所在地，着手征服厄瓜多尔。印第安人破坏城市后撤出。同年年底，贝拉尔卡萨尔在其废墟上重建基多，此后新城逐渐繁荣，成为一个文化和艺术中心。

西班牙人建立了一个以大种植园为主的殖民地，由印第安人在种植园干活。社会制度等级森严而且变革缓慢。在西班牙人统治下，厄瓜多尔是秘鲁总督辖区的一部分，直到1740年后才成为新格林纳达总督辖区一部分。

逐渐崛起的克里奥尔人中产阶级发觉西班牙的殖民地政策存有歧视现象，因而起来鼓吹改革，并于1809年宣布独立。他们和继起者的活动遭到镇压，领导人被处死，但A.J.de苏克雷终于在基多附近的皮钦查战役中击败西班牙人，使厄瓜多尔从西班牙统治下获得自由，成为大哥伦比亚共和国的一部分。1830年厄瓜多尔颁布了它自己的宪法，成为一个主权国家。

独立后的几十年中，内地基多的保守贵族势力与沿海瓜亚基尔地区自由资产阶级之间的争夺和对抗一直支配着政治舞台，加剧了不稳定性，导致该国政府和宪法的频繁更迭。随着加西亚·莫雷诺独裁的和教士支配的政府上台(1860～1875)，该国开始了一个反动时期。这一时期虽然带来经济与教育的发展，但也在自由主义分子中激起不满。进入20世纪初期的几十年，继任的历届政府均实行独裁统治。经济困难与社会的不安定，促使军人在政治进程中扮演强有力的角色。1941年秘鲁侵入厄瓜多尔，在有争议的亚马孙地区占据该国的大片领土。

第二次世界大战后，厄瓜多尔享有长时期的立宪政体及较自由的选举。在1944～1972年间，贝拉斯科·伊瓦拉曾5次当选总统，但仅有一届任职期满。他的领导时有间断而且前途难卜，致使社会和经济很少发展。1979年通过了新宪法。

70年代，石油的利润给厄瓜多尔的经济带来繁荣，但也大大加速了通货膨胀。1981年该国与秘鲁之间长期的边界争端再次爆发。80年代厄瓜多尔的经济受到油价降低、通货膨胀率上升，以及地震和暴雨灾害所带来的一系列问题的困扰。至21世纪初由于人们对本土居民的权利、经济政策和经济状况的不满，厄瓜多尔仍旧面临政治变革、社会动荡的问题。2002年古铁雷斯获得大选胜利，当选总统。2003年就职后尝试进行经济改革，但由于没有国民议会的合作收效甚微。

écuage(feudal law) 参阅**scutage**免兵役税。

Ecumenical Patriarchate of Constantinople 君士坦丁堡普世牧首区 东正教各自主教会中的首位教会。又称罗马牧首区。据4世纪后期传说，拜占廷主教区由使徒安得烈创立，他的门徒施塔克斯是第一任主教(公元38～54在位)。330年君士坦丁大帝把罗马帝国首都从罗马迁至拜占廷，将该地改名为君士坦丁堡，君士坦丁堡主教区升格为大主教区。381年第一次君士坦丁堡会议承认君士坦丁堡主教与罗马主教权利平等。451年卡尔西顿会议重新肯定君士坦丁堡主教的领导地位，将巴尔干半岛和小亚细亚大片地区划归他管辖。7世纪以来，穆斯林国家领土扩张加强了普世牧首的权力；被征服的主教辖区的东方牧首纷纷逃往首都，在很长时期中，他们的继任人选都照例要由普世牧首决定，拜占廷正教从君士坦丁堡传到东欧大部分地区，即保加利亚、塞尔维亚、罗马尼亚和俄罗斯。君士坦丁堡牧首成为东派教会的首脑，与自称普世基督教首脑的罗马主教分庭抗礼。867年君士坦丁堡牧首佛提乌指责罗马教皇尼古拉一世在保加利亚篡夺权力。1054年东西方教会再次发生冲突。1204年西方在第四次十字军行动中占领君士坦丁堡,1206年普世牧首座迁往尼西亚。1261年皇帝迈克尔八世收复君士坦丁堡,遂即将普世牧首座迁回。1453年君士坦丁堡为土耳其攻下,成为穆斯林奥斯曼帝国首都,该国政府承认普世牧首金纳迪乌斯为信奉东正教的臣民的领袖。目前,君士坦丁堡牧首和君士坦丁堡会议所管辖的地理范围在土耳其仅有君士坦丁堡大主教区连同卡尔西顿、泰尔科斯、比于克阿达以及伊姆罗兹岛和博兹贾阿达岛等4个近郊教区。在希腊,名义上归君士坦丁堡牧首管辖的有圣山隐修区、帕特莫斯岛上的传福音约翰隐修院、北部几个教区,佐泽卡尼索斯群岛4个教区以及克里特岛上一个自主教会。欧洲、南北美洲、澳大利亚和新西兰的希腊正教总主教区、都主教区以及芬兰自主教会都接受君士坦丁堡牧首的领导。自从1586年起,牧首座设在伊斯坦布尔(原君士坦丁堡)北区法纳尔。圣乔治教堂为牧首座堂。牧首必须是土耳其出生的公民,由各都主教区会议选出。

ecumenism 普世教会运动 争取全世界基督教各派重新联合的运动。早期教会对于教会的统一与差异,使徒自有解释,普世教会运动主张回到这种解释上去,却面临着现代多元化世界的困窘、难题和矛盾。它要对拥护它的人们的观念中的耶稣基督的、使徒的、独一的、圣而公的教会的根源和命运进行结合现实生活的重新评估。在17和18世纪,英格兰的不从国教会的派别和欧洲大陆的虔敬派开始要求进行宣传福音、奋兴灵性生活的传教事业。然而,正是在那个时代,推行普世教会运动的可能性却有所增长。这种因素,再加上启蒙运动思潮的影响,使得教会的分裂性结构所依据的基础遭到破坏。在其他方面,关于教会统一的传统理解也有所突破,于是才有可能在19世纪进行普世教会运动的实验。美国的政教分离制度说明,在多宗教的国家,必须讲求开明,尊重人民的宗教权利。19世纪初各派别纷纷派遣传教士出国。这一方面表明,各派别有可能在国内打破派别界限进行合作,另一方面又暴露各派在海外相互角逐的不光彩现象。20世纪初的普世教会运动起源于3种运动的合流。其一是几次关于海外传教事业的国际会议(新教的),其中第一次是爱丁堡会议(1910),其组织形式是国绞基督教宣教协会(1921)。第二种运动是信德和修会会议(讨论教会的教义和制度),举行于洛桑(1927)。第三种运动是历次生活与工作会议(讨论社会问题和实际问题),其中第一次是斯德哥尔摩会议(1925)。1937年牛津生活与工作会议提出与信德和修会会议合并。1948年世界基督教协进会成立于阿姆斯特丹,它是为了推进普世教会运动而进行咨询与协商的机构,与各教派的、区域性的和信纲性的组织互相协调。国际基督教宣教协会于1961年加入世界基督教协进会。一些派别反对世界基督教协进会组成的方式及其活动方式,它们另行成立普世性机构。这些机构大都标榜"福音"。在美国,全国福音协会于1943年成立,它主要是与联邦基督教协进会对抗。联邦基督教协进会成立于1908年,1950年改组为美国全国基督教协进会。福音派的许多机构在国际范围内活动,在具体事业上进行合作。1961年教皇约翰二十三世建立基督徒合一秘书处,东正教会设立泛正教会议。天主教会、东正教会、五旬节宗和新教各教会进行对话,在诸如洗礼、圣餐和宣教事业的性质等问题上达成了一般的共识。

eczema 湿疹 参阅 **dermatitis** *皮炎*。

Edam 埃丹 荷兰西北部北荷兰省埃丹-福伦丹市村镇。临艾瑟尔湖。自1357年须得海建筑码头后,成为重要海港、渔港和造船中心。同年设市。1567年在码头建筑水闸防

埃丹镇的开合式吊桥
美国不列颠百科全书公司供图

止泛滥后,港口淤塞,工商业衰落。后来港口封闭,成为内陆湖的一部分,准备排干成为马尔凯尔瓦尔德圩地(参阅 **IJsselmeer Polders**)。有圣尼古拉教堂(1602)、市政厅(1737)、前圣母堂钟楼(藏有荷兰最古老的钟琴,1561)和市博物馆(1895)。新文坎普博物馆藏有印尼巴厘岛运来的蚀刻画和其他艺术珍品。以埃丹红壳干酪闻名于世。轻工业有陶器、纺织、包装材料、工具和门窗家具等。人口包括福伦丹约23 520(1982)。

Edam 埃丹干酪 荷兰产半软质牛奶干酪。球形,重0.9～1.8千克,也有制成长方形的,均外涂红色石蜡。内部呈深金黄色,有柔和但刺激食欲的香味,常作为点心吃。与豪达干酪同为欧洲最早的商品干酪,向世界各地出口,各地也仿制。真正的埃丹干酪,在外壳上盖有"荷兰"的标记。成熟期需两个月,也可延长到一年。延长存熟后香味更浓,质地稍硬,略有层状结构。

Edaphosaurus 基龙 原始且高度特化的早期爬行类的绝灭属。化石见于欧洲和北美的上宾夕法尼亚统到下二叠统(3.23～2.56亿年前)。为大型食草动物,身长3.5米多,具有短而低的头骨、钝圆锥形的齿。与粗笨的桶样身体相比,头很小。大概最独特的特征是一个大背帆,很可能靠一层皮膜联结伸长的背椎神经弧而形成。沿背帆的高度方向,有许多骨瘤和横棘。背帆很可能起温度调节装置的作用;也可能作为细胞能转换所

美国得克萨斯州出土的基龙(*Edaphosaurus boanerges*)
美国不列颠百科全书公司供图

必需的磷酸酯的贮存处,并易于从组成帆的骨突流通。帆还可能是防御构造的一部分,给予动物一种较大又较庄严的外表,以吓走食肉动物。但是,据推想,背帆的生长、发育和维持要耗用动物相当大的体能。

Edbert 埃德伯特(?～768) 又拼 Eadbert。盎格鲁-撒克逊英格兰时期诺森伯里亚国王(737～758)。他是一位坚强的国王,在位时期被当时的学者和教士阿尔昆誉为"王国的黄金时代"。他在同族兄弟塞奥尔伍尔夫逊位后继位。750年从斯特拉斯克莱德的不列颠人手中夺取凯尔地区。756年在皮克特人的援助下,迫使斯特拉斯克莱德首都奥尔克卢伊斯(邓巴顿)的防守者接受他的条件,但不久即被不列颠人打败。758年逊位,入约克大教堂为牧师。其子奥斯伍尔夫继位不到1年被暗杀,王位落入一个名叫艾特尔沃德·摩尔的贵族之手。其孙埃尔夫沃德又于779～788年在位。在他和他任大主教的兄弟的主持下,约克大教堂成为著名的学术中心。

EDC 参阅 **European Defense Community** *欧洲防务集团*。

Edda 《埃达》 古冰岛文学作品。包括在13世纪的两部作品之中,一部是散文埃达,又称新埃达,一部是诗体埃达,又称旧埃达,它是现代研究日耳曼神话的最完整和最详细的材料来源。散文埃达是冰岛首领、诗人和历史学家S.斯图鲁松约在1222～1223年间撰写的。这是一部诗学教科书,意在把早期冰岛宫廷诗人的难懂的格律教给年轻诗人,并为基督教时代提供资料,以便理解早期诗歌中论述或提到的神话题材。全书由一篇开场白和三个部分组成。第一二部分介绍宫廷诗人的隐喻表达法和婉转曲折的说法。第三部分是瑞典人的国王吉尔菲访问诸神城堡时有关世界的起源,诸神的历险故事以及他们的前途的对话。诗体埃达是13世纪下半叶的一份手稿,但是包括更古老的材料(故名《旧埃达》)。它是一部神话诗和英雄诗的集子。作者不明,写作时期跨度很大(约800～1100)。它们通常是用简洁、古朴的语言写出的戏剧对话,同宫廷诗人那种讲求技巧的诗歌形成明显的对照。《沃卢斯帕》(又名《西比尔预言书》)介绍了一组范围宽广的开天辟地神话,一幕紧接一幕地讲述了神、人和矮子的历史,

从天地的产生一直讲到神的死亡和世界的毁灭。在它之后则有《豪瓦毛尔》(又名《天主之言》),这是一组残缺不全的劝喻诗。《斯里姆短叙事诗》是一组幽默的神话诗,叙述巨人斯里姆与雷神托尔斗智的故事,内容滑稽有趣,是诗体埃达中最优秀的作品。诗体埃达的后半部还包含有关日耳曼英雄的短诗,如叙述英雄西古德(齐格弗里德)的故事。这些最古老的日耳曼传说诗体是构成伟大的中世纪日耳曼叙事诗《尼伯龙根之歌》的核心故事。

Eddington, Sir Arthur Stanley　爱丁顿(1882-12-28,英国威斯特摩兰肯德尔～1944-11-22,剑桥)　英国天文学家、物理学家和数学家。在天体物理学领域,他的最大成就是研究恒星的运动、内部结构和演化。

爱丁顿是第一位用英语诠释相对论的学者。爱丁顿之父是一位有天赋并受过高等教育的人,于1884年死于伤寒病。爱丁顿随母

芝加哥大学供图

迁居萨默塞特的滨海韦斯顿,就在那里成长并就学。1898年10月他进入曼彻斯特的欧文斯学院,1902年10月到剑桥的三一学院。他在该校获得在学期间的历次数学奖,还有兰格勒高级奖(1904)、史密斯奖和三一学院研究员职位(1907)。1913年,爱丁顿获得剑桥大学普卢姆天文学教授职位,并于1914年任该大学天文台台长。1906～1913年任格林尼治皇家天文台首席助理台长,在该台取得了应用天文仪器的实践经验。爱丁顿先后到马耳他观测以测定该地的经度,率队到巴西观测日食,并研究恒星的分布和运动。他的一篇论述球状星团动力学的文章取得新的突破性进展。在《恒星运动和宇宙结构》(1914)一书中,他用数学研究方法对此课题作了出色的总结,并推动认为在望远镜中呈现为云状结构的旋涡星云乃是类似银河系的星系的论点前进一大步。在第一次世界大战期间,他公然宣称为一个和平主义者,这主要出自他的强烈的公谊会信仰。他的宗教信仰也在他撰写的科学哲学通俗读物中有所反映。在《科学和不可得见的宇宙》一书中,爱丁顿宣称,宇宙的真谛不可能从科学上加以发现,必须通过精神实质的领悟才得以寻觅。他在《物理宇宙的本原》(1928)、《科学新途》(1935)和《物理科学的哲学》(1939)等哲学专著中也表述了他的这一信念。多年来,他不仅在天体物理学和相对论领域中完成了重要科研,还致力教学和演讲。1919年,他率队到西非普林西比岛观测日全食,为爱因斯坦相对论中关于光线在大质量恒星附近通过时会出现引力弯曲的预言提供了第一个验证。日全食之际,发现被食的太阳圆面边缘之后的刚好得见的恒星的方位,正如广义相对论所预期,从日面中心向外略有位移。爱丁顿是用英语讲解相对论的第一人。他为皇家物理学会撰写了《引力的相对论报告》(1918),随后又出版了《空间、时间和引力》(1920)以及他的巨著《相对论的数学理论》(1923)。爱因斯坦以为此书是在用各种语言表述这一论题的所有著作中最佳的一部。此书致使爱丁顿被公认为相对论物理学领域中的权威。他主要的贡献是运用非欧几何的巧妙变换,推导出宇宙的一种几何模式。后来,当比利时天文学家G.勒梅特提出膨胀宇宙假说时,爱丁顿在他本人的研究中着力论述这一话题,并在广大读者面前,推出了他的小册子《膨胀的宇宙》(1933)。他在另一本著作《质子和电子的相对论》则介绍量子理论。爱丁顿奉献多次科普报告宣讲相对论,致使英国物理学家J.J.汤姆逊爵士誉他是通晓相对论真谛的人群中最具有说服力的一位。

爱丁顿的哲学思想使他相信通过量子论和广义相对论的统一即有可能推算出宇宙中各种常数的值,例如,精细结构常数、质子和电子的质量比值、宇宙中的原子总数,等等。这项试图综合物理宇宙中已知事务的巨大尝试始终未能完成,E.T.惠特克爵士在爱丁顿逝世后,将他的上述论述载入《基本理论》(1946)一书中。该书对大多数读者都难以理解,而其中许多段落对所有读者都看不懂,尽管对某些读者表现出一种永恒的挑战力。

爱丁顿获许多荣衔,其中有12所大学授予的荣誉学位。他历任皇家天文学会会长(1921～1923)、物理学会会长(1930～1932)、数学协会会长(1932)、国际天文学联合会主席(1938～1944)。他于1930年受封爵士,并于1938年获荣誉勋章。由于在爱丁顿和J.H.金斯爵士之间或和E.A.米尔恩之间,在许多科学设想和数学运作方面有着不同的见解,在皇家天文学会学术年会上往往出现激烈论争的活跃气氛。爱丁顿在多种类型的体育活动中都是一位热情的参加者,他在晚年还热衷于骑自行车、游泳和高尔夫球。爱丁顿最大的贡献是在天体物理学领域。他的奠基性研究有:恒星结构和辐射压、恒星的亚原子能源、恒星直径、脉动星动力学、恒星的质光关系、白矮星、星际弥漫物质,以及所谓的禁戒谱线。他的天体物理学研究在经典专著《恒星的内部结构》(1925)和科普报告集《恒星和原子》(1927)中多有反映。在他的文采出众的科普书籍中,他也着力宣传他的科学上的方法论,他称之为"选择性主观主义"和"结构主义",即物理观测和几何学的相互影响。他认为,物理学的一大部分就是科学家对所掌握的数据的解释的反映。然而,他的哲学的较好的部分并非他的形而上学,而是其"结构"逻辑。爱丁顿在物理学方面的理论研究对其他方面的思想和研究具有一种激励作用,他的理论工作成果为科学探索打开了多条途径。

Eddison, E.R.　埃迪森(1882-11-24,英国约克郡埃德尔～1945-08-18,)　全名Eric Rucker Eddison。英国小说家和冰岛文学专家,其浪漫奇幻类小说影响了英国奇幻小说家J.R.R.托尔金。曾就读于伊顿公学和牛津大学三一学院(文学士,1905)。1906年起供职于贸易委员会,后升任海外贸易司总审计长(1930～1937)。最著名的作品是魔法和巫术故事《奥罗博罗斯虫》(1922),描述水星上融合了东西方封建、古典及现代文化的文明。他对北欧传奇和神话故事的知识掌握在《猛男斯蒂尔比扬》(1926)及其翻译的冰岛史诗《埃吉尔萨边》(1930)中得以体现。其华丽、强节奏的古体文风影响了托尔金的《魔戒》(1954～1956)。

eddo (tropical plant)　参阅 **taro** 芋。

eddy　涡　其流动方向不同于一般流动的方向;整个流体的运动是它所包含的各个涡运动的总合。因为涡能搅合大块流体,所以能比非湍流中的分子扩散输送更多的能量和溶解物。主要由涡构成的流动称为湍流;当流体流速增大时,涡也增多。能量总是从大涡向小涡输送,直至能量耗尽为止。在障碍物的背面,只有绕流流速达到临界值时,才能形成涡区。当主流速度快得足以在障碍物背面空间造成较低压强时才能产生涡。大气中,白天地表面空气由于与地表面接触而变暖并上升时,会有小涡出现。从更大范围来说,在地球上空移动的大范围高、低压中心也可以看成是涡,因为它们的运动跟大气环流(带状环流)不一致。这些高、低压气压包括热带飓风、台风以及强度比台风、飓风弱的中纬度西风带中的气旋和反气旋;位于西风带上层的罗斯比波也是涡。由于中纬度气旋、反气旋以及罗斯比波能从东风带将角动量(旋转运动强度的量度)向西风带输送,这些系统对于维持全球大气环流起着重要作用。在海洋中造成涡的原因很多,其中包括风吹拂水面以及沿岸的涌升流。

Eddy, Mary Baker　艾娣(1821-07-10,美国新罕布什尔康科德附近鲍～1910-12-03,马萨诸塞切斯纳特希尔)　基督教科学派的创立人。她父母是新英格兰公理会信徒的后代。

美国国会图书馆供图

她因体弱多病,受教育不多,在家自修。1843年嫁G.W.格洛佛,格洛佛在她生子乔治之前死去。她因经常受脊椎病的折磨,不断探索健康问题。1853年嫁牙医D.帕特森,夫妇

共同研究这方面的问题。她在与帕特森离婚前找到缅因州波特兰的P.P.昆比,昆比不用药物而治愈了她的病痛。她认为昆比已发现耶稣为人治病的方法,便在讲演中介绍,并在地方杂志上撰文予以推荐。昆比死后,她旧病复发。1866年她又严重跌伤,自认必死无疑。但在阅读《新约》后,当年便得痊愈,于是自信已发现基督教科学。她于1877年嫁给她的一位追随者A.G.艾迪(1882年卒)。1879年她在波士顿成立基督教科学第一教会,两年后又开办马萨诸塞玄学学院,亲任教师,1889年该学院关闭。1883年创办月刊《基督教科学杂志》。1898年创办周刊《基督教科学前哨》。1908年所办《基督教科学箴言报》已成为美国的重要日报。

eddy current　涡流　电学中,由变化的电场、磁场或电磁波在导体内感生的电流。电源变压器的铁心内感生的涡流是一种无益的能量损耗,但涡流产生的热也可用于冶金和烹饪。

Eddystone Lighthouse　埃迪斯通灯塔　耸立在离英格兰普利茅斯14英里的英吉利海峡中埃迪斯通礁上的灯塔,在民谣及海员传说中非常著名。第一座灯塔(1696～1699)用木料建成,在1703年大风暴中连同它的设计师一起被冲走。第二座灯塔是栎木和铁结构,1708年设计,1755年毁于火灾。第三座灯塔为J.斯米顿所建,完全用联结的石块砌成,是灯塔建筑上的一次革命。这座灯塔一直用到1882年才为现在的高出水面40米的灯塔所替代,设计人为J.N.道格拉斯。

Ede　埃德　荷兰中部海尔德兰省城市。位于费吕沃地区西缘。8世纪时由撒克逊人建立。市内有15世纪的杜斯博赫米尔教堂和露天剧场。工业有冶金、人造纤维、钢琴制造与乳品加工。人口约101 542(1999)。

Ede　埃代　尼日利亚奥约州城镇。临奥雄河。与拉各斯通铁路。与奥绍博、奥博莫绍和伊费通公路。是约鲁巴人最早的城镇之一,约1500年创建。现为当地农产品(棉花、棕榈产品、薯蓣、玉米、木薯、南瓜、秋葵荚和柯拉果)贸易中心。1906年修建了通拉各斯的铁路后,发展成可可、棕油和棕仁的主要出口地。人口307 100(1996)。

Edéa　埃代阿　喀麦隆西部城镇。在下萨纳加河轮船通航段的起点。生产铝锭、铝板

埃代阿的铝厂
非洲图片公司供图

和日用铝制品。建有医院、学校和生活区。萨纳加河上的埃代阿水坝为工业供电。有采石场、棕榈油厂及可可和橡胶种植园。与杜阿拉和雅温得通公路和铁路。人口50 700(1987)。

Edel,(Joseph) Leon　伊德尔(1907-09-09,美国宾夕法尼亚匹兹堡～1997-09-05,夏威夷火奴鲁鲁)　美国文学批评家、传记作家,尤以撰写H.詹姆斯的传记闻名。从小在加拿大的萨斯喀彻温长大,毕业于麦吉尔大学,获文学士(1927)和硕士(1928)学位。1932年获巴黎大学文学博士学位。大萧条时期从事过各种工作,1943～1947年在美国陆军服役。后在纽约大学(1950～1972)和夏威夷大学(1972～1978)教授英语。编纂了詹姆斯的《故事全集》(12卷,1963～1965),撰写了5卷权威性的詹姆斯传记(1953～1972),还编纂了詹姆斯的《戏剧全集》(1949)和詹姆斯的书信集(4卷,1974～1984)。其他著作有:和E.K.布朗合写的《威拉·卡瑟评传》(1953)、《心理小说,1900～1950》(1955)、《文学传记》(1957)。还写有对布卢姆斯伯里团体进行心理描写的《布卢姆斯伯里:名流之家》(1979)和一本关于传记写作的书《传记写作》(1984)。

Edelinck,Gerard　埃德林克(1640-10-20,西班牙尼德兰安特卫普[现属比利时]～1707-04-02,法国巴黎)　佛兰德斯铜版画家。在家乡学美术,1665年赴巴黎,曾在戈布兰壁毯厂附设的一所学校任教,培养织锦工人。埃德林克擅长在版画中表现明暗、色彩及表面肌理效果,首创菱形版画。其341件作品中包括复制拉斐尔的《神圣家庭》、勒布朗的《忏悔者马格德林》以及《在大流士帐篷的亚历山大》等。

Edelman,Gerald Maurice　埃德尔曼(1929-07-01,美国纽约州纽约～　　)　美国生物化学家。他因阐明了抗体的化学结构而同R.波特共获1972年诺贝尔生理学或医学奖。埃氏在宾夕法尼亚大学医学院学习(1954年获医学博士学位)。随陆军医疗队在巴黎工作2年后又到纽约市洛克菲勒大学学习。1960年在该校获博士学位,然后参加该校工作。在洛克菲勒大学,埃德尔曼及其同事于1969年导出抗体分子结构,发现抗体是由1 300多个氨基酸组成的四链结构。然后他们又测出抗原结合部位在分子上的确切位置。1966年埃德尔曼成为洛克菲勒大学的正教授。他后来的研究集中于形态发生过程——即组织和器官的形成和分化过程——而在1975年他和他的同事发现了细胞粘连分子(CAM),其功能是将个别细胞结合在一起形成组织。自1981年起埃德尔曼担任洛克菲勒大学神经科学研究所的主任,他试图建立一个能解释神经发育和脑功能的总的学说;在其著作《神经达尔文主义:神经元组选择学说》(1987)中,他论述了这个学说。

Edelman,Marian Wright　埃德尔曼(1939-06-06,美国南卡罗来纳本尼茨维尔～　　)　婚前名Marian Wright。美国律师、民权活动家。就读于佐治亚州亚特兰大的斯佩尔曼学院和耶鲁大学法学院。后前往纽约市任全国有色人种促进协会的法律辩护与教育基金会律师。1964年返回南方,成为密西西比州首位非洲裔美国女律师,承接民权讼案,并全力为美国最大的"先行"计划集资。1964～1968年任杰克逊市法律辩护与教育基金会主任,后移居华盛顿,创办一家公益律师事务所。1971～1973年任哈佛大学法律与教育中心主任,1973年在华盛顿创办儿童保护基金会并任主席。1996年成立类似的儿童保护组织"为了儿童"。著有《失学儿童报告》(1974)、《不平等现象:美国黑人儿童与白人儿童》(1980)等多部著作,并荣获麦克阿瑟基金会研究奖金及若干人道主义奖项。

edelweiss(*Leontopodium alpinum*)　火绒草　又译雪绒花。菊科多年生植物,原产欧洲和南美的高山地带。头状花序黄色,2～10个簇生。花簇下有叶6～9枚,披针形,白色,

火绒草(*Leontopodium alpinum*)
美国不列颠百科全书公司供图

被绵毛,排列成星形。株高5～30厘米。变种多,多可供观赏。

edema　水肿　又作oedema,复数作edemas或edemata。结缔组织细胞间隙中异常积聚水样液体的病理现象。发生水肿的组织肿胀,针刺则流出稀薄的不凝结的液体,实为血清超滤液,但也含少量蛋白质,成分随疾病而略异。全身性水肿(亦称浮肿或积水)是体腔和组织内液体过量积聚。水肿是一种症状而非独立疾病。发生原因甚多,多因正常情况下维持细胞、组织及血液中水平衡的生理机制发生极大变化,如肾脏、心脏、静脉或淋巴系统疾病;营养不良或变态反应。水肿的治疗一般是矫治引起水肿的疾病,如增强肾脏或心脏功能。水肿可为局部性(如荨麻疹),也可为全身性(如肾病性水肿)。手足、面部或身体某一部分的肿胀,英语中有时称anasarca(普遍性水肿)。腹水指腹膜腔内过量积液。

Eden　伊登　英格兰西北部坎布里亚行政郡东部一区。面积2 158平方千米。境内多山,海拔均在600～900米之间。西部有坎布里亚山脉,东部有奔宁山脉,南部为高沼地。区内坎布里亚山构成湖区国家公园的东

北部，是一个湖光十色的游览区。南部的伊登河谷是唯一比较低洼和肥沃的地区，饲养奶牛和菜牛，亦种植燕麦和饲料作物。山地有牧羊业。彭里思是行政和农业中心。人口50 100(1998)。

Eden, Anthony　艾登(1897-06-12，英格兰达勒姆郡温德尔斯通～1977-01-14，威尔特郡奥尔夫迪斯顿)　英国外交大臣(1935～1938，1940～1945，1951～1955)和首相(1955～

美国不列颠百科全书公司供图

1957)。第一次世界大战中服役后，入牛津大学基督教会学院学习阿拉伯语和波斯语。1923年选入下院。1931年任外交事务副大臣。1934年任掌玺大臣。1935年6月任国际联盟事务大臣，12月任外交大臣。1938年2月因反对N．张伯伦首相对纳粹德国和法西斯意大利的绥靖政策辞职。第二次世界大战爆发后，1939年9月重入张伯伦内阁，任自治领大臣。1940年5月10日W．丘吉尔任首相后，他被任命为陆军大臣。自1940年12月起到1945年7月保守党在选举中失败为止，再次任外交大臣。1951年10月27日丘吉尔和保守党重新掌权后，任外交大臣和副首相。1954年参与解决英国－伊朗石油纠纷，解决意大利和南斯拉夫之间在的里雅斯特问题上的争执，结束印度支那战争，并建立东南亚条约组织。1953年重病，此后再未完全恢复健康。1955年4月6日继丘吉尔任首相。1956年7月26日埃及把苏伊士运河公司收为国有，11月5日英法出兵埃及，1周后以色列进攻埃及。12月22日，在美国的压力下，英法军队被联合国紧急部队所代替。翌年1月9日艾登以健康为由辞职。1954年封嘉德勋位爵士，1961年封埃文伯爵。著有回忆录3卷：《回到原位》(1960)、《面对独裁者们》(1962)、《算帐》(1965)。

Eden, Garden of　伊甸园　《旧约·创世记》所载上帝最初所造的男人亚当和女人夏娃在违抗上帝诫命而被驱逐以前所居的地上乐园。Eden一词可能源出于阿卡德语edinu，后者又源出于苏美尔语eden，原意为“平原”。据《创世记》说，伊甸园位于以色列之东，有几条河自该园流向世界的四方。类似的故事也见于苏美尔文献，由此可见地上乐园之说乃是古代中东神话中的主题。伊甸园的故事是一段神话，神学家用它来说明人类如何从天真无邪、快活无忧的状

提香绘《伊甸园中的亚当与夏娃》(约1550)
美国不列颠百科全书公司供图

态进化到目前的体验到罪恶、苦难和死亡的处境。

Eden, George　伊登　参阅**Auckland, George Eden, Earl of 奥克兰**。

Edén, Nils　埃登(1871-08-25，瑞典皮特奥～1945-06-16，斯德哥尔摩)　瑞典历史学家、政治家，曾领导一般认为是瑞典历史上第一届议会制政府。1903～1920年任乌普萨拉大学教授。1908年选入瑞典议会。第一次世界大战前和大战期间参加国防委员会和宪法委员会。1915年任自由党主席。1917年组阁。他改善了与各协约国的贸易关系，修改了宪法，承认妇女的选举权，以及在地方与下院议会选举时实行普选。1920～1938年任斯德哥尔摩省省长。后来重新研究历史。学术论著有《一八〇九年革命》(1911)、《瑞典议会五百年》(1935)等。

Eden, River　伊登河　英格兰北部河流。源出连接湖区和奔宁高原的高地上，向西北注入爱尔兰海的索尔韦湾。全长145千米。主要支流伊芒特河在彭里思附近汇入。在卡莱尔上游接纳厄辛河。即使在卡莱尔下游也不能通航，因注入索尔韦湾前经过潮汐浅滩的水道移动不定。

Eden, Vale of　伊登河谷　英格兰坎布里亚郡一低洼地带，将北奔宁山与湖区地块分开。伊登河经河谷注入索尔韦湾。伊登河谷现为富饶的农业区。

Edenbridge　伊登布里奇　英格兰肯特行政、历史郡塞文欧克斯区城镇(堂区)。位于伦敦南面近萨里郡边界，濒临伊登河。1970年后接纳伦敦的过剩人口，规模扩大。有些轻工业。人口7 196(1991)。

Edenderry　伊登德里　爱尔兰语作Éadan Doire。爱尔兰奥法利郡商镇，位于艾伦沼泽北部边缘。该城镇及其法院大楼大部分是18世纪与19世纪初由唐郡历代侯爵所建。城镇之南有彼得·布伦德尔城堡遗址。此地区有许多城堡，因地处中世纪英格兰佩尔飞地边缘，飞地中心为其东63千米处的都柏林。主要工业有制鞋。人口4 000(2001)。

edentate　贫齿类　贫齿目(Edentata)的哺乳动物。贫齿目有两个亚目：异关节亚目(Xenarthra)，包括犰狳、食蚁兽和树懒，以及已绝灭的地树懒和雕齿兽(龟犰狳)；古贫齿亚目(Palaeanodonta)，包括两个科，其种类外形似犰狳。贫齿类在其进化历史中一直仅限于西半球；已知31个现存种，大部分见于南美洲。

食蚁兽科(Myrmecophagidae)的食蚁兽完全无牙，犰狳科(Dasypodidae)的犰狳和树懒科(Bradypodidae)的树懒具钉状无釉质的牙；有些犰狳具100多枚这样的牙齿。树懒以粗砺的植物为食，牙齿能不断生长，表面覆以坚硬的牙骨质以防磨蚀过度。

树懒的皮毛蓬乱，黄到褐色，在自然生境中其皮毛因有藻类生长而带浅绿色调。四肢长，爪长而弯曲，将身体倒挂于树枝上时起支持作用；已丧失在地面活动的能力；但善于游泳。

食蚁兽的大小不一，丝光食蚁兽(*Cyclopes didactylus*)长37厘米，体重325克；巨食蚁兽(*Myrmecophaga tridactyla*)长2米，体重25千克。两种树栖食蚁兽——丝光食蚁兽和小食蚁兽(*Tamandua tetradactyla*)的尾能缠绕。这3种食蚁兽的头均长。爪尖而坚硬。唾液腺大，分泌黏性的唾液，裹在长而能灵活伸缩的舌上。丝光食蚁兽的皮毛通常质软，金色；小食蚁兽棕黄到褐色，胸部有黑斑；巨食蚁兽灰色，身体两侧有带白边的黑色条纹。食蚁兽的毛蓬松。尾大，羽毛状，尾毛特别长而直。

犰狳的体型各异，红毛犰狳(*Chlamyphorus truncatus*)仅长16厘米，体重约100克；而巨犰狳(*Priodontes giganteus*)可长达1.5米，体重25千克。犰狳的主要特征为背部覆以鳞甲，鳞甲由骨质片组成，形成可活动的条带。与流行的说法相反，除三带犰狳(*Tolypeutes tricinctus*)外大部分犰狳不能蜷缩成完全的球形；其他种类，如九带犰狳(*Dasypus novemcinctus*)能将身体缩成一团，但其他犰狳则仅将身体贴地，以其鳞甲保护身体。

树懒为唯一现存以植物为食的贫齿类。二趾树懒(*Choloepus didactylus*)食多种植物的果、茎和叶；而三趾树懒(*Bradypus tridactylus*)仅食喇叭树的叶。树懒见于洪都拉斯东南部到巴西北部。独栖，具保护色，又极少活动，这些都有助于避免掠食者的捕食。但树懒被逼入困境时会猛咬对手，并有效地用其长爪防御。

食蚁兽借嗅觉寻觅猎物，用长而尖的爪划破蚁巢或白蚁冢，再用黏性的舌头舔食昆虫。三个种均能用其匕首一般的前爪自卫。食蚁兽类的分布范围自阿根廷向北至墨西哥。

在贫齿目中犰狳食性最杂，以小型爬行动物、两栖动物、昆虫及其他哺乳动物为食，也食一些植物。嗅觉敏锐，有的还能找到在地下12厘米深处的昆虫。除能蜷缩避敌外，许多犰狳于受惊时还能钻入地洞中；有些种

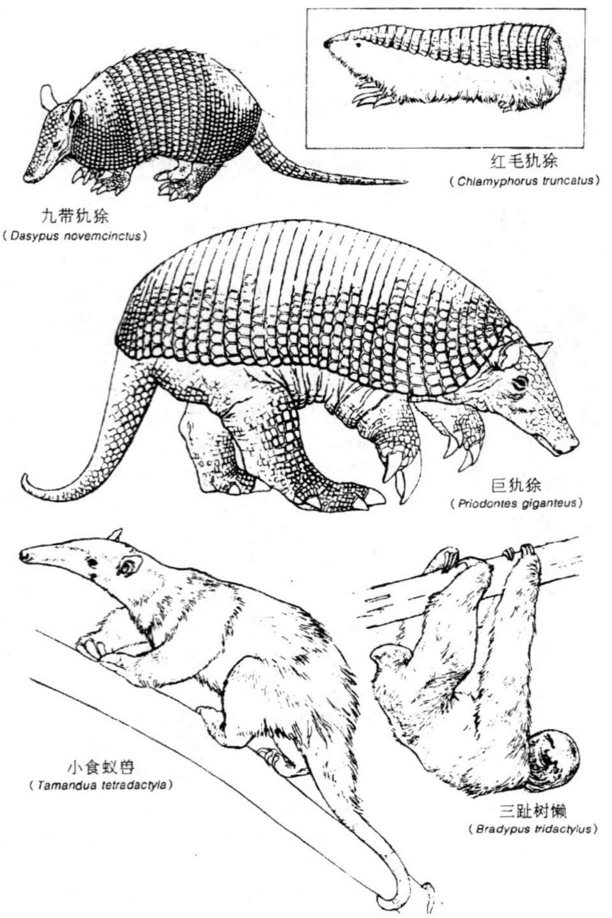

贫齿目动物的体制

能将身体紧紧挤进地洞,屈曲鳞甲,并用其爪向内掘进。犰狳特别善于挖洞,遇到危险时偶能在地上迅速挖洞。九带犰狳是现存唯一分布到墨西哥以北的贫齿类,可分布到堪萨斯;一些种群被引入佛罗里达和其他美国东南部的州并在那里扎根。其他种类的犰狳分布于整个中美洲和南美洲的生境,南至阿根廷。

贫齿类的生殖方式各异。毛犰狳(*Chaetophractus villosus*)的妊娠期最短,为 65 天;二趾树懒的妊娠期最长,为 263 天。本目各代表种表现两种独特的生殖现象:①多胎,一个受精卵发育出 2～12 个完全一样的胚胎,犰狳属(*Dasypus*)种类几乎均为 4 胎;②延迟植入,早期胚胎自由漂浮于子宫内达数月方植入子宫壁并继续发育。犰狳属种类于 7 月份至 9 月之间繁殖,但胚胎直至 11 月方植入;幼体恒于早春娩出,出生不久即能跑动。幼年犰狳的鳞甲为革质,随年龄的增大而变硬。树懒幼仔一出生眼和耳即已张开。幼体攀附在母体身上,哺乳到 5 个月,9 个月时方能独立生活。食蚁兽的幼体也骑在母体身上。

在北美,古贫齿亚目的种类生活于晚古新世到渐新世(约 5780 万年前至 3660 万年前)。在南半球,最早的异关节类也出现于古新世。本亚目表现出很大的适应性辐射。出现过几科的树懒和两个系列的犰狳样兽类,包括雕齿兽科(Glyptodontidae)的雕齿兽,随后又绝灭。两种体型最大的贫齿类于更新世(约 50 万年前)生活于南美,即长 6 米的地树懒(*Megatherium americanum*)和长 4 米、高 1.5 米的雕齿兽(*Doedicurus clavicaudatus*)。

Edenton　伊登顿　美国北卡罗来纳州东北部城镇。乔万县县城。临阿尔伯马尔湾。约于 1660 年始有居民,1722 年设镇。其繁华的港口出口农产品、木材及鱼类。《独立宣言》的签署者 J.休斯曾住此,其住宅及许多其他殖民时代的建筑物保存至今。有纪念该城妇女举行伊登顿反英茶话会一事(1774-10-25)的铜茶壶纪念碑。以农业经济为基础(花生和棉花),还有轻型制造业、渔业、木材业及游艇业。人口 5 394(2000)。

Ederle, Gertrude (Caroline)　埃德尔(1906-10-23,纽约市～2003-11-30,新泽西威科夫)　美国女游泳运动员。1926 年 8 月 6 日从法国格里内角游至英国肯特郡多佛尔港,全程 56 公里,以 14 小时 31 分打破男子纪录,成为横渡英吉利海峡的第一名妇女。她最先采用手臂划水 1 次腿打水 8 次的自由泳。20 世纪 20 年代,她创建了从 100 码到 800 码女子自由泳的世界纪录和美国纪录。1924 年在巴黎奥运会上,为美国女子 4 × 100 米自由泳接力队成员,获得金牌。游过海峡后听力受损,任游泳教练兼时装设计师。

EDES　艾德斯　希腊文 Ellínikos Dímokratikos Ethnikós Strátos(希腊民主国民军)的缩写。英文拼作 Greek Democratic National Army。第二次世界大战希腊被占领时期,抵抗运动中唯一能对控制该运动的**民族解放阵线-民族人民解放军(EAM-ELAS)**认真较量的民族主义游击队。受英国的支持,领导人是 N.泽尔瓦斯将军。游击队原奉行自由主义,反对君主制度;后在政治上逐渐右倾。曾一度同民族人民解放军合作,共同抗击德国人和意大利人。1943 年 10 月至 1944 年 2 月间,两支游击队互动干戈。英国人想把艾德斯组建成一支有力量同民族解放阵线-人民解放军抗衡的队伍,但该军影响仅及伊庇鲁斯及其附近地区。1944 年 12 月民族人民解放军开始同英国人作战期间,希腊民主国民军在 4 天内被民族人民解放军全歼。

Edes, Benjamin　伊兹(1732-10-14,美国马萨诸塞查尔斯顿～1803-12-11,波士顿)　美国报人,和 J.吉尔共同拥有新英格兰反英的《波士顿新闻和乡村报》。作为主编兼发行人,他使该报成为主张美国独立的主要喉舌。23 岁时就同波士顿年轻印刷工人 J.吉尔在 1755 年共同创办该报,并立即获得成功。从 1774 年中到 1775 年 4 月,每周销 2 000 份,超过其他任何殖民地报纸。由于他在《新闻报》上发表英国各种暴行的消息,英国当局悬赏通缉伊兹,想把他处死。为了免于被捕,他于 1775 年 4 月将报纸迁出波士顿,后在沃特顿恢复出版。随着英国和殖民地的关系的恶化,他开始发表支持独立的 S.亚当斯、J.亚当斯和 J.汉考克等著名人士的文章。伊兹出版《波士顿新闻和乡村报》直到 1798 年,独立战争后该报声誉衰落。伊兹于贫病交加中去世。

Edessa　埃泽萨　现代希腊语作 Édhessa。希腊马其顿地区派拉州主要城市。位于卢季亚斯河谷的陡坡上。水流湍急的埃泽萨河穿过城市,离城 3 千米建有阿格拉水电站。该城是贸易与农业中心,有地毯和纺织业。并为埃泽萨和派拉大主教区的主教所在地。在古罗马时代埃泽萨是从亚得里亚海到爱琴海的交通孔道,架在这段道路上的罗马或拜占廷古桥至今还保存在市内。历经保加利亚人、拜占廷人和塞尔维亚人多次攻占后,15 世纪时埃泽萨落入土耳其之手,直到 1912 年才重归希腊。人口 19 300(2001)。

Edessa (Turkey)　**埃德萨**　参阅 **Şanlıurfa** 尚勒乌尔法。

Edfu (Egypt)　参阅 **Idfū** 伊德富。

Edgar　埃德加(943或944～975-07-08)　麦西亚和诺森伯里亚国王(957 起),959 年起成为西撒克逊(即韦塞克斯)国王,并被当作整个英格兰的国王。他有才能而且尊重当地的风俗习惯,在位期间太平无事。他是在英格兰恢复隐修院制度的最主要的支持者。英格兰国王埃德蒙一世的幼子,在其兄埃德威格被废黜后即位,埃德威格死后又继承西撒克逊王位,他的教会政策是严格遵守本笃会的会规,支持约克大主教奥斯瓦尔德和温切斯特主教艾特尔沃德创办隐修院。他在英格兰首次以法律的形式规定:如不向教会交纳什一税或一便士奉金(天主教徒贡献给罗马教廷的年金),则予以处罚。

Edgar　埃德加(约1075～1107-01-08,苏格兰爱丁堡)　苏格兰人的国王(1097 即位)。

马尔科姆三世坎莫尔和王后玛格丽特存世的长子。王后是英格兰国王埃德蒙二世之孙女，因此他是第一个融合了凯尔特人和盎格鲁-撒克逊人血统的苏格兰人之王。作为英王红脸威廉二世的封臣，他被扶上苏格兰王位，继承被废黜的他的叔父D.贝恩（凯尔特人，反对英格兰）。1098年，他将赫布里底群岛割让给挪威国王马格纳斯三世。他慷慨地向教会提供捐助。据当时的历史学家里沃的圣艾尔雷德说，埃德加在个人品德方面可与忏悔者爱德华媲美。

Edgar THE AETHELING **埃德加（埃特尔英的）**（?，匈牙利～约1125） 盎格鲁-撒克逊王子，约15岁时，由于哈罗德二世在黑斯廷斯战役（1066-10-14）中死去而被指定为英格兰国王，但他却为两位诺曼人国王威廉一世和威廉二世效力。他的名字冠以"艾特尔英"表明他是一位亲王。他是国王埃德蒙二世之孙。在"诺曼征服"后，他屈从威廉一世，尽管这位新王到1069年以前一直在镇压支持埃特尔英的叛乱。1068～1072年与马尔科姆三世坎莫尔一同住在苏格兰。威廉与马尔科姆和解后，他开始流亡。1074年再次臣服于威廉。1086年率诺曼军前去征服意大利南部的阿普利亚。在红脸威廉二世时期，他被剥夺了其诺曼领地。1097年，按照威廉的命令，他推翻了马尔科姆的兄弟和继承人唐纳德·贝恩，立马尔科姆之子埃德加为苏格兰国王。约1102年参加十字军前往圣地。在争夺王位的斗争中，他站在诺曼底公爵柯索斯一边反对亨利一世，1106年9月在坦什布赖战役中被亨利俘虏，获释后默默无闻地度过余生。

Edgartown 埃德加敦 美国马萨诸塞州东南部迪克斯县县城、城镇。由查帕奎迪克岛和温雅德岛组成。在马撒葡萄园岛东端，楠塔基特湾和温亚德海峡之间。是该岛最老的殖民点（1642）。1671年设镇。18世纪曾是捕鲸基地。街道两旁布满成功的捕鲸者和商人建造的房屋。其中T.库克的住宅（1766）现为迪克斯县历史学会的会址。经济现依靠夏季旅游业。有美丽的海滩和水上运动设施。附近有州立马撒葡萄园森林。人口3 779（2000）。

Edgerton, Harold E(ugene) 埃杰顿（1903-04-06，美国内布拉斯加弗里蒙特～1990-01-04，马萨诸塞剑桥） 美国电气工程师和摄影家，以发展高速摄影技术并将其应用于各个科学领域而知名。埃杰顿于1925年获得内布拉斯加大学电气工程学学士学位，并分别于1927年和1931年获得麻省理工学院同一学科的硕士和博士学位。从1928年起在麻省理工学院执教，1948年成为该学院正教授。在研究生期间，埃杰顿于1926年开始试验闪光灯管。他发展了一种使用氙气的灯管，能够产生高强度的发光，持续时间短至百万分之一秒。埃杰顿管至今仍是用于静止摄影的基本闪光装置。氙气闪光并能在固定和非常短的间歇里重复发光，从而成为一种理想的频闪观测仪。使用这种新的闪光灯，埃杰顿得以用摄影的方法记录下这类动作：牛奶滴入茶碟，网球拍击球，以及子弹撞击钢板或以快至每小时24 100千米（15 000英里）的速度前进等。所得到的图像，除具有工业和科学价值外，并常具有艺术美。埃杰顿为他的新的摄影设备探索出许多用途。第二次世界大战期间，他制造了用来拍摄敌军夜间行动的频闪观测装置。战后，他和他的同事们拍摄了美国核爆炸试验。后来，他又发明了在前所未有的深度拍摄海洋生物的方法和设备。

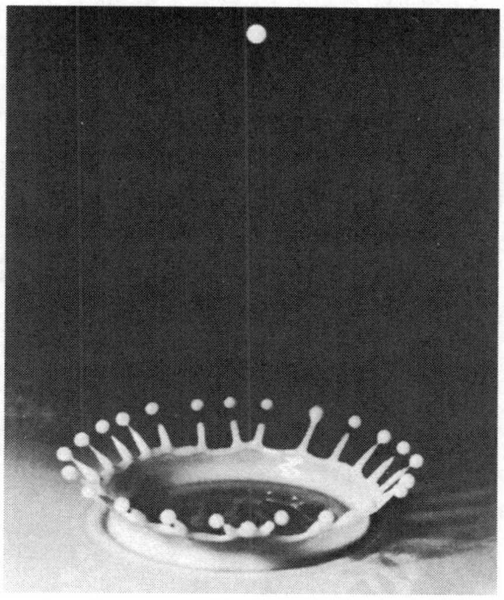

约1938年埃杰顿用频闪灯光作为照明所摄的一滴跌落的牛奶

美国不列颠百科全书公司供图

Edgeworth, Francis Ysidro 埃奇沃思（1845-02-08，爱尔兰朗福德郡埃奇沃思斯汤～1926-02-13，英国牛津郡牛津） 原名Ysidro Francis Edgeworth。爱尔兰经济学家兼统计学家。他将数学应用于经济学和统计学，并发挥了新的见解。他曾先后就学于都柏林三一学院和牛津大学巴利奥尔学院，1869年毕业。1877年为律师。1880年起在伦敦国王学院任教，1888年成为政治经济学教授。1891～1922年任牛津大学经济学教授，声誉卓著。与此同时，他还担任《经济杂志》编辑（1891～1926），发挥了重要作用。埃奇沃思是一位具有高深数学造诣的经济学家。但他的著作文体比较晦涩难懂。他本来希望利用数学来阐述伦理学方面的问题；他的第一本著作《伦理学的新教学法和旧教学法》（1877），就是利用数学方法写的，特别利用了变分微积分学，结果却使本来对伦理学感兴趣的读者望而却步。他最著名的著作是《数学心理学》（1881）。这本书表达了他在广义效用函数、中性曲线、收缩曲线方面的意见。他的这些意见已经成为经济学理论中人们所遵循的标准方法。埃奇沃思对国际贸易的纯理论，以及对赋税和垄断理论都有贡献。他对指数理论、统计理论、尤其是概率论，都作出了重大贡献。他主张用过去的经验资料作为基础来推断将来可能发生的事。

Edgeworth, Maria 埃奇沃思（1767-01-01，英格兰牛津郡布莱克鲍顿～1849-05-22，爱尔兰埃奇沃思城） 英裔爱尔兰女作家，以写儿童故事和反映爱尔兰生活的小说而闻名。在英格兰一直住到1782年，随后迁至都柏林西北的埃奇沃思镇；时方15岁，是家中长女，协助父亲管理田产。她从中掌握了农村经济和爱尔兰农民的许多实际情况，这些知识后来成为其小说的主要内容。家庭生活是忙碌而愉快的，她受到父亲的鼓励，在起居室里开始写作。家里21个孩子为她的故事提供材料，并成为她的听众。1796年，故事出版，书名为《双亲的助手》。即使由于父亲在编辑加工时塞进说教篇章，故事仍充满活力。第一部未经父亲干预写出的小说《拉克伦特堡》（1800）表现了她的社会观察、人物素描和对话的写实才能。W.司各特也承认自己写《威弗利》时得益于埃奇沃思。另一部著作《贝林达》（1801）是一部社会小说，为J.奥斯汀所特别赞许。埃奇沃思终身未婚。在文艺界和科学界交游甚广。1809～1812年，出版《上流社会生活传闻》，共6卷。内收她最好的一本小说《不在地主》，写一大时弊：英国地主长年在外地过寄生生活。1817年父亲去世前，又出版了3本小说，其中两本《庇护》（1814）和《奥蒙德》（1817），影响很大。1817年以后，较少写作。1820年完成父亲的《回忆录》，并尽全力管理田产。她在欧洲享有声誉，与司各特诚挚互访。晚年，对于爱尔兰1846年的灾荒感到悲伤，为救济受灾农民而工作。

Edgeworth, Richard Lovell 埃奇沃思（1744-05-31，英格兰萨默塞特巴斯～1817-06-13，爱尔兰朗福德郡埃奇沃思敦） 英裔爱尔兰发明家，教育理论家。对他的女儿玛丽亚的小说有极大影响。作为爱尔兰地产主，他通过土地垦拓和道路改良计划，尽力改善租户境况。1798年，曾组织了自耕农队伍抗击入侵的法国远征军。1802年携家去巴黎，受到科学界和文学界的接待。1806年，参加调查爱尔兰教育的委员会。1807年起，撰写自传。在机械发明方面有突出才能。曾试图首次进行电报通信，发明多种航行船只，一种自行车，一种手推车式土地丈量机，萝卜切削刀，独轮车，四轮敞车。和女儿合写《实际教育》一书，主张给予儿童以优良的学习动机，学习进度应与儿童的年龄及能力相适应。不赞成死记硬背，认为有些东西需要用苦功，有一些则可通过游戏来学，因此，应向儿童提供能激励他们进行创造性活动的玩具。一生四度结婚，育有子女22人。

Édhessa（Greece） 参阅 **Edessa 埃泽萨**。

Ediacara fauna 埃迪卡拉动物群 前寒武纪较进步的多细胞动物组合，化石见于南澳大利亚阿德莱德北方埃迪卡拉丘陵带的庞德石英岩内（前寒武纪始于约38亿年前，止于约5.7亿年前）。该动物群的发现提供了多细胞生物早期演化的状况，证实了前寒武纪的演化水平已达到比以前所料想的复杂得多的程度。该组合同样地证实：至少部分前寒武纪存在着复杂而相互影响的生物群落。生物体和群落的复杂性暗示一段较长的发育和演化的历史。已收集到600多个标本，包括柔软的珊瑚类、水母类、各种各样的蠕虫类及亲缘关系未知的类型。

Edib Adıvar, Halide 埃迪布·阿德瓦尔 (1883,伊斯坦布尔～1964-01-09,伊斯坦布尔) 土耳其女小说家、妇女解放运动的先驱。曾由家庭教师指教,后在君士坦丁堡一所美国女子学院念书,并积极参加土耳其的文学、政治和社会活动。1910年与丈夫离婚,抵制他另娶新妻。1917年她改嫁土耳其政治家阿德南·阿德瓦尔。作为爱国者,她写过《新土兰》(1912),论述民族主义的泛土耳其运动。她也是1912年开始活动的"土耳其之家"俱乐部的中坚分子。该组织着眼于提高土耳其的教育水平,促进社会、经济的发展。他们举行男女与会的演讲,还实行一项伟大的社会革新。在此期间她的著名小说《家庭》出版,讲述一个有教养的妇女遇到的种种问题。在奥斯曼帝国的叙利亚省从事教育工作以后,她在第一次世界大战中和丈夫加入土耳其民族主义者的行列,在安纳托利亚的土耳其解放战争中起了积极作用。她最著名的小说《士麦那之女》(1922)讲述一个同时被两个男人爱着的年轻女人,献身祖国解放事业的故事。1925～1938年到巴黎、伦敦、美国和印度等地旅游并讲学。1939年回到伊斯坦布尔,任伊斯坦布尔大学英国文学教授。后当选国会议员(1950～1954)。其他重要作品有:小说《齐努的儿子》(1926),《小丑和他的女儿》(1936,用英文写成)。其他重要英语作品有《土耳其的磨难》(1928)、《东西方在土耳其的冲突》(1935,1963)、《土耳其面对西方》(1930)等。在后一部书中,她剖析了年轻的土耳其共和国面临的思想上的冲突。

Edinburg 爱丁堡 美国得克萨斯州最南端城市,伊达尔戈县县城。在下格兰德河谷,布朗斯维尔西北偏西89千米处。与麦卡伦和法尔构成一城市联合体。旧爱丁堡(已不存在)为苏格兰的约翰·扬所建。现在的爱丁堡为轧棉中心,也是河谷地区所产柑橘和蔬菜的包装发运点。附近有石油与天然气田。市内有得克萨斯-泛美大学(1927)及研究心理卫生和弱智问题的得克萨斯热带中心(1967)。1919年设市。人口:市48 465;麦卡伦-爱丁堡-米申都会统计区569 463(2000)。

Edinburgh 爱丁堡 苏格兰盖尔语作Duneideann。苏格兰首府,位于苏格兰东南部,市中心临福斯湾南岸。市区与临近地区组成政务会辖区。市区和政务会辖区大部分地区属中洛锡安历史郡。政务会辖区一小部分地区属西洛锡安历史郡。在自然环境方面,这是一座气氛阴沉暗淡的城市,主要因为坐落在岩崖和山头之间,城内又有用黑色石块建成的高大建筑物和尖塔。过去爱丁堡是一座军事堡垒、苏格兰议会所在地和知识界活动的中心。城市虽然历经沧桑,但劫后总能得到复兴。目前是一行政、金融、旅游和文化事业重要中心。境内有繁忙的利斯港,在市中心以北2英里的福斯湾岸。人口:市401 910(1991);区451 710(1999)。

自然地理和人文地理

城市特点 虽然在1856～1920年间,周围的村庄和福斯湾沿岸诸港口已并入爱丁堡,但城市的基调仍然只由小范围的旧城和新城形成。旧城是中世纪为抗御频繁的外敌而建,高踞在卡斯尔岩(又译城堡岩)之上,俯瞰四周的平原;新城则相反,地势开阔,有条条宽广的道路、新月形街巷和一层层台地。

19世纪出生于新城的苏格兰小说家、散文家和诗人R.L.斯蒂文森写道:"这种具有极大差异的现象,这个由石块和原生岩石化成的梦境,不是剧院中的舞台吊幕,而是现实世界中的城市。"这种使爱丁堡具有独一无二特色的新、旧城间的差异也使它成为典型的苏格兰城市。因为它虽然外表冷漠,却是一座蕴有极大温情,有时甚至是欢乐的城市。该城的历史表明:城内公民是很有激情的,尤其是在忠于王室与恪守教规上。1736年,自治市因群众以私刑处死市警卫队长J.波蒂厄斯,险失王室建制地位。这个事件亦可看成是许多古老城市历史上不乏见的暴力行动。然而即便是在这种惯常是疯狂的时刻,这座城市还是表现了它复杂的性格:需要一根吊绞人的绳子吗,暴民去到一家商店,买来这根绳子。

该城自古以来以讲究体面、事事不易通融闻名,如1876年西普林斯街公园向公众普遍开放时,规定禁止吸烟;但与此同时,爱丁堡又保留令人触目惊心、充满猥亵下流和酗酒放荡的下层社会。一位德高望重的诗人或法官可能同时居住在上述两个世界里面。这样的"爱丁堡性格",在称为文学全盛时代的18、19世纪新古典主义繁荣时大量存在,当时城中的作家、评论家、出版家、教师、医师和科学家组成具有世界影响的学术精英阶层。随后该市降为更属地方性的城市,这种显著的怪现象也就基本消失了。

景观 直到18世纪后期,爱丁堡都是按照通常欧洲城市的格局在原址上不断重建,但由于缺乏向外扩展的空间,使各重建阶段不得不顺应原来的布局。其后,当有可能扩展之时,城市以近乎跳跃的速度冲破其中世纪模式。每一批式样时新的建筑物都紧邻着前一批建筑物建造,而不是建在原有建筑物的旧址上。结果建筑物高耸于城市上空的旧城与乔治王朝时期风格的、向水平方向展开的新城形成鲜明对照。新、旧城四周都围着大量各有其独特风格的、维多利亚式的城市郊区,最外围有一圈建于20世纪的、不规则地延伸向各个山头和海岸的郊区。

爱丁堡普林斯街,图中有俯瞰全城的卡斯尔岩、苏格兰纪念塔(前景)、国立苏格兰画廊和苏格兰皇家学院

美国不列颠百科全书公司供图

气候 爱丁堡气候温和。因靠近海,故无严寒酷暑。冬季温暖,平均最低日温高于冰冻点;夏季凉爽,温度很少高于21 ℃。常年有较干冷的东风;从北大西洋环流来的温暖南风常挟带雨水。年降水量适中,平均685毫米,全年分布均匀。爱丁堡无长时间日照,年平均日照量低于此纬度应得日照的1/3。但虽然这样,却因时时变化的云象而部分得到补偿。

城市布局 现爱丁堡在彭特兰丘陵与福斯河宽阔的河口湾之间面北的斜坡上,占地长约7英里(11千米),在河口湾之处与原不属该市的利斯海港相连接。斜坡上有一座座熔岩的上冲断层,其中一个上冲断层称为亚瑟王座,高823英尺(251米),耸立于坡东南侧。这些危崖之间的河谷被更新世时期的冰川活动冲刷得深而洁净。爱丁堡便是建造在这些上冲断层顶部和周围，因此当人们愈走近城市中心，看到并列的大自然和建筑物的景色就愈是壮观：一层层石砌的台阶横铺在高耸的上冲断层前面。

旧城的卡斯尔岩位于城市中心，这是一块封住一座死火山口的黑色玄武岩岩颈。它从河谷底拔起，高250英尺(76米)，顶部建有一座著名的城堡 。城堡每夜被泛光灯的光亮隐约照明，景色之美使看惯了的市民也惊叹不已。冰川的冰曾从西面流来，绕过卡斯尔岩侧面，将沉积的岩屑积聚在岩石东面形成一块横向的冰碛，称为岩崖和尾岩组。从11世纪开始沿着尾岩组顶部向下在其陡峭的侧面，建筑起旧城。因建筑空间有限，只能向高空发展，16、17世纪中，建成一座座由狭窄的通道隔开的10层至12层的公共住宅。

卡斯尔岩以北200码(180米)，越过今普林斯街公园所在的河谷，便是新城。新城区在1767～1833年间连续几个阶段建造，可说给欧洲的启蒙运动增添几分国际性的高雅，又给建筑师的计划测绘树立一个好范例。开始时新城设计过于规则化，后来的发展便更多注重自然的地势，把死板的直角变成较柔和的曲线和新月形。爱丁堡唯一的河流利斯水道大致形成了新城西北面的边界。河流从彭特兰丘陵到入海的短河道，为16世纪开始发展起来的达尔赖、迪恩、斯托克布里奇、锡尔弗米尔斯和坎农米尔斯等一批村庄的工场提供动力。这些村庄现已并入19世纪城镇的基体中。

①旧城的扩展。数百年来，城市向北发展的障碍是一个湖和城周围沿冰碛和卡斯尔岩底部堵塞住河谷口的沼泽地，即北湖(或称诺尔湖)。湖是当初詹姆斯二世为防御外侵在沼泽地上开掘出来的。但后来虽然湖水干涸、湖底泥土变硬，到北面去仍有待于能在河谷上架起一座桥。1772年建成的北桥高70英尺(21米)、长1 130英尺(344米)，桥身陡峭地向北倾斜。在新、旧城建设之间的数百年，爱丁堡逐渐向冰碛层南侧下发展。称为格拉斯市场的集市建筑在卡斯尔岩下，名为南盖特(后改为考盖特)的通道东向筑至霍利鲁德(后为霍利鲁德豪斯宫所在地)的奥古斯丁修会教堂。再过去虽然南侧暴露在英格兰人攻击的危险之下，城镇还是缓慢地沿与沼泽地相邻的斜坡发展。在北桥建成前相当长时间，这个南部郊区已经有了相当规模。使此处气象高雅的有马格达伦(1544)、格雷弗赖尔斯(1612)等精美的教堂和后改为爱丁堡大学的城镇学院。这个城郊由一批小规模的住宅组成，显然比新城多少有点暗淡的正面使人感到较为亲切。

②爱丁堡的桥梁。北桥筑成后的50年中，又筑造了4座桥，使城市可向各方向扩展。其中的南桥(1788)和乔治四世国王桥(1834)是多桥拱结构，横跨考盖特峡谷。两座桥筑成为加快南向发展开辟了道路。与此同时期，上有摄政王拱门的滑铁卢桥(1820)使卡斯尔岩东北的卡尔顿山东坡与摄政王大厦相通，而国王桥(1833)从卡斯尔岩向西跨出，是所谓"西入口"的主要通道。在维多利亚女王和爱德华国王在位时期，城市向各方面扩展，在石砌的公共住宅和独门独院的宅第上有不断变化着的建筑特色的痕迹：从新古典主义、哥特式、苏格兰男爵的豪华式、意大利式等风格直至20世纪的砖和混凝土结构。

旧城　海拔443英尺(135米)的爱丁堡城堡高耸于城市上空。城堡可能早在6世纪时便构筑成，但现已找不到11世纪之前一段时期作为战略性地点继续使用的具体痕迹。尚存的重要建筑物已适应变化着的需要进行改建。这些建筑物的历史价值大于使用价值，主要建自16世纪。岩石最高处有马尔科姆三世坎莫尔的王后圣玛格丽特的小礼拜堂，为12世纪建造，也是今日尚存最古老的建筑物。

皇家英里街从城堡广场外开始，沿岩顶的城堡山向下延伸，将城堡与东面的霍利鲁德豪斯宫相连接。皇家英里街有许多名称，都是中世纪时的地区名：城堡山、劳恩集市、高街和坎农盖特。旧城中的高层公共住宅沿着岩顶紧靠在一起，房屋巉岩的外观被沿山岭脊两侧蜿蜒而下的狭窄石砌小巷和通入庭院的死胡同和小街所遮断；周围和后面是更多的建筑物。

沿皇家英里街有一批重要的建筑物。中央部位是圣吉尔斯大教堂，亦是苏格兰国家教堂。教堂有一哥特式后期风格的精美中殿，上有雄伟的15世纪顶塔，这是一座开放式的尖塔，有8个飞拱支撑着饰以雕塑的塔楼。外部的石方工程多是19世纪修复的。

圣吉尔斯教堂后的议会广场上有议会大厦，是查理一世威胁要将法庭迁往别处时，在1632～1639年间由市政会及私人出资兴建的。从1639～1707年，苏格兰议会会议在此召开。目前苏格兰最高民事和刑事法庭在此大厦开庭。议会大厦建筑群旁边是苏格兰国立图书馆，其前身是早期的律师图书馆，哲学家D.休谟曾在此作管理工作。

圣吉尔斯教堂对面偏东，是市议会会议厅。于1761年筑成，原意用作皇家交易所，但从未作此用。此会议厅面对旧城的中枢市场十字口。19世纪后期由W.格莱斯顿首相出资用原来的柱子修复十字口。苏格兰纹章院的司纹章大臣在十字口高台上宣布皇家公告。

过去运入的货物都要经过特朗科克(苏格兰语，"特朗"意为磅秤)的一个铁秤盘，南、北两座大桥在此处山顶交叉而架，几乎正对这个地方，是安克克洛斯街，爱丁堡大学的印刷业能手、初版《不列颠百科全书》的编纂人W.斯梅利就是在这里印刷诗人R.彭斯1787年版的《诗集》。斯梅利介绍彭斯参加称为克罗查兰卫国军团俱乐部的宴饮，诗人酬以使他们高兴的色情歌曲，名为《喀里多尼亚的欢乐冥想集》(1800年初版)。

在皇家英里街区沿高街和坎农盖特地段的重要建筑物有：建于15世纪末或16世纪初的约翰·诺克斯府；建于17世纪的贵族住宅莫里府，现用作师范学院；正面建成巴罗克式的坎农盖特教堂(1688～1690)，墓地中有18世纪诗人R.弗格森和政治经济学家亚当·斯密的墓；艾奇逊宅第(1633)内有苏格兰工艺中心；亨特利宅第内是市博物馆；还有旧坎农盖特托尔布斯监狱(1591)。白马街口有建于17世纪的客栈，原为伦敦驿车终点站，后已修建为豪华私人住宅。

霍利鲁德　离密集的建筑物稍远，在皇家英里街较低一端尽头便是霍利鲁德。其上的教堂建于1128年，约1220年重建。现存的中殿废墟令人一见难忘，是当时雄浑而富有想象力的建筑工程的实例。教堂旁的霍利鲁德豪斯宫有建于16世纪初的侧翼、17世纪的四方形庭院和墙上有饰面的侧厅。此处是君主在苏格兰理政的行宫。宫殿东、南面是霍利鲁德公园，公园内有索尔兹伯里岩、亚瑟王座和3个湖。正对霍利鲁德的是新苏格兰议会建筑群，计划于21世纪头十年完成。

普林斯街公园　普林斯街公园位于新、旧城之间旧北湖排干湖水后的湖底，景色独美。花圃中鲜花常常更换，四时不断；1903年种植起世界上第一座花钟：花叶掩映中有一每15分钟报时一次的杜鹃钟，36英尺的圆周内约有24 000株植物。在一块块草地、花圃和树丛间是娱乐区，有户外音乐台、户外舞场和许多纪念碑塔，最引人注目的是建于1844年、高200英尺的哥特式尖塔，高耸于W.司各特和他的猎犬梅达的塑像之上。

西普林斯街花园建成的最初100年，是这条街业主私人游憩之所，1876年向公众开放。东面的花园原来就已经向公众开放了。建设新城废弃的瓦砾、泥土筑成的土堤将东、西两花园隔开。堤上有两座新希腊式艺术建筑物：苏格兰皇家学院(1832)和国立苏格兰画廊(1859)。1847年铁路线穿过花园中央，开往格拉斯哥和北部的火车从堤下经过，但现在美化园林，路轨大部被遮掩起来。铁路以花园东端的车站为终点。

新城　1767年市政会批准了新城建设规划。新城设计为一个住宅区。建筑家J.克雷格设计的新城呈格栅状，纵向5条街，横向7条街，宽阔的中央轴线两端都有大广场。西头是圣乔治教堂，东头是圣安德鲁教堂。新建街道中最南面的是普林斯街，只在街北有住宅，隔河谷与城堡相望。铁路的修建使普林斯街面貌改变，在住宅区的空地建起商店和旅馆，普林斯街成为主要购物街和该市最大的通道。街旁商店后面原有建筑物少有留下的。街东头的档案馆(1772～1792)正对着北桥，是18世纪建筑家詹姆士与罗伯特·亚当所设计该城最精美的建筑物，内有苏格兰部分国家档案。克雷格设计的新城规划其余部分多数是修复和改善各条街道和广场的环境，使之更舒适优美。圣安德鲁广场上的苏格兰皇家银行是1772～1774年为L.邓达斯爵士(当时代表爱丁堡出席议会的议员)修建的城市住宅，是18世纪精美的贵族府第的范例，其中有一座极豪华的维多利亚式银行营业厅(1858)。乔治街有圣安德鲁堂区教堂，为一椭圆形建筑物，有优美的墁灰天花板和一座典雅的尖塔。夏洛特广场的北侧是乔治大厦，由苏格兰国立托拉斯管理，用作博物馆。大厦从厨房至卧室，全部摆设都是18世纪后期爱丁堡的豪华装饰。

普林斯街东头，卡尔顿山高耸于圣安德烈大厦(1937)的中央政府办公室及相邻的皇家大学预科学校(1825～1829)之上。卡尔顿山顶有19世纪建筑家W.普莱费尔设计的市天文台(1818)和一座克雷格设计的、甚有魅力的哥特式房屋，是为天文台台长而建。屋后有12座圆柱，是普莱费尔在1822年设计的，原打算仿建帕台农神庙以纪念在拿破仑战争中死难的苏格兰人，1830年因经费不足此纪念堂停建。南坡下的纳尔逊纪念塔(1807)是一座多层的圆形高塔。

北面伸向福斯河的平原上有皇家植物园，当大片杜鹃花开的时候，繁花似锦，在旧城美丽的城市上空建筑物轮廓衬托下，新城呈现出瑰丽的景象。

人民 爱丁堡的人口大部分由中产阶级的专业人员和非专业人员构成。两种人都比他们的先人更有成就。他们先人中多数是从周围农村和小城镇迁来的，为这座19世纪的城市提供无熟练技能和半熟练技能的劳动力。从那时以来，劳动力已有相当变化，现在白领工人和蓝领工人数目相等。城中由外国来的人只占很小的百分比；根据1981年人口调查，在英国国外出生的本市人口占不到5%。人口451 710(1999)。

经济 *工业* 今日的爱丁堡，和18世纪时一样，以经营服务行业为主，居民只有1/10从事制造业。第二次世界大战前的大宗酿造业、面包与糕饼烘焙业以及书籍印刷业已衰落。多数与国防有关的电气、电子技术研究和工程是该市工业的最大行业，这一行业大多利用市内两所大学的科学研究成果。

主要服务业有：公共行政、法律、医药、投资与金融、教育，以及旅游。爱丁堡是仅次于伦敦的英国第二大旅游城市。

离外海约30英里的利斯港，1968年归属管理6个港口的福斯河港口管理局，在20世纪70年代大幅度现代化。粮食、食品和木材产品是主要进口品；外运的商品有煤、威士忌酒、铁和钢。爱丁堡另一个港口城镇格兰顿也属港口管理局，此处有快速装卸的专门设施。此港口还建有规模不小的工业区，为北海石油工业服务。格兰顿还是福斯河河口湾捕鱼船队的船籍港。

商业与金融 爱丁堡是金融和法律服务的重要中心。该城市的各机构过去为美国西部的发展提供大量资金，对象有牧场、铁路、木材和采矿，为其发展打下基础。作为苏格兰法律体系的中心，爱丁堡有兴旺的法律系统，其工薪之高在本城仅次于银行业。

运输 该市有全国性的铁路系统"英国铁路"站点，每小时有班车至伦敦，行程约5小时。1985年开始一项至伦敦的东海岸铁路线火车电气化工程，缩短旅途时间。爱丁堡还有通往苏格兰其他地区的铁路。1965年，普林斯街火车站关闭，但全英国第二大火车站韦弗利和海马基特车站仍然保留。爱丁堡机场无班机直通大西洋地区和欧洲大陆地区。市内无地铁系统，但公共汽车服务极佳。

行政与社会状况 *政府* 苏格兰议会负责卫生、教育、住房、经济发展、地区运输、环境和农业方面的立法。议会选出苏格兰行政长官负责实施立法。由普选产生的爱丁堡理事会隶属于苏格兰政府，负责地方法律的实施，监管地方规划、教育、社会服务、住房、交通、消防、卫生、娱乐、图书馆、博物馆、选举等事务。

社会服务资金有所下降，部分由自愿出资的组织补足。青年失业率较高，第二次世界大战后建立的一些近郊区尤因缺乏娱乐设施，致使城市以吸毒泛滥、零星暴力行动和较严重的犯罪活动闻名。

保健 1726年爱丁堡医学院建立以前，该市已有医疗实践与教学，但1748年规模巨大的皇家医院开业以来，爱丁堡成为世界主要医疗中心之一。目前该市有十多所医院，其中的皇家医院和西方总医院有综合的医疗和外科设备。爱丁堡医药界提供的保健服务范围超过英国其他任何地方。

教育 爱丁堡大学为该市最主要的大学。产业革命最早期所建的海里奥特-瓦特大学于1966年得到大学资格，为英国第一批新建的技术大学。该校活动大部分已转移至紧靠城市的柯里的里卡顿附属校园。城内其他高等学校有：马里豪斯教育学院、克雷格洛克哈特天主教女子教育学院、邓弗姆莱恩女子体育学院，以及培训轮船机师、厨师、无线电操作人员和轮船事务长的利斯海员学院。

爱丁堡艺术学院除去有美术系科之外，还与海里奥特-瓦特大学合办一所环境研究学院，下设城、乡规划和建筑学校。苏格兰教会新学院是苏格兰最大的神学研究生院。

文化生活 自1947年以来，在一年一度举行的、为时3周的夏季艺术节期间，爱丁堡以其艺术使世界瞩目。数万游客前来参加戏剧、芭蕾舞、音乐、电影、艺术展览等和一般的娱乐活动。艺术节在城堡大门前一队风笛演奏声中闭幕。一个主要的文化机构是国立画廊，藏有国际艺术珍品和苏格兰画家有代表性的作品。在国立画廊管理下还有苏格兰国立肖像画廊和苏格兰国立现代艺术博物馆，后者收藏有一批法国印象派画家所作的精品。

有大量娱乐设施，除去设备很好的运动场所之外，市内有长达9英里(14千米)的海岸线供划船、乘船游览；还有许多海滩。自1457年以来，建有许多高尔夫球场，也有不少草地滚木球场、英式足球场和曲棍球场、板球场、网球场以及高尔夫球轻击区和穴间距离短的高尔夫球场。城正东的梅多班克体育中心是为1970年英联邦运动会而建，可供30多种运动比赛之用。为1967年英联邦运动会修建的英联邦皇家游泳池是英国最好的游泳池之一。

历史

早期 *地区的居民点* 第一批定居者早在公元前7 000年冰期后时期就来到苏格兰。河口湾和各条河流为他们进入内地提供最好的通道，其中最重要的是福斯河等。福斯河沿岸和泥滩上有石器时代开发者的遗迹，当时他们还不需要该地区陡峭的山岭作为保护屏障。但在该地发现的刀剑和其他金属器具表明，到了公元前1500年，当地的凯尔特部落已经利用亚瑟王座的岩崖作防御。苏格兰的铁器时代约始于公元前700年，此时紧邻爱丁堡的洛锡安和爱丁堡南面的博德斯筑造起座座山头堡垒。目前未发现当时卡斯尔岩上已有人迹的证据，但这样险阻的防御地点，人们不大可能置之不用。现有遗物证明，霍利鲁德公园、布莱克福德山和克雷格洛克哈特山在公元前1000年后期已有人居住。

战略重要性 罗马人认为彭特兰丘陵与福斯河之间的爱丁堡平原在战略全局上比防御上有更大价值。2世纪下半叶的三四十年间，在克莱德河和福斯湾之间横跨苏格兰的安东宁墙是罗马属不列颠最北部的屏障，现代市区内福斯河畔的村庄克拉蒙德建在罗马不列颠一条南北向大路终点的旧址上。这条大路穿过现在的爱丁堡梅多斯区，大路在今城市东南入口方向的达尔基斯和因弗雷斯克设有重要保垒，扼守着斯特灵的卡斯河谷和通西、北的入口。

如当时卡斯尔岩旧址上有人，则应是沃塔迪尼人，他们是洛锡安人中最强大的凯尔特部落，和罗马保持较稳定的关系。沃塔迪尼首府在现代城市东约20英里(32千米)一座圆锥形山头特拉普雷安山上。但有迹象表明，约于500年，罗马人撤出不列颠之后，首府即迁至今卡斯尔岩上。一首约于600年写成的诗，叙述一群戈多丁人(沃塔迪尼人的别称)如何从一个称为丁艾迪恩的地方附近来到，袭击一支约克郡卡特里克的盎格鲁军队并被消灭的情况。丁艾迪恩即艾迪恩山头堡，显然就是卡斯尔岩上的城堡。其后数百年，戈多丁人似乎被入侵的盎格鲁人征服，至854年，丁艾迪恩已改称为爱德温斯堡。因此人们推测该城镇是一位名为爱德温的诺森伯兰诸侯所建。然而上述诗篇的创作时间又否定了这个推测。可以合理地假设卡斯尔岩旧址连续有人居住至少已达1 400年，但城镇建成最早的数百年情况已不得而知。

中世纪城市 *贸易的发展* 从11世纪中叶至12世纪中叶，卡斯尔岩上的圣玛格丽特方形小教堂和由玛格丽特之子国王大卫一世捐资建造的霍利鲁德教堂，是旧城的边界。圣吉尔斯堂区教堂在上述两座教堂之间。1130年大卫一世敕封爱丁堡为自治市。此特权使该市既是一市场，又是制造行业(特别是纺织品)中心，促使贸易得以发展。大卫开始铸造最早期的苏格兰硬币时，造币厂设在爱丁堡。他同时许可霍利鲁德教堂的僧侣建立自己的自治市，享有管辖权，于是该地区称为坎农盖特。爱丁堡高街的终端和坎农盖特起始点位于称做内瑟鲍的交叉地段。

政治上的重要地位 1329年苏格兰国王罗伯特一世颁赐予爱丁堡城镇建制，随之而成为苏格兰的政治中心，具有与商业上同样重要的地位。北面的重要居民点珀斯曾有一个时期争夺首都地位，但自1436年爱丁堡的地位提高后，虽然易于受英格兰人入侵，詹姆斯二世(1430～1460)仍然在霍利鲁德加冕登位，他的议会会议多数在该市举行(邻近在圣吉尔斯教堂1466年建起托尔布斯监狱的地方)。至詹姆斯三世在位(1460～1488)时，有一份皇家文件称爱丁堡为"吾国最重要的自治市"和王国的首都。

中世纪爱丁堡自治市的房屋，除教堂、皇家建筑物和市政建筑物外，都是木质结构，而且只有富户才有玻璃窗和木板门。所有家宅垃圾和皮革工人、屠户及鱼贩等人弃置的下脚料都堆放在大街两旁，行人只能在街中心行走。包括市中心圣吉尔斯教堂墓地在内的墓地都倾卸满垃圾废物。爱丁堡这种肮脏不堪的状况大部由于其自然环境和供水缺乏引起。1681年前，城市用水只能从坎农盖特南面的井中由水泵抽水供应。伟大的中古苏格兰诗人W.邓巴(约1460～约1520)曾写下这样尖锐的诗句：

劝君莫出大街门，
君不见腥鱼膻肉如山积，
君不闻老妪呼号喧嚣声……
裁缝、鞋匠纷纷乱，
风光旖旎的街道变成臭水潭、垃圾场……

中世纪晚期爱丁堡自治市颇为繁荣，国王詹姆斯四世(1473～1513)又在这里增添一点欧洲文艺复兴文化。他赞助艺术，在市镇设立最高法院，1501年前后开始在霍利鲁德建一座宫，但现在尚存的结构只有门楼了。1507年这位国王支持由埃尔芬斯通主教提出在考盖特创立苏格兰第一家印刷所的倡议。1513年苏格兰人在诺森伯兰郡的佛洛顿大败于英格兰人，其后年代政治动乱，爱丁堡遂在旧城周围筑起防御城墙，远至内瑟鲍。现部分城墙仍在原址。但事实上城墙未起作用，因1544年英格兰指挥官赫特福德伯爵将整座城镇摧毁，包括坎农盖特和利斯在内。

虽然其后重建时仍使用木材，但从此时起，公共建筑物和富人住宅用石质结构已较普遍。爱丁堡的地位使它不仅是宫廷，而且是枢密院、议会和法院的所在地。拥有土地的大家族开始在坎农盖特营造城市住宅，他们的赞助往往比贫穷的斯图亚特王室慷慨，因此刺激了当地经济发展。于是在佛洛顿惨败后，爱丁堡的经济与文化才逐渐得到一定恢复。皇家军医学院于1505年创立。1535年由当时仍为天主教的教会出资建立苏格兰高等法学院。幼年的国王詹姆斯六世在霍利鲁德执政后，试图在爱丁堡引入欧洲文化。1582年，他颁赐给市政会一份特许状，鼓励提供一批建筑物，作为教授“人文学、哲学、神学、医学、法律和其他一切开明的科学”之用。由此奠定了今日爱丁堡大学的基础。

灾难与重建 1603年詹姆斯六世继英格兰王位，称詹姆斯一世，离开爱丁堡至南方。其后爱丁堡的政治、文化地位下降，但市镇仍然有发展。爱丁堡第一所女子学校商业女子学院建于1605年，1628年开始兴建的海里奥特学院是金器商兼放债人乔治·海里奥特捐赠。建于圣吉尔斯教堂墓地上的议会大厦于1639年竣工。

到了这个时期，圣吉尔斯教堂周围地区已成为首都繁忙的中心。教堂以西与之相邻的是托尔布斯，其中有市政厅、监狱和刑场。南面是议会大厦和早期的议会克劳斯街税务法庭；北面是称做卢肯布斯的狭窄公共住宅区，与街面相平的底层为商店。教堂墙外四周是金匠、珠宝商、文具商和工匠的许多蜂窝似的木结构小商店。东面是市场十字口，从早到晚都在进行交易。

与英格兰合并 整个17世纪，与英格兰相比，苏格兰在经济上一直是弱者。17世纪最后数十年间，爱丁堡成为将巴拿马地峡上的达连建为自由港的企业的总部。该地是由苏格兰殖民者操纵的。但计划未能实现。到18世纪初，与英格兰合并似乎已成为经济发展的最后指望，因为由此可获得与英国各殖民地市场进行贸易的自由。1707年，在议会广场的地下室签署《合并法案》，从此爱丁堡丧失一切独立的政治活动。

但事实上，与拥有700万人口的英格兰共同市场增加贸易的机遇，并未给爱丁堡带来利益，因该市无重要的制造业。然而在18世纪上半叶，爱丁堡人口仍增加一倍，财富也增加了。1793年一位观察家写过“失业人口从北部源源流入爱丁堡”的情况。

旧城虽已过于拥挤，但与英格兰合并给城内带来一股重建和新建房屋的热潮。议会广场大部分在1700年的大火中严重毁坏，但1715年前已修复。18世纪20年代，在劳恩集市建造起新的公共住宅庭院；第一所医院于1729年开诊，1748年又建造了一座按专门要求修建的豪华大楼。18世纪30年代，由捐款修建的乔治·沃森医院建成，可与海里奥特学院媲美。50年代初，在市场十字口的高街北侧，靠近市政会会议厅的地方，建造起皇家交易所。北桥筑成之后，旧城周围才得到大规模发展。

早几十年，在20年代，该城镇已进行改革，按专业成立大学，医学院是1726年成立的。这种改变使爱丁堡在学术、文化非常繁荣的苏格兰启蒙运动上深有贡献。旧城的情况，正是爱丁堡启蒙运动的写照。旧城生活的特色是每座多层建筑都住有爱丁堡社会各个阶层的人：穷人住在与街面齐平的底层或住阁楼，富人住在高出街面的主体中层，其他人则住底层或阁楼与中层之间的楼层；住房视收入而分，收入愈少，住的条件愈差。但所有人共用一座楼梯，同在一家餐馆用饭、饮酒。在爱丁堡突破性的学术研究上，显然有着某种上述共同性——既朴实又普通——的特质：自信和有力地、广博地掌握事物最根本的原则并更多地通过谈话与争论以最普通语言加以解释的能力。因而休谟深谙世上不存在无因之果；亚当·斯密认识到劳动分工的内涵；弗格森看到劳动力固有的“异化”的危险；W.罗伯逊提出环境因素影响经济史的程度；J.布莱克创立潜热学说；J.赫顿掌握大量远古地球的地质资料。此外，爱丁堡还培育了诗人J.汤姆森、约翰逊博士传记的作者J.鲍斯韦尔、小说家与诗人O.哥尔德斯密斯、律师和作家卡姆斯勋爵、法国小说家B.贡斯当和在《美国独立宣言》上签字的美国人B.拉什。

18世纪末，凡能出价在新城买房屋的人都舍旧城而去。500年以来，爱丁堡初次产生了社会阶层隔离现象，同时，在法国大革命的政治气候中，城中的知识精英赞成专制主义并反对激进主义。进入19世纪的最初30年中，爱丁堡因其最伟大的人物司各特而继续在英国统领文坛，但维多利亚女王登位伊始，爱丁堡在知识界的地位下降。主持兴建新城的市政会于1833年破产，社会各阶层隔离的步伐放慢。

现代城市 从1830年前后至第一次世界大战，爱丁堡发展为工业中心。劳工人口的巨大增长，引起居住过于拥挤、营养不良和疾病蔓延等严重问题。城市的行业有：糕饼烤焙、饮料酿造，酒的蒸馏、书籍印刷、金属拉丝、汽车车身设计与制造和为沿利斯水道和北埃斯克各造纸厂制造机器等。其后化学、药品制造和橡胶等工业也繁荣起来。

20世纪20和30年代，爱丁堡成为由民族诗人H.麦克迪尔米德(笔名，原名C.格里夫)领导的政治与文艺复兴运动的中心。许多作家加入他尝试使低地苏格兰方言重新获得活力、成为文学语言的行列。从1930年以来，尤其是从60年代以来，爱丁堡日益意识到它的苏格兰个性和观点，不把这看作偏狭的地方主义和关门主义，而是比闭关自守的英格兰文化更欧洲化。

第二次世界大战后的爱丁堡有3个值得注意的方面。首先是高等教育的大发展。20年代后期以来，爱丁堡大学在一些先进的研究领域已居于世界领先地位，如内、外科医学，电子学和人工智能等。其次，文化生活大有增长，除1947年开始的爱丁堡国际艺术节为其主要表现外，当地的文化机构也有很深的基础，这些机构有特拉弗斯剧场、德马科画廊、由爱丁堡大学修复用作一小音乐厅的圣塞西利亚堂(在考盖特)、苏格兰巴洛克剧团、新开幕的国立苏格兰现代艺术画廊以及由霍普帕克小教堂改建的苏格兰室内管弦乐团。文学亦甚繁荣。重新出现了小型个体出版公司，出版国际书刊同时又出版苏格兰的作品。第三，该市敏锐地意识到自身有着石材建筑的传统，大力加以保护。地方机构如科伯恩协会和乔治时期建筑风格协会等与国立苏格兰托拉斯、皇家美术委员会和皇家古代及历史性大建筑物保管委员会等单位已经联合起来，保证古代文物的精华得以保全并修复，而现代化产生的糟粕如交通的洪流和各处新建办公大厦不致渗入市中心。爱丁堡重新获得自治政治中心的地位。1999年新苏格兰议会和政府在爱丁堡建立后，该市恢复为既是苏格兰文化中心，也是政治中心。

Edinburgh, City of　爱丁堡城 苏格兰东部洛锡安行政区的一个区。1975年行政区改组时设置。由前爱丁堡城郡全部和前中、西洛锡安郡部分地区组成，面积(包括爱丁堡市)265平方千米。有港口和机场。人口451 710(1999)。

Edinburgh, Prince Philip, duke of　爱丁堡公爵 参阅 **Philip, duke of Edinburgh** 菲利普(爱丁堡公爵)。

Edinburgh, University of　爱丁堡大学 爱丁堡的一所男女同校私立高等学府，为苏格兰最著名的大学之一。该校建于1583年，当时是在长老会赞助下由爱丁堡市政会议建立的“城镇学院”。1582年国王詹姆斯六世(后成为英格兰国王詹姆斯一世)曾颁发办校许可证。1621年苏格兰议会通过一项法令，将苏格兰3所成立较早的大学所具有的一切权利和特权授予“城镇学院”。此后该校逐渐采用爱丁堡大学的名称。该校一直由爱丁堡市政会议管理，1858年，根据大学法令，该校获得自主权。爱丁堡大学最初只包括一所文学院和一所神学院。18世纪初又建立了医学院和法学院，其后相继增设了音乐、科学、艺术、社会科学及兽医等院系。神学院在爱丁堡大学中占有极重要的地位,但该校的医学院也颇有名气。英国生物学家 C.达尔文曾在那里学医。爱丁堡大学造就了大批文化名人,其中包括小说家 W.司各特、哲学家兼历史学家 J.穆勒、散文学家兼历史学家 T.卡莱尔、小说家 R.L.史蒂文森以及发明家 A.G.贝尔。

Edinburgh Review, The **《爱丁堡评论》** 又名《评论杂志》(The Critical Journal)。1802～1929 年发行的苏格兰杂志 。这本杂志对现代期刊的发展,以及对现代的文学评论标准都有所贡献。《爱丁堡评论》是由 F.杰弗里、S.史密斯和 H.布鲁厄姆三人共同创办的一种季刊。杰弗里是该刊的第一任编辑,任期甚长。创办该刊的目的在于使之成为爱丁堡的发表开明见解的论坛。该杂志以政治评论和文学评论见长,迅速赢得广泛声誉。到 1818 年,发行量达 13 500 份。撰稿人不乏知名人士,如小说家 W.司各特、散文家 W.哈兹里特、历史学家 T.B.麦考利、教育家 T.阿诺德及法制史学家 J.斯蒂芬。在 19 世纪英国出版的期刊中,《爱丁堡评论》的声望和权威,只有《评论季刊》可以与之相匹敌。

Edingen(Belgium) **埃丁根** 参阅 **Enghien** 昂吉安。

Edirne **埃迪尔内** 旧称哈德里安堡或阿德里安堡,土耳其西端的一个城市。位于登萨及马里查两河汇合处,接近希腊和保加利亚边界。城市最古老、最大的部分位于登萨河

埃迪尔内市的巴耶塞特清真寺
美国不列颠百科全书公司供图

河曲,一座古城堡遗址的周围。埃迪尔内扼小亚细亚通巴尔干的主要通道,战略位置重要,历史上多动乱。原名于斯屈达马,最早在此定居的可能是色雷斯部落。约 125 年罗马皇帝哈德良将城市重建和扩大,并易名为哈德里安亚诺波利斯。378 年在此发生阿德里安堡战役,哥特人给罗马以沉重打击。586 年被阿瓦尔人围攻,10 世纪被保加利亚人占领,两次遭十字军劫掠,1362 年陷入奥斯曼人手中,作为奥斯曼帝国向欧洲扩展的前进基地。从 1413～1458 年成为帝国的首都,并为其行政、商业和文化中心,后来由于外国的占领与战争破坏而衰微。1829 及 1878 年两度被俄国人占领。1913 年第一次巴尔干战争中被保加利亚占据,同年就被土耳其收回。1920 年土耳其独立战争时又被希腊人占有,最后于 1922 年归还土耳其。市中心有几个优美的清真寺。塞利米耶清真寺为著名的奥斯曼宫廷建筑师锡南的一大杰作,建于 1569～1575 年间,清真寺耸立在地势较高处俯瞰着大地。主体建筑是 18 个小圆顶拱卫着 1 个中央大圆顶,后者支承在 8 根柱子之上,四周有 3 层眺台的尖塔。该清真寺同邻近的附属建筑物、学校、图书馆以及现在设有考古和人类学两博物馆的神学院,构成一个建筑整体。巴耶塞特清真寺为苏丹巴耶塞特二世 1488 年所建,有四面墙支承的大圆顶,还有一座面向麦加圣地的优美的大理石壁龛。贝德斯坦是经过修复的有顶篷设备的 15 世纪集市市场。埃迪尔内位于伦敦至伊斯坦布尔的铁路线上,有干线公路同中欧及伊斯坦布尔连接。本地以产白干酪驰名,还产棉花、羊毛、肥皂和皮革制品。周围的农业区产小麦、稻米、黑麦和水果。人口 115 083(1997)。

Edirne, Treaty of **《埃迪尔内条约》**(1829-09-14) 又称《阿德里安堡条约》。结束 1828～1829 年俄土战争的条约,在埃迪尔内(旧名阿德里安堡)签订。此约加强俄国在东欧的势力,使其吞并控制多瑙河口的岛屿和黑海高加索沿岸地带,包括阿纳帕和波季要塞。奥斯曼帝国承认俄国对格鲁吉亚和高加索诸公国的所有权,并向俄国船只开放达达尼尔海峡和博斯普鲁斯海峡。在巴尔干半岛,奥斯曼承认希腊为自治附属国,再次确认《阿克尔曼协定》(1826),准许塞尔维亚自治,承认摩尔多瓦的多瑙河各公国自治,并承认瓦拉几亚为俄国的保护国。

Edison **爱迪生** 美国新泽西州米德尔塞克斯县北部市镇。位于新不伦瑞克东北。为门洛帕克(**Menlo Park**)所在地,发明家 T.A.爱迪生设试验室于此。原名拉里坦,1954 年改现名。爱迪生制造业种类繁多。拉里坦中心是按计划建立的工业、商业及科研综合体。设有米德尔塞克斯学院(1966)。人口 97 687(2000)。

Edison, Thomas Alva **爱迪生**(1847-02-11,美国俄亥俄米兰～1931-10-18,新泽西西奥兰治) 美国式独创性时代的发明家中的佼佼者。他的事业开始于 1863 年,当时电报工业尚在青年时期,唯一的电源只有产生低电压电流的初级电池。他在1931年去世前,在电气

美国不列颠百科全书公司供图

现代化中起了关键作用。从他的实验室和车间里,推出了留声机、电话机的话筒和扩音器所必需的碳精送话器、白炽灯、革命性的高效率发电机、第一套商用的电灯照明和电力系统、第一条实验性电气铁道、有关电影放映机的关键部件,还有许多其他发明。他个人或合作持有创纪录的 1 093 项专利。此外,他还创建了世界上第一个工业研究实验室。他是塞缪尔·小爱迪生和南希·埃利奥特·爱迪生的第 7 个孩子,也是最小的一个,7 个孩子中只有 4 个长大成人。幼年时期他的听觉失灵,关于这一点有许多说法,最主要的是认为由家传的耳后软骨炎症所致。不论是什么原因,耳聋对爱迪生的性格和事业有很大影响,为他的许多发明提供了动力。

早年时期 1854 年,爱迪生的父亲是密歇根州休伦港附近格拉希厄特炮台兵站的灯塔管理员和木匠,在那里全家住在一个大房子里。爱迪生在那里进了学校,断断续续上了 5 年学,直到他第二次结婚时,才以发明家闻名。爱迪生是富于想象力和好提问的人,但当时的课堂教学主要是背诵,他听力不好,因此令人厌烦而被称为不合格的人。这对他也有补偿,他贪恋读书,什么书都爱看。像爱迪生那样缺乏正规教育的人在当时并非少见。美国南北战争时期,每个美国人平均只在学校读了 434 天书,用现在的标准算,比两年校龄略高一些。

1859 年爱迪生辍学并开始在底特律到休伦港铁路的列车做童工。密歇根中心车站于 4 年前装上了商用电报机,用来控制车辆运行;内战时运输和通信得到了很大的扩充。爱迪生利用这一机遇学打电报,1863 年成为实习报务员。

在初期的莫尔斯电报中,收到的电报信号条是一串的点和长划,然后由报务员译码读出,这样的工作对于半聋的爱迪生来说,并不困难。但是,后来的收报机逐步装上了发声键,报务员通过滴答声“收读”电报。这种转向听觉的电报技术,在爱迪生当美国中西部、南部、加拿大和新英格兰地区的外勤报务员的 6 年中,对他越来越不利。另一方面,爱迪生利用他的见识和才能,付出很大力量来改进这些初期的电报设备,发明了一些机械和器件来补足他的身体条件所形成的限制和不足。1869 年 1 月,他在制作双通道电报机(用一根电报线同时发出两份电报信息的装置)和打印机(能把电信号打成字母)上获得很大进展。从此,他放弃了电报报务员的职位,成为专职的发明家和企业家。

爱迪生迁居纽约城,开始和一位有名的电学专家 F.L.波普合股,生产爱迪生通用股票打印机和其他电报打印机。1870～1875 年,他进入新泽西州的纽瓦克,在竞争激烈和走马灯式的电报工业中,有过许多合股和复杂的经营活动,这时电报工业的主要控制者是西部联合电报公司。爱迪生作为一个独立的企业家,可以用最高报价,以两头夹击的办法对付中间报价者。在这时期,他为西部联合电报公司的对手,研究改进一种自动电报系统。自动电报机是用电传送过程中引起的化学反应来记录信息的,在电报行业中,商业效益不大;但这一工作促进了爱迪生对化学

知识的提高，并给他提供了发展电笔和誊写版(它们都是早期办公设备工业的重要工具)的基础，它们也间接导致了留声机的发明。在西部联合电报公司的庇护下，爱迪生制成了四通道电报，即用一条线能同时传送4条信息。1874年12月，西部联合电报公司的对手，铁路大王和华尔街经济巨头J.古尔德，却用高价将四通道电报机从电报公司手中抢走，他们给爱迪生现款、债券和股票合计10万余美元。这是到当时为止一次最高价的发明权交易，接着就是连年的诉讼纠纷。

门洛帕克 虽然爱迪生精于交易，但他在经济上却不善经营，他花钱慷慨，乐于施舍，花钱比赚钱还快。1871年，爱迪生和16岁的M.史迪威小姐结婚，她管理家务和他经营企业一样，也是漫不经心地胡乱花钱。到1875年底，他们遇到经济困难。为了压缩生活费用和减少花钱的诱惑，他把鳏居的父亲从休伦港接来，并在新泽西州门洛帕克的乡村环境中，修建了两层半建筑的实验室和机械车间，这些新房子位于纽瓦克以南12英里。1876年3月爱迪生迁入新居，和他一起工作的是两位主要助手，C.巴切勒和J.克鲁西。巴切勒1845年生于曼彻斯特，是一位手艺高明的技师和绘图员，他和爱迪生配合得很好，在留声机和电话机的发明中，他都是爱迪生的“耳朵”。巴切勒还负责制图，而生于瑞典的机工克鲁西则把图纸变成模型。

爱迪生在门洛帕克过的日子很愉快。在水底电缆上进行自动电报试验时，发现碳(碳精或石墨)的电阻和电导率随着水压的变化而变化。这是一个重要的理论发现，它使爱迪生制成了用石墨而不用磁铁来改变和平衡电流的“压力继电器”。1877年2月，他开始进行实验，试图用压力继电器来放大和改进电话机的可闻度。这种器件经爱迪生和许多人研究过，但在1876年，A.G.贝尔首先得到了专利。1877年底，爱迪生制成了碳精按钮送话器(简称碳精送话器)，这种送话器至今还在电话话筒和扩音器中使用。

爱迪生有许多发明成果，其中包括碳精送话器，它们都是满足特定要求的新产品或是改进的产品。他很善于抓住机遇，当遇到意外现象时，经常不惜中断原定工作计划，而转向研究新问题。就是这样，他在1877年成功地得到了一个最新颖的发明，即留声机。因为当时人们把电话看作有声电报的一个变种，爱迪生在1877年夏季便想设计这种带声音的电报机。这和他在研究自动电报机所碰到的问题一样，他需要一台能记录那些接收到的信号(这次是指人的声音)的仪器，以便这些声音信号能作为电报信息传送出去。当时，人们一般还没有把电话当作人对人交换信息的工具。早些的研究者，如著名的法国发明家L.斯科特，曾在理论上想象，如果能把声音用图形记录下来，就能得到像速记法或表音速记法(声音记写)那样独特形状的图线。爱迪生想把这种思想具体化，他用尖笔型碳精送话器，在一张蜡纸条上刻出了这种留声凹槽。当他把纸条在笔尖下拉回来时，想不到肉眼几乎看不见的纸条上的刻槽，竟然发出了重现的模糊声音。

在1877年12月，爱迪生揭开了锡箔留声机的帷幕，他用锡箔包裹的圆筒代替纸条，这个发明受到难以置信的欢迎。一位法国科学界的领导人宣称，这是一种聪明的口技表演者的特技设计，公众的惊奇很快就变为广泛的赞赏。爱迪生从此成为世界名人，被称为“门洛帕克的奇才”。当然，留声机从实验室内的奇妙玩具变为商品，还经历了长达10年的时间。

碳精实验很快得到另一种用处。1878年7月29日，落基山区有一次全日食，S.朗利、H.德雷珀和其他美国科学家，需要一种能测量微小温度变化的高灵敏度仪器，这种温度变化是由于日食时日冕辐射的热量引起的。为满足这些要求，爱迪生使用碳精按钮设计测温度变化的“小型微压计”。这时，电弧灯正得到很大发展，爱迪生和日食考察队在一起，人们在讨论把强烈的电弧灯分割成许多小灯的实用性，正像用许多小的单独的气灯头一样，这样就可以避免过热而延长灯泡或灯头的使用寿命。爱迪生认为可以通过设计类似小型微压计的装置控制电流来解决这个问题。他大胆地宣布，他已经发现能替代气灯的安全、柔和、便宜的电灯。

白炽电灯已经使许多发明家望而生畏几达50年，但爱迪生以往的业绩和声誉使这个自诩的预言受到尊重。于是，一些第一流的金融财团包括J.P.摩根和范德比尔兹莱，组成了爱迪生电灯公司，预付他3万美元进行研究和开发。爱迪生建议，不像电弧灯那样用串联电路，而用并联电路联结灯泡，这样就把每一个灯泡的电流都分开，任一灯泡烧断并不会引起整个电路烧断。有些著名的科学家预言，这样的电路是行不通的，不过他们的否定意见是建立在当时低电阻灯泡系统上的。爱迪生已认定只要有一种高电阻的灯泡，就能达到目的。于是，他开始寻找能满足这种要求的灯泡。

爱迪生得到26岁的F.厄普顿的帮助，厄普顿是普林斯顿大学的研究生，获得理科硕士学位，他是1878年12月参加实验室工作的。因此，爱迪生在数学和理论方面得到厄普顿的支持。爱迪生后来透露，“在进行白炽灯实验时，我并不懂得欧姆定律”。有一次他曾说：“我完全不管数字，我通过实验和推理得出结果，有些方法我完全不能解释。”

1879年夏季，爱迪生和厄普顿被白炽灯试验的失败所困扰，但在一种发电机(反过来运转就成为电动机)上却得到了长足进展，爱迪生认为这可以用来提供一个电能(不是灯)的分配系统。到10月，他们得到令人鼓舞的成果，他们使复杂、装有铂丝、调节器控制的真空灯泡达到发光的效果。但是由于铂丝太昂贵，从商业上看是行不通的。当他们对铂丝的绝缘材料进行实验时，发现碳精在高真空里(他们改进了真空泵，得到了更高的真空度)，可以不用复杂的调控设备而维持相当长的发光时间。爱迪生在英国物理学家J.W.斯旺的工作基础上，发现碳精灯丝在白炽发光中，伴生着分割发光需要的高电阻。他们在10月中旬取得重要突破，以后又稳步提高，最后到12月3日，对爱迪生电灯公司的支持者们进行了首次公开表演。

此后，在1880年夏季，爱迪生决定灯丝的最优材料是碳化竹纤维，尽管在4月份，爱迪生曾在“哥伦布”号轮船上装上了世界上第一个电灯运行系统。第一套陆上单座建筑的商用白炽灯系统，是1881年1月装设在纽约兴兹和克差姆印刷企业房屋中的。该年秋季，为了伦敦水晶宫展览会之用，在H.维亚达克特安装了一个临时演示用的中心电力系统。接着，爱迪生亲自指挥在曼哈顿市区安装了世界上第一个永久性商用中心电力系统的电力网和设备，并于1882年9月投入运行。虽然早期的电力系统充斥着各种问题，经过多年的努力，用中心电力站的电作为能源的白炽灯系统，才得与气灯并驾齐驱；而用于旅馆、剧院、商店等企业的一些独立电厂，很快就随爱迪生(世界最大发明家)的名声兴旺起来。

门洛帕克实验室在发展白炽电灯的试验中，曾获得一个偶然的发明，它超前于英国物理学家J.J.汤姆孙发明电子约15年。在1881～1882年间，一位青年工程师W.J.哈默在进行灯泡试验时，注意到在真空灯泡的正极附近有蓝色辉光，而在负极的灯丝和灯泡都发暗。这种现象最初被称为“哈默幻影”，但在1883年爱迪生申请灯泡专利后，被称为“爱迪生效应”。后来的科学家指出，这种效应应该用电子从热电极向冷电极的热离子发射来解释，而且这是电子管和电子工业的基础。

当曼哈顿的电力系统建设工作开始后，爱迪生把业务工作从门洛帕克迁到纽约城，门洛帕克的房产只用作家庭避暑。1884年8月，爱迪生的妻子玛丽健康恶化，不时发生精神错乱，最终死于“脑充血”，其实是肿瘤或溢血。妻子的去世和从门洛帕克迁出，可以算是爱迪生前半生的结束。

爱迪生实验室 1886年2月24日，爱迪生和俄亥俄州有钱的制造商之女、26岁的M.米勒结婚，那时他已有前妻的3个孩子。他为新婚夫人在新泽西州西奥兰治山顶上买下一所宅院，在其附近还修建了一所规模宏大的新实验室，他想把它建成一个世界上真正的研究基地。在那里，他生产了商用留声机，建立了电影工业和发展了碱性蓄电池。尽管如此，爱迪生业已度过了其生产周期的顶峰。他不善于经营和组织，他和少数亲近的助手和同事在一起，在亲密和相对无组织的环境下出色地工作；西奥兰治实验室相对于他的才能而言，目标过于分散，工作无计划地延伸。另外，他当时已是一个工业家，大部分的发明工作时间都被工业经营事务所占用，他忙于使电灯和留声机商业化，而且这时的电学发展，业已进入到需要有大学训练的数学家和科学家从事工作的阶段。尤其是爱迪生十几年来把精力用在像磁力采矿似的冒险尝试上，这当然会给他的事业带来失败。

在新实验室里进行的第一个重大课题，是1887年开始的留声机商业化的冒险工作。爱迪生原来的留声机已由贝尔和他的表兄弟奇切斯特，以及C.泰恩特等人改进，发展成为图线电话机，他们用镀蜡的纸板代替了锡箔。两年后，爱迪生宣称他已经“改善”了留声机，其实这不是事实。一直到19世纪90年代后期，当爱迪生在他的实验室附近，建立起生产和录音的设备，解决了一切机械问题以后，留声机才成为一种有利可图的商品。

这时，爱迪生意图把当时的“活动转镜”(即把一串连续动作的照片连接起来显示运动的装置)和留声机同步连结起来，以普及推广留声机。1888年，他把这任务交给W.K.L.迪克森，迪克森是他的一名爱好照相的雇员。爱迪生和迪克森在研究了欧洲许多正在研究记录动作的照相师的工作之后，做成了一架运转的摄影机和一架观影仪器，分别称之为活动电影摄影机和活动电影放映机。但在声音和影像的同步要求方面，困难重重。于是，只好放弃了声音和影像的同步要求，从而得到了无声电影。1893年，爱迪生在他的实验室里修建了世界上第一座电影舞台，绰号为“黑玛丽”；到第二年，那种用观望孔、一场电影只能一个人单独看的放映机，取得极大成功。互相竞争的发明家们很快就开发出了屏幕投射放映系统，打击了爱迪生的单孔放映机的商业效益。不过，爱迪生又很快从T.阿马特那里得到一种投射放映机，作为“爱迪生的最新奇迹，维他(个人)放映机”，向人们推销。

留声机的另一衍生物是碱性蓄电池，在当时很多家庭仍缺电的情况下，爱迪生用碱性蓄电池作为留声机的电源。虽然早在20年前，有关电池的一切难题，就都解决了，但到1909年，爱迪生才成为潜水艇和电动车电池的主要供应者，他甚至还为制造电动车专门建立了一个公司。1912年，H.福特是爱迪生的众多敬仰者之一，曾请爱迪生设计一个汽车自行启动器的电池，准备安装在T型汽车上。福特的要求导致这两个美国人建立起长期密切的关系。1929年10月，福特为爱迪生举行了白炽灯的50周年纪念会，把爱迪生的地位推到了顶峰。

爱迪生的成就多数和电或通信有关，但从19世纪80年代后期到90年代初期，爱迪生实验室的首要任务是研究磁力选矿机。他开始研究选矿机的原因是，在白炽灯的研究中要分选铂，这种机器是设想用来从含铁的沙中提取铂。在19世纪80年代，铁矿石价格飞涨，人们就想如果这种选矿机能从已不用的贫铁矿中提取铁，则许多废弃的贫铁矿就可恢复生产而获利。爱迪生在美国东部购进和取得145个老矿的开采权，在新泽西州奥格登斯堡附近的奥格登矿上建立了一个大型的试点厂。他不能克服工程中存在的问题，当90年代中期铁矿价暴跌时，他放弃了自己的设想。此后，他除了保留一小部分外，几乎把全部通用电气公司的股票变换现金，有时出价很低，而且一步步地远离了电灯行业。

不过，失败并没有使爱迪生的发明热情有所降低。虽然后期的发明计划没有一个比早期的更为成功，但他在80岁时仍坚持搞发明。

评价 爱迪生工作的推动力可以从成批的专利中看清：389项是关于电灯和电力的，195项是关于留声机的，150项是关于电报的，141项是关于蓄电池的，还有34项是关于电话的。他的一生和他的成就成为应用研究理想的缩影。他永远为实际需要而去发明，他的目标永远是某一种新的和可以自己制造的装置。他所发现的基本原理都是从实际实验中推导出来的，而且总是偶然的机遇，这样就和纯理论研究引导应用研究的传统观念完全相反。

爱迪生起初是一个机械车间的操作工和小工厂主，这是作为一位成功发明家的关键。他和当时其他科学家和发明家不同，他们都没有设备或手段，也缺乏机构的支持，而爱迪生则经营着一个发明企业。他并非生来是一个单干的发明天才，但是耳聋迫使他容易处于孤立的构思状态。他缺乏管理才能，但经常处于兴奋的工作状态中。他是独立自主的，在研究计划中总是顾前不顾后，突飞猛进，稍微谨慎些的人是绝对不会这样做的。一旦研究发明有了成果，立刻就会从他的脑袋中烟消云散，而又自由自在地去竭力开发新的计划了。他思想的积极自信程度，很少有人能与之相比。爱迪生从来不问能不能做什么，总是思考怎样去完成某一事物。

爱迪生的毕生事业，充满着美国人梦寐以求地通过刻苦努力和聪明才智，来克服穷困取得财富的奋斗气息，他成了普通美国人眼中的人民英雄。他有毫不抑制的自大狂气质，有时是他的雇员的暴君，有时又是他们很欢迎的娱乐同伴，只要和他在一起总是热热闹闹的。他被公认是乐善好施而且是很有礼貌的，但他不善于社交活动，而且忽视家庭生活。由于他伤害过与他合作的理论科学家的友好关系，所以一些有正规素养的科学家认为他是“反知识分子”的，其实在各个阶段，他都聘请过一些有名的物理学家如N.特斯拉和A.E.肯涅利等作为他的顾问。有关他的传说情况是自相矛盾的，一方面说他有雷厉风行的作风，一方面又说他有诸如随时随地打瞌睡等怪癖。在他35岁左右的时期，据说他是世界上最有名的美国人。当他去世时，向他致敬和默哀的人都把他看作是现代电世界技术革命和社会革命的奠基人。

Edison effect(physics) **爱迪生效应** 参阅 **thermionic emission** 热离子发射。

Edjo(Egyptian goddess) **埃乔** 参阅 **Buto** 布托。

Edkou(Egypt) 参阅 **Idkū** 伊德库。

Edlābād(India) **埃德拉巴德** 参阅 **Ādilābād** 阿迪拉巴德。

Edmer **埃德默**(约1060～约1128，英格兰肯特坎特伯雷？) 又拼 Eadmer。英国圣安塞姆传记的作者和历史学家，他叙述精当，信而可征，是记载12世纪坎特伯雷修道院生活的唯一可靠资料。出身富有家庭，但遭诺曼征服时的兵燹，家道中落。在坎特伯雷基督教堂里被抚养成人，后来成为一名僧侣。1093年安塞姆就任坎特伯雷大主教时，埃德默改在大主教官邸供职，大概充任秘书及官邸小教堂牧师。他曾随从安塞姆到罗马和克吕尼等地广泛旅行，并作为坎特伯雷大主教的随员参加巴里(1098)及梵蒂冈(1099)两地的宗教会议。1109年安塞姆逝去，此后至1114年间埃德默一度消沉。1119年返回坎特伯雷，跟随大主教拉尔夫。埃德默的两部巨著是《英格兰新政史》(约1115)和《安塞姆行述》(约1124)。前者为6卷本，记述自坎特伯雷所见之英格兰重大事件，尤其强调安塞姆在政府同教会间有关主教叙任权之争时所起的作用；后者则为安塞姆个人生活之权威性记载。埃德默在史料编纂方面的重要性表现在其观察入微，记述翔实，能在传记中以新鲜独到的笔触，更多着意于心理因素之揭示，从而对于主教叙任权之争所涉及的内容能提出清晰的解释且卓有见地。

Edmond **埃德蒙** 美国俄克拉何马州中部俄克拉何马县城市，在俄克拉何马城正北。1889年始有人定居。西埃德蒙油田位居世界最大油田之列。制造业有石油产品、饲料、面粉、混凝土预制件。设有州立中部大学(1890)。人口68 315(2000)。

Edmonton **埃德蒙顿** 城市，加拿大艾伯塔省省会。在本省中部，濒临北萨斯喀彻温河。最初由哈得孙湾公司于1795年建一皮货贸易站，起名埃德蒙顿堡，位于现在市傍河流的下游32千米处，以伦敦一个旧自治市名称命名。附近有奥古斯都堡，是西北公司在河对岸建设的贸易站。两个贸易站均于1810年弃置不用，后来沿河又另建5个贸易站。1864年后在市的位置上开辟一个商业区，经过1885年克里印第安人反叛幸存下来。1891年加拿大太平洋铁路修到附近斯特拉斯科纳(过河)和其后10年的后期联邦政府成功地使移民向西发展，埃德蒙顿开始作为农产品加工中心和集散地而繁荣起来。1905年，久盼的加拿大北方铁路修筑到该市，该市并定为新成立的艾伯塔省省会。1912年与斯特拉斯科纳合并。第二次世界大战期间作为修筑阿拉斯加公路的基地。1947年在勒杜克及随后在埃德蒙顿附近其他地区发现石油，极大地促进了城市和工业的发展。经济以农业和石油工业为基础，主要工业有伐木、面粉和肉类加工、制革、乳制品、炼油、石油化工和塑料制品的生产等。石油和煤气管道从本市通向四面八方。3条主要铁路连同国际机场使埃德蒙顿成为加拿大西北部的物资批发、零售和集散中心。阿萨巴斯卡大学(1972年建立的“开放大学”)的校本部设在此，另外有艾伯塔大学(1906)、北艾伯塔理工学院、艾伯塔省立博物馆、伊丽莎白女王天文馆和瓦利动物园。主要的立法大厦(1908～1912)圆屋顶上装有305只钟的编钟。克内尔桥南端的埃德蒙顿堡历史公园是原堡的复制品。每年举办一次农工业展览会、木克-露克狂欢节(为冬季运动狂欢会)和克朗代克节(每年7月举行以庆祝19世纪90年代的淘金热)。该市还拥有世界最大的购物中心之一。1892年建镇，1904年建市。人口：市666 104；都会区937 845(2001)。

Edmund **埃德蒙** 统治者之名，按国别分列于后，并各以●为标记。

与此字相等的外语：

盎格鲁-撒克逊语	Eadmund 或 Edmund
意大利语	Edmondo

东英吉利

● **Edmund 埃德蒙**（841或842～870-11-20） 东英吉利国王（855 即位）。绰号“殉道者圣埃德蒙”，身世不详。870 年丹麦人穿过麦西亚进入东英吉利，在塞特福德驻扎。埃德蒙与丹麦人猛烈交战，结果丹麦人获胜，他被杀。据传，他由于拒绝放弃自己的信仰或者不同意使自己的王国臣服异教统治者，被丹麦人用箭射死，成为殉道者。后被安葬在比多里斯沃斯（今西萨福克的伯里圣埃德蒙兹），他的圣祠颇为著名。后来有人虚构说他是大陆撒克逊人，生于纽伦堡，东英吉利国王奥发在前往罗马途中将他收为养子。

英格兰

● **Edmund I 埃德蒙一世**（921～946-05-26，英格兰帕克尔彻奇） 英格兰国王（939～946 在位），绰号“实干家埃德蒙”。他收复了被北欧海盗占领的英格兰北部地区。西撒克逊国王老爱德华（899～924 在位）之子，政治上统一英格兰的艾特尔斯坦国王（924～939 在位）的异母弟。艾特尔斯坦死后，都柏林的挪威人国王 O.格思弗里思逊占领了诺森伯里亚并袭击英格兰中部。格思弗里思逊死后，埃德蒙于 942 年收复英格兰中部地区，944 年重新占领诺森伯里亚，驱逐挪威人国王 O.西特里克松和雷格纳尔特。945 年占领斯特拉斯克莱德，并交给苏格兰国王马尔科姆一世统治，以换取后者的军事支援。从此，他开始推行建立安全边境和与苏格兰友好的政策。在位期间开始了 10 世纪英格兰隐修院制度的复兴。他在宫廷中被一个盗贼杀死。由其兄弟伊德雷德（946～955 在位）即位。

● **Edmund II 埃德蒙二世**（约993～1016-11-30） 英格兰国王（1016-04-23～11-30 在位），因坚决抵抗丹麦国王克努特的大举入侵而被称为“勇敢者埃德蒙”。艾特尔雷德二世（978～1016 在位）之子。1015 年违父命与当时占领英格兰领土的一丹麦贵族的遗孀结婚。但当 1015 年克努特入侵英格兰时，他在北英格兰招募军队，大肆掠夺不拥护他的地区。1016 年 4 月艾特尔雷德死后，伦敦的少数议员和市民拥戴他为统治者，而多数贵族在南安普敦拥立克努特为国王。他向克努特发动一系列的进攻，收复韦塞克斯，解了伦敦之围，但 10 月 18 日在埃塞克斯的阿兴顿被克努特打败。媾和后，他保留韦塞克斯，克努特则占领泰晤士河以北的土地。他死后，克努特成为英格兰的唯一统治者。

西西里

● **Edmund 埃德蒙** 参阅 **Lancaster, Edmund, 1st Earl of** 兰开斯特伯爵（第一）。

Edmund OF ABINGTON, SAINT **埃德蒙德（阿宾顿的），圣**（1175?-11-20，英格兰伯克郡阿宾顿～1240-11-16，法国苏瓦西） 学者和坎特伯雷大主教。1222 年任威尔特郡索尔兹伯里主教座堂牧师，1227 年应教皇格列高利九世的要求在英格兰为第六次十字军行动进行宣传，1233 年由格列高利九世提升为坎特伯雷大主教。不久就因保卫教会权利并抨击国王亨利三世对欧洲大陆的政策而与亨利三世发生冲突。贵族为了反抗亨利三世，最后转而支持他，于是产生内战危机。他以绝罚（开除教籍）威胁亨利三世，迫使后者将王后的野心勃勃的法兰西亲戚和盟友驱逐出境并停止执行他们所提出的计划。在埃德蒙德的要求下，亨利三世保证遵守英格兰的法律和风俗，采纳本国贵族的建议。1236 年亨利三世请求教皇向英格兰派遣使节。次年教皇使节枢机主教奥托到达，从此坎特伯雷大主教的权势衰落。亨利三世支持坎特伯雷众修士抵制他的权威，奥托也不支持他而保持沉默。埃德蒙德向亨利三世提出抗议，并将侵犯他主教特权的人一律处以绝罚。他出发前往罗马，准备向教廷申诉，但因健康不佳而滞留苏瓦西死于该地。

Edmund OF LANGLEY **埃德蒙（兰利的）** 参阅 **York, Edmund of Langley, 1st Duke of** 约克公爵（第一）。

Edmund OF WOODSTOCK **埃德蒙（伍德斯托克的）** 参阅 **Kent, Edmund Plantagenet, 1st Earl of** 肯特伯爵（第一）。

Edmunds, George Franklin 埃德蒙兹（1828-02-01，美国佛蒙特里士满～1919-02-27，加利福尼亚帕萨迪纳） 美国参议员和宪法律师，在 1/4 世纪内参与了当时最主要的立法活动。曾任佛蒙特州共和党众议员和参议员，1866 年进入美国参议院。他作为参议院司法委员会主席（1872～1879，1882～1891），曾积极参与弹劾 A.约翰逊总统。他还是决定 1876年总统选举结果的选举委员会委员。1882 年的禁止一夫多妻制法以他的名字命名。他也是《谢尔曼反托拉斯法案》（1890）的主要起草人。1891 年离开参议院，重操律师业，经手过许多重大案件。

Edmundston 埃德门兹顿 加拿大新不伦瑞克省西北部城市，马达沃斯卡县县城（1873）。在圣约翰河和马达沃斯卡河汇合处。约 1785 年始有人定居。1848 年用今名纪念当时省督埃德蒙德·黑德爵士。所产纸浆经管道外运。当地木雕和手工编织出名。有蒙克顿大学圣路易斯-马耶分校（1946）。1905 年设镇；1952 年设市。人口 10 835（1991）。

Edo 埃多人 又称比尼人。尼日利亚南部诸民族之统称，操非洲尼日尔-刚果语系贝努埃-刚果语支的语言。21 世纪初约有 380 万。居住地在尼日尔河以西，北起丘陵地带、南达尼日尔河三角洲的沼泽地区。埃多一名也是当地对贝宁城的俗称；贝宁城是贝宁王国的中心，王国在公元 14～17 世纪间一度繁荣昌盛。参阅 **Benin**。埃多人聚居在人口密集的“村落”里。村落的大小不一，有几十人的小村，也有数千人的城镇。他们主要以薯蓣为生，辅以玉米、大蕉、木薯及其他蔬菜；主要的经济作物有橡胶、可可、棕榈产品、木材等。埃多人养殖的家畜有山羊、绵羊、狗，还有家禽；不过这些大多用作祭祀的献祭品，而不用作一般的食品。铁匠、铸铜工、木雕工、皮革工以及礼仪织物的纺织工等，都是手工业专门人才。村落是埃多人政治生活的基础。各村男性人口分为 3 个年龄组。男孩自十三四岁起即加入初级年龄组，从事一些如清扫街道和照管公共建筑物的公益性劳动。中级年龄组的成员要担任一些比较艰巨的任务，如覆盖屋顶和担任村落议事会的一些行政性职务。老年组成员则是议事会的组成人员。议事会负责决定一些有关税收、集体任务、宗教仪式、同中央政府联络及其他社区利益的问题。村落的头人为非世袭职务，多由村中最年长的男性成员充任。头人兼任祭奠祖灵及大地诸精灵的祭司。从前埃多人有一名“圣王”，他是国家政治、经济及祭祀典礼的首脑。圣王一职为世袭，由长子继承。现在许多埃多人都是基督教徒或穆斯林。不过仍有人信仰传统的宗教，包括远古的造物主以及一些次要的神祇、神话或半神话式的英雄和死者的灵魂等。

Edo 江户 日本城市。16世纪90年代曾为德川家康幕府大本营所在地。明治维新时（1868）首都迁此，改称东京。参阅 **Tokyo**。

Edo period (Japanese history) **江户时代** 参阅 **Tokugawa period** 德川时代。

Edom 以东 参阅 **Esau** 以扫。

Edom 埃多姆 古代地区名，与古以色列相邻，在今约旦西南部，死海与亚喀巴湾之间。埃多姆人约公元前 13 世纪在此居住。他们虽与以色列人关系密切（根据《圣经》，他们是以扫的子孙），但常发生冲突。埃多姆由于地处阿拉比亚和地中海的商道上，又有铜工业，曾一度繁荣。埃多姆人后被纳巴泰人征服，移居犹太南部。

Edred (English king) 参阅 **Eadred** 伊德雷德。

Edric STREONA (early English ealdorman) 参阅 **Eadric Streona** 伊德里克（斯特奥纳）。

Edson, Katherine Philips 埃德森（1870-01-12，美国俄亥俄肯顿～1933-11-05，加利福尼亚帕萨迪纳） 婚前名 Katherine Philips。美国改革家、公职人员。在芝加哥一个音乐学院学习期间结识 C.F. 埃德森，1890 年两人结婚，定居于加利福尼亚安蒂洛普瓦利，在那里积极从事争取妇女选举权运动。1900 年移居洛杉矶，加入星期五早晨俱乐部，并参与公共事务。1910 年当选为加州妇女俱乐部联盟理事，任职 6 年。1912 年当选洛杉矶宪章修订委员会委员，成为进入全国城市联盟执委会的首位妇女。此外，还担任进步党州中央委员会委员。1912 年任加州劳工统计局特别代理人，从事州劳工法缺陷及违法情况调查。她起草的《综合工资工时法》由立法机关于 1913 年颁布执行。此后，她成为设定标准工时、工资和工作条件的工业福利委员会委员，1916 年任执行委员。第一次世界大战期间，任联邦政府加州劳资调解员和海军劳动条件检察员及调解员。1921年任华盛顿限制军备会议美国代表团顾问。1927年任加州工业福利部负责人。1932年当选全国妇女选民联盟董事。

education, elementary 参阅 elementary education 初等教育。

education, higher 参阅 higher education 高等教育。

education, preschool 参阅 preschool education 学前教育。

education, secondary 参阅 secondary education 中等教育。

education novel **教育小说** 18世纪末19世纪初流行的一种小说类型,在小说里为年轻人提出教育方案。与 Bildungsroman(描写主人公成长过程的德国教育小说)相似,但是在人物和情节发展方面不及后者,范围也较窄。H. 布鲁克的《上流傻瓜》和 J.-J. 卢梭的《爱弥儿》属于此类小说。

educational psychology **教育心理学** 现代心理学中涉及与学生的教学和训练有关的学习过程和心理问题的理论研究分支。主要研究课题有:学生的认知发育问题和影响学习过程的各种因素,如适应能力、学习测量、创造过程以及影响师生关系的情绪问题等。教育心理学对优化教学来说,是一门半理论性、半实用性的学科。教育心理学和学校心理学不同,后者是一门专门用来优化中小学学校教育的实用学科。教育心理学的历史可向前追溯到著名的英国科学家、优生学的奠基人 F.高尔顿(1822～1911)和美国心理学家 S.霍尔(1844～1924)。前者曾对联想和感知活动的理论和实践研究做出了重要贡献;后者对此的贡献是其重要论文《儿童心理要旨》(1883)。但公认的教育心理学的领袖人物是美国教育家和心理学家 E.L.桑代克(1874～1949),为准确地了解儿童的智力和学习能力,他设计并制定了切实可行的测量、测验技术。他认为:在一种活动氛围内学到的东西能否适用于另一种氛围,这要看这两种氛围有没有共同的成分,这就是所谓"训练的转移"理论。

educational system **教育制度** 一个社会赖以传授知识和文化遗产以及影响个人社会活动和智力发展的那些正式学校、机构和组织的总格局。任何一种教育制度都是在变化过程中形成的,都是随着所处社会的政治、经济、科学、文化和各种势力的趋势而不断处在改进与革新之中。但也有教育思想、教育实施与教育结构常常是部分、甚至全部来自别国的实例。因此教育制度的研究显然是一个叙述与分析相结合的复杂程序,既需深入了解其历史背景,又需充分了解其现状。

从行政结构与管理权限的角度来看,教育制度可分为中央集权与地方分权两种。大多数国家设有通常称做教育部或教育与文化部的中央政府机构,它既掌握各地区教育的组织、行政、经费和监督的大权,又对全国教育法令、学校课程编制、人事安排以及教材和教学法的审核具有很大程度的决定权。法国、意大利、丹麦、瑞典、挪威、比利时、荷兰、希腊、阿根廷、巴西和萨尔瓦多诸国的教育制度属于这种集权制的范畴。但自从第二次世界大战结束以来,大多数集权制的国家愈来愈多地将教育行政管理权下放给地方政府。在另外一些国家,教育则由各行政区分别管理。瑞士、美国、德国、印度、加拿大与澳大利亚的教育制度属于这种地方分权制的范畴。另外尚有一种介乎上述二者之间的由中央与地方共同负责的教育制度。目前英国的教育行政管理制度是1944年教育法令规定的,它规定有关教育方面的最后决定权属于中央教育与科学部(以前称为教育部),但直接的行政管理责任则由各地方教育当局担负。日本的教育制度在某种程度上也属于这种共同负责制的范畴。在许多国家与地区,如西班牙、爱尔兰、加拿大的某些省份以及巴基斯坦一类穆斯林国家,宗教和教派势力控制着学校管理。在美国,教会开办的学校则自成系统,受教派控制。各种教育制度的形成和变化都有其历史根源和时代背景,其中起重要作用的是民族传统、政治思想、语言、宗教等。在美国,曾由于对黑人的歧视,导致许多学校实行种族隔离;在英国,曾由于印度、巴基斯坦、西印度群岛等移民的大量涌入,引起了课程、语言和机会均等诸方面的问题;在南非,也曾由于种族隔离政策,带来了分别属于白人、黑人、有色人与亚洲人的四种教育系统同时并存的教育体制;在加拿大的魁北克省,培训和选用教师、编写教科书等都须考虑使用英、法两种语言教学的问题;瑞士则面临用四种官方语言教学的需要。一个国家的政治发展对其教育制度有决定性的作用。极权主义的政府必然采取集权的教育制度。在纳粹统治下的德国,犹太人与其他一切非雅利安人都被剥夺了接受高等教育的权利。法西斯时代的意大利当局则把"信仰、服从、战斗"与"墨索里尼永远正确"等愚弄人民的政治教条贯穿在整个教育之中。在第二次世界大战结束后工党执政时期的瑞典掀起了以综合中学这种方式的教育替代双轨制教育,减少私立学校影响的运动,其目的在于扩大教育机会均等。宗教有力地影响着一个国家的教育事业。到最近为止,许多学校系统都是从宗教的意识形态来制定他们的教育目标和教育内容的。在诸如西班牙、意大利等信奉天主教的国家,宗教教育一直持续不衰;就是在德国、英国、丹麦与挪威等国,宗教也仍是必修课程。法国已于19世纪末期就不准在公立学校讲宗教课。在苏联,宪法规定学校里都不设宗教课,但当时的社会主义国家波兰则仍准学校教授宗教。在美国则存在着世俗化的由政府供给教育经费的公立学校与由教会支持的私立学校并驾齐驱的双轨教育制。美国根据宪法的第一次修正案的精神,不支持宗教在教育方面的活动,但有些州却准许给教会学校的学生以经济补助,又有些州从税收中给这类学校提供基金。

从教育倾向和前景的角度看,下列几种情况值得指出:①发展中国家的现代化过程中出现了"人才流失"的问题。这些国家为了加速现代化,选派学生和专业人员到发达国家学习先进的科学技术,这已成为一种教育制度。但这些学员到达这些国家后,认为那里的社会经济条件较本国更有利于自己未来的发展,而不愿回国帮助祖国人民实现国家现代化的目标。为了纠正这种倾向,发展中国家应大力发展本国的大学,拓展就业机会,表扬本国学者取得的学术造诣和成就,以逐渐减少对工业化国家的依赖,而不派或少派留学生出国学习。②从20世纪50～70年代,各国政府和社会对科学技术的重视引起了各级教育机构的及时响应。理论科学和应用科学的惊人进步也激起了人们学习自然科学的兴趣。但与此同时,却忽视了对人文科学和社会科学的学习,因而男女老少对社会准则和道德观念也就漠然置之。其结果是:地方、民族和国际间的暴力冲突层出不穷,环境污染日趋严重,给人类带来了各种危险。为今之计,各国政府的教育预算必须纠正重科技轻文科的错误倾向,在生活和教育中恢复人文主义的价值,以谋求物质文明与精神文明的平衡发展。③近年来一个值得注意的趋势就是人们已日益关注学前教育。特别是幼儿园时期以前的教育,并为这种教育增添了设备。有些国家不仅出于教育原因,而且出于社会经济原因,都重视幼儿教育。20世纪20年代在英国办起的托儿所近年来已普及全世界,而各国也将承认托儿所是国家教育制度的一个基本组成部分。④随着新的传播媒介的发展,各国人民都越来越了解它对教育的作用和影响。无线电收音机、电视机、幻灯投影机、录音机和电影等都可发挥传播知识和消息的巨大功用。现在许多国家也都使用电子计算机等进行教学工作。当然,这些新的设备需要巨款,非贫穷国家和地区所能置办。此外,有些教育家认为使用这些传播媒介并不是有利无害的,因为这些媒介既可传播真理,也可传播谬论;既可帮助人的理解,也可助长人的误解。但总的趋势是这些新的传播媒介必将继续不断地在教育过程中起着一定的辅助作用。⑤科学技术对现代人的精神和眼界有着日益增长的影响。先进国家的工作人员,由于生产的自动化,缩短了工作时间。在这种情况下,人们不仅意识到人的精神和心灵有从单调机械的生活中解放出来的必要,而且也认识到善用业余时间的重要意义。许多教育家有鉴于此,就更加考虑到成人教育和自由时间活动的重要性。但在发达国家中,似乎至今还没有普遍地充分利用业余时间从事有益的娱乐活动,发展文化和提高教育水平。

Edward **爱德华** 统治者之名,按国别分列于后,并各以●为标记。

与此字相等的外语:

盎格鲁-撒克逊语	Eadweard 或 Eadward
葡萄牙语	Duarte

英格兰:韦塞克斯

● **Edward** **爱德华**(?～924-07-17,英格兰迪河畔法恩登) 英格兰的盎格鲁-撒克逊国王,绰号老爱德华。阿尔弗烈德大王之子。899～924年西撒克逊(即韦塞克斯)的统治者，通过征服被丹麦侵略者占领的地区，将其统治权扩大到几乎英格兰全境。899年10月其父死后继位。902年他的军队在作战中杀死与他争夺王位的艾特瓦尔德。他在泰滕豪尔击败诺森伯里亚的丹麦人以后，于912年8月出征英格兰中部地区东部和东英吉利的丹麦人。910～916年他在韦塞克斯王国周围建造一系列设防的围墙。同时，他的姐妹、麦西亚女王艾特尔弗拉德也在英格兰中部地区西北部建造很多堡垒。917年两人联合发动大规模的进攻，迅速打垮东英吉利的全部丹麦军队。918年6月艾特尔弗拉德去世，由他控制麦西亚。同年底，中部诸郡的丹麦军队完全投降。这时，他的王国包括亨伯湾以南的英格兰全部领土。920年平定诺森伯里亚。在其子艾特尔斯坦的统治时期，英格兰实现完全的政治统一。

英格兰与联合王国

●**Edward　爱德华**（约963～978-03-18，英格兰科夫）　英格兰国王，975～978年在位期间实行了与其父埃德加国王（959～975在位）支持隐修院制度相反的政策。埃德加死后，有一派人企图拥立幼子艾特尔雷德，但爱德华迅速被立为国王。在麦西亚郡长艾尔弗赫尔领导的反隐修院浪潮中，他显然未起多大作用。他在科夫访问其弟艾特尔雷德时被暗杀，后者继位成为艾特尔雷德二世。爱德华之死引起了广泛的哀悼，据说他曾经显灵。1001年被宣布为殉道者，故别称"殉道者圣爱德华"。

●**Edward　爱德华**（约1003，英格兰艾斯利普～1066-01-05，伦敦）　英格兰国王（1042～1066）。绰号"忏悔者圣爱德华"。作为君王虽碌碌无为，大权旁落，但以虔诚著称，得以保持国王的尊严。与诺曼底联系密切，遂为1066年诺曼底公爵威廉（后为国王征服者威廉一世）征服英格兰铺平了道路。艾特尔雷德二世之子。1013年丹麦人入侵英格兰时举家逃往诺曼底。翌年同一些使臣回国进行谈判，使其父重新执政。1016年父王死后，丹麦人又控制英格兰。他流亡到诺曼底，直至1041年才回伦敦。1042年继承王位。但在当政初期的11年中，由韦塞克斯伯爵戈德温掌握实权。1045年与戈德温之女伊迪丝结婚。1051年放逐戈德温家族，并休弃了伊迪丝。他由于将政府中的高官职位给予外国人（特别是诺曼底人）而迅速失去民心。1053年，戈德温聚集大量兵力反对他，迫使他恢复戈德温家族领地，并放逐许多异族宠臣。同年戈德温死后，其子哈罗德成为左右王国的人物。正是哈罗德而不是爱德华于1063年征服了威尔士，并在1065年同反叛的诺森伯里亚人进行谈判。因此，爱德华临死前指定哈罗德为他的继承人。但据说他曾答应由威廉继位。1066年10月威廉在黑斯廷斯战役中杀死哈罗德，两个月后登上王位。

●**Edward I　爱德华一世**（1239-06-17，英格兰米德尔塞克斯威斯敏斯特～1307-07-07，坎伯兰卡莱尔附近巴勒-拜-桑兹）　英格兰国王（1272～1307），绰号"长腿爱德华"。在位期间民族觉醒日益高涨，他加强王室和议会力量，反对旧的封建贵族；征服威尔士，但未能征服苏格兰。以提高行政效率和进行司法改革而著称：制订一系列加强王室地位的法规；厘定并修正英格兰习惯法，因而获得"英格兰的查士丁尼"的称号。

他是国王亨利三世与普罗旺斯的埃莉诺的长子。1254年获得加斯科涅公爵领地、法属奥莱龙岛、海峡群岛、爱尔兰、威尔士王室领地、切斯特伯爵领地，以及数座城堡。1254年10月与莱昂和卡斯蒂利亚国王阿方索十世之妹埃莱诺结婚。此后在波尔多经营各处的封地。1255年11月返回英格兰。他试图在威尔士领地实行英格兰政制，威尔士人不满，求助于圭内斯君主卢埃林（阿普·格鲁菲德）。1255年他进攻卢埃林，惨败。1263年，父王亨利与贵族发生内战。爱德华在刘易斯战役（1264-05-14）中兵败投降，成为人质。1265年5月逃脱，率保王军在塞文河畔诱杀贵族首领蒙特福特，挽救了亨利。亨利将政府实权交予他。他实行极端的报复政策，再次引起反叛。最后，在教皇使节奥托博诺和康沃尔伯爵等温和派敦促下，亨利实行温和政策，叛乱方才弥平。1270年8月启程参加十字军东征，虽以英勇闻名，但并无所获。返国途中得知亨利三世去世。1272年11月20日英格兰贵族一致宣誓效忠于他，他于1274年8月19日在威斯敏斯特加冕，时年35岁。

他英勇善战，有领导才能，讲求效率，擅于用权。谈判中能够忍让，愿听取善意忠告。在他信任的大臣R.伯内尔和王后去世前，他性格中好的一面占上风，因而在大约1294年以前取得很大成就。此后，由于失去家庭温暖和再听不到公正的劝告，性格变坏，一味独断专行，并不自量力地发动了对法国和苏格兰的战争。

他认识到议会的重要性，但并非愿与臣民共享王权，而是利用日益高涨的民族意识加强王权。1275～1307年，以各种方式使骑士和市民进入议会。1295年召开有各郡、各自治城市和下层教士的代表参加的议会，被誉为"模范议会"。到1307年，有广泛人士组成的议会已成为英格兰政治生活的特点。他利用议会和其他参议机构巩固和改革各项司法和行政事务。1275～1290年颁布的主要应归功于伯内尔的各项法规是他在位时期的光荣成就，开创了英格兰政治的新时代。在诸多旨在提高行政效率的法规中，最著名的如限制特权的《格洛斯特条例》（1278）和《权力令状》（1290）；最终有助于削弱封建制度的土地立法第2个（1285）和第3个（1290）《威斯敏斯特条例》；限制教会团体获得土地的《永久管业权条例》（1279）；加强警察制度以维护公共秩序的《温切斯特条例》（1285）；实际关注贸易和商人的《阿克顿·伯内尔条例》（1283）和《商人条例》（1285）等。

当时威尔士是一自治公国，在卢埃林（阿普·格鲁菲德）领导下不断扩张。亨利三世由于国内困难曾不得不承认卢埃林所取得的成果。但爱德华借口卢埃林不行效忠仪式，于1277年进攻威尔士，包围卢埃林于斯诺登尼亚，卢埃林粮尽投降。他在征服的地区设立郡制，激起反叛。他再次征服该公国，杀死卢埃林（1282）及其兄弟戴维（1283）。根据1284年的《威尔士法令》，完成了对威尔士的改组。1294～1295年叛乱又起，再次遭残酷镇压。

1290和1292年王后和伯内尔相继去世，他痛失两位良辅。由于征服和镇守威尔士，已使民穷财尽，对苏格兰和法国的战争，更使他走向垮台。1297年爱德华渡海进攻法国，但贵族拒绝为他收回加斯科涅而作战。W.华莱士又在苏格兰发动起义，他被迫回师。1299年与腓力四世缔和，并与腓力之妹玛格丽特结婚，最终才收复加斯科涅公爵领地。他破坏了100多年来与苏格兰的友好关系，开始了两国长达250年之久的强烈仇恨。1286和1290年苏格兰国王亚历山大及其孙女相继去世，继承绝嗣。要求王位者甚多，苏格兰贵族请爱德华裁定。他强迫苏格兰贵族承认他的宗主权，然后才确定J.巴利奥尔为王。他坚持拥有司法权，引起苏格兰贵族不满，巴利奥尔改与法国结盟。1296年，爱德华侵占苏格兰，将象征苏格兰王位的斯昆石移往威斯敏斯特。1297年华莱士领导起义，爱德华虽在福尔柯克获胜（1298-07-22），但战争旷日持久，未能制服反叛（1298～1303）。连年征战，引起他与贵族之间的不和。1297年后他先后与坎特伯雷大主教J.佩切姆和R.温切尔西在教会自由和司法问题上发生激烈争吵。1297年温切尔西奉教皇卜尼法斯八世谕，拒绝爱德华向教士征税的要求，爱德华宣布教士为非法。此时，贵族拒绝执行他进攻加斯科涅的命令，并在他前往佛兰德之时迫使摄政批准自由宪章，并附加禁止任意课税的条款（1297），结果他不得不放弃战争，同法国讲和。1303年他再次进攻苏格兰，翌年占领斯特灵。1305年处决华莱士。但在苏格兰即将降服之时，布鲁斯家族的罗伯特一世重新起来造反，并于1306年加冕为王。爱德华再次进军苏格兰，途中死于卡莱尔。

●**Edward II　爱德华二世**（1284-04-25，威尔士卡那封郡卡那封～1327-09，英格兰格洛斯特郡伯克利）　英格兰国王（1307～1327），绰号"卡那封的爱德华"。虽能力有限，但为了

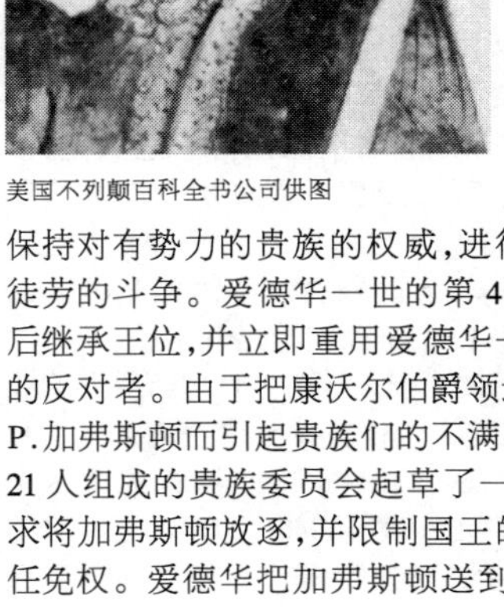

美国不列颠百科全书公司供图

保持对有势力的贵族的权威，进行了长期而徒劳的斗争。爱德华一世的第4子，父王死后继承王位，并立即重用爱德华一世最主要的反对者。由于把康沃尔伯爵领地赐给佞臣P.加弗斯顿而引起贵族们的不满。1311年由21人组成的贵族委员会起草了一个法令，要求将加弗斯顿放逐，并限制国王的财政权和任免权。爱德华把加弗斯顿送到国外，但不

久即允许他归国。作为报复，贵族们将加弗斯顿处决(1312-06)。爱德华为了废除上述法令，不得不隐忍11年。在此期间，苏格兰国王罗伯特一世企图摆脱英格兰的霸权。1314年爱德华率兵侵入苏格兰，但于6月24日在班诺克本被彻底击败。苏格兰最终获得独立。爱德华从此只好听从兰开斯特伯爵为首的一派贵族的摆布。到1315年，兰开斯特伯爵已经成为英格兰真正的主宰。但到1318年以彭布罗克伯爵艾默·德·瓦朗斯为首的一批温和的贵族又凌驾于兰开斯特伯爵和国王之上。这时，爱德华又有了两名新的宠臣——德斯彭瑟父子。当国王支持小德斯彭瑟在威尔士获得领地的野心时，兰开斯特伯爵将德斯彭瑟父子放逐。爱德华以武力支持德斯彭瑟父子，1322年3月在约克郡巴勒布里奇俘获兰开斯特伯爵，将其处决。爱德华摆脱贵族的控制以后，立即废除了贵族委员会的法令。然而，他对德斯彭瑟父子的依从引起王后伊莎贝拉的不满。1325年伊莎贝拉衔外交使命去巴黎时，成为反对爱德华的贵族R.莫蒂默的情妇，并将爱德华派贵族放逐。次年9月，他们两人入侵英格兰，处决德斯彭瑟父子，废黜爱德华二世，让他的儿子继位，称爱德华三世。爱德华二世被监禁，1327年9月可能死于暴力。

● **Edward III　爱德华三世**(1312-11-13，英格兰伯克郡温莎～1377-06-21，萨里希恩)　英格兰国王(1327～1377)，绰号"温莎的爱德华"。领导英格兰进入与法国的百年战争。他的后代争夺王位数十年，尤以玫瑰战争(1455～1485)为烈。他是爱德华二世和伊莎贝拉(法国的)(**Isabella of France**)之长子。1320年作为切斯特伯爵进入议会，1325年封阿基坦公爵，但始终未按传统获得威尔士亲王称号。在父王与贵族的权力斗争中长大。其母在这场斗争中扮演重要角色。她于1325年返法，与其情夫、逃亡贵族R.莫蒂默策划侵英，废黜其夫。爱德华站在母亲一边。王后军入侵英格兰后，压倒王军，以不称职和破坏加冕誓言的罪名迫使爱德华二世逊位。1327年1月29日，15岁的爱德华三世加冕为王，由伊莎贝拉和莫蒂默操纵朝政。1327年夏爱德华对苏格兰作战无功，在伊莎贝拉和莫蒂默极力促使下，他被迫缔结《北安普敦条约》(1328)，承认苏格兰为独立的王国。不久，他成功地摆脱了对母后和莫蒂默的依赖。乘一次会议在诺丁汉召开之机，夜间经由地下通道进入城堡，擒获莫蒂默，将其处死(1330-11)。伊莎贝拉的政治影响从此告终。

年轻力壮的爱德华三世谋求重振国威。他对《北安普敦条约》让苏格兰独立耿耿于怀。1329年苏格兰国王罗伯特一世去世，新王戴维二世年幼，爱德华乘机扶立流亡的苏格兰贵族首领E.巴利奥尔为苏格兰国王。戴维逃往法国，但巴利奥尔作为傀儡国王为国人所不齿，1341年戴维重返苏格兰。

14世纪30年代，英格兰对加斯科涅的统治以及法王腓力六世支持苏格兰使英格兰和法国互相敌视。1339和1340年爱德华两次入侵法国，均告失败。1340年1月，他自称为法国国王(直至1801年每位英格兰国王均自称为法国国王)。从此开始了历史上著名的英法百年战争。1340年6月爱德华亲临在斯勒伊斯附近的海战，几乎全歼法国海军。但因财源枯竭，他不得不缔结停战协定，返回英格兰。1342年后，爱德华重修温莎城堡和设立嘉德勋位。1346年7月爱德华与长子爱德华亲王("黑太子")在诺曼底登陆，8月26日在蓬蒂厄的克雷西击溃腓力六世的军队，取得决定性胜利。在加斯科涅和布列塔尼还取得另外一些胜利，击败并在达勒姆附近的内维尔渡口俘获戴维二世。经一年围困占领加来城(1347-08)后，他驱逐大多数法国居民，让英格兰人移居该处，建立进一步入侵法国的基地。正当胜利之际，又因财力不济，被迫于1347年9月再次停战。10月爱德华返英，举行一系列盛大赛事庆祝胜利。1348年他拒绝加冕为神圣罗马帝国皇帝。此时，议会下院对战争已经厌倦，但和平努力毫无结果。1355年爱德华袭击加来，大规模军事行动再次开始。1356年1～2月在以"燃烧的圣烛节"而闻名的远征中，他洗劫了苏格兰东南部的洛锡安地区，苏格兰国王巴利奥尔正式投降。"黑太子"则在普瓦捷获胜(1356-09-19)，俘虏法王约翰二世，再次迫使法国停战。爱德华通过《伦敦条约》(1359)强迫约翰割让更多的领土。为迫使法国履约，他进一步施加压力，在加来登陆，包围兰斯，并计划在该地加冕为法国国王。但遇到顽强抵抗，计划受挫，遂进军勃艮第，最后回师巴黎。征讨的失败，使他最后只好以法国损失较轻的《加来条约》取代《伦敦条约》，10月经双方批准。根据条约，爱德华放弃对法国王位的要求，但得到法国西南部富庶的整个阿基坦地区。但此条约并未给两国带来持久的安宁或繁荣。当法王约翰二世之子查理五世拒绝接受《加来条约》后，爱德华重新使用法国国王的称号。然而此时他已没有以前那样的精力对付新的困难，遂将作战和治理国外领地的事交给儿子们和兰开斯特公爵冈特的约翰处理。面对法国民族意识高涨，对法斗争一无所获。阿基坦一步步被丢失，"黑太子"因病返英(1371)。爱德华最后打算亲征(1372)，因逆风而宣告失败。1375年与法国停战，直至其去世。爱德华晚年昏聩，1369年王后去世，他完全处于情妇佩雷尔斯的影响之下。宫廷中"黑太子"和冈特的约翰分成对立两派。约翰在佩雷尔斯帮助下控制着爱德华，虽遭议会反对，但1376年6月8日"黑太子"去世，约翰掌权直到爱德华去世。

爱德华具有非凡的精力，是一位优秀的战术家和骑士。他的宫廷在当时的欧洲最为显赫。他本人无愧为骑士首领，在对法战争中功勋卓著，而且开明、仁慈、和蔼、平易近人，是一位不错的英格兰统治者。弱点是反复无常，奢侈放纵，挥霍无度。

● **Edward IV　爱德华四世**(1442-04-28，法国鲁昂～1483-04-09，英格兰威斯敏斯特)　又称马奇伯爵。英格兰国王(1461～1470-10，1471-04～1483)，约克家族与兰开斯特家族之间的玫瑰战争的主要参加者。约克公爵理查德之子。理查德是14世纪英格兰国王爱德华三世的后代，曾领导反对亨利六世的叛乱，1460年12月被杀。爱德华在威尔士纠集军队打败亨利的支持者(称兰开斯特派，因亨利是兰开斯特公爵冈特的约翰的后代)。1461年6月28日在伦敦加冕。这时，爱德华只关心搏斗、饮酒、女人和庆典。朝政主要依靠沃里克伯爵内维尔。在爱德华统治初期，内维尔为英格兰最有权势的人物。1464年5月1日爱德华同年轻寡妇E.伍德维尔秘密结婚后，与伍德维尔的兄弟姐妹以及前夫之子组成对抗内维尔家族的权贵集团。内维尔逐渐失去影响，在法王路易十一的怂恿下进行反抗，1469年7月将爱德华俘获下狱。由于有很多人支持爱德华，同年10月内维尔不得不将他释放。内维尔逃往法国，与兰开斯特家族和路易结盟，1470年9月入侵英格兰。爱德华偕一些忠诚的支持者逃往尼德兰。他得到勃艮第的查理的援助，于1471年3月返回英格兰，占领伦敦，4月14日在巴尼特击败并杀死内维尔。同日，亨利六世之妻玛格丽特也同她唯一的儿子威尔士亲王从法国返英，在多塞特登陆，希望在威尔士得到兰开斯特家族的支持。双方强行军争先到达威尔士。结果爱德华赶上并摧毁了玛格丽特的军队，几乎所有兰开斯特家族的领袖被杀。爱德华于1474年积极备战，1475年率领大军入侵法国。后来订立《皮基尼条约》，爱德华同意从法国撤军，条件是法国向他支付7.5万金克朗和每年5万金克朗的年金。1475年以后，由于同法国、勃艮第和汉萨同盟缔结贸易协定，英格兰的经济得到惊人的复苏，关税和其他收入都大量增加。爱德华本人也成为商人，他用自己的和外商的船只运输货物。他改进税收，实行有效审计。在位最后10年改进了法律的实施。当时的历史学家认为这是一个取得繁荣和成就的时期。1482年法王路易十一撕毁《皮基尼条约》，爱德华准备再次进攻法国。但未待起兵，便在威斯敏斯特病逝，是年仅40岁。

● **Edward V　爱德华五世**(1470-11-02?，伦敦～1483?)　英格兰国王(1483-04～06)，被国王理查三世废黜，并可能被理查三世杀害。爱德华五世是国王爱德华四世和王后伊丽莎

爱德华五世(右下)及其父母爱德华四世和伊丽莎白(伍德维尔)

美国不列颠百科全书公司供图

白(伍德维尔)存活的儿子中最年长的。当他父亲一度被废黜而流亡尼德兰时,他出生在威斯敏斯特教堂。1471年6月,爱德华四世击败他的敌人重新获得王位后,年幼的爱德华成为威尔士亲王。1473年爱德华和他母亲被送到什罗普郡拉德洛,以便在名义上统治威尔士以及威尔士和英格兰的边界地区。此后,当他父亲在位时期,除了一些短暂时间外,他似乎一直住在拉德洛。1483年4月9日爱德华四世死后,12岁的爱德华成为国王,由叔父格洛斯特公爵理查摄政。格洛斯特与控制爱德华五世的伍德维尔家族的贵族们互相倾轧,公爵逮捕伍德维尔派的领袖们,并把爱德华和他弟弟掌握在自己手中。两个王子被安排住在伦敦塔里,当时那里既是王府又是监狱。爱德华五世的短暂统治于6月26日结束。当时召开的上院贵族与下院议员的会议接受了格洛斯特的论点,他说爱德华四世的婚姻是无效的,因而爱德华四世的孩子是非法的。会议宣布格洛斯特为国王理查三世。不久,两个王子就从伦敦塔永久失踪。有可能他们是在1483年8月被理查派去的人谋杀,但也有人把这一罪行归咎于有势力的白金汉公爵H.斯塔福德和理查三世的继承人国王亨利七世。1674年在伦敦塔中发现的遗骸被认为是爱德华和他弟弟的。

●**Edward Ⅵ　爱德华六世**(1537-10-12,伦敦～1553-07-06,伦敦)　英格兰和爱尔兰国王(1547～1553)。亨利八世国王唯一合法的儿子,出生12天即丧母。天性聪明,幼年即

美国不列颠百科全书公司供图

熟谙希腊文、拉丁文、法文和神学。亨利八世于1547年1月28日去世,爱德华继承王位。亨利八世曾命令在爱德华的未成年期由摄政会议管理政府;但实际上爱德华的舅父萨默塞特公爵E.西摩独揽大权,称为护国公,直到1549年被沃里克伯爵J.达德利(不久成为诺森伯兰公爵)所推翻。诺森伯兰以年轻国王为幌子,把持朝政。不过萨默塞特和诺森伯兰所采取的巩固英国宗教改革的措施是与爱德华本人笃信新教相一致的。1553年1月,爱德华表现出结核病的初期征兆,到5月已明显看出他患了不治之症。他和诺森伯兰共同策划,决定废除他的两个同父异母姐妹玛丽和伊丽莎白的继承权,而让诺森伯兰的儿媳J.格雷郡主和她的子嗣继承王位。结果,爱德华死后爆发了一场争权斗争。格雷郡主在位9天(1553-07-10～19)后,便被更得人心的玛丽一世(1553～1558在位)推翻。

●**Edward Ⅶ　爱德华七世**(1841-11-09,伦敦～1910-05-06,伦敦)　大不列颠和爱尔兰联合王国及自治领国王和印度皇帝(1901起),是一个极受人民爱戴的君主,以喜爱交

美国不列颠百科全书公司供图

际、为人和蔼可亲著称。他是维多利亚女王和阿尔贝特亲王的第2个孩子和长子,出生1个月即被其母封为威尔士亲王和切斯特伯爵,曾在牛津和剑桥两大学求学。他在驻爱尔兰的一个陆军部队中服役时曾与一女演员厮混,他的母亲认为他应对他父亲的死亡负部分责任,因为他的父亲在死于伤寒以前确曾对他的行为忧心忡忡。此后,女王一直不允许他掌管国家、宫廷和王族的任何事务。一直到他50多岁时,才准许他阅读有关内阁会议的报告。1863年3月10日,爱德华和丹麦的克里斯蒂安亲王(后为丹麦国王克里斯蒂安九世)的长女亚历山德拉结婚。亚历山德拉专注于家庭,他则在国内和欧洲大陆交游广泛,在体育界也颇负盛名,特别在赛马、赛艇、猎鸟方面。在社交中有几件丑闻和他有瓜葛。1901年1月22日维多利亚去世,爱德华七世于1902年8月9日加冕。在位期间大力恢复由于维多利亚长期孀居而在某种程度上失去的王朝的豪华气派。1902年又开始他在欧洲各国的旅游。他在巴黎举行的一次国宴上(1903)用法语致辞,这个做法有助于使法国大众对《英法协约》(1904)表示欢迎。爱德华知人善任,他支持陆军大臣R.B.霍尔丹(后为子爵)提出的陆军改革,和第一海务大臣J.费希尔的海军改革,对避免英国在第一次世界大战爆发时毫无准备起了很大作用。

●**Edward Ⅷ　爱德华八世**(1894-06-23,英国萨里里士满～1972-05-28,巴黎)　英国威尔士亲王(1911～1936),大不列颠和爱尔兰联合王国及自治领国王和印度皇帝(1936-01-20～12-10),英国唯一的一位自愿逊位的君主。他是英王乔治五世和玛丽王后的长子,1910年5月6日父王即位时,立他为王储。原习海军,但第一次世界大战爆发后在陆军掷弹兵近卫团任参谋军官。战后及20年代初广泛访问英帝国属地。1932年国内失业达空前水平,他遍访各地工人俱乐部,安排20多万人就业,名声大噪。1930年父王将贝尔韦代尔堡赐给他,他开始醉心园林,厌倦政事。这所18世纪的府邸成为他私人社交中心。此时与辛普森(Simpson, Wallis Warfield)夫人相识。辛普森夫人1927年与其夫、美国海军上尉离婚,次年再嫁E.辛普森。夫妻同为爱德华府中常客。到1934年,爱德华与辛

温莎公爵与公爵夫人于1937年6月3日拍摄的新婚照

美国不列颠百科全书公司供图

普森夫人坠入情网。1936年1月20日父王死后,爱德华即位,称爱德华八世。他试图使王室接纳辛普森夫人,但遭到坚决拒绝。英国教会(他是教首)和大多数英国和英联邦政治家支持王室立场。此事在美国和欧洲大陆报刊杂志上广为报道,但英国新闻界慑于政府压力毫无报道。首相S.鲍德温以此事将会损害君主政体的完好名声相劝。亦曾探讨以与平民结婚而不继承爵位的婚姻方式解决问题,但鲍德温于12月2日告诉他这样做行不通。1936年12月10日爱德华提出退位,宣布放弃他本人和后嗣的王位。退位文件于次日得到议会批准。当晚他在广播中宣布此事,后即离开英国前往欧洲大陆。12月12日其弟继位,称乔治六世。新国王封他为温莎公爵。1937年6月3日爱德华与辛普森夫人在法国结婚,但英国内阁拒绝公爵夫人享用其夫的"殿下"称号。这一决定严重伤害了公爵。

婚后公爵夫妇主要住在法国,访问其他欧洲国家,包括德国(1937-10),曾会见希特勒。第二次世界大战爆发后,爱德华曾访问伦敦,接受了驻法国联络官的职务。法国沦陷后,移居马德里。纳粹曾计划利用他反对英国政府。但首相W.丘吉尔任命他为巴哈马总督,战时一直住在该殖民地(1940～1945)。1945年后返回巴黎,曾多次短期访英。1952年参加乔治六世的葬礼;1953年参加母后玛丽的葬礼。到1967年夫妇二人才第一次被邀参加一次由王室成员参加的官方礼仪活动。夫妇二人死后并排葬于温莎城堡园地内的弗洛格莫。

葡萄牙

●**Edward　爱德华**(1391-10-30,葡萄牙维塞乌～1438-09-09,托马尔)　葡萄牙国王(1433～1438),改革《赐地法》、奖励航海,但在丹吉尔军事失利。他道德高尚,学识渊博,头脑敏锐,人称"哲学家国王",著有《忠诚的枢密官》。其父约翰一世精通法学原理,死后由爱德华继位,不久即颁布《赐地法》(1434-04-08),收回以前由国王赏赐的某些土地,而未收回的土地必须在每一代新国

王登基时得到皇家批准。他支持弟弟亨利(航海家)考察非洲西海岸的活动,并批准亨利企图攻占丹吉尔以征服摩洛哥的计划。但这次远征(1437)完全失败,爱德华最小的弟弟费尔南多被俘,国王悲痛欲绝,不久死于瘟疫。

苏格兰

●**Edward** **爱德华**(?～1364-01,英格兰约克郡惠特利) 全名为爱德华·德·巴利奥尔,苏格兰国王约翰·德·巴利奥尔之子,苏格兰王位的要求者。1332年9月即位,12月被驱逐;1333～1356年恢复王位,承认英王为宗主。爱德华仅继承了其家族在法国的领地及其父对苏格兰王位的要求。从1296年其父去世到1315年,他被拘留在英格兰,其后主要住在法国。1332年他率领一群被苏格兰前国王罗伯特一世夺走土地的英格兰贵族从法国入侵苏格兰。8月12日在*杜普林沼地战役*(**Dupplin Moor, Battle of**)中击败戴维二世的摄政马尔伯爵唐纳德。9月24日爱德华在斯昆即王位。11月23日承认英王爱德华三世为苏格兰的宗主。12月16日A.道格拉斯爵士率领的苏格兰联军在邓弗里斯的安嫩击败爱德华。但1333年7月19日爱德华三世在*哈利登山战役*(**Halidon Hill, Battle of**)中击败并杀死道格拉斯。爱德华把苏格兰的大部分低地割让给英王,作为回报。1356年1月21日,他将称号和全部领地让给爱德华三世,向英格兰国王领取年金至去世。

Edward III **《爱德华三世》** 五幕剧。有时疑为莎士比亚所作,但除与莎士比亚早期历史剧有些相似之处外没有更多的证据。该剧没有包含在1623年首部对开本莎翁剧集中。1596年出版了该剧的四开本,说明该剧写于之前,可能是在16世纪90年代初,当时历史剧很盛行。该剧主要依据R.霍林希德的编年史,描述14世纪爱德华三世战胜法国的伟大胜利,特别是克雷西(1346)和普瓦捷(1356)之战。剧中爱德华被描绘成一个英勇的国王,他的儿子黑王子爱德华比他还要英勇。该剧的后半部分主要描述在法国的战事,其中的一些战场在加来附近。

Edward LONGSHANKS **爱德华(长腿)** 参阅 **Edward**(England and the United Kingdom)*爱德华*(英格兰和联合王国)项下的 **Edward I** *爱德华一世*。

Edward OF CAERNARVON **爱德华(卡那封的)** 参阅 **Edward**(England and the United Kingdom)*爱德华*(英格兰和联合王国)项下的 **Edward II** *爱德华二世*。

Edward OF NORWICH **爱德华(诺里奇的)** 参阅 **York, Edward of Norwich, 2nd Duke of** *约克公爵(第二)*。

Edward OF WINDSOR **爱德华(温莎的)** 参阅 **Edward**(England and the United Kingdom)*爱德华*(英格兰和联合王国)项下的 **Edward III** *爱德华三世*。

Edward THE BLACK PRINCE **爱德华(黑太子)**(1330-06-15,英格兰牛津郡伍德斯托克～1376-06-08,伦敦附近威斯敏斯特) 英格兰国王爱德华三世之子和王位继承人。"百年战争"期间杰出的指挥官。他的绰号据说来

美国不列颠百科全书公司供图

源于他披戴黑色盔甲,始见于R.格拉夫顿的《英格兰编年史》(1568)。历封切斯特伯爵(1333)、康沃尔公爵(1337)、威尔士亲王(1343)和阿基坦亲王(1362～1372)。1346～1347年随父王在法国北部作战,在克雷西战役(1346-08-26)中立下战功。1355年前往法国独立指挥作战,1356年9月19日在普瓦捷击败法军,俘获法国国王约翰二世。约翰以300万金克朗的赎金获释,并签订了《布雷蒂尼条约》和《加来条约》(1360),将阿基坦割让给英格兰。但爱德华对阿基坦的统治则是失败的。他在波尔多的宫室奢侈豪华,与许多主教的关系不友好,大贵族都与他为敌。他召集过几次议会,但都是为了征税。1367年他要恢复卡斯蒂利亚国王残忍的彼得的王位,虽在纳赫拉战役获胜(1367-04-03),但损伤了他的健康,消耗了财力,削弱了他对阿基坦的统治。1368年阿基坦的贵族和教士向宗主国法国国王查理五世控告他。到1369年3月,已有900个城镇、城堡和据点宣告反对他。由于不发军饷,他手下的雇佣兵拒绝为他镇压叛乱。1370年这些雇佣兵对利摩日大肆劫掠,更使他名誉扫地。1371年1月爱德华心力交瘁地返回英格兰。次年10月将自己的封邑交还父亲。爱德华在英格兰一直保持着王位继承人的身分,是14世纪典型的权贵人物,和同一阶层的人一样,对比武、狩猎和赌博等很感兴趣。他最后5年的生活默默无闻,死后葬于坎特伯雷。

Edward THE CONFESSOR, SAINT **圣爱德华(忏悔者)** 参阅 **Edward**(England and the United Kingdom)*爱德华*(英格兰和联合王国)项下的 **Edward** *爱德华*。

Edward THE ELDER **爱德华(老)** 参阅 **Edward**(England: Wessex)*爱德华*(英格兰:韦塞克斯)项下的 **Edward** *爱德华*。

Edward THE MARTYR, SAINT **圣爱德华(殉道者)** 参阅 **Edward**(England and the United Kingdom)*爱德华*(英格兰和联合王国)项下的 **Edward** *爱德华*。

Edward, Lake **爱德华湖** 非洲东部大裂谷西部大湖之一,跨刚果(金)和乌干达两国边境。海拔912米,长77千米,宽42千米。东北与乔治湖连接。两湖总面积2 500平方千米。南北两岸有低平原,东西两岸多峭壁。湖中盛产鱼。爱德华湖湖区野生动物在两国国家公园中得到保护。H.M.斯坦利1875年到达乔治湖。1888～1889年沿塞姆利基河向上行至爱德华湖,他以威尔士亲王A.爱德华的姓氏为该湖命名。

Edwards, Alfred George **爱德华兹**(1848-11-02,威尔士梅里奥尼斯郡拉纳默迪～1937-07-22,威尔士弗林特郡圣阿瑟夫) 首任威尔士大主教。1874年毕业于牛津大学耶稣学院,任兰达弗里学院院长,成绩卓著。1885年任卡马森牧师,捍卫并巩固威尔士民族教会。1889年任圣阿瑟夫主教。1920年政教分离,任威尔士圣公会大主教。1934年退休。

Edwards, John **爱德华兹**(1953-06-10,美国南卡罗来纳塞内卡～) 全名John Reid Edwards。美国参议员。纺织工人之子,生长于北卡罗来纳州罗宾斯。1974年获北卡罗来纳州立大学纺织管理学士学位。1977年获北卡罗来纳大学法学学位。后成为一名成功的律师,在个人伤害诉讼案中赢得数百万美元赔偿的判决。1996年他16岁的儿子在一次车祸中丧生,此后开始致力于公益及慈善事业。1998年当选参议员,共同倡议患者权利法案并支持教育改革。后任参议院情报特别委员会委员,提议加强国土安全立法。2004年寻求民主党总统提名失败,被民主党总统候选人J.克里选为竞选搭档。在11月的选举中败给G.W.布什和副总统D.切尼。

Edwards, Jonathan **爱德华兹**(1703-10-05,康涅狄格东温莎[美国]～1758-03-22,新泽西普林斯顿) 美国基督教清教派最伟大的神学家和哲学家。倡导通称"大觉醒"的奋兴运动(1740～1742),也是19世纪新教海外传教

耶鲁大学美术馆供图

事业的先驱者之一。出身于牧师家庭,13 岁入耶鲁学院学习。1720 年毕业后留校两年,研究神学。1722 ～ 1723 年在纽约任牧师。1723年获文学硕士学位。1724 ～ 1726 年在耶鲁任助教。爱德华兹学习神学并不是消极地继承。他在“自述”中说,对于得救预定论,他自幼“心中充满了反对”。通过思考,他逐渐有所转变,但是直到他彻底重生得救时(1721 初)才“欢快地坚信”上帝的决断权,“重新感受到”上帝通过《圣经》和大自然所显示的荣耀。此点成为爱德华兹的虔修思想的核心,即直接地、直觉地领会上帝和他的全部荣耀,直接在灵魂中见到并体验到基督的大能和光彩,远远超过“意识上的”理解。照上帝的本来性质承认并确认上帝,爱上帝仅仅因为他是上帝而不是出于其他原故。这就是爱德华兹全部讲道中的中心主题。在清教派和新教其他派别神学家、剑桥柏拉图派以及牛顿和洛克等英国哲学科学家的影响下,爱德华兹写出了一批文稿,用当代哲学语言概要地对基督教教义提出“理性的叙述”。在“论存在”中,他先论绝对的“无”之不可理解,继而论证,上帝是存在的,他是永恒的、无所不在的存在体。在 1729 年,爱德华兹任马萨诸塞北安普敦教堂牧师。自英格兰迁来的垦殖户具有勤奋进取精神,因而较易于接受一种形式的阿明尼乌主义,它流传于圣公会,也蔓延到其他派别。它缩小原罪的残害作用,夸大自由意志,有把道德说成宗教之实质的倾向。爱德华兹针对这种思想在 1734 年 11 月反复宣讲“唯因信而称义”,结果在北安普敦掀起了大奋兴,奋兴运动在 1734 ～ 1735 年冬季至春季扩展到整个康涅狄格河谷。1740 ～ 1742 年北美洲各殖民地普遍掀起“大觉醒”运动。“大觉醒”一方面使许多人悔改得救,改变生活方式,另一方面也有过火举动和骚乱,使教会和行政当局面临困难。爱德华兹一方面对大觉醒运动中一些人的态度和作法提出日益严厉的批评,甚至点名责备运动的领导人之一怀特菲尔德,另一方面坚持大觉醒运动的确是上帝的作为,需要进一步深化和净化。他为了捍卫并批评这个运动而撰写《如何分辨上帝圣灵的工作》(1741)、《关于目前新英格兰宗教奋兴运动的思考》(1742)和《论宗教感情》(1746)。爱德华兹于 1749 年被北安普敦教堂辞退,1751 年任马萨诸塞斯托克布里奇边疆教堂牧师兼对当地印第安人传教的传教士。1757 年,爱德华兹完成了《为基督教关于原罪的伟大教义辩》,他不仅援引《圣经》中关于人心腐败的论述,而且指出,从实际体验可见人普遍难以避免犯罪,这就表明,人人都有犯罪的倾向。

Edwards, Lewis　爱德华兹(1809-10-27,威尔士卡迪根郡彭林～ 1887-07-19)　威尔士教育家和威尔士基督教加尔文循道会牧师。他于 1837 年受按立。他与姻弟 D.查尔斯一起开办巴拉加尔文循道会学院,培养教牧人才。1867 年,该学院改为神学院。在他的影响下,加尔文循道会在教会管理上采纳接近于苏格兰长老会的制度。他两次担任南北威尔士加尔文循道会大会主席。他擅长评论,写过评歌德和欧文的文章,还将一些英语赞美诗译成威尔士语,其中包括《信徒精兵歌》。

Edwards, Sir Owen Morgan　爱德华兹(1858-12-25,威尔士梅里奥尼斯拉纽赫林～ 1920-05-15,拉纽赫林)　威尔士作家、教育家。极大地影响了威尔士文学的复兴和威尔士民族意识的形成。曾在威尔士和苏格兰上大学,1887 年前在牛津大学攻读历史。任牛津大学现代史教师期间(1889 ～ 1907),创办并主编了 3 份威尔士通俗杂志。1916 年被封为爵士。他的著作风格自然,文笔优雅、语言明晰,因此获得广大威尔士读者喜爱。其作品经常是叙述文,用口语体描绘了威尔士的地方风物、生活习俗、历史和民族性格,或把威尔士的生活与国外的生活进行比较,如《从巴拉到日内瓦》(1889)。他用英文写的主要著作有《威尔士》(1901)。他还出版了廉价的威尔士古典作品。作为威尔士教育总监(1907 ～1920),他为保证威尔士文化在威尔士学校中的学习和研究做了不倦的工作。

Edwards, Teresa　爱德华兹(1964-07-19,美国佐治亚开罗～　　)　美国篮球运动员。作为场上的核心队员,1981 ～ 2000 年间带领美国国家队在 18 场重要国际比赛中赢得 14 枚金牌,包括 4 次奥运会冠军、2 次世界锦标赛冠军。身高 1.8 米,在佐治亚大学(1983 ～ 1986)女子篮球队打后卫时,平均每场得分 15.5,助攻 5.1,该队在东南联盟获 3 次冠军。在校期间,参加美国女子篮球队赢得第一枚奥运会金牌。大学毕业后在意大利、日本、西班牙和法国打职业篮球。后再次入选美国国家队,获 1988、1996 和 2000 年奥运会金牌,1992 年银牌。2003 年签约加盟全国女子篮球协会明尼苏达猞猁队,打了两个赛季。

Edwin　埃德温(?～632-10-12,英格兰哈特菲尔德蔡斯)　英国历史上诺森伯里亚的盎格鲁-撒克逊国王(616 ～ 632)。当时英格兰最强大的统治者和第一位诺森伯里亚的基督教国王。诺森伯里亚两王国之一的德伊勒的国王艾尔之子。588 或 590 年,另一王国伯尼西亚的国王艾特尔里克夺取了德伊勒的权力,埃德温出逃。616 年东英吉利国王雷德沃尔德打败并杀死艾特尔里克之子艾特尔弗里思,立埃德温为诺森伯里亚国王。他曾征服威尔士部分地区,除肯特国王以外,英格兰的其他统治者都承认他为最高统治者。因与肯特王国的艾特尔伯赫公主结婚而皈依基督教。632 年圭内斯的卡德沃朗国王和麦西亚的彭达国王入侵诺森伯里亚,埃德温阵亡。次年,诺森伯里亚被艾特尔弗里思之子圣渥斯沃尔德统一。

Edwin Smith papyrus　埃德温·史密斯纸草文稿　约公元前1600年的古埃及医学论文。据信是公元前约 3000 年一部作品的抄本。显然是一份外科学教材,文章一开始就写到头部外伤的临床病例,并从头到脚系统地、详细地描述各例的检查、诊断、治疗及预后。由此可知,古埃及人已知脉搏与心跳的关系,知道胃、肠及大血管的活动和功能。1862 年研究埃及科学的先驱者美国人 E.史密斯于卢克索得到这份纸草文稿。1906 年史密斯去世后,纸草文稿赠给纽约历史学会,1920 年又交给美国埃及学家 J.H.布雷斯特德研究。1930 年布雷斯特德出版了该纸草文稿的译文、音译及有关论文共 2 卷。

Edwy (Anglo-Saxon king)　参阅 **Eadwig 埃德威格**。

EEC　参阅 **European Economic Community 欧洲经济共同体**。

Eeckhout, Gerbrand van den　埃克豪特(1621-08-19,阿姆斯特丹～ 1674-09-29,阿姆斯特丹)　荷兰画家,擅长圣经画、风俗画和肖像画。伦勃朗的得意弟子,才华非凡,通常谨守其师画风,以致许多画被误认为伦勃朗作品。在运用伦勃朗成熟风格和技巧方面,是该画派中的佼佼者。他的许多精致完美的风俗画,如警卫室景象、十五子棋棋手等则表现出自己的风格。

埃克豪特绘《以撒祈神赐福雅各》
美国不列颠百科全书公司供图

Eeden, Frederik Willem van　霭覃(1860-04-03,荷兰哈勒姆～ 1932-06-16,比瑟姆)　荷兰作家,医生。他的作品反映出他一生对社会和道德哲学的探索。曾在阿姆斯特丹学医,参加创办文学杂志《新向导》(1885),该杂志专门刊登新作家的作品,发表新的社会观点。虽然他在初期以理想主义的社会理论驰名国外,但他的声誉主要基于文学作品。他的引人注目的第一篇作品是象征主义的童话《小约翰》(1885)。1895 年发表哲学长诗《影像和实质之歌》的第一部分。他根据治疗精神病的经验,写成长篇小说《死亡深渊》(1900)。他的评论文章和社会论文收在6卷《研究文集》(1890～1918)里。此外,他还写过许多剧本,并把泰戈尔的作品译成荷兰文。

Eekhoud, Georges　埃克豪特(1854-05-27,比利时安特卫普～1927-05-29,斯哈尔贝克)　首批重要的比利时"地方派"小说家之一。原为诗人,19世纪80年代,参加了M.瓦勒办的杂志《青年比利时》的工作,想给比利时文学带来新生。但为了表示自己关于社会改革的观点,转而改写散文。作为小说家,他缺乏编造令人满意的故事的能力,他的人物极少生气。他的长处在于他能栩栩如生的描绘事物。甚至他那以安特卫普为背景的最佳长篇小说《新迦太基》(1888)也只是由于它穿插着各种精彩故事性插曲才免于失败。和其他"地方派"小说家不同,他既能写城市场景,也能写乡村场景。他的系列短篇《乡村市集》(1884)和《乡村市集续集》(1887)生动地写出了农民生活的阴暗面;而他以大城市为题材的长篇小说则探讨了工人阶级的和为社会所排斥的人们的世界。

eel　鳗　鳗鲡目500余种鱼类的统称。体细长,一般无鳞,背、臀鳍长且于尾端相连接。鹬吻鳗(如线鳗科、月尾鳗科和锯犁鳗科的种类)两颌长;而蛇鳗(蛇鳗科)尾端尖,用以向后在泥沙上掘洞而将身体潜入。鳗的幼体

美洲鳗鲡(*Anguilla rostrata*)
美国不列颠百科全书公司供图

(柳叶状体)透明,与成鳗形状完全不同。鳗类见于沿岸到中等深处的所有海区。鳗鲡科的种类生活于淡水,但要回到海中繁殖。鳗鲡机敏活泼,掠食性,体上嵌覆小鳞;约16种,几乎遍及全世界;幼时生活于淡水中,成熟后进行一次入海产卵洄游(欧洲种和美洲种到马尾藻海产卵),产卵后即死亡。幼体在海中孵化,漂流到近岸,在此由柳叶状体变态为细长的仔鳗,开始上溯江河。鳗鲡是名贵食用鱼类。种类有美洲鳗鲡(*Anguilla rostrata*),长可达1米;欧洲鳗鲡(*A. anguilla*),最长可达约1.4米;印度洋-太平洋地区的花鳗鲡(*A. marmorata*)长可达约1.8米。真正的鳗约有19科,其中有**海鳝(moray**,海鳝科)与**康吉鳗(conger eel**,康吉鳗科)。或认为深海的**囊咽鱼(gulper)**应归入鳗鲡目,但有人另分为囊咽鱼目。其他无亲缘关系的鳗状鱼类有刺鳗以及电鳗。

eelgrass　鳗草　两类不同科属的带状水生植物的通称。苦草属(*Vallisneria*)植物(属水鳖科),又称带子草,原产温带和热带水域。螺旋状苦草(*V. spiralis*)为野鸭喜食,常养殖在水族馆中。大叶藻科(Zosteraceae)俗称鳗草科。海生大叶藻(*Zostera marina*)是一种重要的潮水植物,其干叶用以包装玻璃器皿或填塞座垫。

eelpout　绵鳚　绵鳚科约80种长形海产鱼类的统称,见于大洋冷水圈,盛产于南北极区。体鳗状,唇厚,背、臀、尾鳍相连,近鳃处或有小的腹鳍。底栖,从浅水到深水均有分布。体长可达约90厘米,但一般为此长的一半或不及一半。有些种类卵生,其他种类包括数量丰富的欧洲绵鳚(*Zoarces viviparus*)则为胎生。

eelworm　小线虫　袋形动物门线虫纲中一些小虫,多数0.1～1.5毫米长。分布于世界各地。自由生活的种类见于咸水、淡水和湿土中。寄生种类见于多种植物的根部;如马铃薯根异皮线虫(*Heterodera rostochiensis*)是马铃薯的重要害虫。有的种类可寄生在动物和植物上。

Eemian Interglacial Stage　埃姆间冰期　欧洲更新统重要的年代地层单元(更新世始于约250万年前,止于约1万年前)。位于萨勒冰期之后,魏克塞尔冰期之前。可与英国的伊普斯威奇间冰期和欧洲阿尔卑斯地区的里斯-玉木间冰期相对比,与北美的桑加蒙间冰期大致同时。因荷兰东部的一条河流而得名。埃姆间冰期沉积包括河、湖、浅海和风化土壤带沉积。海相沉积的分布表明当时的海水曾大规模侵入内陆,海面可能比现今的高。当时的气候远比现今温暖。以往冰期的大部分冰体应已融化。斯堪的纳维亚以及北冰洋上很可能已无冰块覆盖。芬诺斯坎迪亚地块可能成为孤岛。这个时期的脊椎动物化石曾在多处被发现,表明欧洲有丰富多样的哺乳动物群,包括马、野牛、各种象、洞熊等。

Eemian Sea　埃姆海　更新世(始于约250万年前,止于约1万年前)的埃姆间冰期时的海侵。它淹没了欧洲北部的大部分,并使斯堪的纳维亚变成了一个岛。海中还堆积了很厚的含有动物化石的沉积层序,化石表明当时海水的温度至少同目前该地区的水一样温暖。在埃姆海晚期,气候条件变得更加严酷,正如变为较冷水的动物群所显示的那样。

Eems River (Germany)　参阅 **Ems River 埃姆斯河**。

Éfaté　埃法特岛　又名瓦特岛。原称桑威奇岛。太平洋西南部瓦努阿图最重要的岛屿。为火山岛。面积915平方千米。地势崎岖,最高点麦克唐纳峰海拔647米。为热带雨林覆盖。气候温暖潮湿。瓦努阿图共和国首都**维拉(Vila)**位于西南岸,有一良港(梅莱湾)和一国际机场。北岸的哈万纳港湾是优良锚地。出产椰干、咖啡、可可和牛羊。伐木业有待发展。福拉里有锰矿开采业(澳大利亚经营)。人口约16 921(1979)(最新统计)。

effective atomic number　有效原子序数　缩写为EAN。代表金属络合物中围绕金属原子核的总电子数。它包括金属原子的电子以及周围提供电子的原子和分子所给出的成键电子。因此,在络合物$[Co(NH_3)_6]^{3+}$中,钴原子的有效原子序数为36,此数为3价钴离子的电子数(24)和周围6个氨分子各贡献一对电子提供的成键电子数($2 \times 6 = 12$)之和。英国化学家N.V.西奇威克观察到在一些金属络合物中,金属原子倾向于被足够多的配位体所围绕,所得有效原子序数在数值上等于该金属所在周期的那个稀有气体元素的原子序数。这个结果后来称为EAN法则。此法则看来适用于大多数一氧化碳与金属形成的络合物,即金属羰基化合物。利用这个法则可以预言这类化合物中的配位体数及其反应产物。

effective population size　有效群体大小　遗传学上一个繁育群体的大小,由亲代的数量、每个家庭的子女平均数,以及每个家庭的成员数与社会家庭的平均成员数的偏离程度等因素所决定。确定一繁育群体的有效群体大小,有助于研究人口增长率及基因流动。

Effen, Justus van　埃芬(1684-02-21,荷兰乌得勒支～1735-09-18,斯海托亨博斯)　荷兰散文家,新闻记者,曾任荷兰驻伦敦大使馆的秘书。他喜好英国报刊,特别是《旁观者》,并且先后创办《法文旁观者》(1725)和《荷兰文旁观者》(1731),晚年一直任《荷兰文旁观者》周刊主编。埃芬以写实主义手法描绘普通人的生活和习尚,其风格与内容对后起作家有很大影响。

effigy mound　象形丘　美国中部偏北一带的飞鸟走兽形状的土丘。由于人们泛泛而不精确地认为象形丘是被称为"筑丘人"的史前印第安人的作品,有时候就错误地把它们与分散在密西西比河以东地区的很多土丘归为一类。人们对象形丘的情况比对其他土丘的情况了解得更少。例如探险家德·索托(1539～1542)曾记载过美国东南部的一些神庙丘。印第安人以土丘为基,在上面建筑神庙,有时候也修建头领们的住宅。人们也知道,在俄亥俄河谷逐渐增多起来的一大堆土丘是与**霍普韦尔文化(Hopewell culture)**密切相关的,其中有些是埋葬丘。象形丘文化的时期上起4世纪,下迄17世纪中叶。很多象形丘呈鸟形,但另外也有动物形状的,普通的是熊、鹿、海龟和野牛。最大的鸟形象形丘翼距有190米,坐落在威斯康星州的麦迪逊城附近。许多其他象形丘坐落在威斯康星州南部和西南部以及毗邻明尼苏达州、艾奥瓦州和伊利诺伊州的一些地区。最大的象形丘坐落在俄亥俄州的南部,是一条口衔蛋形物而伸展着的蛇的形状,丘有400米长,75～90厘米高。参阅 **burial mound**。

Effigy Mounds National Monument　象形丘国家保护区　美国艾奥瓦州东北部密西西比河岸边的地区,位于麦格雷戈市以北数英里,面积为10平方千米。区内有许多古印第

安人埋葬丘。该保护区设立于1949年，位于高出河面的峭壁上，有195座有名的丘墓，其中有一些形状像鸟和熊。有一座丘墓的年代约为2 500年以前，但修建的象形丘则是一种较晚期的文化(约500～1300年间)。许多丘墓内出土了来源于印第安人的铜器、骨器和石器工具。熊形丘当中有一座长达137英尺，高3.5英尺。

Effingham　埃芬汉　美国伊利诺伊州中东部埃芬汉县县城、城市。1854年因伊利诺伊州中央铁路抵达而设村，初名布劳顿；1859年成为县城时改为现名，以纪念反对英国殖民政策的T.霍华德——埃芬汉伯爵(第三)。1861年设市。经济以农业、乳品业、制造业(主要为家用器具)和印刷业为主。西郊萨拉湖为游览区。人口12 384(2000)。

Effingham, Charles Howard, 2nd Baron Howard of　埃芬汉的霍华德(男爵第二)　参阅 **Nottingham, Charles Howard, 1st earl of** 诺丁汉伯爵(第一)。

efflorescence　风化　水合盐的水蒸气压强高于空气中水蒸气分压时发生的水合盐自发失水现象。例如，由于洗涤碱($Na_2CO_3·10H_2O$)和芒硝($Na_2SO_4·10H_2O$)的水蒸气压强通常大于空气中的水蒸气分压，这些盐便风化(失去全部或部分结合水)，其表面呈粉末状。水合硫酸铜或蓝矾($CuSO_4·5H_2O$)因水蒸气压强较低，只有在相当干燥的空气中才会风化。参阅 **deliquescence**。

Effon -Alaiye　埃丰阿莱耶　又拼 Efon-Alaye。尼日利亚翁多州城镇。地处约鲁巴丘陵。与伊莱沙、翁多和阿多埃基蒂通公路。该镇约19世纪末创建。埃丰阿莱耶现为可可、棉花、棕油和棕仁的集散地，亦为当地约鲁巴人(伊莱沙人和埃丰人)农产品(薯蓣、木薯、玉米、棕榈产品、水果、南瓜、黄秋葵)的销售中心。镇内有师范学院、中学和医院。人口153 100(1996)。

Efik　埃菲克人　居住在尼日利亚克罗斯河州克罗斯河下游。所使用的埃菲克-伊必必奥方言(属尼日尔-刚果语系的贝努埃-刚果语支)，已成为所有受过教育的操埃菲克-伊必必奥语人的文学语言。埃菲克人原是伊必必奥人的一个支系，于17世纪前半期迁往克罗斯河下游地区，建起克里克敦、杜克敦及其他若干居民点。由于欧洲人误将埃菲克的土地混同为卡拉巴里·伊交人的土地，也就是新卡拉巴尔，人们便把埃菲克人的土地称为老卡拉巴尔。老卡拉巴尔原为一渔村，自17世纪至19世纪发展成为一处重要交易中心，先输出奴隶，后输出棕榈油，以换取欧洲商品。欧洲商人对埃菲克酋长交纳类似"关税"的所谓"科梅伊"以换取经商特许权。20世纪期间，大部埃菲克人离开城镇，到林地定居务农，聚成村落。他们以薯蓣和木薯为主食，辅以芋头、玉米、水果、蔬菜和鱼类。埃菲克人以前的家庭由一名男人与其妻妾子女组成；不过现在一夫多妻已很少见。以男系亲属关系的若干家庭组成一个家族；一族之长原由长男一系的成员充任，现则根据个人才能选出。有亲属关系的诸家族共占一个住区，全部居留地就划分为若干住区。酋长称"奥崩"，由各家族的首领中选出，传统上作为"埃克佩"("伊格博")或豹会的首脑行使权力。这个分等级的男人秘密社团除举行仪式安抚森林精灵以保证全体居民康泰外，还通过罚款、死刑或者联合抵制等方式制订和执行法律，审理案件，维护内部安定，且为埃菲克社会的行政管理机构。豹会由村社名流组成，其高层职位仅为那些能缴纳入会重金者所设。由于来自一个村落的豹会成员要得到来自另一村落的豹会成员的承认，豹会也有团结整个部落的作用。豹会现虽存在，但其在立法、司法以及经济事务中的支配作用已被州政府取代，其神权业已消逝。埃菲克的传统宗教包括信奉一位最高造物主、祖先及其他神灵，还相信巫术魔法。现大多数埃菲克人已是基督教徒。

Efod (Jewish philosopher)　**埃福德**　参阅 **Duran, Profiat** 杜兰。

efod (Judaism)　参阅 **ephod** 以弗得。

Efon-Alaye (Nigeria)　参阅 **Effon-Alaiye** 埃丰阿莱耶。

Efron, Marina Ivanovna　埃弗龙　参阅 **Tsvetayeva, Marina Ivanovna** 茨维塔耶娃。

eft (salamander)　**水蜥**　参阅 **newt** 水栖蝾螈。

EFTA　参阅 **European Free Trade Association** 欧洲自由贸易联盟。

Egadi Islands　埃加迪群岛　又称埃加迪安群岛(Aegadian Islands)。意大利多山岛群。位于西西里岛西岸地中海中。总面积15平方英里(39平方千米)。面积最大的是法维尼亚纳岛(7平方英里)。有考古价值，曾发现有旧石器时代人类居住遗迹，最著名的是莱万佐岛上热那亚岩洞的洞穴绘画。有重要的捕渔业(金枪鱼)。行政上隶属西西里岛特拉帕尼省法维尼亚纳自治村。人口：城市区约4 335(1991)。

Égalité, Philippe　平民菲力普　参阅 **Orléans, Louis-Philippe-Joseph, duc d'** 奥尔良公爵。

Egan, Pierce　伊根(1772，英国伦敦～1849-08-03，伦敦)　英国体育运动作家，以报道拳击出名。所著《拳击家》(1818～1824)一书生动地记述了一些著名拳击家的生活。

Egas Moniz, António　埃加斯·莫尼兹(1874-11-29，葡萄牙阿万卡～1955-12-13，里斯本)　葡萄牙神经病学家、政治家、现代精神外科的创始人。由于设计了前额叶白质切断术以根治某些精神疾患而与W.赫斯共获1949年诺贝尔生理学或医学奖。1927～1937年采用

美国不列颠百科全书公司供图

并改进了脑血管造影术。他认识到某些精神病、特别是衰退的精神分裂症和严重的偏执狂，以反复思考作为心理过程的主导形式；便推论出，切断据认为与心理反应有密切关系的前额叶与丘脑间的神经纤维，可使异常的思维活动转为正常。1936年与助手A.利马进行了前额叶白质切断术，这是为治疗精神疾患而进行的第一次人的大脑手术。这种手术能有效地治疗某些顽固的精神病，但也有严重的副作用。莫尼兹告诫说，只有当所有其他治疗方式都已证明无效时，才能采用这种激进的手术。虽然这种方法很少采用，特别是应用安定药以来更少采用，但它增加了对大脑功能的认识。莫尼兹在政治上也很活跃，曾任议员、外交使节等。

Egbert　埃格伯特(?～839)　英国历史上西撒克逊国王(802～839)。他在韦塞克斯(即西撒克逊)周围建立了一个十分强大的王国，使英格兰在10世纪中叶最终在政治上达到统一。肯特国王伊尔蒙德之子。789年被西撒克逊国王贝奥赫特里克及其同盟者麦西亚国王奥发驱逐，流亡到欧洲大陆。但他于802年继承贝奥赫特里克的王位，立即使韦塞克斯脱离麦西亚联盟，巩固自己的独立统治。825年在埃伦杜恩(今威尔特郡的鲁夫顿)战役中大败麦西亚国王贝奥恩沃尔夫。这是英格兰历史上的转折点，是役摧毁了麦西亚的支配地位，使韦塞克斯成为英格兰最强大的王国。根据世袭的权利，埃格伯特被确认为肯特、苏塞克斯、萨里和埃塞克斯的国王。829年他征服了麦西亚本土，但翌年又被麦西亚国王威格拉夫夺回。他死前一年曾在欣斯顿草原(在今康沃尔)大败丹麦侵略者和康沃尔的不列颠人侵略者。

Ege Deniz　参阅 **Aegean Sea** 爱琴海。

Eger (Czech Republic)　**埃格尔**　参阅 **Cheb** 海布。

Eger　埃格尔　德语作 Erlau(埃劳)。匈牙利北部城镇，赫维什州首府。位于蒂萨河支流埃格尔河流域，马特劳山脉与比克山脉之间。为古老的马扎尔部落城池，11世纪曾建立主教区。城镇大部分在13世纪鞑靼人入侵时被夷为平地。城东北面的小山上，现有

1551年防御土耳其人攻打该镇的碉堡的遗迹。1596～1687年土耳其人折回，夺取并占领了该镇；他们将其作为重要的前哨基地，35米高的尖塔现为该镇有历史意义的文物建筑

埃格尔镇的尖塔
美国不列颠百科全书公司供图

之一。18世纪初埃格尔恢复了活力，该镇建起大量宗教建筑物，这使其获得"匈牙利的罗马"的美誉。前小兄弟会教堂（1758～1771）现为匈牙利较为精美的建筑遗迹之一，其观象塔对天文学家具有历史意义。镇底下有96千米长的隧道，古时候可挖掘石料、可躲避土耳其人，后来还用作贮存葡萄酒的地窖。隧道是从软性岩石上挖掘而成的，地面坍陷现已造成大范围的破坏；中央政府已拨款保护该镇古建筑，以免造成更大的损坏。山坡土壤肥沃，小气候适宜，有利于种植葡萄。有少量制造工业（家具、卷烟和精密仪器）。为赴马特劳山脉（**Mátra Mountains**）观光之旅游中心和有大量沐浴设施的矿泉疗养地。人口约62 474（1991）。

Eger River（Europe） **埃格尔河** 参阅**Ohře River 奥赫热河**。

Egeria 埃吉里娅 古罗马宗教所信奉的精灵。出于水中，在阿里西亚与狄安娜一同受崇拜，在罗马罗卡佩纳门外丛林中与卡米娜埃众女神一同受崇拜。她与狄安娜一样，保佑孕妇，又与卡米娜埃众女神一样，预知未来。传说她是努马·庞皮利乌斯国王的妻子（或情人）和顾问。

Egerton, Thomas 埃杰顿 参阅**Brackley, Thomas Egerton, Viscount 布雷克利子爵**。

Egesta（ancient Sicily） 参阅 **Segesta 塞杰斯塔**。

Egfrith（Anglo-Saxon king） 参阅 **Ecgfrith 埃克弗里思**。

egg 卵 雌性的性细胞或雌性配子。植物的卵有时称为大配子。在动物学上，卵一词可用于指包括雌性细胞、保护膜及营养物质的整个特化结构，而来自拉丁文的卵子 ovum 一词常用以指单个雌性细胞。人类女性的生殖细胞亦称为卵子。卵同雄性配子一样，仅具有单倍染色体。通常卵较雄配子为大，这是因为卵含有胚胎早期发育所需的营养物质。多种动物的卵含有大量营养物质（如卵黄），其多少取决于幼体能自行觅食的时间；在哺乳动物则取决于幼体从母体循环获得营养的开始时间。植物的卵与雄配子相比，并不显得无比硕大，因为发育中的孢子体胚胎在能自立以前靠原植物供给营养（如苔藓、蕨类靠配子体，种子植物靠配子体所寄生的孢子体）。除了某些刺胞动物的卵外，所有动物的卵都有膜包绕，最内层的称为卵黄膜。许多无脊椎动物（如栉水母、许多蠕虫及棘皮动物）和某些低等脊索动物的卵仅有一层卵黄膜。所有高等脊椎动物及许多无脊椎动物的卵在卵黄膜外还有一层或多层膜。例如，昆虫的卵有一层又厚又硬的卵壳，两栖类的卵有一层胶冻样物质，鸟的卵细胞外有卵黄膜、卵白、两层壳膜及壳，全部这些结构又统称为卵。成熟卵仅在一段不长的时期内有功能，过了这段时间，卵便失去受精能力。多数无脊椎动物、鱼及两栖动物的卵排入水中以后，必须在几分钟内受精。海胆的卵较特殊，可以存活40小时左右。其他动物的卵存活时间多与人类的相似，即12～14小时。参阅 **ovum**。

egg 蛋 鸟和爬行类所产具有繁殖能力、可作为食品的硬壳内容质。蛋自远古以来一直是人类蛋白质的来源。公元前2000年，现代鸡的祖先，印度的原鸡遍布欧洲、中东及中国；1493年哥伦布第二次航行时将其带到美洲。这种禽类整年生蛋，蛋比它们的肉更有价值。当今绝大多数食用蛋是鸡蛋，鸭蛋也广为食用。咸蛋和皮蛋（亦称松花蛋）是中国特产。其他通常食用的有鹅、鹌鹑、鸽、鸥、田凫、千鸟、野鸡和鸵鸟的蛋，地方法规对搜集和出售野禽蛋进行控制。有些爬行类的蛋亦可食用。其中海龟蛋较有名。56.6克蛋可提供6克完全蛋白质（相当成年人每天需用量的15%）和12克脂肪（相当80卡热量）。蛋中含充分的铁质、维生素A和D以及维生素B_1和B_2。矿物质和维生素的含量随鸡体的营养状况而异。虽然人对不同的蛋品各有偏爱，但白色和黄色鸡蛋的营养价值是一样的。由于蛋清中蛋白质在加热后能凝固，因此鸡蛋是很多食品中的骨干成分，制作松蛋糕和安琪儿发糕时，须猛打蛋清使混入空气，加热后空气膨胀即形成疏松多孔的组织。蛋白牛奶酥和糕点上的蛋白糖霜也利用这一特点制作。蛋在糕饼面糊中具有膨发、湿润和提高质地的作用。将食品在搅打好的蛋液中浸一浸，面包屑及面粉就容易沾附。蛋黄可使汤和酱汁增稠；在冰淇淋和冰糕中，蛋白用作防止产生大冰晶体的阻碍剂。在热的或冷的酱汁中，鸡蛋可使易于分离的乳化物趋于稳定。在原汁汤或咖啡中加入蛋清，可以捕捉颗粒而使液体澄清。煮食时，应该由文火到中火煮。在74℃时蛋白蛋黄都能凝结，超过这一温度，蛋白就变得硬韧。高温可使蛋奶冻和蛋白糖霜失去水分。蛋可煮、煎、炒、烤和水煮荷包蛋。可作任何菜的配料，也可同任何甜食或开胃食品相配。

Egg, Augustus (Leopold) 埃格（1816-05-02，伦敦～1863-03-26，阿尔及尔） 英国风俗画家、演员。曾就学于皇家学院，以创作表现奇闻轶事的小型绘画著称，题材大多取自司各特和撒克雷等人的小说。埃格也是一位杰出的演员，在C.狄更斯的业余剧团扮演角色。

egg and dart 蛋箭饰 建筑线脚上的一种纹样，由一系列卵圆形凸雕和箭头形雕饰相间组成。古典建筑中馒形饰线脚上的蛋箭饰常较宽大，卵形之间除箭头形外尚有锚形或舌形雕饰。

egg-eating snake 食卵蛇 仅以卵为食的蛇，包括撒哈拉以南的食卵蛇属（*Dasypeltis*）的5个种和印度东北部的韦斯特曼北印度食卵蛇。这几种组成游蛇科的食卵蛇亚科

食卵蛇（*Dasypeltis*）
美国不列颠百科全书公司供图

（Dasypeltinae）。体躯细长，体长约76厘米。专以卵类为食，口能大张，牙退化，以容纳大如鸡蛋的鸟卵。颈椎腹面有刺状突起，延伸至食管，用以划破卵壳。卵中的内容质被挤入胃内，随后吐出卵壳碎片。多为树栖，卵生，每个卵分别产在不同的地方。

egg-laying topminnow（fish） **卵生顶游米诺鱼** 参阅 **killifish 鳉鱼**。

egg tooth 卵牙 许多卵生动物孵化时幼体为啄破卵壳并从中钻出所用的牙或牙状构造。有些蜥蜴和蛇发育出一枚真正的牙，突出于其他牙之外，帮助幼体孵出然后脱落。龟类、鳄类和鸟类有类似的角质构造，完成相似的功能。从卵孵出的唯一的哺乳动物——鸭嘴兽，出生前也生卵牙。

Eggert Ólafsson（Icelandic poet and antiquarian） **埃格特·奥拉夫松** 参阅**Olafsson, Eggert 奥拉夫松**。

Eggjum Stone 埃格尤姆石碑 刻有古代北欧如尼文字的碑铭。共200个书写符号，是目前所知最长的一段用古体富托克（如尼字母）写成的文字。它是1917年在挪威西部一个墓穴中发现的。字母排列成长短不等的3行，行间刻有图案化马头以示分隔。考古学家认为此碑建于7世纪，而如尼文字学家则因其文字属于过渡的北欧如尼字母形式，且其语言较近于现代，估计其为8世纪，甚至是9世纪之物。铭文中有对偶句结构，并使用头韵法，但其意义尚无法理解。

Eggleston, Edward　埃格尔斯顿(1837-12-10，美国印第安纳韦韦～1902-09-04，纽约莱克乔治)　美国牧师、小说家，历史学家，他在《胡热尔的教师》等书中真实地描写了美国各社会阶层。不满19岁即开始传教。曾主编少年报《小班长》(1866～1867)、《全国主日学校教师》(1867～1873)及其他刊物。他在所有的作品中，力图像"照相一样精确"地描写西部的真实生活。最受欢迎的一本为成年人所写的书是《胡热尔的教师》(1871)，它生动地剖析了印第安纳州边远地区的情况。其他长篇小说有：《世界末日》(1872)、《梅特罗波利斯维尔的奥密》(1873)、《巡回传教员：英雄时代的故事》(1874)、《罗克西》(1878)和《格雷森一家》(1888)。1879年旅游欧洲之后，开始写历史著作，著有《国家的创建者》(1896)和《文明从英国移到美国》(1900)，对社会历史学的发展作出了贡献。

eggplant(*Solanum melongena*)　**茄子**　又作aubergine或guinea squash。茄科多年生植物。与马铃薯近缘。原产于东亚和南亚，自远古就有栽培，要求气候温暖，现在东亚、南亚和美国广泛作为一年生作物栽培。直立

茄子(*Solanum melongena*)
美国不列颠百科全书公司供图

茎，灌木状，有时疏生皮刺。叶大，卵圆形，浅裂。花下垂，紫色，通常单生，花径约5厘米。浆果大，卵状，可食，深紫色到红色、淡黄色或白色(英文俗名即来自白色、卵形的品种)，有时具条纹，表面光亮。茄子是地中海地区的主要蔬菜之一，在希腊菜茄片夹肉、意大利菜帕尔马干酪茄子、中东的开胃食品baba ganoush中茄子均为主要成分。可为炖菜成分，又可烤、烘、煎或煮食，又可作配菜。

eggshell porcelain　薄胎瓷　又称蛋壁瓷或脱胎瓷。一种中国瓷器，其釉层下面的坯体极薄，并常在烧成前预先进行雕刻装饰。这种雕刻，只有对着亮光照视时才可看出，宛如压印在纸里的透明花纹。薄胎瓷是在明代永乐年间(1403～1424)生产的精品。在清代(1644～1911)再次出现了薄如纸的瓷器，康熙年间(1662～1722)尤为盛行，主要有碗类和盘碟类。在现代的瓷厂中偶尔也生产这种薄胎瓷器。

Egill Skallagrímsson　**埃吉尔·斯卡拉格里姆松**(约910，冰岛博格～990)　最伟大的冰岛吟唱诗人(参阅**skaldic poetry**)。他冒险的一生和口头诗作均保存在据信是斯诺里·斯图鲁松所作的《埃吉尔萨迦》(约1220)中。诗中把埃吉尔描绘成一个具有两重天性的人，一方面刚愎自用、报复心强、爱财如命，但另一方面对朋友忠诚、对情人腼腆、深爱儿女。年轻时他杀死了国王血斧埃里克的儿子，并用神秘的如尼文写下了针对国王的咒语。但后来落入埃里克之手(约948)，他在一夜之间吟成了《赎头金》一诗，颂扬埃里克，因而保全了性命。他的两个儿子死后，约在961年吟成一篇情真意切的《丧子》诗。这首诗也是一篇对他自己家世包括他的双亲之死的描述。他活了很久，晚年失明。

Eginhard(Frankish historian)　参阅**Einhard**艾因哈德。

Egisheim und Dagsburg, Bruno, Graf von (count of)　**布鲁诺(封·埃吉施海姆伯爵)**　参阅**Leo IX**利奥九世。

Egk, Werner　埃克(1901-05-17，德国多瑙沃特附近奥赫塞斯海姆～1983-07-10，西德因宁)　原名Werner Mayer。德国作曲家。作品以戏剧音乐为主。曾在慕尼黑师从C.奥尔夫，后定居该城，并为木偶剧和广播剧作曲。在美因河畔法兰克福指挥自己的第一部歌剧《魔琴》上演(1935)。所作歌剧和芭蕾舞剧常带讽刺意味，多描写历史或传奇人物，并亲自编写剧本。其音乐感染力主要源于其新浪漫主义风格。1938年在柏林亲自指挥他最受欢迎的剧作之一《彼尔·英特》(取材于易卜生)，轰动一时。芭蕾舞剧《阿卜拉克萨斯》(1948)和《卡萨诺瓦在伦敦》(1969)等也受到广泛的关注。前一剧在5场爆满的演出后，被巴伐利亚文化部以内容淫秽为由加以禁演。亦作有器乐曲。

eglantine　参阅**sweetbrier**多花蔷薇。

Églantine, Philippe(-François-Nazaire) Fabre d'　埃格朗丁　参阅**Fabre d'Églantine, Philippe(-François-Nazaire)**法布尔·德格朗丁。

Eglevsky, André　埃格列夫斯基(1917-12-21，莫斯科～1977-12-04，美国纽约埃尔迈拉)　俄罗斯出生的美国芭蕾舞蹈家和教师。人们普遍认为他是同时代人中最伟大的男舞蹈家。8岁起在巴黎从著名舞蹈家L.叶戈罗娃、M.克谢辛斯卡娅、A.沃里宁学习，在伦敦从N.列加特学习。14岁时成为德·巴西尔上校的蒙特卡洛俄罗斯芭蕾舞团的首席男演员。在表演《预兆》时，使用了他富有特色的、令人惊叹的一系列缓慢而有节制的单腿转。曾参加R.布鲁姆-M.福金主持的蒙特卡洛芭蕾舞团、美国芭蕾舞团和芭蕾舞剧院。1951～1958年在纽约市芭蕾舞团表演舞蹈，扮演了巴兰钦的几个芭蕾舞剧中的主角，其中包括《苏格兰交响乐》(1952)和《旋转》(1952，现称为第15号娱乐舞曲)。他扮演的

埃格列夫斯基演出《阿波罗》(1944)的剧照
美国不列颠百科全书公司供图

其他著名角色还有《吉赛尔》中的阿尔勒列特和《天鹅湖》中的王子齐格弗里德。在福金的芭蕾舞剧如《仙女》、《伊戈尔王子》、《玫瑰精灵》和《彼得鲁什卡》中也扮演主角；在D.利钦的《特洛伊的海伦》中扮演了滑稽的帕里斯；此外在L.马辛的超现实主义的《疯狂的特里斯坦》中扮演了特里斯坦。从1937年起成为美国公民。1958年在纽约州马萨佩卡创办了一所学校和一个小型演出队，该演出队已发展成为埃格列夫斯基芭蕾舞团，在他逝世以后还继续存在。

Église Reformée de France (French Reformed church)　参阅**Reformed Church of France**法兰西归正会。

Egmond, Lamoraal, graaf van (count of)　**埃格蒙特伯爵**(1522-11-18，埃诺拉阿迈德～1568-06-05，布鲁塞尔)　Egmond又拼Egmont。荷兰反对西班牙腓力二世政策的早期领袖。歌德剧本《埃格蒙特》的主人公。虽然他不赞同推翻西班牙主权，但却成为阿尔瓦公爵实行镇压政策的政府(1567～1573)的最先和最著名的受害者。出身于有权势的家庭，1541年继承爵位，3年后与锡门的巴拉丁伯爵约翰二世的女儿巴伐利亚的萨比娜结婚。他是神圣罗马帝国皇帝查理五世所信任的顾问，军功卓著。1557年在圣康坦、1558年在格拉沃利讷战胜法军。1559年任佛兰德和阿图瓦执政。他和另外一些贵族反对腓力二世侵犯地方特权和宗教自由的政策。当腓力二世继续执行镇压新教徒的法令时，他愤怒地退出国务委员会(1565年11月)。后来，他回到佛兰德执政，严厉镇压加尔文教徒的起义。1567年9月9日被阿尔瓦公爵逮捕，以叛逆罪被斩首。

Egmont, John Perceval, 2nd earl of　埃格蒙特伯爵(第二)(1711-02-24，伦敦附近威斯敏斯特～1770-12-04，伦敦)　即J.珀西瓦尔。英国的行为怪僻的政治人物、小册子作者、乔治三世的密友。1731～1748年起任爱尔兰下院议员，1748年继承其父的伯爵爵位。但

他的兴趣在英国政治，1741 年被选入英国议会下院。1748 年他支持威尔士亲王 F.路易斯，成为亲王的莱斯特府邸一派人的主要出谋划策者和下院反对派领袖。亲王把他看成是未来的首相，曾起草了亲王即位后的治国蓝图“光辉计划”。1751 年 3 月 20 日亲王暴卒后，他与亲王的儿子和继承人乔治亲王(未来的乔治三世)的关系更为密切。他成为英国贵族拉弗尔和霍兰男爵后，于 1762 年 5 月从下院进入上院。1763 年 9 月任 G.格伦维尔政府海军大臣。以“国王之友”派领袖而闻名。1766 年 8 月因主张与奥地利结盟，反对皮特与俄国结盟的计划而辞去在皮特政府中担任的职务。他的小册子《被查明的派系》(1743)对反对派的政见作了精辟的说明。他的第 7 个儿子就是首相 S.珀西瓦尔。

Egmont, Lamoraal, graaf van (count of) 参阅 **Egmond, Lamoraal, graaf van** 埃格蒙特伯爵。

Egmont, Mount 埃格蒙特山 毛利语作Taranaki(塔拉纳基山)，在新西兰北岛中西部塔拉纳基半岛。为对称火山锥，海拔2 518米，在主火山口之南1600米有次火山锥范塔姆斯

埃格蒙特山及山下的环状平原
美国不列颠百科全书公司供图

峰，高 1 962 米。17 世纪初以来两座火山一直休眠。山上林木茂密，山下为富饶的环状平原。埃格蒙特山位于埃格蒙特国家公园内。1770 年为英国航海家 J.库克发现，1839 年首次有人登上顶峰。

ego 自我 精神分析理论中人格的一个组成部分，主要有两种功能：①体验自身的存在；②通过知觉与外部世界发生联系。人格的这一部分，能记忆、评价和计划，并能以其他方式，对周围自然和社会世界产生反应和行动。自我在精神分析学说中特别重要，自我、**本我(id)**和**超我(superego)**是 S.弗洛伊德在试图阐明人类心理动力学时提出的三个力量。根据弗洛伊德的说法，自我包含人格的执行功能。它是一个整合器，在个体的内心世界和外部世界之间和在本我和超我之间进行整合。自我提供一个个人的参考点，使行动带有连续性和一致性，从而将过去的事件(保持在记忆之中)与现在的和将来的行动(体现在期望和想象中)联系起来。虽然躯体概念构成早期自身体验的核心，但自我与人格或躯体的范围并不相同。自我一经形成后，一生中是可以改变的，尤其是在经受威胁、疾病以及生活环境改变的情况下。

自我的发育 人类新生婴儿能对源自外部世界的或机体内部生物过程的刺激发生反应，但是不能控制、预料或改变刺激的来源。婴儿的知觉是原始和弥散的，躯体运动粗糙而不协调，并且不能自己行动。学习只限于刺激-反应条件反射的最简单类型。婴儿自我的发展与外部世界有关，精神分析强调，这种发展反映在无助与依赖的婴儿努力改变和减轻令其痛苦的紧张刺激。这种可能性是令人难以想象的，各项功能在控制紧张并寻求获得满足的途径中得以进化，最终发展出更高级的、复杂形式的控制机能。进化之初，知觉和运动性反应是紧密联系着的，具有必然而迅速的因果效应。推迟反应动作和忍受因不良刺激而产生的精神紧张，是自我功能进一步完善的基础；也是未来人格功能中的自我成分的原初形式。学会对刺激和反应做出分别处理的能力是进一步发展像思维、想象、计划等高级智力活动的前提条件。自我并不直接反应，但却有检验现实、幻想各种行动过程的不同后果，以决定为达到目标而要采取什么样未来方向的能力。积累和保持对既往事件的记忆，这对思维和判断等内部过程是必需的。在 2～3 岁期间开始获得的言语能力，既为逻辑思维过程的发展提供了强有力的工具，又使人们得以进行人际间沟通和环境控制。

随着个体的发展，自我进一步分化，并形成超我。超我，即个体通过综合其父母和周围社会的标准，行使一种抑制本能和控制冲动的功能。这样，自我感受到的道德标准就变成人格的一个组成部分。矛盾冲突必然要介入人生，并且是人格成熟发展的必要因素。自我通过建立起所谓**防御机制(defense mechanism)**成为本我和超我之间的中介。弗洛伊德首先提出了自我的概念和结构，C.G.容(又译荣格)对此也进行了深入的研究。此后，很多心理学家都对此概念做过不同程度的修订。

自我强度 在儿童时期，从直接行为到定向行为，从前逻辑思维到理性思维的进步是缓慢的，要经过许多中间阶段。即使在躯体成熟期，人们之间自我功能的形式和有效性也都有相当大的不同。自我强度是其特征中的一个重要的变量。强自我的人有如下特征：在对外部世界的理解和在自知力上是客观的；他的活动是按照较长的时间来规划的，因此能坚持日程安排和计划；能遵守作出的决定，能从可选择的事物中做出果断的抉择；不会为自己的驱力所倾覆，而是能把它们引入有益于社会的途径；当计划和选择一个由自己选定的行动方向时，能够抵御当时环境和社会的压力，而按照自己选择的途径行动。而弱自我的人更像儿童，其行为具有冲动性和即时性特点；对现实和自身的知觉是歪曲的；他不能进行富有成果的工作，因为他的能量全用于保护歪曲的、不真实的自我概念；他可能受着神经症症状的磨难。参阅 **psychoanalysis**。

ego, transcendental (philosophy) 参阅 **transcendental ego** 先验的自我。

egoism 利己主义 哲学上的一种主张追求自己利益就是善的伦理学理论。这个词有时被误用作过分强调自己价值的同义词。利己主义学说不大关心自我是什么这种哲学问题，它探讨的是人与其所关心的事这类普通概念。利己主义学说认为至善在于寻求增进自己的幸福和利益，不过它也承认人有时不知道幸福和利益所在，必须指引他们认识它们。许多伦理学说有利己主义倾向。古希腊的快乐论要各人追求自己最大的幸福。17 世纪时，唯物主义者 T.霍布斯和唯理主义者 B.de 斯宾诺莎以不同的方式主张自我保存是善。从这个意义上说，强调关心自己的良心和道德成长的人同样是利己主义者。与利己主义相对立的伦理观点强调社会而不是个体的重要性。如斯多噶派的世界大同主义、部落团结和功利主义，均属于实证主义哲学家 A.孔德所说的利他主义的范畴。

Egorevsk (Russia) 参阅 **Yegoryevsk** 叶戈里耶夫斯克。

egret 白鹭 鹤形目鹭科鸟类，尤指白鹭属(*Egretta*)的种类。羽衣多为白色，生育季节具颀长的装饰性婚羽。其习性与其他鹭类大致相似，但有些种类有求偶表演，包括炫示其羽毛。英语中 egret(或 aigrette)一词亦指白鹭的羽毛，白鹭毛在东方的礼服上用作贵重的饰物；从前亦用于西方的女帽业。白鹭的羽毛价值高。白鹭成大群营巢，又无防御能力，

大白鹭(*Egretta alba*)
美国不列颠百科全书公司供图

结果白鹭因人类的滥捕而濒于绝灭。以后因服饰的改变，加之人们采取了严格的保护措施，白鹭的数量又有所增加。白鹭是涉禽，常去沼泽地、湖泊、潮湿的森林和其他湿地环境。捕食浅水中的小鱼、两栖类、爬行类、哺乳动物和甲壳动物。在乔木或灌木上，或者在地面筑起凌乱的大巢。大白鹭(*Egretta* [有时 *Casmerodius*] *alba*)见于两半球，体长约 90 厘米，仅背上有羽毛。其美洲的种群有时称为美洲白鹭或普通白鹭。牛背鹭(*Bubulcus* [有时 *Ardeola*] *ibis*)大部分时间栖于陆地上，

与家养或野生的食草动物为伍，食这些动物惊起的昆虫，有时食去它们皮上的蜱类。体壮实，长 50 厘米。羽衣白色，婚羽短而蓬松。腿和喙浅黄色，分布范围已从欧洲、非洲和亚洲扩展到澳大利亚和南北美洲。小白鹭（*E. garzetta*）分布于旧大陆；体长约 55 厘米；羽衣白色，头部的羽毛坚硬，而背部的羽毛呈花边状。浅红鹭（*Hydranassa*［或 *Dichromanassa*］*rufescens*）见于北美温暖的沿海地区，有两个色型：白色和深色。雪鹭（*E.*［或 *Leucophoyx*］*thula*）为白色；体长约 60 厘米；背部和头部的羽毛轻薄透明而向后弯曲；分布范围自美国至智利和阿根廷。

Eguren, José María　埃古伦（1874-07-07，秘鲁利马～1942-04-19，利马）　秘鲁后现代主义的主要诗人之一。他的第一本诗集《象征》（1911），标志着与现代主义传统的分裂，但是他仍然同对这个运动有影响的浪漫主义诗人和法国早期象征主义诗人保持联系。他在他的幻想作品中反映了他的愿望：即逃避到想象中充满骑士和公主的中世纪冒险世界去。这些诗歌的语言优美悦耳，生动形象。第二本作品《形象之歌》（1916），也是一些高度个性化的隐逸诗。曾被左派指责为孤独地关在象牙之塔里写作的诗人。

Egwanga（Nigeria）　**埃关加**　参阅 **Ikot Abasi** *伊科特阿巴锡*。

Egypt　埃及　全称阿拉伯埃及共和国。非洲东北角国家，面积 997 740 平方千米，首都开罗。国土南北长约 1 055 千米；沿南部边界，东西最宽处达 1 250 千米。东为以色列、亚喀巴湾和红海，南接苏丹，西邻利比亚，北濒地中海。人口约 70 548 718（2004）。

土地　南北流向的尼罗河将全境分成两个大小不等、景观特征各异的极端干旱区。西部沙漠面积较大，为地势低、无干谷的高原；东部沙漠面积较小，是石灰岩和砂岩构成的高原，为许多干谷所切割；东南部边缘有崎岖山脉。东部沙漠东北的西奈半岛亦多干谷。凯瑟琳山是埃及最高峰，位于西奈南部山区，海拔 2 642 米。红海丘陵位于东部沙漠，其中多座山峰海拔超过 1 800 米。

尼罗河在埃及境内无重要支流，形成平底河谷，宽 8～16 千米，谷边为悬崖峭壁，至开罗以北呈扇状散开，形成三角洲低地。尼罗河三角洲长 160 千米，宽 240 千米，人口稠密，可常年灌溉。天然植被境内各地不同。干旱的西部沙漠通常杳无生物，但略湿地区有沙漠多年生植物和禾草生长。东部沙漠不太干旱，偶有降雨，生长的植物有柽柳、刺槐、各种旱生灌丛、小型肉质旱生植物以及芳香植物。尼罗河谷、三角洲和稀疏的绿洲为埃及全部农业区，居住着 99% 的埃及人口。

埃及的气候仅分冬、夏两季，冬季为 11～3 月，夏季 5～9 月。冬季凉爽温和（亚历山大 1 月平均最低和最高气温介于 11～18 °C之间），夏季炎热（开罗 7 月平均气温为 29 °C）。年降雨量各地不同；亚历山大约为 175 毫米，开罗约 25 毫米，而南部的阿斯旺附近仅约 2.5 毫米。红海沿岸平原几乎无雨。埃及矿产资源不丰，主要矿产有铁矿、石油、天然气、石膏和磷酸盐。

人民　埃及人种较为单一，兼有含米特和闪米特两部族的体格特征。尼罗河三角洲的居民与中东其他地区和欧洲的交往较为频繁，而上埃及（即埃及南部地区，位于尼罗河上游沿岸）的居民则较保守。少数民族包括居住在尼罗河谷南部的努比亚人，分布在东部沙漠南部、讲含米特语的贝贾人，以及居住在西部沙漠具有阿拉伯与柏柏尔混合血统的种族。开罗和亚历山大的欧洲侨民为数不多。

阿拉伯语作为埃及的书面和交谈语言约有 13 个世纪之久。在阿拉伯人于公元 639 年人侵之前，科普特语（直接源于古埃及语）曾为宗教和日常生活的用语，但到公元 12 世纪时即完全为阿拉伯语所取代，而科普特语仅是科普特教会礼拜仪式上的用语。

伊斯兰教系埃及国教，约有 9/10 的人口为穆斯林，几乎全部是逊尼派教徒。基督教徒占少数，且多为科普特人。

人口出生率和死亡率大约是北非地区的平均水平。年人口增长率按世界标准相对偏高；婴儿死亡率亦高。总人口的 2/5 不满 15 岁。为降低婴儿和儿童死亡率，提供和改善对母亲与儿童（尤其是学龄儿童）的医疗服务已成为当务之急。外来移民和移居外国的人数向来极少。但移居或寻求海外短期工作的人口有所增加。

人口主要集中在极其富饶的尼罗河三角洲（下埃及），该地区（包括开罗）居住有全境一半以上的人口。另有一半人口居住在乡村地区。20 世纪期间城市化进程加快。城市数量明显增加的部分原因，是实行行政改革过程中有些村庄设为市或镇，但仍保留其乡村特征。

经济　埃及主要实行的是正在发展中的社会主义经济，但兼有企业自由经营成分。国民生产总值的增长虽然快于人口增长，但与其他国家相比仍然较低。国内生产总值的主要来源为工业（包括石油工业），其次为农业、公用事业与国防、商业和金融业。

农业约占国内生产总值的 20%，但占用了 40% 以上的劳动力。埃及可耕地几乎仅限于尼罗河谷和三角洲，且灌溉必不可少。由于阿斯旺大坝的建成（1970），使得埃及在历史上首次实现了对尼罗河一年一度泛滥的完全控制。经济作物约占可耕地的 3/4，其中甘蔗、蕃茄、棉花、西瓜、柑橘、洋葱和马铃薯为大宗。以供应当地消费为目的的粮食作物包括玉米、水稻、小麦、粟、南瓜和西葫芦，还有特别值得一提的海枣。由于人口增长迅速和经济作物占用土地过多，埃及粮食在很大程度上仍需依赖进口。

尽管境内几乎无牧地，但乡村和农场也可饲养家畜，常见的有水牛、黄牛、驴、绵羊和山羊。鸡、鸭和鸽子也有一定数量的饲养；水牛和乳牛均可产牛奶，在农村地区亦用作挽畜；驴被广泛用于运输。

渔业甚为发达，总捕获量的 4/5 为淡水鱼，其余为海水鱼。由于阿斯旺大坝切断了河水中携带的营养物质，地中海沿海渔业衰退；然而阿斯旺高坝后面的纳赛尔水库却有着丰富的鱼类。

矿业（以石油和天然气为主）连同制造业一起约占国内生产总值的 22%。矿业雇用 0.3% 的劳动力；制造业雇用了约 16% 的劳动力。主要产品有石油产品、水泥、棉毛纺织品、服装和面粉。

远古和中古时代的古迹、冬季温和的气

美国不列颠百科全书公司供图

候以及地中海沿岸的海滩和旅游胜地都对游客具有极大的吸引力。

埃及工业约有 70% 已国有化。政府实行 5 年经济计划进行管理,并鼓励企业自由经营和外国投资。由于苏伊士运河恢复运营(1975)和石油与天然气的生产,国家经济状况得到改善。外国投资亦开始援助开发项目。劳动力约占总人口的 25%;工会为合法组织。由于人口增长率很高,失业现象仍为大问题。

国家预算的收入主要来自税收。支出一般超过国家岁人。铁路属于国有,由埃及铁路局经营。公路有 2/3 以上铺设路面。内河航道长达 3 200 千米以上;除长约 160 千米的苏伊士运河外,其余均为尼罗河水道。每月约有 2 万艘商船通过苏伊士运河。埃及国营航空公司提供国际和国内航班服务。

埃及出口以原油及其加工产品和棉纺织纤维及其制品为主,埃及产品的主要进口国为意大利。进口商品以食品、机械和电器设备以及运输设备和化学品为主,主要来自美国、德国和法国。进口额极大地高于出口额。在海外工作的埃及工人的汇款有助于缓解外贸巨额逆差。

政体与社会状况 一个强有力的行政首脑主宰着埃及的政治体系。总统由国家立法机关提名,经全国公民投票选举产生,任期 6 年(可以连选连任)。总统为国家元首和武装部队最高统帅,他任命副总统、总理、内阁成员以及由 454 人组成的一院制立法机关人民议会中的 10 位议员。人民议会主要职责是审议并批准政府政策,议员经普选产生,任期 5 年。埃及实行有限的多党制,国家民主党作为执政党鼓励忠诚的反对党的存在,但禁止共产党和伊斯兰原教旨主义者结成政治集团和争取政治权利。根据 1971 年通过的埃及宪法,最高宪法法院为最高司法机关。

社会福利制度适用于大多数受雇人员,对工伤、失业、老年、死亡、生育、残疾和病患提供救助。该制度还设有提供免费医疗服务的大型网络。尽管如此,该国仍存在卫生条件差、营养不良、慢性致衰弱疾病以及农村地区医务人员缺乏等情况。这些问题导致平均预期寿命降低,男性仅 59 岁,女性 62 岁。

埃及的国民教育分为 3 个阶段,小学(6 年)、初中(3 年)和高中(3 年)。小学为义务教育(6 ～ 12 岁);通过考试的学生有机会继续升学。除政府提供的普通教育外,穆斯林诸学院亦提供教育。爱资哈尔大学(970 年创办)为全世界伊斯兰教与阿拉伯学术研究的主要机构。尽管在提供教育方面已有进步,埃及 15 岁以上人口中文盲率仍高达 55%。

自 1973 年解除新闻检查制度后,埃及新闻界一直享有评论政治与经济问题的相对自由。电台和电视台则由政府经营。

尽管埃及的社会文化无疑具有阿拉伯和伊斯兰教传统,但埃及文化在某些方面却是世界性的,并显示出不少西方的影响。西方的影响是埃及现代小说经常出现的主题之一。小说家、电影剧作家 N.马哈福兹为埃及最著名的作家之一,是 1988 年诺贝尔文学奖获得者。埃及的现代戏剧来自欧洲。本世纪初出生的两位剧作家马哈茂德·泰穆尔和陶菲格·哈基姆主宰了该国戏剧的发展。埃及流行音乐融合了阿拉伯古典音乐、民歌和西方音乐。在这种音乐风格的形成过程中,穆罕默德·阿卜杜勒·瓦哈布作为作曲家和歌唱家,是最主要的人物之一。乌姆库勒苏姆不仅是埃及,也是整个阿拉伯世界的著名歌唱家,他在歌坛享誉近 50 年之久。

历史 埃及是世界上延续至今最古老的文明之一。约在公元前 2925 年,可能是一位名叫美尼斯的国王统一了上、下埃及。统一后的埃及进入了一个文化兴盛时期,并持续统治了将近 3 000 年。历史学家将埃及古代史分为古王国、中王国和新王国 3 个时期,历经 31 个朝代,止于公元前 332 年。金字塔的建造可追溯至古王国时期;精致的雕刻术和对主神俄赛里斯的崇拜始于中王国时期;而帝国时代和犹太人出埃及则发生于新王国时期。参阅 **Egyptian art**; **Egyptian religion**; **Egyptian law**。

公元前 7 世纪,亚述人入侵。公元前 525 年波斯人建立起阿开民王朝。公元前 332 年亚历山大大帝入侵,开创了马其顿托勒密时期。这一时期,埃及国王仍牢固植根于希腊世界。亚历山大三世(大帝)所建造的亚历山大城,不仅成为希腊文化与闪米特学术的中心,而且很快成为希腊学术与科学高度发展的要地。

公元前 30 ～公元 395 年,罗马人统治着埃及。公元 395 年后,埃及在行政上受东罗马(后为拜占廷)帝国首都君士坦丁堡的控制。313 年君士坦丁大帝特准容纳基督徒,使正式的埃及教会得以成立。亚历山大城曾是基督教人物如阿里乌、亚大纳西、奥利金和克雷芒工作过的地方。拜占廷军队与入侵的阿拉伯人交战 3 年之后,于 642 年撤出,拜占廷帝国对埃及的统治就此结束。在其后数百年内,埃及变为一个讲阿拉伯语的国家,并将伊斯兰教奉为主要宗教。埃及曾是伍麦叶和阿拔斯哈里发王朝统治地的一部分。969 年成为法蒂玛哈里发王朝的中心,赢得了相当程度的独立和重要地位。1171 年又归阿拔斯王朝统治。

埃及大金字塔和狮身人面像

美国国会图书馆供图

阿拔斯哈里发王朝沦亡后,马木路克人于 1250 年上升到统治地位。马木路克人本是非阿拉伯、非穆斯林血统的奴隶,被召来扩充阿拉伯世界的军队。他们在埃及建立起王朝,统治一直延续至 1517 年,埃及也因此成为穆斯林世界阿拉伯语地区东部的中心。此时,埃及几乎已完全阿拉伯化。

1517 年埃及被奥斯曼帝国土耳其人占领,成为该帝国的一省,受伊斯坦布尔(旧称君士坦丁堡)管辖。在马木路克王朝后期,埃及经济已开始衰退,随之而来的则是文化衰落。

1798 年法国人入侵埃及,虽然只维持了短短数年,却把埃及带人欧洲政治的范畴。法国人撤离埃及后,政府交给穆罕默德·阿里(可能是一个阿尔巴尼亚人)管理;他建立一个王朝并在名义上受奥斯曼帝国的控制。阿里及其继位者贪敛财富,推行扩张政策,致使埃及向英国贷款。1882 年,英国趁埃及国内动荡不安之时占领了埃及。

1914 年埃及成为英国的一个保护国。1922 年君主立宪制建立后,埃及在名义上独立。1952 年发生政变,君主政府被推翻,纳赛尔成为 2 000 多年来第一位身为埃及当地人的统治者。他将苏伊士运河改归国有,一度试图与叙利亚和也门组成联邦;建成阿斯旺高坝;对以色列发动过两次以失败告终的战争(1956、1967)。其继任者萨达特试图改革纳赛尔若干偏向社会主义的政策;亦对以色列发动过进攻(1973),并且在西奈半岛上立足;最终在中东和平谈判中扮演领导角色,直到 1981 年 10 月遭穆斯林原教旨主义者暗杀。其继任者为萨达特的副总统穆巴拉克,他遵循萨达特的和平倡议;1982 年埃及重新恢复了曾于 1967 年丧失的西奈半岛的主权。穆巴拉克承袭亲美政策,1991 年埃及军队加入美国领导的反对伊拉克的联盟,参加对伊朗的海湾战争。1987、1993、1999 和 2005 年穆巴拉克连续 4 次当选总统。

Egyptian art 埃及艺术 公元前第一个三千纪的王朝时期在埃及与努比亚的尼罗河流域所产生的古代巨大建筑、雕刻、绘画和装饰工艺品。埃及艺术的发展历程大部分是与本国的政治历史平行的,但也取决于根深蒂固的社会制度。由官方宗教支持的一种等级制阶级结构要求服从权威的法律和遵守强制性的道德标准。埃及艺术作为一种维护现存社会结构的有力的宣传工具,可能比其他任何艺术更多地为当权者服务。

古代埃及艺术反映了一种文化的宗教信仰,它是从这样的信念发展起来的:与永恒的来生相比,现世的生命只不过是一个短暂的插曲。各阶级的人们都在搜集死后陪伴他们的有用的和装饰的物品。他们竭尽所能在自己的墓地上大下功夫。结果,很大一部分艺术品是由古墓保存下来的。考古学家从埃及前王朝时期(约至公元前 2925)挖掘出来的艺术品有岩雕、美饰花瓶、赤陶小塑像和梳妆用具。木材稀少。在营造者学会用太阳晒干砖坯以前,房舍是用尼罗河的泥和芦苇修筑的。早期王朝时期(约公元前 2925 ～约前 2575)最著名的艺术品是"那尔迈板",这是一片描绘那尔迈国王击败敌人情景的石板,并象征上埃及与下埃及的统一。它对每一情景以及对法老的颂扬都刻画得十分清晰，标志着此后埃及艺术长期遵循的一种风格。

在古王国时期（约公元前 2575 ～约前 2130），开始用石头营造巨大的建筑物。大金字塔是统治者的陵墓，周围有由坟墓和神庙组成的建筑群。萨卡拉的所谓阶梯式金字塔是已知最早的金字塔。吉萨的几座著名金字塔是金字塔建筑最优秀的形式。贵族们埋在靠近国王金字塔的长方形石墓中。大斯芬克斯雕刻为一座带有统治者头部的狮子，卧在海夫拉的金字塔旁边。神庙供奉死去的法老和埃及的众神。坟墓内的家具、珠宝和其他手工艺品都保存了数千年。古王国的石墓与神庙都装饰有色彩鲜明的浮雕，生动而真实地描绘埃及人民的日常生活。用木石制作的大小雕像酷似逝者，栩栩如生。这一时期对人像的刻画已有规定，示明正确的比例、姿态以及细节的安排。统治者与官员总被刻画成一定的合乎身分的庄严姿态，奴仆与劳工则呈现他们从事各种工作的状态，刻画得比较自由。这种雕刻准则使风格得以流传，使技艺达到高的水平。古王国末期，由于内战和普遍的经济萧条，已不可能建造精致的坟墓，艺术质量下降。中王国时期（公元前 1938 ～约前 1600）政治局势比较稳定，艺术也随之复兴。特别值得注意的是国王们的雕像，他们愁容满面，与古王国人像的庄严安详恰成对比。这一时期在法尤姆绿洲附近建造的皇陵金字塔与神庙都比较小，而且主要使用砖坯，表面加一层石块，但是浮雕与绘画的艺术技巧和制作的精确程度，都达到高水平。

经过另一场政治混乱之后，繁荣昌盛的新王国（公元前 1539 ～前 1075）使各种艺术开始争芳斗艳。神庙、礼拜堂、石墓和石碑等，在埃及与努比亚的整个尼罗河谷纷纷建造起来。巨大的花岗岩雕像和墙壁上的浮雕为统治者与众神歌功颂德。绘画成为独立的艺术，装饰的手工艺达到新的高峰。在国王图特安哈门陵墓中发现的财宝，是为皇室及其臣属所制作的各种奢侈艺术品的典型，特别是在第十八王朝时期，绘画与雕刻表现出优美与高雅，虽然遵循古典的准则，但表现得比较自由。人像轻快而优雅，细节十分精确。国王阿孟霍特普四世在位时期，艺术上发生过一度短暂的革命，称阿马纳型风格。允许表达方式完全自由，用朴素的写实主义描绘皇家成员的非正式的日常活动。新王国最引人注目的建筑物是敬奉众神的巨大石造神庙。无论是它们的室内布局或是它们的巨大尺寸，都显示出僧侣权力的上升。典型的结构可以包括魁伟的门口、一个有柱廊的庭院、一个圆柱大厅、一个神龛室、一个或一个以上礼拜堂。只有法老和高级僧侣可以进入最内部地区。圆柱与柱头的图案均以植物（如棕榈和纸莎草）为基础，墙壁也装饰以植物花纹。众神与统治者的巨大雕像足以令人敬畏。这一时期的墓葬是在沙漠绝壁的岩石上凿洞而成。新王国的统治者们在底比斯的国王陵墓谷地建造了极为精巧的陵墓与宗祠群，现在人们可以在卢克索、卡尔纳克、阿比多斯、特勒·埃尔-阿马尔纳和阿布辛拜勒见到庄严的古墓遗迹。

在公元前最后几个世纪和公元最初几个世纪，希腊、罗马支配着地中海世界。努比亚的艺术传统融合了罗马化埃及的艺术风格。但是，埃及对艺术一个突出贡献是罗马化埃及时期（公元前 30 ～公元 642）的棺椁肖像，这类肖像标志着一种新的绘画风格的出现，这种风格后来在拜占廷画像中发扬光大到了顶点。

Egyptian calendar 埃及历 公元前数千年建立的一种记日系统。是人们所知的以 365 日为一年的第一个历法，它基本等于一个太阳年或季节年。埃及历的年和月的长度是固定的，而不是以临时的公告来建立的，直到大约公元前 46 年儒略历被创造出来以前，埃及历是唯一这样作的民用历。一年是由 12 个包含 30 日的月和加在年末、不属于任何一个月的 5 个附加日构成的。一年中的月份是按数序排列的，在公元前 6 世纪以前没有名称，以后则用各月中的节日名称来称呼。

Egyptian language 埃及语 尼罗河谷已消亡语言。埃及语与闪米特语、乍得语、库施特语以及柏柏尔语族同属闪-含语系。学者们根据文献资料，常把埃及语的历史划分为五个时期：上古埃及语（自公元前 3000 以前～约前 2200），中古埃及语（约公元前 2200 ～约前 1600），近古埃及语（约公元前 1550 ～约前 700），通俗埃及语（约公元前 700 ～约公元 400），以及科普特语（约 2 ～ 17 世纪）。关于上古埃及语知识的主要来源为古代传记文献（始于第三王朝末期即约公元前 2575）、第四至第六王朝（约公元前 2575 ～约前 2150）国王的诏令以及第五、第六王朝（约公元前 2465 ～约前 2150）国王死后，为其灵魂祝福而刻写的金字塔巫术咒语铭文。金字塔铭文的有些段落据信为第一王朝时期（约公元前 2925 ～约前 2775）之前的文物。学者们都认为中古埃及语是这种语言的标准语阶段。它的文学语言以公元前约 2200 年通行的口语为基础。在阿肯那顿统治时期（公元前 1353 ～前 1336），虽然近古埃及书面语替代了中古埃及语作为官方语言，但是中古埃及语仍继续用于大多数碑铭及文学创作中直至公元初期。溯源于约公元前 196 年的罗塞塔石碑的象形文字铭文，是企图用标准语言书写的一种尝试。近古埃及语文献主要是些手稿，虽然也存在有少数碑铭。近古埃及语和它以前的各个阶段有重要区别，如使用定冠词和不定冠词，有若干语音变化等。通俗埃及语在波斯、希腊、罗马统治的各个时期，一直都在使用，大部为法律文献，间有文学和宗教作品。罗塞塔石碑中部铭文就是埃及通俗文字最好的例证，当然也有少数通俗埃及语铭文是用象形文字刻写的。通俗埃及语最晚期的铭文始于公元 5 世纪末期，镌刻在埃及菲莱岛上伊希斯女神庙中。对女神的崇拜持续到查士丁尼一世统治时期（公元 527 ～ 565 在位）埃及人由异教信仰改奉基督教后，主要用于书写宗教文献的科普特语，完全取代了通俗埃及语。科普特语与通俗埃及语的主要区别，在于用希腊语宗教名词和语汇代替本地的宗教术语。科普特语是埃及语中唯一在拼写法上清楚地表示发音的阶段。最晚期的科普特语书面材料属于 14 世纪。埃及语原来用象形文字，碑铭象形文字从公元前约 3000 年一直用到 3 世纪。手写体象形文字发展成两种字体：僧侣体和通俗体。最早的僧侣体文字可溯源至第一王朝时期（约公元前 2925 ～前 2775）。通俗体文字用于通俗埃及语时期。第二十六王朝（公元前 664 ～前 525）以后，僧侣体文字主要用于抄写纸莎草纸的宗教文献及其他传统文献，而通俗体文字则用于其他方面。科普特语采用希腊字母表，并增加 7 个借自埃及通俗体文字的字母。在埃及语的各个阶段，各词都分为阳性或阴性；它的较早阶段用增加后缀以表示动词变化；可是在其末期，却用包括动名词在内的动词短语代替后缀，以表示各种不同的动词形式。参阅 **Coptic language**。

Egyptian law 埃及法 指起源于美尼斯（又译米那）王统一上、下埃及时（约在公元前 2925 年）的法律，其形成和发展一直延续到罗马人占领埃及时（公元前 30 年）为止。埃及法的历史比任何其他文明中的法律的历史都长。即使在罗马人占领埃及以后，埃及法的因素仍在大城市地区以外的地方保留下来。虽然有几位法老，例如博科里斯（？公元前 722 ～前 715?），以制定法律闻名于世，但是没有一部正式的埃及法法典流传后世。然而，在公元前 7 世纪以后，当人们开始使用通俗文字（书面语言的通俗形式）时，很多法律事务要求用书面的契据或契约代替传统的口头协议。对这些迄今尚存的文件所反映的古代埃及的法律，人们一直在进行研究。

解决争端的最后权威是法老，他的命令是至高无上的。由于执法工作的复杂性，法老把权力委托给各省省长和其他官员。在法老下面拥有最大权力的人物是首相，他领导政府的所有行政部门。开庭审判案件和任命治安法官也是他的一部分法律职责。在诉讼程序中，要求原告人提起诉讼。如果争端似乎涉及法律问题，法庭就命令被告人出庭。当事人各方不是由法律辩护人代理，而是由在这个法律制度中所雇用的法律学者提供程序上的咨询。当事人双方各自为自己辩护，并提出任何有关的文件证据。有时传唤证人，但法官通常是根据文件和各方证言作出裁决。判决中包括建议保存的审判书面记录，这可能是很多这类文件得以保存至今的主要原因。

虽然在埃及历史上的某些时期里，长子继承权占统治地位，但有记录表明，财产是在子女之间平均分配的。即使在实行长子继承权时，其他子女和未亡的配偶通常也获得一份财产。通过一个特殊的、经过登记的文件，可以不遵守一般的继承法，例如，父或母可以用这种文件保证一个女儿对家庭财产的权利。有关家庭和继承权的法律判决清楚地表明，古代埃及的法律赋予妇女与男人同等的全部权利。妇女可以拥有和遗赠财产，提起诉讼，可不经父亲或丈夫的批准出席法庭作证。劳动阶级也有某些合法权利；甚至奴隶在某些情况下也被准许拥有财产。财产的转让和契约的协议在执行时被视为相同类型的法律事务。例如，出租奴隶被视为一种出售协议。劳动往往被用来交换各种商品。对于财物或劳务上以及法律上可能出现的缺陷，准许各当事人在他们的事务中自行规定限制或作出保证。

刑事审判要求根据罪名的严重程度在司法系统中实行等级制度。罪大恶极的犯人只能由法老判决，往往是由首相主持侦讯然后呈交法老作最后的判决。在有些案件中，法老任命一个专门委员会，赋予它作出判决的全权。对重罪施加的刑罚包括苦役和死刑；切肢和鞭刑则往往用来惩罚较轻的罪犯。尽管对罪犯的惩罚可能是严厉的，而且用现代的眼光来看可能是野蛮的，但埃及法在它支持基本人权这一点上是值得称赞的。例如，博科里斯法老提倡个人的权利，禁止对欠债人施加监禁，并改革有关财产转让的法律。他的法律改革措施是埃及法具有深远影响的一个例子：希腊的立法者梭伦（公元前6世纪）访问了埃及，并把埃及法律制度的某些方面应用到他给雅典制定法律的想法中。埃及法在希腊化时期一直影响着希腊法，而它对罗马帝国法律的影响则直到今天仍可以感觉得出来。

Egyptian Museum 埃及博物馆 位于开罗的埃及古物馆，由法国埃及学家A.马里埃特于19世纪创办，拥有世界上同类博物馆中最有价值的藏品。该博物馆于1858年创建于布拉克，1897～1902年先后迁至吉萨和现址。它在介绍整个埃及文化、特别是在介绍法老时期和希腊-罗马时期的古物方面是无与伦比的。博物馆收藏的10万件以上藏品中，有1 700件是从图特安哈门陵墓中发掘的。其他珍品有浮雕、石棺、纸莎草纸文稿、随葬艺术品和其他墓穴出土的各种随葬品、珍宝、各类装饰品等。

Egyptian religion 埃及宗教 指古代埃及的宗教，时间自新石器时代晚期到公元最初几个世纪，包括民间习俗和宫廷宗教。埃及宗教的特点是多神，既有动物形的，也有人形的。这反映出在政治统一（约公元前2925）之前整个尼罗河谷曾出现过大量的地方崇拜活动中心。中央政府成立之后，就有了全国的神祇与崇拜，也有了对在世的国王的崇拜。形象似隼的神何露斯代表国王，他是天神之子，是统治宇宙的神王。随着全国性崇拜的出现，就有一些神学概念发展起来，为埃及人解释世界的意义。首先一个概念就是“玛亚特”，意味着诸神赐予人类的正确的世界秩序。这一概念包括真理、正义以及正确社会行为的思想。国王是玛亚特的行政官，在画面上常是这样：他向众神引见玛亚特，表明他已代表众神妥善地治理埃及。埃及人发展了一种诸说混合的思想，把各地崇拜的不同的和矛盾的特征融合起来。例如，卜塔是孟斐斯宇宙论中的创世神，阿图姆是日城宇宙论中的创世者。埃及人为了调和两种不同的观点，把两位神联结到一起，使一位神的特征变成另一位神的一部分。具有同样特征的神被合并到一起，形成混合神。太阳神瑞具有普遍性，所以经常与许多神联结到一起。埃及人并不觉得他们的神的不同特征或权力互相矛盾，而认为那只是某位神的不同的形态。这样一来，男性（或女性）诸神就具有异性的特征，从而可以自生自养。

埃及人发展一种生命连续的信仰。在地球上的生命只是人的存在的一个方面。死亡并不是毁掉一个人，只是把他送到宇宙的另一面。死者在现世世界积极活动，对死亡进行准备实际上是准备迎接与众神相联系的新生活。在古王国时期，只有国王才能被引入这一精神世界。后来，普通的人通过仪式也可以像国王一样到达同样的神界。埃及人认为时间是循环的。当国王逝世的时候，他本人变成死者的主宰、阴间的统治者俄赛里斯，而他的儿子则成为新的何露斯，即玛亚特的行政官。一个国王在位满30年，他要经过一系列仪式，表明他已经正式死亡，变成死者的主宰俄赛里斯，而后又神秘地还阳。这是一种象征整个大地周而复始的举动，可能与尼罗河一年一度的泛滥有关。

在各个时期，庙宇都是埃及人敬奉的中心。随着时间的推移，庙宇有了巨大的经济和政治作用。到新王国末期，卡尔纳克的太阳神庙是整个上埃及的主要政治力量所在。在理论上，国王是众神的高级祭司，但在实际上，他指派别人去担当日常礼仪任务。每一座庙宇的圣堂供有当地的神像。每到节日便把神像抬出庙宇，供人瞻仰。个人可以在家里设神龛或礼拜堂敬奉诸神。大多数庙宇在后墙处留有供民众敬神的地方。庙宇是埃及的小宇宙。礼拜堂通常高于庙宇其他任何部分，代表初创宇宙的场所。天花板上点缀着星星，柱子采取荷花和纸莎草形，这是创世时原始沼泽的象征。庙宇中的各种仪式一方面重温创世的情景，一方面促进大地的复苏。

埃及的考古资料大多来自墓葬。最初的墓葬是前王朝时期的小坑，后来发展成各种各样的结构，从小型墓穴到吉萨的巨大的金字塔。每一座坟墓都是灵魂永远安息地。在古王国时期，重要的坟墓都聚集在国王陵墓的附近。人们相信只有跟随国王才能安全到达冥界。后来人们用自己的方法（通常是繁复的仪式和法术）找到进入冥界的门路。棺文和死者书中有一系列的咒词，祈求超渡死者，保护他不受恶魔侵扰，给予他必要的口令和符咒以便进入冥界。由于政治动荡时期的来临，埃及人的世界观增添悲观的色彩，因而更加注重个人崇拜，更多地运用法术。埃及人开始相信他们有能力控制神秘环境的一部分。到新王国时期，甲虫形护符等已经是求神保护和与自身成神的常用方法了。

埃及宗教虽然往往缺乏任何明确的神明体系，但就整体来说，其最重要的一点是能够成为维持埃及文化统一的力量。

Egyptology 埃及学 研究法老时代（约公元前4500～公元641）埃及的学科。埃及学始于拿破仑入侵埃及时（1798～1801）随军学者出版的《埃及介绍》（1809～1828）。该书为欧洲学者提供了关于古埃及的大量原始资料。埃及的文字记载可追溯到约公元前3350年，当时头几任法老在努比亚（上埃及南部）创制了象形文字。因埃及气候干燥，所以有关这些国王及其继承者以及臣民的文献，关于埃及文化的考古资料，都得以完好地保存下来，为埃及学的研究提供了原始材料。在罗马征服埃及后（公元前31年），由于希腊文化渗入埃及文化，有关法老时代埃及的知识遂逐渐湮没。约公元250年前后，希腊字母加上6个通俗体埃及象形字，取代了全部象形文字，使法老时代埃及的某些资料得以通过诸如希罗多德和斯特拉博这些古典作家，传入希腊-罗马文化中去。埃及祭司曼内托曾用希腊语为托勒密一世编纂一份列王系年册，保存了埃及的历史轮廓。随着公元641年阿拉伯人的征服，只有科普特人（埃及基督教徒）保留了古代语言，用希腊字母书写。在欧洲，文艺复兴时期从埃及带进的科普特语原作，引起人们对埃及语的兴趣。1643年德国耶稣会会士A.基歇尔出版过一本科普特语语法书。17世纪，英国天文学家J.格里夫斯测量了吉萨金字塔。1799年一名法国工程师发现《罗塞塔石碑》，刻有希腊文、象形文字和通俗体象形文字3种字体对照的碑文，这时人们已经懂得科普特语，因此，J.-F.商博良在1822年完成了碑上的象形文字的释读。他和意大利学者I.罗塞利尼于1828年率领一支联合考察队去埃及，其考察结果写成《埃及、努比亚古代遗址》一书发表。K.R.累普济乌斯于1842～1845年间率普鲁士考古队考察，而J.G.威尔金森在埃及抄录及搜集资料达12年之久（1821～1833）。1850年来自罗浮宫的A.马里埃特在孟斐斯开始发掘，发现塞拉皮斯神庙建筑群遗址。他说服埃及总督赛义德帕夏在布拉克建立第一所埃及博物馆（1858；1902年迁往开罗）并成立了古物部（1863），第一任部长就是他本人。该组织制止了随意发掘和古物收集活动。由于法国的E.德·鲁热、英国的S.伯奇和德国的H.布鲁格施的研究，确立了作为学术性学科的埃及学。1880年F.皮特里把有节制的、科学记录的发掘技术介绍到埃及，使考古方法大有改进。他把埃及文化的起源提前到公元前4500年。英国埃及考察基金会（后改为协会）成立于1882年，采用皮特里的原则，推动了发掘工作，其他各专业埃及学会也推广了这些发掘规范。J.H.布雷斯特德在芝加哥大学建立东方研究所，并于1895～1896年调查了埃及和努比亚，从而开创了美国的埃及学。美国各博物馆在19世纪末和20世纪初增设了埃及收藏品的陈列，而在埃及的发掘又充实了博物馆的展品。阿斯旺高坝修建时（1902和1970），曾在努比亚进行国际性抢救发掘工作，发掘的结果进一步揭示了埃及的历史。努比亚工作队考察了埃及的古遗址，特别是在知之甚少的尼罗河三角洲。20世纪70年代，对古代阿瓦里斯-帕·拉麦苏和门德斯的发掘，出土了重要资料。从40年代起，以色列埃及学家H.J.波洛茨基对埃及动词的认识大有进展；J.约翰逊-惠特科姆于1978年在芝加哥东方研究所开始编著通俗体埃及象形文字字典；在德国，80年代进行了多卷本埃及学百科全书的修撰。70年代，埃及学家开始与其他学科的专家进行合作。第一批尝试中包括密歇根大学、埃及古物部和东方研究所的合作项目，由牙科学家、遗传学家和埃及学家采用先进技术，共同研究开罗博物馆所藏王族木乃伊。1976年第一届国际埃及学会议在开罗举行,此后每3年召开一次会议,使全世界学者之间的联系更加密切。

Eh-pH diagram Eh-pH 相图 表明矿物或化学种属的氢离子活度(pH)和电子活动性(Eh)的稳定场的任何一类相图。因此,Eh-pH相图上所表示的反应包括质子的转换(水解作用)或是电子的转换(氧化或还原作用),或是包括两者。在自然环境中,pH值为1～9.5,Eh值从－500～＋800毫伏,对地表正常遇到的温度和压力以外的温度和压力则很少考虑。Eh-pH相图上表示这些变量范围,某种特定矿物呈稳定态的区域称为此矿物的稳定场。这种表示法能使地球化学家确定某个矿物是与它周围环境平衡,还是发生化学变化。

Ehime 爱媛 日本四国西北部县。北临濑户内海,西濒丰后水道。面积5 672平方千米。内地多山。人口大部在沿海平原。梯田生产稻米、小麦、茶叶、大豆、柑橘。新居滨、西条、波止滨、今治等城市为工业中心。为抵制空气污染,在新居滨建立了化工厂,用以炼铜厂排出的二氧化硫气体制造化肥。宇和岛等沿海城市以渔业和林业为经济来源。首府松山(**Matsuyama**)为四国最大城市,设有爱媛大学(1949)。人口1 515 027(1990)。

爱媛县宇和岛附近的梯田
美国不列颠百科全书公司供图

Ehlsheimer, Adam (German painter) 参阅 **Elsheimer, Adam 埃尔斯海默**。

Ehrenberg, Christian Gottfried 埃伦贝格(1795-04-19,萨克森代利奇[德国]～1876-06-27,德国柏林) 德国生物学家、显微镜学家、科学探险者、微观古生物学创始人之一。1818年获柏林大学医学博士学位,后毕生在该大学工作。参加过普鲁士科学院和柏林大学组织的科学探险队(1820～1825),到过埃及、利比亚、苏丹和红海。他是探险队的唯一幸存者,采集了动物标本3.4万件、植物标本4.6万份。1829年与A.von洪堡一起参加俄国沙皇尼古拉一世组织的探险队,到过中亚细亚和西伯利亚的许多地方。他鉴定了探险中采集的很多陆、海生动植物和微生物,并进行分类。证明了真菌由孢子长成,论证了霉菌和蘑菇的有性生殖。他第一个仔细研究珊瑚虫的解剖、习性和生活史,证明浮游微生物是海面荧光的成因,发现各种地层中的微小化石生物,观察到某些岩层是由这样的单细胞化石组成。他提出,所有动物从最小到最大,都有完全的器官系统,如肌肉、性器官和胃;他相信自己的“完全生物”的思想(后被F.迪雅尔丹否定),既反驳自然发生学说,也否定动物从简单到复杂这个传统排列系统的真实性。他坚持单一的“理想型式”可以适用于所有动物,因而设计一个综合的分类法,把社会行为作为重要的标准,但把人类置于其他动物之外,因为人有智力。最重要的著作包括《埃及、利比亚、努比亚和栋古拉游记》(1828)和《纤毛虫是完全生物》(1838)。

Ehrenburg, Ilya Grigoryevich 爱伦堡(1891-01-15[新历01-27],俄罗斯帝国乌克兰基辅～1967-08-31,莫斯科) 苏联多产作家和新闻工作者,苏联对西方的最有影响的代言人之一。出身于中产阶级犹太人家庭。青年时加入革命活动,十几岁就曾被捕,后流亡巴黎。1910年开始发表诗作。第一次世界大战中曾任战地记者,1917年返回俄国。内战期间他在乌克兰,十月革命后对布尔什维克态度动摇不定,1921年起先后旅居法国、比利时和德国,1922年发表第一部长篇哲理讽刺小说《胡里奥·胡伦尼多及其门徒奇遇记》,该书被认为是他的最好作品。1924年态度转变,返苏参加文学活动,不久作为几家苏联报纸的驻外编辑被派往欧洲。1941年回到苏联,出版攻击西方的《巴黎的陷落》一书,获1942年度斯大林奖金。此外还发表过诗作、短篇小说、散文、旅行见闻和回忆录。后拥护苏维埃制度,使作品适应苏联文学的需要,得免于政治清洗。1946～1947年因《暴风雨》一书第2次获斯大林奖金。1951～1952年发表另一部重要长篇小说《九级浪》。斯大林去世后不久,他发表长篇小说《解冻》(1954),引起苏联报刊的激烈争论。后“解冻”即成为描写该阶段苏联文学特征的专用词。以后致力于促进新的不同写作倾向。在自传《人、岁月、生活》中,他涉及许多一般不被看作苏联作家正式材料的问题和人物(如西方艺术和在20世纪30年代清洗运动中死去的作家)。1963年“解冻”开始逆转,他因此受到官方的非难。但他直到去世仍得以保留他在苏联文学界的突出地位。

Ehrenfels, Christian, Freiherr von 埃伦费尔斯(1859-06-20,奥地利罗道恩～1932-09-08,利希特瑙) 奥地利哲学家。因将形象一词引入心理学,并对价值理论作出贡献而知名。在维也纳大学读书时曾受德国思想家F.布伦坦诺和奥地利哲学家A.迈农影响。1888年在维也纳教书。1896年移居布拉格,在该地德国大学任定员外教授,后转为正式教授(1900～1929)。1890年在《科学的哲学季刊》发表《论形象性》一文,系形象心理学起点。他用形象一词表示复合材料,这种材料需要比直接感性经验更多的东西,以便被认识。例如,对于声音的一种直接的感性经验并不足以把优美的曲调传达给听者。追忆和某些其他成分对于领会也是需要的。所有成分加到一起,构成一个形象,或称完整的结构。他把同样的原则推广应用于逻辑学和数论。他的《价值理论体系》(2卷,1897～1898)是一部开山之作,他从心理学的角度把价值概念说成是欲望的功能,人们对各种不同事物之评价成为其社会伦理和个人伦理之基础。其他著作包括戏剧、合唱剧、关于作曲家R.瓦格纳的两个小册子(1896和1913),《伦理学基础》(1907)、《性伦理学》(1907)、《宇宙进化论》(1916)、《未来的宗教》(1929)等。

Ehrlich, Eugen 埃利希(1862-09-14,奥地利帝国切尔诺维茨[今乌克兰切尔诺夫策]～1922-05-02奥地利维也纳) 通常被誉为创立法律社会学学科的法学家和教师。曾在维也纳大学学习和教授法律,1899～1914年任切尔诺维茨大学罗马法副教授。青年时代他从犹太教皈依天主教,但是在晚年他对犹太人的问题付出了很多精力。第一次世界大战后的排犹主义使他无法执教。他的法律社会学部分地建立在德国H.坎托罗维奇提出的自由法或正义感概念的基础上。埃利希承认两个补充的来源:①法制史和判例(即看来可以应用的先例及其书面说明);②现行社会习惯中存在的“活的法律”。因为第二个组成部分更新颖,所以读者倾向于忽略第一部分,而且有些人错认为他完全不考虑正式的法律。他的主要著作为《法律社会学的基本原理》(1913)。

Ehrlich, Paul 埃尔利希(1854-03-14,普鲁士西里西亚施特雷伦[今波兰斯切林]～1915-08-20,德国赫厄前面的巴特洪堡) 德国医学家,血液学、免疫学奠基人之一。开创了化学疗法,最早促进科学研究与工业生产的合作。1908年因免疫学方面的贡献而获诺贝尔生理学或医学奖。在莱比锡大学学习时即能独立进行研究,毕业后在柏林慈善医院进行研究,发明了结核杆菌的染色方法;发现亚甲蓝能治疗神经病;发现伤寒患者尿中的一种特异性化学反应;试验过多种解热药;研究过眼病的治疗;发现不同的组织中氧消耗量不同。1889年到科赫的传染病研究所工作,从事免疫学研究,提出侧链理论(每个

保罗·埃尔利希学院供图

细胞除有蛋白质中心外,还有许多侧链——受体,可吸收、同化营养物质及某些毒物;细菌毒素分子的结合簇与侧链结合时才能引起损害;受染机体产生大量侧链,能起保护作用)。又建立了精确的免疫定量型式,发明了测定抗血清效力的方法。1899 年任美因河畔法兰克福的皇家实验治疗研究所所长。后发现血清对有些疾病如原虫病无效,便致力于化学治疗研究。1910 年在秦佐八郎协助下发明抗梅毒药六〇六(胂凡纳明),对梅毒、雅司疗效甚佳。与他合作的厂商免费为世界各地梅毒患者提供 65 000 单位药品,引起嫉妒者的攻击,他被迫提出控告而胜诉。埃尔利希逝世后《泰晤士报》评论说,他打开了一扇通向未知世界的大门,全世界都受他的恩惠。

Ehrlich, Paul R(alph)　埃尔利希(1932-05-29,美国宾夕法尼亚费城～　)　美国生物学家和教育家。1990 年同生物学家 E.O.威尔逊共获瑞典的克拉福德奖(1980 年建立的奖金,由瑞典皇家科学院颁发,主要支持诺贝尔奖没有包括在内的科学领域)。埃利希受到启发因而立志学生态学还是在他高中年代,他读了 W.沃格特的《生存之路》(1948),书中讨论了人口迅速增长和粮食生产等问题,作者是这方面研究的先驱。他毕业于宾夕法尼亚大学(文学士,1953),在堪萨斯大学先后取得硕士和博士学位(1955、1957)。他曾担任几个研究职位,最后于 1959 年在斯坦福大学任教,1966 年成为正教授,1976 年起任宾格讲座人口研究教授。虽然他的研究工作主要在昆虫学方面,但他最关心的却是未得控制的人口增长。他关心的是:人类应该把地球看作是一个只携带了有限资源的空间飞船和负担过重的生命支持系统;如果不这样看,"人类就会忘乎所以地繁殖下去"。他把自己许多文章和讲演中的思想集中写在《人口炸弹》(1968)一书中,就此问题他还写了数百篇论文。

Ehrlichman, John D(aniel)　埃利希曼(1925-03-20,美国华盛顿塔科马～ 1999-02-14,乔治亚亚特兰大)　尼克松政府的总统国内事务助理,因参与水门事件而出名。在华盛顿州和加利福尼亚州长大,1943 年应征入陆军航空队,1945 年退役时为中尉。1948 年毕业于加利福尼亚大学洛杉矶分校,1951 年获斯坦福大学法学学位,在西雅图与人合办法律事务所。1969 年任总统国内事务助理。埃利希曼和 H.R.霍尔德曼一起组成了所谓"宫廷禁卫队",把尼克松同公众和其他政府成员隔绝起来。两人以总统名义行使权力,并且收集各种情报。尼克松当政初期,埃利希曼建立"防止泄密"小组,收集政治情报,并对"情报泄露"采取补救措施。小组人员为了取得对把"国防部文件"提供给《纽约时报》的人不利的材料,曾在夜间闯入 D.埃尔斯伯格精神病医生的办公室。1972 年 6 月 17 日,5 名小组人员在水门大厦民主党全国委员会总部被捕。埃利希曼最初主张承认白宫参予这次丑闻,但后来积极进行掩饰活动。阴谋暴露后,他于 1973 年 4 月辞去政府职务。1974 年他在法庭受审,被指控进行阴谋活动、提供伪证和阻碍司法工作。他被判 2 年半至 5 年徒刑,但服刑 18 个月后即于 1978 年 4 月获释。写有《同伙》(1976)、《全部真相》(1979)和《权力的见证:尼克松年代》(1982)等书。

Ehud　以笏　又拼 Aod。《圣经·旧约》人物,以色列英雄(《士师记》3:12 ～ 4:1)。他将以色列人从摩押的 18 年压迫下解救出来。以笏是惯用左手的人,他愚弄摩押国王伊矶伦并将他杀死。然后他率领以法莲支派士兵夺取约旦河渡口,杀死约 1 万摩押士兵,其后以色列人享受约 80 年的和平。

E.I.du Pont de Nemours & Company　参阅 **Du Pont Company 杜邦公司**。

EIA (animal disease)　参阅 **equine infectious anemia 马传染性贫血**。

Eibar　埃瓦尔　西班牙北部巴斯克自治区吉普斯夸省城市。位于毕尔巴鄂—圣塞瓦斯蒂安铁路线上的毕尔巴鄂以东。1346 年设市。从 16 世纪起,武器制造即为主要行业。现也生产缝纫机、汽车零件和手术器械。人口 29 700(1998)。

Eichelberger, Robert L(awrence)　艾克尔伯格(1886-03-09,美国俄亥俄厄巴纳～1961-09-26,北卡罗来纳阿什维尔)　美国陆军将领,第二次世界大战期间收复太平洋上

美国陆军部供图

具有战略意义的日占岛屿,从而有助于结束远东的战争。1909 年毕业于西点军校。1918 ～ 1920 年参加美国驻西伯利亚远征军。1940 ～1942 年任西点军校总监。1944 年任美国第 8 军团司令。1945 年发动菲律宾战役,以肃清在棉兰老等据点进行顽抗的日军。日本投降后,他立即在厚木机场着陆,开始盟国对日本的占领。1948 年退役,1950 年出版回忆录《我们走向东京的荆棘道路》。

Eichendorff, Joseph, Freiherr von　艾兴多夫(1788-03-10,普鲁士拉蒂博尔附近～1857-11-26,尼斯)　德国诗人和小说家,被公认为德国伟大浪漫主义抒情诗人之一。生于西里西亚一个贵族家庭。1807 年在海德堡大学研习法律,在那里发表第一首诗,并与浪漫派团体接触;后去柏林继续学习,结识了德国浪漫主义民族运动领导人。1813 年普鲁士解放战争爆发后,报名参加吕措自由军团抗击拿破仑。在中篇小说《迪兰德城堡》(1837)和叙事诗《罗伯特与吉斯卡尔》(1855)中描写了法国大革命。拿破仑战争造成艾兴多夫家族的衰落和卢博维茨城堡的损失,这是他诗歌中充满乡愁的根源。在战争年代,他写了两部最重要的散文作品:浪漫主义长篇小说《预感和现实》(1819)和童话《大理石雕像短篇小说集》(1819)。战后在普鲁士政府部门供职,1831 年后在柏林供职。他这一时期的诗(《诗集》,1837),特别是表达对大自然的特殊感受的诗篇,不仅成为极受欢迎的民歌,而且吸引了诸如舒曼、门德尔松和施特劳斯这样的作曲家。1826 年发表了最重要的散文作品《一个无用人的生涯》,此书将梦一般的情调与现实描写结合起来,被普遍认为是浪漫派小说的杰作。1844 年退休后专心写作,著有《德国文学史》并翻译西班牙作家的作品。

Eichhorn, Johann Gottfried　艾希霍恩(1752-10-16,符腾堡多伦齐梅尔恩～ 1827-06-27,汉诺威格丁根)　《圣经》学者和东方学家。曾将有关《圣经》的著作同其他闪米特语著作进行科学比较而有所评述。《旧约》律法书在传统上被认为是摩西所撰,但艾希霍恩首先发现,它们具有不同的文献和文化来源。他还提出,《新约》中的《提摩太书》和《提多书》无法确证是保罗所写,《彼得后书》或许为伪造,而 4 部福音书都是根据一部阿拉米文材料写成的。他的主要著作包括:《旧约全书史实述评》(3 卷,1780 ～ 1783)和《新约全书史实述评》(5 卷,1804 ～ 1812)。尽管这些著作的内容还不完全精确,但它们毕竟对《圣经》文献的研究和评论有所促进。

Eichler, August Wilhelm　艾希勒(1839-04-22,德国黑森诺伊基兴～1887-03-02,柏林)　德国植物学家。他提出的植物自然分类系统是早期广泛应用的系统之一。他曾在马尔堡大学攻读数学和自然科学(1861 年获博士学位),后去慕尼黑,成为博物学家 K.F.P.冯·马齐乌斯的私人助手,并同他一起编写了《巴西植物志》(15 卷)。第一卷于 1861 年出版,1868 年马齐乌斯去世后,他单独撰写了 46 章(全书 100 章)。1865 年任慕尼黑大学讲师,6 年后任格拉茨的理工大学植物学教授。1872 ～1878 年到基尔大学任职。1878 年任柏林大学植物标本室主任,同年发表《花卉图示》一书的第二卷,即最后一卷(第一卷发表于 1875 年),这是他对花的比较结构研究的重大贡献。他于 1886 年建立的植物分类系统在全世界赢得了广泛承认。他把植物界分为四个门:菌藻植物、苔藓植物、蕨类植物及种子植物。种子植物又分两纲:被子植物和裸子植物。他的分类系统在经过修订后更有实用价值。

Eichmann, (Karl) Adolf　艾希曼(1906-03-19,德国索林根～1962-05-31,以色列特拉维

夫） 德国战犯，因在第二次世界大战期间参与纳粹灭绝犹太人的活动，被以色列国绞死。第一次世界大战期间，艾希曼随全家从德国移居奥地利林茨，1932年4月参加该地当时秘密的纳粹党，同年11月成为希姆莱党卫军冲锋队队员。1933年离开林茨，加入巴伐利亚莱希费尔德“奥地利军团”恐怖主义行列。1934年1～10月参加驻达豪的党卫军，接着在党卫军保安处柏林总部主管犹太人事务的部门任职。在党卫军统治集团中稳步上升，1938年3月德国吞并奥地利后，被派往维也纳，执行消灭这个城市的犹太人的使命。一年后，带着同样的使命被派往布拉格。1939年希姆莱成立德国中央保安局，被调至柏林该局犹太处工作。1942年1月，纳粹高级官员会议在柏林附近的万塞举行，为实施犹太人问题的“最后解决办法”制订必要的时间表和作出后勤安排。艾希曼负责协调这些安排，因此，虽然“最后解决办法”即大规模处死犹太人这个事实鲜为人知，但实际上艾希曼已被任命为主要的行刑人。他随即组织对全欧洲被占领地区的犹太人进行鉴定、集中和运送的工作，把他们运送至最后的目的地奥斯威辛和其他死亡集中营。战后，艾希曼被美军俘获，但于1946年从俘虏营逃走。他在中东进、出、躲避数年之后，于1958年在阿根廷定居。1960年5月11日在布宜诺斯艾利斯附近被以色列特工人员逮捕。9天后，他被偷偷地运出阿根廷，送至以色列。在由于以色列违反阿根廷法律而引起的争执获得解决之后，以色列政府在耶路撒冷组成3位法官的特别法庭对他进行审讯。审讯从1961年4月11日起至12月15日止，艾希曼被判处绞刑。

Eichrodt, Walther 艾希罗特（1890-08-01，德国盖恩斯巴赫～1978-05-20，瑞士巴塞尔） 德国学者，提出研究《圣经》必须了解《旧约》的神学。他的主要著作《旧约全书的神学》(2卷，1933～1935；第4版于1957年问世)，标志着《旧约》研究的新纪元。此书有系统地论述上帝与他的选民、与世界和与全人类所立之约的三个方面。

Eichstätt 艾希施泰特 德国南部拜恩州城市。濒临阿尔特米尔河，位于纽伦堡以南。原为罗马人住地。741年圣卜尼法斯在此建主教区后发展起来。908年设建制。著名教堂有圣威利巴尔德大教堂（1060）、前本笃会隐修院教堂（870）和嘉布遣会教堂（1189）。其他古建筑有15世纪市政厅等。为铁路枢纽和兴旺的贸易中心，工业甚少。人口约12 118(1989)。

eider 绒鸭 雁形目鸭科秋沙鸭族（或单独成为绒鸭族）数种大型海鸟中的任一种。体大而圆，喙有隆起。是鸭绒的来源。鸭绒是雌鸟离巢时从胸部拔下的绒羽，用以垫巢盖卵。鸭绒可作外套、枕头、被褥、睡袋的保暖充填物。在冰岛，绒鸭受到严格保护，每35～40个巢可收集到1磅绒羽，而不影响其繁殖周期。雌体斑驳呈深褐色，但4个种的雄体色型各异，头上均有独特的绿色色调。

绒鸭（*Somateria spectabilis*）
美国不列颠百科全书公司供图

普通绒鸭（欧绒鸭，*Somateria mollissima*）有4或5个亚种，主要区别在于嘴的长度和颜色，雄体的上体主要为白色，头顶、腹和尾黑色。像其他绒鸭一样，该种原产于远北地区。繁殖于结冰的海岸，南到荷兰和圣劳伦斯海湾；在南至法国、新英格兰和阿留申群岛的海域越冬。

Eider Program 《艾德纲领》（1848～1864） 丹麦民族自由党政府在石勒苏益格-荷尔斯泰因危机期间所推行的内外政策的基本纲领。纲领要求将石勒苏益格并入丹麦，但因德国于1864年占领了这两个公爵领地而失效。石勒苏益格很早就与荷尔斯泰因一起归属丹麦，1849年丹麦宪法明文规定它是丹麦的一部分。后来，石勒苏益格-荷尔斯泰因的叛乱分子发动战争，普鲁士人乘机进行武装干涉。1850年战争结束后签订一项国际协议，规定石勒苏益格虽然仍归丹麦国王管辖，但在宪法上不列为丹麦领地。不久民族自由党政府下台，《艾德纲领》也成了一纸空文。这两个公爵领地引起的国际紧张持续下去，1857年民族自由党重新执政。1863年普鲁士集中一切力量解决波兰叛乱的问题，丹麦认为这是兼并石勒苏益格的有利时机。但是1864年的丹德战争，丹麦败北，终于丧失石勒苏益格。参阅 **Schleswig-Holstein**。

Eider River 艾德河 在德国北部石勒苏益格-荷尔斯泰因州的河流。源出基尔以南的丘陵地区，北流经韦斯滕湖到达基尔附近，向西折，蜿蜒流过半岛低地，注入北海，全长188千米。河口形成一长段浅水港湾，滕宁城即当其处。伦茨堡以下通航，下游两侧筑有河堤，防止河水向沼泽地带泛滥。自从法兰克国王查理曼在位时（768～814）起，艾德河号称罗马帝国疆域的极限；1027年，神圣罗马帝国皇帝康拉德二世正式承认它是帝国边界。艾德运河（1777～1784年建）使艾德河在伦茨堡上游可通航，并使艾德河在霍尔特瑙与基尔湾相连。该运河上设有水闸达六道之多，但由于它是连接北海与波罗的海的唯一水道，航运甚为繁忙。1887～1895年该运河改为凯撒-威廉运河，后又改称北海-波罗的海运河或基尔运河。

eidetic image 遗觉像 一种异常生动的主观视觉现象。遗觉型的人不仅能想象一个不存在的物体，而且其行为也像确实看到它一样。一个具体的物体，不论是刚刚消失或从视线移开，还是移开数分钟、数日甚至数年之后，都可以被逼真地回忆起来。自发出现遗觉像的现象，也曾有所报道。在某些实例中，遗觉像与它们所代表的物体在颜色、形状、大小、空间位置、细节的详尽程度等等特征方面均有所不同；而在另一些实例中，物体又可像摄影一样精确而逼真地重现。人们相信，不但在视觉方面，在其他感觉方面也有相当于遗觉像的现象。在遗觉像的本质、起因和意义方面尚没有研究出甚么结果。

eidetic reduction 型式还原法 现象学中的一种方法。哲学家用这种方法从对个体的和具体的对象的意识移向纯粹本质的先验境界，因而获得对一件事物的型式的一种直觉。这型式是事物的不变的和本质的构造，而不是事物中的一切偶然的或意外的东西。所以，型式就是事物的原则或必要的结构。作为一门本质科学，现象学发现这种还原法对于它的方法论具有重大作用。型式还原法既非归纳法，也不是抽象法；另外，它也与经验主义的概括方法有别。

Eiermann, Egon 艾尔曼（1904-09-29，柏林附近诺因多夫～1970-07-20，西德巴登-巴登） 第二次世界大战后德国最杰出的建筑师之一。他的设计种类繁多，以比例优美、细部精致、结构明晰见称。艾尔曼曾就读于柏林工科大学，从著名建筑师H.珀尔齐格学习。1930年在柏林开业，1947年在卡尔斯鲁厄设事务所，并在那里的大学任教。他设计了不少功能主义建筑的重要作品，其中包括布伦贝格纺织厂（1951）、布鲁塞尔世界博览会西德馆（1958）、华盛顿西德大使馆（1958～1964）等。最著名的作品是柏林的威廉皇帝纪念教堂（1956～1963）。该教堂原是一座19世纪后期建造的中世纪复兴式建筑，第二次世界大战中被炸毁，仅存钟楼。他巧妙地将这废墟改建为一座非常简洁的现代教堂，成为战后柏林的一个标志。

Eifel 艾费尔丘陵 德国西部的高原区。位于莱茵河、摩泽尔河和卢森堡、比利时边界之间。全境分为三部分：①施奈弗尔地区，靠近比利时边界，多灌木丛和森林，仅在较肥沃土壤上有耕作；②霍赫艾弗尔地区，被沟谷切割，有阿尔河流经，上阿赫特峰（747米）为高原最高点；③福尔艾弗尔地区，向南倾斜至摩泽尔河，地势平缓，被摩泽尔河支流切割。比特堡和科隆之间高原区有古代居民遗迹。中世纪曾开采铁、铅、锌矿。现人口稀少，以10年休闲期轮种黑麦、马铃薯和燕麦。

Eifelian Stage 艾费尔阶 艾费尔期（3.87亿年前至3.80亿年前）全世界范围内沉积的

所有岩层。艾费尔阶的顶由其上覆的吉维阶之底来确定。这两个次级地层单元共同组成中泥盆统。这个阶名来源于德国西部靠近卢森堡和比利时的艾费尔丘陵。正如1985年在国际地层委员会赞许下所正式决定的那样,这个阶界线的全球性层型剖面和层型点(GSSP)建立在顺勒肯-维特多尔夫镇附近穿越牧场的槽沟剖面上。这个槽沟揭露出海斯多尔夫组上部的粉砂岩和泥岩,以及劳赫组上覆地层的交互成层的石灰岩和泥岩。界线点位于劳赫组之底以下1.9米处,这个点是由牙形类 *Polygnathus costatus partitus* 的首次出现来确定的。这个牙形类的种是文献上载明的牙形类系统发生谱系上的第二个亚种,它的祖先亚种是 *P. costatus patulus*,它的后裔种是 *P. costatus costatus*。这个中间种在摩洛哥、西班牙、德国、奥地利、捷克共和国、中亚细亚、中国、马来西亚、澳大利亚、内华达、阿拉斯加和加拿大北极群岛的艾费尔阶地层中都有发现。含有 *Polygnathus* 生物相典型的牙形类的拟层型层序建立在捷克共和国巴兰德地区特列波托夫石灰岩之中。

Eiffel, (Alexandre-) Gustave 埃菲尔(1832-12-15,法国第戎～1923-12-28,巴黎) 法国土木工程师,因建筑巴黎的埃菲尔铁塔而闻名。1855年从中央工艺和制造学院毕业后,专门致力于金属结构建筑,尤其是桥梁。1858年起,他负责建设波尔多铁桥和其他几座桥梁,并为1867年的巴黎博览会设计了高大的拱式机器展览馆。1877年他在葡萄牙杜罗河上建造了一座跨度为160米的钢拱桥。以后在法国南部特吕耶尔河上建筑了跨度为162米、高出水面120米的钢拱桥,多年来它是世界上最高的桥。他是首先用气压沉箱造桥的工程师之一,又设计了尼斯天文台的活动圆顶和纽约港自由女神像的骨架。他建造的埃菲尔铁塔(1887～1889)震惊了全世界,人们称他为"用铁创造了奇迹的人"。为了建筑铁塔他还研究了空气动力学问题,并用这座塔做了多次试验。他在巴黎郊外建设了第一座空气动力实验室,第一次世界大战期间,他一直在该实验室工作。1921年他把实验室赠给国家。

Eiffel Tower 埃菲尔铁塔 法语作Tour Eiffel。巴黎的一个突出标志,建筑构造史上的技术杰作。1889年法国政府在筹备法国革命100周年博览会时举办了纪念建筑的设计竞赛,征得百余方案,其中土木工程师G.埃菲尔设计的300米高露空格构铁塔方案中选。这座前所未有的离奇建筑,引起了惊奇、怀疑和从美学角度上的不少反对。它比罗马圣彼得大教堂的穹顶或埃及的吉萨金字塔高一倍,但与这些古老的纪念建筑相比,费用极少,人工很省,时间只用几个月。设计方案利用了关于金属拱和桁架在受力(包括风力)情况下发生变化的先进知识,预示了土木工程和建筑设计的一次革命。尽管长期受到反对,但终于在美学上得到承认。出于工程和美观上的考虑,塔的底部为四个半圆形拱,因而要求电梯沿曲线上升。玻璃外壳的电梯由

巴黎埃菲尔铁塔
美国不列颠百科全书公司供图

美国奥蒂斯电梯公司设计,为该建筑特点之一,并有助于使它成为世界上首屈一指的游览点之一。在1930年纽约市的克莱斯勒大厦建成以前,该塔为世界最高建筑。

Eigen, Manfred 艾根(1927-05-09,德国波鸿～　) 德国物理学家,因对极快速反应的研究而与R.G.W.诺里什和G.波特共获1967年诺贝尔化学奖。曾在格丁根大学学习物理和化学,1951年获博士学位。同年在该校物理化学研究所当助理员。1953年成为格丁根的马克斯·普朗克物理化学研究所成员,1964年任主任,后为所长。他使用所谓松弛技术的各种方法,包括使能量突然转入溶液的方法,研究平衡态的很多快速反应,在研究专题中有一个是通过水的离解、扩散控制的质子反应、酮-烯醇的互变异构动力学来研究氢离子形成的速率。

eigenvalue 本征值 方程 $P\psi = K\psi$ 中参量 K 的一组分立值中的一个,其中 P 为线性算符(即施行线性运算的符号)。这种方程存在满足给定边界条件的解。ψ 表示相应于该本征值的本征函数。本征值的总和构成一个集。在量子力学中 P 常常是哈密顿算符或能量算符,本征值则是能量值。但也有用其他动力学变量(如总角动量)作算符的。对固有动力学变量的实验测量可得出本征值。

Eight, The 八人画派 美国画家团体。仅于1908年在纽约举行过一次集体画展,即一举取得20世纪美国绘画主要流派之一的地位。八人画派最早的成员有R.亨利(该画派领袖)、E.希恩、J.斯隆、A.B.戴维斯、E.劳森、M.普伦德加斯特、G.卢克斯和W.J.格拉肯斯。后来又有G.贝洛斯加入。他们对于美国艺术的贡献,并非在于具有同一风格,而在于把艺术与生活更为密切地结合起来的决心。八人画派在反对学院派、反对从属于欧洲的美学传统的同时,在纽约市近郊建

J.斯隆绘《星期日正在晾发的妇女》(1912)
美国不列颠百科全书公司供图

立了他们自己的艺术家协会,并开始创造一种本土的美国绘画。卢克斯、斯隆、格拉肯斯和希恩担任报纸插图画家兼插图-漫画家。纽约丰富多彩的生活成了他们艺术的题材,也成了其他四人的艺术题材。后者的作品体现了城市生活非理想化的一面——沙龙,经济公寓,简陋的娱乐厅,还有贫民窟。八人画派大多数成员都以粗犷的写实风格,在深色背景上用闪烁的笔触绘画。联合画展之后不过几年,八位画家就并入了较大规模的垃圾箱画派。垃圾箱画派的原则和宗旨与八人画派大致相仿,该派为发展20世纪美国绘画中生气勃勃而又有本国色彩的趋势铺平了道路。

eight ball 八号球 美国落袋式台球游戏。用一个白色主球、15个按顺序编号的"的球"进行。1～7号球为单色,9～15号球上绕有白环,8号球为黑色。开局时将球摆成金字塔形,8号球置于中央。一方击1～7号球,另一方击9～15号球。当一方将规定的球数全部击入袋后,再击进8号球为胜。如一方还没有将他的球击入袋内而先将8号球击入袋内,或将8号球击入非指定袋内均为负。

Eight Eccentrics of Yangzhou 扬州八怪 中国清代中期活动于扬州地区一批风格相近的书画家总称,或称扬州画派。由于这些画家或为失意的官吏,或为不得志的文人,借助于书画抒写自己心中的愤懑,他们风格潇洒,不拘于成法,有异于当时被认为是"正宗"的"四王"山水和"恽派"的花鸟,因而被目之为"偏师"和"怪"。李玉棻《瓯钵罗室书画过目考》认为属于"八怪"的画家有汪士慎、李鱓(1682～?)、金农(1687～1764)、黄慎(1687～?)、高翔、郑燮(号板桥,1693～1765)、李方膺(1695～1755)、罗聘(1733～1799)。其他诸书记载不一。今人多采用李玉棻之说。扬州八怪的画家多擅长水墨写意花鸟,也画山水和人物肖像等。上承明代的陈淳和徐渭,近接清初的朱耷和石涛,尤其受石涛的思想和画风影响最大。笔墨豪爽奔放,主张自立门户,重视风格创新,并且将诗、书、画相结合,创造出完整的艺术意

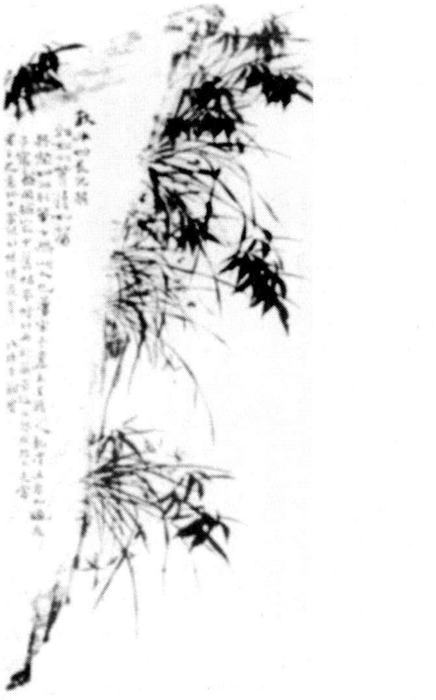

郑燮（板桥）绘《兰竹》
中国大百科全书出版社供图

境，在发展中国传统的水墨写意画方面作出了突出的贡献，直接开创了中国近代写意画风。

Eight Immortals（Chinese mythology） 参阅 **Ba Xian** 八仙。

Eight Masters of Nanking（artists） 参阅 **Jinling Bajia** 金陵八家。

Eight-Power Allied Forces 八国联军 参阅 **1901, Peace Treaty of**《辛丑条约》。

Eight Saints, War of the 八圣王战争（1375～1378） 教皇格列高利十一世与以佛罗伦萨为首的意大利联合势力之间的冲突，其结果是教廷由阿维尼翁迁回罗马。1375年，由于教皇在意大利的代表胡作非为，佛罗伦萨在各教皇国鼓动广大人民起来造反。教皇采取报复手段，1376年3月，将佛罗伦萨人驱逐出教。佛罗伦萨的八人作战会议（俗称八圣王）继续反抗教皇。1377年格列高利十一世派日内瓦枢机主教罗伯特率兵讨伐叛乱地区，他本人也回意大利保卫罗马的所有权。这样就结束了教廷在法国阿维尼翁70年的留驻。1378年7月在蒂沃利签订和约，战争始告结束。

1801, Concordat of 《1801年教务专约》 拿破仑和教皇以及教士代表于1801年7月15日在罗马和巴黎两地达成的协议。确定了天主教会在法国的地位，以结束法国大革命期间由于进行教会改革和采取没收行动而引起的不和。1802年复活节被正式公布。在协议中，第一执政（拿破仑）被授予任命主教之权；主教区和教区重新划分；允许建立神学院。教皇（庇护七世）谴责占有教会财产的行动；作为补偿，政府允诺给主教、神父以适当的工资。此外，政府把具有限制教皇权力倾向的单方面规定增加进去，这些规定称为"组织条款"。专约被法国教会奉为守则达100年。1905年，根据分离法，政教分离，它被法国政府废除。

1812, War of 1812年战争（1812-06-18～1814-12-24） 英国和美国之间的一场不分胜负的战争，因美国在拿破仑战争中不堪忍受英国在海上的凌辱行为而引起。1793～1815年英法交战，英国自恃其雄，不顾中立国权益，封锁所有法国港口，强求中立国船只向英国纳税，且在公海上拦截美轮，强迫美国海员服役，又无视美国要求解除封锁的呼吁。美国总统J.麦迪逊遂于1812年6月18日签署对英宣战文告。交战中，双方势均力敌，互有胜负。美军入侵加拿大的计划终未实现。在争夺伊利、安大略、尚普兰诸湖控制权的海战中，美舰所得有限，虽然夺回底特律城，但至1814年夏英军仍有效控制密歇根湖通道，且占领密西西比河北段。美军曾攻占约克（多伦多），英军则袭取华盛顿。美舰虽骚扰牵制英国贸易，但未能破坏英国的海上控制权及其对美国海岸的封锁。1814年12月24日，厌战的双方在比利时签署《根特条约》，恢复战前态势。但是战争的结束防止了美国新英格兰地区因厌弃战争而酝酿的脱离联邦的运动。而且，美军在战争后期取得的胜利、欧战的结束以及摧毁印第安人的抵抗等因素更造成了犹如美国是胜利者的气氛。

1830, revolutions of 1830年革命 1830～1832年欧洲各地自由主义者和革命派对保守的国王和政府的反抗活动。革命运动从法国开始，导火线是查理十世于7月26日公布的3项法令：解散下议院；取消出版自由；修改选举法（使3/4的选民丧失选举权）。先是罢工、抗议，接着就是武装对抗。皇家军队无法制止暴动。3天的战斗（07-27～29）结束后，查理逃亡英国。中产阶级上层取得胜利，他们拥戴奥尔良公爵路易-菲力普登上王位，路易同意成为"法国人的国王"。"七月革命"后，议会议员由世袭改为任命；废除特别法庭；结束国王与教会的联盟；三色国旗取代了波旁王朝的白色国旗（参阅 **July Revolution**）。欧洲各地的自由主义者很受鼓舞，希望开展全面的解放战争，但多数都失望了。路易-菲力普不想打仗，同人们的希望相反，他也不支持波兰人起义反抗俄国沙皇。波兰起义遭到残酷镇压，其领土被帝俄吞并。意大利和德国的暴动同样没有成功。但比利时宣布脱离荷兰而独立，1831年被承认为一个单独的国家。希腊人为争取独立，与奥斯曼帝国作战数年，1832年欧洲各国承认希腊为独立的主权国家。

1848, Revolutions of 1848年革命 欧洲反对君主政体的一系列共和派的起义，始于西西里，波及法国、德国、意大利及奥地利帝国，后都以失败或遭到镇压而告终，由此引起开明派的普遍失望。1848年1月，革命运动首先在意大利的西西里岛掀起；在法国的2月24日革命以后，这一运动扩展到整个欧洲，只有俄国、西班牙和斯堪的纳维亚的几个国家除外。在大不列颠，革命运动仅表现为一次宪章派请愿活动和爱尔兰的一次共和派煽动闹事。在比利时、荷兰和丹麦，运动表现为对现行制度的和平改革；但在三大君主国中，民主起义分别在其首都巴黎、维也纳和柏林爆发，政府为"革命"所震慑，陷于软弱无力状态，不能自保。革命只在法国取得胜利，建立了第二共和国，确立了普选权，但是，民主共和派与民主和社会共和派之间的争吵终于酿成1848年6月的工人起义。在奥地利，新内阁应允颁布宪法，君主政权抵抗住了革命的风暴；在普鲁士，国王腓特烈·威廉四世利用这次运动去统一德意志，升起了象征统一的黑、红、金三色旗。日耳曼人的几国政府同意在柏林、维也纳和法兰克福分别召开立宪会议，为普鲁士、奥地利和德意志起草民主宪法。在意大利，革命最初仅采取反奥民族起义的形式，由撒丁国王领导，打着意大利的白、红、绿三色旗。1849年仅在罗马和托斯卡纳宣布成立共和国。在奥地利帝国内部，臣属维也纳政府的非日耳曼民族鼓吹建立民族政府，匈牙利本身实行了自治。这种动荡似乎表明欧洲疆土的一次重新分配。在法国，A.de拉马丁以临时政府名义宣布法兰西共和国不承认1815年各项条约，但对条约所规定的疆界划分，则表示接受，法兰西对欧洲各国的革命者并未给予支持。但是，革命的风暴尚未过去，复辟即已开始，它是由各国依然忠于自己政府的军队来完成的。1848年6月，L.-E.卡芬雅克在巴黎首先利用军队镇压起义者；6月17日，温狄什格瑞茨亲王阿弗里德在布拉格镇压捷克人；后来，奥地利军队在伦巴第和维也纳进行镇压；普鲁士军队于12月在柏林、1849年在萨克森和巴登进行镇压。罗马是在法国干涉下、匈牙利是在俄军协助下恢复秩序的。普鲁士国王在拒绝法兰克福议会推选他为皇帝之后，就设法与德意志诸邦君缔结联盟以求达到统一的目的。但奥地利和俄罗斯根据1850年的《奥尔米茨条约》迫使他放弃其统一计划。

以上各国反对1848年革命的直接结果是取消了在革命期间给与的自由民主或民族权利，如普选、新闻自由和集会自由。在德意志、奥地利和意大利重新建立了绝对君主政体；各国政府与那些对社会主义倡议惊恐万状的中产阶级及教士阶层勾结起来，加强了警察力量，摧残民众的报刊和团体，使政治生活如死水一潭。在法国，这种反对革命的势力于1851年12月2日发动反对议会的政变，拥护路易-拿破仑亲王，并于1852年恢复世袭的帝国，路易-拿破仑改称拿破仑三世。尽管如此，帝制复辟并不是圆满完成的，因为法国没有取消普选权；普鲁士于1850年1月颁布宪法，建立由选举产生的议会；撒丁仍然保持1848年3月的宪法；奥地利没有恢复领主的权利。

1850, Compromise of 《1850年妥协案》 美国国会为解决蓄奴问题和防止联邦解体而决定的一系列权宜措施。先是1849年12月3日加利福尼亚准州请求作为一个州加入联邦，并在州宪法中规定禁止蓄奴。国会讨论时，蓄奴和反蓄奴两派争执剧烈，终于通过批准加利福尼亚为自由州，建立新墨西哥和犹他两个准州而不作蓄奴或禁止蓄奴的规定等（参阅 **popular sovereignty**）。该妥协案作为一时的权宜之计虽然成功，但两派纷争的根源未除，不过使南方推迟 10 年宣告脱离联邦而已。

1898, Generation of 参阅 **'98, Generation of** 九八年一代。

eighteen schools 十八部派 佛教在佛陀死后 300 年间在印度分成的部派。最初的分裂发生在佛陀死后 100 年第二次结集大会上。当时阿阇梨部从上座部分离出来，组成大众部。此后 700 年间大众部又细分出许多支派，包括说出世部、一说部和鸡胤部。公元前 3 世纪，上座部内部又发生分裂，产生说一切有部和分别说部。上座部的其他著名支派还有正量部、犊子部、经量部、化地部、法藏部和以巴利文命名的上座部。

Eightfold Path 八正道 梵语作 Aṣṭāṅgika-Marga。乔答摩佛陀在印度鹿野苑第一次说法时宣布的教义。八正道又名中道，因为是在纵欲与苦行之间采取折衷。遵循八正道可以解脱痛苦，走向涅槃。八正道是：正见（信仰四谛），正思维（决意实行这种信仰），正语（不妄语、不诽谤、不恶语），正业（不杀生、不偷盗、不邪淫），正命（不从事违背佛教原则的职业），正精进（制止恶心、发扬善心），正念（知觉自己的身体、感情与思想）和正定（静坐沉思）。

Eightfold Way 八重法 将亚原子粒子中的强子按它们的对称性进行分群的方法，每一群的成员数为 1、8、10 或 27，而以 8 出现最多。这一体系是美国物理学家 M.盖耳曼和以色列物理学家 Y.奈曼于 1961 提出的。它以数学的对称群 SU(3) 为基础；因为数字 8 居于中心地位，所以就仿照佛教八正道给体系命名。八重法早期成就之一，是预言存在一个重亚原子粒子，以满足其中一个群的完整的需要。这个粒子称 Ω^-，是 1964 年发现的。同年盖耳曼提出夸克作为分类体系的物理基础，从而奠定了强子的现代夸克模型的基础。参阅 **quark**。

eighth cranial nerve 第八颅神经 参阅 **vestibulocochlear nerve** 前庭耳蜗神经。

Eighth Route Army 八路军 全称国民革命军第八路军。抗日战争时期中国共产党领导的主力军之一。1937 年 8 月中国共产党同国民党达成协议，将中国工农红军主力部队改编为国民革命军第八路军，9 月改称第十八集团军。总司令朱德，副总司令彭德怀，参谋长叶剑英，副参谋长左权，政治部主任任弼时，副主任邓小平。下辖第一一五师、第一二〇师、第一二九师及总留守处，全军 4.6 万人。8、9 月间八路军陆续由陕甘宁边区出征，东渡黄河，挺进山西抗日前线。与国民党军阎锡山部协同作战。9 月 25 日第一一五师于山西平型关附近首战告捷，歼灭日军坂垣师团一部 1 000 余人。这是中国军队在抗战开始后第一个大胜利。此后，八路军在华北敌后战场积极开展独立自主的游击战和有利条件下的运动战，多次取得胜利；同中国共产党华北各地方党组织一起发动和武装广大群众，先后创造了晋察冀、晋绥、晋冀豫、冀鲁豫和晋西南、山东等抗日民主根据地。1940 年八路军兵力发展到 40 万人，成为华北抗战主力。1941 ～ 1942 年由于日本侵略军采取军事、政治、经济、文化的"总力战"，实行"扫荡"、"蚕食"和烧光、杀光、抢光政策，加上国民党继续不断地进行反共摩擦，使八路军处于极端困难阶段，根据地面积缩小，部队减少到 30 万余人。为了渡过困难，八路军实行精兵简政，开展整风和大生产运动，将主力军地方化，广泛开展游击战，扭转了不利局面。1943 年进入恢复和发展阶段，1944 年展开局部反攻作战，至 1945 年 5 月共歼灭日、伪军 25 万人，将敌人压缩到主要交通线和大中城市。1945 年 8 月，八路军发起战略反攻，歼日、伪军 27 万余人，收复县城 200 余座。在 8 年抗日战争中，八路军共歼灭日、伪军 125 万余人，自己发展到 100 万余人，解放了华北和东北大片国土。解放战争时期，与中国共产党领导的新四军统一改编为中国人民解放军。

1937 年 8 月中共中央军事委员会召开主力红军改编为国民革命军第八路军的动员大会

中国大百科全书出版社供图

Eighty Mile Beach 八十英里滩 位于澳大利亚西澳大利亚州西北海岸。为大沙沙漠（**Great Sandy Desert**）和坎宁盆地（**Canning Basin**）濒印度洋的边缘地带。在克罗德伦角和博瑟特角之间呈弧状展开。全长约 140 千米。海潮落差达 9 米。原称九十英里滩，1946 年为避免与维多利亚省的同名海滩混淆改现称。从黑德兰港至布鲁姆建有与海滩平行的公路（大北方公路之一段）。

Eighty Years' War 八十年战争（1568 ～ 1648） 尼德兰各省为摆脱西班牙的统治而进行的独立战争。它导致尼德兰南部与北部分离和荷兰共和国的成立。第一阶段：奥兰治亲王威廉一世率领雇佣军于 1568 年和 1572 年对盘踞尼德兰各省的西班牙人发动两次进攻。同时荷兰非正规的"乞丐军"也从国外基地进行袭击。1573 年末，"乞丐军"已占领荷兰省和泽兰省，并作好迎战西班牙人的准备。1576 年其他各省也参加了起义，形成一个总同盟。1579 年，由于信奉天主教的瓦隆族各省的背叛，总同盟势力大减。到 1588 年，西班牙军已夺回南方低地国家，并准备消灭北方新生的荷兰共和国。但由于西班牙同时采取反对英国和法国的行动，荷兰共和国便乘机开始反攻。1609 年缔结《十二年休战协定》，保障了荷兰共和国边界的安宁。1621 年再次爆发战争。1625 年以后，荷兰人在奥兰治亲王腓特烈·亨利的统率下赢得重大的胜利。1635 年法荷缔结同盟，这导致法国占领瓦隆族各省，并且不断向佛兰德境内推进。荷兰共和国和西班牙都害怕法国势力日益增长，便在 1648 年单独签订和约。根据和约，西班牙终于承认荷兰共和国的独立。

Eijkman, Christiaan 艾克曼（1858-08-11，荷兰奈凯尔克～ 1930-11-05，乌得勒支） 荷兰医师、病理学家。证明脚气病由一种食物因素的缺乏而引起，这个论证导致营养缺乏性疾病概念的形成和维生素的发现，而他也因此与 F.霍普金斯共获 1929 年诺贝尔生理学或医学奖。他是科赫的学生，1886 年到荷属东印度研究亚洲普遍流行的脚气病。最初企图找出引起该病的细菌，但未成功。1890 年在他的实验用鸡群中爆发了多神经炎，表现与脚气病极为相似；1897 年他终于证明该病是由于用白米喂鸡而引起的，将丢弃的米糠放回饲料中就可以治愈。不久 G.格赖恩证明米糠含有一种营养因素，后加以分离并命名为维生素 B_1（硫胺）。

世界卫生组织供图